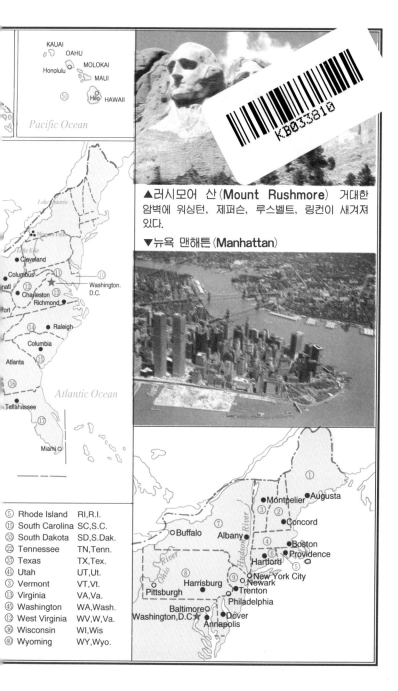

▲러시모어 산(**Mount Rushmore**) 거대한 암벽에 워싱턴, 제퍼슨, 루스벨트, 링컨이 새겨져 있다.

▼뉴욕 맨해튼(**Manhattan**)

⑤ Rhode Island   RI,R.I.
⑮ South Carolina   SC,S.C.
㉝ South Dakota   SD,S.Dak.
㉒ Tennessee   TN,Tenn.
㊲ Texas   TX,Tex.
㊹ Utah   UT,Ut.
③ Vermont   VT,Vt.
⑬ Virginia   VA,Va.
㊺ Washington   WA,Wash.
⑫ West Virginia   WV,W,Va.
㊱ Wisconsin   WI,Wis
㊵ Wyoming   WY,Wyo.

일 러 두 기

이 사전은 주로 중학생을 위하여 편찬한 사전이지만, 교과서 이외의 영어책을 읽는 데도 충분히 이용할 수 있도록 꾸몄다. 그 기본 방침과 특징을 열거하면 다음과 같다.

1. 교과서 중심 현행 중학교 영어 교과서에 나오는 단어, 숙어 및 「교육부 지정 기본 단어」를 조사하여 이들을 빠짐없이 실음은 물론, 기초 영어에 필요한 어휘를 최대한 수록하였다.

2. 미식 영어 중심 중학 영어 교과서가 미식 영어 중심으로 되어 있음에 비추어, 발음·풀이·어법·풍습의 설명 등을 모두 미국 식으로 하였다.

3. 표제어 표제어는 고딕체 활자로 나타내고, 분철은 중점 [·]으로 표시하여 하이픈[-]을 쓴 복합어와의 구별을 분명히 하였다.

  보기: **lea·der, first-class**

또 같은 철자라도 어원을 달리하는 말은 원칙적으로 독립된 표제어로 싣고, 오른편에 작은 숫자로 번호를 붙였다.

  보기: **tap¹, tap²**

4. 발음 발음은 [ ]안에 나타냈으며, 모음 위에 악센트 기호 [´]를 붙여 제 1악센트를, [`]를 붙여 제 2악센트를 표시하였다《발음 기호 읽는 법은 책 뒤의 부록「발음」참고》.

  보기: **or·der**[ɔ́ːrdər], **Phil·a·del·phi·a**[fìlədélfiə]

또 발음에 약형(弱形, weak form) 외에 강형(强形, strong form)이 있는 것과 발음상 주의할 점은 다음과 같이 표시하였다.

  보기: **the**[(자음 앞에서)ðə,(모음 앞에서)ði ; 강 ðiː]

5. 품사 품사는 다음 기호로 나타내었다《각 품사에 관하여는 책 뒤의 부록「문법」참고》.

명 ········· 명사		형 ········· 형용사
대 ········· 대명사		부 ········· 부사
동 ········· 동사		접 ········· 접속사
자 ········· 자동사		전 ········· 전치사
타 ········· 타동사		감 ········· 감탄사
자·타 ······ 자동사와 타동사		조 ········· 조동사
타·자 ······ 타동사와 자동사		접미 ······· 접미사
관 ········· 관사		접두 ······· 접두사

또 같은 말이 품사를 달리할 경우에는 표제어를 되풀이해 내세우지 않고 —— 명 과 같이 나타내었다.

  보기: **file** [fail] 명 복수 **files**[failz]
    (서류·신문 따위의) **철, 서류꽂이, 파일.**
    a newspaper *file* 신문철.
    —— 타·자 ··············

6. 어형 변화 명사·형용사·부사·동사의 변화형을 다음과 같이 나타내고 발음을 붙였다. 다만, 명사·형용사·부사의 경우에는 필요한 것만

MINJUNG'S
ESSENCE
JUNIOR
ENGLISH-KOREAN
DICTIONARY

엣센스
중학영한사전
[개정판]

민중서림 편집국 편

MINJUNGSEORIM

머 리 말

　말이란 본래 갓난아이 때부터 남의 말을 듣고 흉내내며 힘들이지 않고 자신도 모르게 배우게 된다. 이와 마찬가지로 우리말이 아닌 영어도 쉬운 말부터 한마디 한마디 배워 나가면 흥미를 갖고 쉽게 배울 수 있다. 교육부의 중학교 영어 교육의 방침도 과거의 문법과 문장 중심의 암기식 교육 방식에서 벗어나 영어 학습에 흥미와 관심을 갖고 쉬운 말과 글로 의사 소통을 할 수 있는 능력을 기르는 데 그 첫째 목표를 두고 있으며, 이에 따라 중학교 영어 교과서도 새롭게 만들어졌다.

　이에 발맞추어, 종전의 중학생을 위한 여러 가지 사전과는 달리 그 내용과 체제를 완전히 새롭게 하여 「엣센스 중학 영한 사전」을 펴내는 바, 다음과 같은 점에 특히 중점을 두었다.

1. 쉬운 영어──교육부 지정 중학교 기본 어휘를 중심으로 비교적 쉬운 기본 어휘를 엄선하여 다루고, 예문도 되도록 짧고 쉬운 것을 보였다.

2. 실용적인 영어──일상 회화에서 자주 쓰는 말, 영어 공부에 기초가 되는 말을 익힘으로써 간단한 의사 소통 능력을 기를 수 있도록 하였다.

3. 다양한 학습 자료──어느 나라 말이든지 낱말이 모여 말을 이루는 규칙(어법)이 있고, 관용적으로 쓰는 말(숙어)이 있으며, 또 그 말을 쓰는 사람들의 생활 습성이나 문화 같은 것을 모르면 이해할 수 없는 말이 있다. 이러한 점을 생각하여 이 사전에는 어법, 주의 사항, 참고 사항 등 여러 가지 자료를 필요한 곳마다 실었다. 이는 영어를 이해하며 배우는 데 도움이 될 뿐만 아니라 영어 공부에 흥미도 더해 줄 것으로 믿는다.

4. 참신한 그림과 사진──백 번 듣는 것보다 한 번 보는 것이 낫다는 말도 있듯이 하나의 그림이나 사진이 이해와 기억에 큰 도움이 될 때가 있다. 따라서 이 사전에는 그림과 사진을 필요한 곳에 보여 시각적인 효과를 높이게 하였다.

　요컨대 「엣센스 중학 영한 사전」은 여러분의 영어 공부에 가장 좋은 벗이 되게 하고자 최선을 다했다. 아무쪼록 이 사전을 잘 이용하여 장래 훌륭한 세계인으로서 우리 나라를 빛내는 한 사람 한 사람이 되어 주었으면 하는 바람이다.

1996년 1월

　이번 개정판에서는 제7차 중학교 영어과 교육과정 개정에 따른 새 영어 교과서에 사용된 어휘를 보완하고 필요에 따라 수정하였다.

2003년 1월

민중서림 편집국

을 보였다.

명사 ············· 복수 (복수)
형용사 · 부사 ···· 비교 (비교급)
                    최상 (최상급)
동사 ············· 3·단·현 (3인칭 · 단수 · 현재)
                    ing형 (-ing 형)
                    과거 (과거)
                    과분 (과거 분사)

보기: **lil·y** [líli] 명
        복수 **lilies** [líliz]

make [meik] 3·단·현 **makes** [meiks] : ing형 **making**
        [méikiŋ] : 과거 과분 **made** [meid]

7. 풀이 표제어의 풀이는 고딕체 활자로 나타내었다. 말 뜻이 하나 이상
일 때에는 뜻이 서로 비슷하면 콤마[,]로 구별하고, 뚜렷이 다르면 세
미콜론[;]으로 구별하였으며, 풀이가 복잡한 것은 ❶, ❷, ❸ ……으로
분류하였다. 다만, 초급자에게는 말 뜻이 여러 가지 있으면 알맞은 뜻
을 가려내기가 매우 어려우므로, 이 사전에서는 중학 필수어에 한해서
기본적인 말뜻은 붉은 색으로 인쇄하여 눈에 띄게 하였다.

보기: *law [lɔ:] 명
        복수 **laws** [lɔ:z]

    ❶ **법률; 규칙.**
    break [keep, obey] the *law* 법을 어기다 [지키다].
    Everybody is equal under the *law.*
    법 앞에서는 만인이 평등하다.
    That's against the *law.* 그것은 법률 위반이다.
    ❷ (과학상의) **법칙.**
    We learn the *laws* of nature in the science class.
    우리는 과학 시간에 자연의 법칙을 배운다.

또 ( )안에는 말뜻을 이해하는 데 도움이 되는 말과 생략할 수 있는
말을, [ ]안에는 앞에 있는 말과 대체되는 말을 넣었으며, 《 》안에는
뜻풀이를, 《 》안에는 문법 · 용법 따위를 보였다.

보기: **third** [θəːrd] 명 복수 **thirds** [θəːrdz]
    ❶ 《보통 the를 붙여》 **제 3, 3번째;** (달의)
    3 일; 3번째 사람 [것]. ▶ 3rd로 약함.

    rul·er [rúːlər] 명 복수 **rulers** [rúːlərz]
    ❶ **지배자, 통치자** 《특히 국왕 따위》.

8. 비슷한 말과 반대말과 상대되는 말 표제어의 비슷한 말은(=), 반대말
은(⇔), 상대되는 말은(⇨)로 나타내어 보였으며, 또 자세한 풀이가 나
와 있는 곳을 찾아볼 수 있도록 ☞표로 인도하였다. 반대말과 상대되
는 말의 경우에는 풀이를 해 두었다.

보기: **rare·ly** [réərli] 부
    드물게, 진귀하게, 좀처럼 …않다 (=seldom).

wise [waiz] 형 비교 **wiser**[wáizər] : 최상
wisest [wáizist]
현명한, 슬기로운, 총명한(⇔ foolish 어리석은).

sis·ter [sístər] 명 복수 **sisters**[sístərz]
누나, 누이동생, 자매(⇨ brother 형, 남동생).

shov·el [ʃʌ́vəl] 명 복수 **shovels**[ʃʌ́vəlz]
삽. ☞ spade

9. 용례 그 말의 쓰임을 보이기 위하여 간명한 용례, 특히 일상 생활에서 쓰는 것을 되도록 많이 실었다. 말 뜻만으로는 이해하기 어려울 경우에 용례로써 이해를 빨리 할 수가 있기 때문이다. 미국의 습관이나 풍속 따위의 용례가 풍부한 것도 이 사전이 갖는 특색의 하나이다.

보기: **most·ly** [móustli] 부
대개는, 대부분; 주로.
We are *mostly* out on Sunday.
우리는 일요일에는 대개 외출한다.
Greenland is *mostly* covered with ice and snow. 그린란드는 대부분 얼음과 눈으로 덮여 있다.

10. 숙어 숙어는 이탤릭고딕체 활자로 ABC순으로 배열하였으며, 그 용례를 보였다.

보기: **night** 항에서
at night 밤에.
Look at the sky *at night.* 밤에 하늘을 보아라.

11. 중요 어휘의 표시 총수록 어휘는 단어가 (약 6450개), 숙어가 (1154개)이다. 이 중 중학교를 졸업할 때까지 반드시 알아야 할 중요 단어와 숙어에는 다음과 같이 구분하여 원편에 ✳표와 *표를 붙였다《중학교 영어 교과서에서 사용되어야 할 교육부 지정 기본 어휘는 970개》.

✳중학 필수어(499개)
*중학 기본어(1346개), 중학 기본 숙어(210개)

12. 삽화 말뜻의 이해를 돕고 시각적인 효과를 높이기 위하여 필요한 곳에는 참신한 그림 또는 사진을 넣었다.

13. 영어 학습에 도움이 될 자료를 다음과 같이 분류하여 각각 별도의 난을 만들어 실었다.

발음 … 틀리기 쉬운 발음이나 악센트의 위치 등에 관한 사항.
어법 … 문법이나 말의 용법 등에 관한 사항.
회화 … 일상 회화에서 많이 쓰는 표현으로서, 그 쓰임새를 알아야 하고 유의해야 할 점이 있는 것.
비슷한 말 … 뜻은 비슷하나 그 의미나 용법상 미묘한 차이가 있는 말.
주의 … 발음이나 어법 등 각별히 주의해야 할 사항.
참고 … 우리와 다른 습관이나 상식적으로 알아야 할 것 등, 영어를 바르게 이해하는 데 필요한 여러 가지 사항.

또, 단편적이어서 난을 별도로 만들 필요가 없는 사항은 구별하지 않고 필요한 곳마다 ▶표 뒤에 보였다.

알 파 벳 표

발음기호	[éi]	[bí:]	[cí:]	[dí:]	[í:]	[éf]	[dʒí:]	[éitʃ]	[ái]	[dʒéi]	[kéi]	[él]	[ém]
활자체 대문자	A	B	C	D	E	F	G	H	I	J	K	L	M
활자체 소문자	a	b	c	d	e	f	g	h	i	j	k	l	m
블록체 대문자	A	B	C	D	E	F	G	H	I	J	K	L	M
블록체 소문자	a	b	c	d	e	f	g	h	i	j	k	l	m
필기체 대문자	𝒜	ℬ	𝒞	𝒟	ℰ	ℱ	𝒢	ℋ	ℐ	𝒥	𝒦	ℒ	ℳ
필기체 소문자	a	b	c	d	e	f	g	h	i	j	k	l	m

발음기호	[én]	[óu]	[pí:]	[kjú:]	[ɑ:r]	[és]	[tí:]	[jú:]	[ví:]	[dʌblju(:)]	[éks]	[wái]	[zí:]
활자체 대문자	N	O	P	Q	R	S	T	U	V	W	X	Y	Z
활자체 소문자	n	o	p	q	r	s	t	u	v	w	x	y	z
블록체 대문자	N	O	P	Q	R	S	T	U	V	W	X	Y	Z
블록체 소문자	n	o	p	q	r	s	t	u	v	w	x	y	z
필기체 대문자	𝒩	𝒪	𝒫	𝒬	ℛ	𝒮	𝒯	𝒰	𝒱	𝒲	𝒳	𝒴	𝒵
필기체 소문자	n	o	p	q	r	s	t	u	v	w	x	y	z

발음 기호표

모 음(Vowels)		자 음(Consonants)	
발음 기호	예	발음 기호	예
1. [i:]	bee [bi:]	1. [p]	pen [pen]
2. [i]	pin [pin]	2. [b]	big [big]
3. [e]	let [let]	3. [t]	time [taim]
4. [æ]	man [mæn]	4. [d]	did [did]
5. [ɑ:]	father [fáːðər]	5. [k]	keep [kiːp]
6. [ɑ]	box [bɑks]	6. [g]	give [giv]
7. [ɔ:]	all [ɔːl]	7. [f]	feet [fiːt]
8. [u]	put [put]	8. [v]	visit [vízit]
9. [u:]	pool [puːl]	9. [θ]	think [θiŋk]
10. [ʌ]	cup [kʌp]	10. [ð]	this [ðis]
11. [ə]	about [əbáut]	11. [s]	sit [sit]
12. [ər]	better [bétər]	12. [z]	zoo [zuː]
13. [əːr]	bird [bəːrd]	13. [ʃ]	ship [ʃip]
14. [ɑːr]	car [kɑːr]	14. [ʒ]	vision [víʒən]
15. [ɔːr]	before [bifɔ́ːr]	15. [h]	how [hau]
16. [iər]	hear [hiər]	16. [tʃ]	cheek [tʃiːk]
17. [ɛər]	air [ɛər]	17. [dʒ]	June [dʒuːn]
18. [uər]	poor [puər]	18. [m]	map [mæp]
19. [ei]	day [dei]	19. [n]	name [neim]
20. [ai]	night [nait]	20. [ŋ]	thing [θiŋ]
21. [ɔi]	oil [ɔil]	21. [r]	read [riːd]
22. [au]	out [aut]	22. [l]	lily [líli]
23. [ou]	old [ould]	23. [j]	yet [jet]
		24. [w]	week [wiːk]
		25. [hw]	what [hwɑt]

A a Aa 𝒜 𝒶

**a [ə; 강 ei] 관

❶ 하나의, 한 개의, 한 사람의.
Jack has *a* pen in his hand. 잭은 손에 펜을 쥐고 있다.
Jane is *a* good girl. 제인은 착한 소녀다. ➤이 두 개의 예문에서처럼 「하나의」란 뜻이 약할 때는 우리말로 옮기지 않는 것이 자연스러움.

어법 a와 an의 용법
1. 하나, 둘로 셀 수 있는 명사가 단수일 때 그 앞에 붙인다.
2. 발음이 자음으로 시작되는 말 앞에서는 a를 쓰고, 모음으로 시작되는 말 앞에서는 an을 쓴다. *a* lemon 한 개의 레몬 / *an* egg 한 개의 달걀.

a boy   a dog   an egg
(한 소년)(한 마리의 개)(한 개의 달걀)
3. a와 an은 불특정한 물건이나 사람에 관해서 「하나, 한 사람」이란 뜻을 나타내므로, my, Mary's, this, that 따위와 함께 쓰이지 않는다. 예컨대 a my book, this a book이라고 하지 않고 my book, this book이라고 한다.

---

❷ 《종류 전체를 나타내어》…라는 (것).
A dog is a clever animal. 개란 영리한 동물이다. ➤Dogs are clever animals.라고 복수형을 써서 나타내는 경우가 많음.

❸ …에, …마다.
We have four English lessons *a* week. 우리는 1주일에 4시간의 영어 수업이 있다.
My father goes to America once *a* year. 나의 아버지께서는 1년에 한 번씩 미국에 가신다.

a·ban·don [əbǽndən] 타
3·단·현 aban-dons [əbǽndənz] : ing형 abandoning [əbǽndəniŋ] : 과거 과분 abandoned [əbǽndənd]
❶ (계획 따위)를 그만두다, 버리다.
He *abandoned* hope of being rescued. 그는 구원받을 희망을 버렸다.
❷ …을 돌보지 않다, 버려두다.
He *abandoned* his family. 그는 자기 가족을 돌보지 않았다.

ab·bey [ǽbi] 명
복수 abbeys [ǽbiz]
수도원, 대성당, 대교회.

Westminster Abbey

참고 신을 받드는 가톨릭의 수사나 수녀가 집단 생활을 하는 곳. 특히 큰 곳을 abbey라고 한다.

Abe [éib] 몡
에이브《남자 이름. Abraham
의 애칭》.

a·bil·i·ty [əbíləti] 몡 복수
abilities[əbílətiz]
❶《an과 복수형 안 씀》할 수 있
음, 힘; 능력.
She didn't know her *ability*.
그녀는 자신의 능력을 알지 못했다.
He is a man of *ability*.
그는 유능한 사람이다.
❷《보통 복수형으로》재능(=tal-
ent).
Everyone admired his *abili-
ties*. 모두 그의 재능을 칭찬했다.
to the best of one's **ability**
…의 힘이 자라는 데까지.
I will help you *to the best
of my ability*. 내 힘껏 너를 도
와주겠다. ☞ 몡 able

*a·ble [éibəl] 뒝
비교 abler[éibələr]; 최상
ablest [éibəlist]
유능한.
She is an *able* designer.
그녀는 유능한 디자이너이다.
☞ 몡 ability
*be able to do …할 수 있다.
He *was* now *able to* under-
stand it. 그는 이제 그것을 이해
할 수 있었다.
The boy *is* not *able to* use
a computer. 그 소년은 컴퓨터
를 사용할 수 없다〔줄 모른다〕.
You must *be able to* write.
너는 쓸 줄 알아야만 한다.

┌─────────────────────────┐
│ 어법 **be able to** 와 **can** │
│ be able to와 can은 뜻이 같 │
│ 다. 그러나 can은 will, shall, │
│ must 따위의 조동사와 함께 쓸 │
│ 수 없으므로 이때에는 be able │
│ to로 대신한다. │
└─────────────────────────┘

ab·nor·mal [æbnɔ́ːrməl] 뒝
비교 more
abnormal; 최상 most abnormal
비정상적인(⇔normal 정상적인).

an *abnormal* behavior 비정상
적인 행동.

a·board [əbɔ́ːrd] 閏
(배·비행기·열차 따위에) 타고.
Welcome *aboard!*
승선〔탑승〕해 주셔서 감사합니다.
▶ 승무원이 승객에게 하는 말.
All the passengers went
aboard. 승객들은 모두 (배, 기
차, 비행기, 버스 따위에) 탔다.

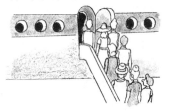

── 젠 …에 타고.
They went *aboard* the
ship. 그들은 배에 탔다.

*a·bout [əbáut] 젠
❶ …에 관하여.
Mary told me *about* her
family.
메리는 자기 가족에 관하여 나에
게 말해 주었다.
What is the story *about?*
그 이야기는 무엇에 관한 것이냐?
❷ …의 주위에, …의 여기저기에.
The boy walked *about* the
park. 그 소년은 공원을 여기저기
산책하였다.
*be about to do (막) …하려고 하
다.
He *was about to* leave for
London. 그는 런던으로 막 떠나
려고 하였다.

┌─────────────────────────┐
│ 어법 **be about to**와 **be go-** │
│ **ing to** │
│ be about to는 be going to │
│ 와 비슷한 표현이지만 미래를 │
│ 나타내는 부사와는 함께 쓰이지 │
│ 않는다. │
│ I *am going to* tell him │
└─────────────────────────┘

the story *tomorrow.* 나는 내일 그 이야기를 그에게 하려고 한다.

I *was about to* tell him the news. 나는 막 그에게 그 소식을 말해주려고 했다.

[회화] **What** [**How**] **about...?**

What about ...?와 How about ...? 는 「…은 어떠냐, …에 대하여 어떻게 생각하느냐」란 뜻으로, 상대방에게 스스럼없이 무엇을 제안하거나 의향을 물을 때 쓴다.

A : *How about* (going for) a walk?

B : All right.

「산책하는 게 어때?」「좋아.」

A : *What* [*How*] *about* this? I like it.

B : Me, too.

「이것은 어떠냐? 나는 좋은데.」
「나도.」

── 〔부〕 ❶ 약; …경.

I'll come back *about* six o'clock. 나는 여섯 시경에 돌아오겠다.

❷ 주위에, 여기저기.

There is nobody *about.*
주위에 아무도 없다.

*__a·bove__ [əbÁv] 〔전〕 ❶ …의 위쪽에 (⇔ below …의 아래에).

If I were a bird, I would fly *above* the hill. 만약 내가 새라면, 저 언덕 위로 날아갈 수 있을 텐데.

❷ …의 상류에.

There is a waterfall two miles *above* the bridge. 다리의 2 마일 상류에 폭포가 있다.

[어법] **1. above와 on**

above는 어떤 물건 위쪽에 있는 것을 뜻하며, on은 표면에 접촉하고 있는 것을 나타낸다.

The picture is *on* the wall. 그림이 벽에 걸려 있다.

The picture is *above* the desk. 그림은 책상 위쪽에 있다.

The picture *on* the wall is *above* the desk. 벽에 걸려 있는 그림은 책상 위쪽에 있다.

2. on, up, above, over와 below, under, down

이들의 관계를 그림으로 나타내면 대체로 아래 그림과 같다.

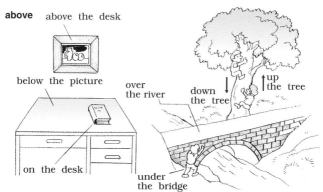

A

above all 무엇보다도, 특히.

Above all, we must be healthy. 무엇보다도 우리는 건강해야 한다.

── 〔부〕 ❶ 위쪽에, 위쪽으로(⇔ below 아래쪽에).

My bedroom is just *above*. 내 침실은 바로 위에 있다.

❷ 그 이상.

Students of fifteen years and *above* were invited to the party. 15세 이상의 학생들이 파티에 초대받았다.

── 〔형〕 위(앞)에서 말한.

the *above* fact 앞에 말한 사실.

A·bra·ham [éibrəhæm] 〔명〕

에이브러햄《남자 이름. 애칭은 Abe[eib]》. ☞ Lincoln

a·broad [əbrɔ́:d] 〔부〕

❶ 해외로, 해외에, 외국으로.

go *abroad* 외국에 가다.

I have never been *abroad*. 나는 외국에 가본 적이 없다.

Mr. Smith wants to travel *abroad*. 스미스씨는 해외 여행을 하고자 한다.

❷ 널리, (소문 따위가) 널리 퍼져서.

The news of his coming was sent *abroad*. 그가 온다는 소문이 널리 퍼졌다.

ab·sence [ǽbsəns] 〔명〕

〔복수〕 **absences** [ǽbsənsiz]

부재(不在), 결석(⇔ presence 출석).

Mr. Green came to see you in your *absence*. 네가 없는 사이에 그린씨가 너를 만나러 왔다. ☞〔형〕 absent

***ab·sent** [ǽbsənt] 〔형〕

결석하여, 부재하여(⇔ present 출석하여).

He's *absent* today. 그는 오늘 결석이다. ☞〔명〕 absence

Is Tom absent again?
톰은 또 결석했느냐?

be absent from …에 결석하다, …에 없다.

Why *were* you *absent from* the meeting? 너는 왜 모임에 빠졌느냐?

ab·so·lute [ǽbsəlù:t] 〔형〕

절대적인 (⇔ relative 상대적인). 완전한.

The chief was the *absolute* ruler of his tribe. 그 족장은 부족의 절대적인 지배자였다.

ab·so·lute·ly [ǽbsəlù:tli] 〔부〕

❶ 절대적으로, 완전히, 전연.

Sleep is *absolutely* necessary for you. 너에게는 수면이 절대적으로 필요하다.

❷《대답에 써서》그렇고말고, 물론. ➤ 구어에 써서 yes 를 강조한 말투.

"Are you going to see the game?" "*Absolutely*." 「그 경기를 보러 갈 거냐?」「물론.」

➤ ❷의 뜻일 때는 [ǽbsəlú:tli]로 발음하는 경우가 많음.

ab·sorb [æbsɔ́:rb] 〔타〕 〔3·단·현〕

〔ing형〕 **absorbs** [æbsɔ́:rbz];

〔ing형〕 **absorbing** [æbsɔ́:rbiŋ];

〔과거〕〔과분〕 **absorbed** [æbsɔ́:rbd]

❶ …을 빨아들이다, 흡수하다.

A sponge *absorbs* water. 해면은 물을 빨아들인다.

❷《주로 수동태로》…의 마음을 빼앗다, …에 열중시키다.

The students are *absorbed* in their books. 학생들은 책에 열중하고 있다.

ab·stract [æbstrǽkt] 형 비교 more abstract ; 최상 most abstract
추상적인, 추상파의(⇔ concrete 구체적인).
He is an *abstract* painter.
그는 추상 화가다.

ab·surd [æbsə́:rd] 형 비교 more absurd 또는 **absurder**[æbsə́:rdər] ; 최상 most absurd 또는 **absurdest** [æbsə́:rdist]
이치에 어긋나는, 불합리한, 터무니 없는(⇔ reasonable 합리적인).
Don't be *absurd*.
바보 같은 소리〔짓〕 마라.

ac·a·dem·ic [ækədémik] 형
비교 more academic; 최상 most academic
대학의, 학원의; 학문적인, 학구적인.
His brother is wearing an *academic* gown. 그의 형님은 학사복을 입고 있다.

a·cad·e·my [əkǽdəmi] 명
복수 academies [əkǽdəmiz]
학원, 학교; (학술·문예·미술의) 협회.
an *academy* of music 음악 학교.
The U.S. Military *Academy* is at West Point, N.Y. 미국 육군 사관 학교는 뉴욕주 웨스트 포인트에 있다. ▶ 보통 West Point하면 미국 육군 사관 학교를 가리킴.

West Point

ac·cent [ǽksent] 명 복수 accents [ǽksents]
❶ 강세, 악센트 (기호).
the primary *accent* 제1강세.
the secondary *accent* 제2강세.
❷ 말투, (지방의) 사투리.
The man was speaking with a strong Pyeongyang *accent*. 그 사람은 강한 평양식 말투로 이야기하고 있었다.

발음 **악센트에 관하여**
영어에서 악센트는 강세(음의 강약)에 따라 붙이며, 반드시 모음 위에 온다. 보통 사전에서는 낱말의 발음을 발음 기호로 표시하며 악센트가 있는 음절의 모음 위에 ′를 붙여서 그 말의 악센트 위치를 나타낸다. 일반적으로 악센트 부호가 붙는 것은 2음절 이상의 낱말이다. 철자가 많은 낱말인 경우에는 제일 강한 악센트(제1악센트) 외에 둘째로 강한 악센트(제2악센트)도 나올 수 있다. 이 경우 제2악센트는 ˋ 로 나타낸다.
examination [igzæmənéiʃən]

*****ac·cept** [æksépt] 타 3·단·현 accepts [æksépts] ; ing형 **accepting** [ækséptiŋ] ; 과거 과분 **accepted** [ækséptid]
❶ …을 받다, 받아들이다.
Please *accept* this gift. I hope you like it. 이 선물을 받아라. 마음에 들었으면 좋겠다.
❷ (초대 따위)에 응하다, (제안 따위)를 수락하다(⇔ refuse 거절하다).
He *accepted* the position.
그는 그 지위를 수락하였다.

비슷한 말 **accept와 receive**
accept 는 기꺼이 「받다, 받아들이다」란 뜻이고, receive 는 수동적인 행위로서 단순히 「받다」란 뜻이다.

ac·ces·so·ry [æksésəri] 명

(복수) **accessories** [æksésəriz]
《보통 복수형으로》 (옷·차 따위의) 부속품, 액세서리.

*__ac·ci·dent__ [æksidənt] 명

(복수) **accidents** [æksidənts]
사고, 불행한 일.
He was killed in a car *accident.* 그는 자동차 사고로 죽었다.
Accidents will happen.
《속담》사고란 일어나게 마련이다.

by accident 우연히.
I met him yesterday *by accident.* 나는 어제 우연히 그를 만났다.

ac·ci·den·tal [æksidéntl] 형

(비교) **more accidental**; (최상) **most accidental**
우연한, 우발적인.
Our meeting was quite *accidental.* 우리의 만남은 아주 우연이었다.

ac·ci·den·tal·ly [æksidén-təli] 부

(비교) **more accidentally**; (최상) **most accidentally**
우연히, 우발적으로.
They met *accidentally.*
그들은 우연히 만났다.

ac·com·pa·ny [əkʌ́mpəni] 타 (3·단·현)

accompanies [əkʌ́mpəniz]; (ing형)
accompanying [əkʌ́mpəniŋ]; (과거)
(과분) **accompanied** [əkʌ́mpənid]

❶ …와 함께 가다, …을 동반하다.
She *accompanied* him to the door. 그녀는 그를 현관까지 배웅하였다.
❷ (음악에서) …의 반주를 하다.
John *accompanied* her on the piano. 존은 그녀의 노래에 피아노 반주를 하였다.

ac·com·plish [əkʌ́mpliʃ] 타 (3·단·현)

accomplishes [əkʌ́mpliʃiz]; (ing형)
accomplishing [əkʌ́mpliʃiŋ]; (과거)
(과분) **accomplished** [əkʌ́mpliʃt]

❶ …을 이룩하다, 성취하다, (목적 따위)를 이루다.
He *accomplished* nothing.
그는 아무 것도 이루지 못하였다.
❷ 끝내다, 완료하다(=finish).
I *accomplished* my task.
나는 나의 일을 끝냈다.

*__ac·cord·ing__ [əkɔ́ːrdiŋ] 부

《흔히 다음 숙어로 쓰임》

according to …에 따라, …에 의하면.
According to Samgungnyusa Korea was founded by Dan-gun in 2333 B.C.
삼국유사에 의하면 한국은 기원전 2333년에 단군에 의해 세워졌다.

ac·cor·di·on [əkɔ́ːrdiən] 명

(복수) **accordions** [əkɔ́ːrdiənz]
아코디언.
He played the *accordion* well. 그는 아코디언을 잘 연주하였다.

*__ac·count__ [əkáunt] 명 (복수) **accounts** [əkáunts]

❶ 계산(서); 계정, 예금 계좌; 거래.
open an *account* 계좌를 개설하다.
My brother has a bank *account.* 나의 형은 은행 예금 계좌가 있다.
❷ 이야기, 설명.
She gave an *account* of

her trip. 그녀는 자신의 여행 이
야기를 하였다.
❸ 《an과 복수형 안 씀》 이유, 근
거.
on that 〔this〕 *account* 그
〔이〕 때문에.
on account of … 때문에.
The picnic was put off *on
account of* rain. 비 때문에 소
풍이 미루어졌다.
── 자 3·단·현 **accounts**
[əkáunts]: ing형 **accounting**
[əkáuntiŋ]; 과거 과분 **accounted**
[əkáuntid]
《*account for*로》 …을 설명하다.
You have to *account for*
your absence. 너는 결석한 이
유를 설명해야 한다.

ac·cu·ra·cy [ǽkjərəsi]
명
《an과 복수형 안 씀》 정확; 정밀.
Accuracy is his motto.
정확이 그의 좌우명이다.

ac·cu·rate [ǽkjərit]
형 비교 **more
accurate;** 최상 **most accurate**
정확한, 정밀한.
Her work is *accurate*.
그녀가 하는 일은 정확하다.

ac·cu·rate·ly [ǽkjəritli]
부
정확하게, 정밀하게.
The child read the figures
accurately. 그 아이는 숫자를 정
확하게 읽었다.

ac·cuse [əkjúːz]
타 3·단·현
accuses [əkjúːziz];
ing형 **accusing** [əkjúːziŋ]; 과거
과분 **accused** [əkjúːzd]
…을 비난하다, 나무라다.
He *accused* me for my mis-
take. 그는 내 잘못을 비난했다.

ac·cus·tomed [əkʌ́stəmd]
형
익숙한, 습관된.
be 〔*become*〕 *accustomed to*
…에 익숙해지다, …에 습관이 들다.
☞ *be used to* (…에 익숙해지다)

I *am accustomed to* walk-
ing every day. 나는 매일 걷는
데 습관이 되어 있다.

ache [eik] 자 3·단·현 **aches**
[eiks]; ing형 **aching** [éik-
iŋ]; 과거 과분 **ached** [eikt]
아프다.
My back *aches*. 등이 아프다.
── 명 복수 **aches** [eiks]
아픔. ☞ head*ache* (두통);
stomach*ache* (배탈, 복통);
tooth*ache* (치통)

a·chieve [ətʃíːv] 타 3·단·현
achieves [ətʃíːvz];
ing형 **achieving** [ətʃíːviŋ]; 과거
과분 **achieved** [ətʃíːvd]
❶ (일·계획 따위)를 이루다, 성
취하다.
Fred *achieved* his plan.
프레드는 계획을 이루었다.
❷ (명성)을 얻다, 떨치다.
She is *achieving* fame as
an opera singer. 그녀는 오페
라 가수로서 명성을 떨치고 있다.

a·chieve·ment [ətʃíːvmənt]
명
복수 **achievements** [ətʃíːvmənts]
업적, 공적; 성취; (학생의) 성적.
One of his *achievements*
during the summer vaca-
tion was climbing Jirisan.
여름 방학 동안에 그가 한 일 중
의 하나는 지리산 등반이었다.

a·chieve·ment test
[ətʃíːvmənt tèst] 명 복수 **achieve-
ment tests** [ətʃíːvmənt tèsts]
학력 검사〔테스트〕.

ac·id [ǽsid] 형
신, 신맛의; 산성의.
Lemons are *acid*. 레몬은 시다.
Acid rain hurts wild ani-
mals and plants. 산성비는 야
생 동물과 식물을 해롭게 한다.
── 명 《an과 복수형 안 씀》 산
(酸); 신 것.
The *acid* spoiled the taste.
신맛이 맛을 망쳤다.

ac·knowl·edge [æknálidʒ] 타 3·단·현
acknowledges [æknálidʒiz]: ing형 acknowledging[æknál-idʒiŋ]: 과거 과분 acknowledged [æknálidʒd]
❶ …을 인정하다, 승인하다.
He *acknowledged* his fault.
그는 자기 잘못을 시인했다.
❷ …에 감사하다, 사례하다.
We must all *acknowledge* his services to our town. 우리들은 모두 우리 마을에 대한 그의 공헌에 감사해야 한다.

a·corn [éikɔːrn] 명
복수 acorns[éikɔːrnz]
도토리, 상수리.
Acorns grow on oak trees.
도토리는 떡갈나무에 열린다.

ac·quaint [əkwéint] 타
3·단·현 acquaints
[əkwéints]: ing형 acquainting
[əkwéintiŋ]: 과거 과분 acquaint-ed[əkwéintid]
…에게 알리다, 잘 알게 하다.
be acquainted with …와 아는 사이다; …을 알고 있다.
My mother *is acquainted with* all my friends. 나의 어머니는 내 친구들을 모두 알고 계신다.

ac·quaint·ance [əkwéin-təns] 명
복수 acquaintances [əkwéin-tənsiz]
아는 사람, 아는 사이, 친지.
We're just *acquaintances*.
우리는 그냥 아는 사이이다.
make one's acquaintance = make the acquaintance of (아무)와 친근해지다, 아는 사이가 되다.

I want to *make his acquaint-ance*. 나는 그와 친해지고 싶다.

ac·quire [əkwáiər] 타
3·단·현 acquires
[əkwáiərz]: ing형 acquiring
[əkwáiəriŋ]: 과거 과분 acquired
[əkwáiərd]
…을 얻다, 손에 넣다; 습득하다.
He worked hard to *acquire* a house of his own. 그는 자기 집을 갖기 위해 열심히 일했다.

a·cre [éikər] 명
복수 acres[éikərz]
에이커(면적의 단위. 약 4,047 m²)
Mr. White owns ten *acres*.
화이트씨는 10에이커의 땅을 소유하고 있다.

a·cross [əkrɔ́ːs] 전
…을 가로질러; …을 건너; …의 저편에.
Susie ran *across* the street.
수지는 거리를 뛰어 건넜다.
The school is right *across* the street. 학교는 바로 길 건너에 있다.

come across …와 우연히 만나다. ☞ come
── 부 가로질러서, 건너서.
Can you swim *across*?
너는 헤엄쳐 건널 수 있느냐?

act [ækt] 명
복수 acts[ækts]
❶ (연극의) 막.
Act Ⅲ, Scene ⅱ 제3막 제2장.
▶ [ǽkt θri: síːn túː]라고 읽음.
❷ 행위, 행동; 동작.
Helping a blind man is a kind *act*. 맹인을 돕는 것은 친

절한 행위다.
— 동 ③·단·현 **acts** [ǽkts]; ing형
acting [ǽktiŋ]; 과거 과분 **acted**
[ǽktid]
타 (연극)을 **상연하다**, (역)을 맡
다, …의 연기를 하다.
Who is *acting* the part of
Hamlet? 누가 햄릿 역을 하고
있느냐?
— 자 ❶ **행하다**; (기계가) **움직**
이다, 작용하다.
We must *act* at once.
우리는 즉시 실행해야 한다.
❷ **행동하다.**
Not all Koreans *act* that
way. 모든 한국인들이 그렇게 행
동하지는 않는다.

***ac·tion** [ǽkʃən] 명 ❶《an과 복수형 안
씀》**행동, 일함; 활동.**
Now is the time for *action*.
지금이 행동할 때다.
❷《an과 복수 안 씀》**작용.**
the *action* of electricity 전기
의 작용.

ac·tive [ǽktiv] 형
비교 **more active**;
최상 **most active**
❶ **활동 중인, 활동적인, 적극적인.**
Mt. Kenya is an *active*
volcano. 케냐산은 활화산이다.
Most children are more
active than most adults.
대개 아이들이 어른들보다 더 활
동적이다.
❷ **능동태의**(⇔passive 수동태의).
the *active* voice 능동태.

참고 The man killed the
bear.(그 사람이 곰을 죽였다.)
는 능동태. The bear was
killed by the man. (곰이
그 사람에 의해서 죽임을 당했
다.)는 수동태.

ac·tiv·i·ty [æktívəti] 명
복수 **activities** [æktívətiz]

❶ **활동; 활발함.**
mental and physical *activ-*
ities 심신의 활동.
❷《복수형으로》(여러) **활동**《스
포츠·학생의 과외 활동 따위》.
There are many afterschool
activities in American
schools. 미국의 학교에는 방과
후 많은 과외 활동이 있다.

ac·tor [ǽktər] 명
복수 **actors** [ǽktərz]
배우, 남우(⇨ actress 여배우).
He is a very popular movie
actor. 그는 아주 인기 있는 남자
영화 배우이다.

영화 「록키」의 실베스터 스탤론

ac·tress [ǽktris] 명 복수
actresses [ǽktrisiz]
여배우 (⇨actor 남우).
Who is your favorite TV
actress? 네가 가장 좋아하는 텔
레비전 여배우는 누구냐?

ac·tu·al [ǽktʃuəl] 형
실제의, 현실의(=real).
The *actual* condition was
worse. 실제 상황은 더 나빴다.

ac·tu·al·ly [ǽktʃuəli] 부
❶ **사실상, 실제로.**
What did you *actually* think
of us? 너는 우리에 대해 실제로
어떻게 생각했느냐?
❷ (뜻밖이지만) **정말로.**
The old man *actually* climbed
Mt. Everest! 그 노인이 정말로
에베레스트산을 올랐다니까!

A

a·cute [əkjúːt] 형
[비교] **more acute** 또는
acuter[əkjúːtər] ; [최상] **most
acute** 또는 **acutest**[əkjúːtist]
❶ 격렬한, 심한, 날카로운(=
sharp).
I couldn't stand the *acute*
pain. 나는 그 심한 고통을 참을
수 없었다.
❷ 예민한, 예리한(=keen).
Hares have an *acute* sense
of hearing. 토끼는 예민한 청각
을 가지고 있다.

ad [æd] 명 [복수] **ads**[ædz]
광고.
Mr. Smith put an *ad* in
the newspapers. 스미스씨는
신문에 광고를 냈다.
What sort of *ads* do you
notice most? 너는 어떤 종류의
광고를 가장 주목하니?
➤ ad는 advertisement[ædvər-
táizmənt]의 간략형.

A.D. [éidíː]
그리스도 기원 …년, 서기
…년(⇨ B.C.기원전).
Mt. Vesuvius[vəsúːviəs] ex-
ploded in *A.D.* 79. 베수비오산
은 서기 79년에 폭발하였다.

[참고] A.D.는 기원 후의 연대에
쓴다. A.D. 79는 79 A.D.같이
쓰는 수도 있다. 보통 위와 같이
조금 작은 대문자로 인쇄한다.

a·dapt [ədǽpt] 타 [3·단·현]
adapts[ədǽpts] ; [ing형]
adapting[ədǽptiŋ] ; [과거] [과분]
adapted[ədǽptid]
❶ … 을 적응시키다, 적합하게 하다.
Cats can *adapt* themselves
to indoor life. 고양이는 실내
생활에 적응할 수 있다.
❷ …을 고쳐 쓰다, 각색하다.
He *adapted* the novel for
the movies. 그는 그 소설을 영
화용으로 각색하였다.
➤ adopt[ədápt] (채용하다)와 발

음·뜻을 혼동하기 쉬우므로 주의
할 것.

*add [æd] 타 [3·단·현] **adds**[ædz] ;
[ing형] **adding** [ǽdiŋ] ; [과거]
[과분] **added**[ǽdid]
❶ …을 더하다, 보태다.
When you *add* three to
four, you have seven. 4에 3
을 더하면 7이 된다.

She *added* a little salt to
the soup. 그녀는 수프에 소금
을 조금 더 넣었다.
❷ …라고 덧붙여 말하다.
His father *added* "I wish
my brother were with me."
그의 아버지는 「나의 형이 나와
함께 있다면 좋겠는데.」라고 덧
붙여 말했다.
☞ 명 addition
add to …을 많게 하다, 증가시키다.
The fine weather *added to*
our pleasure. 날씨가 좋아서
우리는 더욱 즐거웠다.

ad·di·tion [ədíʃən]
명
[복수] **additions** [ədíʃənz]
덧셈; 추가, 더함, 늘어남.
"Two plus two is four," is
a problem in simple *addi-
tion*. 2+2=4는 간단한 덧셈 문
제이다.
the *addition* of color 색의 첨
가. ☞ 동 add
in addition 게다가, 그 위에.
I paid five dollars *in addi-
tion*. 게다가 나는 5달러를 지불
했다.
in addition to …에 덧붙여서,
…의 위에.
In addition to fried chick-
en, he ate hamburger. 그는

닭튀김에다가 햄버거도 먹었다.

*__ad·dress__ [ədrés] 몡 [복수]
addresses[ədrésiz]

❶ 주소, (편지의) **주소 성명.**
I'll get my *address* book.
내 주소록을 가져오겠다.
Here's my *address* and
telephone number. 여기 내
주소와 전화 번호가 있다.

> [회화] **What's your address?**
> 「주소가 어디입니까?」
> 상대방의 주소를 묻는 말이지
> 만, 경찰관 등이 사무적으로 묻
> 는 것처럼 딱딱한 어감을 주므
> 로 일반 회화에서는 Where
> do you live? 를 많이 쓴다.
> A : *What's your address?*
> B : 161-7, Yeomni-dong.
> 「주소가 어딥니까?」 「염리동
> 161-7입니다.」
> A : *Where do you live?*
> B : I live in Yeomni-dong.
> 「너는 어디 사느냐?」 「나는 염
> 리동에 산다.」

❷ 연설(=speech).
The governor gave an
address on tax increases.
주지사는 세금 인상에 관한 연설
을 했다.
── [타] [3·단·현] addresses
[ədrésiz] ; [ing형] addressing
[ədrésiŋ] ; [과거] [과분] addressed
[ədrést]
❶ (겉봉)에 **주소 성명을 쓰다.**
He *addressed* the letter.
그는 편지에 주소 성명을 썼다.
The letter was wrongly
addressed. 그 편지는 주소가 잘
못 적혀 있었다.
❷ …에게 말을 걸다(=speak to).
A foreigner *addressed* me
in English. 외국인이 나에게 영
어로 말을 걸었다.
❸ …에게 연설하다.
The writer *addressed* the
audience. 그 작가는 청중에게

연설했다.

> [참고] **address를 쓰는 법**
> 봉투의 앞면 중앙에 받는이의
> 주소·성명을 쓰고, 보내는이의
> 주소·성명은 왼쪽 위에 쓴다.
> 「…씨 방」은 care of의 뜻으로
> c/o를 쓴다. 주소는 우리 나라
> 에서 쓰는 방법과 순서가 반대
> 이다. ☞ letter
>
> > ① Hong Gildong   ⑤ ⌐ ‐ ‐ ‐ ¬
> > ② 241 Hyoja-dong,   ⌐ |
> > Jongno-gu, Seoul | |
> > 110-033 Korea   L ‐ ‐ ‐ ‐
> >
> > ③ Mr. Peter Smith
> > ④ 440 Madison Ave.
> > New York, N. Y. 10022
> > U. S. A.
>
> ① 보내는이 성명 ② 보내는이 주소
> ③ 받는이 성명   ④ 받는이 주소
> (10022는 우편 번호) ⑤ 우표

__ad·e·quate__ [ǽdikwit]
톙 [비교] more
adequate; [최상] most adequate
적절한; 충분한(=enough).
His salary is *adequate* for
the support of his family.
그의 봉급은 자기 가족을 부양하
기에 충분하다.

__ad·jec·tive__ [ǽdʒiktiv]
몡
[복수] adjectives [ǽdʒiktivz]
형용사.
In "The old man was very
tall," old and tall are
adjectives. 「The old man
was very tall.」에서, old와
tall은 형용사이다.

> [참고] **1.** adj. 또는 a.로 약함.
> **2.** 다음 문장에서 이탤릭체의 말
> 은 형용사이다.
> He is a *tall* boy. 그는 키가
> 큰 소년이다.
> He is *taller* than Tom.

A

그는 톰보다 키가 크다.
He is the *tallest* in his class. 그는 자기 반에서 키가 제일 크다.

ad·just [ədʒʌ́st] 타 ③·단·현
adjusts [ədʒʌ́sts] ;
ing형 adjusting [ədʒʌ́stiŋ] ; 과거 과분 adjusted [ədʒʌ́stid]
❶ …을 맞추다, 조정〔조절〕하다.
Mrs. Parker *adjusted* the piano stool. 파커 부인이 피아노 의자를 조절했다.
❷ …을 순응시키다.
He soon *adjusted* himself to his new life. 그는 새 생활에 곧 익숙해졌다.

ad·mi·ral [ǽdmərəl] 명
복수 admirals [ǽdmərəlz]
해군 대장, 해군 장성; 제독.

ad·mi·ra·tion [æ̀dməréiʃən] 명
《an과 복수형 안 씀》찬미, 칭찬, 감탄.
They were filled with *admiration* when they saw Niagara Falls. 그들은 나이아가라 폭포를 보았을 때 감탄으로 가득했다.

ad·mire [ædmáiər] 타 ③·단·현
admires [ædmáiərz] ;
ing형 admiring [ædmáiəriŋ] ; 과거 과분 admired [ædmáiərd]
…에 감탄하다, …을 칭찬하다, 동경하다, 숭배하다.
They *admired* him for his courage. 그들은 그의 용기를 칭찬했다.

ad·mir·er [ædmáiərər] 명
복수 admirers [ædmáiərərz]
숭배자, 찬미자.
I am a great *admirer* of Admiral Yi Sunsin. 나는 이순신 장군의 열렬한 숭배자다.

ad·mis·sion [ædmíʃən] 명

《an과 복수형 안 씀》입장(허가), 입회, 입학 ; 입장료.
an *admission* ticket 입장권.
Admission free. 《게시》입장 무료. ☞ 동 admit

ad·mit [ædmít] 타 ③·단·현
admits [ædmíts] ; ing형
admitting [ædmítiŋ] ;
과거 과분 admitted [ædmítid]
❶ …을 인정하다.
I *admit* my mistake.
나는 내 잘못을 인정한다.
❷ …에게 입장〔입회, 입학〕을 허가하다.
He was *admitted* to a high school. 그는 고등 학교 입학을 허가받았다.
❸ (장소가) …을 수용할 수 있다.
This room can *admit* fifty persons. 이 방은 50명을 수용할 수 있다.
☞ 명 admission, admittance

ad·mit·tance [ædmítəns] 명
《an과 복수형 안 씀》입장, 입장 허가.
No *admittance*. 《게시》입장 금지. ☞ 동 admit

a·dopt [ədápt] 타 ③·단·현
adopts [ədápts] ; ing형
adopting [ədáptiŋ] ; 과거 과분
adopted [ədáptid]
❶ (생각·방침 따위)를 채용하다, 채택하다.
The chairman *adopted* Jenney's proposal. 의장은 제니의 제안을 채택하였다.
❷ …을 양자〔양녀〕로 삼다.
They *adopted* an orphan.
그들은 고아를 양자로 삼았다.
▶ adapt [ədǽpt] (적응시키다) 와 발음·뜻을 혼동하기 쉬우므로 주의할 것.

a·dult [ədʌ́lt] 명
복수 adults [ədʌ́lts]
어른, 성인(⇨ child 아이).
This film is for *adults* only.
이 영화는 성인용이다 《미성년자

관람 불가》.

—— 형 어른의, 성인의.

I attended an *adult* school in the evening. 나는 야간에 성인 학교에 다녔다.

ad·vance [ædvǽns]
동

[3·단·현] **advances** [ædvǽnsiz]：
[ing형] **advancing** [ædvǽnsiŋ]：
[과거] [과분] **advanced** [ædvǽnst]
타 **❶** …을 나아가게 하다.

Please *advance* the table a little. 탁자를 조금만 앞으로 내 주세요.

❷ (의견 따위)를 제출하다.

He *advanced* a new plan. 그는 새로운 안을 내놓았다.

—— **❶** 자 나아가다.

The parade slowly *advanced* toward Gwangwhamun. 행렬은 광화문 쪽으로 서서히 나아 갔다.

Napoleon's army *advanced* on Moscow. 나폴레옹의 군대가 모스크바를 향해 진군했다.

❷ 진보하다.

Many people *advance* in knowledge as they *advance* in years. 많은 사람들은 나이가 들면서 지식이 향상한다.

—— 명 [복수] **advances** [ædvǽnsiz]

❶ 전진, 진군.

It's difficult to stop the army's *advance*. 그 군대의 전 진을 막기는 어렵다.

❷ 진보 (=progress).

Science has made great *advances* recently. 과학은 최 근에 크게 진보하였다.

in advance 미리, 사전에.

I paid for my ticket *in advance*. 나는 미리 푯값을 냈다.

ad·vanced [ædvǽnst] 형
[비교] **more**
advanced; [최상] **most advanced**
상급의, 고등의.

He is taking an *advanced* English course. 그는 영어 상 급 과정을 하고 있다.

ad·vanc·ing [ædvǽnsiŋ] 동

*advance*의 -ing형.

ad·van·tage [ædvǽntidʒ] 명

[복수] **advantages** [ædvǽntidʒiz]
유리한 지위, 장점；《an과 복수형 안 씀》이점, 유리, 편의.

His education gave him many *advantages*. 그는 교육 을 받아서 여러 가지로 유리했다.

Living in a big city has many *advantages*. 대도시에서 의 생활은 많은 이점이 있다.

They talked about the *advantages* of movies. 그들은 영화의 장점에 대하여 이 야기했다.

take advantage of …을 이용 하다.

Take advantage of this opportunity. 이 기회를 이용하 여라.

He's always *taking advantage of* you. 그는 언제나 너를 이용한다.

ad·ven·ture [ædvéntʃər] 명

[복수] **adventures** [ædvéntʃərz]

❶ 《an과 복수형 안 씀》모험.

I am fond of *adventure*. 나는 모험을 좋아한다.

❷ 희귀한 경험, 모험적인 경험.

He told us about his *adventures* in Africa. 그는 우 리에게 아프리카에서의 자기 모험 에 대하여 이야기했다.

ad·verb [ædvə:rb] 명 [복수]
adverbs [ædvə:rbz]

부사.
Adverbs are used with verbs, adjectives, and other *adverbs*. 부사는 동사. 형용사 그리고 다른 부사와 함께 쓰인다.

〔참고〕 **1.** adv. 또는 ad.로 약함. **2.** 다음 문장에서 이탤릭체의 말은 부사이다.
He walked *slowly*.
그는 천천히 걸었다.
I am *quite* tired.
나는 몹시 지쳤다.
Ellis speaks French *pretty well*. 엘리스는 프랑스말을 꽤 잘 한다.

ad·ver·tise [ǽdvərtàiz]
〔타·자〕　〔3·단·현〕
advertises [ǽdvərtàiziz] ; 〔ing형〕
advertising [ǽdvərtàiziŋ] ; 〔과거〕
〔과분〕 **advertised** [ǽdvərtàizd]
(…을) 광고하다; (…의) 광고를 내다.
They *advertised* the goods in newspapers and on television.
그들은 신문과 텔레비전에서 상품을 광고하였다.
　　　　☞ 〔명〕 advertisement

ad·ver·tise·ment
[ǽdvərtáizmənt] 〔명〕 〔복수〕 **advertisements** [ǽdvərtáizmənts]
광고, 선전.
Today *advertisement* has become an important part of our life. 오늘날 광고는 우리 생활의 중요한 부분이 되었다.
　　　　☞ 〔동〕 advertise

*****ad·vice** [ædváis] 〔명〕
《an과 복수형 안 씀》
충고, 조언.
May I give you some *advice*?
(참고로) 몇 말씀 드리겠습니다.
I'll keep your *advice* in mind. 나는 네 충고를 명심하겠다. ☞ 〔동〕 advise

〔어법〕 「충고 하나」라고 할 때에는 an을 붙이지 않고, a piece of를 붙여서 a piece of advice라고 한다.

*****ad·vise** [ædváiz] 〔타〕 〔3·단·현〕 **advises** [ædváiziz] ;
〔ing형〕 **advising** [ædváiziŋ] ; 〔과거〕
〔과분〕 **advised** [ædváizd]
…에게 충고하다, **조언하다**.
Harper *advised* Sohn not to run faster.
하퍼는 손씨에게 더 빨리 달리지 말라고 충고했다.
The doctor *advised* my mother to stay in bed. 의사는 어머니에게 누워 있으라고 조언하였다. ☞ 〔명〕 advice

ad·vis·er [ædváizər]
〔명〕
〔복수〕 **advisers** [ædváizərz]
충고자, 의논 상대; 고문.
Mr. Brown is an *adviser* to the Department of State. 브라운씨는 국무부 고문이다.
▶ advisor 로도 씀.

aer·i·al [ɛ́əriəl] 〔형〕
공기의; 공중의, 항공의.
He took an *aerial* photograph of the mountains. 그는 그 산맥의 항공 사진을 찍었다.
── 〔명〕 〔복수〕 **aerials** [ɛ́əriəlz]
공중선, 안테나(=antenna).

-aerial
-aerial

aer·o·bic [ɛəróubik] 〔형〕
에어로빅스의.
a thirty-minute *aerobic* exercise 30분간의 에어로빅 운동.
aer·o·bics [ɛəróubiks]
〔명〕

《단수 취급》 에어로빅스.
Aerobics is a very active exercise done to music. 에어로빅스는 음악에 맞추어 행하는 아주 활동적인 운동이다.

Ae·sop [íːsəp] 몡
이솝(기원 전 620-560년경) 《그리스의 우화 「이솝 이야기(*Aesops Fables*)」의 지은이로 알려져 있음》.

af·fair [əfέər] 몡
[복수] **affairs** [əfέərz]
❶ (뜻밖에) 일어난 일, 사건.
The train accident was a terrible *affair*. 그 열차 사고는 끔찍한 사건이었다.
❷ 《복수형으로》 업무, 사무.
Mr. Smith is always busy with public *affairs*. 스미스씨는 언제나 공무로 바쁘다.

af·fect [əfékt] 타 [3·단·현]
affects [əfékts] :
[ing형] **affecting** [əféktiŋ] : [과거]
[과분] **affected** [əféktid]
❶ …에 영향을 미치다.
The weather *affects* the growth of crops. 날씨는 작물의 성장에 영향을 미친다.
She isn't *affected* by emotion. 그녀는 감정에 사로잡히지 않는다.
❷ …을 감동시키다.
We were *affected* by the movie. 우리는 그 영화에 감동받았다.

af·fec·tion [əfékʃən] 몡
《an과 복수형 안 씀》 애정.
Mothers feel *affection* for their children. 어머니들은 자기 아이들에게 애정을 느낀다.

af·fec·tion·ate [əfékʃənit] 혱
[비교] **more affectionate;** [최상] **most affectionate**
애정 깊은, 상냥한; 친애하는.
She was especially *affectionate* to her youngest son.

그녀는 특히 막내 아들에게 다정했다.

af·fec·tion·ate·ly [əfék-ʃənitli]
부 [비교] **more affectionately;** [최상] **most affectionately**
정답게, 애정을 다하여.
Affectionately yours, = *Yours affectionately,* 친애하는 …로부터.
▶ 부모, 자식, 형제, 자매 등 친한 사이의 편지에서 맺는 말.

af·ford [əfɔ́ːrd] 타 [3·단·현]
affords [əfɔ́ːrdz] :
[ing형] **affording** [əfɔ́ːrdiŋ] : [과거]
[과분] **afforded** [əfɔ́ːrdid]
《can 또는 be able to 뒤에 써서》 …할 여유가 있다. ▶ 보통 부정문·의문문에 씀.
I *cannot afford* to go on a trip to Europe. 나는 유럽으로 여행갈 여유가 없다.
Can you *afford* time for the movies? 너는 영화 볼 시간이 있느냐?

*ᵃ·**fraid** [əfréid] 혱
[비교] **more afraid;** [최상] **most afraid**
두려워하여, 무서워서. ▶ 명사 앞에는 쓰지 않음.
The two men were very *afraid*. 그 두 남자는 아주 두려워했다.
be afraid of …이 무섭다, …을 두려워하다.
He *was afraid of* making mistakes. 그는 실수하는 것을 두려워했다.
I'm not *afraid of* anything. 나는 아무 것도 무섭지 않다.
be afraid (that)… …하지 않을까 생각하다, 유감이지만 …라고 생각하다.
I *am afraid (that)* it's going to rain. 비가 오지나 않을까 모르겠다.
I'm *afraid (that)* I must say good-bye. 작별 인사를 해야 될 것 같다.

A

[어법] I am afraid (that) 다음에는 바라지 않은 일이 생겨서 걱정이 되거나 상대방에게 사양하는 기분을 나타낸다. I hope...와 반대이다.
I am afraid (that) he won't come. 그가 오지 않는 것은 아닌지.
I *hope (that)* he will come. 그가 오면 좋겠다.

be afraid to do 무서워서 …하지 못하다.
He *was afraid to* jump into the river. 그는 무서워서 강에 뛰어들지 못하였다.

Af·ri·ca [ǽfrikə] 명
아프리카.

Af·ri·can [ǽfrikən] 형
아프리카의; 아프리카 사람의.
the *African* Continent 아프리카 대륙.
— 명 [복수] **Africans** [ǽfrikənz] 아프리카 사람.
Schweitzer [ʃváitsər] made friends with a lot of *Africans.* 슈바이처는 많은 아프리카 사람들과 친구가 되었다.

af·ter [ǽftər] 전
❶ (시간·순서가) …의 다음에, …의 뒤에(⇔ before …의 앞에).
Winter comes *after* fall. 겨울은 가을 다음에 온다.
Please come *after* two o'clock. 2시 후에 오너라.
It is five minutes *after* six. 6시 5분이다.
After school I play football. 방과 후에 나는 축구를 한다.
What does he do *after* dinner? 그는 저녁 식사 후에 무엇을 하느냐?
Everybody, sing *after* me. 여러분, 나를 따라서 노래해요.
He bought a ticket and

left an hour *after* that. 그는 표를 사고 한 시간 후에 떠났다.

[비슷한 말] **after와 behind**
after는 주로 「시간」에 쓰이고, behind는 「장소」에 쓰인다.
The boy hid *behind* the tree. 그 소년은 나무 뒤에 숨었다.

❷ …을 뒤따라, …을 뒤쫓아, …을 찾아서.
The dog ran *after* the rabbit. 개가 토끼를 뒤쫓았다.
The young writer is seeking *after* fame. 그 젊은 작가는 명성을 추구하고 있다.
❸ …을 본받아, …에 따라서.
He was named George *after* his father. 그는 아버지의 이름을 따서 조지라고 이름 지어졌다.
This is a picture *after* Renoir [rénwɑːr]. 이것은 르누아르풍의 그림이다.
— 접 …한 뒤에(⇔ before …하기 전에).
I arrived *after* my mother left. 나는 어머니가 떠나신 뒤에 도착하였다.
You will be sorry *after* you have done it. 그것을 한 뒤에 너는 후회할 것이다.

[어법] after 다음에 오는 동사는 미래를 나타내는 경우에도 현재형 또는 현재 완료형을 쓴다.

— 부 뒤에, 후에, 다음에(⇔ before 전에).
It started to rain soon *after*. 그 뒤에 곧 비가 오기 시작했다.

after all 결국. ☞ all

After you. 먼저 나가시죠[들어가시죠]. ▶ 길 따위를 양보할 때 쓰는 말.
"*After you* (, please)." "Thank you." 「먼저 타시죠.」「고맙습니다.」

A

*one after another 차례차례로, 잇따라.

The students came into the room *one after another*. 학생들이 차례차례 방으로 들어왔다.

one after the other 번갈아, 교대로.

Nancy raised her hands *one after the other*. 낸시는 번갈아 손을 들었다.

af·ter·noon [æftərnúːn]
명

복수 afternoons[æftərnúːnz]

오후(⇨morning 오전).

We have two classes in the *afternoon*. 우리들은 오후에 수업이 2시간 있다.

What do you do on Sunday *afternoon*? 일요일 오후에 너는 무엇을 하느냐?

I'll be busy tomorrow *afternoon*. 나는 내일 오후에 바쁠 것이다.

I saw Mr. Hill on the *afternoon* of March first. 나는 3월 1일 오후에 힐 씨를 만났다.

어법 afternoon과 전치사
1. 단순히 「오후에」라고 할 때에는 전치사 in을 쓰나, 「일요일 오후에」라든지 「3월 1일 오후에」처럼 특정한 날의 오후를 말할 때에는 on을 쓴다.
2. afternoon 앞에 this, that, one, tomorrow, yesterday 따위가 오면 전치사를 붙이지 않는다.
I'll be home *this after-noon*. 나는 오늘 오후에 집에 있겠다.

One fall *afternoon* I went out into the woods. 어느 가을날 오후에 나는 숲 속으로 갔다.

회화 **Good afternoon.** 「안녕하십니까?」
오후의 인사말로 좀 격식을 갖춘 표현이다. Good afternoon, Tom.처럼 이름을 붙이면 다정한 느낌을 준다. 스스럼없이 가볍게 인사할 때는 보통 Hi!나 Hello!라고 한다.

af·ter·ward [æftərwərd]
부

뒤에, 나중에, 그 후(=later).

Afterward he changed his mind. 나중에 그는 마음을 바꾸었다.

I wrote my mother a long letter *afterward*. 그 후 나는 어머니께 긴 편지를 썼다.

af·ter·wards [æftərwərdz]
부

=afterward.

a·gain [əgén] 부
다시, 재차; 또 한 번
(=once more).

See you *again*. 또 만나자.

Don't be late *again*.
다시는 늦지 마라.

He tried the door *again*, but it wouldn't open. 그는 또 한 번 문을 열려고 했지만 열리지 않았다.

again and again 몇 번이고, 되풀이하여.

She hit the nail *again and again*. 그녀는 되풀이해서 못을 쳤다.

She is reading the poem *again and again*. 그녀는 그 시를 여러 번 되풀이하여 읽고 있다.

once again 다시 한 번.

Will you play for us *once again*? 우리를 위해 다시 한 번 연주해 주지 않겠느냐?

over and over again 몇 번이고,

A

되풀이하여.
I counted the coins *over and over again.* 나는 동전을 몇 번이고 세었다.

*a·gainst [əgénst] 전
❶ …에 대항하여; 반대하여(⇔ for …에 찬성하여).
We fought *against* the enemy. 우리는 적과 싸웠다.
Some are for the plan, and others are *against* it. 어떤 사람들은 그 계획에 찬성하고, 다른 사람들은 그것에 반대한다.
❷ …에 부딪혀서, 충돌하여.
The rain is beating *against* the window. 비가 창을 두드리고 있다.
Her car crashed *against* a tree. 그녀의 차는 나무에 충돌했다.

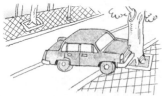

❸ …에 기대어, 의지하여.
He was leaning *against* the wall. 그는 벽에 기대어 있었다.
❹ …와 대조하여; …을 배경으로 하여.
Dobongsan was beautiful *against* the clear evening sky. 도봉산은 맑은 저녁 하늘을 배경으로 아름다웠다.

*age [eidʒ] 명
복수 ages[éidʒiz]
❶ 《an과 복수형 안 씀》 나이, 연령.
I'm fifteen years old by Korean *age.* 나는 한국 나이로 열다섯 살이다.
They are the same *age.* 그들은 동갑이다.
❷ 시대; (역사상의) 한 시기.
the Middle *Ages* 중세(시

대)《500-1450》.
The space *age* has begun. 우주 시대가 시작되었다.
❸ 《종종 복수형으로》 오랫동안.
I haven't seen you for *ages.* 오래간만이다.

a·gen·cy [éidʒənsi] 명 복수
agencies[éidʒənsiz]
대리점, 대리업, 특약점.
My father manages an advertising *agency.* 나의 아버지는 광고 대행업을 하신다.
The travel *agency* is on the corner. 여행사는 모퉁이에 있다.

a·gent [éidʒənt] 명
복수 agents[éidʒənts]
대리인, 대리상; 주선인.
I had a talk with your *agent.* 나는 네 대리인과 이야기했다.

**a·go [əgóu] 부
(지금으로부터) …전에. ☞ before
Father came home a few minutes *ago.* 아버지는 조금 전에 집에 돌아오셨다.
He came to Seoul three years *ago.* 그는 3년 전에 서울에 왔다.

┌──────────────────┐
어법 **ago**의 용법
1. ago는 three years ago와 같이 때의 길이를 나타내는 말이 앞에 붙으며, 단독으로는 쓰이지 않는다.
2. ago는 동사의 과거형과 함께 쓰이며, 현재 완료형에는 쓰이지 않는다. 현재 완료형에는 before를 쓴다.
└──────────────────┘

*long ago 옛날에, 오래 전에.
Long ago, Gyeongju was the capital of Silla. 옛날에 경주는 신라의 서울이었다.
long, long ago 옛날 옛적에.
Long, long ago in Greece there lived a woman named Atalanta. 옛날 옛적 그리스에 아

탈란타라는 이름의 여자가 살았다.

not long ago 얼마 전에.

I saw Mr. White *not long ago.* 나는 얼마 전에 화이트씨를 만났다.

＊a·gree [əgríː] 자 ③·단·현
agrees[əgríːz]: ing형
agreeing [əgríːiŋ]: 과거 과분
agreed[əgríːd]

❶ 동의하다, 승낙하다, 찬성하다; 인정하다(⟺disagree 반대하다).
Many people *agreed* with her. 많은 사람들이 그녀와 의견이 일치했다.
They *agreed* on the plan. 그들은 그 계획에 찬성하였다.
He *agreed* to help me. 그는 나를 도와줄 것을 승낙하였다.
I *agree* that I was careless. 내가 부주의했음을 인정한다.

┌─────────────────────────┐
│ 어법 **agree** 다음에 오는 전치사 │
│ 「아무」에게 동의할 때는 with │
│ 를, 「생각, 제의, 계획 따위」에 │
│ 동의할 때는 to, on, with 중 │
│ 의 어느 것을 써도 좋다. │
└─────────────────────────┘

❷ ⟪agree with로⟫ (음식·기후가 체질 따위)에 맞다, 알맞다.
Meat does not *agree with* me. 고기는 내 체질에 맞지 않는다. ☞ 명 agreement

a·gree·a·ble [əgríːəbəl] 형

비교 **more agreeable;** 최상
most agreeable
기분 좋은, 상냥한, 유쾌한 (= pleasant).
She has an *agreeable* voice. 그녀 목소리는 듣기 좋다.

a·gree·ment [əgríːmənt] 명

복수 **agreements**[əgríːmənts]
❶ ⟪an과 복수형 안 씀⟫ 동의, (의견 따위의) 일치.
We are in *agreement*. 우리는 의견이 일치한다.
❷ 협정.

They came to an *agreement.* 그들은 협정을 맺었다.
☞ 동 agree

ag·ri·cul·tur·al [æ̀grikʌ́ltʃər-əl] 형
농업의; 농학의.
the *Agricultural* Age 농경 시대.
What are the chief *agricultural* products of Korea? 한국의 주요 농산물은 무엇이냐?

ag·ri·cul·ture [ǽgrikʌ̀ltʃər] 명
⟪an과 복수형 안 씀⟫ 농업; 농학.
His main interest is in *agriculture.* 그의 주요 관심은 농업에 있다.

ah [ɑː] 감
아아! ⟪놀람·기쁨·후회·슬픔·모욕 따위를 나타냄⟫.
Ah, poor fellow! 아아, 불쌍한 친구!

ah·choo [ɑːtʃúː] 명
에취⟪재채기하는 소리⟫.

＊a·head [əhéd] 부
앞에, 전방에.
Go straight *ahead* four blocks. 똑바로 네 블록 가라.
He ran on *ahead.*
그는 앞으로 달려갔다.

ahead of …의 앞에; (능력 따위가) …을 능가하여, 앞서서.
Jim is walking *ahead of* me. 짐은 내 앞에 걸어가고 있다.

Jim   I   Tom

ahead of   ← • →   behind

Insu is *ahead of* us in English.
인수는 영어에 있어서 우리보다 낫다.

[회화] **Go (right) ahead.**「좋
다, 그래라.」
허락을 구하거나 무엇을 요청했
을 때 승낙하는 말. right를 쓰
면 뜻이 강조되어 꽤히 승낙하
는 표현이 된다.
A : May I call Dad?
B : Yes, *go right ahead!*
「아빠를 부를까요?」「그래, 그
렇게 하렴.」
A : May I use this tele-
phone?
B : *Go ahead.*
「이 전화 좀 쓸까요?」「그러세
요.」

aid [eid] 타 [3·단·현] **aids**[eidz] ;
[ing형] **aiding** [éidiŋ] ; [과거]
[과분] **aided** [éidid]
…을 돕다, 거들다(=help).
The government *aided* the
flood victims. 정부는 수재민을
도왔다.
── 명 [복수] **aids**[eidz]
❶ 《an과 복수형 안 씀》 조력, 원
조(=help).
Jim came to my *aid.*
짐은 나를 돕기 위해 왔다.
❷ 보조 기구, 도구.
The tape recorder is a use-
ful *aid* in learning English.
녹음기는 영어를 공부하는 데에
쓸모있는 보조 기구이다.

aim [eim] 동 [3·단·현] **aims**
[eimz] ; [ing형] **aiming**
[éimiŋ] ; [과거] [과분] **aimed**[eimd]
자 ❶ 《**aim at**으로》 …을 겨냥하
다, 조준하다; 목표 삼다.
He *aimed at* the lion.
그는 사자를 겨냥했다.

What are you *aiming at?*
너는 무엇을 겨냥하고 있느냐?
He *aims at* breaking the
record. 그는 기록 깨기를 목표로
삼고 있다.
❷ 《**aim to** do로》 …할 작정이다.
Harry is *aiming to* become
a doctor. 해리는 의사가 될 작
정이다.
── 타 《**aim … at** ~으로》 (총 따
위)를 ~에 겨누다; (노력 따위)를
~에 기울이다.
She *aimed* her pistol *at*
the thief. 그녀는 도둑에게 권총
을 겨누었다.
George *aimed* his efforts at
winning the game. 조지는 경
기에 이기려고 노력을 기울였다.
── 명 [복수] **aims**[eimz]
❶ 《an과 복수형 안 씀》 겨냥, 조
준.
Tom took *aim* at the bear.
톰은 곰을 겨냥하였다.
❷ 목적(=purpose).
Her *aim* is to be a compos-
er. 그녀의 목적은 작곡가가 되는
것이다.
What is your *aim* in life?
인생에서 네 목표는 무엇이냐?

*air [ɛər] 명
[복수] **airs**[ɛərz]
❶ 《an과 복수형 안 씀》 공기.
We cannot live without *air.*
우리는 공기 없이 살 수 없다.
Let's walk in the fresh *air.*
신선한 공기를 마시며 산책하자.
It's a beautiful mountain
with clean *air.* 그것은 공기가
깨끗한 아름다운 산이다.
❷ 《the를 붙여》 하늘(=sky).
Birds fly in the *air.*
새는 하늘을 난다.
❸ 모양, 태도.
He has the *air* of a child.
그는 어린 티가 난다.
She came in with an *air* of
triumph. 그녀는 의기양양하게
들어왔다.

by air 비행기로.

I like traveling *by air*. 나는 비행기로 여행하는 것을 좋아한다.

on the air 방송되어, 방송 중에.

The program will be *on the air* in five minutes. 그 프로는 5분 후에 방송된다.

air con·di·tion·er

[ɛ́ər kəndíʃənər] 명 복수 **air conditioners**[ɛ́ər kəndíʃənərz]

에어컨, 냉난방 장치, 공기 조절 장치.

The *air conditioner* was on in the room. 방에는 에어컨이 켜져 있었다.

air·craft

[ɛ́ərkræft] 명 복수 **aircraft** [ɛ́ərkræft]

항공기《비행기·비행선·헬리콥터 따위》.

The goods were carried by *aircraft*. 화물은 항공기로 수송되었다.

air·field

[ɛ́ərfìːld] 명 복수 **airfields**[ɛ́ərfìːldz]

비행장. ☞ airport

The plane landed at the *airfield*. 비행기가 비행장에 착륙하였다.

air force

[ɛ́ər fɔ́ːrs] 명 복수 **air forces**[ɛ́ər fɔ́ːrsiz]

공군. ☞ army, navy

air·line

[ɛ́ərlàin] 명 복수 **airlines**[ɛ́ərlàinz]

❶ 항공로.

Which *airline* are you traveling by? 당신은 어느 항공로로 여행합니까?

❷ 《**Airlines**로》 (정기) 항공 회사. ▶ 단수로 취급함.

air·mail

[ɛ́ərmèil] 명

《an과 복수형 안 씀》 항공 우편.

Send this by *airmail*. 이것을 항공 우편으로 보내라.

I have an *airmail* letter from him. 나는 그로부터 항공

편지를 받았다.

air·plane

[ɛ́ərplèin] 명

복수 **airplanes**[ɛ́ərplèinz]

비행기. ▶ airplane은 그냥 plane이라고 말하는 수가 많음.

I took an *airplane* at Chicago. 나는 시카고에서 비행기를 탔다.

Paul saw an *airplane* go up in the sky. 폴은 비행기가 하늘로 올라가는 것을 보았다.

air·port

[ɛ́ərpɔ̀ːrt] 명 복수 **airports**[ɛ́ərpɔ̀ːrts]

공항.

an international *airport* 국제 공항.

She arrived at Gimp'o *Airport*. 그녀는 김포 공항에 도착했다.

Would you like to come out to the *airport*? 당신은 공항에 나오시겠습니까?

> 참고 airport란 항공로(air-line)의 주요 지점에 있으며, 급유, 수리, 기타 비행기의 발착용 시설을 갖춘 비행장(air-field)을 말한다.

air·ship

[ɛ́ərʃìp] 명 복수 **airships**[ɛ́ərʃìps]

비행선.
An *airship* is a kind of balloon. 비행선은 일종의 기구이다.

aisle [ail] 명
복수 **aisles**[ailz]
(교실·극장·객차·교회 따위의 좌석 사이의) **통로.**
an *aisle* seat 통로쪽 좌석.
➤ aisle의 s는 발음하지 않음.

Al·a·bam·a [æləbǽmə] 명
앨라배마.

참고 Alabama는 미국의 남동부에 있는 주. 면적은 133,676 km²로 우리 나라의 약 반. 주도는 몽고메리(Montgomery [mɑntgʌ́məri]). 목화와 흑인의 전형적인 남부 주 가운데 하나지만 근래에 다각적인 농업과 공업이 발전하여 차차 활기를 띠어왔다. Ala. 또는 AL로 약한다.

a·larm [əlɑ́ːrm] 명
복수 **alarms**[əlɑ́ːrmz]
❶ 경보, 경보기.
A fire *alarm* rang.
화재 경보가 울렸다.
The *alarm* woke up Emily.
자명종이 에밀리를 깨웠다.
❷ 《an과 복수형 안 씀》 놀람; 공포.
I jumped up in *alarm*.
나는 놀라서 벌떡 일어섰다.
── 타 [3·단·현] **alarms**[əlɑ́ːrmz] ;
[ing형] **alarming** [əlɑ́ːrmiŋ] ; 과거
과분 **alarmed** [əlɑ́ːrmd]
…을 놀라게 하다.
The noise *alarmed* us.
그 소리는 우리를 놀라게 하였다.

a·larm clock [əlɑ́ːrm klɑ̀k] 명
복수 **alarm clocks**[əlɑ́ːrm klɑ̀ks]
자명종.
I set the *alarm clock* for six. 나는 자명종을 6시로 맞췄다.

a·las [əlǽs] 감
아아! 《슬픔·가엾음·유감 따위를 나타냄》.
She said, "*Alas!* All is over with me." 「아아, 나는 다 틀렸구나!」라고 그녀는 말하였다.

A·las·ka [əlǽskə] 명
알래스카.

참고 Alaska는 북아메리카 북서부 끝에 있으며 1959년에 미국의 49번째 주가 되었다. Alas. 로 약한다. 면적은 1,518,875 km²로서 우리 나라의 약 7배가 된다. 주도는 주노(Juneau [dʒúːnou])이지만 앵커리지 (Anchorage[ǽŋkəridʒ])가 상업, 항공로의 기지로서 더 잘 알려져 있으며 인구도 많다. Alaska의 역사는 1741년 덴마크 사람이 러시아 정부의 명령에 따라 이 곳을 탐험한 데서부터 시작된다. 1867년에 미국은 이 곳을 720만 달러에 러시아로부터 사들였다. 금, 기타 광산물과 목재 따위의 자원이 풍부하다. 원주민은 에스키모(Eskimo)와 아메리카인디언이다. 제2차 세계 대전 후 전략상 방위 기지로서 중요시되어 왔다. Alaska Highway는 캐나다의 브리티시 컬럼비아(British Columbia [brítiʃ kəlʌ́mbiə])로부터 페어뱅크스 (Fairbanks [fɛ́ərbǽnks])에 이르는 군용 도로로 2,680 km에 달한다.

***al·bum** [ǽlbəm] 명
복수 **albums**[ǽlbəmz]
앨범.
This is my photo *album*.
이것은 내 사진첩이다.

al·co·hol [ǽlkəhɔ(ː)l] 명

《an과 복수형 안 씀》**알코올; 술.**
Beer, wine, whisky, etc.
contain *alcohol*. 맥주, 포도주,
위스키 따위에는 알코올이 들어
있다.

a·lert [ələ́ːrt] 형
비교 **more alert** 또는
alerter [ələ́ːrtər]: 최상 **most
alert** 또는 **alertest** [ələ́ːrtist]
❶ **방심 않는, 정신 차린.**
Hares are *alert* to every
sound. 토끼는 모든 소리에 민감
하다.
He is *alert* in class.
그는 수업 중에 잘 듣는다.
❷ **기민한, 민첩한, 재빠른.**
A sparrow's movements are
alert. 참새의 동작은 기민하다.

Al·ex·an·der [æligzǽndər] 명
알렉산더《남자 이름》.

> 발음 Alexander는 [-gzǽndər]
> 와 같이 탁음으로 발음되는 것
> 에 주의.

Al·ex·an·der the Great

[æligzǽndər ðə gréit] 명
알렉산더 대왕(356-322 B.C.) 《고
대 마케도니아의 왕. 그리스, 페
르시아 따위를 정복하여 서남아시
아와 이집트에 그리스 문화를 보
급함》.

Al·fred [ǽlfrid] 명
앨프레드《남자 이름.
애칭 Al 또는 Fred》.

Al·fred the Great

[ǽlfrid ðə gréit] 명
앨프레드 대왕(849-899) 《고대 영
국의 유명한 왕》.

Al·ice [ǽlis] 명
앨리스《여자 이름》.

al·ien [éiljən] 명
비교 **more alien;** 최상

most alien
외국의; 외계의; 성질이 다른.
an *alien* spaceship 외계의 우
주선.
── 명 복수 **aliens** [éiljənz]
외국인; 외계인
an illegal *alien* 불법 체류자.

a·like [əláik] 형 부 비교 **more**

alike; 최상 **most alike**
형 …한 모양인, 서로 같은. ▶ 명
사 앞에는 쓰지 않음.
All the houses looked *alike*.
집들이 모두 같아 보였다.
American schools are not
all *alike*. 미국의 학교들이 모두
같은 것은 아니다.
── 부 **같게, 한 모양으로.**
The teacher treated all her
students *alike*. 선생님은 모든
학생을 똑같이 대하셨다.

*a·live [əláiv] 형

❶ **살아있는**(⇔ dead 죽은).
Is the fish *alive* or dead?
그 물고기는 살았느냐 죽었느냐?
He was still *alive* in 1980.
1980년에 아직 살아 있었다.
❷ **활기 있어, 생생하여.**
Although she's old, she's
still *alive*. 그녀는 늙었지만, 여
전히 활동적이다.
The streets were *alive* with
people. 거리는 사람들로 활기를
띠고 있었다.

> 어법 alive는 명사 앞에는 쓰지
> 않는다. 「살아 있는 고기」처럼
> 명사 앞에 붙일 필요가 있을 때
> 에는 live(이 경우는 [laiv]라고
> 발음함)나 living을 써서 a
> *live* [*living*] fish라고 한다.

*all [ɔːl] 형

모든, 전부의.
All my family are well.
가족은 모두 잘 지낸다.
He ate *all* the food.
그는 모든 음식을 먹었다.

어법 **1. all의 위치**

all은 관사, 대명사(의 소유격) 앞에 온다.

all ─┌ the birds
     ├ this money
     ├ my friends
     └ these children

the all birds라든가 my all friends라고 하지 않는다. ☞ whole

2. all이 not과 함께 쓰이면 「전부가 …은 아니다」란 뜻이 된다. *Not all* the students were Americans. 학생 전부가 미국 사람은 아니다.

all day (long) 하루 종일. ☞ day
all the time 언제나, 그 동안 죽. ☞ time
all (the) year around 일년 내내. ☞ year

── 데 전부, 모두.

We *all* want to go to the moon. 우리 모두 달에 가고 싶어한다.
The windows were *all* broken. 유리창이 다 깨졌다.
I'll do *all* I can. 내가 할 수 있는 일은 전부 하겠다.
All is not gold that glitters. 《속담》 번쩍인다고 다 금은 아니다.

I love you all.
나는 모두를 사랑해.

어법 **all의 용법**

all은 단수, 복수 양쪽에 다 쓰인다. 사람에 쓸 때는 복수, 「만사」의 뜻으로 쓸 때는 단수로 취급한다.
All are well at home.

가족들은 모두 건강하다.
All is well.
만사가 잘 되어 간다.

after all 결국.
He failed *after all*.
그는 결국 실패하였다.
in all 모두 해서, 전부.
We study nine subjects *in all*. 우리는 전부 9과목을 배운다.
There are nine hundred students *in all*. 모두 900명의 학생이 있다.
*not ... at all 조금도 …하지 않다.
I *don't* want to leave *at all*. 나는 조금도 떠나고 싶지 않다.
He said *nothing at all*.
그는 아무 말도 하지 않았다.
He's *not at all* tired.
그는 조금도 지쳐 있지 않다.

── 부 전혀, 온통.

He stayed at home *all* alone. 그는 혼자서 집에 있었다.
The lake was *all* covered with ice. 호수는 온통 얼음으로 덮여 있었다.

*all right **1.** 《대답으로》 좋다(= OK).
"Let's play tennis." "*All right*." 「테니스 치자.」 「좋아.」
2. 무사히, 별고 없이; 틀림없이, 확실히.
"Are you *all right*?" "Yes, I'm quite *all right*"
「괜찮으냐?」 「그래, 아무렇지도 않아.」
I'll be there *all right*.
나는 거기에 꼭 가겠다.
all together 다 함께.
They sang *all together*.
그들은 다 함께 노래했다.

회화 **That's all right.** 「괜찮습니다.」

상대방이 I'm sorry.(미안합니다.) 또는 Excuse me.(실례했습니다.)라고 사과할 때 괜찮다고 대답하는 말이다.
A : I'm sorry.
B : Well, *that's all right.*
「미안합니다.」「아, 괜찮습니다.」

al·li·ga·tor [ǽligèitər] 명
복수 **alligators** [ǽligèitərz]
악어.
Alligators have powerful jaws. 악어들은 강한 턱을 가지고 있다.

＊al·low [əláu] 타
3·단·현 **allows** [əláuz];
ing형 **allowing** [əláuiŋ]; 과거 과분
allowed [əláud]
❶ …을 허락하다; (allow ... to do로) …에게 ～하도록 허락하다 [내버려두다] (=permit, let).
Smoking is not *allowed* here. 여기서는 금연입니다.
My mother doesn't *allow* me *to* watch TV. 나의 어머니는 내가 텔레비전 보는 것을 허락하지 않으신다.
❷ (수당 따위)를 지급하다 (= give).
My father *allows* me money for books. 나의 아버지는 내게 책 살 돈을 주신다.
　　　　☞ 명 allowance

al·low·ance [əláuəns] 명
복수 **allowances** [əláuənsiz]
(정기적으로 지급하는) 수당, …비(費); (가족에게 주는) 용돈.
Don't you get enough *allowance?* 너는 충분한 용돈을 받지 않느냐? ☞ 동 allow

al·mond [á:mənd] 명 복수 **almonds** [á:məndz]
아몬드 《나무 · 열매》.

＊al·most [ɔ́:lmoust] 부
거의, 거의 …할 지경으로 (=nearly).
It's *almost* eight. 거의 8시이다.
You're *almost* on time.
너는 거의 제시간에 왔다.
Almost everyone has heard of Disneyland. 거의 모든 사람들이 디즈니랜드에 관해 들은 적이 있다.
He was *almost* drowned.
그는 거의 빠져 죽을 뻔했다.
▶ [ɔ:lmóust]로도 발음함.

a·lo·ha [əlóuə] 감
어서 오시오, 잘 가시오! 《환영 · 송별의 인사》. ▶ 하와이 말로 「사랑」의 뜻.

＊a·lone [əlóun] 형 부
❶ 혼자서. ▶ 명사 앞에는 쓰지 않음.
You have to stay home *alone* all day. 너는 온 종일 혼자 집에 있어야 한다.
Remember you're not *alone.*
너는 혼자가 아니라는 것을 기억해라.
She lived all *alone.*
그녀는 단지 혼자서 살고 있었다.

어법 alone은 두 사람 이상의 경우에도 쓰인다. alone은 본래 관계자들「만」이라는 뜻.
The two children were *alone* at home. 두 아이들만 집에 있었다.

❷ 《명사나 대명사 뒤에 써서》
… 만.
Ann *alone* can help me.
앤만이 나를 도울 수 있다.

A

주의 다음 문장에서 alone의 위치에 따라 뜻이 다름에 주의할 것.

Tom can do this work *alone*. 톰은 혼자서(남의 힘을 빌리지 않고) 이 일을 할 수 있다.

Tom *alone* can do this work. 톰만이 이 일을 할 수 있다.

leave 〔*let*〕 **... *alone*** … 을 (상관하지 않고) **그대로 두다.**
Leave me *alone*. 날 내버려 둬라.

*****a·long** [əlɔ́ːŋ] 전
(길 따위)**를 따라, 쫓아.**
We walked *along* the Thames. 우리는 템스강을 따라 걸었다.

──부 ❶ **따라서; (쉬지 않고) 앞으로, 나아가서.**
Come *along*, everybody! 여러분, 모두 오십시오.
The dog was running *along* behind its owner. 개는 주인의 뒤를 따라 달리고 있었다.
❷ **함께, (물건을) 가지고.**
Take your camera *along* with you. 카메라를 가지고 가라.
Take me *along* when you go. 네가 갈 때 나도 데리고 가.
get along **1. 지내다, 살아가다.**
How are you *getting along*? 너는 어떻게 지내고 있느냐?
2. 진척하다, 진보하다.
How are you *getting along* with your English studies? 너의 영어 공부는 얼마나 진척되고 있느냐?

a·loud [əláud] 부
소리를 내어.
Say new English words *aloud*. 새 영어 단어를 큰 소리로 말해라.

*****al·pha·bet** [ǽlfəbèt] 명
복수 **alphabets**[ǽlfəbèts]
알파벳.
Who invented the *alphabet*? 누가 알파벳을 발명했느냐?
There are twenty-six letters in the English *alphabet*. 영어 알파벳에는 스물여섯 자가 있다.

참고 alphabet은 그리스어 알파벳의 처음 두 글자 alpha(A)와 beta(B)를 이어서 만든 말. 영국, 독일, 프랑스 등의 여러 나라에서 쓰이는 알파벳은 고대 그리스어의 알파벳에서 변화시켜 만든 것이다.

Alps [ǽlps] 명
《the를 붙여》 **알프스 산맥.**
The *Alps* are the highest mountains in Europe. 알프스는 유럽에서 가장 높은 산맥이다.

the Alps

참고 알프스는 남유럽의 스위스, 이탈리아, 프랑스, 오스트리아의 국경에 연한 산맥으로, 최고봉은 4,810 m인 몽블랑(Mont Blanc)이다. Alps는 일반적으로 높은 산을 가리킬 때도 있다.

*****al·read·y** [ɔːlrédi] 부
이미, 벌써.

They are *already* in the room. 그들은 이미 방에 있다.
Sam has *already* crossed the street. 샘은 이미 길을 건넜다.
In Korea, babies are *already* one year old when they are born. 한국에서는 아기들이 태어날 때 이미 한 살이다.

[어법] **already와 yet**
already는 긍정문에, yet은 부정문, 의문문에 쓰는 것이 보통이다. already를 의문문에 쓰면 「어마, 아니」와 같이 놀람, 의외의 뜻을 나타낸다.
Have you finished breakfast *yet*? 벌써 아침을 먹었느냐?
Have you finished breakfast *already*? 아니, 벌써 아침을 먹었다고?(아직 아침 먹을 시간이 멀었다고 생각했는데 빠르구나.)
I haven't finished breakfast *yet*. 나는 아직 아침을 먹지 않았다.

al·so [ɔ́ːlsou] 튀
…도 또한(=too).
Our country *also* spends a lot of money to buy paper. 우리 나라도 종이를 사는 데 많은 돈을 쓴다.
Tom can swim. I *also* can swim. 톰은 수영할 수 있다. 나도 수영할 수 있다.

[어법] **also와 too**
also나 too는 같은 뜻이지만, also는 좀 딱딱한 말이어서 일반적으로는 too가 쓰인다. also는 동사 앞에도 오는 수가 있으나 too는 대개 문장 끝에 온다.
I *also* went there.=I went there, *too*. 나도 거기에 갔다.
He is a good runner and *also* a good swimmer.= He is a good runner and

a good swimmer *too*. 그는 달리기도 잘 하지만 수영도 잘 한다.

*not only ... but also ~ …뿐만 아니라 ~ 도 또한. ☞ only

al·ter [ɔ́ːltər] 동
[3·단·현] alters[ɔ́ːltərz] : [ing형] altering[ɔ́ːltəriŋ] [과거] [과분] altered[ɔ́ːltərd]
타 …을 바꾸다, 변경하다.
You must *alter* your way of life. 너는 생활 방식을 바꾸어야 한다.
── 자 바뀌다, 변하다.
Seoul has *altered* very much since the Korean War. 서울은 한국[6·25] 전쟁 이후 많이 변했다.

*al·though [ɔːlðóu] 접
비록 …일지라도, …이긴 하지만(=though).
Although it was very cold, he went out without an overcoat. 날씨가 매우 추웠지만 그는 외투를 입지 않고 외출하였다.

[어법] **although와 though**
although는 though와 뜻이 같지만 문장의 첫머리에 오는 경우가 많다.

al·to·geth·er [ɔ̀ːltəgéðər] 튀
❶ 아주, 전혀, 전연.
That's an *altogether* different matter. 그것은 아주 다른 문제이다.
We weren't *altogether* surprised. 우리는 전혀 놀라지 않았다.
❷ 전부, 합계하여(=in all).
How much *altogether*? 전부 얼마냐?

al·ways [ɔ́ːlweiz] 튀
언제나, 늘.

Always do your best.
언제나 최선을 다하여라.

He is *always* careful.
그는 언제나 주의깊다.

Pulitzer was *always* inter-
ested in newspapers. 퓰리처
는 늘 신문에 관심이 있었다.

Why do you look *always*
so unhappy, Bob? 보브, 너
는 왜 늘 그렇게 불행해 보이니?

not always 반드시 …은 아니다.
▶ 부분 부정을 나타냄.

The rich are *not always*
happy. 부자라고 반드시 행복한
것은 아니다.

어법 **always**의 위치
always는 often, usually,
sometimes 따위와 마찬가지로
일반 동사 바로 앞에, be 동
사·조동사 바로 뒤에 쓰인다.

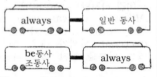

He *always* goes to
school by bus. 그는 언제나
버스로 학교에 간다.

He is *always* busy.
그는 항상 바쁘다.

단, 「언제나」에 힘을 주어 말할
때에는 is 앞에 always가 오는
일이 있다.

He *always* is at home in
the evening. 그는 밤이면 언
제나 집에 있다.

[əm; 강 æm] 자
*am be의 1인칭·단수·현재.
▶ I와 같이 씀.
❶ (나는) …이다.
I *am* thirteen years old.
나는 열세 살이다.
❷ (나는 …에) 있다.
"Where are you?" "I *am* in
the bedroom." 「너는 어디 있느

냐?」「나는 침실에 있다.」
── 조 ❶ 《am+-ing형으로 진행
형을 만듦》(나는) … 하고 있다.
I *am studying* English.
나는 영어를 공부하고 있다.
❷ 《am+과거분사로 수동태를 만
듦》(나는) … 되다, … 해지다.
I *am invited* to the party.
나는 파티에 초대받았다.
▶ I am은 I'm으로 줄이는 경우
가 많음.

발음 I am Han Miae. (나는
한미애이다.)의 am은 [əm] 또
는 [m]과 같이 약하게 발음되
지만, Yes, I am. 같은 경우의
am은 [æm]으로 강하게 발음
한다.

[éiém]
*a.m., A.M. 명
오전(⇨ p.m. 오후).
Our store opens at 10:30
a.m. 우리 가게는 오전 10시 30
분에 엽니다.

참고 1. 10:30 a.m.은 ten-
thirty a.m.이라 읽는다.
2. a.m.은 특별한 경우 이외에는
소문자를 쓴다. 또 우리말과 달
라서 반드시 숫자 다음에 온다.
3. a.m.은 o'clock과 함께 쓰지
않는다.

[金mətʃùər]
am·a·teur 명
복수 amateurs[金mətʃùərz]
아마추어, 비전문가(⇦profession-
al 전문가).
▶ [金mətə(:)r]라고도 발음함.

[əméiz] 타 3·단·현
a·maze amazes [əméiziz];
ing형 amazing [əméiziŋ]; 과거
과분 amazed[əméizd]
… 을 깜짝 놀라게 하다, 아연케 하
다.
The children were *amazed*
by the tall buildings. 아이들

은 높은 건물에 깜짝 놀랐다.
☞ 명 amazement

어법 amaze는 surprise보다
뜻이 강해 be amazed at [by]
처럼 수동태로 쓰는 일이 많다.

a·maze·ment [əméizmənt] 명
《an과 복수형 안 씀》 깜짝 놀람,
경악.
He looked at me in *amaze-
ment*. 그는 놀라서 나를 쳐다보
았다. ☞ 동 amaze

a·maz·ing [əméiziŋ] 형 비교 more amazing;
최상 most amazing
놀랄 만한, 굉장한.
The new car goes at an
amazing speed. 새 차는 굉장
한 속도를 낸다.

Am·a·zon [ǽməzàn] 명
《the를 붙여》 아마
존 강.

참고 남미 브라질에 있는 길이
6,300 km의 강. 길이에 있어
서 미시시피강, 나일강과 함께
세계 3대강의 하나이며, 유역은
고무 원산지로 유명함.

am·bas·sa·dor [æmbǽsə-dər] 명
복수 ambassadors[æmbǽsədərz]
대사.
He was the American
ambassador to France. 그는
프랑스 주재 미국 대사였다.

am·bi·tion [æmbíʃən] 명
복수 ambitions[æmbíʃənz]
포부, 대망, 야심; 야심의 대상.
My *ambition* is to be a
great statesman. 나의 포부는
위대한 정치가가 되는 것이다.

am·bi·tious [æmbíʃəs] 형
비교 more am-
bitious; 최상 most ambitious

❶ 대망을 품은, 야심이 있는.
Nancy is *ambitious* enough
to enter Harvard. 낸시는 하
버드 대학에 들어가겠다는 대망을
품고 있다.
❷ 야심적인, 대규모의.
Jim's plans are very *ambi-
tious*. 짐의 계획은 매우 야심적
이다.

am·bu·lance [ǽmbjuləns] 명
복수 ambulances[ǽmbjulənsiz]
구급차.
He was taken to the hospi-
tal in an *ambulance*. 그는
구급차로 병원에 옮겨졌다.

A·mer·i·ca [əmérikə] 명
❶ 미합중국, 미국. ▶정식 국명
은 the United States of
America.
There are fifty states in
America. 미국에는 50개의 주가
있다.
❷ 아메리카 대륙.
Canada is in North *Amer-
ica*. 캐나다는 북아메리카에 있다.
☞ 형 American

참고 America라는 이름은 아메
리카 대륙을 최초로 탐험했다고
생각되는 Amerigo Vespuc-
ci[əmérigou vespúːtʃi] (1451-
1512)의 이름에서 나온 것이다.
America라고 하면 보통 「미합
중국」을 가리킨다.

A·mer·i·can [əmérikən] 형
미국의, 아메리카의; 미국 사람의.

Minsu's brother has an *American* friend.
민수의 형은 미국인 친구가 있다.
Mr. Kim's wife is *American*.
김씨의 부인은 미국 사람이다.
☞ 몡 America
— 몡 복수 **Americans**[əmérikənz]
미국 사람, **아메리카 사람**.
A young *American* called on my father. 젊은 미국 사람이 아버지를 찾아왔다.

A·mer·i·can Eng·lish

[əmérikən íŋgliʃ] 몡
《an과 복수형 안 씀》 미국식 영어.
▶ 「영국식 영어」는 British English.

A·mer·i·can foot·ball

[əmérikən fútbɔːl] 몡
《an과 복수형 안 씀》 미식 축구.
▶ 미국에서는 단순히 football이라고도 함.

placekick
(플레이스킥)

kickoff
(킥오프)

A·mer·i·can In·di·an

[əmérikən índiən] 몡
복수 **American Indians**[əmérikən índiənz]
아메리카 인디언《아메리카 대륙 토착민》.

**a·mong [əmʌ́ŋ]
전
❶ …의 속에, …의 가운데에.
Bees are flying *among* the flowers. 벌들이 꽃들 사이로 날아다니고 있다.
❷ 《보통 최상급을 동반하여》 …중의 하나[한사람]인(=one of).
London is *among* the largest cities in the world. 런던은

세계 최대의 도시 중의 하나다.
❸ …사이에, …끼리.
Divide the money *among* you five. 그 돈을 너희 다섯이 나누어 가져라.

어법 **between과 among**
between은 보통 둘 사이인 경우에 쓰고, among은 셋 이상 사이인 경우에 쓴다.
John sits *between* Mary and Tom. 존은 메리와 톰 사이에 앉는다.
John sits *among* the girls. 존은 소녀들 사이에 앉는다.

among

between

---

from among …중에서.
Choose two books *from among* these. 이 책들 중에서 두 권을 골라라.

*a·mount [əmáunt]
자
3·단·현 **amounts** [əmáunts];
ing형 **amounting** [əmáuntiŋ];
과거 과분 **amounted**[əmáuntid]
《보통 **amount to**로》 (금액 따위가) …가 되다, …에 달하다.
The loss from the flood *amounts to* a million dollars. 홍수로 인한 손해는 100만 달러에 이른다.
— 몡 복수 **amounts**[əmáunts]
양, 금액; 《the를 붙여》 총계, 총액.
He spent a large *amount* of money on books. 그는 책을 사는 데 많은 돈을 썼다.
What's the *amount* of my hotel bill? 내 숙박료는 합계가 얼마나 되느냐?

am·ple [æmpl] 혱
비교 **ampler** [æmplər];
최상 **amplest**[æmplist]

A

❶ 넓은.
He has an *ample* house.
그는 넓은 집을 가지고 있다.
❷ 풍부한, 충분한.
There is *ample* time for it.
그것을 하기에 충분한 시간이 있다.

a·muse [əmjúːz] 타 3·단·현
amuses [əmjúːziz] ;
ing형 amusing [əmjúːziŋ] ; 과거
과분 amused[əmjúːzd]
…을 즐겁게 하다, 기쁘게 하다,
재미나게 하다.
Mrs. Han's stories *amused*
her pupils. 한선생님의 이야기
가 학생들을 즐겁게 하였다.
He was *amused* to see the
monkeys. 그는 원숭이를 보고
즐거워 했다.
be amused at〔**by, with**〕…이
재미있다, …을 보고〔듣고, 하고〕
즐기다.
I *was amused at* his joke.
나는 그의 농담이 재미있었다.
We *were amused by* his
foolish mistake. 우리는 그의
어리석은 실수에 즐거워했다.

a·muse·ment [əmjúːzmənt]
명 복수
amusements[əmjúːzmənts]
❶ 《an과 복수형 안 씀》 즐거움,
재미.
Many people read for
amusement. 많은 사람들이 재
미로 독서한다.
❷ 오락; 오락 시설.
There are many *amuse-
ments* in the city. 그 도시에는
많은 오락 시설이 있다.

a·muse·ment park
[əmjúːzmənt pàːrk] 명 복수
amusement parks [əmjúːzmənt
pàːrks]
유원지.
The *amusement park* is
crowded with children on
Sundays. 유원지는 일요일마다
아이들로 붐빈다.

a·mus·ing [əmjúːziŋ] 형
비교 more amus-
ing; 최상 most amusing
재미나는, 우스운. ☞ interesting
I read an *amusing* story
last night. 나는 어젯밤에 재미
있는 이야기를 읽었다.

*an [ən; 강 æn] 관
하나의, 어떤, …마다. ➤ 모
음으로 시작되는 말 앞에 씀. ☞ a
There is *an* oak in my
yard. 우리 집 뜰에 떡갈나무가
있다.
Paul earns a dollar *an*
hour by mowing the lawn.
폴은 잔디를 깎아 주고 한 시간에
1 달러를 번다.

주의 「한 시간」은 a hour 라고
하지 않음에 주의. hour의 발
음 [áuər]가 모음으로 시작되므
로 an hour 라고 한다. 또,
「하나의 사과」는 an apple 이
라고 하나, 「하나의 푸른 사과」
는 a green apple 이라고 한
다. green이 자음으로 시작되기
때문에 a 를 붙인다.

an·a·lyze [ǽnəlàiz] 타
3·단·현 analyzes [ǽnəlàiziz] ;
ing형 analyzing [ǽnəlàiziŋ] ;
과거 과분 analyzed[ǽnəlàizd]
…을 분석하다, 분해하다.
We should *analyze* our
present situation. 우리는 지금
의 상황을 분석해야 한다.
➤ 영국에서는 analyse 라고 씀.

an·ces·tor [ǽnsestər] 명
복수 ancestors[ǽnsestərz]
조상, 선조.
It reminds us of our *ances-
tors*' wisdom. 그것은 우리에게
조상들의 지혜를 상기시킨다.

an·chor [ǽŋkər] 명
복수 anchors[ǽŋkərz]

A

닻.
The *anchor* keeps a ship from drifting. 닻은 배가 표류하지 못하게 한다.

an·cient [éinʃənt] 형
비교 **more ancient**;
최상 **most ancient**
옛날의, 고대의(⇔ modern 현대의).
They saw an *ancient* temple.
그들은 옛날 사원을 보았다.
John is interested in the *ancient* history of Korea.
존은 한국 고대사에 관심이 있다.
── 명 복수 **ancients**[éinʃənts]
옛날 사람, 고대인.
The *ancients* had wonderful civilizations in Greece. 고대인들은 그리스에 훌륭한 문명을 가지고 있었다.

:and [ənd : 강 ænd] 접
❶ …와 ~, …나 ~, …및 ~, … 그리고 ~.
Tom *and* I are good friends.
톰과 나는 좋은 친구 사이이다.

I   Tom

They like baseball *and* soccer. 그들은 야구와 축구를 좋아한다.
They sang *and* danced after dinner. 식사를 하고 나서 그들은 노래하고 춤추었다.
They have many cows, horses, hens, *and* pigs.

그들은 많은 소, 말, 닭 그리고 돼지가 있다.

어법 **말을 셋 이상 늘어놓을 때**
the sun, the moon, *and* the stars (해와 달과 별)처럼 셋 또는 그 이상의 말을 늘어놓을 때 and 는 보통 마지막 말 앞에만 붙인다.
In the room we saw a table, two chairs, *and* an old piano. 방에는 식탁과 의자 두 개와 헌 피아노가 보였다.
읽을 때에는 and 앞의 말은 끝을 올려서 발음하고 and 뒤에 오는 말은 내려서 발음한다.
A ↗ and B ↘.
A ↗, B ↗, and C ↘.

---

❷ 《명령문 다음에 써서》 그렇게 하면.
Work hard, *and* you may become great. 열심히 일하면 위대한 사람이 될 것이다.
Turn to the left, *and* you'll find the bank. 왼쪽으로 돌면 너는 은행을 발견할 것이다.
❸ 《come 따위+**and**+동사로》
…하러.
Come and see me tomorrow. (=Come to see me tomorrow.) 내일 놀러 오너라.

어법 **come 〔go〕 and ...**
and가 come, go 따위를 다른 동사와 연결하여 「… 하기 위하여(오다, 가다)」란 뜻을 나타낸다. 이 형식은 구어적인 표현이며, 명령문에서 잘 쓴다.

---

and so 그러므로, 그래서.
She was sick, *and so* she could not come. 그녀는 아팠다. 그래서 올 수 없었다.
and so forth 〔**on**〕 등, 따위.
Mr. Green asked me my

name, my age, my address, *and so forth* 〔on〕. 그린씨는 나에게 이름, 나이, 주소 따위를 물었다.

and yet 그런데도, 그럼에도 불구하고.
It's very cold, *and yet* I must go out. 몹시 춥지만 나는 외출하지 않으면 안 된다.

An·der·sen [ǽndərsən] 몡
안데르센.
Hans Christian [hǽns krístjən] **Andersen** 한스 크리스티안 안데르센(1805-75) 《덴마크의 동화 작가》.

a·nem·o·ne [ənémǝni] 몡
복수 **anemones** [ənémǝniz]
아네모네 《관상용 원예 식물》.

an·gel [éindʒəl] 몡
복수 **angels** [éindʒəlz]
천사; 천사 같은 사람 《아름답고 마음씨가 고운 사람, 특히 여자와 아이》.
She saw an *angel* in her dream. 그녀는 꿈에서 천사를 보았다.

an·ger [ǽŋɡər] 몡
《an과 복수형 안 씀》
노여움, 성, 화. ☞ 혱 angry
in anger 성이 나서.
I hit my brother *in anger*. 나는 화가 나서 동생을 때렸다.

an·gle [ǽŋɡl] 몡
복수 **angles** [ǽŋɡlz]
각도; 모(퉁이); 견지.
a right *angle* 직각.
I would like to view this problem from a different *angle*. 나는 이 문제를 다른 관점에서 생각하고 싶다.

an·gri·er [ǽŋɡriər] 혱
angry의 비교급.

an·gri·est [ǽŋɡriist] 혱
angry의 최상급.

an·gri·ly [ǽŋɡrəli] 뷔
비교 **more angrily**;

최상 **most angrily**
화내어, 성나서.
He spoke *angrily* about the bad weather. 그는 궂은 날씨에 대하여 화가 난 듯 말했다.

****an·gry** [ǽŋɡri] 혱
비교 **angrier** [ǽŋɡriər] : 최상 **angriest** [ǽŋɡriist]
화를 낸, 성난.
She got very *angry*. 그녀는 매우 화가 났다.
Don't be *angry* with me. 내게 화내지 마라.
What is he so *angry* about? 그는 무엇에 그렇게 화를 내고 있느냐? ☞ 몡 anger

> 어법 사람에 대해서 화를 내는 경우는 보통 with, 물건·일에 대해서 화를 내는 경우에는 at 또는 about 을 쓴다.

****an·i·mal** [ǽnəməl] 몡
복수 **animals** [ǽnəməlz]
동물, 짐승 (⇨ plant 식물, mineral 광물).
a wild *animal* 야생 동물.
a domestic *animal* 가축.
A giraffe is the tallest *animal*. 기린은 제일 키가 큰 동물이다.

> 참고 animal 은 넓은 뜻으로 인간을 포함하기도 한다.
> Man is the only *animal* that talks. 인간은 말을 하는 유일한 동물이다.

an·i·ma·tion [æ̀nəméiʃən] 몡
복수 **animations** [æ̀nəméiʃənz]
❶ 《an과 복수형 안 씀》 애니메이션, 만화 영화 제작.
I am studying computer *animation*. 나는 컴퓨터 애니메이션을 공부하고 있다.
❷ 만화 영화, 동화.

A

We watched a Disney *animation*. 우리는 디즈니 만화 영화를 보았다.

an·kle [ǽŋkl] 명
복수 ankles[ǽŋklz]
발목, 복사뼈.
twist one's *ankle* 발목을 삐다.

Ann [ǽn] 명
앤《여자 이름. 애칭은 Nan-cy, Nina [náinə], Annie [ǽni], Nanny[nǽni] 따위》. ▶ Anne 으로도 씀.

An·na [ǽnə] 명
안나《여자 이름. Ann의 다른 꼴》.

an·nounce [ənáuns] 타
3·단·현 announces [ənáunsiz] ;
ing형 announcing [ənáunsiŋ] ;
과거 과분 announced[ənáunst]
…을 발표하다, 알리다, 공표하다.
The result of the examination was *announced*. 시험 결과가 발표되었다.

an·nounce·ment [ənáuns-mənt] 명
복수 announcements[ənáuns-mənts]
발표, 공표, 통고.
We interrupt this program for a special *announcement*. 특별 발표로 이 프로그램을 잠시 중단하겠습니다《라디오·텔레비전에서》.

an·nounc·er [ənáunsər] 명
복수 announcers[ənáunsərz]
방송원, 아나운서.
His sister is a TV *announcer*. 그의 누님은 TV 아나운서이다.

an·noy [ənɔ́i] 타
3·단·현 annoys [ənɔ́iz] ; ing형
annoying [ənɔ́iiŋ] ; 과거 과분
annoyed[ənɔ́id]
…을 속태우다, 괴롭히다 ; 화나게 하다.

The boy *annoyed* his father. 그 소년은 아버지 속을 태웠다.
She was *annoyed* to learn that the plane would be delayed. 그녀는 비행기가 연착된다는 것을 알고 안절부절 못했다.

an·nu·al [ǽnjuəl] 형
해마다의 ; 일 년(간) 의(=yearly).
Mr. Brown's *annual* income is $ 50,000. 브라운씨의 연간 수입은 5만 달러이다.

an·oth·er [ənʌ́ðər] 형
❶ 또 하나의, 다른 하나의.
Please give me *another* cup of coffee. 커피 한 잔 더 주십시오.

❷ 다른, 딴(=different).
Do you have *another* size? 다른 크기가 있습니까?

어법 1. another는 「an+other」가 한 말로 된 것이므로 an이나 the를 붙이지 않는다.
2. another는 보통 셀 수 있는 명사의 단수형에 붙인다.

── 대 다른 것〔사람〕, 또 하나.
I don't care for this pen; would you show me *another*? 이 만년필은 마음에 들지 않는데, 다른 것을 보여 주겠습니까?
one after another 차례차례로.
The students came out of the room *one after another*. 학생들이 차례차례 방에서 나왔다.
one another 서로(=each other).
▶ 주어로 쓰지 않음.
Americans often talk to *one another* when they eat.

미국인들은 식사를 할 때 서로 이야기하곤 한다.

＊an·swer [ǽnsər] [타·자] [3·단·현]
answers [ǽnsərz] :
[ing형] **answering** [ǽnsəriŋ] : [과거]
[과분] **answered** [ǽnsərd]
(…에) 대답[회답]하다(⇔ask 묻다) ; 응수하다.

Mike tried to *answer* in Korean. 마이크는 한국어로 대답하려고 했다.
Answer the questions with "Yes" or "No." 물음에 "예" 또는 "아니오"로 답하시오.
I *answered* his letter.
나는 그의 편지에 답장을 했다.
Would you please *answer* the phone? 전화를 받아 주겠느냐?

I knocked on the door, but no one *answered*. 문을 두드렸으나 아무도 나와 주지 않았다.
— 명 [복수] **answers** [ǽnsərz]
답, 해답, 대답(⇔question 질문) ; 답장.
The boy gave me a quick *answer*. 소년은 내게 재빨리 대답했다.
I got no *answer* to my letter. 나는 편지 답장을 하나도 받지 못했다.

＊ant [ænt] 명 [복수] **ants** [ænts]
개미.
A lot of *ants* have gathered around the dead worm. 많은 개미가 죽은 벌레 주위에 모여 들었다.

ant·arc·tic [æntá:rktik]
형
남극의(⇔arctic 북극의).

— 명 ((the Antarctic으로)) 남극
(권).

Ant·arc·ti·ca [æntá:rktikə]
명
남극 대륙.
The ship returned safely from *Antarctica*. 그 배는 남극에서 무사히 돌아왔다.

an·te·lope [ǽntəlòup]
명
[복수] **antelopes** [ǽntəlòups]
영양((아프리카와 아시아에서 서식하는 사슴과 비슷한 동물)).
running *antelopes* 달리는 영양들.

an·ten·na [ænténə]
명
❶ [복수] **antennae** [ænténi:] (동물의) 촉각.
Most insects have a pair of *antennae*. 대부분의 곤충은 한 쌍의 촉각을 가지고 있다.
❷ [복수] **antennas** [ænténəz] (무전의) 공중선, 안테나.
Dorothy put an *antenna* on the roof. 도로시는 지붕 위에 안테나를 세웠다.

an·ten·nae [ænténi:]
antenna(촉각)의 복수.

an·them [ǽnθəm]
명
[복수] **anthems** [ǽnθəmz]
성가, 찬송가 ; 축가, 송가.
The Korean national *anthem* was played. 한국 국가가 연주되었다.

ant·ler [ǽntlər] 명
[복수] **antlers** [ǽntlərz]
(사슴의) 가지뿔, 녹각.
We saw some deer with

A

fine *antlers*. 우리는 멋진 뿔을 가진 사슴들을 보았다.

An·to·ni·o [æntóuniòu] 몡

안토니오《남자 이름》.

anx·i·e·ty [æŋzáiəti] 몡

❶《an과 복수형 안 씀》근심, 걱정, 불안.
She showed her *anxiety*.
그녀는 불안해 보였다.
We waited with *anxiety* for the doctor to come. 우리들은 초조하게 의사가 오기를 기다렸다.
❷《an과 복수형 안 씀》갈망, 열망.
His *anxiety* to win was strong. 이기려는 그의 갈망은 간절했다.   ☞ 혱 anxious

anx·ious [æŋkʃəs] 혱 비교 more anxious; 최상 most anxious

❶ 걱정되는, 염려되는;《be anxious about로》…을 걱정하고 있다.
Don't be *anxious* if I'm late.
내가 늦더라도 걱정하지 마라.
Her mother *is* always *anxious about* her health. 그녀의 어머니는 그녀의 건강을 늘 걱정한다.
❷《be anxious for로》…을 갈망하다.
The boy *was anxious for* a bicycle. 소년은 자전거를 몹시 갖고 싶어했다.
❸《be anxious to do로》몹시 …하고 싶어하다.
I *am anxious to* know how you feel about Koreans.
나는 네가 한국인에 대해 어떻게 생각하는지 몹시 알고 싶다.
          ☞ 몡 anxiety

anx·ious·ly [æŋkʃəsli] 분 비교 more anxiously; 최상 most anxiously
걱정하여, 걱정스럽게.
Her mother was *anxiously*

waiting for her return.
그녀의 어머니는 그녀가 돌아오기를 걱정스럽게 기다리고 있었다.

an·y [əni; 강 éni] 혱

❶《의문문·조건문에서》얼마간의, 무언가의; 누군가의. ☞ some
Are there *any* forks on the table ? 식탁 위에 포크가 있느냐?
If there's *any* trouble, let me know. 만일 문제가 있거든 내게 알려라.

> 참고 any 를 의문문이나 조건문 (if … 의 문장)에 쓸 경우에는 보통 「얼마간의」, 「누군가의」와 같이 반드시 우리말로 새길 필요가 없으며, 발음도 약하고 가볍게 한다.

❷《부정문에서》조금도, 아무 것도; 아무도.
I don't have *any* brothers. (=I have no brothers.) 나는 형제가 아무도 없다.
There isn't *any* milk in the bottle. (=There is no milk in the bottle.) 병에 우유가 조금도 없다.

> 어법 **1.** not … any 는 no 와 같은 뜻이 된다.
> **2.** 부정의 뜻을 나타낼 경우, any 는 주어에 쓸 수 없다. 이때는 no 를 쓴다. 예컨대 「아무 학생도 오지 않았다」는 *Any* student did not come. 이라고 하지 않고, *No* student came. 이라고 한다.

❸《긍정문에서》어떤, 무엇이든지, 얼마든지; 누구든지. ▶ 보통 단수 명사 앞에 쓰며, [éni]라고 강하게 발음함.
Come *any* day you like.
아무 날이든 좋을 때 와라.
You can ask me *any* questions. 내게 어떤 질문이든 해도

된다.

any one 어느 것이든지 하나.
You may take *any one* of these magazines. 이 잡지 중 아무거나 한 권 가져도 좋다.

any other ... 다른 어느 ….
Jim is stronger than *any other* boy. 짐은 다른 어느 소년 보다도 힘이 세다. ➤ any other 다음의 명사는 단수형.

at any moment 언제든지.
It may rain *at any moment*. 언제 비가 올는지 모른다.

── 때 ❶ 《의문문·조건문에서》 어느 것이나, 얼마간, 누군가; 《부 정문에서》 조금도, 어느 것도.
I'm collecting foreign stamps. Do you have *any*? 나는 외국 우표를 모으고 있다. 너는 좀 가지고 있느냐?
He has a lot of books but doesn't lend *any* to his friends. 그는 많은 책을 가지고 있지만 친구들에게 하나도 빌려주 지 않는다.
❷ 《긍정문에서》 어느 것이든지, 누구든지.
You may choose *any* of these pictures. 이 그림 가운데 에서 아무거나 골라라.
Any of the teachers will help you. 선생님 중 누구든지 너를 도울 것이다.

if any 만일 있다면, 설령 있다 해도.
Correct errors, *if any*. 틀린 데가 있으면 고쳐라.
Errors are very few, *if any*. 틀린 데가 설령 있다고 해도 몇 개 안 된다.
── 부 《의문문·부정문에서 비교 급과 함께 쓰여》 조금이라도, 얼마 간.
Do you feel *any* better to-day? 오늘은 좀 나으냐?

*not ... any longer 이미 …가 아 니다(=no longer).
I can't wait *any longer*. 이제 이 이상 기다릴 수 없다.

*not ... any more 더 이상 …하지 않다(=no longer).
I will *not* watch TV *any more*. 나는 더 이상 텔레비전을 보지 않을 것이다.

an·y·bod·y [énibàdi] 대
❶ 《의문문·조건문에서》 누군가. ☞ somebody
Is *anybody* absent today? 오늘 누군가 결석했느냐?
Did *anybody* come to see me during my absence? 내가 없는 동안 누군가 나를 찾아 왔느냐?
❷ 《부정문에서》 아무도.
I didn't see *anybody* there. 나는 거기에서 아무도 보지 못했다.
❸ 《긍정문에서》 누구든지.
I like *anybody* who always does his best. 나는 항상 최선을 다하는 사람이면 누구든지 좋다.

anybody else 그 밖에 누군가.
Does *anybody else* want to go on a picnic? 그 밖에 또 누가 소풍 가고 싶으냐?

┌─────────────────────────┐
│ 참고 anybody는 의문문, 조건 │
│ 문, 부정문, 긍정문에 쓰이며 │
│ 용법은 any와 같으므로 any항 │
│ 을 참조할 것. 동의어는 any- │
│ one. 단, anybody 쪽이 구어 │
│ 적이다. │
└─────────────────────────┘

an·y·how [énihàu] 부
어떻게 하든, 하여튼, 어쨌든. ☞ somehow
The doors were locked and we couldn't get in *anyhow*. 문이 잠겨 있어서 아무리 해도 들 어갈 수 없었다.
It may rain, but I will go *anyhow*. 비가 올지도 모르지만 어쨌든 가겠다.

an·y·more [ènimɔ́ːr] 부
《부정문·의문문에서》 이제는, 더

A

이상; 지금부터는.
He and I promised not to quarrel *anymore*. 그와 나는 더 이상 싸우지 않겠다고 약속했다.

＊＊an·y·one [éniwλ̀n] 때

❶《의문문·조건문에서》누군가.
Is there *anyone* at the gate? 대문에 누가 있느냐?
I wonder if *anyone* can read this book. 누군가 이 책을 읽을 줄 아는지 모르겠다.
❷《부정문에서》아무도, **아무에게도.**
I didn't see *anyone* on my way to school. 학교 가는 길에 아무도 만나지 못했다.

> [어법] anyone은 부정문의 주어로 쓸 수 없다. 이 때에는 no one을 쓴다. 예컨대 「아무도 오지 않았다」는 *Anyone* didn't come. 이라고 하지 않고, *No one* came. 이라고 한다.

❸《긍정문에서》누구든지.
Anyone can learn to ride a bicycle. 누구든지 자전거 타는 것을 배울 수 있다.
I'm sure *anyone* can solve this problem. 나는 누구든지 이 문제를 풀 수 있다고 확신한다.

> [어법] **anyone**과 **any one**
> anyone은 anybody 와 뜻이 같은 말로서 any one[éniwʌn]처럼 두 개의 낱말로 적는 경우도 있다. 그러나 one 의 뜻을 강조하여 「누구든지 한 사람」의 뜻일 때에는 anyone 이라고 하지 않는다.
> 다음의 any one은 [éni wʌn]처럼 두 개의 낱말을 힘주어 발음한다.
> *Any one* of you can solve the problem. 너희들 가운데 누구든지 그 문제는 풀 수 있다.

또 anyone 은 사람에 관해서만 쓰지만 any one 처럼 두 낱말로 하면 물건에도 쓴다.
You may take *any one* of these books. 이 책 가운데에서 어느 것을 가져도 좋다.

＊＊an·y·thing [éniθìŋ] 때

❶《의문문·조건문에서》무언가.
Is there *anything* wrong with your watch? 네 시계는 어디 고장이라도 났느냐?
Is there *anything* I can do for you? 무언가 내가 도와 줄 일이라도 있느냐?
If you know *anything* about the accident, please tell me. 네가 그 사고에 관해 무언가 알면, 내게 말해다오.
❷《부정문에서》아무 것도.
I won't do *anything* like that. 나는 그런 일은 하지 않겠다.

> [어법] anything 은 부정문의 주어로 쓸 수 없다. 이 때에는 nothing을 쓴다. 예컨대 「아무 것도 남아 있지 않다」는 *Anything* is *not* left. 라고 하지 않고, *Nothing* is left. 라고 한다.

❸《긍정문에서》무엇이든지.
Tom likes *anything* sweet. 톰은 단 것이라면 무엇이든지 좋아한다.
I will give you *anything* you want. 나는 네가 원하는 것은 무엇이든지 주겠다.
anything but …외에는 **무엇이나.**
☞ something
I'll give you *anything but* this ring. 이 반지 말고는 무엇이든지 주겠다.

an·y·time [énitàim] 부
언제든지, 언제나.
You can call me *anytime*. 너는 나에게 언제든지 전화해도

된다.

an·y·way [éniwèi] 투

어쨌든, 하여튼; 어떻게 해서든.
He did the work *anyway.*
어쨌든 그는 그 일을 하였다.
Anyway, he was very dif-
ferent from Insik. 어쨌든, 그
는 인식과 매우 달랐다.

***an·y·where** [énih wɛ̀ər] 투

❶《의문문 · 조건문에서》 어디엔가.
"Are you going *anywhere*
tomorrow?" "No, I'm not."
「너는 내일 어디엔가 가느냐?」
「아니, 아무 데도 안 간다.」
❷《부정문에서》 아무 데도.
I didn't go *anywhere.*
나는 아무 데도 가지 않았다.
❸《긍정문에서》 어디에나, 어디서
나. ☞ somewhere
You may go *anywhere.*
너는 어디든지 가도 좋다.

a·part [əpá:rt] 투

따로따로, 떨어져서.
He kept the dogs *apart.* 그
는 개들을 따로따로 떼어 놓았다.
She lives *apart* from her
family. 그녀는 가족과 떨어져서
산다.
***apart from** …은 별문제로 하고,
…은 그만두고.
Apart from the cost, it will
take a lot of time. 경비는 별
문제로 하고, 많은 시간이 걸릴
것이다.
***set apart … for** ~을 위하여 …을
따로 (간직해) 두다.
She *set apart* the money
for the future. 그녀는 장래를
위하여 돈을 따로 두었다.
***take … apart** …을 분해하다.
The boy *took* the model
car *apart* to repair it. 그 소
년은 모형 자동차를 고치기 위하
여 분해하였다.

***a·part·ment** [əpá:rtmənt] 명

[복수] **apartments** [əpá:rtmənts]
아파트.
We live in a three-room
apartment. 우리는 방이 셋 있는
아파트에 산다.

> 참고 apartment 는 공동 주택
> 내의 1세대가 생활하는 부분을
> 가리키며, 거실, 침실, 주방, 욕
> 실(화장실) 따위로 되어 있다.
> 영어는 우리말과 같이 apart로
> 줄여서 쓰이지는 않는다. 영국
> 에서는 flat[flæt]라고 한다.

a·part·ment house
[əpá:rtmənt hàus] 명 [복수]
apartment houses [əpá:rtmənt
hàuziz]
공동 주택, 아파트.
There is no *apartment
house* around here. 이 근방
에는 아파트가 없다.

> 참고 apartment house는 한
> 세대씩 생활하는 아파트(apart-
> ment)들로 이루어진 하나의
> 건물을 가리킨다. 영국에서는
> flats[flæts] 라고 한다.

ape [eip] 명 [복수] **apes** [eips]
(꼬리없는) 원숭이.
A gorilla is an *ape.* 고릴라는
꼬리없는 원숭이다.

> 참고 보통 ape는 꼬리없는 대형
> 원숭이를 가리키고, monkey는
> 꼬리가 길고 몸집이 작은 원숭
> 이를 말한다.

Aph·ro·di·te [æfrədáiti] 명

아프로디테《그리스 신화에 나오는
사랑과 미의 여신》. ☞ Venus

A·pol·lo [əpálou] 명

아폴로《그리스 · 로마 신화에 나
오는 태양의 신》.

참고 Apollo는 그리스의 주신(主神) 제우스(Zeus)의 아들로서 태양, 시, 음악, 예언, 궁술, 의술의 신. 씩씩하고 아름다운 젊은 신이며, 미남자를 말해서 Apollo와 같은 사람이라고 한다. 그리스 신화 중에서 Apollo의 구애를 물리치고 도망친 미녀 다프네(Daphne [dǽfni])가 월계수로 변했다는 이야기는 유명하다.

a·pol·o·gize [əpάlədʒàiz] 자 3·단·현
apologizes[əpάlədʒàiziz] ; ing형
apologizing[əpάlədʒàiziŋ] ; 과거
과분 **apologized**[əpάlədʒàizd]
사과하다, 사죄하다; 변명하다.
He *apologized* for breaking the vase. 그는 꽃병을 깬 것에 대해 사과했다.
He *apologized* to us for arriving late. 그는 우리에게 지각한 것을 사과했다.

a·pol·o·gy [əpάlədʒi] 명
복수 **apologies**[əpάlədʒiz]
사과, 사죄.
I make no *apology* for what I said. 나는 내가 한 말에 대해 사과할 것이 없다.

a·pos·tro·phe [əpάstrəfi] 명
복수 **apostrophes**[əpάstrəfiz]
아포스트로피(').
The *apostrophe* is a sign of possessive case. 아포스트로피는 소유격 부호이다.

참고 **apostrophe**의 용법
1. 문자·숫자의 생략을 나타낸다.
I'm=I am / '95=1995.
2. 소유격을 나타낸다.
a boy's 한 소년의 / boys' 소년들의 / John's 존의.
3. 문자·숫자·약자·부호의 복수형을 나타낸다.
two A's, A 두 개 / three 7's, 7 세 개.

ap·par·ent [əpǽrənt, əpέər-] 형
비교 **more apparent**; 최상 **most apparent**
(눈에) 보이는; 뚜렷한, 명백한(= clear).
It's *apparent* that you're not interested. 네가 관심이 없는 것이 분명하다.

ap·par·ent·ly [əpǽrəntli] 부
❶ 보기에는, 외견상으로는.
Apparently he is an honest man. 보기에 그는 정직한 사람 같다.
❷ 명백히, 명료하게.
Apparently, the problem was too difficult for me. 분명히 그 문제는 나에게 너무 어려웠다.

ap·peal [əpíːl] 자 3·단·현
appeals [əpíːlz] ;
ing형 **appealing** [əpíːliŋ] ; 과거
과분 **appealed**[əpíːld]
❶ 《appeal to로》 (도움·동정 따위를 아무)에게 구하다; (이성·무력 따위)에 호소하다.
They *appealed* to me for help. 그들은 내게 도움을 구했다.
❷ 《appeal to로》 …의 마음을 〔흥미를〕 끌다.
The pictures in the gallery *appealed* to me. 미술관의 그림들이 나의 흥미를 끌었다.
── 명 복수 **appeals**[əpíːlz]
❶ 항소, 상고; (이성·무력 따위

에) **호소하기**.
He made an *appeal* for support. 그는 원조를 호소했다.
You should not make an *appeal* to force. 너는 완력에 호소해서는 안 된다.
❸ 《an과 복수형 안 씀》 **매력**.
The game has lost its *appeal*. 그 시합은 매력을 잃었다.

*ap·pear [əpíər] 자

③·단·현 **appears**[əpíərz] ; ing형 **appearing** [əpíəriŋ] ; 과거 과분 **appeared**[əpíərd]
❶ **나타나다**, **나오다** (⇔disappear 사라지다).
A car *appeared* over the hill. 자동차가 언덕 위에 나타났다.
In this disease, spots *appear* on the skin. 이 병에 걸리면 피부에 반점이 나타난다.
❷ (겉보기에 …처럼) **보이다**, **생각되다**.
The house *appears* (to be) deserted. 그 집은 버려진 것 같다.
He *appears* to have a lot of friends. 그는 친구가 많은 것 같다. ☞ 명 appearance

─────────────

비슷한 말 **appear**와 **seem**
appear와 seem은 뜻의 차이 없이 쓰이는 수가 많다. 그러나 appear는 표면적인 인상, 즉 「(겉보기에) …와 같이 보이다」라는 뜻으로 쓰이고, seem은 「(마음에) …와 같이 생각되다」라는 뜻이다.
He *seems* to be sick, because he *appears* to be pale. 그는 아파 보인다. 안색이 좋지 않아 보이니까.

─────────────

ap·pear·ance [əpíərəns] 명

복수 **appearances**[əpíərənsiz]
❶ **나타남**, **출현**; **출연**.
I was surprised at his sud-

den *appearance*. 나는 그의 갑작스런 출현에 놀랐다.
She has made a number of *appearances* on TV. 그녀는 TV에 수차례 출연해 왔다.
❷ **외양**, **외관**; **풍채**, **용모**, **모습**.
We changed the *appearance* of our house by painting it. 우리는 집에 페인트 칠을 해서 외관을 바꾸었다.
I worry about my *appearance*. 나는 외모에 대해서 고민한다. ☞ 동 appear

ap·pen·di·ces [əpéndəsìːz] 명

appendix의 복수의 하나.

ap·pen·dix [əpéndiks] 명

복수 **appendixes** [əpéndiksiz] 또는 **appendices**[əpéndəsìːz]
❶ **부속물**, **부록**.
There are several pages of maps in the *appendix* of the dictionary. 그 사전의 부록에는 몇 페이지의 지도가 있다.
❷ **충수**, **충양 돌기**.

ap·pe·tite [ǽpitàit] 명

복수 **appetites**[ǽpitàits]
식욕.
Susie had no *appetite* while she was sick. 수지는 앓는 동안 식욕이 없었다.

ap·plaud [əplɔ́ːd] 자·타

③·단·현 **applauds** [əplɔ́ːdz] ; ing형 **applauding** [əplɔ́ːdiŋ] ; 과거 과분 **applauded** [əplɔ́ːdid]
(…에게) **박수 갈채하다**.
Everyone *applauded* after each speech. 모든 사람들이 연설이 끝날 때마다 박수를 쳤다.
All the spectators stood and *applauded* him. 모든 관중들이 일어서서 그에게 박수 갈채를 보냈다.

*ap·ple [ǽpl] 명

복수 **apples**[ǽplz]

A

사과, 능금; 사과나무.
An *apple* is red.
사과는 빨갛다.
Would you like some
apples? 사과를 좀 먹겠느냐?

ap·pli·ca·tion [æplikéiʃən]
명

복수 applications[æplikéiʃənz]

❶ 신청, 지원.
May I have an *application*
form, please? 신청 용지 좀 주
시겠습니까?
❷ 《an과 복수형 안 씀》 적용, 응
용.
application software 응용 소
프트웨어. ☞ 동 apply

ap·plied [əpláid]
동

apply의 과거 · 과거 분사.

ap·plies [əpláiz]
동

apply의 3인칭 · 단수 · 현재.

*ap·ply [əplái] 동 3·단·현
applies[əpláiz] : ing형
applying [əpláiiŋ] : 과거 과분
applied[əpláid]
타 ❶ …을 적용하다, 응용하다.
Scientific discoveries are
often *applied* to industrial
processes. 과학적 발견은 종종
산업 공정에 응용된다.
❷ …을 바르다, 붙이다.
He *applied* the medicine to
the wound. 그는 상처에 약을
발랐다.
— 자 ❶ 적용되다, 들어맞다, 적
합하다.
This rule does not *apply*
to children.
이 규칙은 어린이들에게는 적용되
지 않는다.
❷ 신청하다, 지원하다.
I'll *apply* for the tickets.
나는 그 표를 신청하겠다.
We *applied* for admission
to the high school. 우리는
그 고등 학교 입학을 지원하였다.
☞ 명 application

ap·point [əpɔint] 타 3·단·현
appoints[əpɔints] :
ing형 appointing[əpɔintiŋ] : 과거
과분 appointed [əpɔintid]
❶ …을 임명하다, 지명하다.
John was *appointed* cap-
tain of the team. 존은 팀의
주장으로 임명되었다.
❷ (때 · 장소 따위)를 정하다, 약
속하다.
We must *appoint* a day for
the next meeting. 우리는 다
음 모임의 날짜를 정해야 한다.

ap·point·ed [əpɔintid]
형

지정된, 정해진; 약속된.
They met at the *appointed*
time in the *appointed* place.
그들은 약속된 시각에 약속된 장
소에서 만났다.

ap·point·ment [əpɔintmənt]
명 복수

appointments[əpɔintmənts]
❶ (아무를 만날) 약속.
I made an *appointment* to
see the doctor at four
o'clock. 나는 4시에 진찰을 받기
로 약속을 하였다.

참고 미국에서는 병원에 가기
전에 전화로 며칠, 몇 시에 가
면 좋겠는가를 병원과 서로 약
속하는 것이 보통이다.

❷ 임명; (임명된) 직.
Jane's *appointment* as a
teaching assistant pleased
all her friends. 제인이 조교로
임명된 것은 그녀의 모든 친구들
을 기쁘게 하였다.

ap·pre·ci·ate [əprí:ʃièit]
타 3·단·현
appreciates[əprí:ʃièits] : ing형
appreciating [əprí:ʃièitiŋ] : 과거
과분 appreciated[əprí:ʃièitid]
❶ (사람 · 물건의 진가)를 인식하
다, 알다.
His great ability was fully

appreciated by his friends.
그의 대단한 재능은 친구들에게
충분히 인정받았다.
❷ …을 맛보다, 감상하다, 이해하다.
Mr. Jones can appreciate
Korean music. 존스씨는 한국
음악을 이해한다.
❸ (친절·호의 따위)를 고맙게 생
각하다.
I appreciate your kindness.
당신의 친절에 감사드립니다.
Letters are better appre-
ciated than cards. 편지가 카
드보다 더 고맙게 여겨진다.

ap·pre·ci·a·tion [əprìːʃiéi-ʃən] 명
[복수] appreciations [əprìːʃiéiʃ ənz]
❶ (진상 따위의) 인식, 옳은 이
해; 감상.
The pupils wrote an appre-
ciation of the play. 학생들은
그 연극의 감상문을 썼다.
❷ 감사.
I wish to express my deep
appreciation for your kind
help. 친절한 도움에 대하여 깊은
사의를 표하고 싶습니다.

*ap·proach [əpróutʃ] 타·자
[3·단·현] approaches [əpróutʃiz] :
[ing형] approaching [əpróutʃiŋ] :
[과거] [과분] approached [əpróutʃt]
(…에) 가까이 가다, 접근하다;
다가오다.
Spring is approaching.
봄이 다가오고 있다.
We heard approaching foot-
steps. 우리는 다가오는 발소리를
들었다.
── 명 [복수] approaches [əpróutʃiz]
❶ 《an과 복수형 안 씀》 접근, 가
까이 가기.
We felt the approach of
daylight. 우리는 날이 밝아옴을
느꼈다.
❷ 접근하는 길.
All approaches to the town
were blocked. 마을로 가는 모

든 길이 막혔다.

ap·pro·pri·ate [əpróupriit] 형
[비교] more appropriate; [최상]
most appropriate
적합한, 적절한, 적당한.
Wear something appropri-
ate for the job interview.
취업 인터뷰에 적합한 옷을 입어
라.

ap·prov·al [əprúːvəl] 명
《an과 복수형 안 씀》 승인, 찬성.
If you get your mother's
approval, you can come.
너의 어머니 승낙을 받으면 와도
좋다.

ap·prove [əprúːv] 타·자
[3·단·현] approves [əprúːvz] :
[ing형] approving [əprúːviŋ] :
[과거] [과분] approved [əprúːvd]
(…을) 승인하다, 찬성하다, 좋다
고 생각[말]하다.
Father approved our plans
for the summer. 아버지께서는
우리의 여름 계획을 찬성하셨다.
approve of …을 승인하다, 찬성
하다.
We don't approve of smok-
ing. 우리는 흡연을 찬성하지 않
는다.
I thoroughly approve of
your plan. 나는 네 계획에 전적
으로 찬성한다.

ap·prox·i·mate [əpráksə-mit] 형
근사의, 대략의.
approximate value 근삿값.
approximate cost 대략의 비용.

*A·pril [éiprəl] 명
4월. ▶ Apr.로 약함. ☞
February
April is the fourth month
of the year. 4월은 1년의 네 번
째 달이다.
She started work here last
April. 그녀는 지난 4월에 여기에

A

서 일을 시작했다.

A·pril fool [éiprəl fúːl] 명

〖복수〗 **April fools**[éiprəl fúːlz]
에이프릴 풀《만우절에 속아 넘어
가는 사람》.

A·pril Fool's Day

[éiprəl fúːlz dèi] 명
만우절《4월 1일》.

> 〖참고〗 All Fool's Day라고도
> 한다. 4월 1일에 친구 등에게
> 악의 없는 거짓말이나 장난을
> 하여도 용서되는 풍습이 있으
> 며, 이 장난의 대상자가 에이프
> 릴 풀(April fool)이 된다.

a·pron [éiprən] 명

〖복수〗 **aprons**[éiprənz]
에이프런, 앞치마, 행주치마.
Put on your *apron* and
help me. 앞치마를 두르고 나를
도와다오.

apt [ǽpt] 형

❶ 《be apt to do로》 …하기 쉽
다, …할 경향이 많다.
This kind of shoe *is apt to*
slip on wet ground. 이런 종
류의 신발은 진 땅에서 미끄러지
기 쉽다.
❷ 적절한.
His *apt* reply to the ques-
tion pleased his teacher.
그 질문에 대한 그의 적절한 대답
은 선생님을 기쁘게 했다.

a·quar·i·um [əkwɛ́əriəm] 명

〖복수〗 **aquariums**[əkwɛ́əriəmz]
수족관.
Mary saw a lot of fish
swimming in the *aquarium*.
메리는 수족관에서 많은 고기들이
헤엄치고 있는 것을 보았다.

Ar·ab [ǽrəb] 명

〖복수〗 **Arabs**[ǽrəbz]
아랍 사람.

A·ra·bi·a [əréibiə] 명

아라비아《서남아시아의 큰 반도》.
A native of *Arabia* is
called an Arab. 아라비아의 원
주민을 아랍 사람이라고 한다.

A·ra·bi·an [əréibiən]

아라비아의, 아랍 사람의.
— 명 〖복수〗 **Arabians**[əréibiənz]
아랍 사람.
He is an *Arabian*.
그는 아랍 사람이다.

Ar·a·bic [ǽrəbik] 형

아라비아의, 아라비아 사람의, 아
라비아 말의.
— 명 《an과 복수형 안 씀》 아라
비아 말.

A·ra·bi·an Nights

[əréibiən náits] 명
《The를 붙여》 천일야화, 아라비안
나이트.

> 〖참고〗 옛날부터 아라비아에 전해
> 내려온 이야기를 셰에라자드라
> 는 여자가 천 하루 밤을 이야기
> 한다는 형태로 꾸며져 있다.

Ar·bor Day [áːrbər dèi] 명

식목일. ▶ 4월
하순에서 5월 상순에 걸쳐 미국
각주에서 행하여짐.
The first *Arbor Day* was
celebrated in Nebraska in
1885. 최초의 식목일은 1885년
네브래스카주에서 행해졌다.

ar·cade [aːrkéid] 명

〖복수〗 **arcades**[aːrkéidz]
아케이드《지붕 있는 상점가》.

arch [aːrtʃ] 명

〖복수〗 **arches**[áːrtʃiz]
아치, 아치 문.
The bridge has seven
arches. 그 다리에는 일곱 개의
아치가 있다.

arch·er·y [á:rtʃəri] 명
《an과 복수형 안 씀》 궁술, 궁도.

Ar·chi·me·des [à:rkəmí:-di:z] 명
아르키메데스(기원전 287-212)
《고대 그리스의 수학자·물리학자》.

ar·chi·tect [á:rkitèkt] 명
복수 architects[á:rkitèkts]
건축가, 건축 기사.
That hotel was designed
by a famous *architect.*
그 호텔은 유명한 건축가에 의해
설계되었다.

ar·chi·tec·ture [á:rkitèk-tʃər] 명
《an과 복수형 안 씀》 건축, 건축
학.
In New York we saw fine
examples of modern *archi-
tecture.* 뉴욕에서 우리는 현대
건축의 좋은 예들을 보았다.

arc·tic [á:rktik] 형
북극의(⇨antarctic 남극의).
── 명 《the Arctic으로》 북극,
북극권.

*are [ər; 강 a:r] 동
be의 1인칭 복수, 2인칭 단
수·복수, 3인칭 복수의 현재형.
자 …이다; (…에) 있다.
We *are* ready to go.
우리는 갈 준비가 되어 있다.
Are Tom and Jerry friends?
톰과 제리는 친구인가요?
── 조 ❶ 《are+-ing형으로 진행
형을 만듦》 …하고 있다.
They *are waiting* for you.

그들은 너를 기다리고 있다.
What *are* you *doing?*
너는 무엇을 하고 있느냐?
❷ 《are+과거 분사로 수동태를
만듦》 …되다, …해지다.
We *are invited* to the
party. 우리는 그 파티에 초대받
았다.

발음 **are**의 발음
1. 문장의 가운데서는 약하게 발
음한다.
We*'re* having breakfast.
[wiər hǽviŋ brékfəst]
2. 문장의 처음에서는 약간 세게
발음한다.
Are you happy? [a:r ju
hǽpi]
3. 문장의 끝에서는 가장 세게
발음한다.
Yes, we *are.* [jés wi á:r]

---

*ar·e·a [ɛ́əriə] 명
복수 areas[ɛ́əriəz]
❶ 면적.
The *area* is 150 square feet.
그 면적은 150 제곱 피트이다.
❷ 지역, 지방.
They traveled over the
desert *area* of North Africa.
그들은 북아프리카의 사막 지대를 여
행하였다.
They had no rain in the
Honam *area* last month.
지난달에 호남 지방에는 비가 오지
않았다.

*aren't [a:rnt]
are not의 단축형.
They *aren't* my pupils.
그들은 나의 학생들이 아니다.
Aren't their names Mike
and George? 그들의 이름은 마
이크와 조지가 아니냐?

참고 단축형 aren't는 wasn't,
weren't, hasn't 따위와 같이,
일상 회화에 흔히 쓰이는 형.

Ar·gen·ti·na [à:*r*dʒəntí:nə] 명
아르헨티나.

참고 남아메리카 남부 대서양 연안 연방 공화국. 면적은 2,778,412 km². 수도는 부에 노스아이레스 (Buenos Aires [bwéinəs áiriz]).

ar·gue [á:*r*gju:] 동
3·단·현 argues [á:*r*gju:z] ; ing형 arguing [á:*r*gju:iŋ] ; 과거 과분 argued [á:*r*gju:d]
타 …을 논의하다; 주장하다.
They were still *arguing* the point. 그들은 아직도 그 점을 논의하고 있었다.
Columbus *argued* that he could reach India by going west. 콜럼버스는 서쪽으로 가면 인도에 닿을 것이라고 주장하였다.
── 자 논의하다, 논쟁하다.
Let's not *argue*.
논쟁하지 말자.

ar·gu·ment [á:*r*gjəmənt] 명
복수 arguments [á:*r*gjəmənts]
논의, 논쟁.
Their *argument* was about spending the money.
그들의 논의는 돈의 용도에 관한 것이었다.

a·rise [əráiz] 자
3·단·현 arises [əráiziz] ; ing형 arising [əráiziŋ] ; 과거 arose [əróuz] ; 과분 arisen [ərízən]
일어나다, 나타나다; 발생하다.
Accidents *arise* from carelessness. 사고는 부주의에서 일어난다.
Smoke *arose* from the chimney. 연기가 굴뚝에서 솟아 올랐다.

a·ris·en [ərízən] 동
arise의 과거 분사.

a·rith·me·tic [əríθmətik] 명

《an과 복수형 안 씀》 산수, 산술, 계산
John is doing an exercise in *arithmetic*. 존은 산수를 연습하고 있다.

참고 arithmetic은 수학(mathematics) 가운데서 제일 기초적인 것. the three R's [a:*r*z] 란, Reading(읽기), Writing (쓰기), Arithmetic의 세 과목으로, 우리 나라의 「읽기, 쓰기, 셈」에 상당한다.

Ar·i·zo·na [æ̀rəzóunə] 명
애리조나.

참고 미국 남서부에 있는 주. 면적은 295,043 km². Ariz.로 약함. 이 주의 북서부에는 유명한 콜로라도강의 대협곡 그랜드 캐니언(Grand Canyon [grǽnd kǽnjən])이 있다. 거대한 선인장은 이 주의 꽃이다. 주도는 피닉스(Phoenix [fí:niks]). 옛날 인디언(Indian)의 거주지였으나, 1539년 스페인 사람이 개척했던 관계로, 현재까지도 인디언, 스페인 문화가 짙게 남아 있어서 관광의 매력이 되고 있다.

Ar·kan·sas [á:*r*kənsɔ̀:] 명
아칸소.

참고 미국 남부 중앙에 있는 주로서, 면적은 137,310 km². Ark.로 약함. 주도는 리틀록 (Little Rock [lítl ràk]). 농업이 주요 산업이며, 특히 솜의 생산은 미국의 제 3 위를 차지하고, 쌀·옥수수의 생산도 많다. 미국 내에서는 후진적인 주의 하나. 핫스프링스 국립 공원 (Hot Springs National Park)은 40여 개의 온천이 있어 세계적으로 유명하다.

***arm** [ɑ:rm] 명
　　복수 **arms**[ɑ:rmz]
❶ 팔. ▶어깨에서 팔목까지를 말하며, 보통 hand는 제외됨.
He had a cut on his *arm*.
그는 팔에 베인 상처가 있었다.
The mother held her baby in her *arms*. 어머니가 아기를 팔에 안고 있었다.

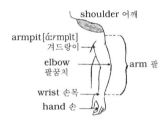

shoulder 어깨
armpit[ɑ́:rmpìt] 겨드랑이
elbow 팔꿈치
arm 팔
wrist 손목
hand 손

❷ 팔에 상당하는 부분《의자의 팔걸이, 선반의 까치발 따위》.
The *arm* of this chair is too high for small children. 이 의자의 팔걸이는 어린애들에게는 너무 높다.
arm in arm 서로 팔짱을 끼고.
He and I were walking slowly *arm in arm*. 그와 나는 서로 팔짱을 끼고 천천히 걷고 있었다.
Mary walked *arm in arm* with Helen. 메리는 헬렌과 서로 팔짱을 끼고 걸었다.

arm·chair [ɑ́:rmtʃɛ̀ər]
　　복수 **armchairs**[ɑ́:rmtʃɛ̀rz]
안락 의자《팔걸이가 있는》.
Grandma is taking a nap in the *armchair*. 할머니께서는 안락 의자에서 낮잠을 주무시고 계신다.

ar·mies [ɑ́:rmiz] 명
　　army의 복수.

arms [ɑ:rmz] 명
《복수 취급》**무기; 병기**.
Arms were issued to the new soldier. 무기가 신병들에게 지급되었다.

***ar·my** [ɑ́:rmi]
　　명
　　복수 **armies**[ɑ́:rmiz]
❶ **육군; 군대**.
John served in the *army* for two years. 존은 2년간 육군에서 복무하였다.

The King's *army* kept Gulliver in chains. 왕의 군대가 걸리버를 사슬에 묶어 두었다.

참고 **army**와 **navy**와 **air force**
좁은 의미로 army는 육군, navy는 해군, air force는 공군을 가리킨다.

❷ **큰 무리**.
An *army* of ants carried food into their hill.
개미떼가 먹이를 그들의 집으로 운반했다.

a·rose [əróuz] 동
　　arise의 과거.

***a·round** [əráund]
　　부
❶ **둘레에, 주위에, 사방에**.
He looks *around*.
그는 주위를 둘러보았다.
The tree was 40 inches *around*. 그 나무의 둘레는 40 인치였다.
❷ **빙 돌아, (빙그르르) 돌아서**.
The boat turned *around*.
보트는 방향을 돌렸다.
She turned *around* to say goodbye. 그녀는 작별 인사를 하기 위해서 돌아보았다.
❸ **여기저기, 곳곳에**.
I walked *around* to find my dog. 나는 내 개를 찾기 위해 여기저기 걸어 다녔다.
I will show you *around*.
내가 여기저기 안내하겠습니다.
all around **도처에, 사방에**.

The sun was shining *all around*. 햇빛이 사방에 비치고 있었다.

You can see flowers *all around*. 너는 주변 어디서나 꽃을 볼 수 있다.

— 전 ❶ …의 주위에; …을 돌아서.

English is often used *around* you. 영어는 네 주위에서 자주 쓰인다.

We walked *around* the pond. 우리는 연못 주위를 걸었다.

❷ …의 곳곳을, 여기저기로.

We traveled *around* Europe. 우리는 유럽 곳곳을 여행했다.

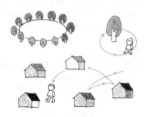

❸ …쯤, (몇 시) 경(=about).

He came to see me *around* noon. 그는 정오쯤 나를 찾아왔다.

We will meet again *around* Christmas. 우리는 크리스마스 때쯤 다시 만날 것이다.

❹ …의 근처에.

Mr. Hill lives in a small town *around* Boston. 힐씨는 보스턴 근처의 작은 도시에 살고 있다.

around here 이 부근에.

Let's have a rest *around here*. 이 부근에서 잠깐 쉬자.

a·rouse [əráuz]
타

3·단·현 **arouses** [əráuziz]; ing형 **arousing** [əráuziŋ]; 과거 과분 **aroused** [əráuzd]

❶ …을 일으키다, 깨우다.

The noise *aroused* me from my sleep. 그 소리에 나는 잠에서 깼다.

❷ (흥미·여론 따위)를 불러일으키다, 자극하다.

The book has *aroused* my interest in English conversation. 그 책은 영어 회화에 대한 나의 흥미를 불러일으켰다.

***ar·range** [əréindʒ] 통
3·단·현 **arranges** [əréindʒiz]; ing형 **arranging** [əréindʒiŋ]; 과거 과분 **arranged** [əréindʒd]

타 ❶ …을 가지런히 하다, 정돈하다, 정리하다.

Tom *arranged* his books on the shelf. 톰은 선반에 있는 책을 정돈하였다.

❷ …을 준비하다, 정하다.

He *arranged* the meeting for Monday. 그는 월요일의 회합을 준비하였다.

— 자 준비하다; 결정하다.

We have to *arrange* for everything. 우리는 만반의 준비를 하여야 한다.

They *arranged* to start early. 그들은 일찍 떠나기로 하였다. ☞ 명 arrangement

ar·range·ment [əréindʒmənt] 명
복수 **arrangements** [əréindʒmənts]

❶ 《an과 복수형 안 씀》 정돈, 정리, 배열.

I'm interested in flower *arrangement*. 나는 꽃꽂이에 흥미가 있다.

❷ 《복수형으로》 준비, 채비.

I have made *arrangements* for my trip. 나는 여행할 준비가 되어 있다. ☞ 통 arrange

ar·rest [ərést] 타
3·단·현 **arrests** [əréts]; ing형 **arresting** [əréstiŋ]; 과거 과분 **arrested** [əréstid]

…을 체포하다.

The policeman *arrested* the thief. 경관은 도둑을 체포했다.

—— 명 복수 **arrests**[ərésts]

체포; 구금.

The police made many *arrests*. 경찰이 많은 사람을 체포했다.

under arrest 체포되어.

The man was put *under arrest* for a week. 그 사람은 1주일 동안 구금되었다.

ar·riv·al [əráivəl] 명 복수 **arrivals** [əráivəlz]

도착(⇔ departure 출발).

What's the *arrival* time of the plane from San Francisco? 샌프란시스코발 비행기의 도착 시간은 몇시냐?

☞ 동 arrive

*ar·rive [əráiv] 자 3·단·현 **arrives** [əráivz]; ing형 **arriving** [əráiviŋ]; 과거 과분 **arrived**[əráivd]

❶ 도착하다(⇔ depart 출발하다). We'll *arrive* in Sydney. 우리는 시드니에 도착할 것이다. We *arrived* at school at 8:10. 우리는 8시 10분에 학교에 도착했다. When she *arrived* home, she saw many firemen. 그녀는 집에 도착했을 때 많은 소방관들을 보았다.

어법 **1. arrive at 과 arrive in** 도착하는 장소가 건물이나 역처럼 비교적 좁을 때는 at. 도시나 나라처럼 비교적 넓고 둘러싸인 곳이라고 생각하는 경우는 보통 in을 쓴다.
2. arrive at [in] 과 **reach**와 **get to** 모두 「도착하다」란 뜻이나. reach는 타동사이므로 도착하는 장소 앞에 전치사가 필요 없고. arrive와 get은 자동사이므로 전치사를 써야 한다. He *arrived* in Seoul.

= He *reached* Seoul.
= He *got to* Seoul.
그는 서울에 도착했다.

❷ 《**arrive at**으로》 (결론·연령 따위)에 달하다.

Have you *arrived* at a decision yet? 이제 결정되었습니까?

☞ 명 arrival

ar·riv·ing [əráiviŋ] 동 **arrive**의 -ing형.

ar·row [ǽrou] 명 복수 **arrows**[ǽrouz]

❶ 화살. ☞ bow¹(활)

An *arrow* is shot from a bow. 화살은 활에서 쏘아진다.

❷ 화살표(→).

I followed the *arrow*. 나는 화살표 방향을 따라갔다.

*art [ɑːrt] 명 복수 **arts**[ɑːrts]

❶ 《an과 복수형 안 씀》 예술, 미술.

Mary is studying *art*. 메리는 미술을 공부하고 있다.

❷ 기술, …술(術). the *art* of photography 사진 기술.

He is good at the *art* of conversation. 그는 화술이 능란하다.

*ar·ti·cle [ɑ́ːrtikl] 명 복수 **articles**[ɑ́ːrtiklz]

❶ (신문·잡지의) 기사.

I read an *article* on children's books. 나는 어린이들의 책에 관한 기사를 읽었다.

❷ 물건.

I bought these *articles* at

A

the same store. 나는 이 물건들을 같은 가게에서 샀다.

❸ 관사.

the definite *article* 정관사 《the를 말함》.

the indefinite *article* 부정 관사《a, an을 말함》.

ar·ti·fi·cial [à:rtəfíʃəl] 형

❶ 인공의, 인조의.

artificial flowers 조화.

artificial silk 인견.

❷ 부자연스러운, 일부러 꾸민(⇔ natural 자연스러운).

His smile was *artificial*.
그의 웃음은 부자연스러웠다.

*art·ist [á:rtist] 명 [복수] **artists**[á:rtists]

예술가; 화가(=painter).

An *artist* uses colors to express his thoughts.
화가는 자신의 사상을 표현하기 위해 색을 사용한다.

ar·tis·tic [a:rtístik] 형 [비교] **more artistic**; [최상] **most artistic**

예술적인.

I was impressed with the *artistic* beauty of the garden.
나는 그 정원의 예술적인 아름다움에 감명받았다.

*as [əz; 강 æz] 접

❶ …처럼, … 만큼. ☞ as ... as ~

❷ …와 같이, …와 같은 만큼, …처럼.

He did *as* he was told.
그는 지시받은 대로 하였다.

As you know, she is honest.
너도 알다시피 그녀는 정직하다.

❸ …하고 있을 때; …하면서; …함에 따라.

Just *as* I was going to bed, I heard a noise downstairs. 내가 자려고 할 바로 그 때, 아래층에서 시끄러운 소리가 들렸다.

The children sang together *as* they went along. 어린이들은 나아가면서 함께 노래를 불렀다.

As we climbed higher, it got colder. 높이 올라감에 따라 점점 추워졌다.

❹ 《원인·이유를 나타내어》…이므로, …하기 때문에.

As he is ill, he will not go there. 그는 아프기 때문에 거기에 가지 않을 것이다.

▶ 미국에서는 원인·이유를 나타낼 때에는 보통 because나 since를 씀.

── 부 같은 정도로. ☞ as ... as ~

── 전 ❶ …으로서, …이라고.

She is famous *as* a pianist.
그녀는 피아니스트로 유명하다.

He acted *as* chairman. 그는 의장으로서 활동했다. ▶ as 다음에 오는 직책 이름에는 대개 관사가 없음.

❷ … 때에, …이던 시기에.

As a boy he delivered newspapers. 소년 시절에 그는 신문을 배달하였다.

as ... as ~ ~만큼 …, ~와 같은 정도로 …. ▶ …의 자리에는 형용사·부사의 원급이 오며, 앞의 as는 부사, 뒤의 as는 접속사임.

She is *as* busy *as* Jane.
그녀는 제인만큼 바쁘다.

Can you run *as* fast *as* John? 너는 존만큼 빨리 달릴 수 있느냐?

어법 **not as** [**so**] **... as ~**
「~만큼 …하지 않다」라고 부정의 뜻을 나타낼 때에는 not as ... as ~ 또는 not so ... as ~를 쓴다. 다만, as는 구어에서 많이 쓰며 so는 격식을 차린 말투이다.
That hat is *not as* [*so*] good *as* this one. 저 모자는 이 모자만큼 좋지는 않다.

*as ... as one **can** = **as ... as**

possible 할 수 있는 한.
Come *as* soon *as* you *can.*
될 수 있는 한 빨리 오너라.
She worked *as* hard *as*
she *could.* 그녀는 할 수 있는
한 열심히 일하였다.
Sujin ran *as* fast *as pos-sible.* 수진은 될 수 있는 한 빨리
뛰었다.

*as far as 1. …까지.
Let's walk *as far as* the
station. 정거장까지 걷자.
　2. …하는 한에서는.
As *far as* I know, he is
an honest man. 내가 알고 있는
한에서는 그는 정직한 사람이다.

as for …은 어떤가 하면, …에 관
하여는. ▶ 보통 문장 첫머리에
씀.
As *for* me, I would rather
stay home. 나로서는 오히려 집
에 있고 싶다.
As *for* school subjects, I
like English best of all. 학과
로 말하면 나는 영어가 제일 좋다.

as if＝*as though* 마치 …처럼.
She looks *as if* she knew
the truth. 그녀는 마치 사실을
아는 것처럼 보인다.
They sit *as though* (they
were) charmed by the
music. 그들은 마치 음악에 매혹
된 듯이 앉아 있다.

as it were 말하자면(＝so to
speak).
He is, *as it were*, a walk-ing dictionary. 그는 말하자면
걸어다니는 사전이다.

as long as …하는 한(동안은).
You may stay here *as long
as* you want. 네가 원하는 한
여기에 머물러도 좋다.

as many (*much*) *as* …한 만큼.
☞ many, much

*as soon as …하자마자.
He fell asleep *as soon as*
he went to bed. 그는 잠자리
에 들자마자 잠들었다.

as to …에 관하여, …에 대하여
(＝about).
He said nothing *as to* the
time. 그는 시간에 관해서는 아
무 말도 하지 않았다.

*as usual 여느(보통) 때처럼.
Father got up at six *as
usual.* 아버지는 여느 때처럼 여
섯시에 일어나셨다.

*… as well as~ ~처럼 …도, ~
은 물론이고 …도. ☞ well

as yet 지금까지는, 아직까지.
As *yet*, no man has set
foot on Mars. 아직까지 화성에
발을 디딘 사람은 없다.

such as (예컨대) … 와 같은. ☞
such

as·cend [əsénd] [타·자] [3·단·현] **ascends**
[əséndz]; [ing형] **ascending**
[əséndiŋ]; [과거] [과분] **ascended**
[əséndid]
(…을) 오르다, 올라가다(⇔de-scend 내리다).
The airplane *ascended* into
the clouds. 비행기는 구름 속으
로 올라갔다.

as·cent [əsént] [명] [복수] **ascents** [əsénts]
❶ 올라감, 상승.
The *ascent* to the top of
the mountain was danger-ous. 그 산 꼭대기에 오르는 것은
위험했다.
❷ 오르막길.
The steep hill caused the
road to have a sharp
ascent. 험한 산이었기 때문에 길
도 가파른 오르막길이었다.

ash [æʃ] [명] [복수] **ashes** [æʃiz]
❶ 《an과 복수형 안 씀》 재.
Don't drop cigarette *ash*
on the carpet. 양탄자 위에 담
뱃재를 떨어 뜨리지 마라.
❷ 《복수형으로》 (타고 남은) 찌
꺼기.
The barn was burnt to

A

ashes. 헛간이 불타서 잿더미가
되었다.

a·shamed [əʃéimd]
형

비교 **more ashamed;** 최상
most ashamed

❶ 부끄러이 여겨, 수줍어하여;《**be
ashamed of**로》…을 부끄러워하
여. ▶ 명사 앞에는 쓰지 않음.
Don't be ashamed of your
old clothes. 너의 낡은 옷을 부
끄러워하지 마라.

❷ 《**be ashamed to** do로》…
하기가 부끄럽다.
I *am ashamed to* meet you
in such a place. 나는 이런
장소에서 너를 만나다니 부끄럽다.

a·shore [əʃɔ́ːr] 부
물가에, 해변으로.

The sailors went *ashore.* 선
원들이 상륙했다.
After swimming for an
hour, he came *ashore.*
한 시간 동안 수영을 한 후, 그는
해변으로 올라왔다.

A·sia [éiʒə] 명
아시아.

He's planning to travel to
Asia. 그는 아시아로 여행할 계획
이다.

A·sian [éiʒən] 형
아시아의; 아시아 사람의.

In *Asian* countries the
family name comes first.
아시아의 나라에서는 성(姓)이 먼
저 온다.
—— 명 복수 **Asians** [éiʒənz]
아시아 사람.
Many *Asians* are working
in Korea. 많은 아시아 사람들이
한국에서 일하고 있다.

a·side [əsáid] 부
곁으로, 곁에, 떨어져서,
따로.

He moved the table *aside.*
그는 탁자를 옆으로 옮겼다.

ask [æsk] 동
3·단·현 **asks** [æsks]; ing형

asking [ǽskiŋ]; 과거 과분 **asked**
[æskt]

타 ❶ (아무에게 무엇)을 묻다, 물
어보다(⇔ answer 대답하다).
"Do you speak English?"
he *asked.* 「너는 영어를 할 줄
아느냐?」라고 그는 물었다.
He *asked* me a lot of ques-
tions. 그는 내게 많은 질문을 하
였다.
I *asked* (you) Mary what
she wanted. 나는 메리에게 그
녀가 무엇을 원하는지 물었다.
"May I *ask* a question?"
"Sure, what is it?"
「질문해도 좋습니까?」「물론이죠,
무엇이죠?」

❷ (아무)에게 바라다, 요구하다,
청하다;《**ask ... to** do로》…에
게 ~해 주기를 부탁하다.
He *asked* me for help.
그는 나에게 도움을 청했다.
May I *ask* you a favor?
한 가지 부탁드려도 될까요?
Mike *asked* Sangho *to* go
with him. 마이크는 상호에게
함께 갈 것을 요청했다.

❸ (아무)를 초대하다(＝invite);
《**ask**＋사람＋**to**로》(아무)를 …에
초청하다.
June *asked me* over *to* her
birthday party. 준은 나를 그
녀의 생일 파티에 초대했다.
—— 자 묻다, 질문하다; 부탁하다,
구하다.
If you don't know, *ask.*
모르면 물어라.

ask about …에 관하여 물어보다.
He's always *asking about*
his health. 그는 항상 자신의
건강에 대해 물어본다.

ask after …의 안부를 묻다.

Mrs. Brown *asked after* her friend in the hospital. 브라운 부인은 입원 중인 친구의 안부를 물었다.

ask for …을 달라고 말하다, 청구하다.

He *asked* me *for* some money. 그는 나에게 돈을 달라고 말했다.

I'm writing a letter to *ask for* a catalog. 나는 목록을 청구하기 위해 편지를 쓰고 있다.

a·sleep [əslíːp] 형
잠들어(⇔ awake 깨어서). ▶명사 앞에는 쓰지 않음.

The cat is *asleep* on the chair. 고양이가 의자 위에 잠들어 있다.

I was half *asleep* in class. 나는 수업 중에 졸았다.

fall asleep 잠들다.

He *fell asleep* at once. 그는 곧 잠들었다.

as·par·a·gus [əspǽrəgəs] 명
《an과 복수형 안 씀》 아스파라거스.

as·pect [ǽspekt] 명 복수
aspects [ǽspekts]
외관, 양상, 면; 견지.

We should consider a question in all its *aspects*. 우리는 문제를 모든 면에서 고찰해야 한다.

Everybody wanted to know the true *aspect* of the affair. 모든 사람이 그 사건의 진상을 알고 싶어했다.

as·pi·rin [ǽspərin] 명
복수 aspirins [ǽspərinz]
❶《an과 복수형 안 씀》 아스피린. *Aspirin* should not be given to young children. 어린 아이들에게 아스피린을 주어서는 안 된다.
❷ 아스피린정.

as·sem·ble [əsémbəl] 동
3·단·현 assembles [əsémbəlz] :
ing형 assembling [əsémbəliŋ] :
과거 과분 assembled [əsémbəld]
타 (사람·물건)을 모으다.

We're leaving soon, so *assemble* all your baggage. 우리는 곧 출발하니까 짐을 모두 모아라.
—— 자 모이다, 집합하다.

The children *assembled* in the yard. 아이들은 마당에 모였다.

as·sem·bly [əsémbli] 명
복수 assemblies [əsémbliz]
❶《an과 복수형 안 씀》 집합; (초등 학교 따위의) 조회.

We have *assembly* at 8:30. 우리는 8시 반에 조회를 한다.
❷ 집회; 회의.

He made a speech at the general *assembly*. 그는 총회에서 연설하였다.

as·sign [əsáin] 타 3·단·현
assigns [əsáinz] :
ing형 assigning [əsáiniŋ] :
과거 과분 assigned [əsáind]
(임무 따위)를 주다, 할당하다, 배분하다(=allot).

He was *assigned* to write a poem. 그는 시를 쓰라는 숙제를 받았다.

as·sign·ment [əsáinmənt] 명
복수 assignments [əsáinmənts]
(학교의) 숙제, 과제; (일의) 할당.

Hand in your *assignments*. 숙제를 제출하여라.

He completed his *assignment* and went on to the other jobs.
그는 할당된 일을 끝마치고 다른 일을 계속했다.

A

as·sist [əsíst] 타 3·단·현
assists [əsísts]; ing형
assisting [əsístiŋ] ; 과거 과분
assisted [əsístid]
…을 거들다, 돕다, 원조하다. ➤
help보다 딱딱한 말임.
I *assists* my mother in
cooking. 나는 어머니가 요리하
시는 것을 거든다.
He *assists* me with money.
그는 금전적으로 나를 도와 준다.

as·sist·ance [əsístəns] 명
《an과 복수형 안 씀》 원조, 조력.
His *assistance* has been
wonderful. 그의 도움은 훌륭하
였다.

as·sist·ant [əsístənt] 명
복수 **assistants** [əsístənts]
조수, 보조자.
He wants an *assistant* who
speaks English well. 그는 영
어를 잘 하는 조수를 구하고 있다.
── 형 보조하는, 보조의, 도와주
는.
She is an *assistant* man-
ager of the hotel. 그녀는 그
호텔의 부지배인이다.

as·so·ci·ate [əsóuʃièit] 동
3·단·현 **associates** [əsóuʃièits] ;
ing형 **associating** [əsóuʃièitiŋ] ;
과거 과분 **associated** [əsóuʃièitid]
타 《associate ... with ~로》 …
을 ~에 관련시키다, …로 ~을 연
상하다.
We *associate* a cause *with*
its effect. 우리는 원인을 결과와
결부시킨다.
We *associate* summer *with*
camping. 여름이라고 하면 캠핑
이 연상된다.
── 자 《associate with로》 …와
교제하다, 사귀다.
Never *associate with* bad
companions. 불량한 친구와 사
귀지 마라.

── 명 [əsóuʃiət] 복수 **associ-
ates** [əsóuʃiəts]
동료, 한패.
➤ 동사와 명사의 발음이 다른 것
에 주의할 것.

as·so·ci·a·tion [əsòusiéiʃən] 명
복수 **associations** [əsòusiéiʃənz]
협회, 회.
John belongs to the Young
Men's Christian *Association*.
존은 기독교 청년회(YMCA)에 가
입하고 있다.

as·sume [əsjúːm] 타
3·단·현 **assumes** [əsjúːmz] ;
ing형 **assuming** [əsjúːmiŋ] ;
과거 과분 **assumed** [əsjúːmd]
❶ …을 가정하다, 추정하다.
I *assume* him to be honest.
나는 그가 정직하다고 생각한다.
❷ (임무·책임 따위)를 인수받다,
떠맡다.
He *assumed* the manage-
ment of the hotel. 그는 호텔
의 경영을 인수받았다.
❸ …인 체하다, …을 꾸미다.
He knew all about it, but
he *assumed* an air of ignor-
ance. 그는 그것에 관하여 모두
알고 있으면서도 모르는 체하였다.

as·sure [əʃúər] 타
3·단·현 **assures** [əʃúərz] ; ing형
assuring [əʃúəriŋ] ; 과거 과분
assured [əʃúərd]
(아무)에게 보증하다; 확신시키다.
I can *assure* you of his
honesty. = I can *assure*
you that he is honest. 나는
그가 정직하다는 것을 보증할 수
있다.
The captain of the ship
assured the passengers
that there was no danger.
선장은 승객들에게 위험은 없다고
확언했다.
I assure you. 확실하다, 틀림

없다.
He'll succeed, *I assure you.*
그는 성공할거야. 틀림없다구.

as·ton·ish [əstániʃ]
타

3·단·현 **astonishes** [əstániʃiz] :
ing형 **astonishing** [əstániʃiŋ] :
과거 과분 **astonished** [əstániʃt]
… 을 깜짝 놀라게 하다.
His sudden death *aston-*
ished everybody. 그의 갑작스
런 죽음에 모두 놀랐다.
be astonished at …에 깜짝 놀
라다.
I *was astonished at* the
news. 나는 그 소식에 깜짝 놀랐
다.

> 참고 astonish 는 surprise 보
> 다 의미가 강하며, 뜻밖의 놀라
> 움이나, 사건의 기괴함에 놀라
> 는 느낌을 나타낸다.

as·ton·ish·ment [əstániʃ-mənt] 명

《an과 복수형 안 씀》**놀라움, 경
악.**
The bird flew away in *aston-*
ishment. 새는 놀라서 날아갔다.
His *astonishment* was so
great that he couldn't say
a word. 그는 너무 놀라서 한 마
디 말도 할 수 없었다.
to one's astonishment 놀랍게도.
I heard *to my astonishment*
that his house had burned
down. 놀랍게도 그의 집이 타버
렸다는군요.

as·tro·naut [ǽstrənɔ̀ːt] 명

복수 **astronauts**[ǽstrənɔ̀ːts]
우주비행사.
I want to be an *astronaut*
when I grow up. 난 커서 우
주 비행사가 되고 싶다.

as·tron·o·mer [əstránəmər] 명

복수 **astronomers**[əstránəmərz]

천문학자.
An *astronomer* studies the
sun, moon, and stars. 천문학
자는 태양과 달과 별을 연구한다.

as·tron·o·my [əstránəmi] 명

《an과 복수형 안 씀》**천문학.**
She studies *astronomy.*
그녀는 천문학을 연구한다.

천문 관측소

*at [ət; 강 æt] 전

❶《장소 · 위치에 쓰여》 …에 있어
서, …에; …곳에; …에서. ☞ in
We met Mr. White *at* the
station. 우리는 역에서 화이트씨
를 만났다[마중하였다].
Columbus was born *at*
Genoa[dʒénouə] in Italy.
콜럼버스는 이탈리아의 제노바에
서 태어났다.
Mr. and Mrs. Brown were
staying *at* a hotel in Seoul.
브라운씨 부부는 서울의 호텔에
머물고 있었다.
I live *at* 57 Oxford Street.
나는 옥스퍼드가 57번지에 산다.

> 어법 **1. at 과 in**
> 그리 넓지 않은 장소에는 지점
> 으로 생각하여 at을 쓰며, 넓은
> 지역(나라, 주, 큰 도시)에는
> in을 쓴다.
> *at* Jongno *in* Seoul 서울의
> 종로에서.
> **2.** 주소의 번호, 번지 앞에는 at
> 을 쓰고, 거리 이름 앞에는 on
> 을 쓴다.
> I live *on* First Street.
> 나는 1번가에 살고 있다.

❷ 《시각·시기·연령에 쓰여》
… 때에, … 시에, … 살 때에.
What were you doing *at*
this hour last night? 어젯밤
이 시각에 너는 무엇을 하고 있었니?
They exchange presents *at*
Christmas. 그들은 크리스마스
에는 선물을 교환한다.
She went to the United
States *at* 27. 그녀는 27세에
미국으로 갔다.

어법 **at과 in과 on**
at은 시각 따위의 시점에, in은
길이가 있는 기간에 쓴다. 또,
on은 특정한 날이나 특정한 날
의 아침·저녁에 쓴다.
at 7 일곱시에 / *at* noon 정오
에 / *in* the morning 아침에 /
in May 5월에 / *in* spring
봄에 / *on* Sunday morning
일요일 아침에.

---

❸ 《방향·목표를 나타내어》 …을
향하여; …으로.
Look *at* me. 나를 보아라.
He was going to shoot *at*
the bird. 그는 새를 겨냥하여
쏘려 하였다.
❹ 《값·수량·정도에 쓰여》 …로.
Eggs are sold *at* 50 cents
a dozen. 계란은 12개에 50센
트씩 팔린다.
The car was racing *at* 100
miles an hour. 그 차는 시속
100 마일로 달리고 있었다.
❺ 《상태를 나타내어》 …에 종사
하여, … 중에.
He is *at* work on a new
invention. 그는 새로운 발명에
종사하고 있다.
I like to see children *at*
play. 나는 놀고 있는 어린이들을
보기 좋아한다.
We sat *at* the dinner table.
우리는 저녁 식탁에 앉았다.
❻ 《원인을 나타내어》 …을 보고,
…을 듣고.

I was surprised *at* the
news. 나는 그 소식을 듣고 놀랐
다.

발음 at은 보통 [ət]처럼 약하
게 발음하나, 대명사(you,
him, her, it, them)의 앞이
나, 문장의 끝에서는 [æt]으로
발음된다.
I was looking *at* them.
[ai wəz lúkiŋ æt ðəm]
What're you looking *at*?
[hwát ɑːr ju(ː) lúkiŋ æt]

***ate** [eit] 동
eat의 과거.
John *ate* his dinner an
hour ago. 존은 1시간 전에 저녁
식사를 했다.

Ath·ens [ǽθinz] 명
아테네《그리스의 수도》.

ath·lete [ǽθliːt] 명 복수
athletes[ǽθliːts]
운동 경기자, 운동 선수.
A Korean *athlete* won the
race. 한 한국 선수가 그 경주에
서 우승했다.

ath·let·ic [æθlétik] 형
❶ 경기의, 운동의.
An *athletic* meet is held at
our school every fall.
우리 학교에서는 매년 가을 운동
회가 열린다.
❷ 운동가다운, 강건하고 힘찬.
Athletic boys are popular
with girls in American
schools. 미국의 학교에서는 운동
경기에 뛰어난 소년들이 소녀들
사이에 인기가 있다.

ath·let·ics [æθlétiks] 명
《보통 복수 취급》 운동 경기; 《보
통 단수 취급》 체육.
Athletics was one of my
greatest interests in school.
체육은 학교에서 가장 흥미 있는

것의 하나였다.

-a·tion [-éiʃən]
[접미]

동사 뒤에 붙여 명사를 만듦.
inform*ation* 정보 / occup*ation*
직업 / invit*ation* 초대(장).

At·lan·tic [ətlǽntik]
[형]

대서양의(⇨ Pacific 태평양의).
— [명] 《the를 붙여》 대서양.

At·lan·tic O·cean

[ətlǽntik óuʃən] [명]
《the를 붙여》 대서양.

ATM [èitì:ém]

[복수] **ATMs** [èitì:émz]
현금 자동 입출기. ➤ automated
teller machine의 간략형.
On Sundays, use the ATM.
일요일에는 ATM을 이용해라.

[참고] 미국에서는 ATM을, 영국에
서는 cash dispenser를 쓴다.

at·mos·phere [ǽtməsfìər]
[명]

❶ 《the를 붙여》 대기.
❷ 《단수형으로》 (특정한 장소의)
공기(= air); 분위기, 환경.
I will always remember
that refreshing mountain
atmosphere.
나는 언제나 그 상쾌한 산 공기를
잊지 못할 것이다.
He grew up in the *atmos-
phere* of a New England
college town. 그는 뉴잉글랜드
의 대학가 환경에서 자랐다.

at·om [ǽtəm] [명]
[복수] **atoms** [ǽtəmz]

원자.
An *atom* is the smallest
unit of an element. 원자는
원소의 가장 작은 단위이다.

a·tom·ic [ətámik] [형]

원자의.
atomic energy 원자력.
an *atomic* bomb 원자탄.

at·tach [ətǽtʃ]
[타]

[3·단·현] **attaches** [ətǽtʃiz] ; [ing형]
attaching [ətǽtʃiŋ] ; [과거] [과분]
attached [ətǽtʃt]

❶ …을 붙들어매다, 붙이다, 첨부
하다.
Father *attached* labels to
all his bags. 아버지는 모든 가
방에 짐표를 붙이셨다.
I fastened the belt which
was *attached* to the seat.
나는 좌석에 달려 있는 벨트를 매
었다.
❷ 《be attached to로》 …에 애
정〔애착〕을 갖고 있다.
A sailor *is* very *attached to*
his ship. 선원은 배에 깊은 애
착을 갖고 있다.

*at·tack [ətǽk]
[타]

[3·단·현] **attacks** [ətǽks] ; [ing형]
attacking [ətǽkiŋ] ; [과거] [과분]
attacked [ətǽkt]

❶ … 을 공격하다(⇔defend 지키
다); (사람·논설 따위)를 비난하다.
Our army *attacked* the
enemy during the night.
우리 군대는 야간에 적을 공격하
였다.
His speech was severely
attacked in the news-
papers. 그의 연설은 신문에서
신랄하게 비난받았다.
❷ (병이) …을 침범하다.
He was *attacked* by a high
fever. 그는 갑자기 고열이 났다.
— [명] [복수] **attacks** [ətǽks]
❶ 공격(⇔defense 방어).
We made an *attack* on the
enemy. 우리는 적을 공격하였다.
❷ (돌연한) 발병.
He suffered from a heart
attack. 그는 심장 발작을 일으켰
다.

at·tain [ətéin] [타] [3·단·현]
attains [ətéinz] ; [ing형]
attaining [ətéiniŋ] ; [과거] [과분]

A

attained[ətéind]
…을 이루다, 성취하다, 달성하다;
…에 이르다, 도달하다.
He *attained* his goal.
그는 목표를 달성하였다.
He *attained* the age of
ninety. 그는 90세에 이르렀다.

*at·tempt [ətémpt]
[타]

[3·단·현] **attempts** [ətémpts];
[ing형] **attempting** [ətémptiŋ];
[과거] [과분] **attempted**[ətémptid]
…을 해보다(= try), **시도하다**;
《**attempt to** do로》…하려고 기
도하다.
He *attempted* a difficult
task. 그는 어려운 일을 시도하였
다.
He promised to *attempt to*
work harder. 그는 더욱 열심히
일하도록 노력하겠다고 약속했다.
── [명] [복수] **attempts**[ətémpts]
시험, **기도**; 노력.
His *attempt* to write a
good story was not suc-
cessful. 좋은 이야기를 쓰려는
그의 노력은 성공하지 못했다.

*at·tend [əténd]
[동]

[3·단·현] **attends**[əténdz]; [ing형]
attending [əténdiŋ]; [과거] [과분]
attended[əténdid]
[타] ❶ …에 출석하다; (학교·교회
따위)에 가다. ➤go to보다 격식
을 갖춘 말.
I will *attend* high school
next month. 나는 다음달에 고
등 학교에 다니게 된다.
John doesn't *attend* church
very often. 존은 교회에 자주
가지는 않는다.
➤이 뜻으로는 attend to를 쓰지
않음에 주의.
❷ (환자 따위)**의 시중을 들다**;
…을 간호하다.
The mother *attends* her
baby. 어머니는 아기를 보살핀다.
Which doctor is *attending*

you? 어느 의사가 너를 돌봐주고
있느냐?
── [자] ❶ 《**attend to**로》…에 열
중하다; …에 주의하다.
You won't succeed unless
you *attend to* your work.
자기 일에 열중하지 않으면 성공
하지 못한다.
❷ 《**attend on** [**upon**]으로》…의
시중을 들다, …을 간호하다.
She *attended on* her sick
husband. 그녀는 병든 남편을
간호하였다.

*at·ten·tion [əténʃən] [명]
❶ 《an과 복수형
안 씀》주의, 조심.
Her beautiful dress drew
my *attention*. 그녀의 아름다운
옷은 나의 주의를 끌었다.
Tom went on painting
without paying *attention* to
the boy. 톰은 그 소년을 아는 체
하지 않고 계속 페인트칠을 했다.
Attention everyone for flight
number KE 234 to New
York. 뉴욕행 KE 234편 승객 여
러분에게 알려드립니다.
❷ 《an과 복수형 안 씀》치료, 돌
봄.
The injured man received
immediate *attention* from
the doctor. 다친 사람은 곧 의
사의 치료를 받았다.

at·tic [ǽtik] [명]
[복수] **attics**[ǽtiks]
지붕밑 방, 다락방.

[참고] attic은 집의 경사진 지붕
밑이 그대로 천장이 되어 있는
방. 빛은 지붕의 작은 창으로부
터 받는다.

at·ti·tude [ǽtitʃùːd] 명

복수 **attitudes** [ǽtitʃùːdz]

❶ 자세.
He stood in a threatening *attitude.* 그는 위협하는 자세로 일어섰다.

❷ 태도, 생각.
I have to make my *attitude* clear about this matter. 나는 이 문제에 관하여 나의 태도를 확실히 해야 한다.

at·tor·ney [ətə́ːrni] 명

복수 **attorneys** [ətə́ːrniz]
대리인; 변호사.
The *attorney* spoke in defense of her. 변호사는 그녀를 변호하였다.

at·tract [ətrǽkt] 타

3·단·현 **attracts** [ətrǽkts] : ing형 **attracting** [ətrǽktiŋ] : 과거 과분 **attracted** [ətrǽktid]
(주의·흥미 따위)를 끌다; (사람) 의 마음을 끌다, …을 매혹하다.
Which one *attracts* your attention most? 어느 것이 너의 주의를 가장 끄느냐?
He was *attracted* by her beauty. 그는 그녀의 아름다움에 매혹되었다.

at·trac·tive [ətrǽktiv] 형 비교 **more attractive**; 최상 **most attractive**
매력이 있는, 마음을 끄는.
That's an *attractive* idea. 그것은 매력적인 생각이다.

au·di·ence [ɔ́ːdiəns] 명

복수 **audiences** [ɔ́ːdiənsiz]
《집합적으로》 청중, 관객; (라디오·텔레비전의) 청취자, 시청자.
She played the piano before a large *audience.* 그녀는 많은 청중 앞에서 피아노를 쳤다.
The TV *audience* all over the country heard his speech. 전국의 텔레비전 시청자는 그의 연설을 들었다.

au·di·o [ɔ́ːdiòu] 형
음성의, 오디오의(⇨ video 영상의).
an *audio* fan 오디오 애호가.
── 명 《an과 복수형 안 씀》 오디오, 음성 부문.

au·di·to·ri·um [ɔ̀ːditɔ́ːriəm] 명

복수 **auditoriums** [ɔ̀ːditɔ́ːriəmz]
(교회·극장 따위의) 청중석, 관객석; (학교의) 강당.
Dr. Brown's lecture was given in the school *auditorium.*
브라운 박사의 강연이 학교 강당에서 있었다.

Aug. **August**(8월)의 간략형.

Au·gust [ɔ́ːgəst] 명
8월. ▶ Aug.로 약함.
☞ February
August is the eighth month of the year. 8월은 한 해의 여덟번째 달이다.

aunt [ænt] 명 복수 **aunts** [ænts]
고모, 이모, 숙모, 아주머니(⇨ uncle 아저씨). ▶ 혈족 관계는 없으나 친밀감을 나타내기 위해 쓰기도 함.
Mary's *aunt* has been to India. 메리의 숙모는 인도에 가 보셨다.

Aus·tra·lia [ɔːstréiljə] 명
오스트레일리아.

참고 세계 6대주 중 가장 작은 주. 영연방의 자치국. 면적은 약 7,686,900 km². 수도는 캔버라 (Canberra [kǽnbərə]). 1770년 영국인 선장 Captain Cook [kuk]이 동해안을 탐험하고, 영국령임을 선언하였다. 양모의 산지로 유명하다. 이전에는 영국이 죄인을 이곳에 유형

A

하였다고도 전해지고 있다. 오스트레일리아는 여러 가지 이상한 식물과 진귀한 동물이 살고 있어, 많은 생물학자들의 관심의 대상이 되고 있다.

Aus·tra·lian [ɔːstréiljən] 형

오스트레일리아의.
Mr. Forster is an *Australian* teacher. 포스터씨는 오스트레일리아 선생님이다.
── 명 복수 **Australians** [ɔːstréiljənz]
오스트레일리아의 사람.
Australians enjoy Christmas in summer. 오스트레일리아 사람들은 여름에 성탄절을 보낸다.

Aus·tri·a [ɔ́ːstriə] 명
오스트리아.

참고 Austria는 유럽 중앙보다 약간 남동쪽에 있는 공화국으로 면적은 83,849km². 수도는 비엔나(Vienna [viénə]). 알프스 산에 있는 만년설, 아름다운 숲이나 푸른 목장, 빙하호 따위는 스위스와 더불어 세계의 관광지로서 유명하다. 수도 비엔나는 학술, 문학의 세계적 중심지. 특히 「음악의 고장」으로 이름 높다.

Aus·tri·an [ɔ́ːstriən] 형
오스트리아의.
Most of the *Austrian* people speak German. 오스트리아의 사람들 대부분이 독일어를 쓴다.
── 명 복수 **Austrians** [ɔ́ːstriənz]
오스트리아 사람.
The *Austrians* are proud of their beautiful country.
오스트리아 사람들은 그들의 아름다운 나라를 자랑스러워한다.

au·thor [ɔ́ːθər] 명
복수 **authors** [ɔ́ːθərz]
저자; 작가.
She is the *author* of this novel. 그녀가 이 소설의 저자이다.
I'm fond of modern American *authors*. 나는 현대의 미국 작가들을 좋아한다.

au·thor·i·ty [əθɔ́ːriti] 명
복수 **authorities** [əθɔ́ːritiz]
❶ 《an과 복수형 안 씀》 권위.
A father ought to have more *authority* over his children. 아버지는 자식에 대해 더 많은 권위를 지녀야 한다.
❷ 권위자, 대가.
He is an *authority* on Korean history. 그는 한국 역사의 권위자이다.
❸ 《보통 **the authorities**로》 당국.
the school *authorities* 학교 당국.

au·to [ɔ́ːtou] 명
복수 **autos** [ɔ́ːtouz]
자동차. ▶ automobile의 간략형으로, 구어에서 잘 씀.

au·to·mat·ic [ɔ̀ːtəmǽtik] 형
자동의, 자동 장치의.
Many modern stores have *automatic* doors. 많은 현대적인 상점이 자동문을 갖추고 있다.

au·to·ma·tion [ɔ̀ːtəméiʃən] 명
《an과 복수형 안 씀》 자동 조작, 오토메이션.

au·to·mo·bile [ɔ́ːtəməbìːl] 명
복수 **automobiles** [ɔ́ːtəməbìːlz]
자동차.
Korea is the world's 6th largest *automobile* producing country. 한국은 세계에서 여섯 번째로 큰 자동차 생산국이다.

➤ 4륜차에 관해서 말하는 경우가 많고, 보통 car라고 함.

*au‧tumn [ɔ́:təm] 명 복수
autumns [ɔ́:təmz]
가을.
How do things change in the *autumn?* 만물이 가을에는 어떻게 바뀔까?
➤ autumn의 맨 끝 n은 발음하지 않음에 주의.

참고 미국에서는 일상적으로 가을을 fall이라 하는데, 「가을의 꽃」은 fall flowers라 하지 않고 autumn flowers라고 한다.

a‧vail‧a‧ble [əvéiləbəl] 형
이용할 수 있는, 사용할 수 있는; 손에 넣을 수 있는.
This swimming pool is *available* for the members only. 이 수영장은 회원만이 이용할 수 있다.
This car isn't *available* tonight. 이 자동차는 오늘 밤 쓸 수 없다.
This magazine is *available* at any big bookstore.
이 잡지는 큰 서점이면 어디서나 구할 수 있다.

av‧e‧nue [ǽvənjùː] 명
복수 avenues [ǽvənjùːz]
❶ 가로수 길.
They were driving along the *avenue.* 그들은 가로수 길을 드라이브하고 있었다.
❷ 큰 거리; …가.
We walked along Fifth *Avenue* in New York. 우리는 뉴욕의 5번가를 걸었다.

참고 avenue와 street
큰 도시에서는 남북으로 난 큰 거리를 avenue(약해서 Ave.)라 하고, 이것과 교차되는 동서로 난 거리를 street라 하는 경

우가 많다. 뉴욕의 Fifth Avenue는 시를 남북으로 뚫고 있는 주요 거리로 중심적인 번화가이다. 그러나 모든 도시에서 이 구별이 지켜지고 있는 것은 아니다.

*av‧er‧age [ǽvəridʒ] 명
복수 averages [ǽvəridʒiz]
❶ 평균.
My batting *average* for this year was .341. 올해 나의 평균 타율은 3할 4푼 1리였다.
➤ .341은 three forty-one이라 읽음.
❷ 일반 표준, 보통.
Tom's school work is below *average.* 톰의 학업 성적은 보통 이하이다.
── 형 ❶ 평균의.
the *average* mark 평균점.
The *average* age of the students in this class is fifteen. 이 반 학생의 평균 연령은 15세이다.
❷ 보통의, 일반적인.
The *average* young people like to go out.
보통 젊은 사람들은 외출하기를 좋아한다.

*a‧void [əvɔ́id] 타 3·단·현
avoids [əvɔ́idz]; ing형
avoiding [əvɔ́idiŋ]; 과거 과분
avoided [əvɔ́idid]
…을 피하다, 비키다; 《avoid+ -ing형으로》 …하기를 피하다.
Try to *avoid* danger.
위험을 피하도록 노력하라.
I can't *avoid seeing* her.
나는 그녀를 만나지 않을 수 없다.

*a‧wake [əwéik] 형
눈을 뜨고, **자지 않고** (⇔asleep 잠들어). ➤ 명사 앞에는 쓰지 않음.
Is he *awake* or asleep?
그는 깨어 있느냐, 자고 있느냐?
── 동 3·단·현 awakes [əwéiks];

[ing형] **awaking** [əwéikiŋ]; [과거]
[과분] **awoke** [əwóuk] 또는
awaked [əwéikt]
[자] 깨다, 눈뜨다.
The baby will *awake* if
you make a noise. 소리를 내
면 아기가 깰 것이다.
── [타] …을 깨우다, 눈뜨게 하다.
Her letter *awoke* old mem-
ories. 그녀의 편지는 옛 기억을
일깨웠다.

a·wak·en [əwéikən]
[타]
[3·단·현] **awakens** [əwéikənz];
[ing형] **awakening** [əwéikəniŋ];
[과거] [과분] **awakened** [əwéikənd]
…을 눈뜨게 하다, 깨우다.
The boy was slowly *awak-
ened* from sleep. 소년은 천천
히 잠에서 깨어났다.

a·ward [əwɔ́:rd] [명]
[복수] **awards** [əwɔ́:rdz]
상, 상품.
He won the highest *award*.
그는 최고상을 탔다.
── [타] [3·단·현] **awards** [əwɔ́:rdz];
[ing형] **awarding** [əwɔ́:rdiŋ]; [과거]
[과분] **awarded** [əwɔ́:rdid]
(상 따위)를 수여하다, 주다.
A gold medal was *awarded*
to the winner. 금메달이 우승
자에게 수여되었다.

a·ware [əwέər] [형]
알고, 알아채고. ➤ 명
사 앞에는 쓰지 않음.
I was well *aware* that
there was danger ahead.
앞에 위험이 있다는 것을 나는 잘
알고 있었다.
be〔**become**〕**aware of** …을
알다, 알아차리다.
Bill *wasn't aware of* the
time. 빌은 시간을 알지 못했다.

a·way [əwéi] [부]
❶《위치·이동을 나타내어》멀
리, 떨어져, 저편에〔으로〕.
How far *away* is your

school? 너의 학교는 얼마나 멀
리 떨어져 있느냐?
Go *away*. 저리 가라.
❷ 부재하여, 집에 없어 (⇔at
home 집에 있어).
My mother is *away* today.
어머니께서는 오늘 부재중이시다.
When the cat's *away*, the
mice will play.《속담》고양이가
없는 동안에는 쥐가 날뛴다《범
없는 골에는 토끼가 스승이다》.
***away from** …에서 떨어져; …에
서 떠나.
The lake is two miles
away from here. 그 호수는
여기서 2마일 떨어진 곳에 있다.
***far away** 멀리 떨어져, 훨씬 저편
에. ☞ far
***give away** 주어버리다, 양도하다.
I *gave* all my money *away*.
나는 돈을 전부 주어버렸다.
***put away** 걷어치우다.
Put away your books.
책을 걷어치워라.
***right away** 곧, 즉시로. ☞ right
***run away** 도망가다.
The thief *ran away* as soon
as he saw the policeman.
도둑은 경찰을 보자 곧 도망갔다.
***stay away from** …을 결석하다;
…에서 떨어지다.
Jim *stayed away from*
school yesterday. 짐은 어제
학교를 결석하였다.
Stay away from the boiling
water. 끓는 물에서 떨어져 있어
라.
***take away** 치우다; 가져가다, 데
리고 가다.
Jane *took away* the table-
cloth. 제인은 테이블 보를 치웠다.
A stranger *took* the girl
away. 낯선 사람이 소녀를 데리
고 갔다.

awe [ɔ:] [명]
《an과 복수형 안 씀》무서
움, 두려움《공경하고 두려워하는
기분》.

He was in *awe* of God.
그는 신을 두려워하고 있었다.

awe·some [ɔ́ːsəm] 형

비교 **more awesome;** 최상
most awesome

《구어》 멋진; 인상적인, 위엄 있는.
You look *awesome*. 너는 멋
져 보인다.
It was an *awesome* sight.
그것은 외경심을 느끼게 하는 광
경이었다.

aw·ful [ɔ́ːfəl] 형 비교 **more awful;**
최상 **most awful**

❶ 무서운, 두려운; 대단한, 심한,
굉장한.
It was an *awful* storm
with thunder and lightning.
천둥과 번개가 치는 굉장한 폭풍이
었다.
❷ 지독한.
What *awful* weather!
정말 지독한 날씨로군!
The river smells *awful*.
강에서는 지독한 냄새가 난다.

aw·ful·ly [ɔ́ːfəli] 부 비교 **more awfully;**
최상 **most awfully**

대단히, 매우(=very).
It has been *awfully* hot
this week. 이번 주는 매우 더웠
다.

I am *awfully* busy now.
나는 지금 대단히 바쁘다.

a·while [əhwáil] 부

잠깐, 잠시.
Wait *awhile*. 잠깐 기다려라.
After dinner sit *awhile*.
식사 후에 잠시 앉아 있어라.

awk·ward [ɔ́ːkwərd] 형

비교 **awkwarder** [ɔ́ːkwərdər] :
최상 **awkwardest** [ɔ́ːkwərdist]
❶ 거북한, 곤란한, 난처한.
The visitors came at an
awkward time. 방문객들이 곤
란한 때에 왔다.
❷ 보기 흉한, 꼴사나운, 어색한;
서투른.
Paul is still *awkward* with
his knife and fork. 폴은 아직
나이프와 포크의 사용이 서투르다.
His English is *awkward*.
그의 영어는 서투르다.

a·woke [əwóuk] 동

awake의 과거·과거 분사.
I *awoke* from a sound sleep.
나는 깊은 잠에서 깨었다.

ax, axe [æks] 명 복수 **axes** [ǽksiz]

도끼.
An *ax* is a tool for chopping
wood. 도끼는 나무를 쪼개는 도
구이다.

Bb B b *B b*

ba·bies [béibiz] 몡
baby의 복수.

***ba·by** [béibi] 몡
복수 **babies** [béibiz]
갓난아이, 젖먹이. ☞ child
That *baby* is always laugh-
ing. 저 아기는 항상 웃는다.
She likes *babies*.
그녀는 아기들을 좋아한다.

어법 보통, 어린애는 외관상 성
의 구별을 할 수 없는 경우가
많으므로, 대명사를 쓸 때는 it
을 쓴다. 남녀 구별을 해야 하
는 경우에는 남자 애를 baby
boy, 여자 애는 baby girl이
라고 한다. 그러나 부모가 자기
어린애를 말할 때는 남녀의 구
별이 확실하므로, he, she 로
말하는 것이 보통이다.

—— 혱 어린, 작은; 소형의.
a *baby* lion 사자 새끼.
a *baby* camera 소형 카메라.
He has a *baby* boy.
그에게는 어린 남자 아이가 있다.

ba·by-sit·ter [béibisìtər] 몡
복수 **baby-sitters** [béibisìtərz]
(집을 지키며) 애 보는 사람.
Mary is a *baby-sitter*. She
is taking care of Mr.
Smith's little boy. 메리는 애
를 봐 주는 사람이다. 그녀는 스
미스씨의 어린애를 봐 주고 있다.

참고 미국에서는 부모가 집을
비울 때에는, 주로 학생의 도움
을 받아 시간제로 애를 보게 한
다. 이 일은 여학생들에게 인기
있는 아르바이트이다.

Bac·chus [bǽkəs] 몡
바커스《로마 신화에 나오는 술의
신》.

Bach [baːk] 몡
바흐.
Johann Sebastian [dʒɔhǽn
sibǽstʃən] **Bach** 요한 제바스티
안 바흐(1685-1750)《독일 최대
작곡가의 한 사람. 교회의 오르간
연주가로서도 활약하였음》.

***back** [bæk] 몡
복수 **backs** [bæks]
❶ 등.
He has a big bag on his
back. 그는 커다란 자루를 등에
지고 있다.
He turned his *back* to me.
그는 나에게 등을 돌렸다.
❷ 뒤, 후면 (⇔ front 앞).
the *back* of the head 후두부.
Move to the *back* of the
bus. 버스의 뒤쪽으로 들어가 주
세요.
He wrote his name and
address on the *back* of the
envelope. 그는 자기 이름과 주
소를 봉투 뒷면에 썼다.
***at the back of = in back of**
… 의 뒤에(⇔ in front of … 의
앞에).
There are some trees at
the back of our house. 우리
집 뒤에는 나무가 몇 그루 있다.
We have a small yard *in
back of* the house. 우리 집
뒤에 작은 뜰이 있다.
behind *someone's* **back** (아무)
가 없는 데서, 등뒤에서.
Don't speak ill of your
friend *behind his* [*her*] *back*.
등뒤에서 친구의 험담을 하지 마라.

on *one*'**s back** 반듯이 누워.
Tom lay on the grass *on his back*. 톰은 잔디 위에 반듯이 누웠다.

── 형 뒤의, 배후의(⇔ front 앞의). ▶ 명사 앞에만 쓰임.
He was standing at the *back* gate of our school. 그는 우리 학교 후문에 서 있었다.
They sat on the *back* seat of the car. 그들은 차의 뒷좌석에 앉았다.

── 부 뒤로; 제자리로.
He has just come *back* from England. 그는 영국에서 막 돌아왔다.
They went *back* to their country. 그들은 자기 나라로 돌아갔다.
She'll be *back* soon. 그녀는 곧 돌아올 것이다.

회화 **Hi, I'm back.** 「이제 돌아왔습니다」
집에 돌아왔을 때 하는 인사말이다. Hi, I'm home.이라고도 하며, 사람을 만났을 때 하는 인사처럼 간단히 Hi! 또는 Hello!라고 하는 경우도 많다.
A : *Hi*, Mom. *I'm back* 〔*home*〕.
B : Hello, Jane.
「어머니 이제 돌아왔습니다.」
「어서 와라, 제인.」

── 동 3·단·현 **backs** [bæks]; ing형 **backing** [bǽkiŋ]; 과거 과분 **backed** [bækt]
자 뒤로 물러나다, 후퇴하다.
The car *backed* toward the gate. 차는 문 쪽으로 후진하였다.

── 타 …을 후퇴시키다; 후원〔지지〕하다.
He *backed* the car into the garage. 그는 차를 후진시켜 차고에 넣었다.
She *backed* our plan. 그녀는 우리의 계획을 지지하였다.

back away 뒤로 물러나다, 뒷걸음질하다.
Judy tried to *back away*, but she couldn't move. 주디는 뒤로 물러나려고 하였으나 움직일 수가 없었다.

back·bone [bǽkbòun] 명
《the를 붙여》 척추, 등뼈(=spine).
He hurt his *backbone* in an accident. 그는 사고로 척추를 다쳤다.

back·ground [bǽkgràund] 명
복수 **backgrounds** [bǽkgràundz]
배경; (문제 따위의) 배후 사정.
background music 배경 음악.
We should consider our social *background*.
우리는 사회적 배경을 고려해야 한다.

back·pack [bǽkpæk] 명
복수 **backpacks** [bǽkpæks]
(등에 메는) 가방, (도보 여행용) 배낭.
I put my books in my *backpack*. 나는 가방에 나의 책을 넣었다.

back·pack·ing [bǽkpækiŋ] 명
《a와 복수형 안 씀》 (등짐을 지고 가는) 도보여행, (특히) 산행.
I went *backpacking* with a friend of mine. 나는 나의 친구와 함께 산행을 갔다.

back·seat driv·er
[bǽksiːt dráivər] 명 복수 **back-**

seat drivers[bǽksiːt dráivərz] 자동차 뒷좌석에서 운전 지시를 하는 사람; 쓸데없이 참견하는 사람. All the way Mom was a *backseat driver.* 도중내내 엄마는 운전하는 데 참견을 하였다.

back·ward [bǽkwərd] 분 뒤로, 후방으로, 거꾸로(⇔ forward 앞으로). He stepped *backward* to avoid the car. 그는 차를 피하기 위해서 뒤로 물러섰다. The child could count *backward.* 그 아이는 수를 거꾸로 셀 수 있었다. —— 형 후방의; 뒤진, 진보가 늦은. That country is still *backward.* 그 나라는 아직 후진국이다.

back·yard [bǽkjáːrd] 명 복수 **backyards**[bǽkjáːrdz] 뒤뜰. Mary is in the *backyard.* 메리는 뒤뜰에 있다.

ba·con [béikən] 명 《a와 복수형 안 씀》 베이컨《돼지고기를 소금에 절여 연기에 그슬려 만든 것》. I usually eat *bacon* and eggs for breakfast. 나는 보통 아침으로 베이컨과 달걀을 먹는다.

참고 bacon and eggs 는 바싹 지진 베이컨에 프라이한 달걀을 곁들인 요리. 영미인이 즐겨 먹는 아침 식사의 하나.

bac·te·ri·a [bæktíəriə] 명 세균, 박테리아. The doctor is studying *bacteria.* 그 의사는 박테리아에 관해서 연구 중이다.

참고 bacteria는 bacterium [bæktíəriəm]의 복수형. 보통 단수형으로는 쓰이지 않는다.

bad [bæd] 형 비교 **worse [wəːrs]; 최상 **worst**[wəːrst] ❶ 나쁜, 불량한; 유해한(⇔ good 좋은). You are a *bad* boy, Bill. 빌, 너는 나쁜 애야. Snoopy, you *bad* dog! 스누피, 이 몹쓸 개 같으니라고. Smoking is *bad* for health. 흡연은 건강에 해롭다.

bad(나쁜)   good(좋은)

❷ 서투른. *be bad at* …가 서투르다(=be poor at, ⇔ be good at …을 잘 하다). I *am bad at* singing. 나는 노래를 잘 못한다.

회화 **That's too bad.** 「그것 참 안됐다.」 아프거나 실패하거나 무슨 나쁜 일이 생겼을 경우에 상대방이나 제삼자에게 동정의 뜻을 나타낼 때 쓴다. It's too bad. 또는 That's terrible. 이라고도 한다. A : I have a cold. B : *That's too bad.* 「나 감기가 들었어.」「그것 참 안됐구나.」

bade [bæd] 图
bid의 과거의 하나.

badge [bædʒ] 图
[복수] **badges** [bǽdʒiz]
휘장, 표, 배지.
a *badge* of rank 계급장.
The policeman was wearing a California state police *badge.* 그 경찰관은 캘리포니아 주 경찰 배지를 달고 있었다.

****bad·ly** [bǽdli] 图
[비교] **worse** [wəːrs];
[최상] **worst** [wəːrst]
나쁘게; 서투르게(⇔ well 잘).
John was *badly* hurt in the game. 존은 시합에서 심하게 다쳤다.

bad·min·ton [bǽdmintən] 图
《a와 복수형 안 씀》 배드민턴.
They are playing *badminton* in the yard. 그들은 뜰에서 배드민턴을 하고 있다.

****bag** [bæg] 图 [복수] **bags** [bægz]
자루, 가방.
a paper *bag* 종이 봉지.
a traveling *bag* 여행 가방.

bag·gage [bǽgidʒ] 图
《a와 복수형 안 씀》 **수하물**. ▶영국에서는 보통 luggage라고 함.
I'll take your *baggage* to the hotel. 호텔까지 네 짐을 가져다 주겠다.
All the *baggage* was put on the train. 수하물은 전부 기차에 실렸다.

[어법] baggage는 짐을 나르는 데 쓰는 트렁크(trunk), 슈트케이스(suitcase), 가방(bag) 따위의 하물 전체를 통틀어 말하는 것으로서, a와 복수형을 쓰지 않는다. 「수하물 1개」는 a piece of baggage 라고 한다.

bag·pipe [bǽgpàip] 图

[복수] **bagpipes** [bǽgpàips]
《종종 (**the**) **bagpipes**로》 백파이프.
play *the bagpipes* 백파이프를 불다.

[참고] 스코틀랜드의 고지대 사람들이 애용하는 악기. 가죽 주머니가 달린 피리의 한 가지로, 애조 띤 높은 소리를 낸다.

****bake** [beik] 目
[3·단·현] **bakes** [beiks];
[ing형] **baking** [béikiŋ]; [과거]
[과분] **baked** [beikt]
(빵 과자 따위)를 굽다.
Mother *bakes* bread and cake in the oven. 어머니는 빵과 케이크를 오븐에 구우신다.
She likes to *bake* pies.
그녀는 파이 굽기를 좋아한다.

[참고] 빵·케이크·감자 따위를 오븐이나 전기 또는 가스 레인지에 넣어 굽는 것을 bake 라고 한다. 영어에서는 굽는 방법 또는 그 대상이 무엇이냐에 따라 쓰는 말이 다르다. 쇠고기·닭고기 등 각종 육류를 오븐에 넣어 굽는 것을 roast, 고기를 석쇠나 철판 위에 올려 놓고 직접 불에 쬐어 굽는 것을 broil [brɔil] 또는 gril [gril] 이라고 하며, 빵을 한 조각씩 노르스름하게 굽는 것을 toast라고 한다.

bak·er [béikər] 图 [복수]
bakers [béikərz]
빵 굽는 사람.
The *baker*'s shop is on the

B

corner. 빵집은 길모퉁이에 있다.

bak·er·y [béikəri] 명 복수
bakeries [béikəriz]
제빵소, 빵집. ➤ baker's shop 이라고도 함.

bak·ing [béikiŋ] 통
bake의 -ing형.

bal·ance [bǽləns] 명
복수 balances [bǽlənsiz]
❶ 저울.
A *balance* is used to weigh things. 저울은 물건을 다는 데 쓰인다.

❷ 균형, 평균.
keep the *balance* of nature 자연계의 균형을 유지하다.
The old man lost his *balance* and fell down. 그 노인은 몸의 균형을 잃고 넘어졌다.
❸ 《보통 단수형으로》 나머지, 차액; 거스름돈.
Keep the *balance*.
거스름돈은 가지시오.

bal·anced [bǽlənst] 형
비교 more
balanced; 최상 most balanced
균형 잡힌; 객관적인, 편견이 없는.
Please eat a balanced meal.
균형 잡힌 식사를 하십시오.

bal·co·ny [bǽlkəni] 명
복수 balconies [bǽlkəniz]
❶ 발코니, 노대.
She looked down from the *balcony*. 그녀는 발코니에서 내려다보았다.
❷ 《극장 따위의》 이층 특별석.
Their seats were in the *balcony*. 그들의 자리는 이층 특별석에 있었다.

bald [bɔːld] 형
비교 **balder** [bɔ́ːldər] :
최상 **baldest** [bɔ́ːldist]
머리가 없거나 적은, 대머리의.
a *bald* man 대머리 남자.
He is going *bald*. 그는 머리가 벗겨지고 있다.

ball [bɔːl] 명 복수 balls [bɔːlz]
❶ 공.
Here's your *ball*.
여기에 네 공이 있다.
John can throw a *ball* fast and straight. 존은 공을 빠르고 똑바르게 던질 수 있다.
❷ 《a와 복수형 안 씀》 공놀이, 야구.
a *ball* game 구기, 야구.
a *ball* player 야구 선수.
They like to play *ball*.
그들은 공놀이를 좋아한다.
Play *ball* ! 플레이 볼! 《경기 시작이란 뜻의 심판의 선언》.
❸ 《야구에서》 볼(⇔ strike 스트라이크).

bal·let [bǽlei] 명
복수 ballets [bǽleiz]
발레, 무용극.
a *ballet* dancer 발레 무용가.

bal·loon [bəlúːn] 명 복수
balloons [bəlúːnz]
풍선, 기구.
a *balloon* man 풍선 장수.
a paper *balloon* 종이 풍선.
His *balloon* went up into the sky. 그의 풍선은 하늘 높이 올라갔다.

ball·point pen [bɔ́ːlpoint pén] 명

[복주] **ballpoint pens** [bɔ́:lpɔint pénz]

볼펜.

Do you have a *ballpoint pen?* 너는 볼펜이 있느냐?

[참고] 이 밖에 ballpoint 또는 ball pen 이라고도 하며, 경우에 따라서는 단순히 pen이라고 하여 볼펜을 가리킬 때도 있다.

bam·boo [bæmbú:] 명

[복주] **bamboos** [bæmbú:z]

대, 대나무; 죽재(竹材).

bamboo shoots 죽순.

These baskets are made of *bamboo*. 이 바구니는 대로 만들어졌다.

*__**ba·nan·a** [bənǽnə] 명

[복주] **bananas** [bənǽnəz]

바나나.

a bunch of *bananas* 바나나 한 송이.

I like *bananas* and peaches very much. 나는 바나나와 복숭아를 무척 좋아한다.

*__**band** [bænd] 명

[복주] **bands** [bændz]

❶ (사람·동물의) **무리, 떼**.

a *band* of robbers 도둑의 한 무리.

a *band* of wild dogs 들개 한 떼.

❷ 악단, **악대**.

a brass [jazz] *band* 취주[재즈] 악단.

I'm in the school *band.* 나는 학교 음악대에 속해 있다.

❸ **띠, 끈**.

I need some rubber *bands* to put around this parcel. 나는 이 작은 꾸러미를 묶을 고무 밴드가 필요하다.

band·age [bǽndidʒ] 명

[복주] **bandages** [bǽndidʒiz]

붕대, 띠, 끈.

Who is the girl with a *bandage* on her arm? 팔에 붕대를 한 소녀는 누구냐?

bang [bæŋ] 명 [복주] **bangs** [bæŋz]

탕, 쿵《총 소리·문 닫는 소리 따위》.

Tom always shuts the door with a *bang*. 톰은 항상 문을 쾅 닫는다.

── [자·타] [3·단·현] **bangs** [bæŋz]: [ing형] **banging** [bǽŋiŋ]: [과거] [과분] **banged** [bæŋd]

…을 탕탕 치다, 쾅 닫다; 쾅 닫히다.

She *banged* the piano suddenly. 그녀는 갑자기 피아노를 쾅쾅 쳤다.

Don't *bang* the door. 문을 쾅쾅 닫지 마라.

The door *banged* shut. 문이 쾅 소리를 내며 닫혔다.

[참고] bang과 같이 사물의 소리를 본뜬 말, 즉 소리흉내말을 의성어(擬聲語)라고 한다. 예컨대, 개 짖는 소리의 「멍멍」은 bowwow [báuwàu], 뻐꾸기는 그 우는 소리와 비슷하게 cuckoo [kúku:]라고 하는데, 이런 말이 의성어다.

ban·jo [bǽndʒou] 명

[복주] **banjos** [bǽndʒouz]

밴조《미국 흑인이 즐겨 쓰는 기타 비슷한 5현의 현악기》.

He can play the *banjo* very well. 그는 밴조를 아주 잘 친다.

B

***bank** [bæŋk] 명
〔복수〕 **banks**[bæŋks]

❶ 은행.
a blood *bank* 혈액 은행.
Mr. Brown keeps his money in the *bank*. 브라운씨는 은행에 예금하고 있다.
Can you tell me the way to the *Bank* of Korea? 한국은행에 가는 길을 말씀해 주시겠습니까?
❷ 둑, 제방.
The scenery along the *banks* is very beautiful. 둑을 따라서 펼쳐진 경치는 참으로 아름답다.
His house stands on the *bank* of the Han-gang. 그의 집은 한강 둑 가에 있다.

bank·er [bǽŋkər] 명 〔복수〕
bankers[bǽŋkərz]

은행가. ➤ 은행의 경영자·소유주를 가리킴. 은행원은 bank clerk 이라고 함.

ban·quet [bǽŋkwit] 명

〔복수〕 **banquets**[bǽŋkwits]
잔치, 연회. ☞ feast
They gave a *banquet* for him. 그들은 그를 위해 연회를 베풀었다.

***bar** [bɑːr] 명 〔복수〕 **bars**[bɑːrz]
❶ 막대기, 막대 모양의 것; 빗장, 창살, 막대.
a *bar* of gold 막대 금, 금괴.
a *bar* of soap 비누 한 개.
a chocolate *bar* 막대〔판형〕 초콜릿 한 개.
parallel *bars* 평행봉.
❷ (악보의) 세로줄, 마디.
❸ 바, 목로 술집.
Last night he visited his favorite *bar*. 어젯밤에 그는 단골 술집에 갔다.

bar·ber [bɑ́ːrbər] 명 〔복수〕
barbers[bɑ́ːrbərz]

이발사.
His father is a *barber*. 그의 아버지는 이발사이다.

I had my hair cut at a *barber* shop yesterday. 나는 어제 이발소에서 이발하였다.

〔참고〕 요즘 영국에서는 hair dresser라고 하는 경우가 많다. 「이발소」는 미국에서는 barber shop, 영국에서는 barber's shop 또는 barber's 라고 한다.

Bar·ce·lo·na [bàːrsəlóunə] 명

바르셀로나.

〔참고〕 스페인 북동부의 항구 도시. 1992년에 제25회 올림픽이 개최되었던 곳이다.

***bare** [bɛər] 형
〔비교〕 **barer** [bɛ́ərər] 〔최상〕
barest[bɛ́ərist]

벌거벗은; 텅 빈.
walk with *bare* feet 맨발로 걷다.
The room was *bare*. 그 방은 텅 비어 있었다.

bar·gain [bɑ́ːrgən] 명 〔복수〕
bargains[bɑ́ːrgənz]

❶ 매매, 계약, 거래, 흥정.
"You can have this for $10."
"All right. It's a *bargain*."
「이것을 10달러에 드리겠소.」「좋소. 그렇게 합시다.」
❷ 싼 물건, 싸게 산 물건.
I got this pen at a *bargain*. 나는 이 펜을 싸게 샀다.
Many people came early to find *bargains*. 많은 사람들이 싼 물건을 찾으러 일찍 왔다.

참고 1.「특매(特賣)」또는「대
매출」은 bargain sale 이외에
sale, special sale, annual
sale, spring sale, discount
sale 이라고도 한다.
2. 미국에서는 백화점의 특매장
이 어느 층을 전부 쓰는 경우가
많으므로, 특매장을 bargain
floor라든가 지하층의 경우에는
bargain basement라고 한다.

make a bargain with …와 매매
계약을 하다.
He *made a bargain with*
them about the furniture.
그는 그들과 가구의 매매 계약을
맺었다.

*__bark__ [ba:rk] 자
③·단·현 **barks** [ba:rks];
ing형 **barking** [bá:rkiŋ]; 과거
과분 **barked** [ba:rkt]
(개 따위가) 짖다.
That dog *barks* from morn-
ing till night. 저 개는 온종일
짖어 댄다.
Barking dogs seldom bite.
《속담》짖는 개는 좀처럼 물지 않
는다《말수가 적은 사람을 경계하
라》.

*__bark at__ …을 향해 짖다, 짖어대다
Suddenly a dog *barked at*
them. 갑자기 개 한 마리가 그들
을 향해 짖어댔다.

bar·ley [bá:rli] 명
《a와 복수형 안 씀》
보리. ☞ wheat(밀)
Barley usually grows in
cool climates. 보리는 보통 기
후가 서늘한 곳에서 자란다.
▶ barley는 식용으로 하는 이외
에 맥주의 원료가 됨.

barn [ba:rn] 명
복수 **barns** [ba:rnz]
(농가의) 헛간, 광; 외양간.
This *barn* is for our farm
animals. 이 헛간은 우리집 가축
용이다.

ba·rom·e·ter [bərámitər] 명
복수 **barometers** [bərámitərz]
❶ 기압계, 청우계.
A *barometer* tells how the
weather changes. 기압계는 날
씨가 어떻게 변하는가를 나타낸다.
❷ 변화를 나타내는 것, (여론 따위
의) 지표.
The weight of one's body
is called a *barometer* of
one's health. 체중은 건강의 지
표라고 일컬어진다.

bar·on [bǽrən] 명
복수 **barons** [bǽrənz]
남작.
The *baron* married the
most beautiful girl in the
country. 남작은 그 나라에서 가
장 아름다운 처녀와 결혼하였다.

참고 영국 귀족의 지위는 위로부
터 duke [dju:k] (공작), mar-
quis [má:rkwis] (후작), earl
[ə:rl] (백작), viscount [vái-
kàunt] (자작), baron (남작).

bar·rel [bǽrəl] 명
복수 **barrels** [bǽrəlz]
❶ (중배가 불룩한) 통.
They rolled the *barrels* of
wine into the store. 그들은
술통을 상점 안으로 굴렸다.
❷ 1배럴(의 분량).

참고 1배럴은 미국에서는 31.5
갤런 (gallon) (약 119 리터), 영
국에서는 36갤런 (약 163 리터)
을 말한다.

bar·ren [bǽrən] 형
비교 **more barren**
또는 **barrener** [bǽrənər]; 최상
most barren 또는 **barrenest**
[bǽrənist]
불모의, 황무지의 (⇔ fertile 비옥
한).
The land was so *barren*

B

B

that it did not produce any crops at all. 그 땅은 황무지여서 아무 작물도 산출되지 않았다.

bar·ri·cade [bǽrəkèid] 명

복수 **barricades**[bǽrəkèidz]
방책, 바리케이드.
They put boards, carts and barrels to make a *barricade* across the road. 그들은 길에 바리케이드를 만들려고 판자와 달구지와 통을 놓았다.

bar·ri·er [bǽriər] 명

복수 **barriers**[bǽriərz]
울짱, 방벽; 방해.
A dam is a kind of *barrier* which holds water back. 댐은 물을 막아 두는 일종의 방벽이다.
The language *barrier* cannot be ignored. 언어의 장벽은 무시할 수 없다.

*base [beis] 명

복수 **bases**[béisiz]
❶ 토대; 기초.
A tall flag pole needs a solid *base*. 높은 깃대는 단단한 토대가 필요하다.
❷ (야구의) 베이스. ▶수비 위치를 말할 때에는 the, a와 복수형도 안 씀.

first [second, third] *base*, 1[2, 3] 루(壘).
a *base* hit 안타.
He is a fast *base* runner. 그는 빠른 주자이다.
❸ (군사)기지, 근거지.
an air *base* 공군 기지.
The troops left the *base* camp early in the morning. 군대는 아침 일찍 기지를 떠났다.
── 타 [3·단·현] **bases**[béisiz]; ing형 **basing**[béisiŋ]; 과거 과분 **based**[beist]
···의 기초[근거]를 두다.
What do you *base* your theory on? 너의 이론은 무엇에 기초를 두고 있느냐?
His story is *based* on facts. 그의 이야기는 사실에 근거한다.

*base·ball [béisbɔ̀:l] 명

복수 **baseballs**[béisbɔ̀:lz]
야구공; 《a와 복수형 안 씀》 야구.
He has two *baseballs*. 그는 야구공을 두 개 가지고 있다.
Let's go to see the *baseball* game. 야구 경기를 보러 가자.
Being a *baseball* player is my dream. 야구 선수되는 것이 나의 꿈이다.

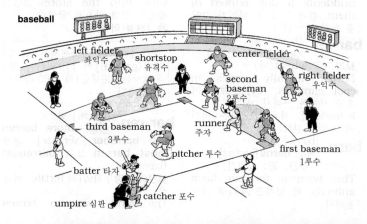

baseball

left fielder 좌익수
shortstop 유격수
center fielder
second baseman 2루수
right fielder 우익수
third baseman 3루수
runner 주자
first baseman 1루수
pitcher 투수
batter 타자
catcher 포수
umpire 심판

참고 미국의 주요한 프로 야구 연맹 (league)은 National League와 American League 로서, 이 두 리그의 우승자끼리 하는 선수권 시합이 World Series이다. 소년 야구(little league baseball)도 인기가 높아 전국적으로 많은 소년들이 이에 참여하고 있다.

base·ment [béismənt] 명

복수 **basements**[béismənts]
지하실, 지하층.
a *basement* garage 지하 차고.
the second *basement* 지하 2층.
Let's go down to the *base-ment* and play ping-pong.
지하실에 내려가서 탁구를 치자.

참고 미국 집에는 지하실이 있는 것이 보통이며, 여기에는 광, 세탁장, 보일러실이 있거나 탁구 따위를 하는 오락장, 방 따위가 있다.

bas·es [béisiːz] 명
basis의 복수.

bash·ful [bǽʃfəl] 형
비교 **more bashful**; 최상 **most bashful**
부끄러워하는, 수줍어하는(=shy).
She is too *bashful* to speak before a crowd. 그녀는 수줍어서 사람들 앞에서 말을 못한다.

bas·ic [béisik] 형
비교 **more basic**; 최상 **most basic**
기초적인, 근본의.
basic principles 근본 원리.

ba·sis [béisis] 명
복수 **bases**[béisiːz]
기초, 토대; 근거.
There is no *basis* for the rumor. 그 소문은 근거가 없다.

***bas·ket** [bǽskit] 명 복수
baskets[bǽskits]

바구니, 광주리.
a shopping *basket* 장바구니.
a *basket* of apples 사과 한 바구니.

참고 미국에서는 shopping basket 을 가지고 물건을 사러 가는 일이 별로 없다. 자동차를 몰고 가서, 가게에서 물건을 종이 봉투에 넣어 주면, 그것을 차로 운반할 뿐이다.

***bas·ket·ball** [bǽskitbɔ̀ːl] 명

복수 **basketballs**[bǽskitbɔ̀ːlz]
농구공; 《a와 복수형 안 씀》농구.
The two teams played *bas-ketball* yesterday afternoon.
그 두 팀은 어제 오후에 농구를 하였다.

bass [beis] 명
《a와 복수형 안 씀》낮은 음부, 베이스《남성의 저음부》.

***bat**¹ [bæt] 명 복수 **bats**[bæts]
(야구·탁구 따위의) 배트.
Bill hit the ball with a *bat*.
빌은 배트로 공을 쳤다.
He began to swing his *bat*.
그는 배트를 휘두르기 시작하였다.
at bat 타석(打席)에 들어서서.
Tom is now *at bat*.
톰은 지금 타석에 나가 있다.
── 자·타 3·단·현 **bats** [bæts];
ing형 **batting** [bǽtiŋ]; 과거 과분
batted[bǽtid]
(…을) 배트로 치다.
John *bats* well. 존은 공을 잘 친다.
bat in 쳐서 점수를 얻다.
He *batted in* about 100 runs every year. 그는 매년 약 100 타점을 올렸다.

bat² [bæt] 명 복수 **bats**[bæts]
박쥐.
A *bat* is not a bird but an animal. 박쥐는 새가 아니고 짐

승이다.

*__bath__ [bæθ] 몡
　　　　　[복수] __baths__[bæðz]

❶ 목욕.
a sun __bath__ 일광욕.
Did you give the baby a
__bath?__ 어린아이를 목욕시켰느냐?
❷ 목욕실, __목욕탕__(=bathroom).
a public __bath__ 공중 목욕탕.
This __bath__ towel is dry and
clean. 이 목욕 수건은 건조하고
깨끗하다. ☞ 동 bathe

__take__〔__have__〕__a bath__ 목욕하다.
Jim is __taking a bath__ now.
짐은 지금 목욕을 하고 있다.
I usually __have a bath__ at
nine. 나는 보통 9시에 목욕한다.
▶ 영미에서는 욕조(bathtub)에
들어가는 것보다 샤워가 많이 이
용됨.

__bathe__ [beið] 동
　　　　　[3·단·현] __bathes__[beiðz] ;
[ing형] __bathing__[béiðiŋ] ; [과거] [과분]
__bathed__[beiðd]

짜 목욕하다, 미역 감다.
Koreans __bathe__ in hot tub.
한국인은 뜨거운 탕에서 목욕한다.
── 타 …을 목욕시키다, 물로 씻다.
__bathe__ a baby 어린애를 목욕시
키다. ☞ 몡 bath

*__bath·room__ [bǽθrù(ː)m]
　　　　　　　　　　　　몡
[복수] __bathrooms__[bǽθrù(ː)mz]
욕실 ; 화장실.
I washed my face in the
__bathroom.__ 나는 욕실에서 세수하
였다.

───────────────

[회화] **Where is the bath-
room?**「화장실이 어디 있습니
까?」
남의 집에 갔을 때 화장실을 묻
는 말이다. May I use your
bathroom? 이라고도 한다. 미
국의 가정에서는 대개 욕실과
화장실이 함께 있으므로 bath-
room은 화장실의 뜻도 된다.
역이나 백화점 따위 공공 장소의
화장실은 대개 men's room
(신사용), ladies' room(숙녀
용)이라고 하며, toilet이라는 직
선적인 말은 잘 쓰지 않는다.
A : Excuse me, __where's__
__the bathroom?__
B : It's down the hall to
the right.
「죄송하지만 화장실이 어디 있
습니까?」「복도 안쪽의 오른편
에 있습니다.」

───────────────

bathroom

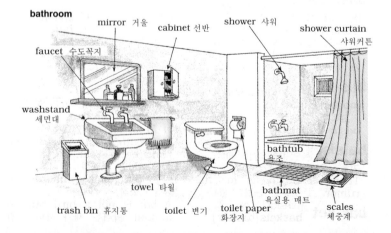

mirror 거울   cabinet 선반   shower 샤워   shower curtain 샤워커튼
faucet 수도꼭지
washstand 세면대
bathtub 욕조
towel 타월
bathmat 욕실용 매트
trash bin 휴지통   toilet 변기   toilet paper 화장지   scales 체중계

bath·tub [bǽθtʌb] 명

복수 **bathtubs**[bǽθtʌbz]
목욕통, 욕조.
She was in the *bathtub* with soap bubbles all around. 그녀는 비누 거품투성이가 되어 욕조 안에 있었다.

참고 bathtub 는 한 사람이 몸을 쭉 펴고 전신을 물에 담글 수 있도록 길쭉하며 밑이 얕다. 우리와는 달리 영미인들은 그 속에서 몸을 씻는다.

---

ba·ton [bətán] 명

복수 **batons**[bətánz]
(릴레이의) **배턴**; (음악의) **지휘봉**.
He has a green *baton.*
그는 녹색 배턴을 가지고 있다.
The leader of the band has a *baton.* 악단의 지휘자는 지휘봉을 가지고 있다.

bat·ter [bǽtər] 명

복수 **batters**[bǽtərz]
(야구·크리켓의) **타자, 배터.**
the *batter's* box 타석.
Mike is a very good *batter.*
마이크는 훌륭한 타자이다.

bat·ter·y [bǽtəri] 명 복수

batteries[bǽtəriz]
❶ **전지.**
The *battery* is dead.
전지가 다 됐다.
This toy car has a *battery.*
이 장난감 차는 전지가 있다.
❷ **배터리**《야구의 투수와 포수》.
That's the best *battery* on the team. 저들은 팀에서 최고의 배터리이다.

bat·ting [bǽtiŋ] 명

《a와 복수형 안 씀》**공을 치기, 타격, 배팅.**
It's fun to practice *batting.*
타격 연습은 재미있다.
His *batting* average for the

past ten years is .272.
과거 10년간의 그의 타율은 2할 7푼 2리이다. ▶ .272는 two seventy-two 라고 읽음.

*bat·tle [bǽtl] 명

복수 **battles**[bǽtlz]
(어떤 지역에서의) **싸움, 전투, 투쟁.** ☞ war
win a *battle* 싸움에 이기다.
There was a terrible *battle* here. 여기서 격전이 있었다.

bat·tle·field [bǽtlfìːld] 명

복수 **battlefields**[bǽtlfìːldz]
싸움터, 전장(戰場).
That place was a famous *battlefield* during the last war. 그곳은 지난 전쟁 중의 유명한 싸움터였다.

*bay [bei] 명

복수 **bays**[beiz]
만(灣).
Asan *Bay* = the *Bay* of Asan 아산만.
The boat was sailing far out in the *bay.* 그 배는 만 멀리 나가고 있었다.

참고 bay는 비교적 작은 만을 말하며, 큰 만, 예컨대 멕시코만과 같은 것은 gulf라고 한다.
the Gulf of Mexico 멕시코만.

---

ba·zaar [bəzáːr] 명 복수

bazaars[bəzáːrz]
자선시(慈善市), 바자.
The *bazaar* opened at 10 in the morning. 바자회가 아침 10시에 열렸다.

B.C. [bíːsíː]

(서력) 기원 전 …년(⇨ A.D. (서력) 기원 …년).
Julius Caesar died in 44 *B.C.* 율리우스 카이사르는 기원 전 44년에 죽었다.
Rome was founded in 753 *B.C.* 로마는 기원 전 753년에 건국되었다.

B

참고 **1.** B. C.는 Before Christ 의 간략형으로서, 예수(Jesus Christ)가 태어나기 전의 연대 또는 연호를 나타낼 때 쓴다.
2. 쓸 때에는 대문자를, 인쇄할 때에는 보통 소형 대문자(small capital)를 쓴다.

*be [bi ; 강 bi:]
동 현재 **am**[əm], **are**[ər], **is**[iz]; ing형 **being**[bíːiŋ] 과거 **was**[wəz], **were**[wər]; 과분 **been**[bin]

어법 be는 주어와 시제에 따라 다음과 같이 변화한다.

주어	현재형	과거형	과거 분사
I	am	was	have been
We You They	are	were	have been
He She It	is	was	has been

자 …이다; (어떤 장소에) 있다.
I *am* Inho. 나는 인호입니다.
You *are* a student.
너는 학생이다.
What *is* his name?
그의 이름이 무엇이냐?
"Where *were* you last night?"
"I *was* in Tom's house."
「너는 어젯밤에 어디에 있었니?」
「톰의 집에 있었다.」
Be careful. 조심해라.

어법 be를 그대로 쓰는 경우
1. 조동사 뒤에 올 때
You must *be* careful.
너는 조심해야 한다.
2. 명령문에 쓸 때
Don't *be* late. 늦지 마라.
▶명령형의 부정에는 be 동사일지라도 Don't를 씀에 주의.

3. 부정사 to be로 쓸 때
I want *to be* a doctor.
나는 의사가 되고 싶다.

—— 조 《**be**+**-ing**의 진행형으로》
…하고 있다.
He *is reading* a book.
그는 책을 읽고 있다.
She *is waiting* for you.
그녀는 너를 기다리고 있다.
I've *been studying* English for two years. 나는 2년 동안 영어를 공부해 오고 있다.
❷ 《**be**+과거 분사의 수동태로》
…되다, …되어 있다.
The doors *are painted* green. 문은 초록색으로 칠해져 있다.
They *were trained* by Mr. Smith. 그들은 스미스씨에게 훈련을 받았다.
English *is spoken* in Australia. 오스트레일리아에서는 영어를 쓴다.
I *was surprised.* 나는 놀랐다.
❸ 《**be to**+동사의 원형으로》 …할 예정이다; …하여야 하다; …할 수 있다.
We *are to* meet at 5.
우리는 5시에 만날 예정이다.
You *are* not *to* speak in this room. 이 방에서는 말을 해서는 안 된다.
be able to do …할 수 있다. ☞ able
be going to do …할 것이다; …할 작정이다. ☞ go
have been to …에 간 적이 있다; …에 갔다 왔다. ☞ been

*beach [biːtʃ] 명
복수 **beaches**[biːtʃiz]
(바다·호수의) **물가**, 바닷가, 해변.
Would you like to go to the *beach*? 너는 해변에 가고 싶으냐?
There is a beautiful *beach* near my hometown. 내 고향 근처에 아름다운 바닷가가 있다.

B

비슷한 말 **beach**와 **seashore**
beach는 모래와 자갈이 파도에
씻겨 해수욕 따위를 하기에 적
당한 해변을 말하고, seashore
는 넓은 해안에 연한 육지를 말
한다.

bead [biːd] 명
복수 **beads**[biːdz]
조그만 구슬, 염주 구슬.
Beads are used for orna-
ment. 구슬은 장식에 쓰인다.

beam [biːm] 명
복수 **beams**[biːmz]
❶ (대)들보, 도리.
Beams are used for build-
ing a house or a ship. 대들
보는 집을 짓거나 배를 만드는 데
쓰인다.
❷ 광선, 빛.
A *beam* of light came in
through the window.
한 줄기의 빛이 창으로 들어왔다.

bean [biːn] 명
복수 **beans**[biːnz]
콩, 강낭콩; (콩 비슷한) 열매.
coffee *beans* 커피 열매.
string *beans* 꼬투리째 먹는 콩.
Pork goes with *beans*. 돼지고
기는 콩과 맛이 잘 어울린다《같이
먹을 때 제맛이 난다》.
➤ 긴 꼬투리에 들어 있는 콩을
bean이라고 하며, 완두는 pea라
고 함.

bean·stalk [bíːnstɔ̀ːk]
명
복수 **beanstalks**[bíːnstɔ̀ːks]
콩 줄기.
There were hundreds of
beanstalks in the field.
밭에는 콩 넝쿨이 우거져 있었다.

*__**bear**__¹ [bɛər] 명
복수 **bears**[bɛərz]
곰.
a black *bear* 흑곰.
a brown *bear* 불곰.
a polar *bear* 북극곰, 흰곰.

the Great *Bear* 큰곰자리.

*__**bear**__² [bɛər] 타
3·단·현 **bears**[bɛərz];
ing형 **bearing**[bɛ́əriŋ]; 과거 **bore**
[bɔːr]; 과분 **borne**[bɔːrn] 또는
born[bɔːrn]
❶ (고통 따위)를 참고 견디다.
➤ 흔히 can't와 함께 쓰며, bear
보다는 stand를 더 흔히 씀.
I can't *bear* this pain any
longer. 나는 이 고통을 더 참을
수 없다.
I cannot *bear* the hot
weather. 나는 더운 날씨를 견딜
수가 없다.
❷ (아이)를 낳다, (열매)를 맺다.
He was *born* in Seoul in
1980. 그는 1980년에 서울에서 태
어났다.
This tree *bears* good fruit.
이 나무는 좋은 열매를 맺는다.

어법 두 개의 과거 분사 중에서
borne은 ❶의 뜻일 때, born
은 ❷의 뜻일 때 쓴다.

beard [biərd] 명
복수 **beards**[biərdz]
턱수염.
His grandfather wears
beard. 그의 할아버지는 턱수염
이 있으시다.

B

참고 「수염」이라고 해도, 난 자리에 따라 이름이 다름에 주의. 「턱수염」은 beard, 「구레나룻」은 whiskers[hwískərz], 「콧수염」은 mustache[mʌ́stæʃ]라고 한다.

beast [bi:st] 명
복수 **beasts**[bi:sts]
짐승.
A *beast* is a four-footed animal. 짐승은 네 발 달린 동물이다.

참고 beast는 동물(animal) 중에서 사람 이외의 네발 짐승을 가리킨다. animal은 식물(plant)이나 광물(mineral)에 상대되는 말로서, 넓은 뜻으로 쓰인다.

* **beat** [bi:t] 동
3·단·현 **beats**[bi:ts] :
ing형 **beating**[bíːtiŋ] ; 과거
beat[bi:t] ; 과분 **beaten**[bíːtn]
또는 **beat**[bi:t]
타 ❶ …을 치다, 때리다, **두드리다**.
The man *beat* the drum and the girls danced to its rhythm. 남자는 북을 치고, 소녀들은 그 리듬에 맞춰 춤을 추었다.
Don't *beat* the horse.
말을 때리지 마라.
❷ (상대방)을 **패배시키다, 이기다**.
Our team *beat* them.
우리 팀은 그들에게 이겼다.
─ 자 ❶ 두드리다, (비바람이) **치다**.
The drums were *beating*.
북이 울리고 있었다.
He *beat* on [at] the door.
그는 문을 두드렸다.
The rain is *beating* against the windows. 비가 창에 들이치고 있다.
❷ (심장이) **고동치다**.
My heart is still *beating*

fast. 내 심장이 아직 두근거리고 있다.

beat·en [bíːtn]
동
beat의 과거 분사의 하나.

beau·ties [bjúːtiz] 명
beauty의 복수.

* **beau·ti·ful** [bjúːtəfəl] 형 비교
최상 **most beautiful**
아름다운, 예쁜(⇔ ugly 못생긴).
☞ handsome
They make our world *beautiful*. 그들은 우리 세상을 아름답게 만든다.
This picture is more *beautiful* than that one.
이 그림이 저것보다 더 아름답다.
What a *beautiful* day!
참 아름다운 날씨로구나!
She has a very *beautiful* voice. 그녀의 목소리는 매우 아름답다.　　　☞ 명 beauty

비슷한 말 **beautiful** 과 **pretty**
beautiful과 pretty를 비교하면, beautiful이 더 뜻이 강하고, 넓고 깊은 뜻을 가지고 있다. pretty는 여성적인 것, 작고도 귀여운 매력을 지닌 아름다움을 뜻한다. 그러나 현재에는 무엇에나 beautiful이란 말을 자주 쓰고 있어서 본래의 뜻이 약해져 가고 있다.

beau·ti·ful·ly [bjúːtəfəli]
부
비교 **more beautifully**; 최상
most beautifully
아름답게, 훌륭하게.
Mary played the piano *beautifully*. 메리는 피아노를 훌륭히 연주했다.

* **beau·ty** [bjúːti] 명 복수
beauties[bjúːtiz]
❶ 《a와 복수형 안 씀》 아름다움, 미.
the *beauty* of nature 자연의

아름다움.
Beauty is but skin-deep.
《속담》미모도 가죽 한 꺼풀 《외관보다는 마음이 중요하다는 뜻》.
❷ 아름다운 것, 미인.
She is a real *beauty*.
그녀는 참으로 미인이다.
☞ 혱 beautiful

bea·ver [bíːvər] 명 복수
beavers[bíːvərz]
비버, 해리(海狸).
Beavers live both in water and on land. 비버는 물에서도 뭍에서도 산다.

참고) 비버는 날카로운 앞니로 나무를 갉아 잘라서 물속에서 자기가 살 집을 만든다. 이와 같이 대단한 일을 하기 때문에, 매우 노력하는 사람을 가리켜 eager beaver라고 하며, 열심히 일한다고 할 때 work like a beaver라고 한다.

be·came [bikéim] 동
become의 과거.
Many people *became* sick and died. 많은 사람이 병이 나서 죽었다.

be·cause [bikɔ́ːz] 접
…때문에, …까닭에.
"Why are you so happy?"
"*Because* I passed the examination." 「어째서 그렇게 기쁘냐?」「시험에 합격했으니까.」
Because it was too expensive, I didn't buy it.
그것은 너무 비싸서 사지 않았다.
I like winter. *Because* I

can skate in winter. 나는 겨울을 좋아한다. 왜냐하면 겨울에는 스케이트를 탈 수 있기 때문이다.
I can't work today *because* I am very tired. 나는 매우 피곤해서 오늘은 공부할 수 없다.
***because of** …때문에. ▶ 뒤에 명사나 대명사가 옴.
He couldn't come *because of* the rain. 그는 비 때문에 올 수 없었다.

비슷한 말) 이유를 나타내는 be-cause, since, for
because가 가장 논리적이고 직접적인 이유를 나타낸다. since는 정면으로 이유를 나타내기 보다는 부수적으로 말할 때 쓴다. 또, for는 「왜냐하면 …하니까」 라고 추가적인 설명이나 판단의 근거를 나타내며, 반드시 그 앞에 쉼표(,)를 찍는다.

be·come [bikʌ́m] 동 3·단·현
becomes[bikʌ́mz];
ing형 becoming [bikʌ́miŋ];
과거 became [bikéim]; 과분
become [bikʌ́m]
자 …이 되다. ▶ 뒤에 형용사나 명사가 옴.
He *became* very happy be-cause of his graduation.
그는 졸업을 해서 매우 기뻤다.
I want to *become* a scien-tist. 나는 과학자가 되고 싶다.
English has *become* a world language. 영어는 세계어가 되었다.
── 타 …에 어울리다, 알맞다.
Her blue coat *becomes* her well. 파란 코트는 그녀에게 잘 어울린다.

어법) **1. become과 be**
become은 어떤 상태로의 변화·이동을, be는 그 자리에서의 상태를 나타낸다. 다음 두 문장의 차이점에 주의하시오.

B

He *was* a teacher last year.
그는 작년에 선생님이었다.
He *become* a teacher last
year. 그는 작년에 선생님이 되
었다.
2. become 이외에 get이나
grow란 동사도, 어떤 상태로의
변화, 이동을 나타낸다. 그러나
이 뜻으로 get이나 grow는 그
뒤에 명사를 쓰지 못한다.
He will *get* well soon.
그는 곧 건강해질 것이다.
Go back home before it
grows dark. 어두워지기 전에
집으로 돌아가거라.

be·com·ing [bikʌ́miŋ]
동
become의 -ing형.
── 형 어울리는, 걸맞은, 적당한.
Her new dress is very
becoming to her. 새 옷은 그
녀에게 매우 잘 어울린다.

*bed [bed] 명
복수 beds[bedz]
❶ 침대.
A baby is sleeping in the
small *bed*. 아기가 작은 침대에
서 자고 있다.
The cat jumped on my
bed. 고양이가 내 침대로 뛰어올
랐다.
❷ 화단, 묘판.
a flower *bed*=a *bed* of
flowers 화단.
❸ 하천 바닥.
The *bed* of the river is
muddy. 강바닥이 질척거린다.
be in bed 자고 있다, 누워 있다.
Tom *is* still *in bed*.
톰은 아직 자고 있다.
She has *been* sick *in bed*
for two months. 그녀는 두 달
동안 병으로 누워 있다.
get out of bed 잠자리에서 일어
나다.
He *got out of bed* and ran
to the door. 그는 침대에서 일

어나 문으로 달려갔다.
***go to bed** 자다, 잠자리에 들다.
What time do you *go to
bed*? 너는 몇 시에 자느냐?
Jane didn't feel well and
went to bed early. 제인은 기
분이 좋지 않아서 일찍 자러 갔다.
make the 〔a〕 bed 침대를 정돈
하다.
put ...to bed …을 재우다.
She *put* her children *to
bed*. 그녀는 아이들을 재웠다.

> 회화 **It's time to go to bed.**
> 「이제 잘 시간이다.」
> 이제 가서 자라는 뜻으로 하는
> 말이기도 하지만, 「아, 이제 잘
> 시간이군.」이라고 혼자서 하는
> 말도 된다. It's time for bed.
> 또는 It's bedtime[bédtàim].
> 이라고도 한다.
> A : *It's time to go to bed*,
>   children.
> B : After this program is
>   over.
> 「얘들아, 이제 잘 시간이다.」
> 「이 프로가 끝나면요.」

bed·clothes [bédklòuðz] 명
《복수 취급》 침
구《침대용 시트·담요 따위》.
fresh bedclothes 새로운 침
구.

*bed·room [bédrù:m]
명
복수 bedrooms[bédrù:mz]
침실.
There are two *bedrooms* up-
stairs. 2층에 침실이 둘 있다.

> 참고 이층집에는 보통 침실이 2
> 층에 있고, 그 방 옆에는 화장
> 실(bathroom)이 딸려 있다.
> 그래서 Has he come down
> yet?은「그는 벌써 내려왔느냐?」
> 란 뜻 외에 「벌써 일어났느냐?」
> 란 뜻도 포함하고 있다.

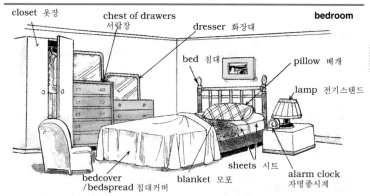

closet 옷장　chest of drawers 서랍장　dresser 화장대　**bedroom**

bed 침대　pillow 베개　lamp 전기스탠드

sheets 시트　alarm clock 자명종시계

blanket 모포

bedcover /bedspread 침대커버

bee [biː] 명 복수 **bees** [biːz]
벌, 꿀벌.

Many *bees* are buzzing in the garden. 많은 벌이 정원에서 윙윙거리고 있다.

Bees help the trees bear fruit. 벌들은 나무가 열매 맺는 것을 도와준다.

참고 꿀벌은 꽃에서 꿀(honey)이나 밀(beeswax[bíːzwæ̀ks])을 채집하기 위해서 벌통(beehive)에 길러진다. 여왕벌(queen bee[kwíːn bíː]), 수벌(drone[droun]), 일벌(worker[wə́ːrkər])의 세 종류가 있다. 꿀벌은 부지런히 일을 잘 하므로 as busy as a bee「벌처럼 몹시 바쁜」이라든가, work like a bee「벌처럼 열심히 일하다」라는 말이 생겨 났다.

---

beef [biːf] 명
《a와 복수형 안 씀》 쇠고기.
I like *beef* better than pork.
나는 돼지고기보다 쇠고기가 좋다.

참고 「돼지고기」는 pork, 「닭고기」는 chicken, 「양고기」는 mutton[mʌ́tn]이라고 하며, 물고기를 제외한 식용 고기를 meat라고 한다.

---

beef·steak [bíːfstèik] 명
복수 **beefsteaks** [bíːfstèiks]
비프스테이크《쇠고기를 알맞은 두께로 썰어 익힌 것》. ▶ 간단히 steak라고 하는 경우가 많음.
He ordered *beefsteak.*
그는 비프스테이크를 주문하였다.

bee·hive [bíːhàiv] 명 복수
beehives [bíːhàivz]
벌집, 벌통.
He saw a man taking honey out of *beehives.* 그는 벌통에서 꿀을 꺼내는 한 남자를 보았다.

***been** [bin] 통
be의 과거 분사.
Mary has been sick for week. 메리는 1주일 동안 앓고 있다.
She has *been* singing for an hour. 그녀는 1시간 동안이나 노래를 부르고 있다.
The coat had *been* worn several times. 그 코트는 몇 번인가 입은 것이었다.

***have been to** …에 간 적이 있다; …에 갔다 오는 길이다.
Have you *been to* Africa?
너는 아프리카에 간 적이 있느냐? ▶ 미국에서는 「…에 간 적이 있다」란 뜻으로 have gone to를 쓰기도 함.
I *have been to* the station.

나는 정거장에 갔다 오는 길이다.

beer [biər] 몡
《a와 복수형 안 씀》 맥주.
Two glasses of *beer* are enough for me. 맥주 두 잔이면 내게는 충분하다.
Father usually has a bottle of *beer* before dinner.
아버지께서는 보통 저녁 식사 전에 맥주 한 병을 드신다.
I prefer light *beer* to black. 나는 흑맥주보다 순한 맥주를 더 좋아한다.

Bee·tho·ven [béitouvən] 몡 베토벤.
Ludwig van [lΛ́dwig væn] **Beethoven** 루트비히 판 베토벤 (1770-1827) 《독일의 대작곡자》.

be·fore [bifɔ́ːr] 전
《장소》 …앞에 (⇔ behind …뒤에); 《시간》 …보다 이전에, **…보다 앞에**(⇔ after …뒤에).
He sat *before* us.
그는 우리 앞에 앉았다.
I usually study *before* dinner. 나는 보통 저녁 식사 전에 공부한다.
Can you come *before* eight tomorrow morning? 너는 내일 아침 8시 전에 올 수 있느냐?

> 어법 장소나 위치가 「…앞에」라고 할 때에는 보통 in front of 를 쓴다.
> There is a gas station *in front of* the school.
> 그 학교 앞에는 주유소가 있다.

before **long** 오래지 않아, 곧. ☞ long
── 부 전에, 앞에, 앞으로(⇔ after 뒤에).
I have seen him *before*.
나는 전에 그를 만난 적이 있다.
I can walk a lot faster than *before*. 나는 전보다 훨씬 더 빨리 걸을 수 있다.

She went *before*.
그녀는 앞서서 갔다.

> 어법 **before** 와 **ago**
> before는 「과거의 어느 때부터 …전」이라는 때에 쓰고, ago는 「지금부터 …전」이라는 때에 쓴다.
> I had received the letter three days *before*. (그때부터) 3일 전에 나는 그 편지를 받았다.
> I received the letter three days *ago*. (지금부터) 3일 전에 나는 그 편지를 받았다.

long before 훨씬 전에. ☞ long
── 접 …하기 전에, …하기 앞서 (⇔ after …한 뒤에).
You'd better go home *before* it gets dark. 어두워지기 전에 집에 가는 것이 좋겠다.
Make a note *before* you forget. 잊기 전에 메모해 두어라.

be·fore·hand [bifɔ́ːrhænd] 부
전에, 미리.
Let's make plans *beforehand*. 미리 계획을 세우자.

beg [beg] 동
③·단·현 **begs** [begz] ; ing형 **begging** [bégiŋ] ; 과거 과분 **begged** [begd]
자 구걸하다; 《beg for로》 …을 간청하다.
The poor man *begged for* food. 그 가난한 남자는 먹을 것을 달라고 하였다.
Although he was poor, he was too proud to *beg*.
그는 가난하였지만, 자존심 때문에 구걸하지 않았다.
── 타 ❶ (돈·은혜 따위)를 빌다, 구하다.
He *begged* food from me.
그는 나에게 음식을 달라고 했다.
❷ 《beg...to do로》 …에게 ～해 주기를 간청하다.

B

The girl *begged* her mother *to* forgive her. 그 소녀는 용서해 달라고 어머니한테 빌었다.

**I beg your pardon.* 실례했습니다; 다시 한 번 말씀해 주십시오. ☞ pardon

***be·gan** [bigǽn] 동 **begin**의 과거.

The men *began* to build a bridge. 그 사람들은 다리를 놓기 시작하였다.

The new school year *began.* 새 학년이 시작되었다.

beg·gar [bégər] 명 복수 **beggars**[bégərz] 거지.

She gave some money to the old *beggar.* 그녀는 그 늙은 거지에게 돈을 좀 주었다.

begged [begd] 동

beg의 과거·과거 분사.

beg·ging [bégiŋ] 동 **beg**의 -ing형.

****be·gin** [bigín] 동 **begins**[bigínz]; ing형 **beginning**[bigíniŋ]; 과거 **began** [bigǽn]; 과분 **begun**[bigʌ́n] 자 시작되다(=start, ⇔end 끝나다).

The meeting *began* at 2:30. 모임은 두시 반에 시작되었다.

When we got to the hall, the concert had already *begun.* 우리가 음악회장에 도착했을 때는, 이미 연주회가 시작되어 있었다.

School *begins* at 9. 수업은 아홉 시에 시작된다.

주의 「…부터 시작되다」라고 할 때, 우리말 「…부터」에 얽매여 begin from이라고 하지 않도록 주의. 뒤에 오는 말에 따라 그에 알맞은 전치사를 쓴다. Let's *begin at* [*on*] page 5. 5페이지부터 시작하자.

— 타 …을 시작하다;《**begin to** do 또는 **begin+-ing**형으로》…하기 시작하다.

They *began* a new life there. 그들은 거기서 새 생활을 시작하였다.

It's *beginning to* rain. 비가 오기 시작한다.

Tom has just *begun clean-ing* the yard. 톰은 방금 뜰을 청소하기 시작하였다.

***be·gin·ner** [bigínər] 명 복수 **beginners**[bigínərz] 초보자, 초심자.

This is a course for *begin-ners.* 이것은 초보자를 위한 과정이다.

You are a *beginner,* so you should drive very carefully. 너는 초보자이니까 아주 조심해서 운전해야 한다.

***be·gin·ning** [bigíniŋ] 동 **begin**의 -ing형.

— 명 복수 **beginnings**[bigíniŋz] 시작, 처음(⇔end 끝).

The *beginning* of this book is very interesting. 이 책의 처음은 아주 재미있다.

A good *beginning* is always very important. 시작을 잘 하는 것은 언제나 아주 중요하다.

He will be back at the *beginning* of next month. 그는 다음 달 초에 돌아올 것이다.

***from* (*the*) *beginning to* (*the*) *end* 처음부터 끝까지**

Susie read the book *from* (*the*) *beginning to* (*the*) *end.* 수지는 그 책을 처음부터 끝까지 읽었다.

***be·gun** [bigʌ́n] 동 **begin**의 과거 분사.

I've just *begun* to eat my lunch. 나는 방금 점심을 먹기 시작하였다.

be·half [bihǽf] 명 ——
《다음의 구로만 쓰임》.
on〔in〕behalf of …을 위하여; …
의 대신으로.
I am speaking this *in
behalf of* all of you. 나는 너
희들 전부를 위하여 이것을 말하
고 있다.
He signed the paper *on
behalf of* his son. 그는 아들
을 대신하여 서류에 서명하였다.

be·have [bihéiv] 동 ③·단·현
behaves [bihéivz];
ing형 **behaving** [bihéiviŋ];
과거 과분 **behaved** [bihéivd]
자 행동하다, 처신하다, 예절 바르
게 행동하다.
John *behaved* well〔badly〕.
존은 행실이 좋았다〔나빴다〕.
—— 타 《**behave oneself**로》 처신
하다, 행동하다; 얌전히 굴다.
Ann always *behaves* her-
self. 앤은 항상 행실이 바르다.

┌─────────────────────────┐
회화 **Behave yourself.** 「얌전히
굴어라.」
버릇없는 아이들에게 예의 바르
게 행동하라고 나무라는 말.
A : *Behave yourself* in
    public.
B : Yes, Mom.
「사람들 앞에서 얌전히 굴어
라.」「예, 어머니.」
└─────────────────────────┘

be·hav·ior [bihéivjər]
명
《a와 복수형 안 씀》 처신, 행동,
태도; 행실, 품행.
The man's *behavior* was
unfriendly. 그 남자의 태도는
불친절하였다.
His good *behavior* made a
good impression. 그의 훌륭한
태도는 좋은 인상을 주었다.

*be·hind [biháind]
전
❶《장소》…뒤에, …이면에(⇔
in front of …앞에).

There is a yard *behind* the
house. 집 뒤에 뜰이 있다.
George hid *behind* the door.
조지는 문 뒤에 숨었다.
Jane has something *behind*
her back. 제인은 등 뒤에 무엇
을 가지고 있다.

┌─────────────────────────┐
참고 *behind* 는 at the back
of 와 같은 뜻. 「그는 큰 나무
뒤에 숨었다.」는 다음 두 가지
로 말할 수 있다.
He hid *behind* a big tree.
=He hid *at the back of*
a big tree.
└─────────────────────────┘

❷《시간》…에 뒤져, 늦어서.
His work is a week *behind*
schedule. 그의 일은 계획보다
일주일이나 뒤져 있다.
The bus is *behind* time.
버스가 늦어지고 있다.
—— 부 뒤에, 이면에; 늦게.
Although everybody had
left, I stayed *behind*. 모두 떠
나버렸지만 나는 뒤에 남았다.
My watch is three minutes
behind. 내 시계는 3분 늦다.
leave … ***behind*** …을 두고 오다.
☞ leave

be·hold [bihóuld]
타
③·단·현 **beholds** [bihóuldz];
ing형 **beholding** [bihóuldiŋ];
과거 과분 **beheld** [bihéld]
…을 보다(=look at, see).
Behold the beautiful rainbow.
아름다운 무지개를 보라.

*be·ing [bíːiŋ] 동
be의 -ing형.

Don't be afraid of *being* late. 늦을까봐 염려 마라.
for the time being 당분간, 우선.
They will be here *for the time being*. 그들은 당분간 여기 있을 것이다.

Bel·gium [béldʒəm] 몡
벨기에.

> 참고 유럽 북서부의 왕국. 수도는 브뤼셀(Brussels [brʌ́slz]). 면적은 30,513km². 농업, 목축이 성하다. 「벨기에의」, 「벨기에 사람」은 Belgian [béldʒən] 이라고 한다.

be·lief [bilíːf] 몡
믿음, 신앙, 신뢰.
He showed his *belief* in the doctor. 그는 의사에 대한 신뢰를 보였다.
I don't have much *belief* in ghosts. 나는 유령이 있다고 별로 믿지 않는다. ☞ 동 believe

be·liev·a·ble [bilíːvəbəl] 혱
비교 **more believable;** 최상 **most believable**
믿을 수 있는(⇔ unbelievable 믿기 어려운).
His explanation was *believable*. 그의 설명은 믿을 만했다.

***be·lieve** [bilíːv] 동
3·단·현 **believes** [bilíːvz]; ing형 **believing** [bilíːviŋ]; 과거 과분 **believed** [bilíːvd]
타 …을 믿다, 신용하다; 《believe that ...로》 …라고 믿다〔생각하다〕.
▶ 마음의 상태를 나타내므로 진행형으로 하지 않음.
I *believe* him. ＝I *believe* what he says. 나는 그가 하는 말을 믿는다.
They *believe* him to be honest. ＝They *believe that* he is honest. 그들은 그가 정직

하다고 생각한다.

> 어법 「…아니라고 믿다」라고 할 경우, that 이하를 부정하지 않고 believe 를 부정하여 They *don't believe* that he is honest.(그들은 그가 정직하지 않다고 생각한다.)라고 한다.

── 자 믿다; 《**believe in**으로》 (…의 존재)를 믿다, …이 좋다고 생각하다.
Seeing is *believing*. 《속담》 보는 것이 믿는 것이다 《백문이 불여일견》.
I *believe in* you. 나는 너를 믿는다〔신뢰한다〕.
I *believe in* rising early. 나는 일찍 일어나는 것이 좋다고 생각한다. ☞ 몡 belief

> 어법 **believe** 와 **believe in** believe 는 일시적으로 「아무의 말을 믿다」라는 뜻임에 비해, believe in은 「아무의 인격을 믿다, 어떤 것의 존재〔가치〕를 믿다」라는 뜻을 나타낸다.

be·liev·ing [bilíːviŋ] 동
believe의 -ing형.

Bell [bel] 몡
벨.
Alexander Graham [ǽligzǽndər gréiəm] **Bell** 알렉산더 그레이엄 벨(1847-1922)《스코틀랜드 태생의 미국 과학자로 전화를 발명함》.

***bell** [bel] 몡
복수 **bells** [belz]
종, 방울, 초인종, 벨.
a *bell* button 초인종 단추.
a *bell* tower 종탑.
We heard the temple *bell* ring. 우리는 절의 종이 울리는 것을 들었다.

> 참고 우리말에서는 「벨」이라고 하면 초인종처럼 작은 것을 가

리키나. 영어에서는 교회 종처
럼 큰 것도 가리킨다.

bel·ly [béli] 명
복수 bellies[béliz]

배, 복부.
Her cat is white with a
black spot on his *belly.*
그녀의 고양이는 배에 검은 점이
있는 흰 고양이다.

be·long [bilɔ́(ː)ŋ] 자 3·단·현
belongs [bilɔ́(ː)ŋz] :
ing형 belonging [bilɔ́(ː)ŋiŋ] :
과거 과분 belonged[bilɔ́(ː)ŋd]
《belong to로》 …에 속하다, …
의 것이다. ➤ 상태를 나타내므로
진행형으로 안 함.
Sujin *belongs to* the table
tennis club. 수진이는 탁구 클
럽에 속해 있다.
This dictionary *belongs to*
our class. 이 사전은 우리 반 것
이다.

be·lov·ed [bilʌ́vid] 형
비교 more beloved; 최상 most
beloved
사랑하는, 귀여운.
She was their *beloved*
daughter. 그녀는 그들이 사랑하
는 딸이었다《죽은 딸에 대하여》.

be·low [bilóu] 전
…의 밑에, 아래에(⇔
above …의 위에).
The subway runs *below*
the ground. 지하철은 땅 밑으
로 달린다.
The sun set *below* the ho-
rizon. 해는 지평선 아래로 졌다.
The temperature is three
degrees *below* zero. 기온은
영하 3도이다.
— 부 밑으로, 아래로(⇔ above
위로).
What are they doing down
below? 그들은 저 아래에서 무엇
을 하고 있느냐?
See *below.*

아래 참조《책·논문 따위에서》.

belt [belt] 명
복수 belts[belts]

❶ 띠, 혁대.
This *belt* is made of leather.
이 허리띠는 가죽으로 만들어진다.
Fasten your seat *belts,*
please. 안전 벨트를 매십시오.

참고 seat belt는 safety belt
라고도 한다. 비행기나 자동차
에서, 몸을 의자에 안정시키기
위해서 쓰는 「벨트」를 말한다.

❷ 지대(地帶).
a green *belt* 녹지대.
the Cotton *Belt* (미국의) 면화
지대.

bench [bentʃ] 명
복수 benches[béntʃiz]

긴 의자, 벤치.
There are many *benches* in
this park. 이 공원에는 많은 벤
치가 있다.
An old man was sleeping
alone on a *bench.* 한 노인이
벤치에서 혼자 자고 있었다.

참고 bench와 chair
bench는 나무나 돌로 만들어
진 두 사람 이상이 쓰는 긴 의
자이며, chair는 한 사람이 쓰
는 의자를 말한다.

bend [bend] 동
3·단·현 bends [bendz] :
ing형 bending [béndiŋ] : 과거

[과분] bent [bent]

[타] …을 구부리다.

Please *bend* your arm [knee]. 팔[무릎]을 구부리시오.

He can't *bend* the iron bar. 그는 철봉을 구부릴 수 없다.

The branches are *bent* down with so many oranges. 오렌지가 너무 많이 열려 가지가 아래로 휘어져 있다.

—— **[자] 구부러지다, 휘다.**

This road *bends* to the right here. 이 길은 여기서 오른쪽으로 구부러진다.

The branch *bent* in the wind. 가지가 바람에 휘었다.

—— **[명] [복수] bends** [bendz]

굴곡, 구부러진 곳.

Our car came to a sharp *bend* in the road. 우리 차는 길의 급커브에 이르렀다.

be·neath [biníːθ] **[전]** …의 밑에, …아래에.

▶ 구어에서는 보통 under나 below를 씀.

We sat *beneath* the tree. 우리는 나무 아래에 앉았다.

The stool was *beneath* the table. 의자는 식탁 밑에 있었다.

—— **[부] 바로 밑에.**

The valley lay *beneath*. 계곡이 바로 아래에 있었다.

ben·e·fit [bénəfit] **[명] [복수] benefits** [bénəfits]

이익, 은혜; (보험·연금의) 급부금.

I didn't get much *benefit* from the book. 나는 그 책에서 얻은 것이 별로 없었다.

a medical *benefit* 의료 급부금.

for the benefit of …을 위하여.

The funds were used *for the benefit of* the poor. 그 자금은 가난한 사람들을 위하여 쓰였다.

—— **[타] [3·단·현] benefits** [bénəfits]: **[ing형] benefiting** [bénəfitiŋ]: **[과거] [과분] benefited** [bénəfitid]

…을 이롭게 하다, …의 도움이

되다.

This law will *benefit* the poor. 이 법은 가난한 사람들에게 도움이 될 것이다.

The new road will *benefit* the people living there. 새 길은 거기 사는 사람들에게 편익을 줄 것이다.

bent [bent] **[동] bend**의 과거·과거 분사.

Ber·lin [bəːrlín] **[명] 베를린.**

[참고] 독일의 수도. 세계 대전 후에 동·서로 나뉘어 동베를린은 동독의 수도, 서베를린은 서독령이 되어 있다가 1990년 독일의 통일에 의하여 통합됨. 면적은 883 km^2.

ber·ry [béri] **[명] [복수] berries** [bériz]

베리, 장과(漿果)《딸기·포도 따위》.

The girls went to gather *berries* in the woods. 소녀들은 베리를 따러 숲에 갔다.

[참고] 물기가 많은 작은 열매로서, 작은 씨가 많다. 미국에서는 우리 나라에 비해 여러 가지 종류의 berry를 식용으로 쓴다.

*****beside** [bisáid] **[전]** …의 옆에, …의 곁에.

He came to sit *beside* me. 그는 내 옆에 와서 앉았다.

We used to walk along *beside* the river. 우리는 그 강가를 따라 거닐곤 하였다.

[참고] 1. 전치사인 by도 beside와 같은 뜻으로 쓸 수 있지만, 「옆」이란 느낌을 강조할 경우에는 by를 쓰지 않고 beside를 쓰는 편이 좋다. 2. beside와 besides를 혼동하지 않도록 주의할 것.

B

*****be·sides** [bisáidz] 閉
그 밖에, 게다가.

He was sleepy, and *besides*, he didn't feel well. 그는 졸린 데다가 기분까지 좋지 않았다.
I don't want to go; *besides* I am tired. 나는 가고 싶지 않다. 게다가 피곤하다.
── 閉 …외에도.
We study French *besides* English. 우리는 영어 외에 프랑스어도 배운다.
Besides this pencil, he gave me a new eraser. 이 연필 외에 그는 내게 새 지우개도 주었다.

*****best** [best] 혤
《good, well의 최상급》
가장 좋은; (몸 상태가) **최고인** (⇔worst 가장 나쁜). ☞ good, well

He is the *best* doctor in our city. 그는 우리 시에서 가장 훌륭한 의사이다.
Bill, my *best* friend, helped me a lot. 나의 가장 친한 친구인 빌은 나를 많이 도와주었다.
I feel *best* in the morning. 나는 아침에 기분이 제일 좋다.
➤ 이 best는 well의 최상급.

┌─────────────────────┐
│ 어법 **best의 용법**
│ **1.** 보통 best앞에는 the를 붙인다. 그러나 명사, 대명사의 소유격이 붙으면 the를 안 붙인다.
│ **2.** 맨 끝의 예문에서와 같이 best 뒤에 명사가 없을 때에도 the를 붙이지 않는다.
└─────────────────────┘

── 閉 《well의 최상급》 가장, 잘.
"Which season do you like *best?*" "I like summer *best.*"
「어느 계절을 가장 좋아하느냐?」
「여름이 가장 좋다.」
I like skating *best* of all sports. 나는 모든 운동 가운데 스케이트 타기를 가장 좋아한다.
── 명 《the를 붙여》 최선, **최상의 것**; 《one's를 붙여》 **최선의 노력.**

I'll do my *best* for them. 그들을 위해서 나는 전력을 다하겠다.
Mother wanted me to do my *best* in everything. 어머니는 내가 모든 일에 최선을 다하기를 원하신다.

┌─────────────────────┐
│ 참고 **1.** best는 good 또는 well의 최상급이다. 비교 변화는 good 또는 well, better, best이다.
│ **2.** best의 반대는 bad 또는 ill의 최상급인 worst(가장 나쁜, 가장 나쁘게)이다. 비교 변화는 bad 또는 ill, worse, worst이다.
└─────────────────────┘

best-known [béstnóun] 혤
가장 잘 알려진. ➤ well-known의 최상급.

He is one of the *best-known* writers in this country. 그는 이 나라에서 가장 잘 알려진 작가 중의 한 사람이다.

bet [bet] 타 《3·단·현》 **bets** [bets]; 《ing형》 **betting** [bétiŋ]; 과거 과분 **bet** [bet]
(돈 따위)를 걸다.

He *bet* ten dollars on that horse. 그는 그 말에 10달러를 걸었다.
I bet (you) ... **틀림없이, 확실히.**
I *bet* she will come. 틀림없이 그녀는 올 것이다.
── 명 복수 **bets** [bets]
내기, 건 돈, 노름돈.
She'll win [lose] the *bet.* 그녀는 그 내기에 이길[질] 것이다.

be·tray [bitréi] 타
《3·단·현》 **betrays** [bitréiz]; 《ing형》 **betraying** [bitréiiŋ]; 과거 과분 **betrayed** [bitréid]
(신뢰 따위)를 저버리다, 어기다, 배반하다.

She didn't *betray* his

confidence. 그녀는 그의 신뢰를 저버리지 않았다.

*__bet·ter__ [bétər] 형

《good, well의 비교급》 더 좋은; (병·기분이) **좋아진** (⇔ worse 더 나쁜). ☞ good, well
Your pen is *better* than mine. 네 펜이 내 것보다 좋다.
He is much *better* today. 그는 오늘 기분이 훨씬 좋아졌다.
▶ 이 better는 well의 비교급.
── 부 《well의 비교급》 더 좋게, **더 잘〔훌륭히〕**.
I like summer *better* than spring. 나는 봄보다 여름이 더 좋다.
Who skates *better*, Jim or Tom? 짐과 톰은 누가 더 스케이트를 잘 타느냐?

*__had better__ do ···하는 편이 좋다.
You*'d better* go home and rest. 너는 집에 가서 쉬는 것이 좋겠다.
We *had better* call the doctor. 의사를 부르는 편이 좋겠다.
You *had better* not go now. 너는 지금 가지 않는 편이 좋겠다.

┌─────────────────────┐
│ 어법 **1.** had better는 단축형 으로서 'd better의 형식으로 잘 쓰인다.
I'd better go now.
나는 지금 가는 편이 좋겠다.
2. 부정형은 had better not 으로 「···하지 않는 편이 좋다」란 뜻이 된다. not의 위치에 주의.
We *had better not* go.
우리는 가지 않는 편이 좋다.
3. had better는 흔히 「···하는 편이 좋다」라고 우리말로 옮겨지지만, 실제로는 아주 강한 말투로서 상대방에게 의무감을 느끼게 하는 반명령적인 말투이다. 그러므로 You had better를 함부로 써서는 안 된다. 특히, 상대방이 윗사람이거나 친하지 않은 사람일 때에는 이 말 대신
└─────────────────────┘

에 I think you should... 와 같은 부드러운 표현을 쓰는 것이 좋다.

Bet·ty [béti] 명
베티《여자 이름. Eliza-beth의 애칭》.

*__be·tween__ [bitwíːn] 전

(둘)의 사이에; 《**between ... and ~**로》 ···과 ~ 사이에. ☞ among
I sat *between* John *and* Mary. 나는 존과 메리 사이에 앉았다.
A game was played *between* Bill's team *and* John's team. 빌의 팀과 존의 팀 사이에 경기가 있었다.
Divide this candy *between* you *and* your brother. 이 과자를 너와 네 동생이 나누어 먹어라.
They crossed the sea *between* Korea *and* Japan in a balloon. 그들은 기구를 타고 한국과 일본 사이의 바다를 건넜다.

__between you and me__ = *__between ourselves__* 우리끼리의 이야기지만, 비밀이지만.
It is a secret *between our-selves*. 그것은 우리들만의 비밀이다.

┌─────────────────────┐
│ 회화 **This is** (**just**) **between you and me.**「이건 우리끼리의 이야기다.」
비밀 이야기를 할 때 쓰는 말. This is between ourselves. 라고도 한다.
A : *This is just between you and me.* Promise that you won't tell any-body.
B : Promise.
「이건 우리끼리의 이야기다. 아무에게도 말하지 않겠다고 약속해.」「약속한다.」
└─────────────────────┘

B

*be·yond [bijánd]
전

❶ …의 저쪽에, …을 넘어서.
My house is *beyond* this
bridge. 내 집은 이 다리 건너편
에 있다.
I've never walked *beyond*
that hill. 나는 저 언덕 너머를
걸어서 가본 적이 없다.
❷ (힘·범위)를 넘어서, …이 미
치지 않는 곳에.
This question is *beyond* me.
이 문제는 내게 너무 어렵다.
Grandfather is *beyond* the
help of the doctor.
할아버지(의 상태)는 의사의 손으
로도 별 도리가 없다.

bi- [bai-] 접두
「둘, 양(兩), 쌍(雙), 중
(重), 복(複)」 따위의 뜻.
bicycle(바퀴가 둘인) 자전거 /
biplane[báiplèin] 복엽(複葉) 비
행기.

Bi·ble [báibəl] 명
《the를 붙여》 성서.
Mother told me many
stories from the *Bible.*
어머니는 성서에서 나오는 많은
이야기를 해주셨다.
The *Bible* is a widely read
book. 성서는 널리 읽히는 책이다.

참고 성서는 기독교의 성전으로
서, 구약(Old Testament
[téstəmənt])과 신약(New
Testament)의 두 부분으로 나
뉘어 있다. 신앙서일 뿐만 아니
라, 천지 창조, 노아의 방주,
기적, 예수 그리스도(Jesus
Christ)의 탄생, 부활 따위의
이야기가 아름답고 장중한 문체
로 되어 있어서 세계적으로 애
독되고 있다.

*bi·cy·cle [báisikəl] 명 복수
bicycles[báisikəlz]
자전거.
Can you ride a *bicycle?*

너는 자전거를 탈 줄 아느냐?
He came here by *bicycle.* 그
는 자전거로 여기에 왔다. ➤ 이
경우, 교통 수단을 나타내므로 a
나 the를 붙이지 않음.

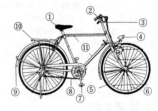

① saddle[sǽdl] 안장 ② handlebars
[hǽndl baːrz] 핸들 ③ brake 브레이크
④ headlight 헤드라이트 ⑤ tire 타이어
⑥ spoke[spouk] 스포크 ⑦ pedal
[pédl] 페달 ⑧ chain 체인 ⑨ fender
[féndər] 흙받이 ⑩ carrier[kǽriər] 짐
받이 ⑪ frame[freim] 프레임

참고 **1.** bicycle은 「bi(둘)+
cycle(바퀴)」란 두 말로 된 말.
☞ bi-
2. bicycle은 줄여서 bike라고도
한다.
3. 자전거 경주나 여행은 cycl-
ing.

bid [bid] 타
3·단·현 bids [bidz] ; ing형
bidding[bídiŋ] ; 과거 bade[bæd,
beid] 또는 bid [bid] ; 과분 bid-
den[bídn] 또는 bid [bid]
(아무)에게 명하다; 말하다; 《bid
+사람+(to+)동사의 원형으로》
(아무)에게 …하라고 명하다. ➤
bid는 예스러운 말이며, 보통은
order나 tell을 씀.
Do as I *bid* you.
내가 하라는 대로 해라.
He *bid* her good-bye. 그는
그녀에게 작별 인사를 하였다.
Bid them (*to*) go.
그들을 가라고 해라.

bid·den [bídn] 동 bid의 과거
분사의 하나.

I was *bidden* to go.
나는 가라는 명을 받았다.

****big** [big] 형 비교 **bigger**[bígər] : 최상 **biggest**[bígist]

❶ 큰(⇔little 작은): 연상의.
There's a *big* tree in front of the house. 그 집 앞에는 커다란 나무가 있다.
I have one *big* brother and one little sister. 나는 형님 한 분과 누이동생이 하나 있다.

❷ 중요한, 훌륭한.
He is a *big* man.
그는 중요한 사람이다.

비슷한 말 **big**과 **large**와 **great**
물건의 크기에 관해서 **big**과 **large**가 대체로 같은 뜻으로 쓰이지만, **big**이 더 일반적이며 구어적인 말이다. **great**는 모양의 크기보다 정도나 질적인 점에서 「큰, 위대한」이란 뜻으로 쓰인다. 또, **big**에는 「중요한」이란 뜻도 있어, a big man은 「큰 사람」이란 뜻 외에 「위대한 사람, 중요한 인물」(=great man)이라는 뜻으로도 쓰인다.

Big Ben [bíg bén] 명
빅벤.

참고 영국 국회 의사당 시계탑에 있는, 시간을 알리는 큰 종. 이 이름은, 공사 책임자의 체구가 커서 'Big Ben'이라고 불린 데에서 유래하였다.

Big Dipper [bíg dípər] 명
《the를 붙여》 북두칠성《큰곰자리의 일곱 별》.

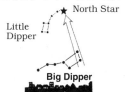

big·ger [bígər] 형
big의 비교급.

big·gest [bígist] 형
big의 최상급.

***bike** [baik] 명
복수 **bikes**[baiks]
자전거(=bicycle).
We're going for a *bike* ride.
우리는 자전거 타러 가는 길이다.

참고 미국에서는 오토바이(motorcycle)나 원동기가 붙은 자전거(motorbike[móutərbàik])를 가리킬 때도 있다.

자전거 도로 표지

Bill [bil] 명
빌《남자 이름. William의 애칭》.

***bill**¹ [bil] 명
복수 **bills**[bilz]
❶ 계산서, 청구서.
a phone *bill* 전화 요금 청구서.
Give me the *bill*, please.
계산서를 주십시오.
I'll take care of the *bill*.
내가 계산을 치르겠다.
Did you pay the gas *bill*?
가스료를 지불했느냐?

참고 미국에서는 가스, 전기, 수도, 전화 따위의 청구서가 월말에 우송된다. 그 지불 대금은 수표로 우송하는 것이 보통이다.

❷ 어음, 증권; 지폐. ▶영국에서는 지폐를 note라고 함.
a *bill* of dishonor [debt] 부도[약속] 어음.
two twenty-dollar *bills*, 20달러짜리 지폐 두 장.
I lost a dollar *bill*. 나는 1불

B

짜리 지폐를 잃어버렸다.

bill² [bil] 몡
복수 **bills** [bilz]
부리《특히, 가늘고 납작한》.
The bird tried to pick the food up with his *bill.*
그 새는 부리로 먹이를 쪼아 올리려고 하였다.

bil·lion [bíljən] 몡
복수 **billions** [bíljənz]
10억 《1,000,000,000》.
There are *billions* of trees in Canada. 캐나다에는 헤아릴 수 없이 많은 나무가 있다.

참고 **1.** 미국, 프랑스에서는 1 billion이 10억(million의 천 배), 영국에서는 1조(million 의 백만 배)이다. 그러나 최근 에는 영국에서도 미국에서처럼 10억의 뜻으로 쓰는 일이 많다. **2.** 큰 부자를 millionaire [mìljənɛ́ər] (백만장자)라고 하지 만, 지금은 단위가 올라서, billionaire [bìljənɛ́ər] (억만장자)라고도 한다.

bin [bin] 몡 복수 **bins** [binz]
저장통.
a storage *bin* 저장통.
a trash *bin* 쓰레기통.

bind [baind] 타
3·단·현 **binds** [baindz];
ing형 **binding** [báindiŋ]; 과거
과분 **bound** [baund]
…을 묶다, 얽어매다; 붕대로 감다.
Bind the dog to the tree with this rope. 그 개를 이 끈 으로 나무에 묶어 두어라.
The thief was *bound* hand and foot. 도둑은 손발이 묶여 있었다.
Let me *bind* your wound with bandages. 내가 네 상처 를 붕대로 감아주겠다.

bi·og·ra·phy [baiágrəfi]
몡
복수 **biographies** [baiágrəfiz]

전기(傳記).
I like reading *biographies.*
나는 전기를 읽기 좋아한다.

참고 자서전은 autobiography [ɔ̀ːtoubaiágrəfi]라 한다. 미국의 정치가이자 과학자인 Benjamin Franklin의 autobiography는 유명하다.

bi·ol·o·gist [baiálədʒist]
몡
복수 **biologists** [baiálədʒists]
생물학자.
Bill's father is a famous *biologist.* 빌의 아버지는 유명한 생물학자이다.

bi·ol·o·gy [baiálədʒi]
몡
《a와 복수형 안 씀》 생물학.
Biology is the science of life and living things. 생물학 은 생명과 생물을 연구하는 과학 이다.

bi·o·tech·nol·o·gy
[bàiouteknálədʒi] 몡
《a와 복수형 안 씀》 생물 공학.
He works for a *biotech-nology* company. 그는 생물 공 학 회사에서 일한다.

*bird [bəːrd] 몡
복수 **birds** [bəːrdz]
새.
A *bird* is singing in the tree. 새 한 마리가 나무에서 지 저귀고 있다.

birth [bəːrθ]
몡
❶ 《a와 복수형 안 씀》 출생, 탄생.
the date of his *birth* 그의 생년 월일.
The baby weighed six pounds at *birth.* 그 아기는 태 어났을 때 몸무게가 6 파운드였다.
❷ 《a와 복수형 안 씀》 집안, 혈통.
She is of good *birth.*
그녀는 좋은 집안 출신이다.

give birth to …을 낳다.
She *gave birth to* a child last night. 그녀는 어젯밤에 아기를 낳았다.

***birth·day** [bə́ːrθdèi] 명
복수 **birthdays**[bə́ːrθdèiz]
생일.
a *birthday* cake 〔party, gift〕 생일 케이크〔파티, 선물〕.
Yesterday was Betty's thirteenth *birthday.*
어제는 베티의 열세 번째 생일이었다.
Happy *birthday*, Susie!
수지야, 생일 축하해!

참고 **1.** 「생일을 축하한다!」고 말하는 방법은 Happy birthday! 외에 Many happy returns (of the day). 라고도 한다. 이 말은 편지에서 쓴다.
2. Happy Birthday to You 의 가사.
Happy birthday to you,
Happy birthday to you,
Happy birthday, dear Susie(생일을 맞는 사람),
Happy birthday to you.

birth·place [bə́ːrθplèis] 명
복수 **birthplaces**[bə́ːrθplèisiz]
출생지.
My *birthplace* is Seoul.
내가 태어난 곳은 서울이다.

***bis·cuit** [bískit] 명 복수 **biscuits**[bískits]
(과자 모양의) 빵.

참고 영국에서는 비스킷을 가리키나, 미국에서는 베이킹 파우더를 넣어서 구운 작고 얇은 빵을 가리킨다. 우리가 비스킷이라고 하는 과자는 미국에서는 cracker[krǽkər]나 cookie라고 한다.

bish·op [bíʃəp] 명
복수 **bishops**[bíʃəps]
(가톨릭의) **주교**.
He is a *bishop* from Rome.
그는 로마에서 온 주교이다.

***bit**[1] [bit] 명 복수 **bits** [bits]
조금, 소량, 한 조각.
The floor was covered in *bits* of broken glass.
마루는 깨진 유리 조각들로 덮혀 있었다.
a bit 조금; 잠깐. ➤ 부사처럼 쓰임.
I'm *a bit* tired.
나는 좀 피곤하다.
Wait *a bit!* 잠깐 기다려!
a bit of 조금의, 소량의.
I did *a bit of* shopping yesterday. 나는 어제 쇼핑을 좀 했다.
bit by bit 조금씩, 점차로.
He spent his money *bit by bit.* 그는 돈을 조금씩 썼다.
not … a bit 조금도 … 하지 않다.
You haven't changed *a bit.*
너는 조금도 변하지 않았다.
"Do you mind if I smoke?"
"No, *not a bit.*" 「담배를 피워도 좋습니까?」「예, 어서 피우십시오.」

bit[2] [bit] 동
bite의 과거·과거 분사.

***bite** [bait] 동
3·단·현 **bites**[baits]; ing형
biting [báitiŋ]; 과거 **bit** [bit]; 과분 **bitten**[bítn] 또는 **bit**[bit]
타 …을 물다, 물어뜯다; (모기 따위가) **물다.**
The dog *bit* the cat.
개가 고양이를 물었다.
I was *bitten* by mosquitoes.
나는 모기한테 물렸다.
── 자 물다; (물고기가) **미끼를 물다.**
Does your dog *bite?*
너의 개는 무느냐?
A barking dog seldom *bites.*
《속담》 짖는 개는 좀처럼 물지 않는다《말수가 적은 사람을 경계하라》.

bit·ten [bítn] 통 **bite**의 과거 분사의 하나.

Once *bitten* and twice shy. 《속담》 자라보고 놀란 가슴 솥뚜껑 보고 놀란다.

bit·ter [bítər] 형 비교 **bitterer**[bítərər]; 최상 **bitterest**[bítərist]

❶ 쓴(⇔ sweet 단).
This medicine tastes *bitter*. 이 약은 쓰다.

❷ (추위 따위가) **지독한, 혹독한, 쓰라린**.
That was a *bitter* experience. 그것은 쓰라린 경험이었다.

bit·ter·ly [bítərli] 부

쓰게; 지독하게, 통렬히.
The girl was weeping *bitterly*. 그 소녀는 비통하게 울고 있었다.

black [blæk] 형 비교 **blacker** [blǽkər]; 최상 **blackest**[blǽkist]

검은(⇔white 흰).
She bought a beautiful *black* dress. 그녀는 예쁜 검은 색 옷을 샀다.
── 명 《a와 복수형 안 씀》 검정, 흑색; 검은 옷.
The *black* contrasts with the white. 흑은 백과 대조를 이룬다.
She was dressed in *black*. 그녀는 검은 옷을 입고 있었다.

black·board [blǽkbɔːrd] 명 복수 **blackboards**[blǽkbɔːrdz] 칠판.
Look at the *blackboard*. 칠판을 보아라.
Write your name on the *blackboard*. 칠판에 네 이름을 써라.

black·out [blǽkàut] 명 복수 **blackouts**[blǽkàuts] 정전; 등화 관제.

There was a *blackout* last night. 지난밤에 정전이 있었다.

black·smith [blǽksmìθ] 명 복수 **blacksmiths** [blǽksmìθs] 대장장이, 편자공.
Blacksmiths work with iron. 대장장이는 쇠를 다루며 일한다.

참고 금세공인은 goldsmith [góuldsmìθ], 은세공인은 silversmith[sílvərsmìθ]라고 한다.

blade [bleid] 명 복수 **blades**[bleidz] (칼·면도 따위의) 날.
This knife has a sharp *blade*. 이 칼은 날이 예리하다.

*__blame__ [bleim] 타 3·단·현 **blames**[bleimz]; **blaming** [bléimiŋ]; 과거 과분 **blamed**[bleimd]
···을 나무라다, **비난하다**; (실패 따위를) ···의 **탓으로 돌리다**.
He *blamed* his teacher for his failure. 그는 자기의 실패를 선생님 탓으로 돌렸다.
be to blame 책임을 져야 하다.
I *am to blame* for it. 그것은 내 책임〔잘못〕이다.

blank [blæŋk] 형 기입하지 않은, 텅 빈.
a *blank* tape 공 테이프.
── 명 복수 **blanks**[blæŋks] 백지, 공간.
Put a word in each *blank*. 각 공간에 단어를 넣으시오.

blan·ket [blǽŋkit] 명 복수 **blankets**[blǽŋkits] 담요, 모포.
I need two *blankets*. 나는 모포가 두 장 필요하다.

blast [blæst] 명 복수 **blasts**[blæsts] 한 줄기 바람, 강풍.
When I opened the window,

a *blast* of wind came into the room. 창을 열으니 센 바람이 방으로 들이쳤다.

blaze [bleiz] 명
[복수] **blazes** [bléiziz]
《보통 단수형으로》 불꽃, 화염.
There was a fire last night, and I saw the *blaze* through the window. 어젯밤에 불이 났는데, 나는 창으로 그 불꽃을 보았다.
── 자 [3·단·현] **blazes** [bléiziz];
[ing형] **blazing** [bléiziŋ]; [과거]
[과분] **blazed** [bleizd]
타오르다.
After lightning struck, the forest was *blazing.* 벼락이 떨어진 뒤 숲이 불타오르고 있었다.

bled [bled] 동
bleed의 과거 · 과거 분사.

bleed [bli:d] 자
[3·단·현] **bleeds** [bli:dz];
[ing형] **bleeding** [blí:diŋ]; [과거]
[과분] **bled** [bled]
피가 나오다, 출혈하다.
I cut my finger. It won't stop *bleeding.* 나는 손가락을 베었다. 피가 멎지 않는다.
They were *bleeding* very much. 그들은 피를 아주 많이 흘리고 있었다. ☞ 명 blood

blend [blend] 동 [3·단·현]
blends [blendz]; [ing형]
blending [bléndiŋ]; [과거] [과분]
blended [bléndid]
타 …을 섞다, 혼합하다(=mix).
blend paints 그림물감을 섞다.
Mother usually *blends* milk and eggs to make a cake. 어머니는 케이크를 만들기 위해 흔히 우유와 달걀을 섞으신다.
── 자 섞이다, 조화하다.
Oil and water will not *blend.* 기름과 물은 섞이지 않는다.

bless [bles] 타 [3·단·현]
blesses [blésiz]; [ing형]
blessing [blésiŋ]; [과거] [과분]
blessed [blest] 또는 **blest** [blest]
…을 축복하다; 신의 은총을 빌다.
When the old man died, people *blessed* him for his kindness. 그 노인이 돌아가셨을 때 사람들은 그의 친절을 기리어 신의 은총을 빌었다.

bless·ed [blésid] 형 [비교]
more **blessed**;
[최상] **most blessed**
행복한, 은혜를 입은.
Blessed are the pure in heart. 마음이 청결한 자는 복이 있느니라《성서 중의 한 구절》.

bless·ing [blésiŋ] 명
[복수] **blessings** [blésiŋz]
축복(의 말), 신의 은혜.
The priest gave them his *blessing.* 사제는 그들에게 축복의 말을 해주었다.

blest [blest] 동
bless의 과거 · 과거 분사의 하나.

*blew** [blu:] 동
blow의 과거.
The wind *blew* and *blew.* 바람이 불고 또 불었다.

*blind** [blaind] 형
눈먼. ☞ deaf (귀먹은), dumb(벙어리의)
I helped a *blind* man across the road yesterday. 나는 어제 맹인이 길을 건너는 것을 도와 주었다.
go blind 눈이 멀다.
He was very much afraid of *going blind.* 그는 눈이 멀까봐 무척 두려워하였다.
the blind 맹인들.
This school is for *the blind.* 이 학교는 맹인들을 위한 것이다.
── 명 [복수] **blinds** [blaindz]
(창의) 발, 블라인드.

blink [bliŋk] 자·타 [3·단·현]
blinks [bliŋks]; [ing형]
blinking [blíŋkiŋ]; [과거] [과분]
blinked [bliŋkt]
(눈을) 깜박이다.

She *blinked* in the sun-light. 그녀는 햇빛에 눈이 부셔 눈을 깜박였다.

bliss [blis] 명
《a와 복수형 안 씀》 다시 없는 행복.

What *bliss* it is to see you again! 너를 다시 만나게 되다니, 얼마나 기쁜 일이냐!

***block** [blɑk] 명

복수 **blocks** [blɑks]

❶ 블록 《거리의 한 구획》.

Go two *blocks* along this road. 이 길을 따라서 두 블록을 가거라.

My house is three *blocks* away. 나의 집은 세 블록 떨어져 있다.

참고 one block 이란 사방이 도로로 둘러싸인 한 구획으로, 편의상 한 길모퉁이에서 다음 길모퉁이까지라고 생각하면 된다. 대개 1블록을 100m 가량으로 생각하면 된다.

---

❷ (나무·돌 따위의) 토막, 덩이.

The children are playing with *blocks*. 아이들은 집짓기 놀이를 하고 있다.

── 타 3·단·현 **blocks** [blɑks]: ing형 **blocking** [blɑ́kiŋ]: 과거 과분 **blocked** [blɑkt]

(통로 따위)를 막다, 방해하다.

The fallen tree *blocked* traffic. 넘어진 나무가 교통을 방해하였다.

Excuse me. You're *blocking* the way. 미안하지만 길 좀 비켜 주십시오.

**PLEASE
DO NOT
BLOCK
WALK-WAY**

「보도를 가로막지 마시오.」라는 게시판

---

blond [blɑnd] 형
(남자) 금발의. ☞ blonde

Mr. Brown is *blond*. 브라운씨는 금발이다.

blonde [blɑnd] 형
(여자) 금발의.

Miss Smith is *blonde*. 스미스양은 금발이다.

참고 **blond** 와 **blonde**

1. blond 는 남자에, blonde 는 여자에 쓰나, 미국에서는 종종 구별하지 않고 blond 를 쓴다.

2. blond 는 금발에 살결이 희고 눈이 파란 사람을 가리키며, fair 라고도 한다. 백인이라도 머리카락·살결·눈의 색이 짙은 사람은 dark 라고 한다.

***blood** [blʌd] 명
《a와 복수형 안 씀》 피.

a *blood* bank 혈액 은행.

blood pressure 혈압.

a *blood* type 혈액형.

Blood takes food to all parts of our bodies. 혈액은 우리 신체의 모든 부분에 영양물을 운반해 준다. ☞ 동 bleed

***bloom** [bluːm] 명

복수 **blooms** [bluːmz]

꽃; 개화(開花). ☞ blossom

The flowers are all in *bloom* in our garden. 뜰의 꽃이 만발했다.

in full bloom 만발하여.

The cherry trees will be *in full bloom* next week. 벚꽃이 다음 주에는 만발할 것이다.

── 자 3·단·현 **blooms** [bluːmz]: ing형 **blooming** [blúːmiŋ]: 과거 과분 **bloomed** [bluːmd]

꽃이 피다.

When roses are *blooming*, the air is sweet. 장미가 피어 있을 때는 향기가 좋다.

Many plants *bloom* in the spring. 많은 식물은 봄에 꽃이

핀다.

***blos·som** [blάsəm]
명

복수 **blossoms**[blάsəmz]
(특히 과일나무의) 꽃.
apple *blossoms* 사과 꽃.

in blossom 꽃이 피어.
The plum trees are *in blossom.* 오얏꽃이 피어 있다.

비슷한 말 **blossom**과 **flower**
와 **bloom**
blossom은 과일나무에 피는 꽃. flower는 화초 따위의 일반적인 꽃. bloom은 주로 관상용의 꽃을 가리킨다.

---

blot [blɑt] 명
복수 **blots**[blɑts]
(잉크 따위의) 얼룩; 흠.
The spilled oil made some *blots* on the cloth. 엎질러진 기름은 천에 얼룩을 지게 하였다.
— 타 3·단·현 **blots** [blɑts];
ing형 **blotting**[blάtiŋ]; 과거 과분
blotted [blάtid]
(압지 따위로) …을 빨아들이다;
(잉크 따위로) …을 더럽히다.
blotting paper 압지.
He *blotted* his signature at the bottom of the letter.
그는 편지 끝의 서명을 압지로 눌렀다.

blouse [blaus] 명 복수
blouses[blάusiz]
블라우스.
She is wearing a beautiful *blouse.* 그녀는 아름다운 블라우스를 입고 있다.

***blow** [blou] 동
3·단·현 **blows** [blouz];
ing형 **blowing** [blóuiŋ]; 과거
blew [blu:]; 과분 **blown** [bloun]
자 (바람이) 불다; (피리·나팔 따위가) 울리다.
The wind is *blowing* hard.
바람이 세차게 불고 있다.
It was *blowing* hard outside.

밖에는 바람이 몹시 불고 있었다.

— 타 (입김으로) …을 불다; (나팔 따위)를 불다; (키스)를 보내다.
He *blew* the trumpet loudly.
그는 트럼펫을 시끄럽게 불었다.
He was *blowing* kisses to the cheering crowd. 그는 환호하는 관중에게 키스를 보내고 있었다.

blow down …을 불어 쓰러뜨리다.
The tree was *blown down* by the typoon. 그 나무는 태풍에 불려 쓰러졌다.

blow off …을 불어 날리다.
The wind *blew* Mary's hat *off.* 바람에 메리의 모자가 날려갔다.
The wind has *blown* most of the leaves *off.* 바람이 불어 잎이 거의 다 떨어졌다.

blow out …을 불어서 끄다.
Ann *blew* the candle *out.*
앤은 촛불을 불어 껐다.

blow one's *nose* 코를 풀다.
She *blew* her *nose* with her handkerchief. 그녀는 손수건으로 코를 풀었다. ▶영국 사람이나 미국 사람은 손수건으로 코를 푸는 것이 보통임.
— 명 복수 **blows**[blouz]
한 번 불기; 타격.
receive [get] a *blow* on the head 머리에 일격을 얻어맞다.

blown [bloun] 동
blow의 과거 분사.

****blue** [blu:] 형
비교 **bluer** [blú:ər]; 최상
bluest[blú:ist]
푸른.
She has *blue* eyes.

B

그녀의 눈은 파랗다.
He looked at the *blue* sky.
그는 푸른 하늘을 바라보았다.
She's wearing a *blue* sweater.
그녀는 푸른 스웨터를 입고 있다.
── 몡 《a와 복수형 안 씀》 파랑,
청색, 남색.
dark *blue* 짙은 청색, 감색.
light *blue* 옅은 청색.

> 참고 교통 신호의 「파랑」은
> blue가 아니라 green이다.
> 「푸른 잎」, 「푸른 채소」의 「푸
> 른」도 green을 쓴다.

***board** [bɔːrd] 몡
　　　　복수 **boards**[bɔːrdz]
❶ 널빤지, 판자. ☞ plank
The carpenter fitted the
boards together. 목수는 판자
를 짜맞추었다.
He is standing on the div-
ing *board.* 그는 다이빙 보드에
서 있다.
❷ 위원회.
the *board* of education 교육
위원회.
The school *board* appointed
a new principal. 학교 이사회
는 새 교장을 임명하였다.
That plan was adopted by
the *board* of directors. 그 계
획은 중역회에서 채택되었다.
on board (배·기차·버스·비행기
따위)에 타고.
The ship was sailing with
500 people *on board.* 그 배는
500명을 태우고 항해 중이었다.
She is *on board* the ship.
그녀는 그 배를 타고 있다.

board·ing school [bɔ́ːrdiŋ
　　　　　　　　　　skùːl]
몡 복수 **boarding schools**
[bɔ́ːrdiŋ skùːlz]
기숙사제 학교.
Jack went to a *boarding
school* in New England.
잭은 뉴잉글랜드의 기숙사제 학교

에 다녔다.

> 참고 **boarding school**은 학
> 생이 기숙사에 있는 학교이며,
> 통학하는 학교는 **day school**
> 이라고 한다.

boast [boust] 통 3·단·현
　　　　boasts[bousts]; ing형
boasting [bóustiŋ]; 과거 과분
boasted [bóustid]
타 …을 자랑하다, 자랑으로 삼다.
Our school *boasts* a fine
gymnasium. 우리 학교는 훌륭
한 체육관이 자랑거리다.
── 자 《**boast of** 〔**about**〕로》 …
을 자랑하다, 자만하다.
He *boasts of* having a fine
voice. 그는 목소리가 좋다고 자
만하고 있다.

boast·ful [bóustfəl]
　　　　　　몡
비교 **more boastful;** 최상 **most
boastful**
자랑하는, 거만한.
Don't be *boastful.*
뽐내지 마라.

boat [bout] 몡
　　　　복수 **boats**[bouts]
❶ 보트, 작은 배.
We rowed a small *boat* on
the lake. 우리는 호수에서 작은
보트를 저었다.
I wish I had a *boat.* 내가 배
한 척을 가지고 있다면 좋으련만.

❷ 배, 기선(=ship).
by boat 배로(=by ship).
He went to Brazil *by boat.*
그는 배로 브라질에 갔다.
take a boat 배를 타다
He *took a boat* at Incheon.

그는 인천에서 배를 탔다.

Bob [bab] 명

보브(남자 이름. Robert의 애칭).

bod·ies [bádiz] 명
body의 복수.

bod·i·ly [bádəli] 형
신체의, 육체의.
Some of us felt *bodily* pain.
우리들 중에는 육체적 고통을 느
낀 사람도 있었다.

*   **bod·y** [bádi] 명 복수 **bodies** [bádiz]

❶ 몸, 신체(⇨spirit 정신).
My brother has a strong
body. 나의 형은 몸이 튼튼하다.
Exercise keeps the *body*
strong. 운동은 몸을 튼튼하게 해
준다.
A sound mind in a sound
body. 건전한 신체에 건전한 정
신(이 깃들인다).
❷ (머리와 팔다리를 뺀) 몸통;
중심부, 주요부.
the *body* of a ship 선체.

bod·y lan·guage [bádi lǽŋ-gwidʒ] 명
《a와 복수형 안 씀》 보디 랭귀지,
신체 언어(몸짓·표정 따위의 의
사 소통 수단).

shrug 당혹·체념   모른다

thumbs up 찬성   thumbs down 반대

*   **boil** [bɔil] 동 [3·단·현] **boils** [bɔilz]; [ing형] **boiling** [bɔiliŋ]; [과거] [과분] **boiled** [bɔild]
자 끓다; 삶아지다.
The water is *boiling.*
물이 끓고 있다.
The potatoes are *boiling.*
감자가 삶아지고 있다.

— 타 …을 끓이다; 삶다, 데치다.
She *boiled* the egg soft.
그녀는 달걀을 반숙으로 삶았다.
Don't *boil* the vegetables
too long. 야채를 너무 오래 삶지
마라.

boil·er [bɔilər] 명 복수 **boilers** [bɔilərz]
보일러; 끓이는 그릇.
a *boiler* room 보일러실.

bold [bould] 형 [비교] **bolder** [bóuldər]; [최상] **boldest** [bóuldist]
❶ 대담한.
He was a very *bold* boy.
그는 아주 대담한 소년이다.
The hawk looked like a
bold soldier. 그 매는 마치 대담
한 병사처럼 보였다.
❷ 뻔뻔스러운.
He was so *bold* that every-
body got angry with him.
그는 몹시 뻔뻔스러워서 모두 그
에게 화를 냈다.

bolt [boult] 명 복수 **bolts** [boults]
빗장; 수나사, 볼트.
I fastened the
door with a
bolt because I
was afraid of
robbers. 나는 도
둑이 무서워서 문에
빗장을 질렀다.

bomb [bam] 명 복수 **bombs** [bamz]
폭탄.
an atomic *bomb* 원자 폭탄.
▶A-bomb이라고도 함.
a hydrogen *bomb* 수소 폭탄.
▶H-bomb이라고도 함.
drop a *bomb* 폭탄을 투하하다.
A *bomb* was going to go
off! 폭탄이 막 터지려 했다.
▶bomb의 끝의 b는 발음하지 않
음.

bond [band] 명 복수 **bonds** [bandz]

❶ 묶는 것, 결속; 《복수형으로》
속박.
Common tastes form a
bond between us.
공통된 취미가 우리 둘을 맺어주
고 있다.
He is in *bonds*.
그는 감금되어 있다.
❷ 증서; 채권.
a public *bond* 공채.
a war *bond* 전시 공채.

*bone [boun] 명
[복수] bones[bounz]
뼈.
Dogs like *bones* very much.
개는 뼈다귀를 무척 좋아한다.
His grandfather *broke* a
bone in his left leg.
그의 할아버지는 왼쪽 다리뼈가
부러졌다.
A dinosaur's *bone* was
found in Korea. 공룡의 뼈가
한국에서 발견되었다.

bon·fire [bánfàiər] 명
[복수] bonfires [bánfàiərz]
모닥불(밖에서 피운), 큰 화톳불
《축하나 신호를 위한》.
On the last day of the
camp, we made a *bonfire*.
캠프 마지막 날에, 우리는 큰 화
톳불을 만들었다.

bon·net [bánit] 명 [복수]
bonnets[bánits]
보닛《여성·유아용의 끈 달린 모
자》.
She is wearing a *bonnet*
with a blue ribbon. 그녀는 파
란 리본이 달린 보닛을 쓰고 있다.

book [buk] 명
[복수] books[buks]

책.
I have many English *books*.
나는 영어책을 많이 가지고 있다.
I borrowed two *books* from
the library. 나는 도서관에서 책
두 권을 빌렸다.

> 참고 1. 교과서는 textbook,
> 공책은 notebook, 학습장은
> workbook[wə́ːrkbùk]. 잡지는
> magazine이라고 한다.
> 2.「이 책 두 권」이라고 할 때는
> two copies of this book
> 이라고 한다. two books라고
> 하면 「두 권의 다른 책」이라는
> 뜻이 된다.

book·case [búkkèis] 명
[복수] bookcases[búkkèisiz]
책장.
There are about one hun-
dred books in the *bookcase*.
그 책장에는 책이 약 100권 있다.

book·keep·er [búkkìːpər] 명
[복수] bookkeepers[búkkìːpərz]
장부계, 회계원.
He worked as a *bookkeeper*
for five years. 그는 5년 동안
회계원으로 일하였다.

book·store [búkstɔ̀ːr] 명
[복수] bookstores[búkstɔ̀ːrz]
책방, 서점.
Let's go to the *bookstore*.
서점에 가자.
I bought this book at that
bookstore. 나는 이 책을 저 서
점에서 샀다.

book·worm [búkwə̀ːrm] 명
[복수] bookworms[búkwə̀ːrmz]
독서광, '책벌레'.
She is a *bookworm*. 그녀는
책벌레다.

*boot [buːt] 명 [복수] boots[buːts]

《보통 복수형으로》 장화. ➤ 복사
뼈 위까지 올라가는 신발. ☞
shoe
We wear *boots* in the snow.
눈 속에서는 장화를 신는다.
I have a pair of ski *boots*.
나는 스키화 한 켤레를 가지고 있
다.

bor·der [bɔ́ːrdər] 명 복수
borders [bɔ́ːrdərz]
❶ 가장자리, 변두리, 가.
This tablecloth has a blue
border. 이 식탁보는 가장자리가
파랗다.
❷ 경계, 국경.
The man tried to escape
over the *border*. 그 남자는 국
경을 넘어 도망치려고 하였다.

bore[1] [bɔːr] 통
bear[2]의 과거.

bore[2] [bɔːr] 타
3·단·현 bores [bɔːrz] :
ing형 boring [bɔ́ːriŋ] : 과거 과분
bored [bɔːrd]
지루〔따분〕하게 하다.
I'm *bored*. 따분하다.
I get very much *bored* with
his talk. 그의 이야기는 정말로
나를 따분하게 했다.

bor·ing [bɔ́ːriŋ] 형
지루한, 따분한.
You're *boring*. 너 참 따분하구나.

born [bɔːrn] 통
bear[2]의 과거 분사의 하나.
be born 태어나다.
I *was born* in Incheon.
나는 인천에서 태어났다.
He *was born* and brought
up in Canada. 그는 캐나다에
서 태어나 거기서 자랐다.

borne [bɔːrn] 통
bear[2]의 과거 분사의 하나.

*bor·row [bɔ́(ː)rou] 타 3·단·현
borrows [bɔ́(ː)rouz] :
ing형 borrowing [bɔ́(ː)rouiŋ] :
과거 과분 borrowed [bɔ́(ː)roud]

···을 빌리다, **차용하다**(⇔ lend 빌
려주다).
I *borrowed* this pen from
Tom. 나는 톰에게 이 펜을 빌렸다.
May I *borrow* this book?
이 책을 빌릴 수 있습니까?

┌─────────────────────────┐
│ 비슷한 말 **borrow**와 **rent**와 │
│ **use** │
│ 책·돈처럼 이동 가능한 것을 │
│ 잠시 빌려 가지고 와서 쓰는 것 │
│ 은 borrow, 집·방·자동차 같 │
│ 은 것을 돈을 내고 빌리는 것은 │
│ rent, 전화·변소 따위와 같이 │
│ 이동할 수 없는 것을 빌리는 것 │
│ 은 use. │
└─────────────────────────┘

bos·om [búzəm] 명
복수 bosoms [búzəmz]
가슴, 품.
She put the letter in her
bosom. 그녀는 그 편지를 가슴에
품었다.

boss [bɔ(ː)s] 명
복수 bosses [bɔ́(ː)siz]
두목, 우두머리, 상사, 보스. ➤
사장·부장·과장·계장 등 각종
의 상사를 가리킴.

Bos·ton [bɔ́(ː)stən] 명
보스턴 《미국 동북부
매사추세츠주의 주도》.

bot·a·ny [bátəni] 명
《a와 복수형 안 씀》 식물학.

**both [bouθ] 형
쌍방의, 양쪽의.
Both houses are big and
tall. 두 집 다 크고 높다.
I don't need *both* books. 나
는 두 책이 다 필요한 것은 아니다.

┌─────────────────────────┐
│ 어법 **both**의 용법 │
│ **1.** both는 셀 수 있는 명사의 │
│ 복수형에 붙인다. │
│ **2.** my, your 따위나 these, │
│ those 따위와 같이 쓸 때에 │
│ both가 그 앞에 온다. │
└─────────────────────────┘

both my hands 나의 두 손.
3. both의 부정은 「양쪽 다 …
은 아니다」라고 한 쪽만을 부정
한다. 「어느 쪽도 …아니다」라
고 양쪽 다 부정할 때에는 not
…either 또는 neither를 쓴
다. ☞ either, neither

──── 때 쌍방, 양쪽.
They were *both* very fast.
그들은 둘 다 매우 빨랐다.
──── 旦 《**both… and ~**로》 … 도
~도 둘 다.
Both he *and* his sister have
a cold. 그와 그의 누이 둘 다
감기에 걸려 있다.
I can play *both* the violin
and the piano. 나는 바이올린
과 피아노 둘 다 연주할 수 있다.

어법 **both … and ~**
1. both…and ~는 …and ~ 를 강조하는 말이다.
2. both…and ~의 부정은 한 쪽만을 부정한다. 양쪽 다 부정 할 때에는 not either…or ~ 나 neither…nor ~를 쓴다. ☞ either, neither

He *cannot* speak *both*
French *and* German. 그는
프랑스어와 독일어를 둘 다 말
하지는 못한다(둘 중에 하나는
모른다는 뜻).

*****both·er** [báðər]
동
3·단·현 **bothers** [báðərz]; ing형
bothering [báðəriŋ]; 과거 과분
bothered [báðərd]
타 …을 괴롭히다, 귀찮게 하다,
방해하다.
He *bothered* me with stupid
questions. 그는 어리석은 질문
을 하여 나를 괴롭혔다.
Does he *bother* you?
그가 너를 귀찮게 하느냐?
──── 자 괴로워하다, 번민하다.
Don't *bother* about it.

그러한 일로 괴로워 마라.

회화 **Please don't bother.** 「마
음 쓰지 마세요.」 「(수고스럽게) 일부러 …해 주 지 않아도 됩니다」라고 할 때 쓰는 일상적인 말. A : Can I get you some- thing to drink? B : Oh, I'm okay. *Please don't bother.* 「무엇 좀 마실 것을 갖다드릴까 요?」「아, 괜찮습니다. 마음쓰 지 마세요.」 ▶Don't bother me. 는 「나를 귀찮게 하지 마 라.」란 뜻.

*****bot·tle** [bátl] 명
복수 **bottles** [bátlz]
병. ☞jar
He dropped the *bottle* and
broke it. 그는 병을 떨어뜨려 깼
다.
a bottle of 한 병의 ….
a bottle of milk 우유 한 병.
a bottle of ink 잉크 한 병.

*****bot·tom** [bátəm]
명
복수 **bottoms** [bátəmz]
밑, 밑바닥; (학급의) 꼴찌(⇔top
꼭대기, 수석).
Don't drink what is left at
the *bottom.* 바닥에 남은 것을
마시지 마라.
Write your name at the
bottom of this paper. 이 종
이 아래쪽에 너의 이름을 써라.
Tom was at the *bottom* of
his class. 톰은 자기 반에서 꼴
찌였다.

bough [bau] 명
복수 **boughs** [bauz]
큰 가지. ☞ branch

*****bought** [bɔːt]
동
buy의 과거·과거 분사.
I *bought* this at the book-
store on the corner. 나는 길

모퉁이의 책방에서 이것을 샀다.

bounce [bauns] 困

③·단·현 **bounces** [báunsiz] ;
ing형 **bouncing** [báunsiŋ] ; 과거
과분 **bounced** [baunst]
튀어오르다, 튀다.
The little boy is *bouncing*
up and down on the sofa.
어린 소년이 소파 위에서 깡총깡
총 뛰고 있다.
The tennis ball *bounced*
over the net. 테니스공이 네트
너머로 튀어갔다.

bound¹ [baund] 困

③·단·현 **bounds** [baundz] ; ing형
bounding [báundiŋ] ; 과거 과분
bounded [báundid]
튀어오르다, (공이) 바운드하다.

bound² [baund] 동

bind의 과거·과거 분사.

bound·a·ry [báundəri] 명

복수 **boundaries** [báundəriz]
경계, 경계선(=border).
This is the *boundary*
between my land and his.
이것이 내 땅과 그의 땅의 경계선
이다.

bou·quet [boukéi, buː-] 명

복수 **bouquets** [boukéiz, buː-]
꽃다발, 부케.
She bought a *bouquet* of
red roses. 그녀는 빨간 장미꽃
한 다발을 샀다.

bow¹ [bou] 명

복수 **bows** [bouz]
❶ **활.** ☞ arrow(화살)
He shot an arrow from a
bow. 그는 활로 화살을 쏘았다.
❷ **활 모양의 물건 ; 나비매듭.**
The gift was decorated
with a *bow* of ribbon. 선물
은 나비매듭 리본으로 장식되어
있었다.

bow² [bau] 동

③·단·현 **bows** [bauz] ;
ing형 **bowing** [báuiŋ] ; 과거 과분
bowed [baud]
困 **허리를 굽히다 ; 절하다.**
We *bow* to our teacher.
우리는 선생님께 머리 숙여 인사
한다.
── 타 **(허리)를 구부리다 ; (머리)
를 숙이다.**
He *bowed* his head.
그는 머리를 숙였다.
── 명 복수 **bows** [bauz]
❶ **절, 인사.**
Insu made a polite *bow.*
인수는 공손히 인사하였다.
❷ **이물**(⇨ stern 고물).
She sat in the *bow* of the
boat. 그녀는 보트의 이물〔앞머
리〕에 앉았다.

bowl [boul] 명

복수 **bowls** [boulz]
사발, 주발, 공기, 우묵한 접시.
a *bowl* of rice 밥 한 그릇.
Don't pick up your soup
bowl. 수프 접시를 쳐들지 마라.

bowl·ing [bóuliŋ] 명

《a와 복수형 안 씀》
볼링《실내 경기의 일종》.
I went *bowling* yesterday.
나는 어제 볼링 치러 갔다.

bow·wow [báuwáu] 감

멍멍《개 짖는 소리》.

box [baks] 명

복수 **boxes** [báksiz]
상자, 궤.
This *box* is made of wood.
이 상자는 나무로 만들어졌다.
a box of **한 상자의….**
a box of candy 캔디 한 상자.
a box of matches 성냥 한 갑.

box·ing [báksiŋ] 명

《a와 복수형 안 씀》**권투, 복싱.**
a *boxing* match 권투 경기.

boy [boi] 명

복수 **boys** [boiz]

B

소년, 사내 아이 (⇨girl 소녀).
▶ 엄밀히는 13-14세까지를 말하
나 보통은 20세 정도까지를 말함.
John is an American *boy*.
존은 미국 소년이다.
She has two *boys* and one
girl. 그녀에게는 아들 둘과 딸이
하나 있다.

━━━━━━━━━━━━━━━━
회화 **Oh, boy!** 「아! 아, 이런!」
기쁨·놀라움·경멸 따위를 나
타내는 말. oh 없이 단독으로도
쓰인다. 원래 boy는 「남자 하
인」을 가리켰으나, 지금은 남녀
노소 구별 없이 감탄사적으로도
쓰이게 됐다.
A: *Oh, boy!* What a beau-
tiful day!
B: It sure is.
「아, 날씨 좋군!」「정말 그래.」
━━━━━━━━━━━━━━━━

boy·friend [bɔ́ifrènd]
명
복수 **boyfriends**[bɔ́ifrèndz]
남자 친구, 보이프렌드(⇨ girl-
friend 여자 친구).

boy·hood [bɔ́ihud]
명
《a와 복수형 안 씀》어린 시절,
소년 시절.
Someday you will smile,
thinking about your *boyhood*.
언젠가 너는 어린 시절을 생각하
면서 미소지을 것이다.

boy·ish [bɔ́iiʃ] 형
비교 **more boyish**;
최상 **most boyish**
어린애 같은, 소년 티 나는, 유치한.
Mark Twain would often
be absent from school,
when a boy, to play *boyish*
games. 마크 트웨인은 소년 시절
에 어린애 같은 놀이를 하기 위해
서 가끔 학교를 결석하였다.

boy scout [bɔ́i skàut]
명
복수 **boy scouts**[bɔ́i skàuts]
소년단원; 《the Boy Scouts로》

소년단, 보이 스카우트.

━━━━━━━━━━━━━━━━
참고 Boy Scouts는 영국에서
는 1908년에, 미국에서는 1910
년에 각각 창설되었다. 이 단원
의 좌우명은 「항상 대비하라
(Be prepared!)」이다.
━━━━━━━━━━━━━━━━

Brahms [brɑːmz] 명
브람스.
Johannes[dʒouhǽniz] **Brahms**
요하네스 브람스(1833-97) 《독일
의 대작곡가》.

***brain** [brein] 명
복수 **brains**[breinz]
뇌; 《복수형으로》 두뇌, **지력**.
The *brain* is a vital organ.
뇌는 생명에 관계되는 기관이다.

brake [breik] 명
복수 **brakes**[breiks]
브레이크, 제동기.
put on the *brakes* 브레이크
를 걸다.

***branch** [brǽntʃ]
명
복수 **branches**[brǽntʃiz]
❶ 가지.
Don't break the *branches*.
가지를 꺾지 마라.
❷ **지류**; 지점; 《학문 등의》 **부문**.
a *branch* of a river 강의 지류.
a *branch* office 지점, 지사.
a *branch* line 지선.
Geometry is a *branch* of
mathematics. 기하학은 수학의
한 부문이다.

━━━━━━━━━━━━━━━━
비슷한 말 **branch**와 **bough**와
twig
branch는 넓은 뜻으로 나무의
「가지」를 총칭하여 말하지만,
bough는 「큰 가지」, twig는
「잔 가지」를 말한다.
━━━━━━━━━━━━━━━━

brand [brǽnd] 명
복수 **brands**[brǽndz]
❶ 소인(燒印), 낙인; 오명.
the *brand* of a liar 거짓말쟁

이란 낙인.

❷ 상표, 브랜드.

a *brand* name 상표명.

the best *brand* of wine 최고 브랜드의 와인.

What *brand* of soap do you like? 무슨 상표의 비누를 좋아하세요?

brass [bræs] 명
복수 **brasses** [bræsiz]

❶ 《a와 복수형 안 씀》 놋쇠.
The trumpet is made of *brass*. 트럼펫은 놋쇠로 만든다.

❷ 《보통 복수형으로》 놋쇠 그릇;
《the를 붙여》 금관 악기.
She polished the *brasses*.
그녀는 금관 악기를 닦았다.

brass band [bræs bænd] 명
복수 **brass bands** [bræs bændz]
취주악단.

A *brass band* is made up chiefly of brass wind instruments. 취주악단은 주로 금관 악기로 이루어진다.

brave [breiv] 형
비교 **braver** [bréivər]:
최상 **bravest** [bréivist]
용감한.

He was a *brave* soldier.
그는 용감한 군인이었다.

An eagle is one of the *bravest* birds. 독수리는 가장 용감한 새 중의 하나이다.
☞ 명 bravery

brave·ly [bréivli] 부
비교 **more bravely**;
최상 **most bravely**
용감히.

The Pilgrims fought *bravely* against their hardship. 청교도

들은 역경에 맞서 용감히 싸웠다.

brav·er·y [bréivəri] 명
《a와 복수형 안 씀》

용감, 용기. ☞ courage
The soldier was highly praised for his *bravery*. 그 군인은 용감한 행동으로 크게 칭찬을 받았다. ☞ 형 brave

bra·vo [bráːvou] 감

잘 한다!, 좋아!, 브라보!
I kept on shouting, "*Bravo*, Korea!" 나는 계속해서 「한국 잘한다!」하고 외쳤다.

Bra·zil [brəzíl] 명
브라질.

참고 남아메리카의 연방 공화국. 면적은 8,511,965 km². 수도는 브라질리아(Brasilia [braːzíːljə]).

bread [bred] 명
《a와 복수형 안 씀》 빵.
a slice of *bread* 빵 한 조각.
American people eat *bread*, butter, and cheese. 미국인은 빵, 버터 그리고 치즈를 먹는다.
The *bread* is fresh.
빵이 신선하다.

어법 **bread**를 세는 법
bread는 셀 수 없는 명사이므로 a bread, two breads라고 할 수 없다. 덩어리로 한 개, 두 개라고 셀 때에는 a loaf of bread, two loaves of bread라고 하며, 얇게 썬 조각을 한 조각, 두 조각이라고 셀 때에는 a slice of bread, two slices of bread라고 한다.

bread and butter 버터 바른 빵.
➤ and를 가볍게 발음하여 [brédn bʌ́tər]로 됨.

B *****break** [breik] 동
③·단·현 **breaks** [breiks] :
ing형 **breaking** [bréikiŋ] : 과거
broke [brouk] : 과분 **broken**
[bróukən]

타 ❶ …을 깨뜨리다, 부수다, 꺾다.
Who *broke* this cup?
누가 이 컵을 깨뜨렸느냐?
Mary slipped on the stairs
and *broke* her arm. 메리는
계단에서 미끄러져 팔이 부러졌다.
The boat was thrown
against the rock and *bro-
ken* to pieces. 그 배는 바위에
부딪쳐 산산조각이 났다.
❷ (약속·기록·규칙 따위)를 깨
다, 어기다, 위반하다.
He *broke* the world record.
그는 세계 기록을 깼다.
He never *breaks* a promise.
그는 결코 약속을 어기지 않는다.
break the law 법을 위반하다.
❸ …을 파산[파멸]시키다.
He was completely *broken*
by the failure.
그는 그 실패로 완전히 파산했다.
── 자 깨지다, 부서지다 ; 파산하다.
Glass *breaks* easily.
유리는 쉽게 깨진다.
Waves are *breaking* against
the high rock. 파도가 높은 바
위에 부딪치고 있다.
The bank *broke.*
은행이 파산했다.

break away 도망하다, 이탈하다.
He *broke away* from the
large crowd. 그는 대규모 군중
속에서 빠져 나왔다.

break down …을 부숴버리다 ; 부
서지다 ; 고장나다.
His car *broke down* yester-
day. 그의 차는 어제 고장났다.

*****break into*** …에 침입하다.
A thief *broke into* our house
last night. 어젯밤 도둑이 우리

집에 들어왔다.

break out 일어나다, 발생하다.
The Korean War *broke out*
in 1950. 1950년에 한국 전쟁이
일어났다.
A big fire *broke out* in my
neighborhood last night. 어
젯밤 이웃에서 큰 화재가 났다.
── 명 복수 **breaks** [breiks]
휴식(시간).
a ten-minute *break,* 10분간
휴식.
Let's take a *break.* 좀 쉬자.

*****break·fast** [brékfəst]
명

《복수형 안 씀》아침밥, 조반. ➤
수식어가 붙을 때는 a를 붙임.
have a good *breakfast* 아침을
잘 먹다.
I have *breakfast* at seven.
나는 7시에 아침을 먹는다.

참고 breakfast는 보통 달걀,
베이컨(또는 햄), 토스트에 버
터, 잼, 커피 정도이다. 가정에
따라서는 처음에 주스를 마시고,
디저트로 과일을 먹기도 한다.
회화 **Breakfast is ready.**
「아침 식사가 준비되었다.」란 말
이나, 아침을 먹으러 오라고 부
를 때 쓴다.
A : *Breakfast is ready.*
B : I'm coming.
「아침 먹어라.」「지금 가요.」

---

breast [brest] 명
복수 **breasts** [brests]

❶ 가슴.
a pain in the *breast* 가슴의
통증.
There are two small pock-
ets on the *breast* of her
coat. 그녀의 양복 저고리 가슴에
는 작은 호주머니가 두 개 있다.
❷ 젖, 유방.
She gave her baby her
breast. 그녀는 아이에게 젖을 물
렸다.

B

***breath** [breθ] 명

《a와 복수형 안 씀》 숨, 호흡.
Take [Draw] deep *breath.*
심호흡을 하여라. ☞ 통 breathe
lose** one's **breath 숨을 헐떡이
다.
I ran so fast that I *lost
my breath.* 나는 너무 빨리 뛰
어서 숨이 찼다.
out of breath 숨이 차서, 숨을
헐떡이며.
He was *out of breath* and
fell flat to the ground. 그는
숨이 차서 땅바닥에 쓰러졌다.

breathe [bri:ð] 통 3·단·현
breathes [bri:ðz] :
[ing형] **breathing** [bríːðiŋ] : [과거]
[과분] **breathed** [bri:ðd]
자 숨쉬다, 호흡하다.
The man was *breathing*
hard when he reached the
house. 그 남자는 집에 도착하였
을 때, 숨을 헐떡이고 있었다.
── 타 (공기)를 호흡하다.
We *breathe* air. 우리는 공기를
호흡한다. ☞ 명 breath
***breathe** one's **last** (**breath**) 마
지막 숨을 거두다, 죽다.
He *breathed his last* (*breath*).
그는 최후의 숨을 거두었다.

bred [bred] 통
breed의 과거·과거 분사.

breed [bri:d] 통
3·단·현 **breeds** [bri:dz] :
[ing형] **breeding** [bríːdiŋ] : [과거]
[과분] **bred** [bred]
타 …을 낳다; 기르다.
My uncle *breeds* horses for
racing. 아저씨는 경마용의 말을
기르신다.
Healthy cows *breed* good
calves. 건강한 암소가 좋은 송아
지를 낳는다.
── 자 새끼를 낳다, 번식하다.
Many animals *breed* during
certain seasons. 많은 동물은
어떤 특정한 시기에 번식한다.

── 명 [복수] **breeds** [bri:dz]
품종, 종류.
Tom keeps a strange *breed*
of tropical fish. 톰은 별난 종
류의 열대어를 기르고 있다.

breeze [bri:z] 명
[복수] **breezes** [bríːziz]
산들바람, 미풍.
We enjoyed the sea *breeze*
for a while. 우리는 잠시 바닷
바람을 쐬었다.
I like the spring *breeze.*
나는 봄의 산들바람이 좋다.

brick [brik] 명
[복수] **bricks** [briks]
벽돌.
She picked up a small *brick.*
그녀는 작은 벽돌을 주워 들었다.

bride [braid] 명
[복수] **brides** [braidz]
신부(⇨ bridegroom 신랑).
My sister will be a *bride*
next spring. 누나는 내년 봄에
신부가 된다.

bride·groom [bráidgrù(:)m]
[복수] **bridegrooms** [bráidgrù(:)mz]
신랑(⇨ bride 신부).
He introduced to us the
bride and *bridegroom.* 그는
우리에게 신랑 신부를 소개하였다.

***bridge** [bridʒ] 명
[복수] **bridges** [brídʒiz]
다리, 교량.
He crossed the *bridg* equickly.
그는 다리를 재빨리 건넜다.
They are going to build a
big iron *bridge* over the
river. 그들은 그 강에 큰 철교를
놓을 예정이다.

bri·dle [bráidl] 명 복수
bridles [bráidlz]
고삐, 말 굴레.
He put the
bridle on his
horse. 그는 말에
굴레를 씌웠다.

brief [bri:f] 형 비교 **briefer**
[bri:fər]; 최상 **briefest**
[brí:fist]
잠시의, 짧은; 간단한.
I wrote him a *brief* letter.
나는 그에게 짧은 편지를 썼다.
His speech was *brief* but
very interesting.
그의 이야기는 짧았지만 퍽 재미
있었다.

brief·ly [brí:fli] 부
비교 **more briefly**;
최상 **most briefly**
간단히.
Tell me your plan *briefly*.
너의 계획을 간단히 말해다오.

***bright** [brait] 형
비교 **brighter**[bráitər];
최상 **brightest**[bráitist]
❶ 밝은, 빛나는(⇔ dark 어두운);
명랑한.
My future will be *bright*.
나의 미래는 밝을 것이다.
The moon was *bright* last
night. 어젯밤에는 달이 밝았다.
She looks *bright* this
morning. 오늘 아침에 그녀는
명랑해 보인다.
❷ 영리한, 총명한. ☞ clever
Tom is a *bright* boy.
톰은 영리한 소년이다.
She is very *bright* and
learns quickly. 그녀는 총명해
서 빨리 알아듣는다.
── 부 밝게(=brightly). ➤ 보통
shine(빛나다)과 함께 쓰임.
Look at that star. It's shin-
ing very *bright*. 저 별을 보아
라. 참으로 밝게 빛나고 있다.
☞ 동 brighten

bright·en [bráitn] 동
3·단·현 **brightens** [bráitnz];
ing형 **brightening** [bráitniŋ];
과거 과분 **brightened** [bráitnd]
타 …을 빛나게 하다; 밝게 하다.
These flowers *brighten* our
classroom. 이 꽃들은 우리 교실
을 환하게 해 준다.
── 자 빛나다; 밝아지다.
The sky *brightened*.
하늘이 밝아졌다. ☞ 형 bright

bright·ly [bráitli] 부
비교 **more brightly**;
최상 **most brightly**
밝게; 명랑하게.
The moon shone *brightly*
last night. 어젯밤에는 달이 밝
게 비췄다.
The girl smiled *brightly* at
her mother. 그 소녀는 어머니
를 보고 명랑하게 웃었다.

bril·liant [bríljənt] 형
비교 **more brilliant**;
최상 **most brilliant**
❶ 빛나는, 반짝거리는.
Look at these *brilliant* jew-
els. 이 반짝거리는 보석을 보아라.
❷ 훌륭한(=splendid).
He has done *brilliant* work.
그는 훌륭한 일을 하였다.
❸ 재주가 뛰어난, 총명한.
Mary is one of the most
brilliant students in our
class. 메리는 우리 반에서 가장
재주 있는 학생 중의 하나이다.

***bring** [briŋ] 타
3·단·현 **brings** [briŋz];
ing형 **bringing** [bríŋiŋ]; 과거
과분 **brought**[brɔːt]
…을 가지고 오다, 데려오다. ☞
take
Would you *bring* me some
water? 물을 좀 가져다 주겠느냐?
Sumi *brings* Pat to her
room. 수미는 패트를 그녀의 방
으로 데려왔다.
***bring about** (어떤 결과)를 가져오

다, 야기하다.

the future changes *brought about* by science 과학이 낳은 미래의 변화.

The storm *brought about* a lot of damage. 폭풍은 많은 피해를 가져왔다.

bring in …을 가지고〔데리고〕들어오다.

Mother *brought in* a birthday cake. 어머니께서 생일 케이크를 가지고 들어오셨다.

Bring him *in*.

그를 데리고 들어오너라.

*****bring up*** 기르다.

She has *brought up* six children. 그녀는 아이 여섯을 길렀다.

He was *brought up* in the countryside. 그는 시골에서 자랐다.

> 주의 bring과 take를 혼동하지 말 것. 「카메라를 가지고 오너라.」는 Bring your camera. 「우산을 가지고 가라.」는 *Take* your umbrella.

bring 가지고 오다　　take 가지고 가다

*****Brit·ain** [brítən] 명
대브리튼, 대영 제국
(= Great Britain).

> 참고 대브리튼(Great Britain)은 잉글랜드(England), 스코틀랜드(Scotland), 웨일스(Wales)의 총칭이다. 북아일랜드는 포함되지 않는다. 이것까지 포함될 경우에는 the United Kingdom (연합 왕국; U.K.로 약함)이라 한다.

*****Brit·ish** [brítiʃ] 형
대브리튼의, 영국의.

British English 영국식 영어.

▶「미국식 영어」는 American English.

── 명 《the를 붙여》영국 국민 (전체).

Brit·ish Mu·se·um

[brítiʃ mjuːzíːəm] 명
《the를 붙여》대영 박물관.

> 참고 런던에 있는 영국 최대의 박물관. 1753년에 창립되었으며, 그 부속 도서관도 세계적으로 유명하다.

*****broad** [brɔːd] 형
비교 **broader** [brɔ́ːdər] :
최상 **broadest** [brɔ́ːdist]
폭이 넓은, 넓디넓은 (= wide, ⟺ narrow 좁은).

That avenue is *broad* enough for many cars. 저 길은 많은 차가 다닐 수 있을 만큼 넓디넓다.

My father has *broad* shoulders. 나의 아버지는 어깨가 넓다.

☞ 동 broaden

> 비슷한 말 **broad와 wide**
> 「넓은」이라고 할 경우, 면적의 넓이에 중점을 두어 말할 때는 broad, 거리·간격에 관해서 말할 때는 wide를 쓴다.
> 발음 oa는 보통 [ou]로 발음되나 broad와 abroad는 [ɔː]로 발음한다.

broad·cast [brɔ́:dkæ̀st] 타·자 3·단·현
broadcasts [brɔ́:dkæ̀sts] : ing형
broadcasting [brɔ́:dkæ̀stiŋ] :
과거 과분 **broadcast** [brɔ́:dkæ̀st]
또는 **broadcasted** [brɔ́:dkæ̀stid]
(…을) 방송하다.
His speech was *broad-cast(ed)* last night. 그의 연설
은 어제 밤에 방송되었다.
── 명 복수 **broadcasts** [brɔ́:d-kæ̀sts] 방송; 방송 프로.
I heard the news *broadcast*
at 7 p.m. 나는 오후 7시에 뉴
스 방송을 들었다.

broad·cast·ing
[brɔ́:dkæ̀stiŋ, -kæ̀st-] 명
《a와 복수형 안 씀》 방송, 방영.
a *broadcasting* station 방송
국.

broad·en [brɔ́:dn] 동
3·단·현 **broadens** [brɔ́:dnz] :
ing형 **broadening** [brɔ́:dniŋ] :
과거 과분 **broadened** [brɔ́:dnd]
타 …을 넓히다; 넓어지다.
I'm going to *broaden* my
outlook on life. 나는 인생관을
넓힐 작정이다.
── 자 넓어지다.
The river *broadens* here.
강은 여기서 넓어진다.
☞ 형 broad

Broad·way [brɔ́:dwèi]
명
브로드웨이.

참고 뉴욕시에 남북으로 뻗은
큰 거리. 극장이 많아 세계적
일류 연예인의 출입이 잦다.

*__**broke** [brouk] 동
break의 과거.

*__**bro·ken** [bróukən] 동
break의 과거 분사.

bronze [branz]
명

《a와 복수형 안 씀》 청동.
This vase is made of
bronze. 이 꽃병은 청동으로 만들
어졌다.

brooch [brouʃ] 명 복수
brooches [bróutʃiz]
브로치.

brood [bru:d] 명
복수 **broods** [bru:dz]
한 배 병아리, (동물의) 한 배 새끼.
a *brood* of chicks 한 배 병아
리.
── 자 3·단·현 **broods** [bru:dz] :
ing형 **brooding** [brú:diŋ] : 과거
과분 **brooded** [brú:did]
❶ 알을 품다, 둥지에 들다.
The hen is *brooding.*
암탉이 알을 품고 있다.
❷ 《**brood over** [**on**]으로》 …을
곰곰이 생각하다.
He is *brooding over* his mis-fortune. 그는 자기 불행에 대해
서 곰곰이 생각하고 있다.

brook [bruk] 명
복수 **brooks** [bruks]
시내, 개울(=small stream).
There was a small house
near the *brook.* 시냇가에 작은
집이 있었다.

broom [bru(:)m] 명
복수 **brooms** [bru(:)mz]
(청소용의) 비.
sweep with a *broom* 비로 청소
하다.

*__**broth·er** [brʌ́ðər] 명 복수
brothers [brʌ́ðərz]
(남자) 형제, 동생, 형(⇨ sister
자매).
Is that boy her *brother?*
저 소년이 그녀의 오빠냐?
What's your *brother's* name?
너의 형님〔동생〕의 이름은 무엇이
냐?
How old is your *brother*
John? 네 형님 존은 몇 살이냐?

참고 영미에서는 손위, 손아래를
구별하지 않고 단순히 brother,

sister 라고 한다. 그러나 특별히 구별할 필요가 있을 때에는 다음과 같이 한다.
형 older〔elder〕brother 또는 big brother / 누님 older〔elder〕sister나 big sister / 남동생 younger brother 또는 little brother / 누이동생 younger sister 또는 little sister.

*brought [brɔːt] 통 **bring**의 과거·과거 분사.
He *brought* his sister to the party. 그는 파티에 누이동생을 데리고 왔다.
She *brought* up four children. 그녀는 아이 넷을 길렀다.

brow [brau] 명 [복수] **brows**[brauz]
《보통 복수형으로》 눈썹.
His *brows* are black and thick. 그의 눈썹은 검고 짙다.
She knitted her *brows*. 그녀는 눈살을 찌푸렸다.

Brown [braun] 명
브라운 《사람의 성》.

*brown [braun] 형
[비교] **browner** [bráunər]: [최상] **brownest** [bráunist]
갈색의.
brown bread 흑빵.
brown paper 갈색의 포장지.
brown sugar 황설탕.
The leaves are turning red, *brown* and yellow. 잎이 빨간색, 갈색, 노란색으로 물들고 있다.
—— 명 《a와 복수형 안 씀》 갈색.
She was dressed in *brown*. 그녀는 갈색 옷을 입고 있었다.

brown·ie [bráuni] 명
[복수] **brownies** [bráuniz]
브라우니《초콜릿 등을 넣어 납작하게 만든 케이크》.
My mother baked some *browniea* for us.
나의 어머니는 우리를 위해 브라우니를 만들어 주었다.

brunch [brʌntʃ] 명
[복수] **brunches** [brʌntʃiz]
늦은 아침식사, 아침 겸 점심식사.
▶ *br*(eakfast)＋(l)*unch*의 간략형.
I had *brunch* with a friend yesterday.
나는 어제 친구와 늦은 아침식사를 하였다.

*brush [brʌʃ] 명
[복수] **brushes** [brʌʃiz]
솔.
Do you know where the shoe *brush* is? 너는 구둣솔이 어디 있는지 아느냐?
I cleaned my suit with a *brush*. 나는 솔로 양복을 손질하였다.

—— 타 [3·단·현] **brushes** [brʌʃiz]: [ing형] **brushing** [brʌʃiŋ]: [과거] [과분] **brushed** [brʌʃt]
…을 솔로 털다, 닦다.
Brush your hat before you go out. 나가기 전에 모자를 솔로 털어라.
I *brush* my teeth before I go to bed. 나는 자기 전에 이를 닦는다.

B

bub·ble [bʌ́bəl] 명 복수
bubbles[bʌ́bəlz]
거품, 기포. ☞ foam
The children are blowing
bubbles. 아이들이 비누 방울을
불고 있다.
── 자 3·단·현 bubbles[bʌ́bəlz] ;
ing형 bubbling[bʌ́bəliŋ] ; 과거
과분 bubbled[bʌ́bəld]
거품 일다, 부글부글 소리를 내다.
The water of the fountain
bubbled up. 샘물이 부글부글
솟아 올랐다.

buck·et [bʌ́kit]명
복수 buckets[bʌ́kits]
양동이, 물통, 버킷.
a fire *bucket* 소화용 버킷.
We need five *buckets* of
water 우리는 물 다섯 통이 필요
하다.

Buck·ing·ham Pal·ace

[bʌ́kiŋəm pǽlis] 명
버킹엄 궁전.

참고 런던에 있는 왕실의 궁전으
로, 장엄한 르네상스식의 건물이
다. 제임스(James) 1세 때에
건조되었으나, 화재를 당하여
1703년 버킹엄공(公)에 의해 재
건되었다.

bud [bʌd] 명 복수 buds[bʌdz]
싹, 꽃봉오리.
put out *buds* 싹이 트다, 꽃
봉오리를 맺다.
The cherry *buds* are still
small. 벚나무 싹이 아직도 조그
맣다.
in bud 싹터서, 꽃봉오리를 맺어.
The flowers are still in

bud. 꽃들이 아직은 봉오리를 맺
은 상태이다.
── 자 3·단·현 buds [bʌdz] ;
ing형 budding [bʌ́diŋ] ; 과거
과분 budded[bʌ́did]
싹트다.
The roses in our flower
garden have *budded.* 우리
꽃밭에 장미가 싹텄다.

Bud·dha [búːdə] 명
부처.
We went to Gyeongju to
see the statue of *Buddha.*
우리는 불상을 보러 경주에 갔다.

Bud·dhism [búːdizəm]
명
《a와 복수형 안 씀》 불교.

Bud·dhist [búːdist]
복수 Buddhists[búːdists]
불교도.
a *Buddhist* priest 중, 승려.

buf·fa·lo [bʌ́fəlòu] 명 복수
buffalos [bʌ́fəlòuz]
또는 buffalo
아메리카들소; 물소.

buf·fet [bəféi] 명
복수 buffets [bəféiz]
뷔페식 식사; (열차·역 따위의 셀
프서비스식의) 간이 식당.
a *buffet* car (간이) 식당차.
a party in *buffet* style 뷔페
식 파티.

참고 buffet 는 프랑스 말로서,
자기가 좋아하는 요리를 직접 접
시에 담아 먹는 셀프서비스 형식
의 입식식(立食式)식사를 말한
다. 음식을 먹으며 여러 사람과
서로 이야기할 수 있으므로 최근
에는 뷔페식의 파티가 많다.

bug [bʌg] 명
복수 **bugs** [bʌgz]
곤충, 딱정벌레.
There was a *bug* in his soup. 그의 스프에 벌레가 있었다.

build [bild] 타 3·단·현 **builds [bildz]; ing형 **building** [bíldiŋ]; 과거 곽분 **built** [bilt]
(집 따위)를 짓다, (다리·댐·배 따위)를 만들다, (도시·철도 따위)를 건설하다.
My father is planning to *build* a new house.
아버지께서는 새 집을 지을 계획을 하고 계신다.
Beavers can *build* dams.
비버는 댐을 만들 수 있다.
Rome was not *built* in a day. 《속담》로마는 하루에 세워지지 않았다《큰 일은 하루에 이루어지는 것이 아니다》.
They are busy *building* a ship. 그들은 배를 만들기에 바쁘다.

build·er [bíldər] 명 복수 **builders** [bíldərz]
건축업자, 건축자; 건설자.
His father is one of the *builders* of that dam.
그의 아버지는 저 댐 건설자의 한 사람이다.

build·ing [bíldiŋ] 명 복수 **buildings [bíldiŋz]
건물, 빌딩.
a two-story *building* 2층 건물.
Korean workers built the large *building.* 한국인 근로자들이 그 큰 건물을 지었다.
It is one of the oldest *buildings* in Korea. 그것은 한국에서 가장 오래된 건물 중의 하나이다.

참고 **building** 과 「빌딩」
building 은 우리 말 표현인 「빌딩」과 다소 차이가 있다. 영어에서 building 이라고 하면

철근 콘크리트 건물뿐만 아니라 그 건축 재료와 크기에 관계 없이 모든 건물을 가리킨다. 따라서 목조 건물 한 채도 building 이라고 한다.

*built [bilt] 동
build의 과거·과거 분사.
They *built* houses for their families. 그들은 가족을 위해서 집을 지었다.
His house is *built* of wood.
그의 집은 나무로 지어졌다.

bulb [bʌlb] 명
복수 **bulbs** [bʌlbz]
(마늘 따위의) 구근(球根); 전구; 진공관.
Where shall we plant these lily *bulbs*? 이 나리 구근을 어디에 심을까?
There was a single *bulb* hanging from the ceiling.
전구 하나가 천장에 매달려 있었다.

bulk [bʌlk] 명
❶ 《a와 복수형 안 씀》크기, 부피, 용적.
a package of great *bulk* 부피가 굉장히 큰 포장 화물.
❷ 《the bulk of로》대부분.
He presented *the bulk of* his books to the school library. 그는 그의 책 대부분을 학교 도서실에 기부하였다.

bull [bul] 명 복수 **bulls** [bulz]
황소; (큰 짐승의) 수컷.
a *bull* elephant 수코끼리.
There are many *bulls* on this farm. 이 농장에는 황소가 많다.

참고 bull 은 불까지 않은 황소. 불깐 식용의 소나 짐 끄는 황소는 ox, 암소는 cow.

bull·dog [búldɔːg] 명
복수 **bulldogs** [búldɔːgz]

불독《개의 일종》.
A *bulldog* is very powerful.
불독은 아주 힘이 세다.

참고 옛날에 영국에서 황소
(bull)와 싸움을 시키던 놀이를
위해서 길렀기 때문에 이 이름
이 붙여졌다고 함.

bull·doz·er [búldòuzər]
명
복수 **bulldozers**[búldòuzərz]
불도저.

bul·let [búlit] 명
복수 **bullets**[búlits]
총알, 소총탄.
He was killed by a *bullet*.
그는 총탄에 맞아 죽었다.
The *bullet* did not hit.
그 총알은 맞지 않았다.

bul·le·tin [búlətin]
명
복수 **bulletins**[búlətinz]
게시, 고시(告示); (라디오 · TV 따
위의) 뉴스 속보; (학회 등의) 회보.
The *bulletin* on the peace
talks was on the front
page of the newspaper.
평화 회담에 관한 뉴스가 신문 제
1면에 실려 있었다.
There were many students
in front of the *bulletin*
board. 게시판 앞에 학생들이 많

이 있었다.

bull·fight [búlfàit]
명
복수 **bullfights**[búlfàits]
투우.
He saw a *bullfight* when
he was in Spain. 그는 스페
인에 있을 때 투우를 구경하였다.

bump [bʌmp] 명
복수 **bumps**[bʌmps]
충돌; 쿵, 퉁《충돌하는 소리》.
The *bump* knocked the
bicycle off the road. 그 충돌
로 자전거는 길 밖으로 내동댕이
쳐졌다.
── 자 3·단·현 **bumps**[bʌmps];
ing형 **bumping**[bʌmpiŋ]; 과거
과분 **bumped**[bʌmpt]
쾅 하고 부딪치다, 충돌하다.
The truck *bumped* into the
car in front. 트럭이 앞 차를
쾅 하고 받았다.

bunch [bʌntʃ] 명
복수 **bunches**[bʌntʃiz]
(포도 따위의) 송이, 다발, 묶음.
a *bunch* of grapes [bana-
nas] 한 송이의 포도[바나나].
a *bunch* of keys 한 묶음의 열
쇠.
a *bunch* of flowers 한 다발
의 꽃.

bun·dle [bʌndl] 명
복수 **bundles**[bʌndlz]
묶음, 묶은 것; 꾸러미, 보따리.
a *bundle* of sticks 한 묶음
의 막대.
a *bundle* of clothes [laun-
dry] 한 보따리의 옷[세탁물].
a *bundle* of letters 편지 한
묶음.

bun·gee jump·ing
[bʌndʒi dʒʌmpiŋ] 명
《a와 복수형 안 씀》 번지점프.
Bungee jumping is risky. 번
지 점프는 위험하다.

bur·den [bə́:rdn] 명 복수
burdens[bə́:rdnz]

짐; 부담.

This work will be a *burden* to you. 이 일은 너에게 짐이 될 것이다.

── 타 ③·단·현 **burdens**[bɔ́:rdnz]; ing형 **burdening** [bɔ́:rdniŋ]; 과거 과분 **burdened**[bɔ́:rdnd]

…에게 짐을 지우다, 부담시키다; (아무)를 괴롭히다.

He was *burdened* with heavy taxes. 그는 무거운 세금 으로 시달렸다.

bu·reau [bjúərou] 명 복수 **bureaus** [bjúə-rouz] 또는 **bureaux**[bjúərouz]

(관청의) 국(局), 부, 과; 사무소.

the Federal *Bureau* of Investigation (미국의) 연방 수사 국《간략형은 FBI》.

an information *bureau* 접수 처, 안내소.

bu·reaux [bjúərouz] 명

bureau의 복수의 하나.

burg·er [bɔ́:rgər] 명

복수 **burgers** [bɔ́:rgərz]

버거, 햄버거.

I had a *burger* for lunch. 나는 점심으로 햄버거를 먹었다.

bur·i·al [bériəl] 명

《a와 복수형 안 씀》 매장; 장례식.

Only three people attended the *burial.* 단지 세 사람이 장례 식에 참석하였다.

*burn [bə:rn] 동

③·단·현 **burns** [bə:rnz]; ing형 **burning** [bɔ́:rniŋ]; 과거 과분 **burned**[bə:rnd] 또는 **burnt** [bə:rnt]

자 ❶ 타다, 그을다.

Dry wood *burns* easily. 마른 나무는 잘 탄다.

Her skin *burns* easily. 그녀의 피부는 (햇볕에) 잘 탄다.

❷ (등불 따위가) 켜지다, 빛나다.

All the lights in the house were *burning.* 집 안의 불이 모 두 켜져 있었다.

❸ 달아오르다, 화끈거리다.

Her cheeks *burned.* 그녀의 볼이 달아올랐다.

He was *burning* with anger. 그는 불같이 노하고 있었다.

── 타 ❶ …을 태우다.

She *burned* all the letters in the box. 그녀는 상자에 있 는 편지를 모두 태웠다.

❷ …에 화상을 입다, …을 데다.

He *burned* his hand on the hot stove. 그는 뜨거운 난 로에 손을 데었다.

She got *burned* because she lay in the sun too long. 그녀는 햇볕에 너무 오래 누워 있어서 화상을 입었다.

burn down 타 없어지다.

That building *burned down* last night. 그 건물은 어제 밤에 타 버렸다.

burn up …을 다 태우다; 다 타다.

He put the notebook on the fire to *burn* it *up.* 그는 공책 을 태워 버리려고 불 위에 놓았다.

burn·ing [bɔ́:rniŋ] 형

불타는 (듯한), 뜨거운; 심한.

I had a *burning* mouth. 나는 입 안이 타는 것 같았다.

burnt [bə:rnt] 동

burn의 과거·과거 분사 의 하나.

burst [bə:rst] 자

③·단·현 **bursts** [bə:rsts]; ing형 **bursting** [bɔ́:rstiŋ]; 과거 과분 **burst**[bə:rst]

❶ 터지다, 폭발하다.

The bomb did not *burst.* 그 폭탄은 터지지 않았다.

❷ 갑자기 …하다.

The door *burst* open. 문이 갑자기 열렸다.

burst into …에 뛰어들다; 갑자기 …하기 시작하다.

The boy *burst into* the

room. 그 소년은 갑자기 방으로 뛰어들었다.

She *burst into* tears〔laughter〕. 그녀는 갑자기 울음〔웃음〕을 터뜨렸다.

bur·y [béri] 타
〔3·단·현〕 **buries** [bériz]；
ing형 **burying** [bériiŋ]；과거 과분
buried [bérid]

…을 파묻다, 매장하다.

They *buried* the treasure under the tree. 그들은 보물을 나무 밑에 묻었다.

The farmer was *buried*. 그 농부는 땅에 묻혔다.

bus [bʌs] 명
복수 **bus(s)es** [bʌ́siz]

버스.

I go to school by *bus*. 나는 버스로 학교에 다닌다. ▶교통 수단을 나타낼 때에는 a나 the를 안 붙임.

I ran to catch the *bus* but I missed it. 나는 버스를 잡으려고 뛰었으나 놓치고 말았다.

I have to get off the *bus* at the next stop. 나는 다음 정류장에서 버스를 내려야 한다.

참고 버스나 열차에 「타다」는 get on, 「내리다」는 get off 를 쓰고, 택시나 승용차의 경우에는 get in, get out of를 쓴다. 또, 어디에 가기 위해서「타다, 이용하다」라고 할 때에는 take를 쓴다.

bush [buʃ] 명
복수 **bushes** [búʃiz]

관목; 수풀, 덤불.

They cut the *bushes* with

big knives. 그들은 큰 칼로 덤불을 잘랐다.

They saw a rabbit jump out of a *bush*. 그들은 토끼가 덤불에서 뛰어나오는 것을 보았다.

bus·i·er [bíziər] 형
busy의 비교급.

bus·i·est [bíziist] 형
busy의 최상급.

bus·i·ly [bízəli] 부
바쁘게, 분주히.

Mother was working *busily* in the kitchen. 어머니는 부엌에서 바쁘게 일을 하고 계셨다.

bus·i·ness [bíznis] 명

❶《a와 복수형 안 씀》직업, 업무, 일.

My father is a carpenter, and his *business* is building houses. 나의 아버지는 목수로서, 하는 일은 집짓기이다.

Everybody's *business* is nobody's *business*. 《속담》모두의 일은 아무의 일도 아니다《공동 책임은 무책임》.

Mind your own *business*. 네 할 일이나 해라《남의 일에 간섭 마라》.

❷《a와 복수형 안 씀》사업, 상업, 영업.

the hotel *business* 호텔업.

He meets Americans very often for *business*. 그는 사업상 매우 자주 미국인들을 만난다.

New York is the center of *business*. 뉴욕은 상업의 중심지이다.

on business 볼일로, 사업상의 일로.

He went to Busan *on business*. 그는 볼일이 있어 부산에 갔다.

busi·ness·man [bíznismæn] 명

복수 **businessmen** [bíznismèn]
실업가, 사업가, 상인.

My father is a *business-*

man. 아버지는 실업가이다.

He is a *businessman* from Berlin, Germany. 그는 독일 베를린 출신의 사업가이다.

참고 businessman은 우리말에서 「실업가」로 생각되는 큰 회사의 경영자뿐만이 아니라 여러 가지 장사를 하는 사람에게도 쓰인다. 우리말에서 「비즈니스맨」은 사무원을 가리킬 때도 있으나, 사무원은 office work-er 라고 한다.

---

busi·ness·men [bíznis-mèn] 명

businessman의 복수.

busi·ness·wom·an

[bízniswùmən] 명 복수 busi·nesswomen [bízniswìmin]
여성 실업가, 여성 사업가.

She is a capable *businesswoman.* 그녀는 능력 있는 여성 사업가이다.

bus·ses [básiz] 명

bus의 복수의 하나.

bus stop [bás stàp] 명

복수 bus stops [bás stàps]
버스 정류장.

런던의
bus stop
표지

bust [bást] 명

복수 busts [básts]
흉상, 반신상; 흉부, (특히 여자의) 버스트.

bus·y [bízi] 형

비교 **busier** [bíziər];
최상 **busiest** [bíziist]

❶ 바쁜, 분주한(⇔ free 한가한);
《**be busy**+**-ing**형으로》 …하는 라고 바쁘다.

He's *busy* with his homework. 그는 숙제로 바쁘다.

This is the *busiest* street in our city. 이 곳이 우리 시에서 가장 번잡한 거리이다.

I'm *busy making* cookies now. 나는 지금 쿠키를 만드느라 바쁘다.

❷ (전화가) **통화 중인.**

The line is *busy.* 통화 중입니다.

but [bət; 강 bát] 접

그러나, **그래도,** …**지만.**

You may go, *but* you must come back before supper. 너는 가도 좋지만 저녁 전에 돌아와야 한다.

Excuse me, *but* will you tell me how to get to the train station? 미안하지만 역으로 가는 길을 가르쳐 주십시오.

not … but …은 아니고.

He is *not* my friend *but* my brother's friend. 그는 내 친구가 아니고 형의 친구이다.

She is *not* an American *but* a German. 그녀는 미국 사람이 아니고 독일 사람이다.

not only … but (*also*) ~ …뿐 아니라 ~도. ☞ not

── 전 …을 **제외하고,** … 외에는 (=except).

He goes to school every day *but* Sunday. 그는 일요일을 빼고는 매일 학교에 간다.

All the boys *but* him went to the party. 그를 제외한 소년들은 모두 그 파티에 갔다.

butch·er [bútʃər] 명

복수 **butchers** [bútʃərz]
푸주한, 정육점 주인.

Bob's father is a *butcher.* 보브의 아버지는 정육점 주인이다.

참고 「푸주」는 butcher's 또는 butcher's shop이라고 하지만, butcher 라고도 한다.

B

but·ter [bátər] 명
《a와 복수형 안 씀》 버터.
Mrs. Brown bought a pound of *butter*. 브라운씨 부인은 버터를 1파운드 샀다.
Butter is made from milk. 버터는 우유로 만든다.

but·ter·fly [bátərflài] 명
복수 butterflies[bátərflàiz] 나비.
We used to catch *butterflies*. 우리는 나비를 잡곤 했다.

but·ton [bátn] 명
복수 buttons[bátnz]
(양복의) 단추, (초인종 따위의) 누름 단추, 버튼.
A *button* fell off his coat. 그의 외투에 단추가 떨어졌다.
Press [Push] the *button*, please. 버튼을 누르십시오.
There are many *buttons* in the elevator. 승강기에는 많은 버튼이 있다.

buy [bai] 타
3·단·현 buys[baiz] : ing형 buying[báiiŋ] : 과거 과분 bought [bɔːt]
…을 사다(⇔ sell 팔다) :《buy+사람+물건 / buy+물건+for+사람으로》(아무)에게 (무엇)을 사 주다.
Let's *buy* a cake. 케이크를 사자.
Grandfather *bought* me a watch. =Grandfather *bought* a watch *for* me. 할아버지께서 내게 시계를 사 주셨다.
Mary *bought* the blouse for twenty dollars. 메리는 그 블라우스를 20달러에 샀다.

buzz [bʌz] 자
3·단·현 buzzes[bʌ́ziz] : ing형 buzzing[bʌ́ziŋ] : 과거 과분 buzzed[bʌzd]
(벌·기계 따위가) 윙윙거리다.

A mosquito *buzzed* around my ear. 모기가 내 귓가에서 윙윙거렸다.
The bees are *buzzing*. 벌들이 윙윙거리고 있다.
── 명 복수 buzzes[bʌ́ziz]
(윙윙) 울리는 소리, 소란스런 소리.
a loud *buzz* 크게 윙윙 울리는 소리.

by [bai] 전
❶ …의 옆에[으로]. ☞ beside
He is standing *by* the door. 그는 문 옆에 서 있다.
❷ 《수단·방법을 나타내어》…에 의하여, …로.

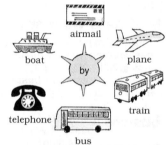

airmail
boat
by
plane
train
telephone
bus

by bus [boat, plane, train] 버스[배, 비행기, 기차]로.
by airmail 항공 우편으로.
by telephone [telegram] 전화[전보]로.
❸ 《수동태의 문장에 쓰여》…에 의하여.
America was discovered *by* Columbus. 아메리카는 콜럼버스에 의해서 발견되었다.
❹ 《기한을 나타내어》… 까지는.
Do it *by* tomorrow. 내일까지 그것을 해라.

┌─────────────────────┐
어법 **by** 와 **till** [until]
by 는 「…까지는」이란 뜻으로 동작·상태가 끝나는 기한을 나타내고, till [until]은 「…까지(쪽)」이란 뜻으로 동작·상태가 계속되는 기간을 나타낸다.
└─────────────────────┘

I'll be home *by* five.
5시까지는 집에 돌아오겠다.
I can stay here *till* [*until*]
five. 나는 5시까지 여기에 있
을 수 있다.

* *by* one*self* 혼자서. ☞ oneself
* *by the way* 그런데. ☞ way
—— 부 옆에, 곁에, 지나서.
Someone passed *by*.
누군가 옆을 지나갔다.
Ten years have gone *by*.
10년이 지났다.

* *by and by* 잠시 후, 얼마 후, 곧.
I will see you *by and by*.
곧 만나 뵙겠습니다.

* **bye** [bai]
안녕(=good-bye).
Bye now! 그럼 안녕!

회화 **Bye.** 「안녕, 잘 가.」
Bye.는 헤어질 때의 인사.
Good-bye.보다 스스럼 없이
쓰는 말로, 친한 사이에 쓴다.
A : *Bye,* Mike. See you
again.
B : *Bye,* Tom. Have a
nice weekend.
「잘가, 마이크. 또 만나자.」
「안녕, 톰. 주말 잘 지내라.」

bye-bye [báibài]
감
안녕히, 잘 가(=good-bye).
Say *bye-bye* to all your
friends now, Susie. 수지, 이
제 네 친구들에게 작별 인사를 하
여라.

C c

C c
C c

cab [kæb] 명
복수 **cabs** [kæbz]
택시(=taxi).
Mr. Brown hailed a *cab*.
브라운씨는 택시를 불러 세웠다.
Let's take a *cab*.
택시를 탑시다.

cab·bage [kǽbidʒ] 명
복수 **cabbages** [kǽbidʒiz]
양배추, 캐비지. ▶음식의 뜻으로
쓰일 때에는 a와 복수형을 안 씀.
two heads of *cabbage* 양배
추 두 통.

cab·in [kǽbin] 명
복수 **cabins** [kǽbinz]
❶ 오두막집(=hut).
a log *cabin* 통나무 오두막집.
Jack was staying in the
skiers' *cabin*. 잭은 스키어들의
오두막집에 머무르고 있었다.

❷ 선실, (비행기·배의) 객실.
There are about 300 *cabins*
in this ship. 이 배에는 약 300
개의 선실이 있다.

cab·i·net [kǽbənit] 명
복수 **cabinets** [kǽbənits]
(귀중품을 넣는) 장, 캐비닛, 진열
용 유리장.
a kitchen *cabinet* 부엌 찬장.
She has a large *cabinet*.
그녀는 큰 캐비닛이 있다.
Her *cabinet* needs to be

renewed. 그녀의 캐비닛은 새것
으로 바꿀 필요가 있다.

ca·ble [kéibəl] 명
복수 **cables** [kéibəlz]
(철사 따위를 여러 겹으로 꼬아서
만든) 굵은 줄; (해저 전선 따위
의) 전선.
A *cable* is a strong, thick
rope of wire. 케이블은 철사로 만
든 튼튼하고 굵은 일종의 밧줄이다.

ca·ble car [kéibəl kà:r] 명
복수 **cable cars** [kéibəl kà:rz]
케이블 카.
We rode in a *cable car* in
San Francisco. 우리는 샌프란
시스코에서 케이블 카를 탔다.

ca·fé [kæféi] 명 복수 **cafés** [kæféiz]
커피점, 카페, (가벼운 식사를 할
수 있는) 식당.
Mary went into the *café* for
a cup of coffee. 메리는 커피
를 한 잔 마시기 위해 커피점에
들어갔다.

> 참고 미국에서는 café보다 cof-
> fee shop이 더 흔히 사용된다.
> 커피, 음료, 가벼운 식사 따위
> 는 drugstore 의 카운터에서도
> 팔고 있다. 그러나 우리 나라의
> 다방처럼 커피를 마시며 음악을
> 들을 수 있는 곳은 없다. ☞
> drugstore

caf·e·te·ri·a [kæ̀fitíəriə] 명
복수 **cafeterias** [kæ̀fitíəriəz]
(스스로 음식을 날라다 먹는) 식
당, 카페테리아.
American students have
lunch in the *cafeteria*.

미국 학생들은 카페테리아에서 점
심 식사를 한다.

[참고] 미국의 어느 도시에나 있
는 일반 대중용의 식당으로서,
스스로 음식을 날라다 먹는 것
이 특징으로 되어 있다. 손님은
스스로 배식하는 카운터 앞을
지나며 요리나 마실 것을 선택
하여 쟁반에 받고, 나이프, 포
크, 스푼 따위는 손님 자신이
집으며, 요금을 지불한 다음 식
탁으로 갖고 와서 식사를 한다.
식후에는 손님이 직접 쟁반과
스푼, 포크 따위를 지정된 장소
에 반납하게 된다. 따라서 손님
에게 시중 드는 종업원이 없는
식당이다. 일반 대중용뿐 아니
라, 학교, 회사, 공장 따위에서
도 카페테리아 형식의 식당이
많이 있다.

cage [keidʒ] 명
[복수] **cages** [kéidʒiz]
새장, (동물의) 우리.
I looked at the bird in the
cage. 나는 새장 안의 새를 보았
다.
The little dog was in a big
cage. 그 작은 개는 큰 우리 안에
있었다.

***cake** [keik] 명
[복수] **cakes** [keiks]
❶ 케이크, 양과자.
My mother made a big
birthday *cake* for me.
어머니께서 나에게 커다란 생일
케이크를 만들어 주셨다.
Will you have some more
cake? 케이크를 좀더 드시겠어요?

[참고] 케이크는 일반적으로 크기
때문에, Don't eat too much
cake. (케이크를 너무 많이 먹
지 마라.)라고는 말할 수 있으
나, Don't eat too many
cakes.라고 하면 어색하다. 케
이크에는 파이 비슷한 French
pastry [péistri]와 컵 모양의
cupcake [kʌ́pkèik] 등이 있으
며, Don't eat too much
pastry.라든가 Don't eat too
many cupcakes. 라고 말한다.
[어법] **cake를 세는 법**
낱개로 되어 있는 둥그렇고 큰
케이크는 a cake, two cakes
라고 세지만, 갖가지 작은 양과
자나 칼로 잘라 놓은 케이크는 a
piece of cake, two pieces
of cake 라고 한다.

❷ (비누 따위의) 덩어리.
a *cake* of soap 비누 한 개.

cal·ci·um [kǽlsiəm] 명
《a와 복수형 안 씀》 칼슘.
Milk contains *calcium*. 밀크
에는 칼슘이 함유되어 있다.

cal·cu·late [kǽlkjəlèit]
[타·자] [3·단·현]
calculates [kǽlkjəlèits] : [ing형]
calculating [kǽlkjəlèitiŋ] : [과거]
[과분] **calculated** [kǽlkjəlèitid]
(…을) 계산하다, 산정하다.
He *calculated* the cost of
heating. 그는 난방비를 계산했다.
☞ 명 calculation

cal·cu·la·tion [kǽlkjəléiʃən] 명
[복수] **calculations** [kǽlkjəléiʃənz]
❶ 계산.
Tax *calculations* should be
made before April 15 in
America. 미국에서는 세금 계산
을 4월 15일 이전에 하지 않으면
안 된다.
❷ 추정, 예상.
You shouldn't make hasty

calculations. 성급한 예상을 해서는 안 된다. ☞ 동 calculate

cal·en·dar [kǽləndər] 명

복수 **calendars**[kǽləndərz]
달력.

I keep a *calendar* on my desk. 나는 책상 위에 달력을 놓아 둔다.

Look at the *calendar* on the wall. 벽에 걸린 달력을 봐라.

Chuseok comes on the 15th of August by lunar *calendar.* 추석은 음력으로 8월 15일이다.

▶ calendar의 철자는 끝이 ar로 되어 있는 것에 주의할 것.

calf ¹ [kæf] 명

복수 **calves**[kævz]
송아지(보통 한 살 미만).

There is a *calf* in the meadow. 초원에 송아지가 한 마리 있다.

▶ calf 의 l은 발음하지 않음.

calf ² [kæf] 명

복수 **calves**[kævz]
장딴지.

He kicked me in the *calf.* 그는 나의 장딴지를 걷어찼다.

Cal·i·for·nia [kæ̀ləfɔ́ːrnjə] 명

캘리포니아.

참고 미국 태평양 연안에 있는 주로. 주도(州都)는 새크라멘토(Sacramento[sæ̀krəméntou])이다. 면적은 404,815 km²로, 우리 나라의 약 2배이다. Calif. 또는 Cal.로 약한다. 기후는 따뜻하고 비가 적게 온다. 오렌지 따위의 과일이 많이 생산된다. 영화의 도시 할리우드(Hollywood[hɑ́liwùd])는 캘리포니아주에서 가장 큰 도시 로스앤젤레스(Los Angeles[lɔːsǽndʒələs])의 교외에 있다. 캘리포니아주에는 동양인이 많이 살고 있다.

*call [kɔːl] 동 3·단·현 calls
[kɔːlz] ing형 calling[kɔ́ːliŋ]:
과거 과분 called[kɔːld]

타 ❶ …을 부르다.

Call an ambulance. 구급차를 불러라.

She *called* my name. 그녀가 내 이름을 불렀다.

Let's *call* a taxi. 택시를 부르자.

❷ 《call+목적어+보어로》 …을 ～라고 이름 붙이다.

We *call* this street Fifth Avenue. 이 거리는 5번가라고 불리고 있다.

His parents *called* the baby "John." 그의 부모는 아기를 「존」이라고 이름 지었다.

❸ …에게 전화를 걸다, (전화로) …을 불러내다.

Inho is *calling* him. 인호는 그에게 전화를 걸고 있다.

I'll *call* him again. 내가 다시 그에게 전화를 걸겠습니다.

❹ (불러서) …을 깨우다.

Would you *call* me at seven o'clock tomorrow morning? 내일 아침 7시에 깨워 주겠느냐?

── 자 (큰 소리로) 부르다, 소리 지르다; 전화를 걸다; 방문하다.

Jack *called* and *called,* but no one came. 잭은 몇 번이고 불렀으나, 아무도 오지 않았다.

I'll *call* again later. 나중에 또 전화하겠다.

Call again.(=Please come again.) 또 오세요《점원이 손님에게 하는 말》.

***call at** (장소)를 방문하다, …에 잠깐 들르다. ☞ call on

I'll *call at* your office later. 나중에 자네 사무실에 들르겠네.

call back 불러 오다; (전화를) 다시 한 번 걸다, 회답의 전화를 걸다.

He was *called back* from his trip to the head office because of the manager's death. 지배인이 죽었기 때문에,

그는 여행 도중 본사로 불려 왔다.
Please *call* me *back* when
you see him. 그를 만나면 나
에게 다시 전화를 하여 주게.

call … by name …을 이름으로 부
르다.

In Korea my younger broth-
er doesn't *call* me *by name*.
한국에서는 내 동생이 나를 이름으
로 부르지 않는다 《이름 대신「형,
형님」따위로 부르는 경우》.

call for …을 데리러[가지러] 가다;
가져오라고 요구하다; 필요로 하다.

I'll *call for* you at your
house about 10. 10시경에 댁
으로 모시러 가겠습니다.

Tom *called for* coffee.
톰은 커피를 주문하였다.

This work *calls for* three
people. 이 일에는 세 사람이 필
요하다.

call … in …을 불러들이다.

Mr. Jones *called* her *in*.
존스씨는 그녀를 불러들였다.

****call on** (아무)를 방문하다.

Jane *called on* her aunt.
제인은 숙모를 방문하였다.

call at   call on

call out 큰 소리로 부르다, 외치다.

"Where are you going?"
Tom *called out*.「어디 가느
냐?」라고 톰은 큰 소리로 외쳤다.

She *called out* for help.
그녀는 큰 소리로 도움을 청했다.

call to (소리 질러) …을 부르다.

Betty *called to* her friend
who was upstairs. 베티는 2
층에 있는 친구를 불렀다.

── 명 [복수] **calls**[kɔːlz]

❶ (전화를) 걸기, (전화가) 걸려
오기.

John answered the phone
call. 존이 전화를 받았다.

Mr. Brown, you had a
phone *call* from Mr. White.
브라운씨, 화이트씨로부터 전화가
있었습니다.

When there is a *call* for me,
I am not in. 나에게 전화 오면
없다고 해라.

You may have made a wrong
call. 네가 전화를 잘못 걸었을지도
모른다.

❷ 방문.

I have another *call* to make.
한 곳 더 방문할 곳이 있다.

─────────────────────

참고 **외국 사람을 방문할 때의 에
티켓**

1. 초대된 경우를 제외하고는 방
문 시간을 미리 연락하여 둔다.

2. 그 곳에 묵거나 할 경우 이외
는 선물은 필요하지 않다.

3. 현관문이 열리고, Please
come in.(어서 들어오십시오.)
이라고 하면, 신발 바닥을 잘 닦
고 그대로 들어간다.

4. 음식이 나오면 Thank you.라
말하고, 주저하지 않고 먹는다.

5. 오후의 방문인 경우는 3시부
터 5시경, 저녁 식사에 초청된
경우는 6시에서 10시경까지가
보통의 방문 시간이다.

6. 돌아올 때에는, I should
be leaving.─I enjoyed it
so much. Thank you
for inviting me. (이제 실례해
야 되겠습니다. 매우 즐거웠습니
다. 초청해 주셔서 고맙습니다.)
와 같은 인사를 한다.─이런 경
우는 "Oh, do stay longer."
"I'd like to, but I can't."
(「좀 더 놀다 가시죠.」「그러고
싶지만 볼 일이 있어서요.」)와
같은 말이 오고 가게 된다.

7. 그 집에서 자게 되었거나, 특
별한 대접을 받은 경우는, 나중
에 감사의 편지를 낸다. 말로 할
경우는 그때 그때 인사를 하며,

우리가 하는 식으로 「전일에는 폐가 많았습니다.」 따위의 인사는 하지 않는 것이 보통이다.

*calm [kɑːm] 혤
[비교] **calmer** [káːmər];
[최상] **calmest**[káːmist]
고요한, 조용한; 침착한.
Jim stays in Korea, "The Land of Morning *Calm.*"
짐은 '고요한 아침의 나라'인 한국에 머물고 있다.
At first, the sea was *calm.*
처음에 바다는 고요했다.
Mr. Green is always *calm.*
그린씨는 늘 침착하다.
➤ calm의 l은 발음하지 않음.

calm·ly [káːmli] 튀
[비교] **more calmly;**
[최상] **most calmly**
안온하게, 조용히.
He rose *calmly* and turned to the door. 그는 조용히 일어서서 문 쪽으로 향했다.

cal·o·rie [kǽləri] 몜
[복수] **calories** [kǽləriz]
칼로리.
Butter is high in *calories.*
버터는 칼로리가 높다.

calves [kævz] 몜
calf¹,² 의 복수.

*came [keim] 통
come 의 과거.
Mr. Brown *came* home last night. 브라운씨는 어젯밤 집에 돌아왔다.
Tom *came* to see you.
톰이 너를 만나러 왔다.

cam·el [kǽməl] 몜
[복수] **camels**[kǽməlz]
낙타.
Camels are used in the deserts of Africa and Arabia for carrying goods.
낙타는 아프리카와 아라비아의 사막에서 짐을 운반하는 데 사용되고 있다.

*cam·er·a [kǽmərə] 몜
[복수] **cameras**[kǽmərəz]
카메라, 사진기.
Is this your *camera?*
이것이 너의 카메라냐?
Look at the *camera!*
카메라를 보아라.

*camp [kæmp] 몜
[복수] **camps**[kæmps]
캠프, 야영지.
a base *camp* 베이스 캠프.
Jack is going to the Boy Scout *camp* near the lake.
잭은 호수 근처에 있는 보이스카우트의 야영지로 간다.
They made *camp* under the tree. 그들은 나무 밑에서 야영하였다.

— 쟈 [3·단·현] **camps** [kæmps];
[ing형] **camping** [kǽmpiŋ]; [과거]
[과분] **camped**[kæmpt]
캠프하다, 야영하다.
Jane and Susie *camped* in the woods. 제인과 수지는 숲에서 야영하였다.

go camping 캠프[야영]하러 가다.
The Camping Club students *go* hiking or *camping* on weekends. 캠핑 클럽 학생들은 주말에 하이킹이나 캠핑을 간다.

cam·paign [kæmpéin] 몜
[복수] **campaigns** [kæmpéinz]
캠페인, (조직적인) 운동, 선거운동.
a political *campaign* 정치 운동.
— 쟈 [3·단·현] **campaigns**
[kæmpéinz]; [ing형] **campaigning**
[kæmpéiniŋ]; [과거] [과분] **cam-**

paigned [kæmpéind]
…에 **지지하는 운동을 하다.**
They are *campaigning* for
tax reforms. 그들은 세금개정을
위한 운동을 하고 있다.

camp·er [kǽmpər] 명 복수
campers [kǽmpərz]
**야영자, 캠프하는 사람; 캠프용 트
레일러.**
Some *campers* were putting
up a tent. 몇몇 야영자들이 텐
트를 치고 있었다.

camp·fire [kǽmpfàiər] 명
복수 **campfires** [kǽmpfàiərz]
캠프파이어; 모닥불.
They made a *campfire* to
cook. 그들은 요리를 하기 위해
모닥불을 피웠다.

camp·ing [kǽmpiŋ] 명
《a와 복수형 안 씀》
캠프 생활, 캠핑, 야영.
Fishing, *camping*, and swim-
ming are all fun. 낚시, 캠
핑, 수영은 모두 재미있다.

*__**cam·pus**__ [kǽmpəs] 명
복수 **campuses** [kǽmpəsiz]
(대학·기타 학교의) 교정, **구내.**
The dormitory is on *cam-
pus*. 기숙사는 대학 구내에 있다.
He lives off *campus*. 그는 학
교의 구내 밖에 살고 있다.
How about going back to
the *campus* after lunch?
점심 식사 후에 교정으로 돌아가
는 게 어떻겠느냐?

*__**can**__¹ [kən: 강 kæn] 조
과거 **could** [kəd: 강 kud]
❶ 《능력·가능》 …**할 수 있다.**
"*Can* you play baseball?"
"Yes, I *can*." 「야구를 할 수 있느
냐?」 「예, 할 수 있습니다.」
My dog *can* run very fast.
내 개는 매우 빨리 뛸 수 있다.
▶ can의 부정형은 cannot. 미국
에서는 can not이라고도 함.

어법 미래를 나타내는 조동사
will의 다음에는 can 대신에 be
able to를 사용한다.
I *can* swim. 《현재》 나는 헤엄
칠 줄 안다.
I'll *be able to* swim this
summer. 《미래》 나는 올여름에
는 헤엄을 칠 줄 알게 될 것이다.

❷ 《허가·가벼운 명령》 …**하여도
좋다.**
You *can* go home now.
이제 집에 가도 좋다.
Can I have some more
milk? 우유를 좀 더 마셔도 좋습
니까?

어법 **can과 may**
허가 또는 가벼운 명령의 뜻으
로 사용될 때, can 대신 may
를 써도 좋다. may가 can 보
다 더 공손한 말씨가 된다.

❸ 《의문문에서》 **도대체 …일까.**
Where *can* they be?
그들은 도대체 어디 있을까?
Can it be true?
그게 정말로 사실일까?
❹ 《부정문에서》 …**일 리가 없다.**
The news can't be true.
그 뉴스는 사실일 리가 없다.
*__**as … as**__ one **can 할 수 있는
한 ….**
Blackie ran *as* fast *as* he
could. 블래키는 될 수 있는 대로
빨리 달렸다.

발음 아래 사항에 주의할 것.
1. 문장 가운데에서 can은 약
하게 발음된다.
I *can* speak English.
나는 영어를 말할 줄 안다.
2. 의문문의 처음에서는 약간
세게 발음된다.
Can you speak English?
너는 영어를 할 줄 아느냐?
3. 문장의 끝, 특히 긍정의 대답

일 경우는 가장 세게 발음된다.
Yes, I *can*. 예, 할 줄 압니다.

can² [kæn] 명
복수 cans[kænz]
(통조림·우유·기름·쓰레기 따위의) 깡통, 통.
I'd like three *cans* of fruit.
과일 통조림 세 개를 주세요.
Take this garbage *can* outside, please. 이 쓰레기통을 밖에 좀 내다놓아라.
— 타 (3·단·현) cans [kænz]:
ing형 canning[kǽniŋ]: 과거 과분 canned[kænd]
통조림하다, 통[병] 속에 넣고 밀봉하다 《식료품 보존을 위해》.
Do you have any *canned* food? 통조림한 음식이 있느냐?
Mrs. Brown is *canning* fruit. 브라운 부인은 과일을 병에 넣고 밀봉하고 있다.

참고 can은 동사로서 「통조림하다」라는 뜻만 있는 것이 아니라, 식료품을 가정에서 병이나 그릇에 넣고 밀봉하는 뜻으로도 쓰인다.

*Can·a·da [kǽnədə] 명
캐나다.

참고 미국의 북쪽에 있는 영연방 내의 독립국으로서 면적은 9,976,139km²로 우리 나라 전체 면적의 약 42 배나 된다. 수도는 오타와(Ottawa[átəwə]). 일부의 지역에서는 프랑스어가 사용되고 있으나, 대다수의 인구가 영어를 쓴다. 지리적으로 미국과 인접하고 있는 관계로 언어, 문화 따위가 영국보다 오히려 미국의 영향을 더 많이 받고 있다.

Ca·na·di·an [kənéidiən] 형
캐나다의, 캐나다 사람의.
Giho has a Canadian friend in Seoul. 기호는 서울에 캐나다인 친구가 있다.
— 명 복수 Canadians[kənéidiənz]
캐나다 사람.
Mr. White is a *Canadian*.
화이트씨는 캐나다 사람이다.

ca·nal [kənǽl] 명
복수 canals[kənǽlz]
운하.
the Suez [súːez] *Canal* 수에즈 운하.
the Panama[pǽnəmàː] *Canal* 파나마 운하.

ca·nar·y [kənɛ́əri] 명 복수
canaries[kənɛ́əriz]
카나리아.
Mary keeps two *canaries* in her cage. 메리는 두 마리의 카나리아를 새장에 기르고 있다.

can·cel [kǽnsəl] 타 (3·단·현)
cancels [kǽnsəlz]:
ing형 canceling[kǽnsəliŋ]: 과거 과분 canceled[kǽnsəld]
❶ (약속 따위)를 취소하다.
Mr. Brown *canceled* his order for the book. 브라운씨는 그 책의 주문을 취소하였다.
❷ (예정했던 행사 따위)를 중지하다, 그만두다.
The meeting was *canceled*.
그 회합은 중지되었다.

can·cer [kǽnsər] 명 복수
cancers [kǽnsərz]
《a 와 복수형 안 씀》 암.
She died of *cancer*.
그녀는 암으로 죽었다.

can·di·date [kǽndədèit] 명
복수 candidates[kǽndədèits]
후보자.
He is one of the *candidates* for President of the United States. 그는 미국 대통령 후보의 한 사람이다.

*can·dle [kǽndl] 명 복수
candles[kǽndlz]
양초.

light a *candle* 양초에 불을 켜다.
Tom blew out all fourteen
candles on his birthday
cake. 톰은 생일 케이크 위에 있는
14개 촛불 모두를 불어서 껐다.

[참고] 촛불은 오늘날에도 영미에서 교회의 예배나, 생일 축하용 케이크, 크리스마스 밤 따위에 많이 쓰인다. 생일 케이크의 위에는 나이와 같은 수의 촛불을 세우고, 소원을 말한 다음 단숨에 불어서 끄는 습관이 있다. 이런 형식은 우리 나라에서도 많이 행해지고 있다.

can·dle·stick [kǽndlstìk] 명
[복수] candlesticks[kǽndlstìks]
촛대.
Candlesticks are used to
hold candles. 촛대는 양초를
세우는 데 쓰인다.

can·dy [kǽndi] 명
[복수] candies[kǽndiz]
캔디, 과자. ▶영국에서는 sweets
라고 함.
Does he like *candy*?
그는 사탕을 좋아하느냐?
"May I have some *candy*,
Mom?" "All right, but only
one." 「엄마, 캔디를 먹어도 돼
요?」 「그래, 그러나 한 개만 먹어
라.」

[참고] 우리말의 「캔디」보다 그 범위가 넓어서, 알사탕, 초콜릿, 캐러멜 따위가 모두 포함된다.

can·dies [kǽndiz] 명
candy의 복수.

cane [kein] 명
[복수] canes[keinz]
❶ (대나무·사탕수수 등의) 줄기.
cane sugar 사탕수수 설탕.
❷ 지팡이(=walking stick). 회
초리, 매(=rod).
He walked with a *cane*. 그

는 지팡이를 짚고 걸었다.

can·not [kǽnɑt] 조 [과거]
could not[kud nɑt]
can의 부정형. ☞ can, can't
❶ …할 수 없다.
Betty *cannot* ride a bicycle.
베티는 자전거를 탈 줄 모른다.
❷ …일 리가 없다.
That *cannot* be true!
그것은 사실일 리가 없지!
cannot help doing …하지 않을
수 없다, …하지 않고는 못 견디다.
Tom *cannot* help going
there. 톰은 그 곳에 가지 않을
수 없다.
We *couldn't* help laughing
good. 우리는 크게 웃지 않을 수
없었다.

[어법] **cannot 과 can't**
"Can I watch TV?" "No,
you can not." 「TV를 봐도
됩니까?」 「아니, 보아서는 안
돼.」와 같이 not을 강조할 때
이외에는 한 단어인 cannot 을
쓴다. 구어에서는 단축형인
can't 를 많이 쓴다.

ca·noe [kənúː] 명
[복수] canoes[kənúːz]
카누, 마상이.
American Indians made
canoes for transport and
fishing. 아메리카 인디언은 수송
과 고기잡이를 위해 카누를 만들
었다.
He was a *canoe* racer.
그는 카누 경주자였다.

can't [kænt]
cannot의 단축형.

Sorry. I *can't* help you. 미안하지만, 도와줄 수 없다.

Tom *can't* skate at all. 톰은 전혀 스케이트를 탈 줄 모른다.

You can play the piano, *can't* you? 너는 피아노를 칠 수 있지, 그렇지?

You can drive a car, *can't* you? 너는 자동차를 운전할 수 있지, 안 그래?

어법 can't 는 구어로 자주 쓰인다. 특히 다짐할 때 사용하는 부가 의문인 경우는, cannot 이 아니라 can't 가 쓰인다.

---

can·vas [kǽnvəs] 명
복수 **canvases**[kǽnvəsiz]

❶ 《a 와 복수형 안 씀》 즈크 《대마·면 따위로 두껍고 튼튼하게 짠 천》.

She is wearing *canvas* shoes. 그녀는 즈크 신발을 신고 있다.

❷ 캔버스, 화포.

An oil painting is usually painted on a piece of *canvas*. 유화는 보통 캔버스에 그려진다.

can·yon [kǽnjən] 명 복수 **canyons**[kǽnjənz]

(깊은) 협곡.

The Grand *Canyon* is wonderful. 그랜드캐니언은 참으로 장관이다.

참고 the Grand Canyon은 미국의 애리조나(Arizona)주 북서부에 있는 대협곡. 콜로라도강

(Colorado River)이 고원을 가로질러 흐르는 곳에 형성되어 있다. 길이 약 350 km, 깊이 약 1,600 m 이다. 웅대한 절벽과 갖가지 색의 암석이 이루는 경관은 장대함의 극치를 이룬다.

cap [kæp] 명
복수 **caps**[kæps]

❶ (테 없는) 모자, 제모.

Dongho wears a *cap* when he goes to school. 동호는 학교에 갈 때 모자를 쓴다.

Policemen and mailmen wear *caps*. 경찰관과 우편 집배원은 제모를 쓴다.

참고 **cap** 과 **hat**
cap은 모자의 둥근 테가 없는 것. 학생모, 운동모 따위와 같이 앞에만 챙이 달린 것을 말한다. hat은 중절모, 실크 해트 따위처럼 둥근 테가 달린 모자를 말한다.

cap   hat

---

❷ (병·만년필 따위의) 뚜껑.

Keep the bottle *cap*. Don't throw it away. 병뚜껑을 보관하여라. 버리지 말고.

Where is the *cap* of my pen? 내 만년필 뚜껑이 어디 있을까?

ca·pa·ble [kéipəbəl] 형
유능한, 능력 있는; 할 수 있는.

Mr. Brown is a *capable* teacher. 브라운씨는 유능한 선생님이다.

be capable of …할 능력이 있다.

Susie *is capable of* this difficult work. 수지는 이 어려운 일을 할 능력이 있다.

He *is capable of* doing

better. 그는 더 잘 할 수 있다.

ca·pac·i·ty [kəpǽsəti] 몡

복수 **capacities**[kəpǽsətiz]

❶ 용량, 수용 능력.

The classroom has a *capacity* of 45 students. 그 교실은 학생 45 명을 수용할 수 있다.

❷ 능력, 재능.

He has a great *capacity* for learning. 그는 훌륭한 지적 능력을 갖고 있다.

cape [keip] 몡

복수 **capes**[keips]

곶, 갑.

A *cape* is a point of land extending into the water. 곶이란 바다[호수]로 뻗어나온 뾰족한 육지이다.

> 참고 갑 중에서 세계적으로 유명한 것은, 아프리카 남단에 있는 희망봉(the Cape of Good Hope)이다. 미국에 있는 갑으로는, 매사추세츠주(Massachusetts)의 남동부, 대서양으로 뻗어나온 케이프 코드(Cape Code)가 있다. 초기 영국 이주자가 살았던 곳으로 유명하다.

---

*cap·i·tal [kǽpitl] 몡 복수

capitals[kǽpitlz]

❶ 수도, 서울.

The *capital* of the United States is Washington, D.C. 미국의 수도는 워싱턴(디시)이다. London is the *capital* of Great Britain. 런던은 영국의 수도이다.

> 참고 수도로 불리는 곳이 한국에서는 서울뿐이나, 미국에는 각 주마다 capital 이 있다. 예를 들면 뉴욕주(New York)는 올버니(Albany[ɔ́:lbəni]), 캘리포니아주(California)는 새크라멘토(Sacramento [sæ̀krəméntou])가 state capital (주

의 주도)이다. 미합중국의 연방 정부가 있는 수도는 Washington, D.C.로, 이 곳은 특별구로서 어떤 주에도 속하지 않는다.

❷ 대문자 ((A, B, C, D, E 따위)) (=capital letter). ☞ letter

Write your name and address in *capitals*. 너의 이름과 주소를 대문자로 써라.

❸ ((a와 복수형 안 씀)) 자본.

The company has 100 million won as *capital*. 그 회사의 자본금은 1 억 원이다.

── 톙 주요한, 중요한; 대문자의.

the *capital* city 수도.

This is the *capital* point. 이것이 중요한 점이다.

cap·i·tal let·ter [kǽpitl létər] 몡

복수 **capital letters**[kǽpitl létərz]

대문자. ▶「소문자」는 small letter.

A *capital letter* is used to begin a sentence. 대문자는 문장을 시작할 때 쓰인다.

Cap·i·tol [kǽpitl]

미국의 국회 의사당.

The *Capitol* is the building in Washington, D.C., in which the United States Congress meets. 미국의 국회 의사당은, 미합중국 의회가 회의를 행하는 건물로 워싱턴에 있다.

> 참고 미국의 국회 의사당은 Capitol Hill이라는 언덕 위에 있기 때문에 the Capitol이라 불린다.

C

*cap·tain [kǽptin] 명 복수 captains[kǽptinz]

❶ 주장, 캡틴.

You are our team's *captain*.
네가 우리 팀 주장이다.

❷ 선장; (육군·공군) 대위; (해군) 대령.

The *captain* commands his ship. 선장은 그의 배를 지휘한다.
Captain Green was the last man to leave the ship.
그린 선장이 배를 떠난 최후의 사람이었다.

cap·ture [kǽptʃər] 타

3·단·현 captures [kǽptʃərz]: ing형 capturing [kǽptʃəriŋ]: 과거·과분 captured[kǽptʃərd]

…을 사로잡다, 잡다(=catch).

Jack *captured* butterflies with a net. 잭은 망으로 나비를 잡았다.

── 명 《a와 복수형 안 씀》 잡기, 포획, 나포.

They claimed the *capture* of the ship was against the law.
그들은 그 배의 나포는 위법이라고 주장하였다.

*car [kɑːr] 명 복수 cars[kɑːrz] ❶ 자동차, 승용차.

dirve a *car* 차를 운전하다.
Is this your *car*?
이것이 너의 자동차냐?
What a nice *car* this is!
이것은 아주 멋있는 차구나!

❷ (열차·전차 등의) 차량, 객차.

The train is made up of fifteen *cars*. 이 열차는 15량으로 연결되어 있다.
The last *car* of a train is safe. 열차의 마지막 차량은 안전하다.

*by car 자동차로, 차로.

He went there *by car*.
그는 차로 거기에 갔다. ▶교통 수단을 나타낼 때에는 car 앞에 a 나 the를 안 붙임.

참고 보통 일상 회화에서 car라 하면, 승용차의 의미로 사용된다. 자동차를 automobile이라고도 하나 일반적으로는 car가 흔히 쓰인다. 다만, truck, bus에는 car를 쓰지 않는다. 미국에서는 열차의 차량도 car라 하며, 침대차(sleeping car), 식당차(dining car), 화차(freight car) 따위가 있다. 이 외에 car에 관계가 있는 말로서 전차(streetcar, trolley car)도 암기하여 두면 좋다.

car·a·van [kǽrəvæn] 복수 caravans[kǽrəvænz]

(사막 지방 따위의) 대상.

A group of merchants traveling together through a desert is called a *caravan*.
사막을 함께 여행하는 상인들의 집단을 대상이라 부른다.

Many *caravans* in North Africa use camels.
북아프리카의 많은 대상들은 낙타를 이용한다.

car·bo·hy·drate [kɑ́ːrbou-háidreit] 명 복수 carbohydrates[kɑ̀ːrbou-háidreits]

탄수화물.

Bread and potatoes contain *carbohydrates*.
빵과 감자에는 탄수화물이 들어 있다.

car·bon [kɑ́ːrbən] 명

《a와 복수형 안 씀》 탄소.

*card [kɑːrd] 명 복수 cards[kɑːrdz]

❶ (긴 네모꼴의) 카드, 엽서, 명함; 초대장, 안내장.

a post*card* 우편 엽서.
a greeting *card* 축하장, 인사장.
a credit *card* 신용 카드.

a birthday *card* 생일 카드.
This is my *card*, Dr. Brown.
브라운 박사님, 저의 명함입니다.

> 참고 우리 나라에서도 연하장, 크리스마스 카드 따위를 서로 교환하지만, 영미인들은 크리스마스를 비롯하여 부활절(Easter)이나, 성(聖) 발렌타인데이 (St. Valentine's Day) 등에도 아름다운 카드를 교환한다. 또, 명함은 calling [visiting] card 또는 그냥 card 라고 한다. 우리는 처음 사람과 대면할 때 명함을 잘 교환하지만, 영미에서는 필요한 때 말고는 명함을 교환하지 않는다.

❷ 카드(패): 《복수형으로》 카드 놀이.
a pack of *cards* 카드 한 벌.
play *cards* 카드 놀이를 하다.

car·di·gan [ká:rdigən] 명

복수 **cardigans**[ká:rdigənz]
카디건 (앞을 단추로 채우는 스웨터).
Susie is wearing a pink *cardigan*. 수지는 분홍색 카디건을 입고 있다.

* **care** [kɛər] 명
복수 **cares**[kɛərz]
❶ 《a와 복수형 안 씀》 보호, 보살핌: 주의, 조심.
Handle with *care*.
취급 주의 《화물 따위에 씀》.
❷ 《a와 복수형 안 씀》 걱정: 《종종 복수형으로》 걱정거리.
She has a lot of *cares*.

그녀는 걱정거리가 많다.

care of …방, …전교. ▶ 편지에서, c/o라 약하여 주소에 씀.
Miss Betty Green, *c*/*o* Mr. Smith 스미스씨 방 베티 그린 양.

take care 주의하다, 조심하다.
Take care tonight when you drive. 오늘밤 운전할 때 주의해라.
Take care. 몸 조심해라 《미국에서 헤어질 때의 인사로 쓰임》.

* ***take care of*** …의 시중을 들다: …에 조심하다.
Young people today don't *take care of* their old parents. 요즘의 젊은이들은 그들의 늙은 부모를 돌보지 않는다.
I *take care of* the apple trees. 나는 사과나무를 돌본다.
Take good *care of* yourself. 몸조심해라.

── 자 [3·단·현] **cares**[kɛərz]: ing형 **caring**[kɛəriŋ]: 과거 과분 **cared**[kɛərd]

❶ 《care for로》 …의 시중을 들다, …을 돌보다, 보살피다.
The nurse *cared for* me when I was sick. 내가 아플 때, 저 간호사가 보살펴 주었다.
Betty will *care for* the baby. 베티가 아기를 돌봐 줄 것이다.
❷ 관심을 갖다: 《care about 로》 …에 마음을 쓰다, …을 걱정 [염려]하다.
I don't *care*.
나는 상관하지 않는다.
He *cares about* his work.
그는 자기 일에 마음을 쓰고 있다.
No one *cared about* his birthday. 아무도 그의 생일에 관심을 두지 않았다.
❸ 《보통 부정문·의문문에서 **care for**로》 원하다, 바라다, 좋아하다.
I don't *care for* dessert.
디저트는 원하지 않습니다.
Do you *care for* some coffee?
커피를 좀 드시겠습니까?

ca·reer [kəríər] 명
복수 careers[kəríərz]

❶ 경력, 생애.
a bright *career* as an engi-
neer 기사로서의 화려한 경력.
It is interesting to study
the *careers* of great men.
위인들의 생애를 조사하는 것은
재미있다.

❷ (전문적인) 직업.
He chose education for his
career. 그는 교육을 직업으로 선
택하였다.

***care·ful** [kέərfəl] 형
비교 more careful;
최상 most careful
주의 깊은, 조심성 있는(⇔care-
less 부주의한).
a *careful* driver 조심성 있는
운전자.
Betty is *careful*.
베티는 조심성이 있다.
Be *careful* not to drop the
vase. 꽃병을 떨어뜨리지 않도록
조심해라.
You should be more *careful*.
너는 좀더 조심해야 한다.
be careful of [*about*] …을 소중
히 하다, …에 주의하다.
He *is careful of* the rights
of others. 그는 남의 권리를 소
중히 여긴다.
You must *be careful about*
your health. 건강에 주의하여
야 한다.

***care·ful·ly** [kέərfəli] 부 **비교**
more carefully;
최상 most carefully
주의 깊게, 정성들여 (⇔care-
lessly 부주의하게).
Wash your hands very *care-
fully*. 손을 잘 씻어라.
Listen *carefully* to your
teacher. 선생님의 말씀을 주의
깊게 경청해라.

care·less [kέərlis] 형 **비교**
more careless;
최상 most careless

부주의한, 경솔한(⇔careful 주의
깊은).
a *careless* driver 부주의한〔조심
성 없는〕 운전자.
Sometimes she is quite *care-
less*. 때때로 그녀는 아주 부주의
하다.
I have made a *careless* mis-
take. 나는 경솔한 실수를 저지르
고 말았다.

care·less·ly [kέərlisli] 부
비교 more carelessly;
최상 most carelessly
부주의하게, 되는 대로(⇔care-
fully 주의 깊게).
She *carelessly* left her purse
behind. 그녀는 경솔하게도 돈지
갑을 놓고 왔다.

care·less·ness [kέərlisnis] 명
《a와 복수형 안 씀》 부주의, 소홀.
His *carelessness* caused
the accident. 그의 부주의로 그
사고가 일어났다.

car·go [ká:rgou] 명 **복수** cargoes 또는
cargos[ká:rgouz]
(배·비행기의) 짐, 화물.
a *cargo* boat 화물선.
A *cargo* of rice is still in
the ship's hold. 쌀의 화물은
아직 그 배의 화물창에 있다.

car·na·tion [ka:rnéiʃən] 명
복수 carnations[ka:rnéiʃənz]
카네이션.
The bridegroom wore white
carnations in his breast
pocket. 신랑은 흰 카네이션을 그
의 가슴에 달고 있었다.

참고 「어머니날」과 카네이션
미국에서는 5월의 둘째 일요일
이 어머니날(Mother's Day)이
다. 이 날에는 어머니 은혜에
대한 감사의 표시로, 어머니가
살아 계시면 빨간 카네이션을,

어머니를 여읜 사람은 흰 카네이션을 가슴에 단다.

car·ni·val [káːrnəvəl] 명

복수 carnivals [káːrnəvəlz]
❶《a와 복수형 안 씀》**사육제, 카니발.**

참고 사육제는 기독교의 신앙에 바탕을 두고 있는 것으로 주로 가톨릭 교도가 경축하는 축제이다. 부활절(Easter) 전, 예수가 황야에서 고행한 40일간을 추모하기 위해, 육식을 끊고 참회를 하는데, 사육제는 이를 실시하기 전 3일 또는 일 주일 동안 치러진다. 마음껏 먹고, 마시고, 노래 부르고 춤추면서 떠들썩한 잔치를 벌인다.

❷ **축제,** (스포츠의) **제전.**
a winter *carnival* 겨울의 제전.

참고 우리 나라에서는 carnival 이 사육제보다는 ❷와 같은 의미로 사용되는 경우가 많다.

car·ol [kǽrəl] 명

복수 carols [kǽrəlz]
축가, (크리스마스의) **기쁨의 노래, 캐럴.**
They celebrate Christmas by singing *carols.* 그들은 캐럴을 부르며 크리스마스를 축하한다.

참고 Christmas carols
현재 carol은 크리스마스 캐럴이라는 뜻으로 흔히 쓰인다. 우리 나라에서는 「고요한 밤」과 같은 예수의 탄생을 축복하는 노래 따위가 많다. 크리스마스

전야에는, 교회의 성가대가 크리스마스 캐럴을 부르며 시가를 행진한다.

car·pen·ter [káːrpəntər] 명

복수 carpenters [káːrpəntərz]
목수.
a *carpenter's* shop 목공소.
Mr. Green is a very good *carpenter.* 그린씨는 매우 솜씨 좋은 목공이다.
Five hundred *carpenters* worked day and night. 오백 명의 목수가 밤낮으로 일했다.

car·pet [káːrpit] 명 복수 carpets [káːrpits]
융단, (마루 따위에) **까는 자리, 카펫.**
a thick *carpet* 두꺼운 융단.
The Browns had a new *carpet* put on the living room floor. 브라운씨 댁에서는 거실의 마루에 새 융단을 깔았다.

참고 carpet 과 rug
둘 다 마루에 까는 자리이나, carpet은 방안의 구석구석까지 전부 까는 것이고, rug는 부분적으로, 침대나 난로의 옆 따위에 까는 것을 말한다. 유럽과 미국의 가정에서는, 융단이 우리 나라의 장판과 같은 역할을 한다.

car·riage [kǽridʒ] 명 복수 carriages [kǽridʒiz]
마차《자가용의 네 바퀴 마차》; **유모차; 차, 탈것.**

a close [an open] *carriage* 유개[무개] 마차.
a first-class *carriage* 일등 칸.

That *carriage* is being pulled by two beautiful horses.
그 마차는 아름다운 두 마리의 말이 끌고 있다.
He pushed the baby *carriage* around the park. 그는 공원에서 유모차를 밀며 걸었다.

car·ried [kǽrid] 〔통〕

carry 의 과거 · 과거 분사.

car·ri·er [kǽriər] 〔명〕

〔복수〕 **carriers** [kǽriərz]
❶ 운반하는 사람〔것〕, 여객기.
a postal *carrier* 우편 배달원.
❷ 보균자〔물〕, 전염병 매개체《모기 · 파리 따위》.
He is an AIDS[eidz] *carrier*.
그는 에이즈 보균자이다.

car·ries [kǽriz] 〔통〕

carry 의 3인칭 · 단수 · 현재.

car·rot [kǽrət] 〔명〕

〔복수〕 **carrots** [kǽrəts]
당근.
My rabbits want some *carrots*. 내 토끼는 당근을 먹고 싶어한다.

**car·ry [kǽri] 〔타〕

〔3·단·현〕 **carries** [kǽriz] ;
〔ing형〕 **carrying** [kǽriiŋ] ; 〔과거〕
〔과분〕 **carried** [kǽrid]
❶ …을 운반하다, 갖고 가다.
Can you *carry* the box? 너는 그 상자를 운반할 수 있느냐?
Will you help me *carry* them? 나를 도와 그것들을 좀 운반해 주겠느냐?
On his back he was *carrying* an A-frame[éifréim]. 그는 등에 지게를 지고 있었다.
❷ …을 갖고 있다, 휴대하다, 지니다.
In England, the policemen *carry* no guns. 영국에서는 경찰관들이 권총을 휴대하지 않는다.
I never *carry* much money with me. 나는 결코 많은 돈을

가지고 다니지 않는다.

carry away 빼앗아 가다, 가져가다.
All the chairs and tables were *carried away* from this room. 이 방에서 의자와 책상을 모두 가져 갔다.
Many bridges were *carried away* by the flood. 많은 다리가 홍수에 떠내려 갔다.

carry out 실행하다, 이룩하다.
I must *carry out* what I planned. 나는 계획한 것을 실행해야만 한다.

cart [ka:rt] 〔명〕

〔복수〕 **carts** [ka:rts]
(두 바퀴의) 마차, 손수레.
drive a *cart* 짐마차를 몰다.
The farmers used *carts* to carry produce to town. 농부들은 농산물을 도시로 운반하는데 마차를 사용하였다.
He pushed the shopping *cart* through the aisle of the supermarket. 그는 슈퍼마켓의 통로를 쇼핑용 손수레를 밀면서 다녔다.

〔참고〕 **cart** 와 **wagon**
cart 는 두 바퀴의 화물용 수레로 말이 끌거나 사람이 밀거나 하며 짐을 운반하는 데 사용한다.
wagon 은 대형 네 바퀴 짐마차로 두 필 이상의 말이 끈다.

car·ton [ká:rtən] 〔명〕

〔복수〕 **cartons** [ká:rtənz]
(두꺼운 종이의) 용기.
a *carton* of milk 우유 한 곽.
a *carton* of cigarettes 담배 한 포 《보통 10갑들이 한 상자》.

car·toon [ka:rtú:n] 〔명〕 〔복수〕
cartoons [ka:rtú:nz]

시사 풍자 만화《대개는 한 컷》; 연
재 만화(=comic strip).
a political *cartoon* 정치 만화.

car·toon·ist [kɑːrtúːnist] [ka/rtúːnist]
명
복수 **cartoonists** [kɑːrtúːnists]
만화가.
a famous *cartoonist* 유명한
만화가.

carve [kɑːrv] 타
3·단·현 **carves** [kɑːrvz];
ing형 **carving** [káːrviŋ]; 과거
과분 **carved** [kɑːrvd]
❶ (고기)를 베다, 자르다, 베어
나누다.
Mr. Brown *carved* meat for
the guests. 브라운씨는 손님들
에게 고기를 베어 나눴다.
❷ …을 새기다, 조각하다.
Jim *carved* his name on a
tree. 짐은 그의 이름을 나무에 새
겼다.

> 주의 carve 는 curve [kəːrv] (구
> 부러지다)와 발음, 철자, 의미
> 따위를 혼동하지 않도록 주의.

case¹ [keis] 명
복수 **cases** [kéisiz]
❶ 경우, 사정, 입장, 상태.
in some *cases* 어떤 경우에는.
in most *cases* 대부분의 경우
에는.
in that *case* 그런 경우에는.
I don't exactly know what
problem his *case* presents.
나는 그의 경우가 어떤 문제를 일
으킬는지 정확히 모른다.
❷ 사건.
There were six *cases* of fire
yesterday. 어제는 6건의 화재가
있었다.
He confessed, and the
murder *case* was closed.
그의 자백으로, 살인 사건이 해결
되었다.
❸ (영문법의) 격.
in any case 어떤 경우에도, 하여

튼, 어쨌든.
You must do it yourself *in
any case*. 어쨌든 너는 그것을
네 자신이 하지 않으면 안 된다.
In any case we should
attend the meeting. 어떤 경
우에도 우리는 그 회의에 참석해
야 한다.
in case of …의 경우에, …이면.
In case of rain, there will
be no picnic. 비가 오면, 피크
닉은 없을 것이다.

case² [keis] 명
복수 **cases** [kéisiz]
상자(=box), 케이스.
a pencil *case* 필통.
He buys beer by the *case*.
그는 맥주를 상자로 산다.

cash [kæʃ] 명
《a와 복수형 안 씀》현금.
a *cash* register 금전 등록기.
I paid in *cash*.
나는 현금으로 지불했다.

> 참고 은행에서 현금 출납을 하
> 는 사람, 상점에서 대금을 받는
> 사람은 cashier [kæʃíər]이다.
> 영미의 은행, 백화점, 식당 등
> 에는 현금 출납 계원이 있는 곳
> 은 누구에게나 알 수 있도록
> "CASHIER"라 표시하고 있다.
> cash register는 cashier 가
> 사용하는 기계다.

―― 타 3·단·현 **cashes** [kǽʃiz];
ing형 **cashing** [kǽʃiŋ]; 과거 과분
cashed [kæʃt]
…을 현금으로 바꾸다.
He *cashed* a $100 check.
그는 100달러짜리 수표를 현금으
로 바꿨다.

cas·sette [kæsét] 명 복수
cassettes [kæséts]
(녹음·녹화용의) 카세트.

cast [kæst] 타 3·단·현 **casts**
[kæsts]; ing형 **casting**
[kǽstiŋ]; 과거 과분 **cast** [kæst]
❶ …을 던지다.

Jim *cast* a fishing line into the water. 짐은 낚싯줄을 물 속으로 던졌다.

They *cast* their votes for Mr. Brown. 그들은 브라운씨에게 투표하였다.

❷ (배우)에게 역을 맡기다; (극 따위)를 배역하다.

Our teacher has *cast* Tom as Hamlet in the school play. 우리 선생님은 학교 연극에서 햄릿역을 톰에게 맡겼다.

── 명 복수 **casts**[kæsts] 배역.

This movie has an all-star *cast*. 이 영화에는 인기 배우들이 총출연한다.

***cas·tle** [kǽsl] 명
복수 **castles**[kǽslz]

성곽, 성.

There are many old *castles* in Europe. 유럽에는 옛 성이 많이 있다.

An Englishman's house is his *castle*. 《속담》 영국 사람에게 가정은 그의 성곽이다.

▶ 영국의 속담으로, 개인의 가정은 아무도 범할 수 없다는 뜻. 영미인은 가정 생활을 소중히 여겨 남의 간섭을 허용하지 않음.

참고 우리 나라의 성(=성벽)과 유럽의 성(=성곽)은 그 구조가 다르다. 영어에서는 「성벽」을 rampart[rǽmpɑːrt], 「성곽」은 castle이라고 한다.

castle

cas·u·al [kǽʒuəl] 형
❶ 우연한, 뜻하지 않은, 뜻밖의.

die a *casual* death 뜻하지 않은 죽음을 당하다.

Our *casual* meeting developed into friendship. 우리는 우연한 만남으로 우정을 맺게 되었다.

We had a *casual* visitor this morning. 오늘 아침 뜻밖의 방문객이 있었다.

❷ 무심결의, 생각나는 대로의; 무(관)심한, 변덕스러운.

a *casual* air 무심한 태도.

She sometimes makes *casual* remarks. 그녀는 때때로 생각나는 대로의 의견을 말한다.

He's a *casual* sort of person. 그는 변덕쟁이다.

❸ (옷 따위가) 약식의, 평상시에 입는.

casual wear 평상복.

***cat** [kæt] 명
복수 **cats**[kæts]

고양이.

My sister has two *cats*. 나의 누이는 고양이를 두 마리 기르고 있다.

When the *cat* is away the mice will play. 《속담》 고양이가 없을 때는 쥐가 날뛴다 《범 없는 골에는 토끼가 스승이다》.

참고 영미에서 고양이는 개와 함께 사람에게 사랑을 받는 동물. cat은 성장한 고양이이고, 새끼 고양이는 kitten이다. 고양이의 울음 소리는 mew[mjuː] 또는 meow[miːáu].

cat·a·log [kǽtəlɔ̀ːg] 명
복수 **catalogs**[kǽtəlɔ̀ːgz]

목록, 카탈로그.

I'm writing a letter to ask for a *catalog* of new books. 나는 신간 서적 목록을 청구하기 위해 편지를 쓰고 있다.

cat·a·logue [kǽtəlɔ̀ːg] 명
=catalog.

*catch [kætʃ] 타
3·단·현 **catches** [kǽtʃiz];
ing형 **catching** [kǽtʃiŋ]; 과거
과분 **caught** [kɔːt]

❶ …을 붙들다, 잡다.
The police *caught* the thief.
경찰은 도둑을 붙들었다.
Tom went out to *catch*
some fish. 톰은 물고기를 잡으
러 나갔다.
Jack *caught* my arm. =Jack
caught me by the arm.
잭은 나의 팔을 잡았다.

❷ (질병 따위)에 걸리다.
I have *caught* cold.
나는 감기에 걸렸다.
❸ (열차·버스 따위)의 시간에 대
다, …에 타다.
Mr. Han couldn't *catch* the
train. 한씨는 열차 시간에 댈 수
없었다.
❹ …을 알아듣다, 알다(=under-
stand).
Betty couldn't *catch* what
he said. 베티는 그의 말을 알아
들을 수 없었다.
be caught in (비·소나기 따위)
를 만나다.
Tom *was caught in* a show-
er and got wet through. 톰은
소나기를 만나서 흠뻑 젖었다.
catch up with …을 따라잡다; …
을 쫓아가다.
Soon he *caught up with* her.
그는 곧 그녀를 따라잡았다.
Work really hard to *catch
up with* the school lessons.
학교 수업을 따라 가기 위해 정말
로 열심히 공부하여라.
── 명 복수 **catches** [kǽtʃiz]

❶ 붙잡음; (야구 따위에서) **포구**,
캐치.
That's a good *catch*.
참 멋진 캐치다.
I see a lot of fish, so I
think we're going to have a
big *catch*. 물고기가 많은 것을
보니, 많이 잡으리라 생각한다.
❷ 《a와 복수형 안 씀》 **캐치볼**
《공던지기 놀이》.
We often played *catch*.
우리는 자주 캐치볼을 하였다.

catch·er [kǽtʃər] 명 복수
catchers [kǽtʃərz]
캐처, 포수. ☞ baseball
Tom is the *catcher* on his
baseball team. 톰은 그가 소속
한 야구 팀의 포수다.

ca·the·dral [kəθíːdrəl] 명
복수 **cathedrals** [kəθíːdrəlz]
(가톨릭·영국 국교회 등의) **대성
당**《주교(bishop)의 법좌(法座)가
있는 감독 관구의 성당을 말함》.
I saw a large *cathedral*
there. 거기서 나는 큰 대성당을
보았다.

참고 영국이나 유럽 대륙에는
예부터 있는 유명한 대성당 몇
개가 있다. 그 중 특히 잘 알려
진 성당을 들어보면, St. Paul's
[sèint pɔ́ːlz] (런던), Notre
Dame [nòutrədáːm] (파리), St.
Peter's [sèintpíːtərz] (로마) 등
이다.

cathedral

Cath·o·lic [kǽθəlik] 형
가톨릭의, 구교의.
The Pope is the head of the Roman *Catholic* Church.
교황은 로마 가톨릭 교회에서 가장 높은 사람이다.
── 명 복수 **Catholics**[kǽθəliks]
가톨릭 교도.
Jack is a *Catholic*.
잭은 가톨릭 교도이다.

> 참고 가톨릭 교회는 로마 교황을 최고 지도자로 하는 기독교의 일파로, 종교 혁명에 의하여 생겨난 신교에 대해 구교라 불린다. 기독교 가운데에서는 신도의 수가 가장 많으며, 이탈리아, 프랑스, 스페인, 포르투갈 등의 라틴계 국가에 신자가 많다. 신교에 비하면 의식을 중히 여기고, 성모 마리아를 예수의 어머니로 숭배하는 것이 특징이다.

cat·tle [kǽtl] 명
《복수 취급》 소; 가축.
The *cattle* are eating grass.
소가 풀을 뜯고 있다.

> 참고 cattle 은 소, 양, 염소, 돼지 따위의 가축을 말하나, 특히 소에 사용되는 경우가 많다.
> 어법 **cattle**을 세는 법
> 보통 cattle 은 소의 떼를 가리키므로 복수로 취급하며, 소 한 마리만을 말하는 경우에는 쓰이지 않는다. 마리 수를 말할 경우에는 a head of cattle(한 마리), two head of cattle(두 마리), three head of cattle(세 마리)과 같이 head 를 써서 나타낸다. 이 경우, head는 단수, 복수가 같은 형임.

***caught** [kɔːt] 동 **catch** 의 과거·과거 분사.
He was *caught* in a storm.
그는 폭풍을 만났다.
A fireman *caught* her.

한 소방수가 그녀를 붙들었다.

***cause** [kɔːz] 타
③·단·현 **causes**[kɔːziz]:
ing형 **causing**[kɔːziŋ]: 과거 과분
caused[kɔːzd]
❶ …의 원인이 되다, (사고·질병·문제 따위)를 일으키다.
That man almost *caused* an accident. 저 사람이 사고를 일으킬 뻔했다.
The fire was *caused* by a lighted cigarette. 그 화재는 담뱃불이 원인이었다.
❷ 《cause ... to do로》 …을 ~하게 하다.
Steam *causes* the engine to work. 증기는 엔진을 움직이게 한다.
── 명 복수 **causes**[kɔːziz]
❶ 원인(⇔ effect 결과): 까닭, 이유.
A lighted match was the *cause* of the big fire.
불이 붙은 성냥 한 개비가 그 큰 화재의 원인이었다.
I have no *cause* to complain. 나는 불평할 이유가 없다.
❷ 주의; 목적.
She works for the *cause* of world peace. 그녀는 세계 평화를 위해 노력하고 있다.

caus·ing [kɔːziŋ] 동
cause의 -ing형.

cau·tion [kɔːʃən] 명
《a와 복수형 안 씀》
조심, 신중.
You should cross a busy street with *caution*. 혼잡한 거리를 건널 때는 조심해야 한다.

CAUTION
DANGEROUS DROP
KEEP OFF WALL

낙하물 주의 표지

cave [keiv] 몡
     복수 **caves** [keivz]
굴, 동굴.
The thieves carried the bags into the *cave*. 도둑들이 자루를 동굴로 가지고 들어갔다.

cave·man [kéivmæn] 몡
복수 **cavemen** [kéivmèn]
(석기 시대의) 동굴 주거인.
There were *cavemen* in the Stone Age. 석기 시대에는 동굴 주거인이 있었다.

cave·men [kéivmèn] 몡
caveman 의 복수.

cav·ern [kǽvərn] 몡   복수
     caverns [kǽvərnz]
큰 동굴.
Jim went to a famous *cavern* today. 짐은 오늘 유명한 큰 동굴에 갔다.

CD [síːdíː] 몡
시디. ➤ compact *disc*의 약자.

CD-ROM [síːdiːrám] 몡
복수 **CD-ROMs** [síːdiːrámz]
시디롬.
A single *CD-ROM* can hold more than 650 megabytes of data.
시디롬 한 장에는 650 메가바이트 이상의 자료를 저장할 수 있다.

cease [síːs] 동 3·단·현 **ceases**
[síːsiz] ; ing형 **ceasing**
[síːsiŋ] ; 과거 과분 **ceased** [siːst]
자 그치다, 끝나다.
We shall go when the rain *ceases*. 우리는 비가 그치면 갈 거다.
── 타 …을 그만두다, 멈추다.
Cease fire! 《구령》 사격 중지.
The magazine *ceased* publication. 그 잡지는 폐간되었다.

***ceil·ing** [síːliŋ] 몡
복수 **ceilings** [síːliŋz]
천장. ☞ floor(마루)

The *ceiling* of my room is very high. 내 방의 천장은 매우 높다.

cel·e·brate [séləbrèit] 타
3·단·현 **celebrates** [séləbrèits] :
ing형 **celebrating** [séləbrèitiŋ] :
과거 과분 **celebrated** [séləbrèitid]
…을 축하하다, (축하식 따위)를 거행하다.
Americans *celebrate* Independence Day on July 4th every year. 해마다 7월 4일에 미국 사람들은 독립 기념일을 경축한다.

┌─────────────────────────────┐
│ 참고 **celebrate**와 **congratulate**
│ 우리말에서는 모두 「축하하다」 란 뜻이나, congratulate 는 사람을 축하할 때, 즉 결혼, 어린애의 탄생, 입학, 졸업, 취직 따위에서 그 사람을 축하하는 뜻으로 쓰인다. celebrate 는 행사, 축하식 따위를 실시하여 축하한다는 뜻으로 쓰인다.
└─────────────────────────────┘

cel·e·bra·tion [sèləbréiʃən] 몡
복수 **celebrations** [sèləbréiʃənz]
❶ 《a와 복수형 안 씀》 축하.
❷ 축하회, 축전.
John is having a birthday *celebration* today. 존은 오늘 생일 축하회를 연다.
in celebration of …을 축하하여.
We marched down the Main Street *in celebration of* the victory of our baseball team. 우리는 야구 팀의 승리를 축하하여 큰 거리를 행진했다.

cell [sel] 몡
복수 **cells** [selz]
❶ 작은 방, (형무소의) 독방.
There are several *cells* in the city prison. 이 시의 교도소에는 여러 개의 독방이 있다.
❷ (벌집의) 구멍.

Bees store honey in their *cells*. 꿀벌은 벌집의 구멍에 꿀을 저장한다.

❸ (생물의) 세포.
The human body has many *cells*. 인간의 몸에는 많은 세포가 있다.

❹ 전지.
Tom bought two dry *cells* for his flashlight. 톰은 회중 전등에 사용할 건전지를 2개 샀다.

cel·lar [sélər] 명
[복수] **cellars** [sélərz]
움, 지하실, 지하 저장고.
A *cellar* is often used for storing food and fuel.
지하실은 음료, 연료 따위의 저장 실로 자주 사용된다.

cel·lo [t∫élou] 명
[복수] **cellos** [t∫élouz]
첼로.
Mr. Brown plays the *cello* very well. 브라운씨는 첼로를 아 주 잘 켠다.

cel·lo·phane [séləfein] 명
《a와 복수형은 안 씀》 셀로판.
He tore off the *cellophane*.
그는 셀로판을 잡아떼었다.

cell phone [sél fòun] 명
=cellular phone.

cellular phone [séljələr fóun] 명
[복수] **cellular phones** [séljələr fóunz]
(셀 방식의) 휴대폰, 휴대전화.
Using *cellular phones* while driving is dangerous. 운전을 하는 동안에 휴대전화를 사용하는 것은 위험하다.

****ce·ment** [simént] 명
《a와 복수형 안 씀》 시멘트.
Cement is mixed with sand and water to make concrete.
시멘트는 콘크리트를 만들기 위하

여 모래, 물과 혼합된다.
── 타 [3·단·현] **cements** [siménts] ;
[ing형] **cementing** [siméntiŋ] ; [과거]
[과분] **cemented** [siméntid]
…을 시멘트로 굳히다, 고착시키다.
The boy *cemented* the wheels on the toy car he was building. 소년은 만들고 있는 장난감 자동차에 바퀴를 결합시켰다.

cem·e·ter·y [sémətèri] 명
[복수] **cemeteries** [sémətèriz]
(교회에 부속되지 않은) 묘지, 공 동 묘지. ☞ churchyard

****cent** [sent] 명
[복수] **cents** [sents]
센트, 1 센트 주화.
"How much is it?" "It's two dollars and fifty *cents*."
「얼마입니까?」「2 달러 50 센트입 니다.」
"What's a ten-*cent* coin called?" "Dime." 「10 센트 주화 를 무엇이라고 하느냐?」「다임이 라고 한다.」

[참고] cent 는 미국, 캐나다, 오 스트레일리아 등지에서 쓰이는 화폐의 단위로, 1 달러의 100 분 의 1이다. 센트를 단위로 하는 화폐에는 1 센트 주화, 5 센트 주화, 10 센트 주화, 25 센트 주 화, 50 센트 주화가 있다. 이상 의 화폐 가운데서 5 센트 10 센 트, 25 센트, 50 센트는 백동화 (白銅貨)이다. 센트의 기호는 ¢ 로서 다음과 같이 쓰인다. one cent, 1¢ / five cents, 5 ¢ / ten cents, 10¢. ☞ coin

****cen·ter** [séntər] 명 [복수]
centers [séntərz]
❶ 중심, 복판, 중앙.
It was a big room with a large table in the *center*.
그것은 중앙에 큰 테이블이 있는 큰 방이었다.

A truck crossed the *center* line. 트럭이 중앙선을 넘었다.

비슷한 말 **center** 와 **middle**
middle 은 시간과 장소에 두루 쓰이나 center 는 장소에만 쓰인다. center 는 middle 보다 더 엄격한 중심을 나타낸다.

❷ 중심지.
The port city is becoming a new *center* of foreign trade. 이 항구 도시는 해외 무역의 새로운 중심지가 돼가고 있다.
I wonder where the shopping *center* is around here. 이 근처에는 어디에 쇼핑 센터가 있는지 모르겠다.
❸ (야구·축구 따위에서) **센터, 중견수**.
I'm a *center* fielder. 나는 중견수이다.
▶ 영국에서는 centre 로 씀.
☞ 휑 central

cen·ti·grade [séntəgrèid] 휑
섭씨의; 백분도의.
a *centigrade* thermometer 섭씨 온도계[한란계].

참고 **1.** 영미에서는 화씨를 쓴다. ☞ Fahrenheit(화씨의).
2. centigrade 는 C 로 약함.
30℃ (=thirty degrees centigrade).

cen·ti·me·ter [séntəmìːtər] 휑
복수 **centimeters** [séntəmìːtərz]
센티미터.
He's 150 *centimeters* tall. 그는 키가 150 센티미터이다.
I'm taller than my mother by two *centimeters*. 나는 어머니보다 2 센티미터 더 크다.

참고 영미에서는 피트(foot)와 인치(inch)를 쓰며, 미터법은

별로 쓰지 않는다. 1 피트는 12 인치로 약 30.5 센티미터. 1 인치는 약 2.5 센티미터이다.

▶ 영국에서는 centimetre 로 씀.

cen·ti·pede [séntəpìːd] 휑
복수 **centipedes** [séntəpìːdz]
지네.
She was bitten by a *centipede*. 그녀는 지네에 물렸다.

cen·tral [séntrəl] 휑
중심의, 중앙부의; 중요한.
Central Europe 중부 유럽.
the *central* figure of a drama 연극의 중심 인물.
Seoul is in the *central* part of the mainland of Korea. 서울은 한국 본토의 중앙부에 있다.
What was the *central* idea in today's lesson? 오늘 수업의 요점은 무엇이었느냐?
☞ 휑 center

Cen·tral A·mer·i·ca

[séntrəl əmérikə] 휑
중앙 아메리카.
☞ North America(북아메리카).
South America(남아메리카)

Cen·tral Park [séntrəl pɑːrk] 휑

센트럴 파크.

참고 뉴욕시의 중앙에 있는 유명한 큰 공원으로, 동서 0.8 km, 남북 4 km의 직사각형을 이루고 있으며, 보트를 탈 수 있는 큰 연못도 있다. 울창한 숲, 산책길, 음악당 따위도 있어 서민들이 애호하는 장소이다.

cen·tu·ries [séntʃuriz] 휑
century 의 복수.

*cen·tu·ry [séntʃuri] 휑

C

복수 **centuries**[séntʃuriz]
1 세기《100년》.
We all live in the twenty-first *century*. 우리는 모두 21 세기에 살고 있다.
Perhaps by the middle of the 21st *century*, people will have robot servants. 아마 21 세기 중엽까지는 사람들이 로봇 하인을 갖게 될 것이다.

> 주의 20 세기라고 할 경우 the twentieth century, 21세기는 twenty-first century 라고 함에 주의.

ce·re·al [síəriəl] 명 복수
cereals[síəriəlz]
《종종 복수형으로》 **곡물**(밀·쌀·옥수수 따위); 《a와 복수형 안 씀》 (아침 식사용의) 곡류 가공 식품《오트밀·콘플레이크스 등》.
They had *cereal* and orange juice for breakfast. 그들은 아침 식사로 곡류 가공 식품과 오렌지 주스를 먹었다.

cer·e·mo·ny [sérəmòuni] 명
복수 **ceremonies**[sérəmòuniz]
식(式), 의식.
a wedding *ceremony* 결혼식.
a master of *ceremony* 사회자.
▶ M.C., emcee[émsíː]라 약함.
Did you have an opening *ceremony*? 너는 개학식을 했니?

*****cer·tain** [sə́ːrtən] 형
비교 **more certain**;
최상 **most certain**
❶ 《명사 앞에서》 **어떤**, **일정한**.
A *certain* man came to see you. 어떤 이가 너를 만나러 왔다.
There are *certain* books I want to read. Will you help me find them? 읽고 싶은 책이 몇 권 있는데, 함께 찾아 주시겠니까?
❷ **확실한**, **틀림없는**(=sure); 《be certain to do 로》 틀림없이 …하

다.
It's *certain* that one and one make two. 1 더하기 1이 2 인 것은 확실하다.
He *is certain to* come.=It is *certain* that he will come. 그는 틀림없이 온다.
❸ 《be certain of/ be certain that ... 으로》 …을 확신하고 있다.
I *am certain of* success. 나는 성공을 확신한다.
I'*m certain that* she'll come. 나는 그녀가 꼭 오리라고 믿는다.

*****cer·tain·ly** [sə́ːrtənli] 부 비교 **more certainly**;
최상 **most certainly**
❶ **확실히**, **반드시**(=surely).
I *certainly* met George last Saturday. 나는 확실히 지난 토요일에 조지를 만났다.
They will *certainly* come back. 그들은 반드시 돌아올 것이다.
❷ 《대답으로 쓰여》 **그럼요**, **물론이죠**, **그러고 말고요**.
"Will you ask him to call me?" "*Certainly*."
「나에게 전화하라고 그에게 전해 주겠느냐?」「그러고 말고요.」

> 회화 **Certainly.** 「그럼요.」
> 상대방의 요청이나 물음에 대하여 「좋다」고 할 때 쓰는 정중한 말투다. 친구끼리나 허물없는 사이의 회화에서는 Sure., OK., All Right. 따위를 쓴다.
> A : May I use your telephone?
> B : *Certainly*.
> 「전화 좀 쓸까요?」「좋고 말고요」

cer·tif·i·cate [sərtífəkit] 명

복수 **certificates** [sərtífəkits]
증명서.
He holds a teacher's *certifi-cate*. 그는 교사 자격증이 있다.

cf. [kəmpέər]
비교하라, 참조하라.
cf. p. 55, 55 페이지 참조.
cf. certain, certain 과 비교하라.

> 참고 cf.는 「비교하다, 참조하다」라는 뜻의 confer[kənfəːr] 의 약어로서 자주 쓰인다. 읽는 법은 [síːéf]라 읽거나, confer 라 읽어도 좋으나, compare 라 읽는 것이 일반적이다.

chain [tʃein] 명
복수 **chains** [tʃeinz]
❶ 사슬.
Susie forgot to put the *chain* on the dog. 수지는 개를 사슬로 매는 것을 잊었다.
They took off the *chains*. 그들은 사슬을 풀었다.
❷ 연쇄, 일련.
You can see a *chain* of mountains to the west.
서쪽으로 하나의 산맥이 보인다.
in chains 사슬로 묶어서, 감옥에 갇혀서,
Columbus was sent back to Spain *in chains*. 콜럼버스는 쇠사슬에 묶여서 스페인으로 송환되었다.
── 타 3·단·현 **chains** [tʃeinz]; ing형 **chaining** [tʃéiniŋ]; 과거 과분 **chained** [tʃeind]
…을 사슬로 매다.
Tom *chained* his dog to a tree. 톰은 개를 사슬로 나무에 매었다.

chain store [tʃéin stɔːr] 명
복수 **chain stores** [tʃéin stɔːrz]
연쇄점《통일된 경영 방침으로 경영되는 소매점의 하나》.

chair [tʃɛər] 명
복수 **chairs** [tʃɛərz]
의자. ➤ 등받이가 있는 1인용 의자로, 팔걸이가 있는 것도 포함됨.
Bill has a desk and (a) *chair*. 빌은 책상과 의자를 갖고 있다.
Joyce is cleaning the *chairs*. 조이스는 의자들을 청결히 하고 있다.

> 참고 의자의 종류
> 의자에는 다음과 같은 여러 종류가 있다. armchair 안락 의자, bench(나무 또는 돌로 만든) 긴 의자, sofa 소파《털썩 앉아서 쉴 수 있는 긴 안락 의자》, stool 걸상《등이 없는 의자》. 팔걸이가 없는 보통 의자에 앉아 있을 때는, I am sitting *on a chair*.라고 on을 사용하고, 팔걸이가 있는 의자에 앉아 있을 경우는, I am sitting *in a chair*.라고 in을 쓴다.

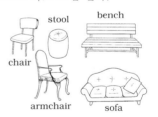

stool bench
chair
armchair sofa

chair·man [tʃέərmən] 명
복수 **chairmen** [tʃέərmən]
의장, 위원장, 사회자.
We elected Jack *chairman*. 우리는 잭을 의장으로 선출하였다.
The club members chose Tom *chairman* of the day's meeting. 클럽 회원들은 톰을 그날의 회의 의장으로 선출하였다.

> 회화 Mr. 〔Madam〕 Chairman.
> 「의장」
> 호칭으로 쓸 때에 남자는 Mr.

C

Chairman, 여자는 Madam Chairman 이라고 한다. 최근에는 남녀의 구별이 없이 Chairperson [tʃέərpə̀:rsn] 을 많이 쓴다.
A : *Mr. Chairman*, I have a comment.
B : Yes, Mr. Smith. Go ahead.
「의장, 의견 있습니다.」
「예, 스미스씨. 말씀하세요.」

* **chalk** [tʃɔ:k] 명
《a와 복수형 안 씀》 분필.
Bring me a piece of *chalk*, Susie. 수지, 분필을 한 개 갖다 다오.
I need two pieces of *chalk*, red and white. 나는 빨강과 흰색, 두 개의 분필이 필요하다.

어법 chalk 를 세는 법
chalk 는 셀 수 없는 명사의 하나로, 개수를 나타낼 경우는 a piece of chalk (분필 한 개), two pieces of chalk(분필 두 개)와 같이 한다.

chal·lenge [tʃǽlindʒ] 명
복수 challenges [tʃǽlindʒiz]
도전, 시합의 신청.
They accepted our *challenge*. 그들은 우리의 도전에 응하였다.
── 타 3·단·현 challenges [tʃǽl-indʒiz] ; ing형 challenging [tʃǽl-indʒiŋ] ; 과거 과분 challenged [tʃǽlindʒd]
…에게 도전하다. (시합·결투 따위를) 신청하다.
Mary *challenged* Betty to a game of tennis. 메리는 베티에게 테니스 시합을 신청하였다.

cham·ber [tʃéimbər] 명
복수 chambers [tʃéimbərz]
방, 침실; 회의실.
Chamber music is suited

to small rooms. 실내악은 작은 방에 알맞다.

cham·pi·on [tʃǽmpiən] 명
복수 champions [tʃǽmpiənz]
(경기 따위의) 선수권 보유자, 챔피언; 우승자.
Jim is a tennis *champion*. 짐은 테니스 챔피언이다.
Who is the *champion* swimmer? 누가 수영의 우승자이냐?

cham·pi·on·ship [tʃǽmpi-ənʃip] 명
복수 championships [tʃǽmpi-ənʃips]
선수권.
Our junior high school won the baseball *championship*. 우리 중학교는 야구 선수권을 획득하였다.

* **chance** [tʃæns] 명
복수 chances [tʃænsiz]
❶ 기회, 좋은 기회(= opportuni-ty).
Don't miss this *chance!* 이 기회를 놓치지 마세요.
I did not get the *chance* to speak. 나는 이야기할 기회를 얻지 못했다.
There was little *chance* to get a job. 일자리를 얻을 기회가 별로 없었다.
❷ 가망.
He has no *chance* of win-ning the game. 그는 그 시합에 이길 가망이 없다.
by chance 우연히.
Alexander Fleming discov-ered penicillin *by chance*. 알렉산더 플레밍은 우연히 페니실린을 발견하였다.
── 자 3·단·현 chances [tʃænsiz] ; ing형 chancing [tʃænsiŋ] ; 과거 과분 chanced [tʃænst]
《**chance to** do 로》 우연히 …하다.
I *chanced* to meet an old

friend yesterday. 나는 어제 우연히 옛날 친구를 만났다.
Mary *chanced to* be there. 메리는 우연히 거기 있었다.

***change** [tʃéindʒ] 통 [3·단·현] **changes** [tʃéindʒiz] : ing형 **changing** [tʃéindʒiŋ] : 과거 과분 **changed** [tʃéindʒd]
타 ❶ …을 바꾸다, **변경하다**; 바꾸어 입다.
I was *changing* my clothes. 나는 옷을 갈아입고 있었다.
It is necessary to *change* our thoughts. 우리들의 생각을 바꿀 필요가 있다.
❷ …을 교환하다, **서로 바꾸다**; (차 따위)를 바꾸어 타다. ➤ 목적어는 복수형임.
Tom *changed* seats with Susie. 톰은 수지와 자리를 바꿨다.
He *changed* trains at Suwon. 그는 수원에서 열차를 갈아탔다.
❸ …을 잔돈으로 거스르다, 환전하다.
Can you *change* this 20-dollar bill? 이 20 달러짜리 지폐를 잔돈으로 바꿔 주시겠습니까?
— 자 ❶ 변하다.
In Britain the weather *changes* very often. 영국에서는 날씨가 매우 자주 변한다.
The world is *changing*. 세계가 변하고 있다.
❷ 갈아타다; 교환하다.
We *changed* for Busan at Daejeon. 우리는 대전에서 기차를 부산행으로 갈아탔다.
change ... into ~ …을 ~으로 바꾸다.
King Midas changed all things *into* gold. 미다스왕은 모든 것을 금으로 바꾸었다.
— 명 복수 **changes** [tʃéindʒiz]
❶ 변화, 전환.
a *change* of seasons 계절의 변화.

There was a sudden *change* in the weather. 날씨가 갑자기 변하였다.
❷ 《a 와 복수형 안 씀》 잔돈, 거스름돈.
Please give me *change* for this 10-dollar bill. 이 10 달러 지폐를 잔돈으로 바꿔 주십시오.
Tom got five cents in *change*. 톰은 5 센트의 거스름돈을 받았다.

> 참고 영국이나 미국에서는 거스름돈을 내주며 계산하는 방식이 우리 나라와는 다르다. 예컨대 7 달러 80 센트짜리 물건을 사고 10 달러짜리 지폐를 내면, 점원은 20 센트를 내주면서 「8 달러」, 다시 1달러 짜리 지폐를 두 장을 각각 내주면서 「9 달러」, 「10 달러」라고 한다.

> 회화 **change** 를 쓴 회화 표현
> Here's your *change*. 「자, 거스름돈입니다.」 ➤ 가게 따위에서 거스름돈을 내주며 하는 말.
> Keep the *change*. 「거스름돈은 그만두세요.」 ➤ 거스름돈을 팁으로 줄 때 하는 말.
> You gave me the wrong *change*. 「거스름돈을 잘못 주셨는데요.」

change·a·ble [tʃéindʒəbəl]
비교 **more changeable**; 최상 **most changeable**
변하기 쉬운; (날씨 따위가) **변덕스러운**.
The weather in England is very *changeable*. 영국의 날씨는 매우 변덕스럽다.

chan·nel [tʃǽnl] 명 복수 **channels** [tʃǽnlz]
❶ 해협.
the English *Channel* 영국 해협《영국과 프랑스 사이의 해협》.
❷ (텔레비전의) 채널.
An interesting program is

about to start on *Channel* 10. 재미있는 프로그램이 10번 채널에서 막 시작하려고 한다.

chant [tʃænt, tʃɑːnt]
명

복수 **chants** [tʃænts, tʃɑːnts]
노래, 멜로디, 성가.
a Buddhist *chant* 찬불가.
— 타 3·단·현 **chants** [tʃænts] :
ing형 **chanting** [tʃæntiŋ] :
과거 과분 **chanted** [tʃæntid]
❶ (슬로건)을 반복 주장하다.
Demonstrators *chanted* slogans. 시위자들은 슬로건을 반복 주장하였다.
❷ (성가를) 부르다.

chap·ter [tʃæptər] 명 복수
chapters [tʃæptərz]
(책·문서 등의) 장(章).
The teacher told us to study *Chapter* 4. 선생님은 우리에게 제4장을 공부하라고 말씀하셨다.
The third *chapter* is the hardest in the book. 제3장은 이 책에서 제일 어렵다.
▶ chapter 는 chap.로 약하는 경우도 있음.

char·ac·ter [kǽriktər] 명
복수 **characters** [kǽriktərz]
❶ (극의) 등장 인물, 배역.
There are only three *characters* in this play. 이 극에는 등장 인물이 세 명뿐이다.
Mary will act the leading *character* in the play. 메리는 그 극에서 주역을 할 것이다.
All the *characters* were played by men. 모든 배역은 남자들에 의해 연출되었다.
❷ 성격, 성질, 인격.
Mr. White has a fine *character*. 화이트씨는 인격자다.
❸ (한자와 같은) 문자.
What do these Chinese *characters* stand for? 이 한자는 무슨 뜻이냐?

char·ac·ter·is·tic [kæriktərístik]
형 특징 있는, 특색 있는, 독특한.
It is *characteristic* of the age. 그것은 그 시대의 특색을 나타낸다.
Lilies have their own *characteristic* smell. 백합은 그 자신의 독특한 향기가 있다.
— 명 복수 **characteristics** [kæriktərístiks]
특징, 특색.
The *characteristic* I like best in him is his cheerfulness. 그의 성격 중에서 내가 가장 좋아하는 특징은 쾌활한 것이다.

char·coal [tʃɑːrkòul] 명
《a 와 복수형 안 씀》 숯.
Abe wrote with a piece of *charcoal* on an old wooden shovel. 에이브는 헌 나무 삽에 숯으로 글씨를 썼다.

*charge [tʃɑːrdʒ] 타 3·단·현
charges [tʃɑːrdʒiz] :
ing형 **charging** [tʃɑːrdʒiŋ] : 과거
과분 **charged** [tʃɑːrdʒd]
❶ (대금 따위)를 청구하다.
I was *charged* 5 dollars for this dictionary. 나는 이 사전의 대금으로 5 달러를 청구받았다.
❷ …을 충전하다, (용기 따위)에 넣다, 채우다.
Did you *charge* the battery? 축전지를 충전시켰느냐?
❸ 《charge ... with ~로》 …을 ~ 이유로 비난〔고발〕하다.
They *charged* him *with* driving without a license. (=He was charged for driving without a license.) 그들은 그를 무면허 운전으로 고발했다.
— 명 복수 **charges** [tʃɑːrdʒiz]
❶ 《a 와 복수형 안 씀》 책임, 감독.
Mr. Han is in *charge* of our class. 한선생님은 우리 학

급의 담임이시다.
❷ 《보통 복수형으로》 요금.
hotel *charge* 호텔료.
He looked at the list of *charges*. 그는 요금표를 보았다.
The movie was free of *charge*. 영화는 무료였다.
❸ 비난, 고발.
He denied the *charge* that he had *cheated* on the exam. 그는 시험에서 부정 행위를 하였다는 비난을 부인하였다.

char·i·ty [t∫ǽrəti] 명 복수 charities[t∫ǽrətiz]
❶ 《a 와 복수형 안 씀》 인간애, 자선.
We are having a *charity* show tomorrow. 우리는 내일 자선쇼를 갖는다.
Charity begins at home. 《속담》 자선은 집에서부터 시작한다.
❷ 《복수형으로》 자선 사업.
She left all her money to *charities*. 그녀는 돈을 전부 자선 사업에 남기고 죽었다.

Charles [t∫ɑːrlz] 명
찰스《애칭은 Charley [t∫ɑ́ːrli] Charlie[t∫ɑ́ːrli]》.

charm [t∫ɑːrm] 타 3·단·현 charms[t∫ɑːrmz] : ing형 charming [t∫ɑ́ːrmiŋ] : 과거 과분 charmed[t∫ɑːrmd]
…을 매혹하다.
He was *charmed* by her beauty. 그는 그녀의 아름다움에 매혹되었다.
All of us listened as if we were *charmed* by the music. 우리들은 모두 음악에 매혹된 듯이 경청했다.
── 명 복수 charms [t∫ɑːrmz]
매혹, 매력.
a man of great *charm* 매우 매력적인 남자.
She hasn't lost her *charms* yet. 그녀는 아직 매력을 잃지 않고 있다.

charm·er [t∫ɑ́ːrmər] 명
복수 charmers [t∫ɑ́ːrmərz]
마법사; 뱀을 길들여 다루는 사람.
Mr. Wood has seen snake *charmers* in India. 우드씨는 인도에서 뱀을 부리는 사람을 본 적이 있다.

charm·ing [t∫ɑ́ːrmiŋ] 형 비교 more charming; 최상 most charming
사람을 매혹하는, 매혹적인.
His sister is very *charming*. 그의 누님은 매우 매력적이다.
Greta will make a *charming* Princess. 그레타는 매력 있는 왕자비가 될 것이다.

chart [t∫ɑːrt] 명 복수 charts[t∫ɑːrts]
도표, 해도.
Use the picture *charts* and practice your English. 그림 차트를 사용하여 영어 연습을 하여라.
Have you ever seen a weather *chart*? 너는 일기도를 본 적이 있느냐?

chase [t∫eis] 타 3·단·현 chases[t∫éisiz] : ing형 chasing[t∫éisiŋ] : 과거 과분 chased[t∫eist]
…의 뒤를 쫓다, …을 쫓아버리다.
Tom *chased* the dog. 톰은 개의 뒤를 쫓았다.
Chase that cat out of the house. 저 고양이를 집 밖으로 쫓아내어라.

chat [t∫æt] 자 3·단·현 chats [t∫æts] : ing형 chatting [t∫ǽtiŋ] : 과거 과분 chatted[t∫ǽtid]
잡담하다, 이야기하다, 채팅하다.
She is *chatting* with her mother. 그녀는 그녀의 어머니와 이야기를 하고 있다.
I like online *chatting*. 나는 온라인의 채팅을 좋아한다.

—명 복수 **chats** [tʃæts]
잡담, 한담.
She had a *chat* with Ann.
그녀는 앤과 잡담을 하였다.

***cheap** [tʃiːp] 형
비교 **cheaper** [tʃíːpər] ;
최상 **cheapest** [tʃíːpist]
❶ 값이 싼(⇔expensive 비싼).
Korean goods are well made
and *cheap*. 한국 상품은 잘 만들
어지고 값도 싸다.
If I were you, I wouldn't
buy a *cheap* thing. 내가 너라
면, 싼 것을 사지 않겠다.
❷ 싸구려의, 변변치 못한.
This is made of *cheap*
material. 이것은 싸구려 재료로
만들었다.

cheat [tʃiːt] 통
3·단·현 **cheats** [tʃiːts] ;
ing형 **cheating** [tʃíːtiŋ] ; 과거
과분 **cheated** [tʃíːtid]
타 …을 속이다.
Don't trust him. He'll *cheat*
you. 그를 신용해서는 안 된다.
그는 너를 속일 것이다.
—자 (시험에서) **부정 행위를 하**
다, 협잡질을 하다.
I don't think any student
will *cheat* on the exami-
nation. 나는 어떤 학생도 시험에
서 부정 행위를 하지 않을 것이라
고 생각한다.

***check** [tʃek] 명
복수 **checks** [tʃeks]
❶ 검사필의 표(∨); 대조표; (보
관증 따위의) 짐표.
Mr. Nam put a *check*
beside the answers. 남선생님
은 해답 옆에 대조표를 하셨다.
❷ 수표. ▶영국에서는 cheque
라고 씀.
He cashed a *check*.
그는 수표를 현금으로 바꿨다.
❸ (상점·식당 따위에서의) 전표,
계산서(=bill).
Check, please. 계산서 좀 부탁
합니다. ▶식당 같은 데서 테이블

로 계산서를 가져다 달라는 말.
There's a mistake in the
check, isn't there?
계산서에 틀린 것이 있는데요.
—타 3·단·현 **checks** [tʃeks] ;
ing형 **checking** [tʃékiŋ] ; 과거
과분 **checked** [tʃekt]
❶ …을 저지하다, 참다, 방해하다.
Tom couldn't *check* his
anger. 톰은 자기의 노여움을 참
을 수 없었다.
❷ (답·숫자 따위)를 대조하다,
점검하다.
Check your figures with
mine. 너의 숫자를 내 것과 대조
하여라.
They *check* the health
reports of the animals. 그들
은 동물들의 건강 기록을 점검한
다.
❸ (짐표를 받고 하물 따위)를 맡
기다.
I *checked* my coat and
umbrella. 나는 외투와 우산을 맡
겼다.
check in (호텔 따위에서) **체크인**
하다, 숙박 수속을 하다; (공항에
서) **탑승 수속을 하다.**
He *checked in* at three.
그는 3시에 호텔에 들었다.
Mike and Sangho went to
the airport. They *checked*
in together. 마이크와 상호는 공
항에 갔다. 그들은 함께 탑승 수
속을 하였다.
check out (셈을 마치고) **호텔을**
나오다, (책 따위를) **체크하고 빌**
리다.
He *checked out* before noon.
그는 오전에 호텔에서 나왔다.
You can *check out* three
books. 너는 세 권을 체크하고
빌릴 수 있다.
check up on …을 조사하다, 대
조하다.
The policeman was *checking*
up on the report. 경찰관은 그
보고서를 검토 중이었다.

cheek [tʃiːk] 명
복수 **cheeks** [tʃiːks]
《보통 복수형으로》 볼.
George's *cheeks* burned.
조지의 뺨은 빨개졌다.

*cheer [tʃiər] 명
복수 **cheers** [tʃiərz]

❶ 만세, 갈채, 환호성.
Give three *cheers* for the
boys who won the baseball
game. 야구 시합에 승리한 남학
생들을 위해 만세 삼창.

참고 영어의 만세는, "Hip [hip],
hip, hurrah! [hərɑ́ː]" 를 세 번
되풀이한다. 응원할 때에는 응원
단원이 Hip, hip! 이라고 외치면
다른 사람들은 Hurrah! 라고 외
치며, 이렇게 세 번 되풀이한다.

❷ 《a와 복수형 안 씀》 원기, 기운.
The warm fire brought
cheer to our hearts again.
따뜻한 불은 우리들의 마음을 다
시 즐겁게 하였다.
── 동 3·단·현 **cheers** [tʃiərz]:
ing형 **cheering** [tʃiəriŋ]: 과거
과분 **cheered** [tʃiərd]
타 ❶ …을 기운나게 하다, …의
원기를 돋우다.
The good news *cheered* him
up. 그 희소식에 그는 신이 났다.
❷ …을 성원하다.
All of us *cheered* our
baseball team. 우리는 모두 우
리 야구 팀을 응원하였다.
── 자 기운나다, 힘나다.
Cheer up! 기운을 내라.

cheer·ful [tʃiərfəl] 형 비교
more cheerful;
최상 **most cheerful**
명랑한, 기분 좋은, 유쾌한.
a *cheerful* day 기분 좋은 날.
Minsu is a *cheerful* boy.
민수는 명랑한 소년이다.

cheer·ful·ly [tʃiərfəli] 부
비교 **more cheerfully**; 최상

most cheerfully
즐거이, 기분 좋게.
Mary is singing very *cheer-
fully*. 메리는 매우 즐겁게 노래하
고 있다.

cheer·lead·er [tʃiərliːdər] 명
복수 **cheerleaders** [tʃiərliːdərz]
응원단원[단장], 치어리더.

참고 축구나 농구 경기 따위에
서 응원을 지휘하는 응원단원으
로, 보통 여학생인 경우가 많
다. 엄격한 경쟁을 통해서 선발
되며, 여학생들의 선망의 대상
이다. 독특하고 멋진 곡예 같은
재주를 보여주기도 한다.

cheer·y [tʃiəri] 형
비교 **cheerier** [tʃiəriər]:
최상 **cheeriest** [tʃiəriist]
기분이 좋은, 유쾌한, 명랑한(=
cheerful).
The birds' song is *cheery*.
새의 노래 소리는 명랑하다.

*cheese [tʃiːz] 명
《a와 복수형 안 씀》 치즈.
Cheese is made from milk.
치즈는 우유로 만들어진다.
Would you pass a slice of
cheese, please? 치즈 한 쪽을
건네 주십시오.

어법 **cheese** 를 세는 법
치즈는 일반적으로 셀 수 없는
명사로 복수형이 되지 않는다.
따라서 치즈 한 쪽, 두 쪽과 같
이 셀 경우에는 a slice of
cheese, two slices of
cheese 라고 한다.

참고 **cheese** 를 발음하면 입의
모양이 마치 웃는 모양이 되기
때문에 미국인은 사진을 찍을
때, 「웃으세요」라는 의미로 "Say
cheese." (치즈라고 말하세요)
라고 한다.

C

cheese·burg·er [tʃíːzbə̀ːr-gər] 명

복수 **cheeseburgers** [tʃíːzbə̀ːrgərz]

치즈버거.

I'd like a *cheeseburger*, please. 치즈버거 하나 주세요.

chee·tah [tʃíːtə] 명

복수 **cheetahs**[tʃíːtəz]

치타《남아시아·아프리카산의 표범 비슷한 동물: 길들여 사슴 사냥에 씀》.

There are two *cheetahs* in the zoo. 동물원에는 치타가 두 마리 있다.

chef [ʃef] 명

복수 **chefs** [ʃefs]

요리사, (특히 레스토랑 따위의) **주방장**.

chem·i·cal [kémikəl] 형

화학의, 화학적인.

chemical change 화학 변화.

chemical knowledge 화학에 관한 지식.

chemical products 화학 제품.

chemical warfare 화학전.

── 명 복수 **chemicals**[kémikəlz]

《보통 복수형으로》 **화학 약품, 화학 제품.**

fine *chemicals* 정제(精製) 약품.

chem·ist [kémist] 명

복수 **chemists**[kémists]

화학자.☞physicist(물리학자)

Professor Green is a *chemist*. 그린 교수는 화학자이다.

chem·is·try [kémistri] 명

《a와 복수형 안 씀》 **화학**. ☞ physics(물리학)

Tom is interested in *chemistry*. 톰은 화학에 흥미를 갖고 있다.

cher·ish [tʃériʃ] 타 3·단·현 **cherishes** [tʃériʃiz] : ing형 **cherishing**[tʃériʃiŋ] : 과거

과분 **cherished**[tʃériʃt]

❶ …을 소중히 하다, 귀여워하다.

She *cherishes* her baby. 그녀는 어린애를 귀여워한다.

❷ …을 마음에 간직하다.

She *cherished* the hope of her son's return.

그녀는 아들이 돌아오리라는 희망을 간직했다.

The old woman *cherished* the memory of her husband.

그 노부인은 남편의 추억을 마음에 간직하고 있었다.

cher·ry [tʃéri] 명

복수 **cherries**[tʃériz]

❶ 버찌.

Cherries are good to eat. 버찌는 맛이 있다.

❷ 벚나무.

Jinhae is famous for its *cherry* blossoms. 진해는 벚꽃으로 유명하다.

chess [tʃes] 명

《a와 복수형 안 씀》 서양 장기, 체스.

Let's play *chess*. 우리 체스를 두자.

It usually takes one or two hours to play a game of *chess*. 체스 한 게임을 하는 데 보통 한 시간이나 두 시간 정도 걸린다.

참고 두 사람이 하는 게임으로, 한국의 장기와 같이 판 위에서 말을 움직여 둔다. 체스의 판은 chessboard[tʃésbɔ̀ːrd]라 하며, 백색과 흑색의 8×8의 정방형의 눈으로 되어 있다. 말의 수는 쌍방이 16개씩 총 32개이다. 그 내용은 King(왕) 1, Queen(여

왕) 1. Bishop (승정) 2. Knight(기사) 2. Castle(성) 2. Pawn[pɔːn] (졸) 8개이다. 체스의 말을 움직이는 방법은 장기와 비슷하며 왕이 꼼짝 못 하게 되면 지게 된다.

chest [tʃest] 명
    복수 **chests**[tʃests]
❶ 가슴, 폐.
a *chest* disease 폐병.
His smoking gives him a pain in the *chest*. 그는 담배를 피우면 가슴이 아픈 것을 느낀다.
❷ (뚜껑이 달린) 큰 궤.
a carpenter's *chest* 목수의 연장함.

chest·nut [tʃésnʌt] 명
복수 **chestnuts**[tʃésnʌts]
❶ 밤, 밤나무.
There are five *chestnuts* in my yard. 우리 집 마당에는 밤나무가 다섯 그루 있다.
There are a lot of *chestnuts* under the tree.
나무 아래에 밤이 많이 있다.
❷ 《a와 복수형 안 씀》 밤색, 적갈색.
Bill wants to ride on that *chestnut* horse. 빌은 저 밤색 말을 타고 싶어한다.
➤ 발음 chestnut 의 가운데 t 는 발음하지 않음.

chew [tʃuː] [타·자]
3·단·현 **chews** [tʃuːz]
ing형 **chewing**[tʃúːiŋ] ; 과거 과분 **chewed**[tʃuːd]
(…을) 씹다, 깨물다.
You should always *chew* your food well. 음식은 언제나 잘 씹지 않으면 안 된다.
Don't *chew* with your mouth open. 입을 벌리고 음식을 씹지 마라.

chew·ing gum [tʃúːiŋ ɡʌm] 명
《a와 복수형 안 씀》 껌.

Mary gave me a stick of *chewing gum*. 메리는 나에게 껌을 하나 주었다.

> 참고 미국에서도 사람들 앞에서 껌을 씹는 것은 좋지 않게 여긴다. 학교 선생님들은 이 점에 관해 특히 엄하게 다스린다.

Chi·ca·go [ʃikɑ́ːɡou] 명
시카고.

> 참고 미국 일리노이(Illinois)주 북동부에 위치한 도시. 미시간호(Lake Michigan)에 면한 무역항으로서 뉴욕. 로스앤젤레스 다음 가는 미국 제3의 대도시이다. 세계 최대의 곡물 시장·가축 시장·도살장이 있다.

chick [tʃik] 명
    복수 **chicks**[tʃiks]
병아리, 새새끼.
Mr. Brown has seventy *chicks* on his farm. 브라운씨는 농장에 70마리의 병아리를 치고 있다.

* **chick·en** [tʃíkin] 명 복수 **chickens**[tʃíkinz]
❶ 닭; 병아리(=chick).
The farmer raises a lot of *chickens*. 그 농부는 닭을 많이 치고 있다.
❷ 《a와 복수형 안 씀》 닭고기.
chicken and rice 치킨 라이스.
Do you like *chicken*?
닭고기를 좋아하느냐?

> 참고 서양에서의 닭고기 요리는 뼈를 빼지 않은 것이 많은데. 나이프. 포크를 사용치 않고 손으로 먹도록 되어 있다.

chic·ken burg·er [tʃíkin bə́ːrɡər]
명 복수 **chicken burgers**[tʃíkin bə́ːrɡərz]
치킨 버거.
We ordered two chicken

burgers. 우리는 두 개의 치킨 버거를 주문했다.

*chief [tʃi:f] 명
복수 chiefs [tʃi:fs]
두목, 추장, (과장·소장 따위의) 장(= head).
Mr. White is the *chief* of a police station. 화이트씨는 경찰 서장이다.
I would like to speak to the *chief*. 나는 주임에게 이야기하고 싶다.
── 형 ❶ 주요한, 첫째 가는, 주된.
the *chief* industry 주요 산업.
Those are the *chief* rivers of Korea. 이것들이 한국의 주요 한 강이다.
❷ 최고위의.
Mr. Brown was promoted to *chief* clerk. 브라운씨는 주임 으로 승진하였다.
He served as *chief* justice for ten years. 그는 재판장으로 10 년간 근무했다.

chief·ly [tʃi:fli] 부
주로, 첫째로.
They visited Seoul *chiefly* to see the Palace. 그들은 주 로 궁전을 보기 위하여 서울을 방 문하였다.

*child [tʃaild] 명
복수 children [tʃildrən]
아이(⇨ adult 어른); 자식 (⇨ parent 어버이).
Mary is a little *child*.
메리는 어린 아이다.
Tom and Susie are Mr. and Mrs. Brown's *children*. 톰과 수지는 브라운 부부의 자식들이다.
"How many children does your uncle have?" "He has two *children*."「너의 아저씨는 자녀가 몇 명이지?」「둘입니다.」

참고 child 는 남녀 구별 없이 자녀와 아이를 말한다. 남자 아 이, 여자 아이라고 할 경우는 boy, girl 이라 한다. child 와

baby 는 같은 뜻으로 쓰일 경 우가 있다. 보통의 경우 baby 는 만 두 살까지를 말한다.

child·hood [tʃaildhùd] 명 《a 와 복수형 안 씀》 어린 시절, 유년기.
I spent my *childhood* in Seoul. 나는 유년기를 서울에서 보냈다.
in one's childhood 어릴 때에.
He loved stories *in his childhood*. 그는 자기 어릴 때의 이야기를 좋아하였다.

child·ish [tʃaildiʃ] 형
비교 more childish;
최상 most childish
❶ 아이 같은, 아이의.
Tom still talks in a *childish* way. 톰은 아직도 어린애 같은 말투로 이야기한다.
❷ 어른답지 못한, 유치한.
I didn't expect a *childish* answer like that. 나는 그런 유치한 대답을 하리라고는 생각지 도 못했다.

*chil·dren [tʃildrən] 명
child 의 복수.
Many *children* love the dolphin. 많은 어린이들이 돌고래 를 좋아한다.
They are good *children*.
그들은 좋은 자녀이다.

발음 단수형의 child [tʃaild]는 i 를 [ai]로 발음하나, 복수형이 되면 children [tʃildrən]으로 발 음하여 i 가 [i]로 됨에 주의.

chill [tʃil] 명
복수 chills [tʃilz]
《보통 단수형으로》 (불쾌한) 냉 기, 오한, 한기.
the *chill* of early dawn 새벽 의 냉기.
Jim had a *chill* yesterday and still feels sick. 짐은 어 제 오한이 들어 지금까지 몸이 불

편하다.

chill·y [tʃíli] 형
비교 **chillier** [tʃíliər]:
최상 **chilliest** [tʃíliist]
❶ 으스스한, 차가운 《날씨》.
In winter *chilly* winds blow.
겨울에는 차가운 바람이 분다.
It is *chilly* outside.
밖은 으스스하게 춥다.
❷ (태도가) 차가운, 냉담한.
There is something *chilly*
about him. 그에게는 어딘가 차
가운 데가 있다.
I don't like her because of
her *chilly* manner. 그녀의 냉
담한 태도 때문에 나는 그녀가 싫
다.

chim·ney [tʃímni] 명 복수
chimneys [tʃímniz]
굴뚝.
Jack's house has two
chimneys. 잭의 집에는 굴뚝이
두 개 있다.
Smoke is coming out of the
chimney. 굴뚝에서 연기가 나오
고 있다.

chim·pan·zee [tʃìmpænzíː] 명
복수 **chimpanzees** [tʃìmpænzíːz]
침팬지.
A *chimpanzee* is like a
monkey without a tail. 침팬
지는 꼬리 없는 원숭이와 같다.

chin [tʃin] 명
복수 **chins** [tʃinz]
턱, 아래 턱.
He has a long nose and a
pointed *chin*. 그는 코가 길며,
턱이 뾰쪽하다.

***Chi·na** [tʃáinə] 명
중국.
Which is larger, *China* or
India? 중국과 인도 중 어느 곳이
큰가?

***Chi·nese** [tʃàiníːz] 형
중국의, 중국 사람의.
He is a *Chinese* boy.

그는 중국 소년이다.
Each *Chinese* character has
meaning. 한자의 하나하나에는
뜻이 있다.
── 명 복수 **Chinese** [tʃàiníːz]
중국 사람; 《a와 복수형 안 씀》
중국어.
She can speak *Chinese*.
그녀는 중국어를 말할 줄 안다.
Chinese is spoken by the
largest number of people.
중국어는 가장 많은 사람들에 의
해서 사용된다.

chip [tʃip] 명
복수 **chips** [tʃips]
❶ 《보통 복수형으로》 (음식의)
얇은 조각. ▶ 영국에서는 crips를
쓴다.
a bag of potato *chips* 감자
칩 한 봉지.
❷ 《보통 복수형으로》 감자튀김
(=《미》 French fries).
I had a burger and *chips*
in a café. 나는 카페에서 버거
한 개와 감자튀김을 먹었다.

chirp [tʃəːrp] 명
복수 **chirps** [tʃəːrps]
찍찍, 짹짹《새·벌레의 우는 소
리》.
Did you hear the sparrow's
chirps? 참새의 우는 소리를 들
었느냐?
── 자 3·단·현 **chirps** [tʃəːrps];
ing형 **chirping** [tʃəːrpiŋ]; 과거
과분 **chirped** [tʃəːrpt]
(새·벌레가) 찍찍〔짹짹〕 울다.
A cricket is *chirping*.
귀뚜라미가 울고 있다.

choc·o·late [tʃɔ́ːkəlit] 명
복수 **chocolates** [tʃɔ́ːkəlits]
❶ 《a와 복수형 안 씀》 초콜릿,
초콜릿빛; 《복수형으로》 초콜릿 과
자《엿·땅콩 따위를 초콜릿으로
싼 것》.
a stick 〔bar〕 of *chocolate* 초
콜릿 한 개.
The boys handed her a

box of *chocolate*. 소년들은 그
녀에게 초콜릿 한 상자를 전했다.
❷ 《a와 복수형 안 씀》 초콜릿 음
료.
Drink this hot *chocolate*.
이 뜨거운 초콜릿 음료를 마셔라.

C

***choice** [tʃɔis] 몡
[복수] **choices** [tʃɔ́isiz]
❶ 선택, 고르기.
Be careful in your *choice*
of books. 주의해서 책을 선택하
여라.
There are two *choices*; to
stay here or to go there. 두
가지 방법이 있다. 여기에 있느냐,
또는 거기에 가느냐 하는 것이다.
You should leave the *choice*
to Jane. She's no longer a
child. 제인에게 선택하도록 하는
것이 좋겠다. 그녀는 이제 어린애
가 아니니까.
❷ 선택된 물건〔사람〕.
This cap is my *choice*.
이것이 내가 선택한 모자이다.
☞ 됭 choose

***choose** [tʃuːz] 됭 [3·단·현]
chooses [tʃúːziz] ;
[ing형] **choosing** [tʃúːziŋ] ; [과거]
chose [tʃouz] ; [과분] **chosen**
[tʃóuzn]
턔 ❶ …을 선택하다, 고르다. ☞
elect
Choose your friends care-
fully. 친구를 조심해서 선택하라.
"Which will you *choose*?"
"I'll *choose* a red one."
「어느 것을 고르시겠습니까 ?」「빨
간 것을 고르겠습니다.」
You may *choose* the land
as you wish. 너는 원하는 대로
땅을 선택할 수 있다.
❷ 《**choose to** do로》 …하기로
결정하다〔마음 먹다〕, (차라리 …
하는 쪽)을 …하기를 택하다.
Mary *chose to* stay at
home. 메리는 집에 있기로 결정
하였다.
Jane did not *choose to* go

out. 제인은 나가는 쪽을 택하지
않았다.
── 쟈 선택하다.
You have to *choose* between
the two. 너는 둘 중에서 선택해
야 한다. ☞ 몡 choice

chop [tʃap] 턔
[3·단·현] **chops** [tʃaps] :
[ing형] **chopping** [tʃápiŋ] ; [과거]
[과분] **chopped** [tʃapt]
❶ (도끼 · 낫 따위로) …을 찍다,
자르다.
Jim is *chopping* wood.
짐은 나무를 자르고 있다.
❷ …을 썰다, 잘게 썰다.
My mother *chopped* up a
cabbage. 나의 어머니는 양배추
를 잘게 썰으셨다.
── 몡 [복수] **chops** [tʃaps]
고깃점.
a pork *chop* 포크촙《두껍게 자
른 돼지고기》.

chop·stick [tʃápstìk]
몡
[복수] **chopsticks** [tʃápstìks]
《복수형으로》 젓가락.
a pair of *chopsticks* 한 벌의
젓가락.
I know how to use *chop-
sticks*. 나는 젓가락을 쓸 줄 안
다.
East Asian people use
chopsticks. 동아시아 사람들은
젓가락을 사용한다.

chore [tʃɔːr] 몡
[복수] **chores** [tʃɔːrz]
❶ 《보통 a와 함께 단수형으로》
지루한 일.
Doing dishes is a *chore*. 접
시를 닦는 것은 지루한 일이다.
❷ 《보통 복수형으로》 잡일, 허드
렛일.
household *chores* 가사.

cho·rus [kɔ́ːrəs] 몡 [복수]
choruses [kɔ́ːrəsiz]
합창; 합창대.
The Ninth Symphony has
a great *chorus* at the end.

제 9 번 교향곡은 마지막 부분에 대합창이 있다.

John and Jane are both in the school *chorus*. 존과 제인은 둘 다 학교 합창대에 있다.

in chorus 합창으로; 소리를 맞추어.

Tom and Susie are singing the Christmas carol *in chorus*. 톰과 수지는 크리스마스 캐럴을 합창하고 있다.

All the pupils answered Mr. Nam's questions *in chorus*. 모든 학생들이 소리를 맞추어 남 선생님의 질문에 답하였다.

***chose** [tʃouz] 통
choose 의 과거.

Betty *chose* the red dress. 베티는 빨간 드레스를 골랐다.

***cho·sen** [tʃóuzn] 통 choose 의 과거 분사.

Tom was *chosen* chairman. 톰이 의장에 선출되었다.

Christ [kraist] 명
그리스도.

Jesus[dʒíːzəs] **Christ** 예수 그리스도.

➤ Christ 는 [krist] 가 아니라, [kraist]라고 발음함에 주의.

Chris·tian [krístʃən] 명

복수 **Christians**[krístʃənz]
기독교 신자.

The Browns are *Christians*. 브라운씨 일가는 기독교 신자들이다.
── 형 기독교의.

the *Christian* church 기독교회.

Chris·tian name [krístʃən néim] 명

복수 **Christian names**[krístʃən néimz]
세례명. ☞ first name

참고 기독교 신자의 자녀는, 태어난 후 목사에게 세례를 받고, 세례명을 받는다. 이 세례명은 그 사람의 이름이 되며, 이를

Christian name 이라 한다. 예를 들면 John Brown 이라는 이름은 John 이 Christian name 이고 Brown 이 성(family name)이다.

***Christ·mas** [krísməs] 명

크리스마스, **성탄절**(12 월 25 일).

a *Christmas* tree 크리스마스 트리.

a *Christmas* carol 크리스마스 캐럴.

a *Christmas* card 크리스마스 카드.

Christmas is celebrated on Dec. 25 th. 크리스마스의 축제는 12 월 25일이다.

Do you have any plans for the *Christmas* vacation? 너는 크리스마스 휴가에 무슨 계획이 있느냐?

세계 최초의 크리스마스 카드(1843년)

참고 크리스마스의 축제는 12 월 24일의 전야제(Christmas Eve)로 시작되고, 온 가족과 친척, 친구들이 모여 맛있는 음식을 먹거나 선물(Christmas present)을 교환한다. 12 월 24일부터 1월 1일 또는 1월 6일까지의 기간을 크리스마스철(Christmastide [krísməstàid])이라고 하며, 학교는 이 기간을 중심으로 쉬게 된다. 이것은 우리 나라의 겨울 방학에 해당된다.

회화 **Merry Christmas!** 「성탄을 축하합니다!」 크리스마스날 나누는 인사.

Happy Christmas! 라고 하는 사람도 있다. 이에 대한 대답은 (The) same to you. 또는 You too. 라고 한다.
A : *Merry Christmas!*
B : (The) same to you.
「성탄을 축하합니다.」「저도 축하합니다.」

Christ·mas Eve [krísməs í:v] 명
크리스마스 이브, 크리스마스 전야제(12월 24일).
The church service on *Christmas Eve* was wonderful. 크리스마스 이브의 예배는 훌륭하였다.

chuck·le [tʃʌkl] 명 [복수] chuckles[tʃʌklz]
낄낄 웃음.
Tom heard his mother's *chuckles*. 톰은 어머니의 웃음 소리를 들었다.
── 자 [3·단·현] chuckles [tʃʌklz] ; [ing형] chuckling [tʃʌkliŋ] ; [과거] [과분] chuckled [tʃʌkld]
낄낄 웃다.
My father always *chuckles* when he reads a comic strip in the newspaper. 아버지께서는 신문의 연재 만화를 읽으실 때면 항상 웃으신다.

*church [tʃə:rtʃ] 명
[복수] churches [tʃə:rtʃiz]
❶ 교회, 교회당(건물을 가리킴).
There are both large and small *churches* in this village. 이 마을에는 큰 교회와 작은 교회가 다 있다.

❷ 《a와 복수형 안 씀》 (교회의) 예배.
The Browns go to *church* on Sundays. 브라운씨 가족은 일요일마다 교회에 간다.

church·yard [tʃə:rtʃjá:rd] 명
[복수] churchyards [tʃə:rtʃjá:rdz]
교회의 묘지.
He went to the *churchyard* yesterday. 그는 어제 교회 묘지에 갔다.

> [참고] **churchyard**와 **cemetery**
> churchyard는 교회의 경내에 있어 그 교회 소속의 묘지를 가리키는 말이고, cemetery는 교회에 속하지 않은 시·읍의 공동 묘지를 가리킨다.

ci·der [sáidər] 명
《a와 복수형 안 씀》 사과 주스; 사과술. ➤ 우리 나라에서 말하는 「사이다」는 soda pop 이라고 함.

ci·gar [sigá:r] 명
[복수] cigars [sigá:rz]
여송연, 시가.
My father likes to smoke *cigars*. 아버지께서는 여송연을 즐겨 피우신다.

cig·a·rette [sìgərét] 명
[복수] cigarettes [sìgəréts]
궐련.
He smokes 2 packs of *cigarettes* a day. 그는 하루에 2갑의 담배를 피운다. ➤ 미국에서는 cigaret 으로도 씀.

> [참고] cigar 는 잎담배 만 것. cigarette 은 종이로 만 담배. tobacco [təbǽkou]는 담배의 잎, 재배 중인 담배 또는 파이프용 살담배이다. 궐련을 끼우는 파이프는 cigarette holder 이고 살담배를 넣는 곰방대는 pipe 라 한다. ☞ **tobacco**

cin·e·ma [sínəmə] 명

복수 **cinemas** [sínəməz]
영화관.
We went to the *cinema* last night. 우리는 지난밤에 영화관에 갔다.

> 참고 영국에서는 cinema라 하고 미국에서는 movie theater 라 한다.

Cin·der·el·la [sìndərélə] 명

신데렐라 《계모와 그 딸들에게서 구박받다가, 마침내 행복을 얻은 유럽 동화의 여주인공》.

*cir·cle [sə́ːrkl] 동

3·단·현 **circles** [sə́ːrklz]; ing형 **circling** [sə́ːrklin]; 과거 과분 **circled** [sə́ːrkld]
자 (비행기·새 따위가) **선회하다, 돌다.**
The airplane *circled* over the city before it landed. 그 비행기는 착륙하기 전에 시의 상공을 선회하였다.
── 타 ···을 둘러싸다, 에워싸다.
Many trees *circled* the park. 많은 나무들이 공원을 에워싸고 있었다.
── 명 복수 **circles** [sə́ːrklz]
❶ 원, 원주.
in a *circle* 원을 이루어.
Mr. Han drew a *circle* on the blackboard. 한선생님은 칠판에 원을 그리셨다.
❷ 원형, 둥근 고리.
Girls hold hands and make a big *circle*. 소녀들은 손을 잡고 큰 원을 만든다.
❸ (동일 직업·취미 등의) **집단, 동아리, ···계, 서클.**
family and social *circles* 가정 및 사교계.
industrial [business] *circles* 산업계[실업계].

cir·cum·stance [sə́ːrkəmstæns] 명

복수 **circumstances** [sə́ːrkəmstænsiz]
《보통 복수형으로》 **주위의 사정, 환경, 상황.**
Mr. White explained the *circumstances*. 화이트씨는 그 사정을 설명하였다.
Under these *circumstances* I cannot keep my promise. 이런 사정이라면 나는 약속을 지킬 수 없다.

cir·cus [sə́ːrkəs] 명 복수

circuses [sə́ːrkəsiz]
서커스.
I like *circuses*.
나는 서커스를 좋아한다.

cit·ies [sítiz] 명

city 의 복수.

*cit·i·zen [sítəzən] 명 복수

citizens [sítəzənz]
(한나라의) **국민, 시민.**
a U.S. *citizen* 미국 시민.
a good *citizen* 선량한 시민.

*cit·y [síti] 명

복수 **cities** [sítiz]
시, 도회.
Seoul is the largest *city* in Korea. 서울은 한국에서 가장 큰 도시이다.
Lots of people live in *cities*. 많은 사람들이 도시에서 산다.

> 참고 미국에서는 약간 큰 도시가 되면 주(州)의 허가를 얻어 city로 하기 때문에 town과 거의 같은 의미로 사용되고 있다.

civ·il [sívəl] 형

시민의, (군인·관리에 대하여) **일반인의; 예의 바른.**
civil spirit 공공 정신.
civil duties 시민으로서의 의무.
a *civil* airport 민간 비행장.
He is a *civil* person. 그는 예의 바른 사람이다.

C

civ·i·li·za·tion [sìvəlizéiʃən] 명

《a 와 복수형 안 씀》문명, 문화.
☞ culture
Chinese *civilization* 중국 문명.
Western *civilization* 서양 문명.

civ·il war [sívəl wɔ́ːr] 명

복수 civil wars [sívəl wɔ́ːrz]
❶ 내란.
❷ 《the Civil War 로》 (미국의) 남북 전쟁.
The Civil War broke out in 1861. 1861년에 미국 남북 전쟁이 일어났다.

참고 미국 남북 전쟁은 노예 제도의 존속을 주장하는 남부와 노예 해방을 주장하는 북부 사이에 일어난 미국의 내전으로. 1861년부터 1865년까지 계속되었다. 북부의 승리로 끝났으며 노예 해방이 실현되었다.

claim [kleim] 타

3·단·현 claims [kleimz]:
ing형 claiming [kléimiŋ]: 과거
과분 claimed [kleimd]
❶ (권리로서) …을 요구하다.
Mr. White *claimed* payment for his work. 화이트씨는 그의 일에 대한 지급을 요구하였다.
❷ …을 주장하다.
Susie *claims* (that) her answer is correct. 수지는 자기의 답이 옳다고 주장하고 있다.
── 명 복수 claims [kleimz]
❶ 요구.

She made a *claim* for damage. 그녀는 손해 배상을 요구하였다.
❷ 권리, 자격.
He has no *claim* to be a student. 그는 학생이라고 할 자격이 없다.

clap [klæp] 동

3·단·현 claps [klæps]:
ing형 clapping [klǽpiŋ]: 과거
과분 clapped [klæpt]
타 (손뼉)을 치다; (손바닥으로) …을 가볍게 두드리다.
They all stood up and *clapped* hands. 그들은 모두 일어나서 박수를 쳤다.
He *clapped* me on the back. 그는 나의 등을 가볍게 두드렸다.
── 자 박수치다.

Clar·a [klɛ́ərə] 명
클라라 《여자 이름》.

Clark [klaːrk] 명
클라크 《성》.

class [klæs] 명

복수 classes [klǽsiz]
❶ 클래스, 학급.
Tom is the tallest in his *class*. 톰은 학급에서 제일 키가 크다.
"How big is your *class*?" "There are forty students in my *class*."「너희 반 학생수는 얼마나 되느냐?」「우리 반 학생수는 40명이다.」
❷ 수업.
I have six *classes* a day. 나는 하루에 여섯 시간의 수업이 있다.
Tom slept during the history *class*. 톰은 역사 수업 중에 졸았다.
❸ 학급 학생들. ▶ 하나의 집단으로 생각할 때에는 단수로. 학생 개개인으로 생각할 때에는 복수로 취급함.
Our *class* is 〔are〕 all well. 우리 학급 학생은 모두 건강하다.

Good afternoon, *class*. (선생님이 교실의 학생들에게) 여러분, 안녕.

❹ 계급; 등급.

He is a member of the working *class*. 그는 노동자 계급의 사람이다.

We usually travel second *class*. 우리는 보통 2등 칸으로 여행한다.

clas·sic [klǽsik] 형

(문학·음악·회화 따위가) **일류의**; (양식 따위가) **고전적인**.

classic writers of our age 현대의 일류 작가들.

Shakespeare is a *classic* author. 셰익스피어는 일류 작가이다.

── 명 복수 **classics**[klǽsiks]

(문학·예술의) **일류의 작품, 고전.**

Aristotle [ǽristàtl] wrote several *classics*. 아리스토텔레스는 몇몇 일류 작품을 썼다.

clas·si·cal [klǽsikəl] 형

비교 **more classical**; 최상 **most classical**

고전의.

I like *classical* music best. 나는 고전 음악을 가장 좋아한다.

➤ 고전 음악을 classic music이라고는 하지 않음.

clas·si·fy [klǽsifài] 타

3·단·현 **classifies** [klǽsifàiz]: ing형 **classifying** [klǽsifàiiŋ]: 과거 과분 **classified**[klǽsifàid] …을 **분류하다, 나누다.**

Children in school are *classified* into six grades. 학교의 아이들은 6개 학년으로 나뉘어 있다.

*class·mate [klǽsmèit] 명

복수 **classmates**[klǽsmèits] **동급생, 급우.**

Susie is one of my *class-* *mates*. 수지는 나의 급우 중의 한 사람이다.

I meet new *classmates*. 나는 새 급우들을 만난다.

*class·room [klǽsrùːm] 명

복수 **classrooms**[klǽsrùːmz] **교실.**

classroom activities 학급 활동.

There are thirty *classrooms* in our school. 우리 학교에는 교실이 30개 있다.

clause [klɔːz] 명

복수 **clauses**[klɔ́ːziz] **절.**

참고 주어와 동사를 가지면서, 독립된 문장이 아닌, 문장의 일부가 되어 있는 것을 절이라 한다. 아래 문장에서 밑줄 친 부분과 이탤릭체가 절이다.

Susie sings, and *Tom plays the piano*. 수지는 노래하고 톰은 피아노를 친다.

I know <u>that she is kind</u>. 나는 그녀가 친절하다는 것을 알고 있다.

---

claw [klɔː] 명

복수 **claws**[klɔːz]

(짐승·새 따위의) **날카로운 발톱.** ☞ nail

A cat has sharp *claws*. 고양이는 날카로운 발톱이 있다.

clay [klei] 명

《a와 복수형 안 씀》 **진흙, 흙.**

Bricks are made from *clay*. 벽돌은 진흙으로 만든다.

**clean [kliːn] 형

비교 **cleaner** [klíːnər]: 최상 **cleanest**[klíːnist]

깨끗한, 청결한(⇔ dirty 더러운).

a *clean* towel 깨끗한 타월.

clean air 맑은 공기.

Susie always keeps her hands *clean*. 수지는 항상 손을

깨끗이 하고 있다.

dirty   clean

—— 타 ③·단·현 **cleans** [kli:nz]
ing형 **cleaning** [klí:niŋ]; 과거
과분 **cleaned**[kli:nd]
…을 깨끗하게 하다, **청소하다**.
I threw away many things
to *clean* my room. 나는 내 방
을 치우려고 많은 것들을 버렸다.
Tom is *cleaning* the black-
board. 톰은 칠판을 깨끗이 닦고
있다.
*clean up 정리하다, 깨끗이 청소하
다.
Mrs. Brown is *cleaning up*
the kitchen. 브라운 부인은 부
엌을 정리하고 있다.
They *clean up* the big field.
그들은 넓은 운동장을 말끔히 청
소한다.

clean·er [klí:nər] 명 복수
cleaners [klí:nərz]
❶ 세탁소; 청소부.
Many Chinese dry *cleaners*
live in this city. 이 도시에는
중국인 세탁소가 많이 있다.
His father works as a street
cleaner. 그의 아버지는 도로 청
소부로 일하고 있다.
❷ 청소기.
She is using a vacuum
cleaner. 그녀는 진공 청소기를 쓰
고 있다.

clean·up [klí:nʌp] 명 복수
cleanups [klí:nʌps]
대청소.
You can see *cleanup* cam-
paigns. 너는 대청소 캠페인을 볼
수 있다.

*clean [kliər] 형
비교 clearer [klíərər];
최상 clearest [klíərist]

❶ 맑은, 갠; **투명한**.
The sky is *clear.*
하늘이 맑게 개여 있다.
It is *clearer* today than
yesterday. 오늘은 어제보다 더
맑다.
❷ 명백한, 분명한, (윤곽이) **뚜렷한**.
The picture is very *clear.*
사진이 매우 선명하다.
It is *clear* that Tom is
right. 톰이 옳은 것은 명백하다.
—— 동 ③·단·현 **clears** [kliərz];
ing형 **clearing** [klíəriŋ]; 과거
과분 **cleared**[kliərd]
자 (날씨가) 개다.
I hope the sky will *clear* up
soon. 날씨가 곧 개면 좋으련만.
—— 타 …을 정돈하다, **정리하다**.
Susie *cleared* the table.
수지는 테이블을 정리하였다.
*clear away 제거하다, 치우다.
He *cleared away* all the
footprints. 그는 모든 발자국을
깨끗이 없앴다.

*clear·ly [klíərli] 부
비교 more   clearly;
최상 most clearly
분명히, **명백히**.
Dobongsan stands out very
clearly against the blue
sky. 도봉산이 푸른 하늘을 배경
으로 꽤 선명하게 솟아 있다.
Please speak more *clearly.*
좀 더 분명하게 말씀하여 주십시오.

cler·gy·man [klə́:rdʒimən] 명
복수 clergymen [klə́:rdʒimən]
목사. ☞ minister, priest
Mr. Brown is a *clergyman.*
브라운씨는 목사이다.

cler·gy·men [klə́:rdʒimən] 명
clergyman 의 복수.

*clerk [klə:rk] 명
복수 clerks [klə:rks]
사무원; 점원; 서기.
a bank *clerk* 은행원.
Miss White is a *clerk* in a

department store. 화이트양은 백화점의 점원이다.

***clev·er** [klévər] 형 비교 **cleverer** [klévərər] : 최상 **cleverest** [klévərist]

❶ 똑똑한, 영리한(⇔ dull 우둔한).
Susie is a very *clever* girl.
수지는 매우 영리한 소녀이다.

❷ 솜씨 있는, 손재주 있는.
a *clever* workman 손재주〔솜씨〕 있는 직공.
Tom is *clever* at painting.
톰은 그림을 잘 그린다.

┌─비슷한 말─┐ **clever** 와 **wise** 와 **bright**
clever 는 머리가 잘 돌아 약삭빠르고 재주가 좋다는 뜻이 강하고, 종종 「빈틈 없는」이란 의미를 품고 있다. wise 는 생각 · 판단 · 행동이 바름을, bright 는 어린이가 머리가 좋고 공부를 잘함을 나타낸다.

click [klik] 명 복수 **clicks** [kliks]
딸깍〔짤깍〕하는 소리.
Jack heard a *click*.
잭은 딸깍하는 소리를 들었다.

cli·ent [kláiənt] 명 복수 **clients** [kláiənts]
소송 의뢰인, 고객(=customer).
He is an important *client*.
그는 중요한 고객이다.

cliff [klif] 명 복수 **cliffs** [klifs]
낭떠러지, 절벽.
Bill stood on the *cliff*.
빌은 절벽 위에 서 있었다.

chalk cliffs of Dover
도버의 흰 절벽(도버 해협)

cli·mate [kláimit] 명
복수 **climates** [kláimits]
❶ 기후.
The greenhouse effect causes the world *climate* to become warmer. 온실 효과는 세계의 기후를 점점 더 덥게 만든다.

┌─비슷한 말─┐ **climate** 와 **weather**
climate 는 어떤 지방의 4 계절을 통한 평균적인 기후를 나타내며, weather 는 일시적인 날씨를 가리킨다. 따라서 「오늘의 날씨」라고 할 경우는 today's weather 라고 한다.

❷ (어떤 특정의 기후를 가진) 지방, 풍토, 지대.
The doctor said that a drier *climate* would be good for her health. 건조한 지방이 그녀의 건강에 좋을 것이라고 의사는 말하였다.

cli·max [kláimæks] 명
복수 **climaxes** [kláimæksiz]
(사건 · 극 따위의) 최고조, 절정.
be at the *climax* of one's fame 인기 절정에 있다.

***climb** [klaim] 동
3·단·현 **climbs** [klaimz] :
ing형 **climbing** [kláimiŋ] : 과거
과분 **climbed** [klaimd]
타 (손발을 써서) …을 기어 오르다, 오르다.
I *climbed* Dobongsan last week. 나는 지난 주 도봉산을 등반했다.
── 자 오르다, 상승하다.
She caught the tree and started *climbing*. 그녀는 나무를 잡고 오르기 시작했다.
climb down …을 기어 내리다.
He *climbed down* the tree.
그는 나무를 기어 내려왔다.
climb out 기어 나오다.
He *climbed out* through the

C

window. 그는 창문으로 기어 나왔다.

climb up …을 애써서 오르다.
I *climbed up* Moranbong.
나는 모란봉에 올라갔다.
▶climb 의 b 는 발음하지 않음에 주의.

climb·er [kláimər] 몡
[복수] **climbers**[kláimərz]
등산가, 올라가는 사람.
Tom is a good *climber.*
톰은 등산을 잘 한다.

climb·ing [kláimiŋ] 몡
《a와 복수형 안 씀》 등산, 기어오르기, 올라가기.
Fishing, mountain *climbing,*
camping, and swimming are
all fun. 낚시, 등산, 캠핑, 수영은 모두 재미있다.

cling [kliŋ] 짜
[3·단·현] **clings** [kliŋz] :
[ing형] **clinging**[klíŋiŋ] : [과거] [과분]
clung[klʌŋ]
달라붙다, 매달리다.
The child is *clinging* to her
mother's skirt.
그 아이는 어머니 치맛자락에 매달리고 있다.

clin·ic [klínik] 몡
[복수] **clinics** [klíniks]
진료소, 개인〔전문〕병원, 클리닉.
a dental *clinic* 치과 병원.

clip [klip] 몡
[복수] **clips** [klips]
클립, 종이 끼우개, 서류 집게.
a paper *clip* 서류 집게.
── 타 [3·단·현] **clips** [klips] :
[ing형] **clipping** [klípiŋ] : [과거]
[과분] **clipped** [klipt]
(서류 따위)를 클립으로 철하다,
(물건)을 클립으로 고정시키다.
Clip the coupon together.
쿠폰들을 같이 철해 두어라.

*****clock** [klɑk] 몡
[복수] **clocks**[klɑks]
탁상 시계, 괘종 시계.

The *clock* has two hands.
시계에는 두 개의 바늘이 있다.
The *clock* is two minutes
fast〔slow〕. 그 시계는 2분 빠르다〔늦다〕.
This *clock* gains〔loses〕 two
minutes a day. 이 시계는 하루에 2분이 빠르다〔늦다〕.
I advanced the *clock* five
minutes. 나는 시계를 5분 앞당겨 놓았다.
The *clock* struck seven.
시계가 7시를 쳤다.
It is just ten by that *clock.*
저 시계로는 정각 열 시다.

[참고] **clock 과 watch**
clock 은 가지고 다닐 수 없는
모든 시계를 말하며, watch 는
휴대용 손목 시계, 회중 시계를
가리킨다.

clone [kloun] 몡
[복수] **clones**[klounz]
빼쏜 것, 복제 생물, 《집합적으로》 클론.
This mouse is a *clone.* 이
쥐는 복제 생물이다.
── 타·자 [3·단·현] **clones**
[klounz] : [ing형] **cloning**
[klóuniŋ] : [과거] [과분] **cloned**
[klound]
꼭 닮게 만들다, (생물을) 복제하다.
Many animals have been
cloned. 많은 동물들이 복제되었다.

*****close**¹ [klouz] 동
[3·단·현] **closes**[klóuziz] :
[ing형] **closing** [klóuziŋ] : [과거]
[과분] **closed**[klouzd]

[타] ❶ (눈)을 감다, (문·창문·상점 따위)를 닫다, **잠그다** (⇔ open 열다).
Close the door, please.
문을 닫아 주십시오.
Please *close* your eyes.
눈을 감으세요.
The store is *closed* on Mondays. 그 가게는 월요일이면 문을 닫는다.
❷ …을 끝내다, **마치다**.
We *closed* our meeting at 6 p.m. 우리는 6시에 회의를 끝냈다.
—— [자] **닫히다, 끝나다.**
In the United States school *closes* in June. 미국에서는 학교의 수업이 6월에 끝난다.
Closed today. 《게시》 금일 휴업.

Get closer, please. 좀더 곁으로 가깝게

**close² [klous] [형][부]
[비교] **closer** [klóusər]:
[최상] **closest** [klóusist]
[형] **가까운, 접근한; 친밀한.**
a *close* view 근경(近景).
She is our *close* relative.
그녀는 우리의 가까운 친척이다.
Christmas is *close*.
크리스마스가 다가오고 있다.
Sokcho is *close* to Seorak National Park. 속초는 설악산 국립 공원과 근접해 있다.
a *close* friend 친밀한 친구.

> [참고] **close to 와 near**
> 둘 다 「가까이」라는 뜻이지만, near 는 close to 의 경우처럼 접근되어 있지 않은 상태를 나타냄.

—— [부] **가까이에, 바싹, 빽빽하게.**
Come *closer* to me. 나에게 가까이 오렴.
The big truck was coming *closer* and *closer*. 큰 트럭이 점점 더 가까이 다가오고 있었다.
▶ 동사 close¹[klouz]와 발음이 다름에 주의.

close·ly [klóusli] [부]
[비교] **more closely**;
[최상] **most closely**
❶ 꽉, 딱《옷 따위가 몸에 맞는 모양》.
Her dress fits *closely*.
그녀의 드레스는 몸에 딱 맞는다.
❷ 주의하여.
Watch the baby *closely*.
어린아이를 주의해서 돌봐다오.

clos·et [klázit] [명]
[복수] **closets** [klázits]
다락, 벽장.
There is a *closet* beneath the stairs. 계단 밑에 벽장이 있다.
He took out a conservative jacket from the clothes *closet*. 그는 옷장에서 수수한 재킷을 꺼냈다.

*cloth [klɔ(ː)θ] [명] [복수] **cloths**
[klɔ(ː)θs, klɔ(ː)ðz]
❶ 《a와 복수형 안 씀》 **천, 옷감.**
woolen *cloth* 모직물.
Mrs. Brown bought five yards of *cloth*. 브라운 부인은 옷감을 5야드 샀다.
❷ (특정한 용도의) **천조각; 테이블보, 행주, 걸레.**
Mother is laying the *cloth* on the table. 어머니는 식탁에 테이블보를 깔고 계신다.
Wipe it with a *cloth*.
행주로 그것을 닦아라.

*clothes [klouðz] [명]
《복수 취급》 **옷, 의류, 의복.** ☞ clothing
plain *clothes* 평상복.
Mrs. Green washes *clothes* every Monday. 그린 부인은 매주 월요일에 옷을 세탁한다.

Fine *clothes* make the man.
《속담》옷이 날개다.

어법 **clothes 의 용법**
clothes 앞에 one, two, three
따위의 수사를 직접 붙이지 않
는다. 옷 두 벌이라 할 경우는
two suits of clothes 라 하
며, two clothes 라고는 하지
않는다.

비슷한 말 **clothes와 dress와
suit**
clothes 는 바지, 상의를 포함
한 옷 전체를 의미하나, 원피스
따위의 여성복의 경우는 dress
를 사용하는 경우가 많다. 또
suit 는 여성복의 경우에는 상
의와 스커트, 남성복의 경우에
는 상의·조끼·바지를 갖춘 한
벌을 말한다.

---

cloth·ing [klóuðiŋ] 명
의류, 옷. ▶ 집합적
용법이므로 a와 복수형을 쓰지 않
음.
men's clothing 남성 의류.
food, *clothing*, and shelter
의식주.
In winter we wear heavy
clothing. 우리는 겨울에 두터운
옷을 입는다.

비슷한 말 **clothing과 clothes**
clothing은 집합적으로 의류를
가리킨다. clothes보다 한층 의
미가 넓어서, 구두, 모자 등 몸
에 걸치는 것까지도 포함한다.

****cloud** [klaud] 명
복수 **clouds**[klaudz]
구름, 구름 같은 것.
There is not a *cloud* in
the sky. 하늘에는 구름 한 점
없다.
His car roared away in a
cloud of dust. 그의 차는 구름
같은 먼지를 날리고, 소리를 내면
서 사라졌다. ☞ 형 **cloudy**

cloud·i·er [kláudiər] 형
cloudy의 비교급.

cloud·i·est [kláudiist] 형
cloudy의 최상급.

****cloud·y** [kláudi] 형
비교 **cloudier**[kláud-
iər]; 최상 **cloudiest**[kláudiist]
흐린, **구름이 많은.** ☞ fine(갠,
맑은)
Is it clear or *cloudy*?
날씨가 맑으냐 흐리냐?
It was *cloudy* all day.
하루 종일 구름이 꼈다.
Saturday, June 1. *Cloudy*.
6월 1일, 토요일, 흐림《일기》.
☞ 명 **cloud**

clo·ver [klóuvər] 명 복수
clovers[klóuvərz]
클로버.
Susie found a four-leaf(ed)
clover. 수지는 네 잎 클로버를 찾
았다. ▶ 네 잎 클로버는 찾은 사
람에게 행운을 가져다 준다고 함.

clown [klaun] 명
복수 **clowns**[klaunz]
(서커스 따위에 나오는) 광대.
In the circus, the *clowns*
were very funny. 서커스에서
광대들은 매우 우스꽝스러웠다.

****club** [klʌb] 명
복수 **clubs**[klʌbz]
클럽; 클럽 회관, 클럽 사무실.
a baseball *club* 야구부.
a *club* activity 클럽 활동.
Tom belongs to the tennis
club. 톰은 테니스부에 속해 있
다.
Let's go up to the *club*
room. 클럽 사무실로 가자.

clue [kluː] 명
복수 **clues** [kluːz]
실마리, (조사·연구의) 단서.
The police looked for *clues*.
경찰은 단서를 찾고 있었다.

clum·sy [klʌ́mzi] 형
비교 **clumsier** [klʌ́mziər]; 최상
clumsiest [klʌ́mziist]
어색한, 서투른, 솜씨 없는.
He is very *clumsy*.
그는 매우 서투르다.

clung [klʌŋ] 동 **cling** 의 과거·과거 분사.

clus·ter [klʌ́stər] 명 복수
clusters [klʌ́stərz]
(꽃·과실 따위의) 송이.
He picked a *cluster* of grapes.
그는 포도 한 송이를 땄다.

coach [koutʃ] 명
복수 **coaches** [kóutʃiz]
코치, 지도자, 감독.
We often see baseball
coaches making gestures.
우리는 야구 코치들이 몸짓하는
것을 종종 목격한다.
── 타 3·단·현 **coaches** [kóutʃiz];
ing형 **coaching** [kóutʃiŋ]; 과거
과분 **coached** [koutʃt]
…을 코치하다; 지도하다.
Mr. White *coaches* us in
baseball. 화이트 선생님은 우리
들에게 야구를 지도하신다.

coal [koul] 명
《a와 복수형 안 씀》 석탄.
We use *coal* in our stove.
우리는 난로에 석탄을 땐다.
Mr. Brown stored *coal* for
winter. 브라운씨는 겨울에 대비
하여 석탄을 저장하였다.

coarse [kɔːrs] 형 비교
coarser [kɔ́ːrsər];
최상 **coarsest** [kɔ́ːrsist]
거친, 조잡한, 하치의, 야비한.
He takes *coarse* food.
그는 거친 음식을 먹는다.
He is *coarse* in speech.
그는 말이 거칠다.

coast [koust] 명
복수 **coasts** [kousts]
해안, 연안(=seashore).
Sokcho is on the east
coast. 속초는 동해안에 있다.
They reached the *coast* of
Massachusetts. 그들은 매사추
세츠 해안에 도착했다.

coat [kout] 명
복수 **coats** [kouts]
외투; (양복) 저고리《소매가 있는
것》.
Jack is wearing a new
coat. 잭은 새 외투를 입고 있다.
Please take off your *coat*.
어서 외투〔저고리〕를 벗으세요.

참고 coat 는 남자 외투나 저고
리뿐만 아니라, 소매 달린 슈트
의 저고리, 여자 외투도 말한다.

co·bra [kóubrə] 명
복수 **cobras** [kóubrəz]
코브라《인도에 있는 독사》.
The *cobras* were dancing
to the music. 코브라는 음악에
맞추어 춤추고 있었다.

cock [kɑk] 명
복수 **cocks** [kɑks]
❶ 수탉(⇨ hen 암탉). ▶ 미국에
서는 일반적으로 rooster 를 씀.
❷ (수도·가스의) 마개, 꼭지, 전.

co·coa [kóukou]
명
❶ 《a와 복수형 안 씀》 코코아《카
카오나무 열매의 가루》.
Jane likes *cocoa*.
제인은 코코아를 좋아한다.
❷ 《a와 복수형 안 씀》 코코아《음
료》(=hot chocolate).

C

I had a cup of *cocoa* after lunch. 점심 식사 후 코코아를 한 잔 마셨다.
➤ 발음이 「코코아」와는 달리 [kóukou]임에 주의.

*cof·fee [kɔ́:fi] 명

《a와 복수형 안 씀》 커피.
Mrs. Smith is having *coffee*. 스미스 부인은 커피를 마시고 있다.
He always drinks a cup of *coffee* at breakfast. 그는 아침 식사에 언제나 커피를 한 잔 마신다.

어법 coffee를 세는 법
coffee는 셀 수 없는 명사이므로, 한 잔, 두 잔이라고 셀 때에는 a cup of coffee, two cups of coffee 라고 한다. 그러나 식당 같은 데서 주문할 때에는 간단히 A coffee, please. 또는 Two coffees, please. 처럼 말한다.
참고 미국 사람들에게 있어서, 커피는 필수품이다. 크림을 넣지 않은 커피를 black coffee 라 하며, 크림과 설탕을 넣지 않은 커피를 마시는 사람도 많다. 직장에서는 오전 10시와 오후 3시에 coffee break (커피 마시는 시간)라 불리는 휴식 시간이 있다.

cof·fee shop [kɔ́:fi ʃàp] 명

복수 **coffee shops** [kɔ́:fi ʃàps]
(호텔 따위의) 간이 식당, 커피숍.
Jim, let's drop in at this *coffee shop*. 짐, 이 커피점에 잠시 들어가 보자.

참고 미국에서 햄버거·핫케이크·샌드위치 따위의 간단한 식사를 할 수 있는 곳으로, 보통 아침 일찍부터 밤 늦게까지 문을 연다. 우리 나라의 다방이나 커피숍과는 다르다.

coil [kɔil] 동
3·단·현 **coils** [kɔilz] : ing형 **coiling** [kɔ́iliŋ] : 과거 과분 **coiled** [kɔild]
타 …을 돌돌 말다.
coil a rope 밧줄을 돌돌 말다.
── 자 말리다, 사리를 틀다.
The snake *coiled* up. 뱀이 사리를 틀었다.
── 명 복수 **coils** [kɔilz]
사리; (전기의) 코일.
a *coil* of rope 밧줄 한 사리.

*coin [kɔin] 명
복수 **coins** [kɔinz]
주화, 코인. ➤ 지폐는 paper money 또는 bill이라고 함.
I collect *coins*. 나는 동전을 수집한다.
Namsik gave me some Korean *coins*. 남식이가 나에게 한국 동전을 몇 개 주었다.

참고 미국의 주화는 다음과 같다. 1센트 주화 (통칭 penny)/5센트 주화 (통칭 nickel)/10센트 주화 (통칭 dime)/25센트 주화 (통칭 quarter)/50센트 주화 (통칭 half dollar) / 1달러 주화(one dollar).

1 dollar

a half doller

a quarter

a dime

Coke [kouk] 명
콜라(=Coca-Cola) 《상표명》.
Tom was drinking a bottle of *Coke*. 톰은 콜라 한병을 마시

고 있었다.

co·la [kóulə] 명
복수 **colas**[kóuləz]

콜라《청량음료》.
a can of *cola* 콜라 한 캔.

col·an·der [kʌ́ləndər] 명
복수 **colanders**[kʌ́ləndərz]

여과기《요리기구; 소쿠리 겸 조리의 형태》.
Use a *colander* to drain the noodles.
그 면의 물기를 빼는 데에 여과기를 사용해라.

cold [kould] 형
비교 **colder** [kóuldər]:
최상 **coldest**[kóuldist]

❶ 추운; 찬(⟺ hot 더운, 뜨거운).
It is *cold* in winter.
겨울에는 춥다.
Is it *colder* today than yesterday? 어제보다 오늘이 더 춥지?
❷ 냉담한, 냉정한(⟺ warm 다정한, 따뜻한).
He was very *cold* to me.
그는 나에게 매우 냉담하였다.
── 명 복수 **colds**[kouldz]
❶ 감기.
He has a bad *cold.*
그는 독감에 걸렸다.
I caught *cold.*
나는 감기가 들었다.

어법 have a cold는 보통 「감기를 앓고 있다」라는 뜻이며, catch (a) cold는 「감기 들다」라는 뜻으로 쓰인다. catch의 경우에는 보통 cold 앞에 a를 쓰지 않으나 have의 경우에는 a를 쓴다.

❷ 《the 를 붙여》 추위. ▶ 복수형 안 씀.

My grandmother doesn't like the winter *cold.* 나의 할머니는 겨울의 추위를 싫어하신다.

cold·ly [kóuldli] 부
비교 **more coldly**;
최상 **most coldly**

냉담하게, 차게.
He said *coldly,* "What do you want?" 그는 「무슨 일이냐?」하고 냉담하게 말하였다.

col·lapse [kəlǽps] 자
3·단·현 **collapses**
[kəlǽpsiz]: ing형 **collapsing**
[kəlǽpsiŋ]: 과거 과분 **collapsed**
[kəlǽpst]

붕괴하다, 무너지다, 내려앉다.
The little chair *collapsed* when Jack sat down. 그 작은 의자는 잭이 앉자 부서졌다.
── 명 《a와 복수형 안 씀》 무너짐, 붕괴.
A heavy flood caused the *collapse* of his house. 대홍수로 그의 집이 무너졌다.

col·lar [kálər] 명
복수 **collars**[kálərz]

❶ (양복의) 깃, 칼라.
The policeman caught a thief by the *collar.* 그 경찰관은 도둑의 옷깃을 잡았다.
❷ (개의) 목걸이.
Tom put a leather *collar* around his dog's neck. 톰은 개의 목에 가죽 목걸이를 걸었다.

col·lect [kəlékt] 타 3·단·현
collects [kəlékts]:
ing형 **collecting**[kəléktiŋ]: 과거
과분 **collected**[kəléktid]

…을 모으다, 수집하다.
My hobby is *collecting* old books. 나의 취미는 고서를 모으는 것이다.
Miae *collects* stamps of animals and flowers. 미애는 동물과 꽃이 그려져 있는 우표를 모은다. ▶correct (올바른)와 비슷하므로 혼동하지 않도록 주의.
☞ 명 collection

비슷한 말) **gather**와 **collect**
gather는 한 장소 또는 한 무리가 되게 모이거나 모으는 것. collect는 어떤 목적을 가지고 계획적으로 신중하게 선택한 것을 모으는 것.

col·lec·tion [kəlékʃən] 명
복수 **collections**[kəlékʃənz]
수집; 수집품.
My father has a large *collection* of pictures. 아버지는 많은 그림 수집품을 가지고 계신다.
They are the best ones in my *collections*. 그것들은 내 수집품들 중에서 제일 좋은 것들이다.
☞ 동 collect

어법)「많은 수집품」이라 할 때, 그것이 한 종류의 경우는 a large collection이라 하며, 「여러 종류에 걸치는 많은 수집품」의 뜻으로는 many collections가 된다.
Jim has *many collections* — stamps, coins and so on. 짐은 많은 수집품을 갖고 있다 — 우표, 화폐 등등.

col·lec·tor [kəléktər] 명
복수 **collectors**[kəléktərz]
수집가.
Jack is a stamp *collector*. 잭은 우표 수집가다.

✺✺col·lege [kálidʒ] 명
복수 **colleges** [kálidʒiz]
대학. ☞ university
a women's *college* 여자 대학.
Jim is a *college* student. 짐은 대학생이다.
Will you go to *college* after high school ? 너는 고등 학교를 졸업한 후에 대학에 갈 것이냐? ➤ go to college 일 때에는 관사를 붙이지 않음에 주의.

co·lon [kóulən] 명
복수 **colons**[kóulənz]
콜론(:).

참고) 구두점의 하나로 colon은 다음과 같은 경우에 쓰인다.
1. 대화문에서 사람의 이름 뒤에.
Tom : Good morning, Jane.
2. 시간을 가리킬 때.
"What time is it now?" "It's 8:35." 「지금 몇 시입니까?」 「8시 35분입니다.」
3. 다음에 문장이 온다는 것을 가리킨다.
James wrote the following on a piece of paper : Come at once. 제임스는 한 장의 종이에 다음과 같이 썼다. 「곧 오너라.」
4. 예를 들 때.
Verbs are as follows : speak, run, want, buy, etc. 동사라 하는 것은 다음과 같은 것이다. 예컨대 speak, run, want, buy 따위이다. ➤이 용법의 colon과 함께 as follows (다음과 같다)나 for example(예컨대)이 자주 쓰인다.
5. 상용문 따위에서 처음 쓰기 시작할 때. ☞letter
Dear Mr. Grey :

col·o·nist [kálənist] 명
복수 **colonists**[kálənists]
식민지 사람, 식민지 개척자, 이주자.
In those days many *colonists* went to America from England. 그 시대에는 많은 이주자들이 영국에서 미국으로 갔다.

col·o·ny [káləni] 명
복수 **colonies**[káləniz]

식민지.
The United States of Amer-
ica and Canada were once
British *colonies.* 미국과 캐나다
는 한 때 영국의 식민지였다.

****col·or** [kʌ́lər] 명
〔복수〕 **colors**[kʌ́lərz]

❶ 색.
What *color* is your dog?
너의 개는 무슨 색이냐?

〔참고〕 여러 가지 색			
black	흑색	white	흰색
gold	금색	silver	은색
brown	갈색	gray	회색
red	빨간색	green	녹색
rose	장미색	blue	청색
pink	분홍색	light blue	물색
yellow	노란색	sky blue	하늘색
orange	오렌지색	purple	자주색
scarlet	주홍색	violet	보라색

❷ 《복수형으로》 그림 물감.
a picture in oil 〔water〕
colors 유화〔수채화〕.
── 타 〔3·단·현〕 **colors** [kʌ́lərz] :
〔ing형〕 **coloring** [kʌ́ləriŋ] : 〔과거〕
〔과분〕 **colored**[kʌ́lərd]
…에 착색하다, 색을 칠하다.
Jane drew a rabbit and
colored the eyes red.
제인은 토끼의 그림을 그리고, 두
눈을 빨갛게 칠했다.
You can see many *colored*
roofs in the suburbs.
교외에서는 색칠한 지붕을 많이 볼
수 있다.
▶ 영국에서는 colour 로 씀.

Col·o·ra·do [kàlərǽdou] 명
콜로라도.

〔참고〕 미국 서부의 주. Colo. 또
는 Col.로 약함. 주도는 덴버
(Denver [dénvər]). 면적이
270,017km²로서 우리 나라보
다 약간 크다. 전체가 고지대로
광산물이 풍부하다.

col·ored [kʌ́lərd] 형
❶ 물든, 채색한.
Jim bought a *colored* shirt.
짐은 색깔 있는 셔츠를 샀다.
You can see *colored* win-
dows in churches. 교회에서는
채색한 유리창을 볼 수 있다.
❷ 《인종이》 유색의; 흑인의.
Many *colored* boys were
working there. 많은 유색인 소
년들이 거기서 일하고 있었다.
▶ 영국에서는 coloured 로 씀.

col·or·ful [kʌ́lərfəl] 형 〔비교〕
〔최상〕 **most colorful** more colorful;
색채가 풍부한, 화려한, 그림 같은.
a *colorful* dress 화려한 옷.
In the autumn, the leaves
become *colorful.* 가을이 되면
나뭇잎은 울긋불긋해진다.
The party was very *color-
ful.* 그 파티는 아주 화려했다.
▶ 영국에서는 colourful 로 씀.

Col·os·se·um [kàləsíːəm] 명
콜로세움.

〔참고〕 70-80년경 고대 로마 시
대에 만들어진 원형의 대경기
장. 둘레가 524m, 수용 인원은
5만명 이라고 한다. 지금도 로
마 시내에 남아 있으나 반쯤 파
괴되어 있다.

Co·lum·bus [kəlʌ́mbəs] 명
콜럼버스.
Christopher[krístəfər] **Colum-
bus** 크리스토퍼 콜럼버스 (1451-
1506)《1492년에 아메리카 대륙을
발견한 이탈리아의 탐험가》.

Co·lum·bus Day
[kəlʌ́mbəs dèi] 명
콜럼버스 기념일《콜럼버스가 아메
리카를 발견하였다고 전하는 10월
12일을 말함》.
Columbus Day falls on a
Thursday this year. 콜럼버스

기념일이 금년에는 목요일이다.

col·umn [kάləm] 몡

복수 **columns** [kάləmz]

❶ 원주 《특히 그리스 시대나 로마 시대의 건축물에서 돌로 된 원형의 기둥을 말함》.

❷ (신문·책 따위의) 난, 단.
I read the sports *column* of the newspaper every-day. 나는 매일 신문의 스포츠 난을 읽는다.
This dictionary has two *columns* on every page. 이 사전은 각 페이지가 두 단으로 되어 있다.

*comb [koum] 몡

복수 **combs** [koumz]

(머리를 빗는) 빗.
Do you have a *comb*? 빗을 갖고 있느냐?
— 타 3·단·현 **combs** [koumz] : ing형 **combing** [kóumiŋ] : 과거 과분 **combed** [koumd]
(빗으로 머리카락·털 따위)를 빗다, 빗질하다.
Jane *combs* her hair every morning. 제인은 매일 아침 머리를 빗는다.
➤ comb 의 b 는 발음하지 않음.

com·bi·na·tion [kὰmbənéiʃən] 몡

복수 **combinations** [kὰmbənéiʃənz]
결합, 배합, 짜맞추기.
Green is a *combination* of yellow and blue. 녹색은 노랑과 파랑이 배합된 것이다.

com·bine [kəmbáin] 타·자

3·단·현 **combines** [kəmbáinz] : ing형 **combining** [kəmbáiniŋ] : 과거 과분 **combined** [kəmbáind]
(…을) 결합하다, 연합하다.
Combine the next two sentences. 다음의 두 문장을 결합하여라.
Oil and water do not com-

bine. 기름과 물은 화합하지 않는다.

**come [kʌm] 자

3·단·현 **comes** [kʌmz] : ing형 **coming** [kʌmiŋ] : 과거 **came** [keim] : 과분 **come** [kʌm]

❶ (말하는 사람 쪽으로) 오다; (계절 따위가) 돌아오다(⇔go 가다).
My friends *come* to my house every Saturday.
내 친구들은 매주 토요일에 우리 집에 온다.
Tom *comes* to school by bicycle. 톰은 자전거로 학교에 온다.
Mr. Brown hasn't *come* yet. 브라운씨가 아직 오지 않았다.
Come here, please.
이리 오세요.
Winter is *coming*.
겨울이 오고 있다.

❷ (말하는 상대방 쪽으로) 가다.
I'll *come* to your house about five. 5시쯤 너의 집에 가겠다.

어법 영어에서는 말하는 사람의 위치가 중시된다. come 은 「(말하는 사람 쪽으로) 오다」, 반대로 go 는 「(말하는 사람이 있는 곳에서 어딘가로) 가다」란 뜻이다. 위 예문에서 go 대신에 come 을 쓴 것은 자기가 있는 곳보다 상대방이 있는 곳을 화제의 중심지로 보아 마음속으로 자기가 거기서 이야기하고 있는 것처럼 생각하기 때문이다.

come 오다 선생님 go 가다

---

❸ 《**come to** do 로》 …하게 되다.
You will *come* to like English. 너는 영어를 좋아하게

될 것이다.

❹ **자아**《상대를 권유·재촉·질문 할 때 사용함》.

Come, boys, stop that.
자, 모두, 그런 짓은 그만 두어라.

come about (사건 따위가) **일어 나다, 생기다.**

How did that *come about*?
어떻게 해서 그렇게 되었지?

come across …을 우연히 만나 **다, …와 마주치다.**

She *came across* the old letter in the box. 그녀는 상자 에서 오래된 편지를 우연히 발견 했다.

They *came across* an old man. 그들은 한 노인과 우연히 마주쳤다.

*come along (어떤 방향으로) **오다.**

"*Come along* with me," said the girl. 「나를 따라 오시오.」라 고 그 소녀가 말했다.

Just then a big car *came along*. 바로 그 때 큰 자동차가 왔다.

come and see 만나러 오다.

Come and see me next week. 다음 주에 만나러 와라.

▶ *Come* to see me next week. 라고도 하며, 구어에서는 *Come* see me next week. 처럼 to 까지 생략하기도 함.

come around (날짜 따위가) **돌아 오다.**

Christmas will *come around* very soon. 크리스마스가 곧 돌 아온다.

*come back **돌아오다, 복귀하다.**

He will *come back* after six. 그는 6시 후에 돌아올 것이다.

They *came back* to Korea.
그들은 한국으로 돌아왔다.

come by (곁을) **지나가다,** (지나 가는 길에) **들르다.**

Soon other boys *came by*.
곧 다른 소년들이 곁을 지나갔다.

come down 내려오다; (전설· 습관 따위가) **전해오다.**

Mr. Bell got up and *came down* to the kitchen. 벨씨는 일어나서, 부엌으로 내려왔다.

Many fable have *come down* through the ages. 많은 우화가 옛날부터 죽 전해져 왔다.

*come from …의 출신이다(=be from). …에서 오다.

Jack *comes from* Texas.
잭은 텍사스주 출신이다.

The word "alphabet" *comes from* alpha and beta. 「알파 벳」이라는 단어는 알파와 베타에 서 유래하였다.

*come home 집에 돌아오다, 귀국 하다.

She usually *comes home* at five o'clock. 그녀는 보통 5시에 집에 돌아온다.

*come in 들어오다.

"*Come in*," said Mrs. Green. 「들어오너라.」라고 그린 부인이 말 하였다.

*come into …에 들어오다.

My father *came into* my room. 나의 아버지는 내 방에 들 어오셨다.

*come on **1.** 《명령형으로》 자 가 자; 자 오라; 자 덤벼라《상대방을 재촉·권유할 때 쓰임》.

"*Come on*, boys," said the teacher, and they started.
「자, 가자!」라고 선생님이 말씀하 시자, 그들은 출발하였다.

2. 다가오다.

Spring is *coming on*.
봄이 다가오고 있다.

*come out (해·달이) **나오다, 솟다.**

The moon has not *come out* yet. 달이 아직 뜨지 않았다.

*come out of …에서 나오다.

A rat *came out of* the hole. 생쥐가 구멍에서 나왔다.

*come over (이 곳으로) **건너오다,** (…에) **놀러 오다.**

Those girls *came over* to Korea from the United States. 저 소녀들은 미국에서 한

국으로 건너왔다.

Please *come over* at four.
네시에 와 다오.

Please *come over* to my
house tomorrow. 내일 우리 집
에 놀러 오세요.

come to (합계·결과가) …로 되다.
How much does it *come to*?
그것은 얼마가 됩니까?

come true 사실이 되다, 실현되다.
His dream of going to
Europe finally *came true*.
유럽에 가려던 그의 꿈이 마침내
실현되었다.

I hope your dream will
come true. 나는 네 꿈이 실현되
길 바란다.

come up to (어떤 장소)까지 오
다, …에 도달하다.
The man *came up to* the
door and said something.
그 사람은 문까지 와서 무엇인가
를 말했다.

회화 **I'm coming.** 「지금 갑니
다.」
말하는 상대방에게 곧 간다고 할
때 I'm coming.이라고 한다.
I'm 을 생략하고 간단히 Com-
ing.이라고도 한다.
A : John ! Supper is
ready.
B : Yes, (*I'm*) *coming*.
「존! 저녁 준비가 됐다.」 「예.
갑니다.」

co·me·di·an [kəmíːdiən]
명

복수 **comedians** [kəmíːdiənz]
코미디언, 희극 배우.

He is an amateur *comedian*.
그는 아마추어 코미디언이다.

com·e·dy [kámədi]
명

복수 **comedies**[kámədiz]
희극(⇔ tragedy 비극).

We saw a *comedy* last
Sunday. 우리는 지난 일요일에
희극을 보았다.

Do you like musical *come-
dies*? 뮤지컬 코미디를 좋아하느냐?
☞ 형 comic

com·fort [kámfərt]
명

《a와 복수형 안 씀》 위안, 위로,
안락.

Mr. White lives in *comfort*
now. 화이트씨는 지금 안락하게
살고 있다.

It's peace of mind that
brings us *comfort*. 우리에게
편안함을 가져다 주는 것은 마음
의 평화다. ☞ 형 comfortable

***com·fort·a·ble** [kámfərt-
əbəl] 형

비교 **more comfortable**; 최상
most comfortable

기분이 좋은, 안락한, 편(안)한.
This chair is very *comfort-
able*. 이 의자는 매우 편안하다.
Life was not *comfortable*
for her. 인생이 그녀에게는 편한
것이 아니었다.
Science has made our lives
more *comfortable*. 과학은 우리
생활을 더욱 편하게 만들었다.
☞ 명 comfort

feel comfortable 기분 좋게 느끼
다, 편안하다.
We *felt comfortable* in a
large room. 방이 커서 우리는
편안했다.

make one*self *comfortable 쉬
다, 편안히 하다.
Please *make yourself comfort-
able* here. 여기서 편히 쉬십시오.

com·fort·a·bly [kámfərtə-
bəli] 부

비교 **more comfortably;** 최상 **most comfortably**
기분 좋게, 안락하게.
Tom is sleeping *comfortably* in his room. 톰은 자기 방에서 편안하게 자고 있다.
We live *comfortably* today. 우리는 오늘날 편하게 살고 있다.

com·ic [kámik] 형

희극의; **익살스러운, 우스운.**
He is a *comic* actor. 그는 희극 배우이다. ☞ 명 **comedy**

com·ic strip [kámik strìp] 명

복수 **comic strips** [kámik strìps]
연재 만화《신문 따위에서 볼 수 있는 것으로, 보통 4개의 그림으로 하나의 이야기가 되어 있음》.
Jim likes to read *comic strips*. 짐은 만화 읽기를 좋아한다.
This *comic strip* is very funny. 이 만화는 매우 재미있다.
➤ strip은 「가늘고 긴 조각」의 뜻.

com·ing [kámiŋ] 형

(장차) **다가올, 다음의, 이번의.**
We will go to the sea during the *coming* summer. 이번 여름에는 바다에 갈 것이다.
Will you sing a song at the *coming* party? 이번 파티에서 노래를 불러 주시겠습니까?

com·ma [kámə] 명

복수 **commas** [káməz]
쉼표, 콤마《(,)》.

참고 이 부호는 다음과 같은 경우에 쓰인다.
1. Yes나 No의 다음에.
"Do you like English?" "Yes, I do." 「너는 영어를 좋아하느냐?」「네, 좋아합니다.」
Yes 다음에 I do가 따르지 않고, 완전한 문장이 이어질 경우에는 Yes나 No에 콤마 대신

피리어드《(.)》를 찍는 경우도 있다.
"Is he a doctor?" "No. He is a teacher." 「그는 의사입니까?」「아니오. 그는 선생님입니다.」
2. 여러 개의 단어를 나열할 때.
We don't play baseball in December, January, and February. 우리는 12월, 1월, 2월에는 야구를 하지 않는다.
They live in a big, beautiful house. 그들은 크고 아름다운 집에서 살고 있다.
3. 부르는 말 뒤에나 앞에.
Bill, do you live in New York? 빌, 너는 뉴욕에 살고 있느냐?
Do you swim everyday, Betty? 베티, 너는 매일 수영을 하느냐?
4. and로 문장과 문장을 연결할 때.
I like Jane, and Jane likes me. 나는 제인을 좋아하고, 제인도 나를 좋아한다.
5. when이나 if 등으로 시작되는 문장 뒤에.
When Tom was in the United States, he visited Mr. Brown. 톰은 미국에 있을 때 브라운씨를 방문하였다.
If you go to Seoul again, you should see the building. 만약 또 서울에 간다면, 그 건물을 꼭 보도록 하여라.
6. 특별한 단어의 앞이나 뒤에.
Mary likes this flower. I like it, too. 메리는 이 꽃을 좋아한다. 나도 역시 그것이 좋다.
He can't skate, and I can't, either. 그는 스케이트를 탈 줄 모른다. 나도 역시 탈 줄 모른다.
Oh, that's my watch. 아, 그것은 나의 시계다.
Well, she is a nice girl. 그렇지, 그녀는 좋은 소녀지.

com·mand [kəmǽnd]
명

복수 **commands**[kəmǽndz]
명령; 《a와 복수형 안 씀》 지휘.
The captain gave a *command.* 대장은 명령을 내렸다.
We obeyed our captain's *command.* 우리들은 우리 팀 주장의 명령에 따랐다.
The general was in *command* of the army. 장군은 군대를 지휘하였다.
── 타·자 3·단·현 **commands** [kəmǽndz] : ing형 **commanding** [kəmǽndiŋ] : 과거 과분 **commanded**[kəmǽndid]
(…을) 명령하다, 지휘하다.
A young officer was *commanding* his men. 젊은 장교가 부하들을 지휘하고 있었다.
The boy *commanded* his dog to sit down. 소년은 개에게 앉도록 명령하였다.
The king *commands*, and the people obey. 임금은 명령하고, 백성은 복종하는 것이다.

비슷한 말 **command**와 **order**
command는 권력이 있는 사람이 하는 강한 명령이며 짧은 말로 간단히 하는 경우가 많다. order는 command처럼 정식의 명령이 아니라 개인적인 명령으로 그다지 강제적이지 않다.

---

com·mence [kəméns]
동

3·단·현 **commences**[kəménsiz] : ing형 **commencing**[kəménsiŋ] : 과거 과분 **commenced**[kəménst]
타 …을 시작하다.
He *commenced* life as a teacher. 그는 교사로 생활을 시작하였다.
She *commenced* studying music. 그녀는 음악 공부를 시작하였다.
── 자 시작되다.

The vacation *commences* on Sunday. 휴가는 일요일부터 시작한다. ▶ commence 는 딱딱한 문장체의 단어. 보통은 begin 을 씀.

com·ment [kámént]
명

복수 **comments**[káménts]
논평, 해설, 비평.
He made this *comment* on the accident. 그 사건에 대하여 그는 이런 해설을 붙였다.
Do you have any *comments* on this dictionary ? 이 사전에 대하여 무슨 논평할 것이 있습니까?
── 자 3·단·현 **comments**[káments] : ing형 **commenting** [kámentiŋ] : 과거 과분 **commented**[káméntid]
《**comment on**으로》 비평하다, 해설하다.
Everyone in the class *commented on* her. 학급의 모두가 그녀에 대해 비평하였다.

com·merce [kámərs]
명

《a와 복수형 안 씀》 상업, 무역.
This port is famous for foreign *commerce.* 이 항구는 외국 무역으로 유명하다.

com·mer·cial [kəmə́:rʃəl]
형

상업의, 무역의.
Jim is a student at *commercial* school. 짐은 상업 학교의 학생이다.
I am learning how to write *commercial* correspondence. 나는 지금 상업 통신문 쓰는 방식을 배우고 있다.
── 명 복수 **commercials**[kəmə́:rʃəlz]
(텔레비전·라디오의) 광고 방송.
This program is full of *commercials.* 이 프로그램은 광고 방송이 너무 많다.

com·mit [kəmít]
타

③·단·현 **commits**[kəmíts] : ing형
committing[kəmítiŋ] : 과거 과분
committed[kəmítid]

❶ (잘못)을 저지르다, (죄 따위)
를 범하다.

He once *committed* a crime.
그는 전에 죄를 범한 적이 있다.

❷ …을 맡기다, 위임하다.

She *committed* her child to
Jane. 그녀는 아이를 제인에게 맡
겼다.

com·mit·tee [kəmíti] 명

복수 **committees**[kəmítiz]
위원회; (위원회를 구성하고 있는)
위원.

I have to attend a *commit-
tee* meeting this afternoon.
오늘 오후에 나는 위원회의 모임
에 참석해야 한다.

Tom is a member of the
welcome *committee*. 톰은 환영
위원회의 한 사람이다.

The *committee* meets every
Saturday. 위원들은 토요일마다
모인다.

All the *committee* were
present that day. 그 날은 전
위원이 출석하였다.

참고 **1.** committee 는 「위원」
이라고 할 경우도 「위원회」를
구성하는 전체 위원을 집합적으
로 통틀어 말하는 것이다. 따라
서, 위원 한 사람만을 지칭할
때는 두 번째 예문에서처럼 a
member of 를 사용하여야 한
다.
2. 위원 전체를 통틀어 말하는
기분이 강할 경우는 commit-
tee 를 단수 취급하여 세 번째
예문처럼 동사 meet 에 s 가 붙
는다. 그러나 위원 한 사람 한
사람에 중점을 두고 말하는 기
분이 강할 경우는 committee
가 복수로 취급된다. 따라서 네
번째 예문처럼 were가 된다.
3. committee 가 복수가 되는

경우는 여러 개의 위원회를 말
할 때이다.

The president had to see
several *committees* in the
afternoon. 대통령은 오후에 여
러 위원회에 나가지 않으면 안
되었다.

*com·mon [kámən] 형
비교 **commoner**
[kámənər]또는 **more common;**
최상 **commonest**[kámənist] 또
는 **most common**

❶ 보통의, 일반적인, 흔히 볼 수
있는.

Proverbs express *common*
truth. 속담은 일반적인 진리를
표현한다.

Even ten-story buildings
are not *common* in London.
런던에는 10층짜리 건물조차도 흔
하지 않다.

She came to the party in
common clothes. 그녀는 평범
한 옷을 입고 파티에 나왔다.

❷ 공통의, 공유의.

Let's eat at the *common*
table. 한 식탁에서 식사를 하자.

They came from different
countries, but their *com-
mon* language was English.
그들은 각기 다른 나라 출신이었
으나, 그들의 공통 언어는 영어였
다.

com·mon·ly [kámənli] 부

비교 **more commonly;** 최상
most commonly

통례로, 일반적으로, 널리 어디서나.

His name is John, but he
is *commonly* called Jack.
그의 이름은 존이지만 일반적으로
잭이라 불리고 있다.

Music is *commonly* taught
in schools. 음악은 보통 학교에
서 가르치고 있다.

com·mon sense [kámən-
séns] 명

《a와 복수형 안 씀》 **상식, 양식.**
He has no *common sense.*
그는 상식이 없다.

com·mu·ni·cate [kəmjúː-nəkèit]

[동] [3·단·현] **communicates**[kəmjúːnəkèits] ; [ing형] **communicating**[kəmjúːnəkèitiŋ] ; [과거] [과분] **communicated**[kəmjúːnəkèitid]

[타] …을 전하다, 알리다.
I will *communicate* the news to Mr. Brown. 나는 그 소식을 브라운씨에게 전하겠다.

— [자] ❶ 통신하다.
We can easily *communicate* with people in the United States.
우리는 손쉽게 미국에 있는 사람들과 통신할 수가 있다.

❷ 통해 있다, 연락이 있다.
The room *communicated* with the next small room.
그 방은 작은 옆 방과 통해 있다.

com·mu·ni·ca·tion

[kəmjùːnəkéiʃən] [명] [복수] **communications**[kəmjùːnəkéiʃənz]

❶ 《a와 복수형 안 씀》 **전달, 통신, 교통, 연락.**
We always have some form of *communication* with those countries. 우리는 항상 그 나라들과는 어떤 형태로든 서로 통신하고 있다.

❷ 《복수형으로》 **통신 기관, 교통 기관.**
There are no *communications* between these two cities.
이 두 도시를 연결하는 교통 기관은 없다.

com·mu·ni·ca·tion sat·el·lite [kəmjuːnəkéiʃən sǽtəlait] [명]

[복수] **communication satellites** [kəmjuːnəkéiʃən sǽtəlaits]
통신 위성.

com·mu·ni·ca·tive

[kəmjúːnikətiv] [형] [비교] **more communicative**; [최상] **most communicative**
의사소통을 잘 하는.
I wish my husband were more *communicative.* 나는 나의 남편이 좀 더 의사소통을 잘 할 수 있으면 좋겠다.

com·mun·ist [kámjənist] [명]

[복수] **communists**[kámjənists]
공산주의자.
Many *communist* countries have changed their systems.
많은 공산주의 국가들이 그들의 체제를 변화시켰다.

com·mu·ni·ty [kəmjúːnəti] [명]

[복수] **communities**[kəmjúːnətiz]
(이해 관계를 같이하는) **단체**; (국가·도시·읍·면·학교 따위의) **공동 사회, 지역 사회, 생활 공동체**; 《the를 붙여》 **일반 사회.**
the European *Community* 유럽 공동체.
There are several Korean *communities* in USA. 미국에는 몇몇의 한국인 지역 사회가 있다.

com·pact disc [kámpækt dísk] [명]

[복수] **compact discs**[kámpækt dísks]
콤팩트 디스크(레이저 광선을 이용한 소형 레코드). ► CD로 약함.

com·pan·ion [kəmpǽnjən] [명]

C

|복수| **companions**[kəmpǽnjənz]
동무, 짝, 반려. ☞company
Tom and Jim are good
companions. 톰과 짐은 서로 마
음이 맞는 짝이다.
Did you have any *compan-
ions* during the trip ? 여행
중 누군가 동행이 있었느냐?

|비슷한 말| **friend** 와 **companion**
friend 는 서로 알고 있고, 호의
를 갖고 있는 친구. companion
은 원래는 밥을 같이 먹는 사람
을 말하였다. 이는 좋은 일이든
궂은 일이든 일, 놀이, 여행 따
위를 함께 하는 동료.

com·pan·ion·ship

[kəmpǽnjənʃip] |명|
《a 와 복수형 안 씀》 **교우, 교제,
동료임.**
Mr. Black enjoyed the *com-
panionship* of the Korean.
블랙씨는 한국 사람과 교제하는
것이 즐거웠다.

*com·pa·ny [kʌ́mpəni]
|명|

|복수| **companies**[kʌ́mpəniz]
❶ **회사.**
a trading *company* 무역 회
사, 상사.
Sangho's father works for
a Korean *company* near
London. 상호 아버지는 런던 근교
의 한 한국인 회사에서 일하신다.

|참고| 회사의 이름을 표시할 때는
company 는 Co. 로 약기하고,
John Smith & Co. (=John
Smith and Company) 처럼
쓰는 경우가 많다. 이것은
company 는 ❷와 같은 뜻이
있기 때문에 John Smith 와
그 협력자가 출자하여 그 회사
를 만들었다는 뜻이다.

❷ **동료, 한패.** ➤집합적으로 쓰

여 a 와 복수형 안 씀.
There was a beautiful girl
among our *company*. 동료 가
운데는 예쁜 소녀가 한 명 있었다.

|비슷한 말| **companion** 과 **com-
pany**
companion 은 「동료」의 한 사람
한 사람을 말하고, company
는 동료 전체를 통틀어 말한다.

❸ 《a 와 복수형 안 씀》 **접촉, 교제.**
Try to keep *company* with
good people. 좋은 사람들과 교
제하도록 하여라.
You should avoid bad *com-
pany*. 나쁜 친구들과의 교제는 피
하여야 한다.

com·par·a·tive·ly

[kəmpǽrətivli] |부|
비교적.
People in those countries are
comparatively tall. 이들 나라
의 사람들은 비교적 키가 크다.
Comparatively speaking,
Americans are kind. 비교해
말하면 미국 사람들은 친절하다.

com·pare [kəmpέər]
|타|

|3·단·현| **compares**[kəmpέərz] ;
|ing형| **comparing**[kəmpέəriŋ] ;
|과거| |과분| **compared**[kəmpέərd]
❶ …을 **비교하다;** 《compare
with 로》 …을 ~와 **비교하다.**
Jane *compared* the three
pens and bought the best
one. 제인은 세 개의 펜을 비교해
서, 제일 좋은 것을 샀다.
Compared with Canada,
Switzerland is a tiny piece
of land. 캐나다와 비교하면 스위
스는 작은 한 조각의 땅이다.
❷ 《compare ...to 로》 …을 ~에
비유하다.
You can *compare* life *to* a
journey. 인생은 여행에 비유할
수 있다. ☞ |명| comparison

com·par·i·son [kəmpǽri-sən] 몡 〔복수〕
comparisons[kəmpǽrisənz]
❶ 비교.
Comparisons are sometimes difficult. 비교한다는 것은 때로는 어렵다.
❷ (형용사·부사의) 비교 변화.
The *comparison* of 'good' is 'good, better, best.'
「good」의 비교 변화는 「good, better, best」다.
in comparison with …와 비교하여.
This summer is hot *in comparison with* last summer. 올 여름은 지난 여름에 비하여 덥다.
☞ 동 compare

com·pass [kʌ́mpəs] 몡
〔복수〕 compasses[kʌ́mpəsiz]
❶ 나침반, 나침의.
Every ship has a *compass*. 어느 배에나 나침의가 있다.
Compasses tell us direction. 나침반은 우리에게 방향을 가르쳐 준다.

❷ 《복수형으로》 컴퍼스《원을 그리거나, 지도상에서 거리를 재는 데 사용함》.
I bought a pair of *compasses* yesterday. 나는 어제 컴퍼스 하나를 샀다.

┌─────────────────────┐
│ 어법 「컴퍼스」의 뜻으로 쓰일
때에는 compasses처럼 복수
형으로 사용한다. 한 개, 두 개
라고 수를 확실히 하고 싶을 때
에는 a pair of, two pairs
of를 붙여 사용한다.
└─────────────────────┘

com·pel [kəmpél] 타
〔3·단·현〕 compels [kəmpélz]:
〔ing형〕 compelling [kəmpéliŋ]:
〔과거〕〔과분〕 compelled[kəmpéld]
《compel ... to do로》 (억지로)
…에게 ~하게 하다〔시키다〕.
The policeman *compelled* the speeding car *to* stop. 경찰관은 과속차를 정지시켰다.
We were *compelled to* go to school on Sunday. 우리는 할 수 없이 일요일에 학교에 나가게 되었다.

com·pete [kəmpíːt] 자
〔3·단·현〕 competes [kəmpíːts]:
〔ing형〕 competing [kəmpíːtiŋ]:
〔과거〕〔과분〕 competed[kəmpíːtid]
경쟁하다.
Tom and Peter *competed* in the race for first prize.
톰과 피터는 1등상을 타려고 경주에서 경쟁했다.
We are always *competing* with others in class. 우리는 항상 학급에서 다른 학생과 경쟁하고 있다.

com·pe·ti·tion [kàmpətíʃən] 몡
〔복수〕 competitions[kàmpətíʃənz]
❶ 《a와 복수형 안 씀》 경쟁.
There is *competition* among all animals. 모든 동물 사이에는 경쟁이 있다.
❷ 경기(회), 시합.
She won the first prize in several skiing *competitions*.
그녀는 몇몇의 스키 경기에서 1등을 차지하였다.

com·plain [kəmpléin] 자
〔3·단·현〕 complains[kəmpléinz]:
〔ing형〕 complaining[kəmpléiniŋ]:
〔과거〕〔과분〕 complained[kəmpléind]
불평을 말하다, 투덜대다.
Mrs. Jones is always *complaining* about her chil-

dren. 존스 부인은 언제나 아이들에 대해 불평을 한다.

He has never *complained* of his toothache. 그는 이가 아프다고 투덜거린 적이 없다.

My parents always *complain* that my grades are too low. 부모님은 늘 내 성적이 너무 나쁘다고 불평하신다.
☞ 몡 complaint

com·plaint [kəmpléint] 몡

복수 complaints [kəmpléints]
불평, 불만, 우는 소리.

They worked hard without *complaint*. 그들은 불평 없이 열심히 일하였다.

I have no *complaint* to make. 나에게는 별로 불만거리가 없다. ☞ 동 complain

com·ple·ment [kámpləmənt] 몡 복수

complements [kámpləmənts]
(문법의) 보어.

In "He is a student", "student" is a *complement*. 「He is a student.」라는 문장에서는 「student」가 보어다.

참고 보어란?

보어란 동사가 하나의 완전한 뜻을 나타낼 수 있도록 보충해 주는 말로서, 주로 명사나 형용사이다. I am a boy.(나는 소년이다.)의 boy는 am(…이다)을 보충해서 주어 I가 무엇인가를 설명하는 말이므로 주격 보어라고 한다. They call him John.(그들은 그를 존이라고 부른다.)의 John은 call(…라고 부르다)을 보충해서 목적어 him을 무엇이라고 부르는가를 설명하는 말이므로 목적격 보어라고 한다.

---

*com·plete [kəmplíːt] 혱
비교 more com-

plete; 최상 most complete
완전한, 완성된, 전적인.

The result was a *complete* success. 그 결과는 완전한 성공이었다.

My homework is *complete* now. 이제 나의 숙제는 완전히 끝났다.

── 타 3·단·현 completes [kəmplíːts] : ing형 completing [kəmplíːtiŋ] : 과거 과분 completed [kəmplíːtid]

…을 완성하다, 끝내다.

Can you *complete* the work in two hours ? 두 시간 안에 일을 끝낼 수 있느냐?

The new school was *completed* in March. 그 새 학교 건물은 3월에 완성되었다.

*com·plete·ly [kəmplíːtli] 부

완전히, 전적으로, 대단히.

Our plan was *completely* successful. 우리의 계획은 완전히 성공적이었다.

We were *completely* satisfied. 우리는 대단히 만족하였다.

com·plex [kəmpléks] 혱

비교 more complex; 최상 most complex
복잡한(⇔ simple 간단한).

A car is a very *complex* machine. 자동차는 매우 복잡한 기계이다.

He has a *complex* idea. 그는 복잡한 생각을 갖고 있다.

com·pli·cat·ed [kámplikèitid] 혱

비교 more complicated; 최상 most complicated
복잡한, 뒤섞인, 알기 어려운.

A tape recorder is not a *complicated* machine. 녹음기는 복잡한 기계가 아니다.

Our teacher gave us more *complicated* problems today than yesterday. 선생님은 오늘

C

어제보다 더 까다로운 문제를 내
주셨다.

com·pli·ment [kámplə-mənt] 명

복수 compliments[kámpləmənts]
찬사, 인사말; 경의.
Jane gave Namsik a *compliment* about his English.
제인은 남식에게 영어를 잘 한다
고 칭찬하였다.
Please give my *compliments*
to your mother. 어머니께 안
부 전해 주십시오.

com·pose [kəmpóuz] 타

3·단·현 composes[kəmpóuziz] :
ing형 composing[kəmpóuziŋ] :
과거 과분 composed[kəmpóuzd]
❶ …을 조립하다; 《be com-
posed of 로》…로 구성되어 있다.
Our class *is composed of*
12 boys and 14 girls. 우리 학
급은 남자 12명과 여자 14명으로
구성되어 있다.
What *is* this metal *com-
posed of*? 이 금속은 무엇으로
구성되어 있을까?
❷ (시·글 따위)를 짓다; 작곡하
다.
The writer *composed* many
short stories. 그 작가는 많은
단편 소설을 썼다.
Ann *composes* a piece of
music every month. 앤은 매
월 한 곡씩 작곡한다.

com·pos·er [kəmpóuzər] 명

복수 composers[kəmpóuzərz]
작곡가.
He is one of the most
famous *composers* today. 그
는 오늘날 가장 유명한 작곡가의
한 사람이다.

com·po·si·tion [kàmpəzí-ʃən] 명

복수 compositions[kàmpəzíʃənz]
❶ 작문; (음악상의) 작품, 작곡.
Bob wrote a *composition*

about his sister yesterday.
보브는 어제 누이에 관하여 작문
을 지었다.
I like that tune. Whose *com-
position* is it? 나는 저 곡을 좋
아한다. 누구의 작품이냐?
❷ 구성, 조립; 성분.
Do you know the *composi-
tion* of air? 공기는 무엇으로
구성되어 있는지 알고 있느냐?
☞ 동 compose

com·pre·hend [kàmpri-hénd] 타

3·단·현 comprehends[kàmpri-
héndz] : ing형 comprehending
[kàmprihéndiŋ] : 과거 과분
comprehended[kàmprihéndid]
(완전히) 이해하다, 깨닫다, 파악
하다.
I couldn't *comprehend* the
reason. 나는 그 이유를 이해할
수 없었다.

com·pre·hen·sion
[kàmprihénʃən] 명
《a와 복수형 안 씀》이해, 이해력.
reading *comprehension* 독해
력.
comprehension of English
Lesson 영어과목에 대한 이해력.

com·put·er [kəmpjú:tər] 명

복수 computers[kəmpjú:tərz]
컴퓨터, 전자 계산기.
A lot of machines are
controlled by *computers*.
많은 기계들이 컴퓨터에 의해 조정
된다.

con·ceal [kənsí:l] 타

3·단·현 conceals
[kənsí:lz] : ing형 concealing
[kənsí:liŋ] : 과거 과분 concealed
[kənsí:ld]
…을 감추다, 비밀로 하다.
Tom *concealed* his broth-
er's camera under the bed.
톰은 형의 사진기를 침대 밑에 감
췄다.

참고 비슷한 뜻의 단어로 hide 가 있다. conceal이 일부러 어 떤 목적에서 감추는 기분이 더 강하게 나타난다.

con·ceive [kənsíːv] 자·타

3·단·현 **conceives** [kənsíːvz]；
ing형 **conceiving** [kənsíːviŋ]；
과거 과분 **conceived**[kənsíːvd]
(…을) 생각하다, 상상하다.
They couldn't *conceive* (of) any good plan. 그들은 좋은 계획이 전혀 떠오르지 않았다.
Who first *conceived* (of) how to use fire? 누가 최초로 불을 사용하는 방법을 생각했을까?

con·cen·trate [kánsəntrèit] 타·자

3·단·현 **concentrates** [kánsən-trèits]； ing형 **concentrating** [kánsəntrèitiŋ]； 과거 과분 **concentrated**[kánsəntrèitid]
(…을) 한 점에 모으다, 집중하다; 전념하다.
You should always *concentrate* all your energies upon what you are doing. 항상 자기가 하고 있는 일에 모든 정력을 쏟아야 한다.
He *concentrated* upon his teacher's explanation. 그는 선생님의 설명에 주의를 집중하였다.

con·cen·tra·tion

[kɑnsəntréiʃən] 명 복수
concentrations [kɑnsəntréiʃənz]
《a와 복수형 안 씀》 집중, 전념.
He has poor *concentration*. 그는 집중력이 약하다.

*con·cern [kənsə́ːrn] 타

3·단·현 **concerns** [kənsə́ːrnz]；
ing형 **concerning** [kənsə́ːrniŋ]；
과거 과분 **concerned**[kənsə́ːrnd]
❶ …에 관계가 있다;《**be con-cerned with**〔**in**〕으로》 …에 관계

하다, 관계를〔관심을〕 갖다.
That *concerns* me.
그것은 나에게 관계가 있다.
Tom *is* not *concerned in* our plan. 톰은 우리들의 계획에 관계하고 있지 않다.
Mr. Green *was* once *con-cerned with* the company.
그린씨는 이전에 그 회사에 관계하고 있었다.
❷《**be concerned about**〔**for**〕로》 …을 걱정하다, 염려하다.
I *am* not much *concerned about* his health. 나는 그의 건강에 관하여 그렇게 걱정하고 있지 않다.
I *am* much *concerned for* her safety. 나는 그녀의 안부가 크게 염려〔걱정〕된다.
as far as ... be concerned …에 관한 한, …의 생각으로는.
As far as English *is con-cerned*, I'm sure I can get A this time. 영어에 관한 한, 이번에는 반드시 A학점을 딸 수 있으리라 생각한다.
As far as I *am concerned*, she is very honest. (다른 사람은 모르지만) 나의 생각으로는 그녀는 매우 정직하다.
— 명 복수 **concerns**[kənsə́ːrnz]
❶《a와 복수형 안 씀》 걱정, 관심.
The mother didn't show much *concern* about her daughter's sickness. 그 어머니는 딸의 병에 대하여 그리 관심을 나타내지 않았다.
❷ 관심사; (이해) 관계.
I have a *concern* in the business. 나는 그 사업에 이해 관계가 있다.
That's no *concern* of ours.
그것은 우리들이 알 바 아니다.

con·cern·ing [kənsə́ːrniŋ] 전

…에 관하여, …에 대하여.
I can't say anything *concern-ing* his business. 그의 사업에

관하여는 아무 것도 말할 수 없다.

con·cert [kánsə(ː)rt] 명

복수 **concerts** [kánsə(ː)rts]
콘서트, 음악회, 연주회.
attend a *concert* 음악회에 참
석하다.
We went to a *concert* last
Sunday. 지난 일요일 우리들은
음악회에 갔다.
How was the *concert* that
night? 그날 밤 연주회는 어땠나
요?

pops orchestra의 concert

give a concert 음악회를 개최하다.
George came to Korea to
give some *concerts*. 조지는 음
악회를 개최하기 위해 한국에 왔다.

참고 concert 는 여러 악기로,
recital [risáitl]은 한 종류의
악기만으로 실시되는 연주회.

con·clude [kənklúːd] 동

3·단·현 **concludes** [kənklúːdz];
ing형 **concluding** [kənklúːdiŋ];
과거 과분 **concluded** [kənklúːdid]
타 ❶ (이야기)를 마치다, 끝내다.
Mr. Jones *concluded* his
speech by saying "Let's
think together." 존스씨는「다
함께 생각해 봅시다.」라고 하면
서, 연설을 끝냈다.
❷ …을 결론짓다, 추정하다.
From his appearance, I
concluded that he was not
telling the truth. 그의 모습으
로 보아, 나는 그가 진실을 말하고
있는 것이 아니라고 판단하였다.

❸ (계약·조약 따위)를 맺다.
We can't *conclude* any agree-
ment with such a compa-
ny. 우리는 그런 회사와는 어떤
계약도 맺을 수 없다.
── 자 끝나다.
The meeting *concluded* at
five in the evening. 회의는
저녁 5시에 끝났다.

con·clu·sion [kənklúːʒən] 명

복수 **conclusions** [kənklúːʒənz]
❶ 결말, 종결.
Do you know the *conclu-
sion* of the story? 그 이야기
의 결말을 알고 있느냐?
❷ 결론.
Harry has come to the
conclusion that he has to
leave school. 해리는 자기가 학
교를 그만두지 않으면 안 된다는
결론에 이르렀다.
❸ (계약·조약 따위의) 체결.
Both companies are look-
ing forward to the *conclu-
sion* of the agreement.
두 회사 모두 계약의 체결을 바라
고 있다.

con·crete [kánkriːt] 형

비교 **more concrete**; 최상 **most
concrete**
❶ 구체적인(⇔ abstract 추상적
인); 실제의.
Let's think about *concrete*
facts. 구체적인 사실에 관하여
생각합시다.
❷ 콘크리트의.
Betty slipped on a *con-
crete* sidewalk and broke
her leg. 베티는 콘크리트 보도
에서 미끄러져 다리가 부러졌다.
── 명 《a와 복수형 안 씀》 콘크
리트.
A great deal of *concrete* was
used to build that bridge.
저 다리를 세우는 데 많은 양의
콘크리트가 사용되었다.

*con·di·tion [kəndíʃən] 명

복수 conditions [kəndíʃənz]

❶ 상태. ➤ 보통 a와 복수형을 안 쓰나, 간혹 a를 붙일 때도 있음.
At first the man asked about the condition of the engine. 제일 먼저 그 사람은 엔진의 상태에 관하여 물었다.

❷ 《복수형으로》 상황, 사정.
We did our best under difficult conditions. 우리는 어려운 상황 아래에서 최선을 다했다.

❸ 조건.
He agreed with that condition. 그는 그 조건에 동의했다.
We had to accept all the conditions that he had proposed. 우리는 그가 제의한 모든 조건을 받아들이지 않을 수 없었다.

on condition that …라는 조건으로.
I bought the dog on condition that I would take care of it myself. 나는 내가 돌본다는 조건으로 그 개를 샀다.

con·duct [kándʌkt] 명

《a와 복수형 안 씀》 행동, 행실, 품행.
Mr. White is known for his good conduct. 화이트씨는 선행으로 사람들에게 알려져 있다.

— [kəndʌ́kt] 타 3·단·현 con-ducts [kəndʌ́kts] : ing형 con-ducting [kəndʌ́ktiŋ] : 과거 과분 conducted [kəndʌ́ktid]

❶ (악단 따위)를 지휘하다; (일 따위)를 하다.
Mr. Jeong conducted an orchestra. 정씨는 오케스트라를 지휘했다.

❷ …을 안내하다.
Usually a girl will conduct you to the table. 대개 소녀가 테이블까지 안내하여 준다.

❸ 《conduct oneself로》 처신하다, 행동하다.
We must conduct ourselves carefully under such circumstances. 그러한 조건 하에서는 조심하여 행동하지 않으면 안 된다.
➤ 명사와 동사의 악센트 위치가 다름에 주의.

con·duc·tor [kəndʌ́ktər] 명

복수 conductors [kəndʌ́ktərz]

❶ 안내인; 차장.
There are usually a few conductors on a train. 대개 열차에는 2, 3명의 차장이 타고 있다.
I asked the conductor where I should get off. 나는 차장에게 어디서 내려야 하는지를 물었다.
➤ conductor는 열차·전차·버스 따위의 차장을 말함.

❷ (악단의) 지휘자.
He has achieved world-wide fame as a conductor. 그는 지휘자로서의 세계적인 명성을 얻었다.

cone [koun] 명

복수 cones [kounz]

원뿔(형); 원뿔 모양의 것.
an ice-cream cone 아이스크림 콘 《원뿔 모양의 웨이퍼(wafer)에 담은 아이스크림》.

con·fer·ence [kánfərəns] 명

복수 conferences [kánfərənsiz]

회의.
This year many international conferences were held in Seoul. 금년에 많은 국제 회의가 서울에서 개최되었다.
The principal is in conference now. 교장 선생님은 지금 회의 중이시다.

C

con·fess [kənfés] 자·타

③·단·현 confesses[kənfésiz] :
ing형 confessing [kənfésiŋ] :
과거 과분 confessed[kənfést]
(…을) 자백하다, 고백하다; (잘못
따위를) 인정하다.
He refused to confess.
그는 자백하려 들지 않았다.
The driver confessed that
his car had run over the
dog. 그 운전사는 개를 친 것을
인정하였다.

con·fi·dence [kánfidəns] 명

❶《a 와 복수형 안 씀》신용, 신
뢰, 신임.
Do you have any confi-
dence in those boys? 너는
저 아이들을 신뢰하느냐?
❷《a 와 복수형 안 씀》자신, 확신.
Tom was full of confidence.
톰은 자신 만만하였다.
She spoke with confidence
and won the first prize.
그녀는 자신을 갖고 이야기하여 1
등상을 차지하였다.

con·fi·dent [kánfidənt] 형
비교 more con-
fident; 최상 most confident
확신하고 있는; 자신 있는.
I feel confident that he will
accomplish the task.
나는 그가 그 일을 완성하리라고
확신한다.
They were confident of vic-
tory. 그들은 승리를 확신했다.
She gave a confident smile.
그녀는 자신 만만한 미소를 지었
다.

con·fine [kənfáin] 타 ③·단·현
confines[kənfáinz] :
ing형 confining [kənfáiniŋ] :
과거 과분 confined[kənfáind]
…을 가두다, 감금하다.
They were confined in the
elevator for two hours. 그들은
엘리베이터 안에 2시간 동안이나

갇혀 있었다.
The heavy snow confined
the children to the cottage.
폭설로 어린이들은 오두막집에서
나올 수가 없었다.

con·firm [kənfə́:rm]

③·단·현 confirms [kənfə́:rmz] :
ing형 confirming [kənfə́:rmiŋ] :
과거 과분 confirmed[kənfə́:rmd]
…을 확실히 하다, 확인하다.
Our suspicion was con-
firmed. 우리들의 의심은 확실해
졌다.
The reported disaster is
now confirmed. 재해의 보도는
이제 확인되었다.

con·flict [kánflikt] 명 복수
conflicts[kánflikts]
❶ 다툼, 싸움, 투쟁, 충돌.
Conflicts between those two
countries lasted for many
years. 그 두 나라 사이의 싸움은
여러 해 계속되었다.
armed conflict 무력 충돌.
❷ (감정·의견의) 충돌.
A conflict of opinions devel-
oped, and the group parted.
의견 충돌이 심해져서, 그 그룹은
갈라졌다.
── [kənflíkt] 자 ③·단·현 conflicts
[kənflíkts] : ing형 conflicting
[kənflíktiŋ] : 과거 과분 conflicted
[kənflíktid]
다르다, 모순되다, 충돌하다.
Mr. Han's explanation con-
flicted with mine. 한선생님의
설명은 나의 설명과 달랐다.
▶ 명사와 동사의 악센트 위치가
다름에 주의.

con·front [kənfrʌ́nt] 타
③·단·현 confronts
[kənfrʌ́nts] : ing형 confronting
[kənfrʌ́ntiŋ] : 과거 과분 con-
fronted[kənfrʌ́ntid]
❶ …에 맞서다, 맞서 나아가다.
Policemen often have to
confront danger. 경찰관들은

위험에 맞서지 않으면 안 될 경우
가 흔히 있다.
❷ 《be confronted with [by]
로》 (위험 따위)에 **직면하다.**
We *were confronted with*
great difficulty. 우리는 중대한
어려움에 직면하게 되었다.

con·fuse [kənfjúːz] 타 ③·단·현
confuses[kənfjúː-
ziz]; ing형 confusing[kənfjúːziŋ];
과거 과분 confused[kənfjúːzd]
❶ 《흔히 수동태로》 (머리)를 혼
란시키다, 당황하게 하다.
be [become, get] *confused*
당황하다.
The boy was asked many
questions at the same time,
and he looked *confused*.
그 소년은 동시에 많은 질문을 받
아, 어리둥절한 것처럼 보였다.
❷ …을 혼동하다; 《confuse ...
with 로》 …을 ～과 혼동하다.
I often *confuse* their names.
나는 가끔 그들의 이름을 혼동한다.
You always *confuse* me
with my brother. 너는 항상 나
를 내 동생과 혼동하는구나.

con·fu·sion [kənfjúːʒən]
명
《a와 복수형 안 씀》 **혼란, 혼동.**
The *confusion* in his speech
shows the *confusion* of his
ideas. 그의 이야기에 두서가 없
는 것은, 그의 생각이 혼란되어
있음을 나타내고 있다.

con·grat·u·late [kəngrǽ-
tʃəlèit] 타
③·단·현 congratulates[kəngrǽ-
tʃəlèits]; ing형 congratulating
[kəngrǽtʃəlèitiŋ]; 과거 과분 con-
gratulated[kəngrǽtʃəlèitid]
… 에게 축하의 말을 하다. ☞
celebrate
We all *congratulated* Jane
on her marriage. 우리는 모두
제인에게 결혼을 축하한다고 말하
였다.
I *congratulate* you on your

success. 나는 너의 성공을 축하
한다.

con·grat·u·la·tion
[kəngrǽtʃəléiʃən] 명 복수 con-
gratulations[kəngrǽtʃəléiʃənz]
《보통 복수형으로》 **축하의 말; 축
하, 경하.**
a matter for *congratulation*
축하할 만한 일.
Congratulations on your
success. 성공을 축하한다.

회화 **Congratulations!** 「축하
한다!」
입학·졸업·취직·승진 등 갖
가지 기쁜 일에 축하 인사로 쓰
는 말.
A : *Congratulations!* You've
won!
B : Thank you.
「축하해. 네가 이겼어.」
「고마워.」

con·gress [káŋgris]
명
복수 congresses[káŋgrisiz]
❶ **회의, 대회.**
Recently many international
congresses have been held
in Korea. 최근 많은 국제 회의
가 한국에서 열렸다.
❷ 《Congress로》 **미국 의회.**

참고 1. 각국의 의회
미국의 의회는 Congress 라고
하나, 영국의 의회는 Parlia-
ment [páːrləmənt], 덴마크·
스웨덴·일본 등의 의회는 the

Diet [dáiət]. 한국의 국회는 National Assembly 라 한다.

2. 미국 의회의 구성

미국 의회는 the Senate [sénət] (상원)와 the House of Representatives [rèprizéntətivz] (하원)로 되어 있다. 의원은 a Senator [sénətər] (상원 의원), a Representative (하원 의원)라 한다.

con·junc·tion [kəndʒʌ́ŋkʃən] 명 복수

conjunctions [kəndʒʌ́ŋkʃənz] 접속사.

> 참고 **1.** 흔히 conj.로 약함.
> **2.** 다음 이탤릭체의 단어는 접속사이다.
> You *and* I like basketball. 너와 나는 농구를 좋아한다.
> Who can run faster, Tom *or* Jack? 톰과 잭 중 누가 더 빨리 달릴까?
> *When* the policemen arrived, the criminals had already gone. 경찰관이 도착하였을 때에는 범인이 이미 도망간 뒤였다.

*con·nect [kənékt] 타 3·단·현

connects [kənékts] : ing형 connecting [kənéktiŋ] : 과거 과분 connected [kənéktid]

❶ …을 잇다, 연결하다.

Connect these two electric cords. 이 두 전기줄을 이으시오.

The bus line *connects* the two villages.

그 버스 노선은 두 마을을 연결짓는다.

❷ …을 관계시키다.

I am *connected* with the company. 나는 그 회사에 관계하고 있다.

❸ 《connect ~ with ...로》 …로 ~을 연상하다.

Can you *connect* anything

with this story? 이 이야기에서 무엇을 연상할 수 있느냐?

☞ 명 connection

Con·nect·i·cut [kənétikət] 명

코네티컷.

> 참고 최초(1776년)로 미국 국토가 된 13주의 하나. Conn.으로 약함. 주도는 하트퍼드(Hartford [háːrtfərd]). 이 주의 New Haven [njúː héivən]에는 미국에서 가장 오래 된 대학 중의 하나로 유명한 예일 대학(Yale [jeil] University)이 있다. 면적은 12,974km²이고, 미국의 주 가운데서 작기로 3번째이다.

con·nec·tion [kənékʃən] 명

복수 connections [kənékʃənz] 관계, 관련.

There is a close *connection* between the United States and Korea. 한미 간에는 밀접한 관계가 있다.

Mary has no *connection* with our family. 메리는 우리 가족과 아무런 관계가 없다.

▶ 영국에서는 connexion 으로 씀.

☞ 동 connect

*con·quer [káŋkər] 타

3·단·현 conquers [káŋkərz] : ing형 conquering [káŋkəriŋ] : 과거 과분 conquered [káŋkərd]

…을 정복하다; 이겨내다, 극복하다.

Their country has been *conquered* by an enemy. 그들의 나라는 적에게 정복당하였다.

conquer difficulties 어려움을 극복하다 [이겨내다].

You should *conquer* this bad habit. 너는 이 나쁜 습관을 타파해야 한다. ☞ 명 conquest

con·quer·or [káŋkərər] 명

복수 conquerors [káŋkərərz]

정복자.
Do you know any famous *conquerors* in history? 너는 역사상 유명한 정복자를 알고 있느냐?

con·quest [kɑ́ŋkwest] 명
《a와 복수형 안 씀》 정복, 극복.
The *conquest* of the country was made after many years. 그 나라의 정복은 여러 해가 걸려서 이루어졌다.
☞ 동 conquer

con·science [kɑ́nʃəns] 명
《a 와 복수형 안 씀》 양심.
She always acted according to her *conscience*. 그녀는 항상 양심에 따라 행동하였다.
Such a man has no *conscience*. 그런 사람은 양심이 없다.

con·scious [kɑ́nʃəs] 형
비교 **more conscious;** 최상 **most conscious**
지각하고 있는, 의식하고 있는.
I was *conscious* that somebody was in the next room. 나는 누군가가 옆 방에 있는 것을 알고 있었다.
She became *conscious*. 그녀는 의식을 되찾았다.
be conscious of …을 의식하다, 알아채다.
He *was* not *conscious of* our errors. 그는 우리 잘못을 알아채지 못했다.

con·sent [kənsént] 타·자
3·단·현 **consents** [kənsénts] : ing형 **consenting** [kənséntiŋ] : 과거 과분 **consented** [kənséntid]
(…을) 동의하다, 승낙하다.
I *consented* to my brother's plan. 나는 동생의 계획에 찬성하였다.
Tom will *consent* to go with us tomorrow. 톰은 내일 우리와

함께 갈 것을 동의할 것이다.
—— 명 《a와 복수형 안 씀》 동의, 승낙.
Silence gives *consent*.
《속담》 침묵은 승낙의 표시.

con·se·quence [kɑ́nsikwèns]
명 복수 **consequences** [kɑ́nsikwènsiz]
❶ 결과(= result).
His careless driving brought serious *consequences*.
그의 부주의한 운전은 심각한 결과를 가져왔다.
❷ 《a와 복수형 안 씀》 중요성(= importance).
Studying was a matter of no *consequence* to her. 공부는 그녀에게 중요한 것이 아니었다.

con·se·quent [kɑ́nsikwènt] 형
결과로서 생긴 ; 필연의.
These people were starving; all *consequent* diseases were theirs. 이 사람들은 몹시 굶주렸다. 그 결과로 생긴 모든 병은 그들의 병이었다.

con·se·quent·ly
[kɑ́nsikwèntli] 부
그 결과, 따라서.
They had to work day and night ; *consequently*, they fell sick one by one. 그들은 밤이나 낮이나 일하지 않으면 안 되었다. 그 결과로 그들은 한 사람 한 사람 병이 들었다.

con·serv·a·tive [kənsə́ːrvətiv] 형
비교 **more conservative;** 최상 **most conservative**
보수적인.
English people are said to be the most *conservative* in the world. 영국 사람은 세계에서 가장 보수적이라고 한다.

*con·sid·er [kənsídər] 타·자

C

③·단·현 **considers**[kənsídərz] ;
ing형 **considering**[kənsídəriŋ] ;
과거 과분 **considered**[kənsídərd]
❶ (…을) 깊이 생각하다, **고려하다.**
They *considered* all the
possibilities. 그들은 모든 가능
성을 고려해 보았다.
You should *consider* this
problem carefully. 너는 이 문
제를 깊이 생각해야 한다.
Let me *consider*. 생각해 보자.
❷ (…을 ~라고) **생각하다.**
I *consider* him (to be)
honest. 나는 그를 정직하다고
생각한다.
Those stars are *considered*
to be very large. 그 별들은 매
우 큰 것으로 생각된다.
☞ 명 consideration

con·sid·er·a·ble [kənsídə-
rəbəl] 형
상당한, 적지 않은; 중요한.
Twenty dollars is a *consid-
erable* amount of money.
20 달러라면 적지 않은 돈이다.
The prime minister's influ-
ence is *considerable*. 수상의
권력은 대단한 것이다.

con·sid·er·a·bly [kənsídə-
rəbli] 부
상당히, 적지 않게, 많이.
The man was *considerably*
older than his wife.
그 남자는 자기 아내보다 나이가
상당히 많았다.

con·sid·er·a·tion
[kənsìdəréiʃən] 명
《a와 복수형 안 씀》 **고려, 숙고.**
After careful *consideration*,
we decided to rent our
house. 신중히 고려한 끝에, 우
리는 집을 세놓기로 결심했다.
This boy was very poor.
Take it into *consideration*,
please. 이 소년은 매우 가난하였습
니다. 이 점을 고려하여 주십시오.
☞ 동 consider

con·sist [kənsíst] 자 ③·단·현
consists[kənsísts] ;
ing형 **consisting**[kənsístiŋ] ;
과거 과분 **consisted**[kənsístid]
❶ 《consist of로》 **…으로 이루**
어져 있다, …으로 성립되어 있다.
The United States *consists*
of fifty states. 미국은 50 개의
주로 이루어져 있다.
❷ 《consist in으로》 **…에 있다,**
…에 존재하다.
Mrs. Smith's delight *con-
sisted in* teaching children.
스미스 부인의 기쁨은 어린이들을
가르치는 데 있었다.

con·so·nant [kánsənənt]
명
복수 **consonants**[kánsənənts]
자음.
There are 5 vowels and 21
consonants in the English
alphabet. 영어 알파벳에는 5개
의 모음과 21개의 자음이 있다.

con·stant [kánstənt] 형
비교 **more con-
stant;** 최상 **most constant**
❶ **변치 않는, 불변의, 일정한.**
We have to keep a *constant*
temperature in this experi-
ment. 이 실험에서는 온도를 일
정하게 유지하지 않으면 안 된다.
❷ **끊임없이 계속되는, 부단한.**
☞continuous
Constant crying was heard
in his house. 끊임없이 계속되는
울음 소리가 그의 집에서 들렸다.

con·stant·ly [kánstəntli]
부
끊임없이, 언제나.
Bill is *constantly* studying.
빌은 언제나 공부하고 있다.

con·stel·la·tion [kànstə-
léiʃən] 명
복수 **constellations**[kànstəléiʃənz]
별자리, 성좌.
You can see many *constella-
tions* when you look up at
the night sky. 밤하늘을 쳐다보

면 많은 별자리를 볼 수 있다.

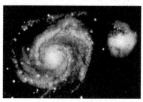

con·sti·tute [kánstətʃùːt]
타 [3·단·현] con-
stitutes [kánstətʃùːts] ; [ing형]
constituting [kánstətʃùːtiŋ] ; [과거]
[과분] constituted [kánstətʃùːtid]
···을 구성하다, ···을 만들고 있다.
Six members *constitute* the
committee. 6명의 회원이 그 위
원회를 구성하고 있다.

con·sti·tu·tion [kànstətʃúː-
ʃən] 명 [복수]
constitutions [kànstətʃúːʃənz]
❶ 헌법.
Each state has its own
constitution in the United
States. 미국에는 각 주마다 헌법
이 있다.
❷ 체격, 체질.
a strong *constitution* 튼튼한
체격.
She had such a poor *consti-
tution* that she could not
run so fast. 그녀는 신체가 매우
약하기 때문에 그렇게 빨리 달릴
수가 없었다.

con·struct [kənstrʌ́kt]
타
[3·단·현] constructs [kənstrʌ́kts] ;
[ing형] constructing [kənstrʌ́ktiŋ] ;
[과거] [과분] constructed [kənstrʌ́ktid]
···을 조립하다, 세우다, 건설하다
(=build, ⇔ destroy 부수다).
A great many people were
employed to *construct* those
pyramids. 저 피라미드들을 축조
하는 데는 굉장히 많은 사람들이
동원되었다.

con·struc·tion [kənstrʌ́k-
ʃən] 명

《a와 복수형 안 씀》 건축, 공사.
The *construction* of the boat
took more than a year.
그 배의 건조는 1년 이상 걸렸다.
His new house is under
construction. 그의 새 집은 건축
중에 있다.

con·sult [kənsʌ́lt] 타 [3·단·현]
consults [kənsʌ́lts] :
[ing형] consulting [kənsʌ́ltiŋ] :
[과거] [과분] consulted [kənsʌ́ltid]
❶ (전문가)에게 상의하다; (의사)
에게 진찰을 받다.
When you feel sick, you
should *consult* a doctor. 몸
이 이상할 때는 의사의 진찰을 받
아야 한다.
❷ (사전 따위)를 찾다.
The more often you *consult*
a dictionary, the better you
can learn English. 사전을 자
주 찾을수록 영어를 더 잘 배울
수 있다.

con·sume [kənsúːm]
타
[3·단·현] consumes [kənsúːmz] :
[ing형] consuming [kənsúːmiŋ] :
[과거] [과분] consumed [kənsúːmd]
···을 소비하다, (다) 써버리다, 먹
어치우다, 마셔버리다.
Americans *consume* a lot of
paper every day. 미국 사람들
은 매일 많은 종이를 소비한다.
Mice have *consumed* all the
food in the kitchen. 쥐가 부
엌의 음식을 몽땅 먹어버렸다.

con·sum·er [kənsúːmər]
명
[복수] consumers [kənsúːmərz]
소비자, 수요자.
Consumer prices fell last
month.
미국에서 소비자 물가가 지난달에
떨어졌다.

con·tact [kántækt] 명
《a와 복수형 안 씀》
접촉; 교제; 연락.
Never bring fire into *con-*

tact with the oil. 불을 그 기름에 갖다 대서는 절대로 안 된다.
I'd like to make *contacts* with some of your friends. 나는 네 친구 몇 사람과 교제를 하고 싶다.

con·tact lens [kántækt lènz] 명 복수 con·tact lenses [kántækt lènziz]
《보통 복수형으로》 콘택트 렌즈.

*con·tain [kəntéin] 타 3·단·현 contains [kəntéinz]: ing형 containing [kəntéiniŋ]: 과거 과분 contained [kəntéind]
(속에) …을 담고 있다, 포함하다.
This can *contains* four gallons of oil. 이 깡통에는 4 갤런의 기름이 들어 있다.
Does the book *contain* many pictures? 이 책에는 그림이 많이 실려 있느냐?

con·tain·er [kəntéinər] 명
복수 containers [kəntéinərz]
그릇, 용기, 컨테이너《화물 수송용 큰 금속 상자》.
Put the leftovers in the plastic *container*. 남은 음식들을 플라스틱 용기에 담아두어라.

con·tent¹ [kántent] 명 복수 contents [kántents]
내용, 내용물;《보통 복수형으로》(책의) 목차.
We didn't know the *content* of his speech. 우리는 그의 연설 내용을 몰랐다.
Did you look at the *contents* of the book? 너는 책의 목차를 보았느냐?

con·tent² [kəntént] 형 비교 more content; 최상 most content
만족한, 만족하여. ▶ 명사 앞에는 쓰지 않음.
I am *content* to work here. 나는 여기서 일하는 데 만족하고 있다.
be content with …에 만족하다.

The employees *were content with* the money. 고용인들은 그 돈으로 만족하였다.

*con·test [kántest] 명 복수 contests [kántests]
경기, 경쟁, 경연, 콘테스트.
Prizes were given after the *contest*. 콘테스트 후에 상이 수여되었다.
Susie has won several speech *contests*. 수지는 여러 웅변 대회에서 우승하였다.

*con·ti·nent [kántənənt] 명
복수 continents [kántənənts]
대륙.
Australia is the smallest *continent* in the world.
오스트레일리아는 세계에서 가장 작은 대륙이다.

> 참고 세계의 대륙명
> 영미에서 말하는 continent(대륙)는 보통, Asia (아시아 대륙), Europe (유럽 대륙), Africa (아프리카 대륙), North America (북아메리카 대륙), South America (남아메리카 대륙), Australia (오스트레일리아 대륙), Antarctica [æntá:rktikə] (남극 대륙)의 7대륙 중의 하나를 가리킨다. 영국에서는 the Continent라고 하면 대개의 경우 유럽 대륙을 지칭하는 것이 된다.

con·tin·u·al [kəntínjuəl] 형
계속하여 일어나는, 빈번한. ☞ continuous

Continual success is not always a proof that a man is wise. 계속적으로 성공하는 것이 반드시 그 사람이 현명하다는 증거는 아니다.

con·tin·ue [kəntínju:] 동

③·단·현 **continues** [kəntínju:z] :
ing형 **continuing** [kəntínju:iŋ] :
과거 과분 **continued** [kəntínju:d]
타 …을 계속하다.

The old lady *continued* talking for ten minutes. 노부인은 10 분 동안 이야기를 계속하였다.
Will you *continue* to study English in the future? 앞으로도 영어 공부를 계속하겠느냐?
── 자 계속되다.
The warm weather *continued* for a week. 따뜻한 날씨가 일 주일동안 계속되었다.
They walked on and on, but the forest *continued.*
그들은 걷고 또 걸었으나 숲은 계속되었다. ☞ 형 continuous
To be continued. (잡지 따위에서 연재물이) 다음호[회]에 계속.

con·tin·u·ous [kəntínjuəs] 형
계속되는, 끊임없는.
We often have *continuous* rain in June. 6월에는 비가 계속되는 일이 자주 있다.
About this time of day you will see *continuous* lines of cars in the main street of Seoul. 매일 이맘때 쯤이면 서울의 중심가에서 줄줄이 늘어선 자동차들을 보게 된다. ☞ 동 continue

---

비슷한 말 **continuous** 와 **continual** 과 **constant**
continuous 는 끊이지 않고 중단 없이 계속되는, continual 은 끊겼다가도 곧 계속되는, constant는 언제나 같은 상태로 계속되는 것을 나타낸다.

---

con·tin·u·ous·ly [kəntínjuəsli] 부
끊임없이, 연속적으로.
The wind blew *continuously* all the afternoon. 바람이 오후 내내 끊임없이 불었다.

con·tract [kántrækt] 명
복수 **contracts** [kántrækts]
계약.
I have made a *contract* with an American company.
나는 미국 회사와 계약을 맺었다.
── [kántrækt] 타 ③·단·현 **contracts** [kántrækts] : ing형 **contracting** [kántræktiŋ] : 과거 과분 **contracted** [kántræktid]
…을 계약하다.
The writer *contracted* to write a story for children.
그 작가는 아이들을 위한 작품을 쓰기로 계약을 맺었다.
── [kəntrǽkt] 자 ③·단·현 **contracts** [kəntrǽkts] : ing형 **contracting** [kəntrǽktiŋ] : 과거 과분 **contracted** [kəntrǽktid]
줄다, 축소하다.
Everything *contracts* when it cools. 모든 것은 식으면 줄어든다.
▶「계약하다」의 뜻으로는 명사와 동사의 발음이 같음.

con·tra·ry [kántreri] 형
반대의, 역의.
His opinion was *contrary* to mine. 그의 의견은 나와 반대다.
── 명 《the 를 붙여》 반대.
The *contrary* of "right" is "left." 오른쪽의 반대는 왼쪽이다.
on the contrary 반대로, 역으로, …은 커녕.
Everyone thinks he is careful. *On the contrary* he is very careless. 누구나 그가 주의 깊다고 생각하고 있지만, 주의 깊기는 커녕 매우 부주의하다.

con·trast [kántræst] 명

C

복수 contrasts[kántræsts]
❶《a와 복수형 안 씀》대조.
the *contrast* between light
and shade 명암의 대조.
❷ (대조해서 나타나는) 차이.
There is a great *contrast*
between city life and coun-
try life. 도시 생활과 시골 생활
과는 매우 큰 차이가 있다.
── [kəntrǽst] 타·자 3·단·현
contrasts [kəntrǽsts]; ing형
contrasting [kəntrǽstiŋ]; 과거
과분 contrasted[kəntrǽstid]
(…을) 대조하다; 대조를 이루다,
다르다.
Contrast this book with
other books. 이 책을 다른 책과
대조하여 보아라.
The boy *contrasted* well
with his friends. 그 소년은
그의 친구들과는 매우 달랐다.
▶ 명사와 동사의 악센트 위치가
다름에 주의.

con·trib·ute [kəntríbjuːt]
동 3·단·현
contributes[kəntríbjuːts]; ing형
contributing[kəntríbjuːtiŋ]; 과거
과분 contributed[kəntríbjuːtid]
타 ❶ (금품 따위)를 기부하다.
Wealthy men in the United
States often *contribute* a
great deal of money to
universities. 미국의 부자들은 자
주 엄청난 돈을 대학에 기부한다.
❷ (글·기사)를 기고하다.
Many famous writers once
contributed various stories
to the magazine. 많은 유명한
작가들이 한 때 그 잡지에 갖가지
이야기들을 기고했다.
── 자 도움이 되다, 공헌하다.
His work will *contribute* to
the improvement of society.
그의 일은 사회를 개선하는 데 도
움이 될 것이다.

con·tri·bu·tion [kàntrəbjúː-
ʃən] 명 복수
contributions[kàntrəbjúːʃənz]

❶ 공헌; 기부, 기부금.
His *contribution* to science
was great. 과학에 대한 그의 공
헌은 컸다.
They make a *contribution* to
the church every Sunday.
그들은 일요일마다 교회에 성금
〔기부금〕을 낸다.
❷ 기고.
I used to send *contributions*
to that magazine. 나는 그 잡
지에 늘 기고를 하였었다.

*con·trol [kəntróul] 명
《a와 복수형 안 씀》
지배, 통제, 관리.
The airfield is now under
the *control* of the army.
그 비행장은 지금 군대의 통제하
에 있다.
The traffic *control* some-
times becomes very difficult
on this street. 이 거리에서는
때때로 교통 정리가 매우 어렵게
된다.
── 타 3·단·현 controls[kən-
tróulz]; ing형 controlling[kən-
tróuliŋ]; 과거 과분 controlled
[kəntróuld]
…을 지배하다, 통제하다, 억제하다.
Computer can *control* a
robot. 컴퓨터는 로봇을 제어할
수 있다.
Bill couldn't *control* his anger
at the news. 그 소식을 듣고 빌
은 노여움을 참을 수 없었다.

con·trolled [kəntróuld]
동
*control*의 과거·과거 분사.

con·trol·ling [kəntróuliŋ]
동
control 의 -ing형.

con·ven·ience [kənvíːn-
jəns] 명
복수 conveniences[kənvíːnjənsiz]
편리, 편의.
It is a great *convenience* to
live near the station. 역 가
까이 사는 것은 매우 편리하다.

Please write to him at your *convenience*. 형편 닿는 대로 그에게 편지하시오.

con·ven·ient [kənvíːnjənt] 형

비교 **more convenient;** 최상 **most convenient**
편리한, 형편이 좋은.

It is very *convenient* to live near the school. 학교 가까이 사는 것은 매우 편리하다.

Let's meet at the station if it is *convenient* for you. 형편이 좋다면 역에서 만납시다.

We took the most *convenient* train. 우리는 가장 편리한 기차를 탔다.

con·ven·tion [kənvénʃən] 명

복수 **conventions** [kənvénʃənz]
관례, 관습; 인습.

It is a *convention* to say so. 그렇게 말하는 것이 관례다.

con·ven·tion·al [kənvén-ʃənəl] 형

비교 **more conventional;** 최상 **most conventional**
구식의, 낡은; 판에 박힌, 인습적인.

Our teacher has a *conventional* opinion about school life. 우리 선생님은 학교 생활에 관해 낡은 생각을 갖고 계신다.

The prime minister made a speech which was as *conventional* as ever.
수상은 변함없이 판에 박힌 듯한 연설을 했다.

*con·ver·sa·tion [kànvər-séiʃən] 명

복수 **conversations** [kànvərséiʃənz]
회화, **담화.**

Insu is good at English *conversation*. 인수는 영어 회화를 잘 한다.

Try to take part in the *conversation*. 대화에 참여하도록 노력해라.

con·vert [kənvə́ːrt] 타 3·단·현
converts [kənvə́ːrts];
ing형 **converting** [kənvə́ːrtiŋ];
과거 과분 **converted** [kənvə́ːrtid]
(성질·모양·용도 등)을 바꾸다.

convert water power to [into] electricity 수력을 전기로 바꾸다.

con·vey [kənvéi] 타 3·단·현
conveys [kənvéiz];
ing형 **conveying** [kənvéiiŋ];
과거 과분 **conveyed** [kənvéid]

❶ …을 나르다, 운반하다.
This airplane can *convey* about 500 people at a time, I hear. 이 비행기는 한 번에 500명 정도의 사람을 나른다고 한다.

❷ …을 전하다, 알리다.
In old days people used these strange pictures to *convey* their intentions to others. 옛날 사람들은 자기의 의향을 다른 사람에게 전하기 위하여 이 이상한 그림을 사용하였다.

con·vic·tion [kənvíkʃən] 명

복수 **convictions** [kənvíkʃənz]
확신, 신념.

speak with *conviction* 신념을 갖고 말하다.

I have a strong *conviction* that I am doing the right thing. 나는 옳은 일을 하고 있다는 강한 확신을 가지고 있다.

con·vince [kənvíns] 타

3·단·현 **convinces** [kənvínsiz];
ing형 **convincing** [kənvínsiŋ];
과거 과분 **convinced** [kənvínst]
…을 확신시키다, 납득시키다; 《be convinced of 로》 …을 확신하다.

We couldn't *convince* him of his failure. 우리는 그가 실패했다는 것을 그에게 납득시킬 수 없었다.

She *is convinced of* his honesty. =She is *convinced* that he is honest. 그녀는 그의 정직함을 확신하고 있다.

C

*__cook__ [kuk] 〔타·자〕③·단·현〕 **cooks**
[kuks]: 〔ing형〕 **cooking**
[kúkiŋ]; 〔과거〕〔과분〕**cooked**[kukt]
(…을) 요리하다.

Mrs. Brown *cooked* the pota-toes very well. 브라운 부인은 감자를 아주 맛있게 요리하였다.

She had to *cook* three meals a day. 그녀는 하루에 세 끼의 요리를 해야 했다.

I can *cook* fairly well. 나는 요리를 꽤 잘한다.

bake

roast

grill

deep-fry　　pan-fry　　boil

> 〔참고〕 cook 은 불이나 열을 이용하여 요리하는 것이므로, 「샌드위치를 만들다」, 「샐러드를 만들다」라고 할 때에는 make 를 써서 **make sandwiches**, **make a salad** 라고 한다.

—— 〔명〕〔복수〕 **cooks** [kuks]
요리하는 사람, 쿡, 요리사.

He's a very good *cook*. 그는 훌륭한 요리사이다.

Bill was once a *cook* for a first-class hotel. 빌은 예전에 일류 호텔의 요리사였다.

__cook·ie__ [kúki] 〔명〕
〔복수〕 **cookies** [kúkiz]
쿠키, 비스킷. ☞ biscuit

Will you have some more *cookies*? 쿠키를 좀더 먹겠느냐?

Help yourself to these *cook-ies*. 이 쿠키를 마음대로 먹어라.

> 〔참고〕 **1.** cookie 는 cooky 로 쓸 때도 있다. 이 때에도 복수는 cookies 이다.
> **2.** cookie 에는 여러 종류가 있

다. 어떤 것은 우리 나라의 비스킷처럼 단단하고, 어떤 것은 빵처럼 부드러운 것도 있다. 상품으로 판매되고 있는 것도 있으나, 가정에서 만드는 경우가 더 많다.

__cook·ing__ [kúkiŋ] 〔명〕
《a와 복수형 안 씀》
요리, 요리하기.

a *cooking* range 요리용 레인지.

Jane like *cooking* and sew-ing. 제인은 요리와 바느질하기를 좋아한다.

We usually use gas for *cook-ing*. 우리는 요리하는 데 보통 가스를 사용한다.

*__cool__ [ku:l] 〔형〕
〔비교〕 **cooler**[kú:lər]: 〔최상〕
coolest[kú:list]
서늘한, 시원한(⇔ warm 따뜻한).

cool　　　　　warm

The weather grows *cooler*. 날씨가 점점 더 서늘해진다.

It's *cool* there. 거기는 시원하다.

__cool·ly__ [kú:li] 〔부〕
〔비교〕**more coolly**; 〔최상〕
most coolly
선선하게; 냉담하게.

He treats animals *coolly*. 그는 동물을 몰인정하게 다룬다.

__co·op·er·ate__ [kouápərèit]
〔자〕 ③·단·현〕
cooperates[kouápərèits]; 〔ing형〕
cooperating[kouápərètiŋ] 〔과거〕
〔과분〕 **cooperated**[kouápərèitid]
협력하다.

All the children *cooperated* with their mother cleaning

the rooms. 아이들 모두가 어머니께서 방을 치우는 데 협력하였다.

co·op·er·a·tion [kouɑ̂pər-éiʃən] 몡
《a와 복수형 안 씀》 **협력, 협동.**
economic *cooperation* 경제 협력.
We need your *cooperation*. 우리들은 너의 협력이 필요하다.
The students worked in *cooperation* with the teacher. 학생들은 선생님과 협력해서 일했다.

cope [koup] 타·자
3·단·현 **copes** [koups] ; ing형 **coping** [kóupiŋ] ; 과거 과분 **coped** [koupt]
(…에) **대처하다, 극복하다, 해결하다.**
The children tried to *cope* with their problems. 아이들은 그들의 문제에 잘 대처하려고 노력했다.
— 몡 복수 **copes** [koups]
(성직자의 특별한 의식 때 입는) **망토 모양의 긴 외투.**

cop·ied [kápid] 몡
copy 의 과거·과거 분사.

cop·ies [kápiz] 몡
copy 의 복수.
— 동 **copy** 의 3 인칭·단수·현재.

cop·per [kápər] 몡
《a와 복수형 안 씀》 **구리, 동.**
These coins are made of *copper*. 이 주화들은 구리로 되어 있다.
Jack bought some *copper* wires. 잭은 구리 철사를 좀 샀다.

*__**cop·y**__ [kápi] 몡
복수 **copies** [kápiz]
❶ **사본, 복사.**
Make two *copies* of this letter. 이 편지를 2 부 복사하여라.
Is this an exact *copy* of the textbook? 이것이 교과서를

정확히 복사한 것입니까?
❷ (책 따위의) **1권,** (신문의) **1부.**
ten thousand *copies* of the dictionary. 1 만부의 사전.
I'd like to buy two *copies* of this book. 이 책을 두 권 사고 싶습니다.
— 타·자 3·단·현 **copies** [kápiz] ; ing형 **copying** [kápiiŋ] ; 과거 과분 **copied** [kápid]
(…을) **베끼다, 사본하다; 모방하다, 흉내내다.**
copy a drawing 그림을 복제하다.
Don't *copy* your neighbor's answers. 옆 사람의 답을 베끼지 마라.
She always tried to *copy* her teacher's speech. 그녀는 언제나 선생님의 말투를 모방하려 하였다.

cop·y·right [kápiràit] 몡
복수 **copyrights** [kápiràits]
판권, 저작권.
copyright laws 저작권법.

cord [kɔːrd] 몡
복수 **cords** [kɔːrdz]
줄, 끈; (전기 기구의) **코드.**
Please tie up those books with this *cord*. 저 책들을 이 끈으로 묶어 주시오.
Tom bought a desk lamp with a long *cord*. 톰은 긴 코드가 달린 탁상 스탠드를 샀다.

┌─────────────────────┐
│ 비슷한 말 **cord** 와 **string** 과 **rope** │
│ cord 는 string(끈) 보다 굵고, │
│ rope(밧줄) 보다는 가늘다. │
└─────────────────────┘

cor·dial [kɔ́ːrdʒəl] 형
비교 **more cordial;** 최상 **most cordial**
마음에서의, 친절한, 간곡한.
They gave me a *cordial* welcome. 그들은 나를 진심으로 환영해 주었다.

She is *cordial* to anybody.
그녀는 누구에게나 친절하다.

cork [kɔːrk] 명
〔복수〕 **corks**[kɔːrks]

❶ 《a와 복수형 안 씀》 코르크.
Cork is light, and it floats
on water. 코르크는 가벼워서 물
에 뜬다.

❷ 코르크 마개.
I can't take the *cork* out
of the bottle. 나는 병의 마개
를 뽑을 수 없다.

corn [kɔːrn] 명
《a와 복수형 안 씀》 옥수수.
Our car passed by a large
field of *corn*. 우리 자동차는 넓
은 옥수수밭 옆을 지나갔다.

> 〔참고〕 corn은 미국・캐나다・오
> 스트레일리아에서는 옥수수를 가
> 리키고, 영국에서는 곡물, 특히
> 밀을 말한다. 영국에서 옥수수는
> maize[meiz] 또는 Indian
> corn이라고 한다.

cor·ner [kɔ́ːrnər] 명 〔복수〕
corners[kɔ́ːrnərz]

❶ (방 따위의) 구석.
A waiter was standing in
the *corner*. 웨이터가 구석에 서
있었다.

❷ (도로 따위의) 모퉁이.
Turn to the left at the next
corner. 다음 모퉁이에서 왼쪽으로
도시오.

around*〔*round*〕 *the corner 길모
퉁이를 도는 곳에; 바로 가까이에.
It's over there *around the
corner*. 그것은 저기 모퉁이를 도
는 곳에 있다.

corn·flakes [kɔ́ːrnflèiks] 명
콘플레이크《옥수
수 가루로 만든 식품으로 우유
따위에 타서 아침 식사로 먹음》.

cor·po·ra·tion [kɔ̀ːrpəréi-
ʃən] 명
〔복수〕 **corporations**[kɔ̀ːrpəréiʃənz]
주식 회사; 법인.
a trading *corporation* 무역 회
사, 상사.
a religious *corporation* 종교
법인.
a public *corporation* 공사(公
社), 공단(公團).

cor·rect [kərékt] 형
옳은, 정확한.
the *correct* time 정확한 시간.
정각.
Let me know the *correct*
answer. 정답을 알려 주십시오.
His knowledge of English
is *correct*. 그의 영어 지식은 정
확하다.

Your answer is correct.
너의 답은 옳다.

> 〔참고〕 **correct**와 **right**
> correct나 right는 모두 잘못
> 이 없는 것을 뜻한다. 그러나
> correct는 어떤 기준에 따라
> 틀림없는 것을 말하고, right
> 는 종종 도덕적으로 옳다는 뜻
> 을 내포하고 있다.

── 타 ③·단·현 **corrects**[kərékts];
ing형 **correcting**[kəréktiŋ]; 과거
과분 **corrected**[kəréktid]
…을 고치다, 정정하다.
Correct errors if any. (시험 문제

따위에서) 잘못이 있으면 고치시오.
The teacher *corrected* my composition. 선생님은 나의 작문을 고쳐 주셨다.

cor·rect·ly [kəréktli] 부

옳게, 바르게, 정확하게.
He can answer all questions *correctly*. 그는 모든 질문에 옳게 대답할 수 있다.

cor·re·spond [kɔ̀:rəspánd] 자 3·단·현

corresponds [kɔ̀:rəspándz]: ing형 **corresponding** [kɔ̀:rəspándiŋ]: 과거 과분 **corresponded** [kɔ̀:rəspándid]

❶ 《correspond with 로》…와 편지 왕래를 하다, 통신하다.
I am *corresponding with* an American schoolboy. 나는 미국의 남학생과 편지 왕래를 하고 있다.
❷ 《correspond to 로》…에 해당하다, 상당하다.
The engine of a car *corresponds to* the heart of a man. 자동차의 엔진은 인간의 심장에 해당한다.

cor·re·spond·ence
[kɔ̀:rəspándəns] 명
《a와 복수형 안 씀》편지 왕래, 통신; 《집합적으로》편지.
business *correspondence* 상업 통신문, 상용 통신(문).
a long *correspondence* between the two friends 두 친구 사이의 오래 된 서신 왕래.
Recently many *correspondence* schools have been built. 최근에는 통신 교육 학교가 많이 생겼다.

cor·ri·dor [kɔ́:ridər] 명

corridors [kɔ́:ridərz]
복도; (열차의) 통로.
The students were waiting for the teacher in the *corridor*. 학생들은 복도에서 선생님을

기다리고 있었다.
When we arrived, the *corridor* of the theater was filled with people. 우리가 도착하였을 때, 극장의 복도는 사람들로 꽉 차 있었다.

cos·mos [kázməs] 명

복수 **cosmos** 또는 **cosmoses** [kázməsiz]
코스모스.
The *cosmos* blooms in fall. 코스모스는 가을에 핀다.

****cost** [kɔːst] 명

복수 **costs** [kɔːsts]
값, 비용; 원가.
at a great *cost* 큰 돈[비용]을 들여서.
The *cost* of this bag is 10 dollars. 이 가방 값은 10 달러다.
The *cost* of living is increasing every year. 생활비가 매년 증가하고 있다.
Can you repair this at a low *cost*? 이것을 싼 가격에 고칠 수 있느냐?
He sold the car below *cost*. 그는 원가 이하로 그 차를 팔았다.

참고 **cost** 와 **price**
cost 는 「실제 생산에 소요된 비용」, price 는 「사는 사람을 고려하여 붙인 값, 파는 값」을 뜻한다.

---

at any cost = *at all costs* 어떤 희생을 치르더라도, 반드시.
We have to complete this *at any cost*. 우리는 이것을 어

떤 희생을 치르더라도 꼭 완성해야 한다.

— 태 3·단·현 **costs**[kɔːsts]; ing형 **costing**[kɔ́ːstiŋ]; 과거 과분 **cost**[kɔːst]
(비용이) 들다.

That car will *cost* you more than 4,000 dollars. 저 자동차는 4천 달러 이상하는 것이다.

How much does it *cost* us to fly to Hawaii? 비행기로 하와이까지 가는 데 비용이 얼마나 들까?

► 위 예문에서 cost you 와 cost us 의 you 나 us 는 생략할 수도 있음.

cost·ly [kɔ́ːstli] 형
비교 **costlier**[kɔ́ːstliər]; 최상 **costliest**[kɔ́ːstliist]
비싼, 호사스러운, 사치스러운.

Mrs. Green doesn't like to wear *costly* jewels. 그린 부인은 사치스러운 보석을 달고 다니는 것을 좋아하지 않는다.

His room was filled with *costly* furniture. 그의 방은 값비싼 가구로 가득하였다.

┌──────────────────────┐
│ 비슷한 말 **costly** 와 **expensive**
costly 는 「사치스러운」의 뜻을 갖고 있으나, expensive는 사는 사람의 평가 기준이나 세상 사람들의 입장에서 생각하여, 「값이 비싼」이란 뜻을 갖고 있다.
└──────────────────────┘

cos·tume [kástjuːm] 명
복수 **costumes**[kástjuːmz]
복장, 몸차림, 의상. ► 국가·민족·시대 따위에 따르거나, 또는 어떤 목적을 위한 독특한 것에 관하여 말함.

They danced a quick dance in Spanish *costume*. 그들은 스페인의 복장을 하고 빠른 템포의 춤을 추었다.

Americans are very much interested in Korean *costume*. 미국 사람들은 한국 의상에 큰 흥미를 갖고 있다.

cot·tage [kátidʒ] 명 복수 **cottages**[kátidʒiz]
(시골이나 교외의) **작은 주택, 시골집**; (피서지 따위의) **작은 별장.**

Several Indians came out of their *cottage*. 몇 명의 인디언이 그들의 작은 집에서 나왔다.

He has a *cottage* in the country. 그는 시골에 별장을 갖고 있다.

****cot·ton** [kátn] 명
《a와 복수형 안 씀》
솜, 무명, 면포; 목화.

cotton goods 면제품.

a field of *cotton* 목화밭.

Some people prefer shirts made of *cotton*. 무명으로 만든 셔츠를 더 좋아하는 사람도 있다.

couch [kautʃ] 명
복수 **couches**[káutʃiz]
침상, (등받이가 낮고 팔걸이가 하나인) 소파.

Jane felt tired and rested for a while on a *couch*. 제인은 피곤하여 잠시 동안 침상에서 쉬었다.

There were several *couches* in the hall. 홀에는 몇 개의 소파가 있었다.

****cough** [kɔ(ː)f] 명
《a를 붙여》 기침.

give a *cough* 기침을 하다.

Nancy has had a bad *cough* for two week. 낸시는 2주일 동안이나 심한 기침을 하고 있다.

— 자 3·단·현 **coughs**[kɔ(ː)fs]; ing형 **coughing**[kɔ́(ː)fiŋ]; 과거 과분 **coughed**[kɔ(ː)ft]
기침을 하다.

She was *coughing* badly. 그녀는 심하게 기침을 하고 있었다.

****could** [kəd; 강 kud] 조 **can**¹의 과거.

❶ …할 수 있었다(=was〔were〕able to).

Bill *could* have run faster, but he didn't. 빌은 더 빨리 뛸 수 있었으나, 뛰지 않았다.

I tried to sleep, but I *couldn't*. 잠을 자려고 노력하였으나, 잘 수 없었다.

He ran as fast as he *could*. 그는 될 수 있는 한 빨리 달렸다.

He said that he *could* swim well.(=He said, "I can swim well.") 그는 수영을 잘 할 수 있다고 말했다.

❷ (만약 …하면) **할 수 있을 텐데, …할 수 있을지도 모른다.**

If I had a camera now, I *could* take a good picture of this. 만약 지금 사진기가 있다면, 이것의 멋진 사진을 찍을 수 있을 텐데. ▶ 현실과는 다른 것을 가정하는 표현 (가정법)임.

❸ 《**Could ...?** 로》 **…해도 좋습니까?, …해 주겠습니까?** ▶ 정중히 부탁할 때 씀.

"*Could* I borrow this?" "Certainly." 「이것을 빌려도 될까요?」「물론입니다.」

Could you come tomorrow? 내일 와 주시겠습니까?

***could·n't** [kúdnt]
could not의 단축형.

We were so tired that we *couldn't* even stand up that night. 우리는 몹시 지쳐 있었기 때문에, 그날 밤은 일어설 수조차 없었다.

coun·cil [káunsəl] 명 복수 councils [káunsəlz]
회의, 평의회; 지방 의회

They hold a *council* once a week. 그들은 주 1회 회의를 연다.

The city *council* was called to discuss the matter. 그 문제를 토의하기 위해 시의회가 소집되었다.

That was decided at the student *council*, wasn't it? 그것은 학생회에서 결정된 것이

아닙니까?

coun·se·lor [káunsələr] 명
복수 counselors [káunsələrz]
고문, 상담역, 카운슬러《학교 같은 데서 여러 가지 문제의 상담에 응하는 사람》.

Mrs. Green visited a *counselor* to talk over her children's problems. 그린 부인은 아이들의 문제에 관한 의논을 하기 위하여 카운슬러를 방문하였다.

She asked him to see the school *counselor*. 그녀는 그에게 상담 교사를 만나보라고 요청했다.

▶ 영국에서는 counsellor 로 씀.

***count** [kaunt] 동
3·단·현 counts [kaunts]: ing형 counting [káuntiŋ]: 과거 과분 counted [káuntid]

타 ❶ **…을 세다, 셈하다, 계산하다.**

Small pebbles were used by people when they *counted* something. 작은 조약돌은 무언가를 셀〔셈할〕 때 쓰였다.

❷ **…을 셈에 넣다, 포함하다.**

There are ten people, *counting* three children. 세 명의 아이들을 포함해서 열 사람이 있다.

── 자 **수를 세다.**

The boy can *count* from one to ten. 그 소년은 1에서 10까지 셀 수 있다.

count on 〔*upon*〕 **…을 의지하다, 기대하다, 신뢰하다.**

We can't *count* upon his help today. 오늘은 그의 도움을 바랄 수 없다.

The king didn't *count* on anyone around him. 임금은 가까이 있는 아무도 신뢰하지 않았다.

── 명 복수 counts [kaunts]
셈, 계산; (권투에서) 카운트.

Pick it up for me by the *count* of 3. 셋 셀 때까지 그것을 나에게 집어다오.

참고 영미에서는 손가락으로 수를 셀 때 우리 나라와는 달리 엄지손가락부터 차례로 펴면서 센다. 또 1 부터 5 까지를 우리는 흔히 「正」자로 표시하지만, 영미에서는 선으로 표시한다.

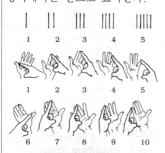

coun·te·nance [káuntə-nəns] 명

복수 countenances [káuntənənsiz]
용모, 안색, 얼굴 모습.

His *countenance* showed how tired he was. 그의 안색으로 그가 얼마나 피곤해 있는가를 알 수 있었다.

I still remember her sad *countenance*. 나는 지금도 그녀의 슬픈 표정을 기억하고 있다.

count·er [káuntər] 명 복수 counters [káuntərz]

(상점·은행 따위의) 계산대, 카운터.

pay at the *counter* 계산대에서 돈을 지불하다.

Didn't you see my hat? I think I put it here on the *counter*. 내 모자를 보지 못했니? 카운터 위에 놓아 둔 것 같은데.

coun·tries [kʌ́ntriz] 명

country 의 복수.

**coun·try [kʌ́ntri] 명 복수 countries [kʌ́ntriz]

❶ 나라, 국가, 국토.

a foreign *country* 외국.

an independant *country* 독립국.

an industrial *country* 공업국.

Everyone liked the song, and it was sung all over the *country*. 모두가 그 노래를 좋아하였으며, 그것은 온 나라 안에서 불리었다.

Body language is different from *country* to *country*. 보디 랭귀지는 나라마다 다르다.

비슷한 말 **country** 와 **nation** 과 **state**
country 는 「나라」를 나타내는 일반적인 말로, 주로 지리적인 국토란 뜻을 강조할 때 쓴다. nation 은 국민에 중점을 둘 때 쓰고, state 는 법적·정치적 측면을 강조하는 좀 형식적인 말이다.

❷ 《the 를 붙여》 시골, (도회지와 구별해서) 지방.

The air is fresh in the *country*. 시골은 공기가 맑다.

Do you live in the *country*? 너는 시골에서 사느냐?

참고 「태어난 고향」의 뜻으로 말하는 「시골」은 country 라 하지 않고, home town 이라 한다.

coun·try·man [kʌ́ntrimən] 명

복수 countrymen [kʌ́ntrimən]
같은 나라 사람, 동포; 시골 사람.

Many of his *countryman* lost their lives on the island. 그의 많은 동포들이 그 섬에서 생명을 잃었다.

coun·try·men [kʌ́ntrimən] 명

countryman 의 복수.

coun·try·side [kʌ́ntrisàid] 명

시골, 지방.

The *countryside* was bright with spring flowers. 시골은 봄의 꽃으로 눈부셨다.

비슷한 말 **country** 와 **country-side**

country 는 일반적인 의미로 도회지와 구별한 「시골」이고, countryside 는 어떤 지방의 시골이란 뜻으로 외져서 불편한 시골이라는 기분이 섞여 경멸적으로 쓰이는 경우도 있다.

coun·ty [káunti] 명 복수 counties[káuntiz]

군(郡), 카운티《state(주) 밑의 행정 구역》.
In the United States, some states have over 150 *counties*, and some states have only 3 *counties*. 미국에는, 어떤 주는 150개 이상의 카운티가 있는데, 어떤 주는 불과 3개의 카운티밖에 없는 주도 있다.

cou·ple [kʌ́pəl] 명 복수 couples[kʌ́pəlz]

❶ 두 개, 둘, 두 사람. ➤ 같은 종류의 둘에 관해서 말함.
❷ 한 쌍, 한 쌍의 남녀. ➤ 부부, 약혼한 남녀, (댄스 따위에서의) 남녀 한 쌍에 관해서 말함.
a newly-wedded *couple* 신혼 부부.
You can see many young *couples* in this park on Sundays. 일요일에 이 공원에서는 여러 쌍의 젊은 남녀를 볼 수 있다.
a couple of 둘의(=two); 두셋의, 몇몇의(=a few).
a couple of eggs 두 개의 달걀.
A *couple of* months ago one of his legs was broken. 두어 달 전 그의 다리 하나가 부러졌다.
There were *a couple of* young mothers. 몇몇의 젊은 엄마들이 있었다.

cou·pon [kjúːpɑn/-pɔn] 명 복수 coupons [kjúːpɑnz/-pɔnz]

❶ 쿠폰.
I saved $10 by using a *coupon*. 나는 쿠폰을 사용해서 10달러를 절약했다.
❷ (판매광고에 첨부된) 떼어 쓰는 신청권〔용지〕.
Mail in the *coupon* to receive more information. 더 많은 정보를 받으려면 그 용지를 메일로 보내라.

cour·age [kə́ːridʒ] 명

《a와 복수형 안 씀》 용기.
I think he has the *courage* to tell the truth. 나는 그가 진실을 말할 용기가 있다고 생각한다.

비슷한 말 **courage** 와 **bravery**

courage는 정신적인 뜻으로의 「용기」이며, bravery는 행동으로 나타난 「용기」이다.

course [kɔːrs] 명 복수 courses[kɔ́ːrsiz]

❶ 진로, 경로; (등산·골프·마라톤 따위의) 코스; (시간 따위의) 진행, 경과.
the *course* of life 인생의 행로.
the *course* of history 역사의 흐름.
Rivers change their *courses* little by little. 강은 조금씩 그 진로를 바꾼다.
The captain made up his mind to change the ship's *course*. 선장은 배의 항로를 바꾸기로 결심하였다.
❷ (학교의) 과정, 학과.
I'm going to take a summer *course* this year. 나는 올해에는 하계 강좌에 나가려고 생각한다.
Nancy finished a business *course* at college. 낸시는 대학에서 실무 과정을 마쳤다.
of course 물론.
"Will Tom go with us?" "*Of course* he will." 「톰도 우리와

함께 갈까?」「물론 가고 말고.」
"Would you help me wash the dishes?" "Yes, *of course*,"
「접시 닦는 것 좀 도와주겠어?」 「예, 물론이죠.」
"You didn't do this, did you?" "*Of course* not." 「네가 이것을 하지는 않았겠지?」 「물론 이에요.」

***court** [kɔːrt] 명
복수 **courts**[kɔːrts]

❶ 재판소, 법정.
The *court* found him guilty.
법정은 그에게 유죄의 판결을 내렸다.
They brought the case into *court*. 그들은 이 사건을 법정으로 가져왔다. ➤ from, into 따위의 전치사 뒤에서는 a와 복수형을 안 씀.
❷ 《종종 **Court** 로》 궁정, 대궐.
Can you imagine the splendid life at the *court* in those days? 그 시대의 궁정에서의 화려한 생활을 상상할 수 있겠어?
❸ (테니스 따위의) 코트.
Our school has several tennis *courts*.
우리 학교에는 여러 개의 테니스 코트가 있다.

cour·te·sy [kɔ́ːrtəsi] 명

복수 **courtesies**[kɔ́ːrtəsiz]
예의, 정중, 공손.
Ted did him a *courtesy*.
테드는 그에게 공손한 태도를 취하였다.

***cous·in** [kʌ́zn] 명
복수 **cousins**[kʌ́znz]

사촌, 종형제, 종자매. ➤ 남녀 구별 없이 씀.
May I introduce my *cousin*? This is Jimmy. 나의 사촌을 소개하겠습니다. 얘는 지미라 합니다.
My *cousin* In-a and I went to the 63 Building. 나의 사촌 인아와 나는 63빌딩에 갔다.

***cov·er** [kʌ́vər] 타 3·단·현
covers[kʌ́vərz]: ing형
covering [kʌ́vəriŋ]: 과거 과분
covered[kʌ́vərd]

❶ …을 덮다, 씌우다.
cover one's face with[in] one's hands 두 손으로 얼굴을 가리다.
Everything is *covered* with snow. 모든것이 눈으로 덮여 있다.
Nearly three-fourths of the earth is *covered* with water.
지구의 거의 4분의 3이 물로 덮여 있다.
❷ (어떤 거리)를 가다; (어떤 범위)에 걸치다.
We *covered* over 2,000 miles in the car. 우리는 자동차로 2천 마일 이상 갔다.
His diaries *cover* twenty years. 그의 일기는 20 년이란 기간에 걸친 것이다.
── 명 복수 **covers**[kʌ́vərz]
덮개; 뚜껑; (책의) 표지. ☞ jacket
Take the *cover* off the jar.
병 뚜껑을 벗겨라.

from cover to cover (책의) 처음부터 끝까지.
I read the book *from cover to cover*. 나는 그 책을 처음부터 끝까지 읽었다.

cov·ered wag·on

[kʌ́vərd wǽgən] 명 복수 **covered wagons**[kʌ́vərd wǽgənz]
포장 마차 《미국에서 초기의 개척자들이 사용함》.
In those days people traveled by *covered wagon*.
그 시대에 사람들은 포장 마차로 여행하였다.

***cow** [kau] 명
복수 **cows**[kauz]

암소; 소.
milk a *cow* 소의 젖을 짜다.
We can't see *cows* in the
city today. 오늘날은 도시에서
소를 볼 수 없다.

> 참고 cow 와 ox 와 bull
> 1. 젖소의 암컷은 cow, 식용이
> 나 일을 시키기 위해 거세한 황
> 소는 ox, 거세하지 않은 황소는
> bull 이라고 한다.
> 2. cow 는 본 뜻이 「암소」인데,
> 일상 생활에는 「암소」가 「황소」
> 보다 중요한 역할(우유를 주는
> 일)을 하고 있기 때문에, 일반
> 적으로 「소」라고 할 때에는
> cow 를 쓰는 경우가 많다.

cow·ard [káuərd]
명
복수 cowards[káuərdz]
겁쟁이, 비겁한 사람.
He never gives his opinion
to others. He is a *coward*.
그는 절대로 남에게 자기 의견을
말하지 않는다. 그는 비겁한 사람
이다.

cow·boy [káubòi]
명
복수 cowboys[káubòiz]
목동, 카우보이 《목장에서 가축을
돌보는 사람》.
Cowboys ride well.
카우보이들은 말을 잘 탄다.

crab [kræb] 명
복수 crabs[kræbz]
게.
Crab meat is good to eat.
게살은 맛이 좋다.

crack [kræk] 명
복수 cracks[kræks]
❶ 갈라진 금, 틈.
Don't use that glass. It has
a *crack*. 저 유리잔은 사용하지
마라. 금이 가 있다.
There were many *cracks* in
the street after the earth-
quake. 지진이 지나간 뒤, 거리

에는 갈라진 틈이 많이 생겼다.
❷ 철썩, 짤깍, 딱(따위의 날카롭
고 급격한 소리).
The window broke with a
crack. 창문은 쨍강하는 소리를
내면서 깨졌다.
── 동 3·단·현 cracks [kræks];
ing형 cracking[krǽkiŋ]; 과거
과분 cracked[krækt]
자 ❶ (소리를 내며) 부서지다.
When he hit the ball, his
bat *cracked*. 그가 공을 치자,
배트가 부러졌다.
❷ (철썩·딱 따위의) 소리를 내다.
The whip *cracked*, and the
lion jumped through the
burning ring. 채찍이 철썩하니
까, 사자는 불타고 있는 둥근 고
리를 쑥 빠져 나갔다.
── 타 (소리를 내며) …을 부수다.
Mary *cracked* two eggs
quickly. 메리는 두 개의 달걀을
재빠르게 딱딱 깼다.

crack·er [krǽkər]
명
복수 crackers[krǽkərz]
❶ 크래커 《얇고 파삭파삭한 과
자》. ☞ biscuit
❷ 딱총, 폭죽.

cra·dle [kréidl] 명
복수 cradles[kréidlz]
(어린아이를 위한) 흔들침대, 요람.
The young mother rocked
the *cradle* gently. 그 젊은 어
머니는 요람을 가볍게 흔들었다.
from the cradle to the grave
요람에서 무덤까지, 나서 죽을 때
까지.
Some governments take
care of their citizens *from
the cradle to the grave*.
국민이 태어나서 죽을 때까지 보
살펴 주는 나라도 있다.

craft [kræft] 명
복수 craft[kræft]
❶ 《a 와 복수형 안 씀》 (특수한)
기술.
He went to Scotland to

C

learn this *craft*. 이 기술을 배우기 위해 그는 스코틀랜드로 갔다.

❷ 배; 비행기.

A lot of fishing *craft* were seen off the coast. 많은 어선이 앞바다에 보였다.

crane [krein] 명
복수 **cranes** [kreinz]

❶ 두루미.

A *crane* has a very long neck and very long legs. 두루미는 매우 긴 목과 다리를 갖고 있다.

❷ 크레인, 기중기 《무거운 물건을 들어 올리거나 운반하는 기계》.
Cranes are used for lifting and moving heavy things. 기중기는 무거운 물건을 들어 올리거나 옮기는 데 사용된다.

crash [kræʃ] 명
복수 **crashes** [kræʃiz]

❶ 쨍그렁, 와르르 《무엇이 깨지거나 떨어질 때 나는 요란한 소리》.
Things on the table fell with a *crash*. 테이블 위의 물건들이 와르르 소리를 내며 떨어졌다.

❷ (비행기의) 추락, (자동차의) 충돌.
The following is a true story about a plane *crash*. 다음은 비행기 추락에 대한 실화이다.

Seven persons were killed in the car *crash*. 자동차의 충돌로 7명이 죽었다.

── 자 3·단·현 **crashes** [kræʃiz]; ing형 **crashing** [kræʃiŋ]; 과거 과분 **crashed** [kræʃt]

❶ (쨍그렁) 부서지다, (와르르) 무너지다.
A car ran into the house, and the wall *crashed* to the ground. 자동차가 집안으로 뛰어들어, 벽이 와르르 허물어졌다.

❷ (비행기가) 추락하다, (자동차가) 충돌하다.

The plane *crashed* into a mountain on the island. 비행기는 섬의 산 위에 추락하였다.

Two cars *crashed* on that corner. 저 모퉁이에서 두 대의 자동차가 충돌하였다.

crawl [krɔːl] 자
3·단·현 **crawls** [krɔːlz]; ing형 **crawling** [krɔːliŋ]; 과거 과분 **crawled** [krɔːld]

기다, 기어가다.

Our baby has begun to *crawl* now. 우리 아기는 이제 기기 시작했다.

Susie turned white when she saw a snake *crawling* through the bushes.
뱀이 수풀을 기어가는 것을 보고 수지는 창백해졌다.

── 명 ❶ 《a를 붙여》 기기; 서행 (徐行).

move at a *crawl* (차 따위가) 서행하다.

❷ 《the를 붙여》 크롤 《수영법의 하나》.

cray·on [kréiən] 명
복수 **crayons** [kréiənz]

크레용.

My little sister likes to draw pictures with *crayons*. 내 누이동생은 크레용으로 그림 그리기를 좋아한다.

cra·zy [kréizi] 형
비교 **crazier** [kréiziər]; 최상 **craziest** [kréiziist]

미친; 미친 듯한; 열광적인.

Unfortunately he went *crazy* and died in a hospital. 불행히도 그는 미쳤고, 병원에서 죽었다.

Jane was *crazy* with delight when she got the letter. 제인은 그 편지를 받고 미친 듯이 기뻐했다.

Young people nowadays are *crazy* about jazz. 요즈음의 젊은이들은 재즈에 열광적이다.

C

***cream** [kriːm] 명
《a 와 복수형 안 씀》 크림.
"How do you like your coffee?" "With *cream*, please."
「커피를 어떻게 드시겠습니까?」
「크림을 넣어 주시오.」

***cre·ate** [kriːéit] 타 ③·단·현
creates [kriːéits];
ing형 **creating** [kriːéitiŋ]; 과거
과분 **created** [kriːéitid]
…을 만들어내다, (새로) 만들다, 창조하다.
He *created* many wonderful instruments. 그는 많은 훌륭한 기구들을 만들어냈다.
Disneyland was *created* by Walt Disney. 디즈니랜드는 월트 디즈니에 의하여 창설되었다.
☞ 명 creation, 형 creative

cre·a·tion [kriːéiʃən] 명
복수 **creations** [kriːéiʃənz]
❶ 《a 와 복수형 안 씀》 창조, 창작.
since the *creation* of the world 천지 창조 이래.
❷ 창조된 것, 창작물, (창의·상상력 따위의) 산물.
Television is a great *creation* of modern civilization.
텔레비전은 현대 문명의 위대한 산물이다. ☞ 동 create

cre·a·tive [kriːéitiv] 형 비교
more creative;
최상 most creative
창조적인.
Man's *creative* instinct is strong. 인간의 창조적 본능은 강하다. ☞ 동 create

cre·a·tive·ly [kriːéitivli] 부
비교 more creatively; 최상
most creatively
독창적으로, 창조적으로.
Think *creatively*. 창조적으로 생각해라.

crea·ture [kriːtʃər] 명

복수 **creatures** [kriːtʃərz]
(이 세상의) 생물 《인간이나 동물》;
(애정·경멸을 곁들여) 녀석, 놈.
"Children are charming *creatures*," she thought.
「아이들이란 귀여운 녀석들이지.」
라고 그녀는 생각하였다.
Africa is a paradise for wild *creatures*. 아프리카는 야생 동물의 천국이다.

cred·i·ble [krédəbəl] 형
비교 more
credible; 최상 most credible
신용할 수 있는, 믿을 수 있는; 확실한.
There was no *credible* evidence to prove his innocence. 그의 결백을 증명할 확실한 증거가 없었다.

cred·it [krédit] 명
❶ 《a 와 복수형 안 씀》
신용; 명예.
I give *credit* to his story.
나는 그의 말을 믿는다.
❷ 《a 를 붙여》 명예가 되는 것〔사람〕, 자랑거리.
Those players were a *credit* to the school. 저 선수들은 학교의 명예였다.
on credit 외상으로, 신용 대부로.
Nowadays almost everything can be bought *on credit*.
오늘날에는 거의 모든 물건을 외상으로 살 수 있다.

creek [kriːk] 명
복수 **creeks** [kriːks]
(해안·강기슭 따위의) 작은 항구〔만〕, 시내, 샛강.
The children played near the *creek*. 그 아이들은 샛강 근처에서 놀았다.

creep [kriːp] 자
③·단·현 creeps [kriːps];
ing형 **creeping** [kriːpiŋ]; 과거
과분 **crept** [krept]
❶ 기다, 포복하다; (덩굴 따위가) 얽히다, 덮다.
When I see a big worm

creeping along, I always get sick. 커다란 벌레가 기는 것을 보면, 나는 언제나 기분이 나빠진다.
The sides of the house were covered with *creeping* vines. 집의 벽면은 덩굴 식물로 덮여 있었다.

❷ (살그머니) **나아가다, 움직이다.**
The cat *crept* into the kitchen. 고양이가 부엌으로 살금살금 들어왔다.

crept [krept] 동 **creep** 의 과거·과거 분사.

crew [kru:] 명
복수 **crews** [kru:z]
(배·비행기의) (전)**승무원.** ▶ 승무원 전원을 하나의 집단으로 생각할 때는 단수로, 승무원 개개인으로 생각할 때는 복수로 취급함.
a flight *crew* (비행기의) 승무원.
Most of the *crew* were rescued from drowning. 물에 빠진 대부분의 승무원은 구조되었다.
All the *crew* were dead. 승무원 전원이 사망했다.

어법 **1.** crew 는 집합 명사이기 때문에, 둘 이상의 선박·비행기의 승무원을 지칭할 경우에만 crews 라고 한다.
The *crews* of the two ships exchanged greetings. 두 배의 승무원들은 인사를 나누었다.
2. crew 중의 한 사람이나 두 사람을 지칭할 때에는, one of the crew 라든가, two members of the crew 라고 표현한다.

crick·et¹ [kríkit] 명
복수 **crickets** [kríkits]
귀뚜라미.
How does a *cricket* make such a noise? 귀뚜라미는 어떻게 저런 소리를 낼 수 있을까?

crick·et² [kríkit] 명
《a 와 복수형 안 씀》
크리켓.
I like baseball better than *cricket*. 나는 크리켓보다 야구를 더 좋아한다.

참고 영국에서 행하여지는 경기로 한 팀이 11명이며, 수비팀과 공격팀으로 나누어 경기를 한다. 공격팀은 한 사람씩 차례로 타자가 되어, 상대측의 투수가 던지는 공을 치는 점이 야구와 비슷하나, 그 외의 여러 가지 규칙이나 방식은 다른 점이 많다.

cried [kraid] 동
cry 의 과거·과거 분사.

cries [kraiz] 동 **cry** 의 3인칭·단수·현재.
— 명 **cry** 의 복수.

crime [kraim] 명
복수 **crimes** [kraimz]
(법률상의) **죄.**
He was punished for his *crime*. 그는 자기가 저지른 죄로 처벌당했다.
The doctor had committed several *crimes* before, so he was arrested right away. 그 의사는 이전에도 여러 죄를 범하였던 관계로, 즉시 체포되었다.

비슷한 말 **crime** 과 **sin**
crime 은 도둑이나 살인처럼 법률에 저촉되는 죄. sin 은 거짓말이나 잔인한 행위 등 도덕에 어긋나는 일.

crim·i·nal [krímənl] 명
복수 **criminals** [krímənlz]
범죄자.
Three *criminals* escaped from prison. 세 명의 죄수가 교도소에서 도망쳤다.
There are no born *criminals*. 태어날 때부터 범죄자는 없다.

crim·son [krímzən] 명 형 《a 와 복수형 안 씀》 진홍색; 진홍색의.
He has a *crimson* sports car. 그는 진홍색의 스포츠카를 갖고 있다.

cri·ses [kráisiːz] 명 crisis 의 복수.

cri·sis [kráisis] 명 복수 crises [kráisiːz] 위기, (성패의) 갈림길.
The patient will face a serious *crisis* soon. 그 환자는 곧 중대한 (생사의) 기로에 서게 될 것이다.
Our company was in a *crisis* then. 그 때 우리 회사는 위기에 처해 있었다.

crit·ic [krítik] 명 복수 critics [krítiks] 비평가.
Good *critics* make the world better. 훌륭한 비평가는 세상을 더 낫게 만든다.

crit·i·cism [krítisìzəm] 명 복수 criticisms [krítisìzəmz] 비평, 비판.
Thank you for your helpful *criticism*. 유익한 비평을 해 주셔서 감사합니다.

crit·i·cize [krítisàiz] 타 3·단·현 criticizes [krítisàiziz]; ing형 criticizing [krítisàiziŋ]; 과거 과분 criticized [krítisàizd] …을 비평하다, 비판하다.
The teacher *criticized* his students' compositions one by one.
선생님은 학생들의 작문을 하나씩 비평하셨다.
I dislike him because he is always *criticizing* people around him. 그는 언제나 주변의 사람들을 비판하기 때문에 나는 그를 싫어한다.
▶ 영국에서는 criticise 로 씀.

croc·o·dile [krάkədàil] 명 복수 crocodiles [krάkədàilz] 악어.
Crocodiles live in the rivers of Africa. 악어는 아프리카의 강에서 살고 있다.

C

crop [krɑp] 명 복수 crops [krɑps]
❶ 농작물, 곡물.
Potatoes are the main *crop* in this region. 감자는 이 지방의 주요 농산물이다.
❷ 수확.
We can expect a rich rice *crop* this year. 금년은 쌀의 풍작이 예상된다.

cross [krɔːs] 동 3·단·현 crosses [krɔːsiz]; ing형 crossing [krɔːsiŋ]; 과거 과분 crossed [krɔːst]
타 …을 건너가다, 가로지르다, 교차시키다, (손·발 따위)를 엇걸다.
The driver didn't see the child *crossing* the street.
그 운전자는 어린이가 길을 건너고 있는 것을 보지 못했다.
Don't sit with your legs *crossed*. 다리를 꼬고 앉지 마라.
How are you going to *cross* the river? 너는 강을 어떻게 건널 생각이냐?
── 자 건너가다, 교차하다.
How can I *cross* to that island? 어떻게 하면 저 섬에 건너갈 수 있습니까?
── 명 복수 crosses [krɔːsiz]
십자가; ×표, 십자꼴.
In the middle of the village, there was a church tower with a *cross* on it. 마을 가운데에 십자가가 달린 교회탑이 있었다.
Put a *cross* next to the wrong answer. 틀린 답안 옆에 ×표를 하여라.

cross-coun·try [krɔːs-kʌ́ntri] 명

《a와 복수형 안 씀》크로스 컨트
리 경주.
──혱 (도로가 아닌) 들을 횡단하는
(여행); 크로스 컨트리 (경기)의.
a cross-country flight 횡단 비
행.
a cross-country race 크로스
컨트리 경기.

cross·ing [krɔ́:siŋ] 몡

복수 crossings[krɔ́:siŋz]
건널목, 교차점, 횡단 보도.
This crossing is very danger-
ous. 이 건널목은 매우 위험하다.
Don't cross here. Use the
crossing over there. 이 곳으
로 건너지 말고, 저쪽의 횡단 보
도를 이용하시오.

「철도 건널목」표지　「횡단 금지,횡단
　　　　　　　　　보도 이용」의 표지

cross·roads [krɔ́:sròudz] 몡

교차점, 십자로.
Turn left at the crossroads.
교차로에서 좌회전하시오.

cross·walk [krɔ́:swɔ̀:k] 몡

복수 crosswalks[krɔ́:swɔ̀:ks]
건널목, 횡단 보도.
We should cross at the
crosswalk. 우리는 횡단 보도에
서 건너야 한다.

crow [krou] 몡

복수 crows[krouz]
까마귀.
We can't see crows in the
city anymore. 이제는 도시에서
까마귀를 볼 수 없다.

*****crowd** [kraud] 몡

복수 crowds[kraudz]

군중, 군집, (사람의) 붐빔, 북적
임. ▶ 하나의 집단으로 생각할 때
에는 단수로, 집단의 개개인으로
생각할 때에는 복수로 취급함.
There was a large crowd
at the station. 역에는 많은 사
람이 붐비고 있었다.
Crowds of students were
waiting in front of the
library. 여러 무리의 학생들이 도
서관 앞에서 기다리고 있었다.

어법 crowd 만으로「많은 사람
들」이란 뜻이 있기 때문에, 많
은 사람들이라 할 때는 many
crowds 라 하지 않고, a large
crowd 라 한다. crowds 라고
복수가 되면, 몇 개의 군집을
말하는 것이다.

crowd·ed [kráudid] 혱 비교
more crowded;
최상 most crowded
혼잡한, 만원의, 꽉 찬.
The city is big and crowded.
그 도시는 크고 혼잡하다.
The room was crowded and
noisy.
그 방은 사람들로 붐벼서 시끄러
웠다.

crown [kraun] 몡
복수 crowns[kraunz]
왕관, 관.
The gold crown from
Cheonmachong is a great
work of art. 천마총에서 나온
금관은 위대한 예술 작품이다.

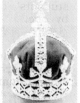

영국의 왕관들

crude [kru:d] 형
비교 **cruder** [krú:dər] ;
최상 **crudest** [krú:dist]
❶ 천연 그대로의, 가공하지 않은.
Crude sugar isn't white.
가공하지 않은 설탕은 희지 않다.
❷ 거친, 조잡한.
When I went into the room,
a thin man was lying on a
crude bed. 내가 방에 들어가니,
야윈 사내가 조잡한 침대에 누워
있었다.

*cru·el [krú:əl] 형
비교 **crueler** [krú:ələr] ;
최상 **cruelest** [krú:əlist]
잔혹한, 무자비한. ☞ kind¹(친절
한).
I couldn't watch that *cruel*
scene. 나는 그 끔찍한 광경을 보
고 있을 수가 없었다.
We shouldn't be *cruel* to
anybody. 우리는 누구에게든 무자
비해서는 안 된다.

cru·el·ty [krú:əlti] 명 복수
cruelties [krú:əltiz]
잔혹함, 무자비함, 잔인한 행위.
He was blamed for his
cruelties to the prisoners.
그는 포로에 대한 잔혹한 행위에
대해 비난을 받았다.
Some dogs are treated
with *cruelty*. 개들 중에는 학대
를 받는 것도 있다.

cruise [kru:z] 자
3·단·현 **cruises** [krú:ziz] ; ing형
cruising [krú:ziŋ] ; 과거 과분
cruised [kru:zd]
순항 속도로 달리다.
The TGV *cruises* 300 km an
hour. 테제베는 시속 300 km 의
순항 속도로 달린다. ▶TGV 는 프
랑스의 초고속 열차로 「테제베」라
고 함.

crumb [krʌm] 명
복수 **crumbs** [krʌmz]
《보통 복수형으로》 빵 부스러기,
빵가루.

Don't drop any *crumbs* on
the floor. 바닥에 빵 부스러기를
흘리지 마라.

crush [krʌʃ] 타
3·단·현 **crushes** [krʌʃiz] ;
ing형 **crushing** [krʌʃiŋ] ; 과거
과분 **crushed** [krʌʃt]
…을 눌러 으깨다, 부수다.
Several persons were
crushed in the crowd at
the entrance to the theater.
극장 입구의 혼잡으로 몇 사람이
밀려 쓰러져서 다쳤다.
The roller *crushed* stones
on the road. 롤러가 노상의 돌
을 눌러서 깨뜨렸다.
Mary's hope was *crushed*
by the letter. 메리의 희망은 그
편지로 깨지고 말았다.

crutch [krʌtʃ] 명
복수 **crutches** [krʌtʃiz]
목발.
Tom walked on *crutches*.
톰은 목발을 짚고 걸었다.
▶ a pair of crutches (한 쌍
의 목발)와 같이 복수형으로 사용
하는 경우가 많음.

*cry [krai] 자·타 3·단·현
cries [kraiz] ; ing형 **crying**
[kráiiŋ] ; 과거 과분 **cried** [kraid]
❶ (…라고) 소리치다 (=shout).
He *cried* from the pain.
그는 아파서 소리쳤다.
❷ (큰 소리로) 울다.
When the teacher looked
into the classroom, a girl
was *crying*. 선생님이 교실을 들
여다보니, 한 소녀가 울고 있었다.
The kittens just *cried*,
"Meow, meow, meow."
그 새끼 고양이들은 그저 「야옹,
야옹, 야옹.」 하고 울었다.
***cry for** …을 울며 청하다, (큰 소
리로) …을 요구하다.
A little child was *crying for*
a toy. 어린아이가 장난감을 달라
고 울고 있었다.
***cry out** 큰 소리로 외치다, 고함치다.

The students are *crying out*, "Yeongcha, yeongcha." 모든 학생들은 「영차, 영차」를 외치고 있다.

— 몡 톅수 **cries** [kraiz] 외치는 소리; (동물이나 새의) 울음 소리.

My little sister gave a *cry* of joy when she got the present. 나의 누이동생은 선물을 받자 기뻐서 소리쳤다.

They heard the *cries* of people. 그들은 사람들의 울음소리를 들었다.

crys·tal [krístl] 몡
톅수 **crystals** [krístlz]
❶ 《a 와 복수형 안 씀》 수정.
Tom bought a *crystal* necklace for his sister. 톰은 누님에게 줄 수정 목걸이를 샀다.
❷ 수정 제품; 결정(체).

cuck·oo [kú(ː)kuː] 몡
톅수 **cuckoos** [kú(ː)kuːz]
뻐꾸기; 뻐꾹 《뻐꾸기의 울음 소리》.
Young *cuckoos* are brought up by other birds. 어린 뻐꾸기는 다른 새에 의해 키워진다.

cu·cum·ber [kjúːkəmbər] 몡
톅수 **cucumbers** [kjúːkəmbərz]
오이.
Mrs. Jones used some *cucumbers* in the salad. 존스 부인은 샐러드에 오이를 약간 넣었다.

cul·ti·vate [kʌ́ltəvèit] 톄
3·단·현 **cultivates** [kʌ́ltəvèits];
ing형 **cultivating** [kʌ́ltəvèitiŋ];
과거 과분 **cultivated** [kʌ́ltəvèitid]

❶ (토지)를 일구다, 경작하다.
It is not easy to *cultivate* a field. 밭을 경작하기는 쉬운 일이 아니다.
❷ …을 재배하다; 양식하다.
He spent a lot of money to *cultivate* a new breed of fish. 그는 신품종의 물고기를 양식하는 데 많은 돈을 썼다.
❸ (재능·품성 따위)를 함양하다, 닦다.
He studied Buddha in order to *cultivate* his mind. 수양을 쌓기 위해서 그는 부처님을 연구하였다.
They *cultivated* their friendship by meeting often. 그들은 자주 만나 우정을 깊게 했다.

cul·tur·al [kʌ́ltʃərəl] 혱
교양의, 문화의.
This *cultural* film is one of the best that was made last year. 이 문화 영화는 작년에 만들어진 가장 뛰어난 것 중의 하나이다.
In college you must take some courses in *cultural* studies. 대학에서는 교양 과목의 코스를 몇 개쯤 밟지 않으면 안 된다.

*cul·ture [kʌ́ltʃər] 몡 톅수 **cultures** [kʌ́ltʃərz]
❶ 《a 와 복수형 안 씀》 교양; 수양.
A man without *culture* cannot succeed in the world. 교양이 없는 사람은 세상에서 성공할 수 없다.
❷ 문화. ☞ civilization
Gestures may have different meanings in different *cultures*. 다른 문화에서 제스처는 다른 의미를 지닐 수 있다.
❸ 《a 와 복수형 안 씀》 재배, 사육.
Some countries in Africa are famous for the *culture* of rubber. 아프리카의 몇몇 나라들은 고무 재배로 유명하다.

****cup** [kʌp] 명
[복수] **cups**[kʌps]
(커피) 잔, 찻종; 우승컵. ☞
glass(글라스)
We bought a set of *cups*
as a present. 우리는 선물용으
로 컵 한 세트를 샀다.
I won the contest and got
a *cup*. 나는 콘테스트에서 우승
하여 우승컵을 받았다.

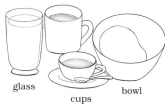

glass
bowl
cups

a cup of 한 잔의 ….
Will you have *a cup of*
coffee? 커피 한 잔 하겠어요?

cup·board [kʌ́bərd] 명
[복수] **cupboards**[kʌ́bərdz]
찬장.
Mrs. Brown was very
pleased when she found a
nice big *cupboard* in the
new kitchen. 브라운 부인은 새
부엌에 훌륭한 큰 찬장이 있는 것
을 알고 매우 기뻐하였다.
► cupboard의 **p**는 발음하지 않음.

cure [kjuər] 타
[3·단·현] **cures** [kjuərz];
[ing형] **curing** [kjúəriŋ]; [과거] [과분]
cured[kjuərd]
(병)을 고치다, (환자)를 치료하다.
The doctor *cured* my bad
headache. 의사 선생님은 나의
심한 두통을 고쳐주셨다.
The dentist *cures* your
toothache. 치과 의사 선생님은
이가 아픈 것을 고쳐주신다.
This medicine *cured* me of
my cold. 이 약은 내 감기를 치
료했다.
── 명 [복수] **cures**[kjuərz]

치료, 회복; 치료약; 치료법.
a complete *cure* 완쾌.
There is no good *cure* for
this disease at the present
time. 현재로서는 이 병에 대한
좋은 치료약이 없다.

cu·ri·os·i·ty [kjùəriásəti] 명
《복수형 안 씀》 호기심.
He has lost his *curiosity*
about new things. 그는 새로운
것에 대한 호기심을 잃었다.
Because of their *curiosity*,
some people will succeed
and others will fail. 호기심 때
문에 성공하는 사람이 있는가 하면
실패하는 사람도 있다.

cu·ri·ous [kjúəriəs] 형
[비교] **more curious**; [최상] **most
curious**
❶ 호기심이 있는, 알고자 하는.
If you're *curious* about
spaceships, read this book.
만약 네가 우주선에 호기심이 있
다면, 이 책을 읽어라.
I am *curious* to know how
old she is. 나는 그녀가 몇 살
인지 알고 싶다.
❷ 이상한, 기이한(=strange).
There was a *curious* noise
below, and the train stopped.
밑에서 이상한 소리가 나더니, 열
차가 멈춰 섰다.
This artist paints very
curious pictures. 이 화가는 매
우 기이한 그림을 그린다.

cu·ri·ous·ly [kjúəriəsli] 부
[비교] **more curiously**; [최상] **most
curiously**
신기한 듯이, 호기심에서; 이상하
게도.
Yesterday a stranger came
to the store and asked me
about your family very
curiously. 어제 상점에 낯선 사람
이 와서, 당신의 가족에 관하여 꼬

치꼬치 나에게 묻더군요.
Curiously enough, Jane didn't come home that day. 이상하게도 그 날 제인은 집에 돌아오지 않았다.

curl·y [kə́:rli] 형
비교 **curlier** [kə́:rliər] : 최상 **curliest** [kə́:rliist]
곱슬의.
Her hair is blond and *curly*. 그녀의 머리카락은 금발이며 곱슬이다.

cur·rent [kə́:rənt] 명
복수 **currents** [kə́:rənts]
(물·공기·전기 따위의) 흐름.
Do you know there are many *currents* in the sea? 바다에는 많은 해류가 있다는 것을 알고 있느냐?
The balloon flew with the air *current*. 풍선은 기류를 타고 날아갔다.
This meter measures electric *current*. 이것은 전류를 측정하는 계기이다.
── 형 비교 **more current;** 최상 **most current**
현재의, 지금의; 지금 행하여지고 있는.
current English 현대 영어, 시사 영어.
It is very important to have *current* knowledge about things. 사물에 관한 새로운 (오늘날의) 지식을 갖는 것이 매우 중요하다.

cur·ry [kə́:ri] 명
《a 와 복수형 안 씀》 카레 요리; 카레 가루 (=curry powder).
curry and rice 카레 라이스.

curse [kə́:rs] 타·자 3·단·현
curses [kə́:rsiz] : ing형
cursing [kə́:rsiŋ] : 과거 과분
cursed [kə́:rst]
(…을) 저주하다, 욕설하다.
Drivers often *curse* each

other. 운전사들은 가끔 서로 욕을 한다.
── 명 복수 **curses** [kə́:rsiz]
저주, 욕.
His speech was filled with *curses* about his rivals. 그의 연설은 경쟁자에 대한 독설로 가득하였다.

cur·tain [kə́:rtən] 명
복수 **curtains** [kə́:rtənz]
커튼, 휘장; (극장 따위의) 막, 장막.
The window of her room was covered with yellow *curtains*. 그녀 방의 창문은 노란 커튼이 드리워져 있었다.
The band began to play, and the *curtain* went up slowly. 밴드가 연주를 시작하자 막이 천천히 올라갔다.

curve [kə:rv] 명
복수 **curves** [kə:rvz]
커브, 곡선.
The rocket went up into the air in a *curve*. 로켓은 곡선을 그리며 공중으로 올라갔다.
We can drive through any *curve* safely. 우리는 어떤 커브도 안전하게 통과할 수 있다.

주의 curve 를 carve [kɑ:rv] (새기다)의 발음, 철자, 뜻 따위와 혼동하지 않도록 주의.

cush·ion [kúʃən] 명
복수 **cushions** [kúʃənz]
쿠션, 방석.
You may use this *cushion*. Please make yourself at home. 이 방석을 쓰시고, 편하게 하십시오.

cus·tom [kʌ́stəm] 명
복수 **customs** [kʌ́stəmz]
풍습, 관습; 습관. ☞ habit
follow [break] a *custom* 관

습을 따르다[어기다].
Sending Christmas cards is an old *custom*. 크리스마스 카드를 보내는 것은 오랜 관습이다.
Mike has been busy learning Korean *custom*. 마이크는 한국의 관습을 배우느라 바빴다.
Each country has certain *customs* and manners.
각 나라에는 어떤 정해진 관습과 예절이 있다.

cus·tom·a·ry [kʌ́stəmèri] 형
비교 **more customary;** 최상 **most customary**
습관적인(=usual).
It is *customary* in the United States to tip a waiter when you eat in a restaurant. 레스토랑에서 식사를 할 때 웨이터에게 팁을 주는 것은 미국에서는 관습적이다.

cus·tom·er [kʌ́stəmər] 명
복수 **customers** [kʌ́stəmərz]
(상점 따위에 오는) 손님, 고객.
a regular [chance] *customer* 고정[뜨내기] 손님.
We have a lot of *customers*.
우리는 손님이 많다.

*****cut** [kʌt] 타 3·단·현 **cuts** [kʌts]; ing형 **cutting** [kʌ́tiŋ]; 과거 과분 **cut** [kʌt]
…을 자르다, 베다, 베어 가르다.
☞ break
Father *cut* the rope with a knife. 아버지께서는 칼로 로프를 자르셨다.

cut
cut
break

She *cut* her finger while cooking. 그녀는 요리하다가 손가락을 베었다.
Let's *cut* the pie in four pieces. 파이를 네 쪽으로 자르자.
I want to get my hair *cut*.
나는 머리를 깎고 싶다.
The Korean Peninsula was *cut* in half by the Cold War in 1945. 한반도는 1945 년에 냉전 때문에 반으로 갈라졌다.

***cut away** 베어버리다.
Father *cut away* all the dead branches from the cherry tree. 아버지는 벚나무의 죽은 가지를 전부 베어버리셨다.

*****cut down** (나무 따위)를 베어넘기다.
Trees are being *cut down* by human hands. 나무들이 사람들 손에 의해 베어지고 있다.

***cut off** 베어내다; 중단하다.
Don't *cut* it *off*.
그것을 잘라내지 마라.
The water was *cut off* yesterday. 어제는 단수되었다.

── 명 복수 **cuts** [kʌts]
절단, 벤 상처, 벤 자리; 지름길.
He showed me the *cut* on his finger. 그는 나에게 손가락의 벤 상처를 보여 주었다.

cute [kjuːt] 형
비교 **cuter** [kjúːtər]; 최상 **cutest** [kjúːtist]
귀여운; 재치 있는.
This Korean doll is *cute*.
이 한국 인형은 귀엽다!
What a *cute* bird!
정말 귀여운 새로구나!

cut·ting [kʌ́tiŋ] 동
cut 의 -ing 형.
── 형 예리한; (바람이) 살을 에는 듯한; 신랄한, 지독한.
a *cutting* edge 예리한 칼날.
A *cutting* wind blew.
살을 에는 듯한 바람이 불었다.
That girl sometimes makes *cutting* remarks. 저 소녀는 때때로 신랄한 비평을 한다.

cy·ber- [sáibər]
접투

'전자 통신망과 가상 현실'이란 뜻.
*cyber*cafe 인터넷 카페 / *cyber*space 가상 공간.

cy·cle [sáikl] 명
복수 **cycles** [sáiklz]
주기; (전기의) **사이클; 자전거.**
the *cycle* of the seasons 계절의 순환.
ride a *cycle* 자전거를 타다.
── 자 3·단·현 **cycles** [sáiklz] :
ing형 **cycling** [sáikliŋ] : 과거 과분 **cycled** [sáikld]

자전거에 타다; 순환하다.
He *cycles* to school.
그는 자전거로 학교에 간다.

cy·cling [sáikliŋ]
명
《a 와 복수형 안 씀》 **자전거 타기.**
We went *cycling* last Sunday. 우리는 지난 일요일에 자전거 타러 갔다.

cyl·in·der [sílindər]
명
복수 **cylinders** [sílindərz]
원통, 원주; 기통(氣筒), **실린더.**
a six-*cylinder* engine. 6기통 엔진.

Dd

'd [-d]
had, did, would 의 단축형.
You'*d* (=You had) better
see your doctor. 너는 의사를
만나보는 것이 좋겠다.
I'*d* (=I would) like to go
home. 나는 집에 가고 싶다.

dachs·hund [dáːkshùnt] 명
복수 **dachshunds** [dáːkshùnts]
닥스훈트《짧은 다리에 몸과 귀가
긴 독일 산 작은 개》.

***dad** [dæd] 명
복수 **dads** [dædz]
아빠, 아버지 (⇨ mom 엄마).
Dad gave this to me.
아빠가 이것을 나에게 주셨다.
Good night, *Dad* !
아빠, 안녕히 주무세요!

참고 dad는 어린애가 아버지를
부를 때 흔히 쓰는 친근감 있는
말이다. 어린애뿐만 아니라 중
학생이나 고등 학생도 쓴다. 고
유 명사처럼 대문자로 시작하고
관사도 붙이지 않는 수가 많다.

***dad·dy** [dǽdi] 명
복수 **daddies** [dǽdiz]
아빠, 아버지(⇨ mummy 엄마).
Good morning, *Daddy*. 아
빠, 안녕히 주무셨어요?
► daddy는 dad보다도 더 친근감
있는 말로서 가정에서 흔히 씀.

daf·fo·dil [dǽfədil] 명

복수 **daffodils** [dǽfədilz]
수선화.
There are some flowers
under the tree. They are
daffodils. 나무 밑에 꽃이 피어
있다. 그것들은 수선화이다.

dahl·ia [dǽljə] 명
복수 **dahlias** [dǽljəz]
달리아.
I grow *dahlias* in
my flower garden.
나는 화원에 달리아를
기른다.

***dai·ly** [déili] 형
매일의; 일간(日刊)의.
Washing dishes is her *daily*
job. 설거지는 그녀의 일과이다.
The New York Times is a
daily newspaper. 뉴욕 타임스
는 일간 신문이다.
People often use gestures
in their *daily* life. 사람들은 일
상 생활에서 종종 제스처를 쓴다.
── 부 매일(=every day).
Traffic accidents happen
daily. 교통 사고는 매일 일어난다.

dair·y [déəri] 명
복수 **dairies** [déəriz]
❶ 우유 짜는 곳, 낙농장.
A *dairy* is a farm where
milk and cream are pro-
duced. 낙농장이란 우유와 크림이
생산되는 농장이다.
❷ 우유 제품 판매점, 우유 가게.
Mr. Brown runs a *dairy* in

this city. 브라운씨는 이 도시에서 우유 가게를 경영하고 있다.
➤ daily[déili](매일의), diary [dáiəri](일기)와 혼동하지 말 것.

dai·sy [déizi] 명
복수 **daisies**[déiziz]
데이지.
There are white, pink, and yellow *daisies*. 흰색, 분홍색, 노란색의 데이지가 있다.

*__**dam**__ [dæm] 명
복수 **dams**[dæmz]
둑, 댐.
There is a big *dam* up this river. 이 강의 상류에는 큰 댐이 있다.

*__**dam·age**__ [dǽmidʒ] 명
《a와 복수형 안 씀》
손해; 피해.
The flood did much *damage* to the crops. 그 홍수는 농작물에 큰 피해를 끼쳤다.
── 타 3·단·현 **damages** [dǽmidʒiz]; ing형 **damaging** [dǽmidʒiŋ]; 과거 과분 **damaged** [dǽmidʒd]
…에 손해를 주다; …을 손상시키다.
Fred *damaged* his hand playing baseball. 프레드는 야구를 하다가 손을 다쳤다.
Cigarettes *damage* your health. 담배는 건강을 해친다.

damp [dæmp] 형
비교 **damper**[dǽmpər]; 최상 **dampest**[dǽmpist]
축축한, 눅눅한, 습기 있는.
It is *damp* in rainy weather. 비오는 날씨에는 눅눅하다.
I wiped the windows with a *damp* cloth. 나는 축축한 헝겊으로 창을 닦았다.

*__**dance**__ [dæns] 동
3·단·현 **dances** [dǽnsiz]; ing형 **dancing** [dǽnsiŋ]; 과거 과분 **danced**[dǽnst]
자 ❶ 춤추다, 댄스를 하다.
Look at the girl who is

dancing on TV. 텔레비전에서 춤추는 소녀를 보아라.
They *dance* to the song. 그들은 노래에 맞추어 춤을 춘다.
❷ (기쁨·노여움 따위로) 날뛰다.
Mary *danced* for joy. 메리는 기뻐서 날뛰었다.
── 타 (춤)을 추다, (아무)를 춤추게 하다.
She *danced* a Korean dance. 그녀는 한국 춤을 추었다.
── 명 복수 **dances**[dǽnsiz]
❶ 댄스, 춤.
a folk *dance* 민속 무용.
The band began to play *dance* music. 악단은 춤곡을 연주하기 시작했다.
❷ 댄스 파티, 무도회.
We're having a *dance* this Saturday. 우리는 이번 토요일에 댄스 파티를 열 것이다. ➤「댄스 파티」는 dance party 라고 하지 않고 dance라고만 함.

danc·er [dǽnsər] 명 복수 **dancers**[dǽnsərz]
댄서, 춤추는 사람.
They both are good *dancers*. 그들은 둘 다 춤을 잘 춘다.

danc·ing [dǽnsiŋ] 동
dance의 -ing형.
── 명 《a와 복수형 안 씀》 춤, 춤추기.
I like to watch Spanish *dancing*. 나는 스페인 춤을 보기 좋아한다.

dan·de·li·on [dǽndəlàiən] 명
복수 **dandelions**[dǽndəlàiənz]
민들레.
There are many *dandelions* in the meadow. 그 초원에는 민들레가 많다.

Dane [dein] 명
복수 **Danes**[deinz]
덴마크 사람.
Mr. Andersen is a *Dane*.
안데르센씨는 덴마크 사람이다.

***dan·ger** [déindʒər] 명 복수
dangers[déindʒərz]
위험(⇔ safety 안전); 위험물.
There is *danger* ahead.
앞에 위험물이 있다.

be in danger 위독하다, 위험에
처하다.
His life *was in danger*.
그의 생명은 위태로웠다.

***dan·ger·ous** [déindʒərəs]
형
비교 **more dangerous;** 최상
most dangerous
위험한, 위태로운 (⇔ safe 안전한).
It's *dangerous* to play in
the street. 길에서 노는 것은 위
험하다.

***Dan·ish** [déiniʃ] 형
덴마크의, 덴마크어의.
Greta is a *Danish* girl.
그레타는 덴마크 소녀이다.
── 명 《a와 복수형 안 씀》 덴마크
어.
Danish is spoken in Den-
mark. 덴마크에서는 덴마크어가
사용된다.

***dare** [dɛər] 타
3·단·현 **dares** [dɛərz];
ing형 **daring**[dɛəriŋ]; 과거 과분
dared[dɛərd]
《**dare to** do로》 감히 …하다, …
할 용기가 있다.
He will *dare to* try anything.
그는 감히 무엇이든 할 것이다.
Jack did not *dare to* answer.

잭은 감히 대답을 못 했다.
── 조 과거 **dared**[dɛərd]
《부정문·의문문에서》 감히 …하
다.
I *dare* not jump off the
roof. (=I don't dare to jump
off the roof.) 나는 지붕에서
뛰어 내릴 용기가 없다.

어법 dare는 부정문이나 의문
문에서는 본동사로도 쓰이고 조
동사로도 쓰이나, 구어에서는
본동사로서 「dare to+동사의
원형」의 형식을 취하는 경우가
많다.

***dark** [dɑːrk] 형
비교 **darker** [dáːrkər];
최상 **darkest**[dáːrkist]
❶ 어두운, 암흑의 (⇔ bright 밝
은).
It's getting *dark*.
어두워지고 있다.
He was shut up in a *dark*
room. 그는 어두운 방에 갇혀 있
었다.
❷ (살갗·눈·머리가) 검은 (⇔
fair 하얀); (색이) 짙은.
Susie has *dark* eyes.
수지의 눈은 검다.
Mrs. Brown is wearing a
dark green suit. 브라운 부인
은 진초록색 옷을 입고 있다.

참고 dark skin은 「검은 피부」
이지만, 흑인의 피부색(black
skin)과는 다르다. 스페인 사람
등 남유럽계의 사람처럼 거무스
름한 피부를 말한다.

── 명 《a와 복수형 안 씀》 어둠,
땅거미, 밤.
***after dark** 어두워져서.
Susie doesn't go out *after
dark*. 수지는 어두워지면 외출하
지 않는다.
***before dark** 어두워지기 전에.
Let's go home *before dark*.

어두워지기 전에 집에 가자.

in the dark 어둠 속에서.

He saw two big eyes *in the dark.* 그는 어둠 속에서 두 개의 큰 눈을 보았다.

until dark 어두워질 때까지.

Jim walked *until dark*, but he couldn't find the way. 짐은 어두워질 때까지 걸었지만 길을 찾을 수 없었다.

dark·en [dáːrkən] 동 3·단·현
darkens [dáːrkənz] ;
ing형 **darkening** [dáːrkəniŋ] ;
과거 과분 **darkened** [dáːrkənd]
타 …을 어둡게 하다; 거무스름하게 하다.

Bill *darkened* the room. 빌은 방을 어둡게 했다.

── 자 어두워지다.

The day *darkened* into night. 날이 저물어 밤이 되었다.

dark·ness [dáːrknis]
명
《a와 복수형 안 씀》 어둠, 암흑.

The stars are shining in the *darkness.* 별은 어둠 속에서 빛나고 있다.

dar·ling [dáːrliŋ] 명 복수
darlings [dáːrliŋz]
귀여운 사람, 사랑하는 사람.

"Judy." "Yes, (my) *darling*?"
「주디.」「예, 왜 그러세요?」

참고 (my) darling (여보, 얘 야)는 부부, 애인, 어버이와 자식 간에 친밀감을 나타내는 호칭으로 이름 대신에 잘 쓰인다. 이 밖에 친밀감을 나타내는 호칭으로는 dear [diər]나 honey [hʌ́ni] 따위가 있다.

── 형 비교 **more darling**; 최상
most darling
귀여운, 사랑스런.

What a *darling* little cat! 참 귀여운 고양이 새끼구나!

dash [dæʃ] 동 3·단·현 **dashes**
[dǽʃiz] ; ing형 **dashing**

[dǽʃiŋ] : 과거 과분 **dashed** [dæʃt]
자 돌진하다, 힘차게 달리다.

Hwang Yeoungjo *dashed* off from the Japanese runner. 황영조는 일본 주자를 제치고 힘차게 달렸다.

── 타 (물 따위)를 끼얹다.

He *dashed* water over my face. 그는 내 얼굴에 물을 끼얹었다.

── 명 복수 **dashes** [dǽʃiz]
❶ 《a를 붙여》 돌진.

He made a *dash* for the goal. 그는 결승점을 향해 돌진하였다.

❷ 단거리 경주.

Bill won the 100-meter *dash.* 빌은 100 미터 경주에서 우승했다.

❸ 대시 《─》.

참고 대시는 다음과 같은 경우에 쓰인다.
1. 문장의 중단이나 머뭇거림을 나타낸다.
Yes, but─. 그렇다만─. / I─I don't know.
나─나는 모른다.
2. 강조적 삽입구를 나타낸다.
This school─the largest in this city─has a modern library. 이 학교는─시에서 가장 큰 학교인데─현대적인 도서관이 있다.
3. 결론·추가·총괄을 나타낸다.
Three books─a dictionary, a grammar, and a novel─lay on the desk. 세 권의 책─사전과 문법책과 소설─이 책상에 있었다.

a dash of 소량의.

Put in *a dash of* pepper. 후추를 조금 쳐라.

da·ta [déitə] 명
자료, 데이터.

These *data* are correct. = This *data* is correct. 이 데이

터는 정확하다.

[어법] 본래 datum[déitəm]의 복수형이므로 복수로 취급하는 것이 원칙이나 종종 단수로 취급하기도 한다.

***date** [deit] 명
[복수] **dates**[deits]

❶ 날짜, 연월일.
"What's the *date* today?"
"The twelfth." 「오늘이 며칠이지?」「12일이야.」
Write your *date* of birth here. 여기에 너의 생년월일을 써라.

[참고] 날짜의 쓰기와 읽기
날짜를 쓰는 법은 다음과 같이 두 가지가 있다. 흔히는 월, 일, 연의 순서로 쓴다. April 7, 2003 (April (the) seventh, two thousand three 라고 읽음).또 한 가지는 일, 월, 연의 순서로 쓴다. 7(th) April, 2003 (the seventh of April, two thousand three 라고 읽음).

❷ 만날 약속, (이성과의) 데이트.
Jack has a *date* with Susie on Sunday. 잭은 일요일에 수지와 만날 약속이 되어 있다.

[참고] 젊은 남녀간의 데이트뿐만 아니라, 일시를 지정한 lecture date(강의할 약속)라든가, dinner date(식사에 초대하는 또는 초대받은 약속) 따위에도 쓸 수 있다.

out of date 시대에 뒤진, 구식의.
My dress is *out of date*.
나의 옷은 구식이다.
up to date 최신(식)의.
This dictionary is quite *up to date*. 이 사전은 가장 최근에 발행된 것이다.

***daugh·ter** [dɔ́ːtər] 명

[복수] **daughters**[dɔ́ːtərz]
딸 (⇨ son 아들).
Kathy is Mr. and Mrs. Brown's *daughter*. 캐시는 브라운 부부의 딸이다.
Mrs. Smith has a son and a *daughter*. 스미스 부인은 아들 하나와 딸 하나가 있다.

daughter   son

Da·vid [déivid] 명
❶ 데이비드《남자 이름》.
❷ 다윗왕.

[참고] 기원전 1,000년 경의 이스라엘 왕으로서, 구약 성서 시편의 작자라고 한다.

da Vinci [də víntʃi] 명
다 빈치.
Leonardo[lìːənáːrdou] **da Vinci**
레오나르도 다 빈치(1452-1519)《이탈리아의 화가·건축가·조각가·과학자》.

dawn [dɔːn] 명
《a와 복수형 안 씀》동틀 녘, 새벽.
He works from *dawn* till dark. 그는 새벽부터 어두워질 때까지 일한다.
Jim got up at *dawn*.
짐은 새벽에 일어났다.
── 자 [3·단·현] **dawns**[dɔːnz]:

D

[ing형] **dawning** [dɔ́:niŋ] : [과거] [과분] **dawned** [dɔ:nd]

(날이) 밝아오다, 새다.

The day is *dawning*. 날이 밝아온다. ➤ Morning dawns. 라고도 함.

＊day [dei] [명] [복수] **days** [deiz]

❶ 날, 하루.

There are twenty-four hours in a *day*. 하루는 스물 네 시간이다.

"What *day* is it?" "It's Monday." 「무슨 요일이지?」 「월요일이야.」 ➤「오늘은 며칠이냐?」라고 물을 때에는 What is the date today? 라고 함.

She will be back in a few *days*. 그녀는 2, 3일 내로 돌아올 것이다.

❷ 낮 (⇨ night 밤).

He slept during the *day* and worked during the night. 그는 낮에 자고 밤에 일했다.

Days are longer in summer than in winter. 여름은 겨울보다 해가 길다.

❸ 《보통 복수형으로》 시대, 시기.

Shakespeare lived in the *days* of Queen Elizabeth I. 셰익스피어는 엘리자베스 1세 시대에 살았다.

＊*all day* (*long*) 종일.

I stayed at home *all day* yesterday. 나는 어제 종일 집에 있었다.

＊*day after day* 매일매일.

It snowed *day after day*. 눈이 날마다 내렸다.

day and night 밤낮으로.

All the villagers were afraid *day and night*. 마을 사람들은 모두 밤낮으로 두려워했다.

＊*day by day* 매일매일, 나날이.

Day by day, she learned many new words. 매일매일 그녀는 많은 새 낱말을 배웠다.

＊*every day* 매일.

I study English *every day*. 나는 매일 영어 공부를 한다.

in a day or two 하루 이틀 사이에.

I'll fix it *in a day or two*. 하루 이틀 안에 처리하겠습니다.

in early days 옛날에.

In early days man lived in caves. 옛날에 인간은 굴에서 살았다.

＊*in those days* 당시에는.

Business was good *in those days*. 그 때는 경기가 좋았다.

＊*one day* 어느 날.

One day Jack received a letter from his friend in Korea. 어느 날 잭은 한국에 있는 친구부터 편지를 받았다.

one of these days 근일 중에; 가까운 시일 안에.

I'll come and see you *one of these days*. 가까운 시일 안에 와서 뵙겠습니다.

＊*some day* (미래의) 언젠가, 머지않아. ☞ some

＊*the day after tomorrow* 모레.

I'm going to leave for home *the day after tomorrow*. 나는 모레 집으로 떠날 예정이다.

the day before 그 전날.

He knew the man because he had met him *the day before*. 그 전날 만났으므로 그는 그 남자를 알고 있었다.

＊*the day before yesterday* 그저께.

It started to rain *the day before yesterday*. 그저께부터 비가 오기 시작했다.

＊*the other day* 일전에.

The other day we went downtown to the movies. 우리는 일전에 시내로 영화를 보러 갔다.

＊*these days* 요즈음.

I have been very busy *these days*. 나는 요즘 매우 바빴다.

day·break [déibrèik] [명]

《a와 복수형 안 씀》 새벽.
I packed (up) my clothes and was ready to start at *daybreak*. 나는 옷을 꾸렸고, 새벽에는 출발할 준비가 되어 있었다.

day·light [déilàit] 명
《a와 복수형 안 씀》
일광(=sunlight); 낮; 새벽.
At *daylight* he left.
그는 새벽에 떠났다.

day·light sav·ing time
[dèilait séiviŋ tàim] 명
일광 절약 시간, 서머타임.

참고 여름에 시계를 1시간 앞당겨 일광을 많이 이용하려는 제도. 미국에서는 약 절반의 주가 이 제도를 쓰고 있으며, 주에 따라 다르지만 대체로 4월 맨 끝 일요일부터 9월 맨 끝 일요일까지 시행하고 있다. 영국에서는 summer time 이라고 한다.
---

day·time [déitàim] 명
《the를 붙여》 낮.
He works in the *daytime* and goes to school at night.
그는 낮에 일하고 밤에는 학교에 다닌다.

daz·zling [dǽzliŋ] 형 비교
more dazzling; 최상 most dazzling
찬란한, 눈이 부시는.
The sunlight is *dazzling* on the beach. 해변에 해가 눈부시게 빛나고 있다.

*dead [ded] 형
죽은; 생명이 없는 (⇔ living 살아 있는).
The flowers in my garden are *dead*. 정원의 꽃이 죽어 있다.
He has been *dead* for three years. (=He died three years ago. = It is [has been] three years since he died.) 그가 죽은 지 3년이 된다.

—— 부 아주, 전혀.
I'm *dead* tired.
나는 아주 피곤하다.
He is *dead* asleep.
그는 깊이 잠들어 있다.
☞ 동 die, 명 death

dead·ly [dédli] 형 비교 dead-lier[dédliər]; 최상
deadliest[dédliist]
치명적인.
Cancer is a *deadly* disease.
암은 치명적인 병이다.
It was a *deadly* shock.
그것은 치명적인 충격이었다.

deaf [def] 형
귀머거리의, 귀먹은. ☞ blind (눈먼); dumb(벙어리의)
Helen Keller was blind and *deaf*. 헬렌 켈러는 맹인인데다 귀머거리였다.

*deal¹ [di:l] 명
양, 분량.
a good [great] deal (양이) 많음, 다량; 《부사적으로》 많이.
He reads *a great deal*.
그는 책을 많이 읽는다.
a good [great] deal of 많은 (양의), 다량의.
There was *a great deal of* snow. 엄청난 양의 눈이 왔다.
➤ of 뒤에는 셀 수 없는 명사가 옴.

*deal² [di:l] 동 3·단·현 deals
[di:lz]; ing형 dealing
[dí:liŋ]; 과거 과분 dealt[delt]
자 ❶ 《deal with로》 (문제 따위) 를 다루다; …와 교제하다.
This book *deals with* the history of Korea. 이 책은 한국 역사를 다루고 있다.
He is hard to *deal with*.
그는 교제하기 힘들다.
❷ 《deal in으로》 …을 매매하다.
That store *deals in* books.
저 가게에서는 책을 판다.
—— 타 …을 나누어 주다, 나누다.
He *dealt* the cards.
그는 카드를 나누어 주었다.

D

deal·er [díːlər] 명
[복수] **dealers**[díːlərz]
상인.
He is a wholesale *dealer*.
그는 도매상이다.
Mr. Smith is a *dealer* in
books. 스미스씨는 책 장수이다.

dealt [delt] 동
*deal*² 의 과거 · 과거 분사.
My uncle *dealt* in used
cars. 나의 아저씨는 중고차 매매를
했다. ➤ used의 발음은 [juːzd].

**dear [diər] 형
[비교] **dearer**[díərər] ; [최상]
dearest [díərist]
친애하는, 귀여운, 사랑스러운.
"*Dear* ..." is used at the
beginning of letters. 「*Dear*
...」는 편지 첫머리에 쓰인다.
They are my *dear* children.
그들은 내 사랑스런 아이들이다.

[참고] 영어에서는 편지 첫머리에
편지를 받을 사람의 이름이나
애칭 따위를 Dear 뒤에 다음과
같이 쓴다.
Dear Mr. Brown,
Dear Sir,
Dear Tom,
보통 쉼표를 쓰지만, 예의를 갖
출 경우나 상업 통신문에서는
콜론(:)을 쓴다. ☞ letter

— 명 [복수] **dears**[diərz]
귀여운 것, 사랑하는 사람; 여보,
얘.
What a *dear* she is !
그녀는 얼마나 사랑스러운가!
"Come here, my *dear*," said
Father. 「애야, 이리오너라.」 하
고 아버지께서 말씀하셨다.

[참고] my dear 는 가족이나 애
인끼리 애정을 나타내는 말로
서, 「여보」, 「얘」라고 번역하는
경우도 있으나, 우리말로 옮기
지 않아도 좋다.

— 감 어머나!, 저런!《놀람 · 초조
함 따위를 나타냄》.
"Oh, *dear*." Mrs. Brown was
surprised at her daughter's
strange dress. 「어머나.」 하고
브라운 부인은 딸의 이상한 옷을
보고 놀랐다.

[회화] **Dear me!** 「어머나!, 저
런!」
가벼운 놀람 · 초조함 · 실망 따
위를 나타내는 말이다. Oh(,)
dear ! Dear, dear !도 다 같은
말인데, 일반적으로 가장 많이
쓰이는 것은 Oh dear ! 이다.
A : *Dear me!* You're late
again.
B : Sorry. My alarm didn't
go off.
「어머나 ! 또 늦었구나.」「미안
합니다. 자명종이 울리지 않았
어요.」

---

*death [deθ] 명
[복수] **deaths**[deθs]
죽음(⇔ life 생명).
Give me liberty, or give
me *death!* 나에게 자유를 달
라. 그렇지 않으면 죽음을 달라.
The plane accident caused
many *deaths.* 그 비행기 사고
로 많은 사망자가 발생했다.
There was a *death* in his
family. 그의 집안에 초상이 났
다. ☞ 동 die, 형 dead

서양의 「죽음의 사자」 모습

de·bate [dibéit] [자·타] [3·단·현]
debates [dibéits] ;

D

[ing형] **debating**[dibéitiŋ]; [과거]
[과분] **debated**[dibéitid]
(…을) **토론하다, 의론하다.**
We're *debating* about taking
a trip. 우리는 여행 갈 것에 관
해서 토론하고 있다.
They were *debating* the
problem of life. 그들은 인생
문제를 논하고 있었다.
—— [명] [복수] **debates**[dibéits]
토론.
We heard a *debate* about
higher education over the
radio. 우리는 고등 교육에 관한
토론을 라디오로 들었다.

debt [det] [명]
[복수] **debts**[dets]
❶ 빚, 부채.
You should pay your
debts. 너는 빚을 갚아야 한다.
I'm still in *debt* to my
friend. 나도 아직 친구에게 빚이
있다.
❷ 은혜, 덕택.
I owe a real *debt* to him.
나는 그에게 참으로 신세를 지고
있다.
▶ *debt*의 b는 발음하지 않음에
주의.

Dec. **December** (12월)의 간략
형.

dec·ade [dékeid] [명] [복수]
decades[dékeidz]
10년 동안.
The world will change in
the next few *decades*. 세계
는 다음 수십 년 동안에 바뀔 것
이다.
That is the biggest event
in the present *decade*. 그것
은 최근 10년간의 최대 사건이다.

de·cay [dikéi] [자] [3·단·현]
decays[dikéiz]; [ing형]
decaying [dikéiiŋ]; [과거] [과분]
decayed[dikéid]
썩다, 부패하다; 쇠퇴하다.
Your teeth will *decay* if
they are not cared for. 이는

주의하지 않으면 썩는다.
This apple is *decaying*.
이 사과는 썩고 있다.
—— [명] 《a와 복수형 안 씀》 썩음,
부패; 쇠퇴.
The fruit was preserved
from *decay* in the refrigera-
tor. 과일은 썩지 않도록 냉장고에
보존되었다.

de·ceive [disíːv] [타] [3·단·현]
deceives[disíːvz];
[ing형] **deceiving**[disíːviŋ]; [과거]
[과분] **deceived**[disíːvd]
…을 속이다.
Don't try to *deceive* me.
나를 속이려고 하지 마라.
He has entirely *deceived*
us. 그는 완전히 우리를 속였다.

***De·cem·ber** [disémbər]
[명]
12월. ▶ Dec.로 약함.
December is the last
month of the year. 12월은
한 해의 마지막 달이다.
Ann likes *December* because
of Christmas. 앤은 크리스마스
가 있어서 12월을 좋아한다.

de·cent [díːsənt] [형]
[비교] **more decent**;
[최상] **most decent**
(언행·복장 따위가) 좋은; 꽤 훌
륭한, 상당한.
His conduct is very *decent*.
그의 품행은 참으로 훌륭하다.
He's quite a *decent* fellow.
그는 아주 좋은 사람이다.
Mr. Brown lives in a
decent house. 브라운씨는 상당
히 좋은 집에 살고 있다.

***de·cide** [disáid] [자·타] [3·단·현]
decides [disáidz];
[ing형] **deciding**[disáidiŋ]; [과거]
[과분] **decided**[disáidid]
(…을) **결정하다**; 《**decide to**
do로》 …하기로 결심하다; 《**decid-
ed that ...** 으로》 …라고 결정[결
심]하다.
It hasn't been *decided* yet.

그것은 아직 결정되지 않았다.
He *decided* *to* write a book. 그는 책을 쓰기로 결심하였다.
Tom *decided that* he would be a pilot. 톰은 조종사가 되겠다고 결심했다. ☞ 명 decision

de·ci·sion [disíʒən] 명

복수 **decisions**[disíʒənz]

❶ 결정, 결심.
Make your *decision* as soon as possible. 될 수 있는 대로 빨리 결정해라.

❷ 판결.
The *decision* of the court was against him. 법원 판결은 그에게 불리했다. ☞ 동 decide

deck [dek] 명

복수 **decks**[deks]

갑판, 덱.
There's nobody on *deck*. 갑판에 아무도 없다.
Waves swept the *deck*. 파도는 갑판을 휩쓸었다.

dec·la·ra·tion [dèkləréiʃən]

복수 **declarations**[dèkləréiʃənz]

❶ 선언, 포고.
a *declaration* of war 선전 포고.
make a *declaration* of peace 평화를 선언하다.

❷(세관에서 하는 과세품의) 신고.

Dec·la·ra·tion of In·de·pen·dence

[dèkləréiʃən əv indipéndəns] 명
《the를 붙여》(미국의) **독립 선언(서)**.

미국 독립 선언의 기초 회의

de·clare [dikléər] 타 3·단·현

declares[dikléərz] :
ing형 **declaring**[dikléəriŋ] : 과거
과분 **declared**[dikléərd]

❶ …을 선언하다, 포고하다.
Germany *declared* war upon [against] England. 독일은 영국에 선전 포고를 했다.

❷ …을 확실히 말하다, 단언하다; 표명하다.
The boy *declared* that it was true. 그 소년은 그것이 사실이라고 확실히 말했다.
The girls *declared* themselves against the class president. 소녀들은 반장에게 반대를 표명했다.

❸ (세관에서 과세품)을 신고하다.
Do you have anything to *declare*? 신고할 물건이 있습니까?

de·cline [dikláin] 동 3·단·현

declines[dikláinz] :
ing형 **declining**[dikláiniŋ] : 과거
과분 **declined**[dikláind]

타 …을 거절하다 (⟺ accept 받아들이다). ☞ refuse
Jane *declined* my offer of help. 제인은 도와주겠다는 나의 제의를 거절했다.

He politely *declined* the invitation to dinner. 그는 만찬 초대를 정중히 거절했다.
── 困 ❶ 쇠약해지다, 약해지다.
His health *declined* slowly. 그의 건강은 조금씩 나빠졌다.
❷ 기울다; 종말에 가까워지다.
Our sales record is *declining*. 우리 판매 실적이 떨어지고 있다.
── 圐 복수 **declines**[dikláinz] 기욺, 경사, 하락; 쇠퇴.
There is a slight *decline* in prices this year. 금년에는 물가가 조금 내려가고 있다.
He completed his writing in the *decline* of his life. 만년에 그는 저서를 완성했다.

dec·o·rate [dékərèit] 囘
③·단·현 **decorates** [dékərèits] ; ing형 **decorating** [dékərèitiŋ] ; 과거 과분 **decorated** [dékərèitid]
…을 꾸미다, 장식하다.
The streets were *decorated* with flags. 거리는 깃발로 장식되어 있었다.
She has *decorated* the dining room nicely. 그녀는 주방을 훌륭히 꾸몄다.

dec·o·ra·tion [dèkəréiʃən] 圐
복수 **decorations** [dèkəréiʃənz]
❶ 《a와 복수형 안 씀》 장식.
I'm interested in interior *decoration*. 나는 실내 장식에 흥미가 있다.
❷ 《복수형으로》 장식품.
They put Christmas *decorations* on the tree. 그들은 나무에 크리스마스 장식물을 달았다.

de·crease [dikríːs] 困
③·단·현 **decreases** [dikríːsiz] ; ing형 **decreasing** [dikríːsiŋ] ; 과거 과분 **decreased** [dikríːst]
줄다, 감소하다(⇔ increase 증가하다).
The population of this vil-

lage has *decreased* to 300. 이 마을의 인구는 300명으로 줄었다.
Our sales are *decreasing*. 우리의 판매가 줄고 있다.
── [díːkriːs] 圐 복수 **decreases** [díːkriːsiz]
감소(⇔ increase 증가).
There has been a *decrease* in our exports this year. 올해 우리 나라의 수출은 줄었다.
▶ 동사와 명사에서 악센트의 위치가 다름에 주의.

ded·i·cate [dédikèit] 囘
③·단·현 **dedicates** [dédikèits] ; ing형 **dedicating** [dédikèitiŋ] ; 과거 과분 **dedicated** [dédikèitid]
❶ (생애)를 바치다.
He *dedicated* his life to the service of God. 그는 신을 섬기는 데 일생을 바쳤다.
He *dedicated* himself to the study of history. 그는 역사 연구에 일생을 바쳤다.
❷ (저서·작곡 따위)를 바치다, 헌정하다.
This poem was *dedicated* to his friend. 이 시를 그의 친구에게 바쳤다.

deed [diːd] 圐
복수 **deeds** [diːdz]
행위; 업적.
My sister is kind both in word and in *deed*. 나의 누이는 말씨나 행동이 모두 친절하다.
Deeds are better than words. 실행은 말보다 낫다.
He will do great *deeds*. 그는 위대한 업적을 세울 것이다.
☞ 동 do

****deep** [diːp] 혱 뷔
비교 **deeper** [díːpər] ; 최상 **deepest** [díːpist]
혱 ❶ 깊은 (⇔ shallow 얕은); 깊이가 …인.
The river is very *deep*. 그 강은 무척 깊다.

The pool is two meters *deep.* 그 수영장은 깊이가 2미터이다.

The nail was *deep* in the wall. 못이 벽 속 깊숙이 박혀 있었다.

❷ **마음으로부터의,** (슬픔·고마움 따위가) **깊은.**

He expressed his *deep* gratitude. 그는 깊은 감사를 표시했다.

They are in *deep* sorrow; they lost their leader. 그들은 깊은 슬픔에 잠겨 있다. 그들의 지도자를 잃었기 때문에.

❸ (소리가) **굵고 낮은**; (색이) **진한.**

Mr. Green spoke in a *deep* voice. 그린씨는 굵고 낮은 소리로 말하였다.

These roses are *deep* red. 이 장미는 진빨강이다.

── 图 깊이; 깊숙한 곳으로.

We had to dig *deeper* to find water. 우리는 물을 찾기 위해서 더 깊이 파야만 했다.

The old man took the boy *deep* into the forest. 그 노인은 소년을 숲 속 깊숙이 데려갔다.
☞ 图 depth

deep·ly [díːpli] 图
비교 **more deeply**; 최상 **most deeply**
깊이.

All the students were *deeply* moved by their teacher's talk. 학생들은 모두 선생님의 말씀에 깊이 감동을 받았다.

Jack is *deeply* interested in the subject. 잭은 그 과목에 깊이 흥미를 느끼고 있다.

****deer** [diər] 图
복수 **deer** [diər]
사슴.

Have you ever seen a *deer?* 너는 사슴을 본 적이 있느냐?

A hunter came running after the *deer.* 사냥꾼이 사슴을 뒤쫓아 달려왔다.

de·feat [difíːt] 固 3·단·현
defeats [difíːts];
ing형 **defeating** [difíːtiŋ]; 과거
과분 **defeated** [difíːtid]
…을 지게 하다; (계획 따위)를 좌절시키다.

We *defeated* another school in baseball. 우리는 야구에서 또 다른 학교를 이겼다.

Our hopes were *defeated.* 우리의 희망은 좌절되었다.

── 图 복수 **defeats** [difíːts]
패배(⇔ victory 승리).

You should admit *defeat.* 너는 패배를 인정하여야 한다.

Our baseball team has not yet suffered a *defeat* this year. 올해 우리 야구 팀은 아직 져 본 적이 없다.

de·fend [difénd] 固 3·단·현
defends [diféndz];
ing형 **defending** [diféndiŋ]; 과거
과분 **defended** [diféndid]
❶ …을 **지키다, 막다**(⇔ attack 공격하다).

They fought to the last to *defend* their country. 그들은 조국을 지키기 위하여 끝까지 싸웠다.

The city was *defended* by radar. 그 도시는 레이더로 방어되어 있었다.

❷ …을 변호하다.

She *defended* herself well. 그녀는 자기 입장을 잘 변호했다.

de·fense [diféns] 명 복수 defenses[difénsiz]

❶ 《a와 복수형 안 씀》 방어, 수비(⇔attack 공격).

We talked about future national *defense*. 우리는 미래의 국방에 관해서 이야기하였다.

The best *defense* is offense. 공격은 최상의 방어이다.

People fought in *defense* of their country. 사람들은 나라를 지키기 위하여 싸웠다.

❷ 방어물, 지키는 것.

He built a fence around the house as a *defense* against thieves. 그는 도둑 방비용 설비로 집에 울타리를 둘렀다.

❸ 변호.

Thank you for your *defense*. 변호해 주어 감사합니다.

❹ (구기 따위의) 수비, 지키는 사람.

Our basketball team has a good *defense*. 우리 농구 팀은 수비가 좋다.

➤ 영국에서는 defence로 씀.

de·fine [difáin] 타 3·단·현 defines [difáinz]; ing형 defining [difáiniŋ]; 과분 defined[difáind]

❶ …의 정의를 내리다, 뜻을 밝히다.

This word is *defined* in the dictionary. 이 낱말은 사전에 정의되어 있다.

❷ …의 한계를 정하다.

The boundaries between countries are clearly *defined* on this map. 나라와 나라의 경계선이 이 지도에 확실하게 정해져 있다.

def·i·nite [défənit] 형 비교 more definite;

최상 most definite

명확한, 확실한; 일정한.

the *definite* article 정관사.

Give me a *definite* answer. 확실한 대답을 해 달라.

They don't have any *definite* duty. 그들은 일정한 의무가 있는 것은 아니다.

D

de·gree [digrí:] 명 복수 degrees[digrí:z]

❶ 정도; 단계.

a high *degree* of skill 고도의 기술.

It is simply a question of *degree*. 그것은 단순히 정도 문제다.

❷ (온도·각도 따위의) 도.

Water freezes at 32 *degrees* Fahrenheit 〔32°F〕 or zero *degrees* centigrade 〔0°C〕. 물은 화씨 32°, 즉 섭씨 0°에서 언다. ➤zero degrees라고 복수형을 씀에 주의.

The temperature was 84 *degrees* at 9 a.m. 오전 아홉 시에는 온도가 84도였다.

참고 온도를 말할 때에는 섭씨(centigrade, 약어 C) 또는 화씨(Fahrenheit, 약어 F)를 쓴다. 우리 나라에서는 섭씨 온도계를 쓰지만 영국이나 미국에서는 화씨 온도계를 많이 쓰므로 섭씨라고 명시되어 있지 않으면 화씨를 말한다.

❸ 신분, 지위.

He is an official of the highest *degree*. 그는 최고위 공무원이다.

❹ 학위.
He received a doctor's *degree* in medicine in 1996. 그는 1996년에 의학 박사 학위를 받았다.

by degrees 점차.
The patient is recovering *by degrees.* 그 환자는 점차 회복되고 있다.

to a certain degree 어느 정도까지.
They seemed to understand *to a certain degree.* 그들은 어느 정도 이해한 것 같았다.

Del·a·ware [déləwɛ̀ər] 명
델라웨어.

> 참고 미국 대서양 연안에 있는 주. 면적은 5,328 km²로서 경기도의 반 정도이다. Del.이라고 약함. 불그스름하고 단 포도의 산지로 알려져 있으며, 주도는 도버(Dover[dóuvər]).

de·lay [diléi] 타
3·단·현 delays[diléiz];
ing형 delaying[diléiiŋ]; 과거 과분
delayed[diléid]
…을 지연시키다; 연기하다.
The train was *delayed* three hours. 기차가 3시간 연착되었다. ▶「지연되다」라는 뜻일 때에는 수동태인 be delayed 를 씀.
We'll have to *delay* the work for a week. 우리는 그 일을 1주일 동안 연기해야 할 것이다.
── 명 복수 delays[diléiz]
지연, 연기.
You must leave without *delay.* 너는 곧 출발해야 한다.

de·lib·er·ate [dilíbərit] 형
비교 more deliberately; 최상 most deliberately
계획적인, 의도적인.
It was a *deliberate* attack. 그것은 의도적인 공격이었다.

de·lib·er·ate·ly [dilíbəritli]
부 비교 more deliberately; 최상 most deliberately
일부러; 신중히.
The fire was started *deliberately.* 그 불은 일부러 낸 것이었다.

del·i·cate [délikət] 형 비교 more delicate; 최상 most delicate
❶ 우아한, 섬세한.
Roses are *delicate* flowers. 장미는 우아한 꽃이다.
I have never seen such *delicate* work. 나는 그토록 섬세한 세공품은 본 적이 없다.
❷ (몸이) 약한; (물건 따위가) 깨지기 쉬운; (피부 등이) 연약한.
Jane is a *delicate* child. 제인은 몸이 약한 아이다.
Those pieces of cut glass are *delicate.* 저 컷글라스는 깨지기 쉽다.
❸ 미묘한.
It is a *delicate* international problem. 그것은 미묘한 국제 문제이다.
There is a *delicate* difference of meaning between the two. 그 둘의 뜻 차이는 미묘하다.

de·li·cious [dilíʃəs] 형 비교 more delicious; 최상 most delicious
맛있는, 맛좋은; 향기로운.
The soup's *delicious.* 수프가 맛있다.
It smells *delicious.* 그것은 냄새가 향기롭다.

*de·light [diláit] 타 3·단·현 delights [diláits];
ing형 delighting[diláitiŋ]; 과거 과분 delighted[diláitid]
…을 기쁘게 하다, 즐겁게 하다; 《be delighted로》 기뻐하다.
Susie *was delighted* with her birthday present. 수지는 생일 선물을 받고 기뻐했다.
I'm *delighted* to see you.

너를 만나 기쁘다.
She *was delighted* at the news. 그녀는 그 소식을 듣고 기뻐했다.

어법 수동형 be delighted to 〔at, with〕의 형식을 써서 「…하여 기쁘다」란 뜻을 나타낸다. to 뒤에는 동사의 원형을, at 나 with 뒤에는 명사나 대명사를 쓴다.

—— 명 복수 **delights**[diláits]
❶ 《a와 복수형 안 씀》 기쁨, 즐거움.
He looked down at his son with *delight*. 그는 기뻐서 아들을 내려다 보았다.
❷ 기쁨을 주는 것, 즐거운 것.
Music is a *delight* to me. 음악은 나에게 즐거움을 준다.
☞ 형 delightful

de·light·ful [diláitfəl]
형 비교 **more delightful**; 최상 **most delightful**
즐거운, 매우 기쁜; 유쾌한.
Jack and Betty had a *delightful* Christmas Eve.
잭과 베티는 즐거운 크리스마스 이브를 지냈다. ☞ 명 delight

de·liv·er [dilívər] 타 3·단·현 **delivers** [dilívərz] : ing형 **delivering** [dilívəriŋ] : 과거 과분 **delivered** [dilívərd]
❶ …을 배달하다, 전하다.
A mailman *delivers* letters and parcels. 집배원은 편지와 소포를 배달한다.
The boy hasn't *delivered* the newspaper yet this morning. 오늘 아침 그 소년은 아직 신문을 배달하지 않았다.
❷ (연설·강의 따위)를 하다.
Dr. Brown *delivered* a speech yesterday. 브라운 박사는 어제 연설을 하였다.

de·liv·er·y [dilívəri] 명

복수 **deliveries** [dilívəriz]
❶ (편지 따위의) **배달; 인도**(引渡).
How many *deliveries* are there in your city? 너의 시에서는 우편 배달이 몇 번 있느냐?
Its *delivery* was rapid.
그것의 인도는 빨랐다.
❷ (연설의) **말투**.
His *delivery* was clear.
그의 말투는 명료하였다.

de·mand [dimǽnd] 명
복수 **demands** [dimǽndz]
요구; 청구; 수요(⇔ supply 공급).
There is a great *demand* for iron. 철의 수요가 많다.
He rejected the workers' *demand* for higher wages.
그는 임금을 올려 달라는 노동자들의 요구를 거절하였다.
—— 타 3·단·현 **demands** [dimǽndz] : ing형 **demanding** [dimǽndiŋ] : 과거 과분 **demanded** [dimǽndid]
❶ …을 요구하다.
He *demanded* that I (should) return the book at once.
그는 나에게 책을 곧 돌려달라고 요구하였다.
❷ (인내·시일 따위)를 요하다.
Teaching English *demands* patience. 영어를 가르치는 데는 인내가 필요하다.

de·moc·ra·cies [dimákrəsiz] 명
democracy의 복수.

de·moc·ra·cy [dimákrəsi] 명
복수 **democracies** [dimákrəsiz]
❶ 《a와 복수형 안 씀》 민주주의.
Inho studies *democracy* in social studies class. 인호는 사회 시간에 민주주의를 공부한다.
Lincoln is the father of *democracy*. 링컨은 민주주의의 아버지이다.

참고 영어의 democracy 는 그리스어의 「인민에 의한 지배」란 뜻의 말에서 온 것으로서, 인민의 힘에 의하여, 인민 전체의 이익을 근본으로 삼아 정치를 하는 주의를 말한다. 링컨 대통령의 유명한 게티스버그 연설 중에 있는 다음 말은 민주주의 사상을 잘 나타낸 것으로 알려져 있다. government of the people, by the people, for the people 인민의, 인민에 의한, 인민을 위한 정치.

❷ 민주주의 국가, 민주주의 사회.
☞ 형 democratic

dem·o·crat·ic 형 [dèməkrǽtik]

비교 **more democratic**; 최상 **most democratic**

민주주의의, 민주적인.
democratic government 민주정치.
They have become friendly with *democratic* countries.
그들은 민주주의 국가들과 우호적이 되었다. ☞ 명 democracy

dem·on·strate 동 [démənstrèit]

3·단·현 **demonstrates** [démən-strèits]; ing형 **demonstrating** [démənstrèitiŋ]; 과거 과분 **demonstrated** [démənstrèitid]

타 ❶ (실물을 보여서) …을 선전하다, 설명하다.
The salesman *demonstrated* the new car. 외판원은 새 차를 실물로 선전하였다.
The teacher *demonstrated* how the machine works.
선생님께서는 기계가 어떻게 움직이는지를 설명하셨다.
❷ …을 증명하다 (=prove).
He *demonstrated* that the world is round. 그는 지구가 둥글다는 것을 증명하였다.
── 자 데모를 하다, 시위하다.

They *demonstrated* against war. 그들은 반전 데모를 했다.

dem·on·stra·tion

[dèmənstréiʃən] 명 복수 **demon-strations** [dèmənstréiʃənz]

❶ 데모, 시위 운동. ➤ 구어에서는 demo[démou]라고도 함.
Labor *demonstrations* are common in France in April.
프랑스에서는 노동자의 시위가 보통 4월에 있다.
❷ 공개 실연(實演), 공개 강의.
I was impressed by the *demonstration* of the new car. 나는 새 자동차의 공개를 보고 감명을 받았다.

Den·mark [dénmɑːrk] 명 덴마크.

참고 유럽 대륙 북서부 유틀란트 반도에 있는 왕국. 면적은 43,031 km²로 우리 나라의 약 5분의 1쯤이다. 세계적인 모범 농업국으로서, 버터와 치즈 따위의 우유 제품 수출을 하고 있다. 수도는 코펜하겐(Copen-hagen [kòupənhéigən]).

dense [dens] 형
비교 **denser** [dénsər]; 최상 **densest** [dénsist]

❶ 밀집한, 빽빽한.
There was a *dense* crowd in front of the store. 가게 앞에는 군중이 빽빽하게 모여 있었다.
The forest was so *dense* that I lost the way. 숲이 아주 빽빽해서 나는 길을 잃었다.
❷ 짙은.
London is famous for its *dense* fog. 런던은 짙은 안개로 유명하다.

den·tist [déntist] 명 비교 **dentists** [déntists]

치과 의사.
I'm going to see the *dentist* today. 나는 오늘 치과 의사한테

가려고 한다.

de·ny [dinái] 타
〔3·단·현〕 denies[dináiz] ;
〔ing형〕 **denying**[dináiiŋ] ; 〔과거〕
〔과분〕 **denied**[dináid]
…을 부정하다, …가 아니라고 하다.
She *denied* the fact.
그녀는 그 사실을 부정하였다.
Mr. Green *denied* the rumor.
그린씨는 소문을 부정했다.

de·part [dipá:rt] 자 〔3·단·현〕
departs [dipá:rts] ;
〔ing형〕 **departing**[dipá:rtiŋ] ; 〔과거〕
〔과분〕 **departed**[dipá:rtid]
(열차 따위가) **출발하다**(⇔ arrive
도착하다).
The train *departs* at 8:15
p.m. 그 열차는 오후 8시 15분에
출발한다.

de·part·ment [dipá:rtmənt]
명
〔복수〕 departments[dipá:rtmənts]
…부, 부문.
I went to the book *depart-
ment* on the sixth floor.
나는 6층의 서적부로 갔다.

de·part·ment store

[dipá:rtmənt stɔ́:r] 명 〔복수〕 de-
partment stores [dipá:rtmənt
stɔ́:rz]
백화점.
Many things are sold in
department stores. 백화점에서
는 여러 가지 물건을 판다.
Jinho went to a *depart-
ment store* to buy a
bicycle. 진호는 자전거를 사러
백화점에 갔다.

de·par·ture [dipá:rtʃər]
명
〔복수〕 departures[dipá:rtʃərz]
출발(⇔ arrival 도착).
(the) time of *departure* =
(the) *departure* time 출발 시
간.
Mr. Han's *departure* was
very sudden. 한선생님의 출발
은 아주 갑작스러웠다.

*****de·pend** [dipénd] 자 〔3·단·현〕
depends[dipéndz] ;
〔ing형〕 **depending**[dipéndiŋ] ; 〔과거〕
〔과분〕 **depended**[dipéndid]
❶ 《depend on 〔upon〕으로》
…에 의뢰하다, 의존하다 ; …을 신
뢰하다.
I cannot *depend on* you.
나는 너를 믿을 수 없다.
The whole animal kingdom
depends on nature. 전체 동
물 왕국은 자연에 의존한다.
❷ 《depend on 〔upon〕으로》
…에 의해서 정해지다, 달리다.
The future world *depends
on* you. 미래 세계는 너희에게
달려 있다.
That *depends on* luck. 그것
은 운에 달려 있다.

de·pend·ent [dipéndənt]
형
〔비교〕 **more dependent;** 〔최상〕
most dependent
의존하는(⇔ independent 독립
한) ; 《be dependent on 으로》
…에 의존하고 있다.
Mary *is dependent on* her
mother. 메리는 어머니한테 의존
하고 있다. ☞ 동 depend

de·pos·it [dipázit] 명 〔복수〕
deposits[dipázits]
예금.
I have a *deposit* in the
bank. 나는 은행에 예금이 있다.
── 타 〔3·단·현〕 deposits[dipá-
zits] ; 〔ing형〕 **depositing**[dipá-
zitiŋ] ; 〔과거〕 〔과분〕 **deposited**[dipá-
zitid]

(돈 따위)를 맡기다, 예금하다.
My father *deposited* his money in the bank. 아버지는 돈을 은행에 예금하셨다.

de·press [diprés] 📭
③·단·현 **depresses** [diprésiz]; ing형 **depressing** [diprésiŋ]; 과거 과분 **depressed** [diprést]
우울하게 하다, 풀이 죽게 하다.
His death *depressed* me. 그의 죽음이 나를 우울하게 하였다.

de·pressed [diprést] 형
비교 **more depressed;** 최상 **most depressed**
우울한, 풀이 죽은, 의기소침한.
Ann seems somewhat *depressed*. 앤은 좀 우울한 것 같다.

de·press·ing [diprésiŋ] 형
우울한, 침울한.
depressing news 우울한 소식.

de·pression [dipréʃən] 몡
복수 **depressions** [dipréʃənz]
❶ 의기소침, 침울, 우울, 《의학》우울증.
She suffers from *depression*. 그녀는 우울증을 앓고 있다.
❷ 불경기, 불황(기).
the Great *Depression* of the 1930s, 1930년대의 세계 대공황.

de·prive [dipráiv] 📭 ③·단·현 **deprives** [dipráivz]; ing형 **depriving** [dipráiviŋ]; 과거 과분 **deprived** [dipáivd]
《**deprive ... of** ~로》…에게서 ~를 빼앗다.
The accident *deprived* him *of* all hope.
사고는 그에게서 모든 희망을 빼앗아 갔다.
The king was *deprived of* his power. 그 왕은 권력을 빼앗겼다.

depth [depθ] 몡
《a와 복수형 안 씀》깊이.
What is the *depth* of the river? 그 강의 깊이는 얼마냐?
The pond is three meters in *depth*. 그 연못의 깊이는 3 미터이다. ☞ 형 deep

de·rive [diráiv] 📭 ③·단·현 **derives** [diráivz]; ing형 **deriving** [diráiviŋ]; 과거 과분 **derived** [diráivd]
❶ 《**derive ... from** ~으로》…을 ~에서 이끌어내다, 얻다.
Betty *derives* much pleasure *from* her books. 베티는 책에서 많은 기쁨을 얻고 있다.
❷ 《**be derived from** 으로》…에서 유래하다, 나오다.
Many English words *are derived from* Latin. 많은 영어 단어들이 라틴어에서 왔다.

de·scend [disénd] 동
③·단·현 **descends** [diséndz]; ing형 **descending** [diséndiŋ]; 과거 과분 **descended** [diséndid] 📭 …을 내려가다 (⇔ ascend 오르다).
Many people *descended* the mountain. 많은 사람들이 산을 내려갔다.
── 재 내려가다 (⇔ ascend 오르다); (비 따위가) 내리다; (길이) 내리받이가 되다, 경사지다.
The road *descends* toward the south. 그 길은 남쪽으로 내리받이이다.

de·scend·ant [diséndənt] 몡
복수 **descendants** [diséndənts]
후손, 자손.
The Jews are Jacob's *descendants*. 유대인들은 야곱의 후손들이다.

****de·scribe** [diskráib] 📭
③·단·현 **describes** [diskráibz]; ing형 **describing** [diskráibiŋ];

[과거] [과분] **described** [diskráibd]
…을 말하다, 묘사하다, **설명하다.**
Can you *describe* that scene? 저 장면을 설명할 수 있느냐?
Can you *describe* Mr. Brown? 브라운씨는 어떤 사람이냐? ➤ describe a person은 키, 체중, 머리 빛깔, 눈의 색 따위의 특징을 말하는 것.
☞ [명] description

de·scrip·tion [diskrípʃən] [명]

[복수] **descriptions** [diskrípʃənz]
설명, 묘사.
He gave us a good *description* of his trip to the United States. 그는 자기의 미국 여행을 우리에게 잘 설명해 주었다. ☞ [동] describe

beyond description (말이나 글로) **형용할 수 없게.**
The scenery is beautiful *beyond description.* 그 풍경은 형용할 수 없을 만큼 아름답다.

des·ert¹ [dézərt] [명] [복수]
deserts [dézərts]
황야, 사막.
All you can see is rocks and *deserts.* 볼 수 있는 것이라고는 온통 바위와 사막뿐이다.

[발음] desert [dézərt] (사막, 황야)와 dessert [dizə́ːrt] (식사 후의 디저트)의 발음 차이에 유의할 것.

des·ert² [dizə́ːrt] [동] [3·단·현]
deserts [dizə́ːrts] ;

[ing형] **deserting** [dizə́ːrtiŋ] ;
[과거] [과분] **deserted** [dizə́ːrtid]
[타] …을 돌보지 않다, **내버리다.**
He was *deserted* by his friends. 그는 친구들에게 버림받았다.
── [자] (군인·선원 따위가) **탈주하다.**
That soldier was punished because he *deserted.* 그 군인은 탈주했기 때문에 벌을 받았다.

de·serve [dizə́ːrv] [타]

[3·단·현] **deserves** [dizə́ːrvz] ;
[ing형] **deserving** [dizə́ːrviŋ] ; [과거]
[과분] **deserved** [dizə́ːrvd]
…을 받을 가치가 있다, …**할 만하다.**
Tom *deserves* a reward for his work. 톰은 그가 한 일에 대해서 상을 받을 만하다.
The lion *deserves* to be the king of the animals. 사자는 동물의 왕이 될 만하다.

*****de·sign** [dizáin] [명] [복수]
designs [dizáinz]
❶ 《a와 복수형 안 씀》 디자인, 의장(意匠), **설계.**
You'll find the buildings very modern in their *design.* 그 건물들은 설계가 아주 현대적임을 알게 될 것이다.
❷ **도안, 무늬, 설계도.**
She gave me a vase with a *design* of roses. 그 여자는 나에게 장미 무늬가 있는 꽃병을 주었다.
── [타] [3·단·현] **designs** [dizáinz] ;
[ing형] **designing** [dizáiniŋ] ; [과거]
[과분] **designed** [dizáind]
…을 설계하다, 고안하다, **도안하다.**
Mr. White *designed* this house. 화이트씨는 이 집을 설계하였다.
What kind of advertisement would you *design*? 너는 어떤 종류의 광고를 만들려고 하느냐?

D

de·sir·a·ble [dizáiərəbəl] 형

[비교] **more desirable;** [최상] **most desirable**

바람직한, 얻고 싶은.

It is most *desirable* that he attend the meeting.
그가 모임에 참석하는 것이 무엇보다도 바람직하다.

D

*de·sire [dizáiər] 명

[복수] **desires** [dizáiərz]

욕망, 소망, 희망.

My *desire* is to travel.
나의 희망은 여행하는 것이다.

He has a *desire* to go to college. 그는 대학에 갈 것을 원하고 있다.

── 타 3·단·현 **desires** [dizáiərz] : [ing형] **desiring** [dizáiəriŋ] : 과거 과분 **desired** [dizáiərd]

…을 바라다, 원하다.

All men *desire* happiness. = All men *desire* to be happy.
모든 사람은 행복을 원한다.

> [참고] 「바라다」, 「원하다」란 뜻을 나타내는 영어는 desire 외에 wish, want 따위가 있는데, desire 는 wish, want보다 형식을 갖춘 말로서, 강한 욕망을 나타내어 「열렬히 바라다」란 뜻을 가지고 있다.

*desk [desk] 명

[복수] **desks** [desks]

책상.

the teacher's *desk* 교탁.

The books are on my *desk*. 그 책들은 나의 책상 위에 있다.

Please ask the girl at the information *desk*. 안내소에 있는 여직원에게 물어보시오.

> [참고] **desk 와 table**
> desk에는 보통 서랍이 있고, 공부하고 사무를 보는 데 쓴다. table에는 보통 서랍이 없고, 식사·회의·작업 따위를 하거나 장식물을 놓는 데 쓴다.

des·o·late [désəlit] 형

황폐한, 사람들이 없는, 적막한.

It was a *desolate* area. 그곳은 황폐한 지역이었다.

── [désəlèit] 타 3·단·현 **desolates** [désəlèits] : [ing형] **desolating** [désəlèitiŋ] : 과거 과분 **desolated** [désəlèitid]

황폐하게 하다.

The army *desolated* the city. 군대가 그 도시를 황폐하게 하였다.

de·spair [dispέər] 명 《a와 복수형 안 씀》

실망, 절망(⇔ hope 희망).

I found Betty in *despair*.
나는 베티가 실망하고 있는 것을 알았다.

── 자 3·단·현 **despairs** [dispέərz] : [ing형] **despairing** [dispέəriŋ] : 과거 과분 **despaired** [dispέərd]

절망하다 : 《**despair of**로》…을 단념하다.

Never *despair*.
결코 절망해서는 안 된다.

You should never *despair of* success. 너는 결코 성공을 단념해서는 안 된다.

des·per·ate [déspərit] 형

[비교] **more desperate ;** [최상] **most desperate**

❶ 기를 쓰는, 목숨을 건.

The boys made *desperate* efforts to reach the shore.
소년들은 해안에 도달하려고 필사적인 노력을 하였다.

❷ 절망적인, (개선할) 가망 없는.

He's suffering from a *desperate* sickness. 그는 고칠 가망이 없는 병에 걸려 있다.

The situation is *desperate*.
사태는 절망적이다.

de·spise [dispáiz] 타

3·단·현 **despises** [dispáiziz] ;
ing형 **despising** [dispáiziŋ] ; 과거
과분 **despised** [dispáizd]
…을 경멸하다. ☞ respect(존경
하다)
I *despise* liars.
나는 거짓말쟁이를 경멸한다.
He was *despised* by his
classmates because he
cheated on the exam.
그는 시험에서 부정 행위를 하여
반친구들에게 경멸을 받았다.

de·spite [dispáit] 전
…에도 불구하고(=in spite of).
He is very strong *despite*
his age.
그는 노령에도 불구하고 매우 튼
튼하다.

des·sert [dizə́ːrt] 명
《a와 복수형 안 씀》
디저트. ➤ desert[dézərt] (사막)
와 발음이나 철자가 다름에 주의.
He had cake for *dessert.*
그는 디저트로 케이크를 먹었다.
"What do you want for
dessert?" "Ice cream, please."
「디저트로 무엇을 하겠느냐?」「아
이스크림으로 주세요.」

> 참고 디저트란 식사 후에 먹는
> 파이, 아이스크림, 케이크, 과일
> 따위를 말한다.

des·ti·na·tion [dèstənéiʃən] 명
복수 **destinations** [dèstənéiʃənz]
목적지; 목적.
The ship has arrived at
her *destination.* 배는 목적지에
도착했다.
What's your *destination?*
너의 목적은 무엇이냐?

des·ti·ny [déstəni] 명 복수
destinies [déstəniz]
운명, 숙명(=fate).

It was his *destiny* to suc-
ceed. 그는 성공하게 되어 있었다.
Some people still believe
that the stars control our
destinies. 어떤 사람은 별이 우
리의 운명을 지배한다고 아직도
믿고 있다.

****de·stroy** [distrɔ́i] 타 3·단·현
destroys [distrɔ́iz] ;
ing형 **destroying** [distrɔ́iiŋ] ; 과거
과분 **destroyed** [distrɔ́id]
…을 부수다, 파괴하다(⇔ con-
struct 건설하다).
The earthquake *destroyed*
the building. 지진은 건물을 파
괴하였다.
Her house has been *des-
troyed* by fire. 그녀의 집은 불
에 타버렸다. ☞ 명 destruction

de·struc·tion [distrʌ́kʃən] 명
《a와 복수형 안 씀》 파괴; 파멸.
environmental *destruction* 환
경 파괴.
He watched the *destruction*
of the old apartment. 그는
그 낡은 아파트가 파괴되는 것을
지켜보았다. ☞ 동 destroy

de·tail [díːteil] 명
복수 **details** [díːteilz]
세부, 세목; 《복수형으로》 상세.
He told me all the *details.*
그는 상세한 것을 모두 말해 주었
다.
in detail 상세히.
Tell me *in detail.*
상세하게 말해 다오.
Fred explained the rules *in
detail.* 프레드는 그 규칙을 자세
히 설명하였다.

de·tect [ditékt] 타 3·단·현
detects [ditékts] ;
ing형 **detecting** [ditéktiŋ] ; 과거
과분 **detected** [ditéktid]
…을 찾아내다, 발견하다(=find
out).
His lie was easily *detected.*
그의 거짓말은 쉽게 드러났다.

Mrs. Brown *detected* a certain smell in the room. 브라운 부인은 그 방에서 어떤 냄새가 나는 것을 알아차렸다.

de·tec·tive [ditéktiv] 명

복수 **detectives** [ditéktivz]
탐정, 형사.
He was a famous *detective*. 그는 유명한 탐정이었다.
── 형 탐정의.
Do you like reading *detective* stories? 너는 탐정 소설 읽기를 좋아하느냐?

de·ter·mi·na·tion

[ditə̀ːrmənéiʃən] 명
《a와 복수형 안 씀》결정, 결심; 결단력.
His *determination* to study abroad is firm. 유학 갈 그의 결심은 굳다. ☞ 동 determine

de·ter·mine [ditə́ːrmin] 타·자

3·단·현 **determines** [ditə́ːrminz] :
ing형 **determining** [ditə́ːrminiŋ] :
과거 과분 **determined** [ditə́ːrmind]
(…을) 결정하다; 결심하다.
He *determined* to become the best student in his class. 그는 반에서 가장 훌륭한 학생이 되려고 결심하였다.
Demand *determines* the price. 수요는 가격을 결정한다.
☞ 명 determination

de·ter·mined [ditə́ːrmind] 형

비교 **more determined;** 최상 **most determined**
굳게 결심한, 단호한.
Tom has a *determined* look. 톰은 굳게 결심한 얼굴을 하고 있다.
She is studying in a *determined* manner. 그녀는 단호한 태도로 공부하고 있다.

De·troit [ditrɔ́it] 명
디트로이트.

참고 미국 북동부 미시간(**Michigan**)주에 있는 대공업 도시. 포드(Ford[fɔːrd]) 자동차 공장이 있으며, 세계 최대의 자동차 생산 도시로 알려져 있다.

*de·vel·op [divéləp] 동

3·단·현 **develops** [divéləps] :
ing형 **developing** [divéləpiŋ] :
과거 과분 **developed** [divéləpt]
타 ❶ …을 발달시키다, 발전시키다; 늘이다, (지성 따위)를 닦다.
He *developed* modern science. 그는 근대 과학을 발달시켰다.
We should *develop* our sense of humor. 우리는 유머 감각을 길러야 한다.
❷ (필름)을 현상하다.
Mr. Green *developed* a film. 그린씨는 필름을 현상하였다.
── 자 발육하다, 발달하다.
Plants *develop* from seeds, and the seeds *develop* into plants. 식물은 씨에서 발육하고, 씨는 발육하여 식물이 된다.
He learned a lot about the *developing* science of Korea. 그는 발전하는 한국의 과학에 대해 많이 배웠다.
☞ 명 development

de·vel·op·ment [divéləpmənt] 명
❶ 《a와 복수형 안 씀》 발달, 발육, 발전.
Korea's economic *development* has been very fast. 한국의 경제 성장은 퍽 빠르다.
❷ 《a와 복수형 안 씀》(필름의) 현상.
the *development* of a film 필름 현상. ☞ 동 develop

de·vice [diváis] 명
복수 **devices** [diváisiz]
❶ 연구, 고안.
A dictionary is a helpful *device.* 사전은 유용한 것이다.

❷ 장치.
Safety belts are a safety *device*. 안전 띠는 하나의 안전 장치다.

dev·il [dévl] 명
[복수] **devils**[dévlz]
악마.
Speak〔Talk〕of the *devil*, (and he will 〔is sure to〕 appear). 《속담》 악마 이야기를 하면, 반드시 악마가 나타난다《호랑이도 제말하면 온다》. ▶ 뒤쪽 ( )안의 말은 보통 생략함.
He felt as if a *devil* were tempting him. 그는 마치 악마가 그를 유혹하고 있는 것 같이 느꼈다.

de·vise [diváiz] 타 [3·단·현]
devises [diváiziz];
[ing형] **devising** [diváiziŋ];
[과거] [과분] **devised**[diváizd]
궁리하다, 고안하다.
I *devised* a plan to help her. 나는 그녀를 도와줄 계획을 궁리하였다.

de·vote [divóut] 타 [3·단·현]
devotes [divóuts];
[ing형] **devoting**[divóutiŋ]; [과거] [과분] **devoted**[divóutid]
(노력·시간)을 **바치다**.
He *devotes* his spare time to sport. 그는 남은 시간을 운동에 쏟는다.
Schweitzer *devoted* his life to helping suffering Africans. 슈바이처는 고통받고 있는 아프리카인을 돕는 데 생애를 바쳤다.
be devoted to …에 열중하다.
He *is devoted to* his work. 그는 일에 열중하고 있다.

dew [dju:] 명
《a와 복수형 안 씀》 이슬.
The grass was wet with *dew*. 풀이 이슬에 젖어 있었다.

***di·al** [dáiəl] 명
[복수] **dials**[dáiəlz]
❶ (시계·계기 따위의) **문자판**.
The face of a clock is called a *"dial."* 시계의 앞면은 「문자판」이라고 불린다.
❷ (전화·라디오 따위의) 다이얼.
He turned the radio *dial* and the station came on. 그가 라디오 다이얼을 돌리자 국(局)이 나왔다.
— 타 [3·단·현] **dials** [dáiəlz];
[ing형] **dialing**[dáiəliŋ]; [과거] [과분] **dialed**[dáiəld]
…에 전화를 걸다.
Dial me at home.
집으로 전화해라.
Mrs. Brown *dialed* her husband's office. 브라운 부인은 남편 사무실에 전화를 걸었다.

di·a·lect [dáiəlèkt] 명 [복수]
dialects[dáiəlèkts]
사투리, 방언.
She speaks the Gyeongsang-do *dialect*. 그녀는 경상도 사투리를 쓴다.

di·a·log [dáiəlɔ̀:g] 명
=**dialogue**.

di·a·logue [dáiəlɔ̀:g] 명
[복수] **dialogues**[dáiəlɔ̀:gz]
대화, 대사.
Dialogue in a play is the conversation. 극에서의 대사는 회화이다.
Dialogue is written in an ordinary conversation. 대사는 일반 회화체로 쓴다.
▶ dialog 로도 씀.

di·a·mond [dáiəmənd] 명
[복수] **diamonds**[dáiəməndz]
다이아몬드, 금강석.

Jane was wearing a *dia-mond* ring and a *diamond* necklace. 제인은 다이아몬드 반지와 다이아몬드 목걸이를 하고 있었다.

di·a·ries [dáiəriz] 명
diary의 복수.

*di·a·ry [dáiəri] 명
[복수] diaries[dáiəriz]
일기.

Do you keep a *diary* in English? 너는 영어로 일기를 쓰느냐?

I want to write my *diary* in English. 나는 영어로 일기를 쓰고자 한다.

[참고] 영어 일기를 쓰는 법
1. 첫머리에 날짜와 날씨를 다음과 같이 요일, 월일, 날씨의 순서로 적는다.
Monday, April 5. Fine.
4월 5일, 월요일, 맑음.
요일과 달은 Tues., Jan. 처럼 생략하여 써도 된다.
날씨를 나타내는 데는 다음과 같은 말을 쓴다.
fine, clear, fair, sunny(맑음); cloudy(흐림); rainy(비); snowy(눈); windy(바람); stormy(폭풍).
2. 쓰는 사람 자신을 나타내는 주어 I 나, 날씨 따위를 나타내는 It 처럼 알 수 있는 것은 생략할 수 있다.
Wed., June 25. Cloudy.
Got up at 6 as usual. Five classes at school. Had a math test third period. Did pretty well. Back home at 4 and got an air letter from Jane in New York. She says she is enjoying her summer vacation.
6월 25일 수요일 흐림
평소와 같이 6시에 일어났다. 학교 수업 5시간. 셋째 시간에

수학 시험을 치렀다. 상당히 잘 치렀다. 4시에 집에 와서 뉴욕에 있는 제인으로부터 항공 우편을 받았다. 여름 방학을 즐기고 있다고 한다.

Dick [dik] 명
딕《남자 이름. Richard [rítʃərd]의 애칭》.

Dick·ens [díkinz] 명
디킨스.

Charles [tʃɑːrlz] **Dickens** 찰스 디킨스(1812-1870)《영국의 유명한 작가. 「크리스마스 캐럴」, 「올리버 트위스트(Oliver Twist)」 따위가 그의 대표작이다》.

dic·ta·tion [diktéiʃən]
《a와 복수형 안 씀》받아쓰기.
Let's have *dictation* now. 자, 받아쓰기를 하자.
The teacher gave us *dic-tation*. 선생님께서는 우리에게 받아쓰기를 시키셨다.

*dic·tion·ar·y [díkʃənèri] 명
[복수] dictionaries[díkʃənèriz]
사전, 자전.
a walking 〔living〕 *dictionary* 살아 있는 사전《박식한 사람》.
Look up the word in a *dictionary*. 사전에서 그 낱말을 찾아라.
Can I use your English-Korean *dictionary*? 네 영한 사전을 써도 되겠느냐?

*did [did] 조 동
do의 과거.
조 부정문·의문문을 만듦.
I *did* not go to school

because I was sick. 나는 아파서 학교에 못 갔다.

You didn't see Mr. Brown, *did* you? 너는 브라운씨를 못 만났지, 그렇지?

── [타·자] (…을) **하였다.**

I already *did* my homework. 나는 이미 숙제를 하였다.

They *did* very well. 그들은 매우 잘 하였다.

***did·n't** [dídnt] did not의 단축형.

I *didn't* play tennis yesterday. 나는 어제 테니스를 치지 않았다.

"Did you go there?" "No, I *didn't*." 「너는 거기 갔었느냐?」 「아니, 안 갔다.」

***die** [dai] [자] [3·단·현] **dies**[daiz]; [ing형] **dying**[dáiiŋ]; [과거] [과분] **died**[daid]

❶ 죽다.
Thomas Edison *died* in 1931. 토머스 에디슨은 1931년에 죽었다.

He *died* of cancer. 그는 암으로 죽었다.

> [어법] 보통 병·굶주림·노령 따위로 죽을 때에는 die of를, 다치거나 부주의하여 죽을 때에는 die from을 쓰나, 후자의 경우에도 of를 쓰는 일이 많다.
> die *of* hunger [a disease] 굶어[병들어] 죽다 / die *from* a wound 다쳐서 죽다.

❷ (꽃 따위가) **시들다, 말라 죽다.**
This flower will soon *die* without water. 이 꽃은 물을 주지 않으면 곧 시들 것이다.

❸ (바람·소리 따위가) **그치다.**
The wind slowly *died* away. 바람이 서서히 약해졌다.

be *dying* **to** *do* …하고 싶어 죽겠다.
I *am dying to* buy a record player. 나는 레코드 플레이어를

사고 싶어 죽겠다.
☞ [명] death, [형] dead

di·et [dáiət] [명] [복수] **diets**[dáiəts]

(일상의) **식사;** (치료·건강 따위를 위한) **규정식, 다이어트.**
a meat [vegetable] *diet* 육[채]식.
I'm on a *diet*.
나는 다이어트를 하고 있다.

dif·fer [dífər] [자] [3·단·현] **differs**[dífərz]; [ing형] **differing**[dífəriŋ]; [과거] [과분] **differed**[dífərd]

다르다; 《**differ from**으로》 …와 **다르다.**
The Korean language *differs from* English. 한국어는 영어와 다르다.
His opinion *differs from* mine. 그의 의견은 나와 다르다.
☞ [명] difference, [형] different

***dif·fer·ence** [dífərəns] [명] [복수] **differences**[dífərənsiz]

❶ **다름, 차이.**
There are a lot of *differences* in our ways of life. 우리들의 생활 방식에는 많은 차이가 있다.

❷ **차(差).**
There is an 11- hour time *difference* between Seoul and New York. 서울과 뉴욕은 11시간 시차가 있다.
☞ [형] different, [동] differ

***dif·fer·ent** [dífərənt] [형] [비교] **more different;** [최상] **most different**

다른, 여러 가지의(⇔ same 같은).
Different countries have *different* customs. 나라가 다르면 풍습도 다르다.
☞ [명] difference, [동] differ

be *different* **from** …와 **다르다,** …와 **같지 않다.**
Chuseok *is* a little *different*

from Thanksgiving Day. 추석은 추수 감사절과 조금 다르다.
The moon *is* very *different from* the earth. 달은 지구와 매우 다르다.

*dif·fi·cult [dífikʌlt] 형 비교 최상 **most difficult**
어려운, 곤란한(⇔ easy 쉬운).
Speaking English is *diffi-cult.* 영어를 말하는 것은 어렵다.
It is *difficult* for me to read this book. 나는 이 책을 읽기가 어렵다. ☞ 명 difficulty

difficult   easy

dif·fi·cul·ty [dífikʌlti] 명
복수 **difficulties** [dífikʌltiz]
❶ 《a와 복수형 안 씀》 곤란, 어려움(⇔ ease 쉬움).
You'll find museum without much *difficulty.* 너는 어렵지 않게 그 박물관을 찾을 것이다.
❷ 어려운 일; 《복수형으로》 곤궁, 재정 곤란.
He talked about the *diffi-culties* of sharing a room with Steve. 그는 스티브와 방을 같이 쓰는 어려운 점에 대해 말했다.
I am in *difficulties.*
나는 돈이 아쉽다.
☞ 형 difficult

dig [dig] 타·자
3·단·현 **digs** [digz]; ing형 **digging** [dígiŋ]; 과거 과분 **dug** [dʌg]
(…을) 파다, 파내다.
Dogs often *dig* a deep hole

in the ground. 개는 가끔 땅에 깊은 구멍을 판다.
The boys were *digging* for a pot of gold. 소년들은 한 단지의 금을 찾기 위해서 땅을 파고 있었다.
dig up …을 파내다.
He *dug up* a box filled with old coins. 그는 옛날 동전이 그득한 상자 하나를 파냈다.

di·gest [didʒést] 타 3·단·현 **digests** [didʒésts]; ing형 **digesting** [didʒéstiŋ]; 과분 **digested** [didʒéstid]
❶ …을 소화하다.
Food is *digested* in the stomach. 음식은 위에서 소화된다.
❷ …을 이해하다.
He *digested* all the impor-tant things in the book.
그는 책에 있는 중요한 것을 모두 이해했다.

dig·ger [dígər] 명
복수 **diggers** [dígərz]
파는 사람.
Sam was a strong ditch *digger.* 샘은 힘센 도랑 파는 인부였다.

dig·it·al [dídʒitl] 형
숫자로 표시하는, 디지털 방식의.
a *digital* watch 〔clock〕 디지털 시계.

dig·ni·ty [dígnəti] 명
《a와 복수형 안 씀》 위엄, 품위.
He is a man of *dignity.*
그는 위엄 있는 사람이다.

dil·i·gent [dílədʒənt] 형 비교 **more diligent;** 최상 **most diligent**
부지런한, 근면한(⇔ lazy 게으른).
She is a *diligent* girl.
그녀는 부지런한 소녀이다.

dim [dim] 형 비교 **dimmer** [dímər]; 최상 **dimmest** [dímist]

❶ 어둠침침한(⇔ bright 밝은).
Don't read in *dim* light. 어둠침침한 빛에서 책을 읽지 마라.
❷ 확실히 보이지 않는, 희미한, 어렴풋한, 흐린
Susie's eyes were *dim* with tears. 수지의 눈은 눈물로 흐려졌다.

dime [daim] 명
복수 **dimes**[daimz]
(미국·캐나다의) **10센트 주화.**
☞ coin
Ten *dimes* make one dollar. 10센트 주화 열 개는 1달러이다.

실제크기는
지름 1.8cm

di·men·sion [diménʃən] 명
복수 **dimensions**[diménʃənz]
❶ (길이·너비·두께·면적·용적 등을 측정해서 얻은 공간의) **크기.**
What are the *dimensions* of the hall? 그 홀의 크기는 얼마나 되느냐?
❷ **차원.**
of two *dimensions* 2차원의.
the fourth *dimensions* 제4차원.

dim·ly [dímli] 부
비교 **more dimly;** 최상 **most dimly**
희미하게, 어렴풋이.
The stage is lighted *dimly* by the light from the window. 무대는 창에서 들어오는 빛으로 희미하게 비춰져 있다.

dine [dain] 자
3·단·현 **dines** [dainz];
ing형 **dining**[dáiniŋ] ; 과거 과분 **dined**[daind]
식사하다.
The Browns invited me to

dine with them. 브라운 가족은 같이 식사하자고 나를 초대하였다.
We usually *dine* out on Sundays. 우리는 보통 일요일마다 외식을 한다. ☞ 명 dinner

참고 dine은 하루 중 가장 잘 차리는 식사인 dinner를 먹는다는 뜻. have dinner가 일반적인 표현이다.

din·ing [dáiniŋ] 명
《a와 복수형 안 씀》 **식사.**
Every British school has a *dining* hall. 모든 영국 학교에는 식당이 있다.
Express trains have *dining* cars. 급행 열차에는 식당차가 있다.

din·ing room [dáiniŋ rùːm] 명
복수 **dining rooms**[dáiniŋ rùːmz]
(가정·호텔의) **식당.**
We had dinner together in a large *dining room.* 우리는 큰 식당에서 함께 식사하였다.

din·ner [dínər] 명
복수 **dinners**[dínərz]
식사, 정찬.
Dinner is ready.
식사가 준비되어 있다.
We usually have *dinner* at six. 우리는 보통 6시에 식사한다.
He listens to music after *dinner.* 그는 식사 후 음악을 듣는다. ☞ 동 dine

D

참고 dinner는 하루 중에서 제일 잘 차리는 식사를 뜻하며, 점심이나 저녁에 두루 쓰인다. 미국의 일반 가정에서는 6시경이 dinner 시간이다. 다만, 일요일이나 명절날에는 오후 1시경에 dinner를 먹으며, 밤에는 간단한 supper(저녁)로 때우는 수도 있다.

di·no·saur [dáinəsɔ̀ːr]
명

복수 dinosaurs[dáinəsɔ̀ːrz]
공룡.
Have you ever seen a book about dinosaurs?
너는 공룡에 관한 책을 본 적이 있느냐?

티라노사우루스   스테고사우루스

dip [dip] 타 3·단·현 dips[dips];
ing형 dipping[dípiŋ]; 과거
과분 dipped[dipt]
(물 따위에) …을 살짝 담그다.
Susie dipped her handkerchief in the water. 수지는 손수건을 물에 살짝 담갔다.

*di·rect [dirékt] 형
비교 directer [diréktər]; 최상 directest[diréktist]
❶ 똑바른, 곧은, 일직선의.
We drove along a direct road. 우리는 곧은 길을 따라 드라이브하였다.
❷ 직접의(⇔ indirect 간접의).
a direct object 직접 목적어.
There is no direct train from here to Seoul. 여기서 서울까지 직행 열차가 없다.
❸ 솔직한(=frank).
Jim gave direct answers.

짐은 솔직한 대답을 하였다.
── 부 똑바로, 직접으로.
This plane flies direct to Seoul. 이 비행기는 서울로 직행한다.
── 타 3·단·현 directs [dirékts];
ing형 directing[diréktiŋ]; 과거
과분 directed[diréktid]
❶ (아무)에게 길을 가리키다.
Would you please direct me to the post office? 우체국 가는 길을 가리켜 주시겠습니까?
❷ …을 지도하다, 지시하다.
The teacher directed the pupils across the street.
선생님은 학생들이 길 건너는 것을 지도하셨다.

*di·rec·tion [dirékʃən]
명

복수 directions[dirékʃənz]
❶ 방향, 방면.
Go three blocks in this direction. 이 방향으로 세 블록을 가라.

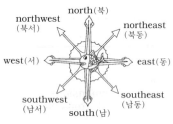

The birds flew away in the direction of the woods. 새들은 숲 쪽으로 날아 갔다. ▶「…의 방향으로」라는 뜻일 때에는 전치사 to를 쓰지 않고 in을 씀.
❷ 《a와 복수형 안 씀》 지도, 감독, 지휘.
We feel the need of direction. 우리는 지도의 필요성을 느끼고 있다.
❸ 《보통 복수형으로》 지시, 명령.
It will be hard for a child to follow those directions.
어린 아이는 그 지시들을 따르기

가 어려울 것이다.

di·rect·ly [diréktli] 㵱 ㊑
more directly;
㊗ most directly
❶ 똑바로, 직접으로.
Mr. and Mrs. White went directly to New York. 화이트 부부는 뉴욕으로 직행하였다.
❷ 바로, 전혀.
Their opinions are directly opposite. 그들의 의견은 정반대다.

di·rec·tor [diréktər] ㊐
㊵ directors [diréktərz]
❶ 지휘자, 감독.
He is a movie director. 그는 영화 감독이다.
❷ 이사, 중역.
Mr. White is on the board of directors. 화이트씨는 중역이다.
He is a managing director of the company. 그는 그 회사의 전무 이사이다.

dirt [də:rt] ㊐
《a와 복수형 안 씀》 먼지, 때, 흙.
His car was covered with dirt. 그의 차는 먼지투성이였다.
Wash the dirt off. 먼지를 씻어 내라. ☞ ㊒ dirty

dirt·i·er [də́:rtiər] ㊒
dirty 의 비교급.

dirt·i·est [də́:rtiist] ㊒
dirty 의 최상급.

***dirt·y** [də́:rti] ㊒
㊑ dirtier [də́:rtiər];
㊗ dirtiest [də́:rtiist]
더러운, 불결한(⇔ clean 깨끗한).
Cars make the air dirty. 차는 공기를 더럽힌다.
The man was in dirty clothes. 그 사람은 더러운 옷을 입고 있었다.

dis- [dis-] ㊤ 동사, 명사, 형용사 앞에 붙어서 부정이나 반대의 뜻을 가진 말을 만듦.
❶ 동사. disagree 일치하지 않다 / disappear 사라지다 / dislike 싫어하다 / disobey 거역하다.
❷ 명사. disadvantage 불리 / discomfort 불쾌.
❸ 형용사. disagreeable 불유쾌한 / dishonest 부정직한.

dis·ad·van·tage [dìsəd-véntidʒ] **D**
㊐ ㊵ disadvantages [dìsəd-véntidʒiz]
불리; 불리한 조건〔입장〕(⇔ advantage 유리).
It is disadvantage that he is not able to speak English. 그가 영어를 못하는 것은 불리한 조건이다.

dis·a·gree [dìsəgríː] ㊓
㊂·㊐·㊟ disagrees [dìsəgríːz];
㊚ disagreeing [dìsəgríːiŋ];
㊠㊤㊦ disagreed [dìsəgríːd]
❶ 일치하지 않다, 의견이 다르다(⇔ agree 일치하다).
Your story disagrees with what he says. 네 이야기는 그가 말하는 것과 일치하지 않는다.
❷ (기후·음식 따위가 몸에) 맞지 않다.
The hot weather disagrees with me. 더운 기후는 나에게 맞지 않는다.

dis·a·gree·a·ble [dìsəgríː-əbəl] ㊒
㊑ more disagreeable; ㊗ most disagreeable
불쾌한, 기분 나쁜.
The rainy season is disagreeable. 장마철은 불쾌하다.
He is a disagreeable fellow. 그는 기분 나쁜 녀석이다.

***dis·ap·pear** [dìsəpíər] ㊓
㊂·㊐·㊟ disappears [dìsəpíərz];
㊚ disappearing [dìsəpíəriŋ];
㊠㊤㊦ disappeared [dìsəpíərd]
보이지 않게 되다, 사라지다 (⇔ appear 나타나다).

Some animals may *disappear* from the earth if they don't get good care. 몇몇의 동물들은 잘 보호받지 못한다면 지구상에서 사라질지도 모른다.

Jack and Betty watched the ship until it *disappeared*. 잭과 베티는 배가 보이지 않게 될 때까지 바라보았다.

dis·ap·point [dìsəpɔ́int] 타

③·단·현 disappoints[dìsəpɔ́ints] ; ing형 disappointing[dìsəpɔ́intiŋ] ; 과거 과분 disapponted[dìsəpɔ́intid] …을 실망시키다; 《be disappointed로》실망하다.

You *disappointed* me.
너는 나를 실망시켰다.

The news *disappointed* him.
그 소식은 그를 실망시켰다.

dis·ap·point·ed [dìsəpɔ́intid] 형

비교 more disappointed; 최상 most disappointed
실망한.

I was very *disappointed* that my friend could not come. 친구가 올 수 없어서 나는 크게 실망하였다.

He was *disappointed* to hear the news. 그는 그 소식을 듣고 실망하였다.

be disappointed in (아무)에게 실망하다.

I'*m disappointed in* her. 나는 그녀에게 실망하였다.

be disappointed at …에 실망하다.

She *was* very *disappointed at* his answer. 그녀는 그의 대답에 크게 실망하였다.

dis·ap·point·ment

[dìsəpɔ́intmənt] 명
《a와 복수형 안 씀》실망, 낙심.

To my *disappointment*, she didn't come. 낙심천만하게도, 그녀는 오지 않았다.

dis·as·ter [dizǽstər] 명

복수 disasters[dizǽstərz]
큰 불행, 재해, 비참한 사고.

A traffic *disaster* occurred in Boston. 보스턴에 큰 교통 사고가 일어났다.

We learned of the air *disaster* over the radio. 우리는 그 비행기 사고를 라디오로 듣고 알았다.

dis·as·trous [dizǽstrəs] 형

비교 more disastrous; 최상 most disastrous
비참한.

The air accident was *disastrous*. 그 비행기 사고는 비참하였다.

disc [disk] 명
= disk.

dis·charge [distʃáːrdʒ] 타

③·단·현 discharges[distʃáːrdʒiz] ; ing형 discharging[distʃáːrdʒiŋ] ; 과거 과분 discharged[distʃáːrdʒd]
(총 따위)를 쏘다, 방출하다; (속박·의무 따위로부터) …을 해방하다.

He *discharged* an arrow.
그는 화살을 쏘았다.

He was *discharged* from jail yesterday. 그는 어제 교도소에서 석방되었다.

── 명 복수 discharges [distʃáːrdʒiz]
발사; 해고, 해직.

He got his *discharge*.
그는 해고되었다.

dis·ci·pline [dísəplin] 명

《a와 복수형 안 씀》훈련, 징계, 처벌, 규율.

Students need *discipline*. 학생들은 규율이(징계가) 필요하다.

disc jock·ey [dísk dʒàki] 명

복수 disc jockeys[dísk dʒàkiz]

디스크 자키. ➤ D.J. 또는 DJ로
약함.

dis·co [dískou] 명
복수 **discos** [dískouz]
디스코. ➤ 프랑스어로 disco-
theque [dískətèk]가 줄어서 된
말임.

dis·com·fort [diskΛmfərt] 명
《a와 복수형 안 씀》 불쾌, 불안.
It is a great *discomfort* to
travel on crowded trains.
혼잡한 기차로 여행하는 것은 아
주 불쾌하다.

dis·count [dískaunt] 명
복수 **discounts** [dískaunts]
할인.
a *discount* of 50 percent,
50 퍼센트 할인.
── 타 3·단·현 **discounts** [dís-
kaunts] : ing형 **discounting** [dís-
kauntiŋ] : 과거 과분 **discounted**
[dískauntid]
…을 할인하다.
discount 10 percent, 10 퍼센
트를 할인하다.

dis·cour·age [diskə́:ridʒ] 타
3·단·현 **discourages** [diskə́:ridʒiz] :
ing형 **discouraging** [diskə́:ridʒiŋ] :
과거 과분 **discouraged** [diskə́:ridʒd]
…의 용기를 꺾다, …을 낙심시키
다 (⟺ encourage 용기를 주다).
She was greatly *discour-
aged* by her father's death.

그녀는 아버지의 죽음으로 크게
낙심하였다.
Don't be *discouraged.*
낙심하지 마라.

dis·cov·er [diskΛvər] 타
3·단·현 **discovers** [diskΛvərz] :
ing형 **discovering** [diskΛvəriŋ] :
과거 과분 **discovered** [diskΛvərd]
…을 발견하다; 알다.
Magellan *discovered* the
Philippine Islands. 마젤란은
필리핀 군도를 발견했다.
I *discovered* that her story
was not true. 나는 그녀의 이
야기가 사실이 아님을 알았다.
☞ 명 discovery

dis·cov·er·y [diskΛvəri] 명
복수 **discoveries** [diskΛvəriz]
발견.
Dr. Fleming made the *dis-
covery* of penicillin. 플레밍
박사는 페니실린을 발견하였다.
☞ 동 discover

dis·cuss [diskΛs] 타 3·단·현
discusses [diskΛsiz] :
ing형 **discussing** [diskΛsiŋ] :
과거 과분 **discussed** [diskΛst]
…을 토론하다, 의논하다.
We *discussed* several prob-
lems in class. 우리는 반에서
여러 가지 문제를 토론하였다.
The speakers *discussed* the
future of other industries.
연사들은 다른 산업의 미래를 토
론했다.
We *discussed* how to make
our school beautiful. 우리는
학교를 아름답게 하는 방법을 의
논하였다. ☞ 명 discussion

┌─────────────────────────┐
│ 주의 흔히 「…에 관해서 토론하 │
│ 다」라고 하기 때문에 discuss │
│ about라고 하기 쉬우나. dis- │
│ cuss는 타동사이므로 about를 │
│ 쓰지 않음에 주의. │
└─────────────────────────┘

* **dis·cus·sion** [diskʌ́ʃən] 명

복수 **discussions**[diskʌ́ʃənz]
의논, 토론.

The question is still under *discussion*. 그 문제는 아직 토론 중이다.

We had a two-hour *discussion* about the problem. 우리는 그 문제에 관해서 두 시간 동안이나 토론했다.

☞ 동 discuss

dis·ease [dizíːz] 명 복수 **diseases**[dizíːziz]

병, 질병

A *disease* swept across the land. 질병이 육지를 휩쓸었다.

He is suffering from a serious *disease*. 그는 중병에 걸려 있다.

비슷한 말 **illness와 sickness 와 disease**

illness, sickness는 막연히 「병든 상태」를 나타내고, disease는 보통 병명이 확실한 특정한 병을 나타낸다. sickness 는 illness 보다 다소 구어적인 말.

dis·guise [disgáiz] 타

3·단·현 **disguises** [disgáiziz]; ing형 **disguising** [disgáiziŋ]; 과거 과분 **disguised**[disgáizd]

❶ …을 변장하다.

He *disguised* himself as an old man. 그는 늙은이로 변장하였다.

❷ (감정·생각 따위)를 감추다.

She *disguised* her sorrow. 그녀는 슬픔을 감추었다.

dis·gust [disgʌ́st] 명 (a와 복수형 안 씀)

(구역질나도록) 싫음, 혐오.

He showed his *disgust*. 그는 혐오를 나타냈다.

── 타 3·단·현 **disgusts**[disgʌ́sts];

ing형 **disgusting** [disgʌ́stiŋ]; 과거 과분 **disgusted**[disgʌ́stid]

…을 구역질나게 하다, 진절머리나 게 하다.

I'm *disgusted* at the smell. 나는 그 냄새에 구역질이 난다.

I was *disgusted* by the news. 나는 그 소식에 진절머리가 났다.

dis·gust·ing [disgʌ́stiŋ] 형 비교 **more disgusting**; 최상 **most disgusting**
구역질나는, 메스꺼운, 정말 싫은.

The smell from the rotten fish was *disgusting*. 썩은 생선에서 나는 냄새가 역겨웠다.

* **dish** [diʃ] 명 복수 **dishes**[díʃiz]

❶ 접시; 식기.

Mrs. Smith brought a *dish* of apples for the children. 스미스 부인은 아이들에게 사과 한 접시를 가지고 왔다.

Jane helped her mother wash the *dishes*. 제인은 어머니가 그릇 씻는 것을 도왔다.

비슷한 말 **dish와 plate와 saucer**

dish는 넓은 뜻으로는 식기 일반을 가리키지만, 좁은 뜻으로는 요리 따위가 담겨 식탁 위에 나오는 우묵한 접시나 그릇을 가리킨다. 이에 대해서 plate는 한 사람 분의 식사를 담는 납작하고 밑이 얕은 접시를 가리킨다. 커피 잔의 받침 접시는 saucer 라고 한다.

plate   dish
saucer

❷ (접시에 담은) 요리.

She brought in a new *dish*. 그녀가 새 요리를 가지고 들어 왔다.

Curry and rice is my favorite *dish.* 카레라이스는 내가 좋아하는 요리이다.

dis·hon·est [disánist] 휑

비교 **more dishonest;** 최상 **most dishonest**
정직하지 않은, 바르지 못한 (⟺ honest 정직한).
Lying and stealing are *dishonest.* 거짓말과 훔치는 것은 옳지 못하다.

disk [disk] 휑
복수 **disks** [disks]
원반; 레코드. ➤ disc 로도 씀.

dis·like [disláik] 타 [3·단·현] **dislikes** [disláiks] ; ing형 **disliking** [disláikiŋ] ; 과거 과분 **disliked** [disláikt]
…을 싫어하다, 미워하다. ➤ 뜻이 hate보다는 약하나, don't like보다는 강함.
He is feared and *disliked* for his cruelty.
그는 잔인해서 사람들이 무서워하고 미워한다.
I *dislike* big cities.
나는 대도시를 싫어한다.

Dis·ney [dízni] 휑
디즈니.
Walt [wɔːlt] **Disney** 월트 디즈니 (1901-66)《미국의 영화 제작자》.

Dis·ney·land [díznilænd] 휑
디즈니랜드《디즈니가 로스앤젤레스(Los Angeles)의 교외에 만든 유원지》.

dis·o·bey [dìsəbéi] 타
[3·단·현] **disobeys** [dìsəbéiz] ; ing형 **disobeying** [dìsəbéiiŋ] ; 과거 과분 **disobeyed** [dìsəbéid]
…에게 순종하지 않다, …을 어기다.
You should not *disobey* your parents. 너는 부모에게 순종하지 않으면 안 된다.

dis·or·der [disɔ́ːrdər] 휑

복수 **disorders** [disɔ́ːrdərz]
❶《a와 복수형 안 씀》혼란, 무질서, 어지러움.
There were no signs of *disorder.* 혼란한 모습은 없었다.
His room was in *disorder.* 그의 방은 어질러져 있었다.
❷ (건강이) 순조롭지 못함, (가벼운) 병.
He's suffering from a physical *disorder.* 그는 건강상태가 나빠서 고생하고 있다.

dis·patch [díspætʃ] 휑
《a와 복수형 안 씀》급파, 급송.
the *dispatch* of a messenger 사자의 급파.
── [dispǽtʃ] 타 [3·단·현]
dispatches [dispǽtʃiz] ; ing형 **dispatching** [dispǽtʃiŋ] ; 과거 과분 **dispatched** [dispǽtʃt]
급파〔특파〕하다, 파병하다, 급송하다.
The company *dispatched* a representative to the meeting. 그 회사는 회의에 대표자를 급파했다.

dis·play [displéi] 타 [3·단·현] **displays** [displéiz] ; ing형 **displaying** [displéiiŋ] ; 과분 **displayed** [displéid]
…을 진열하다, 전시하다.
TVs and radios are *displayed* in the window. 텔레비전과 라디오가 진열창에 전시되어 있다.
── 휑 복수 **displays** [displéiz]
진열, 전시.
The store has two big *display* windows. 그 가게에는 큰 진열창이 두 개 있다.
New model cars are on *display.* 새 모델의 차들이 전시 중이다.

dis·pose [dispóuz] 타
[3·단·현] **disposes** [dispóuziz] ; ing형 **disposing** [dispóuziŋ] ; 과거

[과분] **disposed**[dispóuzd]
···을 배열하다, 배치하다.
The troops were *disposed*
in a square. 군대는 사각으로
배치되어 있었다.
dispose of ···을 처리[처치]하다.
We shall *dispose of* the
goods at reduced prices.
우리는 그 물품을 할인 가격으로
처분할 것이다.
He *disposed of* all his
opponents. 그는 반대자를 전부
처치하였다.

dis·po·si·tion [dìspəzíʃən]
[명]
배치, 처리; 기질, 의향. ➤ 복수형
은 쓰지 않음.
The *disposition* of the
books is excellent. 그 책들의
정리는 훌륭하다.
He showed a *disposition* to
do it. 그는 그것을 할 의향을 보
였다.

dis·pute [dispjúːt] [명] [복수]
disputes[dispjúːts]
논쟁, 반론.
a *dispute* between two
countries 두 나라간의 논쟁.
── [타·자] [3·단·현] **disputes**
[dispjúːts] : [ing형] **disputing**
[dispjúːtiŋ] : [과거] [과분] **disputed**
[dispjúːtid]
논하다, 논박[반론]하다, 이의를
제기하다.
Nobody *disputes* his honesty.
아무도 그의 정직성에 이의를 제
기하지 않는다.

*** dis·tance** [dístəns] [명]
[복수] **distances**[dístənsiz]
거리, 간격.
The *distance* from here to
the station is about one
mile. 여기서 정거장까지의 거리
는 1 마일쯤이다.
The *distance* between our
houses is only two blocks.
우리들 집 사이의 거리는 두 블록

밖에 안 된다.
from a distance 멀리서.
I saw the sea *from a dis-*
tance. 나는 멀리서 바다를 보았다.
in the distance 먼 곳에.
Do you see the mountain
top *in the distance*? That's
Hallasan. 멀리 산꼭대기가 보이
지? 저것이 한라산이다.

*** dis·tant** [dístənt] [형]
[비교] **more distant**;
[최상] **most distant**
먼, 떨어져 있는.
a *distant* place 먼 장소.
The town is two miles *distant*.
그 읍은 2마일 떨어져 있다.
She is a *distant* relative of
mine. 그녀는 나의 먼 친척이다.

dis·tinct [distíŋkt] [형]
[비교] **more distinct**;
[최상] **most distinct**
확실한, 명백한.
He speaks with a *distinct*
pronunciation. 그는 확실한 발
음으로 말한다.
There is no *distinct* differ-
ence between them. 그들 사
이에는 뚜렷한 차이가 없다.

dis·tinc·tion [distíŋkʃən]
[명]
[복수] **distinctions**[distíŋkʃənz]
❶ 구별, 구분, 차별.
He treats everybody with-
out *distinction*. 그는 누구든지
차별 없이 대한다.
❷ 차이, 상위(=difference).
What is the *distinction*
between "paintings" and
"drawings?" 「painting」과
「drawing」의 차이는 무엇이냐?

dis·tinct·ly [distíŋktli]
[부] [비교] **more**
distinctly; [최상] **most distinctly**
확실히, 명백히.
Speak more *distinctly*.
더 명확하게 말하여라.

dis·tin·guish [distíŋgwiʃ] [타]
[3·단·현] **dis-**

tinguishes[distíŋgwiʃiz]; ⟨ing형⟩
distinguishing [distíŋgwiʃiŋ];
⟨과거⟩⟨과분⟩ **distinguished** [distíŋ-
gwiʃt]
…을 분별하다, 구별하다.
Can you *distinguish* a
mouse from a rat? 너는 생쥐
와 (시궁)쥐를 구별할 수 있니?
distinguish one***self*** 유명해지다,
공을 세우다.
He *distinguished himself* by
winning the first prize in a
speech contest. 그는 웅변 대
회에서 일등상을 타서 유명해졌다.

dis·tin·guished [distíŋgwiʃt]
⟨형⟩
⟨비교⟩ **more distinguished;** ⟨최상⟩
most distinguished
유명한(=famous).
a *distinguished* family 명문.
He is a *distinguished* paint-
er. 그는 유명한 화가이다.

dis·tress [distrés] ⟨명⟩
❶ ⟨a와 복수형 안
씀⟩ 근심, 걱정, 슬픔; ⟨a를 붙
여⟩ 걱정거리.
He is a great *distress* to
his mother. 그는 자기 어머니
에게 커다란 걱정거리이다.
❷ ⟨a와 복수형 안 씀⟩ 가난, 어
려움.
I'm in *distress*.
나는 어려움을 겪고 있다.
── ⟨타⟩ ⟨3·단·현⟩ **distresses**
[distrésiz]; ⟨ing형⟩ **distressing**
[distrésiŋ]; ⟨과거⟩⟨과분⟩ **distressed**
[distrést]
…을 괴롭히다, 고민시키다.
I'm much *distressed* at the
sad news. 나는 그 슬픈 소식을
듣고 아주 비관하고 있다.

dis·trib·ute [distríbjuːt]
⟨타⟩
⟨3·단·현⟩ **distributes**[distríbjuːts];
⟨ing형⟩ **distributing**[distríbjuːtiŋ];
⟨과거⟩⟨과분⟩ **distributed** [distrí-
bjuːtid]
분배하다, 배급하다, 배포하다.

The students *distributed*
free pamphlets. 학생들은 무료
팸플릿을 배포하였다.

dis·tri·bu·tion [dìstrəbjúːʃən]
⟨명⟩
⟨복수⟩**distributions**[dìstrəbjúːʃnz]
분배, 배급; 살포.
The *distribution* of the
profits should be equal.
이익 분배는 평등해야 한다.

dis·trict [dístrikt]
⟨명⟩
⟨복수⟩ **districts** [dístrikts]
❶ 지방, 지대, 지역.
Winter in the Gwanbuk
district is very severe. 관북
지방의 겨울 추위는 대단하다.
❷ (행정상 따위의) 지구, 관할 구
역.
I live in this school *dis-
trict*. 나는 이 학군에 산다.

dis·turb [distə́ːrb] ⟨타⟩ ⟨3·단·현⟩
disturbs[distə́ːrbz];
⟨ing형⟩ **disturbing** [distə́ːrbiŋ];
⟨과거⟩⟨과분⟩ **disturbed** [distə́ːrbd]
❶ …을 방해하다.
Do not *disturb*. 깨우지 마시오
《호텔 객실문에 거는 게시》.

I'm sorry to *disturb* you,
but would you spare me a
few minutes? 방해해서 미안하
지만, 시간을 좀 내 주겠니?
❷ (질서·평화 따위)를 어지럽히
다, 불안하게 하다.
He was arrested for *disturb-
ing* the peace. 그는 질서를 어

지럼허서 체포되었다.

ditch [ditʃ] 명
복수 **ditches** [dítʃiz]
도랑, 개천, 참호.
I fell in the *ditch* at the side of the road. 나는 길가에 있는 도랑에 빠졌다.

dive [daiv] 자
3·단·현 **dives** [daivz] : ing형
diving [dáiviŋ] : 과거 과분 **dived** [daivd]
(머리를 거꾸로 하여) 뛰어들다, 다이빙하다.
He *dived* into the swimming pool. 그는 풀장에 뛰어들었다.

div·er [dáivər] 명
복수 **divers** [dáivərz]
잠수부.
As the *diver* goes deeper, the sea becomes colder.
잠수부들이 더 깊이 내려감에 따라 바닷물은 더욱 차가워진다.

***di·vide** [diváid] 타 3·단·현
divides [diváidz] : ing형
dividing [diváidiŋ] : 과거 과분
divided [diváidid]
❶ …을 나누다, 분배하다.
He *divided* the cake into four pieces.
그는 케이크를 네조각으로 나누었다.
Our nation is the only *divided* land in the world.
우리 나라는 세계에서 유일한 분단국이다.
We were *divided* into three groups. 우리는 세 그룹으로 나뉘었다.
❷ (산수에서) 나누다.
When you *divide* 10 by 2, you get 5. 10을 2로 나누면 5가 된다. ☞ 명 division

di·vid·ing [diváidiŋ] 동
divide의 -ing형.

di·vine [diváin] 형
신의, 신과 같은, 신성한.

the *divine* Being 신.
A priest follows the *divine* will. 신부는 신의 뜻을 따른다.

di·vi·sion [divíʒən] 명 복수
divisions [divíʒənz]
❶ 분배.
They made a fair *division* of the money. 그들은 돈을 공평하게 분배하였다.
❷ 부(部), 부문.
He works in the sales *division* of that company. 그는 그 회사의 영업부에서 일한다.
❸ 나눗셈.
50÷5 is a simple *division*.
50÷5는 간단한 나눗셈이다.
▶ 50÷5는 fifty divided by five라고 읽음. ☞ 동 divide

diz·zy [dízi] 형
비교 **dizzier** [díziər] :
최상 **dizziest** [díziist]
현기증이 나는, 머리가 어찔어찔하는.
I feel *dizzy*. 나는 현기증이 난다.

DJ, D.J. [díːdʒéi]
disc jockey의 약자.

DMZ [díːèmzíː] 명
디엠지, 비무장 지대.
▶ demilitarized [diːmílətəràizd] zone의 약자.
I went to Imjin-gak near the *DMZ* today. 나는 오늘 비무장지대 근처에 있는 임진각에 갔었다.

****do** [duː] 조 3·단·현 **does** [dʌz] :
과거 **did** [did]
❶ 《의문문을 만듦》「do+주어+동사의 원형」의 형식으로 「…는

~하느냐?」의 뜻을 나타내는 문장
을 만든다.
Do you have a baseball
cap? 너는 야구 모자를 가지고
있니?
Does he speak English?
그는 영어를 말하느냐?
Where *does* Mary live?
메리는 어디에 사느냐?

> [어법] 주어가 의문사일 때에는
> do를 쓰지 않는다.
> *Who* broke this window?
> 누가 이 창문을 깼느냐?

❷ 《부정문을 만듦》「do not+동
사의 원형」의 형식으로 「…않다」
의 뜻을 나타낸다.
I *don't* see. 나는 모르겠다.
Fred *doesn't* speak Korean.
프레드는 한국어를 못 한다.
"Do you have any sisters?"
"No, I *don't*."「너는 누이가 있
니?」「아니, 없어.」

> [어법] 조동사 **do**의 용법
> 조동사 do는 보통 일반 동사와
> 함께 쓰인다. be동사(am, are,
> is)나 다른 조동사(can, will
> 따위)와 함께 쓰이지 않는다.
> 다만, Don't be noisy. (시끄
> 럽게 하지 마라.)처럼 be 동사
> 의 부정 명령문일 때에는 쓰인
> 다.

❸ 《강조를 나타내어》 동사 앞에
do를 붙여 문장 중의 동사를 강조
한다.
Please *do* come again.
제발 또 오시오.
I *do* believe so.
꼭 그렇게 믿고 있다.
▶ 강조문의 경우에는 do를 세게
발음함.
❹ 《대동사(代動詞)로》 앞에 쓰인
동사를 대신한다.
"How many men work
here?" "Ten men *do* (=work

here)."「몇 사람이 여기서 일하
느냐?」「열 사람이 일한다.」
── [동] [3·단·현] **does**[dʌz]; [ing형]
doing [dúːiŋ]; [과거] **did**[did] [과분]
done[dʌn]
[타] …을 하다.
I must *do* my work.
나는 일해야 한다.
The work is *done*.
그 일은 다 끝났다.
What can I *do* for you?
무엇을 도와드릴까요?《점원이 손
님한테 하는 말》.
── [자] ❶ 일을 하다, 행동하다.
Tom *did* very well.
톰은 매우 잘 했다.
When in Rome, *do* as the
Romans *do*. 《속담》 로마에서는
로마 사람처럼 행동하라(입향순속
(入鄕循俗)).
❷ 잘 해 나가다, 지내다, 잘 있다.
How do you *do*, Miss
Song? 안녕하십니까, 송선생님?
How is your father *doing*?
아버지께서는 어떻게 지내시느냐?
do all one *can* 할 수 있는 것을
다하다, 최선을 다하다.
They *did all they could* for
their mother, but she *did*
not get well. 그들은 어머니를
위해서 최선을 다했으나, 그녀는
회복하시 못했다.
*do one's *best* 최선을 다하다.
Do your best in everything
you do. 하는 일은 무엇이나 최
선을 다해라.
do with …을 처리하다.
What have you *done with*
your cap? 너는 모자를 어떻게
하였느냐?
do without …없이 지내다.
I can't *do without* a dictio-
nary. 나는 사전 없이는 해 나갈
수가 없다.
dock [dak] [명]
[복수] **docks**[daks]
❶ 독《수리 따위를 하기 위해서
배를 넣는 곳》.

The ship crashed into the *dock*. 배는 독을 들이받았다.

❷ 《보통 복수형으로》 **조선소.**
He does work on the *docks*. 그는 조선소에서 일한다.

***doc·tor** [dάktər] 명 복수 doctors [dάktərz]

❶ 의사.
You should see 〔consult〕 a *doctor*. 의사에게 가 보아라.
She took her baby to the children's *doctor*. 그녀는 자기 아이를 소아과 의사에게 데리고 갔다.

❷ 박사.
He received a *doctor's* degree in 1980. 그는 1980년에 박사 학위를 받았다.
Dr. Hong is a professor in economics. 홍 박사는 경제학 교수이다.

참고 **1.** 일반적으로 의사는 전문에 따라 다음과 같이 나뉜다. physician [fizíʃən] 내과 의사 / surgeon [sə́ːrdʒən] 외과 의사 / dentist [déntist] 치과 의사.
2. doctor는 Dr.로 약하며, 이름 앞에는 안 붙이고 성 앞에 붙인다. Dr. Smith, 스미스 박사, (의사인) 스미스 선생님. 단, 이름 없이 호칭으로 쓰일 때에는 약하지 않는다.
How is he, doctor? 그는 어떻습니까, 선생님? ☞ Dr.

doc·u·ment [dάkjəmənt] 명
복수 documents [dάkjəmənts]
서류, 문서; 기록.
an official *document* = a public *document* 공문서.
Letters and diaries are *documents*. 편지와 일기는 문서이다.

doc·u·men·ta·ry
[dɑkjuméntəri] 명 복수 docu-

mentaries [dɑkjuméntəriz]
다큐멘터리, 기록 영화.
a TV *documentary* on World War II, 제2차 세계대전에 대한 TV 다큐멘터리.

****does** [dʌz] 조 동
do의 3인칭·단수·현재.
"*Does* your brother like baseball?" "Yes, he *does*." 「너의 형은 야구를 좋아하느냐?」 「그래, 좋아한다.」
Jim *doesn't* have any sisters. 짐은 누이가 없다.

***does·n't** [dʌznt]
does not의 단축형.
"*Does* he live in Seoul?" "No, he *doesn't*. He lives in Incheon." 「그는 서울에 사느냐?」 「아니, 인천에 산다.」
He *doesn't* study English hard. 그는 영어를 열심히 공부하지 않는다.

***dog** [dɔ(ː)g] 명
복수 dogs [dɔ(ː)gz]
개.
I like *dogs*.
나는 개를 좋아한다.
A *dog* is a faithful animal.
개는 충직한 동물이다.

참고 dog는 일반적인 「개」란 뜻 이외에 「수개」를 가리킨다. 「암개」는 bitch [bitʃ], 강아지는 puppy [pʌ́pi]라고 한다. 어린아이들은 개를 doggy [dɔ́(ː)gi]나 bowwow라고 한다. 또, 개 짖는 소리 「멍멍」은 bowwow로 나타낸다.

dog·gy [dɔ́(ː)gi] 명
복수 doggies [dɔ́(ː)giz]
《소아어》 강아지, 멍멍.
▶ doggie로도 씀.

dog·gy bag [dɔ́(ː)gi bǽg] 명
복수 doggy bags [dɔ́(ː)gi bǽgz]
먹다 남은 음식을 넣어 갖고 가는

봉지.
Can I have a *doggy bag*,
please? 남은 음식을 싸 주시겠
어요?

dog·house [dɔ́(:)ghàus] 명

复数 doghouses[dɔ́(:)ghàuziz]
개집.
Snoopy is in the *doghouse*.
스누피는 개집에 있다.

do·ing [dú:iŋ] 명

复数 doings[dú:iŋz]
❶ 《a와 복수형 안 씀》 하기, 하
는 것.
Talking is one thing, *doing*
is another. 말하는 것과 행하는
것은 별개의 것이다.
❷ 《복수형으로》 행동.
Jack told me all about his
doings in New York.
잭은 뉴욕에서 한 일을 모두 나에
게 말했다.

*doll [dal] 명

复数 dolls[dalz]
인형.
Miae brought a beautiful
doll. 미애는 예쁜 인형을 가져
왔다.
The girl loved the *doll* like
her own sister. 그 소녀는 인
형을 자기 동생처럼 사랑했다.

*dol·lar [dálər] 명

复数 dollars[dálərz]
달러.
His work brings in 1,500
dollars a month. 그의 일은 한
달에 1,500 달러의 수입을 가져온
다.
"*Dollars*" and "cents" are
used in the United States
and Canada. 미국과 캐나다에
서는 「달러」와 「센트」가 쓰인다.

参考 달러는 미국, 캐나다 따위
의 화폐 단위. 기호로는 $를
쓴다. 1달러는 대개 지폐이지만
은화도 있다. 달러 지폐는 1달
러, 2달러, 5달러, 10달러, 20달

러, 50달러, 100달러, 500달
러, 1,000달러, 5,000달러,
10,000달러, 100,000달러가
있다. 또 센트는 1달러의 100
분의 1을 뜻한다. ☞ cent

미국의 5달러 화폐

Dol·ly [dáli] 명

달리《여자 이름》.

dol·phin [dálfin] 명 复数

dolphins [dálfinz]
돌고래.
Dolphins are known to be
very clever. 돌고래는 아주 영리
하다고 알려져 있다.

dome [doum] 명

复数 domes[doumz]
（반구형의） 둥근 지붕, 둥근 천장,
돔.
a *dome* home 돔 모양의 집.

do·mes·tic [douméstik] 형

比较 more domestic; 最上 most
domestic
❶ 가정의, 가사의.
Domestic cares bothered
her a lot. 그녀는 집안일로 대
단히 괴로웠다.
❷ （동물이） 길든, 집에서 기르는.
There are lots of *domestic*
animals on the farm.
그 농장에는 가축이 많다.
❸ 국내의（⇔ foreign 외국의）.
domestic news 국내 뉴스.
This is a *domestic* airline.
이 항공로는 국내선이다.

dom·i·nate [dámənèit] 타

3·단·현 dominates[dámənèits] ;
ing형 dominating[dámənèitiŋ] ;
过去 过分 dominated[dámənèitid]
…을 지배하다, 좌우하다.

Jim *dominates* his friends.
짐은 자기 친구들을 좌지우지한다.

Don·ald [dánəld] 명
도널드《남자 이름.
애칭은 Don》.

Don·ald Duck [dánəld dʌk] 명

도널드 덕 《월트 디즈니(Walt
Disney)의 만화 영화에 나오는
주인공인 오리. 세일러복에 수병
모자를 씀》.
You can see *Donald Duck*
there. 너는 거기에서 도널드 덕
을 볼 수 있다.

***done** [dʌn] 통
*do*의 과거 분사.
I have already *done* my
homework. 나는 이미 숙제를
했다.
It will be *done* within a
week. 그것은 일주일 안에 될 것
이다.

don·key [dáŋki] 명 복수
donkeys [dáŋkiz]
❶ 당나귀.
A *donkey* is an animal
somewhat like a small
horse. 당나귀는 작은 말과 비슷
한 동물이다.
❷ 바보, 얼간 망둥이.
A stupid person is called a
donkey. 어리석은 사람을 바보
라고 부른다.

***don't** [dount]
do not의 단축형.
"Do you have a dictionary?"
"No, I *don't*." 「너는 사전을 가
지고 있느냐?」 「아니, 없다.」
Why *don't* you like her?
너는 왜 그녀를 싫어하니?
Don't be afraid. 무서워 마라.

***door** [dɔːr] 명
복수 doors [dɔːrz]
❶ 문; 현관.
Mr. Brown opened the
door. 브라운씨는 문을 열었다.
He heard a knock on the
door. 그는 문 두드리는 소리를

들었다.
Bill answered the *door*.
빌은 현관으로 마중 나갔다.
❷ (한 채의) 집.
Her house is a few *doors*
away. 그녀의 집은 몇 집 건너서
있다.
at the door 문간에, 입구에.
There's someone *at the
door*. Please go and see
who it is. 문간에 누가 있다.
가서 누군가 좀 봐라.
A stranger was standing *at
the door*. 한 낯선 사람이 문간에
서 있었다.
from door to door 이집 저집으
로, 집집마다.
A salesman walked *from
door to door*. 세일즈맨은 집집
마다 다녔다.
next door to …의 이웃에.
The Whites live *next door
to* us. 화이트씨 집안은 우리 이
웃에 살고 있다.
out of doors 야외에서, 집 밖에서.
Get *out of doors*. It's warm
outside. 밖에 나가라. 밖이 따뜻
하다.

door·bell [dɔːrbèl] 명 복수
doorbells [dɔːrbèlz]
현관의 벨.
He heard someone ringing
the *doorbell*. 그는 누가 현관의
벨을 울리는 소리를 들었다.

door·knob [dɔːrnàb]
복수 doorknobs [dɔːrnàbz]
문의 손잡이.
He put his hand on the
doorknob. 그는 문 손잡이에 손
을 댔다.

door·way [dɔːrwèi] 명
복수 doorways [dɔːrwèiz]
문간, 현관.
The door opened, and Fa-
ther was in the *doorway*.
문이 열리고 아버지가 문간에 서

계셨다.

dor·mi·to·ry [dɔ́ːrmətɔ̀ːri] 圐

복수 **dormitories**[dɔ́ːrmətɔ̀ːriz]
기숙사.

In America many colleges have *dormitories* for students. 미국에서는 많은 대학이 학생 기숙사를 가지고 있다.
Our *dormitory* is on campus. 우리 기숙사는 대학 구내에 있다.

dot [dɑt] 圐
복수 **dots**[dɑts]
작은 점; 점같이 작은 것.
Her skirt is blue with white *dots*. 그녀의 스커트는 푸른 바탕에 흰 점이 있다.
── 囲 3·단·현 **dots**[dɑts]; ing형 **dotting**[dɑ́tiŋ]; 과거 과분 **dotted**[dɑ́tid]
···에 점을 찍다, 점점이 뿌리다.
Write your answers on the *dotted* line. 점선 위에 답을 써라.

dou·ble [dʌ́bəl] 휑
두 배의, 이중의. ☞ single (단일의)
a *double* bed 더블 베드. 2인용 침대.
He was given *double* pay for working overnight.
그는 철야 작업을 해서 두 배의 임금을 받았다.
── 囲 3·단·현 **doubles**[dʌ́bəlz]; ing형 **doubling**[dʌ́bəliŋ]; 과거 과분 **doubled**[dʌ́bəld]
···을 두 배로 하다.
My income was *doubled* yesterday. 어제 내 수입은 두 배가 되었다.
── 圐 복수 **doubles**[dʌ́bəlz]
❶ 《a와 복수형 안 씀》 2배의 수〔양〕.
Eight is the *double* of four.
8은 4의 두 배이다.
❷ 2루타; 《복수형으로》(테니스·탁구 따위의) 더블즈, 복식

(경기).

dou·bling [dʌ́bəliŋ] 통
double의 -ing형.

doubt [daut] 囲
3·단·현 **doubts**[dauts];
ing형 **doubting**[dáutiŋ];
과분 **doubted**[dáutid]
···을 의심하다 (⇔ believe 믿다);
《**doubt if** 〔**whether**〕로》···인지 어떤지 의심스럽게 여기다;
《**doubt that**으로》···이 아닌가 생각하다.
He *doubted* her honesty.
그는 그녀의 정직함을 의심하였다.
I *doubt whether* Susie is coming. 수지가 올지 안 올지 의문이다.
I don't *doubt that* he will help me. 그가 나를 도와 줄 것을 의심하지 않는다.

─────────────────
어법 doubt 뒤에 오는 접속사는 긍정문에서는 보통 if나 whether가, 부정문·의문문에서는 that이 많이 쓰인다.
─────────────────

── 圐 복수 **doubts**[dauts]
의심.
There's no *doubt* it.
그것은 의심할 여지도 없다.
I have no *doubt* about his success. 나는 그의 성공에 대하여 아무 의심도 하지 않는다.
no doubt 의심할 바 없이, 확실히.
No doubt, he'll be in time.
물론, 그는 시간에 맞춰 올 것이다.
without doubt 의심할 여지 없이, 틀림없이, 꼭.
Without doubt, he is the best swimmer in our class.
확실히 그가 우리 반에서 수영을 제일 잘 한다. ► without doubt 가 no doubt 보다 뜻이 강함.

doubt·ful [dáutfəl] 휑 비교 **more doubtful**;
최상 **most doubtful**
의심스러운, 확실치 않은, 이상한.
I am *doubtful* about the

weather on Sunday. 일요일
에 날씨가 어떨지 모르겠다.

doubt·less [dáutlis] 囝
꼭; 의심 없이.
I shall *doubtless* see you
tomorrow. 내일 꼭 만나뵐 수
있겠지요.

dough [dou] 圐
복수 **doughs**[douz]
《집합적》 가루반죽, 반죽 덩어리.
Put the *dough* in the oven.
그 반죽 덩어리를 오븐에 넣어라.

dough·nut [dóunʌt] 圐
복수 **doughnuts**[dóunʌts]
도넛.
Doughnuts are cooked in oil.
도넛은 기름에 튀겨 만든다.

dove¹ [dʌv] 圐
복수 **doves**[dʌvz]
비둘기(=pigeon).
The little *dove* could find
no tree to perch on.
작은 비둘기는 앉을 나무를 찾을
수 없었다.

dove² [douv] 통
dive의 과거.

down [daun] 囝
❶ 아래로, 아래에(⇔ up 위에로).
Sit *down*, please. 앉아라.
Mary put *down* her pen.
메리는 펜을 내려 놓았다.
He is looking *down*.
그는 내려다보고 있다.
❷ (흐름을) 따라서, (층계 따위
를) 내려서.
Rivers flow *down* into the
sea. 강은 바다로 흐른다.
He went *down* to the first
floor. 그는 1층으로 내려갔다.
— 젠 …밑으로, 아래로(⇔ up …
위로); (길)을 따라서. ☞ above
We walked *down* the stair-
way. 우리는 층계를 내려갔다.
The boat went *down* the
river. 보트는 강을 내려갔다.
Mr. Green came *down* the

road. 그린 씨는 길을 걸어 왔다.
▶ 길이 내리막이 아닐 때에도 씀.

sit down   go down   come down

down·load [dáunloud]
타 ③·단·현
downloads [dáunloudz] : ing형
downloading [dáunloudiŋ] :
과거 과분 **downloaded** [dáun-
loudid]
(데이터)를 전송하다, 다운로드하다.
He *downloaded* the file
from the Internet. 그는 인터넷
에서 그 파일을 다운받았다.

down·stairs [dáunstέərz] 囝
아래층으로, 아
래층에(⇔ upstairs 위층으로).
Baker's room is *downstairs*.
베이커의 방은 아래층에 있다.
Will you wait *downstairs*?
너는 아래층에서 기다리겠니?

down·town [dáuntáun] 囝
도심지에[로], 상가에[로].
You can find almost any-
thing at the stores *down-
town*. 시내 상점에서는 거의 무
엇이나 다 팔고 있다.
Susie is going *downtown*
with her mother to do
some shopping. 수지는 어머니
하고 물건을 사러 시내로 가는 길
이다.
— 圐 복수 **downtowns**[dáun-
táunz]
도심부, 상업 지구.

참고 영어의 downtown은 백
화점이나 은행 따위가 많은 도
심지로서, 서울로 치면 명동,
종로 등지를 가리킨다.

down·ward [dáunwərd] 閏

아래쪽으로, 아래쪽에.

He looked *downward* towards the valley. 그는 계곡을 내려다보았다.

He looked *downward* in silence. 그는 조용히 머리를 숙이고 있었다.

down·wards [dáunwərdz] 閏

=downward.

*doz·en [dʌ́zn] 몡

복수 dozen[dʌ́zn] 또는 dozens[dʌ́znz]

1다스, 12개.

She bought a *dozen* eggs. 그녀는 달걀을 12개 샀다.

dozens of 많은, 수십 개[몡]의.

There were *dozens of* people in that room. 그 방에는 수십 명의 사람이 있었다.

어법 **dozen** 의 용법

다스는 수의 단위로서 영국이나 미국에서 잘 쓰인다. dozen 앞에 숫자가 붙어 있을 때에는 복수에서도 s를 붙이지 않는다. 다만, 「수십의」, 「많은」이란 뜻이 될 때에는 s를 붙인다.

six *dozen* pencils 연필 6다스 / *dozens* of pencils 많은 연필들.

또한, 단수·복수 모두 doz. 또는 dz.로 약한다.

Dr. Doctor의 간략형.
박사, 의사.

His name is *Dr.* Bill Martin. 그의 이름은 빌 마틴 박사다.

참고 Dr. 은 박사 학위를 가진 사람이나 의사 면허를 가진 사람의 성이나 성명 앞에 붙이는 약자이다.

draft [dræft] 팀
3·단·현 drafts[dræfts] ;

ing형 **drafting**[dræftiŋ] ; 과거 과분 **drafted**[dræftid]

…을 기초(起草)하다.

They *drafted* the bill. 그들은 그 법안을 기초하였다.

── 몡 복수 drafts[dræfts]

❶ 초안; 설계 도면, 밑그림.

His brother made a *draft* for a yacht. 그의 형은 요트의 밑그림을 그렸다.

❷ 《a와 복수형 안 씀》 어음.

I paid him by *draft*. 나는 그에게 어음으로 지불하였다.

drag [dræg] 팀
3·단·현 drags [drægz] ; ing형 **dragging**[drægiŋ] ; 과거 과분 **dragged**[drægd]

(무거운 것)을 끌다, (무겁게) 질질 끌고 가다.

The horse was *dragging* a wagon. 그 말은 마차를 끌고 있었다.

Jane *dragged* her feet on the way home. 제인은 무거운 발을 끌고 집에 돌아왔다.

drag·on [drǽgən] 몡 복수 dragons[drǽgənz]

용.

Have you heard the story of St. George and the *dragon*? 성(聖)조지와 용의 이야기를 들은 적이 있느냐?

참고 용은 동양에서는 신성시되고 있으나, 서양에서는 악의 화신으로 되어 있다. 서양의 용은 날개와 발톱이 있으며, 입에서 불을 토한다고 하는 전설상의 괴수로서, 성(聖)조지가 용을 물리친 이야기는 유명하다.

drain [drein] 타 ③·단·현
     drains [dreinz] : ing형
draining [dréiniŋ] : 과거 과분
drained [dreind]
(물기)를 빼다, …의 물을 빼내다.
The water was *drained*
from the swamp. 물을 습지에
서 빼냈다.
Drain the pasta well. 파스타
에 물기를 잘 빼라.

dra·ma [drɑ́:mə] 명
     복수 **dramas** [drɑ́:məz]
❶ 극, 희곡.
They performed a *drama*.
그들은 연극을 하였다.
There are twelve characters
in this *drama*. 이 극의 등장
인물은 열두 사람이다.
❷ 《a와 복수형 안 씀》(문학의 한
분야로서의) 연극.
Fred and Nancy are inter-
ested in *drama*. 프레드와 낸
시는 연극에 관심이 있다.

dra·mat·ic [drəmǽtik] 형
비교 **more dramatic**; 최상 **most
dramatic**
❶ 극적인, 연극 같은.
Elections always produce
some *dramatic* events. 선거
는 항상 극적인 사건을 일으킨다.
❷ 극의, 연극의.
He is good at *dramatic* per-
formances. 그는 연기를 잘 한다.

dram·a·tist [drǽmətist] 명
복수 **dramatists** [drǽmətists]
극작가.
A *dramatist* writes plays.
극작가는 각본을 쓴다.

dram·a·tize [drǽmətàiz] 타 ③·단·현
dramatizes [drǽmətàiziz] : ing형
dramatizing [drǽmətàiziŋ] : 과거
과분 **dramatized** [drǽmətàizd]
…을 극으로 만들다, 각색하다.
Mr. Johnson told the class
how to *dramatize* a story.

존슨씨는 반 학생들에게 이야기를
각색하는 법을 말해 주었다.

drank [drǽŋk] 동
     drink의 과거.
I *drank* some water from a
glass. 나는 잔에 있는 물을 마셨다.

draw [drɔ:] 동 ③·단·현 **draws** [drɔ:z] :
ing형 **drawing** [drɔ́:iŋ] : 과거 **drew**
[dru:] : 과분 **drawn** [drɔ:n]
타 ❶ (선 따위)를 긋다, (그림 따
위)를 그리다.
Draw a straight line with
your pencil. 연필로 직선을 그
어라.
❷ (주의 따위)를 끌다.
A man's loud voice *drew*
her attention. 한 남자의 커다란
목소리가 그녀의 주의를 끌었다.
❸ …을 끌다, 끌어당기다.
They *drew* chairs around
the fire. 그들은 불 주위로 의자
를 끌어당겼다.
They suddenly stopped
drawing water from the
well. 그들은 갑자기 우물에서 물
긷기를 멈췄다.
— 자 그림을 그리다 ; (때가) 가
까워 지다.
She *draws* very well.
그녀는 그림을 아주 잘 그린다.

비슷한 말 **draw** 와 **paint**
draw 나 paint 는 모두「그림을
그리다」란 뜻이나, draw는
「(펜이나 연필 따위로 선을 그
어) 그림을 그리다」, paint 는
「(그림 물감으로) 그림을 그리
다」란 뜻이다.

draw   paint

draw near 가까이 오다.
Christmas is *drawing near*.
크리스마스가 다가 온다.
Our bus *drew near* the city.
우리 버스는 시 가까이 왔다.

draw·er [drɔ́:r] 명 복수
drawers [drɔ́:rz]
서랍.
It is in the second *drawer* from the top. 그것은 위에서 둘째 서랍에 있다.
Open the bottom *drawer*.
맨 밑 서랍을 열어라.

draw·ing [drɔ́:iŋ] 명 복수
drawings [drɔ́:iŋz]
그림, 도화.
Tom did this *drawing*.
톰이 이 그림을 그렸다.

비슷한 말 **drawing**과 **paint-ing**과 **picture**
drawing은 펜, 연필, 크레용 따위로 그린 그림을 가리키고, painting은 그림 물감으로 그린 그림을 가리킨다. 또, picture 는 넓은 뜻의 그림이나 사진에 두루 쓰인다.

---

*drawn [drɔ:n] 통
draw의 과거 분사.
I saw a wagon *drawn* by two horses. 말 두 필이 끄는 짐마차를 보았다.

dread [dred] 명
《복수형 안 씀》 무서움, 공포.
Most people have a *dread* of speaking in public.
대부분의 사람들은 공적인 자리에서는 이야기하기를 꺼린다.
── 타 ③·단·현 **dreads** [dredz] ;
ing형 **dreading** [drédiŋ] ; 과거
과분 **dreaded** [drédid]
…을 무서워하다, 걱정하다.
I *dread* to think of what may happen in war.
전쟁에서 일어날 일을 생각하면 무섭다.

dread·ful [drédfəl] 형 비교
more dreadful ;
최상 **most dreadful**
❶ 무서운(=fearful).
A *dreadful* train accident happened yesterday. 어제 무서운 열차 사고가 일어났다.
❷ 지독한; 불쾌한.
We had *dreadful* weather.
지독한 날씨였다.

*dream [dri:m] 명
복수 **dreams** [dri:mz]
꿈; 희망.
His *dream* was that all people would have equal rights. 그의 꿈은 모든 사람들이 평등한 권리를 가지는 것이었다.
What are your *dreams*?
너의 꿈은 무엇이니?
My *dream* has come true.
내 꿈이 실현되었다.

회화 **Pleasant dreams!** 「좋은 꿈꿔라!」
자기 전에 하는 말. **Sweet dreams!** 라고도 한다. 흔히 **Sleep tight.**(푹 자라)란 말 뒤에 쓴다.
A : Sleep tight. *Pleasant dreams!*
B : OK. You, too.
「푹 자라. 좋은 꿈꾸고!」「그래. 너도.」

── 자 ③·단·현 **dreams** [dri:mz] ;
ing형 **dreaming** [drí:miŋ] ; 과거
과분 **dreamed** [dri:md] 또는
dreamt [dremt]
…을 꿈에 보다, 꿈꾸다.
I *dreamed* about home.
나는 꿈에 집을 보았다.
William *dreamed* of his mother in New York. 윌리엄은 뉴욕에 계시는 어머니 꿈을 꾸었다.
He is *dreaming* of becoming a pilot. 그는 조종사가 되는 것을 꿈꾸고 있다.

D

I never *dreamt* of meeting you here. 여기서 너를 만나리라 고는 꿈에도 생각 못했다.

dreamt [dremt] 통
dream의 과거 · 과거 분사의 하나.

drear·y [dríəri] 형
[비교] **drearier** [dríə-riər] [최상] **dreariest** [dríəriist]
적적한, 음울한, 쓸쓸한.
It was a *dreary* night.
쓸쓸한 밤이었다.

***dress** [dres] 명
[복수] **dresses** [drésiz]
옷, 의복.
Betty's red *dress* is very beautiful. 베티의 빨간 옷은 참 아름답다.
Mrs. Green went to the shopping center to buy her *dress.* 그린 부인은 옷을 사러 쇼 핑 센터에 갔다.

[참고] 영어의 dress는 여자가 입는 원피스를 가리킨다. 두 벌 갖춤이나 세 벌 갖춤 옷은 suit 라고 한다. 또, 일반적인 옷을 가리킬 때에는 clothes라고 한 다. ☞ clothes, suit

---

── 통 [3·단·현] **dresses** [drésiz] :
[ing형] **dressing** [drésiŋ] : [과거]
[과분] **dressed** [drest]
타 …에게 옷을 입히다.
Most of the people were *dressed* in white. 대부분의 사 람들이 흰 옷을 입고 있었다.
── 자 옷을 입다.
He got up and *dressed* quickly. 그는 일어나서 빨리 옷 을 입었다.
It's cold outside. *Dress* warmly. 밖은 춥다. 옷을 따뜻하 게 입어라.

dress one**self** 몸치장하다, 옷을 입다.
My mother *dressed* herself very nicely before she went

out. 어머니는 나가기 전에 아주 멋있게 옷을 차려 입으셨다.
It is important to *dress* oneself well. 옷을 잘 입는 것은 중요하다.

dress up 성장(盛裝)하다, 차려 입다.
My sister is *dressed up* in her finest clothes. 누나는 나 들이옷을 차려 입고 있다.

dress·ing [drésiŋ] 명
[복수] **dressings** [drésiŋz]
❶ 《집합적》 (샐러드 · 고기 · 생선 따위에 치는) 드레싱.
salad *dressing* 샐러드 드레싱.
❷ 붕대, (상처 등 외상 치료용 의) 의약재료.
The nurse put a *dressing* on his wound. 간호사가 그의 상처에 드레싱을 해 주었다.

***drew** [dru:] 통
draw의 과거.
The policeman *drew* a map and handed it to Jack.
그 경찰관은 지도를 그려서 잭에 게 주었다.

dried [draid] 통
dry의 과거 · 과거 분사.

dri·er [dráiər] 형
dry의 비교급.

dries [draiz] 통 **dry**의 3인칭 · 단수 · 현재.

dri·est [dráiist] 형
dry의 최상급.

drift [drift] 자
[3·단·현] **drifts** [drifts] :
[ing형] **drifting** [dríftiŋ] : [과거] [과분]
drifted [dríftid]
표류하다, 떠다니다.
The ship was *drifting* this way and that. 그 배는 이리저 리 표류하고 있었다.
── 명 [복수] **drifts** [drifts]
표류 ; (눈 따위가) 바람에 불려 쌓 인 더미.
The house was buried under *drifts* after the snow

storm. 눈보라 후에 그 집은 눈 더미에 파묻혔다.

drill [dril] 명
복수 **drills** [drilz]

❶ 훈련, 연습.
a fire *drill* 소방 훈련.
The children had lots of English *drills*. 아이들은 영어 연습을 많이 하였다.

❷ 송곳.
This *drill* works.
이 송곳은 잘 뚫어진다.

**drink [driŋk] 동
3·단·현 **drinks** [driŋks] ;
ing형 **drinking** [dríŋkiŋ] ; 과거
drank [dræŋk] ; 과분 **drunk** [drʌŋk]
또는 **drunken** [drʌ́ŋkən]
타 …을 마시다.
I want something to *drink*.
나는 뭔가 마시고 싶다.
Her mother and father are *drinking* coffee. 그녀의 어머니와 아버지는 커피를 마시고 있다.
── 자 마시다, 술을 마시다.
He *drinks* but not too much. 그는 술을 마시지만, 과음하지 않는다.
Never *drink* and drive.
음주 운전을 하지 마시오.

참고 **drink** 와 **eat** 와 **take**
drink는 물같은 액체를 용기에서 직접 마실 때, eat는 스푼을 써서 수프를 떠 마실 때 쓴다. 약을 먹을 때에는 가루약이든 물약이든 take를 쓴다.

drink   eat   take

── 명 복수 **drinks** [driŋks]
❶ 마실 것, 음료; 술《알코올이 든 음료》.

Why don't you come in and have a cold *drink*?
들어 와서 찬 음료를 마시렴.
❷ 한 잔.
Please give me a *drink* of milk. 우유를 한 잔 주시오.

drip [drip] 자
3·단·현 **drips** [drips] ; ing형
dripping [drípiŋ] ; 과거 과분 **dripped** [dript]
(액체가) 똑똑 떨어지다.
Water is *dripping* from the tap. 수도 꼭지에서 물이 똑똑 떨어지고 있다.
── 명 복수 **drips** [drips]
똑똑 떨어지는 것, 물방울.
The *drip* of water from the tap makes me thirsty.
수도 꼭지에서 떨어지는 물방울을 보니까 목이 마르다.

**drive [draiv] 동
3·단·현 **drives** [draivz] ; ing형
driving [dráiviŋ] ; 과거 **drove** [drouv] ; 과분 **driven** [drívən]
타 ❶ (차)를 운전하다.
I can't *drive* a car.
나는 차를 운전할 수 없다.
❷ …을 쫓다, 몰다.
A man was *driving* a donkey. 한 남자가 당나귀를 몰고가는 중이었다.
── 자 차를 운전하다, 차로 가다, 드라이브하다.
My parents and I *drove* to the seaside yesterday.
부모님과 나는 어제 해안까지 드라이브를 하였다.
My father knows how to *drive*. 아버지께서는 운전할 줄 아신다.
── 명 복수 **drives** [draivz]
드라이브.
Tom and Susie had a pleasant *drive*. 톰과 수지는 즐거운 드라이브를 하였다.
It's a twenty-minute *drive* to his house. 그의 집까지는

차로 20분 걸린다.

go for a drive 드라이브하러 가다.

How about *going for a drive?* 드라이브하러 가지 않을래?

take a drive 드라이브하다.

Let's *take* a long *drive* on Sunday. 일요일에는 멀리 드라이브하러 가자.

drive-in [dráivìn]
[형]

자동차를 타고 들어갈 수 있는.

a *drive-in* restaurant 드라이브인 식당.

a *drive-in* theater (야외에 있는) 드라이브인 영화관.

── [명] [복수] **dirve-ins** [dráivìnz] 드라이브인(차를 탄 채로 들어가는 식당·영화관·상점 따위).

Let's eat at the *drive-in* tonight. 오늘 저녁엔 드라이브인에서 식사하자.

driv·en [drívən]
[동] drive의 과거 분사.

I haven't *driven* this new car. 나는 아직 이 새 차를 운전하지 않았다.

driv·er [dráivər]
[명] [복수] **drivers** [dráivərz]
운전사, 마부.

Many *drivers* drive too fast. 많은 운전자들이 과속 운전을 한다.

The car *driver* was killed. 그 자동차 운전사는 사망했다.

The bus *driver* told me where to get off. 버스 운전사가 어디서 내릴지 나에게 일러 주었다.

driv·ing [dráiviŋ]
[동] drive의 -ing형.

drop [drap]
[3·단·현] **drops** [draps];
[ing형] **dropping** [drápiŋ]; [과거]
[과분] **dropped** [drapt]
[타] ❶ (물건 따위)를 떨어뜨리다, 잃어버리다.

She *dropped* her book. 그녀는 책을 떨어뜨렸다.

❷ (차 따위에서) …을 도중에 내려 주다.

Mr. Miller *dropped* me at the corner. 밀러씨는 나를 모퉁이에서 내려 주었다.

Drop me off here, please. 나를 여기에서 내려다오.

── [자] ❶ 떨어지다, (물 따위가) 똑똑 떨어지다.

The apple *dropped* (down) from a tree. 사과가 나무에서 떨어졌다.

❷ (온도·물가 따위가) 내려가다.

The temperature has *dropped* this morning. 오늘 아침에 기온이 내려갔다.

The price of meat will *drop*. 고깃값이 내릴 것이다.

drop by (예고 없이) …에 들르다.

I *dropped by* the post office. 나는 우체국에 들렀다.

I *dropped by* a store to buy some notebooks. 나는 공책 몇 권을 사러 가게에 들렀다.

drop in 잠깐 들르다.

Let's *drop in* at this coffee shop. 이 커피점에 잠깐 들르자.

Uncle George *dropped in* to see us last night. 조지 아저씨는 어젯밤에 우리를 보러 들르셨다.

┌─────────────────────────┐
[회화] **Drop in (by) sometime.** 「또 오너라.」

일반 가정 같은 데서 예고 없이 찾아온 손님이 돌아갈 때 하는 말. 스스럼 없는 표현.

A : Good to see you, Jane. *Drop in* (by) sometime.

B : See you.
「만나서 기쁘다, 제인. 또 와.」
「또 만나자.」
└─────────────────────────┘

── [명] [복수] **drops** [draps]
(물)방울; (온도·물가 등의) 하락.

A few *drops* of rain fell on my coat. 비 몇 방울이 내 웃옷에 떨어졌다.
There was a sudden *drop* in the price of oil. 석유값이 갑자기 내렸다.

***drove** [drouv] 동
drive의 과거.
My parents and I *drove* along the beach. 부모님과 나는 해변을 드라이브하였다.

drown [draun] 동 ③·단·현
drowns[draunz] : ing형
drowning[dráuniŋ] : 과거 과분
drowned[draund]
자 물에 빠지다, 익사하다.
A girl nearly *drowned* in the lake. 한 소녀가 하마터면 호수에 빠질 뻔했다.
A *drowning* man will catch at a straw. 《속담》 물에 빠진 사람은 지푸라기라도 붙잡는다.
── 타 …을 물에 빠뜨리다, 익사시키다.
He was *drowned* in the river. 그는 강에 빠져 죽었다.

drug [drʌg] 명
복수 **drugs**[drʌgz]
약, 약품.
Try not to take a sleeping *drug*. 수면제를 먹지 않도록 해보아라.

drug·gist [drʌ́gist] 명 복수
druggists[drʌ́gists]
약사, 약국 주인.
George is a *druggist*. 조지는 약사이다.

drug·store [drʌ́gstɔːr] 명
복수 **drugstores**[drʌ́gstɔːrz]
약국.
Jim works in a *drugstore* near his house. 짐은 자기 집 근처의 약국에서 일한다.

참고 drugstore는 미국 특유의 것으로서 약국이기는 하지만,

우리 나라의 「약국」과는 달라서, 화장품, 담배, 문방구, 잡지, 레코드 따위도 팔며, 스탠드에서는 아이스크림, 커피, 콜라, 샌드위치 따위의 간단한 음식도 먹을 수 있게 되어 있다.
☞ café

drum [drʌm] 명
복수 **drums**[drʌmz]
북.
I heard the sound of *drums*. 나는 북 소리를 들었다.
── 자 ③·단·현 **drums**[drʌmz] :
ing형 **drumming**[drʌ́miŋ] : 과거
과분 **drummed**[drʌmd]
북을 치다, 둥둥 두드리다.
He *drummed* on the table with his fingers. 그는 손가락으로 테이블을 똑똑 두드렸다.

drunk [drʌŋk] 동
drink의 과거 분사의 하나.
He is *drunk*. 그는 취해 있다.
A lot of tea is *drunk* in England. 영국에서는 차를 많이 마신다.

drunk·en [drʌ́ŋkən] 동
drink의 과거 분사의 하나.

***dry** [drai] 형 비교 **drier**[dráiər] :
최상 **driest**[dráiist]
❶ 마른(⇔ wet 젖은) : 비가 오지 않는.
Mrs. Brown gave me a *dry* towel. 브라운 부인은 나에게 마른 수건을 주었다.
If they have many *dry* days, people want rain. 날씨가 여러 날 건조하면, 사람들은 비를 바라게 된다.

dry

wet

❷ 재미 없는; 냉담한, 쌀쌀맞은.
This book is *dry*.
이 책은 재미 없다.

give a *dry* answer 쌀쌀맞게
대답하다.

— 동 3·단·현 **dries**[draiz]:
ing형 **drying**[dráiiŋ]: 과거 과분
dried[draid]

타 …을 말리다; (손·그릇 따위)
를 닦다.
Mrs. Brown *dried* the dishes.
브라운 부인은 접시를 닦았다.

He *dried* himself with a
bathtowel. 그는 목욕 수건으로
몸을 닦았다.

— 자 마르다.
The clothes will soon *dry*
in the wind. 옷은 바람에 곧
마를 것이다.

duck [dʌk] 명
복수 **ducks**[dʌks]

오리.
a wild *duck* 들오리.
The *ducks* were swimming
around the pond. 오리들이
연못을 헤엄쳐 돌고 있었다.

duck·ling [dʌ́kliŋ] 명

복수 **ducklings** [dʌ́kliŋz]
오리새끼.
The Ugly *Duckling* 미운 오리
새끼. 《안데르센의 동화》

due [dju:] 형
❶ 당연한; 응당 치러야 할.
A payment is *due* to you.
너에게 지불해야 할 돈이 있다.

❷ 도착 예정인; 《be due to do
로》 …할 예정이다, …하게 되어
있다.
The plane is *due* at 5

p.m. 그 비행기는 오후 5시에 도
착할 예정이다.

Tom *is due to* come at
noon. 톰은 정오에 오기로 되어
있다.

❸ 《be due to로》 …의 탓이다.
The accident *was due to*
her careless driving.
그 사고는 그녀의 부주의한 운전
탓이었다.

due to …때문에(=because of).
We arrived late *due to* the
snow. 우리는 눈 때문에 늦게 도
착했다.

dug [dʌg] 동
dig의 과거·과거 분사.

duke [dju:k] 명
복수 **dukes**[dju:ks]

공작(公爵). ☞ baron
Duke of Wellington[wélintən]
웰링턴 공작.

*＊**dull** [dʌl] 형 비교 **duller**[dʌ́lər]:
최상 **dullest**[dʌ́list]

❶ 희미한.
There was only one *dull*
light on the street.
거리에는 희미한 등이 하나 있을
뿐이었다.

This color is clear, but
that one is *dull*. 이 색은 선
명하지만 저 색은 흐리다.

❷ 재미 없는, 지루한(⇔ inter-
esting 재미있는).
I saw a baseball game
yesterday, but it was *dull*.
어제 야구 시합을 보았으나 재미
가 없었다.

The movie was *dull*.
그 영화는 시시하였다.

❸ (머리가) 우둔한(⇔ clever 영
리한); (칼 따위가) 무딘(⇔ sharp
예리한).
All work and no play
makes Jack a *dull* boy.
《속담》 공부만 시키고 놀게 하지
않으면 아이는 바보가 된다.

The knife is *dull*.
그 칼은 무디다.

dumb [dʌm] 형
벙어리의; 말 못하는, 말
없는. ☞ blind(맹인의); deaf
(귀머거리의)
the deaf and *dumb* 농아자
들.
The class remained *dumb*
when the teacher asked a
difficult question. 선생님께서
어려운 질문을 하셨을 때 반 학생
들은 말이 없었다.
▶ dumb의 b는 발음하지 않음.

dump [dʌmp] 타 3·단·현
dumps[dʌmps]; ing형
dumping[dʌmpiŋ]; 과거 과분
dumped[dʌmpt]
(쓰레기 따위)**를 내버리다, 털썩
떨어뜨리다.**
People began to *dump* all
kinds of garbage into the
river. 사람들은 강에 온갖 쓰레기
를 내버리기 시작했다.

****dur·ing** [djúəriŋ] 전
…동안, …중.
He lived in his uncle's
house *during* the summer.
그는 여름 동안 자기 삼촌댁에서
지냈다.
The sun keeps us warm
during the day. 낮 동안에는
태양이 우리를 따뜻하게 한다.

┌─ 어법 **1. during 과 while**
│ during과 while은 모두 「…동
│ 안에」란 뜻이지만, during은
│ 전치사로서 뒤에 명사가 온다.
│ 이에 대하여 while은 접속사로
│ 서 뒤에 주어와 동사가 있는 절
│ 이나 -ing형이 온다.
│ I saw Hallasan *during*
│ *my stay in Jeju-do.* = I
│ saw Hallasan *while (I*
│ *was) staying in Jeju-do.*
│ 나는 제주도에 머무르는 동안
│ 한라산을 보았다.
│ **2. during 과 for**
│ 모두 「…동안에」란 뜻이지만,
│ during 뒤에는 the summer

나 the vacation처럼 어느 특
정한 기간을 나타내는 말이 오
고, for 뒤에는 기간의 길이를
나타내는 a week, two
months 따위 말이 온다.
He was in the hospital
for a week *during* the
summer. 그는 여름 동안 일주
일간 입원했다.

dusk [dʌsk] 명
《a와 복수형 안 씀》 땅거
미, 황혼.
He went out at *dusk*.
그는 해질 무렵에 나갔다.

****dust** [dʌst] 명
《a와 복수형 안 씀》 먼지,
티끌.
a cloud of *dust* 자욱한 먼지.
The room was full of *dust*.
방은 먼지투성이었다.
My desk was covered with
dust. 내 책상은 먼지로 덮여 있
었다.   ☞ 형 dusty
── 타 3·단·현 **dusts**[dʌsts]；
ing형 **dusting**[dʌstiŋ]; 과거 과분
dusted[dʌstid]
…의 먼지를 털다.
She *dusts* the furniture
every day. 그녀는 매일 가구의
먼지를 턴다.

dust·y [dʌsti] 형
비교 **dustier**[dʌstiər]；
최상 **dustiest**[dʌstiist]
먼지투성이의, 먼지 많은.
We drove along a *dusty*
road. 우리는 차로 먼지 많은 길
을 달렸다.   ☞ 명 dust

Dutch [dʌtʃ] 형
**네덜란드의; 네덜란드 사
람의; 네덜란드어의.** ☞ Holland
(네덜란드)
── 명 《the를 붙여》 네덜란드 국
민; 《a와 복수형 안 씀》 네덜란드
말.
Mr. White speaks *Dutch*
very well. 화이트씨는 네덜란드
어를 매우 잘 한다.

D

어법 개개인의 네덜란드 사람을 가리킬 때에는 a Dutchman, two Dutchmen 이라 하고, a Dutch 라고는 하지 않는다. 네덜란드 국민 전체를 가리킬 때에는 앞에 정관사 the를 붙여 the Dutch 라고 한다.

Dutch·man [dʌ́tʃmən] **명**
복수 Dutchmen [dʌ́tʃmən]
네덜란드 사람.

Dutch·men [dʌ́tʃmən] **명**
Dutchman의 복수.

du·ties [djúːtiz] **명**
duty의 복수.

*＊**du·ty** [djúːti] **명**
복수 duties [djúːtiz]
❶ 《a와 복수형 안 씀》 의무.
It's our *duty* to obey the law. 법을 따르는 것은 우리의 의무.
❷ 《보통 복수형으로》(특정한) 임무, 본분.
Never forget the *duties* of a student. 학생의 본분을 잊지 마라.
❸ (수출입·소비 따위에 과하는) 세, 관세. ▶복수형으로 종종 쓰임.
pay *duty* 〔*duties*〕 관세를 지불하다.
***be off duty** 근무중이 아니다.
Let's go out. I'm *off duty* till one o'clock. 나가자. 나는 1시까지 비번이다.

***be on duty** 근무중이다.
He *is on duty* now.
그는 지금 근무중이다.
***do one's duty** 의무를 다하다.
You must *do your duty*.
자기 의무를 다해야 한다.

dwell·ing [dwéliŋ] **명** **복수**
dwellings [dwéliŋz]
주택, 주소.
The house is a two-family *dwelling*. 그 집은 두 세대가 쓰는 주택이다.

dye [dai] **타** 3·단·현 dyes [daiz]:
dyeing [dáiiŋ]: **과거** **과분**
dyed [daid]
염색하다, 물들이다.
I *dyed* my hair brown.
나는 나의 머리를 갈색으로 염색했다.
── **명** **복수** dyes [daiz] 물감, 염료, 색깔.
a bottle of hair *dye* 머리 염색약 한 병.

dy·ing [dáiiŋ] **동**
die의 -ing형.
Many vegetables and fruit trees were *dying*. 많은 채소와 과일 나무들이 죽어가고 있었다.
Some animals are in danger of *dying* out. 몇몇 동물들은 멸종의 위기에 처해 있다.

dy·nam·ic [dainǽmik] **형**
비교 more dynamic; **최상** most dynamic
동적인, 활동적인.
a *dynamic* person 활동적인 사람.

E e

E e
E e

*each [iːtʃ] 〔형〕 각각의, 각자의. ☞ every
Each boy has a cap on. 소년들은 각자 모자를 쓰고 있다.
My mother gave *each* boy a piece of cake. 어머니는 소년 하나하나에게 과자를 주셨다.
There were trees on *each* side of the river. 강의 양쪽으로 나무들이 있었다.

> 〔주의〕 each 다음에 오는 명사는 단수형임에 주의. each는 하나하나를 가리키는 말이므로, 그 다음에는 단수 명사만이 따르게 된다.
> (×) each *boys*
> (○) each *boy*

each time 1. 《부사적으로 쓰여》 그 때마다, 언제나.
Jim tried three times and *each time* he failed. 짐은 세 번 시도하여 보았고 그 때마다 실패했다.
2. 《접속사적으로 쓰여》 …할 때마다.
Each time she came, she brought me a nice book. 그녀는 올 때마다 좋은 책을 갖다 주었다.
── 〔대〕 《보통 단수 취급》 각자, 각기, 각각. ▶ 사람·사물에 두루 쓰이고, 이를 받는 대명사는 단수 대명사가 원칙임.
Each of the boys has his own bicycle. 소년들은 각자 자기 자전거를 가지고 있다.
Each of us has his own opinion. 우리들에게는 각자의 의견이 있다.

*each other 서로(=one another). ▶ 동사의 목적어로나 전치사 다음에는 쓸 수 있지만, 주어로는 안 씀.
They love *each other*. 그들은 서로 사랑한다.
People must help *each other*. 사람들은 서로 도와야 한다.
They looked at *each other*. 그들은 서로 얼굴을 쳐다보았다.
── 〔부〕 한 개당, 일인당, 각자에게.
These oranges are ten cents *each*. 이 오렌지는 한 개에 10 센트이다.
He gave the boys a dollar *each*. 그는 소년들에게 각각 1 달러씩 주었다.

ea·ger [íːɡər] 〔형〕 〔비교〕 **more eager** 또는 **eagerer** [íːɡərər]; 〔최상〕 **most eager** 또는 **eagerest** [íːɡərist]
열심인; 간절히 바라는.
He is an *eager* student. 그는 열심히 하는 학생이다.
I am *eager* for news about them. 나는 그들에 관한 소식을 알고 싶어 못 견디겠다.
The boy is *eager* to visit his grandmother. 그 소년은 할머니한테 가기를 간절히 바란다.

ea·ger·ly [íːɡərli] 〔부〕 〔비교〕 **more eagerly**; 〔최상〕 **most eagerly**
열심히, 간절히.
They *eagerly* asked me to stay longer with them. 그들은 나에게 더 있어 달라고 간청했다.

ea·gle [íːɡəl] 〔명〕 〔복수〕 **eagles** [íːɡəlz]
수리, 독수리.

An *eagle* is called the king of the birds. 독수리는 새 중의 왕이라고 불린다.
Some American coins have an *eagle* on them. 미국 주화(鑄貨)의 어떤 것에는 독수리가 (새겨져) 있다.

참고 미국의 국장(國章)이나 50 센트 주화, 우표 따위에 양쪽 날개를 펼친 독수리 (spread eagle)가 있다. 이 독수리는 미국의 나라새인 흰머리독수리 (bald eagle)다. ☞ 명 seal²

*ear [iər] 명
복수 ears[iərz]
❶ 귀.
We hear with our *ears*.
우리는 귀로 듣는다.

회화 I'm all ears.
「잘 듣고 있으니 어서 말하시오.」란 뜻의 정해진 문구.
A : I have something to tell you.
B : Go ahead. I'm all ears.
「너에게 말할 것이 있는데.」
「그래. 어디 들어보자.」

❷ 청각; 《단수형으로 쓰여》 소리를 이해하는 능력.
You have good *ears*.
너는 귀가 밝구나.
She has a good *ear* for classical music. 그녀는 고전 음악을 잘 이해한다.
ear·ache [iərèik] 명

복수 earaches [íərèiks]
귀앓이.
The boy had an *earache*.
그 소년은 귀가 아팠다.
ear·li·er [ə́ːrliər] 부 형
early 의 비교급.
ear·li·est [ə́ːrliist] 부 형
early 의 최상급.
****ear·ly** [ə́ːrli] 부 형
비교 **earlier** [ə́ːrliər] :
최상 **earliest**[ə́ːrliist]
부 일찍이, 초기에(⇔ late 늦게).
My mother always gets up *early* in the morning. 어머니는 늘 일찍 일어나신다.
He came home *earlier* than usual. 그는 보통 때보다 일찍 귀가했다.
Early to bed, (and) *early* to rise, makes a man healthy, wealthy and wise. 《속담》일찍 자고 일찍 일어나면 건강하고 부유하고 지혜로워진다.

참고 **early와 fast**
early는 「시간·시기적으로 일찍」이란 뜻이고, fast는 「동작이나 속도가 빠르게」란 뜻이다.
get up *early* 일찍 일어나다.
run *fast* 빠르게 달리다.

── 형 이른; 초기의(⇔ late 늦은).
You're very *early* this morning. 너는 오늘 아침엔 꽤 일찍 나왔군.
The *early* bird catches the worm.
《속담》일찍 일어나는 새가 벌레를 잡는다.
keep early hours 일찍 자고 일찍 일어나다.
ear·muff [iərmʌ̀f]
복수 earmuffs [íərmʌ̀fs]
《복수형으로》 귀덮개, 귀가리개, 귀마개. ► ear muffs라고도 쓴다.
You have to wear *earmuffs*

in the winter.
겨울에는 귀가리개를 해야 한다.

***earn** [ə:rn] 他
3·단·현 **earns** [ə:rnz];
ing형 **earning** [ə:rniŋ]; 과거 과분
earned [ə:rnd]
(일하여 돈 따위)를 벌다; (명성
따위)를 얻다.

The clerk *earns* two dollars
an hour. 그 점원은 한 시간에
2 달러를 번다.

George *earned* money by
delivering newspapers.
조지는 신문을 배달하여 돈을 벌
었다.

He *earned* a reputation for
honest. 그는 정직하다는 평판을
얻었다.

earn one's living 일해서 생계비
를 벌다.

She *earned* her living by
teaching. 그녀는 가르치는 것으
로 생계비를 벌었다.

ear·nest [ə:rnist] 형
비교 **more earnest**;
최상 **most earnest**
착실한, 열심인.

An *earnest* student answered
promptly. 한 착실한 학생이 곧
대답하였다.

in earnest 진심으로, 진지하게.

If you work *in earnest*, you
will succeed. 열심히 공부하면
너는 성공할 것이다.

ear·nest·ly [ə:rnistli] 부
비교 **more ear-
nestly**; 최상 **most earnestly**
진지하게, 진심으로.

I *earnestly* hope you'll make
friends with Mike. 나는 네가
마이크와 사이좋게 지내기를 진심
으로 바란다.

ear·phone [íərfòun] 명
복수 **earphones** [íərfòunz]
《보통 복수형으로》 이어폰.

put on *earphones* 이어폰을
끼다.

ear·ring [íəriŋ] 명 복수
earrings [íəriŋz]
《보통 복수형으로》 이어링, 귀고리.

***earth** [ə:rθ] 명
❶ 《the를 붙여》 지구.

The moon moves around
the *earth*, and the *earth*
moves around the sun.
달은 지구 주위를 돌고, 지구는
태양의 주위를 돈다.

❷ 《an과 복수형 안 씀》 흙; **토양**
(=soil).

Rivers carry *earth* into the
sea. 강은 흙을 바다로 나른다.

❸ 《보통 the를 붙여》 (하늘과 대
비하여) 땅, **지면**(=ground).

The airplane fell to the *earth*.
비행기가 땅으로 추락하였다.

on earth 1. 《형용사의 최상급을
강조하여》 세상[지상]에서.

He is the greatest man *on
earth*. 그는 세상에서 가장 위대
한 사람이다.

2. 《부정어·의문사를 강조하여》 대
체, 전혀.

What *on earth* was it?
대체 그것이 무엇이었느냐?

Nobody *on earth* ever tried
to swim across this river.
이 강을 헤엄쳐 건너려고 한 사람
은 아직까지 아무도 없었다.

earth·quake [ə:rθkwèik] 명
복수 **earthquakes** [ə:rθkwèiks]
지진.

Japan is a land of *earth-
quakes*. 일본은 지진이 잦은 나
라다.

Did you feel the *earthquake*
last night? 어젯밤 지진을 느꼈
느냐?

ease [i:z] 명
❶ 《an과 복수형 안 씀》 **편
안, 안락, 안심.**

a life of *ease* 안락한 생활.

Please make yourself at
ease. 편히 하십시오.

❷ 《an과 복수형 안 씀》 용이, 쉬

움(⇔ difficulty 어려움).
He solved the problem with *ease*. 그는 쉽게 문제를 풀었다. ☞ 혱 easy

eas·i·er [í:ziər] 혱
easy의 비교급.

eas·i·est [í:ziist] 혱
easy의 최상급.

***eas·i·ly** [í:zəli] 閈
비교 **more easily;**
최상 **most easily**
쉽게, 용이하게, 수월히.
Mr. Han can read English *easily*. 한선생님은 영어를 쉽게 읽을 수 있다.
My eyes get tired *easily*.
내 눈은 쉽게 피로해진다.

***east** [í:st] 몡
❶ 《the를 붙여》 동쪽, 동방, 동부(⇔west 서쪽).
Korea is in the *east* of Asia. 한국은 아시아의 동부에 있다.
The sun rises in the *east* and sets in the west. 해는 동쪽에서 떠서 서쪽으로 진다. ▶ 「동쪽에서 뜨다」를 rise from the east 로 하면 잘못임.

참고 「동,서,남,북」을 영어에서는 보통 north, south, east and west라고 한다. 우리말과 그 순서가 다름에 주의.

❷ 《the East로》 동양(⇨the West 서양); (특히 미국의) **동부 지방.**
the Far 〔Middle〕 *East* 극동 〔중동〕.
Civilization started in *the East*. 문명은 동양에서 시작되었다. ☞ 혱 eastern
— 혱 동쪽의, 동부의.
The *east* wind has begun to blow. 동풍이 불기 시작했다.
— 閈 동쪽에, 동쪽으로.
My house faces *east*.
나의 집은 동향이다.

The ships kept sailing *east*. 배들은 동쪽으로 항해를 계속하였다.

East·er [í:stər] 몡
부활절.
Jane is leaving for home for the *Easter* vacation. 제인은 부활절 휴가에 고향에 간다.

참고 Easter는 예수의 부활을 기념하는 축제로서 3월 21일 이후의 만월(滿月)의 날 다음에 오는 첫째 일요일을 Easter Sunday 〔Day〕라고 하며, 이 날로부터 1주일 동안을 Easter Week라고 한다. Easter는 Christmas와 더불어 중요한 기독교의 연중 행사로서 Easter Card를 친구나 친척 간에 교환한다. 특히 어린이들 사이에서는 새로운 생명을 나타내는 아름답게 채색한 달걀(Easter egg)을 친구에게 보내는 습관이 있다. 미국에서는 여성들이 새로운 봄 모자를 쓰고 새 나들이옷을 입고 교회에 나가는 것이 특징이다. New York에서는 부활절에 하는 Easter Parade 가 유명한데, 화려한 옷차림을 한 여성들의 행진은 많은 군중들의 시선을 모은다.

East·er hol·i·days
[í:stər hálədèiz] 몡
《the를 붙여》 **부활절 휴가.** ▶ 영미의 학교에서는, 부활절의 일요일을 포함한 전후 1주일 간의 휴가가 있음.

E

*east·ern [íːstərn] 형
❶ 동쪽의, 동방의(⇔ western 서쪽의).
an *eastern* wind 동풍.
The *eastern* sky was getting light. 동쪽 하늘이 점점 밝아지고 있었다.
❷ 《**Eastern**으로》 동양의; (미국의) 동부 지방의.
Eastern culture 동양 문화.
☞ 명 east

east·ward [íːstwərd] 부
동쪽으로.
They traveled *eastward*.
그들은 동쪽으로 여행하였다.
The party drove away *eastward*. 일행은 동쪽으로 자동차를 몰았다.

*eas·y [íːzi] 형
비교 **easier** [íːziər]; 최상
easiest [íːziist]
❶ 쉬운, 용이한, 수월한(⇔difficult, hard 어려운).
This is an *easy* book.
이것은 쉬운 책이다.
It's not *easy* for me to get there in time. 내가 시간 내에 거기에 도착하기는 쉽지 않다.
This problem is not *easy* to solve. 이 문제는 풀기가 쉽지 않다.
❷ 편한, 안락한.
He's living an *easy* life.
그는 편한 생활을 하고 있다.
☞ 명 ease
── 부 쉽게, 편히.
Nothing comes *easy*.
쉽게 얻어지는 것은 없다.

회화 **Take it easy.**
회화체의 표현으로 「서두르지 마라」, 「자, 침착해라」, 「너무 흥분하지 마라」 따위의 다양한 뜻을 나타낸다. 또, 미국에서는 다정한 친구 사이의 작별 인사로도 쓰여 「안녕」, 「잘 있어[가라]」 따위의 뜻으로도 쓰인다.

A : Bye, Ellen.
B : See you, Nancy. *Take it easy.*
「잘 가거라, 엘렌.」「또 만나, 낸시. 잘 있어.」

eas·y chair [íːzi t∫ɛ̀ər] 명
복수 **easy chairs** [íːzi t∫ɛ̀ərz]
안락 의자.
Father is sitting in an *easy chair*. 아버지께서는 안락 의자에 앉아 계신다.

*eat [iːt] 동 3·단·현 **eats** [iːts];
ing형 **eating** [íːtiŋ]; 과거
ate [eit]; 과분 **eaten** [íːtn]
타 …을 먹다.
I *eat* breakfast at seven.
나는 일곱 시에 아침을 먹는다.
I want something to *eat*.
무엇인가 먹고 싶다.
Have you *eaten* your dinner? 너는 저녁을 먹었느냐?
── 자 먹다, 식사하다.
We *ate* at 6:30.
우리는 여섯 시 반에 식사를 했다.
"Where shall we *eat*?"
"Let's *eat* at the restaurant on the corner." 「어디서 식사를 할까?」「모퉁이에 있는 식당에서 식사를 하자.」

eat out 외식하다.
We *eat out* on Sundays.
우리는 일요일에는 외식한다.

eat up …을 (깡그리) 먹어 치우다.
He *ate up* everything.
그는 전부 먹어 치웠다.

*eat·en [íːtn] 동
eat의 과거 분사.

ech·o [ékou] 명
복수 **echoes** [ékouz]
산울림, 메아리.
Tom learned about *echoes* in school today. 톰은 오늘 학교에서 메아리에 관해서 배웠다.

ec·o·nom·ic [ìːkənámik] 형
❶ 경제학의.
We heard Professor Brown's

lecture on *economic* policy.
우리는 브라운 교수의 경제 정책
에 관한 강의를 들었다.
❷ 경제(상)의.
He left school for *economic*
reasons.
그는 경제상의 이유로 학교를 그
만두었다.

ec·o·nom·i·cal [ìːkənámi-kəl] 혭

비교 **more economical**; 최상
most economical
경제적인, 절약하는.
an *economical* car (연료비가
싼) 경제적인 차.
He's *economical* with his
money. 그는 돈을 낭비하지 않
는다.

ec·o·nom·ics [ìːkənámiks] 몝

《an과 복수형 안 씀》경제학. ▶
끝에 s가 붙어 있으나 단수 취급.
Peter is interested in *eco-
nomics*. 피터는 경제학에 흥미를
가지고 있다.

e·co·no·my [ikánəmi] 몝

《an과 복수형 안 씀》경제; 절약.
Korea's *economy* was devel-
oping so fast. 한국의 경제는
매우 빨리 발전하고 있었다.
You have to practice *eco-
nomy*. 너는 절약을 실천하여야
한다.

-ed [-t, -d, -id] 접미

규칙 동사의 원형에 붙어 과
거·과거 분사형을 만듦.

참고 과거·과거 분사형 만드는 법		
대개의 낱말	-ed를 붙임	stay*ed*
e로 끝나는 낱말	-d만을 붙임	lov*ed*
「단모음＋자음자」로 끝나는 낱말	자음자를 겹치고 -ed를 붙임	stop*ped*
「자음자＋y」로 끝나는 낱말	y를 i로 바꾸고 -ed를 붙임	stud*ied*

발음 **-ed, -d의 발음**	
[t] [d] 의 뒤	[id] wanted[wantid]
[d] 이외의 유성음의 뒤	[d] played[pleid]
[t] 이외의 무성음의 뒤	[t] worked[wəːrkt]

***edge** [edʒ] 몝
복수 **edges** [édʒiz]

❶ 테두리, 끝머리, 가장자리.
We walked along the *edge*
of the lake. 우리는 호숫가를
따라 걸었다.
The boy is sitting on the
edge of the chair. 그 소년은
의자 모서리에 앉아 있다.
❷ (칼 따위의) 날.
This knife has a sharp
edge and cuts well. 이 칼은
날이 서 있어서 잘 든다.

Ed·i·son [édəsən] 몝
에디슨.

Thomas Alva [táməs ǽlvə] **Ed-
ison** 토머스 앨바 에디슨 (1847-
1931) 《미국의 발명가. 축음기·
백열 전구·영화 촬영기 따위를 발
명하였음》.

e·di·tion [idíʃən] 몝 복수
editions [idíʃənz]

(책·신문 따위의) 판(版).
I have a cheap *edition* of

the book. 나는 그 책의 염가판
을 가지고 있다.

ed·i·tor [édətər] 명 복수 editors[édətərz]

편집자, 편집 주간.
Dick is the *editor* of our
school paper. 딕은 우리 학교
신문의 편집자이다.

ed·u·cate [édʒukèit] 타 3·단·현 educates
[édʒukèits]; ing형 educating
[édʒukèitiŋ]; 과거 과분 educat-
ed[édʒukèitid]

…을 교육하다; 학교에 보내다.
Parents should *educate*
their children. 부모는 자녀를
교육시켜야 한다.
Jim was *educated* at
Harvard. 짐은 하버드 대학에서
교육을 받았다. ☞ 명 education

ed·u·ca·tion [èdʒukéiʃən] 명

교육. ▶복수형 안 씀.
He had a good *education*.
그는 훌륭한 교육을 받았다.
The level of culture in a
country depends upon the
education of its people. 한
나라의 문화 수준은 그 국민의 교
육에 달려 있다.
☞ 동 educate, 형 educational

ed·u·ca·tion·al [èdʒukéi-ʃənəl] 형
비교 more educational; 최상
most educational

교육적인, 교육(상)의.
Mr. Han often watches *edu-
cational* TV programs. 한선생
님은 종종 텔레비전 교육 프로그
램을 본다. ☞ 명 education

eel [i:l] 명 복수 eels[i:lz]
뱀장어.
An *eel* is a slippery fish.
뱀장어는 미끈미끈한 물고기다.

ef·fect [ifékt] 명 복수 effects[ifékts]

❶ 결과(⇔ cause 원인).
Fever is an *effect* of dis-
ease. 열은 병의 결과이다.
❷ 효과, 영향.
The medicine had a good
effect on him. 그 약은 그에게
효험이 있었다.
His protest had no *effect*.
그의 항의는 아무 효과가 없었다.
take effect 효과를 내다, (약 따위
가) 듣다.
The medicine *took effect*.
약이 들었다.
The injection quickly *took
effect*. 주사는 곧 효력을 나타내
었다.

ef·fec·tive [iféktiv] 형
비교 more effective; 최상 most
effective

유효한, 효과적인.
Let's take *effective* steps at
once. 곧 유효한 조치를 취하자.

ef·fec·tive·ly [iféktivli] 부
비교 more effectively; 최상
most effectively

효과적으로.
work together *effectively* 효
과적으로 함께 일하다.

ef·fi·cient [ifíʃənt] 형
비교 more efficient; 최상 most
efficient

❶ 능률적인, 효과적인.
Our new house is more
efficient than our old one.
우리 새 집은 먼저 집보다 더 편
리하다.
❷ (사람이) 유능한.
He is an *efficient* cook.
그는 유능한 요리사다.

ef·fort [éfərt] 명 복수 efforts[éfərts]
노력, 수고.
I made an *effort* to under-

E

E

stand him. 나는 그를 이해하려고 애썼다.

I'll make every *effort* to help you. 나는 너를 돕기 위해 모든 노력을 다할 것이다.

*__egg__ [eg] 명 복수 __eggs__ [egz]
달걀, 알. ▶새·물고기·벌레의 알을 모두 뜻하지만, 일반적으로 달걀을 가리킴.

Fish and birds come from *eggs*. 물고기나 새는 알에서 태어난다.

I like fried *eggs*.
나는 계란 프라이를 좋아한다.

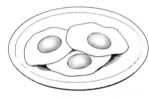

fried eggs

참고 영미 사람들의 식사, 특히 아침 식사에는 달걀이 빠질 수 없는 중요 식품의 하나이다. 그러나 날달걀(raw egg)은 거의 먹지 않는다. 요리 방법에 따라 그 명칭을 구분하면 다음과 같다.
boiled egg (삶은 달걀).
poached egg (수란(水卵)).
fried egg (프라이한 달걀).
scrambled egg(휘저어 잘 섞어서 프라이한 달걀). bacon [ham] and eggs(베이컨[햄] 조각을 곁들여 프라이한 달걀 요리).
또, 미국에서는 어떤 방식으로 프라이를 하느냐에 따라 다음 세 가지로 구분된다.
sunnyside[sʌ́nisàid] up (뒤집지 않고 한쪽 면만을 프라이하기). over easy (노른자위가 반숙되도록 뒤집어 양면을 프라이하기). over hard (노른자위가 완숙되도록 뒤집어 양면을 프라이하기).

egg·plant [égplænt] 명

복수 __eggplants__[égplænts]
가지.

참고 미국의 가지는 모양이 달걀 같고, 우리의 것보다 훨씬 크다. 가지 속에 다진 고기를 넣고 구운 요리 등이 있다.

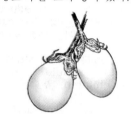

E·gypt [íːdʒipt] 명

이집트《아프리카의 동북부에 있는 공화국》.

참고 정식 국명은 the Arab Republic of Egypt (이집트 아랍 공화국). 수도는 카이로 (Cairo[káiərou]). 큰 피라미드 (the Pyramids)와 부근의 스핑크스(Sphinx[sfiŋks]) 및 사막의 신기루 등으로 많은 관광객을 끌고 있다.

*__eight__ [eit] 형
8의, 여덟 명〔개〕의, 여덟 살의.

Susie is *eight* years old.
수지는 여덟 살이다.
── 명 8, 여덟; 여덟 살; 8시;
《복수 취급》여덟 명〔개〕.
Open your books to page *eight*. 여러분의 교과서 8 페이지를 펴세요.

*__eight·een__ [éitíːn] 형
18의, 열여덟 명〔개〕의, 18 세의.
There are *eighteen* boys in my class. 우리 반에는 남자가

18 명 있다.
── 명 18; 18 세; 18시; 《복수 취급》열 여덟 명〔개〕.
My sister Mary is *eighteen*.
나의 누나 메리는 18세이다.

eight·eenth [éití:nθ] 형
《the를 붙여》
제 18의, 열 여덟 (번)째의.
the *eighteenth* century 18세기.
It is June *eighteenth* today.
오늘은 6월 18일이다.
── 명 《보통 the를 붙여》제 18, 열 여덟 번째, (달의) **18일**. ▶ 18th로 약함.
on the *eighteenth* of July, 7월 18일에.

eighth [eitθ] 형
❶ 《the를 붙여》제 8 의, 여덟 번째의.
❷ 8분의 1의.
an *eighth* note 8분음표.
── 명 복수 eighths[eitθs]
❶ 《보통 the를 붙여》여덟 번째, (달의) **8일**. ▶ 8th로 약함.
on the *eighth* of March, 3 월 8일에.
"What's the date?" "July *eighth*." 「오늘이 며칠이냐?」「7 월 8일이다.」
❷ 8 분의 1.
three *eighths*, 8 분의 3.

eight·ies [éitiz] 명
eighty의 복수.

eight·i·eth [éitiiθ] 형
《보통 the를 붙여》제 80의, 80 번째의.
Today is my grandfather's *eightieth* birthday. 오늘은 할 아버지의 여든 번째 생신이다.
── 명 《보통 the를 붙여》제 80, 80 번째. ▶ 80th로 약함.

eight·y [éiti] 형
80의, 80명〔개〕의, 80세의.
There are only *eighty* pu-pils in that school. 그 학교

에는 학생이 80명밖에 없다.
── 명 《복수》 eighties[éitiz]
❶ 80; 80 세; 《복수 취급》80명 〔개〕.
Eighty plus four is eighty-four. 80 더하기 4 는 84.
a woman of *eighty*, 80 세의 노부인.
There are *eighty*.
80명〔개〕있다.
❷ 《*one*'s **eighties**로》(나이의) 80 대; 《the **eighties**로》(각 세 기의) 80 년대. ▶ the 80s 〔80's〕 로도 씀.

ei·ther [í:ðər] 부
《not이 있는 부정문에 서》…도 또한 (~은 아니다).
If you don't go to the con-cert, I won't, *either*. 네가 음 악회에 안 간다면 나도 가지 않겠 다.
I don't like math, *either*.
나는 수학도 좋아하지 않는다.

─────────────────
어법 **too와 either**
둘 다 「…도 또한〔역시〕」란 뜻 이지만, too는 긍정문에 쓰여 「…도 또한 ~이다」라는 긍정의 뜻이 되고, either는 부정문에 쓰여서 「…도 또한 ~아니다」라 는 부정의 뜻이 된다.
He speaks English. I do, *too*. 그는 영어를 말한다. 나도 역시 그렇다.
He doesn't speak Spanish. I don't, *either*. 그는 스페인 말을 할 줄 모른다. 나도 역시 할 줄 모른다.
─────────────────

── 형 ❶ (둘 중) 어느 한 쪽의. ▶ 다음에 오는 명사는 단수형.
Take *either* book. (둘 중에 서) 어느 책을 가져도 좋다.
You can use *either* table. (둘 중의) 어느 테이블 하나를 써 도 좋다.
❷ 양쪽의. ▶ 다음에 오는 명사는 단수형의 side 또는 end.

E

There are trees on *either* side of the river. 강 양쪽에 나무들이 있다.

❸ 《부정문에 쓰여》 **어느 쪽의 …도** (아니다). ➤ 뒤에 오는 명사는 단수형.

I don't want *either* tie. 나는 어느 쪽의 넥타이도 원치 않는다.

I don't like *either* team. 나는 어느 쪽 팀도 좋아하지 않는다.

──대 ❶ 《단수 취급》 (둘 중) 어느 쪽이든.

Either of you must do it. 너희 (둘) 중 어느 쪽이든 그것을 해야만 한다.

Either of you may go. 너희 둘 중 한 사람은 가도 좋다.

❷ 《부정문에 쓰여》 (둘 중) **어느 쪽도** (…아니다).

I don't know *either* of his parents. 나는 그의 부모님 중 어느 분도 알지 못한다.

──접 《either … or ~로》 **…든가 ~든가 어느 한 쪽은**; 《부정문에서》 **…도 ~도** (아니다). ➤ both … and ~는 「…도 ~도 양쪽 다」란 뜻.

Either you *or* I am right. 너든 나든 어느 한 명이 옳다.

I didn't visit *either* London *or* Paris. 런던에도 파리에도 가 보지 못했다.

el·bow [élbou] 명 《복수》 **elbows** [élbouz] 팔꿈치.

Do not put your *elbows* on the table when you eat. 식사를 할 때 식탁 위에 팔꿈치를 대지 마라.

at one's elbow 바로 곁에.

He keeps the dictionary *at his elbow*. 그는 늘 사전을 곁에 두고 있다.

eld·er [éldər] 형 《명사 앞에 쓰여》 **손위의.** ➤ old의 비교급.

My *elder* brother is a den-

tist. 나의 형은 치과 의사다.

> 참고 elder는 형제 자매의 관계를 나타낸다. 그러나 미국에서는 elder 대신에 보통 older를 사용한다. 「형」이라고 손위를 밝힐 때에는 older [big] brother라고 하지만, 동양에서처럼 손아래와 손위의 순서를 굳이 따지지 않고 막연히 my brother라고 할 경우가 많다. ☞ old

eld·er·ly [éldərli] 형 **중년을 넘은, 나이가 지긋한, 초로의.**

An *elderly* gentleman asked me the way to the station. 나이가 지긋한 신사가 나에게 역으로 가는 길을 물었다.

eld·est [éldist] 형 《명사의 앞에 쓰여》 **가장 나이가 많은, 최연장의** (⟺ youngest 가장 나이가 어린). ➤ old의 최상급.

Mike is my *eldest* son. 마이크는 내 장남이다.

> 참고 eldest는 형제 자매의 관계를 나타낸다. 미국에서는 eldest 대신 보통 oldest를 사용한다. ☞ elder

e·lect [ilékt] 타 《3·단·현》 **elects** [ilékts]: 《ing형》 **electing** [iléktiŋ]: 《과거》 《과분》 **elected** [iléktid] **…을 선거[선출]하다, 뽑다** (= choose).

We *elected* him President. 우리는 그를 대통령으로 뽑았다.

Who will be *elected* chairman? 누가 의장으로 뽑힐까?

Ted was *elected* president of the student body. 테드는 학생회 의장으로 선출되었다.

e·lec·tion [ilékʃən] 명

복수 **elections** [ilékʃənz]

선거, 선출.

a general *election* 총선거.
In our city we have an *election* every two years. 우리 시에서는 2 년마다 선거를 한다.

*e·lec·tric [iléktrik] 형

전기의, 전기 작용의.
electric power 전력.
Suddenly the *electric* light went out. 전등이 갑자기 꺼졌다.
☞ 명 electricity

e·lec·tri·cal [iléktrikəl] 형

전기에 관한; 전기를 다루는.
My father is an *electrical* engineer. 나의 아버지는 전기 기사다.

e·lec·tric·i·ty [ilèktrísəti] 명

《an과 복수형 안 씀》 전기.
Electricity lights our houses. 전기는 우리들의 집을 밝혀준다.
Minsu try to save *electricity*. 민수는 전기를 절약하려고 애쓴다.
☞ 형 electric

e·lec·tron·ic [ilèktránik] 형

전자의, 일렉트론의.
Have you ever seen an *electronic* organ? 전자 오르간을 본 적이 있느냐?

e·lec·tron·ics [ilèktrániks] 명

《an과 복수형 안 씀》 **전자 공학.**
▶ 끝에 s가 있으나 단수 취급.
Frank is interested in *electronics*. 프랭크는 전자 공학에 흥미가 있다.

el·e·gant [éləgənt] 형 비교 more elegant;

최상 **most elegant**

우아한, 고상한, 기품이 있는.
He had an *elegant* taste.

그는 고상한 취미를 가지고 있었다.
The old castle was *elegant*. 그 옛 성은 우아했다.

el·e·ment [éləmənt] 명

복수 **elements** [éləmənts]

요소; (화학) 원소.
Health is a great *element* in happiness. 건강은 행복의 큰 요소이다.
Gold, silver, and iron are *elements*. 금, 은, 철은 원소이다.

el·e·men·ta·ry [èləméntəri] 형

기본의, 초보의; 단순한.
He is learning *elementary* arithmetic. 그는 기초 산수를 공부하고 있다.

el·e·men·ta·ry school

[eləméntəri skùːl] 명

복수 **elementary schools** [eləméntəri skùːlz]

초등 학교.
Sunho attended *elementary school* in Canada. 순호는 초등 학교를 캐나다에서 다녔다. ▶ 수업을 뜻하는 경우에는 an과 복수형 안 씀.

① piano(피아노) ② bulletin board(게시판)
③ desks(책상) ④ chairs(의자)
초등 학교의 수업 광경

참고 미국에서는 주(州)에 따라 6년제와 8년제의 초등 학교가 있다. 영국에서는 초등 학교를 primary school이라고 한다.

el·e·phant [éləfənt] 명

복수 **elephants**[éləfənts]
코끼리.
There are lots of *elephants* in India. 인도에는 코끼리가 많다.

참고 미국 공화당의 상징 마크는 코끼리. 민주당의 상징 마크는 당나귀이다.

el·e·va·tor [éləvèitər] 명

복수 **elevators**[éləvèitərz]
엘리베이터, 승강기. ▶ 영국에서는 lift라고 함.
I went up to the 10th floor by *elevator*. 나는 승강기로 10층에 올라갔다.
Take the *elevator* over there. 저쪽에서 엘리베이터를 타시오.
She did not go down in the *elevator*. 그녀는 엘리베이터를 타고 내려가지 않았다.

참고 엘리베이터를 탈 때의 에티켓
1. 여성이나 연장자를 우선시킬 것.
2. 여성과 함께 엘리베이터를 탔을 때, 남성은 모자를 벗을 것.
3. 엘리베이터의 문 쪽을 향해서 서 있을 것.

****e·lev·en** [ilévən] 형
11의; **열한** 명〔개〕의; **열한 살의.**
Eleven boys were against Jim. 11명의 소년이 짐에게 반대했다.
— 명 복수 **elevens**[ilévənz]
❶ 11; 열한 살; 11시; 《복수 취급》 열한 명〔개〕.
Eleven plus five is sixteen. 11 더하기 5는 16.
a boy of *eleven*, 11세의 소년.
Father came home at *eleven* last night. 아버지께서는 어젯밤 11시에 집에 돌아오셨다.
There are *eleven*. 열한 사람〔개〕 있다.
❷ 《단수 취급》 (축구 따위의) 팀.

****e·lev·enth** [ilévənθ] 형
《보통 the를 붙여》 제 11의; **열한 번째의; 11분의 1의.**
November is the *eleventh* month of the year. 11월은 1년의 열한 번째 달이다.
— 명 복수 **elevenths**[ilévənθs]
❶ 《the를 붙여》 열한 번째; (달의) **11일**, ▶ 11th로 약함.
on the *eleventh* of May(=on May 11), 5월 11일에. ▶ May 11은 보통 May (the) eleventh 라고 읽음.
❷ 11분의 1.

elf [elf] 명
복수 **elves**[elvz]
작은 요정《동화에 나오는 장난꾸러기》. ☞ fairy
Elves were supposed to live in woods and caves. 작은 요정은 숲이나 굴 속에서 사는 것으로 생각되었다.

E·liz·a·beth [ilízəbəθ] 명
엘리자베스《여자 이름. 애칭은 Bess, Bessie, Beth, Betty, Lisa, Liz 따위》. ▶ 영미에서 가장 흔한 이름의 하나.

El·len [élən] 명
엘렌《여자 이름. Ellen
은 Helen의 별칭》.

***else** [els] 부
그 밖에, **별도로, 달리.**
What *else* did you do?
그 밖에 무엇을 했느냐?
Was anybody *else* absent?
그 밖에 누가 결석했느냐?
You should always swim
with someone *else*. 너는 항상
다른 사람과 함께 수영을 해야 한
다.

> 어법 else는 any-, some-,
> every-, no-가 붙는 말이나
> what, who, how 따위의 말 다
> 음에 쓰인다.

── 접 그렇지 않으면. ▶ 종종 or
를 붙여서 or else 의 형식으로 쓰
임.
Hurry up, or *else* you'll
miss the bus. 서둘러라. 그렇
지 않으면 버스를 놓친다.

else·where [élshwèər] 부
어디 다른 곳에, 어디 다른 곳으로
(=somewhere else).
We can not swim here.
Let's go *elsewhere*. 여기서는
수영을 할 수 없다. 어디 다른 곳
으로 가자.

elves [elvz] 명
elf의 복수.

em·bar·rass [imbǽrəs]
타 3·단·현
embarrasses [imbǽrəsiz] : ing형
embarrassing [imbǽrəsin] : 과거
과분 embarrassed [imbǽrəst]
쩔쩔매게 하다, 난처하게 하다.
They *embarrassed* me with
silly questions. 그들은 어리석
은 질문들을 하여 나를 난처하게
했다.
She was *embarrassed*
when she could not
remember his name. 그녀는

그의 이름을 기억해 낼 수 없어서
난처했다.
Don't ask *embarrassing*
questions. 까다로운 질문은 하
지 마라.

em·bas·sy [émbəsi] 명
복수 embassies [émbəsiz]
대사관.
the Korean *embassy* in
Paris 파리에 있는 한국 대사관.

em·er·ald [émərəld] 명
복수 emeralds [émərəldz]
❶ 에메랄드, 취옥.
Emeralds are very precious.
에메랄드는 매우 귀중하다.
❷《형용사적으로》선녹색.
She had *emerald* eyes. 그녀
는 선녹색의 눈을 가졌다.

e·mer·gen·cy [imə́ːrdʒənsi] 명
복수 emergencies [imə́ːrdʒənsiz]
비상시, 긴급 사태.
in an *emergency* =in case
of *emergency* 비상시에는.
an *emergency* door〔exit〕비
상구.
an *emergency* hospital 구급
병원.

어느 병원의 「응급실 입구」 게시

em·i·grate [émɡrèit] 자
3·단·현 emigrates [émɡrèits] :
ing형 emigrating [émɡrèitiŋ] :
과거 과분 emigrated [émɡrèitid]
이주하다, 이민 가다.
His family *emigrated* from
Korea to the United States.
그의 가족은 한국에서 미국으로
이주했다.

e·mo·ti·con 명 [imóutikɑn]

복수 **emoticons** [imóutikɑnz]
이모티콘《컴퓨터 통신을 할 때 글자와 여러 기호를 사용하여 감정을 전달하는 작은 그림들》.
She uses too many emoticons. 그녀는 이모티콘을 너무 많이 사용한다.

e·mo·tion 명 [imóuʃən]

복수 **emotions** [imóuʃənz]
감정, 정서; 감동.
He is a man of strong emotions. 그는 감정이 격렬한 사람이다.

e·mo·tion·al 형 [imóuʃənəl]

비교 **more emotional**; 최상 **most emotional**
감정적인; 감동하기 쉬운.
She is an emotional woman. 그녀는 감성적인 여성이다.

em·per·or 명 [émpərər]

복수 **emperors** [émpərərz]
황제; 제왕.
The ruler of an empire is called the emperor. 제국(帝國)의 통치자는 황제라고 불린다.

em·pha·ses 명 [émfəsìːz]

emphasis의 복수.

em·pha·sis 명 [émfəsis]

복수 **emphases** [émfəsìːz]
강조, 강세.
He gave special emphasis to the problem. 그는 그 문제를 특히 강조했다.

em·pha·size 타 [émfəsàiz] 3·단·현

emphasizes [émfəsàiziz]; ing형 emphasizing [émfəsàiziŋ]; 과거 과분 emphasized [émfəsàizd]
…을 강조하다, 역설하다.
Our teacher emphasized the word "democracy." 우리 선생님은 「민주주의」란 말을 강조하셨다.
He emphasized the importance of education. 그는 교육의 중요성을 역설하였다.

em·pire 명 [émpaiər] 복수 empires [émpaiərz]
제국(帝國). ▶일반적으로 kingdom(왕국)보다 규모가 큼.
the British Empire 대영 제국.
Today we studied the Roman Empire in our history class. 오늘 우리는 역사 시간에 로마 제국에 관하여 공부하였다.

em·ploy 타 [emplɔ́i] 3·단·현

employs [emplɔ́iz];
ing형 **employing** [emplɔ́iiŋ];
과거 과분 **employed** [emplɔ́id]
(아무)를 고용하다; (물건·수단 따위)를 쓰다, 이용하다.
The factory employs thousands of men and women. 그 공장은 몇 천 명이나 되는 남녀 종업원을 고용하고 있다.
Mr. Green is employed in a bank. 그린씨는 은행에 근무하고 있다.
We employ a hammer to drive a nail. 우리는 못을 박는 데 망치를 쓴다.
☞ 명 employment

em·ploy·ee 명 [èmplɔiíː]

복수 **employees** [èmplɔiíːz]
고용된 사람, 종업원(⇨ employer 고용주).
The hotel has 300 employees. 그 호텔에는 300명의 종업원이 있다.

em·ploy·er 명 [emplɔ́iər]

복수 **employers** [emplɔ́iərz]
고용주, 사용자(⇨ employee 종업원).
The employer comes to the office earlier than any of his employees. 그 고용주는 어느 종업원보다도 일찍 출근한다.

em·ploy·ment [emplɔ́imənt] 명

❶ 《an과 복수형 안 씀》(근로자 따위의) **고용, 사용.**
His brother is out of *employment*. 그의 형님은 지금 실직 중이다.
❷ 《an과 복수형 안 씀》 **직업, 일.**
He is looking for *employment*. 그는 직장을 구하고 있다.
☞ 동 employ

emp·tied [émptid] 동 empty 의 과거·과거 분사.

emp·ti·er [émptiər] 형 empty의 비교급.

emp·ties [émptiz] 동 empty 의 3인칭·단수·현재.

emp·ti·est [émptiist] 형 empty의 최상급.

*emp·ty [émpti] 형 비교
emptier [émptiər] ;
최상 emptiest [émptiist]
비어 있는, **빈**(⇔ full 가득 찬).
an *empty* bottle 빈 병.

empty   full

This box is *empty*.
이 상자는 비어 있다.
The room was *empty*. 방은 텅 비어 있었다《방에는 아무도 없었다》.
We found the house *empty*.
그 집은 빈 집이었다.
── 타 3·단·현 empties [émptiz] ;
ing형 emptying [émptiiŋ] ; 과거 과분 emptied [émptid]
…을 비우다(⇔ fill 채우다).
They said "Cheers!" and *emptied* their glasses. 그들은 「건배」를 부르며 잔을 비웠다.

en·a·ble [enéibəl] 타 3·단·현
enables [enéibəlz] ;
ing형 enabling [enéibəliŋ] ;
과거 과분 enabled [enéibəld]
《enable ... to do로》**…에게 ~ 하는 것을 가능케 하다.**
Airplanes *enable* us to travel far. 비행기 덕택으로 우리는 멀리까지 여행할 수 있다.
His help *enabled* me to answer the question. 그의 도움으로 나는 그 문제에 답을 할 수 있었다. ☞ 형 able

en·close [enklóuz] 타
3·단·현 encloses [enklóuziz] ;
ing형 enclosing [enklóuziŋ] ;
과거 과분 enclosed [enklóuzd]
❶ **…을 에워싸다, 둘러싸다.**
He *enclosed* his garden with a wall. 그는 그의 정원을 담으로 둘러쌌다.
❷ (편지에) **…을 봉해 넣다, 동봉하다.**
I'm *enclosing* a picture of my family. 나의 가족 사진을 동봉합니다.

en·cour·age [enkə́:ridʒ] 타 3·단·현
encourages [enkə́:ridʒiz] ; ing형
encouraging [enkə́:ridʒiŋ] ; 과거
과분 encouraged [enkə́:ridʒd]
(아무)**를 격려하다, …의 용기를 북돋우다**(⇔ discourage 낙담시키다).
My teacher *encouraged* me to work harder. 나의 선생님은 좀 더 열심히 공부하라고 나를 격려해 주셨다.
I was *encouraged* by her words. 나는 그녀의 말에 용기를 얻었다.

en·cour·age·ment
[enkə́:ridʒmənt] 명
《an과 복수형 안 씀》 **격려, 장려.**
His *encouragement* helped me succeed. 그의 격려는 나의

E

성공에 도움이 되었다.

en·cy·clo·pe·di·a

[ensàiklou píːdiə] 명 복수 ency-clopedias[ensàikloupíːdiəz]
백과 사전.

*end [end] 명
복수 ends[endz]

❶ 마지막, 최후(⇔beginning 시작).

What is the *end* of the story? 그 이야기의 결말은 어떻게 되느냐?

My father will go to the United States at the *end* of this year. 나의 아버지는 금년 말에 미국에 가신다.

❷ 끝, 말단.

I met him at the *end* of the platform. 나는 플랫폼의 맨 끝에서 그를 만났다.

He signed his name at the *end* of his letter. 그는 편지 끝에 서명하였다.

❸ 목적(=aim).

At last he gained his *ends*. 마침내 그는 목적을 달성하였다.

The happiness of the people is the *end* of government. 국민의 행복이 정치의 목적이다.

***at the end** 마지막에.

There was a great chorus *at the end*. 마지막에 대합창이 있었다.

bring ... to an end ⋯을 끝나게 하다.

They tried to *bring* the war *to an end* as soon as possible. 그들은 될 수 있는 대로 빨리 전쟁을 끝내려고 하였다.

come to an end 끝나다.

The summer vacation has *come to an end*. 여름 방학이 끝났다.

from beginning to end 처음부터 끝까지.

I read the book *from beginning to end*. 나는 그 책을 처음부터 끝까지 읽었다.

in the end 결국, 마침내.

They were all drowned *in the end*. 그들은 결국 모두 빠져 죽었다.

In the end he invented the electric light. 마침내 그는 전등을 발명하였다.

put an end to ⋯을 죽이다, 끝내다.

They had to *put an end to* the sick horse. 그들은 병든 말을 죽이지 않으면 안 되었다.

You must *put an end to* this quarrel. 너희들은 이 싸움을 이제 끝내야 한다.

to the end 최후까지.

If you start something, do it *to the end*. 무엇을 시작하거든 끝까지 해라.

── 동 3·단·현 ends[endz]; ing형 ending[éndiŋ]; 과거 과분 ended[éndid]

타 ⋯을 끝내다, 마치다(⇔begin 시작하다).

She *ended* her speech with a smile. 그녀는 미소를 지으면서 이야기를 끝냈다.

Let's *end* our quarrel. 우리들의 싸움을 이제 끝내자.

── 자 끝나다(⇔begin, start 시작되다).

The story *ends* happily. 이 이야기는 행복하게 끝난다.

School begins at nine and *ends* at three. 학교는 9시에 시작하여 3시에 끝난다.

His life *ended* in peace. 그의 생애는 평화롭게 끝났다.

end in ⋯로 끝나다.

His plan *ended* in failure. 그의 계획은 실패로 끝났다.

en·deav·or [endévər] 명

복수 endeavors[endévərz]
노력(=effort).

Please make every *endeavor* to be here early. 일찍 이 곳에 오도록 될 수 있는 대로 노력 하여 주십시오.
— [타·자] [3·단·현] **endeavors** [endévərz] : [ing형] **endeavoring** [endévəriŋ] : [과거] [과분] **endeavored** [endévərd]
노력하다(=try).
Nancy *endeavored* to get good grades. 낸시는 좋은 성적 을 얻으려고 노력하였다.
▶ 영국에서는 endeavour로 씀.

end·ing [éndiŋ] [명] [복수] **endings** [éndiŋz]
(이야기·영화 따위의) **결말, 끝.**
The movie had a happy *ending*. 그 영화는 해피 엔딩이었 다. ▶「해피 엔드」는 우리식의 표 현.
A good beginning makes a good *ending*. 시작이 좋아야 끝 이 좋다《무슨 일이나 시작이 중요 하다》.

end·less [éndlis] [형]
끝없는, 무한한.
an *endless* belt [tape] 이음 매가 없는 벨트[테이프].
The story of his troubles seems to be *endless*. 그의 걱정거리에 대한 이야기는 끝이 없는 것 같다.

en·dur·ance [indjúərəns] [명]
《an과 복수형 안 씀》**인내, 인내력.**
The swimmer's *endurance* was due to good training. 그 수영 선수의 인내력은 충분한 훈련 덕택이었다.

en·dure [endjúər] [타·자]
[3·단·현] **endures** [endjúərz] : [ing형] **enduring** [endjúəriŋ] : [과거] [과분] **endured** [endjúərd]
(…에) **견디다,** (…을) **참다.**
I cannot *endure* this heat. 이런 더위에는 견딜 수가 없다.
We must *endure* to the last.

우리는 최후까지 버텨야 한다.

en·e·mies [énəmiz] [명] **enemy**의 복수.

*****en·e·my** [énəmi] [명] [복수] **enemies** [énəmiz]
❶ **적**(⇔ friend 자기 편) ; **해가 되는 것.**
They were our friends, but now they are *enemies*. 그들은 우리들의 친구였지만 이제 는 적이다.
As a businessman, he has many *enemies*. 실업가로서 그 는 적이 많다.
Drink was his greatest *enemy*. 술은 그의 최대의 적이었 다.
❷ 《the를 붙여, 집합적으로》**적 군.** ▶ 하나의 집단으로 생각할 경 우에는 단수 취급. 그 구성원으로 생각할 경우에는 복수 취급.
The *enemy* was [were] driv- en back. 적군은 격파되었다.

en·er·get·ic [ènərdʒétik] [형]
[비교] **more energetic;** [최상] **most energetic**
활기에 찬, 원기 왕성한, 활동적인.
an *energetic* boy 활기찬 소년.

en·er·gy [énərdʒi] [명]
[복수] **energies** [énərdʒiz]
❶ 《an과 복수형 안 씀》**정력, 원 기;** 《종종 복수형으로》**활동력.**
Recreation gives us new *energy* to work harder. 레크 리에이션은 우리에게 더욱 더 열 심히 일할 수 있는 새로운 활기를 준다.
Mike devoted all his *ener- gies* to his experiments. 마 이크는 그의 실험에 온갖 힘을 기 울였다.
❷ 《an과 복수형 안 씀》**에너지.**
Our physics teacher talked about atomic *energy*. 우리 물 리 선생님은 원자력에 관하여 말 씀하셨다.

원자력 발전소

en·gage [engéidʒ] 타

③·단·현 **engages** [engéidʒiz] ;
ing형 **engaging** [engéidʒiŋ] ; 과거
과분 **engaged** [engéidʒd]
❶ 《be engaged in으로》 …에
종사〔몰두〕하고 있다.
He *is engaged in* teaching.
그는 교육에 종사하고 있다.
❷ (아무)를 고용하다(=employ).
He *engaged* a new secre-
tary.
그는 새 비서를 고용하였다.
❸ 《be engaged to로》 …와 약
혼 중에 있다.
Tom *is engaged to* Susan.
(=Tom and Susan are
engaged.) 톰은 수잔과 약혼 중
에 있다.

en·gaged [engéidʒd] 형
❶ 바쁜, 몰두〔열중〕하고 있는. ➤
명사 앞에는 쓰지 않음.
She is deeply *engaged* in
conversation. 그녀는 이야기에
열중하고 있다.
❷ 약속이 있는, 예약된.
an *engaged* seat 예약된 좌석.
Are you *engaged* this
evening? 오늘 저녁 선약이 있습
니까?
❸ 약혼 중인.
an *engaged* couple 약혼 중인
남녀.

en·gage·ment [engéidʒ-
mənt] 명
복수 **engagements** [engéidʒ-
mənts]

❶ 약속.
An honest man keeps all
his *engagements*. 성실한 사람
은 자기가 한 약속은 전부 지킨다.
❷ 약혼.
He put an *engagement*
ring on her finger. 그는 그녀
의 손가락에 약혼 반지를 끼워주
었다.

en·gine [éndʒən] 명 복수
engines [éndʒənz]
❶ 기관, 엔진.
He slowed down, and the
car *engine* stopped. 그가 속
력을 줄이자 자동차 엔진이 멈추
었다.
❷ 기관차.
An *engine* pulls railroad
trains. 기관차는 열차를 끈다.

en·gi·neer [èndʒəníər] 명
복수 **engineers** [èndʒəníərz]
❶ 기사, 엔지니어.
His father is a mechanical
engineer. 그의 아버지는 기계 기
사이다.
He wants to be an *engi-
neer*. 그는 엔지니어가 되고 싶어
한다.
❷ (선박·열차의) 기관사.
a first *engineer*, 1등 기관사.
The *engineers* slept in turns.
기관사들은 교대로 잤다.

en·gi·neer·ing [èndʒəníə-
riŋ] 명
《an과 복수형 안 씀》 공학.
John went to college to
study *engineering*. 존은 공학
을 연구하기 위하여 대학에 갔다.

Eng·land [íŋglənd] 명
❶ 영국(=Great Britain).
London is the capital of
England. 런던은 영국의 수도다.

참고 England는 스코틀랜드
(Scotland), 웨일스(Wales),
잉글랜드(England)를 전부 포

함한 Great Britain의 통칭이다. 영국의 정식 국명은 the United Kingdom of Great Britain and Northern Ireland. 국명을 말할 때는 England보다는 Britain이라고 하는 것이 일반적이다.

❷ 《좁은 뜻으로》 잉글랜드.
My uncle is from *England*.
나의 삼촌은 잉글랜드 출신이다.
☞ 혱 English

참고 England는 좁은 뜻으로는 Great Britain에서 Scotland 및 Wales를 제외한 부분으로 영국의 인구·산업의 태반이 집중해 있는 중심 지방이다. 또한, 잉글랜드나 전형적인 잉글랜드 사람을 John Bull이라고 한다.

✽Eng·lish [íŋgliʃ] 혱

❶ 영국의; 영국 사람의.
English people like the spring. 영국 사람들은 봄을 좋아한다.
The *English* language is spoken all over the world.
영어는 전세계에서 사용되고 있다.
His mother is *English*.
그의 어머니는 영국 사람이다.
☞ 몡 England

❷ 영어의.
We have five *English* class-es a week. 우리는 1주일에 다섯 번 영어 수업이 있다.
My father has a lot of *English* books. 나의 아버지는 영어책을 많이 가지고 계신다.

발음 **an English teacher**의 발음
강세를 두는 위치에 따라 그 뜻이 달라진다.
an Énglish tèacher = a teacher of English 영어 선생님.
an Énglish téacher 영국인 선생님.

— 몡 ❶ 《an과 복수형 안 씀》 영어 (=the English language).
We study *English* at school.
우리는 학교에서 영어를 공부한다.
Do you speak *English* well?
너는 영어를 잘 하느냐?
❷ 《the를 붙여, 복수 취급》 **영국 국민**《전체》. ➤ 개인 즉 「한 사람의 영국인」을 말할 때는 an Englishman이라고 함.
The *English* are a hard-working people. 영국 국민은 근면한 국민이다.

참고 English는 「영어」라는 뜻으로는 보통 the를 붙이지 않으나 다음과 같은 경우에는 the가 필요하다.
What is *the English* for "chaeksang?" 「책상」에 해당하는 영어는 무엇이냐?《「책상」은 영어로 무엇이라고 하느냐?》

Eng·lish·man [íŋgliʃmən] 몡
복수 **Englishmen**[íŋgliʃmən]
영국인.
He's not an American, but an *Englishman*. 그는 미국 사람이 아니라 영국 사람이다.

Eng·lish·men [íŋgliʃmən] 몡
Englishman의 복수.

Eng·lish-speak·ing

[íŋgliʃspíːkiŋ] 혱
영어를 말〔사용〕하는.
English-speaking people
〔countries〕영어를 사용하는 사
람들〔나라들〕.

*en·joy [endʒɔ́i] 타 ③·단·현
enjoys [endʒɔ́iz]:
ing혱 **enjoying** [endʒɔ́iiŋ]: 과거
과분 **enjoyed**[endʒɔ́id]

❶ …을 즐기다, (취미·습관으
로) …을 하다; 《enjoy+-ing형으
로》…하는 일을 즐기다.
How did you *enjoy* your
trip to New York? 뉴욕 여행
은 어떠하였느냐?
I *enjoyed* the dinner very
much. 만찬을 대단히 맛있게 먹
었다.
Many people come to *enjoy*
our warm weather. 많은 사람
들이 우리의 따뜻한 날씨를 즐기
려고 찾아온다.
I *enjoy listening* to music
every evening. 나는 매일 밤
음악 듣는 일을 즐긴다.

어법 enjoy의 목적어는 명사.
대명사 또는 -ing형이다. 목적
어로「to+동사의 원형」은 쓰이
지 않는다.
(×) She enjoyed *to read*.
(○) She enjoyed *reading*.
그녀는 독서를 즐겼다.

❷ (좋은 것)을 지니고 있다, …
누리다.
enjoy a good income 좋은 수
입이 있다.
The old lady still *enjoyed*
good health. 그 노부인은 아직
도 건강이 좋다.
enjoy oneself 즐겁게 지내다, 즐
기다.
Did you *enjoy yourself*
while you were away? 여행
중에는 재미있게 지냈느냐?
I *enjoyed myself* at the
party. 나는 그 파티에서 즐겁게

지냈다.

회화 **Enjoy your meal.**「맛있
게 드세요.」
Enjoy your meal. 은 레스토
랑에 들어갔을 때 웨이터나 웨
이트리스로부터 듣게 되는 정해
진 문구.「식사를 즐기십시오」,
「맛있게 드십시오」란 뜻이다.
A : Here's your steak din-
ner. *Enjoy your meal.*
B : Thanks.
「스테이크 디너를 가져 왔습니
다. 맛있게 드십시오.」「고맙습
니다.」

en·joy·a·ble [endʒɔ́iəbəl]
혱
비교 **more enjoyable;** 최상
most enjoyable
유쾌한, 즐거운, 재미있는(=pleas-
ant).
We had an *enjoyable* time
last Sunday. 우리는 지난 일요
일에 즐거운 시간을 가졌다.
Biking is an *enjoyable*
hobby. 자전거 타기는 즐거운 취
미이다.

en·joy·ment [endʒɔ́imənt]
명
《an과 복수형 안 씀》즐거움, 유
쾌함.
My sister takes great *enjoy-
ment* in collecting stamps.
누이동생은 우표 수집에 대단한
흥미를 가지고 있다.

en·large [enláːrdʒ]
타
③·단·현 **enlarges** [enláːrdʒiz]:
ing혱 **enlarging** [enláːrdʒiŋ]:
과거 과분 **enlarged**[enláːrdʒd]
…을 크게 하다, 넓히다; (사진)을
확대하다.
He wanted to *enlarge* his
house. 그는 집을 넓히고 싶어했
다.
I would like to have this
picture *enlarged*. 이 사진을 확

대시키고 싶다.

e·nor·mous [inɔ́ːrməs] 휑

비교 **more enormous;** 최상 **most enormous**

❶ 거대한(=huge).
An *enormous* building was completed in the heart of Seoul. 서울 한복판에 거대한 빌딩이 완성되었다.

❷ 막대한.
The war cost an *enormous* sum of money. 그 전쟁에는 막대한 돈이 들었다.

e·nough [ináf] 휑
충분한, (…에) 필요한 만큼의; 《enough+명사+to do로》…하기에 족할 만큼의.
Ten dollars will be *enough*. 10 달러 있으면 충분할 것이다.
Thank you. That's *enough*. 감사합니다. 그것으로 충분합니다.
I have *enough* money *to* buy the camera. 나는 그 카메라를 살 만큼의 돈을 가지고 있다.

어법 **1. enough의 위치**
enough는 명사 앞뒤 어느 쪽에나 둘 수 있으나, 앞에 두는 것이 일반적이다. 위의 예문에서 enough money 대신에 money enough로도 쓸 수 있다.
2. enough가 나타내는 뜻
enough는 「무언가에 필요한 수량·정도를 충족시키는」이란 의미로서 「충분한, 족한」의 뜻이기 때문에, 「풍부한, 많은」이란 뜻은 없다. 따라서 I have enough money… 는 「나는 많은 돈을 가지고 있다」가 아니라 「카메라를 살 만큼의 돈을 가지고 있다」란 뜻이 된다.

── 뿐 필요한 만큼, 충분히; 《enough to do로》…하기에 필요한 만큼. ▶ 부사인 enough는 수식하는 형용사·부사 뒤에 둠.

This house is big *enough* for my family. 이 집은 나의 가족이 살기에는 충분히 크다.
Mr. Smith is rich *enough* *to* buy a big car. 스미스씨는 큰 차를 살 만큼 부자이다.

cannot do enough 아무리 …하여도 부족함.
I *can't* thank you *enough*. 감사한 마음 다 말할 길 없습니다.

sure enough 과연, 생각했던 대로.
Sure enough, he came back in a few days. 과연 그는 2, 3일 안에 돌아왔다.

── 명 충분한 양〔수〕.
I've had *enough*, thank you. 많이 먹었다. 고맙다.
There isn't *enough* for everybody. 모두에게 충분할 만큼 있지는 않다.

en·ter [éntər] 동
3·단·현 **enters** [éntərz]:
ing형 **entering** [éntəriŋ]: 과거
과분 **entered** [éntərd]
타 ❶ (장소)에 들어가다.
Mr. Jones *entered* the house. 존스씨는 그 집에 들어갔다.
❷ (학교)에 입학하다, 입회하다.
I *entered* Deal High School. 나는 딜 고등 학교에 입학하였다.
It's been three years since he *entered* the tennis club. 그가 테니스 클럽에 들어간 지 3년이 된다.
── 자 들어가다; (무대에) 등장하다(⟺ exit 퇴장하다).
May I *enter*? 들어가도 될까요?
Hamlet *enters*. 햄릿 등장.

「진입 금지」의 교통 표지

E

The thief *entered* by the open window. 도둑은 열린 창문으로 들어왔다.

☞ 몡 entrance, entry

enter into …을 시작하다.

He *entered into* conversation with Mr. Wilson. 그는 윌슨씨와 이야기를 시작하였다.

en·ter·prise [éntərpràiz] 몡

복수 **enterprises** [éntərpràiziz]

❶ (모험적인) **사업, 기업.**

He started a new *enterprise*. 그는 새로운 사업을 시작하였다.

❷ 《an과 복수형 안 씀》 **진취적 정신, 모험심.**

He is a man of great *enterprise*.

그는 매우 모험심이 많은 사람이다.

en·ter·tain [èntərtéin] 타

3·단·현 **entertains** [èntərtéinz];
ing형 **entertaining** [èntərtéiniŋ];
과거 과분 **entertained** [èntərtéind]

❶ (손님 등)을 **대접하다, 환대하다.**

He *entertained* us at dinner. 그는 우리를 식사에 초대하였다.

❷ …을 **즐겁게 하다, 기쁘게 하다.**

The circus *entertained* the children. 서커스는 아이들을 즐겁게 하였다.

We were very much *entertained* by the show. 그 쇼는 대단히 재미있었다.

en·ter·tain·ment

[èntərtéinmənt] 몡 복수 **entertainments** [èntərtéinmənts]

❶ 《an과 복수형 안씀》 **접대, 환대.**

make preparations for the *entertainment* of guests 손님 접대 준비를 하다.

❷ **오락; 연예.**

Watching TV is an *entertainment* for many people. 텔레비전 시청은 많은 사람들의 오락이다.

en·thu·si·asm [enθú:ziæzəm] 몡

《an과 복수형 안 씀》 **열중, 열의.**

There is great *enthusiasm* for basketball among Korean boys. 한국 소년들 사이에는 농구 열의가 대단하다.

He was welcomed with *enthusiasm*. 그는 열광적으로 환영받았다.

en·tire [entáiər] 형 **전부의, 전체의, 온.**

He wrote the *entire* story in only four weeks. 그는 그 이야기 전부를 단 4주 동안에 썼다.

en·tire·ly [entáiərli] 부 **전적으로, 완전히**
(=completely).

You are *entirely* mistaken. 네가 말하는 것은 전혀 틀렸다.

He agreed with me *entirely*. 그는 나와 전적으로 같은 의견이었다.

*****en·trance** [éntrəns] 몡

복수 **entrances** [éntrənsiz]

❶ **입구, 현관**(⇔ exit 출구).

Tom waited for Mary at the *entrance* to the zoo. 톰은 동물원 입구에서 메리를 기다렸다.

「입구」 표지

❷ 《an과 복수형 안 씀》 **들어가기; 입학, 입장.**

I have to have the *entrance* examinations for high school. 나는 고등 학교 입

학 시험을 치러야 한다.
No *entrance.* 《게시》 입장 사절.
Entrance free. 《게시》 입장 무
료. ☞ 동 enter

en·try [éntri] 명
복수 **entries** [éntriz]
들어가기, 입장; (시합·경쟁 따위
에의) 참가(자).
No *entry.* 《게시》 출입 금지.
I managed to gain *entry* to
the club. 나는 이럭저럭 클럽에
들어가게 되었다. ☞ 동 enter

en·ve·lope [énvəlòup] 명
복수 **envelopes** [énvəlòups]
봉투. ☞ letter
Ann wrote her address on
the *envelope.* 앤은 봉투에 자기
의 주소를 썼다.

en·vi·ron·ment
[inváiərənmənt] 명 복수 **envi-
ronments** [inváiərənmənts]
(사회적·문화적) 환경; 《the를
붙여》 자연 환경.
one's home *environment* 가
정 환경.
social *environment* 사회 환경.
We should protect the
environment from destruc-
tion. 우리들은 자연 환경을 파괴
로부터 지켜야 한다.

en·vy [énvi] 타
3·단·현 **envies** [énviz];
ing형 **envying** [énviiŋ]; 과거 과분
envied [énvid]
부러워하다, 시기하다.
I *envy* you. 나는 네가 부럽다.
I *envy* him his trip to
America. 나는 그가 미국에 가는
것이 부럽다.
── 명 복수 **envies** [énviz]
❶ 《an과 복수형 안 씀》 부러움,
시기.
I felt *envy* at his success.
나는 그의 성공이 부러웠다.
❷ 부러움의 대상.
His new watch was the

envy of his friends. 그의 새
시계는 친구들의 부러움의 대상이
었다.

e-pal [í:pæl] 명
복수 **e-pals** [í:pælz]
이메일 친구 《인터넷을 통해 편지
를 주고받는 친구》.
I'd like to be your *e-pal.*
나는 네 이메일 친구가 되고 싶다.

*ᵉ**e·qual** [í:kwəl] 형
❶ (수량·크기 따위가)
같은; 평등한.
All men are created *equal.*
모든 사람은 평등하게 창조되었다.
❷ 《**be equal to**로》 …와 같다;
(임무 따위)를 감당할〔해낼〕 수 있
다.
Twice 2 *is equal to* 4.
2의 두 배는 4와 같다: 2×2=4.
Mike *is equal to* me in
weight. (=Mike and I are
equal in weight.) 마이크와 나
는 몸무게가 같다.
He *is equal to* the task.
그는 그 일을 충분히 할 수 있다.
── 명 복수 **equals** [í:kwəlz]
필적하는 자, 동등한 사람〔것〕.
She has no *equal* in
music. 음악에 있어서는 그녀를
따를 자가 없다.
── 타 3·단·현 **equals** [í:kwəlz];
ing형 **equaling** [í:kwəliŋ]; 과거
과분 **equaled** [í:kwəld]
…와 같다; …에 필적하다.
Four times three *equals*
twelve. 4의 세 배는 12와 같
다: 4×3=12.
No man *equaled* him in
ability. 능력에 있어서 그를 따를
사람은 없었다.

e·qual·ly [í:kwəli] 부
같게, 평등하게.
All languages are *equally*
important. 모든 언어는 똑같이
중요하다.
The two men are *equally*
strong. 그 두 사람은 똑같이 힘
이 세다.

e·qua·tor [ikwéitər] 명

《the를 붙여》 적도.
cross the *equator* 적도를 가로지르다.

e·qui·lib·ri·um [ì:kwəlíb-riəm] 명

《an과 복수형 안 씀》 **평형, 균형**.
The *equilibrium* price is 30 dollars. 그 균형 가격은 30 달러이다.

e·quip [ikwíp] 타 3·단·현

equips [ikwíps];
ing형 equipping[ikwípiŋ]; 과거
과분 equipped[ikwípt]
…에 (필요한 것을) 갖추게 하다, 설비하다.
He is fully *equipped* for the task. 그는 일할 준비가 충분히 되어 있다.
Her kitchen is *equipped* with various electrical devices. 그녀의 부엌은 여러 가지 전기 장치가 설비되어 있다.

e·quip·ment [ikwípmənt] 명

《an과 복수형 안 씀》 **설비; 장치**.
a factory with modern *equipment* 현대식 설비를 갖춘 공장.
The *equipment* for our laboratory was very expensive. 우리 실험실의 설비는 매우 비싸다.

-er [-ər] 접미

❶ 동사에 붙여서 「…하는 사람」을 나타내는 말을 만듦.
sing*er* 노래 부르는 사람, 가수 / teach*er* 선생 / climb*er* 등산가.
❷ 동사에 붙여서 「도구·기계」를 나타내는 말을 만듦.
mow*er* 잔디 깎는 기계 / clean*er* 청소기.
❸ 형용사·부사에 붙여서 비교급을 만듦. ➤ 단, 이것은 1음절어와 일부의 2음절어에만 해당되며, 그 밖에는 앞에 more를 붙임.

long*er* 보다 긴, 보다 길게 / fast*er* 보다 빠른, 보다 빠르게.

참고 비교급 만든 법 《-er를 사용하여》		
대개의 낱말	-er를 붙임	old*er*
e로 끝나는 낱말	-r만을 붙임	larg*er*
「단모음+자음자」로 끝나는 낱말	자음자를 겹치고 -er를 붙임	big*ger*
「자음자+y」로 끝나는 낱말	y를 i로 바꾸고 -er를 붙임	bus*ier*

❹ 장소·도시의 이름에 붙여서 「…에 사는 사람」을 나타내는 말을 만듦.
villag*er* 마을 사람 / London*er* 런던 사람.

e·rase [iréis] 타

3·단·현 erases[iréisiz];
ing형 erasing[iréisiŋ]; 과거 과분
erased [iréist]
…을 지우다.
He *erased* the pencil marks with an eraser. 그는 지우개로 연필 자국을 지웠다.

e·ras·er [iréisər] 명 복수

erasers [iréisərz]
(고무) 지우개; 칠판 지우개; 잉크 지우개. ➤ 영국에서는 「고무 지우개」를 rubber [rʌ́bər]라고 함.
I want a typewriter *eraser*. 나는 타이프라이터용 지우개가 필요하다.

e·rect [irékt] 형

똑바로 선; 곤두선.
He stood *erect* in front of the statue. 그는 동상 앞에 바로 섰다.
My dog faced the stranger with ears *erect*. 나의 개는 귀를 세우고 그 낯선 사람을 향해 맞섰다.
—— 타 3·단·현 erects [irékts];
ing형 erecting[iréktiŋ] : 과거 과분
erected[iréktid]
…을 세우다, 건설하다(=build).

They *erected* a monument in the park. 그들은 공원에 기념비를 세웠다.

er·rand [érənd] 명 복수
errands[érəndz]

심부름; (심부름의) 용건, 볼일.
He sent Roy on an *errand.*
그는 로이를 심부름 보냈다.
Mr. Smith had an *errand* to do in town. 스미스씨는 읍에 볼일이 있었다.

go on an errand 심부름 가다.
Tom *went on an errand* to the store. 톰은 가게에 심부름 갔다.

er·ror [érər] 명
복수 **errors**[érərz]

❶ 잘못, 틀림(=mistake).
Correct *errors,* if any.
잘못이 있으면 고쳐라.
Tom made a lot of *errors* in spelling. 톰은 철자를 많이 틀렸다.
❷ (야구의) 에러, 실책.
The first baseman made an *error.* 1루수가 실책을 하였다.

e·rupt [irʌ́pt] 자
3·단·현 **erupts** [irʌ́pts]; ing형 **erupting** [irʌ́ptiŋ]; 과거 과분 **erupted** [irʌ́ptid]

❶ (용암 따위가) 분출하다, (화산이) 폭발하다, 분화하다.
The volcano *erupted* violently. 화산이 격렬하게 폭발하였다.
❷ (폭동 등이) 발발하다, (화산·예기치 않은 일 따위가) 갑자기 시작되다.
The dispute *erupted* into a war. 논쟁이 전쟁으로 번졌다.

e·rup·tion [irʌ́pʃən] 명
복수 **eruptions**[irʌ́pʃənz]

(화산의) 폭발, 분화, 발생, (용암의) 분출.
a huge volcanic *eruption* 거대한 화산의 폭발.

-es [-iz] 접미

❶ 일부 명사에 붙어서는 복수형을 만듦. ☞ -s[1]
❷ 일부 동사에 붙어 3인칭·단수·현재형을 만듦. ☞ -s[2]

es·ca·la·tor [éskəlèitər] 명
복수 **escalators**[éskəlèitərz]

에스컬레이터.
The *escalators* in the department store were crowded. 백화점의 에스컬레이터는 붐볐다.
Let's take the *escalator.*
에스컬레이터를 타자.

참고 영미에서는 에스컬레이터를 타면, 우측으로 다가선다. 좌측은 급한 사람이 지나가도록 공간을 남겨 두기 위함이다.

*es·cape [iskéip] 동
3·단·현 **escapes**[iskéips]; ing형 **escaping**[iskéipiŋ]; 과거 과분 **escaped**[iskéipt]
자 ❶ 달아나다, 도망치다.

The prisoner *escaped* at midnight. 그 죄수는 한밤중에 도망쳤다.
❷ (가스 따위가) 새다.
Gas is *escaping* somewhere. 어디에선가 가스가 새고 있다.
―― 타 (위험·재난 따위)를 면하다, 피하다.
No one can *escape* death.
아무도 죽음을 면할 수 없다.
―― 명 복수 **escapes**[iskéips]

탈출, 도망.
He had a narrow *escape*.
그는 구사일생으로 도망쳤다.

es·cap·ing [iskéipiŋ] 통

*escape*의 -ing형.

Es·ki·mo [éskəmòu] 명

복수 **Eskimo** [éskəmòu] 또는
Eskimos [éskəmòuz]
에스키모 사람.

참고 Eskimo는 아메리카 인디
언어(語)로서 「날고기를 먹는
사람」이란 뜻. 경멸적인 호칭으
로 받아들여지기 쉬우므로 사용
에 각별한 주의가 필요하다.
Eskimo들은 스스로를 In-
(n)uit[ínjuət]라고 부른다.

*es·pe·cial·ly [ispéʃəli] 부

비교 **more especially**; 최상
most especially
특히, 더욱이. ☞ particularly
She is *especially* interested
in French.
그녀는 특히 프랑스어에 흥미를
가지고 있다.
I *especially* liked the boy.
나는 특히 그 소년을 좋아했다.
Especially their housing
looked simple. 특히 그들의 주
택은 단순해 보였다.

-ess [-is, -əs] 접미

명사에 붙여 여성을 나타냄.
act*ress* 여배우 / prin*cess* 공주.

es·say [ései] 명

복수 **essays** [éseiz]
수필; 논문.
I like reading *essays*.
나는 수필을 읽기 좋아한다.

참고 essay는 학술 논문(the-
sis [θíːsis])과 달라서 개인적
인 색채가 짙은 수필, 소론 따
위를 뜻한다.

es·sence [ésəns] 명

❶ 《an과 복수형 안 씀》 본질, 정
수(精髓).
Freedom is the *essence* of
our democracy. 자유는 우리
민주주의의 본질이다.
❷ 《an과 복수형 안 씀》 엑스,
정(精).
They sell *essence* of lemon
at the store. 그 상점에서는 레
몬 엑스를 팔고 있다.

es·sen·tial [isénʃəl] 형

비교 **more essential**; 최상 **most
essential**
❶ 본질의, 본질적인.
There is no *essential* dif-
ference between fog and
cloud. 안개와 구름은 본질적인
차이가 없다.
Love of freedom is an
essential part of his char-
acter. 자유를 사랑하는 것은 그
의 성격의 본질적인 요소이다.
❷ 없어서는 안 될, 절대로 필요한.
Water is *essential* to life.
물은 생명에 없어서는 안 된다.
Exercise, fresh air, food,
and sleep are *essential* to
good health. 운동, 신선한 공
기, 음식 그리고 수면은 건강에
없어서는 안 된다.
── 명 복수 **essentials** [isénʃəlz]
《종종 복수형으로》 《필수》 불가결
한 것, 본질적 요소.
Learn the *essentials* first.

E

우선 요점을 배워라.

-est [-ist] 접미
형용사·부사에 붙여 최상급을 만듦. ▶ 1음절어와 일부의 2음절어에만 해당되며, 그 밖에는 앞에 most를 붙임.

참고 최상급 만드는 법 《-est를 사용하여》		
대개의 낱말	-est를 붙임	old*est*
e로 끝나는 낱말	-st만을 붙임	larg*est*
「단모음+자음자」로 끝나는 낱말	자음자를 겹치고 -est를 붙임	big*gest*
「자음자+y」로 끝나는 낱말	y를 i로 바꾸고 -est를 붙임	bus*iest*

es·tab·lish [istǽbliʃ] 타
③·단·현 **establishes**[istǽbliʃiz] ; ing형 **establishing**[istǽbliʃiŋ] ; 과거 과분 **established**[istǽbliʃt]
❶ …을 설립하다, 창립하다.
They are going to *establish* a company. 그들은 회사를 설립하려고 한다.
Our school was *established* in 1950. 우리 학교는 1950년에 설립되었다.
❷ (학설·습관 따위)**를 확립하다.**
Established customs are difficult to change. 확립된 습관은 바꾸기 어렵다.

es·tab·lish·ment
[istǽbliʃmənt] 명
《an과 복수형 안 씀》(학교·회사 따위의) **설립**; (제도 따위의) **확립.**

es·ti·mate [éstəmèit] 타
③·단·현 **estimates** [éstəmèits] ; ing형 **estimating** [éstəmèitiŋ] ; 과거 과분 **estimated**[éstəmèitid]
…을 견적하다, 평가하다, 어림잡다.

They *estimated* the cost of my new house at $ 50,000. 그들은 나의 새 집의 건축비를 5만 달러로 견적하였다.
I *estimate* her age to be thirteen. 나는 그녀의 나이를 13세로 어림한다.
── [éstəmit] 명 복수 **estimates** [éstəmits]
견적, 평가.
What is your *estimate* of the crop this year? 올해의 수확은 얼마나 된다고 생각하느냐?
▶ 동사와 명사의 발음이 다름에 주의.

etc. [et-sétərə]
따위, 등등. ▶ 라틴어 et cetera의 간략형.
The pupils drew pictures of animals ── a lion, a tiger, a monkey, *etc.* 학생들은 동물 ── 사자, 호랑이, 원숭이 따위의 그림을 그렸다.

참고 etc. 는 and so forth [ən sóu fɔ́ːrθ] 또는 and so on[ən sóu àn]으로 읽는 것이 보통이며, etc. 앞에는 and를 붙이지 않고 콤마(comma)를 찍는다. 또 etc.가 문장의 끝에 오는 경우에는 피리어드(period)를 겹쳐 찍지 않는다.

e·ter·nal [itə́ːrnəl] 형
영원한.
We wish for *eternal* peace. 우리는 영원한 평화를 바란다.
The minister talked about *eternal* life. 목사는 영생에 관하여 이야기하였다.

eth·nic [éθnik] 형
인종의, 민족 특유의.
ethnic clothes 민족 의상.
an *ethnic* group 민족.

et·i·quette [étikèt] 명
《an과 복수형 안 씀》**에티켓, 예법, 예의.**
It is not good *etiquette* to

visit others at mealtime. 식사 때에 남을 방문하는 것은 예의에 어긋난다.

Etiquette requires a man to open the door for a woman. 여자를 위하여 문을 열어주는 것이 남자의 예의이다.

eu·ca·lyp·tus [jù:kəlíptəs] 명 복수

eucalyptuses [jù:kəlíptəsiz] 또는 **eucalypti** [jù:kəlíptai] 유칼립투스.

Koalas only eat *eucalyptus* leaves. 코알라는 단지 유칼립투스 잎만 먹는다.

*Eu·rope [júərəp] 명
유럽, 구주.

France and Germany are countries in *Europe*. 프랑스와 독일은 유럽에 있는 나라들이다.

Father is going to leave for *Europe* next month. 아버지는 다음 달 유럽으로 떠나신다.
☞ 형 European

> 참고 Europe 은 Asia 서쪽에 접하는 대륙으로, 영국 제도와 기타의 섬들을 포함한다. 주민은 인종적으로 북쪽은 게르만계, 남쪽은 라틴계, 동쪽은 슬라브계로 크게 나뉜다. 영국에서는 자기 나라와 구분하여 유럽 대륙만을 Europe이라고 부른다.

Eu·ro·pe·an [jùərəpí:ən] 형
유럽의; 유럽 사람의.

The house is *European* style. 그 집은 유럽식이다.
☞ 명 Europe

— 명 복수 **Europeans** [jùərə-pí:ənz]
유럽인.

Eu·ro·pe·an Com·mu·ni·ty [juərəpí:ən kəmjú:nəti] 명
《the를 붙여》 유럽 공동체. ▶EC 또는 E.C.로 약함.

Eve [i:v] 명
이브 《신이 창조한 최초의 여성. 아담(Adam)의 아내》.

*eve [i:v] 명
《흔히 **Eve**로》 (축제의) 전야, 전날, 이브.

On Christmas *Eve* children hang up their stockings at the end of their beds. 크리스마스 전야에 아이들은 침대 끝에 양말을 달아 놓는다.

We had a party on New Year's *Eve*. 우리는 섣달 그믐에 파티를 했다.

*e·ven [í:vən] 부
❶ 《보통 수식하는 말 앞에 쓰여》 …라도, …조차.

Even a young child can learn right from wrong. 어린아이라도 선악의 구별은 안다.

Even in winter the fields are green. 겨울에도 그 들판은 푸른 빛이다.

I never *even* heard his name. 나는 그의 이름을 들은 일조차 없다.

❷ 《비교급을 강조하여》 더욱(= still).

This book is *even* more useful than that. 이 책은 저것보다 훨씬 유익하다.

You'll be able to speak English *even* better if you work hard. 열심히 공부하면 더욱 영어를 잘 할 수 있게 된다.

even if ... 비록 …라고 하여도.

I'll come *even if* I'm tired. 비록 나는 지쳐 있지만 가겠다.

I won't mind *even if* he doesn't come. 설령 그가 오지 않더라도 나는 괜찮다.

even so 그럴지만.

He has some faults; *even so* he is a good man. 그는 결점이 있지만 그렇다 하더라도 좋은 사람이다.

— 형 비교 **more even** 또는 **evener** [í:vənər]; 최상 **most**

even 또는 **evenest**[íːvənist]
❶ 평평한, 평탄한.
The ground was *even*, and the road was good. 땅은 평탄하고 길은 좋았다.
❷ (수량·득점 따위가) **같은, 동일한, 반반의.**
The chances of success or failure are *even*. 성공과 실패의 가능성은 반반이다.
❸ 짝수의(⇔ odd 홀수의).
The pages on the left side of a book have *even* numbers. 책의 왼쪽 페이지에는 짝수 번호가 붙어 있다.

***eve·ning** [íːvniŋ] 명 복수 evenings[íːvniŋz]
저녁, 밤《해질녘부터 잘 때까지》.
an *evening* paper 석간 (신문).
My father comes home at seven in the *evening.*
아버지는 저녁 7시에 집에 돌아오신다.
Tom left for New York yesterday *evening.* 톰은 어제 밤에 뉴욕으로 떠났다.
My uncle is arriving in Seoul on Sunday *evening.*
아저씨는 일요일 저녁에 서울에 도착하신다. ▶요일이나 날짜 등 특정한 날을 나타내는 말이 붙으면 전치사 on을 씀.

┌─────────────────────┐
회화 **Good evening** . 「안녕하십니까?」
밤에 사람을 만났을 때 서로 주고 받는 인사말이다. 이는 격식을 차린 말투여서 젊은 사람들은 보통 Hello.나 Hi.를 쓴다.
A : *Good evening*, Mr. Kim.
B : *Good evening*, Mr. Han.
「김선생님, 안녕하십니까?」「한 선생님, 안녕하십니까?」
└─────────────────────┘

eve·ning dress [íːvniŋ drès] 명
《an과 복수형 안 씀》(여성·남성용의) **야회복.**

e·ven·ly [íːvənli] 부
평평하게, 고르게.
Spread the cement *evenly.*
시멘트를 고르게 펴 발라라.
Time goes by *evenly.*
시간은 일정하게 흐른다.

***e·vent** [ivént] 명 복수 events[ivénts]
❶ 사건; 행사.
History records important *events.* 역사는 중대한 사건을 기록한다.
We have many school *events* every year. 매년 많은 학교 행사들이 있다.

┌──────────────────────────┐
참고 **school events** (중요 학교 행사)
개교 기념일	school foundation day
건강 진단	medical examination
겨울 방학	winter vacation
학교 축제	school festival
소풍	outing
수학 여행	school excursion
개학식	opening ceremony
여름 방학	summer vacation
운동회	field day
졸업식	graduation ceremony
└──────────────────────────┘

❷ (경기의) **종목.**
an athletic *event* 경기 종목.
today's main *event* 오늘의 주요 경기.
track *events* 육상 경기 종목.
The marathon was the last and biggest *event.* 마라톤은 가장 중요한 마지막 경기였다.

e·ven·tu·al [ivéntʃuəl] 형
종국의, 최후의.
The eventual goal is the reunification of Korea.
종국의 목표는 한국의 재통일이다.

****ev·er** [évər] 부
❶ 《의문문·부정문에 쓰여》 일찍이, 여태까지.
Have you *ever* climbed

Hallasan? 너는 한라산에 올라가 본 적이 있느냐?

Have you *ever* been to Busan? 부산에 가 본 적이 있느냐?

Nobody *ever* visits them. 그들에게는 아무도 방문한 사람이 없다.

❷ 《최상급, the only, the first 따위의 뒤에서 이들을 강조하여》 **이제까지, 지금까지.**

This is *the best* movie I've *ever* seen. 이것은 내가 지금까지 본 중에서 제일 좋은 영화다.

She is *the only* girl I *ever* loved in my life. 그녀는 내가 생애 중 사랑했던 유일한 여성이다.

❸ 《긍정문에 쓰여》 **언제나, 항상.**

They lived happily *ever* after. 그들은 그 후 내내 행복하게 살았다.

❹ 《if의 조건문에 쓰여》 **언젠가, 행여나.**

He wondered *if* his brother would *ever* come back. 그는 형이 행여나 돌아오지나 않을까 하고 생각하였다.

If you *ever* go to Seoul, visit the Gyeongbokgung. 언젠가 서울에 간다면, 경복궁을 가보십시오.

as ... as ever **변함없이, 여전히.**

My grandmother is *as* well *as ever.* 할머니께서는 여전히 건강하시다.

ever after 〔*since*〕 **…이래 줄곧.**

I have known the boy *ever since* he was a baby. 나는 그 소년을 어릴 때부터 내내 알고 있다.

for ever **영원히.**

I would like to live with you *for ever.* 나는 언제까지나 너와 살고 싶다.

Yours ever, = *Ever yours,* 안녕히 《다정한 친구간 편지의 맺음말》.

Ev·er·est [évərist] 몡

《Mt. Everest로》 에베레스트 산.

참고 Everest 는 인도 북부 티베트와 네팔의 국경에 있는 히말라야 산맥 중의 최고봉이다. 해발 8,848 m로 세계의 최고봉이기도 하다. 몇 번이나 그 정상의 정복이 시도되다가, 1953년 5월 존 헌트가 이끄는 영국 등반대에 의해 처음으로 정복되었다.

ev·er·green [évərgrìːn] 몡 상록의.

The pine is an *evergreen* tree. 소나무는 상록수이다.

— 몡 [복수] **evergreens** [évərgrìːnz]

상록수.

Evergreens have green leaves all year. 상록수는 잎이 1년 내내 푸르다.

ev·er·y [évri] 몡

❶ **어느 …이나 다, 모든, 온갖.** ➤ every 뒤에는 단수 명사가 옴.

Tom wants to read *every* book in the library. 톰은 도서관에 있는 책을 전부 읽고 싶어한다.

Every boy in the class passed the examination. 그 반의 소년들은 모두 시험에 합격하였다.

어법 **every 와 all 과 each**

every는 「어느 것이나 다」라고 전체를 개별적으로 나타내는 말이므로 그 뒤에 오는 명사는 단수형이다. all은 「모두」라고 전체를 통틀어 말하는 말이므로 그 뒤에 오는 명사는 복수형이다. each는 「각각의」란 뜻으로 전체에 관계없이 하나하나를 개별적으로 가리키기 때문에 그 뒤에 오는 명사는 단수형이다.
every boy 어느 소년이나 다.
all the boys 그 소년들 모두.
each boy 각각의 소년.

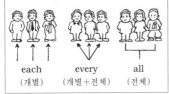

each	every	all
(개별)	(개별+전체)	(전체)

❷ 《부정문에 쓰여》 모두가 …이라고는 할 수 없다. ➤ every가 not과 함께 쓰이면 부분 부정.
Not every bird can sing. 모든 새가 노래 부를 수 있다고는 할 수 없다《노래를 부를 줄 모르는 새도 있다》.
Every person *cannot* be a great scientist. 모든 사람이 다 위대한 과학자가 될 수는 없다.
❸ 매…, …마다.
We clean our classroom *every* day. 우리는 매일 교실을 청소한다.
The Olympic games are held *every* four years. 올림픽 경기는 4년마다 열린다.
every moment 이제나 저제나 하고.
I was expecting her *every moment.* 나는 이제나 저제나 하고 그녀를 기다리고 있었다.
every other 하나 걸러. ☞other
every time …할 때마다.
Every time I see Lucy, I remember her father. 나는 루시를 볼 때마다 그녀의 아버지를 생각하게 된다.

*ev·er·y·bod·y [évribàdi] 대
《단수 취급》 누구나 다, **누구나, 모두**(=everyone).
Good morning, *everybody.* 여러분, 안녕하세요.

Everybody in this class likes Mr. Kim. 이 학급의 모든 학생은 김선생님을 좋아한다.
Everybody should work hard. 누구나 다 열심히 일해야 한다.

ev·er·y·day [évridèi] 형
매일의, 일상의(=daily).
everyday matters 일상 업무.
everyday wear 〔clothes〕 평상복.
everyday words 일상어.
Please tell us about *everyday* life in the United States. 미국의 일상 생활에 관하여 우리들에게 이야기해 다오.

참고 everyday를 every day로 떼어서 쓰면 부사의 구실을 하여 「매일」이란 뜻이 된다. 이 경우 둘 다 세게 발음한다.
everyday → 매일의.
every day → 매일.
I play tennis *évery dáy.* 나는 매일 테니스를 친다.

ev·er·y·one [évriwÀn] 대
《단수 취급》 누구나, **모두**(=everybody).
Everyone knows Mr. Smith. 누구나 다 스미스씨를 알고 있다.
Everyone was kind to me when I was in Korea. 내가 한국에 있었을 때 모든 사람들이 내게 친절했다.

참고 **everyone**과 **every one**
특히 every를 강조할 때는 두 낱말로 써서 every one으로 한다.
I asked *every one* of them. 나는 그들 한 사람 한 사람에게 물어보았다.

ev·er·y·thing [évriθìŋ] 대
❶ 《단수 취급》 무엇이든지 모두, **만사.**

Tell me *everything.*
나에게 모두 말하여라.
Everything is ready for camping. 야영 준비가 모두 다 되었다.
I want to see *everything* famous in Paris. 나는 파리의 유명한 것은 모두 보고 싶다.
❷ 가장 귀중한〔중요한〕 것.
Health means *everything* to me. 내게는 건강이 무엇보다 중요하다.

*ev·er·y·where [évrih\wὲər]
부
어디든지, 도처에.
I looked *everywhere* for the book. 나는 그 책을 사방으로 찾아보았다.
The book has been read *everywhere* in the world. 그 책은 세계 어디서나 읽혀져 왔다.

ev·i·dence [évidəns]
명
《an과 복수형 안 씀》 증거.
The *evidence* was against her. 그 증거는 그녀에게 불리하였다.
There wasn't enough *evidence* to prove him guilty. 그가 유죄임을 증명할 만한 증거가 없었다.

ev·i·dent [évidənt]
형
[비교] more evident; [최상] most evident
분명한, 명백한(=clear).
It is *evident* that he will win. 그가 이길 것은 분명하다.

e·vil [íːvəl] 형 [비교] more evil; [최상] most evil
나쁜, 사악한(=bad).
He lived an *evil* life. 그는 사악한 생활을 하였다.
We were frightened to see the *evil* man. 그 악인을 만나 우리는 무서웠다.
── 명 [복수] evils[íːvəlz]
악(⇔good 선): 재해, 죄악.

War brings many *evils.*
전쟁은 많은 재해를 가져온다.
Tobacco is considered by some to be an *evil.* 담배가 해로운 것으로 생각하는 사람도 있다.

*ex·act [igzǽkt] 형
[비교] more exact; [최상] most exact
정확한; 엄밀한. ▶수·양·질 따위가 엄밀하게 정확함을 강조함. ☞ correct
Tell me the *exact* time.
정확한 시간을 가르쳐 다오.
What is the *exact* size of the room? 그 방의 정확한 넓이는 얼마나 되느냐?

*ex·act·ly [igzǽktli]
부
[비교] more exactly; [최상] most exactly
❶ 정확히, 꼭. ☞ just
It is *exactly* six o'clock.
정각 6시다.
His answer was *exactly* right. 그의 답은 정확히 맞았다.
That's *exactly* what I expected. 그거야말로 내가 기대하고 있었던 대로이다.
❷ 《대답으로》 바로 그렇다, 그렇고 말고.
"If we don't start now, we'll be late." "*Exactly.*" 「지금 떠나지 않으면 늦는다.」「아무렴, 그렇고 말고.」

ex·am [igzǽm] 명
[복수] exams[igzǽmz]
시험. ▶examination의 간략형으로, 구어적 표현임.

*ex·am·i·na·tion
[igzǽmənéiʃn] 명 [복수] examinations[igzǽmənéiʃnz]
❶ final *examinations* 기말 시험.
George has passed the *examination.* 조지는 시험에 합격하였다.

I have to prepare for the entrance *examination.* 나는 입학 시험 준비를 해야 한다.

❷ 검사, 진찰.

a physical *examination* 신체 검사.

The doctor made a careful *examination* of my ears. 의사는 주의 깊게 내 귀를 진찰했다.

ex·am·ine [igzǽmin] 타

③·단·현 examines [igzǽminz] ; ing형 examining [igzǽminiŋ] ; 과거 과분 examined[igzǽmind]
…을 검사하다, 조사하다, 진찰하다.

The policeman *examined* the room carefully. 경찰관은 주의 깊게 방을 조사하였다.

The doctor was *examining* his grandmother. 의사가 그의 할머니를 진찰하고 있었다.

*__ex·am·ple__ [igzǽmpəl] 명

복수 examples[igzǽmpəlz]

❶ 예, 실례; 견본.

Will you give me an *example*? 예를 하나 들어 주겠느냐?

This dictionary has a lot of good *examples* of sentences. 이 사전에는 좋은 예문이 많이 있다.

❷ 모범, 표본, 본보기.

You should follow John's *example* and work harder. 너는 존을 본보기로 하여 열심히 공부해야만 한다.

The teacher set a good *example* for his pupils. 선생님은 학생들에게 좋은 본보기를 보여주셨다.

*__for example__ 이를테면, 예를 들면.

I like sweets, *for example*, cookies. 나는 단 것, 예를 들면 쿠키를 좋아한다.

ex·cel [iksél] 타·자

③·단·현 excels[iksélz] ; ing형 excelling [ikséliŋ] ; 과거 과분 excelled[iséld]

(…을) 능가하다; (…보다) 뛰어나다, 낫다, 탁월하다.

Mike *excels* others in swimming. 마이크는 수영에 있어서 누구보다도 낫다.

Yejin *excels* in speaking and writing English. 예진이는 영어를 말하고 쓰는 데 뛰어나다.

ex·cel·lent [éksələnt] 형

비교 more excellent; 최상 most excellent
우수한, 빼어난.

The report is *excellent*.
그 보고서는 훌륭하다.

Tom is *excellent* in mathematics. 톰은 수학을 썩 잘한다.

*__ex·cept__ [iksépt] 전

…을 제외하고, …이외에는.

Nobody can do it *except* me. 나 외에 아무도 그것을 할 수 없다.

Everything is all right *except* one thing. 한 가지만 빼고는 모든 것이 괜찮다.

Except in wet weather, I walk to school. 비가 올 때 이외에는 나는 학교에 걸어서 다닌다. ➤ except 뒤에는 명사나 대명사 외에 구나 절이 올 때도 있음.

*__except for__ …을 제외하고는.

The letter is good *except for* a few spelling mistakes. 그 편지는 약간의 철자 잘못을 제외하면 훌륭하다.

ex·cep·tion [iksépʃ ən] 명

복수 exceptions[iksépʃənz]
예외, 예외적인 사람[사물].

There are some *exceptions* to this rule. 이 규칙에는 몇몇 예외가 있다.

All parents, without *exception*, must send their children to school. 모든 어버이는 예외 없이 아이들을 학교에 보내야만 한다.

ex·cess [iksés] 명 복수 excesses [iksésiz]

과다, 초과.
Excess of joy made him crazy. 너무 기뻐 그는 미쳐버렸다.

ex·change [ikstʃéindʒ] 타 3·단·현
exchanges [ikstʃéindʒiz] : ing형
exchanging [ikstʃéindʒiŋ] : 과거
과분 exchanged [ikstʃéindʒd]

···을 교환하다, 바꾸다.
Jim *exchanged* an apple for a banana. 짐은 사과를 바나나와 바꿨다.
Exchanging letters is necessary for building trust. 편지 교환은 신뢰를 쌓는 데 필요하다.
Bob *exchanged* seats with Jack. 보브는 책과 자리를 바꾸었다.
── 명 복수 exchanges [ikstʃéindʒiz]

교환, 주고받기.
We had an *exchange* of ideas among ourselves. 우리들은 서로 의견을 교환하였다.
in exchange for ···대신, ···와 교환으로.
I teach Mike Korean *in exchange for* English. 나는 마이크에게 영어를 배우는 대신 한국어를 가르쳐주고 있다.

*ex·cite [iksáit] 타
3·단·현 excites [iksáits] : ing형
exciting [iksáitiŋ] : 과거 과분 excited [iksáitid]

❶ ···을 흥분시키다, 자극하다.
Don't *excite* yourself like that. 그렇게 흥분하지 마라.
The patient mustn't be *excited*. 환자를 흥분시켜서는 안된다.
❷ (감정 따위)를 일으키다.
Her new dress *excited* envy in her friends. 그녀의 새 옷은 친구들을 부럽게 하였다.

ex·cit·ed [iksáitid] 형 비교 more excited;
최상 most excited

흥분한. ☞ exciting
an *excited* crowd 흥분한 군중.
She looks *excited*.
그녀는 흥분한 듯이 보인다.

ex·cit·ed·ly [iksáitidli] 부
비교 more excitedly; 최상 most excitedly

흥분하여.
"I've won!" shouted George *excitedly*. 「이겼다!」하고 조지는 흥분하여 소리쳤다.

ex·cite·ment [iksáitmənt] 명
복수 excitements [iksáitmənts]
❶ 《an과 복수형 안 씀》 흥분.
I still remember the *excitement* of the first day of middle school. 나는 중학교에 입학한 첫날의 흥분을 아직도 기억하고 있다.
❷ 자극, 자극적인 것.
I can't bear the *excitements* of city life. 나는 도시 생활의 자극에 견딜 수 없다.
with excitement 흥분하여.
The crowd began to shout *with excitement*. 군중은 흥분하여 소리치기 시작하였다.

ex·cit·ing [iksáitiŋ] 동
── 형 비교 more exciting; 최상 most exciting

흥분시키는, 퍽 재미있는. ☞ interesting
That was an *exciting* game. 그것은 퍽 재미있는 경기였다.
I can never forget his *exciting* story of his trip to Africa. 나는 그의 아프리카 여행의 재미있는 이야기를 잊을 수 없다.

ex·claim [ikskléim] 자·타
3·단·현 exclaims [ikskléimz] :
ing형 exclaiming [ikskléimiŋ] :

過去 過分 **exclaimed**[ikskléimd] (…라고) **외치다**. ☞ cry
"Help me!" *exclaimed* the boy. 「도와줘요!」하고 소년은 외쳤다.
The girl *exclaimed* with delight when she saw the beautiful doll. 그 소녀는 아름다운 인형을 보았을 때 기뻐서 소리쳤다.

ex·cla·ma·tion [èksklǝméi-∫ǝn] 명 복수
exclamations[èksklǝméi∫ǝnz]
외침, 감탄(의 소리).
The children gave an *exclamation* of joy. 아이들은 환희의 소리를 질렀다.

ex·cla·ma·tion mark
[èksklǝméi∫ǝn mà:rk] 명
복수 **exclamation marks**[èksklǝméi∫ǝn mà:rks]
느낌표(!).

ex·cur·sion [ikskə́:rʒǝn] 명
복수 **excursions**[ikskə́:rʒǝnz]
소풍, (주로 단체의) 여행, 수학여행.
He goes on *excursion* to the beach every summer. 그는 매년 여름에 해안으로 여행을 간다.
The Brown family made an *excursion* into the country. 브라운씨 가족은 시골로 소풍을 갔다.

ex·cuse [ikskjú:z] 타
3·단·현 **excuses** [ikskjú:ziz] ; ing형 **excusing**[ikskjú:ziŋ] ; 과거 過分 **excused**[ikskjú:zd]
…을 용서하다.
Please *excuse* me for being late. =Please *excuse* my being late. 늦어서 죄송합니다.
I will *excuse* you this time. 이번에는 너를 용서해주겠다.

*Excuse me. **실례합니다; 실례했습니다; 《문장 끝을 올려 발음해서》 미안하지만 한 번 더 말씀해주세요**.

회화 **Excuse me.의 용법**
다음의 두 경우로 구분해 쓴다.
1. 실례합니다. 모르는 사람에게 말을 건넨다거나, 남의 앞을 지나가게 된다거나, 남의 이야기를 중단시키는 등, 상대에게 실례가 될 수 있는 행동을 할 때의 인사로 쓴다. 이에 대한 응답은 보통 Certainly. 또는 Sure. (좋습니다.)가 된다.

2. 실례했습니다. 상대의 어깨나 몸을 본의 아니게 가볍게 건드렸다거나 남과 이야기 도중에 기침이 나왔다거나 하여 상대방에게 작은 실례가 되는 행동을 했을 때, 사과하는 인사로 쓴다. 이에 대한 응답은 보통 That's all right. 또는 Never mind. (괜찮습니다.)가 된다. 또, 남의 발을 밟았다거나 남의 꽃병을 깼다거나 하여 좀 큰 과실이나 실례를 범했을 때는 I am sorry.라고 사과한다.

Excuse me, but … **실례지만**(…하여 주시겠습니까).
Excuse me, but would you

please tell me the way to the museum? 실례지만 박물관으로 가는 길을 가리켜 주시겠습니까?
—— [ikskjú:s] 명 복수 **excuses** [ikskjú:siz]
변명, 구실.
She gave the teacher an *excuse* for her absence. 그녀는 선생님에게 결석한 이유를 말했다.
➤ 동사와 명사의 발음이 다름에 주의.

ex·cus·ing [ikskjú:ziŋ] 동
excuse의 -ing형.

ex·er·cise [éksərsàiz] 명
복수 **exercises** [éksərsàiziz]
❶ 연습; 연습 문제. ☞ practice
We did *exercises* in English composition this morning. 우리들은 오늘 아침에 영작문의 연습 문제를 하였다.
❷ 《an과 복수형 안 씀》운동, 체조.
Bike riding is good *exercise*. 자전거 타기는 좋은 운동이다.
She gets *exercise* every day. 그녀는 매일 운동을 한다.

—— 동 3·단·현 **exercises** [éksərsàiziz]; ing형 **exercising** [éksərsàiziŋ]; 과거 과분 **exercised** [éksərsàizd]
타 …을 운동시키다; (정신)을 쓰다.
Horses will get fat and lazy if they are not *exercised*. 말은 운동을 시키지 않으면 살이 찌고 게을러진다.
Exercise your imagination.

상상력을 발휘해라.
—— 자 운동하다.
It is good for the health to *exercise* every day. 매일 운동을 하는 것은 건강에 좋다.

ex·er·cis·ing [éksərsàiziŋ] 동
exercise의 -ing형.

ex·haust [igzɔ́:st] 타
3·단·현 **exhausts** [igzɔ́:sts]: ing형 **exhausting** [igzɔ́:stiŋ]: 과거 과분 **exhausted** [igzɔ́:stid]
❶ …을 다 써 버리다.
The supply of water was *exhausted* after the dry weather. 건조한 날씨 후 물의 공급은 고갈되었다.
❷ …을 지쳐버리게 하다.
The tennis player was *exhausted* after the game. 그 테니스 선수는 경기가 끝난 후 지쳐버렸다.

ex·hib·it [igzíbit] 타 3·단·현 **exhibits** [igzíbits]: ing형 **exhibiting** [igzíbitiŋ]: 과거 과분 **exhibited** [igzíbitid]
…을 진열하다, 출품하다.
Some famous paintings by Millet are *exhibited* in the art museum. 밀레의 유명한 그림들이 그 미술관에 진열되어 있다.
Why don't you *exhibit* your roses in the flower show? 왜 네 장미를 전시회에 출품하지 않느냐?

발음 exhibit는 [igzíbit]로 발음되고, 명사인 exhibition은 [èksəbíʃən]으로 발음된다.

ex·hi·bi·tion [èksəbíʃən] 명
복수 **exhibitions** [èksəbíʃənz]
전람회, 전시회.
Art *exhibitions* are held at Gyeongbokgung every fall. 매년 가을에 경복궁에서 미술전이

열린다.

*ex·ist [igzíst] 째
③·단·현 **exists**[igzísts];
ing형 **existing** [igzístiŋ]; 과거
과분 **existed**[igzístid]
존재하다, 생존하다.
Can these plants *exist* on
the desert? 이 식물은 사막에서
살 수 있느냐?
Do fairies *exist*? 요정은 존재
할까? ☞ 명 existence

ex·ist·ence [igzístəns] 명
《an과 복수형 안
씀》실재, 존재; 생존.
Some children believe in
the *existence* of fairies. 요정
의 존재를 믿는 아이들도 있다.
I wonder when the world
came into *existence*. 지구는
언제 생겼을까? ☞ 동 exist

ex·it [égzit] 명
복수 **exits**[égzits]
(공공 건물·고속 도로 따위의)
출구(⇔ entrance 입구). ➤ 출구
의 표지는 보통 미국에서는 Exit,
영국에서는 Way Out.
an emergency *exit* 비상구.
The theater has six *exits*.
그 극장에는 출구가 여섯 개 있
다.

「출구 전용」의 표지

*ex·pect [ikspékt] 타 ③·단·현
expects [ikspékts];
ing형 **expecting**[ikspéktiŋ]; 과거
과분 **expected**[ikspéktid]
…을 예기하다, (당연한 것으로서)
기대하다; 《**expect ... to** do /
expect that...으로》…가 ~할 것
이라고 생각하다.
I *expected* you yesterday.
나는 어제 (올 것 같아서) 너를
기다리고 있었다.

I *expected* him *to* come. =
I *expected that* he would
come. 나는 그가 오리라고 생각
했었다. ☞ 명 expectation

ex·pec·ta·tion [èkspektéiʃən] 명
복수 **expectations**[èkspektéiʃənz]
예상, 기대.
He did not answer the
expectations of his parents.
그는 부모의 기대에 어긋났다.
He ate a light lunch in
expectation of a good din-
ner. 그는 만찬을 예상하여 가벼
운 점심을 먹었다. ☞ 동 expect

ex·pe·di·tion [èkspədíʃən] 명
복수 **expeditions**[èkspədíʃənz]
탐험, 원정; 탐험대.
They went on an *expedition*
to the Antarctic. 그들은 남극
탐험의 길에 나섰다.

ex·pense [ikspéns] 명
복수 **expenses**[ikspénsiz]
❶《보통 an과 복수형 안 씀》
(돈·시간·노동력 따위의) 지출,
소비; 비용.
He bought the ticket at
his own *expense*. 그는 자비로
표를 샀다.
❷《보통 복수형으로》경비, …비
(費).
Father has paid all my
school *expenses*. 아버지는 나
의 학비를 모두 지불해 주셨다.

*ex·pen·sive [ikspénsiv] 형
비교 **more expensive**; 최상
most expensive

비용이 드는, 비싼(⇔ cheap 싼).
Tomatoes are *expensive* in winter. 겨울에는 토마토의 값이 비싸다.
The dictionary was too *expensive* for me. 그 사전은 나에게는 너무 비쌌다.

*ex·pe·ri·ence [ikspíəriəns] 명
복수 experiences [ikspíəriənsiz]
경험, 체험.
We all learn by *experience*.
우리들은 모두 경험에 의해서 배운다.
The tourists had many pleasant *experiences* in Korea. 관광객들은 한국에서 여러 가지 즐거운 체험을 하였다.
It's a good *experience* for you. 그것은 너에게 좋은 경험이 된단다. ➤ 어머니나 선생님께서 아이들에게 무엇을 시킬 때 흔히 쓰는 말.
── 타 3·단·현 experiences [ikspíəriənsiz]; ing형 experiencing [ikspíəriənsin]; 과거 과분 experienced [ikspíəriənst]
…을 경험하다, 체험하다.
If you become a scuba diver, you can *experience* the beautiful world beneath the sea. 만약 네가 스쿠버 다이버가 된다면, 너는 바다 밑의 아름다운 세상을 경험하게 될 것이다.

ex·pe·ri·enced [ikspíəriənst] 형
비교 more experienced; 최상 most experienced
경험 있는, 숙련된.
Looking for an *experienced* computer programer. 《광고》
경험 있는 컴퓨터 프로그래머 구함.

ex·pe·ri·enc·ing [ikspíəriənsin] 동
experience의 -ing형.

ex·per·i·ment [ikspérəmənt] 명
복수 experiments [ikspérəmənts]

실험.
Franklin made an *experiment* in electricity. 프랭클린은 전기 실험을 하였다.
── 자 3·단·현 experiments [ikspérəmènts]; ing형 experimenting [ikspérəmèntin]; 과거 과분 experimented [ikspérəmèntid]
실험하다.
He kept *experimenting*.
그는 실험을 계속하였다.

ex·pert [ékspəːrt] 명 복수 experts [ékspəːrts]
전문가; 숙련가, 명인.
Dr. Brown is an *expert* in American history. 브라운 박사는 미국사의 전문가다.
He is an *expert* at driving a car. 그는 자동차 운전에 능숙하다.
── [ikspə́ːrt] 형 비교 more expert; 최상 most expert
숙련된, 능숙한, 노련한.
Mary is an *expert* skater.
메리는 스케이트에 능숙하다.
➤ 형용사는 [ékspəːrt]로도 발음.

*ex·plain [ikspléin] 타
3·단·현 explains [ikspléinz]; ing형 explaining [ikspléinin]; 과거 과분 explained [ikspléind]
…을 설명하다.
Please *explain* the rules of baseball to me.
야구의 규칙을 나에게 설명해 주십시오.
Explain what you mean.
네 말이 무슨 뜻인지 설명해 봐라.
☞ 명 explanation

ex·pla·na·tion [èksplənéiʃən] 명
복수 explanations [èksplənéiʃənz]
설명.
Can you understand this passage without *explanation*? 너는 설명 없이 이 문장을 이해할 수 있느냐?
☞ 동 explain

ex·plode [iksplóud] 동

③·단·현 **explodes** [iksplóudz] ;
ing형 **exploding** [iksplóudiŋ] ;
과거 과분 **exploded** [iksplóudid]
자 폭발하다.

The gas tank *exploded.*
가스 탱크가 폭발하였다.

The bomb *exploded* and
killed him. 폭탄이 폭발하여 그
는 죽었다.

— 타 폭발시키다.

ex·plore [iksplɔ́ːr] 타·자

③·단·현 **explores** [iksplɔ́ːrz] ;
ing형 **exploring** [iksplɔ́ːriŋ] ; 과거
과분 **explored** [iksplɔ́ːrd]
(…을) 탐험하다.

Do you know who *explored*
the North Pole by subma-
rine? 잠수함으로 북극을 탐험한
사람이 누군지 아느냐?

ex·plor·er [iksplɔ́ːrər] 명

복수 **explorers** [iksplɔ́ːrərz]
탐험가.

The boy wanted to be a
space *explorer.* 소년은 우주 탐
험가가 되고 싶어하였다.

ex·plo·sion [iksplóuʒən] 명

복수 **explotions** [iksplóuʒənz]
(화약 따위의) 폭발; 폭발 소리.

Ex·po [ékspou] 명

복수 **Expos** [ékspouz]
엑스포, (세계) 박람회. ▶ expo-
sition을 줄인 말.

Daejeon *Expo* '93, 1993년 대
전 세계 박람회.

*ex·port [ikspɔ́ːrt] 타 ③·단·현

exports [ikspɔ́ːrts] ;
ing형 **exporting** [ikspɔ́ːrtiŋ] ;
과거 과분 **exported** [ikspɔ́ːrtid]
…을 수출하다(⇔import 수입하다).

Korea *exports* a great
number of cars every year.
한국은 매년 많은 자동차를 수출
한다.

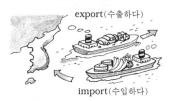
export(수출하다)
import(수입하다)

— [ékspɔːrt] 명 복수 **exports**
[ékspɔːrts]
❶ 《an과 복수형 안 씀》 수출(⇔
import 수입).

These toys are manufactured
for *export* to foreign coun-
tries. 이 장난감은 외국에 수출하
기 위해 제조된다.

❷ 수출품.

Watches are among the
most important *exports* of
that country. 시계는 그 나라
의 가장 중요한 수출품의 하나다.

▶ 동사와 명사의 발음이 다름에
주의.

ex·pose [ikspóuz] 타 ③·단·현

exposes [ikspóuziz] ;
ing형 **exposing** [ikspóuziŋ] ; 과거
과분 **exposed** [ikspóuzd]
❶ (햇볕·비 따위에) …을 쐬다,
맞히다, (위험 따위에) 드러내다,
노출시키다.

I don't want to *expose*
myself to danger. 나는 위험에
몸을 드러내고 싶지 않다.

❷ (비밀 따위)를 폭로하다.

He *exposed* their secret
plan to the police. 그는 그들
의 비밀 계획을 경찰에 알렸다.

ex·po·si·tion [èkspəzíʃən] 명

복수 **expositions** [èkspəzíʃənz]
박람회, 전람회.

a world *exposition* 세계 박람
회.

*ex·press [iksprés] 타

③·단·현 **expresses** [iksprésiz] ;
ing형 **expressing** [iksprésiŋ] ;
과거 과분 **expressed** [iksprést]

E

···을 표현하다, 말로 나타내다.
Drawings couldn't *express* everything. 그림으로 모든 것을 다 표현할 수는 없었다.
I cannot *express* how grateful I am. 나는 어찌나 감사한지 말로 나타낼 수 없다.
      ☞ 명 expression

express oneself 자기의 생각을 말하다.
Express yourself in English. 네 생각을 영어로 말해라.
—— 형 《명사 앞에만 쓰여》 급행의.
I took an *express* train for Chicago. 나는 시카고행 급행 열차를 탔다.
—— 명 복수 **expresses** [iksprésiz] (열차 · 버스 따위의) **급행**.
travel by *express* 급행으로 여행하다. ➤ by express에는 관사를 쓰지 않음.
They took the 8:30 *express*. 그들은 8시 30분발 급행 열차를 탔다.

ex·pres·sion [ikspré∫ən] 명
복수 **expressions** [ikspré∫ənz]
(말 · 표정 · 태도 따위에 의한) **표현**; (얼굴 따위의) **표정**.
The sunset was beautiful beyond *expression*. 일몰은 표현할 수 없을 만큼 아름다웠다.
There was an *expression* of surprise on her face. 그녀의 얼굴에는 놀라움의 표정이 보였다.   ☞ 동 express

expressions 미국 사람들이 잘 짓는 표정들

① 눈알을 돌린다 (어처구니없거나 기막힐 때).
② 윙크하다 (상대에게 어떤 신호를 보낼 때).
③ 양 눈썹을 치켜 올린다 (놀랐을 때).

④ 코에 주름을 짓는다 (싫다고 생각할 때).
⑤ 이를 드러낸다 (화났거나 분할 때).

ex·press·way [ikspréswèi] 명
복수 **expressways** [ikspréswèiz]
고속 도로. ➤ 영국에서는 motorway라고 함.
This is the longest *expressway* in Korea. 이것이 한국에서 가장 긴 고속 도로다.

미국 오리건주의 고속 도로

ex·tend [iksténd] 동 3·단·현
extends [iksténdz]:
ing형 **extending** [iksténdiŋ]:

〔과거〕〔과분〕 **extended**[iksténdid]
타 …을 연장하다, 넓히다, 뻗치다.
Can't you *extend* your visit
for a few days? 2, 3일 더 체
류를 연장할 수 없습니까?
── 자 늘어나다, 넓어지다, 뻗다.
My farm *extends* as far as
the river. 나의 농장은 강이 있
는 데까지 뻗쳐 있다.

ex·ten·sion [iksténʃən]
명
〔복수〕 **extensions**[iksténʃənz]
❶ 《an과 복수형 안 씀》 연장, 확
장.
the *extension* of a highway
간선 도로의 연장.
❷ (도로·철도 따위의) 연장〔확
장〕 부분.
The *extension* was opened
for traffic. 도로의 연장 부분이
개통되었다.
❸ (전화의) 내선. ▶ 회사 따위의
구내 전화를 말함.
May I have *extension* 234,
please? 내선 234번을 부탁합니
다.

ex·tin·guish [ikstíŋgwiʃ] 타
〔3·단·현〕 **extin-
guishes** [ikstíŋgwiʃiz]; 〔ing형〕
extinguishing [ikstíŋgwiʃiŋ];
〔과거〕〔과분〕 **extinguished** [ikstíŋ-
gwiʃt]
(불·빛 따위)를 끄다.
He *extinguished* a candle.
그는 촛불을 껐다.

ex·tra [ékstrə] 형
임시의, 여분의.
an *extra* train〔bus〕 임시 열
차〔버스〕.
This paper is an *extra*
edition. 이 신문은 임시 증간호
이다.

ex·traor·di·nar·y
[ikstrɔ́ːrdənèri] 형
이상한, 유별난, 비범한(⇔ ordi-
nary 보통의).
Eight feet is an *extraordi-

nary height for a man.
8피트라면 남자키로는 유별나다.
Leonardo da Vinci was a
man of *extraordinary* gen-
ius. 레오나르도 다빈치는 비범한
재주를 가진 사람이었다.

ex·treme [ikstríːm]
극단적인, 극도의.
The cold is *extreme* in that
place. 그 곳에서는 추위가 극도
로 심하다.
── 명 〔복수〕 **extremes**[ikstríːmz]
극단, 극도.
Young men are apt to go
to *extremes*. 젊은이들은 극단으
로 흐르기 쉽다.

ex·treme·ly [ikstríːmli] 부
극단적으로, 극도로, 지극히.
It is *extremely* hot in that
desert. 그 사막 지방은 지극히
덥다.

eye [ai] 명 〔복수〕 **eyes[aiz]
눈. ▶ 한 쪽 눈만 가리킬
경우 이외에는 보통 복수형을 씀.
Close〔Open〕 your *eyes*.
눈을 감아라〔떠라〕.
He has dark *eyes*. 그는 눈이
검다. ▶ black eye는 「멍든 눈」.
keep an eye on …에서 눈을 떼
지 않다, …을 감시하다.
The nurse *kept an eye on*
the patient. 간호사는 환자를
지켜보았다.

eye·brow [áibràu] 명
〔복수〕 **eyebrows**[áibràuz]
눈썹. ☞ brow
My father has thick *eye-
brows*. 아버지는 눈썹이 짙다.
He raised his *eyebrows*. 그
는 (놀라서) 눈썹을 치켜올렸다.

eye·lid [áilìd] 명
〔복수〕 **eyelids**[áilìdz]
눈꺼풀.
the upper〔lower〕 *eyelid* 위
〔아래〕 눈꺼풀.

F f
F f

F [fǽrənhàit] 혱
화씨의. ▶Fahrenheit의 간략형.
100 degrees C. is equal to 212 degrees *F*. 섭씨 100도는 화씨 212도와 같다.
▶95°F는 ninety-five degrees Fahrenheit라 읽음.

fa·ble [féibəl] 몡
복수 **fables**[féibəlz]
(동물 따위를 의인화한 교훈적인) 동화, 우화.
Aesop's *Fables* 이솝 우화.
This *fable* about the sun and the north wind teaches us many things. 해와 북풍에 관한 이 우화는 우리에게 많은 것을 가르쳐준다.

face [feis] 몡
복수 **faces**[feisiz]
❶ 얼굴.
We say a lot with the look on our *faces*. 우리는 얼굴의 표정으로 많은 것을 이야기한다.

참고 **face의 범위**
턱으로부터 머리칼까지의 head 앞면을 face 라고 한다. 즉, 눈, 입, 코가 있는 곳이지만, 귀는 얼굴에 포함시키지 않는다.

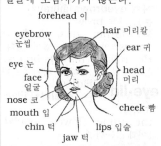

forehead 이마
hair 머리칼
eyebrow 눈썹
ear 귀
eye 눈
head 머리
face 얼굴
nose 코
cheek 빰
mouth 입
lips 입술
chin 턱
jaw 턱

❷ 표면; (시계 따위의) 문자반.
the *face* of a watch 시계의 문자반.
Have you ever seen the *face* of the moon? 달의 표면을 본 일이 있느냐?

face to face 얼굴을 맞대고, 마주 대하여.
I sat *face to face* with her. 나는 그녀와 서로 얼굴을 마주 대하고 앉았다.
── 타 3·단·현 **faces** [féisiz];
ing형 **facing** [féisiŋ]; 과거 과분 **faced**[féist]
…에 향(면)하고 있다; (어려움 따위)에 직면하다.
The windows of our classroom *face* south. 우리 교실의 창문은 남쪽을 향하고 있다.

fac·ing [féisiŋ] 통
face의 -ing형.

fac·sim·i·le [fæksíməli] 몡
복수 **facsimiles**[fæksíməliz]
팩시밀리. ▶구어에서는 생략해서 fax라고도 함.
She sent a letter on (by) *facsimile*. 그녀는 편지를 팩시밀리로 보냈다.

fact [fækt] 몡
복수 **facts**[fækts]
사실, 실제.
Give us the *facts*, not opinions. 의견이 아니라 사실을 우리에게 말해 다오.
Is it a *fact* that he went to China? 그가 중국에 갔다는 것이 사실이냐?
The *fact* is, I was home that night. 실은 그 날 밤 나는 집에 있었다.

as a matter of fact 사실, 실은.

As a matter of fact, they can speak English very well. 사실 그들은 영어를 매우 잘 한다.

*in fact 《앞 문장을 강조·정정하여》 사실은, 실제로는, 실은.
In fact, I didn't sleep well last night. 사실은 나는 지난밤에 잘 자지 못했다.
In fact, I've never heard her sing. 실은 나는 그녀의 노래를 들어본 적이 전혀 없다.

fac·tor [fǽktər] 몡
복수 factors [fǽktərz]
요소, 요인《어떤 일이 일어나는 원인이 되는 것》.
Good luck is one of the main factors in a man's success. 행운이란 인간이 성공하는 데 주요한 요소 중의 하나다.

fac·to·ries [fǽktəriz] 몡
factory의 복수.

*fac·to·ry [fǽktəri] 몡
복수 factories [fǽktəriz]
공장, 제작소.
a car factory 자동차 공장.
He works in a factory.
그는 공장에서 일한다.
Factories will be using new types of energy. 공장들은 새로운 형태의 에너지를 사용하게 될 것이다.

fac·ul·ty [fǽkəlti] 몡 복수
faculties [fǽkəltiz]
능력, 재능.
a faculty for art 미술에 대한 재능.
A dog's faculty of hearing is much sharper than ours.
개의 청력은 우리들의 것보다 훨씬 예민하다.

fade [feid] 재 3·단·현 fades
[feidz] ; ing형 fading
[féidiŋ] ; 과거 과분 faded [féidid]
❶ 색이 바래다.
My blue shirt has faded.
나의 파란 셔츠는 색이 바랬다.

❷ (소리가) 사라지다, 작아지다; (빛이) 흐려지다.
The noise in the classroom faded away when the teacher appeared. 선생님이 나타나시자 교실의 시끄러움은 차차 가라앉았다.
As winter comes nearer, shadows fade. 겨울이 다가오면, 그림자는 엷어진다.

❸ (꽃이) 시들다.
This flower doesn't fade easily. 이 꽃은 쉬이 시들지 않는다.

Fahr·en·heit [fǽrənhàit] 혱
화씨(華氏)의(⇨centigrade(섭씨의)). ▶약어는 F 또는 F.
32°F 화씨 32도. ▶thirty-two degrees Fahrenheit라고 읽음. 섭씨 0°C에 해당함.
The centigrade thermometer is more scientific than the Fahrenheit. 섭씨 온도계는 화씨 온도계보다 더 과학적이다.

참고 1. 독일의 물리학자 파렌하이트가 화씨 온도의 눈금을 정하였으며, 화씨 온도를 섭씨 온도로 환산하는 공식은 다음과 같다.

$$C = \frac{5}{9}(F - 32)$$

2. 영미에서는 온도 표시를 보통 F(화씨)를 사용하기 때문에, F 또는 C(섭씨)의 표시가 없을 때는 화씨로 생각하면 된다.

*fail [feil] 재 3·단·현 fails
[feilz]; ing형 failing [féiliŋ];
과거 과분 failed [feild]
❶ 실패하다(⇔succeed 성공하다).
He tried hard but failed.
그는 열심히 노력했으나 실패했다.
They failed in business.
그들은 사업에 실패했다.

❷ (기계·기관 따위가) 작동하지 않다, 고장이 나다.

The brakes *failed.*
브레이크가 작동하지 않았다.
His heart *failed.*
그의 심장은 기능을 잃었다.
── 타 (시험·과목 따위)에 **낙제**
하다, 낙제점을 받다.
He *failed* the examination.
=He *failed* in the exami-
nation.=He *failed* to pass
the examination. 그는 그 시험
에 낙제했다.
He *failed* math. 그는 수학에서
낙제점을 받았다. ☞ 명 failure
not [*never*] *fail to* do 반드시
… 하다.
I *never fail to* come.
나는 꼭 온다.
Don't fail to call me by five.
5시까지 꼭 내게 전화를 걸어 다오.
── 명 **실패.** ▶ 다음 구로만 쓰임.
without fail 반드시, 꼭.
I believe Jane will come
without fail. 나는 제인이 반드
시 오리라고 생각한다.

fail·ure [féiljər] 명
복수 **failures**[féiljərz]
(계획·사업·시험 따위의) **실패**
(⇔success 성공); **낙제; 실패작.**
I'm not afraid of *failure.*
나는 실패를 두려워하지 않는다.
Do you think our plan was
a *failure?* 너는 우리들의 계획
이 실패였다고 생각하느냐?
☞ 동 fail

faint [feint] 형
비교 **fainter** [féintər] :
최상 **faintest** [féintist]
(소리·색깔·빛 따위가) **희미한,**
가냘픈, 미약한.
We saw a *faint* light in
the distance. 멀리 희미한 빛이
보였다.
He still has some *faint*
hope for life. 그는 아직 인생에
대하여 가냘픈 희망을 갖고 있다.
── 자 3·단·현 **faints** [feints] :
ing형 **fainting** [féintiŋ] : 과거 과분
fainted [féintid]

졸도하다, 기절〔실신〕하다.
When Mary heard the news,
she almost *fainted* from
surprise. 메리는 그 소식을 듣자
놀라서 기절할 뻔하였다.

*****fair**[1] [fɛər] 형 비교 **fairer** [fɛə-
rər] : 최상 **fairest** [fɛərist]
❶ **공평한, 공정한, 규칙을 잘 지**
키는.
He was a *fair* teacher.
그는 공정한 선생님이셨다.
It's not *fair!*
그것은 공평하지 못해!
❷ **꽤 많은; 그저 그만한, 보통의,**
상당한.
He spent a *fair* amount of
money on the new book.
그는 새 책에 꽤 많은 돈을 썼다.
Her English is just *fair*—
not good but not bad either.
그녀의 영어는 보통이다 — 잘하지
는 못하지만 못하는 편도 아니다.
❸ (피부색이) **하얀;** (머리가) **금**
발인(=blond; ⇔ dark 거무스름
한); (여성이) **아름다운.**
a *fair* boy 살결이 흰 소년.
fair hair 금발.
The *fairest* maid he meets
will be his wife. 그가 만나는
가장 아름다운 아가씨가 그의 아
내가 될 것이다.

┌─────────────────────────┐
│ 참고 「(피부색이) 하얀」이라고
│ 하면 백인 중에서도 북유럽 계통
│ 의 인종을 가리킨다. 그들은 피
│ 부가 희고, 금발이다. 이에 반하
│ 여 남유럽 계통의 인종은 피부
│ 가 다갈색이고, 머리털도 거무
│ 스름하다. 후자는 fair 에 대하
│ 여 dark 라 한다.
└─────────────────────────┘

❹ (하늘이) **갠**(⇔ fine, clear).
The weather was *fair* that
day. 그 날은 날씨가 좋았다.

fair[2] [fɛər] 명
복수 **fairs** [fɛərz]
박람회, 견본시; (농산물·축산물
의) **품평회.**

an international trade *fair*
국제 무역 박람회.
a state *fair* (미국의) 주(州)의
품평회《가축 · 농산물 따위의》.

fair·ly [fɛ́ərli] 閉 ❶ 상당히, 꽤. ➤ 좋
은 뜻에 쓰임.
He speaks English *fairly*
well. 그는 영어를 상당히 잘 한
다.
I think this is a *fairly* good
dictionary. 이것은 꽤 좋은 사전
이라고 생각한다.
❷ 공평하게.
She didn't treat us *fairly*.
그녀는 우리를 공평하게 다루지
않았다.

fair play [fɛ́ər pléi] 冏 정정 당당한 경기 태
도, 공명 정대한 행동.
He won the game but not
by *fair play*. 그는 게임에는 이
겼지만 정정 당당하게 이긴 것은
아니었다.
Tom thought it was not
fair play to run away. 톰은
도망치는 것은 비겁하다고 생각하
였다.

fair·y [fɛ́əri] 冏 複數 fairies[fɛ́əriz]
요정, 선녀.
When Hans looked up, he
saw a *fairy*. 한스가 올려다보자
요정이 보였다.

참고 fairy란 옛날 이야기에
나오는 작은 요정을 말하며, 보
통 날개가 달린 여자의 모습을
하고 있다. 마법을 써서 인간을
도와주기도 하고, 나쁜 일을 하
기도 한다.

fair·y tale [fɛ́əri tèil] 冏 동화, 옛날 이야기.
In *fairy tales*, the good fairy
wins over the bad fairy. 옛
날 이야기에서는 착한 요정이 악
한 요정에게 이긴다.

faith [feiθ] 冏 ❶ 《a와 복수형 안 씀》 신
용, 신뢰.
Do you have any *faith* in
his excuse? 너는 그의 변명을
믿느냐?
We have no *faith* in su-
perstition. 우리는 미신을 믿지
않는다.
❷ 신앙, 신념.
Faith in God is sometimes
very important. 신을 믿는 것
이 때로는 매우 중요하다.

faith·ful [féiθfəl] 冏 比較 more
faithful; 最上 most faithful
충실한, 성실한.
His dog was very *faithful*
to him. 그의 개는 그에게 매우
충실하였다.
She has many *faithful*
friends. 그녀에게는 많은 성실한
친구들이 있다.

faith·ful·ly [féiθfəli] 閉
比較 more faithfully; 最上 most
faithfully
충실하게, 성의를 가지고.
He worked *faithfully* for
many years. 그는 여러 해 동
안 충실히 일하였다.
Yours *faithfully*, = *Faithfully*
yours, 여불비례《편지의 맺는 말.
주로 상업 통신문에 씀》. ☞ let-
ter

fall [fɔːl] 재 3·단·현 falls[fɔːlz];
ing형 falling [fɔ́ːliŋ]; 過去
fell[fel]; 過分 fallen[fɔ́ːlnə]
❶ 떨어지다, (눈 · 비 따위가) 내
리다, (온도 · 값이) 내려가다.
Leaves *fall* in autumn.
나뭇잎은 가을이 되면 떨어진다.
The rain began to *fall*
harder. 비가 더 심하게 내리기
시작했다.
The temperature has *fallen*.
온도가 내려갔다.
Falling Rocks. 《게시》 낙석.

❷ (사람·동물 따위가) **넘어지다,
쓰러지다.**
John *fell* on the stairs and
broke his arm. 존은 층계에서
넘어져 팔이 부러졌다.
❸ (…한 상태가) **되다.** ▶ (…)의
부분에 형용사(구)가 오는데, 이
를 보여라고 함.
He *fell* ill. 그는 병이 났다.
fall asleep 잠들다.
He often *falls asleep* in
the train. 그는 기차에서 종종
잠들어버린다.
fall behind (…에) **뒤지다.**
You'll *fall behind* your class-
mates. 너는 너의 급우들에게 뒤
지게 될 것이다.
fall down **떨어지다, 넘어지다.**
The player *fell down* and
couldn't get up. 그 선수는 넘
어져서 일어나지 못하였다.
When she come out of the
house, she *fell down*. 그녀는
집에서 나올 때 넘어졌다.
fall on (축제일 따위가) **바로 …날
이다,** (악센트가) **…에 있다.**
Thanksgiving *falls on* the
fourth Thursday in Novem-
ber. 추수 감사절은 11월 네 번째
목요일이다.
The accent *falls on* the
last syllable. 악센트는 마지막
음절에 있다.
fall to pieces (떨어져서) **산산조
각이 나다.**
The plate *fell to pieces* on
the floor. 접시는 마루에 떨어져
산산조각이 났다.

— 명 복수 **falls**[fɔːlz]
❶ **떨어짐, 낙하, 넘어짐.**
Several students were injured
by a *fall* on the ice. 몇몇 학
생들이 얼음 위에 넘어져서 다쳤다.
❷ **가을**(=autumn). ▶ 요일명,
월명과 달리 소문자로 씀.
They play football in (the)
fall. 그들은 가을에 축구를 한다.
Fall is the season of yel-
low and red leaves. 가을은
노랗고 빨간 잎들의 계절이다.

> 참고 미국에서는 「가을」을 「나
> 뭇잎이 떨어지는 계절」이란 뜻
> 으로 autumn보다는 fall을 더
> 즐겨 쓴다. the가 붙는 수가 있
> 는데 이 때의 the에는 「그」란
> 뜻이 전혀 없다. 따라서 in
> the fall은 in fall과 같다.

❸ 《복수형으로》 **폭포.** ▶ 고유 명
사일 때는 Falls, 단수 취급함.
Many people visit Niagara
Falls every year. 해마다 많은 사
람들이 나이아가라 폭포를 찾는다.

fall·en [fɔ́ːlən] 동
fall의 과거 분사.
Most of the leaves have
fallen from the trees. 나무의
잎들이 거의 다 떨어져버렸다.
— 형 **떨어진, 쓰러진.**
fallen leaves 낙엽.
a *fallen* tree 쓰러진 나무.

false [fɔːls] 형
틀린; 거짓의, 가짜의(⇔
true 진짜의).
a *false* tooth 의치(義齒).
He had a *false* idea about
religion. 그는 종교에 관해서 틀
린 생각을 가지고 있었다.

fame [feim]
명
《a와 복수형 안 씀》 **명성, 평판.**
Their *fame* has spread all
over the country. 그들의 명성
은 온 나라에 퍼졌다.
☞ 형 famous

*fa·mil·iar [fəmíljər] 형 비교 more familiar; 최상 most familiar

❶ 잘 알려진, 낯[귀]익은, 일상의.
a *familiar* voice 귀에 익은 목소리.
a *familiar* sight 늘 보아온 광경.
❷ 친(밀)한; 허물[스스럼] 없는.
a *familiar* greeting [letter] 허물[스스럼] 없는 인사[편지].
❸ 《be familiar with로》(사람이) …와 친하다; …을 잘 알고 있다; 《be familiar to로》(사물이) …에 잘 알려져 있다.
I *am familiar with* this village.=This village *is familiar to* me. 나는 이 마을을 잘 안다.

fam·i·lies [fǽməliz] 명 family의 복수.

*fam·i·ly [fǽməli] 명 복수 families [fǽməliz]

가족. ▶가족 전체를 하나의 집단으로 생각할 때는 단수 취급. 가족의 구성원 하나 하나로 생각할 때는 복수 취급.
He has a large *family*. 그는 가족이 많다.
How is [are] your *family*. 가족들은 잘 있습니까?
There are only three *families* in this village. 이 마을에는 세 가구뿐이다.

참고 1. 영미에서는 부부를 중심으로 자식들을 포함한 가족들을 한 단위로 생각한다. 따라서 "Do you have a family?"는 「결혼해서 가족이 있느냐?」란 뜻으로 흔히 쓰인다. 경우에 따라서는 하인이나 개를 가족으로 포함시키는 경우도 있다.
2. 우리말의 「가족이 많다」란 표현을 영미에서는 have a large family 라고 한다. 우리식으로 many families 라고 하면, 여러 세대를 뜻하게 된다.

fam·i·ly name [fǽməli néim] 명
복수 family names [fǽməli néimz]
성(姓). ☞ first name (이름)

참고 우리의 경우는 '홍 길동'처럼 성이 앞에 나오고 이름이 뒤에 오지만, 영어에서는 이름이 앞에 오고 성이 뒤에 온다. 예를 들어 John Kennedy란 이름에선 Kennedy가 family name이다. 앞에 Mr. 나 Mrs. 를 붙일 때는 Mr. Kennedy 또는 Mr. John Kennedy라고 한다. Mr. John이라고는 하지 않는다. ☞ name

**fa·mous [féiməs] 형 비교 more famous; 최상 most famous

유명한. ▶나쁜 뜻으로는 notorious [noutɔ́ːriəs]를 씀.
She became a *famous* scientist. 그녀는 이름난 과학자가 되었다.
Charlie Chaplin is *famous* for his funny walk. 찰리 채플린은 그의 재미있는 걸음걸이로 유명하다. ☞ 명 fame

fan¹ [fæn] 명 복수 fans [fænz]
부채; 선풍기, 송풍기.
The queen had a beautiful *fan* in her hand. 여왕은 손에 아름다운 부채를 들고 있었다.
This old *fan* still works. 이 낡은 선풍기는 아직 작동한다.

fan² [fæn] 명 복수 fans [fænz]
(야구 따위의) 팬, 애호가.
▶fanatic [fənǽtik] (열광자)을 줄인 말.
The stadium was filled with baseball *fans*. 야구장은 야구 팬들로 가득 찼다.

fan·cy [fǽnsi]
《a와 복수형 안 씀》공상, 환상.
These strange animals are all products of *fancy*. 이 이

상한 동물들은 다 공상의 산물이다.
"I think I heard his voice."
"That's only your *fancy*."
「그의 목소리가 들린 것 같은데.」
「그건 환상이야.」
— 타 ③·단·현 **fancies**[fǽnsiz] ;
ing형 **fancying**[fǽnsiiŋ] ; 과거
과분 **fancied**[fǽnsid]
…을 공상하다, 상상하다; (어쩐지
…라고) 생각하다.
I sometimes *fancy* myself to
be a king in a small coun-
try. 때때로 나는 작은 나라의 왕
이 되었다고 공상하여 본다.
I *fancy* she won't come
tonight. 그녀는 오늘 밤에 안 올
것같이 생각된다.

fan·tas·tic [fæntǽstik]
형 비교 **more**
fantastic; 최상 **most fantastic**
환상적인, 기상 천외의; 굉장한,
멋진.
It was *fantastic* to look
down at Seoul from the
sky. 하늘에서 서울을 내려다 보
는 것은 환상적이었다.
This is the most *fantastic*
show I've ever seen. 이런
굉장한 쇼는 생전 처음 본다.

*****far** [fɑːr] 부
비교 **farther**[fɑ́ːrðər] 또는
further[fɑ́ːrðər] ; 최상 **farthest**
[fɑ́ːrðist] 또는 **furthest** [fɑ́ːrðist]
❶ (장소·거리가) 멀리, 아득히
(⇔near 가까이).
It's not very *far*.
그것은 그리 멀지 않다.
How *far* is the hotel from
here? 여기서 호텔까지 얼마나
걸리느냐?

❷ (시간·정도가) 훨씬, 매우, 크게.
far back in history〔the
past〕 역사〔과거〕를 크게 거슬러
올라가서.
He studies English *far* into
the night. 그는 밤 늦게까지 영
어를 공부한다.
This car is *far* better than
that. 이 자동차는 저것보다 훨씬
더 좋다. ▶ 비교급을 강조함.
*****as far as** 1. …까지
We walked *as far as* the
restaurant. 우리들은 식당까지
걸었다.
2. …하는 한.
As far as I know, she was
born in Ohio. 내가 알기로는,
그녀는 오하이오에서 태어났다.
You don't have to worry
as far as I'm concerned. 나
에 관한 한 걱정할 필요 없다.
by far 《최상급을 강조하여》 크게,
전혀, 훨씬, 단연.
Your choice is *by far* the
best. 너의 선택이 단연 최고다.
She is *by far* the best stu-
dent in the class. 그녀는 반
에서도 가장 훌륭한 학생이다.
*****far away** 훨씬 저쪽에.
Sam lives *far away* beyond
the river. 샘은 강 건너 훨씬 저
쪽에 살고 있다.
far from …에서 멀리; 조금도 …하
지 않다, …이기는커녕.
My school is not *far from*
my house. 나의 학교는 집에서
멀지 않다.
The story was *far from*
interesting. 그 이야기는 조금도
재미 있지 않았다.
He is *far from* a fool. 그는
바보이기는커녕 똑똑하기만 하다.
so far 여태까지, 그 때까지는.
So far we have finished
nine lessons. 이제까지 우리는
아홉과를 끝냈다.
So far so good.
아직까지는 잘 되어 가고 있다.

어법 **far의 비교급 · 최상급**
far의 비교급 · 최상급 중에서
farther, farthest는 거리에,
further, furthest는 시간 · 정
도 따위에 쓰는 것이 원칙이다.

far ⎨ 거리 farther, farthest
⎨ 정도 ⎬ further, furthest
⎨ 시간

fare [fɛər] 명
복수 **fares**[fɛərz]
(전차 · 버스 · 택시 · 배 따위의)
요금, 운임.
a taxi [railroad] fare 택시[철
도] 요금.
What is the *fare* to New
York? 뉴욕까지의 요금은 얼마입
니까?
The *fare* is $980.
운임[요금]은 980달러이다.
Fares, please.
요금을 부탁합니다.

뉴욕의 버스 승차구

Far East [fɑ́ːr íːst] 명
《the를 붙여》 **극동**
《한국 · 중국 · 일본 · 타이 등의 동
아시아 지역》. ▶유럽을 중심으로
세계를 본 관점에서 일컫는 말.

fare·well [fɛ̀ərwél] 명
복수 **farewells**[fɛ̀ərwélz]
❶ 《a와 복수형 안 씀》 **작별.**
a *farewell* party 송별회.
a *farewell* speech 송별사.
❷ **작별 인사.**

"Good-bye" is a *farewell*.
「안녕」은 작별 인사다.

farm [fɑːrm] 명
복수 **farms**[fɑːrmz]
❶ **농장.**
This is Mr. Clark's *farm*.
이곳은 클라크씨의 농장이다.
You can see many cows on
his *farm*. 그의 농장에서는 소를
많이 볼 수 있다.

❷ **사육장, 양식장.**
a chicken *farm* 양계장.
a fish *farm* 양어장.

farm·er [fɑ́ːrmər] 명 복수
farmers[fɑ́ːrmərz]
농장 경영자, 농장주, 농부.
A *farmer* must know many
things about plants, soil,
and water. 농부는 작물, 흙, 물
에 관해 많은 것을 알아야 한다.

참고 farmer는 자기의 farm
(농장)을 가지고 이를 경영하는
사람을 말하는데, 이는 미국 사
람들이 이상(理想)으로 여기는
직업의 하나이다. 개중에는 많
은 노동자를 고용하여 기계화한
장비로 대규모의 농장을 경영
하는 큰 부자도 많다. 이런 농
장에 고용되어 일하는 사람은
farm hand 또는 farm
worker라고 한다.

farm·house [fɑ́ːrmhàus] 명
복수 **farmhouses**[fɑ́ːrmhàuziz]
농장의 주택, 농가.
I saw some *farmhouses*

from the train. 기차에서 농가
가 몇 채 보였다.

farm·ing [fáːrmìŋ] 몡
《a와 복수형 안 씀》
농업, 농장 경영.
a *farming* village 농촌.
Most people engage in
farming in this area. 이 지
역에서는 대부분의 사람들이 농업
에 종사하고 있다.

far-off [fáːró(ː)f] 혱
먼; 먼 옛날의.
She seems to be dreaming
of *far-off* lands. 그녀는 먼 나
라들을 꿈꾸고 있는 것 같다.

far·ther [fáːrðər] 튀
far의 비교급의 하나.
더 멀리.
This year Bill can swim
farther than last year.
올해는 빌이 지난해보다 더 멀리
헤엄칠 수 있다.

far·thest [fáːrðist] 튀
far의 최상급의 하나.
가장 멀리.
Who can throw a stone
farthest? 누가 가장 멀리 돌을
던질 수 있을까?

fas·ci·nate [fǽsənèit] 타
3·단·현 **fascinates** [fǽsənèits];
ing형 **fascinating** [fǽsənèitiŋ];
과거 과분 **fascinated** [fǽsənèitid]
매혹하다, 황홀하게 하다.
The music *fascinated* every-
one there. 그 음악은 거기에 있
던 사람들을 모두 황홀하게 하였다.
Most Americans are *fasci-
nated* by the beauty of
Korean dress. 대부분의 미국인
들은 한복의 아름다움에 매혹된
다.

fash·ion [fǽʃən] 몡 복수
fashions [fǽʃənz]
(복장 따위의) 유행, 패션.
come into *fashion* 유행되다.
Our teacher's suit is out

of *fashion*. 우리 선생님 양복은
유행에 뒤떨어진 것이다.

fash·ion·a·ble [fǽʃənəbəl] 혱
비교 **more fashionable**; 최상
most fashionable
유행의, 유행하는, 유행을 따른.
a *fashionable* dress 유행하는
옷.

ᐟᐟfast [fæst] 혱
비교 **faster** [fǽstər]; 최상
fastest [fǽstist]
❶ (속도가) 빠른, 고속의(⟺ slow
느린).
This is the *fastest* train in
the world. 이것은 세계에서 가
장 빠른 기차이다.

fast   slow

❷ (시계가) 더 가는, 빠른.
This clock is three minutes
fast. 이 시계는 3분 빠르다.
❸ 꽉 매인[닫힌, 잠긴], 꼼짝 않
는(⟺ loose 느슨한).
The door is *fast*.
문은 꽉 잠겨 있다.
The car is *fast* in the mud.
차가 진흙에 빠져 꼼짝 않는다.

┌─────────────────────────┐
비슷한 말 **fast와 quick**
fast는 사람이나 물건의 움직이
는 속도가 빠른 것을, quick은
동작이 우물쭈물하지 않고 지체
없이 빠른 것을 나타낸다.
a *fast* train 급행 열차
a *quick* answer 즉답.
└─────────────────────────┘

── 튀 ❶ 빠르게, 신속히(⟺ slow-
ly 느리게). ▶시각·시기적으로
「빠르게」란 뜻에는 early를 씀.

I can run very *fast*.
나는 아주 빨리 달릴 수 있다.
Some things change *fast*.
어떤 것들은 빨리 변한다.
The truck is running *fast*.
트럭은 빠르게 달리고 있다.
❷ 꽉, 단단히, 굳게.
stand *fast* 꿋꿋이 서다.
Tie the rope *fast* around
your waist. 로프를 허리에 단단
히 묶어라.
❸ 깊이, 푹《잠들다》.
When the father came
back, the children were
fast asleep.
아버지가 돌아오셨을 때 아이들은
깊이 잠들어 있었다.

fas·ten [fǽsn] 타 ③·단·현 fas-
tens [fǽsnz]; ing형
fastening [fǽsnin]; 과거 과분
fastened [fǽsnd]
…을 붙들어매다, (단단히) 동여매
다, 잠그다.
Please *fasten* your seat
belts. 좌석 벨트를 매주십시오.
They *fastened* the animal
to a pole. 그들은 그 동물을 장
대에 붙들어맸다.
Are you sure you've *fas-
tened* the front door? 틀림없
이 앞문을 잠갔느냐?
▶fasten의 t는 발음하지 않음.

참고 **fasten의 사용 범위**
tie나 bind보다 더 넓은 뜻으로
자주 쓰이는 일반적인 낱말로,
묶거나 동여매는 행위 이외에
풀로 붙이거나, 못·핀으로 고
정시키는 행위, 또 안전 벨트
따위를 매는 행위까지도 포함해
서 쓸 수 있다. 즉, 하나의 물
건을 다른 것에 부착시키는 것
이면 거의 다 fasten을 쓸 수
있다.

---

fas·ten·er [fǽsnər]
명
복수 fasteners [fǽsnərz]

잠그개, 지퍼.

fast food [fǽst fúːd] 명
《a와 복수형 안
씀》 간이 〔즉석〕 식품, 패스트 푸
드《즉석에서 먹거나 갖고 갈 수
있는 햄버거·치킨 따위》.

*fat [fæt] 형 비교 fatter [fǽtər];
최상 fattest [fǽtist]
뚱뚱한, 살찐.
He is the *fattest* one in our
class. 그가 우리 반에서 가장 뚱
뚱한 사람이다.
She is getting *fat*.
그녀는 점점 뚱뚱해지고 있다.
── 명《a와 복수형 안 씀》 지방
(질), 비계.
the *fat* of meat 고기의 비계.

fa·tal [féitl] 형
생명에 관계되는, 치명적
인; 중대한; 운명의.
a *fatal* disease 불치의 병.
a *fatal* mistake 결정적인 잘못.
His wound was *fatal*.
그의 부상은 치명적인 것이었다.
The *fatal* day has come. 운
명의 날이 왔다.

fate [feit] 명
복수 fates [feits]
운명.
It was his *fate* to die
young. 젊어서 죽는 것이 그의
운명이었다.
The *fate* of the passengers
is not known yet. 승객들의
운명은 아직 모른다.

‡fa·ther [fáːðər] 명
복수 fathers [fáːðərz]
❶ 아버지, 부친(⇨mother 어머
니).
my mother and *father* 부모.

➤ 우리말과 달리 mother를 먼저 말하는 일이 많음.

My *father* is a doctor.
나의 아버지는 의사다.

This evening *Father* came home about seven o'clock.
오늘 저녁에 아버지는 7시쯤에 돌아오셨다.

> 참고 **1.** 가족들 사이에서는 아버지를 지칭할 때, 관사나 my를 붙이지 않고 Father라고 써서 고유 명사처럼 사용한다.
> **2.** 대체로 아이들은 아버지를 부를 때 Father 대신에 Dad, Daddy를 쓰는데, 어른이 되어서도 이를 계속해서 쓰는 일이 많다. papa[pάːpə]는 어린애가 쓰는 「아빠」에 해당되는 말.

❷ 《**Father**로》 (가톨릭 교회의) **신부** 《존칭》: 《(**the**) **Father**로》 **하느님, 신.**

the holy *Father* 로마 교황.

Father Brown got up early that day. 브라운 신부는 그날 일찍 일어났다.

the [our] *Father* in heaven 하늘에 계신 하느님 아버지.

❸ 《one**'s fathers**로》 **선조, 조상.**
sleep with one's *fathers* (조상과 함께) 지하에 잠들다. 죽다.

Fa·ther's Day [fάːðərz dèi] 몡
(미국의) **아버지의 날** 《6월의 세 번째 일요일》.

fat·ter [fǽtər] 혱
fat의 비교급.

fat·test [fǽtist] 혱
fat의 최상급.

fau·cet [fɔ́ːsit] 몡 복수
faucets[fɔ́ːsits]
(수도 따위의) **꼭지, 주둥이.**
➤ 영국에서는 tap이라고 함.

This *faucet* is broken. 이 수도꼭지는 고장이 났다.

He turned on the *faucet.*
그는 수도 꼭지를 틀었다.

***fault** [fɔ́ːlt] 몡
복수 **faults**[fɔ́ːlts]

❶ **결점, 결함.**
My dad knows all about my *faults.* 아빠는 내 결점을 다 알고 계신다.

There is one *fault* with this machine. 이 기계에는 결함이 하나 있다.

No one is free from *faults.*
누구에게나 결점은 있는 법이다.

❷ 《a와 복수형 안 씀》 **실수, 과실, 책임.**
He acknowledged his *fault.*
그는 자신의 잘못을 인정했다.

The party didn't go well. Whose *fault* was it? 파티는 잘 진행되지 않았다. 누구의 과실이었지?

It wasn't my *fault.*
그것은 내 잘못이 아니었다.

find fault with …의 흠을 잡다, …을 비난한다.
You always *find fault with* others. 너는 늘 남의 흠을 잡는다.

***fa·vor** [féivər] 몡
복수 **favors**[féivərz]
친절한 행위, 호의, (상대의 친절에 호소하는) **부탁.**
Americans show *favor* to women. 미국 사람은 (언제나) 여성에게 친절을 베푼다.

He won his master's *favor.*
그는 주인의 총애를 받았다.

"Will you do me a *favor,* Mr. Green?" "Yes. What is it?" 「그린씨, 부탁이 있는데요.」 「네, 무엇입니까?」

in favor of …을 좋다고 생각하여; …에 찬성하여.

I'm *in favor of* doing it tomorrow night. 내일 밤에 그 것을 하는 것이 좋다고 생각한다.

I am *in favor of* your plan. 나는 네 계획에 찬성이다.

회화 **May I ask you a favor?**
「부탁(드릴 것)이 있습니다만…」이라고 남에게 무엇을 해줄 것을 요구할 때 쓰는 말이다. Will you do me a favor? 또는 I have a favor to ask you. 라고도 한다.
A: *May I ask you a favor?*
B: Sure. What is it?
「부탁이 있는데요.」
「네. 무슨 일이죠?」

── 타 ③·단·현 **favors** [féivərz] :
ing형 **favoring** [féivəriŋ] : 과거
과분 **favored** [féivərd]
…에게 호의를 보이다, …을 지지하다, …을 편애하다.

I *favor* Bill's plan. 나는 빌의 계획이 좋다고 생각한다.

Our teacher doesn't *favor* any students. 우리 선생님은 어떤 학생도 편애하지 않는다.

➤ 영국에서는 favour로 씀.
☞ 형 favorable, favorite

fa·vor·a·ble [féivərəbəl] 형

비교 **more favorable**; 최상 **most favorable**
❶ 호의적인, 승낙하는.
give a *favorable* answer 호의적인 〔승낙의〕 대답을 하다.

He is *favorable* to the plan. 그는 그 계획에 찬성이다.
❷ 유리한, 유망한.

The wind is *favorable* for the sailing. 바람이 항해하기에 좋다.

He took advantage of the *favorable* opportunity. 그는 좋은 기회를 이용하였다.

➤ 영국에서는 favourable로 씀.
☞ 동 favor

*fa·vor·ite [féivərit] 형

비교 **more favorite**; 최상 **most favorite**
《명사 앞에만 쓰여》마음에 드는, 아주 좋아하는. ➤ 대개의 경우는 비교급·최상급을 안 씀.

What is your *favorite* movie? 네가 좋아하는 영화는 무엇이냐?

What's your *favorite* subject in school? 네가 좋아하는 과목은 무엇이냐?

My *favorite* poet is Kim Sowol. 내가 좋아하는 시인은 김 소월이다. ☞ 동 favor

── 명 복수 **favorites** [féivərits]
인기 있는〔마음에 드는〕사람〔물건〕.

Susie is a *favorite* with everyone. 수지는 누구에게나 인기가 있다.

This poem is one of my *favorites*. 이 시는 내가 좋아하는 것 중의 하나다.

➤ 영국에서는 favourite으로 씀.

fax [fæks] 명

팩스. ➤ facsimile의 간략형.

I got a *fax* from him. 나는 그에게서 팩스를 한 통 받았다.

FBI [éfbì:ái] 명

《the를 붙여》(미국의) **연방수사국, 에프 비 아이**《전국적인 규모의 중대한 범죄를 다루는 미국의 수사 기관》. ➤ Federal Bureau of Investigation의 약자.

*fear [fiər] 명

복수 **fears** [fiərz]
두려움, 공포(심); 불안, 걱정.

Everyone feels the *fear* of death at such a time. 그런 때는 누구나 죽음에 대한 공포를 느끼는 법이다.

We were full of *fears* and hopes. 우리는 공포와 희망에 차 있었다.

for fear of …이 두려워서.
The child could not enter *for fear of* the dog. 그 아이는 개가 무서워서 들어갈 수 없었다.

She couldn't move *for fear of* falling. 그녀는 떨어질까 무서워서 꼼짝할 수 없었다.

참고 fear는 어느 정도 격식 차린 말투. 구어에서는 보통 fear 대신에 be afraid of를 쓴다.

☞ 형 fearful

—— 타 3·단·현 **fears**[fiərz] : ing형 **fearing**[fíəriŋ] : 과거 과분 **feared**[fiərd]

❶ …을 두려워하다, 무서워하다. Dogs don't *fear* the water. 개는 물을 두려워하지 않는다.

❷ 《fear that ... 으로》…이 아닐까 하고 걱정하다, 염려하다. I *fear that* she may be sick. 나는 그녀가 병이 난 게 아닌지 걱정스럽다.

fear·ful [fíərfəl] 형 비교 **more fearful**; 최상 **most fearful** 무서운 (=dreadful). A *fearful* accident happened that night. 그 날 밤 무서운 사고가 일어났다. ☞ 명 fear

feast [fiːst] 명 복수 **feasts**[fiːsts]

❶ 연회, (진수) 성찬 《어떤 기회에 손님을 초대하여 행하는 것》. We had a real *feast* yesterday. 우리는 어제 근사한 성찬을 들었다.

❷ (종교상의) 축제, 축일, 제례. Christmas is an important *feast* for Christians. 크리스마스는 기독교도들에게 중요한 축일이다.

feath·er [féðər] 명 복수 **feathers**[féðərz] (하나의) 깃, 깃털. ☞ wing This pillow is filled with *feathers*. 이 베개는 깃털로 채워져 있다. Fine *feathers* make fine birds. 《속담》 깃털이 고와야 새

도 예쁘다 《옷이 날개다》. Birds of a *feather* flock together. 《속담》 같은 깃털의 새는 무리를 이룬다 《유유상종(類類相從)》.

fea·ture [fíːtʃər] 명 복수 **features**[fíːtʃərz]

❶ 특징, 특색. His school has many good *features*. 그의 학교에는 좋은 특징이 많다.

❷ 이목구비 《눈·코·입 따위의 하나하나》 : 《복수형으로》 용모, 얼굴의 생김새. Mary has beautiful *features*. 메리는 얼굴이 예쁘다.

Feb. February 의 간략형.

Feb·ru·ar·y [fébruèri] 명

2월. ▶ Feb. 로 약함. *February* is the shortest month of the year. 2월은 1년 중 가장 짧은 달이다. We went skiing in *February*. 우리들은 2월에 스키를 타러 갔다. ▶「…월에」라고 말할 때는 in을 씀. My brother was born on *February* 28. 내 동생은 2월 28일에 태어났다. ▶특정의 날이 붙을 때는 on을 씀.

참고 1. 달의 이름과 간략형

1월	January	Jan.
2월	February	Feb.
3월	March	Mar.
4월	April	Apr.
5월	May	May.

6월	June	Jun.
7월	July	Jul.
8월	August	Aug.
9월	September	Sept.
10월	October	Oct.
11월	November	Nov.
12월	December	Dec.

2. February의 주된 행사
Lincoln's Birthday
링컨의 탄생일 (2월 12일).
St. Valentine's Day
성 발렌타인 데이 (2월 14일).
Washington's Birthday
워싱턴 탄생일 (2월 22일).

fed [fed] 동
feed의 과거 · 과거 분사.
We haven't *fed* the dog this morning. 오늘 아침에는 개밥을 주지 않았다.

fed·er·al [fédərəl] 형
연방의; 연방 정부의.
the *Federal* Government (미국의) 연방 정부.
a *federal* state 연방 국가.

fee [fi:] 명
복수 **fees** [fi:z]
❶ (의사 · 변호사의) 사례금, 보수; 수업료.
school *fees* 수업료.
❷ 수수료, 입장료.
an admission *fee* 입장료.

fee·ble [fí:bəl] 형
비교 **feebler** [fí:bələr];
최상 **feeblest** [fí:bəlist]
약한, 나약한(=weak).
We saw a *feeble* old man on the way here. 여기 오는 도중에 우리들은 힘없는 노인을 만났다.
The sick man called his wife in a *feeble* voice. 병자는 가냘픈 목소리로 아내를 불렀다.

feed [fi:d] 타 3·단·현 **feeds** [fi:dz]; ing형 **feeding** [fí:diŋ]; 과거 과분 **fed** [fed]
…에게 먹이를[음식을] 주다; …을 양육하다.
My uncle always *feeds* his chickens before he eats. 아저씨는 늘 자기가 밥을 먹기 전에 닭에게 모이를 준다.
He had nothing to *feed* many baby rabbits. 그는 많은 새끼 토끼에게 먹일 게 없었다.
── 자 (동물이) 먹이 따위를 먹다.
feed on grass 풀을 먹다.

feel [fi:l] 동
3·단·현 **feels** [fi:lz]; ing형 **feeling** [fí:liŋ]; 과거 과분 **felt** [felt]
타 ❶ (신체적으로) …을 느끼다; (손끝 · 손으로) …을 만져보다, 손대다.
I *felt* hunger. 나는 배고픔을 느꼈다.
Just *feel* how cold my hands are. 내 손이 얼마나 찬지 좀 만져 보아라.
❷ (정신적으로) …을 느끼다; 《**feel that ...** 으로》 …이라고 생각하다.
The students *felt that* the problems were very difficult. 학생들은 문제가 매우 어렵다고 생각하였다.
── 자 ❶ 《 **feel + 형용사**[부사]로》(몸 · 손 따위로 …라고) 느끼다; (…한) 느낌이 들다.
This cloth *feels* smooth. 이 천은 촉감이 부드럽다.
❷ (정신적으로 …라고) 느끼다, 생각하다.
My mother isn't *feeling* very well. 어머니께서 편찮으시다.
He *feels* happy to be in the second year. 그는 2학년이 되어서 기쁘다.
feel for …을 손으로 더듬어 찾다; …에 동정하다.
I *felt for* a coin in my pocket. 나는 주머니 속에서 동전을 더듬어 찾았다.
I really *feel for* you deeply. 나는 정말로 너를 깊이 동정한다.

feel like (감촉이) …인 것 같다; …같은 느낌이 들다; …이 요망되다.
This paper *feels like* silk. 이 종이는 감촉이 비단 같다.
I *feel like* a cup of coffee. 커피를 한 잔 마시고 싶다.

feel like doing …하고 싶어지다.
I *felt like crying.* 나는 울고 싶은 심정이었다.

feel·er [fíːlər] 명
[복수] **feelers** [fíːlərz]
(동물의) 더듬이, 촉수.
The snail has two long *feelers.* 달팽이는 두 개의 긴 더듬이를 가지고 있다.

feel·ing [fíːliŋ] 명
[복수] **feelings** [fíːliŋz]
❶ 《a를 붙여》 느낌, 기분; 《복수형으로》 감정.
a *feeling* of happiness [danger] 행복한[위험한] 기분.
I have a *feeling* that he is coming soon. 그가 곧 올 것 같은 기분이 든다.
We think we have hurt his *feelings.* 우리들이 그의 감정을 상하게 하였다고 생각한다.
❷ 《a와 복수형 안 씀》 감각.
I had no *feeling* in my arms. 나는 팔에 감각이 없었다.

feet [fíːt] 명
foot의 복수.
Her *feet* were warm. 그녀의 발은 따뜻하였다.
I am five *feet* three (inches tall). 내 키는 5피트 3인치이다.

fell [fel] 동
fall의 과거.
Rain *fell* on the crops. 농작물에 비가 내렸다.

fel·low [félou] 명
[복수] **fellows** [félouz]
❶ 《보통 앞에 형용사를 붙여》 사람, 남자, 녀석. ▶친밀감 또는 경멸감이 담긴 기분으로 **man**, **boy**의 뜻으로 씀.
David is a nice *fellow.* 데이비드는 좋은 녀석이다.

❷ 《보통 복수형》 동아리, 동료.
fellows at school 학교 친구들.
Jack was kind to his *fellow* workers. 잭은 함께 일하는 동료들에게 친절하였다.

felt [felt] 동
feel의 과거·과거 분사.

fe·male [fíːmeil] 형
여자의, 여성의; 암컷의(⇨ **male** 남성의).
Sally was the first *female* American to go into space. 샐리는 우주에 간 최초의 미국 여성이었다.
The queen bee is the biggest *female* bee. 여왕벌은 가장 큰 암펄이다.
── 명 [복수] **females** [fíːmeilz]
여성, 여자; 암컷(⇨ **male** 남성).
That law was not fair to *females.* 그 법은 여성에겐 공평하지 않았다.
Male birds are more beautiful than *females.* 새의 수컷은 암컷보다 아름답다.

fem·i·nist [fémənist] 명
[복수] **feminists** [fémənists]
여권 신장론자.
He supports the *feminist* movement. 그는 여권 신장 운동을 지지한다.

fence [fens] 명
[복수] **fences** [fénsiz]
울타리, 울짱, 목책.
Mr. Brown's yard is surrounded by *fences.* 브라운씨의 뜰은 울타리로 둘러싸여 있다.
Father told me to paint the *fence* in an hour. 아버지는 나에게 한 시간 안에 울타리를 칠하라고 하셨다.

> [참고] **fence**는 목재 또는 철망으로 주위를 둘러친 울타리로 야구장의 펜스를 생각하면 좋다. 돌, 콘크리트로 된 것은 **wall**, 산울타리는 **hedge**라 한다.

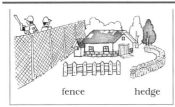

fence   hedge

fenc·ing [fénsiŋ] 명
《a와 복수형 안 씀》
펜싱.
I did a bit of *fencing* while I was at college. 나는 대학교 다닐 때 펜싱을 조금 했다.

fer·ry [féri] 명
복수 ferries[fériz]
연락선, 나룻배(=ferryboat): 도선장, 나루터.

fer·ry·boat [féribòut] 명
복수 ferryboats[féribòuts]
연락선, 나룻배. ➤ 간단히 ferry 라고도 함.
We crossed the river by *ferryboat*. 우리들은 나룻배로 강을 건넜다.

fer·tile [fə́ːrtl/-tail]
형 비교 more fertile;
최상 most fertile
❶ (땅이) 비옥한, 기름진.
fertile land 비옥한 땅.
❷ (상상력 따위가) 풍부한, (상상력[창조력]이) 많은.
a product of his *fertile* imagination 그의 풍부한 상상력의 산물.

fes·ti·val [féstəvəl] 명 복수
festivals[féstəvəlz]
축제, 제전, 축일; (정기적인) …제.
a music *festival* 음악제.
celebrate [hold, keep] a *festival* 축제를 열다.
We have a school festival in October. 우리 학교 축제는 10월에 있다.
At last the day of the *festival* arrived. 마침내 축제의 날이 왔다.

fetch [fetʃ] 타
3·단·현 fetches[fétʃiz]:
ing형 fetching[fétʃiŋ]: 과거
과분 fetched[fetʃt]
(가서) …을 가져오다, 데려 오다.
Fetch the ball, Black! (개에게) 블랙, 공 가져와!
Please *fetch* me the newspaper. 신문을 좀 가져다 주세요.

fe·ver [fíːvər] 명
《복수형 안 씀》(아플 때 나는) 열; 열병; 흥분 상태, 열광.
hay *fever* 건초열《꽃가루로 인한 알레르기성 카타르》.
She has a slight [high] *fever*. 그녀는 가벼운[높은] 열이 있다.
He seems to have a baseball *fever*. 그는 야구에 열광하고 있는 것 같다.

✳few [fjuː] 형
비교 fewer [fjúːər]:
최상 fewest[fjúːist]
❶ 《a few로 긍정적으로 쓰여》
소수의, 조금은 있는 (⇔ many 많은).
Can you stay *a few* days longer? 너 며칠 더 머물 수 있겠느냐?
I have *a few* dollars.
나에게는 약간의 달러가 있다.
A few people will say no.
아니라고 말하는 사람도 조금은 있을 것이다.
❷ 《a가 없이 부정적으로 쓰여》
거의 없는, 조금[소수] 밖에 없는.
Few people will believe that. 그것을 믿는 사람들은 거의 없을 것이다.
He has *few* books.
그는 책이 거의 없다.

F

F

|어법| **few** 와 **little**

few 나 little이나 모두 「조금」
이란 뜻으로 쓰이지만, few, a
few는 셀 수 있는 명사에만 쓰
이며, little, a little은 셀 수
없는 명사에 쓰인다.

뜻	셀 수 있는 명사 boys, eggs 따위	셀 수 없는 명사 milk, water 따위
조금은 있는	a few + 복수 명사 a few boys	a little + 단수 명사 a little water
조금밖에 없는: 거의없는	few + 복수 명사 few eggs	little + 단수 명사 little milk

not a few 적지 않은, 꽤 많은.
I made *not a few* mistakes
in my composition. 나는 작
문에서 적지 않은 실수를 했다.
Not a few people gathered
there. 꽤 많은 사람들이 거기에
모였다.
only a few 몇 안 되는, 극소수의.
Nancy took *only a few*
pictures. 낸시는 사진을 몇 장
밖에 찍지 않았다.
quite a few 꽤 많은, 상당수의.
We visited *quite a few*
places. 우리는 꽤 많은 곳을 방
문했다.
── 몡 《복수 취급》 소수, 소수의
사람[물건]《⇔ many 다수》. ▶a
few와 few의 차이는 형용사의 경
우와 같음.
"Do we need many pencils?"
"No, we only need a *few*."
「연필이 많이 필요하냐?」「아니,
몇 자루만 있으면 돼.」
Few of his friends helped
him. 몇 친구밖에 그를 도와주지
않았다.

fi·ber [fáibər] 몡
　　　　 |복수| **fibers** [fáibərz]

❶ 섬유, 실.
a variety of colored *fibers*
다양한 색깔의 실들.
❷ (피륙의) 감.
a natural *fiber* 천연 옷감《면·
마 따위》.
❸ 《a와 복수형 안 씀》 섬유질;
섬유질 식품.
Most vegetables contain
fiber. 대부분의 야채들은 섬유질
을 가지고 있다.

fic·tion [fíkʃən] 몡
　　　　 《a와 복수형 안 씀》
(문학의 한 부분으로서의) 소설;
꾸민 이야기.
science *fiction* 공상 과학 소설.
▶SF라고 약함.
Fact is stranger than *fiction*.
사실이 소설보다 더 기이하다.

┌─────────────────────┐
│ |참고| fiction은 장편 소설(no-
│ vel), 단편 소설(short story),
│ 로맨스(romance) 따위의 총칭
│ 이다. 사실을 바탕으로 한 역
│ 사·전기·기행문 등의 작품은
│ 논픽션(nonfiction)이라고 한
│ 다. ☞ novel
└─────────────────────┘

*****field** [fiːld] 몡
　　　　 |복수| **fields** [fiːldz]
❶ 《복수형으로》 들, 벌판.
They walked through
forests and *fields*. 그들은 숲
과 들판을 거닐었다.
They are working in the
fields. 그들은 들에서 일하고 있
다.
❷ 밭, 목초지.
a *field* of wheat 밀밭.
He is working in the potato
field. 그는 감자밭에서 일하고 있
다.
❸ (야구·축구 따위의) 구장, 경
기장, 필드 《트랙의 안 쪽》.
a baseball *field* 야구장.
How far is the playing
field? 운동장까지의 거리는 얼마
나 되느냐?

❹ (연구·활동 따위의) 분야, 영역.

He is famous in this *field*.
그는 이 분야에서 유명하다.

Such a thing is not believed in the *field* of science.
과학의 분야에서는 그러한 일을 믿지 않는다.

field day [fíːld dèi] 뗑

복수 **field days**[fíːld dèiz]
운동회(날); 야외 집회, 피크닉.

field trip [fíːld trìp] 뗑

복수 **field trips**[fíːld trìps]
(학생들의) 견학 여행; (학자들의) 실지 연구〔조사〕여행.

fierce [fiərs] 휑

비교 **fiercer**[fíərsər];
최상 **fiercest**[fíərsist]

❶ 난폭한, 사나운. ▶사람·동물의 성질에 관하여 이름.

The tiger is a very *fierce* animal. 호랑이는 매우 사나운 동물이다.

❷ 맹렬한, 격렬한.

A *fierce* wind was blowing all night. 맹렬한 바람이 밤새껏 불고 있었다.

∗fif·teen [fìftíːn] 휑

15의, 15개〔뗑〕의; 15세의.

at *fifteen* o'clock, 15시에.
He is *fifteen* years old.
그는 열다섯 살이다.

── 뗑 복수 **fifteens**[fìftíːnz]

❶ 15; 15세; 15시.

a boy of *fifteen*, 15세의 소년.
at *fifteen*, 15시에.
Fifteen plus five is twenty.
15 더하기 5는 20이다.

❷ 《복수 취급》 15 개〔뗑〕.

There are *fifteen*.
15 명〔개〕있다.

fif·teenth [fìftíːnθ] 휑

《보통 the를 붙여》제 15의, 열다섯 번째의.
My sister's *fifteenth* birth-

day is coming. 누나의 열다섯 번째 생일이 다가온다.

── 뗑 복수 **fifteenths**[fìftíːnθs]

《보통 the를 붙여》제15, 열다섯 번째; (달의) 15일. ▶15th로 약함.

on the *fifteenth* of July, 7월 15일에.

∗fifth [fifθ] 휑

❶ 《보통 the를 붙여》제 5의, 다섯 번째의.

the *fifth* floor, 5층. ▶영국에서는 6층임.

May is the *fifth* month of the year. 5월은 한 해의 다섯 번째 달이다.

❷ 5분의 1의.

── 뗑 복수 **fifths**[fifθs]

❶ 《보통 the를 붙여》제 5, 다섯 번째, (달의) 5일. ▶5th로 약함.

on the *fifth* of May(=on May 5), 5월 5일에. ▶May 5는 May (the) fifth 라고 읽음.

❷ 5분의 1.

two *fifths*, 5분의 2.

fif·ties [fíftiz] 뗑

fifty의 복수.

fif·ti·eth [fíftiiθ] 휑 뗑

《보통 the를 붙여》
제50의, 50번째의; 제50, 50번째. ▶50th로 약함.

Next Monday is my father's *fiftieth* birthday. 오는 월요일은 아버지의 50회 생신이다.

∗fif·ty [fífti] 휑

50의; 50개〔뗑〕의; 50세의.

There were just *fifty* students in our class. 우리 반에는 꼭 50명의 학생이 있었다.

── 뗑 복수 **fifties**[fíftiz]

❶ 50; 50세; 《복수 취급》 50 개〔뗑〕.

a man of *fifty*, 50세인 사람.
Fifty plus five is fifty-five.
50 더하기 5는 55이다.

There are *fifty*. 50명〔개〕있다.

❷ 《one's **fifties**로》(연령의)

50대; 《**the fifties**로》 (각 세기의) **50년대.** ➤ the 50s 또는 50's 로도 씀.

in *the* (nineteen) *fifties*, 1950년대에.

***fight** [fait] 동 ③·단·현 **fights** [faits]; ing형 **fighting** [fáitiŋ]; 과거 과분 **fought** [fɔːt] 자 **싸우다, 다투다, 겨루다;** 《**fight against** 〔**with**〕로》 (적 따위)와 **싸우다.**

They *fought* for our independence. 그들은 우리의 독립을 위해 싸웠다.

The U.S.A. *fought against* 〔*with*〕 Japan in the Second World War. 미국은 제2차 세계 대전 때에 일본과 전쟁을 하였다.

── 타 (적·질병 따위)와 **싸우다.** She had to *fight* her own feelings. 그녀는 자기 자신의 감정과 싸우지 않으면 안 되었다.

Many doctors are *fighting* this disease. 많은 의사들이 이 질병과 싸우고 있다.

── 명 복수 **fights** [faits]

❶ **싸움, 다툼.** ☞ battle, war I saw a *fight* between two drivers. 나는 두 운전자가 싸우는 것을 보았다.

❷ 《a와 복수형 안 씀》 **투지, 전의**(戰意).

show *fight* 투지를 보이다. He has plenty of *fight* in him. 그는 투지 만만하다.

***fig·ure** [fígjər] 명 복수 **figures** [fígjərz]

❶ **숫자, 수.** Arabic *figures* 아라비아 숫자. I can't remember the exact *figures.* 나는 정확한 숫자를 생각해 낼 수가 없다.

❷ (윤곽이 뚜렷한) **도형, 그림, 삽화.** ➤ fig.로 약함. Strange *figures* were painted in the picture. 그림에는 묘한 도형이 그려져 있었다. See *figure* 2 on page 30.

30페이지의 두번째 그림을 보아라.

❸ (사람의) **모습, 모양, 꼴.** All the girls on the stage had beautiful *figures*. 무대 위의 소녀들은 모두 아름다운 모습을 하고 있었다.

❹ (중요한) **인물, 명사.** a well-known *figure* 유명한 인물. He is a great *figure.* 그는 위대한 인물이다.

fig·ure skat·ing [fígjər skèitiŋ]

명 《a와 복수형 안 씀》 **피겨 스케이팅.** What I like most is *figure skating*. 내가 가장 좋아하는 것은 피겨 스케이팅이다.

file [fail] 명 복수 **files** [failz] (서류·신문 따위의) **철, 서류꽂이, 파일.** a newspaper *file* 신문철.

── 타 ③·단·현 **files** [failz]; ing형 **filing** [fáiliŋ]; 과거 과분 **filed** [faild]

…을 철하다, 정리하다. Please *file* this letters in order by date. 이 편지들을 날짜 순으로 철해다오.

***fill** [fil] 타 ③·단·현 **fills** [filz]; ing형 **filling** [fíliŋ]; 과거 과분 **filled** [fild]

…을 가득 채우다, 가득 부어 넣다 (⇔ empty 비우다).

When the first computers appeared, they *filled* very large room. 처음 컴퓨터가 나왔을 때, 그것들은 매우 넓은 공간을 차지했다.

She *filled* the box with candies. 그녀는 그 상자를 사탕으로 채웠다.

be filled with …로 **가득하다.** Her room *was filled with* dolls. 그녀의 방은 인형들로 가득하였다.

fill in …을 **써 넣다** *Fill in* the blanks.

빈자리에 써 넣으시오.

fill up …을 가득 채우다.

Fill her 〔it〕 *up*, please. 자
동차의 기름 탱크를 가득 채우시오.

fill·ing [fíliŋ] 몡
복수 **fillings** [fíliŋz]

(치아의) **충전재, 봉.**

The tooth needs a *filling.*
그 치아는 봉할 필요가 있다.

***film** [film] 몡
복수 **films** [filmz]

❶ (카메라 · 영화의) 필름; 영화.
develop (a) *film* 필름을 현상
하다.

a roll of color *film* 천연색 필
름 한 통.

a silent *film* 무성 영화.

Next week you are going to
see a *film* about Niagara
Falls. 내주에 여러분은 나이아가
라 폭포에 관한 영화를 보게 될 것
이다.

❷ 엷은 막.

A *film* of oil spread over
the water. 기름의 엷은 막이 물
위에 번졌다.

***fi·nal** [fáinəl] 혱
최후의, 마지막의.

final examinations 학기말 시
험. ➤ final exams, finals 라
고도 함.

the *final* round (권투의) 마지
막 라운드.

What was the *final* medal
count? 최종 메달 집계는 어떻
게 됐습니까?

Our team won the *final*
game. 우리 팀은 결승전에서 이
겼다.

── 몡 복수 **finals** [fáinəlz]
《복수형으로》 **결승전.** ➤ 「준결승」
은 semifinal, 「준준결승」은
quarterfinal 이라고 함.

the tennis *finals* 테니스 결승
전.

***fi·nal·ly** [fáinəli] 㬉

최후에; 마침내(=at last).

They *finally* succeeded in
building a bridge over the
river. 마침내 그들은 강에 다리를
놓는 데 성공하였다.

Finally, I should like to
thank you all for your
cooperation. 마지막으로 여러분
의 협력에 감사드립니다.

fi·nan·cial [finǽnʃəl] 혱

재정상의, 돈에 관한; 재계의.

financial ability 재력.

financial circles=the *finan-
cial* world 재계.

His *financial* condition is
poor. 그의 재정 상태는 좋지 않
다.

***find** [faind] 타
3·단·현 **finds** [faindz];
ing형 **finding** [fáindiŋ]; 과거 과분
found [faund]

❶ …을 찾아 내다, **발견하다.**
I can't *find* my boots.
나는 내 부츠를 찾을 수가 없다.

She *found* a bill on the
street. 그녀는 길에서 지폐를 발
견했다.

❷ 《**find**+목적어+명사 또는 형용
사로》 …가 ～하다는 것을 알다;
《**find that** … 로》 …라는 것을
알다.

Susie *found* the book very
interesting. 수지는 그 책이 매
우 재미있다는 것을 알았다.

I *found that* I was wrong.
나는 내가 틀렸다는 것을 알았다.

***find out** (조사 · 관찰에 의해) …
을 알아내다, **발견하다.** ➤ 「우연히
…을 발견하다」란 뜻으로는 사용
할 수 없음.

The teacher *found out* that
his students were lazy.
선생님은 자기 학생들이 게으르다
는 것을 알았다.

At last, he *found out* the
answer to the problem.
마침내 그는 그 문제에 대한 해답
을 찾아냈다.

****fine**¹ [fain] 형
　　[비교] **finer** [fáinər]： [최상]
　finest [fáinist]

❶ (주로 사람이) 원기 왕성한, 건강한(=well). ▶ 명사 앞에는 쓰지 않음.
"How are you?" "*Fine*, thank you." 「어떠십니까?」「좋습니다.」

❷ 훌륭한, 멋있는, **근사한**.
Tom's school has a *fine* swimming pool. 톰의 학교에는 근사한 수영 풀이 있다.
Emily has a *fine* brother. 에밀리는 훌륭한 오빠가 있다.

❸ 좋은.
"I'll be there at 3." "*Fine*." 「3시에 거기로 가겠다.」「좋아.」

❹ 날씨가 좋은, 갠.
The weather was so *fine* that everybody wanted to go somewhere. 날씨가 대단히 좋았기 때문에 누구나 어디엔가 가고 싶어하였다.

> [참고] **날씨에 관한 말**
> 1. 「흐린」 cloudy, 「비오는」 rainy, 「바람 부는」 windy, 「눈오는」 snowy, 「햇볕이 나는」 sunny.
> 2. fine, clear, fair 모두 「날씨가 좋은」이란 뜻의 말이지만, 나타내는 뜻은 조금씩 차이가 있다. fine 은 「(날씨가) 좋은」이란 뜻의 일반적인 말, clear 는 「맑고 투명하게 갠」이란 뜻으로 하늘에 안개나 구름이 없어 멀리 있는 산 따위가 잘 보이는 경우에 쓴다. fair 는 하늘에 구름은 드문드문 있어도 「비가 오지 않는, 온화한 날씨」란 뜻으로 일기 예보 따위에서 흔히 쓰는 말이다.

❺ 자디잔, 가느다란, 섬세한.
The day was very windy, and my desk was covered with *fine* dust. 그 날은 바람

이 심해서 내 책상은 고운 먼지로 덮였다.
Mary bought a pair of stockings made of *fine* silk. 메리는 올이 가는 명주 양말을 한 켤레 샀다.

> [회화] **That's fine.**
> 상대방의 제안이나 권유에 대하여 「좋아」,「그것 좋지」라고 아주 가볍게 찬동하는 표현이다. 간단히 Fine. 이라고도 한다.
> A : How about going to the park ?
> B : *That's fine.*
> 「공원에 가는 게 어때?」
> 「좋아.」

fine² [fain] 명
　　[복수] **fines** [fainz]
벌금, 과료.
a parking *fine* 주차 위반 과료.
pay a *fine* 벌금을 내다.
── 타 (아무)에게 벌금을 과하다.
fine him for breaking the regulation 그에게 규칙 위반으로 벌금을 과하다.

쓰레기를 버리지 마시오. (위반자는) 100달러 벌금

***fin·ger** [fíŋgər] 명
　　[복수] **fingers** [fíŋgərz]
손가락.
Bill picked up the ant with his *fingers.*
빌은 손가락으로 개미를 집어 올렸다.
He put a *finger* to his lips and say "shhhh!" 그는 입술에 손가락을 대고 「쉿!」이라고 말했다.

cross** one's **fingers 집게손가락 위에 가운뎃손가락을 포개다 《액막이 또는 행운을 비는 제스처》.

─────────────

참고 **1. 손가락의 이름**
① 「엄지손가락」 thumb. ② 「집게손가락」 index [índeks] finger 또는 forefinger [fɔ́ːr-fìŋgər]. ③ 「가운뎃손가락」 middle finger. ④ 「약손가락」 ring finger. ⑤ 「새끼손가락」 little finger.

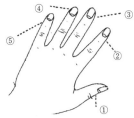

2. 발가락은 toe[tou]라고 하며, 발가락 하나하나의 이름은 없다.

─────────────

fin·ger·nail [fíŋgərnèil]
명
복수 **fingernails** [fíŋgərnèilz]
손톱.
She had long *fingernails*.
그녀는 손톱이 길었다.

fin·ish [fíniʃ]
동   3·단·현
finishes [fíniʃiz] ; ing형
finishing [fíniʃiŋ] ; 과거 과분
finished [fíniʃt]
타 …을 끝내다, 마치다; 《**finish** + **-ing**형으로》 …하는 것을 끝마치다 (= end; ⇔ begin 시작하다).
Finish your homework before you go to bed. 잠자리에 들기 전에 네 숙제를 끝내라.
He *finished* reading the book. 그는 책 읽기를 끝냈다.

주의 finish는 목적어로 명사나 -ing형(동명사)만을 취한다. 「to+동사의 원형」, 즉 부정사는 finish의 목적어가 될 수 없다.

── 자 끝나다, 그치다.
The meeting started at nine and *finished* at twelve. 회의는 9시에 시작되어, 12시에 끝났다.

fire [faiər]
복수 **fires** [faiərz]
❶ 《a와 복수형 안 씀》 불.
There is no smoke without *fire*. 《속담》 아니 땐 굴뚝에 연기 나랴.
❷ 모닥불, 난로(의 불).
The boys sang songs around the *fire*. 소년들은 모닥불 가에서 노래를 불렀다.
Let's go in. There's a *fire* in the room. 들어가자. 방에 난로가 있다.
❸ 화재.
One day a *fire* broke out in his house. 어느 날 그의 집에 불이 났다.

***catch** fire* 불이 붙다, 타다.
Don't put this near the fire. It *catches fire* easily. 이것을 불 가까이 두지 마라. 불이 쉽게 붙는다.
make** a **fire 불을 일으키다.
Do you know how ancient people *made a fire*? 너는 옛날 사람들이 어떻게 불을 일으켰는지 아느냐?
***on** fire* 타고 있는.

When we got there, the house was *on fire.* 우리들이 거기 갔을 때 집이 타고 있었다.
── 자·타 3·단·현 **fires**[faiərz] : ing형 **firing** [fáiəriŋ] : 과거 과분 **fired**[faiərd]

❶ (…을) 발사하다, 발포하다.
The hunter *fired* at the bird in the tree. 그 사냥꾼은 나무에 있는 새를 쏘았다.
The policeman *fired* his gun because the man ran away. 그 사람이 도망쳤기 때문에 경찰관은 총을 쏘았다.

❷ (아무를) 해고하다.
He got *fired* from his job. 그는 직장에서 해고당했다.

fire a·larm   [fáiər əlá:rm] 명

복수 **fire alarms**[fáiər əlá:rmz] 화재 경보기.

fire·boat   [fáiər bòut]

복수 **fireboats**[fáiərbòuts] 소방선.

fire en·gine   [fáiər èndʒən] 명   복수

fire engines[fáiər èndʒənz] 소방차.
I saw a *fire engine* going at full speed. 나는 소방차가 전속력으로 달리는 것을 보았다.
► 미국에서는 fire truck이라고 도 함.

fire·fight·er   [fáiərfàitər] 명

복수 **firefighters**[fáiərfàitərz] 소방관. ► fire fighter로도 씀.
a brave *firefighter* 용감한 소

방관.
I want to be a *firefighter* when I grow up. 나는 커서 소방관이 되고 싶다.

fire·fly   [fáiərflài] 명   복수

fireflies[fáiərflàiz] 개똥벌레.
Nowadays we cannot see *fireflies* in a city. 오늘날 도시에서는 개똥벌레를 볼 수 없다.

fire·man   [fáiərmən] 명

복수 **firemen**[fáiərmən]
❶ 소방관(=fire fighter).
A lot of *firemen* came, but they couldn't do anything because of lack of water. 많은 소방관이 왔으나 물이 부족하여 어찌 할 도리가 없었다.
❷ (기관·난로 따위) 화부.
The *firemen's* job is very hard in the summer. 화부의 일은 여름철 매우 힘들다.

fire·men   [fáiərmən] 명
fireman의 복수.

*fire·place   [fáiərplèis] 명

복수 **fireplaces**[fáiərplèisiz] 벽난로.
Snow was falling outside, but inside the family were talking happily around the *fireplace.* 밖에는 눈이 내리고 있었지만, 집안에서는 가족들이 벽난로 주위에서 즐겁게 이야기를 나누고 있었다.

참고 fireplace는 주로 거실의 벽에 설치된 난방용의 난로를 말한다. 옛날에는 여기에 석탄

이나 장작 따위를 연료로 사용하였으나, 중앙 난방이 발달된 현재에는 가스나 전기를 이용한 장식적인 설비로 이용되는 경우가 많다. 선반처럼 벽에서 튀어나온, 난로의 윗부분을 mantelpiece[mǽntlpì:s]라고 하며, 이 위에 시계나 장식품을 올려놓는다. 겨울에는 온 가족이 단란하게 모여 앉아 이야기를 즐기는 화기 애애한 장소가 되는 곳이다.

fire·side [fáiərsàid]
복수 **firesides**[fáiərsàidz]
《보통 the를 붙여》 **난롯가, 노변**
《방안의 fireplace 주변을 말함》.
Father sat at the *fireside* and began to read the newspaper. 아버지는 난롯가에 앉아서 신문을 읽기 시작하셨다.

fire sta·tion [fáiər stèiʃən]
명 복수 **fire stations**[fáiər stèiʃənz]
소방서.
Fire! Fire! Call the *fire station*. 불이야! 불이야! 소방서에 전화해.

fire truck [fáiər trʌ̀k]
명
복수 **fire trucks**[fáiər trʌ̀ks]
불자동차, 소방차.

fire·wood [fáiərwùd] 명
《a와 복수형 안씀》
장작, 땔나무.

fire·work [fáiərwə̀:rk]
명
복수 **fireworks**[fáiərwə̀:rks]
《보통 복수형으로》 **불꽃놀이**.
The *fireworks* made loud noises, and the children were all surprised. 불꽃이 큰 소리를 내어 아이들은 모두 깜짝 놀랐다.

***firm**¹ [fə:rm] 형
비교 **firmer** [fə́:rmər] :
최상 **firmest**[fə́:rmist]

❶ **단단한, 견고한.**
We should build the hut on *firmer* ground. 오두막집을 더 단단한 땅에 지어야 한다.
❷ **(마음이) 굳은, 단호한.**
Jack always worked with a *firm* belief in what he was doing. 잭은 자기가 하고 있는 일에 언제나 굳은 신념을 가지고 일하였다.
My brother's decision was as *firm* as a rock. 동생의 결심은 바위처럼 굳었다.

firm² [fə:rm] 명
복수 **firms**[fə:rmz]
회사, 상회.
My father works for this *firm*. 아버지는 이 회사에 근무하신다.

firm·ly [fə́:rmli] 부
비교 **more firmly**;
최상 **most firmly**
굳게, 단단히, 단호하게, 확고하게.
Jane *firmly* refused his proposal. 제인은 그의 제안을 단호히 거절하였다.

****first** [fə:rst] 형
《보통 the를 붙여》 **첫 번째의, 제 1의, 최초의**(⇔last 최후의). ▶ 1st로 생략함.
What is the *first* picture? 첫번째 사진은 무엇이냐?
The *first* English book I read was Aesop's Fables. 내가 맨 처음 읽은 영어책은 이솝 우화였다.

┌─────────────────────────┐
어법 기수와 서수
one(1), two(2), three(3), ...를 기수, first(첫째), second(둘째), third(셋째), ...처럼 순서를 나타내는 수를 서수라고 한다. 서수는 1st, 2nd, 3rd, 4th, ...처럼 생략해서 쓰는 경우가 많다.
└─────────────────────────┘

***for the first time** 처음으로.
I met her *for the first time*.

나는 처음으로 그녀를 만났다.

in the first place 우선 첫째로, 맨 먼저.

In the first place, you should be honest. 우선 첫째로, 너는 정직해야 한다.

── 児 **최초로, 처음으로, 우선.**

Open my present *first*. 우선 내 선물을 열어 봐.

When I *first* met him, I thought him very strange. 나는 그를 처음 만났을 때 매우 이상한 사람이라고 생각하였다.

first of all 첫째로, 우선; 무엇보다도.

First of all I had to explain the rule. 우선 무엇보다도 나는 규칙을 설명해야만 했다.

Safety first. 《게시》 안전 제일.

── 명 《보통 the를 붙여》 **최초, 최초의 사람〔물건〕; 제 1; (달의) 초하루.**

You cannot be the *first* in everything. 네가 모든 것에서 일등일 수는 없다.

The *first* of May is May Day. 5월 1일은 메이데이이다.

*****at first** 처음에는, 애초에는.

At first I didn't like him but now I do. 처음에는 그를 좋아하지 않았지만 지금은 좋아한다.

from the first 처음부터.

The story was exciting *from the first*. 이야기는 첫머리부터 흥미있었다.

first aid [fə́:rst éid] 명 《a와 복수형 안 씀》 **응급 처치, 응급 치료, 구급.**

What kind of *first aid* must we give in such a case? 그런 경우엔 어떤 응급 처치를 해야 하지?

▶first-aid로 쓰면 형용사가 됨.
a *first-aid* kit〔case〕 구급 상자

first-class [fə́:rstklǽs] 형

일류의, 최고급의, (열차 따위가) 1등의.

We stayed at a *first-class* hotel for a couple of days. 우리들은 2,3일 동안 일류 호텔에 머물렀다.

── 児 (열차·배 따위의) **1등으로.**

Mr. Brown always travels *first-class*. 브라운씨는 언제나 1등 칸으로 여행한다.

first la·dy [fə́:rst léidi] 명

《종종 **the First Lady**로》 (미국의) **대통령 부인; 주지사 부인.**

first name [fə́:rst néim]

복수 **first names** [fə́:rst néimz] (성(姓)에 대하여) **이름.** ☞ family name(성)

참고 우리와는 반대로 이름이 앞에 나오고 성이 뒤에 따른다. John F. Kennedy란 이름에서 John을 First name이라고 하며, 이를 Christian name, given name이라고도 한다. 친밀한 사이에서는 first name만을 부르는 경우가 많은데, 이때는 Mr., Mrs. 따위의 경칭을 붙이지 않는다.

*****fish** [fiʃ] 명

복수 **fish** 또는 **fishes** [fíʃiz] 물고기; 《a와 복수형 안 씀》 어육(魚肉). ▶종류를 말할 때는 복수형 fishes를 쓰나, 보통은 복수형으로 fish를 씀.

I caught ten fish. 나는 물고기를 10마리 잡았다.

A whale is not a *fish*. 고래는 물고기가 아니다.

Let's go to the river to catch *fish*. 물고기를 잡으러 강으로 가자.

Some people don't eat meat on Fridays. They eat *fish* instead. 금요일에는 고기를 먹지 않는 사람이 있다. 그 대신 생선을 먹는다.

参考 fish는 살아 있는 물고기나 식용의 물고기에 다 쓰인다. 이에 반하여 동물(이를테면 소, 돼지)이 식용일 때에는 다른 말을 쓰는 수가 많다. ☞ beef, pork

— 자·타 3·단·현 **fishes** [fíʃiz] ; ing형 **fishing** [fíʃiŋ] ; 과거 과분 **fished** [fiʃt]
물고기를 낚다〔잡다〕, 낚시질하다.
fish salmon 연어를 잡다.
Mr. Green likes to *fish* in the sea. 그린씨는 바다에서 낚시질하기를 좋아한다.

fish·er·man [fíʃərmən] 명
복수 **fishermen** [fíʃərmən]
어부, 고기잡이.
The *fishermen* go out to sea to catch fish. 어부들은 고기를 잡기 위해 바다로 나간다.

*fish·ing** [fíʃiŋ] 명
《a와 복수형 안 씀》 고기잡이, 낚시질, 어업.
a *fishing* boat 어선.
a *fishing* line 낚싯줄.
They are very fond of *fishing*. 그들은 낚시질을 매우 좋아한다.

He grew up in a small *fishing* village. 그는 작은 어촌에서 자랐다.
go fishing 낚시질하러 가다.
My father *went fishing* in a river. 아버지는 강으로 낚시질하러 가셨다.

fist [fist] 명 복수 **fists** [fists]
주먹.
The man was shaking his *fist* in anger.
그 사람은 화가 나서 주먹을 휘두르고 있었다.
One tried to strike the other with his *fist*. 한 사람이 다른 사람을 주먹으로 치려고 하였다.

*fit** [fit] 자·타 3·단·현 **fits** [fits] ; ing형 **fitting** [fítiŋ] ; 과거 과분 **fitted** [fítid]
(…에) 맞다; 어울리다.
The door *fits* badly.
그 문은 잘 맞지 않는다.
This necktie *fits* him nicely. 이 넥타이는 그에게 잘 어울린다.
— 형 비교 **fitter** [fítər] ; 최상 **fittest** [fítist]
❶ 적당한, 알맞은.
These stories are *fit* for children. 이런 이야기들은 어린이들에게 알맞다.
Miss Smith isn't *fit* for such a job. 스미스양은 그러한 일에 적당하지 않다.
❷ 건강한, 튼튼한.
She wasn't *fit* enough to travel so long. 그녀는 그렇게 긴 여행을 할 만큼 튼튼하지는 못하였다.

*five** [faiv] 명
다섯, 5; 5세, 5시; 《복수 취급》 다섯 개〔명〕.
Five plus *five* is ten.
5 더하기 5 는 10 이다.
a girl of *five* 다섯 살의 소녀.
at *five* past *five*, 5시 5분에.
There are *five*.
다섯 명이〔개가〕 있다.
— 형 5의, 다섯 살의; 다섯 개〔명〕의.
He has *five* children.
그에게는 아이들이 다섯 있다.
Jim is *five* feet tall.
짐은 키가 5 피트이다.

F

***fix** [fiks] 타 ③·단·현 **fixes**[fíksiz] ;
ing형 **fixing**[fíksiŋ] : 과거
과분 **fixed**[fikst]

❶ …을 고정시키다, 장치하다, 붙
이다, 달다.

Father *fixed* a shelf to the
wall. 아버지는 벽에 선반을 다셨
다.

❷ …을 정하다, 결정하다.

Let's *fix* a day for the
next meeting. 다음 모임날을
정하자.

❸ (시선·주의 따위)를 돌리다,
기울이다; …을 응시(凝視)하다.

You must *fix* your mind
on one thing at a time.
한 번에 한 가지 일에만 주의를
기울여야 한다.

❹ …을 수리하다; …을 정돈하다.

I'm very good at *fixing*
machines. 나는 기계 고치는 일
을 아주 잘한다.

Jane needed time to *fix*
her hair. 제인은 머리를 손질할
시간이 필요했다.

❺ (식사 따위)를 준비〔마련〕하다.

fix breakfast 아침 식사를 준비
하다.

Please *fix* me a cocktail.
칵테일을 한잔 만들어 다오.

fixed [fikst] 형
고정된, 고착된.

We shouldn't stick to a
fixed idea. 우리는 고정 관념에
사로잡혀서는 안 된다.

***flag** [flæg] 명 복수 **flags**[flægz]
기(旗).

a national *flag* 국기.

He watched the Korean *flag*
rising. 그는 태극기가 올라가는
것을 보았다

Armstrong put up an Amer-
ican *flag* on the moon's
surface. 암스트롱은 달 표면에
미국 깃발을 꽂았다.

참고 **영미의 국기**
미국의 국기는 the Stars

and Stripes(성조기)라고 하
여, 별의 수는 50개로서 50개
주를 나타내고, 줄무늬의 수는
13개로서 최초에 독립한 13개
주를 나타낸다. 따라서 별의 수
는 최초엔 열 셋이었는데 그 후
주의 수가 불어남에 따라 별의
수도 불어났다. 영국의 국기는
the Union Jack이라고 한다.

flake [fleik] 명
복수 **flakes**[fleiks]
(작고 편편한) 얇은 조각.

Snow falls in *flakes*.
눈이 펄펄 내린다.

flame [fleim] 명
복수 **flames**[fleimz]
불꽃, 화염.

The letters burned with a
yellow *flame*. 편지는 누런 불꽃
을 내면서 탔다.

The house was in *flames*.
그 집이 화염에 휩싸여 있었다.

flash [flæʃ] 명
복수 **flashes**[flǽʃiz]
섬광, (빛 따위의) 번쩍임.

He runs like a *flash*.
그는 쏜살같이 달린다.

in a flash 곧, 순식간에.

I'll be back *in a flash*.
곧 돌아오겠다.

── 자 ③·단·현 **flashes**[flǽʃiz] :
ing형 **flashing**[flǽʃiŋ] : 과거 과분
flashed[flæʃt]

❶ (불·빛 따위가) 번쩍이다.

The lightning *flashed* across
the sky. 번갯불이 하늘에 번쩍
이었다.

A new idea *flashed* through
my mind. 새로운 생각이 마음
에 번쩍 떠올랐다.

❷ (급히 재빠르게) 지나가다.

A swallow *flashed* in front
of me. 제비가 내 앞을 싹 날아
갔다.

flash·light [flǽʃlàit]
명
복수 **flashlights**[flǽʃlàits]

회중 전등; (사진의) 플래시.
Bring me the *flashlight*,
please. 회중 전등을 갖다다오.
He picked up his *flashlight*.
그는 회중 전등을 집었다.

▶ 영국에서는 「회중 전등」을
torch 라고 함.

***flat** [flæt] 형
　　　[비교] **flatter**[flǽtər]; [최상]
flattest[flǽtist]

❶ 평평한, 평탄한; (타이어 따위
가) 바람이 빠진, 납작한.
a *flat* ground 평평한 지면.
a *flat* tire 펑크 난 타이어.
The floor wasn't quite *flat*.
마루가 썩 평평하지는 않았다.
In those days people
thought that the earth was
flat. 그 시대에는 사람들이 지구
가 평평하다고 생각했다.

❷ (음악에서) 플랫의, 반음 낮은
(⇔ sharp 샤프의). ▶ 기호는 b.
── 튀 《수치·시간 따위의 뒤에
놓여》 꼭, 정확히(=exactly).
He ran 100 meters in thir-
teen seconds *flat*. 그는 100
미터를 정확하게 13초에 달렸다.

fla·vor [fléivər] 명
　　　[복수] **flavors**[fléivərz]
(독특한) 맛, 풍미; 향신료.
a *flavor* of garlic 마늘의 (독
특한) 맛.
This ice cream has a spe-
cial *flavor*. 이 아이스크림은 독
특한 맛이 있다.

▶ 영국에서는 flavour로 씀.

flea [fliː] 명 [복수] **fleas**[fliːz]
벼룩.
Fleas feed on blood.
벼룩은 피를 먹고 산다.

fled [fled] 통
　　　flee의 과거·과거 분사.

flee [fliː] 자 [3·단·현] **flees**
　　　[fliːz]; [ing형] **fleeing**
[flíːiŋ]; [과거][과분] **fled** [fled]
도망치다, 달아나다.
She *fled* from the country.
그녀는 국외로 달아났다.

He always tries to *flee*
from responsibility. 그는 언제
나 책임을 회피하려고 한다.

fleet [fliːt] 명 [복수] **fleets**[fliːts]
　　　함대; (비행기의) 편대,
(자동차 따위의) 행렬.
a combined *fleet* 연합 함대.
The United States Seventh
Fleet is based in the
Orient. 미국 제7함대는 동양에
기지를 두고 있다.
A *fleet* of buses carrying
students passed by. 학생을
태운 버스들이 줄지어 지나갔다.

flesh [fleʃ] 명
《a와 복수형 안 씀》 (인
간·동물의) 살; 과육(果肉). ▶
식용 살코기는 meat.
The *flesh* of pigs is called
pork. 돼지고기는 포크라고 한다.
Shylock wanted a pound
of Antonio's *flesh*. 샤일록은
안토니오의 살 한 파운드를 원했다
《셰익스피어의 희곡 「베니스의 상
인(The Merchant of Venice)」
에서》.

▶ fresh(신선한)와 혼동하지 않
도록 주의.

***flew** [fluː] 통
　　　fly¹의 과거.
When I opened the win-
dow, the sparrows *flew*
away. 내가 창문을 열자 참새들
이 날아가 버렸다.

flies [flaiz] 통
　　　fly¹의 3인칭·단수·현재.

***flight** [flait] 명
　　　[복수] **flights**[flaits]

❶ 날기, 비행; 비행기 여행; (비
행기의) 편(便).
A *flight* from San Francisco
to Hawaii takes six hours.
샌프란시스코에서 하와이까지는 비
행기로 6시간 걸린다.
Have a nice *flight!*
(공항에서) 즐거운 (비행기) 여행
이 되시기를!
John took *Flight* 102 to

Boston. 존은 102기(機)편으로 보스톤에 갔다.

❷ (각 층계참을 잇는) **일련의 계단**.

The mailman had to go up many *flights* of stairs. 우체부는 편지를 배달하기 위하여 층계참을 잇는 많은 계단들을 올라가지 않으면 안되었다.

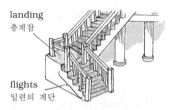

landing
층계참

flights
일련의 계단

She fell down a *flight* of stairs. 그녀는 층계에서 굴러 떨어졌다.

float [flout] 통
　　[3·단·현] **floats** [flouts]：
[ing형] **floating** [flóutiŋ]：[과거] [과분] **floated** [floutid]
자 뜨다(⇔ sink 가라앉다).
We saw dead fish *floating.* 우리는 죽은 물고기들이 떠 다니고 있는 것을 보았다.
Continents are huge islands *floating* in the ocean. 대륙들은 대양에 떠 있는 거대한 섬들이다.
── 타 …을 띄우다.
The boy tried to *float* a paper boat. 소년은 종이배를 띄우려 하였다.
We *floated* our new yacht. 우리는 새로 만든 요트를 물에 띄웠다.

flock [flɑk] 명
　　[복수] **flocks** [flɑks]
(동물·사람의) **무리, 떼**.
Flocks of sheep were moving here and there in the meadow. 초원에 양 떼가 이곳저곳을 옮겨 다니고 있었다.

Angry citizens came down the street in *flocks.* 분노한 시민들이 떼지어 거리로 몰려 나왔다.
── 자 [3·단·현] **flocks** [flɑks]：
[ing형] **flocking** [flɑkiŋ]：[과거] [과분] **flocked** [flɑkt]
떼를 짓다, 모이다.
Birds of a feather *flock* together. 《속담》 같은 깃의 새는 한곳에 모인다(끼리끼리 모인다).

flood [flʌd] 명
　　[복수] **floods** [flʌdz]
홍수; (홍수처럼) **넘쳐 흐름, 범람.**
floods of tears 펑펑 쏟아지는 눈물.
The sudden heavy rain caused *floods* in some parts of the city. 갑작스러운 호우로 시의 몇 군데에 홍수가 났다.
When I drew the curtain, a *flood* of light streamed into the room. 커튼을 걷으니 빛이 방 안 가득 흘러 들어왔다.
── 타 [3·단·현] **floods** [flʌdz]：
[ing형] **flooding** [flʌdiŋ]：[과거] [과분] **flooded** [flʌdid]
(강 따위)**를 범람시키다, 넘치게 하다**; (사람·물건이)**…에 몰려 들다.**
The whole city was *flooded* last night. 어젯밤 시가 온통 물에 잠겼다.
Young girls *flooded* the hall. 어린 소녀들로 강당은 가득 찼다.

****floor** [flɔːr] 명
　　[복수] **floors** [flɔːrz]
❶ **마루, 바닥.** ☞ ceiling(천장).

The kitchen *floor* is tiled.
부엌의 바닥은 타일이다.

Mrs. Scott is cleaning the *floors.*
스코트 부인은 마루를 청소하고 있다.

❷(건물 내부의 특정한) **층.** ☞ story

I have an office on the third *floor* of this building.
나는 이 건물 3층에 사무실을 가지고 있다.

They are on the second *floor.* 그들은 2층에 있다.

〔참고〕 미국과 영국의 층수를 세는 방법에는 차이가 있다. 미국에서는 우리 나라처럼 1층을 the first floor, 2층을 the second floor, 3층을 the third floor와 같이 세지만, 영국에서는 1층을 the ground floor, 2층을 the first floor, 3층을 the second floor로 세기 때문에 한 층씩 차이가 난다.

《미》	《영》
the third floor	the second floor
the second floor	the first floor
the first floor	the ground floor

---

flop·py disk [flápi dísk] 명

〔복수〕 **floppy disks** [flápi dísks]
(컴퓨터의) **플로피 디스크** 《외부 기억용 자기 원판》.

Flor·i·da [flɔ́(ː)ridə] 명
플로리다.

〔참고〕 미합중국 동남부의 주. Fla., Flor.로 약함. 이 주는 미 대륙에서 바다로 돌출된 반도로서, 반도의 동쪽은 대서양, 서쪽은 멕시코만이다. 면적은 151,680 km²로서 한국 반도의 약 3분의 2에 해당한다. 주도는 탤러해시(Tallahassee [tǽlə-hǽsi])이지만 인구가 가장 많은 곳은 고급 피한지인 마이애미

(Miami [maiǽmə])이다. 그 밖에 로켓 발사로 유명한 케이프 케네디(Cape Kennedy [kéip kénədi])가 반도의 동쪽 중앙 쯤에 있다. 또, 반도 남단의 the Everglades [évərglèidz]는 늪과 수풀이 많은 국립 공원으로 유명하다.

---

flour [flauər] 명
《a와 복수형 안 씀》 **밀가루.**

Bread is made from *flour.*
빵은 밀가루로 만든다.

▶ 발음이 같은 flower(꽃)와 혼동하지 않도록 주의.

*flow [flou]
3·단·현 **flows** [flouz]:
ing형 **flowing** [flóuiŋ]: 과거 과분
flowed [floud]
(강물 따위가) **흐르다.**

Rivers *flow* into the sea.
강물은 바다로 흘러 들어간다.

A lot of people *flowed* out of the movie theater.
많은 사람들이 극장에서 쏟아져 나왔다.

— 명 복수 **flows** [flouz]
흐름, 유동.

This *flow* of air lifts up heavy airplanes. 이 공기의 흐름이 무거운 비행기를 떠오르게 한다.

We couldn't stop the *flow* of her words. 우리는 그녀의 거침없이 나오는 말을 막을 수 없었다.

*flow·er [fláuər] 명
〔복수〕 **flowers** [fláuərz]

❶ **꽃, 화초.** ☞ blossom
There are many *flowers* in this park. 이 공원에는 많은 꽃들이 있다.

In a few weeks, the *flowers* will come out. 몇 주만 있으면, 꽃이 필 것이다.

❷ 《a와 복수형 안 씀》 **개화**(開花), (꽃의) **만발.**

Roses are in *flower*.
장미가 만발해 있다.

참고 **1.** 서양의 꽃 이름들
carnation[kɑːrnéiʃən] 카네이
션 / cherry blossom [tʃéri
blàsəm] 벚꽃 / chrysanthe-
mum [krisǽnθəməm] 국화 /
crocus [króukəs] 크로커스 /
daffodil[dǽfədìl] 나팔수선화 /
dandelion [dǽndəlàiən] 민들
레 / lily[líli] 백합 / narcissus
[nɑːrsísəs] 수선화 / pansy
[pǽnzi] 팬지 / rose[rouz] 장
미 / tulip[tjúːlip] 튤립 / vio-
let[váiəlit] 향제비꽃.
2. 몇 가지 꽃말(flower lan-
guage)
- apple(사과)···temptation
(유혹). ▶ 금단의 열매.
- daisy(데이지)···innocence
(순결), peace(평화), hope
(희망).
- heath(히스)···solitude(고
독).
- laurel (월계수) ··· glory (영
광). ▶ 고대 그리스의 월계관.
- lily(백합)···purity(청순).
- narcissus(수선화) ··· ego-
tism(자만). ▶수선화가 된 그
리스 신화의 미소년 이름에서.
- pansy(팬지)···thoughts(생
각). ▶ 프랑스의 pensée에서.
- poppy(양귀비)···sleep(잠).
▶ 수면제의 원료.
- rose(장미)···love(사랑).
- sweet violet(향기제비꽃)···
modesty(겸손).

---

flow·er ar·range·ment
[fláuər ərèindʒmənt] 명
《a와 복수형 안 씀》 꽃꽂이.

flow·er bed [fláuər bèd] 명
복수 flower beds[fláuər bèdz]
화단.
There are some *flower*

beds in front of his house.
그의 집 앞에는 화단이 있다.

flow·er gar·den [fláuər gàːrdn]
명 복수 flower gardens[fláuər
gàːrdnz] 화원, 꽃밭.

*flown [floun] 동
fly¹의 과거 분사.
Because winter had come,
the swallows had *flown*
south. 겨울이 왔기 때문에 제비
들은 남쪽으로 날아가 버렸다.

flu [fluː] 명
《a와 복수형 안 씀》
인플루엔자, 유행성 감기, 독감.
▶ influenza의 단축형.
I have got the *flu*.
나는 독감에 걸렸다.

flu·ent [flúːənt] 형
비교 more fluent;
최상 most fluent
유창한.
She speaks *fluent* English.
그녀는 유창하게 영어를 한다.

flu·ent·ly [flúːəntli] 부 비교
more fluently;
최상 most fluently
유창하게, 술술.
Mr. Brown can speak Span-
ish *fluently*. 브라운씨는 스페인
어를 유창하게 할 수 있다.

flu·id [flúːid] 명
복수 fluids[flúːidz]
유동체(流動體).
Both water and air are *flu-
ids*. 물과 공기는 다 유동체이다.

flute [fluːt] 명
복수 flutes[fluːts]
플루트, 피리.
She is good at playing the
flute. 그녀는 피리를 잘 분다.

*fly¹ [flai] 동 3·단·현 flies[flaiz] :
ing형 flying [fláiiŋ] : 과거
flew[fluː] : 과분 flown[floun]
자 ❶ 날다 ; 비행기로 가다.
For a long time, man want-
ed to *fly* like the birds. 오랫
동안, 인간은 새처럼 날고 싶었다.

I *flew* over Australia. 나는 오스트레일리아에 비행기로 갔다.

❷ (날듯이 빨리) **지나다, 움직이다.**

Time *flies* like an arrow. 시간은 화살같이 빨리 지나간다.

The boy *flew* down the steps to meet us. 그 소년은 우리를 만나러 층계를 뛰어 내려왔다.

── 囼 (장소·거리)를 날다, (비행기 따위)를 조종하다, …을 날리다.

fly a very long distance 아주 먼 거리를 날다.

He *flew* the Pacific. 그는 태평양을 날아갔다.

Do you know how to *fly* kites? 연을 날릴 줄 아느냐?

In the future most of us will *fly* our own planes. 앞으로 우리는 거의 모든 사람이 자기 비행기를 타게 될 것이다.

── 몜 복수 flies[flaiz] (야구의) **플라이, 비구**(飛球).

fly² [flai] 몜 복수 **flies**[flaiz] 파리.

Flies are buzzing at the window. 파리가 유리창에서 윙윙거리고 있다.

fly·ing boat [fláiiŋ bòut] 몜

복수 **flying boats**[fláiiŋ bòuts] 비행정.

Flying boats land on water. 비행정은 물 위에 내려 앉는다.

fly·ing sau·cer [fláiiŋ sɔ́:sər] 몜

복수 **flying saucers** [fláiiŋ sɔ́:sərz] 비행접시.

☞ UFO

fo·cus [fóukəs] 몜

복수 **focuses**[fóukəsiz] 또는 **foci**[fóusai]

❶ (렌즈 따위의) **초점.**

Your pictures are always out of *focus*. 너의 사진은 언제나 초점이 맞지 않는다.

❷ (흥미·주의 따위의) **중심, 집중점.**

The war is now the *focus* of world attention. 그 전쟁은 지금 세계의 이목이 집중되어 있다.

── 囼 3·단·현 **focuses**[fóukəsiz] : ing형 **focusing**[fóukəsiŋ] : 과거 과분 **focused**[fóukəst]

…의 초점을 맞추다; (주의·관심)을 집중하다.

He *focused* the lens of the telescope on the moon. 그는 망원경 렌즈의 초점을 달에 맞추었다.

Tom tried to *focus* his attention on reading. 톰은 독서에 주의를 집중하려고 하였다.

fog [fɔ(:)g] 몜

복수 **fogs**[fɔ(:)gz]

안개. ▶ mist보다 짙은 안개를 말함.

a dense [thick] *fog* 짙은 안개.

London is known as the city of *fog*. 런던은 안개의 도시로 알려져 있다.

The word "smog" comes from smoke and *fog*. 「스모그」라는 말은 smoke와 fog에서 유래한다.

fog·gy [fɔ́(:)gi] 혱

비교 **foggier**[fɔ́(:)giər]: 최상 **foggist**[fɔ́(:)gist]

안개가 짙은, 안개 낀.

It was a *foggy* morning. 안개가 짙게 낀 아침이었다.

foil [fɔil] 몡
《a와 복수형 안 씀》(식품·
담배 따위를 싸는) 포일《은박지
따위》, 박(箔), 금속의 박편.
aluminum *foil* 알루미늄 포일.
gold *foil* 금박(金箔).

*
fold [fould] 目
③·단·현 **folds** [fouldz]:
ing형 **folding** [fóuldiŋ]: 과거
과분 **folded** [fóuldid]
❶ (종이·헝겊·옷 따위)를 접
다, 접어 포개다.
Bill *folded* the letter into
four sections. 빌은 편지를 넷
으로 접었다.
Susie *folded* up her dress-
es to put in the suitcase.
수지는 여행 가방에 넣으려고 옷
을 개켰다.
❷ (팔짱)을 끼다, (다리)를 구부
리다; (날개 따위)를 접다.
He *folded* his arms.
그는 팔짱을 꼈다.
── 몡 복수 **folds** [fouldz]
(옷 따위의) 주름, 접은 자리.
I found a pin in the *fold*
of my clothes. 나는 옷 주름에
핀이 꽂혀 있는 것을 발견하였다.

folk [fouk] 몡
복수 **folks** [fouks]
❶《복수 취급》사람들(=people).
country *folk* 시골 사람들.
Some *folk* believe in ghosts.
유령이 있다고 믿는 사람들도 있다.
Young *folks* are frank.
젊은 사람들은 솔직하다.
❷《one's *folks*로》가족. ➤ 특히
양친을 가리키는 경우가 많음.
How are *your folks*?
댁의 가족들은 별고 없습니까?

참고 단수형으로 「사람들」이란
복수의 뜻이 있으나, 미국 구어
에서는 folks처럼 복수형으로
쓰는 것이 보통이다. 그러나 지
금은 이 말보다는 people을 더
많이 쓴다.

folk dance [fóuk dǽns]
몡
복수 **folk dances** [fóuk dǽnsiz]
포크 댄스, 민속 무용.
All of us enjoyed the *folk
dance* by the Indians. 우리
들은 모두 인디언들의 민속 무용
을 즐겼다.

folk mu·sic [fóuk mjùːzik]
몡
《a와 복수형 안 씀》포크 뮤직,
민속 음악.

folk song [fóuk sɔ̀(ː)ŋ]
몡
복수 **folk songs** [fóuk sɔ̀(ː)ŋz]
포크송, 민요.
The singer is good at *folk
songs*. 그 가수는 민요를 잘 부른
다.

참고 folk song은 고래의 민요
를 가리키는 경우와 시대 변혁
에 따른 메시지를 담은, 젊은이
들에 의해 불려지는 노래를 가
리키는 경우가 있다.

*
fol·low [fálou] 目 ③·단·현
follows [fálouz]: ing형
following [fálouiŋ]: 과거 과분
followed [fáloud]
❶ …을 뒤따라 가다〔오다〕, …의
뒤를 따르다; …의 다음에 오다.
☞ precede(앞서다)
The leader went first, and
the others *followed* him
one by one. 지휘자가 앞장을
서서 가자, 다른 사람들은 차례로
그의 뒤를 따랐다.
The ceremony was *followed*
by a party. 식에 이어 파티가
열렸다.
❷ (길 따위)를 따라 가다.
If you *follow* this street,
you'll see the post office
on this side. 이 거리를 쭉 따라
가면 이쪽편에 우체국이 나온다.
❸ (직업)에 종사하다.
After the graduation, he

followed the profession of teaching. 졸업 후 그는 교직에 종사하였다.

❹ …을 이해하다, 알다.

Mr. Jones always speaks like that. I can't *follow* him. 존스씨는 언제나 저런 식으로 말을 하거든. 나는 그가 하는 말을 알아 들을 수가 없어.

❺ (규칙·충고 따위)에 따라 행동하다.

We all *followed* her advice and failed. 우리들은 모두 그녀의 충고대로 하여 실패하였다.

He *follows* the way of his brother Inho. 그는 그의 형인 인호의 방식을 따라 행동한다.

── 𝕁 (뒤)따라 가다〔오다〕, (뒤)따르다, 잇따라 일어나다.

He went in and I *followed*. 그가 들어가자 나는 뒤 따라 들어 갔다.

as follows 다음과 같이.

Today's schedule is *as follows*. 오늘 일정은 다음과 같다.

*fol·low·ing [fálouiŋ] 혱 《the를 붙여》 다음의(=next): **다음에 말하는, 하기의.** ➤ 명사 앞에서만 쓰임.

They came back the *following* year. 그들은 그 다음해에 돌아왔다.

Put the *following* sentences into Korean. 다음 문장들을 한 국어로 옮기시오.

── 몡 《the를 붙여》 다음의 것.

Read the *following* and answer the questions. 다음 을 읽고 물음에 답하시오.

The *following* should not be neglected. 다음 일을 소홀히 해서는 안 된다.

*fond [fɑnd] 혱 비교 **fonder** [fándər]: 최상 **fondest** [fándist] 《**be fond of**로》 …을 좋아하다. ➤ like보다 뜻이 강함.

Jane *is* very *fond of* music. 제인은 음악을 매우 좋아한다.

I *am fond of* reading books. 나는 독서를 좋아한다. ➤ be fond of 다음에는 명사나 -ing형 이 옴.

*food [fuːd] 몡 복수 **foods** [fuːdz]

먹을 것, 식료품, 식품.

food and drink 음식물.

natural 〔canned〕 *foods* 자연 〔통조림〕 식품.

health *food* 건강 식품.

Chinese *food* 중국 요리.

food, clothing, and housing 〔shelter〕 의식주(衣食住). ➤ 우 리말과 어순이 다름에 주의.

Do you like Korean *food*? 한국 음식을 좋아하느냐?

Spaghetti is one of my favorite *foods*. 스파게티는 내가 좋아하는 음식 중의 하나이다.

┌─────────────────────────┐
│ 어법 **food**의 용법 │
│ 보통 food에는 a도 붙이지 않고 │
│ 복수형으로도 하지 않는다. 그 │
│ 러나 그 종류를 가리킬 때에는 │
│ a를 붙이기도 하고 복수형으로 │
│ 도 한다. │
└─────────────────────────┘

*fool [fuːl] 몡 복수 **fools** [fuːlz] 바보, 얼간이.

What a *fool* I am! 난 참 바보야!

He is not such a *fool* as that. 그는 그런 바보는 아니다.

make a fool of …을 조롱하다.

Jim always *makes a fool of* me. 짐은 언제나 나를 조롱한다.

── 태 ③·단·현 **fools** [fuːlz]: ing형 **fooling** [fúːliŋ]: 과거 과분 **fooled** [fuːld]

…을 속이다.

I *fooled* myself. 나는 내 자신을 속였다.

You cannot *fool* all of the people all of the time. 모든 사람들을 언제나 속일 수는 없다.

fool·ish [fúːliʃ] 형
비교 **more foolish**;
최상 **most foolish**

바보 같은, 어리석은(⇔ wise 현명
한).
Look at those *foolish* peo-
ple! 저 바보 같은 사람들 좀 봐!
Don't be *foolish*.
바보 같은 짓 하지 마라.
It's *foolish* of you to do
so. 그런 짓을 하다니, 너는 참
어리석구나.

*foot [fut] 명
복수 **feet** [fiːt]

❶ 발; 발걸음. ☞ leg
stand〔hop〕 on one *foot* 한
발로 서다〔뛰다〕.
walk with a heavy *foot* 무거
운 발걸음으로 걷다.
He kicked the ball with
his right *foot*. 그는 오른발로
공을 찼다.
Don't put your *feet* on the
desk. 책상 위에 발을 올려놓지
마라.

참고 foot 은 「복사뼈 아래의 부
분」을 말하며, 허벅다리 아래의
부분을 나타낼 때는 leg 를 쓴다.

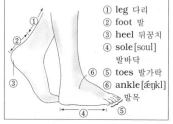

① leg 다리
② foot 발
③ heel 뒤꿈치
④ sole [soul]
　 발바닥
⑤ toes 발가락
⑥ ankle [ǽŋkl]
　 발목

❷ 피트《길이의 단위, 약 30cm》.
a six-*foot* tall man 키가 6피
트인 사람.
Tom is five *feet* three
inches tall. 톰은 키가 5피트 3
인치다.

참고 영미에서는 길이의 단위로
미터를 쓰지 않고 피트를 쓴다.

1피트(one foot)는 12 inch-
es(=약 30cm)로 3feet를 1yard
[jɑːrd]라고 한다. 약어는 ft.

❸《the를 붙여》(물건의) 아래
쪽, 아랫부분; 산기슭.
the *foot* of a page 페이지의
하단.
The airplane crashed at
the *foot* of Hallasan. 비행기
는 한라산 기슭에 추락하였다.

*on foot 걸어서, 도보로.
Do you go to school *on
foot* or by bicycle?
너는 학교에 걸어서 가느냐, 또는
자전거로 가느냐?

참고 on foot 은 보통 by
bus, by bicycle 따위 등의
다른 방법과 대조해서 말할 때
쓴다. 단순히 「나는 걸어서 학
교에 간다」라고 할 때는 I
walk to school.이라고 한다.

*foot·ball [fútbɔ̀ːl] 명 복수
footballs [fútbɔ̀ːlz]

❶《a와 복수형 안 씀》풋볼, 축구.
a *football* field 축구장.
They play *football* at school.
그들은 학교에서 축구를 한다.

참고 football이라 하면 미국에
서는 보통 미식 축구 (Ameri-
can football)를 말하며, 영국
에서는 사커(soccer, accocia-
tion football)나 럭비(rugby)
를 가리킨다. 미식 축구는 특별
한 모자와 어깨받침 따위를 대

> 고 하는 맹렬한 경기로서 규칙
> 이 어렵고 누구나 할 수 있는
> 것은 아니지만, 보고 즐기는 스
> 포츠로서 미국 사람들에게는 인
> 기가 있다. 시즌인 가을이 되면
> 대학이 있는 도시에서는 시합이
> 있을 때마다 열광한다.

❷ 축구공.

foot·print [fútprìnt] 명

[복수] **footprints**[fútprìnts]
발자국.
They found *footprints* out-side the cave. 그들은 동굴 밖
에서 발자국들을 발견했다.

foot·step [fútstèp] 명

[복수] **footsteps**[fútstèps]
발소리, 발자국;《복수형으로》걸
음걸이.
I heard someone's *footsteps*
at the door. 나는 현관에서 누
군가의 발소리를 들었다.

*****for** [fər: 강 fɔːr] 전

❶《이익·받을 사람을 나타
내어》…을 위하여, …에게 주기
위해.
My mother bought a dic-tionary *for* me. (= My
mother bought me a
dictionary.) 어머니께서 나에게
사전을 한 권 사 주셨다.
What can I do *for* you?
무엇을 해 드릴까요?
This is a present *for* my
mother. 이것은 나의 어머니께
드릴 선물이다.

❷《용도·적합·대상을 나타내
어》…에 알맞은, …용의, …을 위
한.
What's this tool *for*?
이 공구는 무엇에 쓰이느냐?
There are not any schools
for blacks only. 흑인들만을 위
한 학교는 없다.
He is the right man *for*
the job. 그는 그 일에 적임이다.

This is a book *for* chil-dren. 이것은 어린이용〔어린이를
위한〕책이다.
❸《기간·거리를 나타내어》…동
안, …에 걸쳐서. ☞ *during*
He ran *for* half an hour.
그는 30분 동안 달렸다.
I had to walk *for* three
miles. 나는 3마일을 걸어야 했
다.
❹《목적·의도를 나타내어》…을
〔하기〕위하여, …을 얻으려고.
He went out *for* a walk. 그
는 산책하기 위해 밖으로 나갔다.
A stove is used *for* heating
and cooking. 난로는 난방과 조
리를 하기 위해 사용된다.
❺《대용을 나타내어》…대신에,
대용으로.
Say hello to him *for* me.
나 대신에 그에게 안부 전해다오.
I wrote a letter *for* him.
나는 그의 편지를 대필했다.
I used an old wooden box
for a bookcase. 나는 낡은 나
무상자를 책장 대용으로 썼다.
❻《행선지를 나타내어》…을 향
하여, …행의.
Is this the train *for* New
York? 이 열차는 뉴욕행입니까?
I left Gimpo *for* Hawaii. 나
는 하와이를 향해 김포를 떠났다.
❼《기준을 나타내어》…에 비해
서는, …으로서는.
My brother Tim is very
tall *for* his age. 내 동생 팀은
나이에 비해 키가 매우 크다.
It is cold *for* May.
5월 치고는 춥다.
❽《보상·대가를 나타내어》…의
금액으로, …와 상환으로, …에 대
하여.
How much did you pay *for*
the book? 그 책을 얼마에 샀느
냐?
I paid〔gave〕ten dollars *for*
the book. = I bought the
book *for* ten dollars.

나는 그 책을 10달러 주었다.
I got ten dollars *for* my work. 나는 일을 해서 10달러를 받았다.
I did the work *for* nothing. 나는 무보수로 그 일을 했다.
Thank you *for* your letter. 너의 편지를 고맙게 잘 받았다.
❾ 《원인 · 이유를 나타내어》 …때문에, …한 이유로.
She began to cry *for* joy. 그녀는 너무 기뻐 울음을 터뜨렸다.
He couldn't speak *for* tears. 그는 눈물 때문에 말을 할 수가 없었다.
❿ 《for~to do...로》 ~가 …하는 것은. ➤ for ~는 to do의 의미상 주어가 됨.
It is dangerous *for* you *to* swim here. 너 이곳에서 수영하는 것은 위험하다.
⓫ 《찬성을 나타내어》 …에 찬성하여(⇔ against …에 반대하여).
Are you *for* or against my plan? 너는 내 계획에 찬성이냐 혹은 반대냐?

for all …에도 불구하고.
For all his fame, he is not happy. 명성에도 불구하고 그는 행복하지 않다.
for ever 영구히, 언제나.
He is *for ever* getting in my way. 그는 언제나 나를 방해하고 있다.
for months 몇 달이고.
They often have no rain there *for months*. 그곳은 종종 몇 달이고 비가 오지 않는다.
for years 몇 해고.
The man dug and dug *for years*, but he couldn't discover any gold. 그 남자는 몇 해고 파고 또 팠지만 금은 전혀 발견할 수 없었다.
What for? 무엇 때문에, 왜.
"We are going downtown this afternoon." "*What for?*"
「우리들은 오늘 오후에 중심가에

간다.」 「왜?」
── 접 왜냐하면 …이니까.
All the people approved her plan, *for* they wanted to please the old lady. 모든 사람들이 그녀의 계획에 찬성하였다. 왜냐하면 모두 그 노부인을 기쁘게 해 주고 싶었으니까.

참고 **1.** for 이하는 앞에서 한 말의 근거를 부연해서 설명한다. 따라서 for 앞에 콤마(,)를 찍는다. **2.** 접속사 for는 구어에서는 거의 쓰지 않고 because를 쓴다.

for·bad [fərbǽd] 통
     forbid의 과거의 하나.
for·bade [fərbǽd] 통
     forbid의 과거의 하나.
for·bid [fərbíd] 타 3·단·현
     forbids [fərbídz];
ing형 **forbidding**[fərbídiŋ]; 과거
forbad(e)[fərbǽd]; 과분 **for-bidden**[fərbídn]
…을 금지하다(⇔ permit 허가하다).
I *forbade* my brother to use my bicycle. 나는 동생에게 나의 자전거 사용을 금했다.

for·bid·den [fərbídn] 통
forbid의 과거 분사.

*__force__ [fɔːrs] 명
     복수 forces[fɔ́ːrsiz]
❶ 《a와 복수형 안 씀》 (자연 · 신체의) 힘; 완력, 폭력.
the *force* of the wind 풍력.
The *force* of nature is very great. 자연의 힘은 매우 위대하다.
He took the bag from me by *force*. 그는 나에게서 완력으로 그 가방을 빼앗았다.
❷ 《보통 복수형으로》 군대; 부대.
the air *force* 공군.
the armed *forces* 군대 《육 ·

해 · 공군).

This program is specially prepared for the U.S. *forces* in Korea. 이 프로그램은 주한 미군을 위하여 특별히 마련 된 것이다.

── 타 ③·단·현 **forces** [fɔ́ːrsiz] : ing형 **forcing** [fɔ́ːrsiŋ] : 과거 과분 **forced** [fɔ́ːrst]

❶ 《**force ~ to** do로》 ~에게 억 지로 …하게 하다.

They *forced* me *to* do the work.=I was *forced* *to* do the work. 그들은 나에게 억지 로 그 일을 하게 했다.

He was *forced* *to* sign the paper. 그는 서류에 꼼짝없이 서 명해야 했다.

❷ (문 따위)를 억지로 열다; 억지 로 …하다.

They *forced* the door open. 그들은 문을 억지로 열었다.

I *forced* my way through the crowd. 나는 억지로 군중속 을 비집고 나아갔다.

┌─────────────────────┐
│ 비슷한 말 **force** 와 **power**
│ 둘 다 「힘」을 말하지만 force
│ 는 물리적인 힘·작용을 뜻하
│ 고. power 는 능력 따위에 중
│ 점을 둔 말이다.
└─────────────────────┘

fore·cast [fɔ́ːrkæst] 명

복수 **forecasts** [fɔ́ːrkæsts] (일기 따위의) **예보, 예측.**

a business *forecast* 경기 예측. That is the end of the weather *forecast*. 일기 예보를

마칩니다 《방송에서 하는 말》.

── 타 ③·단·현 **forecasts** [fɔ́ːr- kæsts] : ing형 **forecasting** [fɔ́ːr- kæstiŋ] : 과거 과분 **forecast** 또는 **forecasted** [fɔ́ːrkæstid]

(일기 따위)**를 예보하다, 예측하다.**

forecast the weather 일기를 예보하다.

It rained as was *forecast*. 예보대로 비가 왔다.

fore·fin·ger [fɔ́ːrfiŋɡər] 명

복수 **forefingers** [fɔ́ːrfiŋɡərz] **집게손가락.** ☞ hand

fore·head [fɔ́(ː)rid] 명

복수 **foreheads** [fɔ́(ː)ridz] **이마.** ☞ face

Mr. White wiped his *forehead* many times. 화이트씨는 몇 번이고 이마를 닦았다.

▶ forehead를 [fɔ́ːrhèd]로 발음 하기도 함.

***for·eign** [fɔ́(ː)rin] 형 **외국의**(⇔home, domestic 국내의).

a *foreign* country 외국. a *foreign* language 외국어. *foreign* goods 외국 제품. *foreign* mail 〔trade〕 외국 우편 〔무역〕.

We like to help *foreign* visitors to Korea. 우리는 한국 에 온 외국인 방문객들을 기꺼이 돕는다.

for·eign·er [fɔ́(ː)rinər] 명

복수 **foreigners** [fɔ́(ː)rinərz] **외국인.**

Over three million *foreigners* are coming to Korea each year. 매년 3백만 이상의 외국인들이 한국에 오고 있다.

This custom may be very strange to *foreigners.* 이 습관은 외국인에게는 매우 이상할 지도 모른다.

for·est [fɔ́(ː)rist] 명
복수 **forests** [fɔ́(ː)rists]
숲, 삼림.

a *forest* fire 산불.

There are many animals in the *forest.* 그 숲에는 많은 동물들이 있다.

참고 forest는 몇 킬로에 걸친 큰 삼림을 말하는 수가 많고, woods [wudz]는 과히 크지 않은 것을 말한다. 미국의 큰 삼림은 대단히 넓어서 일단 불이 나면 며칠이고 계속해서 타는 수가 있다. 때문에 삼림 경비대가 화재의 발생을 감시하고 있다.

for·ev·er [fərévər] 부
영구히, 언제까지나.
➤ 영국에서는 for ever 처럼 띄어 쓰기도 함.

I will love you *forever.* 나는 너를 언제까지나 사랑할 것이다.

The people of India will remember Gandhi *forever.* 인도의 국민들은 간디를 영원히 기억할 것이다.

for·gave [fərgéiv] 동
forgive 의 과거.

for·get [fərgét] 동 3·단·현
forgets [fərgéts];
ing형 **forgetting** [fərgétiŋ]; 과거
forgot [fərgát]; 과분 **forgotten**
[fərgátn] 또는 **forgot** [fərgát]
타 ❶ …을 잊다, …이 생각 안 나다(⇔ remember 기억하다).

I *forget* [have *forgotten*] her name. 나는 그녀의 이름을 잊었다.

I'll never *forget* your kind-ness. 네 친절을 결코 잊지 않을 것이다.

❷ 《forget to do로》 …하는 것을 잊다, 잊고 …하지 않다. ➤ 앞으로 「…할」이란 미래의 행위를 나타냄.

Don't *forget* to call me. 잊지 말고 전화해 다오.

Don't *forget* to write your name. 잊지 말고 이름을 써라.

I *forgot* to answer the letter. 나는 그 편지의 답장 쓰는 것을 잊었다.

❸ 《forget doing으로》 …한 것을 잊다. ➤ 이미 「…한」이란 과거의 행위를 나타냄.

I *forgot* mailing the letter. 나는 편지 부친 것을 잊었다. ➤ 미국에서는 이런 경우 흔히 I *forgot* that I had mailed the letter.라고 함.

I shall never *forget* visiting New York. 나는 뉴욕을 방문했던 일을 결코 잊지 않을 것이다.

❹ 《forget that으로》 …이라는 것을 잊다. ➤ 종종 that을 생략하는 경우가 있음.

I *forgot* (that) I was hun-gry. 나는 배가 고픈 것을 잊고 있었다.

❺ …을 (잊고) 두고 오다[가다].

I *forgot* my umbrella again. 나는 우산을 또 두고 왔다.

참고 **forget** 과 **leave**
잊어버리고 물건을 「두고 오다[가다]」라고 할 경우, 보통 forget은 장소를 나타내는 말이 없을 때 쓰고, leave는 「방에」, 「차에」처럼 장소를 나타내는 말이 있을 때 쓴다.

I *left* my book on the desk. 나는 책상 위에 책을 두고 왔다.

── 자 잊다.

"What's his name?" "I *forget.*" 「그의 이름이 뭐지?」 「잊

었는데.」
Don't *forget* about it.
그 일을 잊지 마라.

for·get·ting [fərɡétiŋ] 통

forget의 -ing형.

*for·give [fərɡív] 타 [3·단·현]
forgives [fərɡívz];
[ing형] **forgiving** [fərɡíviŋ];
[과거] **forgave** [fərɡéiv]; [과분]
forgiven [fərɡívən]

(사람·죄 따위)를 용서하다.
Forgive me! 용서해 주십시오!
We *forgave* her mistakes.
우리는 그녀의 잘못을 용서했다.

for·giv·en [fərɡívən] 통

forgive의 과거 분사.

for·giv·ing [fərɡíviŋ] 통
forgive의 ing형.

*for·got [fərɡát] 통

forget의 과거·과거 분사.

*for·got·ten [fərɡátn] 통

forget의 과거 분사의 하나.

*fork [fɔ:rk] 명
[복수] **forks** [fɔ:rks]

(식탁용의) 포크.
He is good at using a
knife and *fork*. 그는 나이프와
포크를 잘 쓴다.
British people use *forks*,
knives, and spoons at the
table.
영국인들은 식탁에서 포크, 나이
프, 그리고 스푼을 쓴다.

[참고] 포크를 쓰는 방법은 미국
과 유럽이 조금 다르다. 미국에
서는 왼손에 포크, 오른손에 나
이프를 쥐는데, 오른손의 나이
프는 자를 때만이며, 자르고 나
서는 나이프를 접시에 놓고, 왼
손의 포크를 오른손으로 바꿔
쥐고 먹는 경우가 많다. 그러나
유럽에서는 왼손에 포크를, 오
른손에 나이프를 쥐고 고기를

자를 때나 먹을 때나 그대로 사
용한다. 식사가 끝나면 나이프
와 포크를 함께 접시 위에 비스
듬히 놓는다.

*form [fɔ:rm] 명
[복수] **forms** [fɔ:rmz]

❶ 모양, 모습, (경기자 등의)
폼, 자세.
in the *form* of a god 신의
모습이 되어.
a devil in human *form* 인간
의 모습을 한 악마.
His batting *form* is not so
bad. 그의 타구 자세는 그리 나
쁘지 않다.
❷ 《a와 복수형 안 씀》 (내용에
대하여) 형식, 형(型) (⇨ content
내용).
in book *form* 책의 형식으로.
His speech is very good in
form and content. 그의 연설
은 형식과 내용면에서 매우 좋다.
❸ (문서의) 서식, 양식; 서식 용지.
an application 〔order〕 *form*
신청 〔발주〕 용지.
Fill out 〔in, up〕 this *form*,
please. 이 서식에 (내용을) 기입
하시오.
── 타 [3·단·현] **forms** [fɔ:rmz];
[ing형] **forming** [fɔ:rmiŋ]; [과거]
[과분] **formed** [fɔ:rmd]

(어떤 형태로) …를 만들다, 형성
하다.
The children *formed* a
circle. 아이들은 줄을 지어 둥근
원을 만들었다.
You should *form* good
habits while you are young.
어릴 때 좋은 습관을 붙이도록 해
야 한다.
── 자 (사물이) 모양을 이루다,
모양이 되다.
Ice has *formed* over the
pond. 연못에 얼음이 얼었다.
A new idea slowly *formed*
in my mind. 새로운 아이디어
가 서서히 내 머리 속에서 구체화

F

되었다.

for·mal [fɔ́ːrməl] 형
비교 **more formal;** 최상 **most formal**
정식의, 의례적인; (사람·태도 따위가) 딱딱한(⇔ informal 비공식의).
in *formal* dress 정식의 복장 [정장]으로.
formal expressions 딱딱한 표현.
He wore a dinner jacket for the *formal* dinner. 그는 정찬을 위하여 턱시도를 입었다.

for·mal·ly [fɔ́ːrməli] 부
공식적으로, 정식으로; 형식적으로.
The president *formally* signed the agreement. 대통령은 공식적으로 협정서에 서명했다.

for·mat [fɔ́ːrmæt] 명
복수 **formats** [fɔ́ːrmæts]
포맷, 형태, 체재, 판형.
── 타 3단·현 **formats** [fɔ́ːrmæts] : ing형 **formatting** [fɔ́ːrmætiŋ] : 과거 과분 **formatted** [fɔ́ːrmætid]
《컴퓨터》…을 포맷하다; 형식에 따라 배열하다.
Format the hard drive. 하드 드라이브를 포맷해라.

for·mer [fɔ́ːrmər] 형
❶《명사 앞에만 쓰여》이전의, 전의; 옛날의.
in *former* times 이전에는.
Her *former* husband is dead. 그녀의 전 남편은 죽었다.
❷《the를 붙여》(둘 중에서) 전자의; 《대명사적으로》전자(⇔ the latter 후자).
I prefer the *former* plan to the latter. 나는 (둘 중에서) 앞의 계획이 나중 것보다 더 좋다.

forth [fɔːrθ] 부
(공간적으로) 전방에, 앞으로; (시간적으로) 이후.

from the day *forth* 그날 이후부터.
Jack stretched *forth* his arms and shut the book. 잭은 팔을 앞으로 뻗어서 책을 덮었다.

and so forth …등등, …따위.
I study English, history, physics *and so forth.* 나는 영어, 역사, 물리학 등을 공부한다.

for·ti·eth [fɔ́ːrtiiθ] 명 형
복수 **fortieths** [fɔ́ːrtiiθs]
《보통 the를 붙여》40 번째; 40 번째의. ▶ 40th로 약함.
I want to buy something for my uncle's *fortieth* birthday. 아저씨의 40회 생일 선물로 무엇을 좀 사고 싶다.

for·tu·nate [fɔ́ːrtʃənit] 형
비교 **more fortunate;** 최상 **most fortunate**
운 좋은, 행운의(⇔ unfortunate 불운한). ▶ lucky보다 영속적임.
I am *fortunate* to have good friends. = I am *fortunate* in having good friends. 나는 좋은 친구들이 있어서 행운이다.

for·tu·nate·ly [fɔ́ːrtʃənətli] 부
운 좋게, 다행히도 (⇔ unfortunately 불운하게도).
Fortunately I caught the last train. 운 좋게도 나는 마지막 열차를 탔다.

***for·tune** [fɔ́ːrtʃən] 명
❶《a와 복수형 안 씀》운; 행운 (⇔ misfortune 불운).
By good *fortune*, they succeeded in crossing the Pacific. 운 좋게도 그들은 태평양을 횡단하는 데 성공하였다.
❷《a와 복수형 안 씀》재산, 부 (富)(= wealth).
Betty married a man of

fortune. 베티는 재산가와 결혼하였다.
❸ 《Fortune으로》 운명의 여신.
Fortune smiled on us. 운명의 여신이 우리에게 미소지었다.

for·tune·tell·er [fɔ́ːrtʃən-tèlər] 몡
복수 **fortunetellers** [fɔ́ːrtʃəntèlərz] 점쟁이.
The *fortuneteller* told me that I would be a rich man. 점쟁이는 내가 부자가 될 것이라고 말하였다.

***for·ty** [fɔ́ːrti] 혱 40의; 40 개〔몡〕의; 40 세의.
He is *forty* (years old). 그는 40 세이다.
── 몡 복수 **forties** [fɔ́ːrtiz]
❶ 40; 40 세;《복수 취급》40 개〔몡〕.
a man of *forty* 40세의 남자.
Ali Baba and the Forty Thieves 「알리바바와 40인의 도둑」
❷ 《one's **forties**로》 (연령의) 40 대;《the **forties**로》 (각 세기의) 40 년대. ➤ the 40s〔40's〕로도 씀.
a man in *his forties*, 40 대의 남자.

***for·ward** [fɔ́ːrwərd] 븟 앞에서〔으로〕, 전방에〔으로〕 (⟺ backward 뒤에〔로〕).
go *forward* 전진하다.
take a step *forward* 한 걸음 앞으로 나서다.
A girl came *forward* and began to read a poem. 한 소녀가 앞으로 나서더니 시를 읽기 시작하였다.
look forward to …을 즐거움으로 기다리다, 기대하다. ➤ to 다음에는 명사 또는 -ing형이 옴.
He *looked forward to* seeing his twin brother. 그는 쌍둥이 형과 만나는 것을 즐거움으로 기다리고 있었다.

We are all *looking forward to* your arrival in September. 우리는 모두 9월에 네가 도착하기를 고대하고 있다.
── 혱 앞(부분)의, 전방의; 전방으로의.
Forward march!《구령》앞으로 가!

Fos·ter [fɔ́(ː)stər] 몡 포스터.
Stephen Collins [stíːvən kálinz] **Foster** 스티븐 콜린스 포스터(1826-64).

참고 미국의 작곡가. 펜실베이니아주 태생. 정식 음악 교육은 거의 받지 않았으나 음악적 재능이 뛰어나서, 여섯 살 때에는 혼자서 클라리넷을 불었다고 한다. 흑인의 서정과 멜로디를 음악에 담아 친숙하기 쉬운 민요 풍의 가곡을 많이 만들었다. 우리 나라에서도 불리우는 것으로는 「올드 블랙 조」(Old Black Joe), 「켄터키 옛집」(My Old Kentucky Home), 「고향 사람들」(Old Folks at Home) 따위가 있다.

***fought** [fɔːt] 됭 **fight**의 과거·과거 분사.

***found**¹ [faund] 탸 3·단·현 **founds** [faundz]; ing형 **founding** [fáundiŋ]; 과거 과분 **founded** [fáundid]
…을 설립하다, 창립하다.
Mr. Clark *founded* a school in 1887. 클라크씨는 1887년에 학교를 설립하였다.
This hospital was *founded* in 1950. 이 병원은 1950년에 창립되었다.

found² [faund] 됭 **find**의 과거·과거 분사.

foun·da·tion [faundéiʃən] 몡
복수 **foundations** [faundéiʃənz]
❶ 토대; 기초.

the *foundation* of a house 집의 토대.

The ground was dug very deep to lay the *foundation* for a building. 빌딩의 토대를 만들기 위하여 땅이 매우 깊게 파졌다.

❷《a와 복수형 안 씀》창립, 설립. the anniversary of *foundation* 창립 기념일.

foun·tain [fáunt*i*n] 명

복수 **fountains**[fáunt*i*nz] 샘(=spring); 분수. a drinking *fountain* (공원 따위의) 분수식 수도.

There is a beautiful, big *fountain* in front of the station. 역 앞에는 아름다운 큰 분수가 있다.

foun·tain pen [fáuntin pèn] 명 복수

fountain pens[fáuntin pènz] 만년필. ➤ 간단히 pen이라고도 함.

Fountain pens are not very popular in Korea now. 만년필은 지금 한국에서는 별로 인기가 없다.

*four [fɔːr] 형

4의; **4** 명〔개〕의; **4** 세의. *four* seasons 사계절. at *four* o'clock, 4시에. He is *four* years old. 그는 네 살이다. Mr. Jones has *four* children. 존스씨는 아이들이 넷 있다. ── 명 복수 **fours**[fɔːrz]

4, 4세; 4시;《복수 취급》4명〔개〕. at *four* in the morning 아침 4시에. a boy of *four* 네 살의 소년. There are *four*. 네 사람이〔네 개가〕있다.

*four·teen [fɔːrtíːn] 형

14의; **14** 개〔명〕의; **14** 세의. at *fourteen* o'clock, 14시에. Tom will be *fourteen* (years old) this year. 톰은 올해 열네 살이 된다. We have *fourteen* junior high schools in this city. 이 시에는 중학교가 열넷 있다. ── 명 복수 **fourteens**[fɔːrtíːnz] 14; 14세;《복수 취급》14개〔명〕. at *fourteen*, 14시에. *Fourteen* plus five is nineteen. 14 더하기 5는 19.

four·teenth [fɔːrtíːnθ] 형

《보통 the를 붙여》제14의, 14 번째의. The Brown family lives on *Fourteenth* Street. 브라운씨의 가족은 14번가에 살고 있다. ── 명 복수 **fourteenths** [fɔːr-tíːnθs]《보통 the를 붙여》제14, 14 번째; (달의) 14일. ➤ 14th로 약함.

*fourth [fɔːrθ] 형

《보통 the를 붙여》제4의, 4 번째의. the *fourth* chapter 제4장. April is the *fourth* month of the year. 4월은 1년 중 네 번째 달이다. ── 명 복수 **fourths**[fɔːrθs] ❶《보통 the를 붙여》제4, 4 번째; (달의) 4일. ➤4th로 약함. on the *fourth* of June, 6월 4일에. the *Fourth* of July, 7월 4일《미국의 독립 기념일》. ❷ 4분의 1(=quarter). three *fourths*(=three quarters）. 4분의 3.

***fox** [faks] 명

복수 **foxes**[fáksiz]
여우; **교활한 사람.**
A *fox* lives in a hole. 여우
는 굴 속에서 산다.

fox ter·ri·er [fáks tériər] 명

복수 **fox terriers**[fáks tériərz]
폭스테리어《애완용의 자그마한
개》.

frail [freil] 형
비교 **frailer**[fréilər]: 최상
frailest[fréilist]
❶ (체질이) **약한.**
a *frail*, old woman 약하고 늙
은 여자.
He is old and rather *frail*.
그는 늙어서 몸이 약한 편이다.
❷ **부서지기 쉬운, 손상되기 쉬운.**
frail bones 부서지기 쉬운 뼈.

frame [freim] 명
복수 **frames**[freimz]
(건물 따위의) **뼈대, 골조**; (사
람·동물의) **골격, 체격**; (창문·
사진 따위의) **틀, 테.**
a window *frame* 창문틀.
a picture *frame* 사진틀.
Tom has never seen the
frame of a ship. 톰은 배의
골조를 본 적이 없다.
He was a man of heavy

frame. 그는 체격이 육중했다.

France [fræns] 명

프랑스.
Paris is the capital of
France. 파리는 프랑스의 수도이
다. ☞ 형 French

참고 유럽 서부의 공화국. 면적
은 551.601km²로 우리 나라
의 약 2.6 배가 된다. 수도는
파리(Paris[pæris]).

Frank [fræŋk] 명
프랭크《남자 이름》.

frank [fræŋk] 형
비교 **franker** [frǽŋkər]
또는 **more frank**; 최상 **frankest**
[frǽŋkist] 또는 **most frank**
솔직한, 숨김 없는.
Will you be *frank* with me?
솔직하게 말해 줄 수 있겠느냐.
Let me hear your *frank*
opinion. 너의 솔직한 의견을 듣
고 싶다.
to be frank with you 솔직히
말하면(=frankly speaking).
To be frank with you, you
are wrong. 솔직히 말하면 너는
옳지 않다.

Frank·lin [frǽŋklin] 명
프랭클린.
Benjamin[béndʒəmin] **Franklin**
벤저민 프랭클린 (1706-90).

참고 미국의 정치가이지만 과학
자로서도 알려져 있다. 17 형제
의 15 번째 아들로 태어나 불과
2 년밖에 학교에 다니지 못하였
으나 비상한 노력가로서 인쇄소
의 일, 작가 등을 경험한 후 정
치가가 되었다. 미합중국의 독
립에 공헌한 외에도 연을 띄워
서 우레를 연구하여 피뢰침을
발명한 것으로 유명하다. 그의
자서전은 많은 사람들에게 애독
되고 있다.

F

frank·ly [frǽŋkli] 튀
비교 **more frankly;**
최상 **most frankly**
솔직히, 숨김 없이.
Mary *frankly* admitted her mistake. 메리는 자기의 잘못을 솔직히 인정하였다.

frankly speaking 솔직히 말하면.
Frankly speaking, I wasn't a bit pleased with her. 솔직히 말해서, 나는 그녀가 조금도 마음에 들지 않았다.

Fred [fred] 명
프레드《남자 이름》.

*free [friː] 형
비교 **freer** [fríːər]; 최상 **freest** [fríːist]
❶ 자유로운, 속박 없는.
a *free* country 자유로운 나라.
free trade 자유 무역.
Mahatma Gandhi tried to make India *free*. 마하트마 간디는 인도의 독립을 이루는 데 노력했다.
❷ 한가한, 할 일이 없는(⇔ busy 바쁜).
Will you be *free* next Sunday? 너 다음 일요일에 한가하냐?
There are many ways of spending *free* time. 여가 시간을 보낼 많은 방법이 있다.
❸ 거저의, 무료의.
a *free* ticket 무료 입장권.
Admission *free*. 《게시》 입장 무료.
They were serving *free* drinks to people. 그들은 사람들에게 무료로 음료를 제공하고 있었다. ☞명 freedom

be free from 〔*of*〕 (부담·제약·걱정 따위)가 없다, …이 면제되다, …을 면하다.
She *is free from* care. 그녀는 걱정거리가 없다.
This *is free of* charge. 이것은 무료이다.
I *was free from* work yesterday. 어제 나는 일이 없었다.

be free to 자유로이 …할 수 있다.
You *are free to* use this room. 자유로이 이 방을 사용하십시오.

feel free to 마음대로 …해도 좋다.
Feel free to do what you want. 하고 싶은 일을 마음대로 하여도 좋다.

for free 공짜로, 무료로.
You can have this *for free*. 이것은 공짜로 드립니다《상점 따위에서》.

get free 자유로워지다.
At last he *got free*. 드디어 그는 자유로워졌다.

set ... free (사람·짐승 따위)를 자유롭게 하여 주다, 석방하다.
I *set* the birds *free*. 나는 새들을 자유롭게 놔 주었다.
── 타 3·단·현 **frees** [friːz]; ing형 **freeing** [fríːiŋ]; 과거 과분 **freed** [friːd]
…을 자유롭게 하여 주다, 석방하다(=set free).
Tom *freed* the dog from the chain. 톰은 개를 사슬에서 풀어 주었다.

*free·dom [fríːdəm] 명
《a와 복수형 안 씀》
자유, 해방. ☞ liberty
freedom of speech 언론의 자유.
Most people want *freedom*. 대부분의 사람들은 자유를 원한다.

free·ly [fríːli] 튀
비교 **more freely;**
최상 **most freely**
❶ 자유로이, 마음대로.
People will be able to travel north and south *freely*. 사람들은 남과 북을 자유롭게 여행하게 될 것이다.
❷ 아낌없이, 활수하게.
Mr. Jones *freely* gave his books away to his friends. 존스씨는 자기 책을 아낌없이 친구들에게 주었다.
❸ 거리낌없이.

Koreans so *freely* ask the ages of the people they met. 한국 사람들은 너무나 거리낌없이 만나는 사람들의 나이를 묻는다.

free·way [frí:wèi] 명 복수
freeways [frí:wèiz]
고속 도로(=expressway). ➤ 영국에서는 motorway라고 함.

freeze [fri:z] 동 3·단·현
freezes [frí:ziz]; ing형
freezing [frí:ziŋ]; 과거 **froze**
[frouz]; 과분 **frozen** [fróuzən]
자 (물 따위가) 얼다; 몸이 얼다.
The water *freezes* into ice.
물은 얼어서 얼음이 된다.
The pond *froze* again today.
연못은 오늘 또 얼었다.
I was *freezing* cold this morning. 나는 오늘 아침에 추워서 얼어 죽을 것 같았다.
── 타 (물 따위)를 얼리다; …의 몸을 얼게 하다.
The pond was *frozen* over.
연못은 얼어붙었다.
The north wind *froze* the water pipes. 북풍으로 수도관이 얼었다.

***French** [frentʃ] 형
프랑스의, 프랑스어의, 프랑스 사람의.
French lessons 프랑스어 수업.
French people 프랑스 사람.
He is *French*, not American.
그는 프랑스 사람이지, 미국 사람이 아니다. ☞ 명 France
── 명 ❶ 《a와 복수형 안 씀》 프랑스어.
Do you speak *French*?
너는 프랑스어를 말할 줄 아느냐?
Did you study *French* or

German at school?
너는 학교에서 프랑스어를 공부하였느냐, 독일어를 공부하였느냐?
❷ 《the를 붙여, 복수 취급》 프랑스 사람 《전체》. ➤ 개인을 말할 때는 a Frenchman이라고 함.
The French enjoy fine art.
프랑스 사람은 예술을 사랑한다.

French·man [fréntʃmən] 명
복수 **Frenchmen** [fréntʃmən]
프랑스 사람.
How do you know he is a *Frenchman*? 너는 어떻게 그가 프랑스 사람이라는 것을 아느냐?

French·men [fréntʃmən] 명
Frenchman의 복수.

fre·quent [frí:kwənt] 형
비교 **more frequent**; 최상 **most frequent**
자주 일어나는, 빈번한.
Typhoons will be *frequent* this fall. 올 가을에는 태풍이 잦을 것 같다.
They make *frequent* trips to Europe. 그들은 자주 유럽 여행을 한다.

fre·quent·ly [frí:kwəntli] 부
비교 **more frequently**; 최상 **most frequently**
자주, 빈번히, 곧잘. ➤ often보다 격식을 갖춘 말임.
He phoned me *frequently* last week. 그는 지난 주에 나에게 자주 전화를 했다.

***fresh** [freʃ] 형
비교 **fresher** [fréʃər]; 최상 **freshest** [fréʃist]
❶ 신선〔싱싱〕한; 새로운; 갓 나온.
fresh fruit 〔vegetables〕 신선한 과일〔야채〕.
We can't buy *fresh* fish here in the mountains. 이 산중에서는 싱싱한 생선을 살 수 없다.

F

Do you have any *fresh* news about the accident?
그 사고에 관한 새로운 소식이 있느냐?

❷ (공기 따위가) 상쾌한, **깨끗한; 생기 있는, 원기 왕성한.**

The morning air was *fresh*.
아침 공기가 상쾌했다.

She looks *fresh*.
그녀는 원기 왕성해 보인다.

❸ 소금기 없는.

This fish lives only in *fresh* water. 이 물고기는 민물에서만 산다.

fresh·man [fréʃmən] 몡

복수 freshmen[fréʃmən]
(고등 학교·대학의) **1학년생, 신입생.**

Mr. Grey teaches mathematics for *freshmen*.
그레이 선생님은 1학년에게 수학을 가르치신다.

참고 2학년생은 sophomore [sáfəmɔːr], 3학년생은 junior, 4학년생은 senior.

fresh·men [fréʃmən] 몡
freshman의 복수.

Fri. Friday의 간략형.

**Fri·day [fráidei] 몡
복수 Fridays[fráideiz]
금요일. ➤ Fri.로 약함.

We have music on *Friday*.
금요일에 음악 시간이 있다. ➤ 「…요일에」라고 할 때는 대개 전치사 on을 앞에 붙임.

We will have an examination next *Friday*. 다음 금요일에 시험이 있다. ➤ next, last 따위가 앞에 있을 때는 전치사를 붙이지 않음.

참고 **13일의 금요일은 불길**
Friday the 13th is unlucky. 라는 미신이 있다. 이것

은 예수가 십자가에 처형된 날이 13일의 금요일이었기 때문이라고 한다. 또 가톨릭 신자들은 금요일에 고기를 안 먹는 습관이 있다고 한다.

fried chick·en [fráid tʃíkin] 몡
프라이드 치킨. ➤ 미국에서는 햄버거 따위와 함께 간이 식품(fast food)의 대표적인 음식.

two pieces of *fried chicken*
두 조각의 프라이드 치킨.

*friend [frend] 몡
복수 friends[frendz]
❶ **친구, 동무.**

Tom has many *friends*.
톰은 친구가 많다.

They are good *friends*.
그들은 친한 친구다.

참고 **a friend of mine 과 my friend**
a friend of mine은 막연히 「나의 친구 중의 하나」란 뜻. my friend는 「(앞에서 말한) 그 내 친구」라든가, my friend Tom처럼 이름을 명시한 특정한 친구를 가리킬 때 쓴다.

Jim is *a friend of mine*.
짐은 내 친구다.

This is *my friend* John.
이쪽은 내 친구 존이다.

❷ **자기 편**(⇔ enemy 적).

They seemed to be our enemies but turned out to be our *friends*. 그들을 적이라고 생각했는데 우리편이라는 것을 알게 되었다.

become [make] friends with …와 친구가 되다.

He *became friends with* an American.
그는 미국인과 친구가 되었다. ➤ 상대가 한 사람이라도 복수형 friends를 씀에 주의.

be friends with …와 친하다.

I *am friends with* Tom.
나는 톰과 친하다. ▶주어가 단수인 경우라도 복수형 friends를 씀.

회화 **friend**를 포함한 회화 표현
Please be my *friend.*
내 친구가 되어 다오. ▶「함께 잘 지내자, 또는 함께 놀자」라고 할 때의 정해진 문구.
Let's be *friends.*
우리 친구가 되자.
Let's be *friends* again. 우리 화해하자. ▶서로 다툰 뒤에 화해하자고 제안할 때 쓰는 정해진 문구.
I want to be your *friend.*
나는 너의 친구가 되고 싶다.

---

friend·li·er [fréndliə*r*] 형
friendly의 비교급.

friend·li·est [fréndliist] 형
friendly의 최상급.

***friend·ly** [fréndli] 형 비교 **friendlier**[fréndliə*r*] ; 최상 **friendliest**[fréndliist]
친구 같은, 친절한, 다정한; 호의적인, 우호적인.
a *friendly* smile 호의적인 미소.
friendly people 우호적인 사람들.
She is *friendly* to everyone.
그녀는 모든 사람에게 우호적이다.
He was *friendly* with everybody. 그는 누구하고나 친했다.

참고 friendly와 같이 명사 뒤에 ly가 붙어서 형용사가 되는 말이 있다. man*ly*(남자다운).

---

friend·ship [fréndʃip] 명 《a와 복수형 안 씀》 우정; 우호〔친선〕관계.
Friendship is the most important thing among us.
우정은 우리들 사이에서 가장 중요한 것이다.
The *friendship* between Ko-rea and the United States may last many more years.
한국과 미국의 우호 관계는 오래오래 지속될 것이다.

fright [frait] 명 복수 **frights**[fraits]
(갑자기 느끼는) 무서움, 공포.
He was trembling with *fright.* 그는 공포에 떨고 있었다.
The sight gave her a *fright.* 그 광경을 보고 그녀는 무서워졌다. ☞동 frighten

***fright·en** [fráitn] 타 3·단·현 **frightens**[fráitnz] ; ing형 **frightening**[fráitniŋ] ; 과분 **frightened**[fráitnd]
…을 무서워하게 하다; 깜짝 놀라게 하다.
Don't *frighten* me.
나를 놀라게 하지 마라.
I was so *frightened* that I closed my eyes. 나는 너무 무서워서 눈을 감았다. ☞명 fright

fright·ened [fráitnd]
무서워하는, 깜짝 놀란, 겁에 질린. ☞ frighten
a *frightened* child 겁에 질린 아이.
The girl is *frightened* of snakes. 그 소녀는 뱀을 무서워한다 《습관적》.
I'm *frightened* at the sight.
나는 그 광경을 보고 무서웠다.

frog [frɔːg] 명 복수 **frogs**[frɔːgz]
개구리.
Frogs jump well.
개구리는 잘 뛴다.

****from** [frəm; 강 frʌm] 전 ❶《장소의 출발점을 나타내어》…으로부터(⇔ to …까지).
We walked *from* Incheon to Seoul. 우리는 인천에서 서울까지 걸었다.
It takes ten minutes to go *from* here to the station.
여기서부터 역까지 가는데 10분

F

걸린다.

❷《시간의 기점을 나타내어》…부터(⇔ to, till …까지).

Mother works *from* morning to [till] night. 어머니께서는 아침부터 밤까지 일하신다.

The shop is open *from* ten to six o'clock. 그 상점은 10시부터 6시까지 연다.

❸《출처·출신을 나타내어》…으로부터, …출신의, …에서 온.

I received a letter *from* my uncle yesterday. 나는 어제 삼촌으로부터 편지를 받았다.

회화 **Where are you from?**
「어디 출신이냐?」

출신지나 고향이 어디인지 물을 때에는 Where are you from ? 또는 Where do you come from ? 이라고 한다. 이 경우에는 현재형을 씀에 주의. 과거형을 써서 Where did you come from ? 이라고 하면 「어디에서 왔느냐?」란 뜻이 된다.
A: *Where are you from?*
B: I'm *from* Busan.
「어디 출신이지?」「부산 출신이다.」

---

❹《구별·분리를 나타내어》…와(다른), …에게서[으로부터].

My hobby is different *from* yours. 내 취미는 너와 다르다.

Don't take the candy *from* your brother. 동생에게서 그 과자를 빼앗지 마라.

❺《재료를 나타내어》…으로, …에서.

Wine is made *from* grapes. 포도주는 포도로 만들어진다.

어법 포도가 포도주가 되듯이 재료가 변하여 다른 제품이 되는 경우에는 from을 쓰고, 재료가 질적으로 변화하지 않는 경우는 of를 쓴다. ☞ of

---

❻《원인·이유를 나타내어》…으로, …때문에.

He died *from* overwork. 그는 과로로 죽었다.

I know it *from* experience. 나는 경험으로 그것을 안다.

from now on 이제부터.

I'll start a new life *from now on.* 나는 이제부터 새로운 생활을 시작하겠다.

from place to place 곳곳에, 여기저기.

We saw strange plants *from place to place.* 우리는 여기저기서 이상한 식물을 보았다.

from the first 처음부터.

I didn't like him *from the first.* 나는 처음부터 그가 싫었다.

*****from time to time*** 이따금.

Mr. Green remembered his dead son *from time to time.* 그린씨는 이따금 죽은 아들 생각이 떠올랐다.

*****front** [frʌnt] 몡
복수 **fronts** [frʌnts]

❶《보통 the를 붙여》앞, 정면, 전면(⇔ back 뒤).

the *front* of a building 건물의 정면.

The *front* of my house faces south. 나의 집 정면은 남쪽으로 향하고 있다.

Look to your *front.* 너의 앞을 보아라.

❷《the를 붙여》최전선, 싸움터.

at the Pacific *front* 태평양 전선에서

He lost his life at the *front.* 그는 최전선에서 전사했다.

*****in front of** …의 앞에[의] (⇔ behind, at the back of …의 뒤에). ▶장소에만 씀.

There is a big park *in front of* my house. 우리 집 앞에 큰 공원이 하나 있다.

── 혱 앞의, 정면의(⇔ back 뒤의).

I like to sit in the *front*

seat of the bus. 나는 버스 앞자리에 앉기를 좋아한다.
Some girls were playing near the *front* door of the house. 몇몇 소녀들이 집 앞문 가까이에서 놀고 있었다.

> 참고 호텔 등의 접수대를 우리말로 흔히 「프런트」라고 부르는데, 이것은 우리식 영어로 외국인들이 알아듣지 못하는 말이다. 영어로는 front desk 또는 reception desk라고 한다.

fron·tier [frʌntíər] 명 복수 **frontiers**[frʌntíərz]
국경; 《the를 붙여》 (미국의 개척 시대 서부의) 변경, 프론티어.
the *frontier* between China and Vietnam 중국과 베트남의 국경.
frontier spirit 개척자 정신.

frost [frɔːst] 명
《a와 복수형 안 씀》 서리.
We had a severe *frost* this morning. 오늘 아침에는 된서리가 내렸다.

frown [fraun] 자
3·단·현 **frowns**[fraunz]; ing형 **frowning**[fráuniŋ]; 과거 과분 **frowned**[fraund]
얼굴을 찌푸리다, 눈살을 찌푸리다.
Mr. Brown is *frowning*. He must be angry. 브라운씨는 얼굴을 찌푸리고 있다. 화가 났음에 틀림없다.
— 명 복수 **frowns**[fraunz]
찌푸린 얼굴.
Mrs. Jones stood up with a *frown*. 존스 부인은 얼굴을 찌푸리고 일어섰다.

froze [frouz] 동
freeze의 과거.

fro·zen [fróuzən] 동
freeze의 과거 분사.
— 형 (얼음이) 언, 냉동된.
a *frozen* pond 얼음이 언 연못.

frozen meat 냉동육.
the *frozen* zones 한대(寒帶).

*fruit [fruːt] 명 복수 **fruits**[fruːts]
❶ 과일.
grow *fruit* 과일을 재배하다.
I like fresh *fruit* very much. 나는 신선한 과일을 매우 좋아한다.
Miss Smith eats a lot of *fruit* every day. 스미스 양은 매일 많은 과일을 먹는다.
Is a tomato a *fruit* or a vegetable ? 토마토는 과일이냐 야채냐?
Apples and oranges are my favorite *fruits*. 사과와 오렌지는 내가 가장 좋아하는 과일들이다.

> 어법 **fruit의 용법**
> 보통 「과일」이라고 통틀어 말할 때에는 a도 붙이지 않고 복수형도 쓰지 않는다. 그러나 과일의 종류를 말할 때에는 a와 복수형을 쓴다.

미국 도시의 과일 가게

❷ 《종종 복수형으로》 성과, 결과.
His success is the *fruits* of industry. 그의 성공은 근면의 성과이다.

fruit·ful [frúːtfəl] 형 비교 **more fruitful**; 최상 **most fruitful**
열매가 많이 여는; 유익한.
a *fruitful* tree 열매가 많이 열리는 나무.
a *fruitful* discussion 유익한 토론.
fruitful soil 비옥한 땅.
Our work here has been

very *fruitful*. 이곳에서의 우리 일은 성과가 매우 컸다.

frus·trate [frʌ́streit] 타

3·단·현 frustrates[frʌ́streits] ; ing형 frustrating[frʌ́streitiŋ] ; 과거 과분 frustrated[frʌ́streitid]
(사람을) 좌절감을 느끼게 하다.
The complicated procedure frustrated me. 그 복잡한 절차가 나를 좌절감을 느끼게 했다.

fry [frai] 타·자 3·단·현 fries [fraiz]; ing형 frying[fráiiŋ]; 과거 과분 fried[fraid]
(…을) 기름에 튀기다, 프라이하다.
Mother *fried* potatoes for lunch. 어머니는 점심으로 감자를 튀기셨다.
I like *fried* fish. 나는 생선 프라이를 좋아한다.
➤ fly와 혼동하지 않도록 주의.

fry·ing pan [fráiiŋ pæn] 명

복수 frying pans[fráiiŋ pǽnz]
프라이팬. ➤ 미국에서는 fry pan 이라고도 함.

ft. foot, feet의 간략형.

fu·el [fjúːəl] 명
《a와 복수형 안 씀》 연료.
nuclear *fuel* 핵연료.
Coal is used as [for] *fuel*.
석탄은 연료로 쓰인다.
We have run out of *fuel*.
우리는 연료가 바닥이 났다.

-ful [-fəl] 접미
❶ 명사 뒤에 붙어 「가득한 분량」을 나타냄.
cup*ful* 찻잔 가득 / box*ful* 상자 가득 / mouth*ful* 입안 가득 / arm*ful* 양팔 가득.
❷ 명사 뒤에 붙어 형용사를 만듦.
peace*ful* 평화로운 / beauti*ful* 아름다운 / wonder*ful* 놀라운, 굉장한.

ful·fill [fulfíl] 타
3·단·현 fulfills[fulfílz] ;
ing형 fulfilling [fulfíliŋ]; 과거

과분 fulfilled[fulfíld]
(약속 · 의무 따위)를 다하다, 이행하다; (소망 따위)를 이루다. ➤ fulfil로도 씀.
I always *fulfill* my promises.
나는 언제나 약속을 이행한다.

full [ful] 형 비교 fuller [fúlər]: 최상 fullest [fúlist]
❶ 가득한, 가득 찬 (⇔ empty 빈); 배가 부른(⇔ hungry 배고픈).
a *full* cup of coffee 잔에 가득한 커피.
The bus is *full*.
버스는 만원이다.
I'm *full*. 나는 배가 부르다.
The large hall was *full*.
그 큰 홀은 만원이었다.
Don't speak with your mouth *full*. 입안에 음식물이 가득한 채로 말하지 마라.
❷ 완전한, 전부의.
get a *full* mark (시험 따위에서) 만점을 받다.
The roses are in *full* bloom.
장미가 활짝 펴 있다.
We have a *full* moon to-night. 오늘 밤은 만월이다.
We ran at *full* speed.
우리는 전속력으로 달렸다.
be full of …으로 가득하다.
The glass *was full of* milk.
컵은 우유로 가득하였다.
The world *is full of* life in May. 5월은 세상이 활기로 가득하다.
── 명 《a와 복수형 안 씀》충분, 완전.
I cannot tell you the *full* of it. 너에게 전부 이야기할 수는 없다.
in full 생략하지 않고, 전부.
Write your name *in full*.
네 이름을 생략하지 말고 써라.

ful·ly [fúli] 부
완전히, 충분히.
It took *fully* three days. 그것은 꼬박 3일이 걸렸다.

Bill was *fully* satisfied.
빌은 아주 만족하였다.

***fun** [fʌn] 명
《a와 복수형 안 씀》 즐거움,
재미있는 일.
What *fun* it is!
정말 재미있군!
It is great *fun* to skate on
the ice. 얼음 위에서 스케이트를
타는 것은 매우 재미있다.
Learning about gestures is
fun. 제스처에 관한 공부는 재미
있다. ☞ 형 funny
for fun 농담으로, 장난삼아.
I just said it *for fun.* 나는 그
저 농담으로 그리 말했을 뿐이다.
have fun 즐기다, 재미있게 놀다.
We *had* a lot of *fun* at the
lake. 우리들은 호수에서 대단히
즐겁게 지냈다.
Have fun ! 즐거운 시간 가져라.
▶여행이나 파티에 나가는 친구 ·
동료에게 하는 말.
make fun of …을 놀려대다.
Don't *make fun of* old people.
나이 많은 사람들을 놀리지 마라.

func·tion [fʌ́ŋkʃən] 명
복수 functions [fʌ́ŋkʃənz]
기능; 역할.
Do you know the *function*
of the heart? 너는 심장의 기능
을 아느냐?

fund [fʌnd] 명
복수 funds [fʌndz]
(특정 목적을 위한) 자금, 기금,
재원.
found 〔establish〕 a *fund* 기금
을 설치하다.
No *funds*! 예금 잔고 없음. ▶
은행에서 수표 발행인에게 알리는
통보.
They raised a *fund* for the
relief of the poor. 그들은 빈
민 구제 자금을 모았다.

fun·da·men·tal [fʌ̀ndəmén-
tl] 형
비교 more fundamental; 최상

most fundamental
기본의, 기본〔근본〕적인.
fundamental human rights
기본적 인권.
a *fundamental* change 근본
적인 변화〔변혁〕.

fu·ner·al [fjúːnərəl] 명 복수
funerals [fjúːnərəlz]
장례식.
I attended the *funeral* of
my friend's father. 나는 친구
아버지의 장례식에 참석하였다.
—— 형 장례의.
a *funeral* ceremony 장례식.
A long *funeral* procession
passed by. 긴 장례 행렬이 지
나갔다.

***fun·ny** [fʌ́ni] 형
비교 funnier [fʌ́niər];
최상 funniest [fʌ́niist]
❶ 재미있는, 익살스러운, 우스운.
☞ interesting
He is a very *funny* fellow.
그는 매우 재미있는 녀석이다.
What's so *funny*?
무엇이 그리 우스우냐?
❷ 묘한, 이상한, 별난.
That sounds *funny*.
그것 참 별난 이야기인데.
Tom gave me a *funny* look.
톰은 묘한 얼굴로 나를 보았다.
☞ 명 fun

fur [fəːr] 명
《a와 복수형 안 씀》 (동물
의) 모피, 부드러운 털.
Mrs. Smith bought an expen-
sive *fur* coat. 스미스 부인은
비싼 모피 코트를 샀다.
The lion was covered with
beautiful golden *fur.* 사자는
아름다운 금빛 털로 덮여 있었다.

fur·nish [fə́ːrniʃ] 타 3·단·현
furnishes [fə́ːrniʃiz];
ing형 furnishing [fə́ːrniʃiŋ]
과거 과분 furnished [fə́ːrniʃt]
❶ (집 · 방)에 가구를 들여 놓다
〔갖추다〕.
His room is well *furnished*.

그의 방은 가구가 잘 갖추어져 있다.

❷ …에 (~을) 공급하다, 제공하다.

He *furnished* the children with food. =He *furnished* food to the children. 그는 그 아이들에게 먹을 것을 주었다.

*fur·ni·ture [fə́:rnitʃər] 명

《a와 복수형 안 씀》가구.

a set of *furniture* 가구 한 벌.
We don't have much *furniture*. =We have little *furniture*. 우리는 가구가 별로 없다.
Mother wants to buy a new piece of *furniture*. 어머니는 새 가구를 하나 사고 싶어 하신다.

─────────────────

참고 **furniture**의 용법
furniture는 책상, 의자, 침대 따위를 통틀어 집합적으로 말하는 명사. 가구의 수를 나타내고 싶을 때는 a piece [an article] of furniture(한 개의 가구). two pieces [articles] of furniture (두 개의 가구)라고 한다.

─────────────────

fur·ther [fə́:rðər]
《far의 비교급》

형 그 이상의; 먼.

the *further* side of the river 강 저편 기슭.
I want to get *further* information. 나는 그 이상의 정보를 얻고 싶다.

── 부 더 나아가, 게다가; 더 멀리.

Let me inquire *further*.
더 조사하게 해 다오.
The library is 300 meters *further*. 도서관은 300 미터 더 가야 한다.

▶ 미국에서는 farther를 씀.

─────────────────

참고 far의 비교급에는 farther와 further의 두 가지가 있다.

─────────────────

farther는 거리를 나타내는 데 잘 쓰이고, further는 정도나 분량을 나타낼 때 쓰이는 경향이 있다.

fur·thest [fə́:rðist] 형 부
《far의 최상급》

가장 먼; 가장《멀리》, 제일《내용적으로 깊이》.

The one who studied *furthest* about Korea was Susie. 한국에 관하여 가장 깊이 공부한 사람은 수지였다.

fuse [fjuːz] 명
복수 **fuses**[fjúːziz]

(전기의) 퓨즈; (화약의) 도화선, 뇌관.

a time *fuse* 시한(時限) 뇌관.
blow a *fuse* 퓨즈를 끊어지게 하다.

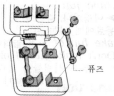

퓨즈

*fu·ture [fjúːtʃər] 명
복수 **futures**[fjúːtʃərz]

❶ 《the를 붙여》미래, 장래(⇨ past 과거, present 미래). ▶ 복수형 안 씀.

Tom will be a good doctor in the *future*. 톰은 장래에 훌륭한 의사가 될 것이다.
The exciting *future* is before us.
가슴 설레게 하는 미래가 우리 앞에 있다.

❷ 앞날, 전도, 장래성.

He has a bright *future*.
그에게는 밝은 앞날이 있다.

── 형 미래의, 장래의.

Jim has many questions about Inho's *future* plans. 짐은 인호의 장래 계획에 대해 많은 질문이 있다.

G g

G g
G g

---

*gain [gein] 〔타〕 ③·단·현〕 **gains**
[geinz]; 〔ing형〕 **gaining**
[géiniŋ]; 〔과거〕〔과분〕 **gained** [geind]
❶ …을 얻다, 손에 넣다(=get,
⇔ lose 잃다).
He *gained* the first prize.
그는 1등상을 탔다.
The teacher *gained* the
respect from his students.
그 선생님은 학생들로부터 존경을
받았다.
❷ (속도·무게·힘 따위)를 늘리
다.
Our car is *gaining* speed.
우리 차는 속도를 늘리고 있다.
My mother has *gained* four
pounds. 어머니는 몸무게가 4파
운드 느셨다.
❸ (시계가) 더 가다(⇔ lose 덜
가다).
My watch *gains* three min-
utes a day. 내 시계는 하루에
3분씩 빨라진다.

gait [geit] 〔명〕 〔복수〕 **gaits** [geits]
걸음걸이, 걷는 모양.
The horse has a lame *gait*.
그 말은 절룩거린다.

Gal·i·le·o [gæ̀ləlí:ou] 〔명〕
갈릴레오.
Galileo Galilei [gæ̀ləléi] 갈릴레오
갈릴레이(1564-1642) 《이탈리아
의 물리학자·천문학자》.

〔참고〕 그는 지구가 태양의 주위
를 돈다고 하는 지동설을 주장
하였기 때문에 박해를 받았다.
자기의 생각을 부정하지 않으면
안 되게 되었을 때에도 그는
"But it does move!" 「그렇지
만 지구는 움직이고 있다!」라고
중얼거렸다고 한다.

---

gal·ler·y [gǽləri] 〔명〕 〔복수〕
galleries [gǽləriz]
❶ 미술관, 화랑.
I saw many famous pic-
tures in the *gallery* yes-
terday. 어제 나는 미술관에서 유
명한 그림들을 많이 보았다.
❷ (극장·음악당 따위의) 맨 위
층 관람석《가장 싼 좌석》.

gal·lon [gǽlən] 〔명〕
〔복수〕 **gallons** [gǽlənz]
갤런《액체의 용량 단위. 미국에
서는 3.785 리터. 영국에서는
4.546 리터》.
How many *gallons* of wa-
ter does this tank hold?
이 물통에는 물이 몇 갤런이나 들
어가느냐?

gam·ble [gǽmbəl] 〔자〕 ③·단·현〕
gambles [gǽmbəlz];
〔ing형〕 **gambling** [gǽmbəliŋ] 〔과거〕
〔과분〕 **gambled** [gǽmbəld]
도박하다, 내기를 하다; 모험하다.
gamble at cards 카드로 내기
를 하다.
Don't *gamble* with your
future. 장래를 거는 모험을 하지
마라.
── 〔명〕 〔복수〕 **gambles** [gǽmbəlz]
도박, 내기.

**game [geim] 〔명〕
〔복수〕 **games** [geimz]
❶ 놀이, 오락, 게임. ▶「즐거움
을 주는 것」이란 뜻으로, 우리말
의 「게임」보다 범위가 큼.
a card *game* 카드 놀이.
a word *game* 언어 놀이.
They played computer
games for hours. 그들은 몇
시간 동안이나 컴퓨터 게임을 하
였다.
❷ 승부, 경기. ☞ match²

G

play a *game* of football 축구
경기를 하다.
We won〔lost〕the *game*.
우리는 시합에 이겼다〔졌다〕.
They watch baseball *games*
on TV. 그들은 TV로 야구 경기
를 본다.

gang [gæŋ] 명
복수 **gangs**[gæŋz]
❶ (노동자·죄수 따위의) **한 떼,
한 무리.** ➤하나의 집단으로 생각
할 때에는 단수로, 그 구성원들로
생각할 때에는 복수로 취급함.
A *gang* of workmen are
repairing the road. 한 무리
의 노동자들이 도로 보수를 하고
있다.
❷ (악한 따위의) **일당, 갱단.**
a *gang* of thieves 절도단.

> 참고 우리 나라에서 갱이라 하
> 면 악한의 뜻이지만 영어로는
> 반드시 범죄에 관계되는 것만은
> 아니다. 장난을 좋아하는 「짓궂
> 은 청소년들의 무리」란 뜻으로
> 도 쓰인다.

gap [gæp] 명
복수 **gaps**[gæps]
❶ (벽·담 따위의) **갈라진 틈,
틈새.**
fill〔stop〕a *gap* 갈라진 틈을
메우다.
❷ (의견·나이 따위의) **차이, 격
차.**
the generation *gap* 세대간의
단절, 세대차.
There is a wide *gap* be-
tween their cultures. 그들의
문화 사이에는 큰 차이가 있다.

ga·rage [gərάːʒ] 명
복수 **garages**[gərάːʒiz]
❶ (자동차의) **차고.**
Father keeps his car in
the *garage* at night. 아버지
는 밤에 자동차를 차고에 넣어두
신다.

❷ **자동차 정비 공장.**
My brother works at a
garage. 나의 형은 자동차 정비
공장에서 일한다.

ga·rage sale [gərάːʒ sèil]
명
복수 **garage sales**[gərάːʒ sèilz]
(자기 집 차고 따위에서 하는)
중고품 염가 판매.

> 참고 TV·옷·책·가구 따위의
> 쓰지 않는 것들을 자기 집 차고
> 나 앞마당에 늘어놓고 파는 것.
> 미국 주택지에서는 Garage
> Sale이라고 써붙여 놓은 것을
> 볼 수 있다.

gar·bage [gάːrbidʒ]
명
《a와 복수형 안 씀》(부엌에서
나오는 음식 따위의) **찌꺼기, 쓰
레기.**
a *garbage* collector 쓰레기 수
거인.
They collect our *garbage*
three times a week. 그들은
1주일에 세 번씩 쓰레기를 수거
해 간다.

＊gar·den [gάːrdn] 명 복수
gardens[gάːrdnz]
❶ (특히 화초가 많이 심어져 있
는) **뜰, 정원.**
a flower *garden* 화원.
a kitchen *garden* (가정의)
채소밭.
Nancy grows roses in her
garden. 낸시는 정원에 장미를
가꾼다.

참고 **garden과 yard**
garden은 흔히 사람들의 눈을 즐겁게 하기 위해 많은 화초나 나무들이 아름답게 심어져 있는 정원을 말하며, yard는 집, 학교 따위의 울안에 있는 마당, 빈터 따위를 가리킨다. 미국에서는 잔디가 깔려 있는 집의 앞뜰, 뒤뜰 따위도 모두 yard라고 한다. 우리 나라의 뜰은 보통 yard에 해당한다.

❷ 《종종 복수형으로》 **공원; 유원지.**
a zoological[zòuəládʒikəl] *garden* 동물원. ▶ 약하여 zoo[zu:]라고도 함.
a botanical [bətænikəl] *garden* 식물원.

gar·den·er [gá:rdnər]
명
복수 **gardeners**[gá:rdnərz]
원예사; 정원사.
Mr. Jones is a *gardener* from California. 존스씨는 캘리포니아 출신의 정원사이다.

gar·den·ing [gá:rdniŋ] 명
《a와 복수형 안 씀》 **원예, 정원 가꾸기.**

gar·den par·ty [gá:rdn pà:rti] 명
복수 **garden parties** [gá:rdn pà:rtiz] **원유회, 가든 파티.**

gar·gle [gá:rgl]
자
3·단·현 **gargles**[gá:rglz] ; ing형 **gargling**[gá:rgliŋ] ; 과거 과분 **gargled**[gá:rgld]
(물 따위로) **양치질하다.**
She *gargles* with salt water. 그녀는 소금물로 양치질한다.
── 명 《a를 붙여》 **양치질.**
have a *gargle* with salt water 소금물로 양치질하다.

gar·lic [gá:rlik]
명
《a와 복수형 안 씀》 **마늘.**

food with too much *garlic* in it 마늘이 너무 많이 든 음식.

*__**gas**__ [gæs] 명
복수 **gases**[gǽsiz]
❶ 《a와 복수형 안 씀》 (연료·난방용의) **가스; 가솔린**(=gasoline).
natural 〔coal〕 *gas* 천연〔석탄〕가스.
Light the *gas*. 가스에 불을 붙여라.
Turn on 〔off〕 the *gas*. 가스를 켜라〔꺼라〕.
❷ **기체.** ☞ solid(고체), liquid(액체).
Oxygen is a *gas*. 산소는 기체이다.
There are several kinds of *gases* in the air. 공기 중에는 여러 가지 종류의 기체가 있다.

gas·o·line [gæsəlí:n] 명
《a와 복수형 안 씀》 **가솔린, 휘발유.** ▶ 구어에서는 간단히 gas라고도 함.
Gasoline catches fire easily. 가솔린은 불이 붙기 쉽다.

gasp [gæsp] 자
3·단·현 **gasps**[gæsps] ; ing형 **gasping**[gǽspiŋ] ; 과거 과분 **gasped**[gæspt]
숨이 차다, 헐떡거리다.
The dog was *gasping* for air. 개는 헐떡거리고 있었다.

gas sta·tion [gǽs stèiʃən] 명
복수 **gas stations**[gǽs stèiʃənz] **주유소.**
Father bought some gas at a *gas station*. 아버지는 주유소에서 가솔린을 샀다.

*__**gate**__ [geit] 명
복수 **gates**[geits]
❶ **문, 출입구.**
a school *gate* 교문.
enter at a *gate* 문으로 들어가다.
I met him at the *gate* to

the park. 나는 그를 공원의 문 있는 곳에서 만났다.
Keep the *gate* shut〔open〕.
문을 닫아〔열어〕 두어라.
❷ (공항의) **탑승구, 게이트.**
The plane is leaving from *Gate* 7. 그 비행기는 7번 탑승구 에서 떠난다.

*gath·er [gǽðər] 동 3·단·현
gathers [gǽðərz]:
ing형 **gathering**[gǽðəriŋ]: 과거
과분 **gathered**[gǽðərd]
타 ❶ (사람·물건 따위)를 모으 다, **수집하다.**
He is *gathering* fallen leaves. 그는 낙엽을 모으고 있다.
Mr. Han *gathered* his students around him. 한선생님 은 자기 주위로 학생들을 모았다.
He wanted to *gather* more information. 그는 더 많은 정보 를 수집하고 싶었다.
❷ (꽃 따위)를 **따다**; (작물)을 **수확하다.**
She is *gathering* flowers.
그녀는 꽃을 따고 있다.
It is time to *gather* crops.
수확의 시기이다.
── 자 **모이다, 집합하다.**
Soon many people *gathered* around him. 곧 많은 사람들이 그의 주위에 모였다.

*gave [geiv] 동
*give*의 과거.

gay [gei] 형 비교 **gayer** [gèiər]:
최상 **gayest**[géiist]
❶ **즐거운, 명랑한.**
the *gay* voices of children
아이들의 명랑한 목소리.
We danced to the *gay* music. 우리는 흥겨운 음악에 맞 춰 춤을 추었다.
❷ (색·복장 따위가) **화려한.**
This dress is too *gay* for me. 나에게는 이 옷이 너무 화려 하다.

gaze [geiz] 자 3·단·현 **gazes** [géiziz]: ing형 **gazing**

[géiziŋ]: 과거 과분 **gazed** [geizd]
(흥미·기쁨 따위를 갖고) **응시하 다, 물끄러미 보다.**
What are you *gazing* at?
너는 무엇을 물끄러미 보느냐?
He was *gazing* at the stars. 그는 별을 물끄러미 바라 보고 있었다.

gear [giər] 명
복수 **gears**[giərz]
톱니바퀴; (자동차 따위의) **기어, 변속〔전동〕 장치.**
automatic *gears* 자동 변속기.
a car with four *gears* 4단 변속의 자동차.

geese [giːs] 명
*goose*의 복수.

gem [dʒem] 명
복수 **gems**[dʒemz]
보석, 귀중품.
This *gem* is precious.
이 보석은 값진 것이다.

gen·der [dʒéndər] 명
복수 **genders** [dʒéndərz]
성별(=sex); 《문법》 **성.**
What is your *gender*? 너의 성별은 무엇이냐?

*gen·er·al [dʒénərəl] 형 비교 **more general**;
최상 **most general**
❶ **일반의, 일반적인; 전체의, 전 반적인**(⇔ special 특별한).
a *general* meeting 총회.
a *general* hospital 종합 병원.
The *general* feeling toward him was not bad. 그에 대한 일반의 감정은 나쁘지 않았다.
❷ **대체적인, 개략의.**
a *general* outline 개요.
We first made a *general* plan. 우리들은 우선 개략적인 계 획을 세웠다.
── 명 복수 **generals**[dʒénərəlz]
육군〔**공군**〕 **대장, 장군.**
His grandfather was a famous *general* during the war. 그의 할아버지는 전쟁 중에

유명한 장군이었다.

in general 일반적으로, 대체로.

American boys *in general* are fond of football. 미국의 소년들은 대체로 미식 축구를 좋아한다.

***gen·er·al·ly** [dʒénərəli] 〔부〕

❶ 대체로, 대개, 흔히(=usually).

I *generally* go to bed before 10 o'clock. 나는 대개 10시 이전에 잠자리에 든다.

His opinion is *generally* correct. 그의 의견은 대체로 정확하다.

❷ 일반적으로, 널리.

The new design is *generally* welcomed. 그 새로운 디자인은 폭넓게 지지를 받았다.

generally speaking 《보통 문두에 쓰여》 일반적으로 말하면.

Generally speaking, Koreans are kind. 일반적으로 말해서 한국 사람들은 친절하다.

gen·er·a·tion [dʒènəréiʃən] 〔명〕

〔복수〕 generations [dʒènəréiʃənz]

❶ 1대(代), 한 세대(世代)《자식이 태어나 어버이가 될 때까지의 평균 기간, 약 30년》.

Grandfather, father, and son are three *generations*. 할아버지, 아버지, 아들은 3대이다.

❷ 《단수 취급》 같은 시대[세대]의 사람들.

the present [next] *generation* 현세의[다음 세대의] 사람들.

the younger *generation* 청년들.

Our *generation* has seen many changes. 우리 세대의 사람들은 많은 변화를 보아왔다.

gen·er·ous [dʒénərəs] 〔형〕 〔비교〕more generous; 〔최상〕most generous 관대한, 인색하지 않은.

My uncle is *generous* with his money. 아저씨는 돈을 척척 잘 쓰신다.

gen·ius [dʒíːnjəs] 〔명〕

〔복수〕 geniuses [dʒíːnjəsiz] ❶ 《a와 복수형 안 씀》 천재《자질》, 비범한 재능.

a man of *genius* 비범한 재능의 소유자, 천재.

❷ 천재《사람》.

He was a *genius* in mathematics. 그는 수학에 천재였다.

❸ 《a를 붙여》 (…에 대한) 특수한 재능, 소질.

She has a *genius* for music. 그녀는 음악에 재능이 있다.

ge·nome [dʒíːnoum] 〔명〕

〔복수〕 genomes [dʒíːnoumz] 게놈.

human *genome* 인간 게놈.

***gen·tle** [dʒéntl] 〔형〕 〔비교〕 gentler [dʒéntlər]; 〔최상〕 gentlest [dʒéntlist]

❶ (사람·태도 따위가) 상냥한, 부드러운, 친절한.

gentle manners 부드러운 태도.

Nancy has a *gentle* heart. 낸시는 마음씨가 곱다.

The doctor is always *gentle* with his patients. 그 의사는 언제나 환자들에게 친절하다.

❷ 온화한, 조용한; (경사 따위가) 완만한.

a *gentle* wind 온화한 바람.

a *gentle* slope 완만한 경사면.

Mrs. Brown said in a *gentle* voice, "Come here, Mary". 브라운 부인은 조용한 목소리로 「메리야, 이리 오너라.」하고 말했다.

***gen·tle·man** [dʒéntlmən] 〔명〕

〔복수〕 gentlemen [dʒéntlmən] ❶ 신사, 남자분(⇨ lady 숙녀). ➤ man보다 더 공손한 말.

Who is that *gentleman*?

G

저 남자분은 누구냐?
A few minutes later, a *gentleman* came into the hotel.
몇 분 후에, 한 신사가 호텔로 들어왔다.
❷ 《복수형으로》 (신사) 여러분, 제군들《호칭》.
Ladies and *gentlemen* 신사 숙녀 여러분《연설 첫머리에 남녀 청중에 대하여》.
❸ 《복수형으로》 **근계**《회사 앞으로 보내는 편지의 서두 문구》.

> 참고 1. gentleman이란 말은 옛날에 귀족 다음 가는 신분이 있는 남자를 가리켰다. 그것이 점차로 일반화되어 사회적으로 지위가 높거나, 교양 있는 훌륭한 인품의 남자를 말하게 되었는데, 오늘날에는 남성을 지칭하는 공손한 말이 되어, 남성이라면 누구에게나 gentleman이라 부를 수 있게 되었다.
> 2. 영국의 정거장이나 공원 따위에 있는 화장실에 남자용은 Gentlemen, 여자용은 Ladies 라고 게시되어 있다. 미국에서는 Men과 Women이 일반적이다.

gen·tle·men [dʒéntlmən] 명
gentleman의 복수.

*__gen·tly__ [dʒéntli] 부 비교 **more gently**; 최상 **most gently**
부드럽게, **상냥하게**, 조용히.
She spoke *gently* to the child. 그녀는 아이에게 상냥하게 말하였다.

gen·u·ine [dʒénjuin] 형 비교 **more genuine**; 최상 **most genuine**
진짜의(⇔ false 가짜의).
a *genuine* diamond 진짜 다이아몬드.
This signature is *genuine*. 이 서명은 진짜다.

ge·og·ra·phy [dʒiːágrəfi] 명
《a와 복수형 안 씀》 지리, 지리학.
They learn about science, history, and *geography*. 그들은 과학, 역사, 지리에 대해 배운다.

ge·om·e·try [dʒiːámətri] 명
《a와 복수형 안 씀》 기하학.
I am interested in *geometry*. 나는 기하학에 흥미가 있다.

George [dʒɔːrdʒ] 명
조지《남자 이름》.

Geor·gia [dʒɔ́ːrdʒə] 명
조지아.

> 참고 미국 남부의 주. 면적은 152,499 km²로서 우리 나라의 약 3분의 2에 해당한다. 인구의 약 3분의 1이 흑인이라고 한다. Ga.로 약한다. 주도는 애틀랜타(Atlanta [ətlǽntə]). 목화의 재배가 성하다.

germ [dʒəːrm] 복수 **germs** [dʒəːrmz]
병원균, 미생물, 세균, 병균.
Chlorine is widely used to kill *germs*. 염소는 병균을 죽이는데 널리 사용된다.

*__Ger·man__ [dʒɔ́ːrmən] 명
복수 **Germans** [dʒɔ́ːrmənz]
❶ 독일 사람.
the *Germans* 독일 국민.
His grandfather is a *German*. 그의 할아버지는 독일 사람이다.
❷ 《a와 복수형 안 씀》 독일어.
Can you speak *German*? 너는 독일어를 할 줄 아느냐?
── 형 독일의; 독일 사람의; 독일어의.
My father knows some *German* songs. 아버지는 독일 노래를 몇 가지 아신다.
He is reading a *German* newspaper. 그는 독일어 신문을

읽고 있다.

*Ger·ma·ny [dʒə́:rməni] 명

독일. ▶유럽의 공화국. 1949년에 서독과 동독으로 나뉘었다가 1990년에 통일됨. 수도는 베를린 (Berlin).

*ges·ture [dʒéstʃər] 명 복수 gestures [dʒéstʃərz]

몸짓, 손짓, 제스처.
What do these *gestures* mean? 이것은 무슨 뜻의 제스처인가?
Signs and *gestures* are useful in our daily life. 신호와 몸짓은 우리의 일상 생활에서 유용하다.

「나는 모른다」 「만족」의 표시. 엄지·어깨를 으쓱한다. 인지로 ○을 짓는다.

*get [get] 동 3·단·현 gets [gets] ; ing형 getting [gétiŋ] ; 과거 got [gat] ; 과분 got [gat] 또는 gotten [gátn]

타 ❶ …을 얻다, 손에 넣다(⇔ lose 잃다); 사다(=buy); 《get+사람+물건 / get+물건+for+사람으로》(아무)에게 …을 사 주다. ☞obtain
Tom *got* the first prize.
톰은 1등상을 탔다.
I will *get* you a dictionary. = I will *get* a dictionary *for* you. (나는) 너에게 사전을 한 권 사 주겠다.
❷ (편지·선물 따위)를 받다(= receive).
I *got* a letter from my aunt. 나는 아주머니로부터 편지를 받았다.

❸ (병)에 걸리다.
I've *got* a bad cold and I don't feel well. 나는 심한 감기에 걸려서 컨디션이 좋지 않다.
❹ 《get+사람+물건 / get+물건+for+사람으로》(아무)에게 …을 가져오다.
I will *get* my hat.
나는 모자를 가져오겠다.
Please *get* me a chair. = Please *get* a chair *for* me.
의자 좀 가져다 다오.
❺ …을 이해하다, 알아듣다.
I *got* it. 알아들었다.
Do you *get* me?
너는 내 말을 알아듣니?
❻ 《get+사람+to do로》(아무)에게 …시키다〔하게 하다〕.
I'll *get* him *to* speak.
그에게 이야기를 시켜야겠다.
Tom *got* his father *to* correct his writing. 톰은 자기가 쓴 작문을 아버지께서 고치시게 했다.
❼ 《get+사물+과거 분사로》…을 ~시키다〔하게 하다〕.
I should *get* my hair *cut*.
나는 머리를 깎아야 하겠다.
── 자 ❶ (어떤 장소에) 도착하다, 이르다(=arrive).
I *got* home at six.
나는 집에 6시에 도착했다.
She will *get* here tomorrow. 그녀는 내일 이곳에 도착할 것이다.
❷ 《get+형용사〔과거 분사〕로》(어떤 상태로) 되다(=become).
▶get 다음에 오는 형용사·과거 분사는 보어임.
He soon *got* well.
그는 곧 건강이 좋아졌다.
He *got* angry at the news.
그는 그 소식을 듣고 화를 냈다.
We *got* lost in the city.
우리는 시내에서 길을 잃었다.
He *got* married.
그는 결혼했다.
The day is *getting* longer

and longer. 낮이 점점 더 길어
지고 있다.

get along 살아나가다, 사이좋게
지내다.

We can *get along* without
you. 너 없이도 우리는 살아나갈
수 있다.

They are *getting along* like
two brothers. 그들은 형제처럼
사이좋게 지내고 있다.

get back 돌아오다.

Tom will *get back* soon.
톰은 곧 돌아올 것이다.

get down (말·버스 따위에서) 내
리다.

The son quickly *got down*
from the donkey's back.
그 아들은 재빨리 당나귀 등에서
내렸다.

***get in** (택시 따위)에 타다 (⇔ get
out of …에서 내리다); (열차·
비행기 따위가) 들어오다, 도착하다.

I *got in* a taxi at the hotel.
나는 호텔에서 택시를 탔다.

Get in the car. 차에 타라.

The airplane *got in* five
minutes early. 그 비행기는 5
분 일찍 도착했다.

***get into** …속으로 들어가다.

We all *got into* the hut.
우리들은 모두 오두막집으로 들어
갔다.

Tom wanted to *get into* a
Korean bath. 톰은 한국 목욕탕
에 들어가보고 싶었다.

***get off** (버스·열차·말 따위)에서
내리다 (⇔ get on …에 타다).

I'll *get off* at the next bus
stop. 나는 다음 버스 정류장에서
내릴 것이다.

get off   get on

He *got off* his horse.
그는 말에서 내렸다.

***get on** (버스·열차·말 따위)에 타
다 (⇔ got off …에서 내리다).

We *got on* the bus at
Third Street. 우리들은 3번가에
서 버스를 탔다.

He *got on* the animal's
back. 그는 그 동물 등에 올라탔
다.

get out 밖으로 나가다; …을 꺼내
다.

Get out! 나가라!

He *got out* a coin from his
pocket. 그는 주머니에서 동전을
한닢 꺼냈다.

get out of …에서 나오다; (택시
따위)에서 내리다 (⇔ get in …에
타다).

She *got out of* the room.
그녀는 방에서 나왔다.

Tom *got out of* the taxi.
톰은 택시에서 내렸다.

get over (어려움 따위)를 이겨내
다, 극복하다.

get over troubles 어려움을 극
복하다.

Soon he *got over* his fear.
곧 그는 무서움을 이겨냈다.

I *got over* my cold.
감기가 다 나았다.

***get to** …에 도착하다.

We will *get to* Australia on
time. 우리는 오스트레일리아에
제시간에 도착할 것이다.

회화 **How do I get to...?**
「…에 어떻게 갑니까?」
길을 물을 때 쓰는 말이다.
Will you tell me the way
to...?
(…에 가는 길을 가르쳐 주시겠
습니까?)라고 묻기도 한다.
A : Excuse me. *How do I
get to* Seoul Middle
School?
B : Take subway line No.
2.

「실례합니다. 서울 중학교에 어떻게 갑니까?」「지하철 2호선을 타세요.」

***get together** 모이다.

Let's *get together* in the park at seven. 우리 7시에 공원에서 모이자.

***get up** 일어나다; 일어서다.

I usually *get up* at eight o'clock. 나는 보통 8시에 일어난다.

The old man *got up* very slowly. 그 노인은 아주 천천히 일어섰다.

get·ting [gétiŋ] 통
*get*의 -ing형.

ghost [goust] 명
복수 **ghosts** [gousts]
유령, 귀신.

a *ghost* story 유령 이야기, 괴담.

Have you ever seen a *ghost*? 너는 유령을 본 일이 있느냐?

참고 영미에도 우리 나라처럼 여러 가지 유령 이야기가 많이 있다. 우리 나라에서는 더운 여름 밤에 귀신 이야기를 많이 하지만, 영미에서는 크리스마스 때 잘 한다.

***gi·ant** [dʒáiənt] 명
복수 **giants** [dʒáiənts]
거인, 몸집이 큰 사람; 거물, 비범한 사람.

giants in the business world 재계의 거물들.

Once upon a time there lived a *giant* on an island. 옛날에 어느 섬에 거인이 한 사람 살고 있었다.

── 형 거대한, 특대의.

a *giant* building 거대한 건물.

a *giant* tortoise 〔pumpkin〕 매우 큰 거북〔호박〕.

gift [gift] 명
복수 **gifts** [gifts]

❶ 선물, 기증품. ▶present보다 격식을 차린 말로 값지고 고급스런 느낌을 줌.

a *gift* shop 선물 가게.

Shall I wrap it as a *gift*? 그것을 선물로 포장할까요?

He gave me a lovely Christmas *gift*.
그는 내게 예쁜 크리스마스 선물을 주었다.

❷ (타고난) 재능.

a person of many *gifts* 재능이 많은 사람.

The boy has a *gift* for painting.
그 소년은 그림에 재능이 있다.

gi·raffe [dʒərǽf] 명 복수 **giraffes** [dʒərǽfs]
기린.

A *giraffe* has a very long neck and legs. 기린은 목과 다리가 매우 길다.

***girl** [gəːrl] 명
복수 **girls** [gəːrlz]
소녀, 계집아이(⇨ boy 소년). ▶「미혼 여성, 처녀」의 뜻으로도 씀.

Kate was a little *girl* at that time. 케이트는 당시에 조그만 소녀였다.

This is a school for *girls*.
= This is a *girls'* school.
이 학교는 여학교이다.

girl·friend [gə́ːrlfrènd]
복수 **girlfriends** [gə́ːrlfrèndz]
(친밀한 사이의) **여자 친구, 애인**
(⇨ boyfriend 남자 친구).

G

girl scout [gə́:rl skàut] 명

(복수) girl scouts [gə́:rl skàuts]
걸 스카우트 단원; 《**the Girl Scouts**로》 걸 스카우트(⇨boy scout 보이 스카우트).

> **참고** the Boy Scouts를 본떠 1912년 미국에서 창설된 7살부터 17살까지의 소녀로 구성되는 단체이다. 가사를 돕거나 캠프 따위의 단체 생활을 통해 심신이 건강한 훌륭한 시민을 만드는 데 그 목적이 있다. 영국에서는 the Girl Guides라는 비슷한 단체가 있다.

give [giv] 동 ③·단·현 **gives** [givz]; ing형 **giving** [gívin]; 과거 **gave** [geiv]; 과분 **given** [gívən]

타 ❶ (물건)을 주다, 증여하다.
I'll *give* you this book.
이 책을 너에게 주겠다.
The sun *gives* us light and heat. 태양은 우리에게 빛과 열을 준다.
She *gave* me this watch.
= She *gave* this watch *to* me. 그녀는 나에게 이 시계를 주었다.

> **참고** **give**의 사용법
> 끝 예문의 this watch처럼 명사가 아니고 it이나 them 따위의 대명사일 경우에는, 동사 give 바로 다음에 오게 한다. 즉 She gave *it* to me.가 된다.

❷ …을 건네다, 넘겨주다.
Give that man the letters.
저 사람에게 그 편지를 건네 주어라.
All right. Time's up. Please *give* me your test papers.
자, 시간이 다 됐다. 답안지를 제출하여라.
❸ (보기 따위)를 보이다, 제시하

다.
Can you *give* me some examples? 나에게 몇 가지 보기를 들어 주겠느냐?
❹ (금액·값)을 지불하다(=pay).
I *gave* her seven dollars for her help. 나는 도움을 준 대가로 그녀에게 7달러를 지불했다.
❺ (모임·파티 따위)를 열다; (연극)을 상연하다.
She *gave* him a party. = She *gave* a party for him. 그녀는 그를 위해 파티를 열었다.
He *gave* concerts in many cities. 그는 많은 도시에서 콘서트를 열었다.
❻ …을 말하다, 전하다.
Shall I *give* him a message? 그에게 말을 전해 드릴까요?
I *gave* my name and address to the policeman.
나는 그 경찰관에게 나의 이름과 주소를 말했다.
Give my love to your mother. 너의 어머니께 안부를 전해줘.

give away …을 (거저) 주다.
He will not *give away* his books. 그는 자기 책들을 거저 주지는 않을 것이다.
give … back (주인에게) 되돌려주다.
Give me *back* the book. = *Give* the book *back* to me. 나에게 그 책을 돌려 다오.
give in 항복하다; (서류 따위)를 제출하다.
The enemy *gave in* at last. 적은 드디어 항복했다.
Give in your reports.
너희 보고서를 제출하여라.
give off (냄새 따위)를 발하다.
This cheap coal *gives off* a lot of smoke. 이 싼 석탄은 연기를 몹시 낸다.
***give up** …을 단념하다; (희망 따

위)를 버리다.

My father *gave up* smoking.
나의 아버지께서는 금연하셨다.
He didn't *give up* hope.
그는 희망을 버리지 않았다.
▶ give up 다음에는 명사나 -ing 형이 온다.

*giv·en [gívən] 통
give의 과거 분사.

This watch was *given* to me on my birthday.
이 시계는 내 생일에 받았다.

giv·en name [gívən néim] 명

(복수) **given names** [gívən néimz]
(성에 대하여) **이름**(⇨family name 성).

gla·cier [gléiʃər] 명

(복수) **glaciers** [gléiʃərz]
빙하.

The *glacier* moved slowly along the valley. 빙하는 천천히 골짜기를 내려왔다.

*glad [glæd] 형
(비교) **gladder** [glǽdər] ;
(최상) **gladdest** [glǽdist]
❶ 기쁜, 즐거운 ; 《be glad (that)로》 …라는 것을 기쁘게 생각하다. ▶ 명사 앞에는 안 씀.

I am *glad* at the news.
그 소식을 듣게 되어 기쁘다.
I'm *glad* you like it. 나는 네가 그것을 좋아하니 기쁘다. ▶ 선물 따위를 주고 나서 하는 말.
I'm *glad that* you have passed the examination.
나는 네가 시험에 합격한 것을 기

쁘게 생각한다

❷ 《be glad to do로》 …하여서 기쁘다.

I'm *glad to* hear that.
그것을 들으니 기쁘다.
I'll *be glad to* help you.
기꺼이 너를 도와주겠다. ▶ 미래의 문장에서는 「기꺼이 …하겠다」 란 뜻이 됨.

참고 **I'll be glad to.**
상대방이 Will you…? (…하겠느냐?)라고 의사를 물을 때 「기꺼이 그러겠다」는 뜻으로 하는 말.
A : Will you come?
B : Yes, *I'll be glad to* (come).
「너 오겠느냐?」
「응, 기꺼이 가고 말고.」

---

glad·der [glǽdər] 형
glad의 비교급.

glad·dest [glǽdist] 형
glad의 최상급.

glad·ly [glǽdli] 부
기꺼이, 쾌히.

I'll come *gladly*.
기꺼이 가겠다.

glance [glæns] 명 (복수)
glances [glǽnsiz]
힐끗 봄, 한번 봄.

Take a *glance* at this picture. 이 그림 좀 보아라.

at a glance 한 번 보고, 일견하여.

He recognized me *at a glance*. 그는 한 번에 나를 알아보았다.

—— 자 (3·단·현) **glances** [glǽnsiz] ;
(ing형) **glancing** [glǽnsin] ; (과거)
(과분) **glanced** [glænst]
힐끗 보다, 한 번 보다.

She *glanced* at him and smiled. 그녀는 그를 힐끗 보고 미소지었다.

**glass [glæs] 명
(복수) **glasses** [glǽsiz]

G

❶ 《a과 복수형 안 씀》 유리.
broken *glass* 깨진 유리.
Glass breaks easily.
유리는 잘 깨진다.
Windows are made of *glass*.
유리창은 유리로 만들어져 있다.
❷ 유리잔, 글라스; 《**a glass of**
로》 한 잔(의 양).
There are two *glasses* on
the table. 식탁 위에 유리잔이
두 개 있다.
Mary filled the *glass* with
water. 메리는 글라스에 물을 가
득 채웠다.
I drink *a glass of* milk
every morning. 나는 매일 아침
우유 한 잔을 마신다.
❸ 거울(= mirror); 망원경.
a looking *glass* 거울.
She looked at herself in
the *glass*. 그녀는 거울에 자신
의 모습을 비춰 보았다.
❹ 《복수형으로》 안경.
I bought a pair of *glasses*.
나는 안경을 하나 샀다.
Our teacher wears *glasses*.
우리 선생님은 안경을 쓰신다.
Can you see the man with
glasses? 너는 저 안경 낀 사람
이 보이느냐?

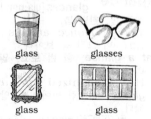

glass　　　glasses

glass　　　glass

참고 **1.** 영어로는 유리로 만든
잔을 glass 라 하고, 도자기나
금속으로 만든 잔을 cup이라고
한다. 주로 찬 음료(물, 우유,
맥주, 주스 따위)는 glass 로
마시고, 따스한 음료(홍차, 커
피 따위)는 cup을 쓴다. 그래

서 「물 한 잔」은 a glass of
water, 「커피 한 잔」은 a cup
of coffee 라고 한다.
2. 안경이나 쌍안경은 glasses
와 같이 복수형으로 한다. 또
안경을 하나, 둘 하고 셀 때는
a pair of glasses라고 한다.
안경 두 개는 two pairs of
glasses와 같이 된다. 좌우의
렌즈로 한 벌(a pair)이 되기
때문이다.

glide [glaid] 자
③·단·현 **glides** [glaidz];
ing형 **gliding** [gláidiŋ]; 과거
과분 **glided** [gláidid]
미끄러지다, 활주하다.
A boat *glided* on the water.
보트가 물 위를 미끄러지듯 달렸
다.

glid·er [gláidər] 명
복수 **gliders** [gláidərz]
글라이더.
A *glider* is a kind of air-
plane, but it has no
engine. 글라이더는 비행기의 일
종이지만 엔진이 없다.

glimpse [glimps] 명 복수
glimpses [glímpsiz]
힐끗 봄; 얼핏 보이는 것.
I got only a *glimpse* of
him as he ran fast. 그가
달려가는 모습을 힐끗 보았을 뿐
이다.

glit·ter [glítər] 자 ③·단·현
glitters [glítərz]; ing형
glittering [glítəriŋ]; 과거 과분
glittered [glítərd]
반짝이다, 빛나다.
All that *glitters* is not gold.
= All is not gold that
glitters. 《속담》 반짝이는 것이
다 금은 아니다.

glob·al [glóubəl]
형
공모양의, 지구의, 전세계의, 세계
의.
a *global* ban on nuclear

testing 전세계의 핵 테스트 금지.

globe [gloub] 몡
복수 **globes** [gloubz]

❶ 구(球), 공.

The earth is not a perfect *globe*. 지구는 완전한 구형이 아니다.

아폴로 17호가 촬영한 지구(1972.10.)

❷ 지구본, 지구의; 《the를 붙여》 지구(=the earth).

Tom found Africa on his *globe*. 톰은 그의 지구본에서 아프리카를 찾았다.

glo·ri·ous [glɔ́:riəs] 혱

비교 **more glorious**; 최상 **most glorious**

영광스러운, 명예로운; 훌륭한, 장려한.

The two soldiers were praised for their *glorious* act in the battle. 그 두 병사는 전장에서의 혁혁한 행적에 대하여 표창받았다.

The girls had a *glorious* time at the party. 소녀들은 파티에서 멋진 시간을 보냈다.

glo·ry [glɔ́:ri] 몡

영광, 명예; 장관.

Mr. Brown won *glory* in science. 브라운씨는 과학 분야에서 명예를 얻었다.

I'll never forget the *glory* of the sunset on that day. 그 날의 일몰의 장관은 결코 잊혀지지 않을 것이다.

glove [glʌv] 몡
복수 **gloves** [glʌvz]

❶ 장갑. ▶손가락이 다섯으로 나뉘어져 있는 장갑을 말함. 엄지만 있는 장갑은 mitten [mítn]이라고 함.

I've lost my right *glove*. 나는 오른쪽 장갑을 잃어버렸다.

He bought some lovely pairs of *gloves*. 그는 예쁜 장갑 몇 켤레를 샀다.

❷ (야구용) 글러브; (권투용) 글러브.

My uncle sent me a baseball *glove* for my birthday. 아저씨는 내 생일에 야구 글러브를 보내주셨다.

참고 **glove**를 세는 법
장갑은 양손의 것으로 한 벌이 되는 것이어서 「장갑 한 켤레」는 a pair of gloves, 「장갑 두 켤레」는 two pairs of gloves 처럼 말한다. 야구용 글러브는 한쪽뿐이므로 「글러브 한 개」는 a glove, 「글러브 두 개」는 two gloves와 같이 그 수를 나타낸다.

glow [glou]
자 3·단·현 **glows** [glouz];
ing형 **glowing** [glóuiŋ]; 과거 과분 **glowed** [gloud]

작열하다, 빛나다; (볼이) 붉어지다.

Her face *glowed* with joy. 그녀의 얼굴은 기쁨으로 붉어졌다.

── 몡 백열, (타는 듯한) 새빨간 빛; (뺨의) 붉어짐.

a healthy *glow* on the face
건강해 보이는 얼굴의 혈색.

I still remember the *glow* of the sky at sunset.
나는 해질 무렵의 붉게 타는 듯한 저녁놀을 아직도 기억하고 있다.

glue [glu:] 명
　　　복수 **glues** [glu:z]
아교, 접착제, 풀.

Use *glue* instead of a stapler. 호치키스 대신에 풀을 사용해라.

— 타 3·단·현 **glues** [glu:z] :
ing형 **glueing** 또는 **gluing**
[glúːiŋ] : 과거 과분 **glued** [glu:d]
…을 아교로 붙이다.

He *glued* the pieces together. 그는 그 조각들을 같이 맞추어 풀로 붙였다.

go [gou] 자
　　3·단·현 **goes** [gouz] : ing형
going [góuiŋ] : 과거 **went** [went] :
과분 **gone** [gɔ(ː)n]

❶ 가다, 나아가다(⇨ come 오다).
Go to your seat.
너의 자리로 가거라.

I *go* to school by bus. 나는 버스로 통학한다. ➤ go to school 「학교에 공부하러 가다」, go to church 「교회에 예배 보러 가다」처럼, 그 명사 본래의 목적으로 갈 때에는, 명사 앞에 a 나 the 를 안 붙임.

She usually *goes* home at four. 그녀는 대개 4시에 집에 돌아간다. ➤ goes to home 이라고는 안 함.

He has *gone* to Africa.
그는 아프리카로 가버렸다.

Go and see who it is?
누구인지 가서 보고 오너라.

❷ 떠나다; 없어지다; 사라지다, 죽다.
It's time to *go*.
떠날 시간이다.

I must be *going* now. 이제 가 봐야 되겠습니다. ➤ 남의 집을 방문했다가 작별할 때 흔히 쓰는 말.

Our hope has *gone*.
우리들의 희망이 사라졌다.

The pain has *gone*.
아픔이 가셨다.

Poor Nancy has *gone* at last. 가엾은 낸시는 이윽고 죽었다.

❸ 움직이다, 일하다.
This toy car *goes* by electricity. 이 장난감 자동차는 전기로 움직인다.

❹ 《go+형용사로》 (나쁜 상태)로 되다(=become).
He *went* mad. 그는 미쳤다.

Milk *goes* bad quickly in summer. 여름에 우유는 빨리 상한다.

❺ (일이) 진전되다, 진행하다.
"How did it *go*?" "It *went* quite well." 「일이 어떻게 진행되었느냐?」 「잘 진행되었다.」

Everything *went* well.
모든 것이 잘 되었다.

❻ (어떤 장소에) 들어가다, 놓이다.
Where does this piano *go*?
이 피아노는 어디에 놓을까요?

❼ 《go+-ing형으로》 …하러 가다.
go camping 캠핑 가다.
go shopping 쇼핑하러 가다.
go skiing 스키 타러 가다.
go swimming 수영하러 가다.
My father *went fishing* last Sunday. 아버지는 지난 일요일에 낚시하러 가셨다.

be going to …할 생각〔작정〕이다; (곧) …할 것 같다; 막 …하려는 참이다. ➤ 가까운 미래에 관한 일을 나타냄.

I'm *going to* study English this afternoon. 오늘 오후에는 영어 공부를 할 작정이다.

I'm just *going to* start.
이제 막 출발하려는 참이다.

It's *going to* rain.
비가 내릴 것 같다.

be gone 가버렸다.

The cake *is gone*.
과자가 없어졌다.

The guests *are* all *gone*.
손님들은 모두 가버리고 없다.

***go across** …을 건너다, 가로지르다.
They *went across* the street. 그들은 거리를 가로질러 갔다.

go after …의 뒤를 쫓아가다; (명성·돈 따위)를 추구하다.
They *went after* the parade. 그들은 퍼레이드의 뒤를 따라갔다.
Don't *go after* money.
돈을 추구하지 마라.

go against …에 반항하다.
She never *goes against* her mother. 그녀는 절대로 어머니께 반항하지 않는다.

go along …을 따라 나아가다.
They *went along* the street. 그들은 거리를 따라서 갔다.

***go away** 떠나가다, 가버리다.
He took his hat and *went away*. 그는 모자를 집어 들더니 가버렸다.

***go back** 돌아가다; 거슬러 올라가다.
Go back to your seat.
네 자리로 돌아가라.
It *goes back* to the time when the war started. 그것은 전쟁이 시작된 때로 거슬러 올라간다.

go by 지나가다; (시간 따위가) 지나다.
A car *went by* at full speed. 자동차가 전속력으로 지나갔다.
Several days *went by*.
며칠이 지났다.

***go down** 내려가다; 조용해지다; 가라앉다.
He *went down* the stairs.
그는 계단을 내려갔다.
Prices are *going down*.

물가가 내려가고 있다.
The wind has *gone down* a little. 바람이 좀 잠잠해졌다.
The sun was *going down* behind the mountain. 해가 산 너머로 지고 있었다.

go for …을 부르러 가다.
Go for a doctor.
의사를 모시고 오너라.

go for a walk 산책하다.
Father *goes for a walk* every morning. 아버지께서는 아침마다 산책을 하신다.

go in 들어가다.
He opened the door and *went in*. 그는 문을 열고 들어갔다.

***go into** …으로 들어가다.
He *went into* the store.
그는 가게로 들어갔다.

go off 떠나다; (전기·수도 따위가) 꺼지다, 끊기다.
He *went off* without saying good-by. 그는 작별 인사도 없이 떠나버렸다.
The lights *went off* suddenly. 갑자기 전등이 꺼졌다.

***go on** (앞으로) 나아가다; 계속하다, 계속해서 …하다.
Please *go on*. (멈추지 말고) 앞으로 나아가시오; 어서 계속하시오.
He *went on* into the woods. 그는 숲 속으로 자꾸 들어갔다.
Jane *went on* talking about her trip. 제인은 계속해서 자기 여행 이야기를 했다. ▶go on 다음에 -ing형이 옴에 주의.
What's *going on* here?
대체 여기서 무슨 일이 있는 거냐?
Go on with your work.
일을 계속하여라.
Her speech *went on* for two hours. 그녀의 이야기는 두 시간동안 계속되었다.

***go out** 나가다; (불이) 꺼지다.
He paid the bill and *went*

G

out. 그는 계산을 치르고 나갔다.

The candle *went out.*
촛불이 꺼졌다.

go out of …에서 나가다.

Bill *went out of* the room with his brother. 빌은 동생과 함께 방에서 나갔다.

go over …을 넘어가다; …을 복습하다.

He *went over* the fence.
그는 울타리를 넘어갔다.

Let's *go over* this lesson together. 우리 함께 이 과를 복습하자.

go through …을 빠져 나가다; …을 끝내다.

We *went through* the tunnel. 우리는 그 터널을 빠져 나갔다.

go to bed 잠자리에 들다, 자다.

What time do you *go to bed*? 너는 몇 시에 잠자리에 드느냐?

I usually *go to bed* at ten.
나는 보통 10시에 잔다.

go up 올라가다.

The balloon *went up* higher and higher. 풍선이 점점 높이 올라갔다.

I got in an elevator and *went up* to the fourth floor. 나는 엘리베이터를 타고 4층으로 올라갔다.

go up to …에 다가가다, …까지 가다.

He *went up to* her to say hello. 그는 인사하려고 그녀에게 다가갔다.

We *went up to* the top.
우리는 정상까지 (올라)갔다.

go with …와 함께 가다; …와 어울리다.

I want to *go* there *with* you. 너와 함께 거기에 가고 싶다.

Your sweater *goes* well *with* your skirt. 너의 스웨터는 스커트와 잘 어울린다.

go without …없이 지내다.

Some people cannot *go without* coffee. 커피 없이는 견디지 못하는 사람들도 있다.

We have no sugar, we will have to *go without* (it).
설탕이 없으니, 설탕 없이 지낼 수밖에 없다.

참고 **go 와 come**

go 는 「가다」, come 은 「오다」로 새기지만, 경우에 따라서는 「가다」란 뜻으로 come 을 써야 하는 경우도 있다. 특히 1인칭, 2인칭의 문장에서 주의해야 한다. 영어에서는 말하는 사람의 시점(視點), 위치가 매우 중요한 요점이 된다. come은 말하는 상대방을 중심으로 하여, 그 상대방 쪽으로 가는, 즉 상대방 입장에서 보면 오는 경우에 쓰인다. 그러므로 다음과 같은 경우에는 go를 쓰지 않고 come을 쓴다는 것을 기억해 두어야 한다.

come
오다 선생님 go
가다

I'll *come* with you.
함께 가겠다.

I'll *come* and see you tomorrow afternoon.
내일 오후에 찾아뵙겠습니다.

I'm *coming* to his party tonight. 오늘밤에 나는 그의 파티에 갈 것이다.

come 에 대하여 go 는, 상대방에 중심을 두지 않고 자기에게 중심을 두어 그 곳에서 밖으로 향하는 동작을 나타낸다.

I must be *going*.
작별하지 않으면 안 되겠다.

I'm *going* to Jeju-do this summer. 나는 이번 여름에 제주도에 가려고 한다.

***goal** [goul] 명
복수 **goals** [goulz]
(구기의) **골**, **득점**; (노력·야심 따위의) **목적**, **목표**.
get 〔kick, score〕 a *goal* (축구 따위에서) 한 골을 얻다.
The UN has important *goals*. 국제 연합은 중요한 목표들을 갖고 있다.

goal·ie [góuli] 명
복수 **goalies** [góuliz]
골키퍼(=goalkeeper).

goal·keep·er [góulkì:pər] 명
복수 **goalkeepers** [góulkì:pərz]
(축구·하키의) **문지기**, **골키퍼**.
The *goalkeeper* keeps the ball out of the goal. 골키퍼는 공이 골에 들어오지 못하게 한다.

goal line [góul làin] 명
복수 **goal lines** [góul làinz]
(축구·미식 축구 따위의) **골 라인**.

참고 경주의 「결승선」을 우리말로 「골 라인」이라고 할 때도 있으나 영어로는 finish line이라고 한다. 경주에서 쓰는 「골인하다」란 말도 finish이다.

goat [gout] 명
복수 **goats** [gouts]
염소.
Goats are stronger than sheep. 염소는 양보다 세다.

참고 염소의 수컷은 he-goat, 암컷은 she-goat, 새끼는 kid라고 한다. 우는 소리는 baa[bɑ:].

gob·lin [gáblin] 명
복수 **goblins** [gáblinz]
(동화 등에 나오는) **작은 요정** 〔귀신〕.
Have you ever seen a *goblin*? 작은 요정을 본 일이 있느냐?

***god** [gɑd] 명
복수 **gods** [gɑdz]
❶ 《**God**로》 (기독교의) **하느님**, **창조주**.
the Lord *God* 주, 하느님.
I believe in *God*.
나는 하느님을 믿는다.
The Pilgrims wanted to give thanks to *God*. 청교도들은 하느님께 감사하고 싶었다.
❷ (기독교 이외의) **신**; **남신**(男神)(⇨ goddess 여신).
the *gods* of Greece 그리스의 신들.

참고 **God와 god**
기독교의 「신」인 경우는 유일신을 나타내기 때문에 「하느님, 창조주」라고 칭하며 대문자로 쓰기 시작하고, 관사 a와 복수형을 쓰지 않는다. 기타 신의 경우에는 복수로도 되며 소문자로 쓴다.

by God 하느님께 맹세코; 꼭.
God bless you! 그대에게 축복을 내리소서!
Oh, my God. 이런, 큰일〔야단〕났다.
Thank God! 아이 고마워라.

god·dess [gádis] 명
복수 **goddesses** [gádisiz]
여신(⇨ god 남신).
Venus is the name of a *goddess*. 비너스는 여신의 이름이다.

***gold** [gould] 명
《a와 복수형 안 씀》 **금**, **황금**.
a *gold* mine 금광.

All that glitters is not *gold*. 《속담》 반짝이는 것이 다 금은 아니다.

His father has a *gold* watch. 그의 아버지는 금시계를 가지고 계신다.

His watch is made of *gold*. 그의 시계는 금으로 제작되어 있다.　☞ 혱 golden

*gold·en [góuldən] 혱

❶ (황)금빛의; 금의.

Her hair is *golden*. = She has *golden* hair. 그녀의 머리는 금발이다.

Aphrodite gave him three *gold(en)* apples. 아프로디테는 그에게 금빛 나는 사과 세 개를 주었다.

❷ 귀중한, 절호의.

miss a *golden* chance 절호의 기회를 놓치다.

Speech is silver(n), silence is *gold(en)*. 《격언》 웅변은 은, 침묵은 금이다.　☞ 몡 gold

gold·fish [góuldfiʃ] 몡

복수 **goldfish** [góuldfiʃ]
금붕어.

Look at the *goldfish* in the fish tank. 수조의 금붕어를 보아라.

golf [galf] 몡
《a와 복수형 안 씀》 골프.

My father plays *golf* every Sunday. 아버지께서는 매주 일요일에 골프를 치신다.

gon·do·la [gándələ] 몡

복수 **gondolas** [gándələz]
곤돌라《물의 도시 베니스 특유의 배》.

*gone [gɔːn] 동
go의 과거 분사.

He has *gone* far away. 그는 멀리 가버렸다.

All *gone*. 하나도 남지 않았습니다. ▶「잘 먹었습니다」란 뜻으로,

주로 어린이들이 사용함.

*good [gud] 혱
비교 **better** [bétər]: 최상 **best** [best]

❶ 좋은, 착한; 질이 좋은, 훌륭한 (⇔ bad 나쁜).

He must be *good* and honest. 그는 선량하고 정직함에 틀림없다.

We are *good* friends. 우리는 좋은 친구이다.

I have a *good* bicycle. 나는 좋은 자전거를 가지고 있다.

That's a *good* idea. 그것은 훌륭한 생각이다.

Be a *good* boy! 얌전하게 있어라; (말 잘 듣는) 착한 아이가 되어라.

참고 good을 쓴 인사에는 다음과 같은 것이 있다.
Good morning. 아침 인사/
Good afternoon. 낮 인사/
Good evening. 저녁 인사/
Good night. 밤에 헤어질 때의 인사.

---

❷ (음식이) 맛있는(= delicious).

This pie is very *good*. 이 파이는 대단히 맛있다.

It smells *good*. 구수한 냄새가 난다.

❸ 도움이 되는, 적합한.

Rain is *good* for trees and flowers. 비는 나무와 꽃에 좋다.

Is that movie *good* for children? 저 영화는 아이들에게 적합하냐?

This water is *good* to drink. 이 물은 마시기에 적합하다.

❹ 친절한, 상냥한(=kind).

Be *good* to others. 남에게 친절히 대해라.

How *good* of you! 친절하군요!

It's *good* of you to invite us. 우리를 초대해 주셔서 감사

합니다.

❺ 잘 하는, 유능한, (솜씨가) 뛰어난(⇔ bad, poor 서투른, 잘 못하는).

My mother is a very *good* cook. 나의 어머니는 요리 솜씨가 뛰어나다.

He is a *good* driver.
그는 운전을 잘 한다.

❻ 즐거운, 유쾌한.

I had a very *good* time last night.
나는 어젯밤에 매우 즐거운 시간을 보냈다.

It's *good* to see you again.
너를 다시 보게 되어 기쁘다.

❼ 충분한, 꽤많은. ▶ 명사 앞에서 a good의 형태로 쓰임.

have a *good* sleep 충분한 잠을 자다.

Did you have a *good* rest after the hard work? 너는 그 힘든 작업 후에 충분한 휴식을 취했느냐?

❽ (일정 기간 동안) 유효한.

This ticket is *good* for two days. 이 표는 이틀간 유효하다.

as good as …와 다름없는, …와 같은.

He is *as good as* dead.
그는 죽은 것이나 다름없다.

*****be good at*** …을 잘 하다.

Jane *is good at* sports.
제인은 운동을 잘한다.

I *am good at* English, but I am poor at math. 나는 영어는 잘 하지만 수학은 잘 못 한다.

do … good =**do good to** …에게 이롭다〔도움이 되다〕.

Take this medicine. It'll *do* you *good*.
이 약을 먹어라. 너에게 효험이 있을 게다.

Good for you. 잘 했다, 축하한다.

Good luck! 행운을 빈다; 안녕《헤어질 때 인사》.

look good (아무가) **좋아 보이다**; (옷 따위가) **잘 어울리다.**

You *look good* in that sweater. =That sweater *looks good* on you. 그 스웨터는 너에게 잘 어울린다.

── 명 《a와 복수형 안 씀》 **선**(善)(⇔ evil 악); **착한 일; 이익, 득**(得).

Always try to do *good*.
항상 좋은 일을 하도록 노력하여라.

What is the *good* of doing it? 그런 일을 해서 무슨 득〔소용〕이 있느냐?

It is no *good* talking to him. 그에게 이야기해 봤자 헛수고다.

good-by [gùdbái] 〔감〕

안녕; 안녕히 가〔계〕십시오.

Please write to me. *Good-by.* 편지해 다오. 잘 있어라.

── 명 〔복수〕 **good-bys** [gùdbáiz]
헤어질 때의 인사, 작별.

They said *good-by* to one another. 그들은 서로 작별 인사를 했다.

▶ good-bye로도 씀.

> 〔참고〕 **Good-by.와 So long.**
> Good-by.는 God be with you! (하느님께서 함께 하시기를!)의 단축형으로서 가장 일반적인 작별 인사이다.
> So long.은 구어적인 말투로, 친한 친구 사이에서 흔히 사용되는 작별 인사.

good·look·ing [gùdlúkiŋ] 〔형〕

〔비교〕 **more good-looking;** 〔최상〕 **most good-looking**
얼굴이 잘 생긴, 미모의.

She is a *good-looking* girl.
그녀는 얼굴이 예쁜 소녀다.

good·ness [gúdnis] 〔명〕

《a와 복수형 안 씀》 **친절, 장점.**
The man did not have any

goodness in him.
그 남자는 친절한 마음이라고는
조금도 없었다.
── 〔감〕 **어이구!, 저런!, 어머나.**
Oh, my *goodness!* 아, 저런!
Thank *goodness!* 고마워라!,
황송하구!

goods [gudz] 〔명〕
《복수 취급》 **상품, 물품.**
canned *goods* 통조림류(類).
leather *goods* 피혁 제품.
Many kinds of *goods* are
sold at department stores.
백화점에서는 많은 종류의 상품을
판다.

good·will [gúdwíl] 〔명〕
《a와 복수형 안 씀》 **호의, 친절심,
친선.**
a *goodwill* visit to Canada
캐나다 친선 방문.

goose [gu:s] 〔명〕
〔복수〕 **geese** [gi:s]
거위.
A *goose* has a longer neck
than a duck. 거위는 오리보다
목이 길다.

〔참고〕 기러기 (**wild goose**)를
사육하여 길들인 것으로, 오리
(**duck**)보다는 크고 백조
(**swan**)보다는 작다. 「이솝 이
야기(**Aesop's Fables**)」에, 황
금 알을 낳는 거위를 기르고 있
는 사내가, 욕심에 눈이 어두
워, 한꺼번에 많은 황금 알을
얻고자 거위를 잡아 죽였다는
이야기가 있다. 이로부터 **kill
the goose that lays the**

golden eggs (목전의 이익을
위해 장래의 이익을 버리다)란
표현이 생겨났다. 또 영국의 전
승 동요집 「Mother Goose」도
유명하다.

go·ril·la [gərílə] 〔명〕
〔복수〕 **gorillas** [gəríləz]
고릴라 《아프리카산》.

gos·sip [gásip] 〔명〕
〔복수〕 **gossips** [gásips]
소문, 잡담, 한담.
Don't believe that *gossip*.
그런 소문을 믿지 마라.
She is very fond of *gossip*.
그녀는 잡담을 대단히 좋아한다.

***got** [gat] 〔동〕
get의 과거·과거 분사.
I *got* up at seven this
morning. 오늘 아침에 나는 7시
에 일어났다.
As soon as I *got* there, I
wrote to him. 나는 거기 도착
하자마자 그에게 편지했다.

got·ten [gátn] 〔동〕
get의 과거 분사의 하나.
It has *gotten* quite late.
꽤 늦었다.

gov·ern [gávərn] 〔타〕
〔3·단·현〕 **governs** [gávərnz];
〔ing형〕 **governing** [gávəriŋ];
〔과거〕〔과분〕 **governed** [gávərnd]
(나라·국민)**을 다스리다, 통치하
다; 관리하다.**

Who *governs* that country?
누가 그 나라를 다스리느냐?

The King *governed* his country very wisely. 왕은 자기 나라를 매우 현명하게 다스렸다. ☞ 똉 government

***gov·ern·ment** 똉 [gʌ́vərnmənt]
governments [gʌ́vərnmənts] 복수

❶ 《a와 복수형 안 씀》 정치, 통치.

democratic *government* 민주 정치.

government of the people, by the people, for the people 인민의, 인민에 의한, 인민을 위한 정치《미국 제 16대 대통령 링컨(Lincoln)이 게티즈버그에서 행한 연설 (Gettysburg Address [gétizbərːg ədrés]의 유명한 한 구절)》.

❷ 《종종 **Government**로》 정부.
the Korean *Government* 한국 정부. ☞ 똉 govern

gov·er·nor 똉 [gʌ́vərnər]
복수 **governors** [gʌ́vərnərz]
(미국의) **주지사**; (영국 식민지의) **총독**.

He is the *Governor* of the State of California. 그는 캘리포니아 주지사이다.

gown [gaun] 똉
복수 **gowns** [gaunz]
헐거운 긴 웃옷, 가운.

She is wearing a beautiful *gown*. 그녀는 아름다운 가운을 입고 있다.

grab [græb] 탸
3·단·현 **grabs** [græbz];
ing형 **grabbing** [græbiŋ]; 과거
과분 **grabbed** [græbd]
…을 움켜잡다, 붙잡다, 잡아채다.

He *grabbed* me by the arm. 그는 나의 팔을 움켜잡았다.

grace [greis] 똉
복수 **graces** [gréisiz]
❶ 《a와 복수형 안 씀》 (동작·태

도 따위의) **우미, 우아, 기품.**

Mary danced with *grace* at the party.
메리는 파티에서 우아하게 춤을 추었다.

❷ (식사 전후의 짧은) **감사 기도.**

Would you please say *grace*? 감사 기도를 하여 주시겠습니까?

> 참고 영미에서는 식사 전후에 하느님께 짧은 감사의 기도를 드린다. 이것을 say (a) grace 라고 한다. 우리말의 「감사히 잘 먹겠[었]습니다」가 이에 해당된다고 하겠다.

grace·ful [gréisfəl] 휑 비교
more graceful;
최상 most graceful
우미한, 우아한, 품위 있는.

Susie is a *graceful* dancer.
수지는 우아한 무용가이다.

***grade** [greid] 똉
복수 **grades** [greidz]
❶ 등급, 계급, 정도.

grade A, 등급 A: A급.

Whisky is sold in *grades*.
위스키는 등급별로 판매된다.

The girl has a high *grade* of intelligence. 그 소녀는 고도의 지성을 지니고 있다.

❷ (초·중·고등 학교의) 학년, …년생.

What *grade* are you in?
너는 몇 학년생이냐?

I am in the ninth *grade*.
나는 중학교 3학년생이다.

Miss Han teaches the first *grade* at school. (= Miss Han is the first-grade teacher.) 한선생님은 1학년생을 가르친다.

> 참고 미국에서는 초등 학교, 중학교, 고등 학교의 학년을 계속시켜, 초등 학교 1학년을 first grade, 중학교 1학년을 sev-

G

enth grade, 고등 학교 1학년
을 tenth grade라고 하며,
twelfth grade 까지 있다.

❸ (학생의) **성적, 평점.**
▶ 영국에서는 mark라 함.
He always got high *grades*
in math. 그는 언제나 수학 성
적이 좋았다.
She get a *grade* of eighty
in English. 그녀는 영어에서 80
점을 받았다.

grad·er [gréidər] 명 복수
graders [gréidərz]
···학년생.
a seventh *grader* 중학 1년생.

grade school [gréid skù:l] 명 복수
grade schools [gréid skù:lz]
초등 학교(=elementary school).
▶ 영국에서는 primary school이
라고 함.

grad·u·al [grǽdʒuəl] 형
점차적인, 점진적인.
The *gradual* progress has
been made in his study. 그
의 연구는 점차적으로 발전되었다.

grad·u·al·ly [grǽdʒuəli] 부
점점, 점차.
Gradually he became fa-
mous. 그는 점차 유명해졌다.

grad·u·ate [grǽdʒuèit] 자
3·단·현 graduates [grǽdʒuèits] :
ing형 graduating [grǽdʒuèitiŋ] :
과거 과분 graduated [grǽdʒuèitid]
졸업하다.
graduate with honors 우등으
로 졸업하다.
His father *graduated* from
Yale in 1945. 그의 아버지는
1945년에 예일 대학을 졸업하였
다.

참고 미국에서는 어떤 학교를
졸업하든지 graduate란 말을

쓰나, 영국에서는 대학을 졸업
할 때에만 graduate를 쓰고,
그 밖의 학교를 졸업할 때에는
leave school이라고 한다.

── [grǽdʒuit] 명 복수 gradu-
ates [grǽdʒuits]
❶ **졸업생.** ▶ 영국에서는 대학 졸
업생만을 가리킴.
He is a high school *grad-
uate*. 그는 고등 학교 졸업자다.
❷ **대학원생.**
He is a *graduate* student.
그는 대학원생이다.
▶ 동사와 명사의 발음이 다름에
주의.

grad·u·a·tion [grǽdʒuéiʃən] 명
《a와 복수형 안 씀》 **졸업.**
After *graduation* from junior
high school, he went to
senior high school. 중학교를
졸업하고 그는 고등 학교에 갔다.

***grain** [grein] 명
복수 grains [greinz]
❶ 《a와 복수형 안 씀》 (밀 따위
의) **곡물.**
My father grows *grain*.
나의 아버지는 곡식을 재배한다.
Our country buys a lot of
grain from the U.S. 우리 나
라는 대량의 곡물을 미국으로부터
구매한다.
❷ (곡물·모래 따위의) **낱알.**
grains of sand 모래알.
You dropped a few *grains*
of rice. 너는 쌀 몇 낱알을 떨어
뜨렸다.

***gram** [grǽm] 명
복수 grams [grǽmz]
그램 《무게의 단위》. ▶ 영국에서
는 gramme으로 씀. 약어는 g
또는 gm, gr.

***gram·mar** [grǽmər] 명
《a와 복수형 안 씀》 **문법.**
The student is learning
English *grammar*. 그 학생은

영어 문법을 배우고 있다.

grand [grænd]
형

비교 **grander** [grǽndər] : 최상
grandest [grǽndist]
❶ 웅대한, 장대한.
Look at this *grand* view.
이 장엄한 전망을 보아라.
❷ 훌륭한, 위엄 있는.
There was a picture of a
grand old man on the
wall. 벽에 위엄 있는 노인의 그림
이 걸려 있었다.

Grand Can·yon [grænd
kǽnjən]
명 《the를 붙여》 그랜드 캐니언.

참고 미국 애리조나주 북서부의
콜로라도강을 따라 형성되어 있
는 대협곡으로서, 전체 길이가
450 km에 이른다. 이 일대는
미국에서 손꼽히는 국립 공원의
하나이다.

grand·child [grǽndtʃàild]
명 복수 **grand-
children** [grǽndtʃìldrən]
손자, 손녀.
He has ten *grandchildren*.
그는 손자와 손녀가 열 명 있다.

grand·chil·dren [grǽnd-
tʃìldrən]
명 **grandchild**의 복수.

grand·daugh·ter [grǽnd-
dɔ̀ːtər]
명 복수 **granddaughters** [grǽnd-
dɔ̀ːtərz]
손녀(⇨ grandson 손자).
Mr. and Mrs. Green have
two *granddaughters*. 그린씨
부부에게는 손녀가 둘 있다.

gran·deur [grǽndʒər]
명
《a와 복수형 안 씀》 웅대, 장엄.
He wrote about the *grandeur*
of the Rocky Mountains.
그는 로키 산맥의 웅대한 모습에
관하여 썼다.

*grand·fa·ther [grǽndfàː-
ðər] 명
복수 **grandfathers** [grǽndfàːðərz]
할아버지(⇨ grandmother 할머
니).
My *grandfather* died when
I was ten. 할아버지는 내가 열
살 때 돌아가셨다.

grand·ma [grǽndmàː]
명
복수 **grandmas** [grǽndmàːz]
할머니(=grandmother). ▶ 어린
이말로, 호칭으로도 씀.

*grand·moth·er [grǽndmʌð-
ər] 명 복수
grandmothers [grǽndmʌðərz]
할머니(⇨ grandfather 할아버
지).
My *grandmother* lives in
Jeju-do. 나의 할머니는 제주도에
살고 계신다.

grand·pa [grǽndpàː]
명
복수 **grandpas** [grǽndpàːz]
할아버지(=grandfather). ▶ 어
린이말로, 호칭으로도 씀.
We had a big party for
grandpa's 60th birthday.
우리는 할아버지의 60회 생신을
위해 큰 잔치를 했다.

grand·par·ent [grǽndpɛ̀ə-
rənt] 명
복수 **grandparents** [grǽndpɛ̀ə-
rənts]
할아버지, 할머니; 《복수형으로》
조부모.

G

Do you have *grandparents*?
너는 조부모님이 계시느냐?

grand·son [grǽn*d*sÀn]
명

복수 **grandsons**[grǽn*d*sÀnz]
손자(⇨ granddaughter 손녀).
Mrs. White has four *grand-sons*. 화이트 부인에게는 손자가
넷이 있다.

grant [grǽnt]
타

3·단·현 **grants**[grǽnts]; ing형
granting [grǽntiŋ]; 과거 과분
granted [grǽntid]
(요구 따위)를 들어주다; (권리 따
위)를 주다; 인정하다.
Father *granted* me my
request. 아버지께서는 나의 요구
를 들어주셨다.
Lincoln *granted* the slaves
freedom. 링컨은 노예들에게 자
유를 주었다.

* **grape** [greip] 명
복수 **grapes**[greips]
포도.
I like *grapes* very much.
나는 포도를 매우 좋아한다.
Wine is made from *grapes*.
포도주는 포도로 만들어진다.

어법 a grape 는 「한 알의 포
도」를 가리킨다. 송이로 되어
있는 포도는 복수형 grapes
또는 a bunch of grapes 라
고 한다.

grape·fruit [gréipfrùːt]
명
복수 **grapefruit** 또는 **grape-fruits**[gréipfrùːts]
그레이프프루트, 자몽.

참고 미국의 플로리다, 캘리포
니아 등지의 명산물로 여름 밀
감 비슷한 과일. 아침 식탁에서
주스로 즐겨 마심.

graph [grǽf] 명
복수 **graphs**[grǽfs]
그래프, 도표.
graph paper 모눈종이.
Draw a *graph* of the tem-perature on the hottest
day last month. 지난 달의 가
장 더웠던 날의 온도를 그래프로
그려라.

graph·ics [grǽfiks] 명
그래프픽스, 그림.
graphics design 그래픽 디자
인.

grasp [grǽsp]
타

3·단·현 **grasps**[grǽsps]; ing형
grasping [grǽspiŋ]; 과거 과분
grasped [grǽspt]
❶ …을 움켜쥐다, 붙잡다.
You must *grasp* this rope.
너는 이 밧줄을 꽉 잡아야 한다.
He *grasped* both my hands.
그는 내 양손을 붙잡았다.
❷ …을 이해하다 (=under-stand).
I can't *grasp* the meaning
of this sentence.
나는 이 문장의 뜻을 이해할 수
없다.

* **grass** [grǽs]
명
《a와 복수형 안 씀》풀, 목초; 잔
디(밭), 초원.
cut the *grass* 풀을 깎다.
leaves of *grass* 풀잎.
We saw cattle feeding on
the *grass*.
우리는 소가 목초를 뜯어 먹고 있
는 것을 보았다.
Keep off the *grass*. 《게시》
잔디밭에 들어가지 마시오.
The *grass* is always green-

er on the other side of the fence. 《속담》울타리 너머 잔디가 언제나 더 푸르다《남의 떡이 더 커 보인다》.

grass·hop·per [grǽshà-pər] 명
복수 grasshoppers[grǽshàpərz]
메뚜기, 여치.
A *grasshopper* is jumping in the grass. 메뚜기가 잔디밭에서 뛰고 있다.

메뚜기   여치

grate·ful [gréitfəl] 형
비교 more grate-ful; 최상 most grateful
고마워하는(=thankful).
I am *grateful* to you for your help.
도와 주셔서 감사합니다.
He was *grateful* to her for her kindness. 그는 그녀의 친절을 고맙게 여겼다

grave¹ [greiv] 명
복수 graves[greivz]
묘, 무덤.
His body was buried in a *grave* on the hill.
그의 시체는 언덕 위에 있는 묘에 묻혔다.
On Chuseok Korean people visit their ancestor's *graves* to thank them for a good harvest. 추석에 한국 사람들은 풍작에 대해 감사드리기 위해 성묘하러 간다.

grave² [greiv] 형
비교 graver [gréivər]; 최상 gravest[gréivist]
중대한; 진지한, 엄숙한.
grave news 중대한 뉴스.
a *grave* situation〔problem〕중대한 사태〔문제〕.
He looked *grave* when he

told us the news. 그 소식을 전할 때 그는 엄숙한 얼굴을 하고 있었다.

grave·yard [gréivjà:rd] 명
복수 graveyards[gréivjà:rdz]
묘지.
We visit our family *grave-yard* on Chuseok.
우리는 추석에 가족 묘지를 찾아간다.

grav·i·ty [grǽvəti] 명
❶《a와 복수형 안 씀》중력, 인력.
the center of *gravity* 중심(重心).
❷《a와 복수형 안 씀》진지함, 중대함.
The *gravity* of the situation has been increased by his death. 정세는 그의 죽음으로 더 중대해졌다.

*gray [grei] 형
비교 grayer[gréiər]; 최상 grayest [gréiist]
회색의, 쥐색의, 희끗희끗한, 백발이 성성한.
Suddenly the sky became *gray*. 갑자기 하늘이 잿빛으로 변했다.
He was an old man with *gray* hair. 그는 머리가 희끗희끗한 노인이었다.
── 명《a와 복수형 안 씀》회색, 쥐색; 회색 옷.
She was dressed in *gray*.
그녀는 회색 옷을 입고 있었다.
▶ 영국에서는 grey로 씀.

graze¹ [greiz] 타·자
3단·현 grazes[gréiziz]; ing형 grazing [gréiziŋ]; 과거 과분 grazed[greizd]
(가축이) 〈풀을〉뜯어먹다; (가축에게) 풀을 뜯어먹게 하다.
Several horses *grazed* the meadow. 몇몇의 말들이 풀을 뜯어 먹었다.

graze² [greiz]
타

[3·단·현] **grazes** [gréiziz] ; [ing형]
grazing [gréiziŋ] ; [과거] [과분]
grazed [greizd]

…을 스쳐 지나가다, (살갗을) 스
쳐 벗기다.

A bullet *grazed* his arm. 총
알이 그의 팔을 스쳐 지나갔다.
I fell and *grazed* my knee.
나는 넘어지면서 무릎을 벗겼다.

**great [greit] [형]
[비교] **greater** [gréitər] ;
[최상] **greatest** [gréitist]

❶ 위대한, 훌륭한.
He became a *great* musi-
cian. 그는 훌륭한 음악가가 되었
다.
In our long history, we
have many *great* men.
우리의 오랜 역사 속에는 많은 위
인들이 있다.
❷ 큰, 거대한; 중요한.
a *great* success 대성공.
There was a *great* earth-
quake in Japan. 일본에 큰 지
진이 있었다.
❸ 굉장한, 멋진, 근사한.
I feel *great*.
아주 기분이 좋다.
That's *great*.
그것 참 근사하다.
What a *great* game it is!
참으로 굉장한 경기다!
We are having a *great* time
here. 우리는 이곳에서 즐거운 시
간을 보내고 있다.
a great deal 대단히(=very
much).
We owe him *a great deal*.
우리들은 그에게 크게 신세를 지
고 있다.
a great deal of 《셀 수 없는
명사와 함께》 다량의.
She spent *a great deal of*
money. 그녀는 많은 돈을 썼다.
*a great many 《복수 명사와 함
께》 많은.

He has a *great many*
stamps. 그는 많은 우표를 가지
고 있다.

Great Brit·ain [gréit brítən]
명

대(大)브리튼(섬).

[참고] Great Britain은 잉글랜
드 (England), 스코틀랜드
(Scotland [skátlənd]), 웨일스
(Wales [weilz])의 총칭. 종종
영국의 국명 대신으로 쓰인다.
☞ United Kingdom

Great Lakes [gréit léiks]
명

《the를 붙여》 5대호《캐나다와 미
국의 경계에 있는 다섯 개의 큰
호수》.

[참고] 5대호란 슈피리어호(Lake
Superior [səpíəriər]), 미시간
호 (Lake Michigan [míʃi-
gən]), 휴런호(Lake Huron
[hjúərən]), 이리호(Lake Erie
[íəri]), 온타리오호 (Lake
Ontario [antɛ́əriòu]).

great·ly [gréitli] [부]
크게, 대단히.
She was *greatly* surprised
at the news. 그녀는 그 소식을
듣고 대단히 놀랐다.

Greece [griːs] 명
그리스.

[참고] 유럽 남동부에 있는 공화
국. 면적은 131,944 km²로 우
리 나라의 약 3분의 2. 수도는
아테네(Athens [ǽθinz])로 전
인구의 4분의 1이 여기에 집결
되어 있다. 옛날에는 유럽 문명
의 중심지였다.

greed·y [gríːdi] [형]
[비교] **greedier** [gríːdi-
ər] ; [최상] **greediest** [gríːdiist]
욕심 많은, 탐욕스러운.

That old man is very *greedy*. 저 노인은 매우 욕심이 많다.

Greek [griːk] 〔형〕
그리스의; 그리스 사람의; 그리스어의.

My brother is interested in *Greek* history. 형님은 그리스 역사에 흥미를 가지고 있다.
—— 〔명〕 〔복수〕 **Greeks**[griːks]
❶ 그리스 사람.
the *Greeks* 그리스 사람《전체》.
❷ 《a와 복수형 안 씀》 그리스 말.
Mr. Brown can read both *Greek* and Latin. 브라운 선생님은 그리스어도 라틴어도 다 읽을 줄 아신다.

green [griːn] 〔형〕
〔비교〕 **greener**[gríːnər] : 〔최상〕 **greenest**[gríːnist]
❶ 녹색의, 초록의, 푸르디 푸른.
I love the blue skies and the *green* grass. 나는 푸른 하늘과 녹색의 풀밭을 좋아한다.
Our house has a *green* roof. 우리 집 지붕은 녹색이다.

〔참고〕 우리말에서는 「푸른」이라고 하는데 영어에서는 색의 구별을 확실히 하여 blue라고 하지 않고 green이라고 할 때가 있다.
푸른 신호등 → *green* light
푸른 잎 → *green* leaves
푸른 사과 → *green* apple

---

❷ 익지 않은; 미숙한, 풋내기의.
green bananas 〔fruits〕 익지 않은 바나나〔과일〕.
❸ 질투심 많은; (안색이) 창백한.
be *green* with envy 질투로 얼굴이 창백하다.
—— 〔명〕 〔복수〕 **greens**[griːnz]
❶ 《a와 복수형 안 씀》 녹색; 녹색 옷.
dark 〔light〕 *green* 짙은〔연한〕 녹색.
The girl was dressed in

green. 소녀는 녹색 옷을 입고 있었다.
❷ 《복수형으로》 청과물, 푸성귀.
You should eat more *greens*. 너는 야채를 더 먹어야 한다.
❸ 풀밭, 녹지, 잔디.
a village *green* 마을의 녹지.

Green [griːn] 〔명〕
그린《사람의 성》.

green·house [gríːnhàus] 〔명〕
〔복수〕 **greenhouses**[gríːnhàuziz]
온실.
My uncle grows many plants in his *greenhouse*. 아저씨는 온실에 많은 식물을 가꾸신다.

Green·land [gríːnlənd] 〔명〕
그린란드.
Most of *Greenland* looks white. 그린란드 대부분이 하얗게 보인다.

〔참고〕 캐나다 북동쪽에 있는 세계에서 제일 큰 섬. 면적의 80% 이상이 대빙원이며 덴마크령이다.

Green·wich [gríniʤ, -nits] 〔명〕
그리니치.

〔참고〕 런던 남동부에 있는 마을. 본초 자오선의 기점인 왕립 천문대가 있던 곳. 이곳을 지나는 자오선이 경도 0°이므로, 이를 근거로 측정된 시각이 세계 표준시가 된다.

그리니치의 왕립 천문대 정문

greet [griːt] 타
③·단·현 **greets** [griːts] ;
ing형 **greeting** [gríːtiŋ] ; 과거
과분 **greeted** [gríːtid]
…에게 인사하다, …을 맞이하다.
He *greeted* me in English.
그는 영어로 나에게 인사했다.
Mrs. Brown *greeted* me
with a smile. 브라운 부인은
미소지으며 나를 맞았다.

***greet·ing** [gríːtiŋ] 명
복수 **greetings** [gríːtiŋz]
인사, 《복수형으로》 **인사말, 인사
장.**
a *greeting* card 축하〔인사〕장.
She gave me a friendly
greeting. 그녀는 나에게 다정한
인사를 하였다.
Season's *Greetings*! 성탄을 축
하합니다《크리스마스 카드의 인사
말》.
I sent her birthday *greet-
ings* yesterday. 어제 그녀에게
생일 축하장을 보냈다.

***grew** [gruː] 동
grow의 과거.

grey·hound [gréihàund] 명
복수 **greyhounds** [gréihàundz]
❶ 그레이하운드《발이 길고 빠른
사냥개》.

❷ 《Greyhound로》 그레이하운드
《미국 전국을 연결하는 장거리 버
스 회사 이름》.

grief [griːf] 명
《a와 복수형 안 씀》 **깊은
슬픔, 비통.**
His parents' *grief* was
deep. 그의 부모의 슬픔은 컸다.
Good *grief*! 아이고, 맙소사!

grind [graind] 타
③·단·현 **grinds** [graindz] ;
ing형 **grinding** [gráindiŋ] ; 과거
과분 **ground** [graund]
(곡물 따위)**를 가루로 만들다, 빻
다; (**맷돌로) **타다; (**칼·유리 따
위)**를 갈다.**
She is *grinding* the corn
into flour. 그녀는 옥수수를 빻
아서 가루로 만들고 있다.
I must *grind* this ax.
나는 이 도끼를 갈아야 한다.

gro·cer [gróusər] 명
복수 **grocers** [gróusərz]
식료품 상인.
His father is a *grocer* here.
그의 아버지는 이 곳의 식료품 상
인이다.

gro·cer·y [gróusəri] 명
복수 **groceries** [gróusəriz]
❶ 《복수형으로》 **식료 잡화류.**
I hurried back with *gro-
ceries*. 나는 식료품을 가지고 부
지런히 돌아왔다.
❷ **식료 잡화점**(=grocery store).
The nearest *grocery* is on
Second Street. 가장 가까운 식
료 잡화점은 2번가에 있다.

****ground**¹ [graund] 명
복수 **grounds** [graundz]
❶ 《the를 붙여》 **땅, 지면, 토지.**
lie on the *ground* 땅에 눕다.
fall to the *ground* 땅에 넘어
지다.
The *ground* was covered
with snow. 땅은 눈으로 덮여
있었다.
❷ (특정 목적용의) **운동장, 그라
운드, …장**(場), **…터.**

a baseball 〔football〕 *ground*
야구〔축구〕장.
a hunting *ground* 사냥터.
❸ 《종종 복수형으로》 근거.
We have good *grounds* for
believing it. 우리는 그것을 믿을
만한 충분한 근거가 있다.

ground² [graund]
동
grind의 과거 · 과거분사.

*****group** [gru:p] 명
복수 **groups**[gru:ps]
그룹, 무리, 동아리, 집단.
We studied in *groups*.
우리는 그룹을 지어 공부했다.
We traveled in a *group*.
우리는 한 무리가 되어 여행했다.
── 동 3·단·현 **groups**[gru:ps];
ing형 **grouping** [grú:piŋ]; 과거
과분 **grouped** [gru:pt]
자 모이다.
The boys and girls *grouped*
around their teacher. 소년 소
녀들은 선생님의 곁에 모였다.
── 타 …을 모으다.
He *grouped* his students
together. 그는 학생들을 모았다.

*****grow** [grou] 동
3·단·현 **grows** [grou:z];
ing형 **growing** [gróuiŋ]; 과거
grew[gru:]; 과분 **grown**[groun]
자 ❶ (생물이) 성장하다, 자라다,
(크기 · 양 따위가) 커지다, 증대
하다.
Children *grow* rapidly.
아이들은 빨리 자란다.
Rice *grows* in warm cli-
mates. 쌀은 따뜻한 지방에서 성
장한다.
The field mice are *growing*
in number. 들쥐의 수가 증가하
고 있다.
❷ 《**grow**＋형용사로》 …이 되다
(＝become).
She *grew* old.
그녀는 나이를 먹었다.
It began to *grow* dark.
어두워지기 시작했다.

You will *grow* wiser every
day. 너는 매일 더 현명해질 것이
다.
── 타 …을 재배하다, 기르다.
She *grows* roses in her
garden. 그녀는 정원에 장미를
재배한다. ☞ 명 growth
grow into (성장하여) …이 되다.
Later the town *grew into* a
large city. 후에 그 작은 도시는
대도시가 되었다.
*****grow up** 커지다, 어른이 되다.
He *grew up* to be a great
man. 그는 자라서 위대한 사람이
되었다.
What do you want to be
when you *grow up*? 너는 커
서 무엇이 되고 싶으냐?

*****grown** [groun] 동
grow의 과거 분사.
The corn has *grown* very
tall. 옥수수는 키가 많이 자랐다.

growth [grouθ] 명
《a와 복수형 안 씀》
성장, 발육, 발달, 발전, 증대.
the rapid *growth* of pop-
ulation 인구의 급증.
They studies the *growth* of
beans. 그들은 콩의 성장을 조사
하였다.
They were surprised at the
city's rapid *growth*. 그들은 그
도시의 급속한 발전에 놀랐다.
☞ 동 grow

guar·an·tee [gæ̀rəntí:]
복수 **guarantees**[gæ̀rəntí:z]
보증; 보증하는 것, 담보.
a two-year *guarantee* on
the camera 카메라에 대한 2년
간의 보증서.
── 타 3·단·현 **guarantees**[gæ̀-
rəntí:z]; ing형 **guaranteeing**[gæ̀-
rəntí:iŋ]; 과거 과분 **guaranteed**
[gæ̀rəntí:d]
…을 보증하다, 보장하다.
This radio is *guaranteed* for
two years. 이 라디오는 2년간

보증이 되어 있다.

***guard** [gɑːrd] 명
복수 **guards** [gɑːrdz]

❶ 파수꾼, 위병, 경비원, (군대의) 보초.

Two *guards* watched the gate of the house. 두 사람의 경비원이 그 집의 문을 지켰다.

We watched the changing of the *guard*. 우리는 위병의 교대 의식을 보았다.

❷ 《a와 복수형 안 씀》 경계, 감시.

He was kept under close *guard*. 그는 엄중히 감시를 받았다.

on guard 당번으로.

The soldier was *on guard* all the time. 그 병사는 내내 당번이었다.

on one's guard 경계하여, 조심하여.

Be *on your guard* against pickpockets [píkpàkits]. 소매치기를 조심하여라.

── 타·자 3·단·현 **guards** [gɑːrdz];
ing형 **guarding** [gɑːrdiŋ]; 과거
과분 **guarded** [gɑːrdid]

(…을) 지키다, 호위하다, 감시하다, 경계하다.

The dog *guarded* the blind man. 그 개는 맹인을 호위하였다.

We must *guard* against fires. 우리는 불조심을 하지 않으면 안 된다.

***guess** [ges] 동

3·단·현 **guesses** [gésiz]; ing형
guessing [gésiŋ]; 과거 과분
guessed [gest]

타 ❶ …을 추측하다, 어림잡다, 짐작하다.

I can't *guess* who has sent these flowers. 나는 이 꽃을 누가 보냈는지 짐작할 수가 없다.

Can you *guess* what I

have in my hand? 내가 손에 무엇을 가지고 있는지 알아맞혀 보아라.

❷ …라고 생각하다, 여기다(= think).

I *guess* that it will rain. 비가 올 것이라고 생각한다.

I *guess* I can do it. =I can do it, I *guess*. 그것을 할 수 있다고 생각한다.

I *guess* you are right. 네가 옳다고 생각한다.

── 자 추측하다, 짐작하다; 알아맞히다.

Can you *guess* at my weight? 내 체중을 짐작할 수 있겠느냐?

You didn't *guess* right. 너는 알아맞히지 못했다.

── 명 복수 **guesses** [gésiz]
추정, 억측.

make a *guess* 추측하다.

That's a lucky *guess*. 그것은 우연히 들어맞았다.

I did it by *guess*. 나는 추측으로 그렇게 하였다.

***guest** [gest] 명
복수 **guests** [gests]

❶ (초대된) 손님, 객(⇨ host 주인).

The *guest* has not arrived yet. 손님이 아직 도착하지 않았다.

You are my *guest*. 당신은 내 손님이오. ▶한턱 낼 때 흔히 쓰는 말.

❷ (호텔·식당의) 숙박인, 이용객; (라디오·TV의) 특별 출연자, 게스트.

Many hotel *guests* said they couldn't sleep last night because of noise. 많은 호텔 손님들이 소음 때문에 간밤에 잘 수가 없었다고 말했다.

─────────────

참고 **guest, visitor, customer, passenger**
우리말의 「손님」이 영어에서는

내용에 따라 그 표현이 달라진
다. 「초대받은 손님」은 guest,
「상용·관광 따위로 방문한 손
님」은 visitor, 「상점 따위의 단
골 손님」은 customer, 「비행
기·배 따위의 손님」은 pas-
senger이다.

guid·ance [gáidns] 명

《a와 복수형 안 씀》 **안내, 지도,
지휘.**
He studies under the *guid-
ance* of Dr. Kim.
그는 김박사의 지도 아래 연구하
고 있다.

***guide** [gaid] 명
복수 **guides**[gaidz]

❶ (여행 따위의) **안내인, 가이
드.**
Our *guide* showed us many
famous places. 우리 안내인은
유명한 곳을 많이 보여주었다.
Act as if you were his
tour *guide.* 너는 그의 관광 안
내인인 것처럼 행동해라.
❷ **여행 안내(서), 입문서.**
I have to buy a *guide* to
Seoraksan. 나는 설악산의 여행
안내서를 사야 한다.
This is a good *guide* to
English. 이것은 영어의 좋은 입
문서이다.
── 타 3·단·현 **guides** [gaidz];
ing형 **guiding**[gáidiŋ]; 과거 과분
guided[gáidid]
**…을 안내하다, 지도하다, 인도하
다.**
She *guided* me through
the city. 그녀는 나를 시내 곳곳
으로 안내했다.
Thank you very much for
guiding me in my work.
나의 일을 지도해 주셔서 대단히
감사합니다.

guilt·y [gílti] 형
비교 **guiltier**[gíltiər];
최상 **guiltiest**[gíltiist]

죄를 범한, **유죄의.**
Who is *guilty?*
누구에게 죄가 있느냐?
He was found *guilty.*
그는 유죄로 판결되었다.
He was *guilty* of stealing
cars. 그는 차를 훔치는 죄를 범
했다.

***gui·tar** [gitá:r] 명
복수 **guitars**[gitá:rz]

기타.

an electric *guitar* 전기 기타.
Mary plays the *guitar* quite
well. 메리는 기타를 곧잘 친다.

gui·tar·ist [gitá:rist] 명
복수 **guitarists**[gitá:rists]
기타 치는 사람, 기타 연주자.
He is a good *guitarist.*
그는 기타를 잘 친다.

gulf [gʌlf] 명
복수 **gulfs**[gʌlfs]
만. ▶bay보다 큰 것을 가리킴.
the *Gulf* of Mexico 멕시코
만.

gum [gʌm] 명
❶ 《a와 복수형 안 씀》 **고무.**
Gum is obtained from cer-
tain trees. 고무는 어떤 일정한
나무에서 채취된다.
❷ 《a와 복수형 안 씀》 **껌**(=
chewing gum).
Teachers forbid *gum.*
선생님들은 껌을 못 씹게 한다.

***gun** [gʌn] 명
복수 **guns**[gʌnz]
❶ **총포, 대포, 총, 엽총.**
an air *gun* 공기총.
a machine *gun* 기관총.
❷ **권총, 피스톨.**
The policemen in France

carry no *guns*. 프랑스의 경찰
관은 권총을 가지고 다니지 않는
다.

guy [gai] 명

복수 **guys**[gaiz]
사내, 녀석, 놈(= fellow).
He's a nice *guy*.
그는 좋은 녀석이다.

***gym** [dʒim] 명

복수 **gyms**[dʒimz]
체육관. ►gymnasium의 단축형.
Let's play basketball in the
gym. 체육관에서 농구를 하자.

gym·na·si·um [dʒimnéizi-əm] 명

복수 **gymnasiums** [dʒimnéizi-əmz] 또는 **gymnasia** [dʒim-néiziə]
체육관, 실내 체육관.

Gyp·sy [dʒípsi] 명

복수 **Gypsies**[dʒípsiz]
집시.
Gypsies live in many parts
of Europe. 집시는 유럽 각지에
살고 있다.

참고 집시는 방랑 생활을 하며
점이나 음악을 업으로 삼는 민
족으로, 유럽을 중심으로 세계
에 널리 흩어져 있다.

Hh H h

ha [hɑː] 〖감〗
❶ 하하《웃음 소리》.
Ha! Ha! What a funny joke! 하, 하, 참 재미있는 농담이구나!
❷ 하, 어머《놀람·기쁨 따위를 나타냄》.
Ha! I thought so!
어머! 나도 그렇게 생각했어!

*hab·it [hǽbit] 〖명〗
〖복수〗 **habits** [hǽbits]
버릇, 습관, 습성.
Smoking is a bad *habit*.
흡연은 나쁜 습관이다.
Habit is (a) second nature.
습관은 제 2의 천성이다.
I'm in the *habit* of going to bed early. 나는 일찍 자는 습관이 있다.

┌─ 〖비슷한 말〗 **habit과 custom** ─┐
│ habit은 주로 개인의 습관이나 │
│ 버릇을 뜻하고, custom은 지 │
│ 역 사회 또는 단체나 개인이 장 │
│ 기간에 걸쳐 형성시킨 규칙적인 │
│ 관습을 뜻한다. │
└────────────────────────┘

*had [həd; 강 hæd] 〖타〗 **have, has**의 과거·과거 분사.
He *had* some money.
그는 약간의 돈이 있었다.
We *had* a good time yesterday. 우리는 어제 즐거운 시간을 보냈다.
── 〖조〗 **have, has**의 과거.
❶ 《had+과거 분사로》…하여 버렸었다《완료·결과》: …한 적이 있었다《경험》: (죽) …해 왔었다《상태의 계속》.
The train *had* already *left* when I arrived at the station. 내가 정거장에 도착했을 때

에는 기차가 이미 떠나버리고 없었다.
I *had* never *seen* her before that time. 나는 그 이전에 그녀를 만난 적이 없었다.
She *had lived* in Seoul for two years when I met her. 내가 그녀를 만났을 때 그녀는 서울에서 2년 동안 살고 있었다.
❷ 《**had been** + 현재 분사로》 (죽) …을 하고 있었다《동작의 계속》.
She *had been doing* her work before the doorbell rang. 초인종이 울릴 때까지 그녀는 죽 일을 하고 있었다.
❸ 《가정법 과거 완료로 쓰여》 만일 …이었더라면《과거 사실에 대한 반대의 가정》.
If I *had been* there, I could have helped you. 만일 내가 거기에 있었더라면 너를 도울 수 있었을 텐데.
*had better …하는 편이 좋다.
☞ better
had to …하지 않으면 안 되었다.
I *had to* work last Sunday. 나는 지난 일요일에 일하지 않으면 안 되었다.
He *had to* hide in a storehouse. 그는 창고에 숨지 않으면 안 되었다.

┌─ 〖어법〗 **1.** had to는 must와 ─┐
│ have to의 과거형. │
│ **2.** had to do의 부정문, 의문 │
│ 형은 다음과 같이 된다. │
│ You *did not have to* do │
│ it. 그것을 하지 않아도 좋았다. │
│ *Did* you *have to* do it? 그 │
│ 것을 하지 않으면 안 되었느냐? │
└────────────────────────┘

H

H

***had·n't** [hǽdnt]
had not의 단축형.
Tom said that he *hadn't*
done his homework. 아직 숙
제를 하지 않았다고 톰이 말했다.

****hair** [hɛər] 명
복수 **hairs** [hɛərz]
❶ 《a와 복수형 안 씀》 **머리, 모
발; 털.** ➤ 모발이나 털을 통틀어
말함.
Your *hair* grows about
15 cm a year. 머리카락은 일년
에 약 15 cm 자란다.
What is the color of her
hair? 그녀의 머리털은 무슨 색이
냐?
I had my *hair* cut.
나는 이발을 했다.
❷ (하나하나의) **머리카락, 털.**
➤ 한 가닥의 머리카락은 a hair.
여러 가닥의 머리카락은 hairs가
됨.
I found a *hair* in my soup.
수프 속에 머리카락이 하나 들어
있었다.
He has a few gray *hairs*.
그는 새치가 좀 있다.

참고 서양 사람은 눈의 색깔과
마찬가지로 머리 색깔도 다양하
다. 여권·신분 증명서·경찰의
지명 수배서 따위에는 반드시
머리 색깔이 기재된다. 머리 색
깔에는 gray(반백), silver(은
발), blond(금발), brunet
[bru:nét] (거무스름한 머리),
black(흑발) 따위가 있다.

---

hair·brush [hɛ́ərbrʌ̀ʃ] 명
복수 **hairbrushes** [hɛ́ərbrʌ̀ʃiz]
머리솔, 헤어브러시.

hair·cut [hɛ́ərkʌ̀t] 명 복수
haircuts [hɛ́ərkʌ̀ts]
이발.
I need a *haircut*.
나는 이발을 해야겠다.
What kind of *haircut* would
you like? 어떻게 이발을 해드릴
까요?

hair·dress·er [hɛ́ərdrèsər]
명
복수 **hairdressers** [hɛ́ərdrèsərz]
미용사, 이발사.
go to the *hairdresser's* 미용
실에 가다.

뉴욕의 미용실

hair dryer [hɛ́ər dràiər] 명
복수 **hair dryers** [hɛ́ər dràiərz]
헤어 드라이어. ➤ hair drier 라고
도 씀; 간단히 drier 라고도 함.
She dried her hair with a
hair dryer. 그녀는 헤어 드라이
어로 머리를 말렸다.

hair·pin [hɛ́ərpìn]
복수 **hairpins** [hɛ́ərpìnz]
머리핀.
a pretty *hairpin* 예쁜 머리핀.

hair·spray [hɛ́ərsprèi]
명

複数 **hairsprays** [héərsprèiz] 헤어스프레이.

Don't use too much *hair-spray*. 헤어스프레이를 너무 많이 사용하지 마라.

*** half** [hæf] 副
절반(만큼), 반쯤, 반.

"What time is it?" "It's *half* past one." 「몇 시냐?」 「1시 반이다.」

He is *half* asleep.
그는 선잠 자고 있다.

Our village is *half* as large as yours. 우리 마을은 크기가 너의 마을의 반밖에 되지 않는다.

—— 名 複数 **halves** [hævz]
2분의 1; 30분; (경기의) **전반〔후반〕**.

an hour and a *half*, 1시간 반.
ten pounds and a *half* = ten and a *half* pounds, 10파운드 반.

Half of six is three.
6의 절반은 3이다.

They divided the rice in *half*. 그들은 쌀을 반으로 나누었다.

I get up at *half* past six.
나는 6시 30분에 일어난다.

The first *half* came to an end with the score, 35 to 35. 전반전은 35 대 35의 점수로 끝났다.

The second *half* began.
후반이 시작되었다.

語法 「half of+명사」에서 명사가 단수이면 단수로 취급하고, 복수이면 복수로 취급한다.

◑ *half* of the apple
→ 단수 취급

○○○ *half* of the apples
●●● → 복수 취급

Half of the apple *is* bad. 그 사과의 반쪽은 썩어 있다.

Half of the apples *are* bad. 그 사과들의 절반은 썩어 있다.

—— 形 절반의, **2분의 1의**.

half a mile = a *half* mile 반 마일.

It takes *half* an hour 〔a *half* hour〕 to walk there. 거기까지 걸어서 30분 걸린다.

Half the students were absent. 학생들의 절반이 결석이었다.

語法 half가 관사 a, an 앞에 오는 「half a+명사」의 형식이 보통이지만, 미국에서는 「a half+명사」로도 쓴다.

---

half time [héf tàim] 名
《a와 복수형 안 씀》 (축구·농구 따위의) 하프 타임, 중간 휴식.

half·way [héfwéi] 形
중도의, 중간의.

a *halfway* point 중간점.

—— 副 중도에, 중간에.

He never gives up his plans *halfway*. 그는 결코 계획을 중도에 포기하지 않는다.

We are *halfway* home already. 우리는 이미 집에 가는 길의 중간까지 왔다.

* **hall** [hɔːl] 名
複数 **halls** [hɔːlz]

❶ **공회당**, (공공의) 회관, **집회장**, **홀**.

a public *hall* 공회당.

a concert *hall* 연주회장.

The city *hall* is the third building from that corner. 시청은 그 모퉁이에서 세 번째 건물이다.

❷ **현관, 복도**.

Please take off your shoes in the *hall*. 현관에서 신발을 벗으시오.

I left my coat in the *hall*. 나는 코트를 현관에 놔 두고 왔다.

Tom walked through the *hall* to his bedroom. 톰은 복도를 지나 침실로 걸어갔다.

❸ (대학 등의) 강당, **식당**.

The dining *hall* was full.
식당은 만원이었다.
➤ hole[houl] (구멍)과 발음이 다름에 주의.

Hal·low·een [hæləwíːn] 명
모든 성인(聖人)의 날 전야 《10월 31일》.

> 참고 Hallowe'en으로도 쓴다. 성인이나 순교자의 넋을 제사 지내는 11월 1일의 모든 성인(聖人)의 날 (All Saints' Day)의 전야제로서, 가톨릭교도는 선조나 친척의 산소를 찾아본다. 아이들은 도깨비 탈을 쓰고, 호박의 속을 파내어 만든 초롱 (jack-o'-lantern) 따위를 들고 떼지어 동네 집들을 차례차례 찾아다니며 "Trick or treat." [trík ər tríːt] (장난을 할까요, 먹을 걸 주시겠어요?)라고 외친다. 집에 있는 어른들은 준비해 둔 과자나 과일을 아이들에게 선물한다. 이런 풍습은 주로 미국에서 행해진다.

halves [hævz] 명
half 의 복수.
by halves 반쯤.
Don't do anything *by halves*.
무슨 일이든 중도에 그만두지 마라.

ham¹ [hæm] 명
《a와 복수형 안 씀》 햄《소금에 절여 훈제한 돼지 고기》. ☞bacon

a slice of *ham* 한 조각의 햄.
ham and eggs 햄을 곁들인 달걀 요리.

ham² [hæm] 명
복수 hams[hæmz]
아마추어 무선사, 햄.

ham·burg·er [hǽmbəːrgər] 명
복수 hamburgers[hǽmbəːrgərz]
햄버거《으깬 고기를 둥글넙적하게 빚어서 구운 것. 또는 이것을 둥근 빵 사이에 끼워 넣어서 만든 샌드위치》.

> 참고 햄버거(hamburger)는 핫도그(hot dog)와 함께 미국의 전형적인 간이식의 하나인데, 이것은 독일의 함부르크(Hamburg) 지방의 으깬 고기 요리가 이민들에 의해 미국으로 전해진 것이라고 한다.

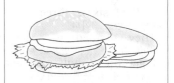

Ham·let [hǽmlit] 명
햄릿《셰익스피어의 4대 비극의 하나. 또 그 주인공의 이름》.

ham·mer [hǽmər] 명
복수 hammers[hǽmərz]
쇠망치, 해머; (투해머용의) 해머.
a power *hammer* 동력 망치.
Mr. White drove nails with a *hammer*. 화이트씨는 쇠망치로 못을 박았다. ➤ drive는「(못·말뚝 따위를) 박다」란 뜻.

ham·ster [hǽmstər] 명
복수 hamsters[hǽmstərz]
햄스터《일종의 큰쥐; 동유럽·아시아산》.
Hamsters are common pets.

햄스터는 흔한 애완 동물이다.

***hand** [hænd] 몡
     복주 **hands** [hændz]

❶ 손(⇨foot 발). ▶손목부터 손
끝까지의 부분.

Raise your *hand*.
손을 들어라.

She moved her right *hand*.
그녀는 오른손을 움직였다.

What do you have in your
hands? 너는 양 손에 무엇을 가
지고 있느냐?

They came out with their
hands up. 그들은 손을 들고 나
왔다.

❷ (시계의) 바늘.

A clock or watch has a
long *hand* and a short
hand. 시계는 긴 바늘과 짧은 바
늘이 있다.

The hour *hand* is shorter
than the minute *hand*.
시침은 분침보다 짧다.

❸ 쪽(=side). 편, 방면.

You will see a tall building
on your right *hand*. 오른쪽
에 높은 건물이 보일 것이다.

❹ 《보통 a를 붙여》 원조의 손,
도움; 박수.

Give me a *hand*. 나를 좀 도
와다오.
       ☞몡 **handful**, 혱 **handy**

***at hand** (시간적·장소적으로) 가
까이에.

Christmas is (near) *at
hand*. 크리스마스가 가까이 다가
왔다.

by hand (기계가 아닌) 손으로.

Jane received a letter written
by hand.
제인은 손으로 쓴 편지 한 통을
받았다.

This pot was made *by
hand*. 이 그릇은 손으로 만든 것
이다.

hand in hand 손을 마주 잡고; 협
력하여.

Jack and Betty were walk-

ing *hand in hand*. 잭과 베티
는 손을 잡고 걷고 있었다.

Hands off. (게시) 손대지 마시오.

on the other hand 그 반면에;
다른 한편으로는.

John likes math. *On the
other hand*, Jane likes sci-
ence. 존은 수학을 좋아한다. 그
반면에 제인은 과학을 좋아한다.

***shake hands with** …와 악수하다.

Mike *shook hands with*
Sangho. 마이크는 상호와 악수를
하였다.

참고 우리 생활에서도 거의 일
반화한 것이지만, 악수는 영미
인들에게 있어서 중요한 인사의
한 방법이다. 오른손으로 상대
의 손을 꼭 잡고는 가볍게 상하
로 몇 번 움직인다. 이 때 부끄
러운 듯이 눈을 내리뜨고 고개
를 숙이는 행동은 금물이다. 상
대의 눈을 부드럽게 바라보는
것이 에티켓이다.

── 타 3·단·현 **hands** [hændz];
ing형 **handing** [hǽndiŋ]; 과거
과분 **handed** [hǽndid]
…을 건네주다.

Mary *handed* today's paper
to her father. 메리는 오늘 신
문을 아버지께 드렸다.

hand in (서류 따위)를 제출하다.

Hand in your homework
tomorrow.
내일 숙제를 해서 내라.

hand·bag [hǽndbæg] 몡
     복주 **handbags** [hǽndbægz]
(여성용의) 핸드백, (여행용) 손
가방. ☞ **purse**

Mother carries her *hand-
bag* when she goes out.
어머니는 외출하실 때 핸드백을
가지고 나가신다.

hand·ball [hǽndbɔːl] 몡
《a와 복수형 안 씀》 핸드볼.

참고 미국식은 작은 공을 손으로 벽을 향해 던져, 튀는 공을 상대가 받게 하는 단식·복식의 실내 구기. 유럽식은 손으로 골을 향해 공을 던지는 팀 경기.

hand·book [hǽndbùk] 명

복수 **handbooks**[hǽndbùks]
안내(서), 편람, 핸드북.
A *Handbook* of English Composition 영작문 핸드북.

hand·ful [hǽndfùl] 명

복수 **handfuls**[hǽndfùlz]
한 줌; 소량, 소수.
a *handful* of peanuts [candy] 한 줌의 땅콩[사탕].
☞ 명 hand

hand·i·cap [hǽndikæp] 명

복수 **handicaps**[hǽndikæps]
핸디캡, 불리한 조건; (신체) 장애.
The player overcame a heavy *handicap*. 그 선수는 큰 핸디캡을 극복했다.

hand·i·capped [hǽndikæpt] 형

신체[정신]적 장애가 있는.
He is helping *handicapped* people. 그는 장애인들을 돕고 있다.

*hand·ker·chief [hǽŋkərtʃif] 명

복수 **handkerchiefs**[hǽŋkərtʃifs]
손수건.
Jane took out her *handker-chief* to dry her eyes. 제인은 눈물을 닦기 위하여 손수건을 꺼냈다.
She blew her nose in her *handkerchief*. 그녀는 손수건으로 코를 풀었다.

참고 영미에서는 handkerchief를 가슴에 있는 상의 주머니에 꽂아 장식으로 쓰는가 하면, 코를 푸는 데도 쓴다. 손수건은 애정을 전하는 수단으로도 쓰이기 때문에 아무에게나 주어서는 안 된다.

*han·dle [hǽndl] 명 복수
handles[hǽndlz]

손잡이, 자루.
the *handle* of bucket 양동이의 손잡이.
Mr. Brown turned the *handle* to the right. 브라운씨는 손잡이를 오른쪽으로 돌렸다.
I held the pot by the *handle*. 나는 냄비의 자루를 쥐었다.

참고 자전거의 「핸들」은 handlebars [hǽndlbà:rz], 자동차 운전석의 「핸들」은 (steering) wheel 이라고 한다.

—— 타 3·단·현 **handles**[hǽndlz]: ing형 **handling**[hǽndliŋ]: 과거 과분 **handled**[hǽndld]
(도구 따위)를 다루다, …에 손을 대다.
Insu can *handle* a knife and fork skillfully. 인수는 나이프와 포크를 잘 쓸 줄 안다.
Handle with care. 취급 주의.
▶ 화물 따위에 붙이는 주의 표시.

hand·shake [hǽndʃeik] 명

복수 **handshakes**[hǽndʃeiks]
악수.
He greeted the old man with a warm *handshake*. 그는 따뜻한 악수로 노인을 맞았다.

***hand·some** [hǽnsəm]
형

비교 **handsomer** [hǽnsəmər]:
최상 **handsomest** [hǽnsəmist]
(남자가) 잘 생긴; **훌륭한, 멋진.**
Arthur grew up to be a
handsome young man. 아서
는 자라서 미남 청년이 되었다.
There is a *handsome* old
building on the hill. 언덕 위
에 멋진 옛날 건물이 있다.

> 참고 handsome은 주로 남자
> 의 얼굴과 모습이 아름다움을
> 나타내는 데 쓰며, 여자에게는
> beautiful, lovely, pretty 따
> 위를 쓴다. 그러나 「기품 있는」
> 중년의 여자를 가리킬 때에도
> handsome을 쓰는 수가 있다.

hand·writ·ing [hǽndràitiŋ]
명

《a와 복수형 안 씀》 **손으로 씀;
필적.**
Susie recognized her
father's *handwriting* on the
envelope. 수지는 봉투에 쓰인 아
버지의 필적을 알아보았다.

hand·y [hǽndi] 형
비교 **handier** [hǽnd-
iər]; 최상 **handiest**[hǽndiist]
(물건이) **다루기 편리한〔쉬운〕;**
(사람이) **솜씨 좋은, 능숙한.**
a *handy* tool 편리한 도구.
She is *handy* with the nee-
dle. 그녀는 바느질에 능숙하다.
☞ 명 hand

***hang** [hæŋ] 동 3·단·현 **hangs**
[hæŋz]; ing형 **hanging**
[hǽŋiŋ]; 과거 과분 **hung** [hʌŋ]
또는 **hanged**[hæŋd]
타 ❶ **…을 걸다, 매달다.** ➤ 과
거·과거 분사는 hung.
Hang the picture on the
wall, Jane. 제인, 그 그림을 벽
에 걸어라.
Jane *hung* her coat on a
hanger. 제인은 그녀의 코트를

옷걸이에 걸었다.
❷ (아무)**를 목매달다.** ➤ 과거·
과거 분사는 hanged.
He was *hanged* for mur-
der. 그는 살인죄로 교수형되었다.
── 자 **걸리다, 매달리다.**
A picture *hung* on the
wall. 그림이 벽에 걸려 있었다.
The apples were *hanging*
from the branches. 사과들이
가지에 매달려 있었다.
hang up **전화를 끊다, 수화기를
놓다.**
I've got to *hang up* now.
그럼, 이만 끊겠습니다. ➤ 전화를
끊을 때 쓰는 말.

hang glid·er [hǽŋ gláidər]
명 복수
hang gliders[hǽŋ gláidərz]
행글라이더《사람이 매달려서 활공
하는 글라이더》.

***hap·pen** [hǽpən] 자 3·단·현
happens [hǽpənz];
ing형 **happening**[hǽpəniŋ]: 과거
과분 **happened**[hǽpənd]
❶ (우연히) **일어나다, 생기다.**
What *happened* (to her)?
(그녀에게) 무슨 일이 있었니?
A car accident *happened* in
front of our school yester-
day. 어제 우리 학교 앞에서 자동
차 사고가 일어났다.
Lots of things can *happen*
to you during a day. 하루에
많은 일이 너에게 일어날 수 있다.
❷ 《**happen to** do로》 **…하다.**
I *happened to* meet her on
the subway. 나는 우연히 지하

철에서 그녀를 만났다.
Do you *happen to* know her
phone number? 혹시라도 너
는 그녀의 전화 번호를 아느냐?

hap·pen·ing [hǽpəniŋ] 몡

〔복수〕 **happenings**[hǽpəniŋz]
《흔히 복수형으로》 **일어난 일, 사건.**
People write daily *hap-
penings* in diaries. 사람들은
일기에 그 날 일어난 일을 적는다.

hap·pi·er [hǽpiər] 혱
happy의 비교급.
He is *happier* than his
brother. 그는 동생보다 더 행복
하다.

hap·pi·est [hǽpiist] 혱
happy의 최상급.
I'm the *happiest* man in
the world. 나는 세상에서 가장
행복한 사람이다.

hap·pi·ly [hǽpili] 閏
〔비교〕**more happily**;
〔최상〕 **most happily**
❶ **행복스럽게.**
They were laughing *hap-
pily*. 그들은 즐겁게 웃고 있었다.
❷ **다행히도, 운 좋게** (=fortu-
nately).
Happily Jack passed the
examination. 다행히도 잭은 시
험에 합격하였다. ☞혱 happy

hap·pi·ness [hǽpinis] 몡
《a와 복수형 안 씀》 **행복.**
She was crying from *hap-
piness*. 그녀는 행복해서 울고 있
었다.
I wish you both *happiness*
and success. 당신의 행복과 성
공을 기원합니다. ☞ 혱 happy

:**hap·py** [hǽpi] 혱
〔비교〕**happier**[hǽpiər] :
〔최상〕 **happiest**[hǽpiist]
행복한, 기쁜, 즐거운 (⇔un-
happy 불행한).
a *happy* marriage 행복한 결혼.
You look *happy*.

너 행복해 보이는구나.
What are you so *happy*
about? 무엇이 그렇게 기쁘냐?
We will have a *happy* pic-
nic tomorrow. 내일은 즐거운 소
풍이다.
☞ 閏 happily 몡 happiness

*_be happy that..._ ···**한 것을 기쁘
게 생각하다.**
I *am happy that* you
passed the examination. 나
는 네가 시험에 합격한 것을 기쁘
게 생각한다.

*_be happy to_ ···**하여 기쁘다.**
I *am happy to* see you.
너를 만나게 되어 기쁘다.
Mrs. Green *is* very *happy
to* be here in Korea. 그린 부
인은 이곳 한국에 와서 매우 기뻐
한다.

**be happy with** ···**에 기뻐하다;
···을 고맙게 생각하다.**
She *was happy with* the
present I gave her.
그녀는 내가 준 선물에 기뻐했다.

har·bor [háːrbər] 몡 〔복수〕
harbors[háːrbərz]
항구.
Two large ships are now
in Incheon *harbor*. 큰 배 두
척이 인천항에 정박 중이다.
▶ 영국에서는 harbour로 씀.

┌─────────────────────────────┐
│ 〔참고〕 harbor는 정박 설비를 갖 │
│ 춘 항구의 뜻이고, port는 시가 │
│ 지를 포함한 항구 도시라는 뜻 │

으로 쓰인다. 예컨대 인천은 port city로서 거기에 harbor 가 있다.

***hard** [haːrd] 〔형〕
〔비교〕 **harder** [háːrdər] :
〔최상〕 **hardest**[háːrdist]

❶ 어려운, **곤란한**(=difficult, ⇔ easy 쉬운).
That's a *hard* question to answer. 그것은 대답하기 어려운 질문이다.
It is *hard* for us to swim across the river. 우리가 그 강을 헤엄쳐 건너기는 어렵다. ▶ It is hard (for＋사람) to ... 는 「(아무가) …하는 것은 어렵다」의 뜻.

❷ **괴로운, 고된, 힘이 드는.**
a *hard* task 아주 힘 드는 일.
Helen had a very *hard* time. 헬렌은 아주 고된 시련을 겪었다.

❸ 단단한, **견고한, 딱딱한**(⇔ soft 부드러운).
This table is made of *hard* wood. 이 식탁은 단단한 나무로 만들어졌다.
This is as *hard* as a stone. 이것은 돌처럼 단단하다.

❹ **열심히 하는, 근면한.**
He's a *hard* worker.(=He works hard.) 그는 근면한 사람이다.

── 〔부〕 ❶ 열심히, **애써서.**
Study *hard*, and you'll understand it. 열심히 공부해라, 그러면 너는 그것을 이해하게 될 것이다.
Frank worked *hardest* of all the boys. 모든 소년들 중에서 프랭크가 가장 열심히 일했다.
Don't work too *hard*. 과로하지 말게. ▶ Good-by 대신 쓰는 작별할 때의 인사.

❷ **지독하게, 격렬하게, 강하게.**
Wind was blowing *hard*. 바람이 세차게 불고 있었다.

It's raining *hard* today. 오늘은 비가 몹시 내리고 있다.

hard·en [háːrdn] 〔동〕 〔3·단·현〕
hardens [háːrdnz] :
〔ing형〕 **hardening**[háːrdniŋ] : 〔과거〕
〔과분〕 **hardened**[háːrdnd]

〔타〕 …을 단단하게 하다, 굳히다.
Clay is *hardened* in a fire. 점토는 불 속에서 단단해진다.
── 〔자〕 단단해지다, 굳어지다.

***hard·ly** [háːrdli] 〔부〕
거의 …아니다〔않다〕(= scarcely).
I can *hardly* believe her story. 나는 그녀의 이야기를 거의 믿을 수 없다.
We *hardly* had time to eat breakfast. 우리는 아침을 먹을 시간이 거의 없었다.
That is *hardly* possible. 그것은 거의 불가능하다.

hardly ... when 〔*before*〕 …하자마자, …하기가 무섭게.
We had *hardly* left home *when* it began to rain. 우리들이 집을 떠나자마자 비가 오기 시작하였다.

hard·ware [háːrdwɛər] 〔명〕
《a와 복수형 안 씀》 철기류; 하드웨어《컴퓨터 따위의 기계나 설비 부분》 (⇨ software 소프트웨어).
a *hardware* store 철물점.
Knives, locks, nails, and screws are *hardware*. 나이프, 자물쇠, 못, 나사는 철물이다.

hard·work·ing
[háːrdwɔ́ːrkiŋ] 〔형〕
근면한, 열심히 일〔공부〕하는.
hardworking housewives 열심히 일하는 주부들.

hare [hɛər] 〔명〕
〔복수〕 **hares**[hɛərz]
산토끼. ▶rabbit보다 크고, 굴에서 살지 않음.
A *hare* is timid. 산토끼는 겁쟁이다.

H

＊harm [hɑ:rm]
명

《a와 복수형 안 씀》해, 손해.
Tobacco will do *harm* to
your body. 담배는 몸에 해로울
것이다.
The flood did much *harm*
to the rice crop.
홍수는 벼농사에 큰 손해를 끼쳤
다.
He meant no *harm*.
그에게 악의는 없었다.
── 타 3·단·현 **harms** [hɑ:rmz] :
ing형 **harming** [hɑ́:rmiŋ] : 과거
과분 **harmed** [hɑ:rmd]
…을 해치다, 상처를 입히다.
My dog won't *harm* you.
내 개는 물지 않는다.
I promised not to *harm*
anybody. 나는 아무도 해치지 않
겠다고 약속했다.

harm·ful [hɑ́:rmfəl]
형

비교 **more harmful;** 최상 **most
harmful**
해가 되는, 유해한.
a *harmful* insect 해충.
Eating too much is *harm-
ful* to our health. 과식은 건
강에 해롭다.

harm·less [hɑ́:rmlis] 형 비교
more harmless;
최상 **most harmless**
해가 없는, 무해한.
That insect is *harmless*.
저 곤충은 무해하다.

har·mon·i·ca [hɑ:rmɑ́nikə]
명

복수 **harmonicas** [hɑ:rmɑ́nikəz]
하모니카.
play the *harmonica* 하모니카
를 불다.

har·mo·ni·ous·ly

[hɑ:rmóuniəsli] 부
조화되어, 사이좋게, 화목하게.
We must live *harmoniously*.
우리는 사이 좋게 살아야만 한다.

har·mo·ny [hɑ́:rməni]
명

《a와 복수형 안 씀》조화.
in harmony with …와 조화되어.
They live *in* harmony *with*
nature. 그들은 자연과 조화를 이
루며 살고 있다.

harp [hɑ:rp] 명 복수
harps [hɑ:rps]

하프.
Mary is playing the
harp. 메리는 하프를 연주
하고 있다.

Har·ry [hǽri]
명

해리《남자 이름. Harold, Henry
의 애칭》.

harsh [hɑ:rʃ] 형
비교 **harsher** [hɑ́:rʃər] :
최상 **harshest** [hɑ́:rʃist]
❶ 거친, 꺼칠꺼칠한.
a *harsh* surface 거친 표면.
The cloth felt *harsh*.
그 천은 꺼칠꺼칠하였다.
❷ 귀에 거슬리는.
His voice was *harsh*.
그의 목소리는 귀에 거슬렸다.
❸ 호된, 모진, 가혹한.
She was *harsh* to her
maid. 그녀는 하녀에게 엄했다.

Har·vard [hɑ́:rvərd]
명

하버드 대학(＝Harvard Uni-
versity).

참고 1636년에 창립된 미국에서
가장 오래된 대학으로서, 매사추
세츠(Massachusetts [mǽs-
ətʃúːsits])주의 케임브리지(Cam-
bridge [kéimbridʒ])에 있다.

har·vest [háːrvist] 명 복수 harvests[háːrvists]
수확, 거둬들임; 수확물.
We had a good *harvest* last year. 작년에는 풍작이었다.
— 타 3·단·현 harvests [háːrvists]; ing형 havesting[háːrvistiŋ]; 과거 과분 harvested [háːrvistid]
…을 수확하다.
harvest wheat 밀을 수확하다.

has [həz: 강 hæz] 동 조 have 의 3인칭·단수·현재.
Bill *has* a knife.
빌은 나이프를 가지고 있다.
She *has* been sick this week. 그녀는 금주 내내 아팠다.

has·n't [hǽznt] has not의 단축형.
He *hasn't* had breakfast yet. 그는 아직 아침 식사를 하지 않았다.
"Has she come home yet?" "No, she *hasn't*." 「그녀는 벌써 집에 왔느냐?」「아니, 오지 않았다.」

haste [heist] 명
《a와 복수형 안 씀》 서두름, 조급함; 허둥댐. ☞ hurry
Haste makes waste.
《속담》 서두르면 일을 망친다.
in haste 서둘러.
Frank rose *in haste*.
프랭크는 급히 일어섰다.
make haste 서두르다.
Make haste slowly. 《속담》 천천히 서둘러라《급하면 돌아가라》.

hast·i·ly [héistili] 부 비교 more hastily; 최상 most hastily
급히, 서둘러서, 허둥지둥.
She stood up *hastily*.
그녀는 서둘러서 일어섰다.

hast·y [héisti] 형 비교 hastier[héistiər]; 최상 hastiest [héistiist]
급한, 서두는, 조급한, 경솔한.

a *hasty* meal 급하게 먹는 식사.
make a *hasty* choice 경솔히 선택하다.
Don't be *hasty*.
그리 서둘러〔덤벙대지〕 마라.
Uncle Harry made a *hasty* departure. 해리 아저씨는 급히 떠나셨다.

hat [hæt] 명 복수 hats[hæts]
(테가 있는) 모자, 중절 모자.
☞ cap
May I try this *hat* on?
이 모자를 써보아도 될까요?
Please put on [take off] your *hat*. 모자를 쓰시오〔벗으시오〕.
She always wears a black *hat*. 그녀는 언제나 검은 모자를 쓰고 있다.

hatch [hætʃ] 동 3·단·현 hatches[hǽtʃiz]; ing형 hatching [hǽtʃiŋ]; 과거 과분 hatched[hǽtʃt]
타 (알)을 까다, 부화하다.
The hen is *hatching* her eggs. 암탉이 알을 까고 있다.
Don't count your chickens before they are *hatched*.
《속담》 까기도 전에 병아리를 세지 마라.
— 자 (알·병아리가) 깨다.
Six of the chickens have *hatched* today. 오늘 병아리 여섯 마리가 깨었다.

hate [heit] 타 3·단·현 hates [heits]; ing형 hating [héitiŋ]; 과거 과분 hated[héitid]
…을 싫어하다, 미워하다(⇔ love 사랑하다). ☞ dislike
I *hate* rats and snakes.

나는 쥐와 뱀을 싫어한다.
I *hate* driving〔to drive〕
when it rains. 비가 올 때 나는
운전하기를 싫어한다.
I *hate* you! 나는 네가 밉다!
── 몡 《a와 복수형 안 씀》 미움,
혐오.
Your *hate* has done this.
너의 미움이 이런 일을 저질렀다.

hat·ing [héitiŋ] 통
hate 의 -ing형

haunt·ed [hɔ́ːntid] 혱
유령〔귀신〕이 나오는.
a *haunted* house 귀신이 나오
는 집.

H

:have [həv; 강 hæv] 타
〔3·단·현〕 **has** [həz; 강 hæz]
〔ing형〕 **having** [hǽviŋ]; 〔과거〕 〔과분〕
had [həd; 강 hæd]
❶ …을 가지고 있다, 소유하다.
I *have* a good stereo set.
나는 좋은 스테레오 세트를 가지
고 있다.
"Do you *have* a bicycle?"
"Yes, I do." 「너는 자전거를 가
지고 있느냐?」「그래, 가지고 있
다.」
Betty *has* a lot of good
books. 베티는 좋은 책을 많이 가
지고 있다.
Do you *have* any money
with you? 너 가지고 있는 돈
있느냐?
I don't *have* a new baseball
glove. 나는 새 야구 글러브를 가
지고 있지 않다.

┌─────────────────────────┐
│ 어법 영국에서는 have가 「가지 │
│ 고 있다, 소유하다」란 뜻일 때, │
│ 위 두 의문문·부정문을 do를 │
│ 쓰지 않고 *Have* you any │
│ money with you? 라든가 I │
│ *have* *not* a new baseball │
│ glove. 라고 하는 경우도 있다. │
└─────────────────────────┘

❷ …이 있다, (성질·특징 등)을
갖고 있다; (애완 동물 따위)를 기

르고 있다.
I *have* two brothers.
나는 두 형제가 있다.
This city *has* ten junior
high schools. 이 도시는 열 개
의 중학교가 있다.
Susie *has* blue eyes.
수지는 파란 눈을 갖고 있다.
I *have* a cat and a dog.
나는 고양이와 개를 기르고 있다.
❸ …을 받다, 얻다, 취하다.
▶ take보다 구어적 표현.
I *had* a letter from her
yesterday. 나는 어제 그녀에게서
편지를 받았다.
We *have* four English class-
es a week. 우리는 1주일에 4시
간 영어 수업을 받는다.
❹ …을 먹다(=eat), 마시다(=
drink).
I *have* breakfast at seven.
나는 7시에 아침을 먹는다.
What time do you *have*
lunch? 너는 몇 시에 점심을 먹
느냐?
I just *had* a cup of tea.
나는 방금 차 한 잔을 마셨다.
❺ …을 경험하다, (어려움 따위)
를 겪다; (병)에 걸려 있다; (시
간)을 보내다.
We *had* a lot of snow last
year. 작년에는 많은 눈이 내렸
다.
He didn't *have* any trouble
to go there. 그는 거기 가는 데
에 아무런 애도 먹지 않았다.
I *have* a bad cold.
나는 독감에 걸려 있다.
We *had* a good〔bad〕time.
우리는 즐거운〔고통스러운〕시간
을 보냈다.
❻ (감정·생각 따위)를 마음에 지
니고 있다.
I *have* a good idea.
나에게 좋은 생각이 있다.
❼ 《have+특정 명사로》 …하다.
have a bath(=bathe) 목욕하
다.

have a swim(=swim) 수영하다.

I *had* a talk with Mr. White.(=I talked with Mr. White.) 나는 화이트씨와 (잠시) 이야기를 했다.

I *had* a dance with her.(= I danced with her.) 나는 그녀와 춤을 췄다.

어법 보통 「have a 〔an〕+동작을 나타내는 명사」로 「…하다」란 뜻을 나타내는데, 동사 하나로 나타내는 경우와 다른 점은 한 번에 한정되는 행위란 뜻, 즉 「잠깐 …하다」란 느낌을 주는 점이다.

---

❽ 《**have**+물건+과거 분사로》 (물건)을 …시키다, …하게 하다; …당하다.

I *had* my car *washed*. 나는 자동차를 세차시켰다.

I'll *have* my hair *cut*. 나는 이발사에게 나의 머리를 깎게 하겠다《이발을 하겠다는 뜻》.

I *had* my watch *stolen*. 나는 시계를 도둑맞았다.

발음 「…시키다, …하게 하다」란 뜻일 때는 have를 강하게, 「…당하다」란 뜻일 때는 과거 분사를 강하게 발음한다.

---

❾ 《**have**+사람+동사의 원형으로》 (아무)에게 …시키다, …하게 하다.

Mr. Brown *had* Tom *wash* the car. 브라운씨는 톰에게 자동차를 닦게 했다.

We *had* her *take* a picture of us. 그녀에게 우리들의 사진을 찍게 했다.

Have him *come* here right now! 그를 당장 이리 오게 해라!

── 조 과거 **had**[həd; 강 hæd]
❶ 《**have**+과거 분사로 현재 완료형을 만듦》 …하였다, …해 버렸다

《완료・결과》: …한 적이 있다《경험》: (죽) …하고 있다《계속》.

I *have* just *finished* breakfast. 나는 막 조반을 마쳤다. ➤ 완료를 나타낼 때는 흔히 just, already, yet 따위가 함께 쓰임.

She *has gone* to America. 그녀는 미국으로 가버렸다. ➤ 미국에 가버린 결과 「지금 여기에는 없다」는 뜻.

Have you ever *read* this book? 너는 이 책을 읽은 적이 있느냐? ➤ 경험을 나타낼 때는 흔히 ever, never, once 따위가 함께 쓰임.

I *have lived* here for two years. 나는 여기에 2년간 살고 있다. ➤ 계속을 나타낼 때에는 흔히 for, since 따위가 함께 쓰임.

❷ 《**have been**+-**ing**형으로》 (죽) …하고 있다. ➤ 현재 완료 진행형이라고 하며, 현재까지의 계속을 나타냄.

Tom *has been watching* television for two hours. 톰은 2시간 동안 텔레비전을 보고 있다.

don't have to *do* …할 필요가 없다.

I *don't have to* buy the book. 나는 그 책을 살 필요가 없다.

You *don't have to* worry about that. 너는 그것에 관해 걱정할 필요가 없다.

have been to …에 간 적이 있다.

Have you ever *been to* America? 너는 미국에 가 본 적이 있느냐?

have got …을 가지고 있다.

I *have got* 20 dollars. 나는 20달러를 갖고 있다.

have got to *do* =have to do.

have nothing to do with …와는 아무 관계도 없다.

I *have nothing to do with* it. 나는 그것과 아무 관계도 없다.

have ... on …을 입고〔쓰고, 신고,

걸치고〕 있다.
Mrs. Brown *has* a new hat
on. 브라운 부인은 새 모자를 쓰
고 있다.
have only to *do* ⋯**하기만 하면**
되다.
You *have only to* wait
here. 너는 여기서 기다리기만
하면 된다.
have to *do* ⋯**하지 않으면 안 되**
다, ⋯하여야 하다(=must).
I *have to* go now.
나는 이제 가야 한다.
Do you *have to* leave now?
너는 지금 가야 하느냐

〔발음〕 have to 는 보통 [hǽftə].
has to 는 [hǽstə]. had to
는 [hǽttə]로 발음한다.
〔어법〕 **have to** 와 **must**
have to 는 must와 같은 뜻이
나, must 보다는 그 뜻이 좀
약하고 구어체이다. 또 must에
는 미래·과거·완료형이 없기
때문에 이런 시제에서는 have
to가 must의 대신으로 쓰인다.
즉 have to는 must의 대신으
로 쓰이는 하나의 조동사로 생
각하면 된다.

have·n't [hǽvənt]
       have not의 단축형.
I *haven't* had lunch yet.
나는 아직 점심을 먹지 않았다.
"Have you been to Pusan?"
"No, I *haven't*." 「부산에 가 본
적이 있느냐?」「아니, 없다.」
I *haven't* seen the movie
yet. 나는 아직 그 영화를 보지 못
했다.

hav·ing [hǽviŋ] 〔통〕
      have (⋯을 먹다)의 -
ing형.
He is *having* lunch.
그는 점심 식사 중이다.

Ha·wai·i [həwáii:]
        〔명〕
하와이(주); 하와이섬.

〔참고〕 하와이는 1899년에 미국에
합병되어 1959년에 50번째의
주가 되었다. 가장 큰 하와이 섬
을 비롯하여 많은 섬들로 이루어
진 하와이 제도의 총면적은 16.
637 km²이며 주민은 대부분이
동부 아시아와 남유럽 등지에서
온 이민이다. 세계적인 관광지로
알려져 있으며, 주도 호놀룰루
(Honolulu [hànəlúːlə]) 가까이
에 있는 와이키키 해변(Waikiki
[wáikiki:] Beach)은 특히 유명
하다. 산물은 파인애플, 설탕.

Ha·wai·ian [həwáiən]
           〔형〕
하와이의; 하와이 사람; 하와이 말
의.
Hawaiian pineapples are
delicious. 하와이에서 생산되는
파인애플은 맛있다.
── 〔명〕 〔복수〕 **Hawaiians**[həwái-
ənz]
하와이 사람; 《a와 복수형 안씀》
하와이 말.
He is a *Hawaiian*.
그는 하와이 사람이다.

hawk [hɔ:k] 〔명〕
      〔복수〕 **hawks**[hɔ:ks]
매.

hay [hei] 〔명〕
     《a와 복수형 안 씀》 건초,
마초.
Make *hay* while the sun
shines. 《속담》 해가 쬘 때 풀을
말려라《좋은 기회를 놓치지 마
라》.
he [hi; 강 hi:] 〔대〕
    〔복수〕 **they**[ðei]

그는, **그가** (⇨ she). ➤ 말하는 사람(I), 듣는 사람(you) 이외의 한 사람의 남자를 지칭함.
He is our teacher.
그는 우리 선생님이다.

격 \ 수	단 수	복 수
주격	he (그는, 그가)	they (그들은)
소유격	his (그의)	their (그들의)
목적격	him (그를, 그에게)	them (그들을,그들에게)

That is Tom. *He* likes football. 저 사람은 톰이다. 그는 축구를 좋아한다.
"Who is *he*?" "*He* is my cousin." 「그는 누구지?」「그는 내 사촌이다.」

****head** [hed] 몡
[복수] **heads** [hedz]
❶ 머리, 두부《얼굴을 포함한 목의 윗부분》. ☞face
He has a cap on his *head*.
그는 머리에 모자를 쓰고 있다.
She hit her son on the *head*. 그녀는 아들의 머리를 쥐어박았다.
Watch your *head*.
《게시》머리 조심.
Don't put your *head* out of the window. 창 밖으로 머리를 내밀지 마라.
❷ 장(長), 우두머리; 수석, 선두.
Mr. Han is the *head* of our school. 한 선생님은 우리 학교의 교장 선생님이시다.
Susie is at the *head* of the class. 수지는 반에서 수석이다.
❸ 두뇌, 지력.
Use your *head*. 머리를 써라.
Tom has a clear *head*.
톰은 머리가 좋다.
Two *heads* are better than one. 《속담》두 사람의 두뇌가 한 사람보다 낫다《백지장도 맞들면

낫다》.

from head to foot 머리끝에서부터 발끝까지, 전신에.
Tom got wet *from head to foot*. 톰은 머리끝에서 발끝까지 흠뻑 젖었다.
keep 〔***lose***〕 ***one's head*** 침착〔허둥지둥〕하다.
Don't be excited. *Keep your head*. 흥분하지 마라. 침착해라.

head·ache [hédèik] 몡
[복수] **headaches** [hédèiks]
두통.
Mother says she has a bad *headache*. 어머니는 머리가 몹시 아프다고 말씀하신다.

head·ing [hédiŋ] 몡 [복수]
headings [hédiŋz]
❶ 표제, 제목.
What is the *heading* of this article? 이 기사의 표제는 무엇이냐?
❷ (축구의) 헤딩.

head·light [hédlàit] 몡
[복수] **headlights** [hédlàits]
(자동차 따위의) 헤드라이트.

head·line [hédlàin] 몡
[복수] **headlines** [hédlàinz]
(신문의) 표제.
Did you read the *headline* on the front page? 너는 제 1면의 표제를 읽어 보았느냐?

head·phone [hédfòun] 몡
[복수] **headphones** [hédfòunz]
《보통 복수형으로》헤드폰.

head·quar·ters [hédkwɔ́:r-tərz] 몡
《종종 단수 취급》본부, 사령부.
the United Nations *Head-quarters* 유엔 본부.
general *headquarters* 총사령부.

***health** [helθ] 몡
《a와 복수형 안 씀》건강

H

(⇔ illness 병). **건강 상태.**

Fresh milk is good for the *health.* 신선한 우유는 건강에 좋다.

Health is better than wealth. 건강은 부보다 더 귀하다.

Nothing is more important than *health.* 건강보다 더 중요한 것은 없다. ☞ 형 healthy

be in good health 건강하다, 건강 상태가 좋다.

Sangmi *is in good health.* 상미는 건강하다.

health·y [hélθi] 형 [비교] **healthier** [hélθiər] : [최상] **healthiest** [hélθiist]

건강한(⇔ sick, ill 아픈): **건강에 좋은.**

He is a very *healthy* boy. 그는 매우 건강한 소년이다.

Exercise keeps the body *healthy.* 운동은 몸을 건강하게 만들어 준다.

Swimming is a *healthy* sport. 수영은 건강에 좋은 운동이다. ☞ 명 health

heap [hi:p] 명 [복수] **heaps** [hi:ps]

(쌓아올린) **더미: 많음, 다수, 다량.**

There is a *heap* of books on the desk. 책상 위에는 많은 책이 있다.

He has *heaps* of money. 그는 큰 부자다.

hear [hiər] 동 [3·단·현] **hears [hiərz] : [ing형] **hearing** [híəriŋ] : [과거] [과분] **heard** [hə:rd]

타 ❶ (자연히) **…이 들리다, …을 듣다.** ☞ listen

My grandmother doesn't *hear* well. 나의 할머니는 잘 듣지 못하신다.

"Can you *hear* me?" "I can't *hear* you." 「내 말이 들립니까?」「들리지 않습니다.」

We *heard* a cry outside last night. 어제 밤에 밖에서 외치는 소리가 들렸다.

❷ 《**hear** + 목적어 + 동사의 원형으로》 (아무)가 **…하는 것이 들리다; 《hear** + 목적어 + **-ing형**으로》 (아무)가 **…하고 있는 것이 들리다.**

I often *heard* him *say* so. 나는 그가 그렇게 말하는 것을 가끔 들었다.

Can you *hear* the birds *singing?* 새가 지저귀고 있는 것이 들리느냐?

❸ 《**I hear that …** 로》 **…라고 듣고 있다. …이라고 한다.** ▶ that은 종종 생략됨.

I *hear* (*that*) you are good at swimming. 나는 네가 수영을 잘 한다고 듣고 있다.

I *hear* (*that*) Mr. Kim wrote this book. 김선생님께서 이 책을 쓰셨다고 한다.

── 자 **귀가 들리다.**

Can you *hear?* 소리가 들리느냐?

┌─[비슷한 말]─ **hear와 listen**

hear는 「(자연히) 들려오다」란 뜻이고, listen은 「(들으려고 귀를 기울여) 듣다」란 뜻이다. 「새가 지저귀는 것이 들린다. 들어 봐.」는 I *hear* birds singing. *Listen!*이라고 한다. 또, I am *listening* to the radio. (라디오를 듣고 있다)와 같이 listen은 진행형으로 할 수 있지만, hear는 보통 진행형으로 쓰지 않는다.

*hear about **…에 관하여 듣다.**

Did you *hear about* Ted? 너는 테드에 관해 들었느냐?

I've often *heard about* you from Nancy. 낸시로부터 종종 네 소식을 듣고 있다. ▶ 소개 받았을 때 자주 쓰는 말.

*hear from **…로부터 소식을 듣다.**

Have you *heard from* him recently. 최근 그로부터 소식을 들었느냐?

I *heard from* him last month. 나는 지난달에 그에게서 소식을 들었다.

hear of …의 소문을 듣다.
I'm shocked to *hear of* his sudden death. 그의 갑작스런 죽음의 소식을 듣고 충격을 받았다.

heard [hə:rd] 통
hear의 과거 · 과거 분사.
Nothing could be *heard*.
아무 소리도 들리지 않았다.

hear·ing [híəriŋ] 명
《a와 복수형 안 씀》 듣기; 청력, 청각.
a *hearing* aid 보청기.
a *hearing* test 청력 테스트.
lose one's *hearing* 청력을 잃다.
Her *hearing* is getting worse. 그녀는 청각이 점점 나빠지고 있다.

참고 어학에서 귀로 듣고 이해하는 것을 우리는 흔히 「히어링」이라고 말하지만, 이에 해당하는 영어로는 hearing이 아니라, listening comprehension[lísniŋ kɑmprihénʃən]이다.

---

heart [hɑ:rt] 명
복수 **hearts** [hɑ:rts]
❶ 심장, 가슴.
She has a weak *heart*.
그녀는 심장이 약하다.
My *heart* is beating.
나의 심장이 두근거리고 있다.
❷ 마음, 감정.
She has a kind *heart*.
그녀는 마음씨가 착하다.
Her song warmed my *heart*. 그녀의 노래는 나의 마음을 따뜻하게 했다.
❸ 중심(부), 한가운데.

He lives in the *heart* of Seoul. 그는 서울 중심부에 산다.

at heart 마음속은, 실제로는.
He is a kind man *at heart*.
그는 바탕이 친절한 사람이다.

by heart 암기하여.
She learned the poem *by heart*. 그녀는 그 시를 암기했다.

from one's *heart* 마음으로부터.
He loved her *from his heart*. 그는 마음으로부터 그녀를 사랑했다.

with all one's *heart* 충심으로, 진심으로.
She thanked him *with all her heart*. 그녀는 진심으로 그에게 감사했다.

heat [hi:t] 명
《a와 복수형 안 씀》 열, 뜨거움; (날씨의) 더위(⇔ cold 추위). ▶ 같은 「열」이라도 「몸의 열」은 fever라고 함.
The sun gives us light and *heat*. 태양은 우리들에게 빛과 열을 준다.
We are going to the country to escape the summer *heat*.
우리들은 피서하러 시골에 간다.
☞ 형 hot

— 타 3·단·현 **heats** [hi:ts];
ing형 **heating** [hí:tiŋ]; 과거 과분
heated [hí:tid]
…을 따뜻하게 하다, 데우다.
Please *heat* the room.
방을 따뜻하게 해 주시오.
When air is *heated*, it gets bigger. 공기는 데워지면, 그 부피가 더 커진다.

heat·er [hí:tər] 명
복수 **heaters** [hí:tərz]
난방 장치, 히터.

heat·ing [hí:tiŋ] 명
《a와 복수형 안 씀》 난방(장치); 가열.
central *heating* 중앙 난방 장치.
Oil is used for *heating*.
석유는 난방에 쓰인다.

heat·stroke [híːtstròuk]
명
《a와 복수형 안 씀》 일사〔열사〕병
(=sunstroke).
He suffered from *heatstroke*.
그는 일사병에 걸렸다.

*heav·en [hévən] 명 복수
heavens [hévənz]
❶《보통 복수형으로》 하늘(=
sky). ☞ earth (땅, 지구)
The *heavens* are bright
with stars tonight. 오늘 밤 하
늘은 별들로 빛난다.
❷《보통 **Heaven**으로》 신, 하느
님(=God).
Heaven help me!
신이여 도와주소서!
❸《a와 복수형 안 씀》 천국(⇔
hell 지옥).
go to *heaven* 천국에 가다, 죽
다.
He is in *heaven*.
그는 천국에 있다.
Good heavens! 저런! 어머나! 이
거 큰일이군!《놀람·애처로움 따
위를 나타냄》.
Good heavens! Do you
know her? 어머나! 네가 그녀를
안단 말이냐?

heav·i·er [héviər] 형
heavy의 비교급.

heav·i·est [héviist] 형
heavy의 최상급.

heav·i·ly [hévili] 부
비교 **more heavily**;
최상 **most heavily**
❶ 무겁게, 육중하게.
He walked *heavily* home.
그는 무거운 발걸음으로 집에 돌
아왔다.
❷ 격렬하게, 지독하게.
It rained *heavily* last night.
어제 밤에 비가 몹시 내렸다.
☞ 형 heavy

*heav·y [hévi] 형
비교 **heavier** [héviər];
최상 **heaviest** [héviist]
❶ 무거운(⇔light² 가벼운).

This bag is too *heavy* for
me to lift. 이 가방은 너무 무거
워서 나는 들 수가 없다.
The apple trees are *heavy*
with fruit. 그 사과나무에는 열
매가 많이 열려 있다.
You are *heavier* than I
am. 너는 나보다 더 무겁다.

heavy(무거운)   light(가벼운)

❷ 힘드는, 견디기 어려운, 괴로운.
a *heavy* problem 어려운 문
제.
heavy work 힘드는 일.
We're going to have a
heavy schedule this week.
우리는 금주에 스케줄이 벅찰 것
같다.
❸ 맹렬한, 지독한; 다량의.
a *heavy* snow 폭설.
a *heavy* fighting 격전.
There was a *heavy* rain in
Busan last night. 어젯밤 부
산에 폭우가 내렸다.
Mr. Brown is a *heavy*
drinker〔smoker〕. 브라운씨는
술고래〔골초〕이다.

he'd [hiːd] he had 또는 he
would의 단축형.
He'd (=He had) better go
to bed now. 그는 이제 자는 편
이 좋겠다.
He'd (=he would) some-
times tell me interesting
stories. 그는 때때로 나에게 재미
있는 이야기를 해 주곤 하였다.

hedge [hedʒ] 명
복수 **hedges** [hédʒiz]
산울타리. ☞ fence
There is a beautiful *hedge*

around the park. 그 공원의 둘레에는 아름다운 산울타리가 있다.

heel [hi:l] 명
복수 **heels**[hi:lz]
발꿈치; (신발·양말의) 뒤축; 《복수형으로》 하이힐.
Betty was wearing *heels*. 베티는 하이힐을 신고 있었다.
at one's heels 바로 뒤에.
The dog followed *at my heels*. 개는 나의 바로 뒤에 따라왔다.

***height** [hait] 명
복수 **heights**[haits]
❶《a와 복수형 안 씀》 높이, 고도; 키, 신장.
What is the *height* of Eiffel[áifəl] Tower? 에펠탑의 높이는 얼마나 되느냐?
This building is twenty meters in *height*. 이 빌딩의 높이는 20 미터이다.
❷《종종 복수형으로》 고지, 언덕.
The castle is built on the *heights*. 그 성은 언덕 위에 세워져 있다.

***held** [held] 동
hold의 과거·과거 분사.
The election was *held* the day before yesterday. 선거는 그저께 실시되었다.

Hel·en [hélən] 명
헬렌《여자 이름》.

hel·i·cop·ter [hélikàptər] 명
복수 **helicopters**[hélikàptərz]
헬리콥터.
board a *helicopter* 헬리콥터에 타다.
A police *helicopter* arrived at once. 경찰 헬리콥터가 곧 도착했다.

hell [hel] 명
《종종 **Hell**로》 지옥(⇔heaven 천국).
Hell is the opposite of heaven. 지옥은 천국의 반대말이다.

he'll [hi:l] he will, he shall 의 단축형.
He'll be seventeen years old next Friday. 다음 금요일이면 그는 만 17세가 된다.

***hel·lo** [helóu] 감
❶《다정한 사이에 쓰는 인사로》 어이, 여어, 안녕.
"*Hello*, Roy." "*Hello*, Nancy. How are you?"「안녕, 로이.」「안녕, 낸시. 별일 없지?」

회화 **Hello.**「안녕.」
Hello.는 다정한 사이에 쓰는 가벼운 인사말로 아침, 낮, 밤을 가리지 않고 쓰인다. 또, 학교나 외출하였다가 집에 돌아왔을 때「다녀왔습니다」,「어서 오너라」따위의 뜻으로도 쓰인다. 또, hello 다음에는 상대방의 이름을 붙이는 것이 일반적이다.
A : *Hello*, Mom!
B : *Hello*, Betty.
「어머니, 다녀 왔습니다.」「어서 오너라, 베티.」

---

❷ (전화에서) 여보세요.
Hello, this is William speaking. 여보세요, 저는 윌리엄입니다.

참고 보통은 전화를 받은 쪽에서 먼저 Hello. 라고 말한다. 전화에서 최초로 hello란 말을 쓴 사람은 발명왕 에디슨(Edison)이라고 한다.

—— 명 복수 **hellos** [helóuz]
(어이, 여어, 안녕 따위의) 인사.

회화 **Say hello to ...** 「…에게 안부를 전해다오.」
이외에도 안부를 전해 달라는 표현으로는 Give my best wishes 〔regards〕 to…. / Give my love to…. / Remember me to…. 등이 있다.

A : Please *say hello to* your mother (for me).
B : I sure [certainly] will.
「어머니에게 (내) 안부 좀 전해 다오.」「꼭 전하겠습니다.」

***hel·met** [hélmit] 명 복수 **helmets**[hélmits]
철모, 헬멧.
American football players wear *helmets*. 미식 축구 선수 는 헬멧을 쓴다.

H

****help** [help] 동
3·단·현 **helps** [helps];
ing형 **helping** [hélpiŋ]; 과거 과분 **helped**[helpt]
타 ❶ …을 돕다, 거들다; …을 구 조하다.
Help me! 나를 도와다오!
We must *help* each other.
우리들은 서로 도와야 한다.
Nancy often *helps* her mother in the kitchen.
낸시는 부엌에서 가끔 자기 어머 니를 거든다.
He *helped* a drowning boy.
그는 물에 빠진 소년을 구했다.
❷ 《help+사람+with로》 (아무) 의 …을 돕다.
My mother *helped* me *with* my homework. 어머니는 나의 숙제를 거들어 주셨다.
❸ 《help+사람+(to) 동사의 원 형으로》 (아무)가 …하는 것을 돕 다.
Emily *helped* mother (*to*) *wash* the dishes.
에밀리는 어머니가 접시 닦는 것 을 도왔다.
❹ (사물이) …에 도움이 되다, 소 용되다; (병·고통 따위)를 덜다.
That will *help* you a lot.

그것은 너에게 큰 도움이 될 것이 다.
Will this medicine *help* any cold? 이 약은 감기에 듣습니까?
── 자 돕다, 거들다.
"*Help!*", she cried. 「도와주세 요!」라고 그녀는 소리쳤다.
Will you *help* with the dishes? 너 접시 닦는 일을 좀 돕겠느냐?
That won't *help* much.
그것은 별 도움이 안 될 것 같다.
cannot help doing …하지 않을 수 없다.
We *couldn't help laughing*.
우리들은 웃지 않을 수 없었다.
help oneself 필요한 노력을 스스 로 하다, 자조하다.
Heaven helps those who *help themselves*. 《속담》 하늘 은 스스로 돕는 자를 돕는다.
help oneself to (음식물)을 마음 대로〔자유롭게 집어〕 먹다.
Help yourself to the cook- ies! 쿠키를 마음대로 드세요!
▶ to 이하를 생략해서 흔히 Please help yourself. (사양 말 고 마음껏 드세요.)라고 씀.
(*I*) ***can't help it.*** = (*It*) ***can't be helped.*** (나로선) 어쩔 수 없 다, 하는 수 없다. ▶일상 회화에 서 아주 많이 쓰이는 표현임.

회화 **Can [May] I help you?**「어서 오십시오.」
보통 호텔의 프런트나 상점 따위 에서 손님을 대할 때에 쓰는 표 현이지만, 길을 잃은 사람, 무거 운 짐을 가진 사람 등을 도우려 할 때, 「좀 도와드릴까요?」의 뜻 으로 말을 거는 데에도 쓰인다.
may를 쓰면 can보다 더 공손 한 표현이 된다.
A : *May I help you?*
B : Yes, I'd like a note- book.
「어서 오세요.」「예, 공책 한 권 주세요.」

— 명 ❶ 《a와 복수형 안 씀》도움, 조력, 원조.
I need your *help*.
나는 너의 도움이 필요하다.
Thank you very much for your *help*. 도와 주어서 고맙다.
❷ 《a를 붙여》 도움이 되는 것〔사람〕.
You are a great *help* to me. 당신 덕분으로 크게 도움을 받고 있습니다.
Help wanted. 《광고나 게시문》종업원 구함. ☞ 형 helpful

help·er [hélpər] 명
복수 helpers [hélpərz]
도와 주는 사람, 조수.
Frank became his father's best *helper*. 프랭크는 자기 아버지의 가장 훌륭한 조수가 되었다.

help·ful [hélpfəl] 형
비교 more helpful;
최상 most helpful
도움이 되는, 유용한, 편리한.
You've been very *helpful*.
당신이 큰 도움이 되었습니다.
It is *helpful* to have a map in Seoul. 서울에서 지도를 가지고 있으면 편리하다.

help·ing [hélpiŋ] 명
(음식의) 한 그릇, 한 사람 몫.
How about a second *help*-ing? 한 그릇 더 드시겠습니까?
▶ How about another help-ing?이라고도 함.

help·less [hélplis] 형 비교 more helpless;
최상 most helpless
어쩔 도리가 없는, 무력한.
I am *helpless* now.
이제 나는 어쩔 도리가 없다.

*hen [hen] 명
복수 hens [henz]
암탉(⇨ rooster 수탉).
Hens lay eggs.
암탉은 알을 낳는다.

Hen·ry [hénri] 명
헨리(남자 이름).

**her [hər; 강 həːr] 대
복수 their [ðər; 강 ðɛər];
them [ðəm; 강 ðem]
❶ 《she의 소유격》 그녀의(⇨ his 그의).
"What's *her* name?" "*Her* name is Jane." 「그녀의 이름은 무엇이냐?」「그녀의 이름은 제인이다.」
She is in *her* room.
그녀는 자기 방에 있다.
❷ 《she의 목적격》 그녀를, 그녀에게(⇨ him 그를, 그에게).
Jane is Tom's friend. He likes *her*. 제인은 톰의 친구이다. 그는 그녀를 좋아한다.
Tom gave *her* the doll.
톰은 그 인형을 그녀에게 주었다.

herb [həːrb] 명
복수 herbs [həːrbz]
약초(식용·약용 식물).
a cup of *herb* tea 허브 티 한 잔.

**here [hiər] 부 ❶ 여기에, 여기로(⇨there 거기에).
I am *here*. 나는 여기에 있다.
We can play baseball *here*.
우리는 여기서 야구를 할 수 있다.
Will you come *here*?
너 이리로 오지 않겠느냐?
He isn't *here*.
그는 여기 없다.
We are living *here* in Seoul.
우리는 이 곳 서울에 살고 있다.
▶ here와 in Seoul은 동격(同格)의 성질. 「서울의 이곳」이 아님.
❷ 《문두에 써서》 여기에〔로〕; 자 《주의를 환기하거나 달랠 때》.
Here is your books.

여기 네 책들이 있다.
Here she comes.
자, 그녀가 온다.
Here, don't cry now.
자, 이제 울지 마라.
❸ 예《출석을 부를 때의 대답》.
"Helen!" *"Here!"*
「헬렌!」「예!」

> 참고 출석을 부를 때 격식을 갖춰 대답하려면 Here다음에 남자 선생님에게는 sir를, 여자 선생님에게는 ma'am을 붙여야 하나, 실제는 거의 붙이지 않는다.

here and now 당장에.
I'll promise you *here and now*. 당장 너에게 약속하겠다.
here and there 여기저기.
We found some beautiful flowers *here and there*. 우리들은 여기저기서 아름다운 꽃들을 발견하였다.
Here I am. 다녀왔습니다; 나 여기 있습니다.
Here we are. 자, 다 왔다.
Here we are at our house. 자, 집에 다 왔다.

> 회화 **Here it is. / Here you are.**
> 둘 다 「자, 여기 있다」, 「자, 옛다」라고 상대방에게 원하는 물건을 건네줄 때 하는 말이다. Here it is.는 물건에, Here you are.는 상대방에 중점을 둔 표현이다.
> A : Pass me the salt, please.
> B : Okay, *here it is*.
> 「소금 좀 건네주세요.」「그래, 여기 있다.」
> A : Where is my pen?
> B : *Here you are*.
> 「내 펜 어디 있지?」「여기 있다.」

— 몡 《a와 복수형 안 씀》 여기.

Our school is near *here*.
우리 학교는 이 근처에 있다.
A car is approaching over *here*. 자동차 한 대가 이쪽으로 다가오고 있다.
from here 여기서부터.
How far is it *from here* to Inch'ŏn? 여기서 인천까지 거리가 얼마나 되느냐?

here're [híərər]
here are의 단축형.
Here're your books.
여기 너의 책이 있다.

here's [hiərz]
here is의 단축형.
Here's a flower.
여기 꽃이 (피어) 있다.

he·ro [hí:rou] 몡
복수 **heroes**[hí:rouz]
영웅, 용사; (소설·연극·영화 따위의) 주인공 (⇨ heroine 여걸, 여주인공).
the *hero* of a novel 소설의 주인공.
George Washington is a national *hero* in the United States. 조지 워싱턴은 미국의 국민적 영웅이다.

her·o·ine [hérouin] 몡
복수 **heroines**[hérouinz]
여걸; (소설·연극 따위의) 여주인공(⇨ hero 영웅).
Joan of Arc[dʒóun əv á:rk] is a popular French *heroine*. 잔다르크는 잘 알려져 있는 프랑스의 여걸이다.

***hers** [həːrz] 때
복수 **theirs**[ðɛərz]
《she의 소유 대명사》 그녀의 것.
"Is this Emily's bag?" "Yes, it's *hers*." 「이것은 에밀리의 가방이냐?」「그래, 그녀의 것이다.」
My bag is bigger than *hers*. 나의 가방은 그녀의 것보다 크다.

***her·self** [həːrsélf] 때

[복수] **themselves**[ðəmsélvz]
❶ 《강조 용법》 그녀 자신. ➤ 이
용법에서는 herself를 강하게 발
음함. ☞ oneself
She *herself* came to see
me. 그녀 자신이 나를 만나러 왔
다.
She carried the box *herself*.
그녀는 직접 상자를 운반했다.
❷ 《동사・전치사의 목적어로 쓰
여》 그녀 자신을〔에게〕.
She introduced *herself*.
그녀는 자기 소개를 했다.
Nancy looked at *herself* in
the glass. 낸시는 거울로 자신의
모습을 보았다.
by herself 혼자서.
She had to live *by herself*.
그녀는 혼자서 살아야 했다.
for herself 스스로, 혼자의 힘으
로.
She made the dress *for
herself*. 그녀는 옷을 손수 만들
었다.

****he's** [hiːz] he is 또는 he has
의 단축형.
This is Roy. *He's* (=He is)
my cousin. 이 사람은 로이다.
그는 나의 사촌이다.
He's (=He has) been to
the United States. 그는 미국
에 가 본 적이 있다.

hes·i·tate [hézətèit]
[자]
[3·단·현] **hesitates** [hézətèits] :
[ing형] **hesitating** [hézətèitiŋ] :
[과거] [과분] **hesitated** [hézətèitid]
망설이다, 주저하다.
Don't *hesitate* to ask.
주저하지 말고 질문하여라.
He *hesitated* what to buy.
그는 무엇을 살 것인가 망설였다.

hey [hei] [감]
이봐, 어이 ; 야, 어《친한 사
이의 호칭・기쁨・놀람・당혹함 따
위를 나타냄》.
Hey, you ! 이봐, 너.
Hey! What's this?

어이, 이것이 무엇이냐?

****hi** [hai] [감]
어이, 야, 안녕(=hello).
Hi, Mike. Where are you
going? 안녕, 마이크. 어디 가니?

┌─────────────────────────┐
│ [참고] 「Hi.」는 「Hello.」보다 격 │
│ 의 없는 인사말이다. 아침, 낮, │
│ 밤 아무 때나 쓸 수 있다. 친한 │
│ 사이에서만 쓰는 것으로 알려져 │
│ 있으나, 실제로는 공원 따위 산 │
│ 책길에서 서로 안면이 없는 사 │
│ 람과 마주쳤을 때도 곧잘 「Hi.」 │
│ 하며 미소로 인사를 나누는 경 │
│ 우가 흔히 있다. 「Hi.」 다음에 │
│ 는 흔히 상대의 이름을 붙인다. │
└─────────────────────────┘

hid [hid] [동]
hide의 과거, 과거 분사의
하나.
The two boys *hid* behind
an old tree. 두 소년은 고목 뒤
에 숨었다.

hid·den [hídn] [동]
hide의 과거 분사의
하나.
The treasure was *hidden*
very carefully. 그 보물은 주의
깊게 숨겨져 있었다.

****hide** [haid]
[동]
[3·단·현] **hides** [haidz] : [ing형]
hiding [háidiŋ] : [과거] **hid** [hid] :
[과분] **hidden** [hídn] 또는 **hid** [hid]
[타] …을 감추다, 덮어 가리다.
Clouds *hid* the sun.
구름이 태양을 가렸다.
He *hid* the money under
the bed. 그는 침대 밑에 그 돈
을 감췄다.
── [자] 숨다.
Ali and his wife were *hiding*
in the house. 알리와 그의 아내
는 집에 숨어 있었다.
We found him *hiding* in a
side street. 우리는 그가 골목에
숨어 있는 것을 발견했다.
*hide one***self** 숨다.

My dog *hid himself* under the table. 내 개는 테이블 아래 숨었다.

hide-and-seek [háidənsíːk] 명

《a와 복수형 안 씀》 숨바꼭질.
Let's play *hide-and-seek.*
우리 숨바꼭질하고 놀자.

high [hai] [형][부]

비교 **higher**[háiər]; 최상
highest[háiist]

형 ❶ 높은(⇔low 낮은).
Mountains are *higher* than hills. 산은 언덕보다 높다.
Mt. Paekdu is the *highest* mountain in Korea. 백두산은 한국에서 가장 높은 산이다.

비슷한 말 **high**와 **tall**

high는 산, 건물처럼 폭이 넓고 크며 높은 것에 쓰고, tall은 사람이나 식물처럼 가늘고 긴 것을 나타낼 때 쓴다.
a *high* building 높은 건물.
a *tall* man 키가 큰 사람.
high 의 반대말은 low, tall 의 반대말은 short.

high / low   tall / short

---

❷ 높이가 …인.
"How *high* is Mt. Everest?"
"It is 8,848 meters *high.*"
「에베레스트산의 높이는 얼마인가?」「8,848 미터이다.」
❸ (값이) **비싼**; (정도 따위가) **높은, 심한.**
It is sold at a *high* price.
그것은 비싼 값으로 팔린다.
There was a *high* wind yesterday. 어제는 바람이 몹시 불었다.

── 부 높이, 높게.
climb *high* on the ladder 사다리를 높이 오르다.
An airplane is flying *high* in the sky. 비행기가 하늘 높이 날아가고 있다.
I can jump *higher* than you. 나는 너보다 더 높이 뛸 수 있다.

high jump [hái dʒʌmp] 명

《the를 붙여》 높이뛰기《경기》.

high·land [háilənd] 명

복수 **highlands**[háiləndz]
고지, 고원.
He moved to a *highland* far from the river. 그는 강에서 멀리 떨어진 고지로 이주했다.

high·ly [háili] 부

높이; 대단히.
I think *highly* of his success. 나는 그의 성공을 높이 평가한다.

high school [hái skùːl] 명

복수 **high schools**[hái skùːlz]
고등 학교.
a junior 〔senior〕 *high school* 중〔고등〕 학교. ▶ 중학교를 간단히 a junior high, 고등 학교는 a senior high라고도 함.
He didn't work very hard when he was in *high school.* 그는 고등 학교 시절에 그리 열심히 공부하지 않았다.

참고 미국에서는 학교 제도가 주마다 일정하지 않다. 6-3-3 제에서는 첫번째 3년이 junior high school이고 나머지 3년이 senior high school이다. 6-2-4제에서는 첫 2년이 junior high school, 나머지 4년이 senior high school이다. 또 8-4제이면 4년이 high school이다. ☞ school

high·way [háiwèi] 명
복수 **highways** [háiwèiz]
(도시와 도시를 잇는) **간선 도로,
큰길.**
The *highway* is four lanes
wide. 그 간선 도로는 4차선이다.

참고 우리가 말하는 「고속 도로」
는 미국에서는 expressway,
영국에서는 motorway라고 함.

hike [haik] 명
복수 **hikes** [haiks]
하이킹, 도보 여행. ☞ picnic(소풍)
We will go on a *hike* early
tomorrow. 우리는 내일 일찍 하
이킹을 가려고 한다.
── 자 3·단·현 **hikes** [haiks];
ing형 **hiking** [háikiŋ]; 과거 과분
hiked [haikt]
하이킹하다.
Lt is a perfect day for *hik-
ing*. 하이킹하기에 더할 나위 없
는 날이다.

hik·er [háikər] 명
복수 **hikers** [háikərz]
도보 여행자.
Many *hikers* went out for
long walk in the country.
많은 도보 여행자들이 시골로 먼
길을 떠났다.

hik·ing [háikiŋ] 명
《a와 복수형 안 씀》 하
이킹, **도보 여행.**
We went *hiking* last Sun-
day. 우리들은 지난 일요일에 하
이킹을 갔다.

참고 **hiking과 picnic**
hiking은 걷는 것이 주된 목적
이고, picnic은 야외에서 가지
고 간 음식을 먹으며, 즐기는
것이 목적이다.

hill [hil] 명
복수 **hills** [hilz]
언덕, 작은 산. ☞ mountain

(산)
He ran up the *hill*.
그는 언덕을 달려 올라갔다.

hill·side [hílsàid] 명
복수 **hillsides** [hílsàidz]
산의 중턱, 언덕의 경사면.
We see people working on
the *hillsides*. 우리는 사람들이
산의 중턱에서 일하고 있는 것을
보았다.

hill·top [híltàp] 명
복수 **hilltops** [híltàps]
언덕의 꼭대기.
The hut stands on the
hilltop. 그 오두막은 언덕 꼭대기
에 있다.

him [him] 대
복수 **them** [ðəm; 강 ðem]
《he의 목적격》 **그를, 그에게** (⇨
her 그녀를, 그녀에게).
"Do you know Mr. Miller?"
"Yes, I know *him* very well."
「밀러씨를 아시오?」「예, 잘 알고
있습니다.」
I often study with *him*.
나는 종종 그와 함께 공부한다.

him·self [himsélf] 대
복수 **themselves** [ðəmsélvz]
❶ 《강조 용법》 **그 자신.** ▶이 용
법에서는 himself를 강하게 발음
함. ☞ oneself
He went there *himself*.
그 자신이 거기에 갔다.
He washed the car *himself*.
그는 직접 그 자동차를 씻었다.
❷ 《동사·전치사의 목적어로 쓰
여》 **그 자신을[에게].**
He introduced *himself* to
his students. 그는 학생들에게
자기 소개를 했다.
He often talks to *himself*. 그
는 종종 혼잣말을 한다.
Tom talked about *himself*
to his friends. 톰은 친구들에게
자기 자신에 관해 이야기했다.

H

by himself 혼자서.
He went *by himself.*
그는 혼자서 갔다.

for himself 스스로, 혼자의 힘으로.
He likes to do things *for himself.* 그는 혼자의 힘으로 일하기를 좋아한다.

hint [hint] 명
복수 **hints** [hints]
암시, 힌트(=suggestion).
Will you give me a *hint?*
힌트를 하나 주지 않겠느냐?
Susie took the *hint* and left the room. 수지는 눈치를 채고 방에서 나갔다.

hip [hip] 명
복수 **hips** [hips]
《종종 복수형으로》 (사람의) 엉덩이, 허리《골반부》, 히프.

hire [háiər] 타
3·단·현 **hires** [háiərz];
ing형 **hiring** [háiəriŋ]; 과거 과분 **hired** [háiərd]
…을 고용하다; (세를 내고) 빌리다, 세내다.
We *hired* a woman to do the housework. 우리는 집안일을 할 여자를 한 사람 고용했다.
They *hired* a bus for the picnic. 소풍을 위하여 그들은 버스를 한 대 빌렸다.
── 명 《a와 복수형 안 씀》 고용; 임차, 전세.
This car is for *hire.*
이 자동차는 전세용이다.

his [hiz] 대 복수 **their** [ðər; 강 ðɛər]; **theirs** [ðɛərz]
❶ 《he의 소유격》 그의 (⇨ her 그녀의).
"What's *his* name?" "*His* name is Green." 「그의 이름은 무엇이냐?」 「그린이다.」
He is studying English in *his* room. 그는 자기 방에서 영어를 공부하고 있다.
❷ 《he의 소유 대명사》 그의 것 (⇨ hers 그녀의 것).
Tom has a new bicycle. It

is *his.* 톰은 새 자전거를 가지고 있다. 그것은 그의 것이다. ▶ his 는 his(=Tom's) bicycle의 뜻.
My dog is bigger than *his.*
나의 개는 그의 개보다 크다.
▶ his는 his dog의 뜻.

his·to·ri·an [histɔ́:riən] 명
복수 **historians** [histɔ́:riənz]
역사가, 사학자.
Mr. Grey is a *historian.*
그레이씨는 역사가이다.

his·tor·ic [histɔ́(:)rik] 형
비교 **more historic**; 최상 **most historic**
역사적인, 역사상 유명한.
a *historic* event 역사적인 사건.
Kyŏngju is one of the *historic* places in Korea. 경주는 한국에 있는 역사적인 장소의 하나이다. ☞ 명 history

his·tor·i·cal [histɔ́(:)rikəl] 형
역사(상)의, 역사에 관한.
a *historical* play 사극.
Tom is reading a *historical* novel. 톰은 역사 소설을 읽고 있다. ☞ 명 history

his·to·ry [hístəri] 명
복수 **histories** [hístəriz]
❶ 《a와 복수형 안 씀》 역사, 역사학.
We studied the *history* of Korea. 우리는 한국 역사를 공부했다.
My favorite class is *history.*
내가 좋아하는 과목은 역사이다.
History repeats itself.
《속담》 역사는 되풀이된다.
❷ (개인의) 경력; (사물의) 유래.
a personal *history* 이력서.
This name has a long *history.* 이 이름에는 긴 유래가 있다. ☞ 형 historic, historical

hit [hit] 동 3·단·현 **hits** [hits];
ing형 **hitting** [hítiŋ]; 과거

過分 **hit** [hit]

타 ❶ …을 치다, 때리다.

hit a ball with a bat 배트로 공을 치다.

He *hit* me on the head.
그는 내 머리를 때렸다.

❷ …에 부딪치다; (폭풍 따위가) …을 엄습하다.

The ship *hit* the rocks.
배는 암초에 부딪쳤다.

A heavy storm *hit* California.
강한 폭풍이 캘리포니아를 엄습했다.

❸ …에 맞다, 명중하다.

The arrow *hit* the target.
화살이 과녁에 맞았다.

── 자 부딪치다; 치다.

The truck *hit* against the wall. 그 트럭은 벽에 충돌했다.

Tom *hit* at the boy.
톰은 그 소년을 때렸다.

hit on [*upon*] …을 생각해내다.

He *hit upon* an idea.
그에게 한 가지 생각이 떠올랐다.

── 명 複數 **hits** [hits]

타격, (야구의) 안타; (노래 따위의) 히트, 대성공.

hit and run 히트 앤드 런.

a three-base *hit*, 3루타.

a clean *hit* 깨끗한 안타.

The play was a *hit* on Broadway. 그 연극은 브로드웨이에서 대성공이었다.

hitch·hike [hítʃhàik]

자

3·단·현 **hitchhikes** [hítʃhàiks] :
ing형 **hitchhiking** [hítʃhàikiŋ] :
과거 過分 **hitchhiked** [hítʃhàikt]

히치하이크하다.

They *hitchhiked* home in the cold. 그들은 추워서 히치하이크를 하여 집으로 돌아왔다.

參考 히치하이크는 지나가는 자동차에 무료로 편승하면서 여행하는 것이다. 1920년대에는 미국에서 유행하였으나, 현재는 이를 금지하고 있는 주가 많다.

히치하이크를 하려면 길가에 서서 한 손을 내밀고 엄지손가락을 세워서 지나가는 자동차를 세운다.

hit·ting [hítiŋ] 동
hit의 -ing형.

hob·bies [hábiz] 명
hobby의 복수.

***hob·by** [hábi] 명
複數 **hobbies** [hábiz]

취미, 도락, 즐거움.

"What is your *hobby?*"

"My *hobby* is collecting stamps." 「너의 취미는 무엇이냐?」「내 취미는 우표 수집이다.」

Hobbies help people enjoy life. 취미는 사람들의 삶을 즐겁게 해준다.

hock·ey [háki] 명

《a와 복수형 안 씀》 하키.

Jack played *hockey* with other boys. 잭은 다른 소년들과 하키를 하였다.

hog [hɔːg] 명
複數 **hogs** [hɔːgz]

돼지, (식용을 위해서 불깐) **수퇘지**. ☞ **pig**

He ate like a *hog*.
그는 돼지처럼 게걸스럽게 먹었다.

***hold** [hould] **동**
③·단·현 **holds** [houldz]:
ing형 **holding** [hóuldiŋ]: 과거
과분 **held** [held]

타 ❶ (일시적으로) …을 손에 들다, **붙잡다, 쥐다.**
Hold this book for me.
이 책을 좀 들고 있어라.
He *held* her hands tightly.
그는 그녀의 두 손을 꽉 잡았다.
She is *holding* her nose.
그녀는 코를 쥐어 잡고 있다(냄새 따위가 싫어서).

❷ (재산·학위 따위)를 갖고 있다, **보유하다.**
He still *holds* the heavy weight title. 그는 아직 헤비급 선수권을 갖고 있다.

❸ (회의 따위)를 열다, **개최하다.**
The meeting was *held* yesterday. 회의는 어제 열렸다.
The 1988 Olympic Games were *held* in Seoul. 1988년 올림픽 경기는 서울에서 열렸다.

❹ …을 멈추게 하다; (어떤 상태로) **유지하다.**
Hold your breath.
숨을 멈춰라.
Hold your head straight.
고개를 바로 들고 있어라.

── **자** (어떤 상태를) 유지하다, **계속되다; 견뎌내다; 붙들고 있다.**
This weather won't *hold* long. 이런 날씨는 오래 계속될 것 같지 않다.
Hold tight, please. 단단히 잡으세요. ▶버스·전철 등에서 승객에게 요구하는 말.
Will (Could) you *hold*? (전화에서) 잠시만 기다려 주십시오.

hold back …을 제지(저지)하다.
The police *held back* the crowd. 경찰은 군중을 제지했다.

hold on 붙들고 있다; (전화를) **끊지 않고 기다리다.**
Hold on, please. (전화를) 끊

지 말고 기다려 주세요.

hold on to (onto) …을 단단히 **붙잡고 있다, …에 매달리다.**
Hold on to the rope!
로프를 단단히 붙잡고 있어라!

hold out (손 따위)**를 내밀다.**
Mr. Brown *held out* his hands. 브라운씨는 손을 내밀었다.

── **명** 《a와 복수형 안 씀》 **붙잡음.**
Don't let go your *hold*.
손을 놓지 마라.

***catch** (get, take) **hold of** …을 **붙잡다.**
Betty could easily *catch hold of* the loop. 베티는 쉽게 고리를 잡을 수 있었다.
He *caught hold of* me by the arm. 그는 내 팔을 잡았다.

***hole** [houl] **명**
복수 **holes** [houlz]
구멍, 구덩이.
dig a deep *hole* 깊은 구덩이를 파다.
She must mend the *holes* in her socks. 그녀는 양말의 구멍들을 깁지 않으면 안 된다.

****hol·i·day** [hálədèi] **명**
복수 **holidays** [hálədèiz]
❶ 휴일, 경축일, 축제일. ▶일요일은 holiday에 포함되지 않음.
a national *holiday* 국경일
Next Friday is a *holiday*.
다음 금요일은 휴일이다.
Ch'useok is a big *holiday* in Korea. 한국에서 추석은 큰 명절이다.
On *holidays* many people go hiking in the country.
휴일에는 많은 사람들이 시골로 하이킹을 간다.

참고 미국의 경축일은 우리 나라와는 달리 주에 따라 정해지지만, 대개의 주가 법정 휴일(legal holiday)로 하고 있는 것

에는 다음과 같은 것들이 있다.

New Year's Day 설날(1월 1일).

Washington's Birthday 워싱턴 탄생 기념일(2월 22일).

Memorial 〔**Decoration**〕 **Day** 전몰 장병 기념일(북부 5월 30일; 남부 4월 26일, 5월 10일, 6월 3일 중의 하나).

Independence Day 독립 기념일(7월 4일).

Labor Day 노동절(9월의 첫째 월요일).

Veterans [vétərənz] **Day** 재향 군인의 날(11월 11일).

Thanksgiving Day 감사절(11월의 넷째 목요일).

Christmas Day 성탄절(12월 25일).

Lincoln's Birthday 링컨 탄생 기념일(2월 12일).

경축일은 아니지만 기념일로서 알려진 날에는 다음과 같은 것들이 있다.

Saint (또는 **St.**) **Valentine's Day** 성 발렌타인 축제일(2월 14일).

All Fools' Day 만우절(4월 1일).

May Day 5월제(5월 1일).

Mother's Day 어머니날(5월의 둘째 일요일).

Father's Day 아버지날(6월의 셋째 일요일).

Columbus Day 콜럼버스 미대륙 발견 기념일(10월 12일).

Halloween 모든 성인의 날 전야(10월 31일).

❷ 《종종 복수형으로》 휴가. ☞ vacation

the summer *holidays* 여름 휴가.

She takes a month's *holiday* in summer. 그녀는 여름에 한 달간의 휴가를 얻는다.

I was home for the *holiday(s)*. 나는 휴가 동안 집에 있

었다.

Hol·land [hálənd] 〔명〕

네덜란드. ☞ Netherlands

> 참고 공식 명칭은 the Nether-lands. 유럽 북서부의 왕국으로 육지 면적은 33,426 km². 우리나라 강원도의 2배에 해당된다. 국토의 약 5분의 3은 해발 5m 이하이고, 4분의 1은 해면보다 낮다. 수도는 암스테르담 (Amsterdam [ǽmstərdæm]).

hol·low [hálou] 〔형〕 〔비교〕 **more hollow**; 또는 **hollower** [hálouər]; 〔최상〕 **most hollow** 또는 **hollowest** [hálouist]

속이 빈, 움푹 꺼진〔패인〕.

hollow cheeks 홀쭉한 볼.

There is a big *hollow* tree in the forest. 숲에는 속이 빈 큰 나무가 있다.

Hol·ly·wood [háliwùd] 〔명〕

할리우드.

> 참고 캘리포니아주 로스앤젤레스시 교외의 한 지구로 미국 영화·텔레비전 산업의 중심지로 1911년 최초의 영화 제작 이래 미국 영화의 90%가 여기서 제작되고 있다.

ho·ly [hóuli] 〔형〕 〔비교〕 **holier** [hóuliər]; 〔최상〕 **holiest** [hóuliist]

신성한, 성스러운.
a *holy* place 성지.
the *Holy* Bible 성서.

home [houm] 명
복수 **homes**[houmz]

❶ **집, 주택, 가정.** ☞ house
Men make houses, women make *homes*. 남자는 집을 만들고 여자는 가정을 만든다.
There's no place like *home*. 《속담》 제 집보다 좋은 곳은 없다.

❷ 《a와 복수형 안 씀》 **본국, 고향.**
Bill left *home* when he was eighteen. 빌은 18살 때 고향을 떠났다.

❸ (야구의) **홈, 본루**(=home plate).
get [reach] *home* (safe) 홈인 하다.

at home 집에서, 집에.
"Is Frank *at home*?" "Yes, he is." 「프랭크는 집에 있니?」 「예, 있습니다.」
I am going to give a party *at home* tonight. 오늘 밤에 집에서 파티를 열려고 한다.

feel at home 편하게 느끼다.
I don't *feel at home* among girls. 나는 여자애들 속에 있으면 마음이 편하지 않다.

make oneself at home 편하게 하다.
Please *make yourself at home*. 편하게 하십시오.
— 부 집으로, 집에; 본국으로.
I come *home* at four in the afternoon. 나는 오후 4시에 집으로 돌아온다.
I want to go *home*. 나는 집에 가고 싶다. ➤ go to home이라고 하지 않음.
Mom, I'm *home*. 어머니, 다녀왔습니다.
Nancy, Dad is *home*! 낸시야, 아버지 돌아오셨다!

on one's way home 돌아오는 길에.

Frank met Bill *on his way home* from school. 프랭크는 학교에서 돌아오다 빌을 만났다.
— 형 가정의; 고향의; 본국의.
home life 가정 생활.
home industries 국내 산업.

home·less [hóumlis] 형
집 없는; (가축 따위가) 임자 없는.
Many people were made *homeless* by the flood. 그 홍수로 많은 사람들이 집을 잃었다.
The dog must be *homeless*. 그 개는 주인이 없음에 틀림없다.

home·made [hóumméid] 형
집에서 만든, 손으로 만든; 국산의.
homemade cakes 집에서 만든 케이크.
Are these cookies *homemade*? 이 쿠키는 집에서 만든 것이냐?
homemade cars 국산차.

hom·er [hóumər] 명
복수 **homers**[hóumərz]
홈런, 본루타(=home run).
a 2-run *homer* 투런 홈런.

home page [hóum pèidʒ] 명 복수 **home pages**[hóum pèidʒiz]
➤homepage로도 씀.
홈페이지.
Do you have a *home page*? 너는 홈페이지를 가지고 있니?
Visit my *home page*. 나의 홈페이지를 방문해라.

home·room [hóumrù(:)m] 명
복수 **homerooms**[hóumrù(:)mz]
홈룸(학급 전체가 모이는 교실 또는 시간).
Mr. Ham is our *homeroom* teacher. 함선생님은 우리들의 담임이시다.

home run [hóum rʌ́n] 명

복수 **home runs**[hóum rʌ́nz]
홈런, 본루타(=homer).
hit a *home run* 홈런을 치다.

home·sick [hóumsìk] 형

비교 **more homesick**; 최상 **most homesick**
집〔고향〕이 그리운, 향수의.
get *homesick* 향수에 젖다.
I'm not *homesick* at all.
나는 조금도 집이 그립지 않다.

home·town [hóumtàun] 명

복수 **hometowns**[hóumtàunz]
고향, 출생지. ▶ 태어나서 자란
곳. 도시·마을 구분 않고 one's
*hometown*이라고 함.
"Where's your *hometown*?"
"I was born in New York,
but I grew up in Los
Angeles." 「고향이 어디지?」 「뉴
욕에서 태어나, 로스앤젤레스에서
자랐어.」
Seoul is my *hometown*.
서울은 내 고향이다.

*home·work [hóumwə̀ːrk] 명

《a와 복수형 안
씀》 (학교의) 숙제.
Jane does her *homework*
after dinner. 제인은 저녁 식사
후에 숙제를 한다.
Our teacher gives us a lot
of *homework*.
선생님은 우리들에게 많은 숙제를
내주신다.

*hon·est [ánist] 형

비교 **more honest**;
최상 **most honest**
정직한, 거짓 없는, 성실한(⇔dis-
honest 부정직한).
John is an *honest* young
man. 존은 정직한 젊은이다.
Jane is very *honest* to tell
me about it. = It is very
honest of Jane to tell me
about it. 그것에 관해 나에게 말
해 주다니 제인은 매우 정직하다.
☞ 명 honesty

hon·est·ly [ánistli] 부

거짓없이, 솔직히, 솔직하게 말하
면.
Please tell me *honestly*. 솔
직히 말해 주세요.
Honestly, I don't know
anything about it. 솔직하게
말하면, 나는 그것에 대해 아무것
도 모른다.

hon·es·ty [ánisti] 명

《an과 복수형 안 씀》 정직, 성실.
Honesty is the best policy.
《속담》 정직은 최상의 방책이다.
☞ 형 honest

hon·ey [hʌ́ni] 명

복수 **honeys**[hʌ́niz]
❶ 《a와 복수형 안 씀》 벌꿀, 꿀.
☞ bee(꿀벌)
Bees gather *honey* from
flowers. 꿀벌은 꽃에서 꿀을 모
은다.
❷ 귀여운 사람(=darling). ▶ 애
인, 처자식, 남편 등에 대한 호칭.
my *honey* 여보, 당신. ▶ 애
인·부부간의 호칭.
my *honeys* 애들아. ▶ 어머니가
아이들을 부르는 말.
Honey, will you go shopping
for me? 여보, 내 대신 쇼핑 좀
다녀오시겠어요?

*hon·or [ánər] 명

복수 **honors**[ánərz]
❶ 《an과 복수형 안 씀》 명예, 영
예; 경의, 존경.
win *honor* 명예를 얻다.
He is a man of *honor*.
그는 명예를 존중하는 사람이다.
People paid *honor* to the
hero. 사람들은 영웅에게 경의를
표했다.
❷ 《보통 an을 붙여》 명예로운
사람〔것〕, 자랑거리.
You are an *honor* to our
country. 당신은 우리 나라의 자
랑입니다.
It is a great *honor* to me

to be invited here. 이 곳에 초
대된 것은 나에게 큰 영광입니다.
❸ 《복수형으로》 (학교의) **우등**.
Betty graduated from the
high school with *honors*.
베티는 고등 학교를 우등으로 졸
업하였다.

in honor of …에게 경의를 표하여.
A farewell party was held
in honor of Mr. Smith. 스미
스씨를 위한 송별회가 열렸다.
── 타 3·단·현 **honors** [ánərz] :
ing형 **honoring** [ánəriŋ] ; 과거
과분 **honored** [ánərd]
…에게 명예를 주다, 표창하다 ; …
을 존경하다.
The government *honored*
her for her service. 정부는 그
녀의 업적에 대하여 표창하였다.
He is a man *honored* by
many people. 그는 많은 사람
들에게 존경받고 있다.
▶ 영국에서는 honour로 씀.

hon·or·a·ble [ánərəbəl]
형
비교 **more honorable**; 최상
most honorable
존경할 만한, 훌륭한 ; 명예로운,
영광된.
honorable people 존경할 만한
사람들.
honorable wounds 명예로운
부상.
▶ 영국에서는 honourable로 씀.

hood [húd] 명
복수 **hoods** [húdz]
(머리에 쓰는) **두건**; (외투 따위의)
후드.
a raincoat with a *hood* 후드
달린 비옷.

hook [húk] 명
복수 **hooks** [húks]
갈고리; **낚싯바늘**.
Please hang your coat on
that *hook*. 코트를 저 옷걸이에
거십시오.
Frank caught some fish
with a *hook*. 프랭크는 낚시로

고기를 잡았다.

hoop [húːp] 명
복수 **hoops** [húːps]
(장난감의) **굴렁쇠**, **링**《농구에서》.
a *hula* hoop 훌라후프.

hop [hap] 명
복수 **hops** [haps]
한 발로 뛰기, **도약**.
the *hop*, step, and jump
3단뛰기.
── 자 3·단·현 **hops** [haps] :
ing형 **hopping** [hápiŋ] ; 과거 과분
hopped [hapt]
한 발로 뛰다, **깡충 뛰다**.
Jack *hopped* out of the car.
잭은 차에서 깡충 뛰어나왔다.
I saw a frog *hopping* from
stone to stone.
나는 개구리가 이 돌 저 돌로 뛰는
것을 보았다.

hope [houp] 타
3·단·현 **hopes** [houps] ;
ing형 **hoping** [hóupiŋ] ; 과거 과분
hoped [houpt]
…을 바라다, 희망하다 ; 《hope to
do로》 …하기를 바라다 ; 《hope
that으로》 …이기를 바라다. ▶ 보
통 that은 생략함. ☞ wish
"Will he succeed?" "I *hope*
so." 「그는 성공할까요?」 「그렇게
되기를 바랍니다.」
I *hope to* see you tomorrow.
나는 내일 너를 만나고 싶다.
I *hope (that)* you can visit
the city hall. 나는 네가 시청
을 방문할 수 있기를 바란다.
I *hope* it will be fine
weather tomorrow. 나는 내일
날씨가 좋기를 바란다.
── 명 복수 **hopes** [houps]
❶ **희망**, **바람**, **기대**(⇔ despair
절망).
Don't give up *hope*.
희망을 버리지 마라.
Do we have any *hope*?
우리에게 희망이 있습니까?
His last *hope* was lost.
그의 마지막 희망이 사라졌다.

While there is life there is *hope*. 《속담》 목숨이 붙어있는 한 희망이 있다.
❷ 희망을 주는 것〔사람〕.
He is the *hope* of his family. 그는 집안의 희망이다.

hope·ful [hóupfəl] 형

[비교] **more hopeful**; [최상] **most hopeful**
유망한, 가망성이 있는; 희망에 찬 (⇔hopeless 희망이 없는).
hopeful words 희망에 찬 말.
I am *hopeful* of your success. 나는 네가 성공할 것으로 생각한다.

hope·less [hóuplis] 형

[비교] **more hopeless**; [최상] **most hopeless**
희망 없는, 가망 없는, 절망적인 (⇔hopeful 희망에 찬).
The plan is quite *hopeless*. 그 계획은 전혀 가망이 없다.

hop·ing [hóupiŋ] 통
hope의 -ing형.

ho·ri·zon [həráizən] 명

[복수] **horizons** [həráizənz]
지평선, 수평선.
The sun rose above the *horizon*. 태양이 수평선 위로 떠올랐다.

hor·mone [hɔ́ːrmoun] 명

[복수] **hormones** [hɔ́ːrmounz]
호르몬.
growth *hormones* 성장 호르몬.

horn [hɔːrn] 명

[복수] **horns** [hɔːrnz]
❶ (동물의) 뿔.
Bulls have *horns*.
소는 뿔이 있다.
❷ (자동차의) 경적; 호른 《악기》; 뿔피리.
an auto〔a motor〕*horn* 자동차의 경적.
The driver blew his *horn*.

그 운전사는 경적을 울렸다.

hor·ri·ble [hɔ́rəbəl] 형

[비교] **more horrible**; [최상] **most horrible**
소름 끼치는, 무서운.
It was a *horrible* sight 그것은 무서운 광경이었다.
She had a *horrible* dream. 그녀는 무서운 꿈을 꾸었다.

hor·ror [hɔ́rər] 명

《a와 복수형 안 씀》 (오싹하게 하는) 공포, 무서움.
a *horror* film〔movie〕 공포 영화.
She screamed in *horror*. 그녀는 무서워서 비명을 질렀다.

*horse [hɔːrs] 명

[복수] **horses** [hɔ́ːrsiz]
말.
ride a *horse* 말을 타다.
on a *horse* 말로, 말을 타고.
You may take a *horse* to the water, but you can't make him drink. 《속담》 말을 물가까지 끌고 갈 수는 있지만, 억지로 물을 먹일 수는 없다《스스로 하려는 생각이 없는 사람은 곁에서 어떻게 할 수가 없다는 뜻》.

horse   pony

[참고] 「망아지」는 colt [koult], 몸집이 작은 종자인 「조랑말」은 pony라고 한다. 망아지의 울음 소리는 neigh [nei].

horse·man [hɔ́ːrsmən] 명

[복수] **horsemen** [hɔ́ːrsmən]
승마자, 기수.

H

horse·men [hɔ́ːrsmən] 명
horseman의 복수.

horse rac·ing [hɔ́ːrs rèisiŋ] 명
《a와 복수형 안 씀》경마.

hose [houz] 명
복수 **hose** [houz] 또는
hoses [hóuziz]
❶ 호스.
a fire *hose* 소방 호스.
❷ 《a와 복수형 안 씀》스타킹,
타이츠.
a pair of *hose* 스타킹 한 쌍.

hos·pi·tal [háspitl] 명
복수 **hospitals** [háspitlz]
병원.
There is no *hospital* on
the island. 그 섬에는 병원이
없다.
She works in a *hospital*.
그녀는 병원에서 근무한다.
Grandmother is in the *hos-
pital*. 할머니는 입원 중이시다.

host [houst] 명
복수 **hosts** [housts]
(초청한 손님을 접대하는) **주인**
(⇨ hostess 여주인).
Mr. Black was the *host* at
his dinner party. 블랙씨는 만
찬회의 주인역을 맡아 하였다.

host·ess [hóustis] 명
복수 **hostesses** [hóustisiz]
(초청한 손님을 접대하는) **여주인**
(⇨ host 주인).
Mrs. Brown will be *hostess*

to a party of ten people on
Sunday evening. 브라운 부인
은 일요일 밤의 파티에서 열 사람
의 손님을 접대할 것이다.

hos·tile [hástl, -tail] 형
적의 있는, 적개심에 불타는.
a *hostile* nation 적국.

hot [hat] 형
비교 **hotter** [hátər]: 최상
hottest [hátist]
❶ 더운, 뜨거운(⇔ cold 추운, 차
가운).
a *hot* summer 더운 여름.
It's *hot* in August.
8월은 덥다.
It's *hot* today, isn't it? 오늘
은 덥지, 안 그래? ➤날씨가 조금
더운 정도일 때는 보통 warm을 씀.
I'd like a cup of *hot* tea.

뜨거운 차를 한 잔 마시고 싶은
데요.
Summer is the *hottest* sea-
son of the year. 여름은 일년
중 가장 더운 계절이다.
❷ (맛이) 매운, (혀가) 얼얼한.
Pepper is *hot*. 후추는 맵다.
☞ 명 heat

hot dog [hát dɔ́ːg] 명
복수 **hot dogs** [hát dɔ́ːgz]
핫도그.

Tom had a *hot dog* at a
grocery.
톰은 식품점에서 핫도그를 하나
먹었다.

参考 미국 사람들이 즐겨 먹는 가벼운 식사의 하나로, 롤빵 사이에 소시지를 끼워 넣고 겨자나 케첩을 발라 먹는다. 햄버거에 버금가는 미국의 전형적인 간식.

***ho·tel** [houtél] 명
복수 **hotels** [houtélz]
호텔, 여관.
stay〔stop〕at a *hotel* 호텔에 묵다〔머무르다〕.

参考 일반적으로 영미의 호텔은 방만 빌려 주고 식사는 제공하지 않는 것이 보통이다. 호텔에 묵으려면 예약(reservation)을 하는 것이 편리하다. inn이라고 불리는 것은 규모만 좀 작을 뿐 내용은 호텔과 거의 같다. 호텔에 들어서면 우선 프런트(front desk)에서 주소·성명을 등록하고 방 열쇠를 받는다. 이것을 check in이라고 한다. 호텔을 나올 때는 프런트에 열쇠를 돌려 주고 돈을 지불하는데 이것을 check out이라고 한다.

****hour** [áuər] 명
복수 **hours** [áuərz]
❶ 1시간. ➤「분」은 minute, 「초」는 second임.
One *hour* is sixty minutes long. 1시간은 60분이다.
A day has twenty-four *hours*. 하루는 24시간이다.
The fire was out in half an *hour*. 화재는 30분만에 꺼졌다.
Nancy waited for me for an *hour*. 낸시는 나를 1시간 동안 기다렸다. ➤hour의 h는 발음되지 않으므로 그 앞의 부정관사는 an이 됨.

参考 **hour** 와 **o'clock**
… o'clock은 시계의 바늘이 가리키는 「시각」을, hour는 60분으로 이루어지는 시간의 폭을 나타낸다. three *hours*는 「3시간 ; 180분」을 뜻하고, three *o'clock*은 시계침이 가리키는 「3시」를 뜻한다.

❷ 시각 ; (수업·근무·영업의) 시간.
at an early〔a late〕*hour* 이른〔늦은〕시각에.
school *hours* 수업 시간.
the rush *hour* 러시 아워.
We have English in the third *hour*. 우리는 셋째 시간에 영어 수업이 있다.
by the hour 시간제로, 시간당 얼마로.
We hired a car *by the hour*. 우리는 시간제로 자동차를 빌렸다.

****house** [haus] 명
복수 **houses** [háuziz]
❶ 집, 주택.
Mr. Green's *house* is in a quiet town. 그린씨의 집은 조용한 도시에 있다.
Welcome to our *house*. Come on in. 저희 집에 오신 것을 환영합니다. 들어오십시오.
Shall I show you around the *house*? 집안을 안내해 드릴까요?

参考 **house** 와 **home**
house는 집을 건물의 관점에서 본 표현이고, home은 「가족이 사는 장소」라는 관점에서 본 표현으로 「가정」이란 뜻이 강하다.
His *house* burned down. 그의 집이 타버렸다.
a sweet *home* 즐거운 가정.

❷ (특정 목적에 사용하는) 건물.
an opera *house* 오페라 극장.
a dog*house* 개집.
a publishing *house* 출판사.
➤ 복수형 houses의 발음이 [háuziz]로 되는 것에 주의.

house·hold [háushòuld] 명

복수 **households**[háushòuldz]
(동거인을 포함한) **식구, 가족;
세대, 가구.**
There are six in my *household*. 나의 식구는 여섯이다.

house·wife [háuswàif] 명

복수 **housewives**[háuswàivz]
주부.
Nancy is a good *housewife*.
낸시는 훌륭한 가정 주부이다.

house·wives [háuswàivz]

housewife의 복수.

house·work [háuswə̀rk] 명

《a와 복수형 안 씀》**가사,** (요
리·청소 따위의) **집안일.**
do (the) *housework* 집안일을
하다.

*how [hau] 부

❶《방법을 나타내어》**어떻
게, 어떤 방법으로.**
"*How* do you go to school?"
"By bus." 「너는 어떻게 학교에
가느냐?」「버스로 학교에 간다.」
How do you use this flash-
light? 이 회중 전등은 어떻게 사
용하지?
"*How* would you like your
steak?" "Well-done, please."
「스테이크는 어떤 식으로 구워 드
릴까요?」「잘 구워 주십시오.」
❷《정도를 나타내어》**얼마나, 얼
마만큼. ▶**「How + 형용사〔부
사〕」의 형식으로, 수량·거리·높
이·키·기간·금액 따위를 묻는
의문문에 쓰임.
"*How* many books are
there on the desk?" "There
are seven." 「책상 위에는 책이
몇 권 있느냐?」「7권 있다.」
"*How* much milk is there
in the bottle?" "It's about
half full." 「병 속에 우유가 얼마
나 있느냐?」「약 반쯤 있다.」

"*How* tall are you, Bill?"
"I'm five feet six."
「빌, 너의 키는 얼마나 되느냐?」
「나는 5피트 6인치다.」
"*How* long have you been
living here, Mark?" "For
five years." 「여기서 몇 해나 살
고 있느냐, 마크야?」「5년간 살고
있다.」
"*How* much is this?" "It's
500 won." 「이것은 얼마냐?」
「500원이다.」
"*How* often did you meet
her?" "I met her twice."
「너는 그녀를 몇 번이나 만났느
냐?」「두 번 만났다.」
"*How* old are you?" "I'm
fourteen." 「너는 몇 살이냐?」
「열네 살이다.」
"*How* long is this cloth?"
"It's two yards long." 「이 천
의 길이는 얼마냐?」「2야드다.」
❸《건강·기분 따위의 상태를 나
타내어》**어떤 상태로.**
"*How* is your mother?"
"She is fine, thank you."
「너의 어머니 건강은 어떠시니?」
「건강하셔. 염려해줘서 고마워.」
"*How* do you feel today?"
"I feel better today, thank
you." 「오늘 기분이 어떤가?」「오
늘은 괜찮아. 고마워.」
❹《감탄문에 쓰여》**얼마나 …,
정말…, 참…. ▶**「How+형용사
〔부사〕」의 형식으로.
How pretty (she is)!
그녀는 참 예쁘구나!
How fast you walk!
너는 걸음이 참 빠르구나!
❺《**how to** do로》**…하는 방법,
…하는 법.**
My mother knows *how to*
make a cake. 어머니는 과자
만드는 방법을 알고 계신다.
Can you tell me *how to*
use this computer? 나에게
이 컴퓨터의 이용 방법을 말해주
겠느냐?

*__How about ...?__ …하는 것이 어떻습니까?, …하지 않겠느냐?
How about taking a rest?
휴식을 취하는 것이 어떻겠느냐?

회화 **How do you do?**「처음 뵙겠습니다.」
처음 만난 사람들이 서로 주고받는 격식을 차린 인사말이다.
A : *How do you do?* Glad to meet you.
B : *How do you do?* Glad to meet you, too.
「처음 뵙겠습니다. 만나서 기쁩니다.」「처음 뵙겠습니다. 저도 만나 뵈어 기쁩니다.」
How are you?「안녕하세요?」
아는 사람을 만났을 때 하는 인사말이다.
How are you doing? /
How's it going? / How's everything? 이라고도 한다.
A : *How are you?*
B : Fine, thank you. And you?
「안녕하세요?」「예, 잘 지냅니다. 고맙습니다. 당신도 안녕하시지요?」

---

how·ev·er [hauévər] 접
그러나, 그러하지만.
Later, *however*, he decided to do it. 그러나 나중에 그는 그것을 하기로 결심했다.
Jane lost her money. This, *however*, was not her fault. 제인은 돈을 잃어 버렸다. 그러나 이것은 그녀의 잘못이 아니었다.
It's a little expensive, *however*. 좀 비싸긴 하지만.

참고 문장 중간에 놓이는 경우가 많은데, 이 때는 그 앞뒤에 콤마를 찍는다. 구어체에서는 별로 쓰이지 않는다.

── 부 아무리〔비록〕…일지라도.

However hard you try, you won't succeed. 아무리 열심히 노력해도, 너는 성공할 수 없을 것이다.

howl [haul] 자
3·단·현 **howls** [haulz] : ing형 **howling** [háuliŋ] : 과거 과분 **howled** [hauld]
(개·늑대 따위가) 짖다.
The dog often *howls* at night. 개는 밤에 종종 짖는다.
── 명 복수 **howls** [haulz]
(개·늑대 따위의) 짖는 소리.

Hud·son [hʌ́dsən] 명
《the를 붙여》 허드슨강.

참고 미국 뉴욕 동부의 남쪽으로 흐르는 강으로, 길이는 480 km. 하구(河口)의 맨해튼 섬에 뉴욕시가 있다.

---

hug [hʌg] 타
3·단·현 **hugs** [hʌgz] : ing형 **hugging** [hʌ́giŋ] : 과거 과분 **hugged** [hʌgd]
…을 껴안다, 포옹하다; (편견 따위)를 품다.
The brothers *hugged* each other. 그 형제는 서로 껴안았다.

*__huge__ [hju:dʒ] 형
비교 **huger** [hjú:dʒər] : 최상 **hugest** [hjú:dʒist]
거대한, 막대한(⇔ tiny 아주 작은).
What is that *huge* building? 저 큰 건물은 무엇이냐?
He spent a *huge* sum of money. 그는 막대한 돈을 썼다.

hum [hʌm] 자
3·단·현 **hums** [hʌmz] : ing형 **humming** [hʌ́miŋ] : 과거 과분 **hummed** [hʌmd]
❶ 흥얼거리다, 콧노래를 부르다.
Jane *hummed* a tune.
제인은 콧노래를 불렀다.
❷ (벌·재봉틀 따위가) 윙윙하다, 윙〔붕〕하고 소리내다.

The sewing machine is *humming* busily. 재봉틀이 윙 소리를 내며 바삐 돌고 있다.
── 閏 《단수형으로》 윙윙하는 소리.
I heard the *hum* of bees. 나는 벌들이 윙윙대는 소리를 들었다.

*hu·man [*h*júːmən] 閏
비교 **more human;** 최상 **most human**
인간의, 인간다운, 인간미가 있는.
the *human* race 인류.
a *human* body 인체.
Selfishness is one of the *human* weaknesses. 이기심은 인간의 약점 중의 하나다.
☞ 閏 humanity

hu·man be·ing [*h*júːmən bíːiŋ] 閏
복수 **human beings** [*h*júːmən bíːiŋz]
(동물 따위에 대하여) 사람, 인간.

hu·man·i·ty [*h*juːmǽnəti] 閏
❶《a와 복수형 안 씀》 인류(= mankind).
All *humanity* is greatly helped by advances in the medical sciences. 전인류는 의학의 발달로 크게 도움을 받는다.
❷《a와 복수형 안 씀》 인간다움, 인간성.
Killing is a crime against *humanity*. 살인은 인간성에 대항한 범죄이다. ☞ 閏 human

hum·ble [*h*ʌ́mbəl] 閏
비교 **humbler** [*h*ʌ́mbələr]; 최상 **humblest** [*h*ʌ́mbəlist]
❶ 겸손한, 겸허한.
a *humble* way of speaking 겸손한 말투.
❷ 조잡한, 볼품 없는; (신분 따위가) 천한.
His *humble* cottage has only one room. 그의 초라한 오두막 집은 방이 하나밖에 없다.

*hu·mor [*h*júːmər] 閏
《a와 복수형 안 씀》 유머, 재담.
Our teacher has a good sense of *humor*. 우리 선생님은 뛰어난 유머 감각이 있다.
▶ 영국에서는 humour로 씀.
☞ 閏 humorous

참고 **humor 와 wit 와 joke**
humor는 상대방 감정에 호소하는 마음의 부드러움·온정·애수 따위가 깃들어 있는「재담」. 영국인은 유머 감각을 가진 것으로 유명하다. 이에 대해 지적이고 재치가 넘치는「익살」을 wit 라고 하고, joke 는 장난기 있는「농담」을 말한다.

hu·mor·ous [*h*júːmərəs] 閏
비교 **more humorous;** 최상 **most humorous**
익살맞은, 유머러스한, 유머가 풍부한.
Mark Twain wrote *humorous* adventure stories. 마크 트웨인은 유머가 있는 모험 소설을 썼다.
☞ 閏 humor

hunch·back [*h*ʌ́ntʃbæk] 閏
복수 **hunchbacks** [*h*ʌ́ntʃbæks]
곱사등이, 꼽추.
The *Hunchback* of Notre Dame 노트르담의 꼽추.

*hun·dred [*h*ʌ́ndrəd] 閏
복수 **hundreds** [*h*ʌ́ndrədz]
100.
a *hundred*, 100.
two *hundred*, 200.
five *hundred* (and) fifty, 550.
▶ 100단위 뒤가 00이 아닐 때, 미국에서는 흔히 and를 생략함.

참고 **1.** hundred 앞에 수사가 붙는 경우에는 hundred를 복수형으로 하지 않는다.

2. 연호. 이를 테면 1995년을 영어로 읽을 때는 보통 100 단위에서 끊어 nineteen ninety five라고 읽는다. 1800이나 1900과 같은 경우는 eighteen hundred, nineteen hundred라고 읽는다.

*_hundreds of_ 수백의, 많은.

Hundreds of people had gathered in the park. 수백 명의 사람들이 공원에 모였다.
—[형] 100의; 100 개[명]의; 100 세의.
three _hundred_ people, 300 명의 사람들.
five _hundred_ dollars, 500 달러.

hun·dredth [hʌ́ndrədθ] [형]
《보통 the를 붙여》 100번째의; 100분의 1의.
—[명] [복수] **hundredths** [hʌ́n-drədθs]
100번째; 100분의 1. ▶ 100th.로 약함.

***hung** [hʌŋ] [동] **hang**의 과거·과거 분사의 하나.
I want my pictures to be _hung_ in the museum. 나의 그림이 미술관에 걸리기를 바란다.

***hun·ger** [hʌ́ŋɡər] [명]
《a와 복수형 안 씀》 공복, 굶주림.
suffer from _hunger_ 굶주림에 시달리다.
Many people died of _hunger._ 많은 사람들이 굶어 죽었다.
Hunger is the best sauce. 《속담》 시장이 반찬: 기갈이 감식. ☞ [형] **hungry**

hun·gri·er [hʌ́ŋɡriər] [형]
hungry의 비교급.

hun·gri·est [hʌ́ŋɡriist] [형]
hungry의 최상급.

***hun·gry** [hʌ́ŋɡri] [형] [비교]
hungrier [hʌ́ŋɡriər];
[최상] **hungriest** [hʌ́ŋɡriist]
배고픈, 굶주린.

I am very _hungry._
나는 배가 몹시 고프다.
Nancy found a _hungry_ dog near her house. 낸시는 자기 집 근처에서 굶주린 개를 발견했다. ☞ [명] **hunger**

***hunt** [hʌnt] [동]
[3·단·현] **hunts** [hʌnts];
[ing형] **hunting** [hʌ́ntiŋ]; [과거] [과분]
hunted [hʌ́ntid]
[타] (짐승)을 사냥하다.
We _hunted_ foxes.
우리는 여우를 사냥했다.
Tom and Jack went out to _hunt_ hares. 톰과 잭은 토끼를 사냥하러 나갔다.
—[자] 사냥을 하다.
go _hunting_ 사냥하러 가다.
He often _hunts_ in these forests. 그는 종종 이 숲에서 사냥을 한다.

hunt·er [hʌ́ntər] [명] [복수]
hunters [hʌ́ntərz]
사냥꾼.
His father was a _hunter._
그의 아버지는 사냥꾼이었다.

hunt·ing [hʌ́ntiŋ] [명]
《a와 복수형 안 씀》 사냥, 수렵.
I went deer _hunting_ during the season. 나는 수렵 기간 중에 사슴 사냥을 갔다.

hur·dle [hə́:rdl] [명]
[복수] **hurdles** [hə́:rdlz]
(경기용의) 허들, 장애물; 《**the hurdles**로》 허들[장애물] 경주.
run _the hurdles_ 장애물 경주를 하다.

hur·rah [hərάː] 〔감〕

만세!

Hip, hip, *hurrah!* 힙, 힙, 후레이!《만세》. ▶만세 삼창은 이 말을 세 번 되풀이함.

Hurrah for the King! 국왕 만세!

▶hurray[huréi]라고도 함.

hur·ri·ed [hə́ːrid] 〔통〕

hurry의 과거·과거 분사.

hur·ri·cane [hə́ːrəkèin] 〔명〕

〔복수〕 hurricanes[hə́ːrəkèinz]

허리케인《여름부터 가을에 걸쳐 서인도 제도에서 발생하여, 자주 미국을 엄습하는 대폭풍》.

hur·ried·ly [hə́ːridli] 〔부〕

매우 급하게, 허둥지둥.

He went home *hurriedly.* 그는 매우 급하게 집으로 돌아갔다.

*hur·ry [hə́ːri]

〔3·단·현〕 hurries [hə́ːriz] ; 〔ing형〕 hurrying [hə́ːriiŋ] ; 〔과거〕〔과분〕 hurried[hə́ːrid]

〔자〕 서두르다, 서둘러 가다; 허둥대다.

It's rather late. You had better *hurry.* 좀 늦었다. 서두르는 게 좋겠다.

He *hurried* home to watch a basketball game on TV. 그는 텔레비전으로 농구 경기를 보기 위해 집으로 서둘러 갔다.

── 〔타〕 (아무)를 서두르게 하다, 재촉하다.

Don't *hurry* him. 그를 재촉하지 마라.

hurry up 《주로 명령문에서》 서두르다.

Hurry up, if you want to take the train. 기차를 타려면 서둘러라.

── 〔명〕《a와 복수형 안 씀》 서두름. ☞ haste

What's your *hurry?*

왜 이리 서두르냐?

There's no *hurry.* 서두를 필요 없다.

in a hurry 서둘러서, 허둥지둥.

Everybody was *in a hurry* to get home. 모든 사람들이 집에 가느라 서둘렀다.

*hurt [həːrt] 〔통〕

〔3·단·현〕 hurts [həːrts] ; 〔ing형〕 hurting[hə́ːrtiŋ] ; 〔과거〕〔과분〕 hurt[həːrt]

〔타〕 ❶ …에게 상처를 입히다, …를 아프게 하다.

I *hurt* my right leg when I fell. 나는 넘어졌을 때 오른발을 다쳤다.

He got *hurt* in the accident. 그는 사고로 부상을 당했다.

❷ (감정)을 해치다, 상하게 하다.

I didn't mean to *hurt* your feelings. 나는 네 기분을 상하게 할 생각은 아니었다.

── 〔자〕 아프다.

It *hurts!* 아얏!

My left leg still *hurts.* 왼발이 아직도 아프다.

hurt oneself 다치다, 부상을 입다.

My aunt *hurt herself* in the kitchen. 숙모님께서는 부엌에서 다치셨다.

── 〔명〕〔복수〕 hurts[həːrts]

(신체의) **부상**; (정신적인) **상처**.

a slight 〔serious〕 *hurt* 경상 〔중상〕.

*hus·band [hΛzbənd] 〔명〕

〔복수〕 husbands[hΛzbəndz]

남편(⇨ wife 아내).

They are *husband* and wife. 그들은 부부다. ▶「부부」란 뜻의 husband and wife에는 a 나 the를 안 붙임.

A good *husband* makes a good wife. 《속담》 훌륭한 남편이 좋은 아내를 만든다.

hush [hΛʃ] 〔타〕

〔3·단·현〕 hushes [hΛʃiz] ; 〔ing형〕 hushing[hΛʃiŋ] ; 〔과거〕〔과분〕

hushed [hʌʃt]
…을 잠재우다, 조용하게 하다.
She *hushed* her baby to
sleep. 그녀는 어린애를 달래서
잠들게 했다.
── 값 쉿!, 조용해!
Hush! Someone is coming.
쉿! 누가 온다.

hut [hʌt] 명
     복수 **huts** [hʌts]
오두막, 오막살이집. ➤ cabin보다
초라한 것.
We spent the night in a
mountain *hut.*
우리들은 산 속의 오두막에서 밤
을 지냈다.

Hyde Park [háid páːrk] 명
                   하이드 파크 《런던
서부에 있는 큰 공원》.

hy·drant [háidrənt]
         명
복수 **hydrants** [háidrənts]
소화전.

hy·dro·gen [háidrədʒən]
               명
《a와 복수형 안 씀》 수소. ➤ 원소
기호는 H.
Hydrogen bombs are many
more times powerful than
atomic bombs. 수소 폭탄은 원
자 폭탄보다 여러 배나 강력하다.
➤ hydrogen bomb은 H-bomb,
atomic bomb는 A-bomb이라고
도 함.

hymn [him] 명
       복수 **hymns** [himz]
찬송가, 성가.
They are singing a *hymn.*
그들은 찬송가를 부르고 있다.

hy·phen [háifən] 명
         하이픈 《-》.

참고 하이픈 기호는 다음과 같
은 경우에 쓴다.
1. 둘 이상의 낱말이 합쳐서 한
낱말로 쓰일 때.
Western-style 서양식의 / son
-in-law 사위, 양자 / twenty-
six, 26.
2. 한 낱말을 두 행에 꺾어서
쓸 때. 이 경우에 하이픈은 둘
로 나뉘어진 앞 부분의 끝에 붙
이지만, 음절(**syllable**)이 끊어
지는 곳이 아니면 끊어서는 안
된다. ☞ **syllable**

I i

I i
ℐ ℐ

I [ai] 때
복수 **we** [wi; 강 wi:]
나는, 내가.

수 격	단 수	복 수
주 격	I (나는, 내가)	we (우리는, 우리가)
소유격	my (나의)	our (우리들의)
목적격	me (나를, 나에게)	us (우리들을, 우리들에게)

I go to school by bus.
나는 버스로 등교한다.
I am a student. 나는 학생이다.
You and *I* are good friends.
너와 나는 좋은 친구이다. ▶주어
가 You and I, 즉 복수이기 때문
에 동사는 am이 아니라 are가 됨.

[참고] **1.** I는 1인칭 단수의 주격
으로서 어느 경우에나 반드시
대문자로 쓰며, 남녀 구별 없이
사용한다.
2. 다른 명사·대명사와 나란히
함께 쓰일 경우에는 맨 뒤에 온
다. You, he, and I...처럼
보통 2인칭→3인칭→1인칭의
순서가 된다.

*ice [ais] 명
《an과 복수형 안 씀》 얼음.
ice water 얼음물.
an *ice* rink 옥내 스케이트장.
the *ice* age 빙하 시대.
The river is covered with
ice. 그 강은 얼음으로 덮여 있다.
The *ice* began to melt.
얼음이 녹기 시작했다.
── 타 [3·단·현] **ices** [áisiz]; [ing형]
icing [áisiŋ]; [과거] [과분] **iced** [aist]

…을 얼게 하다, 차게 하다.
iced coffee 아이스 커피.
The lake was *iced* over.
그 호수는 얼음으로 덮여 있었다.

ice·berg [áisbə:rg] 명 **복수**
icebergs [áisbə:rgz]
빙산.
The sailors saw a huge
iceberg in the distance.
선원들은 멀리 있는 거대한 빙산
을 보았다.

ice·box [áisbàks] 명 **복수**
iceboxes [áisbàksiz]
(얼음을 사용하는) 아이스박스; 냉
장고(=refrigerator).
The old house had no
refrigerator, only an *icebox*.
그 고옥에는 전기 냉장고는 없고
아이스박스뿐이었다.

ice cream [áis krì:m]
명
복수 **ice creams** [áis krì:mz]
아이스크림.
eat *ice creams*
아이스크림을 먹다.
Please give me two *ice
creams*. 아이스크림을 두 개 주
세요.
"What flavor of *ice cream* do
you like?" "I love vanilla."
「어떤 아이스크림을 좋아합니까?」
「바닐라를 좋아합니다.」

it to you. 나는 네게 그것을 보여주고 싶다.

I'd (=I had) never been there before. 나는 전에 거기에 가 본 적이 없었다.

I·da·ho [áidəhòu] 명
아이다호.

참고 미국 북서부에 있는 주. Id. 또는 Ida.로 생략함. 면적은 216,427 km² 로서 거의 우리 나라와 같다. 주도는 보이시(Boise[bɔ́isi]).

ice hock·ey [áis hὰki] 명

《an과 복수형 안 씀》 아이스 하키. ➤ 간단히 hockey라고도 함.
I like to watch *ice hockey* very much. 나는 아이스 하키 구경을 무척 좋아한다.

Ice·land [áislənd] 명
아이슬란드.

참고 북대서양에 위치한 섬으로, 공화국임. 면적은 102,819 km² 로서 우리 나라의 반 정도이다. 수도는 레이캬비크(Reykjavik [réikjəvì:k]).

ice-skat·ing [áisskèitiŋ] 명

(빙상) 스케이트.
We enjoy *ice-skating* in winter. 우리는 겨울에 스케이트를 즐긴다.

i·cy [áisi] 형 비교 icier[áisiər] : 최상 iciest[áisiist]

얼음 같은, 매우 차가운.
Icy winds blew all day yesterday. 어제는 온종일 매우 차가운 바람이 불었다.

*I'd [aid] I would 또는 I had의 단축형.

I'd(=I would) like to show

**i·de·a [aidí:ə] 명 복수 ideas[aidí:əz]

❶ 생각, 착상, 아이디어.
Do you have any *ideas*?
무슨 묘안이 없느냐?
I've got an *idea*.
좋은 생각이 떠올랐다.
That's a good *idea*.
그것 참 좋은 생각이다.
I have no *idea*. 모르겠다.
❷ 의견; 사상(=thought).
My *idea* is different from yours. 내 의견은 네 것과 다르다.
Western *ideas* 서양의 사상.

i·de·al [aidí:əl] 형

이상적인, 더할나위 없는.
an *ideal* day for picnic 소풍 가기에 더할나위 없는 날.
an *ideal* marriage 이상적인 결혼.
── 명 복수 ideals[aidí:əlz]
이상, 이상적인 사람[것], 모범.
the *ideal* and the real 이상과 현실.
She was the *ideal* of Korean women in those days. 그녀는 당시 한국 여성의 이상이었다.

i·den·ti·fy [aidéntəfài] 타

3·단·현 identifies[aidéntəfàiz] :
ing형 identifying [aidéntəfàiiŋ] :
과거 과분 identified[aidéntəfàid]
(동일한 사람·물건임)을 확인하

다, (무엇인가)를 식별〔감정〕하다.
identify handwriting 필적을
감정하다.
Can you *identify* the man
by his picture? 너는 사진으로
그 사람을 식별해낼 수 있느냐?

i·den·ti·ty [aidéntəti]
명
복수 **identities** [aidéntətiz]
신원, 정체.
He hid his true *identity*. 그
는 그의 진짜 신원을 숨겼다.

id·i·om [ídiəm] 명
복수 **idioms** [ídiəmz]
숙어, 성구, 관용구.

i·dle [áidl]
비교 **idler** [áidlər] : 최상
idlest [áidlist]
❶ 아무 일도 안 하는, 한가한;
(기계 따위가) 쓰이고 있지 않은.
idle machines 쉬고 있는 기계.
idle money 유휴 자금.
They spent many *idle*
hours during the vacation.
그들은 휴가 동안에 많은 시간을
하는 일 없이 보냈다.
❷ 게으른, 나태한. ➤ 이 뜻으로
는 보통 lazy를 씀.
Look at the *idle* man!
저 게으른 사람 좀 봐!

i·dle·ness [áidlnis]
명
《an과 복수형 안 씀》 아무 일도
하지 않음; 나태, 게으름.
You should not live in
idleness. 하는 일 없이 빈둥빈둥
지내선 안 된다.

i·dol [áidl] 명 복수 **idols** [áidlz]
우상.
a teen-age *idol* 십대의 우상.

if [if] 접 ❶ 《조건을 나타내어》 만일 …이
라면〔하면〕.
If you speak English well,
you can talk with all the
people in the world. 네가 영
어를 잘 한다면, 너는 세계의 모든
사람들과 얘기를 나눌 수 있다.

You can catch the bus *if*
you go now. 지금 가면 너는
그 버스를 탈 수 있다.
If it snows tomorrow, we
will go skiing. 만일 내일 눈이
오면, 우리들은 스키 타러 가겠다.

어법 조건을 나타내는 if절의
동사는 그 내용이 미래의 사항
일지라도 미래형을 쓰지 않고
현재형을 쓴다.

❷ 《가정을 나타내어》 만약 …이
라면, 만일 …이었다면.
If I were a bird, I would
fly to you. 만약 내가 새라면,
너에게로 날아갈 텐데.
If I could drive, I would
take you home. 만일 내가 운
전을 할 수 있다면, 너를 집에다
데려다줄 텐데.
If I had known, I shouldn't
have done it. 만일 내가 알았
다면, 그것을 안 했을 텐데.

어법 있을 수 없는 사실과 반대
되는 것을 상정해서 말하는 표
현을 「가정법」이라고 한다. if절
의 동사는, 현재 사실과 반대되
는 가정에는 과거형(be동사는
were)을, 과거 사실과 반대되는
가정에는 과거 완료형을 쓴다.

❸ 설사 …일지라도.
I will do it *if* it is difficult.
설사 그것이 어려울지라도, 나는
그것을 하겠다. ➤ even if로 나
타내기도 함.
❹ …인지 어떤지.
I will ask him *if* he will
come tomorrow. 그에게 내일
올 것인지 물어봐야겠다.
I wonder *if* it is true.
정말인지 아닌지 모르겠다.
I asked him *if* it was nice.
나는 그것이 근사했는지 아닌지
그에게 물어보았다.
as if 마치 …인 것처럼.

He speaks *as if* he knew everything. 그는 마치 무엇이나 다 알고 있는 것처럼 말한다.

even if 설사 …일지라도.

Even if it rains tomorrow, I will go there. 설사 내일 비가 올지라도 나는 거기에 가겠다.

ig·nore [ignɔ́ːr] 〔타〕 〔3·단·현〕 **ignores** [ignɔ́ːrz]: 〔ing형〕 **ignoring** [ignɔ́ːriŋ]: 〔과거〕 〔과분〕 **ignored** [ignɔ́ːrd]

…을 무시하다.

He *ignored* our advice. 그는 우리들의 충고를 무시하였다. The driver *ignored* the speed limit. 그 운전자는 제한 속도를 무시했다.

*ill [il] 〔형〕〔부〕〔비교〕 **worse** [wəːrs]: 〔최상〕 **worst** [wəːrst]

〔형〕 ❶ 병든, 기분〔건강〕이 나쁜(⇔ well 건강한). ▶이 뜻일 때, ill은 명사 앞에는 쓰지 않고 sick을 씀. She is *ill* in bed. 그녀는 아파서 자리에 누워 있다. Nancy got〔became, fell〕 *ill* last week. 낸시는 지난 주 병에 걸렸다.

❷ 《명사 앞에만 쓰여》 나쁜(= bad).

ill feelings 나쁜 감정. *ill* will 악의, 적의. *ill* luck 불운.

a man of *ill* fame 악명 높은 사람〔사내〕. ☞〔명〕illness

— 〔부〕 나쁘게(⇔ well 좋게).

You always take things *ill*. 너는 언제나 사물을 나쁘게 받아들인다.

speak ill of …을 나쁘게 말하다.

Don't *speak ill of* others. 남을 나쁘게 말하지 마라.

*I'll [ail] I will 또는 I shall의 단축형.

I'll be there by five. 나는 다섯 시까지 거기 가겠다. *I'll* write to you as soon as I get there. 거기에 도착하면 곧 편지하겠다.

il·le·gal [ilíːgəl] 〔형〕

불법〔위법〕의, 비합법적인.

illegal gambling 불법 도박.

il·le·gal·ly [ilíːgəli] 〔부〕 불법적으로.

The car was parked *illegally*. 그 차는 불법으로 주차되어 있었다.

Il·li·nois [ìlənɔ́i] 〔명〕 일리노이.

〔참고〕 미국 중서부의 주. 면적은 146,085 km²로서 우리 나라의 반보다 약간 크다. 주도는 스프링필드(Springfield [spríŋfiːld]) 로서 링컨 대통령의 묘지가 있다. 이 주의 북부에는 미국 제2의 도시 시카고(Chicago [ʃikáːgou])가 있다.

*ill·ness [ílnis] 〔명〕 〔복수〕**illnesses** [ílnisiz]

병, 질병; 병에 걸린 상태(⇔ health 건강). She had a bad *illness*. 그녀는 지독한 병에 걸렸다. He is absent because of *illness*. 그는 병으로 결석했다. Nancy has recovered from her *illness*. 낸시는 병이 완쾌되었다. ☞〔형〕ill

il·lu·mi·na·tion [ilùːmənéiʃən] 〔명〕 〔복수〕 **illuminations** [ilùːmənéiʃənz]

❶ 《an과 복수형 안 씀》 조명; 조명도.

Strong lights are used for the *illumination* of tall buildings. 고층 건물의 조명에는 밝은 전등이 쓰인다.

❷ 《복수형으로》 전광 장식.

il·lus·trate [íləstrèit] 〔타〕

〔3·단·현〕 **illustrates** [íləstrèits]: 〔ing형〕 **illustrating** [íləstrèitiŋ]: 〔과거〕〔과분〕 **illustrated** [íləstrèitid]

(실례·도해 따위로) …을 설명하

다; (책 따위)에 삽화를 넣다.
Please *illustrate* the meaning of this sentence with some examples. 이 문장의 뜻을 예를 들어 설명해 주십시오.
He *illustrated* the book with many pictures. 그는 그 책에 많은 삽화를 넣었다.

il·lus·tra·tion [ìləstréiʃən] 몡

복수 **illustrations** [ìləstréiʃənz]
(책의) 삽화, 도해; (실례·도해에 의한) 설명.
The book has many color *illustrations*. 그 책에는 컬러 삽화가 많이 실려 있다.

*I'm [aim]

I am의 단축형.
I'm sorry. 미안합니다.
I'm going to play tennis this afternoon. 나는 오늘 오후에 테니스를 칠 생각이다.

im- [im-] 접두

b, m, p로 시작되는 낱말 앞에 붙여 반의어를 만듦.
*im*balance 불균형 / *im*patient 참을 수 없는 / *im*mobile 움직일 수 없는 / *im*possible 불가능한.

im·age [ímidʒ] 몡

복수 **images** [ímidʒiz]
(그림·조각의) 상(像); (마음에 떠오르는) 모습, 이미지; 영상.
an *image* of Buddha 불상(佛像).
When he shut his eyes, he saw the *images* of his parents. 그는 눈을 감으면 부모님의 모습이 떠올랐다.

i·mag·i·na·ble [imǽdʒənəbəl] 혱

비교 **more imaginable;** 최상 **most imaginable**
상상할 수 있는.
the best thing *imaginable* 상상할 수 있는 최상의 것.

i·mag·i·na·tion [imǽdʒənéiʃən] 몡

복수 **imaginations** [imǽdʒənéiʃənz]
상상, 공상, 상상력.
It's just her *imagination*. 그것은 그녀의 상상일 뿐이다.
Picasso's pictures are full of *imagination*. 피카소의 그림은 상상으로 가득 차 있다.
☞ 동 imagine

*i·mag·ine [imǽdʒin] 타·자

3·단·현 **imagines** [imǽdʒinz]:
ing형 **imagining** [imǽdʒiniŋ]:
과거 과분 **imagined** [imǽdʒind]
❶ (…을) 상상하다, 마음에 그리다.
Just *imagine*! 생각 좀 해봐!
Can you *imagine* such a thing? 그러한 일을 상상할 수 있겠느냐?
I cannot *imagine* the size of your country. 나는 너의 나라의 크기를 상상할 수가 없다.
❷ 《**imagine that…**으로》 …라고 상상[생각]하다.
Imagine that you are the president. 네가 대통령이라고 상상해 보아라.
I *imagine that* many people will go to the moon some day. 언젠가는 많은 사람들이 달에 가리라고 나는 생각한다.
☞ 몡 imagination

i·mag·in·ing [imǽdʒiniŋ] 동

imagine 의 -ing 형.

im·i·tate [ímitèit] 타

3·단·현 **imitates** [ímitèits]: ing형 **imitating** [ímitèitiŋ]: 과거 과분 **imitated** [ímitèitid]
…을 흉내내다, 모방하다.
She *imitated* her teacher's pronunciation. 그녀는 선생님의 발음을 흉내냈다.
The painter *imitated* one of Picasso's pictures. 그 화가는 피카소의 그림을 모방했다.

im·i·ta·tion [ìmitéiʃən] 몡

[복수] **imitations**[imitéiʃənz]

❶ 《an과 복수형 안 씀》 모방, 흉내.

learn by *imitation* 모방으로써 배우다.

❷ 모조품, 가짜.

Her diamond was an *imitation*. 그녀의 다이아몬드는 모조품이었다.

im·me·di·ate [imíːdiit] [형]

직접의, 즉시의, 즉석의.

an *immediate* cause 직접적인 원인.

immediate information 직접 얻은 정보.

Please send an *immediate* reply. 곧 회답 주십시오.

im·me·di·ate·ly [imíːdiitli] [부]

바로, 곧, 즉시(=right away).

I have to write him *immediately*. 그에게 곧 편지를 써야 해.

Stop it *immediately*! 즉시 그것을 중지하여라!

im·mense [iméns] [형]

막대한, 광대한(=huge); 헤아릴 수 없는.

an *immense* ocean 광대한 대양.

an *immense* amount of money 막대한 액수의 돈.

im·pact [ímpækt] [명] [복수] **impacts**[ímpækts]

❶ 영향, 감명, 효과.

The speech made a big *impact* on the audience. 그 연설은 청중들에게 큰 감명을 주었다.

❷ 《an과 복수형 안 씀》 충돌, 충격.

the moment of *impact* 충돌의 순간.

im·pa·tient [impéiʃənt] [형] [비교] **more impatient**; [최상] **most impatient**

❶ 참을 수 없는, 참을성 없는; 성마른(⇔ patient 참을성 있는).

Don't be *impatient*. 성급해 하지 마라.

❷ …하고 싶어 애태우는〔안달하는〕.

The boys were *impatient* to go out to play baseball. 소년들은 밖에 나가 야구를 하고 싶어 애태우고 있었다.

im·po·lite [ìmpəláit] [형] [비교] **more impolite**; [최상] **most impolite**

버릇 없는, 실례의(⇔ polite 예의 바른).

It is *impolite* of him to come so late. 그가 그렇게 늦게 오는 것은 실례이다.

im·port [impɔ́ːrt] [타] [3·단·현] **imports** [impɔ́ːrts]: [ing형] **importing**[impɔ́ːrtiŋ]: [과거] [과분] **imported**[impɔ́ːrtid]

…을 수입하다 (⇔ export 수출하다).

imported goods 수입품.

We *import* a lot of things from abroad. 우리는 많은 물품들을 해외에서 수입한다.

From where do we *import* wool? 우리는 어디에서 양모를 수입하느냐?

── [ímpɔːrt] [명] [복수] **imports** [ímpɔːrts]

❶ 《an과 복수형 안 씀》 수입(⇔ export 수출(품)).

the *import* of foreign cars 외제차의 수입.

❶ 수입품.

Wool is a useful *import*. 양모는 유익한 수입품이다.

***im·por·tance** [impɔ́ːrtəns] [명]

《an과 복수형 안 씀》 중요성, 중요함.

The teacher told us about the *importance* of good health. 선생님은 우리에게 건강의 중요성에 관하여 말씀하셨다.

This is a matter of great

importance. 이것은 대단히 중요한 문제이다. ☞ 혱 important

*im·por·tant [impɔ́ːrtənt] 혱

비교 **more important;** 최상 **most important**
중요한, 소중한; (사람·지위 따위가) 유력한, 관록이 있는.

It is an *important* event in world history. 그것은 세계 역사상 하나의 중대 사건이다.

a very *important* person 중요한 인물. (정부) 요인, 귀빈. ▶ V.I.P.로 약함.

Good health is *important* to [for] us. 건강은 우리에게 매우 중요하다.

It is *important* for us to know the truth. 진실을 아는 것이 우리에게 중요하다.

It is *important* that we have good manners. 올바른 예절을 갖는다는 것은 중요하다.

*im·pos·si·ble [impásəbəl] 혱

비교 **more impossible;** 최상 **most impossible**
(사물이) 불가능한, 있을 수 없는 (⇔ possible 가능한).

It is an *impossible* plan. 그것은 실행 불가능한 계획이다.

It's an *impossible* story. 그것은 있을 수 없는 이야기이다.

This is *impossible* news. 이것은 믿을 수 없는 소식이다.

It is *impossible* for me to write more. (=I cannot write more.)나로선 더 이상 쓸 수 없다. ▶ 사람을 주어로 하여 I am *impossible* to write more. 라고는 하지 않음.

im·press [imprés] 타

3·단·현 **impresses** [imprésiz] :
ing형 **impressing** [imprésiŋ] :
과거 과분 **impressed** [imprést]
…에게 인상[감명]을 주다, …을 감동시키다.

The book *impressed* me very much. 그 책은 나에게 큰 감명을 주었다.

im·pres·sion [impréʃən] 명

복수 **impressions**[impréʃənz]
인상, 느낌; 감동, 감명.

What is your first *impression* of Korea? 한국의 첫 인상은 어떠하냐?

His speech made a strong *impression* on all the students. 그의 연설은 모든 학생에게 큰 감명을 주었다.

im·pres·sive [imprésiv] 혱

비교 **more impressive;** 최상 **most impressive**
인상적인, 감동적인.

It was the most *impressive* speech I've ever heard. 그것은 이제까지 내가 들어본 것 중에 가장 감동적인 연설이었다.

*im·prove [imprúːv] 통

3·단·현 **improves** [imprúːvz] :
ing형 **improving** [imprúːviŋ] :
과거 과분 **improved**[imprúːvd]
타 …을 개량하다, 개선하다; 향상시키다, 좋게 하다.

improve a method 방법을 개선하다.

improve one's health 건강을 증진시키다.

Nancy *improved* her English by everyday practice. 낸시는 매일 연습하여 영어를 향상시켰다.

── 자 좋아지다, 진보하다; 향상되다, 개량되다.

His health is *improving*. 그의 건강은 좋아지고 있다.

☞ 통 improvement

im·prove·ment [imprúːvmənt] 명

《an과 복수형 안 씀》 개량, 개선; 향상, 진보.

make *improvement* 개선하다.

I have noticed a great deal

of *improvement* in your schoolwork. 나는 너의 학업이 크게 향상되었음을 알게 되었다.
☞ 몡 improve

**in [in] 젼
❶ 《장소·위치를 나타내어》 …의 속에, …에. ☞ at
There are two birds *in* the cage. 새장 속에 새 두 마리가 있다.
Nancy lives *in* New York. 낸시는 뉴욕에 살고 있다.
What do you have *in* your bag? 너는 가방 속에 무엇을 가지고 있느냐?
❷ 《방향을 나타내어》 …쪽에〔으로, 에서〕.
The sun rises *in* the east and sets *in* the west. 해는 동쪽에서 떠서 서쪽으로 진다. ▶ 「…에서」를 from, 「…으로」를 to 로 하기 쉬우나, 이 경우는 모두 in을 씀에 주의.
❸ 《시간을 나타내어》 …동안〔중〕에, …에, …때에.
in March, 3월에.
in winter 겨울에.
in 1996, 1996년에.
in the 21st century, 21세기에.
in my childhood 나의 어린 시절에.
There are seven days *in* a week. 1주일은 7일이다.
We have four classes *in* the morning and three *in* the afternoon. 우리는 수업이 오전에 4시간, 오후에 3시간 있다.

┌─────────────────────────────┐
│ 어법 **in, at, on** 의 용법 │
│ in은 비교적 긴 시간을 나타내는 │
│ 말, 즉 오전·오후·월·년 따위 │
│ 에 쓰이며, at은 시각·시점을 │
│ 나타내는 말과 함께, on은 특정 │
│ 의 날 또는 요일을 나타내는 말 │
│ 과 함께 쓰인다. │
│ *in* a year, 1년에 / *at* six, 6시 │
│ 에 / *on* July 5, 7월 5일에 / *on* │
│ Sunday 일요일에. │
└─────────────────────────────┘

in the morning   on July 6

❹ 《시간의 경과를 나타내어》 … 지나, …후에, …내에.
Nancy will be back *in* an hour. 낸시는 한 시간 후에 돌아올 것이다.
I will finish it *in* ten minutes. 나는 10분 안에 그것을 끝내겠다.
They will come home *in* a few days. 그들은 2, 3일 지나면 집에 돌아올 것이다.
❺ 《복장을 나타내어》 …을 입고, …을 몸에 걸치고.
She is dressed *in* white. 그녀는 흰 옷을 입고 있다.
Look at the girl *in* the red dress. 빨간 옷을 입고 있는 소녀를 보아라.
❻ 《범위를 나타내어》 …에 (있어서), …점에서는.
I am strong [weak] *in* science. 나는 과학에 능하다〔약하다〕.
He won the Nobel Prize *in* physics this year. 그는 올해 물리학 분야에서 노벨상을 탔다.
❼ 《재료·수단 따위를 나타내어》 …으로.
a statue *in* bronze 청동상.
He can write letters *in* English. 그는 영어로 편지를 쓸 수 있다.
I received a letter written *in* pencil [ink]. 나는 연필〔잉크〕로 쓴 편지를 받았다.
❽ 《상태·형태를 나타내어》 …의 상태로, …모양으로, …이 되어.
I am *in* good health. 나는 건강하다.
Let's sit *in* a circle.

우리 둥그렇게 둘러앉자.
Some animals live *in* groups.
어떤 동물들은 무리지어 산다.
── 튀 ❶ 속에, 속으로, 안에(⇔ out 밖에, 밖으로).
Please come *in*.
어서 들어오시오.
He looked *in* through the window. 그는 창으로 들여다보았다.
Don't call anyone *in*.
아무도 불러들이지 마라.
❷ 집에 있어(⇔ out 외출하여).
Is your mother *in*?
어머니는 집에 계시느냐?

in- [in] 접투 형용사 앞에 붙여 반의어를 만듦.
*in*correct 부정확한 / *in*dependent 독립의 / *in*visible 눈에 안 보이는.

*__inch__ [intʃ] 명
[복수] **inches** [íntʃiz]
인치《12분의 1피트, 2.54 cm》.
Tom is five feet ten *inches* tall. 톰의 키는 5피트 10인치다.

in·ci·dent [ínsədənt] 명
[복수] **incidents** [ínsədənts]
사건, 사고.
The *incident* happened when I was there. 내가 거기에 있을 때 그 사건이 일어났다.

in·cline [inkláin] 타 [3·단·현]
inclines [inkláinz];
[ing형] **inclining** [inkláiniŋ];
[과거] [과분] **inclined** [inkláind]
…을 기울이다; 《be inclined to do로》…하고 싶은 마음이 있다; …하는 경향이 있다.
I *am* inclined *to* go at once. 나는 곧 가고 싶어졌다.

*__in·clude__ [inklú:d] 타 [3·단·현]
includes [inklú:dz];
[ing형] **including** [inklú:diŋ]; [과거]
[과분] **inculded** [inklú:did]
…을 포함하다, (전체 중에) …을 넣다.
This price does not *include*

the tax. 이 가격은 세금이 포함되어 있지 않다.

in·clud·ing [inklú:diŋ] 동
include 의 -ing 형.
── 전 …을 포함하여, …을 넣어.
It's $5.10 *including* tax. 세금을 포함해서 5 달러 10 센트다.
Five were invited, *including* me. 나를 포함해서 다섯 사람이 초대되었다.

in·come [ínkʌm] 명
[복수] **incomes** [ínkʌmz]
(정기적인) 수입, 소득.
monthly *income* 매월의 소득.
the *income* tax 소득세.
He has an *income* of $9,000 a year. 그는 연간 9천 달러의 수입이 있다.
They lived on a small *income*. 그들은 적은 수입으로 생활했다.

*__in·crease__ [inkrí:s] 동
[3·단·현] **increases**
[inkrí:siz]; [ing형] **increasing**
[inkrí:siŋ]; [과거] [과분] **increased**
[inkrí:st]
자 (수·양 따위가) 증가하다, 늘다, 많아지다(⇔ decrease 감소하다).
The number of cars is *increasing*. =Cars are *increasing* in number. 차량의 수가 늘고 있다.
The population has *increased*. 인구가 증가하였다.
── 타 (수·양 따위)를 늘리다, 증대하다.
The train *increased* speed.
열차는 속도를 높였다.
── [ínkri:s] 명 [복수] **increases**
[ínkri:siz]
증가, 증대.
a rapid *increase* in population 인구의 급격한 증가.
They were surprised at the rapid *increase* in food. 식료품

의 급격한 증가에 그들은 놀랐다.

in·creas·ing [inkríːsiŋ] 동
increase 의 -ing형.

in·cred·i·ble [inkrédəbəl] 형
비교 **more incredible;** 최상 **most credible**
❶ 믿을〔신용할〕수 없는, 거짓말 같은.
an *incredible* story 거짓말 같은 이야기.
❷ 엄청난.
We import an *incredible* amount of cheese from the country. 우리는 그 나라에서 엄청난 양의 치즈를 수입한다.

*in·deed [indíːd] 부
실로, 참으로, 정말로.
"How lovely the baby is!" "Yes, *indeed!*"「그 아기 어찌 그리 예쁠까!」「그래, 정말 예쁘다!」
Thank you very much *indeed.* 정말 대단히 고맙다.

in·de·pend·ence [indipéndəns] 명
《an과 복수형 안 씀》 독립, 자립.
America won *independence* from England in 1776. 미국은 1776년에 영국으로부터 독립을 쟁취했다.

In·de·pend·ence Day
[indipéndəns dèi] 명
(미국의) **독립 기념일.▶** 7월 4일이므로 the Fourth of July라고도 함.

참고 1776년 7월 4일에 미합중국은 영국에 대하여 독립 선언서(the Declaration of Independence)를 발표하였다. 이 날을 기념하여 해마다 7월 4일을 법정 휴일로 정해 경축한다.

in·de·pend·ent [indipéndənt] 형
비교 **more independent;** 최상 **most independent**
독립의, 독립한; 독립심이 있는, 의존하지 않는(⇔ dependent 의존하는).
an *independent* country 독립국.
Be *independent!* 자립하여라!
He is a very *independent* boy. 그는 매우 독립심이 강한 소년이다.
Nancy is *independent* of her parents. 낸시는 부모에게 의존하지 않고 생활하고 있다.

in·dex [índeks] 명 복수
indexes [índeksiz] 또는 **indices** [índisìːz]
❶ 《**indices**로》《수학》 지수, 지표, 율.
economic *indices* 경제 지표, 경제 지수.
❷ 색인, 찾아보기; (사서 따위의) 손톱〔반달〕색인.
Use the *index* to find the word. 그 단어를 찾으려면 색인을 사용해라.

*In·di·a [índiə] 명
인도.

참고 정식으로는 the Republic of India(인도 공화국)이라고 한다. 1950년 영국의 자치령으로부터 완전 독립하였다. 수도는 뉴델리(New Delhi[njúː déli]). 면적은 3,268,081 km²로서 우리 나라의 약 15 배나 된다.

In·di·an [índiən] 명
복수 **Indians** [índiənz]
아메리칸 인디언(=American Indian); 인도 사람.
Mr. Brown made friends with some *Indians* while he was in India. 브라운씨는

인도에 있는 동안 몇몇 인도 사람들과 친구가 되었다.

Some kind *Indians* taught them how to plant beans, corn, and other vegetables. 어떤 친절한 인디언들은 콩, 옥수수, 기타 야채의 재배법을 그들에게 가르쳐 주었다.

── 톙 아메리칸 인디언의; 인도 사람의.

He went to America to study *Indian* languages. 그는 인디언 말을 연구하러 미국에 갔다.

In·di·an·a [ìndiǽnə] 명
인디애나.

> 참고 미국 중부의 주. 면적은 94,000 km²로서 남한과 비슷하다. Ind.로 약함. 주도는 인디애나폴리스 (Indianapolis[ìndiənǽpəlis])로서 자동차가 발명된 곳.

in·di·cate [índikèit] 타

(3·단·현) **indicates** [índikèits]:
(ing형) **indicating** [índikèitiŋ]:
(과거) (과분) **indicated** [índikèitid]
…을 가리키다, 나타내다; 표시하다.
The sign *indicates* the way to the village. 그 표지는 마을로 가는 방향을 가리키고 있다.
Fever *indicates* sickness. 신열은 병이 있다는 표시다.

in·di·go [índigòu] 명
(an과 복수형 안 씀)
쪽(염료): 쪽빛, 남색.
Indigo is a beautiful, deep violet-blue color. 쪽빛은 아름답고 짙은 보라색이 감도는 청색이다.

in·di·rect [ìndirékt] 톙 (비교)
more indirect;
(최상) **most indirect**
(길 따위가) 곧지 않은; 간접의 (⇔ direct 직접의).
an *indirect* route 우회하는 길.
indirect narration 간접 화법.
an *indirect* object 간접 목적어.
He gave me an *indirect* answer. 그는 나에게 간접적인 대답을 했다.

in·di·vid·u·al [ìndəvídʒuəl] 톙
(비교) **more individual**; (최상)
most individual
개개의, 개인의; 개인적인.
an *individual* interview 개인 면담.
That's an *individual* matter. 그것은 개인적인 문제다.
── 명 (복수) **individuals** [ìndəvídʒuəlz]
(전체에 대한) 개인.
the rights of the *individual* 개인의 권리.
Society is made up of *individuals*. 사회는 여러 개인으로 구성되어 있다.

in·door [índɔːr] 톙
실내의, 옥내의(⇔ outdoor 옥외의).
Basketball is a popular *indoor* sport for winter. 농구는 겨울철에 알맞은 인기 있는 실내 스포츠다.

in·doors [índɔːrz] 부
실내에(서), 옥내에(서)(⇔ out doors 옥외에(서)).
Stay *indoors*. 집 안에 있어라.
You'd better put these plants *indoors*. 이 식물은 실내에 두는 편이 좋다.

in·dus·tri·al [indʌ́striəl] 톙
공업의; 산업의.
an *industrial* country 공업국.

an *industrial* workers 산업 근로자.

an *industrial* school 공업 학교.

He wanted to visit the *industrial* areas of Korea. 그는 한국의 공업 지대를 방문하고자 했다. ☞ 몧 industry

In·dus·tri·al Rev·o·lu·tion [indʌ́striəl revəlúːʃən] 몧

《the를 붙여》 **산업 혁명**(1760년경 영국에서 시작되어 유럽 여러 나라로 확산된 사회적 대변혁. 기계·동력의 발명이 그 계기가 되었음).

in·dus·tries [índəstriz] 몧

industry 의 복수.

*in·dus·try [índəstri] 몧

복수 **industries** [índəstriz] **산업**, **공업**; 《an과 복수형 안 씀》 근면.

the car [computer] *industry* 자동차[컴퓨터] 산업.

His success is due to *industry*. 그의 성공은 근면한 덕택이다. ☞ 혱 industrial

in·ev·i·ta·ble [inévitəbəl] 혱

피할 수 없는, **필연적인**.

an *inevitable* result 필연적인 결과.

The accident was *inevitable*. 그 사고는 피할 수 없었다.

in·ex·pen·sive [inikspénsiv] 혱

비교 **more inexpensive**; 최상 **most inexpensive**

비용이 안 드는, **값싼**(⇔ expensive 값비싼).

This is a well-made, *inexpensive* camera. 이것은 값싸고 잘 만들어진 카메라다.

in·fant [ínfənt] 몧

복수 **infants** [ínfənts] **젖먹이**, **유아**(보통 7세 미만).

This food is for *infants*. 이 음식은 유아용이다.

in·fe·ri·or [infíəriər] 혱

(품질·정도 따위가) **떨어지는**, **열등한**; (신분이) **하위인**(⇔ superior 우수한).

This coffee is *inferior* to that in quality. 이 커피는 저것보다 품질면에서 떨어진다.

His position is *inferior* to mine. 그의 지위는 나보다 낮다.

▶「…보다」라고 할 때 than을 쓰지 않고 to를 씀에 주의.

in·fin·i·tive [infínətiv] 몧

《an과 복수형 안 씀》 **부정사**(不定詞).

참고 다음 예문의 이탤릭체는 부정사이다.

I want *to visit* that place. 나는 그 장소를 방문하고 싶다 《명사 용법》.

It's time *to go*. 출발할 시간이다 《형용사 용법》.

We eat *to live*. 우리는 살기 위하여 먹는다 《부사 용법》.

in·fla·tion [infléiʃən] 몧

《an과 복수형 안 씀》 **인플레이션**, **(물가의) 폭등**.

check the *inflation* of prices 물가 폭등을 억제하다.

in·flu·ence [ínfluəns] 몧

복수 **influences** [ínfluənsiz]

❶ **영향(력)**.

Television has a great *influence* on children. 텔레비전은 어린이들에게 큰 영향력이 있다.

❷ 《an과 복수형 안 씀》 **세력**.

He is a man of *influence*. 그는 유력한 사람이다.

── 타 3·단·현 **influences** [ínfluənsiz]; ing형 **influencing** [ínfluənsiŋ]; 과거 과분 **influenced** [ínfluənst]

…에 영향을 미치다; **…을 감화하다**.

The weather *influences* the

crops. 날씨는 작물에 영향을 미친다.

He was greatly *influenced* by his teacher. 그는 선생님으로부터 큰 감화를 받았다.

in·flu·en·za [ìnfluénzə] 명
《an과 복수형 안 씀》**유행성 감기, 인플루엔자.** ▶구어에서는 보통 flu[flu:]라고 함.

catch *influenza* 유행성 감기에 걸리다.

She is in bed with *influenza*. 그녀는 유행성 감기로 앓아 누워 있다.

in·form [inf5:rm] 타 ③·단·현
informs [inf5:rmz]:
ing형 **informing** [inf5:rmiŋ]:
과거 과분 **informed** [inf5:rmd]
(아무)**에게 알리다, 통지하다.**
▶tell 보다 격식을 갖춘 말.

He *informed* me of the event. 그는 그 사건을 나에게 알려주었다.

We were *informed* that two prisoners had escaped.
두 죄수가 탈주하였다는 통고를 받았다. ☞명 information

in·for·mal [inf5:rməl] 형
비교 **more informal**; 최상 **most informal**
정식이 아닌, 비공식의; 격식을 안 차린(⇔formal 정식의).

an *informal* visit 비공식 방문.
informal clothes 평상복.

The party was a very *informal* one. 그 모임은 극히 비공식적인 것이었다.

*****in·for·ma·tion** [ìnfərméiʃən] 명
❶《an과 복수형 안 씀》**정보, 지식, 자료.**

He wanted *information* about the moon. 그는 달에 관한 정보를 원했다.

We can keep *information* in a computer. 우리는 정보를 컴퓨터에 보관할 수 있다.

어법 information은 셀 수 없는 명사로서, 그 양을 나타낼 때에는 news, furniture와 마찬가지로 some, much, a lot of 따위를 쓴다. 또, 일정한 양을 나타낼 때에는 a piece of, two pieces of를 쓴다.

He gave me *two* useful *pieces of information* about it. 그는 그것에 관한 두 가지 유익한 정보를 나에게 주었다.

❷《an과 복수형 안 씀》**안내(소).**
Please come to the *information* counter〔*office*〕. 안내소로 와 주십시오. ☞동 inform

in·for·ma·tion desk
[ìnfərméiʃən dèsk] 명 복수
information desks[ìnfərméiʃən dèsks]
안내소, 안내계.

-ing [-iŋ] 접미
❶ 동사의 원형에 붙여 「…하고 있는」이란 뜻의 현재 분사를 만듦.
❷ 동사 원형에 붙여 「…하기, …하는 것」이란 뜻의 동명사를 만듦.

어법 -ing 만드는 법		
대부분의 동사	그대로 -ing를 붙임	start*ing*
e로 끝나는 동사	e를 생략하고 -ing를 붙임	chang*ing*
「단모음+자음자」로 끝나는 동사	자음자를 겹치고 -ing를 붙임	putt*ing*

in·gre·di·ent [ingrí:diənt] 명
복수 **ingredients** [ingrí:diənts]
(요리의) **재료, (혼합물의) 성분, 원료.**

ingredients for the cake 케

이크를 만들기 위한 재료들.

in·hab·it·ant [inhǽbətənt] 圐

[복수] **inhabitants**[inhǽbətnts]
주민, 거주자.

No *inhabitants* were there at that time. 당시에는 거기에 거주자가 아무도 없었다.

in·i·tial [iníʃəl] 圐
최초의; 첫글자의.

an *initial* letter 머리글자.

His *initial* act as manager was to promote sales.
지배인으로서의 그의 첫번째 일은 판매를 촉진하는 것이었다.

── 圐 [복수] **intials**[iníʃəlz]
첫글자; 《복수형으로》 성명의 머릿글자.

My name is Nancy Brown, and my *initials* are N.B.
나의 이름은 Nancy Brown이고 머릿글자는 N.B.이다.

in·jec·tion [indʒékʃən] 圐

[복수] **injections**[indʒékʃənz]
주사, 주입.

have 〔get〕 an *injection* 주사를 맞다.

in·jure [índʒər] 囼 〔3·단·현〕
injures [índʒərz];
[ing형] **injuring** [índʒəriŋ]; 〔과거〕
[과분] **injured**[índʒərd]
…에게 상처를 입히다; (감정 따위)를 해치다.

I was *injured* at the football game yesterday. 나는 어제 축구 경기에서 부상을 당했다.

His words *injured* my pride.
그의 말은 나의 자존심을 상하게 했다.

in·jured [índʒərd] 圐
상처 입은, 부상당한.

injured people 부상자.

the dead and the *injured*
(사고의) 사상자.

in·ju·ry [índʒəri] 圐 [복수]
injuries[índʒəriz]

부상, 상해; 손해.

receive an *injury* to the face 얼굴에 상처를 입다.

John got a serious *injury* yesterday. 존은 어제 큰 부상을 입었다.

***ink** [iŋk] 圐
《an과 복수형 안 씀》 잉크.

a bottle of *ink* 잉크 한 병.

fill a pen with blue *ink*
만년필에 파란 잉크를 넣다.

You should write in *ink*.
너는 잉크로 써야 한다.

in·land [ínlənd] 圐
《명사 앞에만 쓰여》 내륙의, 내지의.

an *inland* city 내륙의 도시.

── [ínlǽnd] 囝 내륙에서〔으로〕.

live far *inland* 깊은 오지에 살다.

They kept going *inland*.
그들은 자꾸 내륙으로 들어갔다.

➤ 형용사와 부사의 발음이 다름에 주의.

inn [in] 圐
[복수] **inns**[inz]

여관, 여인숙; 작은 호텔. ☞hotel
put up at an *inn* 여관에 묵다.

a country *inn* 시골 여인숙.

┌─[참고]─────────────
│ 아래층은 음식점. 위층은
│ 숙박 시설을 갖춘 구식의 조그
│ 만 여관. 지금도 영국의 시골에
│ 가면 볼 수 있다. 또, 최근에는
│ Holiday Inn 따위처럼 호텔이
│ 나 레스토랑 이름으로도 쓰이고
│ 있다.
└──────────────────

in·ner [ínər] 圐
《명사 앞에만 쓰여》 안쪽의, 내부의(⇔outer 밖의, 외부의).

an *inner* court 안 뜰.

She usually stayed in an *inner* room. 그녀는 대개 안쪽 방에 있었다.

in·ning [íniŋ] 圐
[복수] **innings**[íniŋz]

(야구의) 회(回), 이닝.

the first [second] half of the seventh *inning*. 7회초 [말].
He hit a single in the second *inning*. 2회에 그는 단타를 쳤다.

inn·keep·er [ínkìːpər] 명
[복수] **innkeepers** [ínkìːpərz]
여관 주인.
The *innkeeper* was a very interesting person. 그 여관 주인은 매우 재미있는 사람이었다.

in·no·cence [ínəsəns] 명
《an과 복수형 안 씀》 결백, 무죄; 천진함.
The story is about the *innocence* of a little child. 그 이야기는 어린이의 천진함에 관한 것이다.

in·no·cent [ínəsənt] 형 [비교]
more innocent;
[최상] **most innocent**
무죄의, 죄 없는; 천진한.
He is *innocent* of the crime. 그는 그 죄를 범하지 않았다.
He is as *innocent* as a baby. 그는 어린애처럼 천진스럽다.

in·quire [inkwáiər] 타
[3·단·현] **inquires** [inkwáiərz];
[ing형] **inquiring** [inkwáiəriŋ];
[과거] [과분] **inquired** [inkwáiərd]
…을 묻다, 문의하다. ▶ ask 보다 격식 차린 말.
They *inquired* his name. 그들은 그의 이름을 물었다.

in·quir·y [inkwáiəri] 명
[복수] **inquiries** [inkwáiəriz]
질문, 문의; 조사.
a letter of *inquiry* 조회서.
The police made *inquiries* about the accident. 경찰은 그 사고를 조사했다.

***in·sect** [ínsekt] 명
[복수] **insects** [ínsekts]
곤충.

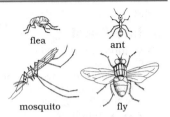

flea   ant
mosquito   fly

bad *insects* 해충.
Flies, bees, and ants are *insects*. 파리, 벌, 개미는 곤충이다.

in·sert [insə́ːrt] 타
[3·단·현] **inserts** [insə́ːrts];
[ing형] **inserting** [insə́ːrtiŋ];
[과거] [과분] **inserted** [insə́ːrtid]
❶ 끼워 넣다, 삽입하다.
Insert coins. 동전을 넣어라.
❷ 적어 넣다, 써 넣다.
Insert your comments in the report. 보고서에 너의 의견을 써 넣어라.

***in·side** [ìnsáid] 명
《the 를 붙여》 내부, 안쪽(⇔ outside 바깥쪽).
the *inside* of a hand 손바닥.
the *inside* of the house 집의 내부.
I painted the *inside* of the box red. 나는 그 상자의 내부를 빨갛게 칠했다.

inside out 뒤집어.
She is wearing her sweater *inside out*. 그녀는 자기 스웨터를 뒤집어 입고 있었다. ▶ 상하가 거꾸로 된 경우는 upside down 임.
── 형 안쪽의, 내부의.
an *inside* pocket 안주머니.
inside information 내부의 정보.
── 부 안으로, 내부에.
Please come *inside*.
안으로 들어오시오.
Don't play *inside*.
집안에서 놀지 마라.
── 전 …의 안에, …속에.

She was standing just *inside* the gate. 그녀는 바로 문 안에 서 있었다.

in·sist [insíst] 통 ③·단·현
insists [insísts]; ing형
insisting [insístiŋ]; 과거 과분
insisted [insístid]
자 《**insist on** 으로》 …을 주장하다, 고집하다, 우기다.
Nancy *insisted on* going home tomorrow. 낸시는 내일 집에 간다고 고집했다.
He *insisted on* his innocence. 그는 자기의 무죄를 주장했다.
── 타 《**insisted that...** 으로》 …라고 주장하다.
Tom *insisted that* I was wrong. 톰은 내가 틀렸다고 주장했다.

in·sist·ent [insístənt] 형
비교 **more insistent**; 최상 **most insistent**
주장하는, 고집하는.
She is *insistent* on that point. 그녀는 그 점을 고집하고 있다.

in·spect [inspékt] 타 ③·단·현
inspects [inspékts];
ing형 **inspecting** [inspéktiŋ];
과거 과분 **inspected** [inspéktid]
…을 조사〔검사〕하다(=examine); 시찰하다.
He *inspected* the car carefully. 그는 자동차를 세심하게 검사했다.
They came to *inspect* our school. 그들은 우리 학교를 시찰하러 왔다.

in·spi·ra·tion [ìnspəréiʃən] 명
영감, 인스피레이션.
the *inspiration* of a poet 시인의 영감.

in·stance [ínstəns] 명
복수 **instances** [ínstənsiz]
보기, 예, 실례(=example).

This is just one *instance*. 이것은 다만 하나의 예일 뿐이다.
for instance 예컨대.
He likes winter sports. *For instance*, skiing and skating. 그는 겨울 스포츠를 좋아한다. 예컨대 스키나 스케이트 따위이다.

in·stant [ínstənt] 형
즉석의, 즉각적인, 즉시의.
Instant coffee is easy to make. 인스턴트 커피는 끓이기가 쉽다.
── 명 복수 **instants** [ínstənts]
순간, 즉시.
It all happened in an *instant*. 그것은 아주 일순간에 일어났다.
I need money this *instant*. 나는 지금 당장 돈이 필요하다.

in·stant·ly [ínstəntli] 부
즉각, 즉석에서(=at once).
Tom answered the question *instantly*. 톰은 즉석에서 그 질문에 답했다.

****in·stead** [instéd] 부
그 대신에, 대신으로.
I don't like apples. Give me bananas *instead*. 나는 사과가 싫다. 대신 바나나를 다오.
Nancy couldn't go there. So I went *instead*. 낸시는 거기 갈 수 없었다. 그래서 내가 대신 갔다.
*instead of … 대신에.
I'll go *instead of* you. 내가 네 대신 가겠다.
We use chopsticks *instead of* a fork. 우리는 포크 대신 젓가락을 쓴다.
We played baseball *instead of* soccer. 우리는 축구 대신에 야구를 했다.

in·stinct [ínstiŋkt] 명
《an과 복수형 안 씀》
본능, 직관(력).

the *instinct* of animals 동물의 본능.

Birds fly south in the fall by *instinct*. 새들은 가을이 되면 본능적으로 남쪽으로 날아간다.

in·sti·tute [ínstətjùːt] 몡

복수 **institutes** [ínstətjùːts]
학회, 협회; 연구소, (이공계의) 대학, 전문 학교.

an *institute* of technology 공과 대학.

a language *institute* 어학 연구소.

in·sti·tu·tion [ìnstətjúːʃən] 몡

복수 **institutions** [ìnstətjúːʃənz]
(학회 따위의) 설립, 제정; (확립된) 제도, 관습; (학교·병원·도서관 따위의) 공공 시설.

A church, school, college, hospital, or prison is an *institution*. 교회, 학교, 대학, 병원, 교도소 따위는 공공 시설이다.

in·struct [instrʌ́kt] 타

3·단·현 **instructs** [instrʌ́kts]:
ing형 **instructing** [instrʌ́ktiŋ]:
과거 과분 **instructed** [instrʌ́ktid]
…을 가르치다(=teach); …에게 지시[명령]하다.

Mr. Han *instructs* us in English. 한선생님은 우리에게 영어를 가르치신다.

The doctor *instructed* me to go to bed early. 의사 선생님은 나에게 일찍 자라고 하셨다.

in·struc·tion [instrʌ́kʃən] 몡

복수 **instructions** [instrʌ́kʃənz]
❶ 《an과 복수형 안 씀》 가르침, 교육, 교수.

the level of *instruction* 교육 수준.

Miss Kim gives *instruction* in piano. 김선생님은 피아노를 가르치신다.

❷ 《복수형으로》 지시, 명령.

follow *instructions* 지시를 따르다.

in·struc·tor [instrʌ́ktər] 몡

복수 **instructors** [instrʌ́ktərz]
교사, 지도원. ➤ teacher 보다 사용 범위가 넓어 학교 교사 이외에도 쓰임.

a golf *instructor* 골프 지도원.

an *instructor* in English 영어 교사.

***in·stru·ment** [ínstrəmənt] 몡

복수 **instruments** [ínstrəmənts]
(정밀한) 도구, 기구; 악기(= musical instrument).

medical *instruments* 의료 기구[기기].

"What *instrument* do you play?" "I play the violin." 「너는 무슨 악기를 연주하지?」 「바이올린을 연주해.」

in·sult [ínsʌlt] 몡 복수 **insults** [ínsʌlts]
모욕, 무례; 모욕 행위.

It was an *insult*. 그것은 모욕이었다.

── [insʌ́lt] 타 3·단·현 **insults** [insʌ́lts]: ing형 **insulting** [insʌ́ltiŋ]: 과거 과분 **insulted** [insʌ́ltid]
모욕하다.

I didn't mean to *insult* you. 나는 너를 모욕할 생각은 없었다.

in·sur·ance [inʃúərəns] 몡

《an과 복수형 안 씀》 보험; 보험금.

fire〔accident〕 *insurance* 화재〔상해〕 보험.

an *insurance* company 보험 회사.

He has $15,000 life *insurance*. 그는 1만 5천 달러의 생명 보험에 들어 있다.

in·sure [inʃúər] 타 3·단·현 **insures** [inʃúərz]:

[ing형] **insuring**[inʃúəriŋ]; [과거]
[과분] **insured**[inʃúərd]
(사람·재산 따위)**를 보험에 들다.**
Our house is *insured* against
fire. 우리 집은 화재 보험에 들어
있다.

in·tel·li·gence [intélədʒəns] [명]

《an과 복수형 안 씀》**지능, 지력;**
(특히 군사에 관한) **정보.**
an *intelligence* test 지능 검사.
Which has more *intelligence*,
a monkey or a dog?
원숭이와 개는 어느 쪽이 지능이
높은가?
The spy was collecting *intel-
ligence*. 그 스파이는 정보를 수집
하고 있었다.

in·tel·li·gent [intélədʒənt] [형]

[비교] **more intelligent;** [최상]
most intelligent
지능적인, 총명한; 지능을 가진.
He is an *intelligent* man.
그는 매우 총명한 사람이다.
Is there *intelligent* life on
other planets?
다른 행성에는 지능을 가진 생물
이 있느냐?

in·tend [inténd] [타] [3·단·현]
intends [inténdz];
[ing형] **intending**[inténdiŋ]; [과거]
[과분] **intended**[inténdid]
…을 의도하다; 《**intend to** do
로》 **…할 작정이다, …하려고 생각
하다.**
He *intended* no harm.
그는 해칠 의도는 없었다.
I *intend* to start at once.
나는 곧 출발할 생각이다.
What do you *intend* to do
this afternoon? 오늘 오후에
너는 무엇을 할 작정이냐?

in·ten·sive [inténsiv] [형]

[비교] **more intensive;** [최상]
most intensive
집중적인, 철저한.

an *intensive* investigation 철
저한 조사.

in·ten·tion [inténʃən] [명]

[복수] **intentions**[inténʃənz]
의사, 의도, 의향.
Nancy has no *intention* of
going abroad. 낸시는 외국에
나갈 의사가 없다.
Good acts are better than
good *intentions*. 선행은 선의보
다 낫다.

in·ter·act [intərǽkt] [자]
[3·단·현] **interacts**
[intərǽkts]; [ing형] **interacting**
[intərǽktiŋ]; [과거] [과분]
interacted[intərǽktid]
상호 작용하다, 서로 영향을 주다.
Wages and prices *interact*.
임금과 물가는 서로 영향을 미친
다.
Chidren learn by *interact-
ing* with one another. 아이들
은 서로 영향을 주면서 배운다.

in·ter·ac·tion [intərǽkʃən] [명]

[복수] **interactions** [intərǽkʃənz]
상호 작용, 상호 영향.

in·ter·change [intərtʃéindʒ] [명] [복수]
interchanges[intərtʃéindʒiz]
교환; (고속 도로의) **입체 교차
점, 인터체인지.**

*in·ter·est [intərist] [명]

❶ 《복수형 안 씀》 **흥미, 관심.**
I have no *interest* in art.

나는 예술에는 흥미가 없다.
Nancy watched the movie with great *interest*. 낸시는 그 영화를 매우 흥미 있게 보았다.
Her *interest* in Korea began to grow. 한국에 대한 그녀의 관심이 커지기 시작했다.
❷ 이자, 이율; 이익.
at low 〔high〕 *interest* 저〔고〕리로.
── 卧 ③·단·현 **interests**[íntərists]; ing형 **interesting**[íntəristiŋ]; 과거 과분 **interested** [íntəristid]
(아무)에게 흥미를 일으키다, 관심을 갖게 하다.
His story *interested* the boys very much. 그의 이야기는 소년들의 흥미를 크게 일으켰다.
☞형 interested, interesting

*in·ter·est·ed [íntəristid] 형
비교 **more interested**; 최상 **most interested**
흥미를〔관심을〕 갖고 있는.
an *interested* look 흥미 있어하는 표정. ☞명동 interest
*be interested in …에 흥미를 갖고 있다, …에 관심이 있다.
Mike *is interested in* Korean history. 마이크는 한국 역사에 관심이 있다.
I *am* much *interested in* computers. 나는 컴퓨터에 대단한 흥미를 갖고 있다. ➤ 구어에서는 much 대신 very를 씀.

:in·ter·est·ing [íntəristiŋ] 형
비교 **more interesting**; 최상 **most interesting**
재미있는, 흥미있는(⇔ dull 재미 없는).
Mother told me an *interesting* story. 어머니는 내게 재미있는 이야기를 해 주셨다.
History is *interesting* to me. (=I am *interested* in history.) 나는 역사에 흥미가〔관심이〕 있다.

I have something *interesting* to tell you. 너에게 할 재미있는 이야기가 있다.
"What was the movie like?" "*Interesting*. I enjoyed it." 「영화가 어땠어?」「재미있었어. 즐겁게 봤지.」 ☞명동 interest

┌비슷한 말┐ **interesting** 과 **amusing** 과 **funny**
「재미있다」에 해당하는 영어는 여러 가지 있는데 대체로 다음과 같은 차이가 있다.
interesting (지적인 흥미를 일으켜) 재미있는 / amusing (재미있게 시간을 보내서) 즐거운, 재미있는 / funny (기묘하거나 우스워서) 재미있는.

interesting funny amusing

in·ter·fere [ìntərfíər] 자
③·단·현 **interferes** [ìntərfíərz]; ing형 **interfering** [ìntərfíəriŋ]; 과거 과분 **interfered** [ìntərfíərd]
방해하다; 간섭하다.
She *interfered* with my sleep. 그녀는 나의 잠을 방해했다.
Don't *interfere* in the problems of others. 남의 문제에 간섭하지 마라.

in·te·ri·or [intíəriər] 형
안의, 내부의; 내륙의, 국내의(= foreign).
interior decoration 〔design〕 실내 장식.
interior trade 국내 거래.
── 명 복수 **interiors**[intíəriərz]
내부; 실내; 내륙.

the *interior* of the car [house] 자동차〔집〕의 내부.

in·ter·nal [íntə:rnl] 형

안의, 내부의; 국내의.
internal organs 내장.
internal affairs 국내 문제.

***in·ter·na·tion·al** [intərnǽ-ʃənəl] 형

비교 **more international;** 최상 **most international**

국제적인, 국제간의.
an *international* airport 국제 공항.
international trade 국제 무역.
an *international* soccer game 국제 축구 경기.
international understanding 국제간의 이해.
Inho visited the *international* section of the Expo. 인호는 박람회의 국제관을 방문하였다.

In·ter·net [íntərnèt] 명

《the를 붙여》 **인터넷**《전자 정보망을 중심으로 한 국제적 컴퓨터 네트워크》.

in·ter·pret [íntə:rprit] 동
interprets [íntə:rprits]; 3·단·현
interpreting [íntə:rpritiŋ]; 과거
과분 interpreted [íntə:rpritid]
타 …을 설명하다; 해석하다; 통역하다.
How do you *interpret* this passage? 이 구절을 너는 어떻게 해석하느냐?
He *interpreted* the speech skillfully. 그는 재치있게 그 연설을 통역했다.
Will you *interpret* her Korean in English for me? 그녀의 한국말을 영어로 통역해 주겠습니까?
── 자 통역하다.
Sumi kindly *interpreted* for foreign tourists. 수미는 외국인

관광객을 위해 친절히 통역해주었다.

in·ter·pret·er [íntə:rprətər] 명
복수 interpreters [íntə:rprətərz]
해설자; 통역(자).
Since her English is excellent, she will be a good *interpreter*. 그녀의 영어 실력은 뛰어나니까 훌륭한 통역이 될 것이다.

in·ter·rupt [intərʌ́pt] 타
3·단·현 interrupts [intərʌ́pts];
ing형 interrupting [intərʌ́ptiŋ];
과거 과분 interrupted [intərʌ́ptid]
…을 방해하다; 가로막다, 중단하다.
Don't *interrupt* me while I'm speaking. 이야기 중에 나를 방해하지 마라.
That high building *interrupts* the view of Namsan. 저 높은 빌딩이 남산의 경관을 가로막고 있다.
May I *interrupt* you? 잠시 실례해도 괜찮겠습니까? ➤ 일을 하고 있거나 말을 하고 있는 사람에게 말을 걸 때 씀.

in·ter·val [íntərvəl] 명
복수 intervals [íntərvəlz]
(장소·시간의) 간격, 거리.
I met him after an *interval* of seven years. 나는 7년 만에 그를 만났다.
at intervals of …의 간격으로.
There are trees *at intervals of* twenty feet. 20 피트 간격으로 나무가 있다.

in·ter·view [íntərvjù:] 명
복수 interviews [íntərvjù:z]
면접, 면담; 인터뷰, 회견.
a job *interview* 입사〔취직〕 면접 시험.
I had an *interview* with him. 나는 그와 면담했다.
The President gave an

interview for reporters.
대통령은 기자 회견을 했다.

— 타 3·단·현 **interviews**[íntər-vjùːz] : ing형 **interviewing**[íntərvjùːiŋ] : 과거 과분 **interviewed**[íntərvjùːd]

···와 면접[회견]하다.

TV and newspaper reporters *interviewed* her at the air-port. 텔레비전과 신문 기자들이 공항에서 그녀와 회견했다.

*in·to [íntə; 강 íntu] 전

❶ 《내부로의 운동·방향을 나타내어》 ···의 안으로[에] (⇔ out of ···에서 밖으로).

We went *into* the house.
우리는 집 안으로 들어갔다.

A frog jumped *into* the pond. 개구리 한 마리가 연못 속으로 뛰어들었다.

Don't throw bottles *into* the fire. 병을 불 속으로 던지지 마라.

❷ 《변화·결과를 나타내어》 ···으로, ···의 상태로 (되다).

The rain will soon change *into* snow. 비는 이내 눈으로 바뀔 것이다.

Please cut this cake *into* three pieces. 이 케이크를 세 쪽으로 잘라주시오.

Grapes are made *into* wine. 포도는 포도주로 양조된다.

Put these sentences *into* English. 이 문장들을 영어로 옮기시오.

어법 **in 과 into**

in 은 일반적으로 「장소」를 나타내나, into 는 「방향」을 가리킴으로써 물건 내부로의 운동이나 변화 및 결과 따위를 나타낸다. 또, 구어에서는 into 대신에 in 을 쓰기도 한다.

He was *in* the room.
그는 방에 있었다.

He came *into* the room.
그는 방으로 들어왔다.

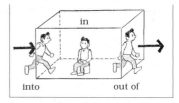

into   out of

in·to·na·tion [ìntənéiʃən] 명

복수 **intonations**[ìntənéiʃənz]
억양, 음조, 인토네이션.

When you read English sentences, you should be careful about *intonation*.
영어 문장을 읽을 때에는 억양에 주의하여야 한다.

참고 말하거나 읽을 때에 소리의 고저의 연속을 intonation 이라고 한다. 영어에서는 intonation의 차이만으로도 뜻이 달라질 수가 있으니 특히 유의하여야 한다.

*in·tro·duce [ìntrədjúːs] 타

3·단·현 **introduces**[ìntrədjúːsiz] : ing형 **introducing**[ìntrədjúːsiŋ] : 과거 과분 **introduced**[ìntrədjúːst]

❶ (사람·사물)을 소개하다.

Tom *introduced* Jane to his parents. 톰은 양친께 제인을 소개했다.

Mike was *introduced* to the class. 마이크는 학생들에게 소개되었다.

I want to *introduce* my country to the world. 나는 내 나라를 세계에 소개하고 싶다.

회화 **May I introduce Mr. Smith ?** 「스미스씨를 소개합니다.」

사람을 소개할 때에는 Mr. A, may I introduce Mr. B? 또는 Mr. A, I would like you to meet Mr. B.라고 하는 것

이 정식이다. 그러나 보통은 Mr. A, this is Mr. B, this is Mr. A.라고 한다. 소개받은 사람끼리는 서로 How do you do, Mr. ...? 라고 인사한다.

❷ (풍습·유행·기술 따위)를 도입하다, (처음으로) 들여오다.
Robots were *introduced* into the factory. 로봇이 그 공장에 도입되었다.
When were Chinese characters *introduced* to Korea? 한자가 한국으로 전래된 것은 언제였지? ☞ 몡 introduction

***introduce** one**self** 자기 소개를 하다.
May I *introduce myself*? = Let me *introduce myself*. 제 소개를 하겠습니다.
Jane stood up and *introduced herself*. 제인은 일어서서 자기 소개를 하였다.

in·tro·duc·ing [ìntrədjúːsiŋ] 동
introduce의 -ing 형.

in·tro·duc·tion [ìntrədʌ́k-ʃən] 몡
복수 introductions [ìntrədʌ́kʃənz]
❶ 소개; 도입.
a letter of *introduction* 소개장.
the *introduction* of a computer system 컴퓨터 시스템의 도입.
My wife made the *introductions*. 내 아내가 사람들의 소개를 했다.
❷ (책 따위의) 서론; 입문(서).
This is an *introduction* to English grammar. 이것은 영문법 입문서이다. ☞ 동 introduce

in·vade [invéid] 타 3·단·현
invades [invéidz];
ing형 invading [invéidiŋ]; 과거
과분 invaded [invéidid]
…을 침략하다, …에 침입하다.
The enemy *invaded* the

country. 적군이 그 나라를 침략했다.

in·vad·er [invéidər] 몡
복수 invaders [invéidərz]
침입자, 침략자.

***in·vent** [invént] 타 3·단·현
invents [invénts];
ing형 inventing [invéntiŋ]; 과거
과분 invented [invéntid]
(새로운 기계·장치 따위)를 발명하다, (새로운 방법 따위)를 창안하다.
Who *invented* the telephone? 누가 전화를 발명했는가?
The electric lamp was *invented* by Edison. 전등은 에디슨에 의해 발명되었다. ☞ 몡 invention

***in·ven·tion** [invénʃən] 몡
복수 inventions [invénʃənz]
❶ 《an과 복수형 안 씀》 발명, 창안. ▶「발견」은 discovery.
the *invention* of a new type of computer 신형 컴퓨터의 발명.
Necessity is the mother of *invention*. 《속담》 필요는 발명의 어머니.
❷ 발명품.
This is a new *invention*. 이것은 새로운 발명품이다. ☞ 동 invent

in·ven·tor [invéntər] 몡
복수 inventors [invéntərz]
발명자, 발명가, 창안자.
Edison was a great *inventor*. 에디슨은 위대한 발명가였다.
He was not only a writer but also an *inventor*. 그는 작가였을 뿐 아니라 발명가이기도 했다.

in·ves·ti·gate [invéstəgèit] 타 3·단·현
investigates [invéstəgèits];
ing형 investigating [invéstə-

gèitiŋ]; 과거 과분 **investigated**
[invéstəgèitid]
…을 조사하다, 연구하다.
The police *investigated* the
cause of the accident. 경찰
은 그 사고의 원인을 조사하였다.

in·vis·i·ble [invízəbəl] 형
눈에 보이지 않는
(⇔ visible 눈에 보이는).
an *invisible* man 투명 인간.
The airplane soon became
invisible in the clouds. 비행
기는 이내 구름 속으로 들어가 보
이지 않게 되었다.

in·vi·ta·tion [ìnvətéiʃən]
명
복수 **invitations**[ìnvətéiʃənz]
초대; 초대장.
a letter of *invitation* 초대장.
Tom refused 〔accepted〕 the
invitation. 톰은 그 초대를 거절
했다〔받아들였다〕.
"Thank you very much for
your kind *invitation*." "You're
welcome." 「초대해 주셔서 감사
합니다.」「천만의 말씀을.」
Nancy sent out *invitations*
to the party. 낸시는 파티의 초
대장을 발송했다. ☞ 동 invite

*:in·vite** [inváit] 타 3·단·현
invites[inváits]; ing형
inviting [inváitiŋ]; 과거 과분
invited[inváitid]
❶ (아무)를 초대하다, **초청하다**.
I want to *invite* her to
dinner. 나는 그녀를 저녁 식사에
초대하고 싶다.
Nancy was *invited* to Tom's
birthday party. 낸시는 톰의 생
일 파티에 초대되었다.
❷ 《invite+사람+to do로》 (아
무)에게 …할 것을 권하다〔부탁하
다〕.
Mrs. Potter *invited* the chil-
dren *to* have supper with
her. 포터 부인은 아이들에게 자
기와 저녁을 먹자고 권하였다.
He was *invited to* speak at

the meeting. 그는 모임에서 연
설을 해달라는 부탁을 받았다.
☞ 명 invitation

in·vit·ing [inváitiŋ] 동
invite의 -ing형.

in·volve [inválv] 타 3·단·현
involves [inválvz];
ing형 **involving**[inválviŋ]; 과거
과분 **involved**[inválvd]
(사건·범죄 따위에) …을 끌어들
이다, 연루시키다; (필연적으로)
포함하다.
We shouldn't *involve* others
in our trouble. 우리들의 골치
아픈 문제에 남들을 끌어들여서는
안 된다.
Her job *involves* washing
clothes and ironing them.
그녀의 일에는 세탁과 다림질이
포함되어 있다.

in·ward [ínwərd] 형
내부의, 안쪽의 (⇔
outward 외부의); 마음의.
She could not conceal her
inward happiness. 그녀는 마
음 속의 기쁨을 감출 수 없었다.
── 부 내부로, 안쪽으로; 마음 속
으로.
curve *inward* 안쪽으로 구부러
지다.

-ion [-jən] 접미
동사 뒤에 붙여 명사를 만듦.
ac*tion* 행동 / direc*tion* 방향,
지도 / discuss*ion* 토의.

I·o·wa [áiəwə] 명
아이오와.

참고 미국 중서부에 있는 주. 면
적은 144,950km²로서 우리 나
라의 절반보다 약간 크다. Ia.로
약한다. 미국 제일의 농산지·
축산지이며 옥수수의 대생산지.
주도는 데모인(Des Moines
[dimɔ́in]). Iowa란 인디언으로
서 beautiful land란 뜻.

IQ, I.Q. [áikjúː]
지능 지수, 아이큐. ➤

intelligence quotient[kwóu-ʃənt]의 약자.

I·ran [irǽn] 명
이란.

[참고] 정식 명칭은 이란 이슬람 공화국. 옛날 이름은 페르시아 (Persia[pə́ːrʒə]). 1935년에 국명을 Iran이라고 고쳤다. 면적은 약 1,621,860 km²로서 우리 나라의 7 배를 넘는다. 국민의 대부분은 이슬람교도. 수도는 테헤란(Teheran[tìːərɑ́ːn]).

I·raq [irɑ́ːk] 명
이라크.

[참고] 서남 아시아의 공화국. 면적은 약 438,317 km²로서 우리 나라 전체의 약 2 배. 국민의 대부분은 이슬람교도. 수도는 바그다드(Baghdad[bǽgdæd]).

Ire·land [áiərlənd] 명
아일랜드.

[참고] 영국의 그레이트 브리튼 섬 서쪽에 있는 섬. 북아일랜드 (Northern Ireland)와 아일랜드 공화국으로 나뉘어 있다. 북아일랜드는 영국의 일부로서 12,572 km², 아일랜드 공화국은 68,893 km²이며 수도는 더블린(Dublin[dʌ́blin]).

I·rish [áiriʃ] 형
아일랜드의; 아일랜드 사람의.
He is interested in *Irish* history.
그는 아일랜드의 역사에 흥미를 갖고 있다.
── 명 《an과 복수형 안 씀》아일랜드어; 《the 를 붙여》아일랜드 국민《전체》.
The people of Ireland are called the *Irish*. 아일랜드의 국민을 Irish라고 한다.

* **i·ron** [áiərn] 명
[복수] **irons**[áiərnz]
❶ 《an과 복수형 안 씀》철. ☞ steel
Steel is made from *iron*. 강철은 철로 만들어진다.
Strike while the *iron* is hot. 《속담》쇠는 뜨거울 때 두드려라《좋은 기회를 놓치지 마라》.
❷ 다리미.
I have to buy a new electric *iron*. 나는 새 전기 다리미를 사야 한다.

── 형 쇠의, 쇠로 만들어진; 철 같이 굳은.
an *iron* bridge 철교.
an *iron* will 강철 같은 의지.
── 타 [3·단·현] **irons**[áiərnz]; [ing형] **ironing**[áiərniŋ]; [과거] [과분] **ironed**[áiərnd]
(옷 따위)를 다리다.
iron a handkerchief 손수건을 다리다.
I help Mother *iron* clothes. 나는 어머니의 다림질을 돕는다.

i·ron·clad [áiərnklǽd] 형
철판을 입힌, 장갑의.
Geobukseon is known to be the first *ironclad* ship in the world. 거북선은 세계에서 최초의 철갑선으로 알려져 있다.

ir·reg·u·lar [irégjələr] 형
[비교] **more irregular**; [최상] **most irregular**
불규칙한(⇔ regular 규칙적인).
an *irregular* verb 불규칙 동사.

ir·ri·tate [írətèit] 타
[3·단·현] **irritates** [írətèits]; [ing형] **irritating** [írətèitiŋ]; [과거] [과분] **irritated** [írətèitid]

화나게 하다, 짜증나게 만들다.
His behavior *irritates* me.
그의 행동이 나를 짜증나게 한다.

is [z, s; 강 iz] 동 조
be의 3인칭·단수·현재형.
자 …이다; …이 있다.
The earth *is* round.
지구는 둥글다.
There *is* a vase on the table. 테이블 위에 꽃병이 있다.
Mother *is* in the kitchen.
어머니는 부엌에 계신다.

어법 **is**의 사용법
1. 주어가 단수 명사이거나, she, he, it일 때 쓴다.
Tom [He, She, It] *is* ....
Is Tom [he, she, it] …?
Tom [He, She, It] *is* not [isn't] ....
2. 구어에서는 보통, is의 단축형 's를 써서 he's, sh's, it's처럼 사용한다. 단, "*Is* he Tom?" "Yes, he *is*."처럼 is가 문장의 맨 앞이나 뒤에 올 때는 단축형을 쓰지 않으며, 발음도 강하게 한다.

— 조 ❶ 《is+-ing형으로 진행형을 만들어》 …하는 중이다, …하고 있다.
He *is* writing a letter now.
그는 지금 편지를 쓰고 있다.
He *is* watching TV.
그는 텔레비전을 보고 있다.
❷ 《is+과거 분사로 수동태를 만들어》 …되다, …되어 있다.
He *is* loved by everybody.
그는 모든 사람들에게 사랑받는다.
English *is* spoken in America. 미국에서는 영어가 쓰인다.
He *is* called Tom.
그는 톰이라고 불린다.

-ish [-iʃ] 접미
명사에 붙여 형용사를 만듦.
child*ish* 어린애 같은 / fool*ish* 어리석은 / self*ish* 제멋대로의.

Is·lam [íslɑ:m] 명 《an과 복수형 안 씀》
이슬람교, 회교.

is·land [áilənd] 명 복수 **islands** [áiləndz]
섬.
The boat reached a small *island*. 그 배는 작은 섬에 닿았다.
➤ island의 s는 발음하지 않음.

isle [ail] 명 복수 **isles** [ailz]
섬, 작은 섬.
the *Isle* of Man 맨 섬.
➤ isle의 s는 발음하지 않음.

isn't [íznt]
is not의 단축형.
It *isn't* raining now.
지금은 비가 오지 않는다.

Is·ra·el [ízriəl] 명
이스라엘.

참고 Israel은 팔레스티나 지방의 공화국으로서 수도는 예루살렘(Jerusalem [dʒirúːsələm]). 면적은 20,772km²로서 우리나라의 전라도 지방만하다. 국민의 대부분이 유대교도이다.

---

is·sue [íʃu:] 타 3·단·현 **issues** [íʃu:z]; ing형 **issuing** [íʃu:iŋ]; 과거 과분 **issued** [íʃu:d]
(책·우표 따위)를 발행하다; (명령 따위)를 발하다.
We *issue* our school paper every month. 우리는 학교 신문을 매월 발행한다.
— 명 복수 **issues** [íʃu:z]
❶ 《an과 복수형 안 씀》 발행.
the *issue* of a newspaper
신문 발행
❷ 발행물; (잡지 따위의) …호.
the April *issue* of Life magazine 라이프 잡지의 4월호.
❸ 중요한 점; 문제(점).
What's the most important *issue* of today's meeting?
오늘 모임의 가장 중요한 문제는 무엇인가?

-ist [-ist] 접미
「…하는 사람」, 「…주의자」
따위의 뜻의 명사를 만듦.
art*ist* 예술가 / scient*ist* 과학자.

*✲**it** [it] 대 복수 **they**[ðei], **them**
[ðəm] 대; 강 ðem]

❶《주어로서》 그것이, 그것은;
《목적어로서》 그것을, 그것에.

주격	소유격	목적격
it (그것은[이])	its (그것의)	it (그것을[에])

"What's this?" "*It*'s a kind
of shell." 「이게 뭐야?」「조개의
일종이다.」

어법 **1. it 의 사용법**
it 은 이미 언급한 단수의 사물,
동물 따위 명사를 다시 언급하
게 될 경우에 쓴다. 복수인 경
우에는 they 를 쓴다. 이런 it
이나 they 는 우리말로 옮기지
않는 경우가 많다.
2. it 과 one
it은 「the+명사」의 뜻으로 앞
에 말한 명사 그 자체를, one
은 「a+명사」의 뜻으로 앞에 말
한 명사와 같은 종류의 것을 가
리킨다.
I lost my pen. But I
found *it* under the desk.
나는 펜을 잃었다. 그러나 책상
밑에서 그것을 찾았다.
I've lost my pen. I must
buy a new *one*. 나는 펜을
잃었다. 새것을 하나 사야 한다.

---

❷《날씨·때·거리·명암 등을
나타낼 때 주어로서》 ➤ 우리말로
는 옮기지 않음.
It rains often in July.
7월에는 비가 잘 온다《날씨》.
"What time is *it*?" "*It*'s ten
thirty." 「지금 몇 시냐?」「열시
반이다.」《시간》.
How far is *it* from Seoul
to Incheon?

서울에서 인천까지 (거리가) 얼마
나 되느냐?《거리》.
It was dark outside.
밖은 어두웠다《명암》.

❸《형식 주어나 형식 목적어로서》
It's easy to make. 만들기는
쉽다. ➤ it은 형식 주어로 to
make를 가리킴.
I found *it* very hard to
understand him. 그를 이해하
기란 아주 어려웠다.
➤ it은 형식목적어로 to 이하를
가리킴.
❹《**It is … that ~**로 …부분을
강조하여》~한 것은 …이다.
It was yesterday *that* she
came to see me. 그녀가 나를
만나러 온 것은 어제였다.

*✲**I·tal·ian** [itǽljən] 형
이탈리아의; 이탈리아
사람의; 이탈리아어의.
He is an *Italian* boy.
그는 이탈리아 소년이다.
── 명 복수 **Italians**[itǽljənz]
이탈리아 사람; 《an과 복수형 안
씀》이탈리아어.
He can speak *Italian*. 그는
이탈리아어를 할 수 있다.

i·tal·i·cize [itǽləsàiz] 타
3·단·현 **italicizes**
[itǽləsàiziz]; ing형 **italicizing**
[itǽləsàiziŋ]; 과거 과분 **italicized**
[itǽləsàizd]
(활자)를 이탤릭체로 하다; (이탤
릭체를 표시하기 위해) …에 밑줄을
치다.
Italicize the title. 제목을 이탤
릭체로 해라.

***It·a·ly** [ítəli] 명
이탈리아.

참고 유럽 남부의 공화국. 수도
는 로마(Rome[roum]). 면적
은 301,278 km²로서 우리 나
라의 1.5배이다. 국민의 거의
가 천주교도이다.

---

i·tem [áitəm] 명
복수 **items**[áitəmz]
조항; 품목; 기사.
Did you check all the *items*
on the shopping list? 쇼핑
목록의 품목을 전부 검토했느냐?

***it'll** [ítl]
it will의 단축형.
It'll clear up soon.
날씨는 곧 갤 것이다.

***its** [its] 대
복수 **their**[ðər; 강 ðɛər]
《it의 소유격》그의, 그것의.
I have a cat. *Its* name is
White. 나는 고양이가 한 마리

있다. 그것의 이름은 화이트다.

***it's** [its]
it is, it has의 단축형.
It's(=It is) a lovely day,
isn't it? 좋은 날씨지?
It's(=It has) stopped rain-
ing. 비가 그쳤다.

***it·self** [itsélf]
대
복수 **themselves**[ðəmsélvz]
❶《강조 용법으로》그 자신〔자
체〕, 바로 그것. ▶이 용법에서는
itself를 강하게 발음함.
The story *itself* is not so
interesting. 이야기 그 자체는
별로 재미없다.
❷《동사·전치사의 목적어로》그
자신을〔에게〕, 그 자체를〔에게〕.
The horse hurt *itself*.
말이 다쳤다.

***I've** [aiv]
I have의 단축형.
I've just arrived here.
나는 지금 막 여기 도착했다.

Jj

Jack [dʒæk] 명
잭(남자 이름. John의 애칭).

jack·et [dʒǽkit] 명 복수 jackets[dʒǽkits]

❶ (신사복 따위의) **양복 저고리, 상의, 재킷.**
Mr. Jones put on his *jacket*. 존스씨는 상의를 입었다.

❷ (책표지에 씌우는) **커버, 책가위;** (레코드의) **재킷.**
Bill throws away the *jacket* when he buys a book. 빌은 책을 사면 책가위는 내버린다.

> 주의 우리 나라에서는 책가위를 「책 커버」라고도 하지만, 영어에서 cover는 「책표지」를 뜻함에 주의. jacket은 cover에 씌우는 종이.

jack·o'·lan·tern [dʒǽkə-læntərn]
명 jack-o'-lanterns [dʒǽkəlǽntərnz]
(사람 얼굴처럼 눈, 코, 입을 뚫어 놓은) **호박 초롱.** ☞ Halloween (모든 성인의 날 전야)
Jack-o'-lanterns are made out of pumpkins and used as lanterns at Halloween. 호박 초롱은 호박으로 만들며, 모든 성인의 날 전야에 초롱으로 쓰인다.

jail [dʒeil] 명 복수 jails[dʒeilz]

❶ **교도소, 감옥; 구치소.**
That building with high walls around it is the city *jail*. 높은 담으로 둘러싸인 저 빌딩은 시 교도소다.
❷ 《a와 복수형 안 씀》 **투옥, 구치.**
A lazy man wanted to spend the cold winter in *jail*. 한 게으름뱅이가 추운 겨울을 교도소에서 지내기를 원했다.

jam [dʒæm] 명
《a와 복수형 안 씀》 **잼.**
Tom likes strawberry *jam*. 톰은 딸기 잼을 좋아한다.
He spread apple *jam* on the toast. 그는 사과 잼을 토스트에 발랐다.

James [dʒeimz] 명
제임스(남자 이름. 애칭은 Jim [dʒim], Jimmy[dʒími]).

Jan. January(1월)의 간략형.

Jane [dʒein] 명
제인(여자 이름).

jan·i·tor [dʒǽnətər] 명
복수 janitors [dʒǽnətərz]
(아파트·사무소·학교 등의) **관리인, 미화원.**
American schools have *janitors*. 미국 학교들은 미화원이 있다.

✲Jan·u·ar·y [dʒǽnjuèri] 명
1월. ▶ Jan.으로 약함. ☞ February
January is the first month of the year. 1월은 한 해의 첫 번째 달이다.
We don't have rain in *Jan-*

uary. 1월에는 비가 오지 않는다. ➤「…월에」라고 할 때에는 in 을 씀.

I was born on *January* 2. 나는 1월 2일에 태어났다. ➤ 특정한 날이 있을 때에는 on을 씀. January 2는 January (the) second 라고 읽음.

* **Ja·pan** [dʒəpǽn] 명 일본.

* **Jap·a·nese** [dʒæpəníːz] 형 일본의; 일본인의; 일본말의. — 명 복수 **Japanese** [dʒæpəníːz]

일본인;《a와 복수형 안 씀》일본어. He is a *Japanese*. (=He is Japanese.) 그는 일본 사람이다. The *Japanese* eat rice. 일본인은 쌀을 먹는다.

jar [dʒɑːr] 명 복수 **jars** [dʒɑːrz]

(아가리가 큰) 병, 단지, 항아리.
"What is in the *jar?*"
"Strawberry jam." 「병 속에 무엇이 들어 있느냐?」「딸기 잼이다.」

참고 **jar**와 **bottle**
둘 다 병이지만, jar는 아가리가 넓고 큰 것을 가리키며, bottle은 아가리가 좁은 맥주병 같은 것을 말한다.

jaw [dʒɔː] 명 복수 **jaws** [dʒɔːz] 턱.
the upper 〔lower〕 *jaw* 위〔아래〕턱.
The whole left side of your *jaw* is swollen. 네 왼쪽 턱이 온통 부었다.

jazz [dʒæz] 명 《a와 복수형 안 씀》재즈, 재즈 음악〔춤〕.
a *jazz* singer 재즈 가수.
I like *jazz* music.
나는 재즈 음악을 좋아한다.

jeal·ous [dʒéləs] 형 비교 **more jealous**; 최상 **most jealous**
질투심이 많은, 샘내는, 시기하는; 부러워하는.
His wife is *jealous*.
그의 아내는 질투심이 많다.
He is *jealous* of my new car. 그는 내 새 차를 부러워한다.

Jean [dʒiːn] 명 진《여자 이름》.

jeans [dʒiːnz] 명 《복수 취급》진 바지, 진으로 만든 의류《작업복 따위》.
a pair of *jeans* 진 바지 한 벌.
blue *jeans* 청바지, 블루진.
She was in *jeans*.
그녀는 진 바지를 입고 있었다.

jeep [dʒiːp] 복수 **jeeps** [dʒiːps]
지프《4륜 구동의 소형 자동차》.
He is driving a *jeep*.
그는 지프를 운전하고 있다.

Jef·fer·son [dʒéfərsən] 명
제퍼슨.

Thomas [táməs] **Jefferson** 토머스 제퍼슨(1743-1826).

> 참고 미국이 낳은 위대한 정치가의 한 사람. 「독립 선언」을 기초한 사람 중의 하나로 제3대 미국 대통령이 되었다.

jel·ly [dʒéli] 명
복수 **jellies** [dʒéliz]

젤리; 젤리 모양의 물건.
Mother is making a *jelly* roll for us. 어머니는 우리를 위해 젤리 빵을 만들고 계신다.

Je·sus [dʒíːzəs] 명
예수. ☞ Christ

jet [dʒet] 명
복수 **jets** [dʒets]

❶ (가스·물 따위의) 분출.
The fountain sends up a *jet* of water twenty feet high. 그 분수는 높이 20 피트까지 물을 뿜어 올린다.
❷ 제트기(=jet plane).
It takes only a half hour from Seoul to Busan by *jet*. 서울에서 부산까지 제트기로 반 시간밖에 안 걸린다.

jet plane [dʒét pléin] 명
복수 **jet planes** [dʒét pléinz]

제트기.
Some *jet planes* can fly faster than sound. 어떤 제트기는 소리보다 더 빠르게 날 수 있다.

Jew [dʒuː] 명
복수 **Jews** [dʒuːz]

유대인; 유대교도.
Mr. Mason is a *Jew*. 메이슨씨는 유대인이다.

> 참고 유대인은 팔레스티나 지방 출신의 민족으로, 1948년 이스라엘 공화국이 건국될 때까지는 조국이 없이 세계 각국에 흩어져서 살고 있었다. 유대인은 예로부터 유대교를 믿어 민족적 단결이 굳센 반면에, 다른 나라의 국민들과 동화하지 않았기 때문에 각국에서 많은 박해를 받았다.

*jew·el [dʒúːəl] 명
복수 **jewels** [dʒúːəlz]

보석.
Mrs. White is wearing many beautiful *jewels*. 화이트 부인은 아름다운 보석을 많이 달고 있다.
My boys are more valuable to me than all the *jewels* in the world. 나의 애들은 세계의 모든 보석보다도 나에게는 더 소중하다.

jew·el·ry [dʒúːəlri] 명
《a와 복수형 안 씀》

보석류, 보석 장신구. ▶ jewel은 개개의 보석을 가리키나, jewelry는 보석류를 통틀어 말함.
That's one of the well-known *jewelry* stores in Korea. 저것은 한국에서 유명한 보석상의 하나이다.
▶ 영국에서는 jewellery로 씀.

Jim [dʒim] 명
짐《남자 이름. James의 애칭》.

jin·gle [dʒíŋɡəl] 자 3·단·현
jingles [dʒíŋɡəlz]; ing형
jingling [dʒíŋɡəliŋ]; 과거 과분
jingled [dʒíŋɡəld]

딸랑딸랑〔짤랑짤랑〕 울리다.
The bells are *jingling*. 방울이 딸랑딸랑 울리고 있다.

jinx [dʒiŋks] 명
복수 **jinxes** [dʒíŋksiz]

징크스, 재수 없는 것.
break the *jinx* 징크스를 깨다.

***job** [dʒab] 명
복수 **jobs**[dʒabz]
일, 직업.
a hard *job* 힘든〔어려운〕 일.
have a side *job* 아르바이트를 하다.
He's looking for a *job*.
그는 일자리를 찾고 있다.
You did a good *job!* 참 잘 했다! ▶선생님이나 부모님들이 아이들을 칭찬할 때 쓰는 말.

Joe [dʒou] 명
조《남자 이름. Joseph의 애칭》.

jog [dʒag] 자
3·단·현 **jogs**[dʒagz]; ing형
jogging [dʒágiŋ]; 과거 과분
jogged[dʒagd]
조깅하다, 천천히 뛰다.
I *jog* five miles a day.
나는 하루에 5마일을 조깅한다.

jog·ging [dʒágiŋ] 명
《a와 복수형 안 씀》
조깅, (천천히) 달리기.

John [dʒan] 명
존《남자의 이름. 애칭은 Jack》. ▶영미에서 가장 흔한 이름의 하나.

***join** [dʒɔin] 동
3·단·현 **joins**[dʒɔinz]; ing형
joining [dʒɔiniŋ]; 과거 과분
joined[dʒɔind]
타 ❶ …에 가입하다, 참가하다, …의 일원이 되다.
join the army 군에 입대하다.
Come and *join* us.
와서 함께 놀자.
She *joined* the tennis club.
그녀는 테니스 클럽에 가입했다.
Our country *joined* the UN in 1991. 우리 나라는 국제 연합에 1991년에 가입했다.
❷ (두 개 이상의 것)을 연결〔결합〕하다; (강·도로 따위가) …와 합치다, 합류하다.
He *joined* the two pipes

together. 그는 두 개의 파이프를 연결했다.
Where does this road *join* the highway? 이 도로는 어디서 간선 도로와 만나느냐?
── 자 ❶ 참가하다, 일원이 되다.
Will you *join* in the game? 게임에 참가하지 않겠니?
❷ 합치다, 합류하다.
The two rivers *join* here.
그 두 강은 이곳에서 합류한다.
☞ 명 joint

joint [dʒɔint] 명
복수 **joints**[dʒɔints]
이음매, 접합 부분; 관절.
finger *joints* 손가락의 관절.
an elbow *joint* 팔꿈치의 관절.
Water leaks from the *joint* in the pipe. 파이프의 이음매에서 물이 샌다.
── 형 공동의, 합동의, 연합의.
joint work 공동 작업.
a *joint* study 공동 연구.
make *joint* efforts 협력하다.
There are many *joint* enterprises here in Korea. 이 곳 한국에는 합작 기업이 많이 있다.
☞ 동 join

***joke** [dʒouk] 명
복수 **jokes**[dʒouks]
농담, 익살.
She told〔made〕 a good *joke*. 그녀는 재미있는 농담을 하였다.
It's just a *joke*.
그건 단지 농담이다.
It's no *joke*.
그것은 웃을 일이 아니다.
play a joke on …을 놀리다, 조롱하다.
They *played* a *joke* on Sam. 그들은 샘을 조롱했다.
── 자 3·단·현 **jokes** [dʒouks];
ing형 **joking** [dʒóukiŋ]; 과거
과분 **joked**[dʒoukt]
농담을 하다.
I was only *joking*.
나는 농담을 했을 뿐이다.

I'm not *joking*.
나는 농담하는 게 아니다.
Stop *joking!* 농담 그만둬!
You must be *joking*.
농담이겠지.

jok·ing [dʒóukiŋ] 통
  *joke*의 -ing형.

jol·ly [dʒáli] 형
  비교 **jollier** [dʒáliər]; 최상
  jolliest [dʒáliist]
즐거운, 유쾌한, 명랑한. ☞ merry
He is a *jolly* fellow.
그는 재미있는 친구이다.
I had a *jolly* time (of it).
나는 즐겁게 지냈다.

Jones [dʒóunz] 명
  존스 《성》.

jour·nal [dʒə́:rnəl] 명 복수
  journals [dʒə́:rnəlz]
신문, 잡지, 정기 간행물; 일간지.
a monthly *journal* 월간 잡지.
a ship's *journal* 항해 일지.

jour·nal·ism [dʒə́:rnəlìzəm] 명
《a와 복수형 안 씀》 저널리즘, 신
문 잡지(업)계.
I want to study *journalism*
in college. 나는 대학에서 저널
리즘을 공부하고 싶다.

jour·ney [dʒə́:rni] 명
  복수 **journeys** [dʒə́:rniz]
여행. ▶비교적 긴 여행을 말함.
☞ travel
She was enjoying the *jour-
ney*. 그녀는 여행을 즐기고 있었
다.
We made a three-day *jour-
ney*. 우리들은 사흘 동안 여행을
했다.

start on a journey 여행에 나서
다.
Mr. and Mrs. Brown *started
on a journey* around the
world. 브라운 부부는 세계 일주
여행을 떠났다.

joy [dʒɔi] 명
《a와 복수형 안 씀》 기쁨, 즐

거움(⇔ sorrow 슬픔).
tears of *joy* 기쁨의 눈물.
She is full of *joy*. =She's
filled with *joy*. 그녀는 기쁨으
로 가슴이 뿌듯하다. ☞ 형 joyful

for joy 기뻐서, 즐거워서.
Tom jumped *for joy* when
he opened the present.
톰은 선물 상자를 열었을 때, 기
뻐서 깡충깡충 뛰었다.

joy·ful [dʒɔ́ifəl] 형
  비교 **more joyful**; 최상
  most joyful
기쁜, 즐거운(⇔ sad 슬픈).
He heard the *joyful* news.
그는 그 기쁜 소식을 들었다.
He looked up with a *joyful*
look. 그는 즐거운 표정으로 쳐다
보았다.   ☞ 명 joy

joy·ful·ly [dʒɔ́ifəli] 부
  비교 **more joyfully**;
  최상 **most joyfully**
즐겁게, 기쁘게.
We spent all day swim-
ming about *joyfully*. 우리는
즐겁게 헤엄치며 하루를 보냈다.

judge [dʒʌdʒ] 명
  복수 **judges** [dʒʌdʒiz]
재판관; 심사원, 심판관.
judges at a speech contest
웅변 대회의 심사원.
She dressed as a *judge*
and came to the court.
그녀는 재판관의 복장을 하고 법
정에 왔다.
── 타 3·단·현 **judges** [dʒʌdʒiz];
  ing형 **judging** [dʒʌdʒiŋ]; 과거
  과분 **judged** [dʒʌdʒd]
❶ (사람·사물)을 판단하다, …라
고 생각하다.
Don't *judge* a person by
his looks. 사람을 외모로 판단
하지 마라.
Judging from what he
said, I think he is very
clever. 그가 말한 바로 판단한다
면, 그는 대단히 영리하다고 여겨
진다.

❷ (사람·사건)을 재판하다, …에 판결을 내리다.

The court *judged* him innocent. 법정은 그에게 무죄를 판결했다. ☞ 명 judgment

judg·ing [dʒʌdʒiŋ] 동
judge의 -ing형.

judg·ment [dʒʌdʒmənt] 명
복수 judgments[dʒʌdʒmənts]
❶ 판단, 의견, 판단력.
Mr. Grey has good *judgment*. 그레이씨는 훌륭한 판단력을 가지고 있다.
❷ 판결, 재판.
The judge made a *judgment* at last. 재판관은 마침내 판결을 내렸다. ☞ 동 judge
➤ 영국에서는 judgement로 씀.

ju·do [dʒúːdou] 명
《a와 복수형 안 씀》 유도.
He is a national *judo* champion. 그는 국내 유도 챔피언이다.

jug [dʒʌg] 명
복수 jugs[dʒʌgz]
(주둥이가 좁고 손잡이가 있는) 항아리, 단지.
There isn't much water in the *jug*. 항아리에 물이 많지 않다.

juice [dʒuːs] 명
《a와 복수형 안 씀》 (과일·야채·육류 따위의) 즙, 주스.
I usually have a glass of fruit *juice* at breakfast. 나는 보통 조반에 과일 주스를 한 잔씩 마신다.

Jul. july(7월)의 간략형.

Ju·ly [dʒuːlái] 명
7월. ➤ Jul.로 약함. ☞ February

Today is *July* 2.
오늘은 7월 2일이다. ➤ July 2는 July (the) second라고 읽음.
I was born on *July* fifth.
나는 7월 5일에 태어났다. ➤ 특정 날짜가 있을 때는 on을 씀.
Our summer vacation begins in *July*. 우리들의 여름 방학은 7월에 시작된다. ➤ 「…월에」란 뜻에는 in을 씀.

jump [dʒʌmp] 동
3·단·현 jumps[dʒʌmps] :
ing형 jumping [dʒʌmpiŋ] : 과거
과분 jumped[dʒʌmpt]
자 뛰다, 도약[점프]하다.
jump into the water 물 속으로 뛰어들다.
She *jumped* out of bed.
그녀는 침대에서 뛰어나왔다.
— 타 …을 뛰어넘다.
He *jumped* the stream.
그는 개울을 뛰어넘었다.
jump at …에 덤벼들다.
The dog *jumped at* him.
그 개는 그에게 덤벼들었다.
jump on (열차·버스·말 따위)에 뛰어오르다.
He *jumped on* the bus.
그는 버스에 뛰어올랐다.
— 명 복수 jumps[dʒʌmps]
뛰어오름, 도약, 점프.
the broad *jump* 멀리뛰기.
the high *jump* 높이뛰기.
The cat caught a little bird with a *jump*. 고양이는 껑충 뛰어 작은 새를 잡았다.

jump·er [dʒʌmpər] 명
복수 jumpers[dʒʌmpərz]
❶ 작업복 상의; 점퍼 스커트《소매 없는 여자용 원피스》. ➤ 우리말의 「점퍼」는 windbreaker라고 함.
❷ 도약 선수, 도약자.

Jun. june (6월)의 간략형.

June¹ [dʒuːn] 명
6월. ➤ Jun.으로 약함.
☞ February

Today is *June* fifth.
오늘은 6월 5일이다.
Nancy was born on *June*
3. 낸시는 6월 3일에 태어났다.

June ² [dʒuːn] 몡
준《여자 이름》.

jun·gle [dʒʌ́ŋgl] 몡
[복수]
jungles[dʒʌ́ŋglz]
《보통 the를 붙여》 밀림 (지대),
정글.
the law of the *jungle* 정글의
법칙《약육 강식》.
He cut a path through the
jungle. 그는 밀림을 뚫고 길을
냈다.

jun·gle gym [dʒʌ́ŋgl dʒím] 몡
[복수] jungle gyms[dʒʌ́ŋgl
dʒímz]
정글 짐《철봉을 가로 세로로 얼기
설기 짜맞춘 어린이용 운동 시설》.
Let's play on the *jungle
gym*. 정글 짐에서 놀자.

*jun·ior [dʒúːnjər] 혱

❶ 연하의, 연소한; 하급의(⇔
senior 상급의).
a *junior* officer 하급 장교.
Nancy is *junior* to me by
two years. 낸시는 나보다 2년
연하다. ➤ 보통은 Nancy is
two years younger than
me.라고 함.
❷ 손아래의, 연소자 쪽의.
Henry Smith, *Jr.* 아들 헨리
스미스, 헨리 스미스 2세.

참고 영미에서는 친아들이 동성
동명일 때, 아들의 이름에

Junior를 붙여서 아버지와 구
별한다. 보통 위에 든 예처럼
Jr.로 약한다. 또한 아버지 쪽
을 Senior(Sr.로 약함)라고 부
르는 경우도 있다.

— 몡 [복수] juniors[dʒúːnjərz]
❶ 연소자; 후배.
Sam is two years my
junior. =Sam is my *junior*
by two years. 샘은 나보다 두
살 아래다.
❷ 대학 3년생, 고교 2년생. ➤
최고 학년보다 1년 아래인 학생을
말함. ☞ freshman
He is a *junior* at Seoul
University. 그는 서울 대학교의
3학년생이다.

jun·ior col·lege [dʒúːnjər kálidʒ] 몡
《a와 복수형 안 씀》 초급 대학《2
년제》.

jun·ior high school
[dʒúːnjər hái skùːl] 몡
《a와 복수형 안 씀》 중학교. ➤ 간
단히 junior high라고도 함. ☞
school
Sam and Susie go to
junior high school. 샘과 수지
는 중학교에 다닌다.
I'm in *junior high school*. =
I'm a *junior high school*
student. 나는 중학생이다.

junk [dʒʌŋk] 몡
《a와 복수형 안 씀》 쓰레
기, 잡동사니, 폐물.
junk mail 쓰레기가 되는 우편
물.

Ju·pi·ter [dʒúːpətər] 몡
주피터.

참고 로마 신화에 나오는 올림포
스산에 사는 신들의 왕. 번개를
무기로 하여 하늘과 땅을 지배하
였다. 그리스 신화의 제우스
(Zeus)에 해당한다.

Ju·ras·sic [dʒuərǽsik] 형
쥐라기의, 쥐라계의.
The most successful movies of recent years are *Jurassic* Park and E.T. 최근 가장 성공적인 영화는 쥐라기 공원과 이티이다.

just [dʒʌst] 부
❶ 바로, 꼭.
"What time is it?" "It is *just* three o'clock."
「몇 시냐?」「꼭 3시다.」
She looks *just* like her mother. 그녀는 자기 어머니와 꼭 닮았다.
❷ 《주로 완료형의 동사와 함께》 방금 (…하였다).
I have *just* finished my homework. 나는 방금 숙제를 끝마쳤다.
❸ 《진행형의 동사와 함께》 마침, 바로 지금 (…하는 중이다).
He is *just* writing a letter. 그는 마침 편지를 쓰는 중이다.
❹ 오직, 단지(=only).
Give me *just* a little. 조금만 다오.
❺ 《종종 only와 함께》 간신히, 가까스로, 겨우.
I was (only) *just* in time for school. 나는 간신히 학교 시간에 대어 갔다.
❻ 《명령문에 쓰여》 좀, 조금.
Just sit down, please.
좀 앉으시지요.
Just look at this picture.
이 사진을 좀 보아라.
❼ 《강조를 나타내어》 정말, 단연, 아주.
The noise is *just* terrible.
그 소음은 정말로 지독하군.
just as 바로 …한 대로, 바로 …할 때.
Do *just as* I do.
내가 하는 대로 해라.
Just as I came home, I saw her leaving. 바로 내가 집

에 돌아왔을 때 그 여자가 떠나는 것을 보았다.
* *just now* 바로 지금. ☞ now
just then 바로 그때.
Just then there was a knock at [on] the door. 바로 그때 문에서 노크 소리가 났다.
── 형 비교 **more just**; 최상 **most just**
바른, 공평한.
a *just* decision 올바른 결정.
I think Mr. Green is a *just* man. 나는 그린씨가 올바른 사람이라고 생각한다.
He must be *just* to each of us. 그는 우리들 각각에게 공평해야 한다. ☞ 명 justice

jus·tice [dʒʌ́stis] 명
《a와 복수형 안 씀》 정의, 공평; 정당성.
a court of *justice* 재판소.
Lincoln was a man of *justice*. 링컨은 정의로운 사람이었다.
I want to fight for *justice*.
나는 정의를 위하여 싸우고 싶다.
☞ 형 just, 동 justify

정의의 여신상

jus·ti·fy [dʒʌ́stəfài] 타 [3·단·현] **justifies** [dʒʌ́stəfàiz]: ing형 **justifying** [dʒʌ́stəfàiiŋ]: 과거 과분 **justified** [dʒʌ́stəfàid]
(행위·주장 따위)를 옳다고 하다, 정당화하다.
The end *justifies* the means. 《속담》 목적은 수단을 정당화한다.
☞ 형 just, 명 justice

Kk K k
K k

kan·ga·roo [kæ̀ŋgərúː] 명
복수 **kangaroos** [kæ̀ŋgərúːz]
캥거루.
You can see a lot of *kangaroos* in Australia. 오스트레일리아에서는 많은 캥거루를 볼 수 있다.

참고 kangaroo는 초식하는 포유 동물로서 꼬리의 힘이 강하여 앉거나 뛸 때에는 꼬리를 이용한다. 암컷은 새끼를 배에 붙은 육아낭에 넣어 기른다.

Kan·sas [kǽnzəs] 명
캔자스.

참고 미국 중부에 있는 주. 면적은 213,109 km²로서 우리 나라와 거의 같다. Kans. 또는 Kan.으로 약함. 주도는 토피카 (Topeka [təpíːkə]). 겨울밀의 세계적인 산지이며 목축업도 성하다.

Kate [keit] 명
케이트《여자 이름. Catherine의 애칭》.

Kay [kei] 명
케이《여자 이름》.

keen [kiːn] 형
비교 **keener** [kíːnər] :
최상 **keenest** [kíːnist]
❶ (칼날 따위가) 예리한, 날카로운(=sharp).
a *keen* knife 예리한 나이프.
The knife has a *keen* edge. 그 칼은 날이 예리하다.
❷ (감각 따위가) 예민한(⇔dull 둔한); (아픔·추위·경쟁 따위가) 격렬한, 심한.
a *keen* pain 심한 통증.
Dogs have a *keen* sense of smell. 개는 예민한 후각을 가지고 있다.
❸ 열심인, 열중한(=eager).
He is *keen* about baseball. 그는 야구에 열중해 있다.

keep [kiːp] 동 3·단·현 **keeps [kiːps] :
ing형 **keeping** [kíːpiŋ] : 과거 과분 **kept** [kept]
타 ❶ …을 가지고 있다, **간직하다, 보유하다.**
I don't need this pen. You can *keep* it. 나는 이 펜이 필요 없다. 네가 가져도 좋다.
How about *keeping* this money for a rainy day? 어려운 때를 위해 이 돈을 간직해 두는 것이 어떻겠느냐?
Please *keep* the change. 거스름 돈을 가지세요.
❷ (가축 따위)를 기르다, **키우다;** (가족 따위)를 **부양하다.**
I *keep* a dog.
나는 개를 기른다.
He *keeps* a large family.
그는 대가족을 부양하고 있다.
❸ (약속·시간 따위)를 지키다.
Jinho always *keeps* his promise. 진호는 언제나 약속을

지킨다.

❹ (일기장 따위)를 쓰다.

Mr. White has *kept* a diary for twenty years. 화이트씨는 20년간 일기를 써 왔다.

❺ (상점 따위)를 경영하다(= run).

Mr. Jones *keeps* a camera shop. 존스씨는 카메라점을 경영하고 있다.

❻ 《keep＋목적어＋형용사로》 …을 ～(상태)로 하여 두다; 《keep ＋목적어＋-ing형으로》 …을 (계속) ～하게 하다.

Keep your room clean. 네 방을 깨끗이 해 두어라.

Keep the door open. 문을 열어 두어라.

Sorry to have *kept* you *waiting* so long. 이렇게 오래 기다리게 해서 미안하다.

—— 짠 ❶ 《keep＋형용사로》 …한 상태에 있다; 《keep＋-ing형으로》 계속 …하다.

He *kept* silent. 그는 잠자코 있었다.

Weather *keeps* fine. 날씨가 계속 좋다.

She *kept standing* all the way. 그녀는 줄곧 서 있었다.

❷ (음식물이 썩지 않고) 견디다.

This fish will *keep* till tomorrow. 이 생선은 내일까지 갈 것이다.

keep away 가까이 가지 않다; …을 멀리하다.

Keep away from the fire! 불 가까이 가지 마라!

Keep the medicine *away* from children. 약을 어린 아이 손이 닿지 않는 곳에 두어라.

keep early hours 일찍 자고 일찍 일어나다.

Try to *keep early hours.* 일찍 자고 일찍 일어나도록 해라.

keep ... from *doing* …에게 ～하지 못하게 하다.

Sickness *kept* me *from*

attending the party. (＝I couldn't attend the party because of sickness.) 나는 병으로 모임에 나가지 못하였다.

keep off …에 접근하지 않다.

Keep off the grass! 《게시》잔디밭에 들어가지 마시오!

keep on *doing* 계속 …하다.

Tom *kept on talking* all the time. 톰은 그간 계속 이야기를 했다.

keep out …을 들이지 않다; 들어가지 않다.

Shut the window and *keep out* the cold. 창문을 닫고 방을 차게 하지 마라.

Keep out! 《게시》출입 금지!

keep to (계획 · 약속 따위)를 지키다; (길 따위)에서 벗어나지 않다.

Keep to the left. 《게시》좌측 통행.

keep up …을 계속하다, 유지하다.

Keep up hope; never give it up. 희망을 가져라. 절대로 포기하지 말고.

All right. *Keep* it *up.* 좋아. 그 상태를 유지해라.

keep up with …에 뒤떨어지지 않다.

I cannot *keep up with* you. 나는 너를 따라갈 수가 없다.

keep·er [kíːpər] 몡 〔복수〕 **keepers**[kíːpərz]

지키는 사람, 관리인, 사육자.

A *keeper* at a zoo takes care of the animals. 동물원 사육자는 동물을 돌본다.

Kel·ler [kélər] 몡 켈러.

Helen[hélin] **Keller** 헬렌 켈러 (1880-1968).

〔참고〕 미국의 사회 사업가 · 저술가. 장님, 벙어리, 귀머거리란 세 가지 고통을 극복하고 맹농아자의 교육 · 사회 복지 사업에 공헌했다. 이것은 Ann Sullivan[æn sǽlivən]이라는 가정

교사의 참을성 있는 교육 덕택이었다. 그녀의 노력으로 헬렌 켈러는 10살 때 책도 읽고 이야기도 할 수 있게 되었다.

Ken·ne·dy [kénidi] 몡
케네디.

John Fitzgerald [dʒán fitsdʒérəld] **Kennedy** 존 피츠제럴드 케네디 (1917-63).

참고 1960년에 35대 미국 대통령으로 선출되어 역대 대통령 중 가장 젊은 대통령이 되었다. 1963년 텍사스주를 방문하다 총격을 받아 사망했다.

Ken·tuck·y [kəntʌ́ki] 몡
켄터키.

참고 미국 중동부의 주. 링컨 대통령이 태어난 주. 주도는 프랭크퍼트(Frankfort [frǽŋkfərt])이고, 면적은 104,630 km²로서 우리 나라의 반보다 조금 작다. Ky. 또는 Ken.으로 약함. 이 주의 루이스빌(Louisville [lúisvìl])에서 매년 5월에 거행되는 켄터키 경마(Kentucky Derby [də́ːrbi])는 세계적으로 유명하다.

*kept [kept] 통
keep의 과거·과거 분사.
The boys *kept* their own laws well. 소년들은 자기들이 정한 규칙을 잘 지켰다.
I was *kept* waiting for an hour. 나는 한 시간 동안이나 기다렸다.

ket·tle [kétl] 몡
복수 **kettles** [kétlz]
주전자, 솥.
The *kettle* is boiling. 주전자의 물이 끓고 있다.
She put the *kettle* on. 그녀는 주전자를 불에 얹었다.

*key [kiː] 몡
복수 **keys** [kiːz]
❶ 열쇠. ➤ 자물쇠는 lock.
a *key* for the door 문 열쇠
She turned the *key* in the lock. 그녀는 자물쇠의 열쇠를 돌렸다.

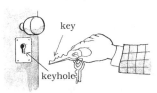

❷ (피아노 등의) 키, 건반.
Please don't hit the *keys* so hard. 제발 그렇게 세게 건반을 두드리지 마라.
❸ (문제·사건 따위를 푸는) 열쇠, 실마리; 비결.
the *key* to the mystery 〔problem〕 그 수수께끼〔문제〕를 푸는 열쇠.
The *key* to good health is to eat and sleep regularly. 건강의 비결은 규칙적으로 먹고 자는 것이다.

key·board [kíːbɔ̀ːrd]
복수 **keyboards** [kíːbɔ̀ːrdz]
(피아노의) 건반; (타자기·컴퓨터 따위의) 키보드.

key·hole [kí:hòul] 명

복주 **keyholes**[kí:hòulz]
열쇠 구멍.
put a key in the *keyhole*
열쇠 구멍에 열쇠를 찔러넣다.

kick [kik] 자·타 3·단·현 **kicks**
[kiks]; ing형 **kicking**
[kíkiŋ]; 과거 과분 **kicked**[kikt]
(…을) 차다, 걷어차다.
Tom *kicked* the ball.
톰은 공을 찼다.
I was *kicked* by a horse
yesterday. 나는 어제 말에게 채
였다.
The baby *kicked* and cried.
그 아기는 발버둥치며 울어댔다.
── 명 복주 **kicks**[kiks]
차기, 걷어차기.
The man gave the door a
kick. 사나이는 문을 찼다.

kick·box·ing [kíkbàksiŋ] 명

《a와 복수형 안 씀》 킥복싱.
He won a medal for
kickboxing. 그는 킥복싱에서 메
달을 땄다.

kid[1] [kid] 명 복주 **kids**[kidz]
새끼 염소; 아이(=child).
He has a lot of *kids* on
his farm. 그는 농장에 염소 새
끼를 많이 기른다.

참고 kid의 어미를 goat라고
한다. kid는 구어에서 child와
같은 뜻으로도 자주 쓰인다.

---

kid[2] [kid] 타·자 3·단·현 **kids**
[kidz]; ing형 **kidding**
[kídiŋ]; 과거 과분 **kidded**[kídid]
(…을) 놀리다; 농담하다; 속이다.
Don't *kid* me. 놀리지 마라.
You're *kidding*! =No *kidding*!
농담이겠지!, 설마!
Just *kidding*. 농담이야.

kill [kil] 타 3·단·현 **kills**[kilz]
ing형 **killing**[kíliŋ]; 과거
과분 **killed**[kild]

❶ (사람·동물)을 죽이다; (초목)
을 말려 죽이다; 《be killed로》
(사고·전쟁으로) 죽다.
We should not *kill* wild
animals. 우리는 야생 동물을 죽
여서는 안 된다.
The frost *killed* all the
flowers. 서리로 꽃이 모두 시들
었다.
kill two birds with one
stone 《구어》 일석 이조의 성과
를 거두다, 일거 양득하다.
She *was killed* in a traffic
accident. 그녀는 교통 사고로
죽었다.
❷ (시간 등)을 보내다.
I read the magazine to *kill*
time. 나는 시간을 보내기 위해
잡지를 읽었다.
*kill one***self** 자살하다.
She thought she would *kill*
herself. 그녀는 자살하려고 생각
했다.

kil·o·gram [kíləgræm] 명

복주 **kilograms**[kíləgræmz]
킬로그램. ▶ 영미에서는 pound를
많이 씀.
One *kilogram* is equal to
1,000 grams. 1킬로그램은
1,000 그램과 같다.
▶ 영국에서는 kilogramme으로
씀.

kil·o·me·ter [kilámitər] 명

복주 **kilometers**[kilámitərz]
킬로미터. ▶ 영미에서는 mile을
많이 씀.
One *kilometer* is equal to
1,000 meters. 1킬로미터는
1,000 미터와 같다.

kind[1] [kaind] 형

비교 **kinder** [káindər]
최상 **kindest**[káindist]
친절한, 상냥한(⇔ unkind 불친
절한).
She is a very *kind* woman.
그녀는 매우 상냥한 부인이다.

K

Be *kind* to your friends.
친구들에게 친절해라.

It's *kind* of you to say so.
그렇게 말씀해 주시다니 친절도
하십니다 ☞ 명 kindness

*be kind enough to do = be
so kind as to do 친절하게도
…하다.

The boy *was kind enough
to* show me the way to
the museum. 소년은 친절하게
도 박물관으로 가는 길을 가리켜
주었다.

*___**kind**[2]　[kaind] 명
[복수] **kinds**[kaindz]

종류(=sort).

I saw many *kinds* of flowers
in the garden. 나는 정원에서
많은 종류의 꽃을 보았다.

I like this *kind* of hat. 나는
이런 종류의 모자를 좋아한다. ▶
보통 kind of 뒤에 오는 명사에
는 a나 the를 붙이지 않음.

*a kind of 일종의…, …와 같은 것.
Coal is *a kind of* stone.
석탄은 돌의 일종이다.
He is *a kind of* scientist.
그는 과학자라 할 수 있다.

*What kind of ...? 무슨[어떤] 종
류의 … ?
What kind of music do
you like best? 너는 어떤 종류
의 음악을 가장 좋아하느냐?

kin·der·gar·ten　[kíndər-
gàːrtn] 명
[복수]　**kindergartens** [kíndər-
gàːrtnz]

유치원. ▶ 독일어에서 온 말.
My brother is in *kinder-
garten.* 내 동생은 유치원에 다닌
다.

kind·ly　[káindli] 부 형 비교
　　　kindlier [káindliər] :
[최상] **kindliest**[káindliist]

부 ❶ 친절히, 상냥하게 ; 친절하게
도.
She spoke to me *kindly.*
그녀는 상냥하게 나에게 말했다.
He *kindly* helped me.
그는 친절하게도 나를 도와주었다.
❷ 《부탁·의뢰를 나타내는 문장
에서》 부디, 어서(=please).
Will you *kindly* pass me
the salt? 소금을 좀 건네주시겠
습니까?

┌─────────────────────┐
│ 참고 여러 사람이 함께 식사하
│ 는 식탁에서 멀리 떨어져 있는
│ 소금·후춧가루 따위를 무리하
│ 게 팔을 뻗어 잡으려는 것은 실
│ 례되는 일이다. 옆 사람에게 부
│ 탁해서 건네받는 것이 옳은 행
│ 동이다.
└─────────────────────┘

──── 형 상냥한, 친절한.
a *kindly* voice 상냥한 목소리.
a *kindly* heart 친절한 마음씨.

kind·ness　[káindnis]
　　　　　　　　 명
[복수] **kindnesses**[káindnisiz]

❶ 《a와 복수형 안 씀》 친절, 상
냥함.
Thank you for your *kind-
ness.* 친절히 해 주셔서 감사합
니다.
I will never forget your
kindness. 당신의 친절은 결코
잊지 않겠습니다.
❷ 친절한 행위.
She did me many *kind-
nesses.* 그녀는 나에게 여러 가
지 친절을 베풀어 주었다.
　　　　　　　☞ 형 kind[1]

*___**king**　[kiŋ] 명
[복수] **kings**[kiŋz]

❶ 왕, 국왕 (⇨ queen 여왕).
the *King* of England 영국의
왕.
Hangeul was made by *King*

Sejong. 한글은 세종 대왕에 의
해 만들어졌다.
❷ (특정 분야에서의) **실력자,** …
왕; (동식물의) **강자.**
a home-run *king* 홈런왕.
an oil *king* 석유왕.
The lion is the *king* of
beasts. 사자는 백수의 왕이다.

king·dom [kíŋdəm] 명

복수 **kingdoms** [kíŋdəmz]
❶ **왕국.**
the United *Kingdom* 연합 왕
국 《Britain을 일컬음》.
Gyeongju was the capital
of the Silla *Kingdom*. 경주는
신라 왕국의 수도였다.
❷ (동식물 분류상의) …**계**(界).
the animal [plant, mineral]
kingdom 동물[식물, 광물]계.

K **kiss** [kis] 타·자 3·단·현 **kisses**
[kísiz]; ing형 **kissing**
[kísiŋ]; 과거 과분 **kissed** [kist]
(…에게) **키스하다, 입맞추다.**
She *kissed* her son on the
forehead. 그녀는 아들의 이마에
키스했다.
Dad, *kiss* me good night.
아빠, 잘 자라는 키스해 주세요.
── 명 복수 **kisses** [kísiz]

키스, 입맞춤.
Jim gave his mother a
light *kiss*. 짐은 어머니에게 가
볍게 키스를 했다.

kitch·en [kítʃən] 명

복수 **kitchens** [kítʃənz]
부엌.
Mother is cooking in the
kitchen. 어머니는 부엌에서 요리
하고 있는 중이다.

kite [kait] 명
복수 **kites** [kaits]
연.
The boys are flying *kites*.
소년들은 연을 날리고 있다.

kit·ten [kítn] 명 복수 **kittens** [kítnz]
새끼 고양이.
A mother cat was walking
with her two *kittens*.
어미 고양이가 두 마리의 새끼 고
양이와 거닐고 있었다.

knee [niː] 명
복수 **knees** [niːz]
무릎, 무릎 관절. ☞ lap
She prayed on her *knees*.
그녀는 무릎을 꿇고 기도했다.
He fell on his *knees* to
thank God. 그는 무릎을 꿇고

kitchen

cupboard(식기장)
faucet(수도 꼭지)
sink(싱크대)
freezer(냉동고)
refrigerator
(냉장고)
range/stove
(레인지)
chair(의자)
oven(오븐)
dishwasher
(식기 세척기)
table(식탁)

신에게 감사했다.
> knee의 k는 발음하지 않음.
☞ 통 kneel

kneel [niːl] 자
[3·단·현] **kneels** [niːlz];
[ing형] **kneeling** [níːliŋ]; [과거] [과분]
knelt [nelt]
무릎 꿇다.
Everyone *knelt* (down) in
prayer. 모든 사람이 무릎을 꿇
고 빌었다.
> kneel의 k는 발음하지 않음.
☞ 명 knee

knelt [nelt] 통
kneel의 과거·과거 분사.

*****knew** [njuː] 통
know의 과거.
I *knew* all about his plan.
나는 그의 계획에 관하여 모든 것
을 알고 있었다.

*****knife** [naif] 명
[복수] **knives** [naivz]
손칼, 나이프. ☞ fork
Please show me how to use
a *knife* and fork. 나이프와 포
크의 사용법을 가르쳐다오.
> knife의 k는 발음하지 않음.

knight [nait] 명
[복수] **knights** [naits]
(중세기의) **기사**; (영국의) **나이트
작위를 받은 사람.**
Knights in the Middle Ages
were very brave. 중세의 기사
는 대단히 용감했다.

[참고] 현재 영국에서는 국가에
공로가 큰 사람에게 knight 작
위를 수여하는데, 이 경우 성명
앞에 Sir를 붙인다.
Sir Winston Churchill [sə́ːr
wínstən tʃə́ːrtʃil]

> knight와 night는 발음이 같음
에 주의.

*****knit** [nit] 통 [3·단·현] **knits**
[nits]; [ing형] **knitting**
[nítiŋ]; [과거] [과분] **knitted** [nítid]
또는 **knit** [nit]

타 …을 뜨다, 짜다.
She *knitted* a sweater for
him. 그녀는 그를 위해 스웨터를
짰다.
── 자 뜨개질하다.
Jane is *knitting* in the
chair. 제인은 의자에 앉아서 뜨
개질을 하고 있다.
> knit의 k는 발음하지 않음.

knit·ted [nítid] 통
knit의 과거·과거 분사의 하나.

knit·ting [nítiŋ] 통
knit의 -ing형.

knives [naivz] 명
knife의 복수.
Are *knives* and forks ready
on the table? 식탁에 나이프와
포크가 준비되어 있느냐?

knob [nab] 명
[복수] **knobs** [nabz]
(문·서랍 따위의) **손잡이.**

*****knock** [nak] 통
[3·단·현] **knocks** [naks];
[ing형] **knocking** [nákiŋ]; [과거]
[과분] **knocked** [nakt]
타 …을 치다, 때리다, 두드리다;
부딪치다.
He *knocked* me on the
head. 그는 내 머리를 때렸다.
He *knocked* his foot against
a stone. 그는 돌에 발을 부딪쳤다.
── 자 (가볍게) **두드리다, 노크하
다.**
Someone is *knocking* at the
door. 누가 문을 두드리고 있다.
*****knock down** …을 때려눕히다.
I *knocked* him *down*.
나는 그를 때려눕혔다.
***knock out** (권투·야구에서) …을
녹아웃시키다.
He was *knocked out* in the
second round. 그는 2라운드에
서 녹아웃되었다.
── 명 [복수] **knocks** [naks]
두드리는〔노크하는〕 소리.
There was a *knock* at the
door.

문을 두드리는 소리가 들렸다.
➤ knock의 k는 발음하지 않음.

knock·er [nákər] 명 복수
knockers[nákərz]
(현관의) 노커, (문을) 두드리는
쇠.
Knockers are
seldom seen
today. 노커는
오늘날 좀처럼
볼 수 없다.
➤knocker의 k
는 발음하지 않
음.

know [nou] 동
3·단·현 knows[nouz];
ing형 knowing[nóuiŋ]; 과거
knew[nju:]; 과분 known[noun]
타 ❶ …을 알고 있다, 알다.
My brother *knows* French.
나의 형은 프랑스어를 안다.
The temple is *known* for
its tower. 그 절은 탑으로 유명
하다.
❷ 《know that … 으로》 …라는
것을 알고 있다; 《know+의문사
절〔구〕로로》 …인지를 알고 있다.
We *know* (*that*) the earth
is round. 우리는 지구가 둥글다
는 것을 알고 있다. ➤구어에서는
보통 that을 생략함.
Do you *know* *where* he
lives? 그가 어디 사는지 아느냐?
❸ … 을 알아보다; 《know …
from ~으로》 …와 ~를 구별할
수 있다.
He *knew* me at once.
그는 나를 곧 알아보았다.
I *know* good *from* evil.
나는 선악을 구별할 줄 안다.
── 자 알다, 알고 있다.
I don't *know* about it.
나는 그것에 관해 모른다.
He is a very honest man
as far as I *know*. 내가 아는
한 그는 아주 정직한 사람이다.
➤know의 k는 발음하지 않음.
☞ 명 knowledge

Who knows? = *God knows.*
그것은 아무도 모른다.

knowl·edge [nálidʒ]
명
《복수형 안 씀》 지식, 학식.
I have no *knowledge* of
Spanish. 나는 스페인어를 전혀
모른다.
A little *knowledge* is a
dangerous thing. 《속담》 어설
픈 지식은 위험하다《선무당이 사
람 잡는다》. ☞ 동 know

known [noun] 동
know의 과거 분사.

ko·a·la [kouá:lə] 명
복수 koalas [kouá:ləz]
코알라.
Koalas live in Australia.
코알라는 오스트레일리아에서 서
식한다.

Ko·re·a [kərí:ə] 명
한국.
Korea is a beautiful country.
한국은 아름다운 나라이다.

Ko·re·an [kərí:ən]
형
❶ 한국의, 한국 사람의.
Korean houses are quite
beautiful. 한국 집은 퍽 아름답다.
❷ 한국어의.
I have a lot of *Korean*
books. 나는 한국어 책을 많이
가지고 있다.
── 명 복수 Koreans [kərí:ənz]
한국 사람; 《a와 복수형 안 씀》
한국말.
The *Koreans* are peace-
loving people.
한국 사람은 평화를 사랑하는 국
민이다.
Can you speak *Korean*?
너는 한국말을 할 줄 아느냐?

Ko·re·a·town [kərí:ətàun]
명
복수 Koreatowns[kərí:ətàunz]
(외국 도시의) 한인촌, 코리아타
운. ➤대표적인 것은 미국 L.A.
에 있는 코리아타운.

K

L l

LI
ℒ ℓ

la·bel [léibəl] 명
복수 **labels** [léibəlz]
라벨《특히 약병, 깡통, 피륙 따위
에 붙어 있는 것》, 레테르, 딱지,
(짐에 붙이는) **하물표, 꼬리표.**
a baggage *label* 수화물 꼬리표.
The *label* on the bottle
says "Danger." 그 병의 딱지에
는 「위험」이라고 써 있다.
This parcel has no *label*
showing its destination.
이 소포에는 목적지를 밝힌 쪽지
가 붙어 있지 않다.

참고 「라벨」은 label의 프랑스
발음이고, 「레테르」는 letter의
네덜란드 발음이다.

── 타 3·단·현 **labels** [léibəlz] ;
ing형 **labeling** [léibəliŋ] ; 과거
과분 **labeled** [léibəld]
… 에 딱지를 붙이다.
She *labeled* all the books
that belonged to the school.
그녀는 학교 소유의 모든 도서에
딱지를 붙였다.

*__la·bor__ [léibər]
명
《a와 복수형 안 씀》노동, **근로.**
cheap *labor* 값 싼 노동.
The price of *labor* is high
these days. 요즘은 노임이 비
싸다.
── 자 3·단·현 **labors** [léibərz] ;
ing형 **laboring** [léibəriŋ] ; 과거
과분 **labored** [léibərd]

노동하다, (힘써) **일하다, 수고하다.**
Sam has *labored* for many
years to get his present
position. 샘은 현재의 지위를 얻
기 위해 여러 해 동안 힘써 일하
였다.
Let's *labor* for a better fu-
ture. 보다 나은 미래를 위해 노
력하자.
▶ 영국에서는 labour로 씀.

lab·o·ra·to·ry [lǽbərətɔ̀ːri]
복수 **laboratories** [lǽbərətɔ̀ːriz]
실험실; 연구소.
She worked every day in
the *laboratory* and finally
discovered radium. 그녀는 매
일 실험실에서 일하여 마침내 라
듐을 발견하였다.

La·bor Day [léibər dèi]
명
《미국·캐나다의》 **근로자의 날**《9
월의 첫째 월요일로 법정 휴일. ▶
유럽의 May Day에 해당함.

la·bor·er [léibərər] 명 복수
laborers [léibərərz]
근로자, **노동자.**
They don't like to be
called *laborers*. 그들은 노동자
라고 불리는 것을 싫어한다.
▶ 영국에서는 labourer로 씀.

lace [leis] 명
복수 **laces** [léisiz]
❶ 《a와 복수형 안 씀》 레이스《옷
의 가장자리 장식용》.
Spain is famous for its *lace*.
스페인은 레이스로 유명하다.
❷ (구두 따위의) **끈.**
I want to buy *laces* for
my shoes. 구두끈을 사고 싶은
데요.
▶ race의 발음과 혼동하지 말 것.

L

lack [læk] 몡
《복수형 안 씀》**결핍, 부족**
(=want).
lack of water 물 부족.
lack of sleep 수면 부족.
His business failed because
of *lack* of money. 그의 사업
은 자금이 부족하여 실패했다.
── 턔 ③·단·현 **lacks** [læks]：
ing형 **lacking**[lǽkiŋ]： 과거 과분
lacked[lækt]
…이 없다, 부족하다.
This area *lacks* water.
이 지역은 물이 부족하다.
She *lacks* common sense.
그녀는 상식이 없다.

lad [læd] 몡
복수 **lads**[lædz]
젊은이, 소년.
There was a *lad* who was
not very bright. 그다지 총명
하지 못한 소년이 있었다.

lad·der [lǽdər] 몡
복수 **ladders**[lǽdərz]
사닥다리.
go up 〔climb (up)〕a *ladder*
사닥다리를 올라가다.
go down a *ladder* 사닥다리를
내려가다.
I fell off the *ladder* and
broke my leg. 나는 사닥다리
에서 떨어져 다리가 부러졌다.
Never walk under a *ladder*.
사닥다리 밑을 걸어가지 마라. ➤
사닥다리 밑으로 걸으면 재수가
없다는 미신이 있음.

la·dies [léidiz] 몡
lady의 복수.

la·dy [léidi] 몡
복수 **ladies**[léidiz]
여자, 여성, 숙녀, 귀부인(⇨ gen-

tleman 신사).
This magazine is especially
for young *ladies*. 이 잡지는
특히 젊은 여성들을 위한 것이다.
Ladies and gentlemen! (신사
숙녀) **여러분!**《연설 따위를 할 때
청중에 대한 호칭》.
Ladies and gentlemen, I am
very glad so many peo-
ple are here this evening.
여러분. 오늘 저녁 이 자리에 이
렇게 많이 와주셔서 매우 기쁩니
다.

> 참고 본래. lady는 「귀부인」 또
> 는 「숙녀」라고 번역되어 신분이
> 높고 교양 있는 여자의 뜻으로
> 쓰였다. 지금도 그런 뜻으로 쓰
> 이기는 하지만, 일반적으로는
> 보통 여자를 가리킬 때에도 널
> 리 쓰인다. woman 보다 공손
> 한 말이다.

laid [leid] 동
lay¹의 과거·과거 분사.

lain [lein] 동
lie¹의 과거 분사.

lake [leik] 몡
복수 **lakes**[leiks]
호수, 호.
the Great Salt *Lake* 그레이
트 솔트 레이크《미국 유타 주에
있는 큰 염호》.
go out on a *lake* in a
boat 보트를 타고 호수 위를 저
어 나가다.
A *lake* is larger than a
pond. 호수는 연못보다 크다.
They went fishing in the
lake. 그들은 호수로 낚시하러 갔
다. ➤ to the lake라고 하지 않
음.

lamb [læm] 몡
복수 **lambs**[læmz]
새끼 양. ☞ sheep
A young sheep is called
a *lamb*. 어린 양을 lamb이라
고 한다.

L

➤ lamb의 b는 발음하지 않음.

lame [leim] 형
절름발이의, 절룩거리는.
Although he was *lame* in
one leg, he went in for
many sports. 그는 한 발을 절
면서도 여러 가지 운동을 했다.

***lamp** [læmp] 명
복수 **lamps** [læmps]
램프; 등; (전기) 스탠드.
a table *lamp* 탁상 스탠드.
an electric *lamp* 전등.
street *lamps* 가로등.

***land** [lænd] 명
복수 **lands** [lændz]
❶ 《a와 복수형 안 씀》 토지, 땅.
rich 〔poor〕 *land* 비옥한〔메마
른〕 땅.
private *land* 사유지.
waste *land* 황무지.
He grows vegetables on his
land. 그는 자기 땅에 야채를 재
배하고 있다.
❷ 《a와 복수형 안 씀》 (바다에
대해서) 육지 (⇨ sea 바다).
The sailors couldn't see
land for many days. 그 선원
들은 여러 날 동안이나 육지를 볼
수 없었다.
He traveled by *land*.
그는 육로로 여행했다.
❸ 나라, 국토. ➤ 구어에서는 보통
country를 씀.
our native *land* 우리들의 고국.
Tom wanted to visit differ-
ent *lands*. 톰은 여러 나라를 방
문하고 싶었다.
── 자 ③·단·현 **lands** [lændz] ;
ing형 **landing** [lændiŋ] ; 과거 과분
landed [lændid]
(비행기가) 착륙하다 (⇔ take off
이륙하다) ; **상륙하다**, (배가 항구
에) **닿다**.
The plane *landed* safely at
the airport. 비행기는 무사히
공항에 착륙했다.
Our boat *landed* at San
Francisco after a ten-day

voyage. 우리 배는 열흘간의 항
해 끝에 샌프란시스코에 닿았다.

land·ing [lændiŋ] 명 복수
landings [lændiŋz]
❶ 상륙, 착륙.
The plane made a safe
landing. 비행기는 무사히 착륙했
다.
❷ (계단의) 층계참.
Mrs. Jones slipped on the
landing and fell down the
stairs. 존스 부인은 층계참에서
미끄러져 계단 아래로 떨어졌다.

land·mark [lændmɑ:rk]
명
복수 **landmarks** [lændmɑ:rks]
경계표, (지리적인) 표적.
The old oak tree is a
landmark of our village.
그 오래된 떡갈나무는 우리 마을
의 표적이다.

land·scape [lændskèip]
명
복수 **landscapes** [lændskèips]
(한 눈에 바라보이는 전원 따위
의) 풍경, 경치, 조망; 풍경화.
a beautiful *landscape* 아름다
운 경치.
a *landscape* artist 풍경 화가.

> 참고 **scenery** 와 **landscape**
> scenery는 눈에 띄는 자연의
> 여러 경치. landscape는 눈에
> 띈 것 중에서도 특히 그림 같은
> 경치.

lane [lein] 명
복수 **lanes** [leinz]
❶ 좁은 길, 샛길.
a winding *lane* 꼬불꼬불한 좁
은 길.
A *lane* leads up the hill.
샛길 하나가 언덕 위로 나 있다.

> 비슷한 말 **lane**과 **path**
> 둘 다 사람이 다니는 좁은 길이
> 지만, lane은 울타리나 건물 따
> 위의 사이를 지나는 길을,

path는 사람이 다녀 자연적으로 생긴 길을 가리키는 경우가 많다.

❷ (도로의) **차선**(車線); (경주・볼링 따위의) **레인, 코스.**
a four-*lane* highway 4차선의 간선 도로.
This highway has three *lanes* on either side. 이 간선 도로는 한 쪽에 3차선씩 있다.

lan·guage [læŋgwidʒ] 명

복수 **languages** [læŋgwidʒiz]
❶ 《a와 복수형 안 씀》(음성・문자에 의한) 언어, 말.
spoken *language* 구어.
written *language* 문어.
Man is the only animal that has *language.* 인간은 언어를 가진 유일한 동물이다.
❷ (한 나라의) **국어, …어.**
a foreign *language* 외국어.
the English *language* 영어.
an official *language* 공용어.
How many *languages* do you speak? 너는 몇 개 국어를 말할 수 있느냐?

lan·guage lab·o·ra·to·ry

[læŋgwidʒ læbərətɔ̀ːri] 명 복수
language laboratories [læŋgwidʒ læbərətɔ̀ːriz]
어학 연습실.

lan·tern [læntərn] 명 복수
lanterns [læntərnz]
랜턴, 등.
a Chinese *lantern* 종이 초롱.
A big man came out with a *lantern* in his hand. 큰

남자가 랜턴을 손에 들고 나왔다.

lap [læp] 명 복수 **laps** [læps]
무릎.
Mother held our baby on her *lap.* 어머니는 무릎 위에 아기를 안고 계셨다. ▶ lap은 양쪽 무릎 윗 부분을 통틀어 말하므로 한 사람의 경우에는 복수를 쓰지 않음.

참고 **lap 과 knee**
lap은 앉았을 때 무릎 관절부터 허리까지의 양쪽 허벅다리 앞 부분을, knee는 무릎 관절의 앞 부분을 가리킨다.

large [laːrdʒ] 형
비교 **larger** [láːrdʒər] : 최상 **largest** [láːrdʒist]
❶ **큰, 넓은**(⇔ small 작은).
Miss Smith lives in a *large* house. 스미스양은 큰 집에서 살고 있다.
Busan is the second *largest* city in Korea. 부산은 한국에서 두 번째로 큰 도시이다.
❷ **다량의, 다수의.**
a *large* sum of money 거액의 돈.
a *large* number of people 많은 사람들.
Seoul has a *large* population. 서울은 인구가 많다.

large·ly [láːrdʒli] 부
비교 **more largely** : 최상 **most largely**
크게, 대부분, 주로.
We're *largely* responsible for the failure. 우리는 그 실패에 큰 책임이 있다.

The fear of the dark is found *largely* among children. 어둠을 무서워하는 것은 대개 애들이다.

The group consisted *largely* of girls. 그 그룹은 대부분 여자로 구성되어 있었다.

lark [la:rk] 몡
[복수] **larks** [la:rks]

종달새.

When I was a boy, I often heard *larks* sing in the field. 나는 소년 시절에 종종 들에서 종달새가 지저귀는 소리를 들었다.

la·ser [léizər] 몡
[복수] **lasers** [léizərz]

레이저 《빛의 증폭기로, 통신·의료 등에 이용됨》.

laser beams 레이저 광선.

a *laser* disc 레이저 디스크.

last¹ [læst] 휑

❶ (바로) 전의, **지난** ….

Bob was in first grade *last* year. 보브는 작년에 1학년이었다.

Mother and I saw a movie *last* night. 어머니와 나는 어젯밤에 영화를 보았다.

I visited my uncle *last* Friday. 나는 지난 주 금요일에 아저씨를 방문했다.

[어법] **1.** 이 용법에서 last는 부사구로 사용됨. last 앞에 the나 전치사 on, in 따위가 붙지 않는다.
2. 「어젯밤」은 last night이라고 하지만 「어제 아침〔오후, 저녁〕」은 last를 쓰지 않고 yesterday를 써서 yesterday morning 〔afternoon, evening〕이라고 한다.

---

❷ 《the를 붙여》 (순서·시간이) 최종의, **최후의**(⇔first 최초의).

He missed the *last* train. 그는 마지막 기차를 놓쳤다.

Today is the *last* day of the week. 오늘은 주의 마지막 날이다.

❸ 최근의.

I haven't seen him for the *last* few months. 나는 최근 몇 달 동안 그를 만나지 못했다.

── 悍 이전에, **최근에**; 최후에.

When did you see her *last*? 최근에 그녀를 언제 만났느냐?

Betty came home *last*. 베티가 맨 나중에 집에 돌아왔다.

── 몡 《the를 붙여》 최후.

He fought to the *last*. 그는 최후까지 싸웠다.

*at last 마침내.

At last he succeeded. 마침내 그는 성공했다.

Father broke the long silence *at last*. 아버지가 마침내 오랜 침묵을 깼다.

last² [læst] 짜
[3·단·현] **lasts** [læsts];
[ing형] **lasting** [læstiŋ]; [과거] [과분]
lasted [læstid]

❶ 계속되다, **지속되다**.

Our meeting *lasted* until four. 우리 모임은 4시까지 계속되었다.

How long will this fine weather *last*? 이 좋은 날씨는 얼마 동안이나 지속될까?

❷ (물건 따위가) 오래 가다, **지탱하다, 견디다**.

These socks will *last* long. 이 양말은 오래 신을 수 있을 게다.

The food will not *last* for two months. 그 식량은 2개월을 가지 못할 것이다.

late [leit] 휑 悍
[비교] **later** [léitər]; [최상]
latest [léitist]

휑 ❶ (시각·시기가) 늦은, **더딘**, 지각한(⇔early 이른).

Don't be *late.* 늦지 마라.

I'm sorry I'm *late.*
늦어서 미안합니다.

Nancy was *late* for school today. 낸시는 오늘 학교에 지각했다.

The train was five minutes *late.* 열차는 5분 늦었다.

❷ 《명사 앞에만 쓰여》 최근의.

This bus is a *late* model.
이 버스는 최근의 모델이다.

This is the *late* fashion.
이것은 최근의 유행이다.

❸ 최근에 죽은, 고(故)….

The *late* Mr. Smith was a good teacher. 고 스미스 선생님은 훌륭한 선생님이셨다.

keep late hours 밤 늦게 자고 아침 늦게 일어나다.

──🟤 늦게(⇔ early 일찍이).

Bill got up very *late* this morning. 빌은 오늘 아침 아주 늦게 일어났다.

Mr. and Mrs. Jones came ten minutes *late.* 존스씨 부부는 10분 늦게 왔다.

*late·ly [léitli] 🟤 요즈음, 최근.

We haven't seen him *lately.* 우리는 요즈음 그를 만나지 못하였다.

I haven't heard from him *lately.* 나는 최근에 그의 소식을 듣지 못했다.

*lat·er [léitər] 《late의 비교급》 🟦 더 늦은, 더 나중〔뒤〕의; 더 최근의.

in one's *later* life 만년에.

in *later* years 후년에.

Let's take a *later* train.
더 나중의 열차를 타도록 하자.

──🟤 더 늦게; 뒤〔후〕에, 나중에.

I'll have some more *later.*
나중에 좀 더 먹겠다.

I'll call you *later.*
나중에 전화할게.

This problem was taken up again years *later.* 이 문제

는 몇 년 뒤에 다시 제기되었다.

See you *later.* 또 만나자. ➤ 헤어질 때의 인사.

sooner or later 조만간, 언젠가는.

You must go and see him *sooner or later.* 너는 조만간 가서 그를 만나야 한다.

lat·est [léitist] 《late의 최상급》

🟦 가장 늦은; 최근의, 최신의.

I have read his *latest* novel. 나는 그의 최신작 소설을 읽었다.

We want to know the *latest* news. 우리는 최근 소식을 알고 싶다.

at the latest 늦어도.

We had better be there by seven *at the latest.* 우리는 늦어도 7시까지는 거기에 가 있는 것이 좋다.

──🟤 가장 늦게.

He arrived *latest.*
그는 가장 늦게 도착했다.

Lat·in [lǽtin] 🟦 🟩 Latins[lǽtinz]

❶ 《a와 복수형 안 씀》 라틴어《고대 로마인이 쓰던 말》.

I learned *Latin* at school.
나는 학교에서 라틴어를 배웠다.

❷ 라틴계의 사람.

──🟦 라틴어의; 라틴계 민족의.

Latin grammar is very difficult. 라틴어의 문법은 아주 어렵다.

┌─────────────────────────┐
│ 🟧참고 이탈리아어, 프랑스어, 스페인어, 포르투갈어는 그 어원이 라틴어이다. 따라서 현재 이러한 언어를 쓰고 있는 민족을 라틴계 민족(Latin races)이라고 한다. │
└─────────────────────────┘

Lat·in A·mer·i·ca

[lǽtin əmérikə] 🟦
라틴 아메리카.

참고 남아메리카, 중앙 아메리카, 멕시코, 서인도 제도의 대부분을 말한다. 이 지역에서 쓰이는 언어는 포르투갈어, 프랑스어, 스페인어로서, 이 세 언어는 라틴어를 어원으로 하기 때문에 이렇게 불린다.

lat·ter [lǽtər] 형
《late의 비교급의 하나》
❶ 뒤(쪽)의, 후반의; 《the를 붙여》 (둘 중에서) 후자의.
He lived during the *latter* half of the nineteenth century. 그는 19세기 후반에 살았다.
I did not read the *latter* part of the story. 나는 그 이야기의 뒷부분은 읽지 않았다.
❷ 《the를 붙여 대명사처럼 쓰여》 후자(⇔ former 전자).
The former is interesting, and the *latter* is useful. 전자는 흥미롭고, 후자는 유용하다.

***laugh** [læf] 자
3·단·현 **laughs**[læfs];
ing형 **laughing**[lǽfiŋ]; 과거 과분 **laughed**[læft]
(소리를 내어) 웃다. ☞ smile
Everybody *laughed* loudly. 모두 큰 소리로 웃었다.
Nancy began to *laugh*. 낸시는 웃기 시작했다.

laugh   smile

I heard someone *laughing* inside. 누군가가 안에서 웃고 있는 소리가 들렸다.
Don't make me *laugh*. 웃기지 마라.

*_laugh at_ …을 보고〔듣고〕 웃다, …을 비웃다.
We *laughed at* Tom's joke. 우리는 톰의 농담을 듣고 웃었다.
We *laughed at* his foolish idea. 우리는 그의 멍청한 생각을 비웃었다.
― 명 복수 **laughs**[læfs] 웃음.
We had a good〔hearty〕 *laugh*. 우리는 크게 웃었다.
Nancy answered with a *laugh*. 낸시는 웃으며 대답했다.

laugh·ter [lǽftər] 명
《a와 복수형 안 씀》
웃음, 웃음 소리.
They burst into *laughter*. 그들은 웃음을 터뜨렸다.
Dick heard sounds of *laughter* behind him. 딕은 자기 뒤에서 웃는 소리를 들었다.

launch [lɔːntʃ] 타 3·단·현
launches[lɔ́ːntʃiz];
ing형 **launching**[lɔ́ːntʃiŋ]; 과거
과분 **launched**[lɔːntʃt]

❶ (배)를 진수시키다; (로켓 따위)를 발사하다.
They succeeded in *launching* a huge rocket. 그들은 거대한 로켓을 발사하는 데 성공했다.
❷ (사업 따위)를 시작〔착수〕하다.
launch a new enterprise 새로운 사업을 시작하다.

laun·dry [lɔ́ːndri] 명 복수
laundries[lɔ́ːndriz]
❶ 세탁소.
I sent my dirty shirts to the *laundry*. 나는 더러워진 셔츠를 세탁소에 보냈다.
❷ 《the를 붙여》 세탁물.
She hung out the *laundry* to dry. 그녀는 말리기 위해 세탁물을 널었다.
Put your *laundry* in the box over there. 세탁물을 저기 있는 상자에 넣어라.

lau·rel [lɔ́ːrəl] 명
복수 **laurels**[lɔ́ːrəlz]

월계수《월계관을 만드는 나무로 잎에 향기가 있음》.

law [lɔː] 명
　　　　복수 **laws** [lɔːz]

❶ 법률; 법.
break 〔keep, obey〕 the *law*
법을 어기다〔지키다〕.
Everybody is equal under the *law*. 법 앞에서는 만인이 평등하다.
That's against the *law*.
그것은 법률 위반이다.
❷ (과학상의) 법칙.
Have you learned about the *law* of gravity? 너는 중력의 법칙을 배웠느냐?
We learn the *laws* of nature in the science class.
우리는 과학 시간에 자연의 법칙을 배운다.

lawn [lɔːn] 명
　　　　복수 **lawns** [lɔːnz]

잔디.
Bob is mowing the *lawn*.
보브는 잔디를 깎고 있다.

> 참고 영미인은 잔디를 매우 좋아해서, 집의 주변과 정원 전체를 잔디로 덮고 있는 집이 많다. 잔디 깎기는 주인 남자의 몫으로 여겨지고 있으나, 아들이 용돈을 타낼 수 있는 일거리이기도 하다.

lawn mow·er [lɔ́ːn móuər] 명
　　　　복수
lawn mowers [lɔ́ːn móuərz]
잔디 깎는 기계. ➤ 간단히 mower 라고도 함.

A man was cutting the grass with a *lawn mower*.
한 남자가 잔디 깎는 기계로 잔디를 깎고 있었다.

law·yer [lɔ́ːjər] 명　복수
lawyers [lɔ́ːjərz]
변호사, 법률가.
consult a *lawyer* 변호사에게 의논하다.

lay¹ [lei] 타 3·단·현 **lays** [leiz];
　　　ing형 **laying** [léiiŋ]; 과거
　　　과분 **laid** [leid]

❶ …을 (가로) 놓다, 두다, 눕히다, 깔다.
lay the carpet on the floor
마루에 카펫을 깔다.
Lay your books on the desk.
네 책을 책상 위에 놓아라.
She *laid* her baby on the bed. 그녀는 침대 위에 아기를 눕혔다.
❷ (알)을 낳다.
This hen *lays* an egg every day. 이 암탉은 날마다 알을 하나씩 낳는다.

lay aside …을 비켜〔치워, 떼어〕놓다; 저축해 두다.
Each month he *lays aside* some money for the trip.
매월 그는 여행을 대비해서 돈을 조금씩 저축해 놓는다.

lay down …을 밑에 내려놓다.
He *laid down* the gun.
그는 총을 내려놓았다.

lay² [lei] 동
lie¹의 과거.

la·zi·ly [léizili] 부
　　　비교 **more lazily**;
　　　최상 **most lazily**
게으르게, 느릿느릿.
Three goldfish swam *lazily* among the water plants.
금붕어 세 마리가 수초 사이를 느릿느릿 헤엄쳤다.

la·zy [léizi] 형
　　　비교 **lazier** [léiziər];
　　　최상 **laziest** [léiziist]
태만한, 게으른(⇔ diligent 근면

한).

I don't like the *lazy* man.
나는 게으른 사람은 좋아하지 않는다.

Don't be so *lazy.*
그렇게 태만하지 마라.

lead[1] [liːd] 통 [3·단·현] **leads**
[liːdz] ; [ing형] **leading**
[líːdiŋ] ; [과거][과분] **led**[led]
타 ❶ …을 이끌다, 안내하다.

A girl *led* me to my seat.
소녀가 나를 자리로 안내하였다.

Who will *lead* this blind
man to his house? 누가 이
장님을 그의 집까지 인도할 거
냐?

❷ …을 지도하다, 지휘하다.
He *leads* the brass band.
그는 브라스밴드를 지휘한다.

── 자 ❶ (길 따위가 …로) 통하
다.

This street *leads* to the
station. 이 거리는 정거장으로
통한다.

All roads *lead* to Rome.
모든 길은 로마로 통한다.

❷ (어떤 결과에) 이르다.
His hard work *led* to suc-
cess. 그는 열심히 일했기 때문에
성공했다.

lead a ... life …한 생활을 하다.
He *led a* happy *life* for
many years. 그는 여러 해 동
안 행복한 생활을 했다.

── 명 《the를 붙여》 선두; 선도.
take the *lead* 선두에 서다, 선
도하다.

lead[2] [led] 명
《a와 복수형 안 씀》 납.
This metal is as heavy as
lead. 이 금속은 납처럼 무겁다.

***lead·er** [líːdər] 명
[복수] **leaders**[líːdərz]
지도자, 선도자, 리더.
He acted as our *leader.*
그는 우리들의 리더 역할을 했다.
He became a *leader* of the
black people. 그는 흑인들의

지도자가 되었다.

lead·er·ship [líːdərʃip]
명
《a와 복수형 안 씀》 지도자의 지
위; 통솔력, 지도력.
There was no *leadership* in
him. 그에게는 통솔력이 없었다.

lead·ing [líːdiŋ]
형
선도하는; 일류의; 중요한.
a *leading* hitter (야구의) 수
위 타자.
the *leading* actor 주연 남우.
Mr. Brown reads several
leading newspapers every
morning. 브라운씨는 매일 아침
주요한 신문 몇 가지를 읽는다.

***leaf** [liːf] 명
[복수] **leaves**[liːvz]
❶ (나무의) 잎.
dead *leaves* 고엽.
fallen *leaves* 낙엽.
The *leaves* have turned
yellow. 나뭇잎이 노래졌다.
❷ (책의) 한 장 《2페이지》.
He turned the *leaf* of the
book. 그는 책장을 넘겼다.

league [liːg] 명
[복수] **leagues**[liːgz]
동맹, 연맹; (스포츠의) 리그.
the *League* of Nations 국제
연맹.
a *league* match 리그전.
There are two baseball
leagues in the U.S.A. 미국에
는 두 개의 야구 연맹이 있다.

leak [liːk] 자
[3·단·현] **leaks**[liːks] ; [ing형]
leaking[líːkiŋ] ; [과거][과분] **leaked**
[liːkt]
새다, 새어 나오다.
The driver could smell the
gas *leaking.* 운전사는 가솔린이
새는 냄새를 맡을 수 있었다.
The secret has *leaked* out.
비밀이 누설됐다.
The roof *leaks* when it
rains. 그 지붕은 비가 오면 샌다.

*lean [li:n] 자
③·단·현 **leans**[li:nz]; ing형
leaning[líːniŋ]; 과거 과분 **leaned**
[li:nd]
기대다; 기울다; 몸을 구부리다.
The little girl *leaned*
against her mother's arm.
어린 소녀는 자기 어머니 팔에 기
대었다.
Don't *lean* out of the win-
dow. 창 밖으로 몸을 내밀지 마라.

leap [li:p] 자
③·단·현 **leaps**[li:ps]; ing형
leaping[líːpiŋ]; 과거 과분 **leaped**
[li:pt] 또는 **leapt**[lept]
뛰다, 도약하다, 뛰어오르다.
Look before you *leap*. 《속
담》 뛰기 전에 살펴봐라《잘 생각
하고 행동하라는 뜻》.
The cat *leaped* down from
the table and ran away. 고
양이는 식탁에서 뛰어내려 달아났
다.

leapt [lept] 통 **leap**의 과거·
과거 분사의 하나.

*learn [lə:rn] 통
③·단·현 **learns** [lə:rnz];
ing형 **learning**[lə́ːrniŋ]; 과거 과분
learned[lə:rnd]
타 ❶ …을 배우다, 습득하다, 익
히다, 암기하다.
We *learn* English from Mr.
Kim. 우리는 김선생님에게서 영
어를 배운다.
I'm *learning* to play the
piano. 나는 지금 피아노를 배우
고 있다.
I have *learned* how to
drive a car. 나는 자동차 운전
을 배웠다.

learn   study

❷ (몰랐던 것을) 알다.
learn the truth 진실을 알다.
We *learned* that Minho is
also good at tennis. 우리는
민호가 테니스도 잘 한다는 것을
알았다.
── 자 배우다, 익히다.
We *learned* about many
countries. 우리는 많은 나라들
에 관해 배웠다.
She is quick〔slow〕to *learn*.
그녀는 빨리〔느리게〕배운다.
People *learn* while they are
teaching. 사람들은 가르치면서
배운다. ▶로마의 철학자 세네카의
말.

learn ... by heart …을 외다, 암
기하다.
Susie *learned* the whole
lesson *by heart*. 수지는 한 과
를 전부 암기했다.
learn to do …할 수 있게 되다.
We will *learn to* speak Eng-
lish soon. 우리들은 곧 영어를
말할 수 있게 될 것이다.

learn·ed [lə́ːrnid] 형
비교 **more learned**;
최상 **most learned**
학문 있는, 학식 있는.
a *learned* man 학자.
The most *learned* people in
the country were at the
meeting. 그 나라의 최고 학자들
이 회합에 참석했다.

┌─────────────────────────┐
│ 주의 형용사로 쓰인 learned
│ 는 learn 의 과거·과거 분사와
│ 철자는 같지만, 끝의 -ed를
│ [-id]라고 발음하는 데 주의.
└─────────────────────────┘

learn·ing [lə́ːrniŋ] 명
《a와 복수형 안 씀》
학문, 학식; 학습.
Dr. Simpson is a man of
great *learning*. 심슨 박사는 학
식이 많은 사람이라고 한다.
A little *learning* is a dan-
gerous thing. 《속담》 선무당이

사람 잡는다.

*__least__ [líːst]
《little의 최상급》
⟨형⟩《보통 the를 붙여》가장 적은,
최소의(⇔ most 가장 많은).
the *least* amount of money
가장 적은 액수의 돈.
—— ⟨부⟩ 가장 적게.
This is the *least* important.
이것은 가장 중요하지 않다.
I like English (the) *least*
of all subjects. 나는 전과목
중에서 영어가 가장 싫다.
—— ⟨명⟩ 최소, 최소 한도.
He did *least* of the work
and got most of the
money. 그는 가장 적게 일하고
가장 많은 돈을 받았다.

at least 적어도. ☞ at most(많
아야)
A child must sleep *at least*
eight hours a day. 어린이는
적어도 하루에 여덟 시간은 자야
한다.

leath·er [léðər]
⟨명⟩
《a와 복수형 안 씀》가죽.
a *leather* coat 가죽 코트.
Jane's gloves are made of
leather. 제인의 장갑은 가죽 제품
이다.

*__leave__ [líːv] ⟨동⟩
[3·단·현] **leaves** [líːvz];
[ing형] **leaving** [líːviŋ]; [과거] [과분]
left [left]
⟨타⟩ ❶ (장소)를 떠나다, 출발하다.
He *left* his hometown yes-
terday. 그는 어제 고향을 떠났다.
Mr. White will *leave* Busan
for London. 화이트씨는 부산을
떠나 런던으로 간다. ➤ 목적지를
나타낼 때는 to가 아니라 for를
씀.
❷ …을 남기다; (뒤에) …을 두고
오다.
She *left* her gloves in the
car. 그녀는 차 속에 장갑을 두고
왔다.

Three from six *leaves*
three. 6빼기 3은 3이다.
❸《**leave**＋목적어＋형용사 따위
로》…을 ～한 채로 놓아 두다.
Jim *left* the door open.
짐은 문을 연 채로 놓아 두었다.
Leave your shoes on.
신발을 그대로 신고 있어라.
❹ (남에게) …을 맡기다.
Let's *leave* everything to
William. 모든 것을 윌리엄에게
맡기자.
We have *left* the lawyer to
settle all the problems.
우리는 변호사에게 모든 문제의
해결을 맡기고 있다.
❺ (단체 따위)에서 탈퇴하다;
(일·학교 따위)를 그만두다, 퇴학
하다.
Why did you *leave* the
tennis club? 너는 왜 테니스
클럽에서 탈퇴했느냐?
He had to *leave* school. 그
는 학교를 그만두어야 했다.
➤ leave school에는 「학교를 그
만두다, 퇴학하다」에서 「학교를
졸업하다」란 뜻까지 있음.
—— ⟨자⟩ 떠나다; 출발하다; 《**leave**
for로》…을 향하여 출발하다.
Now I must *leave.*
이제 가봐야 되겠습니다.
I *leave for* school at seven.
나는 7시에 학교로 출발한다.

leave … alone …을 (상관하지 않
고) 내버려 두다, 그대로 두다.
Leave her *alone.*
그녀를 내버려 두어라.
He *left* the matter *alone.*
그는 그 문제를 그대로 내버려 두
었다.

leave … behind …을 두고 오다.
You've *left* your umbrella
behind!
너 우산을 두고 왔구나!

leaves [líːvz] ⟨명⟩
leaf의 복수.
Leaves fall in the autumn.
나뭇잎은 가을에 진다.

leav·ing [líːviŋ] 동
leave의 -ing형.

lec·ture [léktʃər] 명 복수
lectures[léktʃərz]
강의, 강연; 설교.
We attended a *lecture* given
by a famous politician. 우
리는 유명한 정치가의 강연을 들
었다.

*****led** [led] 동
lead¹의 과거·과거 분사.

*****left**¹ [left] 형
《명사 앞에만 쓰여》 왼쪽
의, **좌측의**(⟺ right 오른쪽의).
Jimmy hurt his *left* leg.
지미는 왼쪽 다리를 다쳤다.
Who is the man on your
left side? 네 왼쪽에 있는 사람
은 누구냐?
── 명 《a와 복수형 안 씀》 왼쪽,
좌측.
Turn to the *left* at the
next light. 다음 신호에서 왼쪽
으로 돌아라.
── 부 왼쪽으로.
Turn *left* at that corner.
저 모퉁이에서 왼쪽으로 돌아라.
Keep left. = Keep to the left. 《게
시》 좌측 통행.

*****left**² [left] 동
leave의 과거·과거 분사.
Miss Jones *left* for Jeju-do
last night. 존스양은 어젯밤 제
주도로 떠났다.

*****leg** [leg] 명
복수 legs[legz]
(사람·동물의) 다리; (책상·가
구 따위의) 다리.
He hurt his *legs*.
그는 다리를 다쳤다.
Nancy crossed her *legs*.
낸시는 다리를 포갰다.
One *leg* of that table is
broken. 저 테이블의 다리 하나
가 부러져 있다.
on two legs 두 다리로.
Monkeys often walk *on
two legs*. 원숭이는 종종 두 다

리로 걷는다.

le·gal [líːgəl] 형
법률의; 합법의.
a *legal* holiday 법정 휴일.
It was not a *legal* busi-
ness. 그것은 합법적인 거래가
아니었다.

leg·end [lédʒənd] 명 복수
legends[lédʒəndz]
전설, 전해오는 이야기.
☞ myth(신화)
The *legend* says that a
greedy old man lived here.
전설에 의하면 여기에 욕심 사나
운 한 노인이 살고 있었다 한다.

lei·sure [líːʒər] 명
《a와 복수형 안 씀》
여가, 틈. ▶ 우리말의 「레저」처
럼 꼭 오락과 관계된 것은 아님.
Read this book at your
leisure. 틈이 있을 때 이 책을 읽
도록 해라.
I have no *leisure* to read.
나는 책 읽을 틈이 없다.

lem·on [lémən] 명
복수 lemons[lémənz]
레몬.
Do you like tea with milk
or a slice of *lemon*? 홍차에
우유를 넣을까요, 레몬을 넣을까
요?

lem·on·ade [lèmənéid] 명
《a와 복수형 안
씀》 레모네이드《레몬즙에 물·설
탕을 탄 음료》.

*****lend** [lend] 타 3·단·현 lends
[lendz]; ing형 lending
[léndiŋ]; 과거 과분 lent[lent]

(돈·힘 따위)를 빌려 주다. **꾸어
주다**(⇔ borrow 빌리다).
Will you *lend* me this
book? 나에게 이 책을 빌려 주겠
니?
I will *lend* you the money.
=I will *lend* the money to
you. 그 돈을 너에게 빌려 주겠
다.

borrow   lend

length [leŋkθ] 몡
《a와 복수형 안 씀》 길
이; 세로. ☞ width(폭)
The *length* of the boat is
10 feet. 배의 길이는 10피트다.
The *length* of our stay
there will be one week. 우
리의 그 곳 체류 기간은 1주일이
될 것이다.   ☞ 혱 long

at length 마침내.
I explained it three times,
and *at length* she under-
stood. 나는 그것을 세 번 설명했
다. 마침내 그녀는 이해했다.

lens [lenz] 몡
복수 **lenses**[lénziz]
렌즈.
The *lenses* of a microscope
make things look larger.
현미경의 렌즈는 물건을 크게 보
이게 한다.

lent [lent] 통
lend의 과거·과거 분사.
Jane *lent* me this book
two weeks ago. 제인은 내게
이 책을 2주 전에 빌려 주었다.
I have *lent* him ten dol-
lars. 나는 그에게 10달러를 꾸어

주었다.

leop·ard [lépərd] 몡 복수
leopards[lépərdz]
표범.
Leopards live in Africa and
southern Asia. 표범은 아프리
카와 남아시아에 산다.

***less** [les] 뷔 혱
《little의 비교급》
뷔 더 적게.
She is *less* fat than she
was. 그녀는 이전보다 뚱뚱하지
않다.
My camera is *less* expen-
sive than yours. 내 카메라는
네 것보다 비싸지 않다.
──혱 (양·정도가) 더 적은 (⇔
more 더 많은).
Nancy has *less* money
than Jim. 낸시는 짐보다 돈을
적게 갖고 있다.
Less noise, please.
좀더 조용히 하시오.

┌──────────────────────┐
│ 어법 less는 셀 수 없는 명사 앞 │
│ 에 쓰며, 셀 수 있는 명사 앞에 │
│ 는 보통 fewer를 쓴다. │
└──────────────────────┘

-less [-les] 접미
「…이 없는」, 「…할 수 없
는」 따위의 뜻을 나타냄.
care*less* 부주의한 / count*less*
(수가 많아서) 셀 수 없는 / help-
less 어쩔 수 없는 / use*less* 쓸
모 없는.

***les·son** [lésn] 몡
복수 **lessons**[lésnz]
❶ (교과서의) 과.
Let's read *Lesson* Six to-
gether. 우리 함께 6과를 읽도록
하자.

❷ 《종종 복수형으로》 **수업, 레슨;
연습, 교습.**
She takes music *lessons*. =
She takes *lessons* in music.
그녀는 음악 레슨을 받는다.
❸ **교훈.**
You will learn many *les-
sons* from Aesop's story.
이솝 이야기에서 여러분은 많은
교훈을 배우게 될 것이다.

lest [lest] 쩹
《보통 **lest ... should**로》 …
하지 않도록, …하면 안 되므로.
Study hard *lest* you
(*should*) fail. 실패하지 않도록
열심히 공부하여라. ▶미국에서는
종종 should를 생략함.
Hide it *lest* he (*should*)
see it. 그가 보면 안 되니까 그
것을 감추어라.

:let [let] 탸 ③·단·현 **lets**[lets];
ing형 **letting**[létiŋ]; 과거
과분 **let**[let]
❶ 《**let**＋사람＋동사 원형으로》 (아
무)에게 …하게 하다〔시키다〕, (아
무)에게 …할 것을 허용하다.
Please *let* me know it.
나에게 그것을 알려 다오.
Let me try again.
나에게 다시 해보게 해주시오.
Don't *let* him go out. 그를
밖으로 내보내지 마라.

┌─ 비슷한 말 **let와 make와 have** ─┐
│ 셋 다 「(아무)에게 …시키다 │
│ 〔하게 하다〕」란 뜻이다. 그러나 │
│ let은 하고 싶은 대로 하게 허 │
│ 용할 때, make는 본인의 의사 │
│ 와는 관계없이 강제적으로 시킬 │
│ 때, have는 무리하게 요구하지 │
│ 않고 권유할 때 쓴다. │
│ I'll *let* you go. 보내주겠다 │
│ 《허용》. │
│ I'll *make* you go. 보내겠다 │
│ 《강제》. │
│ I'll *have* you go. 가도록 하 │
│ 렴《권유》. │
└────────────────────┘

❷ (토지·집 따위)**를 빌려주다**(＝
rent).
This house is to *let*.
이 집은 세를 줄 집이다.
Room to *let*. 《게시》 셋방 있음.
let ... in (방 따위에) …**을 들이다.**
Please *let* me *in*. 나를 들어가
게 해 주시오.
*****Let me see. 가만 있자, 글쎄.**
"How much was it?" "*Let
me see.* 5,000 won." 「그게 얼
마였더라?」 「가만 있자, 오천원이
었다.」
let ... out …**을 내보내다.**
I *let* the cat *out*.
나는 고양이를 내보냈다.

*****let's** [lets] 《let us의 단축형》
…**하자, …합시다.** ▶권유나
제안을 나타냄.
Let's learn English.
영어를 공부하자.
"*Let's* play baseball." "Yes,
let's." 「야구를 하자.」 「그래, 그
러자.」
"*Let's* hurry up." "No, *let's*
not." 「서두르자.」 「아니야, 그러
지 말자.」

┌─ 어법 **1. Let's** …에 대한 긍정의 ─┐
│ 대답은 Yes, let's., 부정의 대답 │
│ 은 No, let's not.이라고 한다. │
│ 긍정의 대답은 All right. 또는 │
│ OK.라고도 한다. │
│ **2. Let's**의 부정은 Let's not ... │
│ 또는 Don't let's ...로 한다. │
│ *Let's not* go. = *Don't let's* │
│ go. 가지 말자. │
│ 발음 Let's로 시작되는 글에서 │
│ 는 Let's보다는 그 다음의 말을 │
│ 강하게 발음한다. 예컨대, Let's │
│ learn English.에서 Let's보 │
│ 다 learn을 강하게, learn보다 │
│ 는 English를 강하게 발음한 │
│ 다. │
└────────────────────┘

Let's go. 가자; 시작하자.
"Come here, Tom. *Let's
go.*" "Yes, *let's go.*" 「톰, 이리

오너라. (일) 시작하자.」「그래,
시작하자.」

Let's see. =Let me see. ☞ let

*let·ter [létər] 명
복수 **letters** [létərz]

❶ 편지.
I got a *letter* from Tom.
나는 톰으로부터 편지를 받았다.
I am writing a *letter*.
나는 편지를 쓰고 있다.
He wrote Mr. Sin a *letter*.
그는 신선생님께 편지를 썼다.
Thank you very much for
your *letter*. 편지해줘서 대단히
고맙다.

참고 1.「편지를 쓰다」의 경우에
letter를 생략하는 수가 많다.
I wrote (to) my parents
yesterday. 어제 나는 부모님
께 편지를 썼다.
2.「편지를 받다」라고 하는 경
우에는 다음 형태로도 쓴다.
I *heard from* my parents
last week. 지난 주에 양친으
로부터 소식이 있었다.

❷ (알파벳 따위의) 문자, 글자.

a capital *letter* 대문자 《A, B,
C 따위》.
a small *letter* 소문자 《a, b, c
따위》.
Can you read this *letter*?
너는 이 글자가 무슨 자인지 알겠
느냐?
There are five *letters* in
the word "smart." smart라
는 단어에는 5개의 글자가 있다.

let·tuce [létis] 명
복수 **lettuces** [létisiz]
양상추.

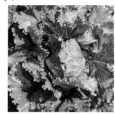

*lev·el [lévəl] 명
복수 **levels** [lévəlz]

❶ 수평, 수평면; 높이, 고도.
This mountain is about
2,400 feet above sea *level*.
이 산 높이는 해발 2,400 피트 가

참고 1. 편지 쓰는 법
영문 편지는 보통 다음 그림과 같
이 여섯 부분으로 이루어진다.
즉, ①편지 내는 사람의 주소,
②편지 내는 날짜, ③첫머리, ④
사연, ⑤끝맺음, ⑥서명(사인)
이다. 이상 각 부분을 쓰는 요령
은 다음과 같다.
①편지 내는 사람의 주소
영어로 주소를 쓸 때는 대체로 우
리말로 쓰는 순서와 반대로 생각
하면 된다. 즉, 그림의 예에서처
럼 거꾸로 써 나간다.
서울 특별시 종로구 창성동 50번
지의 5호, 50-5 Changseong-
dong, Jongno-gu, Seoul
(Korea)
서울 특별시는 Seoul로 나타내면
되고, 부산 광역시도 Busan으로

통용된다.
강원도 홍천군 대남면 방사리 212
번지, 212 Bangsa-ri, Dae-
nam-myeon, Hongcheon-
gun, Gangwon-do (Korea)
②편지 내는 날짜
January 20, 1996 이렇게 쓰는
것이 정식이지만, 생략하여 Jan.
20, '96와 같이 써도 무방하다.
Jan.은 January의 약자. '96은
1996의 앞 부분(1900에 해당하
는 연수)이 오랫 동안 변하지 않
기 때문에 생략한 것이다. 이 때
'96의 (')를 잊지 말 것.
③첫머리
Dear Mr. Grey라든가 Dear
Mrs. Grey, Dear Miss Grey
라고 쓰는 것이 정식이다. 가까운
사이라면 first name (즉,

John Brown이면 John)을 사용하여 Dear John이라고 쓴다. 첫머리 뒤에는 쉼표(,)로 끊는 것이 보통이나 상업 통신문 등과 같이 공식적인 편지에서는 콜론(:)으로 끊는다.

④ 사연
첫 줄은 첫머리보다 몇 자 들여 쓰기 시작하고, 그 다음 줄부터는 첫머리에 맞추어 쓴다.

⑤ 끝맺음
Sincerely yours 라든가, Affectionately yours, Yours truly 따위의 여러 가지가 있으나, Sincerely yours가 어느 경우에나 쓸 수 있는 것이라 편리하다. 또한 친한 사이에는 Affectionately,

Cordially [kɔ́ːrdʒəli], Sincerely 가 흔히 쓰인다. Yours truly는 상용문 따위에서 흔히 쓰인다. 이 외에 허물 없는 친구 사이에는 Your friend라든가 Good-bye라고 쓰는 수도 있다.

⑥ 서명(사인)
끝맺음 다음에 쉼표(,)를 찍고 줄을 바꾸어 서명한다. 컴퓨터로 친 경우라도 서명만은 반드시 자필로 하여야 한다. 단, 익숙하지 않은 사람에게 내는 편지에서는 상대편이 자기의 이름 철자를 확실히 알도록 서명한 아래에 컴퓨터나 블록체로 다시 한번 이름을 확실히 써 주는 것이 친절하다.

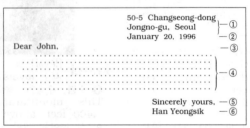

letter(편지 쓰는 법)

2. 봉투 쓰는 법

이름을 먼저 쓰고, 줄을 바꾸어 번지, 동, 시, 주의 이름과 나라 이름을 쓴다. 미국의 경우에는 주 이름 다음에 우편 번호(zip code)를 기입한다. 항공 우편으로 보낼 경우에는 붉은 글자로 Air Mail, 또는 Via[váiə] Air Mail, By Air Mail이라고 써 넣는 것을 잊어서는 안 된다.

량 된다.

❷ (지위·능력·품질 따위의) 표
준; **수준, 정도.**

the *level* of living 생활 수준.

They are proud of their
high *level* of civilization.
그들은 고도의 문명을 자랑한다.

on a level with …**와 같은 높이**
로.

Our first floor is *on a level*
with the second floor of
that building. 우리 집 1층은
저 건물의 2층과 같은 높이이다.

── 형 ❶ **수평의, 평평한.**

a *level* field 평원.

My desk doesn't have a
level surface. 나의 책상은 그
면이 평평하지 않다.

❷ **같은 높이의, 같은 수준의.**

Tom is *level* with Bill in
mathematics. 톰의 수학 실력은
빌과 같은 수준이다.

li·ar [láiər] 명
복수 **liars** [láiərz]

거짓말쟁이. ▶ 우리말보다 비난의
뜻이 훨씬 강한 모욕적인 말.

You *liar*. = You're a *liar*.
넌 거짓말쟁이야.

lib·er·ty [líbərti]
명

《a와 복수형 안 씀》 **자유.**

liberty of choice 선택의 자유.

the Statue of *Liberty* 자유의
여신상.

the *Liberty* Bell 자유의 종《미
국 독립 선언을 기념하여 1776년
에 만든 종》.

Give me *liberty*, or give me
death. 자유가 아니면 죽음을 달
라.

┌─────────────────────┐
│ 비슷한 말 **liberty와 freedom** │
│ liberty는 freedom과 거의 같 │
│ 이 쓰이나, liberty는 구속으로 │
│ 부터의 벗어남이란 뜻이 내포되 │
│ 어 있고, freedom은 구속이나 │
│ 장애 따위가 없음을 뜻한다. │
└─────────────────────┘

li·brar·y [láibrèri] 명 복수
libraries [láibrèriz]

❶ **도서관, 도서실.**

Be quiet in the *library*.
도서관에서는 조용히 해라.

I borrowed this book from
the *library*. 나는 도서관에서 이
책을 빌렸다.

❷ (개인의) **장서; 서재.**

Mr. Black has a large *li-*
brary on birds. 블랙씨는 조류
에 관한 많은 책을 갖고 있다.

He has a lot of books in
his *library*. 그는 서재에 많은
책을 가지고 있다.

li·cense [láisəns] 명 복수
licenses [láisənsiz]

면허, 허가; 면허증.

He has gone abroad without
a government *license*.
그는 정부의 허가 없이 외국으로
가버렸다.

She has a driver's *license*.
그녀는 운전 면허증을 갖고 있다.

lick [lik] 타 3·단·현 **licks** [liks];
ing형 **licking** [líkiŋ]; 과거
과분 **licked** [likt]

…**을 핥다.**

The dog *licked* his hand.
그 개는 그의 손을 핥았다.

lid [lid] 명 복수 **lids** [lidz]

뚜껑; 눈꺼풀(=eyelid).

put on the *lid* 뚜껑을 덮다.

take off the *lid* 뚜껑을 열다.

The *lid* of the kettle began
to rattle. 주전자 뚜껑이 덜거덕
거리기 시작했다.

lie¹ [lai] 자 3·단·현 **lies** [laiz];
ing형 **lying** [làiiŋ]; 과거 **lay**
[lei]; 과분 **lain** [lein]

❶ (가로) **눕다, 드러눕다.** ▶「…
을 눕히다」는 lay.

lie in bed 병으로 누워 있다.

lie on one's stomach 엎드려
자다.

lie on one's back 반듯이 누
워 자다.

Several students were *lying*

on the grass. 몇 명의 학생이 잔디에 누워 있었다.

❷ (어떤 장소에) **있다, 위치하다.**
A big dictionary *lay* on the teacher's desk. 큰 사전이 선생님 책상 위에 있었다.
This lake *lies* to the west of the city. 이 호수는 시의 서쪽에 있다.

lie down 드러눕다, 자다.
I'm tired. I want to *lie down*. 나는 피곤하다. 눕고 싶다.

lie in (이유·원인 따위가) …에 있다.
Her charm *lies in* her honesty. 그녀의 매력은 그녀의 정직함에 있다.

lie² [lai] 뗑 [복수] **lies**[laiz]
거짓말(⇔ truth 진실).
Don't tell *lies*.
거짓말하지 마라.
I learned that I must not tell a *lie.* 나는 거짓말을 해서는 안 된다는 것을 배웠다.

[어법] 우리말의 「거짓말」보다 강한 비난·경멸의 뜻이 담겨 있다. 남에게 이 말을 함부로 사용하는 것은 절대 금물이다. 우리가 흔히 쓰는 「거짓말이야」는 No kidding. 또는 Really? 따위에 해당하는 말이라 할 수 있다.

── 짜 [3·단·현] **lies** [laiz]: [ing형]
lying[láiiŋ]: [과거][과분] **lied** [laid]
거짓말하다.
He is *lying*. 그는 거짓말을 하고 있다.
She *lied* about her age.
그녀는 자기 나이를 속여 말했다.

****life** [laif] 뗑 [복수] **lives**[laivz]
❶ 생활.
a happy *life* 행복한 생활.
Country *life* is healthier than city life. 시골 생활은 도시 생활보다 건강에 좋다.
Insik changed his way of

life from that day. 인식은 그날부터 생활 방식을 바꾸었다.

❷ (사람의) **일생, 생애.**
Mozart's *life* was very short. 모차르트의 일생은 매우 짧았다.
He gave his *life* to education. 그는 교육에 일생을 바쳤다.

❸ 《a와 복수형 안 씀》 인생.
Life is sweet. 인생은 즐겁다.

❹ 《a와 복수형 안 씀》 생명, 삶 (⇔ death 죽음).
human *life* 인명.
While there's *life*, there's hope. 《속담》 생명이 있는 동안은 희망이 있다.
It is a matter of *life* and death. 그것은 죽느냐 사느냐의 문제이다.

❺ 《a와 복수형 안 씀》 생물.
There is no *life* on the moon. 달에는 생물이 없다.

all *one's* **life** 일생 동안, 한평생.
She has lived here *all her life.* 그녀는 한평생을 여기서 살았다.

come to life 의식을 회복하다; 활기 띠다.
The party *came to life* when the music began. 음악이 시작되자 파티는 활기를 띠었다.

for *one's* **life** 필사적으로.
We ran *for our life.* 우리는 필사적으로 뛰었다.

in *one's* **life** 평생 동안에, 태어나서부터 지금까지.
Last month, he went abroad for the first time *in his life.* 지난 달 그는 생전 처음으로 외국에 나갔다.

life·boat [láifbòut] 뗑 [복수]
lifeboats[láifbòuts]
구명정, 구명 보트.
get into a *lifeboat* 구명정에 타다.

****lift** [lift] 통 [3·단·현] **lifts** [lifts]:
[ing형] **lifting**[líftiŋ]: [과거][과분]
lifted[líftid]

타 …을 (들어) 올리다.

This box is too heavy for me to *lift*. 이 상자는 나에게는 너무 무거워 들어 올릴 수가 없다.

── 자 (안개 따위가) **걷히다.**

The fog *lifted* at dawn. 새벽에 안개가 걷혔다.

── 명 복수 **lifts**[lifts]

《보통 단수형으로》 **자동차에 태우기; (스키장의) 리프트(=ski lift).**

I can give you a *lift* to the library. 너를 도서관까지 태워다 주겠다.

**light¹ [lait] 명

복수 **lights**[laits]

❶ 《a와 복수형 안 씀》 **빛; 광선.**

moon *light* 달빛.

Light came in through the window. 창문을 통해서 빛이 들어 왔다.

❷ **불빛, 등불, 라이트.**

a street *light* 가로등.

an electric *light* 전등.

a traffic *light* 교통 신호등.

Turn on [off] the *light*. 불을 켜라[꺼라].

── 형 비교 **lighter**[láitər]: 최상 **lightest**[láitist]

❶ **밝은**(⇔ dark 어두운).

a *light* room 밝은 방.

It became *lighter* outside. 밖이 더 밝아졌다.

❷ (색깔이) **연한, 엷은**(⇔ dark 짙은).

light brown [green] 엷은 갈색 [초록색].

a *light* color 연한[밝은]색.

── 타 3·단·현 **lights** [laits]:
ing형 **lighting**[láitiŋ]: 과거 과분
lighted[láitid] 또는 **lit**[lit]

❶ …에 불을 켜다, **점화하다.**

We *lighted* the candles. 우리들은 촛불을 켰다.

❷ …을 밝게 하다, **비추다.**

The sun *lighted* the eastern sky. 태양이 동쪽 하늘을 밝게 비추었다.

The room was *lighted* by a single lamp. 방은 등불 하나로 밝혀 있었다.

*light² [lait] 형

비교 **lighter**[láitər]: 최상 **lightest**[láitist]

❶ **가벼운** (⇔ heavy 무거운): (양·정도 따위가) **가벼운, 적은.**

a *light* meal 가벼운 식사.

My new overcoat is *light* but warm. 나의 새 외투는 가볍지만 따뜻하다.

The traffic is *light* here yet. 이곳은 아직 교통량이 많지 않다.

❷ **경쾌한; 적재량이 적은.**

with *light* footsteps 경쾌한 발걸음으로.

a *light* truck 경량 트럭.

light·er [láitər] 명

복수 **lighters**[láitərz]

(담배용의) **라이터.**

He lit a cigarette with his *lighter*. 그는 라이터로 담배에 불을 붙였다.

light·house [láithàus] 명

복수 **lighthouses**[láithàuziz]

등대.

We visited the *lighthouse* at the northern end of the island. 우리는 섬의 북쪽 끝에 있는 등대를 견학하였다.

light·ly [láitli] 부

❶ **가볍게, 살짝.**

Jim touched my shoulder *lightly*. 짐이 내 어깨를 가볍게 건드렸다.

❷ **명랑하게, 쾌활하게, 경쾌히.**

The boys and girls danced *lightly* all over the room. 소년 소녀들이 경쾌하게 춤추며

온 방 안을 돌았다.

light·ning [láitniŋ] 명

《a와 복수형 안 씀》 번개. ☞ thunder(천둥)

The tower was struck by *lightning.* 그 탑에 번개가 떨어졌다.

like¹ [laik] 타 ③·단·현 **likes
[laiks]; ing형 **liking**
[láikiŋ]; 과거 과분 **liked**[laikt]

❶ …이 마음에 들다, …을 좋아하다(⇔ dislike 싫어하다).

I *like* sports very much.
나는 운동을 매우 좋아한다.

"Do you *like* this picture?"
"Yes, I do." 「너는 이 그림이 마음에 드느냐?」「그래, 마음에 들어.」

❷ 《like+doing / like to do로》
…하기를 좋아하다, …하는 것이 좋다.

I *like walking* at night.
나는 야간 산책을 좋아한다.

I *like* to play baseball.
나는 야구하기를 좋아한다.

── 자 마음에 들다, 마음이 내키다.

Do as you *like.*
너 좋을 대로 하여라.

How do you like …? …은 어떠냐?

How do you like this music? 이 음악은 어떠냐?

if you like 좋다면.

You may come *if you like.*
네가 좋다면 와도 좋다.

***would 〔should 〕like to do** …하고 싶다. ▶ 부드러운 말투로 회화에서 자주 쓰임.

I *would like to* read it today. 오늘 읽고 싶은데.

***would like … to do** …에게 ~해 주기를 바라다, …가 ~하면 좋겠다.

I'd *like* you *to* come with me. 저와 함께 가주시지 않겠습니까?

▶ 구어에서는 흔히 I would 〔should〕…를 I'd[aid] …로 생략해서 말함.

회화 **Would you like…?** 「…을 드시겠습니까?」

음식이나 음료수 같은 것을 대접할 때 쓰는 정중한 표현이다. 긍정의 대답은 Yes, thank you. 라고 하고, 부정의 대답은 No, thank you.라고 한다.

A : *Would you like* some coffee?

B : (Yes,) thank you. / No, thank you.

「커피 좀 드시겠습니까?」「예, 고맙습니다. / 아니요, 괜찮습니다.」

How would you like …?
「…은 어떻게 드십니까?」

음식이나 음료수 같은 것을 대접할 때, 상대방의 기호를 정중하게 묻는 말이다. 예컨대 차라면 설탕을 타서 마시는가, 커피라면 크림을 넣어 마시는가, 달걀이라면 어느 정도로 익혀 먹는가 따위를 묻는 말이다.

A : *How would you like* your coffee?

B : With cream and sugar, please.

「커피를 어떻게 드시지요?」「크림과 설탕을 넣어서요.」

***like**² [laik] 전

…을 닮은, …와 같은; …처럼(⇔ unlike …와 같지 않은).

Nancy is *like* her mother.
낸시는 그녀의 어머니를 닮았다.

What is he *like*?
그는 어떤 사람이냐?

***feel like doing** …하고 싶어지다.
☞ feel

***look like** …처럼 보이다, …와 닮다. ☞ look

***like·ly** [láikli] 형 비교 **more likely**; 최상 **most likely**

❶ 《be likely to do로》 (아마) …할 듯싶다, …일 것 같다.

It *is likely to* rain.
비가 올 것 같다.

L

Nancy *is likely to* come late. 낸시는 늦게 올 것 같다.

❷ 있음직한, 그럴싸한.

a *likely* excuse 그럴싸한 변명.

That's a *likely* story. 그것은 있음직한 이야기이다.

── 팀 아마, 어쩌면. ➤ 보통 most, very 따위와 함께 씀.

Very *likely* he will come. 아마 그는 올 것이다.

They will most *likely* win the game. 십중팔구 그들이 경기에 이길 것이다.

li·lac [láilək] 명
복수 lilacs[láiləks]
라일락.

Part of the park was full of *lilacs*. 공원의 일부는 라일락으로 가득하였다.

lil·y [líli] 명 복수 lilies[líliz]
백합.

Tom took some *lilies* to the hospital when he visited Mary. 톰은 병원으로 메리를 문병 갔을 때 백합을 몇 송이 가지고 갔다.

참고 장미와 함께 서양 사회에서 가장 친숙한 꽃의 하나. 기독교에서 「순결」, 「결백」을 나타내는 상징으로 취급되며 부활절(Easter)에는 흰 백합이 장식된다.

limb [lim] 명
복수 limbs[limz]

❶ (사람·동물의) 팔, 다리, (새의) 날개.

That poor old man broke a *limb* in an accident. 불쌍한 저 노인은 사고로 다리를 부러뜨렸다.

❷ (나무의) 큰 가지.

Father sawed the dead *limb* off the tree. 아버지는 톱으로 나무에서 죽은 가지를 잘라 내셨다.

*lim·it [límit] 명
복수 limits[límits]

❶ 한계, 한도.

Drive the speed *limit*. 제한 속도 내에서 운전해라.

the age *limit* 연령 제한.

There is a *limit* to freedom of speech. 언론의 자유에는 한계가 있다.

The time *limit* is one hour. 제한 시간은 한 시간이다.

❷ 《복수형으로》 경계, 경계선, 범위.

outside [inside] the city *limits* 시외[시내]에서.

Off limits. 《게시》 출입 금지(구역).

── 타 3·단·현 limits [límits]:
ing형 limiting[límitiŋ]: 과거
과분 limited[límitid]
…을 제한하다.

Driving speed is *limited* to 40 miles an hour. 운전 속도는 시속 40마일로 제한되어 있다.

Lin·coln [líŋkən] 명
링컨.

Abraham[éibrəhæm] Lincoln
에이브러햄 링컨(1809-65).

참고 미국 제16대 대통령. 가난한 가정에 태어나 8세 때 어머니를 여읜 불행 속에서도 줄기차고 피땀어린 노력으로 독학하였고 마침내 대통령이 되어 오늘날까지 미국 사람들의 존경과 사

랑을 받는 위대한
정치가다. 1860
년 공화당의 후
보로 대통령에
당선된 후 남부
와 북부의 대립
으로 남북 전쟁
(the Civil War,
1861-65)이 일어났
을 때, 링컨 대통령은 1863년 1
월 노예 해방을 선언하였다. 또
한 이 해의 11월에 게티즈버
그(Gettysburg [ɡétizbəːrɡ])에
서 전몰 장병의 위령식이 거행되
었을 때의 연설 중에 the
government of the people,
by the people, for the
people(인민의, 인민에 의한,
인민을 위한 정치)이라고 한 구
절은 민주주의 정신을 간결하게
나타낸 말로 유명하다. 1864년
대통령에 재선되었고, 1865년
9월에 북부의 승리로 전쟁은 끝
났으나, 극장에서 연극 관람 중
남부 출신 배우의 권총에 맞아
암살되었다.

*line [lain] 명
〔복수〕 lines [lainz]
❶ 선, 줄.
a straight 〔curved〕 line 직〔곡〕
선.
a dotted line 점선.
Please draw a line here.
여기에 선을 그어라.
❷ (문장의) 행, 줄; 짧은 편지.
Let's read from line six.
여섯째 줄부터 읽자.
Drop me a line. 편지해라.
❸ (사람·물건의) 열, 줄, 행렬.
a long line of cars 자동차의
긴 행렬.
Stand in a line. 일렬로 서라.
People were waiting for the
bus in a line. 사람들은 줄지
어 버스를 기다리고 있었다.
❹ (철도·버스의) 노선.
a new bus line 새로운 버스

노선.
The Seoul-Busan Line was
completed in 1905. 경부선은
1905년에 완성되었다.
❺ 전화선; 끈, 밧줄.
a fishing line 낚싯줄.
Hold the line, please. (전화
에서) 끊지 말고 기다리세요.
The line is busy.
통화 중입니다.
── 타 …을 한 줄로 세우다; …에
선을 긋다.
The horses were lined (up)
at the start. 말들은 출발점에
한 줄로 세워졌다.
line up 정렬시키다, 정렬하다.
The teacher lined up the
children. 선생님은 아이들을 일
렬로 정렬시켰다.

lin·en [línin] 명
《a와 복수형 안 씀》아마
포, 린네르.
Tablecloths, napkins, sheets,
towels, and shirts may be
made of linen. 테이블 보, 냅
킨, 시트, 수건 그리고 셔츠는 린
네르로 만들어진 것이 있다.

lin·er [láinər] 명
〔복수〕 liners [láinərz]
(대형의) 정기선, 정기 여객기.
an ocean liner 대양 항로 여객
선.
Big liners arrive at and
leave Busan every day. 큰
정기선이 매일 부산을 들락거린다.

link [liŋk] 명
〔복수〕 links [liŋks]
❶ (쇠사슬의) 고리.
One link in the chain was
broken. 쇠사슬의 한 고리가 망
가져 있었다.
❷ 잇는 물건〔사람〕, 연결, 관련.
There is a link between
the past and the present.
과거와 현재 사이에는 관련이 있
다.
── 타 〔3·단·현〕 links [liŋks];
〔ing형〕 linking [líŋkiŋ]; 〔과거〕〔과분〕

linked [líŋkt]
…을 잇다; 연결하다.
His work is closely *linked* with his father's. 그의 일은 자기 아버지의 일과 밀접하게 관련되어 있다.

*li·on [láiən] 명
[복수] **lions** [láiənz]
사자.
He was brave as a *lion*. 그는 사자처럼 용감하였다.
Lions live in Africa and southern Asia. 사자는 아프리카와 남부 아시아에 살고 있다.

*lip [lip] 명 [복수] **lips** [lips]
입술.
the upper [lower] *lip* 윗[아랫]입술.
Her tight *lips* showed resolution. 그녀의 꼭 다문 입술은 결의를 보여 주었다.

liq·uid [líkwid] 명
[복수] **liquids** [líkwidz]
액체. ▶「기체」는 gas, 「고체」는 solid라고 함.
Milk is a *liquid*. 우유는 액체다.
—— 형 액체의, 유동성의.
liquid fuel 액체 연료.
He had only *liquid* food. 그는 유동식(流動食)만을 먹었다.

*list [list] 명
[복수] **lists** [lists]
표, 리스트, 일람표, 명부.
a shopping *list* 쇼핑 리스트.
William's name was not on the *list*. 윌리엄의 이름은 명부에 없었다.
We made a *list* of things we wanted to buy. 우리는 사고 싶은 물건 목록을 만들었다.

**lis·ten [lísən] 자
[3·단·현] **listens** [lísənz] ;
[ing형] **listening** [lísəniŋ] ; [과거]
[과분] **listened** [lísənd]
(귀 기울여) 듣다; 《**listen to**로》 …을 듣다; (충고 따위)에 귀를 기울이다, 따르다.

Listen carefully.
주의해서 들어라.
I *listened*, but I heard nothing. 나는 들으려고 했으나 아무 것도 들리지 않았다.
Listen to me!
내 말 좀 들어봐라!
I was *listening to* the radio. 나는 라디오를 듣고 있었다.
Nancy didn't *listen to* her mother. 낸시는 어머니 말씀을 듣지[따르지] 않았다.
▶ listen의 t는 발음하지 않음.

┌[비슷한 말] **listen**과 **hear**┐
listen은 의식적으로 들으려고 「귀를 기울이다」라는 뜻이고, hear는 자연히 귀에 「…이 들리다」란 뜻.

lis·ten·er [lísnər] 명
[복수] **listeners** [lísnərz]
듣는 사람; (라디오의) 청취자.
During discussions we should try to be good *listeners*. 토의 중에 우리는 잘 듣도록 해야 한다.
I wonder how many *listeners* this radio program has. 이 라디오 프로그램의 청취자가 얼마나 되는지 모르겠다.

lit [lit] 동
light의 과거·과거 분사.
Mr. Grey stopped talking and *lit* a cigarette. 그레이씨는 말을 멈추고 담배에 불을 붙였다.

li·ter [líːtər] 명
[복수] **liters** [lítərz]
리터《용량의 단위; 1리터는 1,000 cc》. ▶ l. 또는 lit.로 약함. 영국에서는 litre로 씀.

lit·er·al·ly [lítərəli] 부
글자 그대로, 글자에 사로잡혀.
Don't try to translate *literally*. 글자 그대로 번역하려 하지 마라.

lit·er·ar·y [lítərèri] 형
문학의, 문예의.
literary works 문학 작품.
He is well known among
literary people. 그는 문인들 사
이에 잘 알려져 있다.

lit·er·a·ture [lítərətʃər] 명
《a와 복수형 안 씀》문학, 문예.
English *literature* 영문학.
Mr. Smith came to Korea
to study Korean *literature*.
스미스씨는 한국 문학을 연구하러
한국에 왔다.

lit·ter [lítər] 명
《a와 복수형 안 씀》(종
이) 부스러기, 쓰레기.
No *litter*. 《게시》쓰레기를 버리
지 마시오.
Don't drop *litter* in the
street. 거리에서는 종이 부스러
기를 떨어뜨리지 마라.

L

lit·tle [lítl] 형 비교 **less**[les];
최상 **least**[liːst]
❶ 작은; (작고) 귀여운(⇔big
큰). ☞small(작은)
We want a *little* dog, and
not a big one. 우리는 큰 개가
아니라 작은 개를 원한다.

─────────────────
비슷한 말 **little 과 small**
1. little에는 「귀여운」, 「조그마
한」이란 애정이나 놀림의 기분
이 내포되어 있으나, small은
단지 「외형이 작은」 것을 나타
낸다.
2. 비교급, 최상급인 less,
least는 양이나 정도를 나타내
기 때문에, 「작은」이란 뜻으로
의 비교급, 최상급은 보통
smaller, smallest를 쓴다. 그
러나 구어에서는 littler, lit-
tlest를 쓰는 경우도 있다.
─────────────────

❷ (나이가) 어린, 연소한.
He has a *little* brother.
그에게는 동생이 하나 있다. ▶
「형」은 a big brother 또는 an

older brother라고 함.
❸ 《a little로 긍정적으로 쓰
여》(양·정도가) 소량의, 조금의,
약간의(⇔much 다량의).
There is a *little* water in the
bottle. 병에는 물이 조금 있다.
Do you have a *little* money
with you? 너는 돈을 좀 가지고
있느냐?
❹ 《a가 없이 부정적으로 쓰여》
(양·정도가) 조금밖에 없는, 거의
없는.
We had *little* rain last sum-
mer. 지난 여름에는 비가 거의
오지 않았다.
There is *little* milk in the
bottle. 병에는 우유가 조금밖에
없다.

─────────────────
어법 **(a) little 과 (a) few**
1. 위 ❸, ❹의 little은 셀 수 없
는 명사와 함께 쓰여 「양이 적
은」 것을 나타낸다. 「수가 적은」
경우에는 few를 쓴다. ☞ few
2. a little 과 a few 는 「조금
은 있는」이란 뜻으로 「있다」는
점에 중점이 있고, little, few는
「조금밖에 없는」이란 뜻으로
「없다」는 점에 중점이 있다.

	수	양
조금밖에 없는	few	little
조금은 있는	a few	a little
많이 있는	many	much
─────────────────

──부 ❶ 《a little로 긍정석으로
쓰여》조금, 조금은 …하다.
I'm a *little* tired.
나는 조금 피곤하다.
Nancy is a *little* taller than
her mother. 낸시는 자기 어머
니보다 키가 조금 크다.
❷ 《a가 없이 부정적으로 쓰여》
거의 …않다.
I slept very *little* last night.
나는 지난밤 거의 잠을 못 잤다.
They see each other very
little. 그들은 거의 서로 만나지

않는다.
— 때 조금, **소량**(⇔ much 다량). ▶ little과 a little의 차이는 형용사의 경우와 같음.
Please give me *a little*.
나에게 조금 주십시오.
Nancy eats *little* for breakfast. 낸시는 아침 식사를 조금밖에 안 먹는다.

little by little 조금씩, 점차로.
Study *little by little* every day. 매일 조금씩 공부하여라.
Little by little he is getting better. 조금씩 그는 건강이 좋아지고 있다.

live¹ [liv] 동 ③·단·현 **lives [livz] ; ing형 **living** [líviŋ] ; 과거 과분 **lived** [livd]
자 ❶ (어떤 장소에) 살다, **거주하다.**
"Where do you *live*?" "I *live* in Seoul. 「너는 어디 살고 있느냐?」 「서울에서 산다.」
There *lived* a rich man in the town. 그 도시에 한 부자가 살고 있었다.
Nancy is *living* with her aunt. 낸시는 자기 숙모댁에서 지내고 있다.

어법 **live와 be living**
live는 일반적으로 진행형을 쓰지 않는 동사이나 짧은 기간 동안 「살고 있다」고 말할 때에는 진행형 be living을 쓴다.

---

❷ **생활하다, 지내다.**
He *lived* happily.
그는 행복하게 살았다.
She *lived* alone in a little village. 그녀는 작은 마을에서 홀로 지내고 있었다.
We hope to *live* in peace.
우리들은 평화스럽게 살기를 희망한다.
❸ **생존하다, 살아 있다**(⇔die 죽다).
Men eat to *live*.

사람은 살기 위해 먹는다.
We cannot *live* without water. 우리들은 물 없이는 생존할 수 없다.
My grandmother *lived* to be 87. 나의 할머니께서는 87세까지 생존하였다.
She still *lives* in my memory. 그녀는 아직 내 기억 속에 살아 있다.
— 타 《**live a ... life**로》 …한 생활을 하다.
She *lived* a happy *life*.
그는 행복하게 살았다.

live on …을 먹고 살다.
Cows *live on* grass.
소는 풀을 먹고 산다.
We cannot *live on* bread alone. 우리는 빵만 먹고 살 수는 없다.

live² [laiv] 형
❶ 《명사 앞에만 쓰여》 **살아 있는**(⇔ dead 죽은). ☞ alive
a *live* fish 살아 있는 물고기.
❷ (방송·연주 따위가) **생방송의, 실제의, 녹음이 아닌.**
a *live* TV broadcast 텔레비전 생방송.
live music (녹음이 아닌) 생음악.
▶ live¹와 발음이 다름에 주의.

live·ly [láivli] 형 비교 **livelier** [láivliər] ; 최상 **liveliest** [láivliist]
기운찬, 활발한 ; 경쾌한.
lively children 활기찬 아이들.
The sick man has became *lively* again. 환자는 다시 기운을 차리게 되었다.

lives [laivz] 명 **life**의 복수.
A lot of *lives* were lost in the battle. 그 싸움에서 많은 인명을 잃었다.

*liv·ing [líviŋ] 동 live¹의 -ing형.
— 명 ❶ 《a와 복수형 안 씀》 생활.

the standard of *living* 생활 수준.

❷ 《a 또는 one's를 붙여》 생활비, 생계.

make [get, earn] one's *living* 생활비를 벌다, 생계를 세우다.

──[형] 살아 있는, 현존의(⇔dead 죽은).

She is still *living.*
그녀는 아직 살아 있다.

All *living* things must die.
살아 있는 모든 것은 죽게 마련이다.

*__**liv·ing room**__ [líviŋ rù:m] [명]

[복수] **living rooms**[líviŋ rù:mz]
거실. ➤ 영국에서는 sitting room이라고도 함.

We have a color TV set in the *living room.* 우리 집의 거실에는 컬러 텔레비전이 있다.

[참고] 보통 미국 가정에는 응접실 같은 것은 없고 손님이 와도 living room으로 안내한다.

'll [l]
will의 단축형.

load [loud] [명]
[복수] **loads**[loudz]
(무거운) 짐.

This machine lifts heavy *loads* easily. 이 기계는 무거운 짐을 쉽게 들어 올린다.

──[타] [3·단·현] **loads** [loudz] :
[ing형] **loading** [lóudiŋ] : [과거]
[과분] **loaded**[lóudid]

❶ (짐 따위를) …에 싣다.
The farmer *loaded* the cart with vegetables. 농부들은 달구지에 채소를 실었다.

❷ (총)에 탄환을 재다.
The policeman *loaded* his gun. 경찰관은 총에 탄환을 쟀다.

loaf [louf] [명]
[복수] **loaves**[louvz]
(일정한 모양으로 구워낸 빵의) 한 덩어리.

Mrs. Jones bought two *loaves* of bread. 존스 부인은 빵을 두 덩어리 샀다.

loan [loun] [명]
[복수] **loans**[lounz]
대부; 대부금.

living room

bookcase(책장) wall(벽) lamp(등) picture(그림) curtain(커튼) vase(꽃병)
television(텔레비전) clock(시계) telephone(전화)
fireplace(벽난로) chair(의자)
carpet(카펫) table(탁자) sofa(소파)

He got a *loan* from the bank. 그는 은행으로부터 대부를 받았다.

loaves [louvz] 명
loaf의 복수.

lob·by [lábi] 명
복수 **lobbies** [lábiz]
로비《호텔·극장 따위 현관의 넓은 홀》.
I met Mr. Brown in the *lobby* of the hotel.
나는 호텔 로비에서 브라운씨를 만났다.

lob·ster [lábstər] 명 복수
lobsters [lábstərz]
바닷가재《큰 식용 새우》.

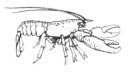

***lo·cal** [lóukəl] 형
❶ 지방의, 지역의, 한 지방 특유의.
a local paper 지역 신문.
I'm very interested in *local* news. 나는 지방 뉴스에 매우 흥미가 있다.

참고 「지방의」라고 하면 시골을 연상할지 모르나 *local*은 「어떤 지역의 독특한」이라는 뜻.

❷ (열차가) 역마다 정차하는.
a local train (역마다 정차하는) 완행 열차. ▶「급행 열차」는 *an express train*이라고 함.

lo·cate [lóukeit] 타 3·단·현
locates [lóukeits]:
ing형 **locating** [lóukeitiŋ]: 과거 과분 **located** [lóukeitid]
(어떤 장소에 점포·사무실 따위) 를 두다, 설치하다.
The manager wants to *locate* the new office in the center of the city. 지배인은 새 사무실을 시의 중심에 두고자 한다.

be located …에 위치하다, …에 있다.
Our school *is located* near the park. 우리 학교는 공원 근처에 있다.

lo·ca·tion [loukéiʃən] 명
복수 **locations** [loukéiʃənz]
위치, 장소, 소재지.
a house in a desirable *location* 바람직한 위치에 있는 집.
His store has a good *location*. 그의 점포는 좋은 장소에 있다.

*****lock** [lak] 명
복수 **locks** [laks]
자물쇠. ☞ key
open a *lock* with a key 열쇠로 자물쇠를 열다.
put a key in the *lock* 자물쇠 구멍에 열쇠를 꽂다.
── 타 3·단·현 **locks** [laks]:
ing형 **locking** [lákiŋ]: 과거 과분 **locked** [lakt]
…에 자물쇠를 채우다, …을 잠그다.
Please *lock* the door.
문을 잠가주시오.
Is your suitcase *locked*?
네 여행 가방은 잠겨 있느냐?
I *locked* myself out.
열쇠를 방에 둔 채로 문이 잠겨버렸어요. ▶호텔방 따위는 방에서 나와 문을 닫으면, 자동적으로 문이 잠기게 되어 있어서 열쇠가 없으면 이런 상황이 되기 쉬움.

lock·er [lákər] 명
복수 **lockers** [lákərz]
로커, (자물쇠가 달린) 장.
Many schools have *lockers*.
많은 학교에 로커가 있다.

lo·co·mo·tive [lòukəmóutiv] 명 복수
locomotives [lòukəmóutivz]
기관차.
a steam *locomotive* 증기 기관차.

lo·cust [lóukəst] 명 복수 **locusts** [lóukəsts]
메뚜기; 매미.
In some districts *locusts* come in great swarms and often destroy the crops.
어떤 지방에서는 메뚜기가 큰 떼로 몰려와 가끔 농작물을 해친다.

lodge [ladʒ] 동 3·단·현 **lodges** [ládʒiz] : ing형
lodging [ládʒiŋ] : 과거 과분
lodged [ladʒd]
타 …을 투숙〔하숙〕시키다, 묵게 하다.
She agreed to *lodge* the boy overnight. 그녀는 그 소년을 하룻밤 투숙시키는 데 동의했다.
── 자 투숙〔하숙〕하다, 묵다.
He *lodges* with the Smith family. 그는 스미스씨 집에 하숙한다.
Where are you *lodging*? 너는 어디에 묵고 있느냐?
── 명 복수 **lodges** [ládʒiz]
산막, 오두막; (여름의) 작은 별장.

lodg·ing [ládʒiŋ] 명 (a와 복수형 안 씀)
하숙, (일시적인) 숙박.
a *lodging* house 하숙집.
board and *lodging* 식사 제공의 하숙.
He asked *lodging* for a night. 그는 하룻밤의 숙박을 청했다.

log [lɔ(ː)g] 명 복수 **logs** [lɔ(ː)gz]
통나무.
a *log* bridge 통나무 다리.
a *log* cabin 통나무집.
His house was made of *logs*. 그의 집은 통나무로 만들어졌다.

log·i·cal [ládʒikəl] 형 비교 more logical; 최상 most logical
논리적인; (논리상) 필연의.
a *logical* reason 논리적인 이유.

log·i·cal·ly [ládʒikəli] 부
논리상, 논리적으로.
Please explain it *logically*. 그것을 논리적으로 설명해 주세요.

***Lon·don** [lándən] 명
런던.

참고 영국의 수도. 영국의 남부에 있는 템스강변에 위치하고 있다. 지금의 런던은 대단히 커서 Greater London이라고 불리고 있지만, 옛날의 런던은 the City of London이라고 했다. 여기에는 버킹엄 궁전, 의 사당, 여러 회사나 은행이 있어 정치·경제의 중심지이며, 유서 깊은 런던 탑, 웨스트민스터 사원, 대영 박물관, 타워 브리지 등의 명소들도 이 곳에 있다.

***lone·ly** [lóunli] 형 비교 **lone-lier** [lóunliər] : 최상 **loneliest** [lóunliist]
고독한, 외로운; 쓸쓸한.
a *lonely* man 고독한 사람.
a *lonely* place 쓸쓸한 곳.
I feel *lonely*. 나는 외롭다.

lone·some [lóunsəm] 형
비교 more lonesome; 최상 most lonesome
(사람이) 쓸쓸한, 외로운, (장소가) 적적한, 외떨어진. ☞ lonely
a *lonesome* road 쓸쓸한 길.
a *lonesome* cowboy 외로운 목

동.

I feel *lonesome.* 몹시 쓸쓸하다.

▶ lonely보다 뜻이 강하며, 몹시 쓸쓸한 느낌을 나타냄.

***long** ¹ [lɔːŋ] 형

[비교] **longer** [lɔːŋɡər] ;
[최상] **longest** [lɔːŋɡist]

(공간적 · 시간적으로) **긴, 오랜**
(⇔ short 짧은).

a *long* distance 장거리.

She has beautiful *long* hair. 그녀는 아름다운 긴 머리를 하고 있다.

I haven't seen him for a *long* time. 나는 오랫동안 그를 만나지 못했다.

"How *long* is this stick?" "It's three feet *long.*" 「이 지팡이의 길이는 얼마지?」 「길이가 3 피트야.」 ☞명 length

── 부 **길게, 오랫동안.**

We can't stay here *long.* 우리는 여기에 오래 머무를 수 없다.

Her happy days did not last *long.* 그녀의 행복한 나날은 오래 계속되지 못했다.

as long as …하는 한은, …하는 동안은.

You may stay here *as long as* you keep quiet. 네가 조용히 하는 한 여기 있어도 좋다

I will never forget it *as long as* I live. 내가 살아 있는 한 결코 그것을 잊지 못할 것이다.

*long ago (지금보다) **훨씬 이전에, 옛날에.** ☞ ago

long before (어느 시점보다) **훨씬 전에.** ☞ before

no longer = not ... any longer* **이젠 … 아니다.

Nancy is three now. She is *no longer* a baby. 낸시는 이제 3 살이다. 이젠 갓난아기가 아니다.

I *cannot* wait *any longer.* 나는 더 이상 기다릴 수 없다.

So long ! **안녕, 안녕히 가〔계〕세요.** ▶ good-by 보다 허물없는

표현. 친숙한 사이에서 씀.

Nancy said, *"So long!"* and got on the bus. 낸시는 「안녕」 하고는 버스에 올라탔다.

so long as =as long as.

── 명 《a와 복수형 안 씀》 **오랫동안, 장시간.**

It will not take *long.* 오래 걸리지는 않을 것이다.

before long **오래지 않아, 곧.** ☞ before

for long **오랫동안, 장기간.**

Did you stay in Seoul *for long?* 너는 서울에 오랫동안 머물렀느냐?

long ² [lɔːŋ] 자

[3·단·현] **longs** [lɔːŋz] ;
[ing형] **longing** [lɔːŋiŋ] ; [과거][과분]
longed [lɔːŋd]

간절히 바라다, 열망하다.

We *long* for peace. 우리는 평화를 간절히 바란다.

She *longed* to meet me. 그녀는 나를 만나기를 갈망했다.

***look** [luk] 자 [3·단·현] **looks** [luks] ; [ing형] **looking** [lúkiŋ] ; [과거][과분] **looked** [lukt]

❶ (주의해서) **보다, 주시하다.**

She *looked* but saw nothing. 그녀는 주의해서 보았지만, 아무 것도 보이지 않았다.

I'm just *looking.* 그냥 구경하는 거예요.

Look before you leap. 《속담》 뛰기 전에 잘 살펴라《행동하기 전에 잘 생각하라》.

> [비슷한 말] **look**과 **see**와 **watch**
>
> look은 정지해 있는 것을 「눈여겨 보다」, see는 자연적으로 눈에 들어오는 것을 「보다」, watch는 움직이고 있는 것을 「주의해서 보다」란 뜻이다.

❷ 《**look**＋형용사 따위로》 **…하게 보이다, …한 듯하다, …한 모습이다.**

She *looks* tired.

그녀는 피곤해 보인다.

Jane *looked* happy at that time. 제인은 그 때 행복해보였다.

*__look after__ …을 보살피다, …의 시중을 들다.

Who will *look after* the children? 누가 그 아이들을 돌봐주겠느냐?

Look after yourself. 몸조심하십시오. ➤ Take care. 보다 격식차린 말.

*__look around__ (…의) **주의를 둘러보다.**

He *looked around* for some time. 그는 잠시 주위를 둘러보았다.

I *looked around* the room, but I couldn't find my pen. 나는 방을 둘러보았으나, 펜을 찾을 수 없었다.

__look at__ …을 보다, 주시하다.

Look at the computer on the desk. 책상 위에 있는 저 컴퓨터를 보아라.

What are you *looking at*? 너는 무엇을 보고 있느냐?

__look back__ 뒤돌아보다; 회고하다.

He *looked back* and saw the little boy waving his hand. 그가 뒤돌아보니 소년이 손을 흔들고 있는 것이 보였다.

When I *look back*, I think he was a kind man. 회고하건대 그는 친절한 사람이었다고 생각된다.

*__look down__ (*at*) (…을) **내려다보다.**

He *looked down at* the floor. 그는 마루를 내려다보았다.

__look down on__ [*upon*] …을 멸시하다.

You mustn't *look down on* him. 너희들은 그를 멸시해서는 안 된다.

*__look for__ …을 찾다, 구하다.

I'm *looking for* the key. 나는 열쇠를 찾고 있다.

__look forward to__ …을 기대[고대]하다.

I'm *looking forward to* seeing you soon. 곧 뵙게 되기를 고대하고 있습니다.

__look in__ …의 속을 들여다보다; (사전 따위)를 찾아보다.

The teacher *looked in* Tom's notebook. 선생님은 톰의 노트를 들여다보았다.

*__look into__ …의 속을 들여다보다; …을 조사하다.

The boys *looked into* the hole. 소년들은 구멍을 들여다보았다.

The police started to *look into* the matter. 경찰관이 사건을 조사하기 시작했다.

*__look like__ …처럼 보이다, …을 닮다; …할 것 같다.

That rock *looks like* a ship. 저 바위는 배처럼 보인다.

Bill *looks like* his father. 빌은 자기 아버지를 닮았다.

It *looks like* rain. 비가 올 것 같다.

__look on__ [*upon*] ... *as* ~ …을 ~으로 보다[간주하다].

I *look on* him *as* my best friend. 나는 그를 나의 친한 친구로 여긴다.

__look out__ 밖을 보다; 조심[주의]하다.

Look out! 조심해라!

Look out for the cars. 자동차에 주의하여라.

He was *looking out* (of) the window. 그는 창에서 밖을 내다보고 있었다.

__look over__ …을 훑어보다, 검토하다; …너머로 보다.

Will you *look over* these papers? 이 서류들을 한번 검토해 주시겠습니까?

He *looked over* the wall. 그는 담너머로 보았다.

*__look up__ 쳐다보다; (사전 따위에서) …을 찾다.

He *looked up* into the sky.

그는 하늘을 쳐다보았다.
Jim *looked up* the word in a dictionary. 짐은 그 단어를 사전에서 찾아보았다.

look up at …을 쳐다보다.
They *looked up at* me.
그들은 나를 쳐다보았다.

look up to (아무)를 존경하다(⇔ look down on 〔upon〕 …을 얕보다).
We *looked up to* him as our leader. 우리는 그를 우리들의 지도자로서 존경했다.

── 몡 복수 **looks**[luks]
❶《보통 a를 붙여서》(얼핏) 봄, 일견.
Take a *look*! 한 번 보아라!
He gave me a *look*.
그는 나를 힐끗 보았다.
Let's have 〔take〕 a *look* at it. 그것을 한 번 보아 두자.
❷ 눈빛, 안색, 표정;《복수형으로》용모.
I don't like her *look*. 나는 그녀의 표정을 좋아하지 않는다.
I saw the sad *look* on her face. 나는 그녀의 얼굴에서 슬픈 빛을 보았다.
She is known for her good *looks*. 그녀는 미인으로 알려져 있다.

loop [luːp] 몡
복수 **loops**[luːps]
(철사·실·끈 따위의) 고리; 고리 모양의 것; 환상선(環狀線).
He tied a *loop* in the rope.
그는 밧줄로 고리를 만들었다.
The highway makes a big *loop* near the city. 하이웨이는 시 근처에 커다란 원을 이루고 있다.

*__loose__ [luːs] 휑
비교 **looser** [lúːsər];
최상 **loosest**[lúːsist]
❶ (동물 따위가) 묶이지 않은; 매지 않은, 풀린.
The dog was *loose* in the yard. 개가 정원에 풀려 있었다.

Let's leave this end of the rope *loose*. 밧줄의 이 쪽 끝은 매지 말고 두자.
❷ (의복·신발 따위가) 느슨한, 헐거운; (행동·처신이) 야무지지 못한, 무절제한.
lead a *loose* life 무절제한 생활을 하다.
He wore a *loose* sweater. 그는 헐렁한 스웨터를 입고 있었다.
My shoes are a bit *loose*.
내 구두는 좀 헐겁다.
➤ lose [luːz]와 발음을 혼동하지 말 것.

lord [lɔːrd] 몡
복수 **lords**[lɔːrdz]
❶ 군주, 영주; 지배자.
He is living like a *lord*. 그는 영주와 같은 생활을 하고 있다.
❷《영국의》귀족;《**Lord**... 로》…경.
the House of *Lords* (영국의) 상원 의원.
Lord Nelson 넬슨경.
❸《**the Lord**로》신(神);《보통 **Our Lord**로》우리 주, 그리스도.
The Lord knows.
주께서는 아신다.

lor·ry [lɔ́(ː)ri, lári] 몡
복수 **lorries** [lɔ́(ː)riz, láriz]
화물 자동차, 트럭. ➤ 미국에서는 truck이라 한다.

Los An·ge·les [lɔ(ː)s ǽn-dʒələs] 몡
로스앤젤레스.

> 참고 미국 캘리포니아주의 대도시. 서부의 상업 중심지로, 항공기 등의 기계 공업과 화학 공업이 발달했다. 영화 제작의 중심지인 할리우드와도 가깝게 위치함. 인구는 전체 미국의 제2위. L. A.로 약함.

*__*lose__ [luːz] 통
3·단·현 **loses** [lúːziz];
ing형 **losing** [lúːziŋ]; 과거 과분

lost[lɔ(ː)st]
타 ❶ …을 잃다, 잃어버리다
(⟺gain 얻다); 놓치다; (체중 따
위)를 줄이다.
She *lost* her money.
그녀는 돈을 잃어버렸다.
They *lost* their way in the
mountains. 그들은 산에서 길을
잃었다.
I did not *lose* a word of
his speech. 나는 그의 연설을
한 마디도 놓치지 않고 들었다.
I'm trying to *lose* weight.
나는 체중을 줄이려고 노력하고
있다.
❷ (승부 따위에서) 지다(⟺win
이기다).
We *lost* the game.
우리는 게임에 졌다.
❸ (시계가) 늦다(⟺gain 빠르
다).
My watch *loses* two min-
utes a day. 내 시계는 하루에
2분 늦는다.
── 자 지다(⟺win 이기다); 손해
를 보다; (시계가) 늦다.
I'm afraid Tom's team will
lose. 아무래도 톰의 팀이 질 것
같다.
You always *lose.* 너는 언제나
손해를 본다.   ☞ 명 loss

***lose** one**self** (사람이) 길을 잃다
(=be lost).
We *lost* ourselves in the
mountains. 우리들은 산 속에서
길을 잃었다.

***lose** sight of …을 (못 보고) 놓
치다. ☞ sight
                [lɔ(ː)s] 명
***loss** 복수 **losses**[lɔ́(ː)siz]
❶ 《a와 복수형 안 씀》 상실, 잃
음.
Loss of health is worse
than *loss* of money. 건강을 잃
는 것은 돈을 잃는 것보다 못하다.
❷ 손실, 손해.
His *loss* of 20 dollars
made him very unhappy.

그는 20 달러를 손해 봤서 매우
불쾌했다.   ☞ 동 lose

***at a loss** 난처하여; 어쩔 줄 몰라.
I was *at a loss* what to do.
나는 무엇을 해야 할지 몰랐다.

***lost** [lɔ(ː)st] 동
    lose의 과거·과거 분사.
── 형 ❶ 잃어버린, 없어진, 행방
불명의.
a *lost* article 분실물.
He recovered a *lost* memo-
ry. 그는 잃었던 기억을 되찾았다.
Our *lost* dog came home
four days later. 잃어버렸던 우
리 개가 4 일 후에 돌아왔다.
Let's ask at the "*Lost* and
Found desk." 분실물 취급소에
문의해 보자. ▶「분실물 취급소」는
the lost property office 라고도
함.
❷ 길 잃은.
a *lost* child 길 잃은 아이.
We were *lost* on the way
to his home. 그의 집에 가는
도중에 우리는 길을 잃었다.
❸ (승부 따위에서) 진, 패배한.
a *lost* game 진 경기.
             [lɑt] 명
***lot** 복수 **lots**[lɑts]
❶ 《a lot 또는 lots로》 (수·양
의) 많음; 《부사적으로 쓰여》 많
이, 매우(=very much).
She knows a *lot* about
flowers. 그녀는 꽃에 관해 많이
알고 있다.
I have *lots* 〔a *lot*〕 to do.
나는 해야 할 일이 많이 있다.
It rains a *lot*. 비가 많이 온다.
Thanks a *lot*. 대단히 고맙다.
▶ Thank you very much. 보
다 구어적인 표현임.
❷ 《a lot of 또는 lots of로》 많
은.
Lots 〔A *lot*〕 of boys were
playing baseball. 많은 소년들
이 야구를 하고 있었다.
It was *lots* 〔a *lot*〕 of fun.
그것은 아주 재미있었다.

I've visited a lot〔lots〕of places. 나는 많은 곳을 방문했다.

❸ 《토지의》 한 구획, 부지.
There is an empty lot behind his house. 그의 집 뒤에 빈 터가 있다.

❹ 제비(뽑기); 운, 운명.
His lot was not a happy one. 그의 운명은 행복한 것이 아니었다.

lot·ter·y [látəri] 명
복수 **lotteries** [látəriz]
복권; 추첨, 《단수형으로》 운.
She won the lottery. 그녀는 복권에 당첨되었다.

****loud** [laud] 형 부
비교 **louder** [láudər] : 최상 **loudest** [láudist]
형 ❶ 큰 소리의, 고음의; 시끄러운.
loud music 시끄러운 음악.
Jim speaks in a loud voice. 짐은 큰 소리로 이야기한다.
Turn it down. It's too loud. 소리를 낮춰라. 너무 시끄럽다.
The city noises are very loud these days. 요즘 도시의 소음은 소란스럽기 짝이 없다.

❷ 화려한, 눈에 띄는.
Tom's jacket is loud. 톰의 재킷은 화려하다.
── 부 큰 소리로. ▶loudly보다 구어적임.
Speak louder. =Louder. 좀 더 크게 말해주세요.
Please don't speak out loud in the library. 도서관에서는 큰 소리로 말하지 마시오.

loud·ly [láudli] 부
비교 **more loudly**;
최상 **most loudly**
큰 소리로, 소란스럽게.
The students sang very loudly. 학생들은 큰 소리로 노래를 불렀다.
My father started to laugh loudly. 아버지께서는 큰 소리로 웃기 시작하셨다.

loud·speak·er [láudspí:kər] 명 복수
loudspeakers [láudspí:kərz]
확성기, 스피커. ▶ speaker라고도 함.

Lou·i·si·an·a [lù:əziǽnə] 명
루이지애나.

참고 미국 남부에 있는 주. 남쪽은 멕시코만을 바라보고 동쪽에는 미시시피강이 흐르고 있으며, 서쪽은 텍사스주와 인접하고, 북쪽은 아칸소주에 접해있다. 면적은 약 125,683 km²로, 우리 나라의 약 반에 해당한다. 주도는 미시시피강 하류에 위치한 배턴루지(Baton Rouge [bǽtn rú:ʒ])이나, 주의 최대 도시는 뉴올리언스(New Orleans [njú: ɔ́:rliənz])이다. New Orleans는 근대적인 부분과 프랑스 풍의 옛 부분(본래 이 지역은 프랑스의 식민지였으나, 미국이 1803년 프랑스로부터 사들였음)으로 된 도시다. New Orleans는 또한 재즈 발생지로서도 유명하다.

lounge [laundʒ] 명 복수
lounges [láundʒiz]
라운지《호텔·여객선 따위의 휴게실·오락실》.

*****love** [lʌv] 명
복수 **loves** [lʌvz]
❶ 《a와 복수형 안 씀》 사랑, 애정; 연애.
a love letter 사랑의 편지.
a love story 연애 소설.
the first love 첫사랑.
Love is the best medicine. 애정은 최선의 약이다.
Love is blind. 사랑은 맹목적인 것이다.
Mrs. Brown has a deep love for her son. 브라운 부인은 아들에게 깊은 애정을 가지고 있다.

L

❷ 좋아함, 애호.
He has a great *love* of books. 그는 책을 매우 좋아한다.
Music is his *love*.
그는 음악을 좋아한다.
❸ (흔히 남자편에서 본 여자) 애인, 연인.
Nancy is my *love*.
낸시는 나의 애인이다.
Good-bye, my *love*.
나의 연인이여, 안녕.
❹ 《one's love의 형태로》 (안부의) 인사.
Give *my love* to your father. 너의 아버지께 안부 전해다오. ☞ 혱 lovely

be in love with …와 사랑하고 있다.
Tom *is in love with* Nancy.
톰은 낸시와 사랑하고 있다.

fall in love with …와 사랑에 빠지다.
Tom *fell in love with* Nancy.
톰은 낸시와 사랑에 빠졌다.

— 타 3·단·현 **loves**[lʌvz]; ing형 **loving**[lʌ́viŋ]; 과거 과분 **loved**[lʌvd]
❶ …을 사랑하다(⇔ hate 미워하다).
I *love* my country.
나는 조국을 사랑한다.
Tom and Nancy *love* each other. 톰과 낸시는 서로 사랑하고 있다.
She is *loved* by everybody.
그녀는 모든 사람들로부터 사랑받고 있다.
❷ …을 좋아하다, 즐기다.
She *loves* watching TV. 그녀는 텔레비전 보기를 좋아한다.
I *love* to travel by myself.
나는 혼자 여행하기를 좋아한다.

love·li·er [lʌ́vliər] 혱 **lovely**의 비교급.

love·li·est [lʌ́vliist] 혱 **lovely**의 최상급.

***love·ly** [lʌ́vli] 혱 비교 **lovelier**[lʌ́vliər];

최상 **loveliest**[lʌ́vliist]
❶ 사랑스러운, 귀여운, 아름다운.
a *lovely* view of the mountains 산들의 아름다운 경치.
Nancy is a *lovely* girl.
낸시는 사랑스러운 소녀다.
❷ 멋진, 즐거운, 유쾌한.
What a *lovely* day!
얼마나 멋진 날씨인가!
We had a *lovely* time at the party. 우리는 파티에서 즐거운 시간을 보냈다. ☞ 명 love

lov·er [lʌ́vər] 명 복수 **lovers**[lʌ́vərz]
(여성 쪽에서 본) 애인, 사랑하는 사람; 애호가; (복수형으로) (서로 사랑하는) 연인들.
Mike is her *lover*.
마이크는 그녀의 애인이다.
Tom is a great *lover* of sports. 톰은 대단한 스포츠 애호가다.
The movie was about two happy *lovers*. 그 영화는 행복한 두 연인들에 관한 것이었다.

lov·ing [lʌ́viŋ] 동 **love**의 -ing형.
— 혱 비교 **more loving**; 최상 **most loving**
애정이 있는; 사랑하는, 친애하는.
He was very happy seeing his *loving* wife back home.
그는 사랑하는 아내가 돌아온 것을 보고 아주 기뻐했다.
Your *loving* friend. 너의 친구로부터. ▶ 친구간의 편지의 끝맺는 말.

***low** [lou] 혱 부 비교 **lower** [lóuər]; 최상 **lowest**[lóuist]
혱 ❶ (높이·위치 따위가) 낮은 (⇔ high 높은).
The room had a very *low* ceiling. 방의 천장이 매우 낮았다.
He passed me a *low* ball.
그는 나에게 낮은 공을 패스했다.
This chair is too *low* for me.
이 의자는 나에게 너무 낮다.

❷ (목소리·정도 따위가) **낮은**, **적은**; (값이) **싼**.

Father and Mother were talking in a *low* voice. 아버지와 어머니는 낮은 목소리로 말씀하고 계셨다.

Nancy got a *low* mark in English. 낸시는 영어에서 낮은 점수를 받았다.

I bought this radio at a *low* price. 나는 이 라디오를 싼 값에 샀다. ➤ cheap price라고 하지 않음에 주의. ☞ 동 lower

— 〔부〕 낮게(⇔high 높게).

The swallow flew very *low*. 제비는 아주 낮게 날았다.

Turn the radio down *low*. 라디오 소리를 낮춰라.

low·er [lóuər] 〔타〕 〔3·단·현〕
lowers [lóuərz]; 〔ing형〕
lowering [lóuəriŋ]; 〔과거〕〔과분〕
lowered [lóuərd]
…을 내리다, 낮게 하다.

We *lowered* the flag in the evening. 우리들은 저녁 때 기를 내렸다.

Please *lower* the volume of the TV. 텔레비전 소리를 낮춰 주세요.

Lower your weight by jogging. 조깅해서 체중을 줄여라.

— 〔형〕 《low의 비교급》 **낮은 쪽의**, **아래쪽의**; **하급의**(⇔ higher 보다 높은).

the *lower* animals 하등 동물.
the *lower* lip 아랫입술.
the *lower* classes 하층 계급.

loy·al [lɔ́iəl] 〔형〕
〔비교〕 **more loyal**; 〔최상〕
most loyal
(국가·국왕 등에게) **충성스러운**; (사람·신조 따위에) **충실**〔성실〕**한**.

a *loyal* subject 충성스러운 신하.

Bob always tried to be *loyal* to all of his friends. 보브는 늘 모든 친구에게 성실하려고 애썼다.

loy·al·ty [lɔ́iəlti] 〔명〕 〔복수〕
loyalties [lɔ́iəltiz]
❶ 《a와 복수형 안 씀》 **충실**, **충성**.

pledge *loyalty* to one's own country 국가에 충성을 맹세하다.
❷ 충실한 행위.

LP [élpíː] 〔명〕
〔복수〕 **LP's** 또는 **LPs** [élpíːz]
(레코드의) **엘피판**. ➤ long-playing의 약자.

luck [lʌk] 〔명〕
《a와 복수형 안 씀》 **운**《행운·악운에 두루 쓰임》; **행운**.

good *luck* 행운.
bad 〔ill〕 *luck* 불운.

Bill tried his *luck* with the cards. 빌은 카드로 운을 점쳐 보았다.

Luck favored us, and we won. 운이 좋아서 우리는 이겼다.

I had the *luck* of seeing her. 나는 운 좋게도 그녀를 만날 수 있었다. ☞ 형 lucky

by luck 운 좋게도.

I found this place *by luck*. 나는 운 좋게도 이 장소를 발견했다.

Good luck (to you)! 행운을 빕니다!, 부디 안녕하시기를! ➤ 작별 인사로도 씀.

luck·i·er [lʌ́kiər] 〔형〕
lucky의 비교급.

luck·i·est [lʌ́kiist] 〔형〕
lucky의 최상급.

luck·i·ly [lʌ́kili] 〔부〕
운 좋게, **다행히**.

Luckily a policeman came along and saved her. 다행히 경찰관이 와서 그녀를 구했다.

luck·y [lʌ́ki] 〔형〕
〔비교〕 **luckier** [lʌ́kiər]; 〔최상〕 **luckiest** [lʌ́kiist]
운 좋은, **행운의**(=fortunate. ⇔ unlucky 운 나쁜).

a man *lucky* in games 승부에 운이 좋은 남자.
You are *lucky*.

너는 운이 좋다.
Seven is a *lucky* number.
7은 행운의 번호다.
How *lucky* he is today!
오늘 그는 참 운이 좋구나!
I was *lucky* to find my
key. = It was *lucky* for me
that I had found my key.
내가 열쇠를 찾을 수 있었던 것은
행운이었다.   ☞ 명 luck

Lu·cy [lúːsi] 명
루시《여자 이름》.

lug·gage [lʌ́gidʒ] 명
《a와 복수형 안 씀》 **수하물.** ➤ 여
행할 때 가지고 다니는 가방이나
트렁크, 슈트케이스 따위를 통틀
어 말함.
three pieces of *luggage* 수하
물 3개.
I'll carry my *luggage* my-
self. 내 수하물은 내가 가지고 가
겠다.
I put my *luggage* on the
bus. 나는 수하물을 버스에 실었
다.
➤미국에서는 luggage보다 bag-
gage를 많이 씀.

lum·ber [lʌ́mbər] 명
《a와 복수형 안 씀》 **재목.**
A lot of *lumber* was put
on one side of the road.
많은 재목이 도로 한쪽에 놓여 있
었다.
➤영국에서는 lumber보다 tim-
ber를 더 많이 씀.

lum·ber·jack [lʌ́mbərdʒæ̀k] 명 복수
lumberjacks [lʌ́mbərdʒæ̀ks]
벌목하는 사람, 재목 벌채인.
tired *lumberjacks* 피곤한 벌
목꾼들.

lump [lʌmp] 명
복수 **lumps** [lʌmps]
❶ **덩어리.**
Jane put two *lumps* of
sugar in her tea. 제인은 각

설탕 두 개를 홍차에 넣었다.
❷ **혹.**
Tom got a *lump* on the
head when he was hit by
a ball. 공에 맞아 톰은 머리에
혹이 생겼다.

lu·nar [lúːnər] 형
달의, 달에 관한.
a *lunar* calendar 음력.

****lunch** [lʌntʃ] 명
복수 **lunches** [lʌ́ntʃiz]
❶《a와 복수형 안 씀》 **점심.**
➤ 형용사가 붙으면 a를 붙임. ☞
dinner
We have [eat] *lunch* at
twelve thirty. 우리는 12시 30
분에 점심을 먹는다.
Let's have *lunch* now.
이제 점심을 먹자.
She cooked a good *lunch*.
그녀는 훌륭한 점심을 마련하였
다.
❷ **도시락.**
We bring our *lunches* from
home. 우리는 도시락을 집에서
갖고 온다.

> 참고 미국에서는 학생들이 점심
> 을 학교의 카페테리아(cafe-
> teria)에서 먹으며, 우리 나라
> 처럼 교실에서 먹지 않는다. 도
> 시락을 집에서 가지고 오는 경
> 우는 끈이 달린 소형의 lunch
> box나 lunch bag을 이용한
> 다. 도시락의 내용은 햄버거,
> 샌드위치 따위가 많다.

lunch·eon [lʌ́ntʃən] 명
복수 **luncheons** [lʌ́ntʃənz]
오찬. ➤ lunch보다 격식을 차려
서, 정식의 것을 말하는 수가 많음.
The mayor invited us to
the *luncheon*. 시장은 우리를
오찬에 초대하였다.

lunch·time [lʌ́ntʃtàim] 명

《a와 복수형 안 씀》**점심 시간.**
We enjoy *lunchtime.*
우리는 점심 시간을 즐긴다.

lung [lʌŋ] 명
복수 **lungs**[lʌŋz]
《보통 복수형으로》**폐, 허파.**
Smoking is bad for the
lungs. 담배를 피우는 것은 폐에
나쁘다.

lux·u·ry [lʌ́kʃəri] 명
복수 **luxuries**[lʌ́kʃəriz]
❶ 《a와 복수형 안 씀》**사치.**
He lived in *luxury* but was
unhappy. 그는 사치스러운 생활
을 하였으나 불행하였다.
❷ **사치품; 사치스러운 것.**

Mr. James spends too
much money on *luxuries.*
제임스씨는 사치품에 돈을 너무
많이 소비한다.
It's a *luxury* for me to be
able to sleep this late. 이렇
게 늦게까지 잘 수 있는 것은 내
게는 사치다.

-ly [-li] 접미
❶ **형용사에 붙여 부사를 만
듦.**
careful*ly* 주의 깊게 / slow*ly* 느
리게.
❷ **명사에 붙여 형용사를 만듦.**
dai*ly* 매일의 / friend*ly* 정다운.

ly·ing [láiiŋ] 동
lie의 -ing형.

Mm

*ma'am [məm] 명 부인, 마님, 아가씨, (여자) 선생님.

Yes, *ma'am.* 예, 마님〔선생님〕.

> 참고 madam의 간략형. 가정부가 여주인에게, 점원이 여자 손님에게, 학생이 여선생님에게, 또 나이가 든 존경할 만한 여성에게 쓰는 호칭. 남성에게는 sir를 사용함.

*ma·chine [məʃíːn] 명 복수 **machines**[məʃíːnz] 기계.

a sewing *machine* 재봉틀.
a printing *machine* 인쇄기.
a *machine* gun 기관총.
run a *machine* 기계를 조작하다.
This washing *machine* does not work well. 이 세탁기는 제대로 작동되지 않는다.

ma·chin·er·y [məʃíːnəri] 명 《a와 복수형 안 씀》기계류(類), 기계 장치. ▶여러 가지 기계류를 통틀어 말하며 하나하나의 기계는 machine.

The *machinery* in the factory worked smoothly. 공장의 기계 장치는 잘 움직였다.

*mad [mæd] 형 비교 **madder** [mǽdər]: 최상 **maddest** [mǽdist]

❶ 미친, 실성한, 머리가 돈. ☞ crazy

a *mad* man〔dog〕미친 사람〔개〕.
The poet went *mad.* 그 시인은 미쳐버렸다.

❷ 열중한, 몰두한, 열광적인. ▶명사 앞에는 안 씀.

Father is *mad* about golf. 아버지는 골프에 열광적이다.

❸ 성난, 몹시 화가 난. ▶명사 앞에는 안 씀.

Are you *mad* at me? 너 내게 화났느냐?
Mother got *mad* at me for coming home so late. 어머니는 내가 집에 늦게 돌아온 것에 대해 화를 내셨다.

mad·am [mǽdəm] 명 부인, 마님, 아가씨.

"May I help you, *madam?*" said the clerk to Mrs. Jones. 「부인, 무엇을 드릴까요?」하고 점원은 존스 부인에게 말했다.

> 참고 여성에 대한 정중한 호칭. 기혼·미혼의 구별 없이 사용함. 남성의 호칭인 sir에 해당한다.

mad·der [mǽdər] 형 mad의 비교급.

mad·dest [mǽdist] 형 mad의 최상급.

*made [meid] 동 make의 과거·과거 분사.

I have just *made* a cake. 나는 이제 막 케이크를 만들었다.
Butter is *made* from milk. 버터는 우유로 만든다.
This doll is *made* of paper. 이 인형은 종이로 만들어졌다.

── 형 《합성어로》…제의, …로 만든.

a hand-*made* desk 손으로 만든 책상.
ready-*made* clothes 기성복.
home-*made* goods 국산품.

***mag·a·zine** [mǽɡəzíːn] 명

복수 **magazines**[mǽɡəzíːnz]
잡지.
a weekly〔monthly〕*maga-zine* 주〔월〕간지.
Do you get any sports *magazines?* 너는 스포츠 잡지를 구독하고 있느냐?

***mag·ic** [mǽdʒik] 형

마법의. ➤ 명사 앞에만 씀.
a *magic* carpet〔box〕마법의 융단〔상자〕.
Have you heard of a *magic* mirror? 너는 마법의 거울에 대해 들어 보았느냐?
── 명 《a와 복수형 안 씀》 마법, 요술; 마력.
the *magic* of love 사랑의 마력.
Witches use *magic.*
마녀는 마법을 쓴다.
We wondered at his display of *magic.* 우리는 그의 요술 솜씨에 감탄했다.

mag·i·cal [mǽdʒikəl] 형 비교 **more magical**; 최상 **most magical**
마법으로 일어난(듯한). 마법에 걸린 듯한.
a *magical* wand 마법의 지팡이.

ma·gi·cian [mədʒíʃən] 명

복수 **magicians**[mədʒíʃənz]
마술사, 마법사.
Primitive people usually believe in *magicians.* 미개인들은 대개 마법사의 말을 믿는다.

mag·net [mǽɡnit] 명 복수 **magnets** [mǽɡnits]
자석.
A *magnet* attracts iron.
자석은 쇠붙이를 끌어당긴다.

mag·net·ic [mæɡnétik] 형 비교 **more magnetic**; 최상 **most magnetic**
자석의, 자기의, 자기를 띤.
a *magnetic* tape 자기 테이프.

mag·nif·i·cent [mæɡnífəsənt] 형 비교 **more magnificent**; 최상 **most magnificent**
장대한, 장려한, 찬란한.
a *magnificent* crown 찬란한 왕관.
a *magnificent* palace 장대한 궁전.
We enjoyed a *magnificent* view of the mountains. 우리는 산의 장관을 보며 즐겼다.

maid [meid] 명 복수 **maids**[meidz]
하녀, 가정부; 소녀; 미혼 여자.
a country *maid* 시골 처녀.
She is now an old *maid.*
이제 그녀는 노처녀다.
Our *maid* works very hard from morning till night.
우리 집 가정부는 아침부터 저녁까지 매우 열심히 일한다.

maid·en [méidn] 형
처녀의, 미혼의; 처음의. ➤ 명사 앞에만 씀.
a *maiden* sister 미혼의 누이〔동생〕.
a *maiden* voyage〔flight〕처녀 항해〔비행〕.
Her *maiden* name is Jane Smith. 그녀의 결혼 전 이름은 제인 스미스이다.

***mail** [meil] 명 《a와 복수형 안 씀》 우편; 우편물.
registered *mail* 등기 우편.
I sent the letter by air-*mail.* 나는 그 편지를 항공 우편으로 보냈다.
Is there any *mail* for me this morning? 오늘 아침 나에게 온 우편물이 있습니까?

by mail 우편으로.
Please send it to me *by mail.* 그것을 나에게 우송해 주십시오.

M

—— 타 ③·단·현 **mails**[meilz］;
ing형 **mailing**[méiliŋ]; 과거 과분
mailed[meild]

…을 부치다, 우송하다.
Will you *mail* this letter?
이 편지를 부쳐 주겠느냐?
Susie *mailed* a lot of
Christmas cards yesterday.
수지는 어제 크리스마스 카드를
많이 부쳤다.

mail·box [méilbὰks] 명

복수 **mailboxes**[méilbὰksiz]
우체통; (개인 전용의)
우편함.
I put the post-
card in the *mail-*
box on the corner.
나는 엽서를 길모퉁이
의 우체통에 넣었다.

참고 미국의 우체통은 상자형으
로 흔히 청색, 영국의 것은 원주
형으로 빨간색이 칠해져 있다.
대개 길모퉁이에 있다.

mail·man [méilmæ̀n] 명

복수 **mailmen**[méilmèn]
우편 집배원. ▶영국에서는 post-
man이라고 함.
The *mailman* brings letters
and parcels to us. 우편 집배
원은 우리에게 편지와 소포를 가
져다 준다.

mail·men [méilmèn] 명
mailman의 복수.

*****main** [mein] 형

주요한, 주된. ▶명사 앞에만 씀.
a *main* road 간선 도로.
a *main* event 주요 경기, 메인
이벤트.
the *main* office 본사, 본점.
the *main* building 본관.
The *main* course〔dish〕is
meat with vegetables. 주된
일품 요리는 채소가 곁들여진 고

기이다. ▶ main course〔dish〕
는 갖가지 요리가 차례로 나오는
식사 코스 중에서 가장 중심이 되
는 일품 요리.

Maine [mein] 명
메인.

참고 대서양에 연해 있는 미국의
한 주. 호수, 구릉이 많고 이 주
의 70%는 삼림이다. 겨울의 추
위는 심하지만 여름에는 평균 기
온이 17°C로서 피서지로 이름이
높다. Me.로 약함. 주도는 오거
스타(Augusta[ɔːgʌ́stə]). 면적
은 86,023 km².

main·land [méinlæ̀nd] 명

《the를 붙여》(부근의 섬이나 반도
와 구별하여) 본토.
The *mainland* of the United
States came in sight. 미국 본
토가 시야에 들어왔다.

main·ly [méinli] 부

❶ 주로.
Samson is interested *main-*
ly in sports. 샘슨은 주로 운동
에 흥미가 있다.
❷ 대체, 대개, 대부분(은).
The audience consisted
mainly of students. 청중은
대부분 학생이었다.

main·tain [meintéin] 타
③·단·현 **maintains**
[meintéinz]; ing형 **maintaining**
[meintéiniŋ]; 과거 과분 **main-**
tained [meintéind]

❶ …을 유지하다, 보존하다, 지속
〔계속〕하다.
maintain peace 평화를 유지하다.
maintain the roads very
well 도로를 매우 잘 관리〔유지〕
하다.
The driver *maintained* a
high speed. 운전자는 고속을
계속 유지했다.
❷ (가족 따위)를 부양하다.

He *maintains* a large family. 그는 대가족을 부양한다.
❸ 주장하다, 단언하다.
I *maintain* that he is right. 나는 그가 옳다고 단언한다.

main·te·nance [méintə-nəns] 몡
《a와 복수형 안 씀》 유지, 보존; 부양.
the *maintenance* of peace 평화의 유지.

maj·es·ty [mǽdʒisti] 몡
複 **majesties** [mǽdʒistiz]
❶ 《a와 복수형 안 씀》 위엄; 장엄.
The hymn has great *majesty.* 찬송가는 대단히 장엄하다.
❷ 《**Majesty**로》 폐하(군주, 국왕에 대한 경칭). ▶대개 Your, His, Her 따위를 앞에 붙여 씀.
Your *Majesty* 폐하. ▶ 호칭 또는 you에 대신하는 존칭.
His *Majesty* the Emperor 황제 폐하.
Her *Majesty* the Empress 황후 폐하.
Their *Majesties* 황제 황후 폐하.

ma·jor [méidʒər] 혱
❶ (둘 중에서) **큰 쪽의; 주된, 주요한**(⇔ minor 작은 쪽의, 주요치 않은).
the *major* part of the city 시의 대부분.
the *major* league 메이저 리그 (미국 프로 야구의 National league와 American league를 가리킴).
the *major* industries 주요 산업.
a *major* road 주요 도로.
❷ (과목의) **전공의, 전문의.**
a *major* subject 전공 과목.

ma·jor·i·ty [mədʒɔ́(ː)rəti] 몡
複 **majorities** [mədʒɔ́(ː)rətiz]
❶ **대다수, 과반수**(⇔ minority 소수).
Jimy spends the *majority* of his time in sports. 지미는 거의 대부분의 시간을 스포츠에 소비한다.
❷ (투표수 따위의) **득표차.**
John was elected chairman by a narrow *majority.* 존은 근소한 득표차로 위원장에 선출되었다.

make [meik] 타
③·단·현 **makes** [meiks];
ing형 **making** [méikiŋ]; 과거 과분
made [meid]
❶ **…을 만들다, 제조하다.**
Mary can *make* a pretty doll. 메리는 예쁜 인형을 만들 수 있다.
Mother often *makes* pizza for supper. 어머니는 가끔 저녁 식사로 피자를 만드신다.
This radio is *made* in Korea. 이 라디오는 한국에서 제조되었다.
❷ 《**make**+사람+물건 / **make**+물건+**for**+사람으로》 (아무)에게 (무엇)을 만들어 주다.
My mother *made* me a beautiful dress.=My mother *made* a beautiful dress *for* me. 어머니는 나에게 아름다운 드레스를 만들어 주셨다.
❸ (돈 따위)**를 벌다;** (친구 따위)**를 만들다.**
He has to *make* money to buy food. 그는 먹을 것을 사기 위해 돈을 벌어야 한다.
Nancy *made* some new friends. 낸시는 몇 사람의 새 친구를 사귀었다.
❹ 《**make**+동작의 명사로》 (동작·행동 따위)**를 하다, …하다.**
make a promise 약속하다.
make a guess 추측하다.
Nancy *made* one mistake on the test. 낸시는 시험에서 하나 틀렸다.

참고 「**make**+동작 명사」의 예
make an attack 공격하다.
make an attempt 시도하다.

make a choice 선택하다.

make a comment 의견을 말하다, 논평하다.

make a decision 결정하다.

make an effort 노력하다.

make an explanation 설명하다.

make an excuse 변명하다.

make haste 서두르다.

make a mistake 잘못을 저지르다.

make a move 움직이다.

make a speech 연설하다.

make trouble 문제를〔말썽을〕일으키다.

❺ (결과적으로) …이 되다; (계산 따위가) …이 되다.

She will *make* a good teacher. 그녀는 훌륭한 교사가 될 것이다.

Twenty-four hours *make* one day. 24시간은 하루가 된다.

Two and two *make* four. 2 더하기 2는 4이다(2+2=4).

❻ 《make+목적어+명사〔형용사〕로》 …을 …로 하다.

They *made* Tom captain of the team. 그들은 톰을 주장으로 삼았다. ▶ captain 처럼 직책명을 나타내는 말을 보어로 쓸 때에는 a나 the를 붙이지 않음.

The air conditioner *made* the room cool. 에어컨은 방을 서늘하게 해 주었다.

❼ 《make+목적어(사람)+동사원형으로》 …을 ~하게 하다, …에게 ~시키다. ☞ let

He *made* me *work* for twelve hours. (＝I was made to work for twelve hours (by him).) 그는 나를 12시간 동안이나 일하게 하였다.

What *makes* you *think* so? 너는 왜 그렇게 생각하느냐?

be made up of …으로 이루어져 있다.

This English book *is made up of* thirteen lessons. 이 영어책은 13과로 구성되어 있다.

**make ... from~* ~으로 …을 만들다. ▶「~」부분에 재료가 되는 명사가 옴.

We *make* wine *from* grapes. ＝ Wine is *made from* grapes. 포도주는 포도로 만든다.

make ... into~ …으로 ~을 만들다, …로 ~을 만들다.

We *make* grapes *into* wine. ＝Grapes are *made into* wine. 포도로 포도주를 만든다.

make it 성공하다, 잘 해나가다; (시일 따위를) …로 정하다.

I *made it* ! 해냈다!

You *made it* ! 해냈구나!

Shall we *make it* five o'clock 〔at five〕? 5시로 할까?

**make ... of~* ~으로 …을 만들다.

I *made* a desk *of* wood. 나는 나무로 책상을 만들었다.

The bridge is *made of* stone. 다리는 돌로 만들어졌다.

참고 **make ... of 〔from〕 ~** of 는 재료의 질이 변화하지 않는 경우, from 은 원료·재료의 질이나 성분이 변화하는 경우에 쓰인다. 나무로 책상을 만들 경우, 재료인 나무는 책상이 되어도 나무의 성질이 그냥 있으므로 of를 써서 The desk is *made of* wood.가 된다. 그러나 포도로 포도주를 만들면 원료인 포도는 그 성질이 변해 버리므로 from을 써서 Wine is *made from* grapes. 가 된다.

make … from ~   make … of ~

make out 이해하다.

I cannot *make out* what he means. 그가 무엇을 말하는지 모르겠다.

make up …을 만들어 내다, 구성하다; 화장하다, 분장하다.

They *made up* many stories about John. 그들은 존에 관하여 여러 가지 이야기를 꾸며 냈다.

Many islands *make up* the Philiphines. 많은 섬들이 필리핀을 이룬다.

She *made* herself *up* for the party. 그녀는 파티에 참석하기 위해 화장을 했다.

make up for …을 보충하다.

I had to *make up for* the lost time. 나는 손실된 시간을 보충해야 한다.

make up *one's mind* 결심하다.
☞ mind

── 몡 [복수] **makes**[meiks]
…제(製), 제조원.

a car of Korean *make* 한국제의 자동차.

a new *make* of car 신형차.

The car is of American *make.* 이 자동차는 미국제이다.

mak·er [méikər] 몡 [복수]
makers[méikərz]
만드는 사람, 제작자.

a toy*maker* 완구 제조업자.

He is a cheese *maker.*
그는 치즈 제조업자이다.

male [meil] 혱
남성의, 수컷의(⇨ female 여성의).

the *male* sex 남성.

A bull is a *male* animal.
황소는 수컷이다.

── 몡 [복수] **males**[meilz]
남성; 수컷(⇨ female 여성의)

Boys and men are *males;* girls and women are *females.* 소년과 남자는 남성이고, 소녀와 부인은 여성이다.

➤ 동음어 **mail**(우편)과 혼동 않

도록 주의.

mall [mɔːl] 몡
[복수] **malls** [mɔːlz]
쇼핑 센터.

Let's meet at the *mall.* 쇼핑 센터에서 만납시다.

ma·ma [máːmə] 몡 [복수]
mamas[máːməz]
엄마, 어머니(⇨ papa 아빠). ➤ 미국에서는 **mommy**를 영국에서는 **mummy**를 일반적으로 씀.

May I have some water, *mama?* 엄마, 물 좀 주세요.

mam·ma [máːmə] 몡
엄마, 어머니.

May I have some candy, *mamma?* 엄마, 과자 좀 주세요.
➤ **mama**라고도 씀.

mam·mal [mǽməl] 몡
[복수] **mammals**[mǽməlz]
포유 동물. ☞ animal

Human beings, cattle, cats, dogs, and whales are all *mammals.* 사람, 소, 고양이, 개 그리고 고래는 모두 포유 동물이다.

mam·moth [mǽməθ] 몡
[복수] **mammoths**[mǽməθs]
매머드《신생대의 큰 코끼리》.

── 혱 《명사 앞에 쓰여》 거대한
(=huge).

a *mammoth* building 거대한 건물.

mam·my [mǽmi] 몡 [복수]
mammies[mǽmiz]
엄마, 어머니(⇨ daddy 아빠).

Where's my doll, *mammy?*
엄마, 내 인형 어디 있어요?

＊man [mæn] 몡
[복수] **men** [men]

❶ (성인) 남자, **남성**, **사내**(⇨ woman 여자).
a *man* and a woman 한 남자와 한 여자.
an able *man* 유능한 남자.
two *men* and a boy 두 남자와 한 소년.
"Who is that *man?*" "He is Mr. Smith." 「저 남자는 누구냐?」「스미스씨이다.」

❷ 《a와 복수형 안 씀》 (동물·자연과 구별하여) **인류**, **인간**(= mankind).
Only *man* knows how to use fire. 인간만이 불의 사용법을 알고 있다.

❸ (남녀 구별 없이 막연히) **사람**.
A *man* cannot live alone.
사람은 혼자서는 살 수 없다.
All *men* are created equal.
사람은 모두 평등하게 창조되었다.

❹ 《흔히 복수형으로》 **부하**, **사용인**.
He was loved by all his *men.* 그는 모든 부하에게서 사랑받았다.

man·age [mǽnidʒ] 통

[3·단·현] **manages** [mǽnidʒiz] ;
[ing형] **managing** [mǽnidʒiŋ] ;
[과거][과분] **managed** [mǽnidʒd]
타 ❶ …을 **다루다**, **취급하다**; (사업·사무 따위)를 **관리하다**, **경영하다**.
The boy *managed* the boat easily. 소년은 쉽게 배를 다루었다.
Mr. Brown *manages* a big hotel. 브라운씨는 큰 호텔을 경영하고 있다.

❷ 《**manage to** do로》 어떻게든 해서〔간신히〕…하다.
I *managed to* get there in time. 나는 간신히 시간에 대어

그곳에 닿았다.
── 자 (어떻게든) **잘 해나가다**, 그럭저럭 해내다.
I must *manage* on a small income. 나는 적은 수입으로 어떻게든 잘 해나가야 한다.
I think I can *manage.*
나는 그럭저럭 해낼 수 있으리라 생각한다.

man·age·ment [mǽnidʒmənt] 몡
《a와 복수형 안 씀》 **취급**, **처리**; **경영**, **관리**, **취급**.
successful *management* of a business 사업의 성공적인 경영.

man·ag·er [mǽnidʒər] 몡
[복수] **managers** [mǽnidʒərz]
지배인, **경영자**.
Mr. Green was appointed *manager* of the hotel.
그린씨는 그 호텔의 지배인으로 임명되었다.

Man·hat·tan [mænhǽtn] 몡
맨해튼.

┌──────────────────────────┐
│ [참고] Manhattan은 뉴욕시의 5
│ 구 중의 하나. 서쪽에는 허드슨
│ 강이, 동쪽에는 할렘강과 이스트
│ 강이 둘러싼 섬으로서 면적은
│ 57 km². 뉴욕시의 심장부이며
│ 미국의 무역·문화·상업의 중심
│ 지로 발전하였다. 남쪽은 상가와
│ 항구이며, 북쪽은 주택가이다.
└──────────────────────────┘

man·hood [mǽnhùd] 몡
남자임, (남자의) **성년**. ☞ boyhood
He has reached *manhood.*
그는 성년에 달하였다.

man·kind [mænkáind] 몡
《a와 복수형 안 씀》 **인류**, **인간**.
He devoted his life to the welfare of *mankind.* 그는 인류

의 복지를 위하여 일생을 바쳤다.

***man·ner** [mǽnər] 명 복수 **manners**[mǽnərz].

❶ 방법, 방식, …하는 식. ▶ way 보다 격식 차린 말.

a scientific *manner* 과학적인 방법.

I like her *manner* of speaking. 나는 그녀의 말투를 좋아한다.

The accident happened in this *manner*. 사고는 이런 식으로 일어났다.

❷ 《단수형으로》 (사람에게 대하는) 태도.

I don't like his *manner*. 나는 그의 태도가 싫다.

Her *manner* toward us was pleasant. 우리들에 대한 그녀의 태도는 상냥스러웠다.

❸ 《복수형으로》 예절, 몸가짐.

He has no *manners* at all. 그는 아주 예절이 없다.

Table *manners* differ among countries. 식사 예법은 나라마다 다르다.

Where are your *manners*? 예절 바르게 굴지 못해? 《아이를 책망하는 말》.

❹ 《복수형으로》 (사회의) 풍속, 풍습.

We often learn foreign *manners* and customs through movies. 우리는 흔히 영화를 통하여 외국의 풍습과 관습을 배운다.

참고 예절은 동서양을 막론하고 기본 정신은 똑같으나, 행위나 표현이 다른 경우가 많다.

1. 서양의 식사 예법에 관하여

1) 식사는 적당히 이야기를 하면서 먹는다. 단, 입 안에 음식이 가득히 있을 때는 말을 해서는 안 된다.

2) 음식을 먹거나 마실 때 소리를 내서는 안 된다. 나이프나 포크가 식기와 부딪는 소리를 내도 안 된다.

3) 접시를 들어 올리거나 접시에 입을 갖다 대서는 안 된다.

4) 빵은 손으로 잘게 뜯어서 (버터 따위를 발라) 먹는다.

5) 식탁 위에 있는 조미료 따위에 손이 닿지 않을 경우에는, 옆 사람에게 Pass me the salt, please. (소금을 좀 집어 주십시오.)라고 말한다.

옳지 않은 manners

2. 생활 예법에 관하여

1) 남의 집을 방문할 때에는, 사전에 연락하여 상대편의 형편을 묻고, 일시를 미리 정한 다음에 방문하도록 한다.

2) 여성과 함께 어디를 가거나 행동할 때는, 남성은 여성에게 우선적으로 문에 들어가게 하거나 자리에 앉게 하여야 한다.

3) 보통, 남성은 여성에게 먼저 악수를 하자고 손을 내밀지 않는다.

4) 선물을 받았을 때는, 바로 그 자리에서 열어 보고, 기뻐하며 감사를 표시한다.

5) 남 앞에서 트림을 하거나 하품 따위를 하는 것은 예절이 바르지 못한 행동이다. 그러나 저절로 나오는 방귀는 불가피한 것으로 간주된다.

man·sion [mǽnʃən]

명

복수 **mansions**[mǽnʃənz]
큰 저택.
Dr. Jones lives in a *mansion* in the suburbs of Chicago. 존스 박사는 시카고 교외의 큰 저택에 살고 있다.

참고 귀족이나 대부호의 넓은 정원이 딸린 대저택을 말한다. 우리 나라에서 「맨션」이라고 하면 흔히 고급 아파트를 가리키나, 영어에는 이런 뜻이 없다.

man·u·al [mǽnjuəl]

형

손의, 손으로 하는; 수동의.
manual labor 손일, 육체 노동.
manual crafts 수공예.
a *manual* fire engine 수동식 소방 펌프.
— 명 복수 **manuals**[mǽnjuəlz]
소책자; 입문서.
a teacher's *manual* (교과서의) 교사용 해설서.

man·u·fac·ture [mǽnjə-fǽktʃər]

명 복수 **manufactures**[mǽnjə-fǽktʃərz]
❶ 《a와 복수형 안 씀》 (대규모의) 제조(업).
Steel *manufacture* is profitable in this country. 이 나라에서는 제강업이 수지가 맞다.
❷ 《보통 복수형으로》 제품.
— 타 3·단·현 **manufactures**

[mǽnjəfǽktʃərz]; ing형 **manufacturing**[mǽnjəfǽktʃəriŋ]; 과거 과분 **manufactured**[mǽnjəfǽktʃərd]
(대규모 공장에서) …을 제조하다.
That factory *manufactures* automobiles in large quantities. 저 공장에서는 자동차를 대량 생산하고 있다.

man·u·fac·tur·er

[mǽnjəfǽktʃərər] 명 복수 **manufacturers**[mǽnjəfǽktʃərərz]
(대규모의) 제조업자, 공장주.
That company is one of the leading automobile *manufacturers* in this country. 저 회사는 이 나라 일류 자동차 회사 중의 하나이다.

‡many [méni] 형

비교 **more**[mɔːr]; 최상 **most**[moust]
(수가) 많은, 다수의, 여러(⇔ few 적은). ▶ 셀 수 없는 명사에는 much를 씀.
He has *many* friends. 그는 친구가 많다.
There are *many* trees in the park. 공원에는 나무가 많다.

참고 **1. many의 사용법**
many는 수가 「많은」이란 뜻으로 셀 수 있는 명사의 복수형에 쓰이며, much가 양이 「많은」이란 뜻으로 셀 수 없는 명사에 쓰인다. 구어에서는 many와 much는 주로 부정문·의문문에 쓰이며, 긍정문에서는 수·양 둘 다 a lot of를 쓰는 경향이 있다.
2. 물건의 수·양을 나타내는 법
수식하는 말과 명사에 -s가 붙는가 아닌가에 주의할 것.

	셀 수 있는 명사 ball, pen 따위	셀 수 없는 명사 ink, milk 따위
하나의	a ball	—
조금의	a few balls	a little ink

M

map 529 **March**

약간의	some balls	some ink
많은	many balls a lot of balls	much ink a lot of ink

── 몡 《복수 취급》 **다수, 많은 사람〔물건〕**(⇔ few 소수).
Many of the passengers were drowned. 승객들 중의 많은 사람이 물에 빠져 죽었다.
Many of my friends were at the dance. 그 무도회에는 내 친구들이 많았다.

a good many 꽤 많은.
She has *a good many* dolls. 그녀는 꽤 많은 인형을 가지고 있다.

a great many 대단히 많은.
A great many people attended the concert. 대단히 많은 사람들이 음악회에 참석했다.

as many as … …만큼의 수.
Take *as many as* you want. 원하는 만큼 가져라.
He has twice *as many* books *as* I have. 그는 나보다 2배나 많은 책을 갖고 있다.

How many…? 얼마만큼의, 몇 개〔사람〕의.
How many boys are there in the room? 방에 소년이 몇 명 있느냐?
How many stamps have you collected? 너는 우표를 몇 장 모았느냐?

****map** [mӕp] 몡 복수 **maps** [mӕps]
지도.
a world *map* 세계 지도.
a road *map* 도로 지도.
a weather *map* 일기도.
look up a place on the *map* 어떤 장소를 지도에서 찾다.
Hang up the *map* on the wall. 지도를 벽에 걸어라.
▶ map을 모아 책으로 만든 것을 atlas [ӕtləs] 라고 함.

ma·ple [méipəl] 몡 복수 **maples** [méipəlz]
단풍.
The *maples* in the yard are turning red. 정원의 단풍나무가 붉게 물들고 있다.

Mar. **March** (3월)의 간략형.

mar·a·thon [mӕrəθɑ̀n] 몡
복수 **marathons** [mӕrəθɑ̀nz]
마라톤(경주)(=marathon race).

참고 기원 전 490년에 그리스군이 마라톤(Marathon)에서 페르시아군을 무찌르고 전승한 것을 알리고자 그리스의 한 용사가 아테네까지 20 마일의 길을 달린 후 죽은 고사를 기념하는 경주. 경주 거리는 26 마일 385 야드(=42.195 km).

mar·ble [mɑ́ːrbəl] 몡 복수 **marbles** [mɑ́ːrbəlz]
❶ 《a와 복수형 안 씀》 대리석.
Marble is often used for statues and buildings. 대리석은 조상(彫像)과 건물에 흔히 쓰인다.
❷ 공깃돌.《복수형으로, 단수 취급》 공기놀이.
Girls like to play *marbles*. 소녀들은 공기놀이를 좋아한다.

****March** [mɑːrtʃ] 몡
3월. ▶ Mar.로 약함
☞ February
March is the third month of the year. 3월은 1년의 세번째 달이다.
Spring comes in *March*.

M

봄은 3월에 온다.

***march** [mɑːrtʃ] 몡 복수
marches [mɑ́ːrtʃiz]

❶ 《a와 복수형 안 씀》 행진.
Forward *march!* 앞으로 갓!
We saw an army on the
march. 우리는 행진하는 군대를
보았다.

❷ 행진곡.
a wedding *march* 결혼 행진
곡.
── 자 [3·단·현] marches [mɑ́ːrtʃ-
iz]; ing형 marching [mɑ́ːrtʃiŋ];
과거 과분 marched [mɑːrtʃt]
행진하다.
We *marched* along the main
street. 우리는 중심가를 따라 행
진했다.

mar·ga·rine [mɑ́ːrdʒərin] 몡

《a와 복수형 안 씀》 마가린, 인조
버터.
Margarine is made of
vegetable oils. 마가린은 식물성
기름으로 만든다.

mar·gin [mɑ́ːrdʒin] 몡 복수
margins [mɑ́ːrdʒinz]
가장자리; (페이지 따위의) 여백.
Don't write in the *margin*
of the paper. 용지의 여백에
기입하지 마시오.

Ma·rie [məríː] 몡
마리《여자 이름》.

ma·rine [məríːn] 몡
바다의, 해양의.
a *marine* animals 해양 동물.
── 몡 복수 marines [məríːnz]
해병대원.

***mark** [mɑːrk] 몡
복수 marks [mɑːrks]

❶ 표, 표지, 마크, 기호.
a question *mark* 물음표《(?)》.
an exclamation *mark* 느낌
표《(!)》.

❷ 자국, 흔적; 얼룩.
The soldier showed me the
mark of an old wound.
병사는 나에게 전에 다친 상처 자

국을 보여 주었다.

❸ 성적, 점수. ➤ 흔히 grade를
씀.
My *mark* in French was B.
나의 프랑스어 성적은 B였다.

❹ 과녁, 표적.
His arrow hit the *mark.*
그의 화살은 과녁에 맞았다.
***On your marks*, (*get*) *set,
go!* (경주에서) 제자리에, 준비,
땅!
── 타 [3·단·현] marks [mɑːrks];
ing형 marking [mɑ́ːrkiŋ]; 과거
과분 marked [mɑːrkt]

❶ …에 표를 하다; …에 점수를
매기다.
He *marked* the rock with
a piece of chalk. 그는 분필로
바위에 표를 하였다.
Mr. Jones is busy *marking*
papers.
존스 선생님은 답안 채점으로 바
쁘시다.

❷ …에 주의하다.
Mark my words.
내 말을 주의해서 들어라.

mark·er [mɑ́ːrkər] 몡

복수 markers [mɑ́ːrkərz]
❶ 표시가 되는 것 《서표(book-
mark)·이정표 등), (지상·해
상에서의) 위치 표지.
Place a *marker* on the
map. 지도에 위치 표시를 해 두
어라.
❷ 표를 하는 도구〔사람〕, 매직펜
류.
a permanent *marker* 유성 펜.

***mar·ket** [mɑ́ːrkit] 몡 복수
markets [mɑ́ːrkits]
시장.
Mother goes to *market*
every Friday. 어머니는 매주 금
요일에 장보러 가신다. ➤「장보러
가다」란 뜻에는 a나 the를 붙이
지 않음.
They were on their way to
a *market* to sell the don-

M

key. 그들은 당나귀를 팔러 시장에 가는 길이었다.

mar·ket·place [máːrkit-plèis] 몡

복수 **marketplaces** [máːrkit-plèisiz]

장터, 시장《장이 서는 광장》.
Madrid[mədríd] has a large *marketplace* where many kinds of goods are sold. 마드리드에는 여러 가지 물건을 파는 큰 시장이 있다.

mar·ma·lade [máːrməlèid] 몡

《a와 복수형 안 씀》 마멀레이드《오렌지·레몬 등을 껍질째 잘게 썰어서 설탕에 조린 일종의 잼》.
I like to eat *marmalade* on my toast. 나는 토스트에 마멀레이드를 발라 먹기를 좋아한다.

mar·riage [mǽridʒ] 몡

복수 **marriages** [mǽridʒiz]
❶ 결혼; 결혼 생활.
They had a long and happy *marriage*. 그는 오래도록 행복한 결혼 생활을 보냈다.
❷ 결혼식.
There were two *marriages* in our village last Sunday. 지난 일요일에는 우리 마을에서 두 쌍의 결혼식이 있었다.
☞ 동 marry

mar·ried [mǽrid] 동

marry의 과거·과거 분사.
── 형 결혼한.
a *married* couple 부부.

mar·ry [mǽri] 동

3·단·현 **marries** [mǽriz]; ing형 **marrying** [mǽriiŋ]; 과거 과분 **married** [mǽrid]
타 ❶ …와 결혼하다.
Many men wanted to *marry* her.
많은 남자들이 그녀와 결혼하기를 원했다.
❷ …을 결혼시키다.
Mr. Brown *married* his daughter to a young doctor. 브라운씨는 딸을 젊은 의사와 결혼시켰다.
── 자 결혼하다.
Jane did not *marry* until she was thirty. 제인은 30세가 되기까지 결혼하지 않았다.
be married 결혼한 상태이다.
I'm not *married*.
나는 결혼하지 않았다.
get married 결혼하다.
He *got married* to Nancy. 그는 낸시와 결혼했다.

Mars [maːrz] 몡

화성.
I wonder if there is life on *Mars*. 화성에 생물이 있는지 모르겠다.

mar·tial [máːrʃəl] 형

전쟁의, 군사의; 군인다운.
martial arts 무술.

mar·vel [máːrvəl] 몡 복수

marvels [máːrvəlz]
경이, 놀라운 것.
The airplane is one of the *marvels* of modern science. 비행기는 현대 과학의 경이 중의 하나이다.
── 자 3·단·현 **marvels** [máːrvəlz]; ing형 **marveling** [máːrvəliŋ]; 과거 과분 **marveled** [máːrvəld]
경탄하다.
She *marveled* at the beautiful ocean sunset. 그녀는 해

상의 아름다운 일몰에 경탄했다.

mar·vel·ous [máːrvələs] 휑

비교 **more marvelous;** 최상 **most marvelous**

놀라운, 경탄할 만한(=wonderful).
He set a *marvelous* ski-jumping record. 그는 스키 도약에서 놀라운 기록을 세웠다.

Mar·y [méəri] 명
메리《여자 이름》.

Mar·y·land [mérələnd] 명
메릴랜드.

> 참고 메릴랜드는 미합중국의 최초의 13주 중의 하나. Md.로 약함. 해군 사관 학교의 소재지로서 유명한 아나폴리스(Annapolis [ənǽpəlis])가 수도이다. 면적은 27,396 km²로 경기도와 강원도를 합한 것과 비슷하다.

mas·cot [mǽskət] 명 복수 **mascots**[mǽskəts]

마스코트, 행운을 가져오는 물건〔동물, 사람〕.

mash [mǽʃ] 타 3·단·현 **mashes**[mǽʃiz]; ing형 **mashing** [mǽʃiŋ]; 과거 과분 **mashed**[mǽʃt]

… 을 짓이기다, 짓찧다.
They eat *mashed* potatoes for supper. 그들은 저녁 식사로 매시트 포테이토를 먹는다. ▶매시트 포테이토는 삶아서 버터·우유 등을 넣어 으깬 감자 요리임.

mask [mǽsk] 명 복수 **masks**[mǽsks]

가면, 탈, 마스크.
a gas *mask* 방독면.
the *mask* dance 탈춤.
put on〔wear〕a *mask* 가면을 쓰다〔쓰고 있다〕.
put〔throw〕off the *mask* 가면을 벗다.
The robber wore a black *mask*. 도둑은 검은 복면을 하고 있었다.

masked [mǽskt] 휑
가면을 쓴, 변장한.
masked actors 가면 쓴 배우들.

mass [mǽs] 명 복수 **masses** [mǽsiz]

❶ 덩어리.
a *mass* of iron 쇳덩어리.
There were *masses* of dark clouds in the sky. 하늘에는 먹구름 덩이가 있었다.
❷ 집단; 다수; 다량;《the masses로》대중.
a *mass* game 단체 경기, 매스 게임.
a *mass* of troop 일단의 병사.
a *mass* of people 다수의 사람들.
He is popular among *the masses*. 그는 대중들 사이에 인기가 있다.

Mas·sa·chu·setts
[mǽsətʃúːsits] 명 매사추세츠.

> 참고 1620년에 Mayflower호로 아메리카 대륙에 온 청교도들이 영국으로부터의 이주자들이 이 주의 연안에 식민지를 만들었다. New England라는 이름은 여기에서 비롯하였다. 독립 전쟁의 사적이 많다. Mass.로 약함. 미국에서 가장 오랜 역사를 지닌 Harvard[háːrvərd]대학은 주도 Boston의 이웃 케임브리지(Cambridge [kéimbridʒ])에 있다. 면적은 21,387km로 경기도의 약 2배이다.

mass com·mu·ni·ca·tion[mǽs kəmjuːnəkéiʃən] 명
《a와 복수형 안 씀》매스커뮤니케이션, 대중〔대량〕전달《신문·라디오·TV 따위에 의한 대중에의 정보 전달》.

mass me·di·a [mǽs míːdiə] 명

《the를 붙여》 매스미디어, 대중
전달 매체(신문·잡지·영화·방
송 따위).

mass pro·duc·tion

[mǽs prədʌ́kʃən] 몡
《a와 복수형 안 씀》 대량 생산.

mast [mæst] 몡 복수 masts [mæsts]

돛대, 마스트.
That ship has three *masts*.
저 배에는 돛대가 세 개 있다.

*mas·ter [mǽstər] 몡 복수 masters[mǽstərz]

❶ (남자) 주인(⇨ servant 하
인); (동물 따위의) 임자.
Mr. Hill is the *master* of
the house. 힐씨가 그 집의 주
인이다.
❷ (배·역 따위의) 장(長); 대가,
명인.
the station *master* 역장.
a *master* of music 음악의 거장.
—— 타 3·단·현 masters [mǽs-
tərz]; ing형 mastering [mǽs-
təriŋ]; 과거 과분 mastered[mǽs-
tərd]
… 에 숙달〔정통〕하다, … 을 습득
하다.
It's quite difficult to *master*
English in a few years.
2, 3년 동안에 영어에 정통하기
란 매우 어렵다.

mas·ter·piece [mǽstərpìːs] 몡 복수

masterpieces[mǽstərpìːsiz]
걸작, 명작.
a musical *masterpiece* 명곡.
"Hamlet" is Shakespeare's
masterpiece. 「햄릿」은 셰익스피
어의 걸작이다.

mat [mæt] 몡 복수 mats[mæts]

매트, 깔개; 거적.
Wipe your shoes on the *mat*.
매트에 신발을 닦아라.

*match¹ [mætʃ] 몡 복수 matches[mǽtʃiz]

성냥.
a box of *matches* 성냥 한 갑.
strike a *match* 성냥을 긋다.

*match² [mætʃ] 몡

복수 matches[mǽtʃiz]
❶ (보통 두 사람 정도가 하는)
경기.
She watched the tennis
match on TV. 그녀는 텔레비전
으로 테니스 경기를 보았다.

참고 **match와 game**
보통 baseball, football,
basketball 따위와 같이 끝에
-ball이 붙는 경기에는 game
을 쓰고 tennis, boxing 따위
와 같이 주로 두 사람이 하는
경기에는 match를 쓴다.

---

❷ 경쟁 상대, 호적수.
I'm no *match* for you in
swimming. 수영에서 나는 너의
적수가 못 된다.
❸ (서로) 잘 어울리는〔조화되는〕
것〔사람〕.
The rugs and the curtains
are a good *match*. 깔개와 커
튼이 조화가 잘 된다.
This tie is a good *match*
for your suit. 이 넥타이는 너
의 옷과 잘 어울린다.
—— 타 3·단·현 matches [mǽtʃiz];
ing형 matching [mǽtʃiŋ]; 과거
과분 matched[mætʃt]
❶ … 와 대등하다, … 와 상대가 되
다.
No one could *match* Bob
in skiing. 스키에서는 아무도 보
브를 상대할 수 없었다.
❷ … 와 조화되다, 어울리다.
Your stockings *matches* the
color of your dress. 너의 스
타킹은 드레스의 색깔과 잘 어울
린다.

mate [meit] 몡 복수 mates[meits]

친구; 동료; 배우자; (짝의) 한 쪽.

a class*mate* 동급생, 급우.
go *mates* with …의 동료가 되다.

***ma·te·ri·al** [mətíəriəl]
명

복수 **materials**[mətíəriəlz]
❶ 재료, 원료, 자재; 옷감, 직물
(=cloth).
building *materials* 건축 자재.
I need more dress *material*.
나는 옷감이 더 필요하다.
❷ 《a와 복수형 안 씀》 자료(=
data).
collect *material* for a novel
소설의 자료를 모으다.
❸ 《복수형으로》 용구, 도구.
I bought writing *materials*
at the store. 나는 그 가게에서
필기 도구를 샀다.
── 형 물질의, 물질적인.
material civilization 물질 문명.

math [mæθ] 명
=**mathematics**.

***math·e·mat·ics**
[mæ̀θəmǽtiks] 명
《a와 복수형 안 씀》 수학.
I wish I were good at
mathematics. 나는 수학을 잘
했으면 좋겠다.

참고 mathematics는 그 철자
가 길어서 구어에서는 간단히
math라고 한다.

***mat·ter** [mǽtər] 명 복수
matters[mǽtərz]
❶ 《a와 복수형 안 씀》 물질, 물
체; …물(物).
printed *matter* 인쇄물.
Matter exists in three
forms: solid, gas and
liquid. 물질은 고체, 기체, 액체
의 세 가지 형태로 존재한다.
❷ 일, 문제, 사건; 《복수형으로》
사태.
It is a *matter* of life and
death. 이것은 생사의 문제다.
I discussed the *matter* with

Tom. 나는 톰과 그 문제에 관하
여 논의했다.
Matters are different in Ko-
rea. 한국에서는 사정이 다르다.
❸ 《the를 붙여》 곤란한 일, 고
장.
What's the *matter* with
you? 무슨 일이 있느냐? ➤상대
에게 고통·불행·어려움 따위의
유무를 묻는 말.
no matter ... 비록 … 일지라도. ➤
뒤에 what, how, where 따위
의 의문사가 따름.
No matter what happens, I
will go.(=Whatever happens,
I will go.) 무슨 일이 생긴다 해
도 나는 갈 것이다.
── 자 3·단·현 **matters**[mǽtərz];
ing형 **mattering**[mǽtəriŋ]; 과거
과분 **mattered** [mǽtərd]
문제가 되다, 중요하다. ➤보통 it
을 주어로 하여 부정문·의문문에
쓰임.
What does it *matter*?
그게 무슨 상관이냐?
It doesn't *matter* to me
which team wins. 어느 팀이
이기든 내겐 문제될 것 없다.

mat·tress [mǽtris]
명
복수 **mattresses**[mǽtrisiz]
(침대에 까는) 매트리스 《스펀지
나 스프링 따위를 넣은 것》.
I'll have to get a new
mattress for my bed. 나는
침대에 깔 새 매트리스를 구해야
겠다.

ma·ture [mətjúər] 형
비교 **more mature;**
최상 **most mature**
(사람이) 성숙한; (과일 따위가)
익은; 숙성한.
mature fruit 잘 익은 과일.
Nancy is *mature* beyond
her years. 낸시는 그녀의 나이
이상으로 성숙하다.

max·i·ma [mǽksəmə]
명

masimum의 복수의 하나.

max·i·mum [mǽksəməm]
명

복수 **maximums**[mǽksəməmz]
또는 **maxima**[mǽksəmə]
최대한, 최대량, 최고점 (⇔ minimum 최소한)

Sixteen miles a day is the *maximum* that I have walked. 내가 걸은 최대 거리는 하루 16 마일이다.
── **형** 《명사 앞에 쓰여》**최고의, 최대의.**
Make your *maximum* efforts. 최대한의 노력을 하여라.

May [mei]
1 5월. ☞ February
May is the fifth month of the year. 5월은 1년의 다섯째 달이다.

May [mei]
2 메이 《여자 이름》.

may [mei] **조**
과거 **might**[mait]
❶《허가를 나타내어》…하여도 좋다. ☞ can
You *may* go now.
너는 이제 가도 된다.
"*May* I eat this cake?"
"Yes, you *may*." / "No, you *may* [must] not."
「이 케이크를 먹어도 좋습니까?」
「그래, 좋다. / 아니, 안 된다.」
➤ may not 「불허가」, must not은 「금지」를 나타냄.

회화 **May I ... ?**와 그 대답
1. May I ...? (…해도 됩니까?)라고 허락을 구할 때 「예, 좋습니다」라고 승낙하는 대답은 Yes, please. / Yes, certainly. / Why not? / Sure. 따위와 같이 한다. 거절할 때는 I'm sorry, (but) you can't. 또는 No, I'm afraid you cannot. 따위로 대답하는 것이 일반적이다. 단, 「절대 안 돼」란 금지의 뜻일 때는 No, you

must not. 을 쓴다. 물론, Yes, you may. 나 No, you may not. 이라고도 할 수 있지만, 이것은 아이들에게나 아랫사람에 한해서 쓴다.
2. 구어에서는 may 대신에 can을 자주 쓴다. "Can I go out?" "Yes, of course." 「외출해도 좋습니까?」「그래 좋다.」

❷《추측을 나타내어》… 일지도 모른다.
The story *may* be true.
그 이야기는 사실일지도 모른다.
It *may* not rain today.
오늘은 비가 오지 않을지도 모른다.
❸《가능을 나타내어》… 할 수 있다(=can).
Anyone *may* see the difference. 누구나 그 차이는 알 수 있을 것이다.
❹《소원·기원을 나타내어》원컨대 … 하기를, … 하여 주소서.
May you both be happy!
두 분 다 행복하시기를.
(*so*) *that ... may~* …이 ~하도록. ☞ so

may·be [méibi:]
부
아마, 어쩌면(=perhaps).
Maybe you are right.
아마 네가 옳을지도 모른다.
Maybe Jim will not come today. 어쩌면 짐은 오늘 안 올지도 모른다.
Maybe so. 아마 그럴 것이다.
"Will she come?" "*Maybe*."
「그녀가 올까?」「아마 올 거다.」
➤ 「아마 안 올 거다」는 Maybe not.이라고 함.

May Day [méi dèi] **명**
❶ 5월제.
May Day, the first of May, is celebrated as a spring festival.
5월 1일의 5월제는 봄의 축제로서 치러진다.

참고 영국 시골에서는 이 날 아침 일찍 따 온 들꽃으로 동네 광장에 세워 놓은 기둥(May-pole)을 장식하고, 동네 사람들은 그 주위에서 춤추며 즐겼다. 또 동네 처녀 중에서 미인을 뽑아 May Queen이라고 불렀다. 이 습관은 오늘날 없어졌으나 어린이들의 유희로 남아 있다.

❷ 노동절, 메이데이《5월 1일》.
In the United Kingdom, thousands of workers gather in the park on *May Day*. 영국에서는 메이데이에 수천의 근로자가 공원에 모인다.

May·flow·er [méiflàuər] 명
《the를 붙여》 메이플라워호(號).

참고 1620년 영국의 청교도들이 신앙의 자유를 찾아 미국으로 건너갈 때 약 100명의 청교도 집단인 필그림파더즈(Pilgrim[pílgrim] Fathers)가 타고 간 범선.

may·on·naise [mèiənéiz] 명
《a와 복수형 안 씀》 마요네즈《야채 샐러드를 만들 때 쓰는 소스의 일종》.
Mayonnaise is used for salads and other cold food. 마요네즈는 샐러드와 기타 찬 음식에 사용된다.

may·or [méiər]
복수 **mayors** [méiərz]
시장(市長).
Mr. Johnson has been *mayor* of this city for two years. 존슨씨는 2년간 이 시의 시장으로 있었다.

maze [meiz] 명
복수 **mazes** [méiziz]
미로, 미궁; 혼란, 당황.
complicated *mazes* 복잡한 미로.

me [mi: 강 mi:] 대
복수 **us** [əs: 강 ʌs]
❶《I의 목적격》 나를, 나에게.
Nancy knows *me*.
낸시는 나를 안다.
Give *me* the book.
그 책을 나에게 다오.
Will you go shopping with *me*? 너, 나와 함께 쇼핑 가겠느냐?
❷《be의 보어로 쓰여》 나(이다).
"Who's there?" "It's *me*."
「(안 보이는 사람에게) 누구냐?」「나다.」
❸《I 대신으로 쓰여》 나.
"I'm hungry." "*Me*, too."
「나 배고프다.」「나도 (그렇다).」

mead·ow [médou] 명
복수 **meadows** [médouz]
(건초를 만드는) 목초지, 초지. ➤ 가축들을 방목하는 「방목장」은 pasture.

meal [mi:l] 명
복수 **meals** [mi:lz]
식사.

a light *meal* 가벼운 식사.
miss a *meal* 한 끼 거르다.
We have three *meals* a day. 우리는 하루에 세 번 식사한다.
He ordered a special *meal* for the lion. 그는 사자가 먹을 특별식을 주문하였다.

> 参考 영미에서도 하루의 식사는 breakfast(아침), lunch(점심), dinner 또는 supper(저녁)로 세 번 식사를 한다. dinner는 가장 잘 차린 식사로서 보통 저녁 식사를 말하지만, 휴일이나 축제일에는 점심이 dinner가 되는 경우가 많다. 이런 경우 간단한 저녁 식사를 supper라고 한다. 아침과 점심 식사를 겸한 것을 brunch (breakfast+lunch)라고 한다.

**mean¹ [miːn] 타
[3·단·현] **means**[miːnz] ;
[ing형] **meaning** [míːniŋ] ; 과거
[과분] **meant**[ment]

❶ (말·사물 따위가) … 을 뜻하다, 의미하다.
What does this word *mean?* (= What is the meaning of this word?) 이 낱말은 무슨 뜻이지?
The Korean word "sarang" *means* "love" in English. 한국어 「사랑」은 영어로 "love"를 뜻한다.
This sign *means* that cars must stop. 이 표지는 자동차는 정지하여야 한다는 뜻이다.

❷ …의 뜻[의중]으로 말하다, … 을 가리켜 말하다.
What do you *mean* by that? 그건 무슨 뜻이지?
I *mean* it. = I *mean* what I say. (농담이 아니라) 진담으로 말하는 거다.
Come here! I *mean* you. 이리 오너라! (다른 사람이 아니

라) 너 말이다.

❸ ((**mean to** do로)) …할 생각이다(= intend).
He *means* to go alone. 그는 혼자 갈 작정이다.
His father *meant* him *to* be a doctor. 그의 아버지는 그를 의사로 만들 셈이었다.

❹ …의 의미가 있다. …의 가치를 지니다.
Money *means* nothing to me. 돈은 내게 아무런 의미가 없다. ☞ 명 meaning

mean² [miːn] 형
[比较] **meaner** [míːnər] ;
[최상] **meanest** [míːnist]
❶ 천한, 초라한.
The man lived in a *mean* hut. 그 남자는 초라한 오두막에 살고 있었다.
❷ 비열한; 인색한. ☞noble (고상한)
a *mean* fellow 비열한 놈.
It was *mean* of you to cheat her. 그녀를 속이다니 너는 비열하다.
He is *mean* about money. 그는 돈에 인색하다.

*mean·ing [míːniŋ] 명 [복수]
meanings[míːniŋz]
뜻, 의미.
What is the *meaning* of this sentence? 이 문장의 의미는 무엇이냐?
He looked at me with *meaning*. 그는 의미 있는 표정으로 나를 보았다. ☞ 동 mean¹

means [miːnz] 명
[복수] **means**[miːnz]
❶ ((단수·복수 취급)) 방법, 수단.
a *means* of transport [communication] 교통[통신] 수단.
a *means* to an end 목적 달성을 위한 수단.
There is [are] no *means* of reaching the village. 그 마을에 도달할 방법이 없다.
Take every possible *means.*

M

모든 가능한 수단을 다 취하여라.

❷ 《복수 취급》 **자력**(資力), **재산**.
He is a man of *means*.
그는 재산가다.

by all means 반드시, 기필코, 꼭.
You should *by all means*
read the book. 너는 꼭 그 책
을 읽어야 한다.

by means of …에 의하여, …으로
써.
We breathe *by means of*
lungs. 우리는 폐로 호흡한다.
Most thoughts are expressed
by means of words. 대개 생
각은 말로써 표현된다.

by no means 결코 … 아니다.
This problem is *by no*
means easy. 이 문제는 결코
쉽지가 않다.

***meant** [ment] 통 **mean**¹의
과거 · 과거 분사.
He explained what he
meant. 그는 어떻게 할 것인가를
설명했다.
This present is *meant* for
you. 이 선물은 네게 줄 것이다.

mean·time [míːntàim]
명
《the를 붙여》 그 동안, …(하는)
사이.
In the *meantime* it began
to rain. 그 동안에 비가 내리기
시작했다.

***meas·ure** [méʒər]
명
《복수》 **measures** [méʒərz]
❶ 계량기, 측정 기구《자 · 말 · 되
따위》.
May I use this triangle
measure? 이 삼각자를 써도 좋
으냐?
❷ 《흔히 복수형으로》 **수단**, **대
책**, **조치**.
take strong *measures* 강경한
수단을 취하다.
We must take necessary
measures against increasing
traffic accidents. 늘어나는 교

통 사고에 대하여 필요한 대책을
세우지 않으면 안 된다.
❸ 《a와 복수형 안 씀》 **치수**, **크
기; 넓이; 무게**.
square *measure* 면적.
solid *measure* 체적.
take the *measure* of …의 치
수를 재다.
— 통 ③·단·현 **measures** [méʒərz]; ing형 **measuring** [méʒəriŋ]; 과거 과분 **measured**
[méʒərd]
타 (길이 · 양 따위)**를 재다**, **측정
하다**.
He hurried out to *measure*
his land. 그는 그의 땅을 재기
위하여 서둘러 나갔다.
They *measured* the speed
of the car. 그들은 그 차의 속
도를 쟀다.
— 자 (길이 · 양 따위가) **…이다**.
This room *measures* 30 feet
across. 이 방의 너비는 30 피트
이다.

***meat** [miːt] 명
(식용 짐승의) **고기**.
a piece of *meat* 고기 한 조각.
You eat too much *meat*.
너는 고기를 너무 많이 먹는다.
The *meat* has gone bad.
고기가 상했다.

참고 식용의 고기를 meat 라고
통칭하지만, 동물에 따라 그 호
칭이 각각 다르다. 쇠고기는
beef, 돼지고기는 pork, 양고기
는 mutton [mʌ́tn], 닭고기는
chicken 이라고 한다. 물고기
(fish)는 meat 에 포함되지 않
는다. 또, 식용이 아닌 고기
즉, 살은 flesh 라고 한다.

---

me·chan·i·cal [məkǽnikəl]
형
기계의; 기계적인. ☞ machine
(기계)
Many *mechanical* inventions
were made in the 19th

century.
많은 기계 발명은 19세기에 이루어졌다.
She is tired of the *mechanical* work she is doing.
그녀는 자신이 하고 있는 기계적인 일에 싫증이 나 있다.

mech·a·nism [mékənìzəm] 몡

복수 **mechanisms**[mékənìzəmz]
기계(장치); 기구, 구조.
The engineer explained the *mechanism* of television to us. 그 기사는 우리에게 텔레비전의 구조를 설명하였다.

*med·al [médl] 몡

복수 **medals**[médlz]
메달, 기장, 훈장.
win a gold *medal* 금메달을 따다.
Medals are important, but they aren't everything.
메달은 중요하긴 하지만 그것이 전부는 아니다.

me·di·a [míːdiə] 몡

medium의 복수의 하나.

me·di·cal [médikəl] 혱

의학의; 내과의.
medical science 의학.
You have to have a *medical* examination. 너는 건강 진단을 받아야 한다.
☞ 몡 medicine

*med·i·cine [médəsən] 몡

복수 **medicines**[médəsənz]
❶《a와 복수형 안 씀》의학, 의술, 내과.
a Doctor of *Medicine* 의학 박사.
study *medicine* 의학을 공부하다.
practice *medicine* 병원을 개업하고 있다.
❷ (일반적으로) 의약, 내복약.
A good *medicine* tastes bitter. 《속담》좋은 약은 입에

쓰다.
Take this *medicine* every four hours. 네 시간마다 이 약을 먹어라. ☞ 혱 medical

Med·i·ter·ra·ne·an

[mèdətəréiniən] 혱
지중해의.
the *Mediterranean* Sea 지중해.
── 몡 《the를 붙여》지중해.
The Nile flows into the *Mediterranean*. 나일강은 지중해로 흐른다.

me·di·um [míːdiəm] 몡 복수 **mediums**[míːdiəmz] 또는 **media**[míːdiə]

매체; 수단, 방법.
The air is a *medium* for sound. 공기는 소리의 매체이다.
Newspapers, magazines, radio and TV are all mass *media*. 신문, 잡지, 라디오, 텔레비전은 모두 매스 미디어이다.
── 혱 중간의, 중간 정도의.
a shirt of *medium* size 중간 크기의 셔츠.
He is of *medium* height.
그는 중키이다.
"How do you like your beefsteak?" "*Medium*, please."
「비프스테이크는 어떻게 구울까요?」「중간 정도로 익혀 주세요.」

*meet [míːt] 동 3·단·현 **meets** [míːts]; ing형 **meeting** [míːtin]; 과거 과분 **met**[met]

타 ❶ …와 만나다.
Tom *met* Mr. Jones in the park. 톰은 공원에서 존스씨와 만났다.
Where did you *meet* Nancy?
너는 어디에서 낸시를 만났느냐?
❷ (소개받아) 처음 만나다, …와 아는 사이가 되다.
Please come here and *meet* my father. 이리 와서 나의 아버지를 뵈어라.
▶ 친구를 아버지에게 처음 소개할

M

때.
I am glad to *meet* you.
뵙게 되어 반갑습니다.

참고 **Glad 〔Nice〕 to meet you.**「처음 뵙겠습니다.」
(I am) glad to meet you. 나 (It's) nice to meet you. 는 처음 대면하는 사람끼리 주고받는 인사이다. 영국에서는 How do you do? 를 일반적으로 쓴다.
➤ (I am) glad to see you. 나 It's nice to see you. 는 아는 사람끼리 주고받는 인사.

---

❸ (아무)를 마중하다.
I am going to *meet* Mr. Brown at the airport.
나는 공항으로 브라운씨를 마중 나갈 생각이다.
❹ (요구·필요)에 응하다; (희망·조건 따위)를 충족시키다.
The party did not take enough food to *meet* their needs for the long trip.
그 일행은 긴 여행에 필요한 식량을 넉넉히 가지고 가지 않았다.
── 짜 만나다, 마주치다.
Let's *meet* here after school.
방과 후 여기서 만나자.
Haven't we *met* before?
우리 전에 만난 적이 없었나?
meet with (약속하고) …와 만나다; (사고·불행 따위)를 경험하다, 당하다.
He will *meet with* his lawyer tomorrow. 그는 내일 그의 변호사를 만난다.
Mr. Green *met with* a traffic accident. 그린씨는 교통 사고를 당했다.

비슷한 말 **meet 와 see**
초대면의 사람을「만나다」는 meet, 알고 있는 사람을「만나다」는 see 를 쓴다.

---

meet(초대면) see(서로 아는 사이)

── 명 복수 **meets**[miːts]
(스포츠 따위의) 경기회.
a swimming *meet* 수영 대회.
an athletic *meet* 운동회.

*__**meet·ing**__ [míːtiŋ] 명 복수
meetings[míːtiŋz]
모임, 집회, 회, 회합.
a farewell 〔welcome〕 *meeting* 송별〔환영〕회.
a political *meeting* 정치 집회.
attend a *meeting* 모임에 참석하다.
have 〔hold〕 a *meeting* 모임을 갖다〔열다〕.

meg·a·bit [mégəbìt] 명
메가비트《컴퓨터의 기억 용량 단위: 생략 : Mb》.
100 *megabits* per second 초당 100메가비트.

mel·an·chol·y [mélənkàli] 명
《a 와 복수형 안 씀》우울, 침울.
sink into *melancholy* 침울해지다.
── 형 우울한, 구슬픈.
He is rather a *melancholy* man. 그는 다소 우울한 사람이다.
I don't like to listen to such *melancholy* music. 이런 구슬픈 음악은 듣기 싫다.

mel·o·dy [mélədi] 명 복수
melodies[mélədiz]
❶ 멜로디, 선율, 가락.
The whole audience was charmed by the sweet *melody*. 모든 청중은 달콤한 멜로디에 매혹되었다.
❷ 곡, 노래(＝tune).
She sang some sweet old

melodies. 그녀는 아름다운 옛 노래를 몇 곡 불렀다.

mel·on [mélən] 명
[복수] **melons**[mélənz]
멜론, 참외.
Susie ate a slice of *melon.*
수지는 멜론 한 조각을 먹었다.

***melt** [melt] 동
[3·단·현] **melts** [melts]:
[ing형] **melting** [méltiŋ]: [과거]
[과분] **melted**[méltid]
[자] 녹다, (서서히) **사라지다.**
Butter *melts* easily.
버터는 쉽게 녹는다.
The fog *melted* away.
안개가 서서히 걷혔다.
── [타] ❶ …을 녹이다.
Great heat *melts* iron.
고열은 쇠를 녹인다.
The warm spring sun will *melt* snow. 따뜻한 봄 태양은 눈을 녹일 것이다.
❷ (마음)을 **누그러뜨리다.**
Her kind words *melted* my heart. 그녀의 친절한 말은 내 마음을 누그러뜨렸다.

***mem·ber** [mémbər] 명
[복수] **members** [mémbərz]
(단체·사회 등의) **일원, 회원; 구성원.**
a family *member* = a *member* of the family 가족의 일원 [한 사람].
I am a *member* of the tennis club. 나는 테니스 클럽의 회원이다.
Our country became a *member* of the UN in 1991. 우리 나라는 1991년 UN의 회원국이 되었다.

mem·o [mémou] 명 [복수]
memos[mémouz]
메모, 비망록. ➤ memorandum 의 간략형.

me·mo·ri·al [mimɔ́ːriəl] 형
기념의.
a *memorial* service for the late Mr. Smith 고(故) 스미스 씨의 추도식.
They held a *memorial* festival for Columbus. 그들은 콜럼버스의 기념제를 가졌다.
──명 [복수] **memorials** [mimɔ́ː-riəlz] 기념비, 기념물, 기념관.
a war *memorial* 전쟁 기념비.
a *memorial* hall 기념관.
We visited the Lincoln *Memorial.* 우리는 링컨 기념관을 방문했다.

Lincoln Memorial

mem·o·rize [méməràiz]
[타] [3·단·현]
memorizes [méməràiziz]: [ing형]
memorizing [méməràiziŋ]: [과거]
[과분] **memorized**[méməràizd]
… 을 **암기하다, 기억하다.**
I *memorize* ten words every day. 나는 매일 10개의 단어를 암기한다.

***mem·o·ry** [méməri] 명
[복수] **memories**[méməriz]
❶ 《a와 복수형 안 씀》 기억.
I have no *memory* of my mother. 나는 어머니의 기억이 없다.

M

❷ 기억력.

She has a good [poor] *memory*. 그녀는 기억력이 좋다 [나쁘다].

❸ 추억, 회상.

She lives in her happy *memories* of the past.
그녀는 과거의 행복했던 추억 속에 살고 있다.

I have many beautiful *memories* of my childhood.
나는 어린 시절의 아름다운 많은 추억들을 가지고 있다.

in memory of …의 기념으로.

a hospital founded *in memory of* the late Dr. Han 고(故) 한박사를 기리어 설립된 병원.

Let's plant some cherry trees *in memory of* our graduation. 우리들의 졸업 기념으로 벚나무를 좀 심자.

*men [men] 명

man의 복수.

All *men* must die.
사람은 누구나 죽는다.

*mend [mend] 동 3·단·현 **mends** [mendz]; ing형 **mending** [méndiŋ]; 과거 과분 **mended** [méndid]

타 …을 고치다, 수리[수선]하다.

She *mended* my pants.
그녀는 내 바지를 수선했다.

I had my watch *mended*.
나는 시계를 고치게 했다.

── 자 행실을 고치다.

It's never too late to *mend*. 《속담》 행실을 고치는 데 늦다는 법은 결코 없다.

비슷한 말 **mend**와 **repair**

어느 것이나 「파손된 것을 고치다」란 뜻으로 쓰이나, **mend**는 비교적 간단한 작은 물건을 고칠 때 쓰는 일반적인 말이고, **repair**는 대개 복잡하고 큰 기계 따위를 수리하는 경우에 쓰인다.

-ment [-mənt] 접미

동사 뒤에 붙여 명사를 만듦.

enjoy*ment* 즐거움 / move*ment* 움직임 / govern*ment* 정치, 정부.

men·tal [méntl] 형

❶ 정신의, 마음의(⇔ physical 육체의).

mental powers 정신력.
(a) *mental* illness 정신병.
He has a *mental* weakness.
그는 정신적인 결함이 있다.

❷ 지력의, 지능의.

Tom took a *mental* test yesterday. 톰은 어제 지능 검사를 받았다.

*men·tion [ménʃən] 타 3·단·현 **mentions** [ménʃənz]; ing형 **mentioning** [ménʃəniŋ] 과거 과분 **mentioned** [ménʃənd]

…에 관하여 말하다, …의 이름을 들다.

He *mentioned* his latest book. 그는 자기의 최근 저술에 관하여 말했다.

Don't mention it. 천만에요. ➤ 미국에서는 보통 You are welcome. 이라고 함.

men·u [ménjuː] 명 복수 **menus** [ménjuːz]

식단; 메뉴; 차림표.

Menu, please.
메뉴 좀 보여 주세요.

me·ow [miáu] 명 복수 **meows** [miáuz]

야옹 《고양이 울음소리》. ➤ 영국에서는 miaow라고 씀.

── 자 3·단·현 **meows** [miáuz]; ing형 **meowing** [miáuiŋ]; 과거 과분 **meowed** [miáud]

야옹하고 울다.

The cat *meowed* for hours.
고양이가 몇 시간 동안 야옹하고 울었다.

***mer·chant** [mə́ːrtʃənt] 명

[복수] **merchants**[mə́ːrtʃənts]
상인.
The *Merchant* of Venice
베니스의 상인. ➤ 셰익스피어작의
희극.
That is a *merchant* ship.
저것은 상선이다.

> [참고] merchant는 낡은 감이
> 나는 말이어서 구어에서는 거의
> 쓰지 않는다. 「장사를 하고 있
> 다」라고 할 경우. I am a busi-
> nessman. 처럼 한다.

mer·ci·ful [mə́ːrsifəl] 형 [비교]
more merciful;
[최상] **most merciful**
인정 많은, 자비심 많은.
a *merciful* king 자비로운 왕.
Be *merciful* to others.
남에게 인정 있게 해라.

Mer·cu·ry [mə́ːrkjəri] 명

❶ 머큐리 《로마 신화에서, 여러
신의 사자(使者)
로서 상업·도둑
따위의 수호신》.
Mercury was
the messen-
ger of the
gods. 머큐리는
여러 신의 사자
였다.
❷ 수성.
Mercury is the planet near-
est to the sun. 수성은 태양에
가장 가까운 행성이다.

mer·cy [mə́ːrsi] 명

《a와 복수형 안 씀》 자비, 연민,
인정, 불쌍히 여김.
Please show *mercy* to me.
제발 저에게 자비를 베풀어 주십
시오.
Mercy is more important
than justice. 자비는 정의보다

더 중요하다.
at the mercy of … 의 마음대로
되어, … 에 좌우되어.
The ship was *at the mercy
of* the storm. 배는 폭풍에 내
맡겨져 있었다.

mere [miər] 형
《명사 앞에만 쓰여》 … 에
불과한, 단지 … 에 지나지 않는.
I was a *mere* child when
my father died. 아버지께서 돌
아가셨을 때 나는 어린애에 불과
했다.
The house was a *mere*
cabin. 그 집은 그야말로 오두막
이었다.

mere·ly [míərli] 부

그저, 단지, 다만 (…뿐)(=only).
I *merely* wanted to please
her. 나는 다만 그녀를 즐겁게 해
주고 싶었을 뿐이다.
I *merely* asked her name.
나는 단지 그녀의 이름을 물었을
뿐이었다.

mer·it [mérit] 명

[복수] **merits**[mérits]
❶《a와 복수형 안 씀》 가치, 우
수함.
a painting of no *merit* 아무
가치 없는 그림.
❷ 장점, 좋은〔훌륭한〕 점.
Everybody has his own
merits.
누구나 자기 자신의 장점을 가지
고 있다.
❸《보통 복수형으로》 공적.
Men are not always reward-
ed according to their *merits*.
사람은 언제나 자기의 공적에 따
라 보상받는 것은 아니다.

mer·maid [mə́ːrmèid] 명

[복수] **mermaids**[mə́ːrmèidz]
인어 《상반신은 여성, 하반신이
물고기인 상상의 동물》.

mer·ri·er [mériər] 형
merry의 비교급.

M

mer·ri·est [mériist] 형
merry의 최상급.

mer·ri·ly [mérəli] 부
비교 more merrily;
최상 most merrily
즐겁게, 유쾌하게.
The children were dancing
merrily. 어린이들은 즐겁게 춤추
고 있었다.

***mer·ry** [méri] 형
비교 merrier [mériər];
최상 merriest [mériist]
명랑한, 즐거운, 유쾌한(⇔ sad 슬
픈).
merry children 명랑한 아이들.
They had a merry time at
the party.
그들은 파티에서 즐거운 시간을
보냈다.
Merry Christmas! = I wish
you a merry Christmas!
성탄을 축하합니다. ➤이에 대해
서는 The same to you! (당신
에게도 성탄을 축하합니다)로 답
함.

mer·ry-go-round
[mérigouràund] 형 복수 merry-
go-rounds [mérigouràundz]
회전 목마.

mess [mes] 명
《복수형 안 씀》
❶《단수형으로》혼란〔난잡〕한 상
태, 지지분한 모양.
The room is in a mess. 그
방은 지저분한 상태로 있다.
❷ 더러운 것, 쓰레기 더미.
Clean up the mess later.
더러운 것을 나중에 치워라.

***mes·sage** [mésidʒ] 명
복수 messages [mésidʒiz]
❶ 전하는 말, 전갈, 전언; (전
신·라디오에 의한) 통신.
I'll give her your message.
나는 그녀에게 너의 말을 전하겠
다.
He left a message with me.

그는 나에게 전언을 부탁했다.
Will you leave a message?
= May I take a message?
전할 말이 있으십니까?
❷ (공식의) 메시지; (대통령의)
교서.
The mayor gave a message
of welcome to them. 시장은
그들에게 환영사를 하였다.

mes·sen·ger [mésəndʒər] 명
복수 messengers [mésəndʒərz]
사자(使者), 심부름꾼, (문서·우
편 따위의) 배달인.
a messenger boy 심부름하는
소년.
They sent a messenger to
England. 그들은 영국으로 사자
를 보냈다.

***met** [met] 동
meet의 과거·과거 분사.
I met Jim on my way
home. 나는 집으로 가는 길에 짐
을 만났다.
I have never met such a
wonderful man. 나는 그런 훌
륭한 사람을 만난 적이 없다.

***met·al** [métl] 명
복수 metals [métlz]
금속.
a heavy 〔light〕 metal 중〔경〕
금속.
a precious metal 귀금속.
a toy made of metal 금속제
의 장난감.
Iron is a useful metal.
쇠는 유용한 금속이다.

***me·ter** [mí:tər] 명
복수 meters [mí:tərz]
미터《길이의 단위》.
a 100-meter race, 100 미터
경주.
The Tower is exactly 93
meters tall. 그 탑은 높이가 정
확히 93미터이다.
➤ 영국에서는 metre로 씀.

***meth·od** [méθəd] 명 복수
methods [méθədz]

방법, 방식.
a teaching *method* 교수법.
a new *method* of learning English 새로운 영어 학습법.

┌─────────────────────┐
│ 비슷한 말 **way**와 **method**
둘 다 「방법」이라고 번역되나, way는 일반적인 말. method 는 특히 논리적이고 조직적인 방법을 뜻한다.
└─────────────────────┘

Mex·i·co [méksikòu] 명
멕시코.

┌─────────────────────┐
│ 참고 북아메리카 남부의 공화국. 면적 1,967,183 km²로 우리 나라의 약 9배이다. 농업·광업의 나라로서 은 생산량은 세계 제1 위. 기후는 대체로 열대성이지만 고도 1,000-2,000 m의 고지대 는 온대 지구여서 여기에 도시가 발달하였다. 수도 Mexico City 는 북아메리카에서 가장 오래된 세계적인 고원 도시이다.
└─────────────────────┘

Mi·am·i [maiæmi] 명
마이애미.

┌─────────────────────┐
│ 참고 미국 플로리다주 남단의 도시. 1896년 이래 세계적인 보양지로서 발전하였는데, 여덟 개의 교량, 다섯 개의 도로로 유명한 휴양 및 유흥지인 섬 마 이애미비치와 연결된다.
└─────────────────────┘

mi·aow [miáu] 명
야옹《고양이 울음 소리》. ➤ mew [mju:], meow[miáu]라고도 함.
Miaow is the crying of a cat. miaow는 고양이의 울음 소 리다.
── 자 3·단·현 **miaows**[miáuz]; ing형 **miaowing**[miáuiŋ]; 과거 과분 **miaowed**[miáud]
(고양이가) 야옹하고 울다.
A cat *miaows* under the table. 고양이가 식탁 아래서 야

옹하고 운다.

mice [mais] 명
mouse의 복수.
When the cat's away, the *mice* will play. 《속담》 고양이 가 없으면 쥐가 놀아난다.

Mi·chael [máikəl] 명
마이클《남자 이름.
애칭은 Mike》.

Mich·i·gan [míʃigən] 명
미시간.

┌─────────────────────┐
│ 참고 미시간호, 휴런호, 슈피리 어호의 세 호수로 둘러싸인 미국 중서부의 주. Mich.라고 약함. 자동차 공업은 세계적으로 유명 하고 제지 공업, 화학 공업도 성 하며 관광지가 많아 미국의 가장 번영된 주의 하나다. 면적은 150,789 km²로 우리 나라의 약 3분의 2이다. 주도는 랜싱 (Lansing [lǽnsiŋ]).
└─────────────────────┘

Mick·ey Mouse [míki máus] 명
미키 마우스.

┌─────────────────────┐
│ 참고 월트 디즈니(Walt Disney) 가 만든 만화 영화의 주인공 이 름. Mickey는 Michael의 애 칭. mouse는 「생쥐」를 뜻한다.
└─────────────────────┘

mi·cro·phone [máikrəfòun] 명 복수
microphones[máikrəfòunz]
확성기, 마이크(로폰).
A *microphone* is often used when a speaker talks in the auditorium. 강당에서 연사 가 이야기할 때에는 흔히 마이크 가 쓰인다.

mi·cro·scope [máikrəskòup] 명 복수
microscopes[máikrəskòups]
현미경.
Bacteria can be seen through a *microscope.* 세균 은 현미경으로 볼 수 있다.

M

전자 현미경

mi·cro·wave [máikrouwèiv] 명 복수

microwaves [máikrouwèivz]
전자 레인지(=microwave oven).
극초단파.
A *microwave* cooks food very quickly.
전자레인지는 음식을 매우 빨리 요리해 준다.
── 타·자 3·단·현 **microwaves** [máikrouwèivz]; ing형 **microwaving**[máikrouwèiviŋ]; 과거 과분 **microwaved** [máikrouwèivd]
전자레인지로 요리하다.
Microwave the leftovers. 남은 음식은 전자레인지로 데워라.

Mi·das [máidəs] 명
미다스.

참고 그리스 신화에 나오는 프리지아(Phrygia [frídʒiə])의 왕. 디오니소스 (Dionysus [dàiənáisəs])로부터 만지는 것이 모두 금이 되게 해달라는 소원을 허락받았으나, 딸마저 금으로 변해 슬퍼했다고 한다.

M

*mid·dle [mídl] 명
《the를 붙여》 한가운데, 중앙, **중간(부분)**. ► 복수형 안 씀. ☞ center
the *middle* of a line 선의 한가운데.
There is a round table in the *middle*. 중앙에 둥근 테이블이 하나 있다.
in the middle of …의 한가운데

〔중앙〕에, …의 중간에.
There is snow on top of the Alps even *in the middle of* July.
7월 중순에도 알프스 정상에는 눈이 있다.
The car factory is *in the middle of* the city. 그 자동차 공장은 도시 한복판에 있다.
── 형 《명사 앞에서만 쓰여》 가운데의, **중간의**.
the *middle* finger 가운뎃손가락.
the *middle* class 중류 계급.
He is a man of *middle* height. 그는 중키의 사나이다.

mid·dle-aged [mídléidʒd] 형

중년의.
A *middle-aged* man came to see you while you were out. 네가 외출 중일 때 중년 남자가 찾아 왔다.
► middle-age란 대체로 40세부터 60세 정도까지를 가리킴.

Mid·dle East [mídl íːst]

《the를 붙여서》 중동(中東).

참고 흔히 아프리카 동부 리비아에서 아라비아 반도, 아프가니스탄까지의 넓은 지역. 유럽을 중심으로 해서 세계를 본 구분이다.

mid·dle school [mídl skùːl] 명 복수

middle schools[mídl skùːlz]
중학교. ► 4-4-4 따위의 학교 제도에서는 5-8년생이 다니는 학교를 가리킴.
It is the first day of his second year in *middle school*. 그의 중학교 2학년의 첫날이다.
► 학교 건물을 가리키지 않을 때에는 a, the나 복수형을 쓰지 않음.

mid·night [mídnàit] 몡

《a와 복수형 안 씀》 **한밤중, 자정.**
I woke up at *midnight.*
나는 한밤중에 잠이 깼다.

mid·term [mídtə̀ːrm]

❶ 《a와 복수형 안 씀》 (학기·임기 따위의) **중간.**
❷ 《종종 **midterms**》 **중간 시험.**
The students studied hard for the *midterms.* 학생들은 중간 시험을 위하여 열심히 공부하였다.
—— [mídtə̀ːrm] 혱 (임기·학기 등의) **중간의.**
midterm elections 중간 선거.

*might¹ [mait] 죄 《may의 과거》

❶ 《허가를 나타내어》 **…하여도 좋다(의 과거).**
She said that I *might* use her bicycle. 그녀는 나에게 자기 자전거를 이용해도 좋다고 말했다. ➤ She said to me, "You may use my bicycle." 를 간접 화법으로 고쳐 쓴 것.
❷ 《추측·가능성을 나타내어》 **…일지도 모른다(의 과거).**
She said that it *might* snow. 눈이 내릴지도 모르겠다고 그녀는 말했다. ➤ She said, "It may snow."를 간접 화법으로 고쳐 쓴 것.
❸ 《정중하게 허가를 나타내어》 **…해도 좋다.**
"*Might* I come in?" "Yes, certainly."「들어가도 괜찮겠습니까?」「네, 들어오세요.」 ➤ May I…? 보다 더 정중한 표현임.

might² [mait] 몡

《a와 복수형 안 씀》 **힘, 세력, 실력.** ☞ strength
Work with all your *might.* 전력을 다하여 일해라.
Might is right. 《속담》 힘은 정의다.

might·y [máiti] 혱 [비교] mightier [máitiər];

강대한, 힘센. ☞ strong
a *mighty* nation 강국.
The pen is *mightier* than the sword. 《속담》 펜[문]은 검[무]보다 더 강하다.

mild [maild] 혱 [비교] milder [máildər];

❶ (사람·성질·태도 따위가) **온화한, 온순한, 상냥한.**
a *mild* voice 온화한 목소리.
He has a *mild* temper.
그는 온순한 기질의 사람이다.
❷ (기후가) **온화한**; (맛이) **부드러운, 순한.**
a *mild* winter 따뜻한 겨울.
The climate of Korea is *mild.* 한국의 기후는 온화하다.
mild coffee 〔beer〕 맛이 순한 커피〔맥주〕.

*mile [mail] 몡 [복수] miles[mailz]

마일《길이의 단위. 1마일은 약 1.6 km》.
The Mississipi is about 4,000 *miles* long. 미시시피강은 길이가 4천 마일쯤 된다.
for miles 몇 마일이나.
They walked *for miles* over bad roads. 그들은 나쁜 도로를 몇 마일이나 걸었다.

mil·i·tar·y [mílitèri] 혱

❶ **군대의, 군의, 군사(軍事)의, 군인의**(⇨ civil 시민의).
military training 군사 훈련.
a man in *military* uniform 군복을 입은 남자.
He is in *military* service.
그는 군에 복무하고 있다.
❷ **육군의.**
a *military* hospital 육군 병원.
a *military* academy 육군 사관학교.

**milk [milk] 몡

《a와 복수형 안 씀》 **우유, 밀크; 젖.**

M

mother's *milk* 모유.
She wants a glass of *milk*.
그녀는 한 컵의 우유를 원한다.
Drink your *milk*, dear. 아가
야, 젖 먹어라. ➤ 어머니가 아기에
게 하는 말.
It's no use crying over
spilt *milk*. 《속담》 엎질러진 우
유를 후회해도 소용없다.
── 匣 [3·단·현] **milks**[milks]:
[ing형] **milking**[mílkiŋ]: [과거][과분]
milked[milkt]
…의 젖을 짜다.
Nancy can *milk* a cow
quickly. 낸시는 빠르게 소의 젖
을 짤 수 있다.

milk·man [mílkmæn]
명
[복수] **milkmen** [mílkmèn]
우유 장수, 우유 배달부.

milk·men [mílkmèn] 명
milkman의 복수.

mill [mil] 명
[복수] **mills**[milz]
❶ 물레방앗간, 제분소.
The villagers take wheat to
the *mill* to grind it into
flour. 마을 사람들은 밀을 가루로
빻으려고 제분소에 갖고 간다.
❷ (특히, 제지·방직 따위의) 공
장.
Mr. Miller runs a paper
mill in Chicago. 밀러씨는 시
카고에서 제지 공장을 경영하고
있다.

Mil·ler [mílər] 명
밀러(성(姓)).

mil·ler [mílər] 명
[복수] **millers**[mílərz]
방앗간의 주인, 제분업자.
The *miller* was grinding
grain. 방앗간집 주인은 곡식을
빻고 있었다.

mil·lion [míljən] 명 [복수]
millions[míljənz]
백만.
a [one] *million* 백만.
five *million*(s) of people 사람

5백만 명.
five *million* (and) two hun-
dred thousand, 520만. ➤
million 다음에 수가 계속될 때는
복수형 안 씀.
ten *million*(s) 천만.
Thanks a *million*.
대단히 고맙습니다.
millions of 몇 백만의, 대단히 많
은 수의.
Millions of people are hungry
in Africa. 아프리카에는 대단히
많은 사람들이 굶주리고 있다.
── 형 백만의.
six *million* people, 6백만 명의
사람들.
He has lost five *million*
dollars in the business.
그는 그 사업에서 5백만 달러를
손해보았다.

mil·lion·aire [mìljənέər]
명
[복수] **millionaires**[mìljənέərz]
백만 장자, 큰 부자.
He has become a *million-
aire*. 그는 큰 부자가 되었다.

*****mind** [maind] 명
[복수] **minds**[maindz]
❶ 《보통 단수형으로》 마음, 정
신; 지력(⇨ body 육체).
peace of *mind* 마음의 평화.
He has a strong *mind*.
그는 강한 정신의 소유자이다.
A sound *mind* in a sound
body. 《격언》 건전한 신체에 건
전한 정신.
Reading improves the *mind*.
독서는 지성을 높인다.

┌─[비슷한 말] **mind**와 **heart**─┐
mind는 지적·정신적 활동을
주로 하는 「마음」, **heart**는 감
정의 움직임에 중점을 둔 「마
음」의 뜻이다.
└─────────────────┘

❷ 생각, 의향, 의견; 기분.
I can read your *mind* like
a book. 나는 책을 읽는 것처럼

너의 생각을 알 수 있다.
So many men, so many *minds.*《속담》각인 각색.
❸《a와 복수형 안 씀》**기억, 회상.**
Keep this in *mind.*
이것을 잊지 않도록 해라.
Out of sight, out of *mind.*
《속담》(친한 사이라도) 떨어져 있으면 마음도 멀어진다.
change *one's* ***mind*** 결심을 바꾸다.
Her husband did not *change his mind.* 그녀의 남편은 결심을 바꾸지 않았다.
come to mind 마음에 떠오르다.
My father's words *came to mind.* 아버지 말씀이 마음에 떠올랐다.
make up *one's* ***mind*** 결심하다.
He *made up his mind* to study harder. 그는 더욱 열심히 공부하기로 결심했다.
── 동〔3·단·현〕**minds** [maindz]：〔ing형〕**minding** [máindiŋ]：〔과거·과분〕**minded**[máindid]
자《주로 명령문에서》**주의〔조심〕하다；**《보통 의문문·부정문에서》**염려〔걱정〕하다；싫어하다.**
Mind! You'll fall.
조심해라! 넘어지겠다.
Don't *mind* about cleaning up. 청소에 관해서는 염려하지 마라.
"Do you *mind* if I smoke?" "No, I don't *mind* a bit."
「담배를 피워도 괜찮겠어요?」「그럼요, 괜찮고 말고요.」
── 타 ❶《보통 명령문에서》**…에 유의하다, 조심하다.**
Mind the dog. 《게시》개 조심.
Mind your step〔head〕.
발 밑을〔머리를〕 조심해라.
Mind what I tell you.
내 말을 유의해라.
❷《보통 부정문·의문문에서》**…을 마음에 두다, 염려하다, 싫어하다.**
I don't *mind* hard work, but I do *mind* low pay.

일이 고된 것은 괜찮으나 낮은 임금은 곤란하다.
"Do you *mind* my cigar?" "No, not at all."「담배를 피워도 괜찮겠어요?」「그럼요, 염려말고 피우세요.」
Mind your own business. 네 일이나 잘 해라; 참견 마라.
Never mind! 걱정 마라!, 염려하지 마라!(=Don't worry.)
****Would you mind*** *doing*? …해 주시지 않겠습니까? ➤ Please … 보다 더 정중한 표현.
"*Would you mind opening* the window?" "(No,) not at all."「창문 좀 열어주시지 않겠습니까?」「(예,) 열어드리고 말고요.」

┌─────
│주의│ Would you mind *my* opening the window?는 「내가 창문을 연다면 너는 싫어하겠느냐→창문을 열어도 괜찮겠느냐」란 뜻. 괜찮을 경우에는 No로 답하는 데 주의할 것.
─────┘

M

******mine**¹　[main] 대
〔복수〕**ours**[auərz]
《I의 소유 대명사》**나의 것.**
That big doll is *mine.*
저 큰 인형은 내 것이다.
Mary is a friend of *mine.*
메리는 내 친구이다.

┌─────
│참고│ **my와 mine**
my는 「나의」란 뜻이므로 뒤에 명사가 오지만, mine은 「나의 것」이란 뜻이므로 뒤에 명사가 안 온다.

소유격	소유 대명사
my(나의)	mine(나의 것)
our(우리들의)	ours(우리의 것)
your(너의)	yours(너의 것)
his(그의)	his(그의 것)
her(그녀의)	hers(그녀의 것)
their(그들의)	theirs(그들의 것)
─────┘

mine² [main] 명
복수 **mines**[mainz]
광산.
a diamond *mine* 다이아몬드 광산.

min·er [máinər] 명
복수 **miners**[máinərz]
광부.
The *miners* digs coal.
광부들은 석탄을 채굴한다.

min·er·al [mínərəl] 명 복수 **minerals**[mínərəlz]
광물, 무기물.▶「동물」은 animal, 「식물」은 plant.
Coal and iron are *minerals*. 석탄이나 철은 광물이다.
── 형 광물(성)의, 광물을 함유하는.
mineral water 광천수.

min·i·ma [mínəmə] 명
minimum의 복수

min·i·mum [mínəməm] 명
복수 **minimums** [mínəməmz]
또는 **minima** [mínəmə]
최소한, 최저한; 최소수〔량〕(⇔ maximum 최대한).
This job will take a *minimum* of ten days. 이 일은 최소한 10일은 걸릴 것이다.
── 형 《명사 앞에만 쓰여》 최소한의; 최저한의.
What was the *minimum* temperature in Seoul last year? 작년에 서울의 최저 기온은 몇 도였느냐?

min·is·ter [mínistər] 명
복수 **ministers**[mínistərz]
❶ (유럽 제국·영국·한국 등에서의) 장관, 국무 위원, 대신. ▶ 미국의「장관, 국무 위원」은 secretary.
the Prime *Minister* 국무 총리.
the *Minister* of Foreign Affairs and Trade 외교 통상부 장관.
❷ 목사, 성직자. ☞ clergyman

A *minister* serves a church.
목사는 교회에 봉사한다.

Min·ne·so·ta [mìnəsóutə] 명
미네소타.

참고 미국 중앙 북부의 주. 총 면적(217,750 km²)의 3분의 2 가 대평원. 슈피리어호를 비롯 하여 많은 호수가 있다. Minn. 이라고 약함. 농업·목축업이 크게 발달하였으며, 주도는 세인트폴(St. Paul [sèint pɔ́:l]).

mi·nor [máinər] 형
작은 쪽의; 중요치 않은
(⇔ major 큰 쪽의; 중요한).
This is a matter of *minor* importance. 이것은 대수롭지 않은 일이다.
They are all *minor* writers.
그들은 모두 이류 작가이다.
── 명 복수 **minors**[máinərz]
미성년자.
The sign says "No *minor*."
간판에는 「미성년자 출입 금지」라 고 써 있다.

mi·nor·i·ty [minɔ́:riti] 명
복수 **minorities**[minɔ́:ritiz]
(과반수에 대한) 소수; 소수파(⇔ majority 대다수); (국내의) 소 수 민족.
a *minority* race 소수 민족.
Hear the *minority's* view. 소수의 의견을 들어라.
Only a *minority* of the students come(s) to school on foot. 소수의 학생들만이 걸 어서 학교에 다닌다.

min·strel [mínstrəl] 명
복수 **minstrels** [mínstrəlz]
(중세의) 음유 시인〔가인〕.
traveling *minstrels* 유랑하는 음유 시인.

mi·nus [máinəs] 전
…을 감한, …을 뺀(⇔

plus …을 더한).

Ten *minus* six leaves four.
10 빼기 6은 4.

── 형 마이너스의, 음의.

minus ten degrees 영하 10
도.

a *minus* number 음수.

*min·ute [mínit] 명 복수
minutes[mínits]

❶ (시간의) 분(分).

An hour has sixty *minutes*.
한 시간은 60분이다.

It is five *minutes* to
[before, of] ten. 10시 5분 전
이다.

It is ten *minutes* past
[after] ten. 10시 10분이다.

Nancy read this book in
thirty *minutes*. 낸시는 이 책을
30 분 동안에 읽었다.

It's ten-*minute* walk from
here to the station. 이곳에서
정거장까지는 걸어서 10분 걸린다.

❷ 순간, 잠시(=moment).

Can you give me a few
minutes? 잠시 할 이야기가 있는
데 (시간 좀 내겠느냐)?

in a minute 곧.

I'll be back *in a minute*.
곧 돌아오겠다.

회화 **Wait a minute. / Just
a minute.** 「잠깐 기다려요.」
상대방에게 잠깐 기다려 달라고
할 때에는 Wait a minute,
please. 또는 Just a minute,
please.라고 한다 minute 대
신에 moment를 쓰기도 하지
만, 최근에는 minute을 많이
쓴다. ☞ moment

mir·a·cle [mírəkəl] 명 복수
miracles[mírəkəlz]

기적, 불가사의한 것.

the *miracle* of Han-gang 한
강의 기적. ▶ 한국의 경이적 경제
발전을 일컬음.

They say this is a *miracle*.
이것은 기적이라고들 한다.

The medicine worked *mir-
acles*. 그 약은 기적적인 효험을
보였다.

mir·ror [mírər] 명
복수 **mirrors**[mírərz]

거울.

She looked at herself in
the *mirror*. 그녀는 거울에 비치
는 자신의 모습을 보았다.

mis·er·a·ble [mízərəbəl]
형

비교 **more miserable;** 최상
most miserable

(사정 · 기분 따위가) 비참한, 가련
한, 슬픈; 초라한, 형편 없는.

miserable news 슬픈 소식.

lead a *miserable* life 비참한
생활을 하다.

They were *miserable* from
cold and hunger. 그들은 추위
와 기아로 비참하였다.

miserable weather 형편 없는
날씨.

mis·for·tune [misfɔ́:rtʃən]
명

복수 **misfortunes**[misfɔ́:rtʃənz]

❶ 《a와 복수형 안 씀》 불운, 불행
(=bad luck, ⇔ fortune 행운).

She bore her *misfortune*
bravely. 그녀는 굳세게 불운을
견디었다.

❷ 불행한 일, 재난.

Misfortunes never come
single. 《속담》 불행은 혼자서 오
지 않는다(「설상가상」 또는 「엎친
데 덮친다」란 뜻).

have the misfortune to do 불
행하게도 …하다.

He *had the misfortune to*
lose his son. 그는 불행하게도

아들을 잃었다.

mis·print [mísprìnt] 명
[복수] **misprints** [mísprìnts]
오식, 미스프린트.
'Off' is a *misprint* for 'of.
off 는 of 의 오식이다.

***Miss** [mis] 명
[복수] **Misses**[mísiz]
《미혼 여성의 이름 앞에 붙여》…
양, …씨, …선생님.
Miss Brown is our English
teacher. 브라운 선생님은 우리
영어 선생님이다.
The *Misses* Green and
Jones are coming to see me
next Saturday. 그린양과 존스양
이 다음 주 토요일에 놀러 온다.

参考 **1.** 미혼 여성의 성 또는 성
명 앞에 붙여 연령에 관계 없이
쓰인다. 원래 Miss는 mistress
의 단축형이지만, 약어는 아니
기 때문에 피리어드는 찍지 않
는다. 「스미스 선생님」이라고
할 때 우리 식으로 생각해서
teacher Smith 또는 Smith
teacher로 해서는 안된다.
2. 「스미스 자매」라고 할 경우에
는 the Miss Smiths라 한다.

***miss** [mis] 동 [3·단·현] **misses**
[mísiz] : [ing형] **missing**
[mísiŋ] : [과거] [과분] **missed** [mist]
타 ❶ …을 잡지〔맞히지, 획득하지〕
못하다, (기회 따위)를 놓치다;
(열차 · 버스 따위)에 타지 못하다.
miss a ball 공을 놓치다.
He got up late and *missed*
the bus. 그는 늦게 일어나서 버
스를 놓쳤다.

miss

catch

❷ …을 빠뜨리다, 빼먹다, (빠뜨
리고) 보지〔듣지〕 못하다.
He *missed* a line in
reading. 그는 한 줄을 빠뜨리고
읽었다.
I *missed* my music lesson
today. 나는 오늘 음악 레슨을 빼
먹었다.
My house has a red roof.
You can't *miss* it. 나의 집은
빨간 지붕이다. 못 볼 리 없다.
❸ (아무)가 없어 섭섭하다〔그립
다〕.
We *miss* you very much.
네가 없어 매우 섭섭하다.
I'll *miss* you.
나는 네가 그리울 것이다.
── 자 (과녁을) 빗나가다; 실패하다.
He shot at the lion, but
missed. 그는 사자를 쏘았지만
빗나갔다.
miss in business 사업에 실패
하다.

mis·sile [mísəl] 명 [복수]
missiles[mísəlz]
미사일.
a *missile* base 미사일 기지.
launch a *missile* 미사일을 발
사하다.

지대공 미사일 「나이키」

miss·ing [mísiŋ]
형
없어진, 행방 불명인.
The boat is still *missing*.
배는 여전히 행방 불명이다.

mis·sion [míʃən] 명 [복수]
missions[míʃənz]
(외국에 파견되는) 사절단; 전도
단; (사절 따위의) 임무, 사명.

a commercial *mission* 무역 사절단.

The spy went to Paris on a secret *mission.* 스파이는 비밀 사명을 띠고 파리에 갔다.

mis·sion·ar·y [míʃənèri] 명

[복수] missionaries [míʃənèriz]
선교사, 전도사.

missionaries from England
영국에서 온 선교사들.

Mis·sis·sip·pi [mìsəsípi] 명
❶ 미시시피.

[참고] 서쪽에 미시시피강이 흐르고 있는 미시시피주는 비옥한 흑토 지대에 놓여 있으며, 세계에서 손꼽히는 면화 재배 지역이다. Miss.라고 약한다. 많은 흑인들의 노동력으로 면화 재배가 이루어져 왔다. 이 주의 총인구 중 절반 가까이가 흑인이다. 면적은 123,592 km²로, 우리 나라의 약 반이다. 주도는 잭슨(Jackson[dʒǽksən]).

❷ 《the를 붙여》 미시시피강.

[참고] 미네소타강의 북부에서 비롯하여 멕시코만으로 흘러드는 큰 강으로 그 길이는 3,975 km. 지류인 미주리강까지 친다면 전체 길이 6,418 km로서 세계 제2의 긴 강이다.

Mis·sou·ri [mizúəri] 명
❶ 미주리.

[참고] 동쪽에 미시시피강이 흐르는 미주리주는 기후가 약간 대륙적이며 주요 산업은 로켓 엔진, 비행기 따위의 항공 산업이다. 돼지, 옥수수, 밀의 생산도 많다. Mo.라 약한다. 면적은 180,467 km²로 우리 나라의 약 6분의 5이다. 주도는 제퍼슨 시티(Jefferson City [dʒéfərsən síti]).

❷ 《the를 붙여》 미주리강.

mist [mist] 명
[복수] mists [mists]
안개, 놀. ▶ fog보다 엷은 안개.
The hills were hidden in the *mist.* 산은 안개에 싸여 있었다.

*mis·take [mistéik] 명
[복수] mistakes [mistéiks]
잘못, 틀림; 오해, 착각, 실수.
I made a few *mistakes* in English test. 나는 영어 시험에서 몇 가지 틀렸다.
John found his *mistake.* 존은 자기 잘못을 알았다.

by mistake 잘못하여, 실수로.
I entered the wrong room *by mistake.* 나는 실수로 엉뚱한 방에 들어갔다.
—— 타 [3·단·현] mistakes [mistéiks]: [ing형] mistaking [mistéikiŋ]: [과거] mistook[mistúk]: [과분] mistaken[mistéikən]
…을 오해하다; 《mistake ~ for...로》 ~을 …으로 착각하다.
I *mistook* your meaning. 나는 너의 의도를 오해했다.
I often *mistake* Jane *for* her sister. 나는 종종 제인을 그녀의 언니로 착각한다.

mis·tak·en [mistéikən] 동
mistake의 과거 분사.
I was often *mistaken* for George. 나는 흔히 조지로 착각을 받았다.
—— 형 (행위·생각 따위가) 틀린, 잘못된(=wrong): (사람이) 잘못 생각하고 있는, 오해하고 있는.
a *mistaken* opinion 잘못된 의견.
You are *mistaken* about it. 너는 그것에 관해 오해하고 있다.

mis·tak·ing [mistéikiŋ]
mistake의 -ing형.

mis·took [mistúk] 동
mistake의 과거.

M

I *mistook* you for Tom yesterday. 나는 어제 너를 톰으로 착각했었다.

mis·tress [místris] 명

복수 **mistresses** [místrisiz]

여주인, 주부 (⇨ master 주인).

The *mistress* of the house came outside. 그 집 여주인이 밖으로 나왔다.

mist·y [místi] 형

비교 **mistier** [místiər] ; 최상 **mistiest** [místiist]

안개가 짙은, 안개 낀.

It was a *misty* morning. 안개 낀 아침이었다.

mis·un·der·stand

[mìsʌndərstǽnd] 타 3·단·현 **misunderstands** [mìsʌndərstǽndz] ; ing형 **misunderstanding** [mìsʌndərstǽndiŋ] ; 과거 과분 **misunderstood** [mìsʌndərstúd]

…을 오해하다, 잘못 생각하다. ☞understand (이해하다)

Don't *misunderstand* me. 내 말을 오해하지 마라.

She *misunderstood* my meaning. 그녀는 나의 뜻을 오해했다.

mis·un·der·stand·ing

[mìsʌndərstǽndiŋ] 명 복수 **misunderstandings** [mìsʌndərstǽndiŋz]

오해, 의견의 불일치.

remove [clear up] each other's *misunderstanding* 서로간의 오해를 제거하다 [풀다].

mis·un·der·stood

[mìsʌndərstúd] 동 **misunderstand**의 과거·과거 분사.

mitt [mit] 명

복수 **mitts** [mits]

(야구의) 미트. ☞ glove (글러브)

The catcher wears a *mitt.*

포수는 미트를 낀다.

*mix [miks] 동

3·단·현 **mixes** [míksiz] ; ing형 **mixing** [míksiŋ] ; 과거 과분 **mixed** [mikst]

타 …을 섞다, 혼합하다 ; 섞어서 만들다.

mix cement with sand 시멘트와 모래를 섞다.

mix a salad 샐러드를 만들다.

Mother *mixed* flour and water. 어머니는 밀가루와 물을 섞으셨다.

—— 자 ❶ 섞여지다.

Oil and water do not *mix.* 기름과 물은 섞여지지 않는다.

❷ (아무와) 사귀다, 교제하다, 어울리다.

He does not *mix* well with girls.

그는 여자 아이들과 잘 어울리지 못한다. ☞ 명 mixture

mix·ture [míkstʃər] 명

복수 **mixtures** [míkstʃərz]

혼합, 혼합물.

Air is a *mixture* of gases. 공기는 여러 기체의 혼합물이다. ☞ 동 mix

mo·bile home [móubəl hóum] 명

이동식 주택, 트레일러 주택 (자동차로 끌어 이동할 수 있는 주택).

▶ mobile house라고도 함.

*mod·el [mádl] 명

복수 **models** [mádlz]

❶ 모형 ; 형 (型).

a *model* of a ship 배 모형.

This is one of the latest *models* of a Ford car. 이것은 최신형 포드 차의 하나이다.

❷ 보기, 모범.

Make your father your

model. 네 아버지를 본받아라.
❸ (패션쇼 따위의) **모델**.
She is a high fashion
model. 그녀는 고급 패션 모델이
다.
──圐 ❶ **모형의**.
a *model* house 모델 하우스.
견본 주택.
a *model* car 모형 자동차.
❷ **모범적인**.
a *model* wife 모범적인 아내.
I wish all my children
were like her; she is a
model child. 우리 애들이 모두
그 애 같으면 좋으련만. 그 애는
모범 어린이다.

mod·er·ate [mɑ́dərət]
圐 ㅂㅛ more
moderate; 㚟ㅛ most moderate
❶ **알맞은, 적당한**; (값 따위가)
중 정도의.
It is good for the health
to take *moderate* exercise
every day.
매일 알맞은 운동을 하는 것은 건
강에 좋다.
The price was *moderate.*
값은 (비싸지 않고) 알맞았다.
❷ **온건한, 절도 있는**.
He's *moderate;* he never
goes too far. 그는 온건하다.
결코 과격해지는 일이 없다.

mod·er·a·tion [mɑ̀dəréiʃən]
圐
《a와 복수형 안 씀》**절제, 완화**;
적당, 중용.
Drink in *moderation.* 절제해
서 술을 마셔라.

***mod·ern** [mɑ́dərn] 圐
ㅂㅛ more modern;
㚟ㅛ most modern
❶ **현대의; 근대의**(⇔ ancient 옛
날의).
modern times 현대.
You should visit the
Museum of *Modern* Art.
현대 미술 박물관에 꼭 가 보시오.
❷ **현대적인, 최신식의**.

modern fashions 최신의 패션.
a very *modern* building 최신
식 건물.
That hotel has *modern*
equipment. 저 호텔은 최신의
설비를 갖추고 있다.

mod·est [mɑ́dist] 圐
ㅂㅛ more modest;
㚟ㅛ most modest
❶ **겸손한, 겸허한**.
He was very *modest* about
his great achievements.
그는 자기의 위대한 업적에 대하
여 아주 겸손하였다.
❷ **정숙한, 얌전한**.
She is *modest* in her
speech. 그녀는 말씨가 정숙하
다.

moist [mɔist] 圐
ㅂㅛ moister[mɔ́istər] :
㚟ㅛ moistest[mɔ́istist]
축축한, 습기 있는, 젖은(=wet,
⇔ dry 마른).
The path was *moist* with
dew. 샛길은 이슬에 젖어 있었
다.
Her eyes grew *moist* with
tears. 그녀의 눈에는 눈물이 핑
돌았다.

mois·ture [mɔ́istʃər]
圐
《a와 복수형 안 씀》**습기, 수분**.
You must keep these books
free from *moisture.* 이 책들을
습기 차지 않게 두어야 한다.

mold [mould] 圐
《a와 복수형 안 씀》
곰팡이.
The meat was covered with
mold. 고기는 곰팡이로 덮여 있
었다.
▶ 영국에서는 mould로 씀.

***mom** [mɑm] 圐
복수 **moms**[mɑmz]
엄마, 어머니(⇨ dad 아빠).
May I go out, *Mom?*
엄마, 밖에 나가도 될까요?
▶ 영국에서는 mum이라고 함.

M

참고 아이들이 어머니를 부를 때 자주 쓰임. 작은 어린이뿐만 아니라 중학생이나 고교생도 사용한다. 고유 명사처럼 대문자로 시작하며 관사를 붙이지 않는 경우가 많다. mommy는 응석기 있는 유아의 말.

*__mo·ment__ [móumənt] 명

복수 **moments**[móumənts]
순간, 잠시.

Wait a *moment*, please. = Just a *moment*, please. 잠깐 기다려라. ➤ 최근에는 moment 보다는 minute를 더 즐겨 쓰는 경향이 있음.

Wait. I'll finish my work in a *moment*. 좀 기다려라. 일을 곧 끝내겠다.

She looked at me for a *moment*. 그녀는 잠시 동안 나를 바라보았다.

This is the *moment* for decision [to decide]. 지금이 결의의 순간이다.

At that *moment*, the policeman came and arrested him. 바로 그때 경찰관이 와서 그를 체포했다.

__at any moment__ 언제든지, 당장에라도.

This sick man may die *at any moment*. 이 환자는 언제 죽을지 모른다.

__the moment__ (*that*) …하자마자 (=as soon as).

I'll tell him *the moment* he comes. 그가 오는 대로 곧 전하겠다.

__mom·my__ [mámi] 명 복수
mommies[mámiz]
엄마(⇨ daddy 아빠). ☞ mom

__Mon.__ Monday의 간략형.

__Mon·day__ [mʌ́ndei] 명 복수
Mondays[mʌ́ndeiz]
월요일. ➤ Mon.으로 약함.

last [next] *Monday* 지난[다음] 월요일에.

Monday is the second day of the week. 월요일은 한 주의 둘째 날이다.

We have six classes on *Monday*.
월요일에는 수업이 6시간 있다.
➤「…요일에」라고 할 때는 보통 앞에 전치사 on을 붙임.

__mon·ey__ [mʌ́ni] 명

《a와 복수형 안 씀》 돈, 금전.
I have lots of *money*.
나는 많은 돈을 가지고 있다.
He spends much *money* on books. 그는 책에 많은 돈을 쓴다.
What do you need the *money* for? 너는 무엇에 돈이 필요하니?
I have no *money* with me.
나는 지니고 있는 돈이 없다.
Time is *money*.
《속담》 시간은 돈이다.

__make money__ 돈을 벌다.
He *makes money* by writing children's stories. 그는 동화를 써서 돈을 번다.

어법 **money**는 셀 수 없는 명사
money는 셀 수 없는 명사이기 때문에「많은」은 much 또는 a lot of로 나타내며, many는 쓰지 않는다. 그러나 화폐의 종류를 나타내는 coin(주화), bill(지폐)은 many coins, a bill처럼 셀 수가 있다. 또, 화폐의 단위인 dollar(달러), cent(센트), pound(파운드) 따위도 복수가 될 때에는 -s가 붙는다. 단, won「원」, yen

「엔」 따위는 복수일 때에도 -s
가 붙지 않는다.

[참고] 각국의 통화 단위

한 국	won(원)	₩
미 국	dollar(달러)	$
영 국	pound(파운드)	£
프랑스	franc(프랑)	F
독 일	mark(마르크)	DM
러시아	ruble(루블)	Rbl
중 국	yuan(위안)	RMB.￥
일 본	yen(엔)	￥

*mon·key [mʌ́ŋki] 명
[복수] monkeys [mʌ́ŋkiz]
원숭이.
Monkeys are very intelligent
animals. 원숭이는 아주 영리한
동물이다.
You little *monkey.* 이 개구장
이야. ▶아이에게 애정을 담아 하
는 말.

mon·ster [mɑ́nstər] 명
[복수] monsters [mɑ́nstərz]
괴물, 도깨비; (괴물같이) **거대한**
것.
On his way back from the
woods he saw a *monster*
of a bee. 숲에서 돌아오는 길에
그는 괴물같이 큰 벌을 보았다.

Mon·tan·a [mɑntǽnə] 명
몬태나.

[참고] 미국 서북부에 있는 주.
서부에는 로키 산맥이 뻗어 있
고, 동부에는 대평원이 펼쳐져
있다. 광업·목축업이 성하고
밀, 아마가 많이 생산된다.
Mont. 로 약함. 주도는 헬레나
(Helena [hélənə]). 1867년부터
77년에 걸쳐 인디언과의 격렬한
전투가 이 주의 각지에서 벌어졌
으며 그 사적은 관광객들의 눈을
끈다. 면적은 381,112 km² 로
우리 나라의 약 1.7 배다.

**month [mʌnθ] 명
[복수] months [mʌnθs]
달, 월(月).
this [last, next] *month* 이[지
난, 다음] 달에.
the *month* before last [after
next] 지지난[다음다음] 달.
"What day of the *month* is
(it) today?" "It's the 4th
(of February)." 「오늘은 며칠이
냐?」「(2월) 4일이다.」
We write to each other
once a *month.* 우리는 서로에
게 한 달에 한 번 편지를 쓴다.
this day month 지난 달의 오늘;
다음 달의 오늘.
She will leave here *this*

month: 영국의 동요집 Mother Goose에는 12 달의 이름과 영국의 계절 감각을 담은 다음
과 같은 동요가 있다.

월	month/약어	동요의 가사 내용
1월	January / Jan.	Snow in January(1월에는 눈)
2월	February / Feb.	Ice in February(2월에는 얼음)
3월	March / Mar.	Wind in March(3월에는 바람)
4월	April / Apr.	Rain in April(4월에는 비)
5월	May	Buds in May(5월에는 새싹)
6월	June / Jun.	Roses in June(6월에는 장미)
7월	July / Jul.	Play in July(7월에는 놀이)
8월	August / Aug.	Hot days in August(8월에는 더운 날들)
9월	September / Sept.	School in September(9월에는 학교)
10월	October / Oct.	Apples in October(10월에는 사과)
11월	November / Nov.	Cold days in November(11월에는 추운 날들)
12월	December / Dec.	Christmas in December(12월에는 크리스마스)

day month. 그녀는 다음 달의 오늘 여기를 출발할 것이다.

month·ly [mʌ́nθli] 〔형〕

한 달에 한 번의, 매달의.
He gets several *monthly* magazines. 그는 월간지를 여러 가지 구독하고 있다.
We have a *monthly* meeting. 우리는 매월 한 번 회의를 갖는다.
── 〔부〕한 달에 한 번, 매달(= once a month).
This magazine is published *monthly.* 이 잡지는 매달 발행된다.
── 〔명〕 〔복수〕 **monthlies**[mʌ́nθliz] 월간 잡지.
I like weekly magazines better than *monthlies.* 나는 월간지보다 주간지를 더 좋아한다.

mon·u·ment [mánjəmənt] 〔명〕
〔복수〕 **monuments**[mánjəmənts]
기념비〔탑〕, 기념 건물.
the Washington *Monument* 워싱턴 기념탑《미국의 초대 대통령 워싱턴을 기념한 석조탑》.

mood [muːd] 〔명〕
〔복수〕 **moods**[muːdz]
(일시적인) 기분, 마음.
She is in a good 〔bad〕 *mood* now. 그녀는 지금 기분이 좋다〔나쁘다〕.
I am in no *mood* to go out. 나는 외출할 기분이 아니다.
They say he is a man of *moods.* 그는 변덕쟁이라 한다.

**moon [muːn] 〔명〕
《보통 the를 붙여》 (천체인) 달.
The *moon* rose 〔was up〕. 달이 떴다.
He saw the earth and the *moon* through a space rocket. 그는 우주 로켓을 통해서 지구와 달을 보았다.

Is it a full *moon* or a new *moon* tonight? 오늘밤은 보름달인가, 초생달인가?

〔어법〕 moon에는 보통 정관사 the를 붙이나 *a* full moon, *a* new moon, *a* half moon 과 같이 형용사가 붙으면 a를 붙인다.

moon·light [múːnlàit] 〔명〕
《a와 복수형 안 씀》 달빛.
walk in the *moonlight* 달빛 속을 걷다.
read a book by *moonlight* 달빛에 책을 읽다.
Bright *moonlight* flowed into the room. 밝은 달빛이 방을 비췄다.

mop [map/mɔp] 〔명〕
〔복수〕 **mops** [maps/mɔps]
대걸레, 몹.
Use a *mop* after sweeping. 빗질을 한 후에 몹을 사용해라.
── 〔타〕 〔3·단·현〕 **mops**[maps] : 〔ing형〕 **mopping**[mápiŋ] : 〔과거〕 〔과분〕 **mopped**[mapt]
대걸레로 닦다, 대걸레로 청소하다.
I *mopped* the floor. 나는 마루를 대걸레로 닦았다.

mor·al [mɔ́(ː)rəl] 〔형〕
〔비교〕 **more moral**; 〔최상〕 **most moral**
도덕의, 도덕적인; 품행이 단정한.
moral education 도덕 교육
lead a *moral* life 도덕적인 생활을 하다.
He is a *moral* man. 그는 품행이 단정한 사람이다.
── 〔명〕 〔복수〕 **morals**[mɔ́(ː)rəlz]
❶ (이야기·체험 따위의) 교훈.
The *moral* of the story is "Honesty is the best policy." 그 이야기의 교훈은 「정직은 최상의 방책」이다.
❷ 《복수형으로》 (사회의) 도덕,

(개인의) **품행**.

public *morals* (사회의) 풍기.

His *morals* are excellent.
그의 품행은 아주 훌륭하다.

***more** [mɔːr] 〔형〕
《many와 much의 비교급》(수·양·정도가) (…보다) 더 많은(⇔ fewer, less 보다 적은).

Tom has *more* books than I (have). 톰은 나보다 많은 책을 갖고 있다.

I wish I had *more* time.
시간이 좀더 있으면 좋으련만.

We need some *more* butter.
우리는 버터가 좀더 필요하다.

Will you wait for ten *more* minutes? 10분만 더 기다려 주겠느냐?

── 〔대〕 더 많은 것〔사람〕.

Tell me *more* about your family. 너의 가족 얘기를 더 해다오.

Seven boys are not enough for the baseball team; we need *more*. 일곱 사람은 야구 팀으로 부족하다. 더 많은 사람이 필요하다.

── 〔부〕《much의 비교급》

❶더 많이; 더 한층.

Walk *more* carefully.
더 조심해서 걸어라.

I like books *more* than anything else. 나는 무엇보다도 책이 좋다.

❷《주로 2음절 이상의 형용사·부사의 비교급을 만듦》더, 더욱.

She is *more* beautiful than her sister. 그녀는 그녀의 언니보다 더 아름답다.

French is *more* difficult than English. 프랑스어는 영어보다 더 어렵다.

all the more 더욱 더, 한결 더.

Nancy looks *all the more* pretty in her red dress.
낸시는 빨간 옷을 입으니 한결 더 예뻐 보인다.

*more and more 점점, 더욱 더.

The story became *more and more* interesting as he read on. 그가 책을 읽어감에 따라 이야기는 점차 흥미로워졌다.

*more or less 다소(간), 대강.

She is *more or less* lazy.
그녀는 다소 게으른 편이다.

The painting is *more or less* finished. 그 그림은 대강 끝이 났다.

**more than …* 이상.

I entered this school *more than* two years ago. 나는 2년보다 더 이전에 이 학교에 들어왔다. ➤ 엄밀히 말하면 *more than* two는 2를 포함하지 않으므로 우리말의 「3년 이상」에 해당된다.

*no more 더 이상 …않다(=not …any more).

I will see him *no more*.
나는 더 이상 그와 만나지 않겠다.

**not … any more* 더 이상 …않다.

I can't eat *any more*.
더 이상 못 먹겠다.

You *don't* have to work *any more* today. 오늘은 이 이상 일할 필요 없다.

once more 한 번 더, 다시 한 번.

Please sing *once more*.
다시 한 번 노래를 불러다오.

the more …, the more ~ …하면 할수록 더 ~.

The more I read, *the more* I understand. 읽으면 읽을수록 더 잘 알게 된다.

The more we have, *the more* we want. 가지면 가질수록 더욱 많이 갖고 싶어한다.

more·o·ver [mɔːróuvər] 〔부〕 그 위에, 더욱이, 더구나(=besides).

The days was cold, and *moreover* it was raining. 그 날은 추웠고 더욱이 비까지 내렸다.

***morn·ing** [mɔ́ːrniŋ] 〔명〕

〔복수〕 **mornings** [mɔ́ːrniŋz]

아침, 오전《보통 새벽부터 정오까지》(⇨ afternoon 하오).

a *morning* walk 아침 산책.

I get up at six in the *morning.* 나는 아침 5시에 일어난다.
▶「아침에」라고 할 때는 보통 in을 씀.

We started on Monday *morning.* 우리는 월요일 아침에 출발했다. ▶특정한 날의 아침인 경우에는 on을 씀.

It was cold this *morning.* 오늘 아침은 추었다. ▶ this, every, yesterday 따위가 있으면 전치사를 붙이지 않음.

from morning till〔to〕night 아침부터 밤까지.

He worked *from morning till night.* 그는 아침부터 밤까지 공부했다.

회화 **Good morning.** 「(밤새) 안녕하십니까?」
Good morning.은 오전 중에 하는 인사로 대개 상대방의 이름을 뒤에 붙인다. 친구간에는 good를 생략해서 "Morning, Tom."이라고도 한다.
A: *Good morning,* Mrs. Brown.
B: *Good morning,* everyone.
「브라운 선생님, 안녕하십니까?」
「여러분도 안녕하세요?」

---

morn·ing glo·ry [mɔ́ːrniŋ glɔ̀ːri] 명
복수 **morning glories** [mɔ́ːrniŋ glɔ̀ːriz]
나팔꽃.

mos·qui·to [məskíːtou] 명
복수 **mosquitoes** [məskíːtouz] 또는 **mosquitos** [məskíːtouz]
모기.

a *mosquito* net 모기장.

I was bitten by *mosquitoes* while I was sleeping. 나는 자는 동안에 모기에 물렸다.

moss [mɔ(ː)s] 명 《a와 복수형 안 씀》이끼.

A rolling stone gathers no *moss.* 《속담》구르는 돌에는 이끼가 끼지 않는다.

**most [moust] 형 《many와 much의 최상급》

❶ 《보통 the를 붙여》 (수나 양이) **가장 많은**(⇔ fewest, least 가장 적은).

He won (the) *most* prizes. 그는 가장 많은 상을 탔다.

Who has (the) *most* money of you all? 너희들 중에서 누가 돈을 가장 많이 갖고 있느냐?

❷ 《the를 붙이지 않고》 **대부분의, 대개의.**

Most Americans like beef. 대개의 미국 사람들은 쇠고기를 좋아한다.

Most children like ice cream. 대부분의 아이들은 아이스크림을 좋아한다.

── 부 《much의 최상급》

❶ **가장, 가장 많이.**

He loves me *most.* 그는 나를 가장 사랑한다.

Her answer pleased him *most.* 그녀의 대답은 그를 가장 즐겁게 했다.

❷ 《2음절 이상의 형용사·부사의 최상급을 만듦》 **가장, 제일.**

Your story is *most* interesting. 네 이야기가 제일 재미있다.

Love is the *most* important thing in the world. 사랑은 세상에서 가장 중요한 것이다.

❸ 《a most로》 **대단히, 아주,**

극히.
She is *a most* beautiful
woman. 그녀는 아주 아름다운
여인이다.
***most of all* 무엇보다도.**
I want time *most of all.*
나는 무엇보다도 시간이 필요하다.
Most of all he liked to
hear about the Morning
Glory. 무엇보다도 그는 그 나팔
꽃에 대해 듣고 싶었다.
── 몡 ❶ 《the 를 붙이지 않고》
대다수, 대부분.
Most of them go to school
by bus. 그들은 대부분 버스로
학교에 간다.
He spent *most* of the time
in New York. 그는 대부분의 시
간을 뉴욕에서 지냈다.
❷ 《보통 the 를 붙여》 최대수, 최
대량.
This is the *most* I can do.
이것이 내가 할 수 있는 전부다.
***at* (*the*) *most* 많아야, 기껏해서.**
I can pay you only ten
dollars *at most.* 나는 많아야
10달러밖에는 지급할 수 없다.
***make the most of* …을 최대한
으로 이용하다.**
He *made the most of* his
vacation. 그는 휴가를 최대한으
로 이용했다.

most·ly [móustli] 튀
대개는, 대부분; 주로.
We are *mostly* out on Sun-
days. 우리는 일요일에는 대개 외
출한다.
Greenland is *mostly* cov-
ered with ice and snow.
그린랜드는 대부분 얼음과 눈으로
덮여 있다.

mo·tel [moutél] 몡
복수 **motels** [moutélz]
모텔 《자동차 여행자용 호텔》. ▶
motor 와 hotel 의 합성어임.
In New York, Mr. Han put
up at a *motel.* 뉴욕에서 한선
생님은 모텔에 투숙하였다.

moth [mɔ(ː)θ, maθ] 몡
복수 **moths** [mɔ(ː)ðz, mɔ(ː)θs]
나방.
Moths and butterflies are
similar. 나방과 나비는 비슷하
다.

moth·er [mʌ́ðər] 몡 복수
mothers [mʌ́ðərz]
어머니, 모친(⇨ father 아버지).
my *mother* and father 나의
부모. ▶ 우리말에서는 「부모」라고
아버지가 앞에 오지만, 영어에서
는 그 반대임에 주의.
Mrs. Brown is Susie's *moth-
er.* 브라운 부인은 수지의 어머니
이다.
Necessity is the *mother* of
invention. 《속담》 필요는 발명의
어머니이다.
Mother is out now.
어머니는 지금 외출 중이다.

┌─────────────────────┐
참고 **1.** 가족들 사이에서는 자신
들의 mother 를 고유 명사같이
보아 Mother 라고 쓰기도 하는
데 이런 경우에는 그 앞에 관사
나 my 따위를 붙이지 않는다.
2. 「어머니」를 나타내는 말
아이들은 흔히 mother 대신에
mama, mammy, mom 이라
고 한다. mother 는 「어머니」
처럼 격식을 갖춘 말투이다.
└─────────────────────┘

Moth·er's Day [mʌ́ðərz
dèi] 몡
어머니날 《미국에서는 5월의 둘째
일요일》. ☞ carnation

Moth·er tongue [mʌ́ðər
tʌ̀ŋ] 몡

M

《the 또는 one's를 붙여》모국어, 모어(母語)《태어나서 최초로 익힌 언어》.

mo·tion [móuʃən] 명 복수
motions [móuʃənz]

❶ 《a와 복수형 안 씀》움직임, 운동; 이동.
The machine was in *motion*.
기계는 움직이고 있었다.

❷ 몸의 움직임, 동작, 몸짓.
All her *motions* are graceful.
그녀의 모든 동작은 우아하다.
The driver made a *motion* with his hand. 운전사는 손으로 신호하였다.

mo·tion·less [móuʃənlis] 형
움직이지 않는.
The boy stood *motionless*.
소년은 가만히 서 있었다.

*mo·tor [móutər] 명
복수 motors [móutərz]
발동기, 모터.
A push on the button will start the *motor*. 단추를 누르면 모터가 움직인다.

mo·tor·bike [móutərbàik] 명
복수 motorbikes [móutərbàiks]
모터바이크《모터가 달린 자전거》.
소형 오토바이.

mo·tor·boat [móutərbòut] 명
복수 motorboats [móutərbòuts]
모터보트.
I crossed the lake in a *motorboat*. 나는 모터보트로 호수를 건넜다.

mo·tor·cy·cle [móutərsàikl] 명 복수
motorcycles [móutərsàiklz]
오토바이.
Many boys like to ride on a *motorcycle*.
많은 소년들이 오토바이 타기를 좋아한다.

mot·to [mátou] 명 복수
mottoes [mátouz] 또는 mottos [mátouz]

표어, 모토.
"Think before you speak" is his favorite *motto*.
「말하기 전에 생각하라」는 그가 좋아하는 표어다.

mount [maunt] 타 3·단·현
mounts [maunts];
ing형 mounting [máuntiŋ]; 과거
과분 mounted [máuntid]

❶ (산·사닥다리 따위)를 오르다.
☞ climb
mount the stairs 계단을 오르다.
They are *mounting* the hill.
그들은 언덕을 오르고 있다.

❷ (말·자전거 따위)를 타다.
mount a bicycle 자전거를 타다.
The prince *mounted* a white horse. 왕자는 백마에 올라탔다.

*moun·tain [máuntən] 명

복수 mountains [máuntənz]
❶ 산 《꽤 높은 산을 말함》. ☞
hill (언덕)
Have you climbed that *mountain*? 저 산에 오른 적이 있느냐?
Mt. Everest is the highest *mountain* in the world. 에베레스트산은 세계에서 가장 높은 산이다. ▶「에베레스트산」처럼 개개의 산 이름을 나타낼 때에는 보통 앞에 Mt.를 붙임.

Mt. Everest의 최고봉

Koreans love high *mountains* and the blue sea. 한국 사람들은 높은 산과 푸른 바다

를 좋아한다.

❷ 《**the ... Mountains** 로》 …산맥.
the Himalayan *Mountains* 히
말라야 산맥.

We could see *the* Rocky
Mountains far away. 멀리 로키
산맥이 보였다.

☞ 형 mountainous

moun·tain climb·ing

[máuntən klàimiŋ] 명
《a와 복수형 안 씀》 등산.

moun·tain·ous [máuntə-nəs] 형

비교 **more mountainous;** 최상
most mountainous

산지의, 산이 많은.

a *mountainous* country 산이
많은 나라. ☞ 명 mountain

moun·tain·side [máuntən-sàid] 명

산허리.

We took a rest in the hut
on the *mountainside.* 우리는
산허리에 있는 오두막에서 쉬었다.

*mouse [maus] 명

복수 **mice** [mais]

생쥐.
The cat killed the *mouse.*
고양이는 생쥐를 죽였다.

참고 **mouse 와 rat**
서양의 집에 사는 몸집이 작은
쥐가 mouse 이고, 우리 나라
집에 사는 몸집이 큰 쥐는
rat이라고 한다. 서양에서는
mouse 는 작기 때문에 고양이
가 잡지만, rat은 테리어 같은
개가 잡는다고 한다. mouse 의
우는 소리는 squeak [skwiːk],
쥐를 잡는 「쥐덫」은 mouse-
trap [máustræp].

*mouth [mauθ] 명

복수 **mouths** [mauðz]

❶ 입.
Open your *mouth.*
입을 열어라.

Shut your *mouth.*
입 다물어라, 말하지 마라.
Don't talk with food in
your *mouth.* 입에 음식을 넣은
채 말하지 마라.

❷ (강·터널 따위의) **입구, 하구;**
입 모양의 것.
Mokpo is at the *mouth* of
the Yeongsan-gang. 목포는 영
산강 하구에 있다.

from hand to mouth 하루 벌어
하루 먹는.
They lived *from hand to
mouth* in that sad time. 그
들은 그 슬픈 시대에 하루 벌어
하루 먹으며 살았다.

from mouth to mouth (소문 따
위가) **입에서 입으로** (전하여).
The news spread *from
mouth to mouth.* 그 소식은 입
에서 입으로 옮겨졌다.

▶ mouth 의 복수형은 [mauðz]
로 발음됨에 주의.

mov·a·ble, move- [múːvə-bəl] 형

비교 **more movable;** 최상
most movable

움직이는, 움직일 수 있는; 이동할
수 있는.
movable desks 움직일 수 있는
책상들.

*move [muːv] 동

3·단·현 **moves** [muːvz];
ing형 **moving** [múːviŋ]; 과거 과분
moved [muːvd]

타 ❶ …을 움직이다, 옮기다.
Don't *move* your head.
머리를 움직이지 마라.
I *moved* the big desk by
myself. 나는 그 큰 책상을 혼자
옮겼다.

❷ (아무의) 마음을 움직이다, …
을 감동시키다.
The movie *moved* me
deeply. 그 영화는 나를 깊이 감
동시켰다.
She was *moved* to tears.
그녀는 감동되어 눈물을 흘렸다.

— 재 ❶ 움직이다.
Keep still — don't *move*.
그대로 있어라, 움직이지 말고.
I saw the train *move* slowly. 나는 열차가 천천히 움직이는 것을 보았다.
❷ 이사하다.
We've *moved* to a new house. 우리는 새 집으로 이사하였다.
They *moved* in〔out〕last week. 그들은 지난 주에 이사 들어왔다〔나갔다〕.
move about 돌아다니다.
The puppy was *moving about*. 강아지는 돌아다니고 있었다.
move around …의 주위를 돌다.
The earth *moves around* the sun. 지구는 태양의 주위를 돈다.
move on 계속 전진〔진행〕하다.
Move on there! 자, 앞으로 가요! ▶교통 경찰이 하는 말.

***move·ment** [mú:vmənt] 명
복수 **movements** [mú:vmənts]
움직임, 몸짓, 동작; (정치적·사회적) 운동.
the *movement* of the earth 지구의 움직임.
the *movement* for world peace 세계 평화 운동.
The actor's *movements* looked funny. 그 배우의 동작은 우스워 보였다.

***mov·ie** [mú:vi] 명
복수 **movies** [mú:viz]
영화(=motion picture); 영화관 (=movie theater).
a *movie* fan〔star〕영화 팬〔배우〕.
see a *movie* 영화를 보다.
I go to the *movies*〔a *movie*〕once a month. 나는 한 달에 한 번 영화를 보러 간다.
Did you see the *movie* Aladdin? 너는 영화 알라딘을 보

았느냐?

mov·ing [mú:viŋ] 동
move의 -ing형.
— 형 움직이는, 감동시키는.
a *moving* picture 영화.
Nancy's story was *moving*. 낸시의 이야기는 감동적이었다.

mow·er [móuər] 명
복수 **mowers** [móuərz]
잔디 깎는 기계(=lawnmower), 풀 베는 기계.
an electric mower 전기 잔디 깎는 기계.

***Mr.** [místər] 명
복수 **Messrs.** [mésərz]
《남자의 성·성명·직함 앞에 붙여》…씨, …님; …선생님(⇨ Mrs. …부인). ▶Mister 의 간략형. 영국에서는 Mr로 쓸 때가 많음.
Good morning, *Mr.* Smith. 스미스씨〔선생님〕, 안녕하십니까?
Mr. and Mrs. Miller live in Chicago. 밀러씨 부부는 시카고에 살고 있다.
I have a question, *Mr.* Chairman. 의장님, 질문 있습니다.

주의 「스미스 선생님」이라고 할 때, 우리식으로 Teacher Smith 또는 Smith teacher 라고는 하지 않음에 주의. 반드시 Mr. Smith 라고 한다.

***Mrs.** [mísiz] 명
복수 **Mmes.** [meidá:m]
《기혼 여성의 성·성명 앞에 붙여》…부인, …씨; …선생님(⇨Mr. …씨). ▶Mistress 의 간략형.
Mrs. Green teaches Sunday school. 그린 부인〔선생님〕은 주일 학교에서 가르치고 있다.
Mr. and *Mrs.* Brown have just returned from their trip around the world. 브라운씨 부부는 세계 일주 여행에서 막 돌아왔다.

M

Ms. [miz] 몡 복수 **Mses.** 또는 **Ms.'s** [mízəz]
《Miss와 Mrs.를 구별하지 않고 쓰여》 …님, …씨; …선생님.
Ms. Smith is our teacher. 스미스씨는 우리 선생님이다.

참고 기혼인지 미혼인지 모르거나 또는 구별하고 싶지 않을 때. 여성의 성·성명 앞에 붙이는 경칭이다. 요즘은 Miss, Mrs. 대신 Ms.를 쓰는 사람이 증가하고 있다. 이 말은 1973년 UN에서도 채용되었다.

***Mt.** [maunt] 몡
…산. ▶ Mountain의 간략형으로 산 이름 앞에 붙임.
Mt. Everest stood out against the blue sky. 에베레스트산이 푸른 하늘을 배경으로 우뚝 솟아 있었다.

****much** [mʌtʃ] 혱 비교 **more** [mɔːr] : 최상 **most** [moust]
다량의, (양이) 많은 (⇔ little 적은). ☞ many(다수의)
Is there *much* water in the pond? 연못에 물이 많으냐?
How *much* money does he want? 그는 돈을 얼마나 원하느냐?
Do you watch *much* television? 당신은 텔레비전을 많이 보십니까?
I have *much* work to do. 나는 할 일이 많다.

어법 **much**와 **many**
much는 양을 나타내며 셀 수 없는 명사 앞에 쓰인다. many는 수를 나타내며 셀 수 있는 명사 앞에 쓰인다.
We had *much* rain last year. 작년에는 비가 많이 왔다.
We cut down *many* trees. 우리는 많은 나무를 베어 넘겼다.

many bottles

much milk

— 몡 《단수 취급》 다량, 많음, 많은 것(⇔ little 소량).
I don't know *much* about him. 그에 관해서는 별로 모른다.
Much of what you say is true. 네 말은 대부분 옳다.
Don't eat too *much* of the cake. 그 케이크를 너무 많이 먹지 마라.

— 부 비교 **more** [mɔːr] : 최상 **most** [moust]
❶ 대단히, 크게, 매우. ▶ 동사를 강조할 때에는 보통 very much를 씀.
I like apples very *much*. 나는 사과를 대단히 좋아한다.
Thank you very *much* for your kindness. 친절에 대단히 감사합니다.
I was very *much* surprised to hear the news. 나는 그 소식을 듣고 크게 놀랐다.
❷ 《비교급·최상급 앞에 붙여》 훨씬, 월등히.
Tom is *much* taller than Jim. 톰은 짐보다 훨씬 더 키가 크다.
His car is *much* bigger than mine. 그의 차는 내 차보다 훨씬 더 크다.

as much as …만큼, …만큼이나.
Eat *as much as* you like. 먹고 싶은 만큼 먹어라.
He gave her *as much as* ten dollars. 그는 그녀에게 10달러나 주었다.

be too much for (사람·일 따위가) …에게 벅차다, 힘겹다.

Ted *is too much for* me in tennis. 나는 테니스에서 테드를 당해낼 수가 없다.

***How much ... ?** 얼마; 얼마 정도 (의).

How much is the book? 그 책은 얼마냐?

How much did you pay for this watch? 이 시계는 얼마 주고 샀느냐?

How much money do you need? 너는 얼마만큼의 돈이 필요하냐?

make much of …을 중히 여기다, 소중히 하다.

You should *make much of* his advice. 너는 그의 충고를 소중히 여겨야 한다.

So much for ... . …은 이로써 끝내자.

So much for today. 오늘은 이만 끝. ▶수업 따위가 끝났을 때 쓰는 말.

mud [mʌd] 똉
《a와 복수형 안 씀》 진흙, 진창.

His shoes were covered with *mud*. 그의 신발은 진흙투성이었다.

Both of her feet were caught in the *mud*. 그녀의 두 발은 진흙에 빠졌다.

mud·dy [mʌ́di] 쉥 [비교]
muddier [mʌ́diər] : [최상] **muddiest** [mʌ́diist]
진흙투성이의, 진흙의.

I was walking along a *muddy* road. 나는 진흙길을 걷고 있었다.

The river was *muddy* after the rain. 비가 내린 후라서 강은 흙탕물이었다.

muf·fin [mʌ́fin] 똉
[복수] **muffins** [mʌ́finz]
머핀《위에 과일이나 아몬드 따위를 얹은 조그맣고 달콤한 케이크》.

a blueberry *muffin* 블루베리 머핀.

mug [mʌg] 똉
[복수] **mugs** [mʌgz]
(손잡이가 달린) 컵, 머그, 조끼.

drink a *mug* of beer 맥주 한 조끼를 마시다.

A *mug* is a large cup. 머그는 커다란 컵이다.

mul·ti·me·di·a [mʌ̀ltimíːdiə] 똉
《단수취급》 멀티미디어, 《컴퓨터》 다중 매체.

a *multimedia* PC, 멀티미디어 PC.

mul·ti·ply [mʌ́ltəplài] 똥
[3·단·현] **multiplies** [mʌ́ltəplàiz] : [ing형] **multiplying** [mʌ́ltəplàiiŋ] : [과거][과분] **multiplied** [mʌ́ltəplàid]

[타] ❶ …을 늘리다, 증가시키다.
Darkness *multiplies* the danger of driving. 어둠은 운전의 위험을 증대시킨다.

❷ …을 곱하다, 승하다(⇔ divide 나누다).

Multiply 4 by 5.
4를 5 곱하라.

6 *multiplied* by 3 is 18.
(6×3=18) 6에 3을 곱하면 18이다. ▶6 times 3 is 18. 이라고도 함.

── [자] 늘다, 증가하다; 곱셈하다.
As we climbed higher and higher up the mountain, the danger *multiplied*. 산을 점점 오름에 따라 위험이 늘었다.

mur·der [mə́ːrdər] 똉 [복수]
murders [mə́ːrdərz]
❶《a와 복수형 안 씀》살인.
War is a kind of *murder*.
전쟁은 일종의 살인이다.

❷ 살인 사건.
There were six *murders* in one week. 한 주일 동안에 6 건의 살인 사건이 있었다.

── [타] [3·단·현] **murders** [mə́ːrdərz] : [ing형] **murdering** [mə́ːrdəriŋ] : [과거][과분] **murdered** [mə́ːrdərd]

M

···을 죽이다, 살해하다(=kill).
They tried to *murder* the
king. 그들은 왕을 죽이려 했다.

mur·mur [mə́ːrmər] 명

복수 **murmurs**[mə́ːrmərz]
속삭임; (잎·물결 따위의) 살랑
〔졸졸〕거리는 소리.
The *murmur* of voices in
the next room kept on
until late at night. 옆 방의
속삭임은 밤 늦게까지 계속되었
다.
I hear the *murmur* of a
stream. 냇물이 졸졸 흐르는 소
리가 들린다.
— 동 3·단·현 murmurs[mə́ːr-
mərz]; ing형 murmuring[mə́ːr-
məriŋ]; 과거 과분 murmured
[mə́ːrmərd]
타 ···을 작은 소리로 이야기하다,
속삭이다.
The old woman *murmured*
a prayer. 노파는 작은 소리로
기도를 올렸다.
— 자 살랑살랑〔졸졸〕 소리내다,
살랑〔졸졸〕거리다.
A brook was *murmuring*
down through low hills. 얕
은 산 사이로 시내가 졸졸 흘러
내려갔다.

mus·cle [mʌ́səl] 명 복수 **muscles**[mʌ́səlz]
❶ 근육.
That young man has strong
muscles. 저 청년은 굳센 근육을
갖고 있다.
❷ 《a와 복수형 안 씀》 근력, 완
력, 체력.
He has a good deal of
muscle for a boy of ten.
그는 10살의 소년 치고는 근력이
세다.
▶ muscle 의 c는 발음하지 않음.

mu·se·um [mjuːzíːəm] 명

복수 **museums**[mjuːzíːəmz]
박물관, 미술관.

the British *Museum* 대영 박
물관.
I often go to the art *muse-
um.* 나는 가끔 미술관에 간다.

mush·room [mʌ́ʃru(ː)m] 명

복수 **mushrooms**[mʌ́ʃru(ː)mz]
(식용의) 버섯; 버섯구름(=mush-
room cloud).

mu·sic [mjúːzik] 명

《a와 복수형 안 씀》 음악; 악보.
classical *music* 클래식 음악.
two pieces of *music* 음악 두
곡.
have a talent for *music* 음
악의 재능이 있다.
I can not read *music.* 나는
악보를 못 읽는다. ☞ 형 musical

mu·si·cal [mjúːzikəl] 형 비교 more musical;
최상 most musical
음악의, 음악적인.
The guitar is a *musical*
instrument. 기타는 악기다.
I like her *musical* voice.
나는 그녀의 음악적인 목소리가
좋다. ☞ 명 music
— 명 복수 musicals[mjúːzikəlz]
음악극, 음악 영화, 뮤지컬.

mu·sic box [mjúːzik bàks] 명 복수 music
boxes[mjúzik bàksiz]
음악 상자, 뮤직 박스.
I'm going to buy a *music
box* for my daughter.
나는 딸에게 뮤직 박스를 사 주려
고 한다.

mu·si·cian [mjuːzíʃən] 명

복수 **musicians**[mjuːzíʃənz]
음악가.
She wants to be a *musician.*
그녀는 음악가가 되고 싶어한다.
Korean *musicians* give con-
certs all over the world.
한국인 음악가들이 세계 곳곳에서
연주회를 연다.

M

must [məst: 강 mʌst]
조 《과거형 없음》

❶ 《의무·명령·필요를 나타내어》 …하지 않으면 안 되다, …하여야 하다(=have to). ☞ should (…하여야 하다)
We *must* study hard.
우리는 열심히 공부하여야 한다.
I *must* go now. =I *must* be going now.
이제 가봐야 되겠습니다. ➤ 남의 집을 방문했다 돌아가려고 할 때 하는 말.

어법 1. must에는 과거형, 미래형이 없기 때문에 「…하지 않으려 안 되었다」의 뜻을 나타내려면 had to를, 「…하지 않으면 안 될 것이다」는 will have to를 쓴다.
I *had to* study three hours every day. 나는 매일 3시간 공부하지 않으면 안 되었다.
She *will have to* work harder. 그녀는 좀더 열심히 공부하지 않으면 안 될 것이다.
2. 「…하지 않아도 좋다」는 do not have to 또는 need not을 쓴다.
"*Must* I go to school tomorrow?" "No, you *don't have to.* / No, you *need not.*"
「내일 학교에 가야 합니까?」「아니, 그럴 필요 없다.」

❷ 《must not으로, 금지를 나타내어》 …하여서는 안 되다.
You *must not* park the car here. 이곳에 주차해서는 안 된다.
You *mustn't* use a pencil.
연필을 사용해서는 안 된다.
❸ 《추측을 나타내어》 …임에 틀림없다.
It *must* be true.
그것은 사실임에 틀림없다.

mus·tache [mʌ́stæʃ]
명

복수 **mustaches** [mʌ́stæʃiz]
콧수염.
He wears a *mustache.*
그는 콧수염을 기르고 있다.

mus·tard [mʌ́stərd]
명
《a와 복수형 안 씀》 겨자.
Mustard tastes hot.
겨자는 맛이 맵다.

must·n't [mʌ́snt]
must not의 단축형.
You *mustn't* smoke here.
여기서 담배를 피워서는 안 된다.

mut·ton [mʌ́tn] 명
《a와 복수형 안 씀》 양고기. ☞ sheep(양)
We had roast *mutton* for dinner. 우리는 저녁 식사로 구운 양고기를 먹었다.

mu·tu·al [mjú:tʃuəl] 형
서로의, 상호의.
mutual aid 상호 부조(扶助).
mutual understanding 상호 이해.

my [məi, mə: 강 mai] 대
복수 **our** [auər]
《I의 소유격》 나의.
This is *my* book.
이것은 내 책이다.
They are *my* friends.
그들은 나의 친구다.
── 감 어이구!, 어머나!, 저런!
My! Tom can swim.
어머나! 톰이 헤엄칠 줄 아는군.

my·self [məsélf; 강 maisélf] 대
복수 **ourselves** [auərsélvz]
❶ 《강조를 나타내어》 나 자신. ☞ oneself
I *myself* said so.
나 자신이 그렇게 말했다.
I did the work *myself.*
나 자신이 그 일을 했다.
❷ 《동사·전치사의 목적어로 쓰여》 나 자신을, 나 자신에게.
I dressed *myself* quickly.
나는 재빨리 옷을 입었다.

I looked *myself* in the mirror. 나는 거울에 나 자신을 비추어 보았다.

Let me introduce *myself*.
제 소개를 하겠습니다.

by myself 나 혼자서.

I live *by myself* now.
나는 지금 혼자 살고 있다.

for myself 내 힘으로; 나 자신을 위해서.

I studied *for myself*.
나는 (남의 힘을 빌리지 않고) 혼자 공부하였다.

I bought this house *for myself*.
나는 이 집을 나 자신을 위해서 샀다.

mys·te·ri·ous [mistíəriəs] 〔형〕

〔비교〕 **more mysterious**; 〔최상〕

most mysterious
신비적인, 불가사의한; 괴상한.
Mona Lisa is famous for her *mysterious* smile. 모나리자는 그녀의 신비스러운 미소로 유명하다.

mys·ter·y [místəri] 〔명〕

〔복수〕 **mysteries**[místəriz]

❶ 신비, 불가사의; 괴상한 일.
We were struck by the *mysteries* of nature. 우리는 자연의 신비에 놀랐다.

❷ 추리〔탐정〕 소설.

myth [miθ] 〔명〕

〔복수〕 **myths**[miθs]

신화. ☞ legend(전설)
I like to read the Greek *myths*. 나는 그리스 신화 읽기를 좋아한다.

M

N n

N n
n n

****nail** [neil] 명
복수 **nails** [neilz]

❶ 못.
I need some *nails* and a hammer. 못과 망치가 필요하다.

❷ 손톱. ☞ claw
Don't bite your *nail*.
손톱을 깨물지 마라.
Cut your *nails*. 손톱을 깎아라.

na·ked [néikid] 형

발가벗은; 있는 그대로의.
a *naked* body 나체.
He told me the *naked* truth. 그는 있는 그대로의 사실을 나에게 말했다.

‡**name** [neim] 명
복수 **names** [neimz]

이름, 명칭.
"What's your *name*?" "My *name* is Sumi."
「네 이름은 무엇이냐?」「내 이름은 수미이다.」
Snoopy is my dog's *name*.
스누피는 내 개의 이름이다.

참고 영어의 이름은 우리 이름과는 반대로 이름(first name 또는 Christian name)이 성 (family name) 앞에 온다. Abraham Lincoln은 Abraham이 이름이고 Lincoln이 성이다. 또, John Fitzgerald Kennedy의 Fitzgerald처럼 middle name(중간 이름)이 들어가기도 한다. 미국에서는 친

밀한 사이면 어른이든 어린이든 Tom, Jane처럼 이름을 부른다. 따라서 동양에서처럼 성을 부르는 사이란 서먹서먹한 사이거나 친밀하지 못한 것을 뜻한다.

— 타 3·단·현 **names** [neimz] ;
ing형 **naming** [néimiŋ] ; 과거 과분
named [neimd]

❶ …에 이름 붙이다; 《**name**+사람 따위+이름으로》 (아무)를 …라고 이름 붙이다.
They *named* the baby Nancy. 그들은 아기를 낸시라고 이름 지었다.
I know a boy *named* Jim.
나는 짐이라는 이름을 가진 소년을 알고 있다.

❷ …의 이름을 말하다, 이름을 들다.
Name a good place for a picnic. 소풍 갈 만한 좋은 장소의 이름을 말해 봐.

name ... after 〔*for*〕 ~의 이름을 따서 …라고 이름 붙이다.
They *named* him Robert *after* his grandfather. 할아버지 이름을 따서 그를 로버트라고 이름 지었다.

nam·ing [néimiŋ] 동
name의 -ing형.

Nan·cy [nǽnsi] 명
낸시《여자 이름》.

nap [næp] 자
3·단·현 **naps** [næps] ;
ing형 **napping** [nǽpiŋ] ; 과거 과분
napped [næpt]

선잠 자다, 낮잠 자다.
Grandfather usually *naps* in his armchair. 할아버지께서는 보통 안락의자에서 낮잠을 주무신다.

— 명 복수 **naps**[næps]
낮잠, 선잠.

take a nap 낮잠〔선잠〕 자다.
Father is *taking a nap*
now. 아버지께서는 지금 낮잠을
주무신다.

nap·kin [nǽpkin] 명 복수 **napkins**[nǽpkinz]
냅킨.
Spread your *napkin* on
your lap. 무릎 위에 냅킨을 펼
쳐 놓아라.

nar·ra·tion [næréiʃən] 명
《a와 복수형 안 씀》 서술, 이야
기; 〔문법의〕 화법.
direct 〔indirect〕 *narration* 직
접〔간접〕 화법.

***nar·row** [nǽrou] 형 비교 **narrower**[nǽrouər];
최상 **narrowest**[nǽrouist]
(폭이) 좁은(⇔ broad, wide 넓
은); (마음·생각 따위가) 좁은;
(크기·범위 따위가) 한정된.
They walked along a *nar-
row* river. 그들은 좁은 강을 따
라 걸었다.
He has a *narrow* mind.
그는 마음이 좁다.

주의 *narrow*는 폭이 좁다는
뜻이므로 단순히 작다는 뜻일
때에는 small을 씀에 주의.
「좁은 방」은 「작은 방」이란 뜻
이므로 a small room.

nas·ty [nǽsti] 형 비교 **nastier**[nǽstiər];
최상 **nastiest**[nǽstiist]
싫은, 불쾌한(⇔ nice 좋은); 더러
운.
a *nasty* smell 고약한 냄새.

***na·tion** [néiʃən] 명 복수 **nations**[néiʃənz]
나라, 국가; 국민.
an independent *nation* 독립
국.
developing *nations* 발전 도상

국.
the French *nation* 프랑스 국
민.
The United States is one
of the biggest *nations* in
the world. 미합중국은 세계에서
가장 큰 나라 중의 하나다.

***na·tion·al** [nǽʃənl] 형
국민의; 국가의; 국립의.
a *national* hero 국민적 영웅.
a *national* flag 국기.
We are staying at Seorak
National Park. 우리는 설악산
국립 공원에 체류 중이다.

na·tion·al·i·ty [nǽʃənǽləti] 명
복수 **nationalities**[nǽʃənǽlətiz]
국적.
a man of French *nation-
ality* 프랑스 국적의 사람.
"What is his *nationality*?"
"He is Korean." 「그의 국적은
어디냐?」「한국이다.」 ▶ 국적의
물음에 대한 대답은 형용사로 함.

***na·tive** [néitiv] 형
출생지의, 자기 나라의; 타고난.
Canada is her *native* land.
캐나다는 그녀의 고국이다.
French is his *native* lan-
guage. 프랑스어는 그의 모국어
다.
— 명 복수 **natives**[néitivz]
원주민, 토착민.
natives of America 아메리카
원주민.

***nat·u·ral** [nǽtʃərəl] 형 비교 **more natural**;
최상 **most natural**
자연의(⇔ artificial 인공의); 타
고난; 당연한.
natural resources 천연 자원.
natural sciences 자연 과학.
the *natural* beauties 자연의
미관.
Her hair has *natural* curls.
그녀의 머리카락은 타고난 곱슬머

N

리이다.

It is *natural* for him to say so. 그가 그렇게 말하는 것은 당연하다. ☞ 명 nature

nat·u·ral·ly [nǽtʃərəli] 부

자연히; 타고난 대로; 당연히.

Speak more *naturally*. 좀더 자연스럽게 말하여라.

He is a *naturally* obedient boy. 그는 천성이 유순한 소년이다.

She asked me to join the party; *naturally* I accepted her offer. 그녀는 파티에 나와 달라고 했다. 당연히 나는 그녀의 청을 받아들였다.

*na·ture [néitʃər] 명 [복수] natures [néitʃərz]

❶ 《a와 복수형 안 씀》 자연.

the laws of *nature* 자연의 법칙.

Nature teaches us many lessons. 자연은 우리에게 많은 교훈을 가르쳐 준다.

the beauty of *nature*
(자연의 아름다움)

❷ 성질, 천성, 본성.

human *nature* 인간성.

Mary has a kind *nature*. 메리는 친절한 성품을 지니고 있다.

Habit is a second *nature*. 《속담》 습관은 제 2의 천성. ☞ 형 natural

by nature 날 때부터, 본래.

She was weak *by nature*. 그녀는 태어나면서부터 약했다.

naugh·ty [nɔ́:ti] 형 [비교] naughtier [nɔ́:tiər]; [최상] naughtiest [nɔ́:tiist]

장난의, 짓궂은, 개구쟁이의.

He is a *naughty* boy. 그는 개구쟁이 소년이다.

nau·se·a [nɔ́:ziə, -siə] 명

《a와 복수형 안 씀》 메스꺼움; 뱃멀미.

Common symptoms include *nausea* and dizziness. 흔한 증상으로는 메스꺼움과 어지럼증이 포함된다.

na·vy [néivi] 명

해군. ☞ army (육군)

He has decided to join the *navy*. 그는 해군에 입대하기로 작정했다.

**near [niər] 부 형 [비교] nearer [níərər]: [최상] nearest [níərist]

부 가까이, 접근하여(⇔ far 멀리).

Tom was standing *near*. 톰은 가까이 서 있었다.

Go *nearer* to the door. 좀더 문 가까이 가거라.

come [*draw*] *near*(*er*) 가까이 가다[오다], 접근하다.

He *came nearer* to the pond. 그는 연못 가까이 다가왔다.

The summer vacation is *coming* [*drawing*] *near*. 여름 방학이 다가온다.

near at hand 가까이; 이내, 곧.

He always keeps the book *near at hand*. 그는 늘 그 책을 가까이 두고 있다.

Christmas is *near at hand*. 곧 크리스마스다.

near by 바로 가까이.

A grocery store is *near by*. 식료품점이 바로 가까이 있다.

── 형 가까운(⇔ far 먼).

Where's the *nearest* mail box? 가장 가까운 우체통이 어디 있느냐?

He will return in the *near* future. 그는 가까운 장래에 돌아올 것이다.

── 젠 …가까이.

He lives *near* the school. 그는 학교 가까이 살고 있다.

There was a small house *near* the bridge. 그 다리 가까이에 조그만 집이 있었다.

***near·by** [níərbái] 〔형〕〔부〕
가까운; 가까이, 가까운 곳에서.
a *nearby* store 매우 가까운 곳에 있는 상점.
He lives *nearby*.
그는 가까운 곳에 살고 있다.

***near·ly** [níərli] 〔부〕
거의, 겨우.
It is *nearly* ten o'clock.
거의 10시다.
I was *nearly* drowned.
나는 익사할 뻔했다.

neat [níːt] 〔형〕
〔비교〕 **neater**[níːtər] :
〔최상〕 **neatest**[níːtist]
말쑥한, 잘 정리되어 있는.
Your room is *neat*.
너의 방은 잘 정돈되어 있다.
His handwriting is not very *neat*. 그의 글씨는 과히 깨끗하지 못하다.

neat·ly [níːtli] 〔부〕
정연하게; 깨끗하게.
His letter was *neatly* written. 그의 편지는 깨끗이 쓰여 있었다.

Ne·bras·ka [nibrǽskə] 〔명〕
네브래스카.

> 〔참고〕 미국 중서부의 주. Nebr. 또는 Neb.로 약함. 면적은 200,057 km². 주도는 링컨(Lin-coln [líŋkən]). 농업, 목축업이 성하다.

nec·es·sar·i·ly [nèsəsérəli] 〔부〕
반드시, 꼭.
The rich are not *neces-sarily* happy. 부자라고 반드시 행복한 것은 아니다.

***nec·es·sar·y** [nésəsèri] 〔형〕
〔비교〕 **more necessary**; 〔최상〕 **most neces-sary**
필요한; 부득이한.
Computers are becoming more and more *necessary* in our society. 컴퓨터는 우리 사회에서 점점 더 필요해지고 있다.
Sleep is *necessary* for health. 수면은 건강을 위하여 필요하다.
It was *necessary* for him to save money. 그는 돈을 모으는 것이 필요했다.
☞ 〔명〕 necessity

if necessary 필요하다면.
If necessary, I'll send it to you. 필요하다면 그것을 네게 보내 주겠다.

ne·ces·si·ty [nisésəti] 〔명〕
〔복수〕 **necessities**[nisésətiz]
❶ 《a와 복수형 안 씀》 필요.
Necessity is the mother of invention. 《속담》 필요는 발명의 어머니.
❷ 필요한 것, 필수품.
daily *necessities* 일용품.
☞ 〔형〕 necessary

***neck** [nek] 〔명〕
〔복수〕 **necks**[neks]
목; (옷의) 옷깃; (병 따위의) 목.
Mary put the jewels around her *neck*. 메리는 목에 보석을 걸쳤다.

neck·er·chief [nékərtʃif] 〔명〕
〔복수〕 **neckerchiefs**[nékərtʃifs]
목도리, 네커치프.
She is wearing a white

neckerchief today. 그녀는 오늘 흰 목도리를 하고 있다.

neck·lace [néklis] 몡

복수 **necklaces**[néklisiz]

목걸이.

Mary is wearing a pearl *necklace*. 메리는 진주 목걸이를 하고 있다.

neck·tie [néktài] 몡 복수 **neckties**[néktàiz]

넥타이.

Mr. Brown is wearing a green *necktie*. 브라운씨는 녹색 넥타이를 매고 있다. ➤ necktie 는 간단히 tie라고도 함.

Ned [ned] 몡

네드(남자 이름. Edmund, Edward의 애칭).

⁝**need** [ni:d] 몡

❶ 《a와 복수형 안 씀》

필요, 소용; 부족; 어려운 때.

There is no *need* to hurry. =There is no *need* for haste. 서두를 필요가 없다.

They're badly in *need* of food. 그들은 식량을 절실히 필요로 하고 있다.

A friend in *need* is a friend indeed. 어려울 때의 친구가 참다운 친구다.

❷ 《보통 복수형으로》 필요한 물건.

We bought camping *needs*. 우리는 캠핑에 필요한 물건을 샀다.

── 타 3·단·현 **needs**[ni:dz]: ing형 **needing**[ní:diŋ]: 과거 과분 **needed**[ní:did]

❶ …을 필요로 하다.

I *need* a dictionary. 나는 사전이 필요하다.

We *need* some exercise. 우리는 약간의 운동이 필요하다.

❷ 《**need to** do로》 …할 필요가 있다, …해야 하다.

You *need* to think fast. 너는 민첩하게 생각해야 한다.

You don't *need to* do it now. 너는 지금 그것을 할 필요가 없다.

Why does your grand-mother *need to* work? 왜 너의 할머니는 일해야 하는가?

── 조 《부정문·의문문에 쓰여》 …할 필요가 있다.

He *need* not come. 그는 오지 않아도 된다.

"*Need* I go soon?" "No, you *need* not." / "Yes, you must." 「내가 곧 갈 필요가 있느냐?」「아니, 갈 필요 없다.」/「그래, 가야 한다.」

어법 **1.** need가 조동사로 쓰이는 것은 부정이나 의문의 경우로서, 3인칭 단수에서 s를 붙이지도 않고 과거형도 없으며, 그 뒤에 동사의 원형이 온다. **2.** 구어에서는 조동사로는 거의 쓰지 않으며, 타동사로 쓰는 것이 보통이다.

nee·dle [ní:dl] 몡 복수 **needles**[ní:dlz]

(바느질·뜨개질·주사기·전축 따위의) 바늘. ➤ 시계의 「바늘」은 hand.

a *needle* and thread 실이 꿰어진 바늘.

the eye of a *needle* 바늘 구멍.

need·n't [ní:dnt] need not 의 단축형.

You *needn't* go now. 너는 지금 갈 필요가 없다.

neg·a·tive [négətiv] 혱

부정(否定)의; 소극적인.

He gave me a *negative* answer. 그는 나에게 부정적인 대답을 했다.

a very *negative* person 매우 소극적인 사람.

── 몡 복수 **negatives**[négətivz] 부정, 부정의 말; 원판, 네거티브.

He answered in the *nega-tive.* 그는 아니라고 대답하였다.

I want to see the *negative* of this photo. 나는 이 사진의 원판을 보고 싶다.

neg·lect [niglékt] 타

③·단·현 **neglects** [niglékts];
ing형 **neglecting** [nigléktiŋ];
과거 과분 **neglected** [nigléktid]
…을 게을리하다, 경시하다.

Don't *neglect* your studies.
공부를 게을리하지 마라.

He *neglected* his health.
그는 건강을 소홀히 했다.

Ne·gro [ní:grou] 명
Negroes [ní:grouz] 복수

흑인. ➤ Negro는 경멸하는 느낌이 있으므로 흔히 black을 씀.

the *Negro* race 흑인종.

Negro music 흑인 음악.

neigh·bor [néibər] 명

복수 **neighbors** [néibərz]
이웃 사람; 이웃 나라.

a next-door *neighbor* 이웃집 사람.

a good [bad] *neighbor* 좋은 [나쁜] 이웃 (사람).

Canada and the United States are *neighbors.* 캐나다와 미국은 이웃 나라이다.

➤ 영국에서는 neighbour로 씀.

neigh·bor·hood [néibər-hùd] 명

《a와 복수형 안 씀》 근처.

Mr. Smith lives in my *neighborhood.* 스미스 선생님은 나의 이웃에 살고 계신다.

Our *neighborhood* has a nice supermarket. 우리 근처에는 훌륭한 슈퍼마켓이 있다.

➤ 영국에서는 neighbourhood로 씀.

***nei·ther** [ní:ðər] 부

❶ 《neither … nor ~로》 …도 아니고 ~도 아니다.

We have *neither* money *nor* power. 우리에게는 돈도 없고 힘도 없다.

❷ 《부정문 뒤에서》 …도 또한 ~ 아니다.

"I can't do that." "*Neither* can I." 「나는 그것을 할 수 없다.」「나도 못한다.」➤ neither 뒤는 주어와 동사의 순서가 바뀜에 주의.

── 형 (둘 중의) 어느 쪽의 …도 ~ 아니다.

Neither story is true.
어느 이야기도 사실이 아니다.

➤ neither 뒤의 명사는 단수형임.

── 대 (둘 중의) 어느 쪽도 …아니다.

Neither of us is going. 우리들 중 아무도 가지 않는다. ➤ neither는 보통 3인칭 단수로 취급함.

"Do you know both Susie and Betty?" "I know *neither* of them." 「수지와 베티를 둘 다 아느냐?」「둘 다 모른다.」

Nel·ly [néli] 명
넬리《여자 이름》.

ne·on [ní:ɑn] 명

《a와 복수형 안 씀》 네온.

A big *neon* sign advertised Coke [kouk]. 큰 네온사인에서는 코카콜라를 광고하였다.

neph·ew [néfju:] 명 복수
nephews [néfju:z]

조카(⇨ niece 조카딸).

Tom is my brother's son, so he is my *nephew.* 톰은 형의 아들이니까 나의 조카가 된다.

nerve [nə:rv] 명
복수 **nerves** [nə:rvz]

신경;《a와 복수형 안 씀》 기력, 담력.

He gets on my *nerves.*
그는 나의 신경을 건드린다.

It takes *nerve* to speak to a foreigner. 외국인에게 말을 거

는 데는 담력을 요한다.

nerv·ous [nə́ːrvəs] 형 [비교] **more nervous**; [최상] **most nervous**

신경질인, 초조한.

the *nervous* system 신경 계통.
nervous diseases 신경병.
I am very *nervous* about the finals.
나는 기말 시험 때문에 아주 초조하다. ➤ the finals는 final examinations의 뜻.

-ness [-nis] 접미
형용사에 붙여서 명사를 만듦.

kind*ness* 친절 / useful*ness* 유용 / sick*ness* 병 / happi*ness* 행복.

****nest** [nest] 명 [복수] **nests**[nests]

(새, 곤충, 작은 동물 따위의) 둥지, 보금자리.

The bird built 〔made〕 a *nest* to lay its eggs.
새는 알을 낳기 위하여 둥지를 만들었다.
── 자 [3·단·현] **nests** [nests]; [ing형] **nesting**[néstiŋ]; [과거][과분] **nested**[néstid]

둥지를 치다, 둥지에 깃들이다.

A bird *nested* in a tall pine tree. 새가 높은 소나무에 둥지를 쳤다.

****net** [net] 명 [복수] **nets**[nets]

그물, 네트.

a fishing *net* 어망.
a mosquito *net* 모기장.
a tennis *net* 테니스용 네트.
A boy was chasing a butterfly with a *net*. 한 소년이 그물을 가지고 나비를 쫓고 있었다.
── 타 [3·단·현] **nets**[nets]; [ing형] **netting**[nétiŋ]; [과거][과분] **netted**[nétid]

…을 그물로 잡다, 그물을 치다.

He was able to *net* a fish.
그는 그물로 고기를 잡을 수 있었다.

Neth·er·lands [néðərləndz] 명

《the를 붙여》 네덜란드. ☞ Holland

[참고] ➤ 네덜란드가 공식 명칭이지만, 보통 Holland를 많이 쓴다. Netherlands는 low lands (저지)란 뜻.

net·ted [nétid] 동

net의 과거·과거 분사.

net·ting [nétiŋ] 동
net의 -ing형.

net·work [nétwə̀ːrk] [복수] **networks**[nétwə̀ːrks]

망상 조직; 방송망; (컴퓨터의) 통신망.

a TV *network* 텔레비전 방송망.
a *network* of railroads 철도망.
With a *network* of computers, you can send and receive information freely and quickly. 컴퓨터 통신망으로 자유롭고 신속하게 정보를 주고 받을 수 있다.

neu·tral [njútrəl] 형

중립의; 공평한.

a *neutral* country 중립 국가.
Take a *neutral* stand. 중립적 입장을 취해라.

Ne·vad·a [nivǽdə] 명

네바다.

[참고] 미국 서부의 주. Nev.로 약함. 면적은 286,317 km²로 우리 나라보다 훨씬 크다. 주도는 카슨시티(Carson[káːrsn] City). 광업이 주된 산업이다. 이 곳의 네바다 사막은 원자 병기의 실험지로서 유명하다. 남부에는 관광지 라스베이거스(Las Vegas[lɑːs véigəs])가 있다.

nev·er [névər] 閉
결코 …하지 않다, …한 적이 없다. ▶not보다 부정의 뜻이 강함.
She is *never* late for school. 그녀는 결코 학교에 늦지 않는다.
I have *never* been there. 나는 그 곳에 가 본 적이 없다.
I will *never* forget you. 나는 결코 너를 잊지 못할 것이다.
"Have you ever climbed Hallasan?" "No, I *never* have."
「한라산에 오른 적이 있느냐?」 「아니, 없다.」
▶I have never. 라고 하지 않음에 주의.

> 어법 never의 위치
> never는 보통 be동사와 조동사의 뒤, 일반 동사의 앞에 온다. 그러나 위 예문에서와 같이 본동사가 생략되고 조동사만 있을 때에는 그 앞에 온다.

nev·er·the·less [nèvərðəlés] 閉
그럼에도 불구하고, 그래도 역시. ▶however 보다 뜻이 강함.
It was raining. *Nevertheless* we started on our trip.
비가 오고 있었지만 그래도 우리는 여행을 떠났다.

new [njuː] 閉
비교 **newer**[njúːər] : 최상 **newest**[njúːist]
새로운(⇔ old 낡은).
a *new* car 〔bicycle〕 새 자동차〔자전거〕.
a *new* teacher 새로 오신 선생님.
In spring everything is *new*. 봄에는 모든 것이 새롭다.
That's *new* to me. 그것은 나에게 생소하다.
What's new? 별일 없느냐? ▶친한 친구 사이의 인사.

"Hi! *What's new*, Tom?"
"Nothing much." 「야, 톰, 별일 없느냐?」「별일 없어.」

new·com·er [njúːkʌmər] 閉
복수 **newcomers** [njúːkʌmərz]
새로 온 사람; 신인, 신출내기.
We welcomed the *newcomers*. 우리는 새로 온 사람들을 환영하였다.

New Eng·land [njùː íŋglənd] 閉
뉴잉글랜드《미국 북동부의 여섯 주 Connecticut, Massachusetts, Rhode Island, Vermont, New Hampshire, Maine을 가리킴》.

New Hamp·shire [njùː hǽmpʃiər] 閉
뉴햄프셔.

> 참고 미국 북동부의 주. N.H.로 약함. 면적은 24,099 km². 주도는 콩코드(Concord [káŋkərd]).

New Jer·sey [njùː dʒə́ːrzi] 閉
뉴저지.

> 참고 미국 동부의 주로서 미국 독립 당시의 13주의 하나. N.J.로 약함. 면적은 20,297 km². 주도는 트렌턴(Trenton [tréntən]). 화학, 기계 공업이 성하다.

new·ly [njúːli] 閉
새로이, 다시; 최근에.
a *newly* married couple 신혼 부부.
Don't touch the *newly* painted walls. 갓 칠한 벽에 손 대지 마라.

New Mex·i·co [njùː méksikòu] 閉
뉴멕시코.

보고 미국 남서부의 주. N. M.
으로 약함. 면적은 315,135
km² 로서 우리 나라보다 훨씬
크다. 주도는 산타페(Santa
Fe[sǽntə féi]). 농업, 목축업
및 광업이 성하다. 원래는 멕시
코 땅이었으나 1850년에 미국
영토가 되었고, 1912년에 주로
승격했다.

*__news__ [nju:z] 명
《a와 복수형 쓰지 않음》
소식, 뉴스.
home [foreign] *news* 국내[해
외] 뉴스.
sports *news* 스포츠 뉴스.
The *news* should be accurate. 뉴스는 정확해야 한다.
Radio *news* is usually on the hour. 라디오의 뉴스는 대개
정시에 있다. ➤on the hour란
1시, 2시, 3시 등 똑 떨어지는 시
각이라는 뜻임.

I have some *news* for you.
네게 알릴 것이 있다.
No *news* is good *news*.
《속담》무소식이 희소식.

어법 **news**의 용법
1. news의 -s 때문에 복수형으
로 착각하기 쉬우나, a도 안 붙
이고 복수형도 없으며, 항상 단
수로 취급함에 주의.
2. 하나, 둘로 셀 때에는 a
piece of news, two pieces
of news 따위로 나타낸다.
Here are *two* interesting
pieces of news. 두 가지 재
미있는 소식이 있다.

news·boy [njú:zbɔ̀i] 명
복수 newsboys[njú:zbɔ̀iz]
신문팔이, 신문 배달원.
He worked as a *newsboy*
during the vacation. 그는 방
학 중에 신문 배달을 했다.

news·let·ter [njú:zlètər] 명
복수 newsletters [njú:zlètərz]
(회사·단체 등의) 회보, 월보,
연보.
The company publishes a
monthly *newsletter*. 그 회사
는 월보를 발행한다.

*__news·pa·per__ [njú:zpèipər] 명
복수 newspapers[njú:zpèipərz]
신문. ➤ 간단히 paper 라고도
함. ☞ paper
a morning *newspaper* 조간
신문.
an evening *newspaper* 석간
신문.
We get two daily *newspapers*. 우리는 두 가지 일간지
를 보고 있다.

보고 신문은 발행 방식에 따라
daily(일간지), weekly(주간
지), Sunday paper(일요판)
로 나뉘어진다. 호별 배달은
우리 나라처럼 일반적인 것이
아니고 교외의 주택지에서나
볼 수 있다. 대도시에서는 대
개 거리의 가두 판매소(news-
stand)에서 사서 본다.

news·stand [njú:zstænd] 명
복수 newsstands [njú:zstændz]
신문[잡지]판매대.
He bought a magazine at
a *newsstand*. 그는 신문판매대
에서 잡지를 샀다.

New·ton [njú:tn] 명
뉴턴.
Sir Isaac[sə:r áizək] **Newton**

아이작 뉴턴 경(1642-1727) 《영국의 과학자·수학자·철학자로서 만유 인력의 법칙 및 수학의 미분·적분의 원리를 발견함》.

New World [njú: wə́:rld] 명

《the를 붙여》 신세계, 아메리카 대륙. ▶ 옛날 유럽인들은 미국을 이렇게 불렀음.

new year [njú: jíər] 명

《보통 the를 붙여》 새해, 신년; 《보통 **New Year**로》 설날.
I wish you a happy *New Year.* =(A) Happy *New Year.* 새해 복 많이 받으십시오. ▶이 말에 대한 대답은 (The) same to you.(당신도 복 많이 받으십시오.) 라고 함.

*New York [njù: jɔ́:rk] 명

뉴욕시 (= New York City); 뉴욕주.

참고 뉴욕주라 할 때는 N. Y.로 약함. 미국 동부 해안에 있으며 면적은 128,410 km². 주도는 올버니(Albany [ɔ́:lbəni]). 뉴욕시(New York City)는 미국 최대의 도시로 시내에는 102층의 Empire State Building 을 비롯한 많은 고층 건물이 있다. 뉴욕항에는 자유의 여신상 (the Statue of Liberty)이 유럽 쪽을 향하고 서 있다. 세계 무역·경제의 중심지이다.

New Zea·land [njù: zí:-lənd] 명

뉴질랜드.

참고 남태평양에 있는 영연방의 자치국. 면적은 268,680 km². 수도는 웰링턴 (Wellington [wélɪŋtən]). 낙농업, 광업이 성하다.

**next [nekst] 형

❶ (시간적으로) 다음의, 오는.
Are you free *next* Friday? 너는 오는 금요일에 한가하냐?

어법 **next**의 용법
1. 이 용법에서는 next 앞에 the나 전치사 on, in 따위를 붙이지 않는다.
2. next는 「다음의, 오는」이라는 뜻이므로, 월요일에 next Friday라고 하면 「이번 주 금요일」을 가리키고, 「다음 주 금요일」을 확실하게 말하려면 on Friday next week라고 한다.
3. 과거의 어느 때를 기준으로 하여 「다음 날, 다음 주, 다음 달, 다음 해」라고 할 때에는 the를 붙인다.
I saw him the *next* day. 나는 그 다음 날 그를 만났다.

❷ 《the를 붙여》 (장소상으로) 이웃의, 옆의, 다음의.
He lives in the *next* house. 그는 옆 집에 산다.
❸ 《보통 the를 붙여》 (순서상으로) 다음의.
Read the *next* sentence. 다음 문장을 읽어라.
I'll get off at the *next* station. 나는 다음 정거장에서 내리겠다.
next door (*to*) (…의) 이웃에.
They live *next door to* us. 그들은 우리 이웃에 살고 있다.
next time 이 다음에.
Next time I'll cook. 이 다음에는 내가 요리할게.

—閉 다음에, 이번에는; 이웃에.
When you come *next*,
bring your sister. 다음에 올
때에는 누이를 데리고 오너라.
What shall I do *next*?
다음엔 무엇을 할까요?

next to …의 이웃에, …옆에.
There's a nice restaurant
next to the library. 도서관 옆
에 좋은 식당이 있다.
He sat *next to* me.
그는 내 옆에 앉았다.

—代 다음 사람, 다음의 것.
Mrs. Smith was the *next*
to arrive. 다음에 도착한 분은
스미스 부인이었다.

Ni·ag·a·ra Falls [naiˈæɡərə-fɔ́ːlz] 명

《the를 붙이고 보통 단수 취급》 나
이아가라 폭포《미국 북동부의 나
이아가라 강의 폭포》.

*nice [nais] 형

비교 nicer[náisər]; 최상
nicest[náisist]

좋은, 기분 좋은; 친절한.
It's a *nice* day, isn't it?
날씨가 좋지?
What a *nice* present you
got! 참 훌륭한 선물을 받았구나!
"How do you do, Mr.
Green?" "*Nice* to meet you,
Inho."
「그린 선생님, 처음 뵙겠습니다.」
「인호, 만나서 반갑다.」
Nice talking with you, Yun-
hi. Good-bye.
윤희야, 너와 이야기할 수 있어
기뻤다. 잘 가.
The people in my home-

town are very *nice*. 내 고향
사람들은 매우 친절하다.

비슷한 말 **good과 nice**

good, nice는 다 「좋은」으로
새기나 good은 물건이나 사람
이 좋은 것을, nice는 행동이나
남에게 주는 느낌이 좋은 것을
뜻한다.

회화 **Have a nice ... !**

Have a nice ...! 는 일상 회
화에서 많이 쓰이는 표현이다.
Have a nice day!
오늘 즐겁게 지내라!
Have a nice holiday!
휴일 즐겁게 지내라!
Have a nice time!
즐거운 시간을 가져라!
Have a nice weekend!
주말 잘 보내라!
Have a nice trip!
즐거운 여행 해라!
Have a nice flight! 즐거운
여행 해라! ▶ 비행기 타러 나가
는 사람에게 하는 말.

---

nice·ly [náisli] 부

멋지게, 기분 좋게; 꼭 맞게.
This necktie suits you
nicely. 이 넥타이는 너에게 잘
어울린다.

nick·el [níkəl] 명

복수 nickels[níkəlz]

❶《a와 복수형 안 씀》 니켈.
Nickel is a metal that
looks like silver. 니켈은 은처
럼 보이는 금속이다.
❷(미국의) 5센트 백통화. ☞coin
A *nickel* is a 5-cent coin
used in the United States.
니켈화는 미국에서 쓰고 있는 5센
트짜리 주화다.

nick·name [níknèim] 명

복수 nicknames[níknèimz]

별명, 애칭.
They tried to find a good

nickname for their new teacher. 그들은 새로 오신 선생님에게 붙일 좋은 별명을 찾으려고 했다.

"Bob" is a *nickname* for "Robert." 보브는 로버트의 애칭이다.

── 타 [3·단·현] **nicknames** [níknèimz] : [ing형] **nicknaming** [níknèimiŋ] : [과거] [과분] **nicknamed** [níknèimd]

…에게 별명을 붙이다; …을 애칭으로 부르다.

They *nicknamed* him "Shorty." 그들은 그에게 「꼬마」라고 별명을 붙였다.

niece [niːs] 명
[복수] **nieces** [níːsiz]
조카딸(⇨ nephew 조카).
Betty is Mr. Brown's *niece*.
베티는 브라운씨의 조카딸이다.

****night** [nait] 명
[복수] **nights** [naits]
밤, 야간(⇨ day 낮).
every *night* 매일밤.
a *night* school 야간 학교.
a *night* game 야간 경기.
They arrived on Sunday *night*. 그들은 일요일 밤에 도착했다.
What time did you go to bed last *night*? 너는 어젯밤에 몇 시에 잤느냐?

┌─────────────────────┐
[참고] **night** 와 **evening**
evening은 해가 진 뒤부터 잠잘 때까지를 가리키는 데 비해 night는 해가 진 뒤부터 해가 뜰 때까지를 말한다. 「오늘 밤, 오늘 저녁」은 tonight 또는 this evening이라고 하며, this night라고는 하지 않음에 주의.
└─────────────────────┘

all night (*long*) 밤새도록.
I sat *all night*.
나는 밤새도록 앉아 있었다.
*at night 밤에.

Look at the sky *at night*.
밤에 하늘을 보아라.

by night 밤에는, 밤중에.
They slept by day and traveled *by night*. 그들은 낮에 자고 밤에 여행했다.

┌─────────────────────┐
[회화] **Good night.**
밤에 잘 때나 헤어질 때 하는 인사. 「편히 쉬세요」, 「안녕히 주무세요」, 「안녕히 가십시오」 따위와 같이 새긴다.
A : *Good night*, Mom.
B : *Good night*, Jack.
「엄마, 안녕히 주무세요.」「잭, 잘 자라.」
▶ 밤에 만났을 때 하는 인사는 Good evening.
└─────────────────────┘

night and day = *day and night* 밤낮으로.
They are working *night and day*. 그들은 밤낮으로 일하고 있다.

the night before …의 전야.
The night before Christmas she hung her stocking near her bed. 크리스마스 전야에 그녀는 양말을 침대 가에 걸었다.

night·gown [náitgàun] 명
[복수] **nightgowns** [náitgàunz]
(여성·어린이의) 잠옷, 나이트가운.
She was wearing a *nightgown*. 그녀는 잠옷을 입고 있었다.

night·mare [náitmɛ̀ər] 명
[복수] **nightmares** [náitmɛ̀ərz]
악몽, 가위눌리기.
I used to have a *nightmare* every night.
나는 밤마다 무서운 꿈을 꾸곤 했다.

Nile [nail] 명
《the를 붙여》 나일강.

N

参고 아프리카 동부에 있는 강으로 길이 6,690 km. 유역은 고대 이집트 문명의 발상지이며, 지금은 거대한 댐이 있다.

*nine [nain]
[형]
9의; 9 개〔명〕의, 아홉 살의.
There are *nine* players on a baseball team. 야구의 한 팀에는 9 명의 선수가 있다.
── [명] 9; 아홉 살; 9시; 《복수 취급》 9 개〔명〕.
Mary is *nine*.
메리는 아홉 살이다.

*nine·teen [náintíːn]
[형]
19의; 19 개〔명〕의; 19세의.
My brother is *nineteen* years old.
나의 형은 19 세다.
── [명] 19; 19 세; 《복수 취급》 19 개〔명〕.

nine·teenth [náintíːnθ] [형]
《보통 the를 붙여》 제19의, 열아홉(번)째의.
the *nineteenth* century, 19세기.
── [명] [복수] nineteenths [náintíːnθs]
《보통 the를 붙여》 제19, 열아홉 (번)째; (달의) 19일. ➤ 19th로 약함.
Today is the *19th* of May.
오늘은 5월 19일이다.

nine·ties [náintiz] [명]
ninety의 복수.

nine·ti·eth [náintiiθ] [형]
《보통 the를 붙여》 제90의, 아흔(번)째의.
Today is his *ninetieth* birthday. 오늘은 그의 90번째의 생일이다.
── [명] [복수] ninetieths [náintiiθs]
《보통 the를 붙여》 제90, 아흔 (번)째. ➤ 90th로 약함.

*nine·ty [náinti]
[형]
90의; 90 개〔명〕의; 90세의.
His grandfather is *ninety* years old. 그의 할아버지는 90 세이다.
── [명] [복수] nineties [náintiz]
❶ 90; 90세; 《복수 취급》 90 개 〔명〕.
a man of *ninety* 90세인 사람.
❷ 《one's nineties로》 (연령의) 90대; 《the nineties로》 (각 세기의) 90년대.
in *the* eighteen *nineties*, 1890년대의.

*ninth [nainθ] [형]
❶ 《보통 the를 붙여》 제9의, 아홉(번)째의.
September is the *ninth* month of the year. 9월은 1년의 아홉번째 달이다.
❷ 9분의 1의.
── [명] [복수] ninths [nainθs]
❶ 《보통 the를 붙여》 제9, 아홉 (번)째; (달의) 9일. ➤ 9th로 약함.
He was born on January *9th*, 1985. 그는 1985년 1월 9일 생이다.
❷ 9분의 1.

*no [nou] [부]
아니오(⇔ yes 예).
"Do you like this?" "*No*, I don't." 「너는 이것을 좋아하니?」 「아니, 좋아하지 않는다.」
"Is that your cat?" "*No*, it isn't ours." 「저것은 너희 고양이냐?」 「아니, 우리 것이 아니다.」

Alfred[ǽlfrid] **B. Nobel** 앨프레드 비 노벨(1833-96)《스웨덴의 화학자. 그의 유언에 따라 노벨상이 설정됨》.

노벨상(메달)

어법 **no의 뜻과 용법**

1. no는 보통 「아니오」란 뜻을 나타낸다.

2. 그러나 부정의 의문문에 대한 대답에서는 「예」로 번역한다. 영어에서는 우리말과는 달리 물음이 긍정이든 부정이든 상관 없이 대답의 내용이 긍정이면 yes로, 부정이면 no로 대답하기 때문이다.

"Don't you like this?"

"*No*, I don't." 「이것을 좋아하지 않느냐?」「예. 좋아하지 않습니다.」

── 형 조금도 …않다, 하나도 …않다. ▶ 명사 앞에서만 쓰임.

I have *no* money. (= I don't have any money.) 나는 돈이 한푼도 없다. ▶ 구어에서는 I don't have... 형식이 흔히 쓰임.

We have *no* school today. 오늘은 수업이 없다.

She is *no* fool. 그녀는 어리석지 않다. ▶ 「오히려 영리하다」란 뜻이 있음.

No parking. 《게시》 주차 금지.

No smoking. 《게시》 금연.

No., no. [nʌ́mbər] 《number의 간략형》

복수 **Nos., nos.** [nʌ́mbərz]

제 …번, 제 …호, …번지.

No. 10, 제10번.

No·ah [nóuə] 명 노아《구약 성경 중의 인물의 이름》.

Noah's Ark[ɑːrk] 노아의 방주.

참고 신이 인류의 타락한 모습을 보고 노하여 대홍수를 일으켰으나 노아는 신의 계시에 따라 처자와 갖가지 동물을 큰 방주에 실어 살아남았다. 이로써 인류는 멸망을 면하였다 한다.

No·bel [noubél] 명 노벨.

No·bel prize [nóubel práiz] 명 복수

Nobel prizes[nóubel práiziz]

노벨상《세계의 물리학·화학·생리 의학·문학·평화 및 경제학에 공헌한 사람에게 주는 상》.

He received the *Nobel Peace Prize* in 1962. 그는 1962년에 노벨 평화상을 받았다.

no·ble [nóubəl] 형 비교 **nobler**[nóubələr]: 최상 **noblest**[nóubəlist]

고상한, 고귀한, 훌륭한(⇔ mean 비천한).

a *noble* family 귀족 가문.

a man of *noble* character 고매한 인격의 사람.

Many people were moved by his *noble* deed. 많은 사람이 그의 숭고한 행동에 감동되었다.

no·ble·man [nóubəlmən] 명 복수 **noblemen**[nóubəlmən]

귀족.

N

He was one of the *noble-men* in England. 그는 영국 귀족의 한 사람이었다.

no·ble·men [nóubəlmən] 명

nobleman의 복수.

*__no·bod·y__ [nóubàdi] 대 아무도 …않다, 한 사람도 …않다. ➤ 단수로 취급함.

Nobody knows our secret. 아무도 우리의 비밀을 모른다.

There was *nobody* around. 주위에는 아무도 없었다.

nod [nad] 동 ③·단·현 nods [nadz]; ing형 nodding [nádiŋ]; 과거 과분 nod-ded [nádid]

자 머리를 끄덕이다; 머리를 끄덕여 인사하다.

He *nodded* with a smile on his face. 그는 웃으면서 고개를 끄덕였다.

— 타 (머리)를 끄덕이다; (승낙 등)을 머리를 끄덕여 나타내다.

When we mean "Yes," we *nod* our heads. 「예」를 의미할 때, 우리는 고개를 끄덕인다.

— 명 복수 nods [nadz] 끄덕이기 《동의·인사·신호 따위》.

Her *nod* showed consent. 그녀의 끄덕임은 승낙의 표시였다.

*__noise__ [nɔiz] 명 복수 noises [nɔiziz]

소리, 잡음, 소음. ➤ 보통 큰 소리나 불쾌한 소리를 가리킴.

I heard a strange *noise* outside. 나는 밖에서 나는 이상한 소리를 들었다. ☞ 형 noisy

make a noise 소리내다; 떠들다.

They *made* a lot of *noise* upstairs. 그들은 2층에서 소란한 소리를 내었다.

Don't *make* so much *noise*. 그렇게 시끄럽게 굴지 마라.

nois·i·er [nɔiziər] 형 noisy의 비교급.

nois·i·est [nɔiziist] 형 noisy의 최상급.

*__nois·y__ [nɔizi] 형 비교 noisier [nɔiziər]; 최상 noisiest [nɔiziist]

떠들썩한, 시끄러운(⇔quiet 조용한).

Tom is a *noisy* boy. 톰은 시끄러운 소년이다.

What a *noisy* classroom! 교실이 왜 이리 시끄러운가!

Don't be *noisy!* 조용히 해!, 떠들지 마라! ☞ 명 noise

*__none__ [nʌn] 대 ❶ 아무도 …않다, 하나도 …없다. ➤ 보통 복수로 취급함.

"How many students went there?" "*None* did." 「몇 명의 학생이 거기에 갔느냐?」 「아무도 안 갔어요.」

None of these books are [is] interesting. 이 책들은 하나도 재미 없다.

❷ 조금도 …않다. ➤ 「no+단수 명사」를 대신하므로 단수로 취급함.

"Is there any sugar left?" "No, there is *none*." 「설탕이 남아 있느냐?」 「아니, 조금도 없다.」

non·sense [nánsens] 명 《a와 복수형 안 씀》 무의미, 넌센스.

Nonsense! I can't believe it. 허튼 소리 마라! 나는 그걸 믿을 수 없다.

non·stop [nánstáp] 형 직행의, (도중에서) 멎지 않는, 안 쉬는.

a *nonstop* train 직행 열차.

We have a *nonstop* flight leaving Gimpo at 10. 김포 공항에서 10시에 떠나는 직행 비행기가 있다.

noo·dle [núːdl] 명 복수 noodles [núːdlz] 《보통 복수형으로》 면, 국수《중국 요리와 이탈리아 요리에서 사용》.

I don't like *noodles* when

they turn soft. 나는 푹 퍼진 면을 좋아하지 않는다.

[nuːn]
*noon 몡
《a와 복수형 안 씀》 정오, **대낮**.
at *noon* 정오에.
It's *noon*. Let's eat lunch.
정오다. 점심 먹자.
They arrived a little before
〔after〕 *noon*. 그들은 정오 조금
전〔후〕에 도착했다.

[nər; 강 nɔːr]
*nor 접
❶ 《neither ... nor ～로》 …
도 아니고 ～도 아니다. ☞ nei-
ther
I have *neither* time *nor*
money. 나는 시간도 돈도 없다.
Neither John *nor* Tom
studied the lesson. 존도 톰도
그 과를 공부하지 않았다.
❷ 《부정문 뒤에서》 …도 또한 아
니다.
John isn't coming today,
nor is Mary. 존도 오늘 안 오
고, 메리도 안 온다. ▶ nor 뒤에
서는 주어와 동사의 어순이 바뀜
에 주의.

[nɔ́ːrməl]
nor·mal 톙
[비교] more normal;
[최상] most normal
보통의, 정상의, 정규의.
She speaks at a *normal*
speed. 그녀는 보통 속도로 이야
기한다.
── 몡 《a와 복수형 안 씀》 표준,
평균.
The river rose six inches
above *normal*. 그 강의 수위는
정상보다 6인치나 높아졌다.

[nɔːrθ]
*north 몡
《the를 붙여》 북, **북쪽**
(⇔ south 남쪽).
north, south, east and
west 동서남북. ▶ 우리 말 어순
과 다름에 주의.
Our school is in the *north*
of the city. 우리 학교는 시의
북부에 있다. ☞ 톙 **northern**

── 톙 북(쪽)의, **북쪽으로부터의**.
a *north* wind 북풍.
the *north* side of the build-
ing 건물의 북쪽 면.
A *north* room is cold in
winter. 북향방은 겨울에 춥다.
── 뷔 **북쪽에, 북쪽으로**.
These birds fly *north* in
spring. 이 새들은 봄에 북쪽으로
날아간다.
My room faces *north*.
내 방은 북향이다.

North A·mer·i·ca

[nɔ́ːθ əmérikə] 몡
북아메리카《Canada, the Unit-
ed States, Mexico를 포함함》.
☞ Central America(중앙 아메
리카), South America(남아메
리카).

North Car·o·li·na

[nɔ́ːrθ kærəláinə] 몡
노스캐롤라이나.

> [참고] 미국 동부의 주. N. C.로
> 약함. 면적은 136,533 km²로
> 우리 나라의 절반보다 약간 큼.
> 주도는 롤리(Raleigh [rɔ́ːli]).
> 주산물은 광석, 면화, 담배 등
> 이다.

[nɔ́ːrθ də-
kóutə] 몡
North Da·ko·ta
노스다코타.

> [참고] 미국 북부의 주. N. D.로
> 약함. 면적은 183,034km²로
> 우리 나라의 5분의 4. 주도는
> 비즈마크 (Bismarck [bíz-
> maːrk]).

[nɔ́ːrθíːst]
north·east 몡
《the를 붙여》 **북동, 북동부**.
His house is in *northeast*
of the city. 그의 집은 시의 북
동부에 있다.

N

—— 휑 북동(쪽)의.
The department stores are in the *northeast* district. 백화점은 북동 지구에 있다.
—— 튀 북동(쪽)에〔으로〕.
At this point the road turns *northeast*. 이 지점에서 길은 북동쪽으로 꺾인다.

north·east·ern [nɔ̀ːrθíːs-tərn] 휑
북동의.
The small boat landed on the *northeastern* coast of America. 그 작은 배는 미국의 북동 해안에 닿았다.

****north·ern** [nɔ́ːrðərn] 휑
북쪽의, 북쪽에 있는, 북으로부터의 (⟺ southern 남쪽의).
the *Northern* States 미국 북부의 여러 주.
Do you like a *northern* breeze? 너는 북쪽에서 불어 오는 미풍을 좋아 하느냐?
He is familiar with *northern* European countries. 그는 북유럽의 여러 나라의 일을 잘 알고 있다. ☞ 명 north

North Pole [nɔ́ːrθ póul] 명 《the를 붙여》
북극(⟹ South Pole 남극).

Peary wanted to be the first man to reach the *North Pole*. 피어리는 북극을 정복한 첫번째 사람이 되고 싶었다.

north·ward [nɔ́ːrθwərd] 튀
북쪽으로.

The yacht sailed *northward*. 요트는 북쪽으로 달렸다.

north·west [nɔ̀ːrθwést] 명
《the를 붙여》 북서, 북서부.
The *northwest* of the city has not been developed yet. 시의 북서부는 아직 개발되지 않고 있다.
—— 휑 북서부의.
The *northwest* part of the country is mostly desert. 그 나라의 북서부는 거의가 사막이다.
—— 튀 북서(쪽)에〔으로〕.
The river runs *northwest*. 강은 북서쪽으로 흐르고 있다.

north·west·ern [nɔ̀ːrθwés-tərn] 휑
북서쪽의, 북서쪽으로부터의.
A *northwestern* wind blew yesterday afternoon. 어제 오후에는 북서풍이 불었다.

Nor·way [nɔ́ːrwei] 명
노르웨이.

참고 스칸디나비아 반도의 서쪽을 차지하는 왕국으로 수도는 오슬로(Oslo[ázlou]). 면적은 323,885 km²로서 우리 나라의 1배 반에 가깝다.

Nor·we·gian [nɔːrwíːdʒən] 휑
노르웨이의; 노르웨이 사람의.
—— 명 《복수》 **Norwegians** [nɔːrwíːdʒənz]
노르웨이 사람; 《a와 복수형 안씀》 노르웨이어.
The people living in Norway speak *Norwegian*. 노르웨이에 사는 사람들은 노르웨이어를 사용한다.

*****nose** [nouz] 명 《복수》 **noses** [nóuziz]
코; 《a를 붙여》 후각.
He has a long 〔short〕 *nose*. 그는 코가 오뚝하다〔낮다〕.

His *nose* was bleeding. 그는 코피를 흘리고 있었다.

A dog has a sensitive *nose*. 개는 예민한 후각을 가지고 있다.

blow** one's **nose 코를 풀다.

He *blew his nose* with a handkerchief. 그는 손수건으로 코를 풀었다.

put** one's **nose into …에 간섭하다.

Don't *put your nose into* my affairs. 내 일에 간섭 마라.

***not** [nat] 閉

❶ (…이) 아니다, (…하지) 않다.

I'm *not* American.
나는 미국인이 아니다.

He did *not* go there yesterday. 그는 어제 그 곳에 가지 않았다.

He told me *not* to come.
그는 나에게 오지 말라고 했다.

Not many people know this. 이것을 알고 있는 사람은 많지 않다.

❷ 《all, both, every, always 따위와 함께 쓰여》 (모두가, 언제나) …은 아니다. ▶일부만을 부정하는 부분 부정을 나타냄.

Not everyone can see.
누구나 볼 수 있는 것은 아니다.

The rich are *not always* happy. 부자가 항상 행복한 것은 아니다.

어법 **not**의 위치
1. not은 be동사나 조동사 바로 뒤에 둔다. 구어에서는 단축형 n't를 많이 쓴다.
2. 일반 동사를 부정할 때에는 do (does) not, did not을 동사 앞에 둔다.

참고 **not**과 결합한 단축형

be	is not	→	isn't
	are not	→	aren't
	was not	→	wasn't
	were not	→	weren't

---

do	do not	→	don't
	does not	→	doesn't
	did not	→	didn't
have	have not	→	haven't
	has not	→	hasn't
	had not	→	hadn't
shall	shall not	→	shan't
	should not	→	shouldn't
will	will not	→	won't
	would not	→	wouldn't
can	cannot	→	can't
	could not	→	couldn't
must	must not	→	musn't

***not ... at all** 조금도 …아니다.

I'm *not* tired *at all*.
나는 조금도 피곤하지 않다.

I do*n't* know him *at all*.
나는 그를 전혀 모른다.

not ... but ~ …이 아니라 ~이다.

He came *not* on Monday *but* on Tuesday. 그는 월요일이 아니라 화요일에 왔다.

This book is *not* mine *but* hers. 이 책은 내 것이 아니고 그녀의 것이다.

***not only ... but** (**also**) ~ …일 뿐만 아니라 …도 (역시).

He is *not only* a pianist *but* a composer. 그는 피아니스트일 뿐만 아니라 작곡가이기도 하다.

The victory is *not only* his *but also* ours. 그 승리는 그의 것일 뿐만 아니라 우리의 것이기도 하다.

no·ta·ble [nóutəbəl] 형 비교
최상 **most notable**
주목할 만한, 저명한.

Mr. Green is a *notable* artist. 그린씨는 저명한 예술가이다.

***note** [nout] 명
복수 **notes** [nouts]
메모, (간단한) 기록; 짧은 편지,

N

통고.

a *note* of invitation 초대장.

speak without *note* 메모지를 보지 않고 이야기하다.

I have to send a thank-you *note* to her. 나는 그녀에게 사례 편지를 보내야 한다.

▶「공책」을 뜻하는 「노트」는 notebook임.

make a note of …을 적다, 노트하다.

You should *make a note of* this. 이것을 적어두어라.

take note of …에 주의하다.

Take note of what he says. 그가 하는 말에 주의하여라.

— 타 [3·단·현] **notes** [nouts]: [ing형] **noting** [nóutiŋ]: [과거][과분] **noted** [nóutid]

…을 적어두다; …에 주의하다.

She *noted* down my telephone number. 그녀는 내 전화 번호를 적어두었다.

Please *note* that your check is enclosed. 수표를 동봉하였으니 확인하시기 바랍니다.

note·book [nóutbùk] 명

[복수] **notebooks** [nóutbùks]

수첩, 공책.

Write the answer in your *notebooks*. 답을 공책에 적어라.

noth·ing [nʌ́θiŋ] 대

아무 것도 …않다.

She said *nothing*. 그녀는 아무 말도 하지 않았다. ▶ 구어에서는 보통 She didn't say anything. 이라고 함.

There is *nothing* new in her report. 그녀의 보고서에는 아무런 새로운 것이 없다. ▶ 형용사는 nothing의 뒤에 옴.

Nothing is more important than health. (=Health is the most important.) 건강보다 더 중요한 것은 아무 것도 없다.

nothing but …이외는 아무 것도 없다, 다만 …뿐(=only).

We found *nothing but* old newspapers in the box. 그 상자 속에는 헌 신문 이외는 아무 것도 없었다.

Susie did *nothing but* read all day long. 수지는 하루 종일 책만 읽었다.

no·tice [nóutis] 명

[복수] **notices** [nóutisiz]

❶ 《a와 복수형 안 씀》 주의, 주목(=attention).

That news attracted our *notice*. 그 뉴스는 우리의 주의를 끌었다.

❷ 게시, 공고, 통지.

They put a *notice* in the newspaper. 그들은 신문에 공고를 했다.

take notice of …을 마음에 두다, …에 주의하다.

Don't *take* any *notice of* what he said. 그가 한 말에 개념치 마라.

without notice 무단으로, 예고 없이.

He did it *without notice*. 그는 무단으로 그것을 했다.

— 타 [3·단·현] **notices** [nóutisiz]: [ing형] **noticing** [nóutisiŋ]: [과거][과분] **noticed** [nóutist]

…을 알아차리다; …에 주의하다.

He *noticed* me.

그는 나를 알아차렸다.

I *noticed* that she wasn't there. 나는 그녀가 거기 없다는 것을 알아차렸다.

no·tice·a·ble [nóutisəbəl] 형

[비교] **more noticeable**; [최상] **most noticeable**

(쉽게) 눈에 띄는, 이목을 끄는; 두드러진, 주목할 만한.

Is my scar *noticeable*? 내 상처가 눈에 띄니?

no·tic·ing [nóutisiŋ] 동

notice의 -ing형.

no·tion [nóuʃən] 명   [복수]

notions [nóuʃənz]

관념, 생각, 견해(=idea).
I have no *notion* of what he is thinking about.
그가 무엇을 생각하고 있는지 통 알 수가 없다.

noun [naun] 圐
  복수 **nouns**[naunz]
명사. ▶ n.으로 약함.
John, table, notebook, school, kindness, and water are *nouns*. 존, 식탁, 공책, 학교, 친절, 물은 명사이다.

Nov. **November** (11월)의 간략형.

nov·el [návəl] 圐
  복수 **novels**[návəlz]
(장편) 소설.
His *novel* is widely read among young people.
그의 소설은 젊은이들 사이에 널리 읽혀지고 있다.

> 참고 장편 소설과 구별하여 단편 소설은 short story라고 하며, 소설을 통틀어 말할 때에는 fiction이라고 한다.

nov·el·ist [návəlist] 圐
  복수 **novelists**[návəlists]
소설가, 작가.
He is one of the most popular *novelists* in Korea.
그는 한국에서 가장 인기 있는 작가 중의 한 사람이다.

No·vem·ber [nouvémbər] 圐
11월. ▶ Nov.로 약함. ☞ February
Snow begins to fall here in *November*. 이 곳에는 11월에 눈이 내리기 시작한다.

now [nau] 閉
❶ 지금, 현재, 지금쯤은.
What are you doing *now*?
지금 무엇을 하고 있느냐?
❷ 《보통 문장 앞에 써서》 자, 그럼, 그런데. ▶ 화제를 바꾸거나 주의를 끌거나 할 때 씀.

Now listen to me.
자, 내 말을 들어라.
Now, let's begin at (on) page 10. (수업 따위에서) 자, 10쪽부터 시작하도록 하자.

just now 지금 막.
He left *just now*.
그는 지금 막 떠났다.

right now 지금 곧, 지금 당장에.
Put your toys away *right now*. 네 장난감을 당장에 치워라.

—— 圐 《a와 복수형 안 씀》 지금, 현재.

by now 지금쯤은.
He should be home *by now*. 그는 지금쯤은 집에 가 있을 것이다.

for now 우선, 지금으로서는.
"Is this all?" "Yes. That's all *for now*." 「이것이 전부냐?」 「그래. 지금으로서는 그것이 전부다.」

from now on 이제부터는, 금후에는.
I'll quit smoking *from now on*. 이제부터 담배를 끊겠다.

now·a·days [náuədèiz] 閉
요즘에는, 오늘날에는.
Nowadays many people know how to drive a car.
오늘날에는 많은 사람들이 자동차를 운전할 줄 안다.

no·where [nóuhwɛ̀ər] 閉
어디나 …않다, 아무 데도 …않다.
"Where did you go for your vacation?" "*Nowhere*."
「휴가를 어디로 갔었느냐?」 「아무 데도 안 갔다.」
He was *nowhere* in sight.
그는 어디에도 보이지 않았다.

nu·cle·ar [njúːkliər]
원자핵의, 핵무기의, 핵을 보유하는, 핵무장의.
nuclear energy 원자핵 에너지.

N

***num·ber** [nʌ́mbər] 명 복수 **numbers**[nʌ́mbərz]
수, 숫자; 번호, 제 …번〔호〕.
an even 〔odd〕 *number* 짝수 〔홀수〕.
a phone *number* 전화 번호.
They say that seven is a lucky *number*. 7은 행운의 수라고들 한다.
The *number* of cars is increasing rapidly. 자동차의 수가 급격히 늘고 있다. ➤ the number of는 단수 취급.
What *number* are you calling? (전화에서) 몇 번에 전화를 거셨습니까?

a large 〔*great*〕 *number of* 매우 많은(=very many).
We saw *a large number of* children playing. 많은 아이들이 놀고 있는 것을 보았다.

*a number of 얼마간의(=several); 꽤 많은(=many).
There were *a number of* people in the store. 그 점포에는 많은 사람이 있었다.

numbers of 많은(=many).
We can see *numbers of* stars at night. 우리는 밤에 많은 별을 볼 수 있다.

—— 타 3·단·현 **numbers**[nʌ́mbərz]; ing형 **numbering**[nʌ́mbəriŋ]; 과거 과분 **numbered** [nʌ́mbərd]
❶ …에 번호를 붙이다.
They *numbered* the houses. 그들은 집에 번호를 붙였다.
These tickets are not *numbered*. 이 표들에는 번호가 붙어 있지 않다.
❷ 수가 …에 이르다.
The missing *numbered* 50. 행방 불명자는 50 명에 이르렀다.

nu·mer·ous [njúːmərəs] 형
다수의, 엄청나게 많은.
He collected *numerous* foreign stamps. 그는 많은 외국 우표를 모았다.

nun [nʌn] 명 복수 **nuns** [nʌnz]
수녀.
a Catholic *nun* 가톨릭 수녀.

***nurse** [nəːrs] 명 복수 **nurses**[nə́ːrsiz]
간호사, 간호인.
The sick man was taken care of by a *nurse*. 그 환자는 간호사의 간호를 받았다.

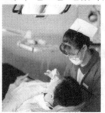

—— 타 3·단·현 **nurses**[nə́ːrsiz]; ing형 **nursing** [nə́ːrsiŋ]; 과거 과분 **nursed**[nəːrst]
…을 간호하다; 키우다; …에게 젖을 먹이다.
They *nursed* their mother. 그들은 어머니를 간호하였다.
The mother *nursed* her baby. 어머니는 아기에게 젖을 먹였다.

nurs·er·y [nə́ːrsəri] 명
복수 **nurseries**[nə́ːrsəriz]
육아실, 탁아소(=day nursery).
Toys were scattered in the *nursery*. 육아실에는 장난감이 흩어져 있었다.

nurs·er·y rhyme [nə́ːrsəri ràim]
명 복수 **nursery rhymes**[nə́ːrsəri ràimz]
(옛부터 전해지는) 동요, 자장가.

nurs·er·y school [nə́ːrsəri skùːl]
명 복수 **nursery schools**[nə́ːrsəri skùːlz]
(유아) **보육원**(보통 2-5세 유아를 보육하는 시설).

I've known Cindy since *nursery school*. 나는 신디를 보육원 시절부터 알아왔다.

***nut** [nʌt] 명
[복수] **nuts** [nʌts]

❶ 딱딱한 과일, 견과(堅果)《호도, 밤 따위》, 나무 열매.
She went out to gather *nuts*. 그녀는 나무 열매를 주으러 나갔다.

❷ 어미나사, 너트.

nu·tri·ent [njúːtriənt] 명
[복수] **nutrients** [njúːtriənts]
영양소, 자양물, 영양제.
essential *nutrients* 필수 영양소.

nu·tri·tious [njuːtríʃəs] 형
[비교] **more nutritious**; [최상]

most nutritious
영양분이 있는, 영양의.
nutritious food 영양분이 있는 음식.

ny·lon [náilɑn] 명
《a와 복수형 안 씀》 나일론.
Nylon is used to make clothing and stockings.
나일론은 옷이나 양말을 만드는 데 쓰인다.

nymph [nimf] 명
[복수] **nymphs** [nimfs]
님프, 여정(女精)《바다, 강, 숲 따위에 산다는 소녀 모습의 반신반인(半神半人), 신화에 나옴》.
This is a Greek story about some *nymphs*. 이것은 님프에 관한 그리스 이야기이다.

N

Oo

O o
O o

oak [ouk] 명
복수 **oaks** [ouks]
참나무, 떡갈나무; 《an과 복수형
안 씀》떡갈나무 재목.
This table is made of *oak*,
isn't it? 이 테이블은 떡갈나무
로 만들었지?

참고 딱딱한 나무여서 가구, 선
박을 만드는 데 많이 쓰인다.
영국의 떡갈나무는 굉장히 크게
우거져서 나무 중에서 제일로 친
다. 그 열매는 acorn(도토리).

acorn

oar [ɔːr] 명
복수 **oars** [ɔːrz]
《배의》노.
pull an *oar* 노를 젓다.
He pulls a good 〔bad〕 *oar*.
그는 노젓기를 잘 한다〔하지 못
한다〕.

o·a·ses [ouéisiːz] 명
oasis의 복수.

o·a·sis [ouéisis] 명
복수 **oases** [ouéisiːz]
오아시스《사막 가운데에서 물이
솟고 수목이 자라는 곳. 사막의
여행자는 여기에서 쉼》.
The thirsty travelers shout-
ed with joy when they
found an *oasis*. 목이 마른 여
행자들은 오아시스를 발견하자 기
뻐 소리쳤다.

oat [out] 명
복수 **oats** [outs]
《보통 복수형으로》귀리, 메귀리.
The *oats* are poor this
year. 올해 귀리 농사는 나쁘다.

참고 보리 종류로서 추운 지방
에 적합하고, 이삭은 벼와 비슷
하다. 마소의 사료로 쓰이지만,
낟알은 oatmeal(오트밀)을 만
드는 재료로 쓴다.

oat·meal [óutmìːl]
명
《an과 복수형 안 씀》오트밀, 귀
리죽《귀리를 굵게 갈아서 죽을 쑨
것. 우유를 붓고 설탕을 쳐서 아
침 식사로 먹음》.

o·bey [oubéi] 타
3·단·현 **obeys** [oubéiz] :
ing형 **obeying** [oubéiiŋ] : 과거
과분 **obeyed** [oubéid]
(명령·법률 따위)에 따르다, (아
무)에게 복종하다.
We must *obey* the traffic
rules. 우리는 교통 규칙을 따르
지 않으면 안 된다.
Children should *obey* their
parents. 어린이는 부모님의 말씀
을 들어야 한다.

ob·ject [ábdʒikt] 명 복수
objects [ábdʒikts]

0

❶ 물건, 물체.
I saw a strange *object* in the sky. 나는 하늘에 있는 이상한 물체를 보았다.
What is that *object* on the table? 테이블 위에 있는 저 물건은 무엇이냐?
❷ (감정·행위의) 대상, 목적.
an *object* of study 연구 대상.
What is your *object* in life? 너의 인생의 목적은 무엇이냐?
❸ 목적어.
the direct [indirect] *object* 직접[간접] 목적어.
── [əbdʒékt] 困 [3·단·현] **objects** [əbdʒékts] : [ing형] **objecting** [əbdʒéktiŋ] : [과거][과분] **objected** [əbdʒéktid]
반대하다; 《**object to**로》 …에 반대하다.
We'd like to go there if you don't *object*. 만약 네가 이의가 없다면 우리는 거기 가고 싶은데.
He *objected to* our plan. 그는 우리 계획에 반대했다.

ob·jec·tion [əbdʒékʃən] 몡
[복수] **objections** [əbdʒékʃənz]
반대, 이의; 반대 이유.
Objection! 이의 있습니다.
I have no *objection* to your plan. 나는 네 계획에 반대하지 않는다.
Dick made an *objection* to what I said. 딕은 내가 말한 것에 대해 반대 이유를 들었다.

ob·jec·tive [əbdʒéktiv] 몡
[복수] **objectives** [əbdʒéktivz]
목적, 목표.
What is the *objective* of the game? 그 게임의 목적이 뭐니?
── 혱 [비교] **more objective**; [최상] **most objective**
객관적인(⇔ subjective 주관적인), 실재의; 편견[선입관]이 없는.

Judges must be *objective*. 재판관은 편견이 없어야 한다.

ob·li·ga·tion [àbləgéiʃən] 몡
[복수] **obligations** [àbləgéiʃənz]
(법률·도덕상의) 의무, 책임.
It is our *obligation* to vote. 투표는 우리들의 의무이다.

o·blige [əbláidʒ] 타 [3·단·현] **obliges** [əbláidʒiz] : [ing형] **obliging** [əbláidʒiŋ] : [과거] [과분] **obliged** [əbláidʒd]
❶ (의무 따위가) …을 어쩔 수 없이 ~하게 하다; 《**be obliged to**로》 …하지 않을 수 없다.
The law *obliges* us to pay taxes. 법률에 따라 우리는 세금을 내지 않으면 안 된다.
I *was obliged to* finish the work. 나는 그 일을 끝내지 않으면 안 되었다.
❷ 《**be obliged**로》 고맙게 생각하다, 감사하다.
I *am* very much *obliged* to you. 대단히 고맙습니다. ➤ Thank you very much.보다 공손한 표현.

o·boe [óubou] 몡
[복수] **oboes** [óubouz]
오보에(《목관 악기의 하나》).
play the *oboe* 오보에를 불다.

ob·ser·va·tion [àbzərvéiʃən] 몡
[복수] **observations** [àbzərvéiʃənz]
관찰, 관찰력.
observation of insects 곤충의 관찰.
It's a good night for *observation* of the stars. 별을 관찰하기에는 좋은 밤이다.
☞ 됭 observe

* **ob·serve** [əbzə́:rv] 타 [3·단·현] **observes** [əbzə́:rvz] : [ing형] **observing** [əbzə́:rviŋ] : [과거][과분] **observed**

O

[əbzə́:rvd]

❶ …을 관찰하다, 관측하다.
We *observed* the moon every night. 우리는 밤마다 달을 관측하였다.

❷ (법·규칙 따위)를 지키다.
You should *observe* the rules of the game. 경기의 규칙은 지켜야 한다.
☞ 명 observation

ob·serv·er [əbzə́:rvər] 명

복수 **observers**[əbzə́:rvərz]
관찰[관측]자; (회의 따위의) 옵서버, 참관자.
a skilled [careful] *observer* 숙련된[주의 깊은] 관측자.

ob·sta·cle [ábstəkəl] 명

복수 **obstacles** [ábstəkəlz]
방해, 장애, 장애물.
an *obstacle* race 장애물 경주.
She is an *obstacle* to our plans. 그녀는 우리 계획에 방해가 된다.

ob·tain [əbtéin] 타

3·단·현 **obtains**[əbtéinz]; ing형
obtaining [əbtéiniŋ]: 과거 과분
obtained[əbtéind]
…을 얻다, 손에 넣다; (목적)을 달성하다.
obtain one's object 목적을 달성하다.
Where did you *obtain* the ticket for the concert? 너 어디서 음악회의 표를 구했느냐?

비슷한 말 **get**과 **obtain**
get은 가벼운 뜻으로 「손에 넣다」로서 여러 가지 경우에 쓰인다. obtain은 「고생 끝에 손에 넣다」란 경우에 쓰인다.

ob·vi·ous [ábviəs] 형 비교
more obvious;
최상 most obvious
명백한, 분명한, 뻔한.

It was an *obvious* mistake. 그것은 명백한 잘못이었다.

ob·vi·ous·ly [ábviəsli] 부

분명히, 의심의 여지 없이.
Obviously, we have lost our way. 의심의 여지 없이 우리는 길을 잃었다.

oc·ca·sion [əkéiʒən] 명

복수 **occasions**[əkéiʒənz]
(특별한 일이 있는) 때, 기회, 경우.
I have met Miss White on several *occasions*.
나는 화이트양을 여러 차례 만난 적이 있다.
On this *occasion* I should like to express my thanks to Mr. and Mrs. Brown.
이 기회에 나는 브라운 내외분에게 감사의 뜻을 표하고 싶다.

oc·ca·sion·al [əkéiʒənəl] 형

가끔의, 때때로의.
Seoul will be cloudy with *occasional* rain. (일기 예보 등에서) 서울은 흐리고 때때로 비가 오겠습니다.

oc·ca·sion·al·ly [əkéiʒənəli] 부

가끔, 이따금.
I see Jane only *occasionally*. 나는 가끔 제인을 만날 뿐이다.

oc·cu·pa·tion [àkjəpéiʃən] 명

복수 **occupations**[àkjəpéiʃənz]
❶ 직업, 일.
What is your *occupation*? 당신 직업은 무엇입니까?
❷ 《an과 복수형 안 씀》 점령.
an army of *occupation* 점령군.
The *occupation* of the city by the enemy lasted five days. 적군은 그 도시를 5일간 점령했다.

oc·cu·py [ákjəpài] 타
3·단·현 **occupies**

[ákjəpàiz]; [ing형] **occupying**
[ákjəpàiŋ]; [과거] [과분] **occupied**
[ákjəpàid]

❶ …을 점령하다.
The town was *occupied* by
the enemy for two months.
도시는 적군에게 두 달 동안 점령
당했다.
❷ (장소·시간 등)을 차지하다,
점하다.
Occupied. 《게시》 사용중《화장
실·욕실 따위가》.
This bed *occupies* a lot of
space. 이 침대는 많은 공간을
차지한다.
His speech *occupied* most
of the time. 그의 연설은 시간
의 대부분을 차지했다.
❸ (집 따위)에 살다.
This house is *occupied*.
이 집은 사람이 살고 있다.

be occupied in 〔**with**〕 …에 종
사 하고 있다.
They *are occupied in* 〔*with*〕
building new roads. 그들은
새 도로 건설에 종사하고 있다.

oc·cur [əkə́:r] [자] [3·단·현]
occurs [əkə́:rz]; [ing형]
occurring [əkə́:riŋ]; [과거] [과분]
occurred [əkə́:rd]

❶ (사건 따위가) 일어나다.
A terrible railroad accident
occurred that night. 그 날 밤
에 끔찍한 철도 사고가 일어났다.
When did that *occur*?
그것은 언제 일어난 일이냐?
❷ 《**occur to**로》 (생각 따위가)
마음에 떠오르다.
A good idea *occurred to*
me then. 그 때 좋은 생각이 떠
올랐다.

o·cean [óuʃən] [명]
[복수] **oceans** [óuʃənz]
바다, 대양.
an *ocean* voyage 원양 항해.
America is a country
between two *oceans*. 미국은
두 대양 사이에 있는 나라이다.

[참고] **1.** ocean은 sea보다 큰
것을 말하나, 미국에서는 sea
대신에 쓰이기도 한다.
I like to swim in the
ocean. 나는 바다에서 헤엄치기
를 좋아한다.
2. ocean이란 다음 5대양을 말
한다.
the Pacific *Ocean* 태평양.
the Atlantic *Ocean* 대서양.
the Indian *Ocean* 인도양.
the Arctic *Ocean* 북극해.
the Antarctic *Ocean* 남극해.

o'clock [əklák]
[부]
…시 《시각을 말할 때 씀》.
It's three *o'clock.* 세 시다.
I'll be back by eight
o'clock. 나는 8시까지는 돌아오겠
다.

[어법] **시각의 표현법**
1. 5시 또는 6시라고 할 때, 다
른 말과 혼동되지 않을 경우에는
o'clock을 흔히 생략한다.
"What time is it?" "It's
seven." 「몇 시냐?」 「일곱시야.」
2. 8시 30분이라든가 9시 14분
같이 분이 따르는 표현을 할 때
에는 o'clock을 쓰지 않고, 다음
과 같은 두 가지 표현법을 쓴다.
It's 8: 30(eight-thirty). 또
는 It's half past eight. 8시
30분이다.
It's 9:14(nine-fourteen 또는
fourteen minutes past
nine). 9시 14분이다.

Oct. **October**(10월)의 간략형.

Oc·to·ber [aktóubər] [명]
10월. ▶ Oct.로 약
함. ☞ February
The Olympics were held
in Mexico in *October.* 올림
픽 대회가 멕시코에서 10월에 개

최되었다.
It happened last *October*.
그것은 지난 10월에 일어났다.

oc·to·pus [áktəpəs] 명

복수 **octopuses**[áktəpəsiz]
문어. ➤영미에서는 devilfish(악마의 물고기)라 부르며, 보통 식용하지 않음.
An *octopus* has eight legs.
문어는 발이 8개 있다.

odd [ad] 형

❶ 홀수의, 기수의(⟺ even 짝수의, 우수의).
Six is not an *odd* number.
6은 홀수가 아니다.
❷ 괴상한, 기묘한.
Jane is an *odd* girl. She likes snakes. 제인은 묘한 소녀다. 뱀을 좋아하니 말이야.

odd·ly [ádli] 부

묘하게, 기묘하게.
Oddly enough, I couldn't stand up. 이상스럽게도 나는 일어설 수가 없었다.

*of [əv; 강 av] 전

❶ 《소유·소속을 나타내어》 …의.
the leg *of* a table 테이블의 다리.
a member *of* the baseball club 야구부의 한 멤버.
I can't remember the name *of* the store. 나는 그 가게의 이름을 생각해 낼 수가 없다.

어법 **of**의 용법
사람·동물일 때에는 **Tom's** name(톰의 이름)처럼 's를 써서 나타낼 수 있다. 그러나 **store** 와 같은 무생물의 경우에는 of 를 써서 **the name *of* the** **store**라고 한다.

---

❷ 《부분을 나타내어》 …중에서.
Some *of* them are Americans. 그들 중의 몇몇 사람은 미국인들이다.

Who is the tallest *of* all?
모두 중에서 누가 가장 키가 크냐?
❸ 《재료를 나타내어》 …으로 만든, …로 된, …(제)의.
a plate *of* silver 은으로 만든 접시.
a house made *of* brick 벽돌집.
a table *of* wood 목제(의) 테이블.
These stockings are made *of* nylon. 이 스타킹은 나일론으로 만들어졌다.
❹ 《동격을 나타내어》 …이라는, …이라는 이름의.
the name *of* Nancy 낸시라는 이름.
He lives in the city *of* Boston. 그는 보스턴(이라는) 시에 살고 있다.
Mr. White is now teaching at the University *of* Chicago. 화이트씨는 지금 시카고 대학에서 가르치고 있다.
❺ 《관계를 나타내어》 …에 관하여, …에 대하여.
I've heard *of* him several times. 나는 그에 관하여 여러 번 들은 적이 있다.
I often think *of* the dead dog. 나는 가끔 그 죽은 개에 대해 생각하곤 한다.
❻ 《기원·출처를 나타내어》 …로부터, …출신〔태생〕의.
He is a man *of* Texas.
그는 텍사스 출신의 남자다.
❼ 《원인을 나타내어》 … 때문에, …로.
He died *of* cancer.
그는 암으로 죽었다.
❽ 《시각을 나타내어》 (…분) 전 (=to).
It's ten *of* seven. (=It's ten to seven.) 일곱시 십분 전이다.
❾ 《분량·용기를 나타내어》 (수량·단위를 나타내는 명사 뒤에서) …의.
a cup *of* coffee 한 잔의 커피.

three pieces *of* bread 세 조각의 빵.

❿ 《거리·위치를 나타내어》 …부터, …의.

the east *of* our town 우리 도시의 동쪽.

They live within two miles *of* the town. 그들은 그 도시의 2마일 이내 되는 곳에서 살고 있다.

****off** [ɔːf] 톈

❶ 《위치·시간이》 떨어져서, **멀리**; 앞에, **앞으로**.

The ship sailed *off* to America. 그 배는 미국으로 떠나 버렸다.

He walked *off*.
그는 걸어서 가버렸다.

Christmas is only a week *off*. 크리스마스는 앞으로 1주일 밖에 안 남았다.

❷ (고정된 단추·손잡이 따위가) 떨어져, **빠져**; (옷·신발 따위가) **벗어〔벗겨〕져**(⇔on 입고).

He took *off* his shoes.
그는 신을 벗었다.

Take *off* your hat. =Take your hat *off*. 모자를 벗으시오.

take off   put on

❸ (가스·수도·전기 따위가) 꺼져, 끊겨(⇔on 들어져, 켜져).

Turn *off* the light. 불을 꺼라.

Did you turn *off* the gas?
가스를 잠갔느냐?

── 젠 …로부터 떨어져; …에서 빠져; …에서 내려.

His house is *off* the main road. 그의 집은 큰 거리에서 떨어진 곳에 있다.

Keep *off* the grass.
《게시》 잔디밭에 들어가지 마시오.

He is *off* duty.

그는 비번이다.

We got *off* the bus at the corner. 그 모퉁이에서 우리는 버스에서 내렸다.

of·fend [əfénd] 톄 ③·단·현
offends [əféndz];
ing형 **offending** [əféndiŋ]; 과거
과분 **offended** [əféndid]

…을 노하게 하다, …의 감정을 해치다.

Jack is easily *offended*.
잭은 화를 잘 낸다.

He was *offended* by my words. 그는 내 말에 화를 냈다.

I am sorry if I've *offended* you. 기분을 언짢게 했다면 미안합니다.

of·fense [əféns] 톙

복수 **offenses** [əfénsiz]

❶ 죄, 위반.

a traffic *offense* 교통 위반.

❷ 《an과 복수형 안 씀》 (결례·모욕 따위에 의한) 불쾌, 화냄; 무례.

No *offense* was meant.
나쁜 뜻에서 그런 것은 아니었다.

He easily takes *offense*.
그는 화를 잘 낸다.

❸ 《an과 복수형 안 씀》 공격(⇔ defense 방어).

Offense is the best defense.
공격은 최상의 방어이다.

▶ 영국에서는 offence로 씀.

****of·fer** [ɔ́(ː)fər] 톄
③·단·현 **offers** [ɔ́(ː)fərz];
ing형 **offering** [ɔ́(ː)fəriŋ]; 과거
과분 **offered** [ɔ́(ː)fərd]

❶ …을 제공하다, 제출하다.

She *offered* us some tea.
그녀는 우리에게 차를 권했다.

She *offered* her hand to me. 그녀는 내게 손을 내밀어 악수를 청했다.

❷ 《**offer to** do로》 …하겠다고 제안하다.

She *offered* to help us.
그녀는 우리들을 돕겠다고 제안하였다.

—— 몡 [복수] **offers**[ɔ́(ː)fərz]
신청, 제안.
an *offer* of marriage 결혼 신
청.
Can you accept my *offer*?
내 제안을 받아들일 수 있느냐?

*of·fice [ɔ́(ː)fis]
[복수] **offices**[ɔ́(ː)fisiz]
사무실〔소〕, 회사; 관공서; 진료소.
a post *office* 우체국.
an *office* worker 회사〔사무〕원.
He goes to his *office* at
seven. 그는 7시에 회사에 나간다.
My uncle works in a
lawyer's *office*. 나의 아저씨는
변호사 사무실에서 일하고 있다.

*of·fi·cer [ɔ́(ː)fisər] 몡 [복수]
officers[ɔ́(ː)fisərz]
❶ 장교, 사관; 고급 선원.
a military 〔naval〕 *officer* 육
군〔해군〕 장교.
❷ 공무원, 경찰관; (회사·단체
따위의) 임원.
The driver was arrested by
the police *officers*. 그 운전사
는 경찰관들에게 체포되었다.
Excuse me, *officer*. 죄송합니
다, 경찰아저씨. ▶ 호칭할 때는
대개 officer만을 씀.

*of·fi·cial [əfíʃəl] 혱
공적인, 공식의; 공무상의.
an *official* language 공용어.
an *official* record 공인 기록.
make an *official* visit 공식
방문하다.
He went to Paris on *offi-
cial* business. 그는 공무로 파
리에 갔다.
—— 몡 [복수] **officials**[əfíʃəlz]
공무원, 관리.
Jane's father is a govern-
ment *official*. 제인의 아버지는
정부 관리이다.

*of·ten [ɔ́(ː)fən] 톔
[비교] **more often** 또는
oftener [ɔ́(ː)fənər]; [최상] **most
often** 또는 **oftenest**[ɔ́(ː)fənist]

가끔, 종종, 곧잘.
We *often* go sailing.
우리는 종종 배를 타러 간다.
Mr. Brown is *often* busy on
Monday morning. 브라운씨는
흔히 월요일 아침에는 바쁘다.
I have *often* been to Seoul.
나는 서울에 자주 갔었다.

[어법] **often**의 위치
보통 often은 일반 동사의 앞
에, be 동사·조동사 뒤에 온
다. 그러나 뜻을 강조하기 위해
서 다른 위치에 둘 때도 있다.

***How often...?** 얼마나 자주, 몇 번
(=How many times...?).
How often did you go to
the movies? 너는 얼마나 자주
영화 보러 다니느냐?

***oh** [ou] 캄
아!, 오!, 저런!《놀람·즐거
움·고통·감탄 따위를 나타냄》.
Oh, dear (me)! 어이구 저런.
Oh, God! 오, 하느님!
Oh, what a pity! 아, 가엾어라!
Oh, thank you so much.
아, 정말 고맙습니다.

O·hi·o [ouháiou] 몡
오하이오.

[참고] 미국 북동부의 주. 북쪽에
는 5대호의 하나인 이리호(Lake
Erie[íri])가 있고, 남쪽에는 켄
터키주와 웨스트버지니아주, 동
쪽에는 펜실베이니아주, 서쪽에
는 인디애나주에 둘러싸여 있
다. OH 또는 O.로 약칭. 면적
은 106,772 km²로서 우리 나라
의 반 정도. 주도는 콜럼버스
(Columbus[kəlʌ́mbəs]). 큰
도시로는 공업 도시인 신시내티
(Cincinnati[sìnsinǽti]), 클리
블랜드(Cleveland [klíːvlənd])
따위가 있으며, 이 주는 공업이
성하다. 옥수수, 콩, 보리 따위
의 농산물도 많다.

***oil** [ɔil] 명
《an과 복수형 안 씀》 기름; 석유.

olive *oil* 올리브유.

In those days *oil* was used for lighting. 그 시대에는 석유가 조명용으로 쓰였다.

Oil is an important source of energy. 석유는 중요한 에너지원이다.

***O.K.** [ốukéi] 형 부
(사정·형편이) 좋다, 됐어.

Everything is *O.K.*
만사 오케이다.

"Can you come on Wednesday?" "*O.K.* I'll come." 「수요일에 올 수 있느냐?」 「좋아. 가겠다.」

Are you *O.K?* 너 괜찮니?

O.K.의 사인

참고 all right와 같은 뜻이지만 더 간략하고 친근한 말. 점 없이 OK라고도 쓴다.

***O·kay** [ốukéi] 부
=O.K.

O·kla·ho·ma [ðuklǝhóumǝ] 명
오클라호마.

참고 미합중국의 중남부에 있는 주. 북쪽은 캔자스주. 남서로는 텍사스주, 동쪽은 아칸소주와 접하여 있다. OK 또는 Okla. 로 약한다. 면적은 181,102 km²로서 우리 나라의 약 6분의 5이다. 주도는 오클라호마시티 (Oklahoma City). 면화, 밀, 옥수수 따위의 농산물과 석유를 산출한다.

****old** [ould] 형
비교 **older** [ốuldǝr]: 최상 **oldest** [ốuldist]

❶ 나이 든, 늙은(⇔young 젊은).
What are they doing with the *old* man?
그들은 그 노인과 무엇을 하고 있느냐?

❷ …살의, …년〔달〕 지난; 연상의.
My brother is twenty years *old*. 내 형은 스무 살이다.

Her baby is three months *old*. 그녀의 아기는 난 지 3개월이 되었다.

The library is ten years *old*. 그 도서관은 지은 지 10년이 되었다.

Susie is (two years) *older* than Bill. 수지는 빌보다 나이가 (2살) 더 많다.

She is his *older* sister.
그녀는 그의 누나이다.

❸ 헌, 오래 된(⇔new 새로운).
It's an *old* bicycle.
그것은 낡은 자전거이다.

They live in an *old* house.
그들은 헌 집에 살고 있다.

He is an *old* friend of mine.
그는 나의 옛 친구이다.

회화 **How old...?**
「몇 살이냐?」라고 나이를 물을 때 쓰는 표현이다.
A: *How old* are you?
B: I am ten (years old).
「몇 살이냐?」「나는 10살이다.」

old-fash·ioned [ốuldfǽ-ʃǝnd] 형
구식의.
Mrs. Jones still wears that *old-fashioned* hat.
존스 부인은 아직도 저 구식 모자를 쓴다.

ol·ive [áliv] 명
복수 **olives** [álivz]
올리브 나무, 올리브 열매.

참고 올리브 나무의 가지는 평화를 상징하며, 국제 연합기의 도안에도 들어 있다. 또, 고대 그리스에서는 경기의 우승자에게 올리브 가지로 만든 올리브관이나 월계관이 명예의 상징으로 수여되었다.

O·lym·pic [əlímpik] 형
올림픽의.

Do you have any '88 Seoul *Olympic* coins? 너는 '88 서울 올림픽 기념 주화를 갖고 있느냐?

O·lym·pic Games
[əlímpik géimz] 명
《the를 붙여》 올림픽 경기〔대회〕.
▶ the Olympics라고도 함.
The *Olympic Games* are held every four years.
올림픽 대회는 4년마다 열린다.

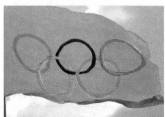

om·e·let [áməlit] 명
복수 **omelets** [áməlits]
오믈렛. ▶ omelette으로도 씀.

o·mit [oumít] 타
3·단·현 **omits** [oumíts] ;
ing형 **omitting** [oumítiŋ] ; 과거
과분 **omitted** [oumítid]
…을 생략하다, 빠뜨리다, 놓치다.

Betty *omitted* a word while she was reading aloud.
소리내서 책을 읽을 때 베티는 한 낱말을 빠뜨렸다.
This lesson can be *omitted*.
이 과는 생략해도 좋다.

*on [ɑn] 전
❶《장소를 나타내어》…위에, …에(붙어서). ▶ on은 「표면 위에」란 뜻이므로 물건의 위, 벽 따위의 벽면, 천장 따위의 반사 겉면을 가리킴.
A cat was *on* the sofa. 고양이 한 마리가 소파 위에 있었다.
My bag is *on* the desk.
내 가방은 책상 위에 있다.
A picture of his father was *on* the wall. 그의 아버지 사진이 벽에 걸려 있었다.

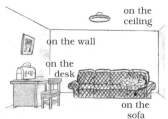

on the ceiling
on the wall
on the desk
on the sofa

❷《근접을 나타내어》…에 접하여, …에 따라서.
a house *on* the road 도로변에 있는 집.
He lives *on* the north side of the city. 그는 시 북쪽에 살고 있다.
The U.N. buildings are *on* the East River. 유엔 빌딩은 이스트 강가에 있다.
❸《날짜·때를 나타내어》…에.
on the afternoon of October 20, 10월 20일 오후에.
They don't work *on* Sundays. 그들은 일요일에는 일하지 않는다.
We will have a meeting *on* October 31. 우리는 오는 10월 31일에 모임이 있다.

❹ 《수단·방법을 나타내어》 …로.
speak *on* the telephone 전화로 이야기하다.
They watch baseball games *on* TV. 그들은 TV로 야구 경기를 본다.
❺ 《상태를 나타내어》 …하고, …중에.
My family is *on* vacation. 나의 가족은 휴가 중이다.
The house was *on* fire. 그 집은 불타고 있었다.
❻ 《주제를 나타내어》 …에 관해서.
I read a book *on* World War Ⅱ. 나는 제2차 세계 대전에 관한 책을 읽었다.
❼ 《소지·착용을 나타내어》 …을 몸에 지니고, …을 입고〔쓰고, 신고〕.
We found a knife *on* him. 우리는 그가 칼을 지니고 있음을 발견했다.
He had a cap *on* his head. 그는 머리에 모자를 쓰고 있었다.
── 閉 ❶ 위에, 타고.
Please get *on*. 어서 타십시오.
❷ 몸에 지니고, 입고, 쓰고(⇔off 벗고).
She put a red skirt *on*. 그녀는 빨간 스커트를 입고 있었다.
He had a cap *on*.
그는 모자를 쓰고 있었다.
❸ 《동사+on으로》 계속하여, 자꾸만.
I couldn't walk *on*.
나는 계속해서 걸을 수 없었다.
He kept *on* reading without lunch. 그는 점심도 안 먹고 독서를 계속했다.
Please go *on* with your story. 어서 너의 이야기를 계속하여라.
❹ 진행하고, (연극·영화 따위가) 상연〔상영〕하고.
"What's *on* at the theater?"
"Gulliver's Travels is *on* now." 「극장에서 무엇이 상영되

고 있지?」「걸리버 여행기가 상영 중이다」.
❺ (전기·가스·수도 따위가) 켜져, 틀어져(⇔off 꺼져).
The radio 〔light〕 in his room is *on*. 그의 방에 라디오가〔전등이〕 켜져 있다.
She turned *on* the gas.
그녀는 가스를 틀었다.

*once [wʌns] 뜀 ❶ 한 번, 일 회.
We visited there *once*. 우리는 그 곳을 한 번 찾아간 적이 있다.
Tom washes his hair *once* a week. 톰은 1주일에 한 번 머리를 감는다.

참고 「두 번」은 twice라고 하며, 「세 번」 이상은 수사에 times를 붙여서 three times (세 번), four times(네 번)와 같이 한다.

❷ 일찍이, 예전에.
There *once* lived two good brothers. 예전에 착한 두 형제가 살고 있었다.
Once there was a boy in the village. 옛날에 마을에 한 소년이 살고 있었다.
*once more = once again 한 번 더.
Jack tried to sing it *once more*, but he couldn't. 잭은 한 번 더 그 노래를 부르려 했지만 할 수 없었다.
*once upon a time 옛날 옛적에.
Once upon a time, the Wind and the Sun argued. 옛날 옛적에 바람과 해가 말다툼을 했다.
── 명 《an과 복수형 안 씀》 한 번, 일 회.
Once is enough.
한 번이면 족하다.
*all at once 갑자기, 급히.
All at once the lights went out. 갑자기 불이 꺼졌다.

*__at once__ 곧, 즉시.

I'll bring you some food *at once.* 나는 즉시 네게 약간의 음식을 가져다 주겠다.

Do it *at once!*
즉시 그것을 해라!

__for once__ 이번 한 번만.

For once I won't have to go. 이번만은 안 가도 된다.

[wʌn] 〔형〕

*__one__ ❶ 1의, 하나의; 한 개〔명〕의. ▶a, an보다 수를 강조함.

He has *one* brother.
그는 형〔동생〕이 한 명 있다.

His son is *one* year old.
그의 아들은 한 살이다.

❷ 한 살의.

His son is *one.*
그의 아들은 한 살이다.

❸ 《때를 나타내는 명사 앞에 쓰여》 어느….

One morning he called on me. 어느 날 아침에 그는 나를 찾아왔다.

One summer day I was walking in the park. 어느 여름 날 나는 공원을 거닐고 있었다.

── 〔명〕 ❶ 《an과 복수형 안 씀》 1, 하나, 한 명〔개〕.

One and two is three. 1 더하기 2는 3.

❷ 《an과 복수형 안 씀》 한 살; 1 시.

a boy of *one* 한 살 먹은 남자아이.

Let's start at *one.*
1시에 떠나자.

── 〔대〕 《복수》 ones [wʌnz]

❶ 《one of로》 …중의 하나〔한 사람〕.

This is *one of* the most difficult problems today. 이것은 오늘날 가장 어려운 문제 중의 하나다.

One of the girls came five minutes late. 여자 아이 하나가 5분 늦게 왔다.

❷ 《앞에 나온 명사를 대신하여》

그것.

"Which cake would you like?" "I'd like the small *one.*"「어느 케이크가 좋겠느냐?」「작은 것이 좋겠어.」

This flower is more beautiful than that *one.* 이 꽃이 저것보다 아름답다.

"Have you ever seen an ostrich?" "No, I've never seen *one.*"「타조를 본 적이 있느냐?」「아니, 한 번도 본 적이 없다.」

"How do you like this watch?" "Well, please show me some better *ones.*"「이 시계는 어떻습니까?」「글쎄요, 더 나은 것을 보여주시오.」

──────────
〔어법〕 **one**과 **it**
어느 것이나 앞에 나온 명사의 반복을 피하기 위하여 그 명사 대신에 쓰는 대명사이나, it은 앞에 나온 명사와 동일한 물건을, one은 앞에 나온 명사와 같은 종류의 물건을 가리킨다.

I lost my pen, but I found *it*(=my pen) later. 나는 펜을 잃어버렸으나 나중에 그것을 찾았다.

I lost my pen. I have to buy a new *one*(=a new pen). 나는 펜을 잃어버렸다. 새 것을 사야 한다.
──────────

❸ 《일반적으로》 사람. ▶딱딱한 말이므로 구어에서는 you나 they를 씀.

One must do *one's* best in everything. 사람은 무엇에나 최선을 다하여야 한다.

__no one__ 아무도 … 않다.

We knocked on the door many times, but *no one* answered. 우리는 문을 몇 번이나 두드렸으나 아무도 대답이 없었다.

*__one after another__ 차례차례로.

They came to school *one after another*. 그들은 차례차례로 학교에 도착했다.

One plane *after another* took off. 비행기가 차례차례 이륙하였다.

*one another 서로. ☞ another

one by one 하나씩.

He counted the books *one by one*. 그는 책을 한 권씩 세었다.

one day 어느 날.

One day I received a letter from him. 어느 날 나는 그로부터 편지를 받았다.

**one ..., the other* ~ (둘 중에서) 하나는 … 다른 하나는 ~.

I have two caps. *One* is blue and *the other* is white. 나에게는 두 개의 모자가 있다. 하나는 파란색이고 다른 하나는 흰색이다.

***one·self** [wʌnsélf] 때
➤ 이 형태대로는 거의 쓰이지 않으며, 실제에서는 주어의 인칭과 수에 따라 다음과 같이 변화함.

	단 수	복 수
1인칭	myself	ourselves
2인칭	yourself	yourselves
3인칭	himself herself itself	themselves

❶ 《동사·전치사의 목적어로 쓰여》 자기 자신을〔에게〕.

Susie looked at *herself* in the mirror. 수지는 거울로 자기의 모습을 보았다.

In some countries people wash *themselves* in the river. 어떤 나라에서는 사람들이 강에서 몸을 씻는다.

❷ 《뜻을 강조하여》 자기 자신이, 몸소.

I did the homework *myself*. 내 자신이 숙제를 했다.

Did you write this letter *yourself?* 이 편지는 네 자신이 썼느냐?

*by oneself 혼자서.

I can go *by myself*. 나는 혼자서 갈 수 있다.

The old man lives *by himself*. 그 노인은 혼자 산다.

*for oneself 혼자 힘으로, 스스로.

Do it *for yourself*. 스스로〔혼자의 힘으로〕 그것을 하여라.

one·sid·ed [wʌnsáidid] 형
한 쪽으로 치우친, 일방적인.

A letter is a *one-sided* conversation. 편지는 일방적인 대화이다.

one-way [wʌ́nwéi] 형
한 쪽의, (차표가) 편도의.

Do you want a round-trip ticket or a *one-way* ticket? 왕복 차표를 원하느냐, 편도 차표를 원하느냐?

on·go·ing [ángòuiŋ] 형
〔비교〕 **more ongoing**; 〔최상〕 **most ongoing**
전진하는, 진행하는.

an *ongoing* research 진행되고 있는 연구.

on·ion [ʌ́njən] 명 〔복수〕 **onions** [ʌ́njənz]
양파.

Mrs. Jones used a lot of *onions* in the salad. 존스 부인은 샐러드를 만드는 데 양파를 많이 썼다.

on·line [ánláin] 형
《통신·컴퓨터》 온라인의, (인터넷

등)에 **연결된**(⇔ offline 오프라인
의). ▶ on-line 이라고도 쓴다.
an *online* shopping center
인터텟 쇼핑 센터.
I am *online*. 나는 온라인에 있
다.
── 閨 온라인으로.
Can you chat with me
online? 너는 온라인으로 나와
채팅할 수 있니?

**on·ly [óunli] 閨
다만, 단지, …뿐, 겨우.
☞ merely
I have *only* four cents.
나는 4 센트밖에 없다.
You think about *only* one
thing. 너는 오직 한 가지 일만
생각한다.
They will stay in Seoul
only for a few days. 그들은
서울에 단지 2, 3일만 묵을 것이다.
Jane *only* smiled and
didn't say anything. 제인은 생
글생글 웃을 뿐 아무 말도 안 했다.
Only the boys got angry
when I said that. 내가 그 말
을 하자 소년들만이 화를 냈다.

어법 **only의 위치**
1. only는 수식하는 말 바로 앞
에 두는 것이 원칙이다.
Only he saw the stamp.
그만이 그 우표를 보았다.
He *only* saw the stamp.
그는 그 우표를 보았을 뿐이다.
He saw *only* the stamp. =
He saw the stamp *only*. 그
는 그 우표만 보았다.
2. 회화에서는 only를 동사 앞
에 두고 강조하고 싶은 말을 강
하게 발음하는 수가 많다.
I *only* ásked him.
나는 그에게 청했을 뿐이다.
I *only* asked hím.
나는 그에게만 청했다.

---

have only to do …하기만 하면
되다. ☞ have

---

*not only ... but (*also*) ~ …뿐
아니라 ~도.
The book is *not only* inter-
esting *but* (*also*) very useful.
이 책은 재미있을 뿐만 아니라 매
우 유익하기까지 하다.
Not only women *but also*
men cried when he died.
그가 죽었을 때 여자들만이 아니
라 남자들도 울었다.
── 阅 단 하나의, 유일한, 단 한
사람의.
This is the *only* answer I
know. 이것이 내가 아는 단 하나
의 답이다.
Bill is their *only* son.
빌은 그들의 외아들이다.

on·to [ántu:] 전
… 위에.
She jumped *onto* the horse.
그녀는 말에 뛰어올라 탔다.
▶ 영국에서는 on to로 씀.

on·ward [ánwərd] 閨
앞으로, 전방으로.
Onward, men! There's the
enemy! 모두 전진! 적이 왔다!

*o·pen [óupən] 동 3·단·현
opens [óupənz] ; ing형
opening [óupəniŋ] ; 과거 과분
opened [óupənd]
타 ❶ (문·창 따위)를 열다, (책·
신문 따위)를 펴다(⇔ close, shut
닫다).
Open the window.
창문을 열어라.
Open your textbook to
page 34. 책 34페이지를 펴라.
Open the box! 상자를 열어라!

open　　　close

❷ (상점 따위)를 개업하다, 시작

하다.

Mr. Green is going to *open* a small store next month. 그 린씨는 내 달에 작은 가게를 연다.

── 困 ❶ (문·창 따위가) 열리 다; (꽃 따위가) **피다**.

The door *opened*. 문이 열렸다. The flowers are *opening*. 꽃이 피기 시작한다.

❷ (상점 따위가) **개점하다; 문을 열다**, 시작하다.

When does this store *open*? 이 점포는 언제 문을 여느냐?

The meeting *opens* at 10. 회의는 10시에 시작된다.

── 휑 ❶ (문·창 따위가) 열린; (상점 따위가) **개업하고 있는, 영 업 중인.**

Come in. The door is *open*. 들어오세요. 문은 열려 있 습니다. ▶ 노크했을 때의 대답.

Don't leave the door *open*. 문을 열어 놓지 마라.

Open from 10:00 a.m. to 6:00 p.m. (게시) 오전 10시부 터 오후 6시까지 영업함. ▶ 게시 로서의 OPEN은 「영업중」, CLOSED는 「폐점」을 나타냄.

"How late are you *open*?" "We are *open* until seven." 「몇 시까지 영업합니까?」「일곱 시까지 영업합니다.」

❷ **덮개 없는; 광활한.**

We went in an *open* car. 우리는 무개차를 타고 갔다.

The train ran through the *open* fields for many hours. 기차는 광활한 벌판을 오 랜 시간 달렸다.

o·pen·ing [óupəniŋ] 몡

复数 **openings** [óupəniŋz]

❶ 《an과 복수형 안 씀》**시작, 개 시, 개업, 개통.**

the *opening* of a new shop 새 점포의 개점.

Mr. Brown's *opening* speech was wonderful. 브라운씨의 개

회사는 훌륭했다.

❷ **구멍, 벌어진 틈.**

an *opening* in the wall 벽의 벌어진 틈.

op·er·a [ápərə] 몡

复数 **operas** [ápərəz]

오페라, 가극.

Did you see any *operas* in the United States? 미국에서 오페라를 보았느냐?

op·er·ate [ápərèit] 동

3·단·현 **operates** [ápərèits] : ing형 **operating** [ápərèitiŋ] : 과거 과분 **operated** [ápərèitid]

타 ❶ (기계 따위)**를 조종하다, 조 작하다, 운전하다.**

Do you know how to *operate* the automatic elevator? 너는 자동 승강기를 어떻게 조종 하는지 아느냐?

❷ **…을 경영하다.**

Mr. Brown *operates* an advertising agency. 브라운씨 는 광고 대리업을 하고 있다.

── 困 ❶ (기계 따위가) **움직이 다, 작동하다.**

How does it *operate*? 그것은 어떻게 작동되느냐?

The sewing machine isn't *operating* well. 그 재봉틀은 잘 움직이지 않는다.

❷ **수술하다.**

The doctor *operated* on the injured man at once. 의사는 곧 부상자를 수술하였다.

op·er·a·tion [àpəréiʃən] 몡

⟨복수⟩ **operations**[ɑ̀pəréiʃənz]
❶《an과 복수형 안 씀》(기계 따위의) **운전, 조종.**
The *operation* of this machine is very easy. 이 기계를 움직이는 것은 아주 쉽다.
❷ **수술.**
My uncle had an *operation* on his stomach last year. 아저씨께서는 작년에 위 수술을 받으셨다.

op·er·a·tor [ɑ́pərèitər]
명
⟨복수⟩ **operators**[ɑ́pərèitərz]
(기계 따위를) **조종하는 사람;** (전화의) **교환원. ➤** 다루는 기계에 따라 여러 가지로 번역됨.
a telegraph *operator* 통신사.
Operator, may I help you? 교환입니다. 용건은요?

o·pin·ion [əpínjən]
명
⟨복수⟩ **opinions**[əpínjənz]
의견, 생각.
public *opinion* 여론.
In my *opinion*, he was a true hero. 내 의견으로는 그는 진정한 영웅이었다.

op·po·nent [əpóunənt]
명
⟨복수⟩ **opponents** [əpóunənts]
(경기·논쟁 따위의) **적, 상대; 반대자.**
a tough *opponent* 힘든 상대.

op·por·tu·ni·ty [ɑ̀pərtjúːnəti] 명
⟨복수⟩ **opportunities**[ɑ̀pərtjúːnətiz]
기회, 좋은 기회.
miss a golden *opportunity* 절호의 기회를 놓치다.
This is a good *opportunity* to speak to Mr. Jones. 지금이야말로 존스씨와 이야기할 좋은 기회이다.

op·pose [əpóuz] 타 ⟨3·단·현⟩
opposes [əpóuziz];
⟨ing형⟩**opposing**[əpóuziŋ]; ⟨과거⟩
⟨과분⟩ **opposed**[əpóuzd]

…에 반대하다.
We *oppose* the construction of a new airport here. 우리는 이 곳에 새 공항을 건설하는 데 반대하고 있다.
be opposed to …에 반대하다.
He *was opposed to* our plan. 그는 우리 계획에 반대했다.

op·po·site [ɑ́pəzit] 형
맞은편의; 반대의.
I saw Mary on the *opposite* side of the street. 길 맞은쪽에 메리가 보였다.
Tom walked in the *opposite* direction. 톰은 반대 방향으로 걸어갔다.
—— 명 ⟨복수⟩ **opposites**[ɑ́pəzits]
반대의 것, 반대말.
'Weak' is the *opposite* of 'strong.' weak는 strong의 반대말이다.
—— 전 …의 맞은편에.
Her house is just *opposite* ours. 그녀의 집은 바로 우리 집 맞은편에 있다.

or [ər; 강 ɔːr] 접
❶ **또는, 혹은, …이나 ~.**
Is this an apple *or* an orange? 이것은 사과냐, 오렌지냐?
Shall we walk *or* take a bus? 걸을까, 버스를 탈까?
Which do you like better, fish *or* meat? 생선과 고기 중 어느 것을 더 좋아하느냐?

┌─────────────────────┐
│ ⟨발음⟩ 위 예문과 같이 선택을 묻
│ 는 의문문에서는 or 앞은 올림
│ 조(ノ)로, or 뒤는 내림조(ヽ)
│ 로 발음한다.
└─────────────────────┘

❷《보통 쉼표 뒤에서》**즉, 바꿔 말하면.**
I ran 10 miles, *or* about 16 kilometers. 나는 10 마일, 즉 16 km 정도를 달렸다.
❸《명령문 뒤에서》**그렇지 않으면.**
Hurry up, *or* you'll be late for school. 서둘러라. 그렇지 않

으면 너는 학교에 지각할 것이다.

> ┌어법┐ **명령문+or** 〔and〕
> **1.** 명령문 뒤의 or는 「그렇지 않
> 으면」이란 뜻.
> **2.** 명령문 뒤의 and는 「그렇게
> 하면」이란 뜻. ☞ and
> Try again, *and* you will
> succeed. 다시 해 봐라. 그러
> 면 잘 해낼 것이다.

... *or so* …쯤, …정도.
I have lived in America for
two years *or so*.
나는 미국에서 2년쯤 살았다.

-or [-ər] ┌접미┐ 동사 뒤에 붙여 「…하는 사
람, …하는 물건」이란 뜻의 명사
를 만듦.
act*or* 배우 / operat*or* 조종자.

o·ral [ɔ́ːrəl] ┌형┐ 구두(口頭)의, 구술의.
We took an *oral* examination
yesterday. 우리는 어제 구두 시
험을 치렀다.

***orange** [ɔ́(ː)rindʒ] ┌명┐
┌복수┐ **oranges**[ɔ́(ː)rindʒiz]
오렌지; 《an과 복수형 안 씀》 오렌
지색.
There were some *oranges*
in the basket. 바구니에 오렌
지가 몇 개 있었다.

── ┌형┐ 오렌지색의.
The bus is *orange*.
그 버스는 오렌지색이다.

or·bit [ɔ́ːrbit] ┌명┐
┌복수┐ **orbits**[ɔ́ːrbits]
(천체·로켓 따위의) 궤도.
the *orbit* of the moon 달의

궤도.
The rocket was successfully
put into *orbit*. 그 로켓은 성공
적으로 궤도에 진입했다.

or·chard [ɔ́ːrtʃərd] ┌명┐
┌복수┐ **orchards**[ɔ́ːrtʃərdz]
과수원.
I went to an apple *orchard*.
나는 사과 과수원에 갔다.

or·ches·tra [ɔ́ːrkəstrə] ┌명┐
┌복수┐ **orchestras**[ɔ́ːrkəstrəz]
관현악(단), 오케스트라.
Fred is supposed to play
the violin in the new
orchestra. 프레드는 새 관현악단
에서 바이올린을 연주하게 되어
있다.

***or·der** [ɔ́ːrdər] ┌명┐
┌복수┐ **orders**[ɔ́ːrdərz]
❶ 명령, 지령.
We must obey the captain's
orders. 우리는 선장의 명령에 복
종하지 않으면 안 된다.
❷ 주문.
I'll take your *order*.
주문을 받겠습니다.
I made an *order* for a
book. 나는 책 한 권을 주문했다.
❸ 《an과 복수형 안 씀》 순서.
The names were arranged
in alphabetical *order*. 이름은
알파벳 순서로 배열되었다.
❹ 《an과 복수형 안 씀》 질서; 정
리, 정돈.
The police kept *order* dur-
ing the big fire. 경관은 대화
재 중 질서를 유지했다.
in (good) order (잘) 정돈되어.

Her room is always *in order*. 그녀의 방은 늘 정돈되어 있다.

in order to do …하기 위하여.

The girls went to the show *in order to* see the singer. 소녀들은 그 가수를 보기 위하여 쇼를 보러 갔다.

out of order 고장나서.

My radio is *out of order*. 내 라디오는 고장났다.

── 타 ③·단·현 **orders**[ɔ́ːrdərz]; ing형 **ordering** [ɔ́ːrdəriŋ]; 과거 과분 **ordered**[ɔ́ːrdərd]

❶ …을 명령하다; 《**order** ... **to** do로》 …에게 ～하라고 명령하다.

The doctor *ordered* me to take a rest for a few days. 의사는 나에게 2,3일 쉬라고 말하였다.

❷ …을 주문하다.

Susie *ordered* some ice cream. 수지는 아이스크림을 주문했다.

He *ordered* the book from the United States. 그는 그 책을 미국으로 주문했다.

*or·di·nary [ɔ́ːrdənèri] 형

비교 **more ordinary**; 최상 **most ordinary**

보통의, 평범한(⇔ extraordinary 비상한).

ordinary people 보통 사람들.

My grandfather is a carpenter but not an *ordinary* one. 나의 할아버지는 목수이긴 하지만 평범한 목수가 아니다.

Is this your *ordinary* lunch? 이것이 너희가 늘 먹는 점심이냐?

Or·e·gon [ɔ́ːrigàn] 명 오리건.

참고 미국의 북서부에 있는 태평양 연안의 주. Ore. 또는 Oreg.로 약함. 면적은 251,197 km²로서 우리 나라보다 좀

크다. 주도는 세일럼(Salem [séiləm])이지만 가장 인구가 많은 도시는 포틀랜드(Portland [pɔ́ːrtlənd]). 산림이 풍부하여 목재 산출량은 미국 제 1 위이다.

or·gan [ɔ́ːrgən] 명 복수 **organs**[ɔ́ːrgənz]

❶ 풍금, 오르간; 파이프 오르간 (=pipe organ).

He is good at playing the *organ*. 그는 오르간 연주를 잘한다.

❷ (동식물의) 기관.

The tongue is the most important *organ* of speech. 혀는 말하는 데 있어서 가장 중요한 기관이다.

or·gan·i·za·tion [ɔ̀ːrgənəzéiʃən] 명 복수 **organizations**[ɔ̀ːrgənəzéiʃənz]

❶ 단체, 조합, 협회.

He is a member of a religious *organization*. 그는 한 종교 단체의 일원이다.

❷ 《an과 복수형 안 씀》 조직, 구성, 구조.

The *organization* of a new club is very difficult. 새 클럽을 조직하기란 대단히 어렵다.

❸ 기구.

This has a complicated *organization*. 이것은 복잡한 기구로 되어 있다.

or·gan·ize [ɔ́ːrgənàiz] 타

③·단·현 **oraganizes**[ɔ́ːrgənàiziz]; ing형 **organizing** [ɔ́ːrgənàiziŋ]; 과거 과분 **organized**[ɔ́ːrgənàizd]

…을 조직하다, 편성하다, 창립하다.

The students *organized* a new club to carry out their plan. 학생들은 자기들의 계획을 실행하기 위하여 새 클럽을 조직했다.

Ori·ent [ɔ́:riənt] 명
《the를 붙여》 동양.

ori·en·tal [ɔ̀:riéntl] 형
《종종 Oriental로》 동양의.
A little later an *oriental* man entered the stadium.
잠시 후에 한 동양인이 경기장으로 들어왔다.

or·i·gin [ɔ́:rədʒin] 명
복수 **origins** [ɔ́:rədʒinz]
기원, 발단, 시초, 근원.
Nobody knows the *origin(s)* of these words. 이 낱말들의 기원은 아무도 모른다.

****o·rig·i·nal** [ərídʒənəl] 형
❶ 원래의, 최초의.
the *original* inhabitants 원주민.
The teacher approved our *original* plan. 선생님은 우리의 원안을 승인하여 주셨다.
❷ 독창적인, 새로운, 색다른.
original ideas 독창적인 생각.
Tom has an *original* mind. 톰은 색다른 생각을 갖고 있다.

o·rig·i·nal·ly [ərídʒənəli] 부
원래는, 처음에는.
Originally, this custom came from India. 원래 이 관습은 인도로부터 왔다.

o·rig·i·nate [ərídʒənèit] 동
3·단·현 **originates** [ərídʒənèits] :
ing형 **originating** [ərídʒənèitiŋ]
과거 과분 **originated** [ərídʒənèitid]
타 …을 시작하다; 생각해 내다.
I wonder who *originated* this fashion. 나는 누가 이러한 유행을 시작하였는지 모르겠다.
── 자 시작되다, 일어나다, 생기다.
Quarrels usually *originate* from misunderstandings.
다툼은 대개 오해에서 일어난다.

or·na·ment [ɔ́:rnəmənt] 명
복수 **ornaments** [ɔ́:rnəmənts]
❶ 《an과 복수형 안 씀》 장식.
Some jewels were set in the crown for *ornament*.
왕관에 보석 몇 개가 장식으로 박혀 있었다.
❷ 장식품; 장식구, 패물.
Christmas-tree *ornaments*
크리스마스 트리 장식.

or·phan [ɔ́:rfən] 명
복수 **orphans** [ɔ́:rfənz]
고아.
Mr. Bond offered money for *orphans*. 본드씨가 고아들을 위하여 돈을 냈다.

or·phan·age [ɔ́:rfənidʒ] 명
복수 **orphanages** [ɔ́:rfənidʒiz]
고아원.
They went to an *orphanage* to adopt a child. 그들은 양자를 들이려고 고아원에 갔다.

os·trich [ɔ́(:)stritʃ] 명 복수
ostriches [ɔ́(:)stritʃiz]
타조.
Ostriches can't fly.
타조는 날지 못한다.

*****oth·er** [ʌ́ðər] 형
❶ 다른, 그 밖의.
Do you know any customs of *other* countries? 너는 다른 나라의 풍습을 좀 아느냐?
Is there any *other* size? 다른 치수도 있습니까? ▶ any *other* 뒤에는 보통 단수 명사가 옴.
I have *other* things to do.
나에게는 해야 할 다른 일들이 있

다.

❷ ((the를 붙여)) (둘 중에서) 다른 하나의, (셋 이상 중에서) 나머지의.

Shut the *other* eye.
다른 한쪽 눈을 감아라.

Tom is here, but the *other* boys are in the room. 톰은 여기 있으나 다른 소년들은 방에 있다.

every other 하나 걸러의.

We have an English test *every other* week. 우리들은 격주로 영어 시험을 본다.

Write on *every other* line.
1 행씩 간격을 두고 써라.

the other day 일전에. ☞ day

— 때 [복수] **others**[ʌ́ðərz]

❶ ((종종 복수형으로)) 다른 물건, 다른 사람.

Bill always helps *others*.
빌은 늘 다른 사람을 도와준다.

The salesman showed me some *others*, but I didn't like any. 점원은 다른 물건들을 몇 개 보여주었으나, 나는 아무것도 마음에 들지 않았다.

❷ ((the를 붙여)) (둘 중에서) 다른 하나, (셋 이상 중에서) 나머지 (전부).

One was quiet, but the *other* talked very loudly.
한 사람은 조용하였으나 다른 한 사람은 큰 소리로 떠들어댔다.

Only one was cheap; all the *others* were very expensive. 하나만은 값이 쌌으나 다른 것들은 모두 무척 비쌌다.

each other 서로. ☞ each

one ..., the other ~(둘 중에서) 하나는 … 다른 하나는 ~. ☞ one

> [어법] one, other, another, some
> 1. 둘 중에서 「하나」는 one, 나머지 「또 하나」는 the other.
> 2. 여럿 중에서 「하나」는 one, 나머지 중 「또 하나」는 another.
> 3. 여럿 중에서 「하나」는 one, 나머지 「다른 것 전부」는 the others.
> 4. 여럿 중에서 「몇 개」는 some, 나머지 중에서 「다른 몇 개」는 others.

one(하나) one(하나)
the other (나머지 하나) another (다른 하나)

one(하나) some(몇 개)
the other (나머지 전부) others (나머지 몇 개)

oth·er·wise [ʌ́ðərwàiz] 🖳

❶ 다른 식으로, 그렇지 않고; 다른 점에서는.

You might be right, but I think *otherwise*. 네 말이 옳을지 모르지만 나는 달리 생각한다.

Jane couldn't do *otherwise*.
제인은 달리 어떻게 할 도리가 없었다.

Tom is noisy, but *otherwise* a nice boy. 톰은 시끄럽게 굴지만 다른 점에 있어서는 좋은 애다.

❷ ((접속사처럼 쓰여)) 그렇지 않으면(=or).

Study English hard now, *otherwise* you'll be sorry.
지금 영어를 열심히 공부해라. 그렇지 않으면 후회할 것이다.

ouch [autʃ] 갑
아야! 앗 뜨거!((아픔·뜨거움 따위를 나타내는 소리)).

Bob struck his head against the shelf. "*Ouch!*" he cried. 보브는 머리를 선반에 부딪혔다. 그는 「아야!」 하고 외쳤다.

*_**ought** [ɔːt] 조 ((과거형 없음)) ((*ought to* do로)) …하여야 하다, …하는 것이 당연하다.

You *ought to* do your duty.
너는 너의 의무를 다하여야 한다.
You *ought* not *to* say such
things to old people. 노인들
에게 그런 말을 해서는 안 된다.

ounce [auns] 명
[복수] **ounces**[áunsiz]
온스.
16 *ounces* make a pound.
16 온스는 1 파운드이다.

> [참고] 무게의 단위. 약하여 oz.
> 라고 쓴다. 1 파운드(pound)
> 의 16분의 1이며 28.3495 그램
> 이다. 귀금속·약품의 경우에는
> 31.1035 그램으로 12분의 1 파
> 운드.

*our [auər] 대
《we의 소유격》 우리들의.
She is *our* teacher.
그녀는 우리들의 선생님이다.

*ours [auərz] 대
《we의 소유 대명사》 우리들
의 것.
The books on the desk are
ours. 책상 위의 책들은 우리의
것이다.
Which do you like better,
ours or theirs? 우리들 것과 그
들 것 중에서 어느 쪽이 마음에
드느냐?

*our·selves [àuərsélvz]
대
우리들 자신. ☞ oneself
We must take care of
ourselves. 자기 자신의 일은 자
기가 하지 않으면 안 된다.
We should go there *our-
selves*. 우리들 자신이 거기에 가
야 한다.

*out [aut] 부
❶ 밖에, 밖으로; 외출하고
(⇔in 안에).
Father went *out* for a
walk. 아버지는 산책을 나가셨다.
Take *out* your notebooks.
노트를 꺼내 놓아라.

He is *out* now.
그는 지금 외출 중이다.
❷ (달·별 따위가) 나타나; (꽃
이) 피어; (잎이) 나와.
The moon will soon be
out. 달이 곧 나올 것이다.
The roses are *out*.
장미가 피어 있다.
❸ 없어져, 꺼져; 아주, 완전히.
The lights were *out*.
불은 꺼져 있었다.
The dog was tired *out*.
개는 완전히 지쳐 있었다.
❹ 큰 소리로.
Someone cried *out*, "Fire!".
누군가 「불이야!」라고 큰 소리로
외쳤다.

*out of …로부터 (밖으로)(⇔into
…안으로); …중에서; …때문에.
The dog jumped *out of* the
car. 개가 차 밖으로 뛰어나왔다.
One *out of* three Koreans
will have a car. 세 명의 한국
인 가운데 한 사람이 자동차를 갖
게 될 것이다.
Grandfather cried *out of*
joy. 할아버지는 기뻐서 우셨다.

out·door [áutdɔ̀:r] 형
집 밖의, 옥외의(⇔
indoor 실내의).
outdoor sports 옥외 스포츠.
You can enjoy *outdoor* life
in the country. 시골에서는 옥
외 생활을 즐길 수 있다.

out·doors [áutdɔ̀:rz] 부
옥외에서, 집 밖으
로(⇔indoors 집 안에서).
I slept *outdoors*.
나는 야숙하였다.

out·er [áutər] 형
《명사 앞에만 쓰임》 외
면의, 겉의.
outer clothes 겉옷.
The rocket has flown into
outer space. 그 로켓은 대기권
밖으로 날아가 버렸다.

out·line [áutlàin] 명 [복수]
outlines[áutlàinz]

❶ 겉모양, 윤곽, 테두리.
Susie drew the *outline* of the United States. 수지는 미합중국의 윤곽을 그렸다.
❷ 개요, 대강, 줄거리.
an *outline* of the story 그 이야기의 줄거리.
He gave me an *outline* of the affair. 그는 나에게 사건의 개요를 설명해 주었다.
── 타 ③·단·현 **outlines** [áutlàinz] ; ing형 **outlining** [áutlàiniŋ] ; 과거 과분 **outlined** [áutlàind]
…의 윤곽을 그리다[쓰다] ; …의 대강을 말하다, …을 요약하다.
He *outlined* the map of Korea on the paper. 그는 종이에 한국 지도의 윤곽을 그렸다.
I'm going to *outline* my stay in America. 나는 미국에서의 체류를 대강 말하려고 한다.

out·look [áutlùk] 명 복수 **outlooks** [áutlùks]
❶ 조망, 전망.
My room had a pleasant *outlook* on the mountains. 나의 방은 산들의 전망이 좋았다.
❷ 전도, (일·사태의) 전망.
The *outlook* for our business isn't good. 우리의 사업 전망은 좋지 않다.

*****out·side** [àutsáid] 부
밖으로, 밖에.
Let's go *outside*. 밖으로 나가자. ▶ go outside는 잠시 밖에 나가다. go out은 「외출하여 다른 곳으로 가다」란 뜻을 포함함.
It's raining *outside*.
밖에 비가 오고 있다.
── 형 《명사의 앞에 쓰여》 **바깥쪽의, 밖의.**
an *outside* pocket 바깥 주머니.
outside noises 외부의 소음.
── 전 …의 밖에, …의 밖으로.
Don't smoke here. Please go *outside* the room. 여기에

서는 금연입니다. 방 밖으로 나가 피우십시오.
His friends were waiting *outside* the house. 그의 친구들은 집 밖에서 기다리고 있었다.
── [àutsáid] 명 《the를 붙여》 바깥쪽, 외면, 외부(⇔ inside 내부).
The *outside* of the building was dirty. 건물의 외부는 더러웠다.

out·stand·ing [àutstǽndiŋ] 형
눈에 띄는, 현저한, 두드러진.
an *outstanding* figure 탁월한 인물.

out·ward [áutwərd] 형
바깥쪽의, 외부의(⇔ inward 내부의).
You shouldn't judge one by one's *outward* behavior. 외면상의 행동으로 사람을 판단해서는 안 된다.
── 부 바깥쪽으로, 외부로, 밖을 향하여(⇔ inward 내부로).
The road curves *outward* here. 길이 여기에서 밖을 향하여 굽어 있다.

o·val [óuvəl] 형
달걀 모양의, 타원형의.
She has an *oval* face. 그녀는 달걀형의 얼굴이다.
── 명 복수 **ovals** [óuvəlz]
달걀모양, 타원체.
Draw an *oval*. 타원형을 그려라.

ov·en [ʌ́vən] 명 복수 **ovens** [ʌ́vənz]
오븐.
Mrs. Brown baked some potatoes in the *oven*. 브라운 부인은 오븐에 감자를 구웠다.

*****o·ver** [óuvər] 전
❶ …을 넘어서, …을 건너서, …의 저쪽에.
He jumped *over* the fence. 그는 울타리를 뛰어넘었다.
We went *over* the bridge. 우리는 다리를 건너갔다.

They live just *over* the street. 그들은 바로 거리 저쪽에 살고 있다.

❷ …의 위에(⇔ under …의 아래에).

the sky *over* our heads 우리 머리 위에 있는 하늘.

I saw several bridges *over* the river. 강 위에 몇 개의 다리가 보였다.

The boys stretched their hands *over* the fire. 소년들은 모닥불 위에 손을 내밀었다.

어법 **on과 over**

둘 다 「…의 위에」란 뜻이지만, on은 표면에 접촉해 있는 것을 가리키고, over는 떨어져서 덮어 씌우는 느낌으로 위에 있는 것을 나타낸다. ☞ above

---

❸ …이상 (=more than, ⇔ under …미만).

There are *over* sixty students in the classroom. 그 학급에는 60명 이상의 학생들이 있다.

We've driven *over* 300 miles today. 우리는 오늘 300마일 이상을 운전하였다.

❹ (전화 · 라디오 따위)를 통해서, …으로.

Tom heard the sad news *over* the radio. 톰은 그 슬픈 소식을 라디오로 들었다. ➤ on the radio라고도 함.

I spoke to Tom *over* the telephone. 나는 전화로 톰과 이야기했다. ➤ on the telephone 이라고도 함.

❺ …에 관해서.

We talked *over* the plan. 우리는 그 계획에 관해 이야기했다. ➤ talk about보다 신중히 오랫동안 이야기함을 암시함.

❻ …하면서.

We talked *over* a cup of coffee. 우리는 커피를 마시면서

이야기하였다.

── 📖 ❶ 위로, 위쪽으로.

An airplane flew *over*. 비행기가 위로 날아갔다.

❷ 끝나서.

School is *over* at four in the afternoon. 수업은 오후 4시에 끝난다.

Is your discussion *over*? 너희들 이야기는 끝났느냐?

참고 우리말에서 「끝났다」라고 말할 때 그것은 마치 과거형같이 들리지만, 「현재 끝난 상태에 있다」는 경우에는 is〔are〕over라고 현재형을 쓴다. was over나 were over같이 과거형이 되는 것은 「이미 그 때 끝나 있었다」는 느낌을 나타내는 경우이다.

---

❸ 저쪽으로; 이쪽으로. ➤ 한 장소에서 다른 장소로 옮기는 느낌을 나타냄.

The salesman came *over* to me smiling. 점원이 웃으며 내게로 다가왔다.

Jane asked me *over* for dinner. 제인은 나를 식사에 초대했다.

❹ 뒤집혀서. ➤ 물체의 위치가 변동하는 느낌을 나타냄.

He turned *over* in his sleep. 그는 자면서 뒤척였다.

Please turn *over*. (편지 · 서류 따위에서) 뒷면에 계속. ➤ P.T.O. 로 약함. 또, 간단히 Over.라고도 함.

❺ 되풀이하여.

Read this sentence many times *over*. 이 문장을 몇 번이고 되풀이해서 읽으시오.

all over (덮어 씌우듯) 전면에, 온통.

He is well-known *all over* the country. 그는 온 나라에 이름이 알려져 있다.

over again 다시 한 번.

Say it *over again*.
다시 한 번 말해다오.

over and over (*again*) 몇 번이
고 되풀이해서.

He read the letter *over
and over* (*again*).
그는 편지를 몇 번이고 되풀이해
서 읽었다.

*over there 저쪽에.

You see a tall building
over there, don't you?
저쪽에 높은 건물이 보이지?

Look at the tree *over
there*. 저쪽의 나무를 봐라.

o·ver·all [ðuvərɔ́ːl]
형

전부의; 종합적인, 전반적인.
My *overall* impression of
his work is good.
그의 일에 관한 내 전반적인 평가
는 양호하다.

── [óuvərɔ̀ːl] 명 복수 **overalls**
[óuvərɔ̀ːlz]
《복수형으로》 작업 바지.

torn *overalls* 찢어진 작업 바지.
They are wearing *overalls*
and straw hats. 그들은 모
두 작업 바지와 밀짚모자를 쓰고
있다.

o·ver·came [ðuvərkéim]
동

overcome 의 과거.

o·ver·coat [ðuvərkóut]
명

복수 **overcoats** [ðuvərkóuts]
외투, (오버)코트. ➤ 간단히 coat
라고도 함.

Father put on his *overcoat*
and went out into the
snow.
아버지는 외투를 입으시고 눈 내
리는 밖으로 나가셨다.

o·ver·come [ðuvərkʌ́m]
동 [3·단·현]

overcomes [ðuvərkʌ́mz];
overcoming [ðuvərkʌ́miŋ]; 과거
overcame [ðvərkéim]; 과분
overcome [ðvərkʌ́m]

···을 이기다, 지게 하다, 압도하
다, 극복하다.

We'll be able to *overcome*
many problems soon. 우리는
곧 많은 문제들을 극복할 수 있을
것이다.

Tom was *overcome* by
sleep after his long trip.
톰은 긴 여행으로 졸음을 이겨낼
수가 없었다.

o·ver·crowd·ed [ðuvər-
kráudid]
형 초만원의, 과잉 인구의.

The world will be *over-
crowded* with people. 세계는
사람들로 초만원이 될 것이다.

o·ver·flow [ðuvərflóu]
자

[3·단·현] **overflows** [ðuvərflóuz];
ing형 **overflowing** [ðuvərflóuiŋ];
과거 과분 **overflowed** [ðuvərflóud]
넘치다, 넘쳐 흐르다, 범람하다.

The dam water *overflowed*
into the valley.
댐의 물이 넘쳐서 계곡으로 흘러
들었다.

This river often *overflows*
when it rains hard. 이 강은
비가 많이 오면 가끔 넘친다.

o·ver·head [óuvərhéd]
부 머리 위에, 하늘 높이.

Danger *overhead*. 《게시》 머리
위 조심.

A helicopter was flying
overhead. 헬리콥터 한 대가 머
리 위를 날고 있었다.

── [óuvərhèd] 형 머리 위의, 공
중의, 고가의.

an *overhead* wires 가공(架
空) 전선.

o·ver·hear [ðuvərhíər]
타

[3·단·현] **overhears** [ðuvərhíərz];
ing형 **overhearing** [ðuvərhíəriŋ];
과거 과분 **overheard** [ðuvərhə́ːrd]
···을 엿듣다.

Someone might *overhear*

us. 누군가 우리 이야기를 엿듣고 있을지도 모른다.

o·ver·heard [òuvərhə́:rd] 동

overhear 의 과거 · 과거 분사.

o·ver·look [òuvərlúk] 타

③·단·현 overlooks[òuvərlúks] ; ing형 overlooking[òuvərlúkiŋ] ; 과거 과분 overlooked[òuvərlúkt]

❶ …을 내려다보다, 바라보다.
This window *overlooks* the whole city. 이 창문에서는 온 시내가 내려다보인다.

❷ …을 빠뜨리다, 간과하다.
The teacher didn't *overlook* any of our mistakes. 선생님은 우리의 어떠한 잘못도 그냥 넘기지 않으셨다.

o·ver·night [óuvərnàit] 부

밤새도록, 저녁부터 아침까지.
My uncle stayed *overnight* with us. 아저씨는 우리와 함께 하룻밤 묵으셨다.

o·ver·sleep [òuvərslí:p] 동 ③·단·현 oversleeps[òuvərslí:ps] ; ing형 oversleeping[òuvərslí:piŋ]; 과거 과분 overslept[òuvərslépt]

늦잠 자다, 너무 자다.
Did you *oversleep* this morning? 너는 오늘 아침에 늦잠 잤느냐?
Tom often *oversleeps*. 톰은 가끔 늦잠을 잔다.

o·ver·slept [òuvərslépt] 동

oversleep 의 과거 · 과거 분사.

o·ver·take [òuvərtéik] 타

③·단·현 overtakes[òuvərtéiks] ; ing형 overtaking[òuvərtéikiŋ] ; 과거 overtook[òuvərtúk] ; 과분 overtaken[òuvərtéikən]

❶ …을 따라잡다; 추월하다.
Our car soon *overtook* Jane's. 우리 자동차는 곧 제인의

차를 따라잡았다.

❷ (갑자기) …을 덮치다.
A strange fear *overtook* the people there. 거기에 있던 사람들은 묘한 공포에 사로잡혔다.

o·ver·tak·en [òuvərtéikən] 동

overtake 의 과거 분사.

o·ver·took [òuvərtúk] 동
overtake의 과거.

o·ver·weight [òuvərwéit] 형

중량이 초과된; 너무 무거운; 지나치게 뚱뚱한.
She is 20 pounds *overweight*. 그녀는 정상보다 20 파운드가 더 나간다.

*__owe__ [ou] 타 ③·단·현 owes[ouz] ; ing형 owing[óuiŋ] ; 과거 과분 owed [oud]

❶ (아무에게) …을 빚지고 있다.
I *owe* Tom two dollars. =I *owe* two dollars to Tom. 나는 톰에게 2 달러 빚이 있다.
How much do I *owe* you? 내 빚이 얼마나 되지?; (지불할) 대금이 얼마입니까?

❷ 《owe ... to로》 …은 ~의 덕이다.
I *owe* my success *to* my parents. 나의 성공은 부모님의 덕분이다.

ow·ing [óuiŋ] 형 《owing to로》 … 때문에, …의 덕분으로.
Owing to the bad weather, the plane could not fly. 날씨가 나빠서 비행기는 뜨지 못했다.

owl [aul] 명 복수 owls[aulz]

올빼미.
She is looking at an *owl* up in the tree. 그녀는 나무 위에 있는 올빼미를 올려다보고 있다.

*own [oun] 형

❶ 자기 자신의, …자신의. ➤ 대명사의 소유격과 함께 쓰여 소유의 뜻을 강조함.
People make their own luck. 사람들은 자기 자신의 행운을 만든다.
Is this your own idea? 이것은 네 자신의 생각이냐?
❷ 《명사적으로 쓰여》 자기 자신의 것.
This book is my own. 이 책은 (빌린 것이 아니라) 내 것이다.
of one's own 자기 자신의.
Bill has no dictionary of his own. 빌은 자기 자신의 사전이 없다.
── 타 [3·단·현] owns [ounz]: [ing형] owning [óuniŋ]: [과거] [과분] owned [ound]
…을 소유하다, 가지고 있다.
He owns a large farm. 그는 큰 농장을 소유하고 있다.
My father used to own a lot of land in this area. 나의 아버지는 이 지역에 많은 땅을 갖고 계셨다.

┌─[비슷한 말] have와 hold와 own─┐
│ own은 자기 것으로 소유하고
│ 있는 재산의 하나로서 지니고 있
│ 다는 뜻. hold는 실제로 손에
│ 들고 있다는 뜻. have는 실제로
│ 손에 들고 있다는 뜻으로도, 소
│ 유하고 있다는 뜻으로도 쓰인다.
└──────────────────────┘

own·er [óunər] 명
[복수] owners [óunərz]
소유자, 임자, 주인.
Do you know the owner of this land? 너는 이 땅의 주인을 아느냐?
The restaurant owner is Chinese. 그 음식점의 주인은 중국 사람이다.

*ox [ɑks] 명
[복수] oxen [áksən]
(거세한) 수소. ➤ 거세하지 않은 수소는 bull, 암소는 cow.
Mr. Grey has more than ten cows on his farm, but no oxen. 그레이씨의 농장에는 열 마리 이상의 암소가 있으나 수소는 한 마리도 없다.

ox·en [áksən] 명
ox 의 복수.

ox·y·gen [áksidʒən] 명
《an 과 복수형 안 씀》 산소.
One fifth of the air we breathe is oxygen. 우리가 호흡하는 공기의 5분의 1은 산소이다.
Oxygen enables things to burn. 산소는 물질의 연소를 가능케 한다.

oys·ter [ɔ́istər] 명
[복수] oysters [ɔ́istərz]
굴; 진주조개(=pearl oyster).
There are many big oyster farms in Korea. 한국에는 큰 굴 양식장이 많이 있다.

Pp

P p
P p

pace [peis] 명
[복수] **paces** [péisiz]
❶ (한) 걸음.
Walk three *paces* from here. 여기에서 세 걸음 걸어라.
❷ 《보통 단수형으로》 보조, 걷는 속도.
Mr. Green walked at a slow and steady *pace*. 그린씨는 천천히 침착한 걸음으로 걸었다.
keep pace with …와 보조를 맞추다, …에 뒤떨어지지 않다.
Mrs. Black cannot *keep pace with* Bill. 블랙 부인은 빌을 따라 갈 수 없다.

*Pa·cif·ic [pəsífik] 형 태평양의. ☞ Atlantic
the *Pacific* coast 태평양 연안.
── 명 《the를 붙여》 태평양(= the *Pacific* Ocean).
the South *Pacific* 남태평양.

Pa·cif·ic O·cean [pəsífik óuʃən]
명 《the를 붙여》 태평양.
Have you ever seen the *Pacific Ocean?* 너는 태평양을 본 적이 있느냐?

*pack [pæk] 동
[3·단·현] **packs** [pæks];
[ing형] **packing** [pǽkiŋ]; [과거] [과분] **packed** [pækt]
타 …을 싸다, 꾸리다; …에〔을〕 채워 넣다.
I *packed* the sandwiches in a box and put it in the car. 나는 샌드위치를 상자에 넣어서 차에 실었다.
The bus was *packed* with people. 버스는 만원이었다.
── 자 짐을 싸다.
Frank is *packing* for camp.

프랭크는 캠핑하러 갈 짐을 싸고 있다.
── 명 [복수] **packs** [pæks]
보따리, 짐, 꾸러미; (담배의) 한 갑.
three *packs* of cloth 옷감 세 꾸러미.
Mr. Black bought a *pack* of cigarettes. 블랙씨는 담배 한 갑을 샀다.
Tom was carrying a 40 pound *pack*. 톰은 40파운드 나가는 짐을 운반하고 있었다.

*pack·age [pǽkidʒ] 명
[복수] **packages** [pǽkidʒiz]
꾸러미, 소포(= parcel).
a *package* wrapped in white paper 백지로 싼 꾸러미.
a *package* of grapes 포도 한 상자.
A *package* has come for you. 너에게 소포가 왔다.

pad [pæd] 명
[복수] **pads** [pædz]
❶ (부드러운) 덧대는 것, 쿠션.
Men wear shoulder *pads* when playing football.
미식 축구를 할 때 선수들은 어깨 받이를 댄다.
❷ (한 장씩 떼어 내는 식의) 종이철.
Buy a writing *pad* for class notes. 수업 중 필기할 메모 용지를 사라.

┌─────────────────────────┐
│ 참고 writing pad란 한 쪽을 │
│ 풀로 붙여서 한 장씩 떼어 쓸 │
│ 수 있게 만든 것. │
└─────────────────────────┘

pad·dle [pǽdl] 명 [복수] **pad·dles** [pǽdlz]

(카누의) 노.
He used a *paddle* to move the canoe through the water. 그는 노를 저어서 카누가 물을 헤치고 나아가게 하였다.

***page** [peidʒ] 몡
[복수] **pages**[péidʒiz]
(책의) 페이지.
a *page* of music 한 장의 악보.
Put today's date at the top of the first *page*. 첫 페이지 맨 위에 오늘 날짜를 써라.
Father is turning the *pages* of a sports magazine.
아버지께서는 스포츠 잡지의 페이지를 뒤적이고 계신다.
Open your books to *page* 23. 책의 23페이지를 펴라.

[참고] page는 보통 p.로 약한다. p. 3 = page three. 그러나 다음과 같은 경우는 pp.가 된다. pp. 7-10 = pages seven to ten.

***paid** [peid] 통
pay의 과거 · 과거 분사.
I've already *paid* for it.
나는 그 계산을 이미 끝냈다.

pail [peil] 몡
[복수] **pails**[peilz]
물통, 버킷.
Roy had a *pail* in one hand. 로이는 한 손에 물통을 들고 있었다.

***pain** [pein] 몡
[복수] **pains**[peinz]
❶ (몸의 국부적인) 아픔, 통증.

a *pain* in the head [back] 두통[등의 통증].
Mrs. White has a *pain* in her chest. 화이트 부인은 가슴에 통증이 있다
❷ 《a와 복수형 안 씀》(육체적 · 정신적인) 괴로움, 고통, 아픔.
Do you feel much *pain*?
많이 괴로우냐[아프냐]?
❸ 《복수형으로》수고, 노고.
Mr. Han took great *pains* to make the money. 한씨는 그 돈을 벌기 위해 대단한 수고를 했다.
No *pains*, no gains. 《속담》수고가 없으면 이득도 없다.
☞ 혱 painful
── 타 [3·단·현] **pains** [peinz]:
[ing형] **paining** [péiniŋ]: [과거] [과분]
pained [peind]
…을 아프게 하다, 괴롭히다.
My tooth *pains* me.
이가 아프다.

pain·ful [péinfəl] 혱
[비교] **more painful**;
[최상] **most painful**
아픈, 괴로운.
a *painful* wound 아픈 상처.
It was *painful* to tell her the sad news. 그녀에게 그 슬픈 소식을 전하기는 괴로웠다.
☞ 몡 pain

***paint** [peint] 몡
[복수] **paints**[peints]
❶ 《a와 복수형 안 씀》페인트, 도료.
I need some red *paint*.
나는 빨간 페인트가 좀 필요하다.
Wet *Paint*. 《게시》칠 주의. ▶ 영국에서는 Fresh Paint라고 함.

❷ 《보통 복수형으로》 그림 물감.
oil *paints* 유화 그림 물감.
water *paints* 수채화 그림 물감.
── 동 ③·단·현 **paints**[peints];
ing형 **painting**[péintiŋ]; 과거
과분 **painted**[péintid]
타 (그림 물감으로) …을 그리다;
…에 페인트를 칠하다. ▶ 연필·
크레용 따위로 그림·도면·지도
를「그리다」는 draw.
He likes to *paint* pictures.
그는 그림 그리기를 좋아한다.
Tom had to *paint* Aunt
Polly's fence. 톰은 폴리 이모네
담장에 페인트칠을 해야 했다.
── 자 그림을 그리다; 페인트를 칠
하다.
He is *painting* in the gar-
den. 그는 정원에서 그림을 그리
고 있다.

paint·er [péintər] 명 복수
painters[péintərz]
❶ 화가.
Da Vinci was not only a
painter but also an inven-
tor. 다빈치는 화가일 뿐만 아니라
발명가이기도 했다.
❷ 페인트공, 칠장이.
Uncle George is a *painter*.
조지 아저씨는 페인트공이다.

paint·ing [péintiŋ] 명
복수 **paintings**[péintiŋz]
❶ 그림, 회화, 유화. ☞ drawing
It's a reproduction of a
famous modern *painting*.
그것은 유명한 근대 회화의 복제
판이다.
❷ 《복수형 안 씀》 그림 그리기.
He went to Paris to study
painting. 그는 그림을 공부하러
파리에 갔다.

pair [pɛər] 명
복수 **pairs**[pɛərz]
한 짝, 한 쌍; 한 켤레; (두 부분
으로 된 것의) 한 개.
I want a *pair* of new shoes.
나는 새 신발 한 켤레가 필요하다.

어법 **a pair of**
두 개가 함께 쓰이는 것에는 a
pair of를 쓴다. of 뒤에는 항상
복수 명사이며, 두 쌍 이상인 경
우는 pairs of 라고 한다.
three *pairs of* gloves 장갑
세 켤레.
a pair of의 표현은 두 개로
한 쌍이 되는 것뿐만 아니라 가
위, 안경과 같이 두 부분으로 된
것에도 쓰인다.
a pair of scissors 가위 한
개.
a pair of glasses 안경 한
개.

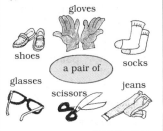

gloves
shoes
glasses
a pair of
socks
scissors
jeans

pa·ja·mas [pədʒá:məz] 명
《복수 취급》 잠옷, 파자마.
a pair〔two pairs〕of *paja-
mas* 파자마 한〔두〕벌.
He is in *pajamas*.
그는 파자마를 입고 있다.

pal [pæl]
복수 **pals**[pælz]
친구, 동무(=friend).
Do you have a pen *pal?*
너는 편지 친구가 있니?
He is one of my best *pals*.
그는 가장 친한 내 친구들 중의
한 사람이다.

pal·ace [pǽlis] 명
복수 **palaces**[pǽlisiz]
궁전; 훌륭한 건물.
The Queen of England
lives in the Buckingham
Palace. 영국 여왕은 버킹엄 궁전

P

에서 사신다.

pale [peil] 형
[비교] **paler** [péilər]; [최상]
palest [péilist]
❶ (안색이) 창백한, 핼쑥한.
Miss Gray looks *pale.*
그레이 선생님은 창백해 보인다.
When he heard the bad
news, he turned *pale.* 나쁜
소식을 듣고, 그는 창백해졌다.
❷ (색·빛이) 희미한, 엷은.
The walls are *pale* blue.
벽은 엷은 청색이다.

palm¹ [pɑːm] 명
[복수] **palms** [pɑːmz]
손바닥.
He rubbed his *palms* to-
gether. 그는 손바닥을 맞대고 비
볐다.

palm² [pɑːm] 명
[복수] **palms** [pɑːmz]
야자, 종려.
palm oil 야자유.

pam·phlet [pǽmflit]
명
[복수] **pamphlets** [pǽmflits]
팸플릿.
the distribution of *pam-
phlets* 팸플릿의 배포.

pan [pæn] 명
[복수] **pans** [pænz]
납작한 냄비.
a frying *pan* 프라이 팬.
a stew *pan* 스튜 냄비.

pan·cake [pǽnkèik]
명
[복수] **pancakes** [pǽnkèiks]
팬케이크.
I had two *pancakes* for
breakfast.
나는 아침 식사로 두 조각의 팬케
이크를 먹었다.

pan·sy [pǽnzi] 명
[복수] **pansies** [pǽnziz]
팬지.
Mrs. Green planted some
pansies in her garden.
그린 부인은 정원에 몇 포기의 팬

지를 심었다.

pant [pænt] 자
[3·단·현] **pants** [pænts];
[ing형] **panting** [pǽntiŋ]; [과거][과분]
panted [pǽntid]
헐떡거리다.
The dog is *panting.*
개가 헐떡거리고 있다.

*****pants** [pænts] 명 《복수 취급》
바지(=trousers).
Bill put on his new *pants.*
빌은 새 바지를 입었다.

┌──────────────────────┐
│ [참고] 우리 나라에서는 팬츠라고
│ 하면 속바지를 말하나, 미국에
│ 서는 보통 바지의 뜻으로 pants
│ 를 쓴다. trousers는 상당히
│ 격식을 갖춘 말투이다.
└──────────────────────┘

pa·pa [pɑ́ːpə]
명
아빠, 아버지(⇨ mama 엄마).
Good morning, *papa.*
아빠, 안녕히 주무셨어요? ▶ 일반
적으로 dad나 daddy를 많이 씀.

pa·per [péipər] 명
[복수] **papers** [péipərz]
❶ 《a와 복수형 안 씀》 종이.
Give me a piece of *paper.*
종이 한 장 주시오.
This bag is made of *paper.*
이 봉지는 종이로 만들어졌다.
Used *paper* is made into
new *paper* again. 헌 종이는
다시 새 종이로 만들어진다.

┌──────────────────────┐
│ [어법] **paper**를 세는 법
│ paper가 「종이」란 뜻일 때에는
│ 셀 수 없는 명사이므로, 장수를
└──────────────────────┘

P

셀 때에는 piece를 써서 a piece of *paper* (종이 한 장), two pieces of *paper* (종이 두 장)처럼 한다. 또, 일정한 크기나 모양의 종이일 경우에는 sheet를 써서 a sheet of *paper*와 같이 한다.

❷ 신문(=newspaper).
a morning *paper* 조간 신문.
an evening *paper* 석간 신문.
Have you read today's *paper* yet? 오늘 신문을 벌써 읽었느냐?
❸ 시험 문제, 답안.
Please hand in your *papers* at once. 곧 답안지를 제출하십시오.
Mr. White graded all the *papers*. 화이트 선생님은 답안을 전부 채점하셨다.
❹ 《복수형으로》 서류, 문서.
Mr. Brown always keeps his *papers* in order. 브라운씨는 언제나 서류를 잘 정리해 놓는다.

pa·per·boy [péipərbɔ̀i]
복수 **paperboys**[péipərbɔ̀iz]
신문 배달원, 신문팔이 소년.
The *paperboy* brings us the newspaper. 신문 배달원은 우리에게 신문을 가져다 준다.

par·a·chute [pǽrəʃùːt] 명
복수 **parachutes**[pǽrəʃùːts]
낙하산.
He opened his *parachute* at 1,000 feet. 그는 1,000피트 높이에서 낙하산을 펼쳤다.

pa·rade [pəréid] 명 복수
parades[pəréidz]
행진, 행렬, 퍼레이드.
There is a big *parade* in the street. 거리에서 성대한 퍼레이드가 행해지고 있다.

par·a·dise [pǽrədàis] 명
복수 **paradises**[pǽrədàisiz]
천국, 낙원.
That island was a *paradise* for him. 그 섬은 그에게 낙원이었다.

par·a·graph [pǽrəgræf] 명
복수 **paragraphs**[pǽrəgræfs]
(글의) 한 귀절, 문단, 단락.
Mary, will you read the second *paragraph*? 메리야, 둘째 문단을 읽어 보아라.

par·al·lel [pǽrəlèl] 형
평행의.
The teacher drew *parallel* lines on the blackboard. 선생님은 칠판에 평행선을 그렸다.
── 명 복수 **parallels**[pǽrəlèlz]
❶ 필적하는 사람〔물건〕, 유사한 예〔사건〕.
This battle has no *parallel* in history. 이 전투는 역사상 그 유례를 볼 수 없다.
❷ 평행선.
draw a *parallel* (to)(…에) 평행선을 긋다.
without parallel 유례 없이.
The success of Helen Keller's life was *without parallel* in history. 헬렌 켈러의 생애에서의 성공은 사상 그 유례가 없었다.

par·a·lyze [pǽrəlàiz] 타
3·단·현 **paralyzes** [pǽrəlàiziz] : ing형 **paralyzing** [pǽrəlàiziŋ] : 과거 과분 **paralyzed**[pǽrəlàizd]
…을 마비시키다; 활동 불능이 되게 하다.
His body began to be *par-*

alyzed. 그의 몸은 마비되기 시작하였다.

par·a·sol [pǽrəsɔ̀:l] 명 복수 parasols[pǽrəsɔ̀:lz]
(여자용의) 양산, 파라솔.
open [close] a *parasol* 양산을 펴다[접다].

par·cel [pɑ́:rsəl] 명 복수 parcels[pɑ́:rsəlz]
소하물, 소포(=package).
Will you send this by *parcel* post? 이것을 소포로 보내 주시겠습니까?

***par·don** [pɑ́:rdn] 명 복수 pardons[pɑ́:rdnz]
용서, 허용.
He asked her *pardon.*
그는 그녀에게 용서를 구했다.

회화 **I beg your pardon.** 「죄송합니다.」
폐를 끼치거나 실례했을 때 사죄하는 말. Beg your pardon. 또는 Pardon.이라고도 하며, 끝을 내려서 발음한다.
A : I'm not Mrs. I'm Miss Morris.
B : Oh, *I beg your pardon.*⤸
「나는 부인이 아닙니다. 미스 모리스입니다.」「아, 실례했습니다.」

I beg your pardon? 「다시 말씀해 주시겠습니까?」
상대방의 말을 잘 듣지 못했을 때 다시 말해달라고 부탁하는 말. Beg your pardon?, Pardon?, Pardon me?, Excuse me? 라고도 하며, 끝을 올려서 발음한다. 또, 윗사람이 아랫사람에게 말할 때에는 Once more, please. 또는 What? 이라고도 한다.
A : I want two tickets, please.
B : *I beg your pardon?*⤴ What did you say?
「차표 두 장 주세요.」, 「다시 말

씀해 주시겠습니까? 뭐라고 하셨죠?」

── 타 3·단·현 **pardons**[pɑ́:rdnz]; ing형 **pardoning** [pɑ́:rdniŋ]; 과거 과분 **pardoned**[pɑ́:rdnd] …을 용서하다.
She did not *pardon* him.
그녀는 그를 용서하지 않았다.

Pardon me. (=I beg your pardon.) (끝을 내려서 발음하여) 죄송합니다; (끝을 올려서 발음하여) 다시 한 번 말씀해 주십시오.

***par·ent** [pɛ́ərənt] 명
복수 **parents**[pɛ́ərənts]
어버이 《아버지 또는 어머니》; 《복수형으로》 양친, 부모.
He wrote a letter to the boy's *parents.* 그는 소년의 양친에게 편지를 썼다.
When is *Parents* Day in America? 미국에서는 어버이날이 언제냐?

pa·ren·the·ses [pərénθə-sì:z] 명
parenthesis의 복수

pa·ren·the·sis [pərénθəsis] 명
복수 **parentheses**[pərénθəsì:z]
❶ 삽입구.
I don't understand the meaning of the *parenthesis.*
나는 삽입구의 뜻을 모른다.
❷ 《보통 복수형으로》 둥근 괄호 (( )).
Put *parentheses* on both sides of the figure. 숫자 양쪽에 둥근 괄호를 둘러라.

Par·is [pǽris] 명
파리.

참고 프랑스의 수도. 프랑스의 북서부 센강 유역에 있는 아름다운 대도시. 예부터 유럽의 정치, 경제, 문화의 중심지로 알려져 있다.

*park [pɑːrk] 명
복수 **parks** [pɑːrks]
공원, 유원지; 운동장, 경기장.
a national *park* 국립 공원.
a ball *park* 야구장.
I took him to the *park.*
나는 그를 공원으로 데리고 갔다.
── 타·자 3·단·현 **parks** [pɑːrks]:
ing형 **parking** [pɑːrkiŋ]: 과거 과분
parked [pɑːrkt]
(…을) 주차하다.
He *parked* his car in front
of the library.
그는 도서관 앞에 차를 주차시켰
다.

park·ing [pɑːrkiŋ] 명
주차.
a *parking* lot 주차장.
No *parking.* 《게시》 주차 금지.

par·lia·ment [pɑːrləmənt] 명
복수 **parliaments** [pɑːrləmənts]
국회; 《**Parliaments**로》 (영국의)
의회. ☞ Congress, Houses
of Parliament
a Member of *Parliament* 영
국 하원 의원. ➤ MP 또는 M.P.
라고 약함.

par·lor [pɑːrlər] 명 복수
parlors [pɑːrlərz]
가게, 영업소(=shop).
a beauty *parlor* 미용실.
an ice cream *parlor* 아이스
크림 가게.
➤ 영국에서는 parlour로 씀.

par·rot [pǽrət] 명 복수
parrots [pǽrəts]
앵무새.

pars·ley [pɑːrsli] 명
《a와 복수형 안 씀》 파슬리.
You don't have to eat the
parsley. 파슬리는 먹지 않아도
된다.

*part [pɑːrt] 명
복수 **parts** [pɑːrts]

❶ 부분(⇔ whole 전체).
The Eiffel Tower can be
seen from all *parts* of
Paris.
에펠탑은 파리의 어느 곳에서나
보인다.
He cut the wood into two
parts. 그는 나무를 둘로 잘랐다.
❷ 역, 역할.
Tom played the *part* of
Hamlet in the play. 톰은 연
극에서 햄릿의 역을 하였다.
He played a very important
part in the work.
그는 그 일에서 아주 중요한 역할
을 하였다.
❸ (책의) 부, 편.
Part Ⅲ 제3편. ➤ Part three
라고 읽음.
*(a) *part of* …의 일부(분). ➤ a를
붙이지 않는 것이 보통임. part
of 뒤의 명사가 단수이면 단수로
취급하고, 복수이면 복수로 취급
함.
Part of the house was
damaged by the typhoon.
집의 일부가 태풍으로 망가졌다.
*take part in …에 참가하다.
Everybody can *take part in*
this game.
모든 사람들이 이 경기에 참가할
수 있다.
── 동 3·단·현 **parts** [pɑːrts]:
ing형 **parting** [pɑːrtiŋ]: 과거 과분
parted [pɑːrtid]
타 …을 나누다; 가르다.
The father *parted* his
fighting sons.
아버지는 싸우고 있는 아들들을
떼어 놓으셨다.
── 자 나뉘다; 갈라지다; 헤어지다.
The road *parts* there.
길은 거기에서 갈라진다.
They *parted* at the school
gate. 그들은 교문에서 헤어졌다.
part from …와 헤어지다.
She hated to *part from* her
dog, but she had to.

P

그녀는 개와 헤어지는 것이 싫었지만, 헤어지지 않을 수 없었다.

par·tial [páːrʃəl] 형
비교 more partial; 최상 most partial
❶ 부분적인, 일부분의, 불완전한.
a *partial* solar eclipse 부분일식.
❷ 불공평한, 한쪽에 치우친.
Teachers mustn't be *partial*. 선생님들은 편파적이어서는 안 된다.

par·tial·ly [páːrʃəli] 부
부분적으로.
She is *partially* blind. 그녀는 반맹인이다.

par·ti·ci·ple [páːrtəsìpəl] 명
복수 participles [páːrtəsìpəlz]
분사.

참고 분사에는 다음 두 종류가 있다.
1. 현재 분사(present participle)
The baby is *sleeping*. 어린애가 자고 있다.
The man *standing* near the door is our teacher. 문 가까이 서 있는 사람이 우리 선생님이다.
2. 과거 분사(past participle)
The baby was *loved* by his parents. 그 어린애는 양친으로부터 사랑을 받았다.
This is the package *sent* yesterday. 어제 보내 온 소포는 이것이다.

par·tic·u·lar [pərtíkjələr] 형 비교 more particular; 최상 most particular
❶ 특별한, 특히 그.
I have nothing *particular* to do this evening. 오늘 저녁에 특별히 할 일은 없다.
❷ 상세한.
Sumi gave a full and *particular* account of her trip to America. 수미는 미국 여행에 관하여 충분하고도 상세한 설명을 하였다.
❸ (음식·의복 따위의 취미가) 까다로운. ➤ 명사 앞에는 쓰지 않음.
She is very *particular* about her dress. 그녀는 자기 옷에 대해서 대단히 까다롭다.

par·tic·u·lar·ly [pərtíkjələrli] 부
특히(=especially).
I like books, *particularly* history books. 나는 책, 특히 역사책을 좋아한다.
This is a nice place to live, *particularly* in the summer. 이 곳은 살기 좋은 곳이다. 특히 여름에는.

part·ly [páːrtli] 부
부분적으로; 얼마만큼은.
His story is *partly* true. 그의 이야기는 얼마만큼은 사실이다.

part·ner [páːrtnər] 명
복수 partners [páːrtnərz]
(테니스·춤 따위의) 상대, 파트너; 한패, 동아리; 공동 경영자.
a dancing *partner* 댄싱 파트너《댄스의 상대》.
I was *partners* with her in tennis. 나는 테니스에서 그녀와 파트너였다.

part-time [páːrttàim] 형
파트타임의, 비상근의.
Frank has a *part-time* job this summer. 프랭크는 이번 여름에 파트타임의 일을 한다.
Miss Jones is a *part-time* teacher. 존스 선생님은 시간 강사이다.

*par·ty [páːrti] 명
복수 parties [páːrtiz]
❶ 파티; (사교상의) 모임, 회합.

I'm going to have a *party*.
나는 파티를 열 예정이다.

> [참고] **1.** 영미에서는 주말에 자기
> 집으로 친구나 아는 사람들을 불
> 러 파티를 여는 일이 많다. 주인
> 은 서로 알지 못하는 사람들을
> 소개하기도 하고 음식을 권하기
> 도 한다. 초청을 받은 사람은 대
> 개 부부 동반으로 참석한다.
> **2.** 파티에는 a birthday party
> (생일 파티), a farewell
> party (송별회), a dinner
> party ((정식의) 만찬회), a
> tea party (다과회), a paja-
> ma party ((10대 소녀들의)
> 파자마 파티) 등이 있다. 우리
> 가 흔히 말하는 「댄스 파티」는
> a dance라고 하며, a dance
> party란 말은 거의 쓰지 않는
> 다.

❷ 당, 정당(=a political party).
The election was a com-
plete victory for that *party*.
선거는 그 정당의 완전한 승리였
다.

❸ 일행, 패거리; 편.
Tom joined Mr. Brown's
party. 톰은 브라운 선생님 편에
들어갔다.

give a party 파티를 열다.
I'm going to *give a party*
at home tonight. How
about coming?
오늘 저녁 집에서 파티를 여는데,
오겠느냐?

*__**pass**__ [pæs] 통
   ③·단·현 **passes**[pǽsiz];
   ing형 **passing**[pǽsiŋ]; 과거 과분
   passed[pæst]
타 ❶ (…의 옆·앞 따위)를 **지나
가다, 통과하다.**
He *passed* the post office.
그는 우체국을 지나갔다.

❷ (시간)을 **보내다, 지내다.**
The Browns *passed* the
summer at the seaside.

브라운씨 가족은 해변에서 여름을
보냈다.

❸ …을 **넘겨주다, 건네주다.**
"Will you *pass* me the
butter, please?" "Certainly.
Here you are." 「버터를 건네 주
시겠어요?」「물론이죠. 여기 있습
니다.」

❹ (시험 따위)에 **합격하다**(⇔
fail 낙제하다).
Both Dick and Jack *pass-
ed* the examination. 딕과 잭
은 둘 다 시험에 합격하였다.

── 자 ❶ **지나가다, 통과하다;**
(시간이) **지나다.**
Mike *passed* in front of
me. 마이크는 내 앞을 지나갔다.
Time *passes* quickly.
시간은 빠르게 지나간다.
No *passing*. 《게시》 추월 금지.
❷ (시험 따위에) **합격하다**(⇔ fail
실패하다).
He took the entrance exam-
ination and *passed*.
그는 입학 시험을 쳐서 합격했다.

pass away **죽다**(=die); (때가)
지나다.
My grandfather *passed away*
two years ago. 나의 할아버지는
2년 전에 돌아가셨다.
Winter has *passed away*.
겨울이 지났다.

*__**pass by**__ (시간이) **지나다;** (옆을)
지나가다.
Hours *passed by*, but still
nobody came. 몇 시간이 지났
지만, 여전히 아무도 오지 않았다.
She *passed by* without

looking at me. 그녀는 나를 보지도 않고 지나갔다.

pass out 기절하다; 나가다.

His mother fell down the stairs and *passed out*. 그의 어머니는 계단에서 떨어져 기절했다.

pass through 통과하다, 빠져 나가다.

Our car *passed through* many tunnels. 우리 차는 많은 터널을 통과했다.

— 명 복수 **passes**[pǽsiz]

❶ (통행 따위의) 허가증, 패스.

a railway *pass* 철도 무임 승차권.

His *pass* allowed him to use the library. 그는 패스로 도서관의 책을 이용할 수 있었다.

❷ 산길.

We went through a mountain *pass*. 우리는 산길을 통과했다.

❸ (공의) 패스.

I gave a *pass* to him. 나는 그에게 패스하였다.

pas·sage [pǽsidʒ] 명

복수 **passages**[pǽsidʒiz]

❶ 통로; 복도.

There is a narrow *passage* through the forest. 숲속을 가로지르는 좁은 길이 있다.

This *passage* leads to his office. 이 복도는 그의 사무실로 통하고 있다.

❷ 통행권, 통행; 항해.

a smooth [rough] *passage* 평온한[거친] 항해.

No *passage* this way. 《게시》(이쪽으로) 통행 금지.

The king gave him *passage* through the country. 왕은 그에게 국내 통행의 권리를 주었다.

❸ (문장의) 한 절.

Please explain this *passage*. 이 한 절을 설명해 다오.

*pas·sen·ger [pǽsəndʒər] 명

복수 **passengers**[pǽsəndʒərz]

여객, 승객, 여행하는 사람.

a *passenger* train 여객 열차.

a *passenger* list 승객 명단.

That airplane carries 120 *passengers*. 저 비행기는 120인승이다.

All (the) *passengers* should be on board. 승객 여러분 탑승해 주십시오《공항의 안내 방송》.

pass·er·by [pǽsərbái] 명

복수 **passersby**[pǽsərzbái]

통행인.

There was very few *passersby* on the street. 거리에는 통행인이 거의 없었다.

pass·ers·by [pǽsərzbái] 명

*passerby*의 복수.

pas·sion [pǽʃən] 명

❶ 《a와 복수형 안 씀》 정열, 열정.

He is a man of *passion*. 그는 정열적인 사람이다.

❷ 《a를 붙여》 열중, 열광.

He has a *passion* for music. 그는 음악을 아주 좋아한다.

pas·sive [pǽsiv] 형

수동의(⇔ active 능동의).

the passive voice 수동태.

> 참고 우리말의 「…하여지다」, 「…되다」의 뜻을 영어로 표현할 경우, 「be+과거 분사」의 형식을 쓴다. 이것을 수동태라 한다.
>
> English *is spoken* in the United States. 미국에서는 영어가 쓰인다.

pass·port [pǽspɔ̀ːrt] 명

복수 **passports**[pǽspɔ̀ːrts]

여권; 허가증.

May I have your *passport*? 여권을 보여주시겠습니까?

REPUBLIC OF
KOREA
PASSPORT

대한 민국 여권

***past** [pæst]
전

❶ (시간·나이가) …을 지나.
It is half *past* seven.
7시 30분이다.
He came *past* noon.
그는 정오가 지나서 왔다.
He is *past* ten.
그는 열 살이 넘었다.
❷ (장소가) …을 지나서.
Roy walked *past* the station.
로이는 (걸어서) 역을 지나갔다.
── 명 옛날의 일, 과거(⇨ future
미래, present 현재).
The sad *past* is behind us.
슬픈 과거는 지나간 일이다.
── 형 지난, 과거의, 끝난.
The Browns have lived in
Korea for the *past* three
years. 브라운씨네 가족은 지난 3
년간 한국에서 살고 있다.

pasta [páːstə] 명
《a와 복수형 안 씀》
파스타《마카로니나 스파게티류》.

paste [peist] 명
《a와 복수형 안 씀》 풀;
반죽; 페이스트《생선·과실 따위
를 갈아서 반죽한 것》.
bean *paste* 된장.
fish *paste* 어묵.
── 타 ③·단·현 **pastes** [peists];
ing형 **pasting** [péistiŋ]; 과거 과분
pasted [péistid]
(풀로) …을 바르다, 붙이다.
Jack and Roy *pasted* up
posters on the walls. 잭과
로이는 벽에 포스터를 붙였다.

pas·time [pǽstàim]
명

복수 **pastimes** [pǽstàimz]
오락, 소일거리.
Driving is a good holiday
pastime. 드라이브는 휴일의 좋
은 기분 전환이다.

pas·try [péistri]
명

복수 **pastries** [péistriz]
패스트리《가루 반죽으로 만든 과
자나 빵》.
We had *pastries* and coffee
for breakfast. 우리는 아침식사
로 패스트리와 커피를 먹었다.

pas·ture [pǽstʃər]
명

복수 **pastures** [pǽstʃərz]
목장, 목초지.
They wanted to find good
pastures where they could
keep their sheep. 그들은 양을
칠 수 있는 좋은 목초지를 찾고자
했다.

pat [pæt] 타
③·단·현 **pats** [pæts]; ing형
patting [pǽtiŋ]; 과거 과분 **patted**
[pǽtid]
…을 가볍게 치다, 쓰다듬다.
He *patted* me on the
shoulder with his hand. 그
는 손으로 내 어깨를 가볍게 쳤다.
Frank *patted* his dog's
head. 프랭크는 개의 머리를 쓰
다듬었다.
── 명 복수 **pats** [pæts]
가볍게 치기, 쓰다듬기.
My teacher gave me a
friendly *pat* on the shoul-
der. 선생님은 다정하게 내 어깨를
툭툭 치셨다.

patch [pætʃ] 명
복수 **patches** [pǽtʃiz]
❶ (꿰매붙이기 위한) 헝겊 조각,
천 조각.
He is wearing a coat with
patches on the elbows.
그는 양팔꿈치에 헝겊 조각을 댄
저고리를 입고 있다.
❷ 밭, 조그만 땅.

That farmer is working in his cabbage *patch*. 저 농부는 양배추 밭에서 일하고 있다.

pat·ent [pǽtənt] 명 복수 patents[pǽtənts]

특허, 특허품.

He got an American *patent* for [on] his invention.

그는 그의 발명에 대한 미국의 특허를 얻었다.

── 형 특허의.

a *patent* right 특허권.

***path** [pæθ] 명 복수 paths[pæθz]

좁은 길, 보도, 통로. ▶사람이 다녀서 난 산, 들의 길이나 사람이 다니게 만든 정원 따위의 길을 가리킴. 차는 다니지 않음.

We walked along a *path* through the woods.

우리는 숲속의 좁은 길을 걸었다.

pa·tience [péiʃəns] 명

《a와 복수형 안 씀》인내, 참을성.

Nothing is more important than *patience* and courage for an explorer. 탐험가에게 인내와 용기보다 더 중요한 것은 없다.

pa·tient [péiʃənt] 형 비교 more patient; 최상 most patient

참을성 있는, 인내심이 강한.

Miss Smith is a devoted, *patient* teacher. 스미스 선생님은 열성적이고 인내심이 강하다.

── 명 복수 patients [péiʃənts]

환자.

Dr. Brown has many *patients*. 브라운 선생님은 환자가 많다.

Pat·rick [pǽtrik] 명

패트릭《남자 이름》.

pa·trol [pətróul] 타·자 3·단·현 patrols [pətróulz] ing형 patrolling[pətróuliŋ] 과거 과분 patrolled[pətróuld]

(…을) 순찰하다, 순시하다.

The police *patrolled* the area carefully. 경찰은 그 지역을 주의 깊게 순찰하였다.

── 명 순찰, 순시; 순찰자.

go on *patrol* 순찰하다.

soldiers on *patrol* 순찰 중인 병사들.

pa·trol car [pətróul kà:r] 명

복수 patrol cars[pətróul kà:rz]

순찰차.

***pat·tern** [pǽtərn] 명 복수 patterns[pǽtərnz]

❶ 무늬.

This carpet has a pretty *pattern*. 이 융단의 무늬는 아름답다.

Mary is wearing a dress with beautiful flower *patterns*. 메리는 아름다운 꽃 무늬의 드레스를 입고 있다.

❷ 형, 양식.

Here is a list of English sentence *patterns*. 여기에 영어의 문형표가 있다.

❸ 모범, 본보기.

Children follow the *pattern* set by their parents. 어린이는 부모를 본뜬다.

pause [pɔːz] 자 3·단·현 pauses[pɔ́ːziz] ing형 pausing [pɔ́ːziŋ] 과거 과분 paused[pɔːzd]

쉬다, 멈추다; 멈추어 서다.

He *paused* for a reply.

그는 잠시 이야기를 멈추고 대답을 기다렸다.

── 명 복수 pauses[pɔ́ːziz]

중단, 중지, 망설임.

There was a *pause* in the conversation for some moments. 이야기가 잠시 동안 중단되었다.

pave [peiv] 타 3·단·현 paves [peivz] ing형 paving[péiviŋ] 과거 과분 paved[peivd]

…을 포장하다.

The city officials decided to *pave* the roads with concrete. 시 당국자들은 길을 콘크리트로 포장하기로 결정하였다.

pave·ment [péivmənt] 명

[복수] **pavements**[péivmənts]
❶ 《a와 복수형 안 씀》 (길의) 포장.
❷ 포장 도로.
He fell on the *pavement* and broke his arm. 그는 포장도로에서 넘어져 팔이 부러졌다.

paw [pɔː] 명
[복수] **paws**[pɔːz]
(개·고양이 따위의 발톱 있는) 발.
A dog has four *paws*.
개는 발이 네 개 있다.

***pay** [pei] 동
[3·단·현] **pays**[peiz]; [ing형]
paying[péiiŋ]; [과거] [과분] **paid**
[peid]
[타] ❶ (돈·임금 따위)를 지불〔지급〕하다; (빚 따위)를 갚다.
I'll *pay* you all the money you want. 나는 네가 원하는 금액을 전부 지불하겠다.
People have to *pay* 2,000 won to cross the bridge.
사람들은 다리를 건너기 위해 2,000원을 내야만 한다.
He is highly *paid*.
그는 높은 보수를 받는다.
❷ (주의 따위)를 기울이다; (존경 따위)를 표하다.
You must *pay* attention to this problem. 이 문제에 주의를 기울여야 한다.
── [자] ❶ 돈을 치르다〔지불하다〕.
I *paid* in cash.
나는 현찰로 지불했다.
❷ 《pay for로》 …의 대금을 지불하다.
I can't *pay for* my lunch.
나는 점심값을 낼 수 없다.
pay a call 〔***visit***〕 ***to*** …을 방문하다.
I *paid a visit to* him

yesterday. 나는 어제 그를 방문하였다.
pay back (빌린 돈)을 갚다.
Antonio was not able to *pay back* the money. 안토니오는 빚을 갚을 수 없었다.
── 명 《a와 복수형 안 씀》 급료, 임금.
I got my *pay* yesterday.
나는 어제 급료를 받았다.

pay·ment [péimənt] 명
[복수] **payments**[péimənts]
지불, 지불 금액.
I made a first *payment* of $10. 나는 제 1 회분 10달러를 지불했다.
He charged extra *payments* for the new car. 그는 새 자동차에 대한 추가 지불을 청구하였다.

PC [pìːsíː] 명
[복수] **PCs** [pìːsíːz]
퍼스널 컴퓨터. ➤ personal computer 의 간략형.
PC users 퍼스널 컴퓨터 사용자들.

PE [pìːíː] 명
체육. ➤physical education 의 간략형.
We don't have *PE* on Mondays. 우리는 월요일에는 체육이 없다.

pea [piː] 명 [복수]
peas[piːz]
완두, 풋완두《요리용》. ☞ bean
My mother is cooking *peas*.
어머니는 풋완두를 요리하고 있다.

as like as two peas 똑같이 생긴, 몹시 닮은.
The sisters are *as like as two peas*. 저 자매는 똑같이 생겼다.

***peace** [piːs] 명
❶ 《복수형 안 씀》

평화(⇔ war 전쟁).

the Nobel *Peace* Prize 노벨 평화상.

They try to make the world keep *peace*. 그들은 세계가 평화를 유지하게 하려고 애쓴다.

❷ 《a와 복수형 안 씀》 안심, 평온, 조용함.

We enjoy a life of *peace* in the country. 우리는 시골의 조용한 생활을 즐기고 있다.

in peace 평화롭게, 안심하고.

The ship sailed *in peace* for about a month. 배는 약 한 달 동안 순조롭게 항해하였다.

Rest *in peace*, my friend. 친구여, 고이 잠들어라.

peace·ful [píːsfəl] 형 비교 more peaceful; 최상 most peaceful

평화스러운, 평화를 사랑하는, 온화한.

I want a *peaceful* life in the country. 나는 평화로운 시골 생활을 원한다.

Henry is a *peaceful* man. 헨리는 온화한 사람이다.

peace·ful·ly [píːsfəli] 부

평화스럽게, 편안하게.

My parents live *peacefully* in the country. 양친은 시골에서 평화스럽게 살고 계신다.

peach [piːtʃ] 명 복수 peaches[píːtʃiz]

복숭아, 복숭아나무.

Peaches have a soft skin and a sweet taste. 복숭아는 껍질이 부드럽고, 맛이 좋다.

> 참고 꽃이 예쁘고 열매가 맛이 있기 때문에, 서양에서는 속어로 「훌륭한 사람〔것〕」「젊고 귀여운 여자」를 peach라고 한다. 이 점에서 「싫은 사람〔것〕」을 가리키는 lemon과 대조적이다.

pea·cock [píːkɑk] 명 복수 peacocks[píːkɑks]

공작(특히 수컷). ▶ 암컷은 pea-hen[píːhen]이라고 함.

Peacocks are beautiful when they spread out their tail feathers. 공작은 꽁지 깃을 펴면 아름답다.

peak [piːk] 명 복수 peaks[piːks]

❶ 산정, 산봉우리.

the snow-covered *peaks* 눈으로 덮인 산봉우리들.

❷ 절정, 최고점.

He has reached the *peak* of happiness. 그는 행복의 절정에 달해 있다.

pea·nut [píːnʌt] 명 복수 peanuts[píːnʌts]

땅콩, 낙화생.

peanut oil 낙화생 기름.

They grew *peanuts* to make soil rich. 그들은 땅을 기름지게 하기 위해 땅콩을 재배하였다.

***pear** [pɛər] 명 복수 pears[pɛərz]

서양배, 배나무.

"Do you like *pears*?" "Yes, I do." 「서양배를 좋아하느냐?」 「그래, 좋아한다.」

> 참고 우리 나라 배와는 모양과 맛이 다르다. 서양배는 표주박 모양이며, 보통 날것으로 먹지만 가공 식품이나 술을 만들기도 한다.

Pearl [pəːrl] 명
펄(여자 이름).

pearl [pəːrl] 명
복수 **pearls** [pəːrlz]

진주.
This *pearl* store sells both artificial and cultured *pearls.*
이 진주 상점에서는 인조 진주와 양식 진주를 판다.

peas·ant [pézənt] 명 복수 **peasants** [pézənts]

농민, 농군.
Millet was a French *peasant* who later became a great painter. 밀레는 프랑스의 농민으로 후에 위대한 화가가 되었다.

peb·ble [pébəl] 명
복수 **pebbles** [pébəlz]

조약돌, 자갈.
The word "count" comes from the Latin word "*pebble.*" 「count」라는 낱말은 「pebble」이라는 라틴어 낱말에서 유래한다.

peck [pek] 타·자
3·단·현 **pecks** [peks] :
ing형 **pecking** [pékiŋ] : 과거 과분
pecked [pekt]

(…을) 쪼다, 쪼아먹다.
The hen *pecked* at a worm. 암탉이 지렁이를 쪼았다.

pe·cu·liar [pikjúːljər] 형 비교
more **peculiar** ;
최상 **most peculiar**

❶ 독특한, 특유의.
The practice is quite *peculiar* to Korea. 그 습관은 한국 특유의 것이다.
❷ 색다른.
She is wearing a *peculiar* dress. 그녀는 색다른 옷을 입고 있다.

ped·al [pédl] 명
복수 **pedals** [pédlz]

(자전거·악기 따위의) 페달, (재봉틀 따위의) 발판.

peel [piːl] 명
복수 **peels** [piːlz]

(과일의) 껍질.
a banana *peel* 바나나 껍질.

peep [piːp] 자
3·단·현 **peeps** [piːps] :
ing형 **peeping** [píːpiŋ] : 과거 과분
peeped [piːpt]

❶ 틈으로 엿보다, 몰래 보다.
He *peeped* into the room from the door. 그는 문에서 방 안을 엿보았다.
❷ 나타나다, 싹이 나오다.
The sun *peeped* out from behind the clouds. 태양이 구름 뒤에서 나타났다.

peer¹ [piər] 자
3·단·현 **peers** [piərz] :
ing형 **peering** [píəriŋ] : 과거 과분
peered [piərd]

《**peer into**〔**at**〕으로》 자세히 보다, 응시하다.
He *peered into* her eyes. 그는 그녀의 눈을 자세히 보았다.

peer² [piər] 명
복수 **peers** [piərz]

《복수형으로》 동료, 동등한 사람.
He was accepted by his *peers*. 그는 동료들에게 인정을 받았다.

****pen** [pen] 명
복수 **pens** [penz]

만년필, 볼펜; 펜.
I have a *pen*.
나는 만년필을 갖고 있다.
Write with a *pen*.
펜으로 써라.
in pen and ink 펜과 잉크로.
Write your name and address *in pen and ink*.
이름과 주소를 펜과 잉크로 써라.

> 참고 **pen**은 펜촉, 또는 펜촉과 펜대를 포함한 펜의 뜻으로 쓰여 왔지만, 현재는 만년필·볼펜·사인펜의 뜻으로 더 많이 쓰인다.

pence [pens] 명
penny의 복수. ▶ 구어

에서는 단수에도 이 복수형을 쓰는 일이 있음.
A shilling is twelve *pence*. 1실링은 12펜스이다.

****pen·cil** [pénsəl] 명
[복수] **pencils** [pénsəlz]
연필.
a red *pencil* 빨간 색연필.
sharpen a *pencil* 연필을 깎다.
Do you have a *pencil*? 너는 연필을 갖고 있느냐?
Write with a *pencil*. =Write in *pencil*. 연필로 써라.

pen·cil case [pénsəl kèis]
[복수] **pencil cases** [pénsəl kèisiz]
필통.

pen·e·trate [pénətrèit] 타
[3·단·현] **penetrates** [pénətrèits] :
[ing형] **penetrating** [pénətrèitiŋ] :
[과거] [과분] **penetrated** [pénətrèitid]
…을 꿰뚫다 ; …에 스며들다, 침투하다.
The sunshine *penetrated* the room through the windows. 햇빛이 창문을 통해 방 안으로 들어왔다.
The soldiers *penetrated* the enemy's defenses. 군인들은 적의 방어진을 돌파하였다.

***pen·guin** [péŋgwin] 명
[복수] **penguins** [péŋgwinz]
펭귄.
I have seen *penguins* at a zoo in New York. 나는 뉴욕에 있는 동물원에서 펭귄을 본 적이 있다.

pen·i·cil·lin [pènəsílin] 명
《a와 복수형 안 씀》 페니실린.
Penicillin was discovered by Dr. Fleming in 1929. 페니실린은 1929년 플레밍 박사에 의해 발견되었다.

pe·nin·su·la [pənínsələ] 명
[복수] **peninsulas** [pənínsələz]
반도.
The Korean language is spoken by more than 60 million people on the Korean *peninsula*. 한국어는 한반도의 6천만 이상의 사람들이 쓴다.

pen·nies [péniz] 명
penny의 복수.

pen·ni·less [pénilis] 형
빈털털이의, 무일푼의, 매우 가난한.
I'm *penniless*. 나는 동전 한푼 없다.

Penn·syl·va·ni·a [pènsɪlvéiniə] 명 펜실베이니아.

┌─────────────────────────────
│ [참고] 미합중국 동부의 주로서 Pa., Penn., Penna. 따위로 약함. 면적은 117,420 km²로 우리나라의 약 절반. 주 이름은 영국의 개척자 윌리엄 펜(William Penn [wíljəm pén] 1644-1718)의 이름을 따서 지었으며 Pennsylvania란 「펜의 숲」이란 뜻이다. 최초로 독립한 13주의 하나로 지금은 미국의 주요한 광공업 지역의 하나임. 주도는 해리스버그(Harrisburg [hǽrisbəːrg])이나, 동부 해안의 큰 도시 필라델피아(Philadelphia [filədélfjə]), 공업의 중심지 피츠버그(Pittsburgh [pítsbəːrg]) 등이 더 잘 알려져 있다.
└─────────────────────────────

pen·ny [péni] 명
[복수] **pennies** [péniz]

또는 **pence**[pens]
1센트 화폐; (영국의) 페니(화폐).
Here is a new *penny* for you. 너에게 새 1센트 화폐를 주겠다.

> 참고 미국, 캐나다에서는 1센트 (one cent)의 애칭으로 쓰이고 있다. 그러나 영국에서는 1파운드의 100분의 1로서, p로 약함. ☞ coin
>
> 어법 **pennies** 와 **pence**
> penny는 pennies와 pence의 두 가지 복수형이 있으며, 화폐의 수를 셀 때는 pennies를 쓰고 금액의 단위를 말할 때는 pence를 쓴다.
> I have six *pennies*. 나는 6개의 페니 동전을 갖고 있다.
> The tickets are six *pence* each. 차표는 한 장에 6펜스이다.

---

pen pal [pén pæl] 명 복수
pen pals[pén pælz]
펜팔, 편지 친구.
I have *pen pals* both in England and in America. 나는 영국과 미국에 펜팔을 갖고 있다. ➤ 영국에서는 보통 pen-friend[pénfrènd]라고 함.

*peo·ple [pí:pl] 명
복수 **peoples**[pí:plz]
❶《a와 복수형 안 씀》사람들. ➤ 복수로 취급함.
They are good *people*.
그들은 좋은 사람들이다.
Many *people* go to Europe during the summer. 많은 사람들이 여름철에 유럽에 간다.
❷ 국민, 민족, 종족.
The Koreans are a kind *people*. 한국인들은 친절한 국민이다.
the *peoples* of Asia 아시아의 여러 민족.
❸《the를 붙여》인민, 일반 국민, 민중. ➤ 복수로 취급함.

government of the *people*, by the *people*, for the *people* 국민의, 국민에 의한, 국민을 위한 정치《링컨의 게티즈버그(Gettysburg[gétizbə̀ːrg])에서의 연설에 있는 유명한 구절》.

> 어법 people은 ❶ ❸에서는 단수형으로 복수의 「사람들」「인민」의 뜻을 나타냄. ❷에서는 한 나라의 국민은 a people로 단수이나, 「여러 국민」의 뜻에서는 peoples라고 복수가 됨.

---

pep·per [pépər] 명
《a와 복수형 안 씀》후추.
Please pass me the *pepper*.
후추를 좀 건네 주십시오.

per [pər] 전
…에 대해, …마다.
It is two dollars *per* person.
한 사람에 2달러이다.
The car was going 60 miles *per* hour. 자동차는 1시간에 60마일을 달리고 있었다.

per·ceive [pərsíːv] 타
3·단·현 **perceives** [pərsíːvz] :
ing형 **perceiving** [pərsíːviŋ] :
과거 과분 **perceived**[pərsíːvd]
…을 감지하다, 깨닫다; …을 알다.
I *perceived* a change in the temperature. 나는 온도의 변화를 감지했다.

per·cent [pərsént] 명 복수
percent[pərsént]
퍼센트. ➤ %의 기호로 나타냄.
In Korea 95 *percent* of the people know how to read and write. 한국에서는 95퍼센트의 국민이 읽고 쓸 줄 안다. ➤ percent가 주어일 경우, 동사는 of 다음에 오는 명사의 수에 일치시킴.

*per·fect [pə́ːrfikt] 형
완전한, 순전한.
a *perfect* game 완전 시합, 퍼

펙트 게임.

Practice makes *perfect*. 《속담》 연습을 거듭하면 완전하게 된다.

We are *perfect* strangers here. 우리는 이 곳이 아주 생소하다.

per·fect·ly [pə́:*r*fiktli] 閏

완전히, 전적으로, 더할 나위 없이 (=completely).

I'm *perfectly* satisfied with the result. 나는 그 결과에 대해 더할 나위 없이 만족하고 있다.

You're *perfectly* right. 너는 전적으로 옳다.

per·form [pərfɔ́:*r*m] 동

[3·단·현] **performs** [pərfɔ́:*r*mz] : [ing형] **performing** [pərfɔ́:*r*miŋ] : [과거][과분] **performed** [pərfɔ́:*r*md]

타 ❶ …을 행하다, 수행하다, 실행하다.

Tom and Jack *performed* their work very well. 톰과 잭은 그들의 일을 훌륭히 수행하였다.

❷ (극 따위)를 상연하다, (역)을 연기하다; (곡)을 연주하다.

He *performed* many roles on the stage. 그는 무대에서 여러 가지 역을 하였다.

── 자 연주하다; 상연하다, 연기하다.

perform at the piano 피아노를 연주하다.

perform on the stage 무대에서 연기하다.

per·form·ance [pərfɔ́:*r*m-əns] 명 [복수]

performances [pərfɔ́:*r*mənsiz]

❶ 《a와 복수형 안 씀》 (임무, 일 따위의) 실행, 수행, 이행.

He is faithful in the *performance* of his duties. 그는 자기 의무 수행에 충실하다.

❷ 연주; 상연, 연기.

The morning *performance* begins at 11 o'clock. 아침 연주는 11시에 시작한다.

per·fume [pə́:*r*fju:m] 명

[복수] **perfumes** [pə́:*r*fju:mz]

❶ 《a와 복수형 안 씀》 향기, 방향.

the *perfume* of roses 장미의 향기.

❷ 향료, 향수.

She is wearing *perfume*. 그녀는 향수를 바르고 있다.

*per·haps [pərhǽps] 閏

아마, 혹시, 어쩌면. ☞ maybe

Perhaps she may not come. 어쩌면 그녀는 오지 않을지 모른다.

Perhaps it will snow tomorrow. 아마 내일은 눈이 올지 모르겠다.

per·il [pérəl] 명

[복수] **perils** [pérəlz]

위험(=danger).

the *perils* of the ocean 해상의 위험.

He is in *peril* of his life. 그는 목숨이 걸린 위험에 처해 있다.

*pe·ri·od [píəriəd] 명 [복수]

periods [píəriədz]

❶ 기간.

The Blacks lived in Seoul for a short *period* of time. 블랙씨 가족은 짧은 기간 동안 서울에 살았다.

❷ 시기, 시대, 단계.

the *period* of silent movies 무성 영화 시기.

We're studying the Shilla *period*. 우리는 신라 시대를 공부하고 있다.

❸ 수업 시간.

Jane's first *period* is science. 제인의 첫 수업 시간은 과학이다.

❹ 마침표 《.》.

Put a *period* after each sentence. 각 문장 끝에 마침표

를 찍어라.

참고 마침표는 full stop[fúl stáp]이라고도 하며, 다음과 같은 경우에 쓰인다.
1. 의문문, 감탄문 이외의 문장 끝에 붙인다(I like apples. 나는 사과를 좋아한다). 마침표 다음에 계속되는 문장은 대문자로 쓰기 시작한다(I have a pen. You also have a pen. 나는 펜을 갖고 있다. 너도 또한 펜을 갖고 있다).
2. 약어 다음에는 보통 마침표를 붙인다. Mr. and Mrs. Nam 남씨 부부 / Mt. Baekdu 백두산 / (the) U.S.A. 미 합중국.

---

per·ish [périʃ] 자 3·단·현 **perishes** [périʃiz] ; ing형 **perishing** [périʃiŋ] ; 과거 과분 **perished**[périʃt]

죽다, 멸망하다, 썩다(=die).
perish with hunger 굶어 죽다.
Fruit *perishes* quickly in the summer. 과일은 여름에 빨리 썩는다.

per·ma·nent [pə́ːrmənənt] 형

영속하는, 영구의.
a *permanent* tooth 간니, 영구치.
a *permanent* wave (머리의) 파마. ▶ 구어에서는 perm[pəːrm]이라고 함.

per·mis·sion [pərmíʃən] 명

《a와 복수형 안 씀》허가, 허락.
Don't enter without *permission*. 《게시》 허가 없이 들어오지 마시오.
The teacher has given us *permission* to use the room. 선생님은 방을 쓰라고 허락하여 주셨다.   ☞ 동 permit

***per·mit** [pəːrmít] 타 3·단·현 **permits** [pəːrmíts] ;

ing형 **permitting** [pəːrmítiŋ] ; 과거 과분 **permitted** [pərmítid]

…을 허가하다, 인정하다; 《**permit ... to** do로》…가 ~하는 것을 허가하다. ☞ forbid(금지하다)
Smoking is not *permitted* here. 여기서는 금연이다.
He *permitted* us *to* use his books.
그는 자기 책을 쓰라고 허락하여 주었다.   ☞ 명 permission
── [pə́ːrmit] 명 복수 **permits** [pə́ːrmits]
허가증, 면허증.
Uncle George has a hunting *permit*.
조지 아저씨는 수렵 허가증을 갖고 있다.
▶ 동사와 명사는 악센트의 위치가 다름에 주의.

per·sist [pərsíst] 자 3·단·현 **persists** [pərsísts] ;
ing형 **persisting** [pərsístiŋ] ; 과거 과분 **persisted**[pərsístid]
주장하다, 고집하다.
Bill *persisted* in going home. 빌은 집에 가겠다고 고집하였다.

***per·son** [pə́ːrsən] 명 복수 **persons** [pə́ːrsənz]

❶ 사람, 인간. ▶ 성별·나이에 관계없이 씀.
Bill is a nice *person*.
빌은 좋은 사람이다.
Three *persons* were killed in the crash. 그 충돌로 세 사람이 죽었다.

참고 복수형 persons는 보통 위와 같이 통계, 보고 따위의 인원수를 말할 때 쓰며, 「사람들」이란 뜻일 때에는 people을 쓴다.

---

❷ 인칭.
the first 〔second, third〕 *person* 제 1〔2, 3〕인칭.
  ☞ 형 personal

참고 이야기하는 사람, 물건, 일의 관계를 나타내는 것을 인칭이라 하며, 1인칭(I: we), 2인칭(you: you), 3인칭(he: she: it: they)을 인칭 대명사(personal pronoun)라 한다.

***per·son·al** [pə́:rsənəl] 형

❶ 개인적인, 사적인(=private): 본인의.
I have only *personal* belongings. 나는 개인 용품만 가지고 있다.
I don't like to talk about her *personal* matters. 그녀의 개인적인 문제에 대해서는 얘기하고 싶지 않다.
❷ 인칭의.
a *personal* pronoun 인칭 대명사.
☞ 명 person, personality

per·son·al·i·ty [pə̀:rsənǽl-əti] 명
복수 **personalities** [pə̀:rsənǽlətiz]
개성, 인격, 인품.
Different people have different *personalities*. 사람에 따라 개성이 다르다.
a *personality* test 성격 검사.
☞ 형 personal

per·son·al·ly [pə́:rsənəli] 부
개인적으로, 몸소, 친히.
Personally, I don't agree with him. 개인적으로는 그와 의견이 맞지 않는다.

per·suade [pə:rswéid] 타
3·단·현 **persuades** [pə:rswéidz]:
ing형 **persuading** [pə:rswéidin]:
과거 과분 **persuaded** [pə:rswéidid]
…을 설득하다: 《persuade ... to do로》…을 설득하여 ~하게 하다.
I *persuaded* Susie *to* go to the movies with me. 나는 수

지를 설득하여 함께 영화를 보러 갔다.
Tom was *persuaded to* give up the attempt. 톰은 그 시도를 포기하도록 설득당했다.

***pet** [pet] 명
복수 **pets** [pets]
❶ 애완 동물.
a *pet* shop 애완 동물 상점.
❷ 마음에 드는 사람.
Roy is the teacher's *pet*.
로이는 선생님 마음에 드는 애다.

Pe·ter [pí:tər] 명
❶ 피터《남자 이름》.
❷ 베드로.

참고 예수의 열두 제자 중의 한 사람으로, 신약 성서의 베드로 전후서의 작자라고 함.

pe·ti·tion [pitíʃən] 명 복수
petitions [pitíʃənz]
청원, 청원서.
It might be a good idea to write a *petition* to the mayor. 시장에게 청원서를 쓰는 것이 좋을지도 모르겠다.

pe·tro·le·um [pitróuliəm] 명
《a와 복수형 안 씀》석유.
Petroleum is used for heating. 석유는 난방에 쓰인다.

phe·nom·e·na [finámənə] 명
phenomenon의 복수.

phe·nom·e·non [finámə-nàn] 명
복수 **phenomena** [finámənə]
현상.
A rainbow is a beautiful natural *phenomenon*. 무지개는 아름다운 자연 현상이다.

Phil·a·del·phi·a [filədélfiə] 명
필라델피아.

참고 미합중국의 펜실베이니아 주(Pennsylvania [pènslvéin-

iə]) 동남부의 대도시. 미국에
서 가장 오래된 도시의 하나로,
독립 선언서가 조인된 인디펜던
스홀(Independence Hall)이
있다. 미국 동부의 상공업, 교
육의 중심지로 현재도 번영하고
있다.

phi·los·o·pher [filásəfər] 명

복수 **philosophers**[filásəfərz]
철학자.
Socrates[sákrətìːz] was a
great Greek *philosopher*.
소크라테스는 그리스의 위대한 철
학자였다.

phil·o·soph·i·cal

[fìləsáfikəl/-sɔ́f-] 형
철학적인, 철학에 관한.
a *philosophical* question 철
학적인 질문.

phi·los·o·phy [filásəfi] 명

《a와 복수형 안 씀》 철학.
He has a sound *philosophy*
of life. 그는 건전한 인생관을 갖
고 있다.

*phone [foun] 명

복수 **phones**[founz]
전화. ▶ telephone의 간략형.
The *phone* is ringing.
전화가 울리고 있다.
I talked with Jane on the
phone. 나는 제인과 전화로 이야
기하였다.
── 타·자 3·단·현 **phones**
[founz] : ing형 **phoning**[fóuniŋ] :
과거 과분 **phoned**[found]
(…에게) **전화로 말하다, 전화를
걸다.** ▶ 일상어로는 call을 많이
씀.
Jane *phoned* Mary.
제인은 메리에게 전화를 걸었다.

phone booth [fóun bùːθ] 명

복수 **phone booths**[fóun bùːðz]
공중 전화 박스.

pho·no·graph [fóunəgræf] 명

복수 **phonographs**[fóunəgræfs]
축음기.
Let's play this music on
that *phonograph*. 저 축음기에
이 음악을 틀자.

*pho·to [fóutou] 명

복수 **photos**[fóutouz]
사진. ▶ photograph의 간략형.
I'll send you a *photo* of
myself in uniform. 교복을 입
고 찍은 내 사진을 너에게 보내겠
다.

pho·to·graph [fóutəgræf] 명

복수 **photographs**[fóutəgræfs]
사진.
a color *photograph* 컬러 사
진.
I had my *photograph* taken.
나는 나의 사진을 찍었다.
Roy took a *photograph* of
Mary. 로이는 메리의 사진을 찍
었다.

pho·tog·ra·pher [fətágrə-fər] 명

복수 **photographers**[fətágrəfərz]
사진 찍는 사람, 사진사.
Mr. Black is a good *pho-
tographer*. 블랙씨는 사진을 잘
찍는다.
▶ cameraman[kǽmərəmæn]은
보통 영화나 TV의 촬영 기사를
가리킴.

pho·tog·ra·phy [fətágrəfi] 명

《a와 복수형 안 씀》 **사진술, 사진
촬영.**

phrase [freiz] 명

복수 **phrases**[fréiziz]
구; 숙어.

참고 구는 두 낱말 이상으로 이
루어지며 「주어＋동사」의 형식
을 갖지 않으나, 하나의 정리된
뜻을 나타낸다. 명사구, 형용사
구, 부사구, 전치사구 따위가

P

있다. 예를 들면 He wants something *to drink.* (그는 무엇인가 마실 것을 원하고 있다)라는 문장에서 to drink는 형용사구이다.

phys·i·cal [fízikəl] 형

❶ 물리학의, 자연 과학의. *physical* science 자연 과학.
❷ 육체의(⇔mental 정신의).
I took a *physical* examination today. 나는 오늘 신체 검사를 받았다.
❸ 물질의.
the *physical* world 물질 세계.

phys·i·cal·ly [fízikəli] 부

육체적으로, 신체적으로.
He was exhausted both *physically* and mentally. 그는 심신이 다 지쳤다.

phy·si·cian [fizíʃən] 명

복수 **physicians**[fizíʃənz]
의사, 내과 의사. ☞ surgeon(외과 의사)
Dr. Brown is a *physician.* 브라운 선생님은 내과 의사이다.

phys·i·cist [fízisist] 명

복수 **physicists**[fízisists]
물리학자. ☞ chemist(화학자)
He is a Korean *physicist.* 그는 한국의 물리학자이다.

phys·ics [fíziks] 명

《a와 복수형 안 씀》 물리학. ☞ chemistry(화학)
Physics is my favorite subject. 물리는 내가 좋아하는 학과이다.

pi·an·ist [piǽnist] 명

복수 **pianists**[piǽnists]
피아니스트.
Mrs. Green is a *pianist.* 그린 부인은 피아니스트이다.

* **pi·an·o** [piǽnou] 명

복수 **pianos**[piǽnouz]
피아노.
a grand *piano* 그랜드 피아노.
an upright *piano* 업라이트 피아노.
practice the *piano* 피아노 연습을 하다.
She played the *piano* and we sang. 그녀는 피아노를 쳤고 우리는 노래했다.

* **pick** [pik] 타

3·단·현 **picks**[piks] : ing형
picking[píkiŋ] : 과거 과분 **picked** [pikt]
❶ (꽃·과실 따위)를 따다, 뜯다.
We're *picking* apples today. 우리는 오늘 사과를 딴다.
❷ (정성들여) …을 선택하다, 골라잡다, 고르다(=choose).
Mrs. Green *picked* the best hat. 그린 부인은 제일 좋은 모자를 골라잡았다.
❸ (이·코·귀 따위)를 쑤시다, 후비다.
pick one's nose[ears] 코[귀]를 후비다.

pick out …을 골라내다.
Mother *picked out* a nice sweater for me. 어머니는 멋진 스웨터를 나에게 골라주셨다.

* ***pick up*** 줍다, 들어[집어] 올리다, (차 따위에) …을 태우다.
They are *picking up* cans and other things. 그들은 깡통과 그외의 것들을 줍고 있다.
Will you *pick* me *up* on the way? 도중에서 나를 태워 주겠느냐?

* **pic·nic** [píknik] 명

복수 **picnics**[píkniks]
피크닉, 소풍. ☞ hiking
Spring is the time for *picnics.* 봄은 소풍 가기에 좋은 때이다.

go on a picnic 소풍 가다.
Last week Jack and Betty *went on a picnic.* 잭과 베티는

지난주에 소풍을 갔다.

*pic·ture [píktʃər] 〔명〕

〔복수〕 **pictures**[píktʃərz]

❶ 그림. ☞ painting, drawing

a *picture* postcard 그림 엽서.

a *picture* book (어린이용·) 그림책.

draw 〔paint〕 a *picture* 그림을 그리다.

There is a *picture* on the wall. 벽에 그림이 걸려 있다.

❷ 사진(=photograph); 영화(=movie).

My father took several *pictures* of my family. 아버지는 가족 사진을 여러 장 찍으셨다.

Mary had her *picture* taken on her birthday. 메리는 생일에 자기 사진을 찍었다.

I have seen this *picture* before. 나는 이 영화를 전에 본 적이 있다.

pie [pai] 〔명〕 〔복수〕 **pies**[paiz]

파이. ☞ cake

bake an apple *pie* 사과 파이를 굽다.

a slice of pumpkin *pie* 호박 파이 한 조각.

I want to have some more *pie*. 나는 파이를 좀더 먹고 싶다.

*piece [piːs] 〔명〕 〔복수〕 **pieces**[píːsiz]

❶ 한 조각, 한 장, 한 개.

He found a *piece* of paper on the desk. 그는 책상 위에서 종이 한 장을 발견하였다.

I think it's a good *piece* of advice. 나는 그것이 한 마디의 좋은 충고라고 생각한다.

〔어법〕 **piece**의 용법

chalk, bread, paper와 같이 하나, 둘 셀 수 없는 명사를 셀 때에 쓴다. 단수의 경우에는 a piece of, 복수의 경우에는 pieces of의 형식으로 쓴다.

a *piece* of chalk 분필 한

개 / two *pieces* of chalk 분필 두 개.

❷ (기계 따위의) **부품**; (물건의) **조각, 파편**; (문학·회화 등의) **작품**, (음악 따위의) **곡**.

a *piece* of a machine 기계의 부품.

The cup broke into *pieces*. 컵이 산산이 부서졌다.

This is a brilliant *piece* of literature. 이것은 뛰어난 문학 작품의 하나이다.

pier [piər] 〔명〕 〔복수〕 **piers**[piərz]

잔교, 선창, 부두.

A big steamer lies at the south *pier*. 큰 기선이 남쪽 선창에 정박해 있다.

*pig [pig] 〔명〕 〔복수〕 **pigs**[pigz]

돼지. ☞ pork

Father keeps *pigs* on his farm. 아버지는 농장에서 돼지를 기르신다.

pi·geon [pídʒən] 〔명〕 〔복수〕 **pigeons**[pídʒənz]

비둘기.

Tom keeps six *pigeons*. 톰은 비둘기 여섯 마리를 기른다.

pile [pail] 〔명〕 〔복수〕 **piles**[pailz]

(많이) 쌓아 올린 것, …의 더미; 많은 양.

a *pile* of old books 〔papers〕 헌 책〔신문지〕 더미.

The *pile* of ashes was blown away. 잿더미가 날렸다.

── 〔타〕 〔3·단·현〕 **piles**[pailz] : 〔ing형〕 **piling** [páiliŋ]; 〔과거〕 〔과분〕 **piled** [paild]

…을 쌓아올리다.

He *piled* up books on the desk. 그는 책을 책상 위에 쌓아올렸다.

pil·grim [pílgrim] 〔명〕 〔복수〕 **pilgrims**[pílgrimz]

순례자.

Pil·grim Fa·thers

[pílgrim fáːðərz] 명
《the를 붙여》 필그림 파더즈. ➤
복수로 취급함.

참고 필그림 파더즈란 1620년
에 미국으로 건너간 영국의 청
교도(총 102명)로 매사추세츠
주의 플리머스 도시를 건설하였
다.

pill [pil] 명
복수 **pills**[pilz]
환약, 알약.
Take three *pills* a day.
하루에 세 알 먹어라.
vitamin *pills* 비타민 알약.

pil·lar [pílər] 명
복수 **pillars**[pílərz]
기둥.
Jane is standing by a
pillar. 제인은 기둥 옆에 서 있다.

pil·low [pílou] 명
복수 **pillows**[pílouz]
베개.
Jim went to sleep as soon
as his head touched the
pillow. 짐은 베개를 베자마자 곧
잠들었다.

참고 영국, 미국 사람의 베개는
우리 것보다 넓고 큰 것을 쓴
다. 가끔 두 개를 포개어 쓰기
도 한다.

pi·lot [páilət] 명
복수 **pilots**[páiləts]
❶ (비행기의) 조종사.
The *pilot* of the helicopter
threw a rope to him. 헬리콥
터 조종사가 그에게 밧줄을 던졌다.
❷ 수로 안내인.
A *pilot* guided the ship out
of the harbor. 수로 안내인은
배를 항구 밖으로 인도하였다.

pim·ple [pímpəl] 명
복수 **pimples** [pímpəlz]
여드름, 뾰루지.
She has a *pimple* on her
nose. 그녀는 코에 뾰루지가 있다.

*pin [pin] 명
복수 **pins**[pinz]
못바늘, 핀; 브로치, 배지, 휘장.
a safety *pin* 안전핀.
Mike always wears his
class *pin*.
마이크는 항상 학급 배지를 달고
있다.

참고 미국에서는 여자가 다는 브
로치, 학생이 다는 배지 따위를
일반적으로 pin이라 한다. 브로
치(brooch), 배지(badge) 모
두 영어이지만, 실제로 흔히 쓰
이는 말은 pin이다.

—— 타 ③·단·현 **pins**[pinz] : ing형
pinning[píniŋ] : 과거 과분 **pinned**
[pind]
…을 핀으로 꽂다.
He *pinned* a flower on her
dress. 그는 꽃을 그녀의 옷에 핀
으로 꽂았다.

pinch [pintʃ] 타 ③·단·현
pinches[píntʃiz] : ing형
pinching [píntʃiŋ] : 과거 과분
pinched[pintʃt]
…을 꼬집다, (두 손가락으로) 집
다; (구두 따위가) 꽉 끼다, 죄다.
He *pinched* the boy's cheek.
그는 소년의 뺨을 꼬집었다.
These shoes *pinch* my toes.
이 구두는 발가락이 꽉 낀다.
—— 명 복수 **pinches**[píntʃiz]
꼬집음; 《the를 붙여》 압박, 고
통, 위기.

He gave me a *pinch*.
그는 나를 꼬집었다.
the *pinch* of hunger 굶주림의 고통.

pine [pain] 명
[복수] **pines**[painz]
소나무.
There is a large forest of *pines* at the foot of the mountain. 그 산기슭에 큰 소나무 숲이 있다.

pine·ap·ple [páinæpl] 명
[복수] **pineapples**[páinæplz]
파인애플.
canned *pineapple* 통조림한 파인애플.

ping-pong [píŋpàŋ] 명
《a와 복수형 안 씀》 탁구(=table tennis).
John and David are playing *ping-pong*.
존과 데이비드는 탁구를 치고 있다.

*ꠛ**pink** [piŋk] 형
분홍빛의, 핑크의.
Other types of roses are *pink* or yellow.
다른 종류의 장미는 분홍이거나 노랑이다.
── 명 《a와 복수형 안 씀》 분홍색, 핑크.
She is dressed in *pink*.
그녀는 핑크색 옷을 입고 있다.

pi·o·neer [pàiəníər] 명
[복수] **pioneers**[pàiəníərz]
개척자, 선구자.
He is one of the *pioneers* in Korean education.
그는 한국 교육의 선구자의 한 사람이다.

*ꠛ**pipe** [paip] 명
[복수] **pipes**[paips]
❶ (살담배 용) 담뱃대, 파이프.
Father is smoking a *pipe*.
아버지는 파이프로 담배를 피우고 계신다.

❷ (수도·가스 등의) 관, 파이프.
Something is wrong with the water *pipe*. 수도관에 무엇인가 고장이다.

pi·rate [páiərət] 명
[복수] **pirates**[páiərəts]
해적.
In those days ships were often attacked by *pirates*.
그 시대에는 배가 종종 해적의 습격을 받았다.

pis·tol [pístl] 명
[복수] **pistols**[pístlz]
피스톨, 권총.
A policeman carries a *pistol*.
경찰관은 권총을 휴대한다.

*ꠛ**pitch** [pitʃ] 동
[3·단·현] **pitches**[pítʃiz]：
[ing형] **pitching**[pítʃiŋ]：[과거][과분] **pitched**[pitʃt]
타 ❶ …을 던지다.
pitch a fast ball 속구를 던지다.
❷ (천막 따위)를 치다.
The boys *pitched* a tent.
소년들은 천막을 쳤다.
── 자 공을 던지다, 투구하다.
He *pitched* for our team.
그는 팀의 투수를 맡아 했다.

pitch·er¹ [pítʃər] 명 [복수] **pitchers**[pítʃərz]
물주전자.
There is a beautiful glass *pitcher* on the table. 식탁 위에 아름다운 유리 주전자가 있다.

pitch·er² [pítʃər] 명 [복수] **pitchers**[pítʃərz]
피처, 투수.
Tom is a good *pitcher*.
톰은 훌륭한 투수이다.

P

*pit·y [píti] 명
❶ 《(a와 복수형 안 씀)》불쌍히 여김, 동정.
Betty felt *pity* for the poor old woman. 베티는 그 가난한 노파를 가엾게 여겼다.
❷ 《a를 붙여》애석함, 유감.
It is a *pity* to lose such a chance. 그런 기회를 놓치는 것은 애석하다.
It's a *pity* that everyone doesn't follow the rules. 사람들이 규칙을 지키지 않는 것은 유감스런 일이다.

*place [pleis] 명
복수 places [pléisiz]
❶ 곳, 장소.
You need to study in a quiet *place*. 너는 조용한 장소에서 공부를 해야 하겠다.
Seoul has lots of *places* to visit. 서울에는 가 볼 만한 곳이 많이 있다.
❷ 자리, 좌석.
Please take your *place* at the table. 어서 (식탁의) 정해진 자리에 앉아 주십시오.
Tom gave his *place* to an old woman on the bus. 톰은 버스에서 자기 자리를 노부인에게 양보하였다.
❸ 입장, 지위, 신분; 순위.
Mr. Black lost his *place* in the company. 블랙씨는 다니는 회사의 직장을 잃었다.
Roy got the first *place* in the running race. 로이는 달리기 경주에서 1등을 차지하였다.

from place to place 여기저기, 이곳 저곳.
She walked about *from place to place*. 그녀는 여기저기 걸어다녔다.

take place 개최되다; 일어나다.
The club meeting will *take place* next week. 클럽의 모임은 내주에 갖게 될 것이다.
A terrible accident *took*

place at the railroad crossing. 끔찍한 사고가 철도 건널목에서 일어났다.

take the place of …에 대신하다.
Mr. Brown *took the place of* Mr. White as president. 브라운씨는 화이트씨 대신에 사장이 되었다.
── 타 3·단·현 **places** [pléisiz] : ing형 **placing** [pléisiŋ] : 과거 과분 **placed** [pleist]
…을 놓다.
Mary *placed* a large basket on the table. 메리는 큰 광주리를 식탁 위에 놓았다.

*plain [plein] 형
비교 **plainer** [pléinər] : 최상 **plainest** [pléinist]
❶ 명백한(=clear); (알기) 쉬운; 간단한(=simple).
He spoke in *plain* English. 그는 쉬운 영어로 말하였다.
❷ 검소한, 소박한, 수수한.
Her dress is very *plain*. 그녀의 옷은 대단히 검소하다.
── 명 복수 **plains** [pleinz]
평지, 평원.
Naju lies on the Honam *plain*. 나주는 호남 평야에 있다.

plain·ly [pléinli] 부
비교 **more plainly**; 최상 **most plainly**
❶ 분명히, (알기) 쉽게.
Mr. Han explained it to us very *plainly* in English. 한 선생님은 우리에게 그것을 아주 알기 쉽게 영어로 설명해 주셨다.
❷ 검소하게.
She dresses very *plainly*. 그녀는 옷을 매우 검소하게 입는다.

*plan [plæn] 명
복수 **plans** [plænz]
❶ 계획.
Make a study *plan* and use your time well. 학습 계획을 짜서 시간을 잘 이용해라.
Do you have any *plans* for your second year? 너는 2학

년을 대비한 무슨 계획을 가지고
있느냐?

❷ 설계도, 도면; (시가지의) 안
내도.

a floor *plan* (건물의) 평면도.
The architect was drawing
a *plan* for a new house.
그 건축가는 새 집의 설계도를 그
리고 있었다.

── 타 3·단·현 **plans** [plænz];
ing형 **planning** [plǽniŋ]; 과거
과분 **planned** [plænd]

❶ …을 계획하다; 《**plan to** do
로》…할 작정이다.

We are *planning* a party.
우리는 파티를 계획하고 있다.
We *plan to* go to Korea
this summer. 우리는 금년 여
름 한국에 갈 계획이다.

❷ …의 도면을 그리다.

He *planned* a new house.
그는 새 집의 도면을 그렸다.

*plane [plein] 명
복수 **planes** [pleinz]

❶ 비행기. ▶ airplane의 간략
형.

My uncle came home from
Brazil by *plane*. 아저씨는 브
라질에서 비행기로 귀국하셨다.

❷ 대패. ▶ 서양의 대패는 앞으로
밀어서 나무를 깎음.

plan·et [plǽnət] 명
복수 **planets** [plǽnəts]

행성.

The earth is one of the
nine *planets* moving around
the sun. 지구는 태양 주위를 도
는 9개의 행성 중의 하나이다.

plank [plæŋk] 명
복수 **planks** [plæŋks]

(두꺼운) 판자. ☞ board

He was laying *planks* to
make a new floor. 그는 새
마루를 만들기 위해 판자를 깔고
있었다.

참고 plank는 board보다 두껍
고 폭이 넓다. plank는 보통
5 cm-15 cm 두께의 판자를 가
리킨다.

planned [plænd] 동

plan의 과거·과거 분사.

plan·ning [plǽniŋ] 동
plan의 -ing형.

*plant [plænt] 명
복수 **plants** [plænts]

❶ 식물, 초목. ☞ animal(동물)
wild 〔garden〕 *plants* 야생〔원
예〕 식물.

The park contains 6,000
different kinds of *plants*. 그
공원에는 6,000 종의 갖가지 식물
이 있다.

❷ 공장(=factory); (제조 공장
의) 설비.

a power *plant* 발전소.
an automobile *plant* 자동차
공장.

── 타 3·단·현 **plants** [plænts];
ing형 **planting** [plǽntiŋ]; 과거
과분 **planted** [plǽntid]

(초목)을 심다, (씨)를 뿌리다.

I *planted* a small tree in
my yard. 나는 뜰에 작은 나무
를 심었다.
They *planted* seeds in the
field. 그들은 밭에 씨를 뿌렸다.

plan·ta·tion [plæntéiʃən] 명
복수 **plantations** [plæntéiʃənz]

대농원, 대농장(특히 열대·아열
대 지방에서 한 종류의 식물을 대
규모로 재배하는).

He worked on a coffee *plan-
tation* during the summer
vacation. 그는 여름 방학 동안
커피 농장에서 일하였다.

P

plas·ter [plǽstər] 명
《a와 복수형 안 씀》(벽·천장 따위에 칠하는) 회반죽, 벽토.
The walls were covered with *plaster*. 벽은 회반죽으로 칠해져 있었다.

plas·tic [plǽstik] 명
《a와 복수형 안 씀》
플라스틱; 비닐.
a *plastic* bag 비닐 봉지.

***plate** [pleit] 명
복수 **plates**[pleits]
❶ 접시 《둥글고 얕은 것》. ☞ dish
a soup *plate* 수프 접시.
a *plate* of vegetables 야채 한 접시.
When you finish eating, put your knife and fork on the *plate*. 식사가 끝나면 접시 위에 나이프와 포크를 올려 놓아라.
❷ (금속·유리의) 판; (야구의) 플레이트.
a steel *plate* 강철판.
a license *plate* (자동차의) 번호판.
the pitcher's *plate* (야구의) 투수판.

plat·form [plǽtfɔ:rm] 명
복수 **platforms**[plǽtfɔ:rmz]
❶ 교단, 높게 되어 있는 대〔단〕.
Each classroom has a *platform* for teachers. 각 교실에는 선생님 교단이 있다.
❷ (역의) 플랫폼.
an arrival *platform* 도착 플랫폼.
Which *platform* does the train for Busan leave from? 부산행 열차는 어느 플랫폼에서 떠나느냐?

***play** [plei] 동
3·단·현 **plays**[pleiz] : ing형
playing[pléiiŋ] : 과거 과분 **played**[pleid]
타 ❶ (경기·운동 따위)를 하다.

Let's *play* tennis. 테니스 치자.
They *played* chess. 그들은 체스를 두었다. ➤ 운동·경기의 이름 앞에는 a나 the를 붙이지 않음.
❷ (곡)을 연주하다, (악기)를 타다, 치다.
We're going to *play* some dance music. 우리는 댄스 음악을 연주하겠다.
Miss Green *plays* the piano very well. 그린 선생님은 피아노를 매우 잘 치신다. ➤ 악기 이름 앞에는 보통 the를 붙임.
❸ (연극)을 상연하다, (극에서) …의 역을 하다; …놀이를 하다.
I'm *playing* the part of Hamlet. 나는 햄릿 역을 하고 있다.
They are *playing* school〔pirates〕. 그들은 학교〔해적〕 놀이를 하고 있다.
— 자 ❶ 놀다(⇔ work 일하다); 경기를 하다.
Betty *played* with the little boy. 베티는 어린 소년과 놀았다.
❷ 연주하다; 연극을 하다; (극 따위가) 상연되다.
Will you *play* for us? 우리에게 연주해 주겠느냐?
What is *playing* at the theater now? 그 극장에서는 지금 무엇이 상연되고 있느냐?

— 명 복수 **plays**[pleiz]
❶ 《a와 복수형 안 씀》놀이, 유희.
All work and no *play* makes Jack a dull boy. 《속

담》공부만 하고 놀지를 않으면
아이는 바보가 된다《공부도 잘 하
고 놀기도 잘 해라》.

❷ 극, 연극.
Are you going to see the
play? 연극 구경을 하겠느냐?
They gave a musical *play*
at their school festival.
그들은 학교 축제에서 음악극을
상연했다.

❸ 《a와 복수형 안 씀》 경기.
fair *play* 정정당당한 경기. 페어
플레이.

* **play·er** [pléiər] 명
   복수 **players** [pléiərz]
❶ 선수, 경기하는 사람.
Tom is a good basketball
player. 톰은 훌륭한 농구 선수다.
❷ 연주자; 배우; 연주 장치.
Miss Green is a piano *player.*
그린양은 피아노 연주자이다.
a record *player* 레코드 플레이어.

* **play·ground** [pléigràund] 명
   복수 **playgrounds** [pléigràundz]
(학교의) 운동장.
There were many boys in
the *playground.* 운동장에는 많
은 소년들이 있었다.

* **pleas·ant** [plézṇt] 형
   비교 **pleasanter** [plézṇtər] 또는
more pleasant; 최상 **pleas-
antest** [plézṇtist] 또는 **most
pleasant**
즐거운, 유쾌한.
Spring is a *pleasant* sea-
son. 봄은 상쾌한 계절이다.
You will have a *pleasant*
time at the picnic. 너는 소풍
가서 즐거운 시간을 보내게 될 것
이다.
Rules make life more *pleas-
ant* and comfortable for
everyone. 규칙은 모든 사람들에
게 더 유쾌하고 편안한 삶을 만들
어준다.
    ☞ 명 pleasure, 동 please

pleas·ant·ly [plézṇtli] 부
   비교 **more pleasantly;** 최상
most pleasantly
유쾌하게, 기분 좋게, 상냥하게.
Laughing *pleasantly,* a
small girl came running into
the room.
어린 소녀가 유쾌하게 웃으며 방으
로 뛰어 들어왔다.

* **please** [pli:z] 동
   3·단·현 **pleases** [plí:ziz];
   ing형 **pleasing** [plí:ziŋ]; 과거
   과분 **pleased** [pli:zd]
자 하고 싶어하다, 좋아하다(=
like).
I'll do as I *please.*
나는 내가 하고 싶은 대로 하겠다.
Take as many as you
please. 갖고 싶은 대로 가져라.
── 타 …을 기쁘게 하다, 즐겁게
하다, 만족시키다.
You can't *please* everybody.
모든 사람을 만족시킬 수는 없다.
    ☞ 명 pleasure, 형 pleasant
be pleased to *do* 기꺼이 …하
다. ➤ be glad to do보다 정중
한 말투.
I'm *pleased to* see you.
뵙게 되어 참으로 기쁩니다.

* **be pleased with** 〔at〕 …에 만족
하다, …을 기뻐하다.
I'm *pleased with* this new
camera. 나는 이 새 카메라가 마
음에 든다.
He *is* very 〔much〕 *pleased
with* the news. 그는 그 소식
에 매우 기뻐하고 있다.

if you please 부디, 괜찮으시다면.
Give me a cup of coffee, *if
you please.* 괜찮으시다면, 커
피 한 잔 주십시오.
── 부 《부탁이나 권유를 나타내
어》 부디, 제발, 어서.
Come in, *please.* = *Please*
come in. 어서 들어오시오. ➤ 문
장 끝에 please를 둘 때에는 앞
에 쉼표를 찍음.

P

Would you *please* come here again tomorrow?
내일 또 여기 와주겠느냐?
Coffee, *please.* 커피 주십시오.
▶「커피 드시지요.」란 뜻이 아님.

pleas·ur·a·ble [pléʒərəbəl] 형

비교 **more pleasurable**; 최상 **most pleasurable**
기분 좋은, 만족한, 유쾌한.
a *pleasurable* experience 기분 좋은 경험.

*pleas·ure [pléʒər] 명

복수 **pleasures** [pléʒərz]
❶ 《a와 복수형 안 씀》기쁨, 즐거움.
He finds *pleasure* in reading. 그는 독서에서 즐거움을 찾는다.
❷ 기쁜 일, 즐거운 일.
It's a *pleasure* to talk to you. 너와 이야기하게 되어서 기쁘다. ☞ 동 please, 형 pleasant

---

회화 **It's my pleasure.** 「천만에요.」
상대방이 인사로 무슨 말을 할 때 「천만의 말씀입니다」라고 정중하게 부정하는 인사말이다.
My pleasure. 또는 The pleasure is mine.이라고도 한다.
A : Thank you for your help.
B : *It's my pleasure.*
「도와주셔서 고맙습니다.」「천만에요.」

Thank you for your help.
It's my pleasure.

---

for pleasure 재미로, 즐기기 위해.
I like to travel *for pleasure.*
나는 재미 삼아 여행하는 것을 좋아한다.

with pleasure 기쁘게, 기꺼이.
▶ 정중한 말투.
"Will you come to our party?" "Thank you, *with pleasure.*"「우리 파티에 와 주시겠습니까?」「고맙습니다. 기꺼이 가겠습니다.」

plen·ti·ful [pléntifəl] 형
많은, 풍부한.
a *plentiful* harvest 풍작.
☞ 명 plenty

*plen·ty [plénti] 명
《a와 복수형 안 씀》많음, 충분.
"Another cup of tea?" "No, thank you. I've had *plenty.*"「차 한 잔 더 하시겠습니까?」「아니오, 많이 먹었습니다.」
☞ 형 plentiful

plenty of 많은, 충분한.
There is *plenty* of time.
시간은 충분히 있다.
There are *plenty* of books.
책이 많이 있다.

어법 **plenty of**의 용법
1. plenty of는 보통 의문문, 부정문에는 쓰지 않는다. 의문문에는 plenty 대신에 enough를, 부정문에서는 much를 쓴다.
Do you have *enough* money? 돈은 충분히 갖고 있느냐?
We don't have *much* time.
시간이 얼마 없다.
2. plenty of는 셀 수 있는 명사, 셀 수 없는 명사에 두루 쓰인다.

---

plow [plau] 타
3·단·현 **plows** [plauz];
ing형 **plowing** [pláuiŋ]; 과거 과분
plowed [plaud]
(쟁기로) …을 갈다.

I don't know how to *plow* or how to sow. 나는 밭을 갈거나 씨를 뿌리는 법을 모른다.

── 명 복수 **plows** [plauz] 쟁기; 제설기.

That *plow* is worked by a tractor. 저 쟁기는 트랙터로 움직인다.

➤ 영국에서는 plough로 씀.

plug [plʌg] 명
복수 **plugs** [plʌgz]
(콘센트에 끼우는) 플러그.
Pull the *plug* out. 플러그를 뽑아라.

plum [plʌm] 명
복수 **plums** [plʌmz]
서양자두.
plum pudding 서양자두 푸딩.
Plums are purple fruit with a smooth skin. 서양자두란 매끈매끈한 껍질에 자줏빛을 띤 과일이다.

plunge [plʌndʒ] 동 3·단·현
plunges [plʌndʒiz]
ing형 **plunging** [plʌndʒiŋ]; 과거
과분 **plunged** [plʌndʒd]
자 뛰어들다; 돌입하다.
The car *plunged* into the house. 차가 집으로 뛰어들었다.
He *plunged* into the pool. 그는 풀로 뛰어들었다.

── 타 …을 찌르다, 찔러넣다.
He *plunged* his hands into his pockets. 그는 호주머니에 양손을 찔러 넣었다.

plus [plʌs] 전
…을 더하여(⇔ minus …을 빼어).
Three *plus* five is (equals) eight. 3 더하기 5는 8이다.

── 형 더하기의, 양수의.
a *plus* sign 더하기표《+》.

Plym·outh [plíməθ] 명
플리머스.

참고 미국 매사추세츠(Massachusetts [mǽsətʃúːsits]) 주의 항구로서, 맨 처음의 영국 이민을 실은 메이플라워호가 도착한 곳으로 유명하다.

p.m., P.M. [píːém]
오후(⇨ a.m. 오전).
The train leaves Seoul at 10:30 *p.m.* 그 기차는 오후 10시 반에 서울을 떠난다. ➤ 10:30 p.m.은 ten thirty p.m.이라고 읽음.

참고 1. p.m.은 라틴어 *post meridiem*(정오 후)이라는 말의 약어. 소문자나 대문자로 두루 쓰고 있으나, 문장 중에서는 소문자가 일반적으로 쓰인다.
2. 우리말에서는 오후 2시와 같이 오후가 앞에 나오나, 영어에서는 2 p.m.과 같이 p.m.을 숫자 뒤에 쓰며, o'clock과 함께 쓰지 않는다. 따라서 2 o'clock p.m.이라고 하지 않음에 주의할 것.

pneu·mo·nia [njumóunjə] 명
《a와 복수형 안 씀》 폐렴.
Hundreds of people died of *pneumonia* last winter.
작년 겨울엔 수백 명의 사람이 폐렴으로 죽었다.

pock·et [pákit] 명 복수
pockets [pákits]
호주머니.
He took the money out of his *pocket*. 그는 호주머니에서 돈을 꺼냈다.
He saves some of his *pocket* money every week. 그는 매주 용돈의 일부를 저축한다.

Poe [pou] 명
포.
Edgar Allan [édgər ǽlən] **Poe**

P

에드거 엘런 포(1809-49) 《미국의 단편 소설가. 소설 이외에 시, 평론에도 뛰어난 재능을 발휘하였으며, 단편 추리 소설의 선구자로서 잘 알려져 있음》.

*po·em [póuim] 명
복수 poems [póuimz]
(한 편의) 시.
I'm reading a book of poems. 나는 시집을 읽고 있다.
This poem is hard to understand. 이 시는 이해하기가 어렵다.

po·et [póuit] 명
복수 poets [póuits]
시인, 가인.
My favorite poet is So-wol Kim. 내가 좋아하는 시인은 김 소월이다.

po·et·ry [póuitri] 명
《집합적으로》 시.
Shakespeare was a great master of English poetry. 세익스피어는 영국 시단의 대가였다.

┌─────────────────────┐
│ 어법 하나 하나의 시를 말할 경 │
│ 우는 poem이라고 하며, 이것 │
│ 이 복수도 되지만, 집합적으로 │
│ 시를 말할 경우는 poetry라고 │
│ 하며, 이것은 a와 복수형도 쓰 │
│ 지 않는다. │
└─────────────────────┘

P

*point [póint] 명
복수 points [póints]
❶ (뾰족한) 끝; (시간적 · 공간적인) 점; 소수점; (경기 따위의) 득점.
Don't touch the point of this needle. 이 바늘 끝에 손대지 마라.
The accident occurred at this point. 이 지점에서 사고가 일어났다.
Our team won by six points. 우리 팀은 6점차로 이겼다.
❷ 특징 있는 점, 특질.
I know your strong points

and your weak points. 나는 네 강점과 약점을 안다.
❸ 《the를 붙여》 요점, 주안점.
What's your point? 네 말의 요점이 무엇이냐?, 무슨 말을 하고 싶은 거냐?
Come to the point. 요점을 말해라.
── 통 3·단·현 points [póints];
ing형 pointing [póintiŋ]; 과거
과분 pointed [póintid]
자 《point to [at]으로》 …을 가리키다.
He pointed to the door. 그는 문쪽을 가리켰다.
── 타 …을 지시하다; (총 · 카메라 따위)를 향하게 하다; …을 뾰족하게 하다.
He pointed a toy gun at the bird. 그는 장난감 총을 새에게로 돌렸다.
point a pencil 연필을 뾰족하게 깎다.

point out …을 지적하다.
She pointed out my mistake. 그녀는 나의 잘못을 지적하였다.

point·ed [póintid] 형
끝이 뾰족한; 날카로운.
The top of this tree is very pointed. 이 나무의 끝은 대단히 뾰족하다.

*poi·son [póizən] 명 복수
poisons [póizənz]
독; 독약.
poison gas 독가스.
He took poison by mistake. 그는 실수로 독약을 먹었다.
── 타 3·단·현 poisons [póizənz];
ing형 poisoning [póizəniŋ]; 과거
과분 poisoned [póizənd]
…에 독을 넣다; …을 해하다.
The Indians poisoned their arrows. 인디언들은 화살에 독을 발랐다.
He was poisoned by drinking dirty water. 그는 불결한 물

을 마셔서 몸이 상하였다.
☞ 혱 poisonous

poi·son·ous [pɔ́izənəs]
혱 비교 **more poisonous**; 최상 **most poisonous**

유독한, 유해한.
Some factories use even *poisonous* chemicals. 몇몇 공장들은 유독한 화학 물질까지 사용한다. ☞ 몡 poison

Po·land [póulənd] 몡
폴란드.

참고 유럽 중앙부의 발트해에 면한 공화국. 면적 311,730 km². 수도는 바르샤바(Warsaw).

po·lar [póulər] 혱
극의, 극지의.
Polar bears live around the North Pole. 북극곰은 북극 부근에서 산다.

Pole [poul] 몡
복수 **Poles** [poulz]
폴란드 사람.
That gentleman is a *Pole*.
저 분은 폴란드 사람이다.

pole¹ [poul] 몡
복수 **poles** [poulz]
막대기, 기둥.
a telegraph *pole* 전신주.
a fishing *pole* 낚싯대.
The school flag was flying from the flag *pole*.
교기가 깃대에서 펄럭이고 있었다.
How many *poles* do you need to support a tent?
천막을 치는데 몇 개의 기둥이 필요하냐?

pole² [poul] 몡
복수 **poles** [poulz]
극, 극지; 전극, 자극.
the North [South] *Pole* 북〔남〕극.
the positive [negative] *pole* 양〔음〕극.

po·lice [pəlíːs] 몡
《보통 the를 붙여》경찰, 경찰관들(=policemen).
Call the *police* at once.
즉시 경찰을 불러라.
The *police* are friends to good citizens. 경찰은 선량한 시민의 편이다.

어법 the police는 경찰관을 통틀어 말하므로 a나 복수형을 쓰지 않으며, 복수로 취급한다. 개개의 경관을 가리킬 경우는 policeman이라 한다.

po·lice·man [pəlíːsmən] 몡
복수 policemen [pəlíːsmən]
경찰관. ▶여자 경찰관은 policewoman [pəlíːswùmən]이라고 함.
The *policeman* helps us cross the street safely.
경찰관은 우리가 안전하게 길을 건너는 것을 도와준다.
A *policeman* stopped the car. 경찰관이 자동차를 멈추게 하였다.

뉴욕의 경찰관   런던의 경찰관

참고 최근에는 남녀 차별을 피하기 위하여 policeman이나 policewoman 대신에 police officer를 쓰는 경향이 있다.

po·lice·men [pəlíːsmən] 몡
policeman의 복수.

po·lice sta·tion [pəlíːs stéiʃən] 몡
복수 **police stations** [pəlíːs stéi-

ʃənz]
경찰서.

pol·i·cy [páləsi] 명

복수 **policies**[páləsiz]
정책, 방침; 방책.
Honesty is the best *policy*.
《속담》 정직은 최선의 방책.

Po·lish [póuliʃ] 형
폴란드의; 폴란드 사람
의, 폴란드어의.
She is a *Polish* girl.
그녀는 폴란드 소녀이다.
── 명 《a와 복수형 안 씀》 폴란드
어.
He can speak *Polish*.
그는 폴란드어를 할 줄 안다.

pol·ish [páliʃ] 타
3·단·현 **polishes**[pál-
iʃiz]; ing형 **polishing**[páliʃiŋ];
과거 과분 **polished**[páliʃt]
…을 닦다, 윤내다; 품위 있게 하
다.
I always *polish* my father's
shoes for him.
나는 항상 아버지 구두를 닦아 드
린다.
The girl was told to *polish*
her manners. 그 소녀는 행동
을 품위 있게 하라는 말을 들었
다.
── 명 복수 **polishes**[páliʃiz]
광택, 윤; 광택제.
give furniture a *polish* 가구
를 윤나게 하다.
shoe *polish* 구두약.

*__po·lite__ [pəláit] 형
비교 **politer** [pəláitər]
또는 **more polite**; 최상 **politest**
[pəláitist] 또는 **most polite**
예의바른, 공손한(⇔ rude 거칠
은, 버릇 없는).
Most Koreans are *polite*. 대
부분의 한국사람들은 예절바르다.
You should use *polite* lan-
guage when you speak to
others. 남에게 말할 때는 공손한
말을 써야 한다.

po·lite·ly [pəláitli] 부 비교
more politely;
최상 **most politely**
공손하게; 예의바르게.
The girl *politely* showed me
the way. 그녀는 공손하게 나에
게 길을 가리켜 주었다.

po·lit·i·cal [pəlítikəl] 형
정치의, 정치상의.
His father is a member of
a *political* party. 그의 부친은
정당의 일원이다.
They asked many *political*
questions. 그들은 정치적인 질
문을 많이 했다.

pol·i·ti·cian [pàlətíʃən] 명
복수 **politicians**[pàlətíʃənz]
정치가; 책사(策士).
Politicians try to get elect-
ed. 정치가는 당선되기 위해 노력
한다.

┌─ 비슷한 말 **politician**과 **states-
man**
politician은 영리나 사리를 목
적으로 하는 정치인이란 뜻이 포
함되어 있고, statesman은 훌
륭한 정치가란 뜻으로 쓰인다.
└─

pol·i·tics [pálətiks] 명
❶ 《a와 복수형 안
씀》 정치학; 정치.
Mr. Smith entered *politics*
at twenty-four. 스미스씨는 24
세에 정계로 들어갔다.
❷ 《복수 취급》 정견.
His *politics* are too strong.
그의 정견은 너무 강경하다.

┌─ 주의 「정치학, 정계」의 경우에
는 단수 동사를 쓰나, 「정견」일
때는 복수 동사를 씀에 주의.
└─

pol·lute [pəlúːt] 타 3·단·현
pollutes[pəlúːts];
ing형 **polluting**[pəlúːtiŋ]; 과거
과분 **polluted**[pəlúːtid]

···을 더럽히다, 오염시키다.
The river has become *pol-luted*. 강이 오염되었다.
The air is too *polluted* to see the mountains. 대기가 너무 오염되어서 산을 볼 수가 없다.

pol·lu·tion [pəlúːʃən] 명
《a와 복수형 안 씀》 환경 파괴, 오염, 공해.
water *pollution* 수질 오염.
noise *pollution* 소음 공해.
Air *pollution* has become a serious problem. 대기 오염은 심각한 문제가 되고 있다.

***pond** [pɑnd] 명
복수 **ponds**[pɑndz]
못, 연못. ▶lake(호수)보다 작은 것을 가리킴.
We go skating on the *pond* during the winter. 겨울에 우리는 연못으로 스케이트를 타러 간다.
Swimming in the *pond* was fun. 못에서 수영하는 것은 재미있었다.

po·ny [póuni] 명
복수 **ponies**[póuniz]
조랑말.
A *pony* is a kind of small horse. 조랑말은 작은 말의 일종이다.

***pool** [puːl] 명
복수 **pools**[puːlz]
웅덩이; (수영용의) 풀.
After the rain there were many small *pools* in the fields. 비가 내린 뒤, 들에는 작은 웅덩이가 많이 생겼다.
a swimming *pool* 수영장.

***poor** [puər] 형
비교 **poorer**[púərər] : 최상
poorest[púərist]
❶ 가난한(⇔rich 돈 많은); 가엾은.
Her mother was very *poor*. 그녀의 모친은 대단히 가난했다.
The *poor* child was hungry. 가엾게도 그 아이는 배가 고팠다.
▶이 *poor*는 부사적으로 옮겨야

자연스런 번역이 됨.
The most important thing to Schweitzer was to help *poor* people. 슈바이처에게 가장 중요한 것은 가난한 사람을 돕는 것이었다.
❷ 빈약한; 서투른(⇔good 잘 하는).
The room looks *poor* but clean. 그 방은 초라하지만 깨끗해 보인다.
His English is *poor*. 그는 영어를 잘 못한다. ☞명 poverty
be poor at ···을 잘 못하다, ···이 서투르다(⇔be good at ···을 잘하다).
He *is poor at* baseball. 그는 야구를 잘 못한다.
the poor 가난한 사람들 (=poor people).
He had neither pity nor love for *the poor*. 그는 가난한 사람들을 동정도 사랑도 안했다.

poor·ly [púərli] 부
가난하게; 빈약하게; 서투르게.
They lived *poorly*. 그들은 가난하게 살았다.
He did *poorly* on the test. 그는 시험을 잘 치르지 못했다.
He was *poorly* dressed. 그는 초라하게 옷을 입고 있었다.

pop [pɑp] 형
대중적인, 인기 있는; 통속적인. ▶popular의 간략형.
a *pop* singer 대중 가수.
pop music 대중 음악.
a *pop* song 팝송, 대중 가요.
── 명 《a와 복수형 안 씀》 대중 음악, 팝 뮤직.

pop·corn [pápkɔːrn] 명
팝콘, 튀긴 옥수수.
They ate *pop-corn* while watching the game. 그들은 팝콘을 먹으며 시합을

P

구경했다.

Pope [poup] 명
복수 **Popes** [poups]
로마 교황.
The *Pope* is the head of
the Roman Catholic [kǽθəlik]
Church. 로마 교황은 로마 가톨
릭 교회의 우두머리이다.

pop·py [pápi] 명
복수 **poppies** [pápiz]
양귀비.
There are red and yellow
poppies in our garden. 우리
집 정원에는 빨간색과 노란색의
양귀비가 있다.

***pop·u·lar** [pápjələr] 형 비교
more popular;
최상 **most popular**
❶ 평판이 좋은, 인기 있는.
Bike riding is a *popular*
sport today. 자전거 타기는 오
늘날 인기있는 운동이다.
He is *popular* among stu-
dents. 그는 학생들 사이에 인기
가 있다.
❷ 통속적인, 대중적인. ➤구어에
서는 줄여서 pop이라고도 함.
I don't like *popular* music.
나는 대중 음악을 안 좋아한다.

pop·u·lar·i·ty [pàpjəlǽrəti] 명
《a와 복수형 안 씀》인기, 대중성.
His *popularity* is rising. 그
의 인기가 올라가고 있다.

***pop·u·la·tion** [pàpjəléiʃən] 명
복수 **populations** [pàpjəléiʃənz]
인구.
Korean *population* is about
seventy million. 한국의 인구는
약 7천만이다.
The *population* problem is
serious. 인구 문제는 심각하다.

porch [pɔːrtʃ] 명
복수 **porches** [pɔ́ːrtʃiz]
포치《지붕이 달려 있는 현관의 통
로》, 현관; 베란다(=veranda).
His house has a big *porch*.

그의 집에는 커다란 포치가 있다.

pork [pɔːrk] 명
《a와 복수형 안 씀》돼지
고기. ☞ pig
I like *pork* better than
beef. 나는 쇠고기보다 돼지고기
를 더 좋아한다.

***port** [pɔːrt] 명
복수 **ports** [pɔːrts]
항구, 항만; 항구 도시. ☞ har-
bor
a free 〔fishing〕 *port* 자유항
〔어항〕.
Incheon is a *port*.
인천은 항구 도시이다.

port·a·ble [pɔ́ːrtəbəl] 형
들고 다닐 수 있는; 휴대용의.
a *portable* television 휴대용
TV.

por·ter [pɔ́ːrtər] 명
복수 **porters** [pɔ́ːrtərz]
운반인, 짐꾼.
Give your bag to the
porter. 네 가방을 짐꾼에게 주어
라.

por·tion [pɔ́ːrʃən] 명
복수 **portions** [pɔ́ːrʃənz]
부분(=part); 몫, (음식의) 한
사람 분.
Each boy had his *portion*
of the cake. 소년들은 각기 자
기 몫의 케이크를 받았다.
── 타 3·단·현 **portions** [pɔ́ːrʃənz];
ing형 **portioning** [pɔ́ːrʃəniŋ]; 과거
과분 **portioned** [pɔ́ːrʃənd]
…을 분배하다, 몫으로 주다.
The cook *portioned* out the
pie among the dinner
guests. 요리사는 만찬에 초대한
손님들에게 파이를 나누어 주었
다.

por·trait [pɔ́ːrtrit] 명
복수 **portraits** [pɔ́ːrtrits]
초상; 초상화.
That is a *portrait* of my

grandmother. 저것은 할머니의 초상화다.

Por·tu·gal [pɔ́ːrtʃəgəl] 명
포르투갈.

〔참고〕 유럽 남서부의 공화국. 면적 91,531km². 수도는 리스본 (Lisbon[lízbən]).

Por·tu·guese [pɔ̀ːrtʃəgíːz] 명

〔복수〕 Portuguese[pɔ̀ːrtʃəgíːz] 포르투갈 사람;《a와 복수형 안 씀》포르투갈어.
Some Korean words came from Portuguese. 한국말 중에는 포르투갈어에서 온 것도 있다.
—— 형 포르투갈의; 포르투갈 사람의; 포르투갈어의.
He is an expert on the Portuguese language. 그는 포르투갈어의 대가이다.

pose [pouz] 명

〔복수〕 poses[póuziz]
자세, 포즈; 꾸민 태도.
She sits in a relaxed pose. 그녀는 편안한 자세로 앉아 있다.
—— 동 〔3·단·현〕 poses[póuziz]:
〔ing형〕 posing[póuziŋ]; 〔과거〕〔과분〕 posed[pouzd]
자 자세〔포즈〕를 취하다; (짐짓)…인 체하다.
The actor posed for photographs. 배우는 사진을 찍기 위해 포즈를 취했다.
He's always posing as a richman. 그는 언제나 부자인 체한다.
—— 타 ❶ …에게 자세〔포즈〕를 취하게 하다.
He posed his model for his picture. 그는 그림을 그리기 위해 모델에게 포즈를 취하게 하였다.

*po·si·tion [pəzíʃən] 명

〔복수〕 positions[pəzíʃənz]
위치; 지위, 직; 입장.

From his position, he couldn't see Tom. 그의 위치에서는 톰이 보이지 않았다.
He has a good position in a bank. 그는 은행에서 좋은 지위에 있다.
He was in a very difficult position. 그는 대단히 곤란한 입장에 있었다

pos·i·tive [pázətiv] 형 〔비교〕 more positive; 〔최상〕 most positive
확실한; 명확한; 적극적인.
Can you be positive about what you saw? 네가 본 것에 관하여 확신할 수 있느냐?
a positive fact 명백한 사실.
a positive attitude 적극적인 태도.

pos·i·tive·ly [pázətivli] 부
확실히, 분명히; 적극적으로.
"No, I didn't do that." he said positively. 「아니, 나는 그것을 하지 않았어.」라고 그는 분명하게 말하였다.

pos·sess [pəzés] 타
〔3·단·현〕 possesses [pəzésiz]: 〔ing형〕 possessing [pəzésiŋ]:〔과거〕〔과분〕 possessed[pəzést]
…을 소유하다; 가지다.
He has lost everything he possessed. 그는 갖고 있던 것을 모두 잃었다.

pos·ses·sion [pəzéʃən] 명
〔복수〕 possessions[pəzéʃənz]
❶《a와 복수형 안 씀》소유, 보유.
He came into possession of a large fortune. 그는 큰 재산을 소유하게 되었다.
❷《종종 복수형으로》소유물, 재산.
We lost all our possessions in the fire. 우리는 화재로 우리의 모든 재산을 잃었다.

P

pos·si·bil·i·ty [pὰsəbíləti] 명
복수 **possibilities**[pὰsəbílətiz]
가능성, 가망.
Is there any *possibility* that
the train may be late? 기차
가 연착할 가능성은 없느냐?
☞ 형 possible

***pos·si·ble** [pάsəbəl] 형 비교
more possible;
최상 **most possible**
있음 직한; 가능한(⇔ impossible
불가능한).
That is quite *possible*.
그것은 상당히 있음직한 일이다.
The Daejeon Expo of 1993
gave us a picture of *possi-
ble* changes. 1993년 대전 엑스
포는 우리에게 가능한 변화의 청
사진을 보여 주었다.
Is it *possible* to live all
alone? (=Can we live all
alone?) 혼자서만 사는 것이 가
능할까? ☞ 명 possibility

> 주의 possible은 사람을 주어
> 로 하여 쓸 수 없다. 따라서 위
> 예문을 Are we possible to
> live all alone? 이라고 할 수
> 없음에 주의할 것.

as ... as possible 할 수 있는
한…, 가능한.
Study *as* hard *as possible*.
할 수 있는 한 열심히 공부하여라.
Come *as* soon *as possible*.
가능한 한 빨리 오너라.
if possible 가능하다면.
Bring your sister, *if possible*.
가능하다면 누이와 함께 오너라.

pos·si·bly [pάsəbli] 부
❶ 아마, 어쩌면.
Possibly you're right, but I
don't think so. 어쩌면 네가
옳을지 모르지만, 나는 그렇게 생
각하지 않는다.
❷ 《can과 함께 쓰여》 어떻게 해
서《긍정문에서》; 아무리 해도《부

정문에서》.
Can you *possibly* help me?
어떻게 나를 좀 도와줄 수 있겠느
냐?
I cannot *possibly* do it. =
Possibly I cannot do it. 나
는 아무래도 그것을 할 수 없다.

***post**[1] [poust] 명
복수 **posts**[pousts]
기둥, 말뚝; (경마 따위의) 표주.
a gate *post* 문기둥.
the starting〔winning〕*post*
출발점〔결승점〕표주.
── 타 ③·단·현 **posts**[pousts];
ing형 **posting**[póustiŋ]; 과거과분
posted[póustid]
(전단 따위)를 붙이다, 게시하다.
He *posted* the notice.
그는 공고를 게시했다.
Post no bills. 《게시》벽보 금
함.

post[2] [poust] 명
복수 **posts**[pousts]
지위; 직; 임무.
He has got better *post*
than mine. 그는 나보다 좋은
지위를 얻었다.
He got a *post* as (a)
teacher. 그는 교사직을 얻었다.
── 타 ③·단·현 **posts**[pousts];
ing형 **posting**[póustiŋ]; 과거 과분
posted[póustid]
…을 배치하다; 임명하다.
The captain *posted* guards
at the door. 대장은 문에 보초
를 배치하였다.

post·age [póustidʒ] 명
《a와 복수형 안 씀》**우편 요금.**
return *postage* 반신 우편료.
What is the *postage* for
this letter? 이 편지의 우편 요
금은 얼마입니까?

post·age stamp [póustidʒ stæmp]
명 복수 **postage stamps**[póust-
idʒ stæmps]
우표. ▶간단히 stamp라고도 함.

put a ten-cent *postage stamp* on the envelope 봉투에 10센트짜리 우표를 붙이다.

post·al [póustəl] 형
우편의.
a *postal* card 관제 (우편) 엽서.

***post·card** [póustkà:rd] 명
복수 **postcards**[póustkà:rdz]
엽서.
a picture *postcard* 그림 엽서.
I mailed a *postcard* to my brother in New York. 나는 뉴욕에 있는 형에게 엽서를 보냈다.

post·er [póustər] 명 복수
posters[póustərz]
포스터.
put up 〔stick〕 *posters* on a wall 벽에 포스터를 붙이다.

***post of·fice** [póust ɔ́(:)fis] 명
복수 **post offices**[póust ɔ́(:)fisiz]
우체국.
I went to the *post office* to buy some stamps. 나는 우체국에 우표를 사러 갔다.

post·pone [poustpóun] 타
3·단·현 **postpones**[poustpóunz] ;
ing형 **postponing**[poustpóuniŋ] ;
과거 과분 **postponed**[poustpóund]
…을 연기하다.
The meeting was *postponed* until the following day. 모임은 그 다음 날까지 연기되었다.

pos·ture [pástʃər/pɔ́s-] 명
자세, 자태.
Good *posture* is important for health. 올바른 자세는 건강을 위해 중요하다.

***pot** [pat] 명
복수 **pots**[pats]
단지; 화분; (깊은) 냄비.
You can grow this flower in a *pot*. 이 꽃은 화분에 기를 수 있다.
Put the *pot* on the stove.

냄비를 난로에 올려 놓아라.

참고 *pot*이 다른 명사와 합쳐 한 개의 낱말이 되는 경우.
a coffee*pot* 커피포트 / a flower*pot* 화분 / a tea*pot* 찻주전자.

***po·ta·to** [pətéitou] 명
복수 **potatoes**[pətéitouz]
감자.
a sweet *potato* 고구마.
I want some *potatoes*. 나는 약간의 감자가 필요하다.

참고 *potato*는 구미에서 주요 식품의 하나이다. 삶은 것은 boiled potato, 오븐에 구운 것은 baked potato, 가느다랗게 길쭉길쭉 썰어서 튀긴 것은 French fries라고 한다.

---

pot·luck [pátlλk] 명
복수 **potlucks** [pátlλks]
손님이 음식을 가지고 와서 하는 식사.
a *potluck* dinner 각자 갖고 와서 하는 저녁 식사.

pouch [pautʃ] 명
복수 **pouches** [páutʃiz]
❶ 작은 주머니; 돈지갑.
Keep it in your *pouch*. 너의 주머니 안에 그것을 넣어두어라.
❷ 주머니 모양의 것; 육아낭《캥거루, 코알라 따위》; (펠리컨의) 턱주머니.
a baby kangaroo in its mother's *pouch* 어미의 육아낭에 들어 있는 새끼 캥거루.

***pound**[1] [paund] 명
복수 **pounds**[paundz]
파운드《무게의 단위. 약 453.6그램》; 파운드《영국의 화폐 단위》.
I must buy a *pound* of butter. 나는 버터 1파운드를 사

P

야만 한다.

The diamond was worth about twenty thousand *pounds.* 그 다이아몬드는 약 2만 파운드나 하는 것이었다.

영국의 10 pounds 화폐

pound² [paund] 타 3·단·현 **pounds** [paundz]: ing형 **pounding**[páundiŋ]: 과거 과분 **pounded**[páundid].

❶ (힘을 들여) …을 두드리다.
He *pounded* the door with his fist. 그는 주먹으로 문을 두드렸다.
The jazz musician *pounded* the piano. 그 재즈 음악가는 피아노를 힘있게 쳤다.

❷ …을 빻다, 가루로 만들다.
Mother is *pounding* something in the kitchen. 어머니께서는 부엌에서 무엇인가를 빻고 계신다.

*__pour__ [pɔːr] 동 3·단·현 **pours** [pɔːrz]: ing형 **pouring**[pɔ́:riŋ]: 과거 과분 **poured**[pɔ:rd]

타 …을 붓다, 쏟다.
She *poured* out tea. 그녀는 차를 따랐다.
Pour the warm water in the bottle. 병에 따뜻한 물을 부어라.

── 자 쏟아지다, 억수같이 퍼붓다.
The rain *poured* down. 비가 억수같이 퍼부었다.

pov·er·ty [pávərti] 명

《a와 복수형 안 씀》 가난, 빈곤.
We discussed the *poverty* problem. 우리는 빈곤 문제를 토의하였다.

The man lived in *poverty*, but he was happy. 그 사람은 가난하게 살았지만 행복하였다. ☞ 형 poor

pow·der [páudər] 명

《a와 복수형 안 씀》 가루; 화약.
baking *powder* 베이킹 파우더.
soap *powder* 가루 비누.
The soldiers carried some gun *powder*. 병사들은 얼마간의 화약을 날랐다.

── 타 3·단·현 **powders** [páudərz]: ing형 **powdering** [páudəriŋ]: 과거 과분 **powdered**[páudərd]

…을 가루로 만들다; …에 가루를 뿌리다, 분을 바르다.
The top of the cookie was *powdered* with sugar. 쿠키 위에 설탕이 뿌려져 있었다.
Her face was heavily *powdered*. 그녀는 얼굴에 짙은 화장을 하고 있었다.

*__pow·er__ [páuər] 명

《a와 복수형 안 씀》
힘, 능력; 권력, 세력. ☞ force
electric *power* 전력.
the *power* of nature 자연의 힘.
Water *power* produces electricity. 수력은 전기를 일으킨다.
It is beyond my *power*.
그것은 나의 능력 밖의 일이다.
He has great *power* over his family. 그는 가족에 대하여 큰 영향력을 갖고 있다.

*__pow·er·ful__ [páuərfəl] 형 비교 **more powerful**; 최상 **most powerful**

강력한, 세력 있는; 효능 있는.
a *powerful* medicine 효능이 있는 약.
The enemy was very *powerful*. 적은 대단히 강력했다.
Who is the most *powerful* man in your group? 너의 그룹에서 가장 힘 있는 사람은 누구

냐?

prac·ti·cal [prǽktikəl] 형
[비교] **more practical**; [최상] **most practical**
실제의; 실용적인; 현실적인.
practical experience 실제의 경험.
a good *practical* book 실용적인 양서.
His ideas are not *practical*.
그의 생각은 현실적이 아니다.
☞ 명 practice

prac·ti·cal·ly [prǽktikəli] 부
실제적으로; 사실상.
There is *practically* nothing left. 사실상 아무것도 남은 것이 없다.

*prac·tice [prǽktis] 명
[복수] **practices**[prǽktisiz]
❶ 《a와 복수형 안 씀》 실행.
You'd better put the plan into *practice*. 너는 그 계획을 실행에 옮기는 편이 좋겠다.
❷ 연습.
It takes a lot of *practice* and time to learn English.
영어를 배우는 데는 많은 연습과 시간이 요구된다.
❸ 습관.
He makes a *practice* of going to bed at 11. 그는 늘 11시에는 취침하기로 하고 있다.
☞ 형 practical
—— 동 [3·단·현] **practices**[prǽktis-iz]: [ing형] **practicing**[prǽktisiŋ]: [과거] [과분] **practiced**[prǽktist]
[타] …을 실행하다; 연습하다; 훈련하다.
Do you *practice* soccer?
너는 축구 연습을 하느냐?
Let's *practice* (speaking) English. 영어를 연습하자.
—— [자] 연습하다.
Members of the music club must *practice* regularly. 음악 단원들은 규칙적으로 연습을 하지 않으면 안된다.

*praise [preiz] 명
《a와 복수형 안 씀》 칭찬, 찬양.
His honesty is worthy of great *praise*. 그의 정직함은 크게 칭찬할 만하다.
—— [타] [3·단·현] **praises**[préiziz]:
[ing형] **praising** [préiziŋ]: [과거]
[과분] **praised**[preizd]
…을 칭찬하다; 찬미하다.
They *praised* me for my efforts. 그들은 나의 노력을 칭찬하였다.

*pray [prei] [자·타]
[3·단·현] **prays** [preiz]:
[ing형] **praying**[préiiŋ]: [과거] [과분]
prayed[preid]
(…을) 빌다, 기원하다.
The farmers are *praying* for rain. 농민들은 비가 오기를 기원하고 있다.
She *prayed* God's forgiveness. 그녀는 신의 용서를 빌었다. ☞ 명 prayer[1]

prayer[1] [prɛər] 명
[복수] **prayers**[prɛərz]
❶ 《a와 복수형 안 씀》 기도.
All churches have morning or evening *prayer* on Sunday. 모든 교회는 일요일에 아침 또는 저녁 예배를 드린다.
❷ 《종종 복수형으로》 기도문.
The Lord's *Prayer* is the best known of the Christian *prayers*. 주기도문은 기독교의 기도문 중에서 가장 유명한 것이다.
☞ 동 pray

pray·er[2] [préiər] 명
[복수] **prayers**[préiərz]
기도하는 사람. ▶ prayer[1](기도)와 발음이 다름에 주의.

preach [priːtʃ] [자·타] [3·단·현]
preaches [príːtʃiz]:
[ing형] **preaching**[príːtʃiŋ]: [과거]
[과분] **preached**[priːtʃt]
(…을) 설교하다.

P

The minister always *preaches* in an interesting way.
그 목사님은 언제나 재미있게 설교를 하신다.
The priest *preached* that God would save us. 목사님은 하느님이 우리를 구원해 준다고 설교했다.

pre·cau·tion [prikɔ́:ʃən] 명
복수 precautions [prikɔ́:ʃənz]
조심, 경계; 예방책.
Take an umbrella as a *precaution* against rain.
비를 대비하여 우산을 갖고 가거라.
Careful driving is a *precaution* against traffic accidents. 주의해 운전하면 교통 사고를 예방하게 된다.

pre·cede [pri:sí:d] 타
3·단·현 precedes [prisí:dz]; ing형 preceding [prisí:diŋ]; 과거 과분 preceded [prisí:did]
…을 앞서다, 선행하다. ☞ follow (뒤를 따라가다)
Spring *precedes* summer.
봄은 여름 앞에 온다.

pre·cious [préʃəs] 형 비교 more precious; 최상 most precious
값비싼, 중요한.
a *precious* metal 귀금속.
Her children are very *precious* to her. 그녀의 아이들은 그녀에게 매우 소중하다.

pre·cise [prisáis] 형 비교 more precise 또는 preciser [prisáisər]; 최상 most precise 또는 precisest [prisáisist]
정확한, 명확한.
His answer was very *precise*. 그의 대답은 아주 정확하였다.
The *precise* time is 12:05.
정확한 시간은 12시 5분이다.

pre·cise·ly [prisáisli] 부 비교 more precisely; 최상 most precisely
정확하게, 명확히.
He arrived there *precisely* at nine. 그는 9시 정각에 그 곳에 도착하였다.

pre·dict [pridíkt] 타·자 3·단·현 predicts [pridíkts]; ing형 predicting [pridíktiŋ]; 과거 과분 predicted [pridíktid]
(…을) 예언하다; 예보하다.
The baseball coach *predicts* victory for his team. 그 야구 코치는 자기 팀이 이길 것이라고 예언한다.

pre·fer [prifə́:r] 타 3·단·현 prefers [prifə́:rz]; ing형 preferring [prifə́:riŋ]; 과거 과분 preferred [prifə́:rd]
(오히려) …을 좋아하다; 《prefer … to ~로》 ~보다 …을 좋아하다.
Which do you *prefer*, tea or coffee? 너는 차와 커피 중 어느 것이 좋으냐?
I *prefer* tea *to* coffee. (=I like tea better than coffee.)
나는 커피보다 차를 좋아한다.

preg·nant [prégnənt] 형
임신한.
She is 7 months *pregnant*.
그녀는 임신 7개월 째다.

prej·u·dice [prédʒədis] 명
복수 prejudices [prédʒədisiz]
편견, (나쁜) 선입관.
He has a *prejudice* against foreigners. 그는 외국인에 대해 편견을 갖고 있다.

prep·a·ra·tion [prèpəréiʃən] 명 복수
preparations [prèpəréiʃənz]
준비.
make *preparations* for …을 준비하다.
Don't try to do it without

any *preparation.* 아무 준비 없이 그것을 하려 들지 마라.
☞ 통 prepare

***pre·pare** [pripέər] 통

③·단·현 **prepares** [pripέərz]:
ing형 **preparing** [pripέəriŋ]:
과거 과분 **prepared** [pripέərd]
자 준비하다.

He had to *prepare* for the entrance examination.
그는 입시 준비를 하지 않으면 안 되었다.
— 타 …을 준비하다; **마련하다.**
prepare one's lessons 예습하다.
Susie is *preparing* dinner.
수지는 저녁 준비를 하고 있다.
I am *prepared* to face the worst. 나는 최악의 사태에 맞설 준비가 되어 있다.
☞ 명 preparation

prep·o·si·tion [prèpəzíʃən] 명

복수 **prepositions** [prèpəzíʃənz]
전치사.
Prepositions come before nouns. 전치사는 명사 앞에 온다.

참고 prep.로 약함. 다음의 이탤릭체는 전치사이다.
There is a bench *under* one *of* the trees. 벤치가 한 나무 밑에 있다.

pres·ence [prézəns] 명

존재; 출석(⇔ absence 결석).
I felt his *presence* in the next room. 나는 그가 옆 방에 있는 것을 알았다.
☞ 형 present¹

***pres·ent**¹ [prézənt] 형
❶ 출석하고 있는(⇔ absent 결석한).
Everybody was *present.* 전원 출석하였다. ☞ 명 presence
❷ 현재의.

The *present* manager is very understanding. 현재의 지배인은 이해심이 많다.
— 명 《the를 붙여》 현재, **지금**
(⇨ past 과거, future 미래).
There is no time like the *present.* 《속담》 지금이 절호의 기회다.

at present 현재는, 지금은.
At present he has no school friends. 그는 지금은 학교 친구가 없다.

***pres·ent**² [prézənt] 명

복수 **presents** [prézənts]
선물.
We gave him our *presents.*
우리는 그에게 선물을 주었다.
I have a *present* for you.
너에게 줄 선물이 있다.
Thank you for your *present.* 선물을 주어 고맙다.

비슷한 말 **present**와 **gift**
present는 친한 사이에 주고 받는 선물로, 손수 만든 것이든 산 것이든 별로 비싸지 않은 것이 보통이다. 이에 비해 gift는 좀더 형식을 차린 말로, 고액의 물건뿐만 아니라 돈까지도 포함해서 이르는 경우가 많다.

— [prizént] 타 ③·단·현 **presents**
[prizénts]: ing형 **presenting**
[prizéntiŋ]: 과거 과분 **presented**
[prizéntid]
…을 증정하다; 제공하다; 소개하다(=introduce).
They *presented* some flowers to the singer. 그들은 그 가수에게 꽃을 선사하였다.
I have just been *presented* a beautiful vase. 나는 방금 아름다운 꽃병을 선물받았다.
Mr. Jones, may I *present* Dr. Brown? 존스씨, 브라운 박사님을 소개합니다. ▶ 명사와 동사의 발음이 다름에 주의.

P

pres·ent·ly [prézəntli] 〔부〕
곧, 얼마 안 있어
(=soon): 지금(=now).
A policeman came *presently*. 경찰이 곧 왔다.

pre·serve [prizə́ːrv] 〔타〕
〔3·단·현〕 **preserves** [prizə́ːrvz]:
〔ing형〕 **preserving** [prizə́ːriŋ]:
〔과거〕〔과분〕 **preserved** [prizə́ːrvd]
…을 보존하다; 저장하다.
Mother always *preserves*
fruit in 〔with〕 sugar. 어머니
는 항상 과일을 설탕에 절여서
두신다.
── 〔명〕 〔복수〕 **preserves** [prizə́ːrvz]
《보통 복수형으로》 (통조림 따위
의) **보존 식품**; (과일의) **잼, 설탕**
조림.
The peach *preserves* were
made when the fruit was
ripest. 복숭아가 충분히 익었을
때 복숭아 설탕 조림을 만들었다.

*****pres·i·dent** [prézidənt]
〔명〕
〔복수〕 **presidents** [prézidənts]
❶ 《종종 **the President**로》 **대통**
령.
the President Lincoln 링컨 대
통령.
The White House, where *the*
President lives, is in Wash-
ington, D.C. 대통령이 살고 있는
백악관은 워싱턴 디시에 있다.
❷ **회장; 의장; 총장; 사장**.
This book was written by
the *president* of our univer-
sity. 이 책은 우리 대학의 총장님
께서 쓰신 것이다.

*****press** [pres] 〔동〕 〔3·단·현〕
presses [présiz]: 〔ing형〕
pressing [présiŋ]: 〔과거〕〔과분〕
pressed [prest]
〔타〕 …을 **누르다, 밀다; 다림질하**
다; 강요하다.
He *pressed* the button.
그는 단추를 눌렀다.
I have to *press* my clothes

now. 나는 지금 옷을 다림질하여
야 한다.
Don't *press* your opinions
upon her. 네 생각을 그녀에게
강요하지 마라.
── 〔자〕 **누르다, 밀다; 다림질하다**.
Don't *press* on the bell
twice. 초인종을 두 번 누르지 마라.
This shirt *presses* easily.
이 셔츠는 다림질이 잘 된다.
── 〔명〕 〔복수〕 **presses** [présiz]
❶ 《단수형으로》 **누름**.
Give the button a slight
press. 버튼을 살짝 눌러라.
❷ **인쇄기, 압착기**.
a printing *press* 인쇄기.
❸ 《the를 붙여》 **출판물; 신문**,
잡지. ▶ 복수형 쓰지 않음.
Our school festival was
reported by the *press*.
우리 학교의 축제가 신문에 보도
되었다.
❹ 《a와 복수형 안 씀》 **중압, 압박**.
The *press* of many duties
keeps Mother busy. 어머니는
많은 일에 쫓겨 바쁘시다.

pres·sure [préʃər]
〔명〕
《a와 복수형 안 씀》 **압축; 압력;**
압박; 절박.
high 〔low〕 *pressure* 고〔저〕압.
air *pressure* 기압.
high blood *pressure* 고혈압.
The *pressure* on college
students was high. 대학생에
대한 압력은 컸다.

pre·sume [prizúːm]
〔타〕
〔3·단·현〕 **presumes** [prizúːmz]:
〔ing형〕 **presuming** [prizúːmiŋ]:
〔과거〕〔과분〕 **presumed** [prizúːmd]
…을 **추정하다; …라고 생각하다**.
You are Mr. Han, I *pre-*
sume. 당신은 한선생님이시지요?
I *presume* him wrong.
나는 그를 나쁘다고 생각한다.

pre·tend [priténd] 〔타〕
〔3·단·현〕 **pretends**

[priténdz]: ⟨ing형⟩ **pretending**
[priténdiŋ]:⟨과거⟩ ⟨과분⟩ **pretended**
[priténdid]
···인 체하다, ···같이 꾸미다.
She *pretended* illness. =
She *pretended* to be ill. 그
녀는 아픈 체하였다.
He *pretended* to know
nothing of the plan. 그는 그
계획에 관하여 아무것도 모르는
체하였다.

pret·ti·er [prítiər] ⟨형⟩
pretty의 비교급.

pret·ti·est [prítiist] ⟨형⟩
pretty의 최상급.

*∗**pret·ty** [príti] ⟨형⟩
⟨비교⟩ **prettier** [prítiər]:
⟨최상⟩ **prettiest** [prítiist]
예쁜, 고운, 귀여운. ☞ beau-
tiful, handsome.
She is *pretty*.
그녀는 예쁘다.
The willows are very *pretty*
in the spring. 버드나무는 봄
에 참으로 아름답다.
──⟨부⟩ 매우, 꽤, 상당히(=fairly).
My school is *pretty* far
from here. 나의 학교는 여기서
꽤 멀다.
I'm *pretty* well.
나는 매우 기분이 좋다.
It's *pretty* late. 상당히 늦다.

pre·vail [privéil] ⟨자⟩ ⟨3·단·현⟩
prevails [privéilz]:
⟨ing형⟩ **prevailing** [privéiliŋ]:⟨과거⟩
⟨과분⟩ **prevailed** [privéild]
우세하다, 이기다; 널리 행해지다,
유행하다.
Good will *prevail*.
선은 항상 이긴다.
That custom still *prevails*
in the village. 그 마을에서는
아직 그 관습이 일반적으로 행하
여지고 있다.

pre·vent [privént] ⟨타⟩
⟨3·단·현⟩ **prevents**
[privénts]: ⟨ing형⟩ **preventing**
[privéntiŋ]: ⟨과거⟩ ⟨과분⟩ **prevented**
[privéntid]
···을 방해하다; 예방하다.
Sickness *prevented* him
from going. 그는 병으로 갈 수
없었다.
I'll come at two if nothing
prevents me. 나는 별다른 일이
없는 한 2시에 오겠다.

pre·vi·ous [prí:viəs] ⟨형⟩
(시간·순서가) 앞의; 이전의.
She arrived on the *previous*
night. 그녀는 그 전날 밤에 도착
하였다.
I'm sorry, but I have a
previous engagement. 죄송하
지만, 저에게는 선약이 있습니다.
▶ 초대 따위를 거절할 때 쓰는
말.

pre·vi·ous·ly [prí:viəsli] ⟨부⟩
먼저, 미리; 이미; 앞서서.
I think I told you about it
previously. 나는 이미 그것에 관
해 너에게 말한 것으로 생각한다.

prey [prei] ⟨명⟩
⟪종종 a를 붙여⟫ 먹이; 희
생. ▶ 복수형은 쓰지 않음.
Mice and birds are *prey* of
cats. 쥐와 새는 고양이 먹이다.

*∗**price** [prais] ⟨명⟩
⟨복수⟩ **prices** [práisiz]
가격, 값; 대가(代價).
The *price* of this vase is
$10. 이 꽃병의 가격은 10 달러
이다.
Prices are going up.
물가가 상승하고 있다.
I bought this coat at a low
price. 나는 이 코트를 싼 값에 샀
다.

at any price 값이 얼만든; 어떤
희생을 치르더라도.
I will do it *at any price*.
나는 어떤 희생을 치르더라도 그
것을 할 생각이다.

price·less [práislis] ⟨형⟩

P

대단히 귀중한(=valuable), 돈으로 살 수 없는.
priceless paintings 대단히 귀중한 그림들.

pride [praid] 몡
《a와 복수형 안 씀》 자랑, 자만; 자랑거리.
Her child is her great *pride*. 그녀는 아이가 큰 자랑거리이다. ☞ 혱 proud
take pride in …을 자랑하다.
He *takes pride in* his work. 그는 자기 일에 긍지를 가지고 있다.

priest [pri:st] 몡
복수 **priests**[pri:sts]
성직자; 목사; 사제.
His uncle is a *priest* in a Christian church. 그의 아저씨는 크리스트교 교회의 목사다.

pri·ma·ry [práiməri] 혱
제1의, 최초의; 주요한; 근본의.
primary education 초등 교육.
primary colors 삼원색《red, blue, yellow》.

prime [praim] 혱
최초의; 가장 중요한.
the *prime* hours on television 텔레비전의 황금 시간대.
His *prime* object was to see the king. 그의 첫째 목적은 국왕을 만나는 것이었다.

prime min·is·ter
[pràim mínistər] 몡 복수 **prime ministers**[pràim mínistərz]
국무 총리, 수상.

prim·i·tive [prímətiv] 혱 비교 **more primitive**;
최상 **most primitive**
원시의; 소박한; 미개발의.
a *primitive* man 원시인.
the *primitive* age 원시 시대.
In the old days they made fire in a very *primitive* way. 옛날에는 아주 원시적인 방법으로 불을 만들었다.

prim·rose [prímròuz] 몡
복수 **primroses**[prímròuziz]
앵초.
Some *primroses* are white; others are pink or yellow. 앵초에는 흰 것도 있고, 어떤 것들은 핑크나 노란색도 있다.

prince [prins] 몡
복수 **princes**[prínsiz]
왕자.
a crown *prince* 왕세자.
Prince Charles 찰스 왕자.
Once upon a time there lived a *prince* in a castle. 옛날 어떤 성에 한 왕자가 살고 있었다.

prin·cess [prínsis] 몡
복수 **princesses**[prínsisiz]
왕녀, 공주; 왕자비.
a crown *princess* 왕세자비.
The *princess* was so kind that everybody loved her. 공주는 대단히 친절하였기 때문에 모두가 그녀를 사랑했다.

prin·ci·pal [prínsəpəl] 혱
주요한; 제 1 의.
a *principal* reason 주된 이유.
Their *principal* food is rice. 그들의 주식은 쌀이다.
──몡 복수 **principals**[prínsəpəlz]
교장; 회장.
At school we meet the *principal*. 학교에서 우리는 교장 선생님을 만난다.
The *principal* introduced new teachers to us. 교장선생님께서 우리들에게 새로 오신 선생님들을 소개하셨다.

P

prin·ci·ple [prínsəpəl] 명
[복수] **principles** [prínsəpəlz]
원리, 원칙; 주의; 방침; 본질.
the *principles* of economics
경제학의 원리.
It is against my *principle.*
그것은 내 주의에 반한다.
He is a man of *principle.*
그는 절조 있는 사람이다.

*__print__ [print] 타
[3·단·현] **prints** [prints];
[ing형] **printing** [príntiŋ]; [과거]
[과분] **printed** [príntid]
···을 인쇄하다; 출판하다; 인화하다.
How many copies are you
going to *print?* 몇 부나 인쇄
하려느냐?
── 명 [복수] **prints** [prints]
❶ 《a와 복수형 안 씀》 인쇄; 활
자체.
Books for beginners usu-
ally have large *print.* 초보자
를 위한 책은 일반적으로 큰 활자
로 인쇄되어 있다.
❷ 인쇄물, 출판물; 인화.
I got 12 *prints* made of
my photo. 나는 내 사진을 12
장 인화하였다.
out of print 절판되어.
The book is *out of print.*
그 책은 절판이다.

print·er [príntər] 명
[복수] **printers** [príntərz]
인쇄업자, 인쇄자; 인쇄공; 인쇄기.
He worked as a *printer* for
twenty years. 그는 인쇄공으로
20 년이나 일했다.

print·ing [príntiŋ] 명
《a와 복수형 안 씀》
인쇄; 인쇄술; 인쇄업.
color *printing* 색도 인쇄.
When was the *printing*
press first invented? 인쇄기
가 최초로 발명된 것은 언제인가?

pris·on [prízn] 명
[복수] **prisons** [príznz]

교도소, 감옥.
The Tower of London was
used as a *prison.* 런던탑은
감옥으로 사용되었다.
Unfortunately he died in
prison. 불행히도 그는 옥사했다.
be in prison 복역 중이다.
The thief *was in prison.*
그 도둑은 투옥되어 있었다.
come out of prison 출옥하다.
The man finally *came out
of prison.* 그 남자는 마침내 출
옥하였다.

pris·on·er [príznər] 명
[복수] **prisoners** [príznərz]
죄수; 포로.
a *prisoner* of war 전쟁 포로.
The *prisoner* was forced to
work very hard. 죄수는 매우
힘든 노역을 강요당했다.

*__pri·vate__ [práivit] 형
[비교] **more** **private**;
[최상] **most** **private**
사적인, 개인의, 사립의(⇔ public
공적인, 공립의).
a *private* life 사생활.
a *private* school 사립 학교.
This is my *private* opinion.
이것은 내 개인적인 의견이다.

priv·i·lege [prívəlidʒ] 명
[복수] **privileges** [prívəlidʒiz]
특권, 특전; 명예.
He was given the *privilege*
of interviewing the actress
alone. 그 여배우를 단독 회견하
는 특전이 그에게 주어졌다.

*__prize__ [praiz] 명
[복수] **prizes** [práiziz]
상, 상금, 상품.
the Nobel *Prize* 노벨상.
He is a *prize* winner.
그는 입상자이다.
Who got the first *prize?*
누가 1등상을 탔느냐?

prob·a·ble [prábəbəl] 형 [비교]
more **probable;**

P

최상 **most probable**
있음직한; 틀림없을 것 같은, 그럴
듯한.
a *probable* result 예상되는 결
과.
It is *probable* that he will
succeed.(=He will probably
succeed.) 그는 성공할 것 같다.

*__prob·a·bly__ [prábəbli] 부 비교 **more probably**;
최상 **most probably**
아마, 십중팔구는.
He will *probably* come
back tonight. 아마 그는 오늘
밤에 돌아올 것이다.

*__prob·lem__ [prábləm] 명
복수 **problems**[prábləmz]
문제; 난문. ☞ question
You have a *problem*.
너에게 문제가 있다.
I don't know how to solve
this *problem*. 나는 이 문제를
푸는 방법을 모른다.

회화 **That's no problem.**「괜
찮다.」
Excuse me. 또는 I am
sorry.라는 사과의 말에 대해
「괜찮다」, 「아무렇지도 않다」라
고 할 때 쓰는 말이다. 간단히
No problem. 또는 That's
all right.라고도 한다.
A : Excuse me for being
late.
B : *That's no problem.*
「늦어 미안하다.」「괜찮아.」

---

pro·ceed [prousí:d] 자
3·단·현 **proceeds**
[prousí:dz]: ing형 **proceeding**
[prousí:diŋ]: 과거 과분 **proceeded**
[prousí:did]
나아가다; 계속해서 하다.
The parade *proceeded* to
the park. 그 행렬은 공원 쪽으
로 행진해 나아갔다.
Please *proceed* with your

story. 이야기를 계속하세요.

proc·ess [práses] 명
복수 **processes**[prásesiz]
진행; 경과, 과정, 공정.
a new *process* of manu-
facturing 새로운 제조 공정.
Its *process* is more impor-
tant than its result. 그 결과
보다 그 과정이 더욱 중요하다.

pro·ces·sion [prəséʃən] 명
복수 **processions**[prəséʃənz]
행렬; 행진.
a funeral *procession* 장의 행
렬.
Look at the *procession* of
school children. 학생들의 행렬
을 봐라.

pro·cure [proukjúər] 타
3·단·현 **procures**[proukjúərz]:
ing형 **procuring**[proukúəriŋ]:
과거 과분 **procured**[proukúərd]
…을 획득하다, 손에 넣다.
Money may *procure* pleas-
ures but not happiness.
돈으로 쾌락은 얻을 수 있어도 행
복은 얻지 못한다.

*__pro·duce__ [prədjú:s] 타
3·단·현 **produces**[prədjú:siz]:
ing형 **producing** [prədjú:siŋ]:
과거 과분 **produced**[prədjú:st]
❶ …을 산출하다; 생산하다.
Korea will *produce* more
cars than England or
Spain. 한국은 영국이나 스페인보
다 더 많은 자동차를 생산하게 될
것이다.
❷ (극)을 연출하다; (영화 따위)
를 제작하다.
Dick *produced* a play.
딕은 연극을 연출하였다.
　　　　☞ 명 production

pro·duc·er [prədjú:sər] 명
복수 **producers**[prədjú:sərz]

❶ 생산자.
They are the *producers* of food. 그들은 식량 생산자이다.
❷ 제작자; 영화 제작자.
Who is the *producer* of this film? 이 영화의 제작자는 누구냐?

prod·uct [prádəkt] 명

복수 **products** [prádəkts]
산물, 생산물.
What are the chief *products* of your country? 너희 나라의 주요 산물은 무엇이냐?

pro·duc·tion [prədʌ́kʃən] 명

《a와 복수형 안 씀》 생산, 산출; 생산량; (영화 따위의) 제작.
the *production* of goods 상품의 생산.
go into *production* 생산을 개시하다.
Mass *production* is used in many industries. 많은 산업에서 대량 생산이 행해지고 있다.
☞ 동 produce

pro·fes·sion [prəféʃən] 명

복수 **professions** [prəféʃənz]
직업. ▶ 보통 지적·전문적인 직업을 가리킴.
His father's *profession* is teaching. 그의 아버지 직업은 교사이다.
He is a lawyer by *profession*. 그의 직업은 변호사이다.

pro·fes·sion·al [prəféʃənəl] 형

지적 직업에 종사하는; 본직의, 전문의; 직업적인, 프로의.
He is a *professional* tennis player. 그는 프로 테니스 선수이다.
His skill is *professional*.
그의 솜씨는 (전문가 못지 않게) 능란하다.
── 명 복수 **professionals** [prəféʃənəlz]

지적 직업인, 전문가; 프로 선수 (⇔ amateur 아마추어).

pro·fes·sor [prəfésər] 명

복수 **professors** [prəfésərz]
(대학의) 교수.
I want to be a *professor* of Korean history. 나는 한국사 교수가 되기를 원한다.

prof·it [práfit] 명

복수 **profits** [práfits]
이익, 이득(⇔ loss 손실).
He has done this for *profit*.
그는 이익 때문에 이것을 하였다.
There is no *profit* in smoking. 흡연에는 아무런 득이 없다.
── 동 3·단·현 **profits** [práfits];
ing형 **profiting** [práfitiŋ]; 과거
과분 **profited** [práfitid]
자 이익을 보다, 소득을 얻다.
I have *profited* by your advice. 네 충고로 덕을 보았다.
── 타 …의 이득〔도움〕이 되다.
It *profited* him nothing.
그것은 그에게 아무런 도움도 되지 못했다.

prof·it·a·ble [práfitəbəl] 형

비교 **more profitable**; 최상 **most profitable**
유익한, 도움이 되는; 유리한.
The sale was very *profitable*.
그 판매는 대단히 이익이 많았다.
He gave us a very *profitable* speech. 그는 대단히 유익한 이야기를 우리에게 하였다.

pro·found [prəfáund] 형

비교 **profounder** [prəfáundər];
최상 **profoundest** [prəfáundist]
깊은, 심원한.
profound knowledge 깊은 학식.
They listened to his speech with *profound* interest.
그들은 큰 흥미를 갖고 그의 이야기에 귀를 기울였다.

*pro·gram [próugræm] 명

[복수] **programs**[próugræmz]

❶ 프로그램, (연극·노래 따위의) 차례.

a TV〔radio〕*program* 텔레비전〔라디오〕프로그램.

You can watch English *programs* on TV. 너는 텔레비전에서 영어 프로그램을 볼 수 있다.

❷ 계획, 예정(=schedule).

a space *program* 우주 계획.

What is the *program* for tomorrow? 내일 예정은 무엇이냐?

➤ 영국서는 programme으로 씀.

pro·gram·er [próugræmər] [명]

[복수] **programers**[próugræmərz]

프로그램 작성자; (컴퓨터 따위의) 프로그래머.

My dream is to be a computer *programer*. 나의 꿈은 컴퓨터 프로그래머가 되는 것이다.

➤ 영국서는 programmer로 씀.

prog·ress [prágres] [명]
(a와 복수형 안 씀)

진행, 전진; 진보, 발달.

the *progress* of science 과학의 진보.

He's making good *progress* in English. 그는 영어에서 큰 진전을 보이고 있다.

be in progress (일 따위가) **진행 중이다.**

The work *is* now *in progress.* 그 일은 지금 진행 중이다.

— [prəgrés] [3·단·현] **progresses**[prəgrésiz]; [ing형] **progressing** [prəgrésiŋ]; [과거][과분] **progressed**[prəgrést]

나아가다, 진척되다; 진보하다.

Science has greatly *progressed* during this century. 과학은 금세기 동안 대단히 진보하였다.

➤ 명사와 동사의 악센트 위치가 다름에 주의.

pro·gres·sive [prəgrésiv] [형]

[비교] **more progressive**; [최상] **most progressive**

전진하는; 진보적인, 점진적인.

progressive ideas 진보적 사상.

the *progressive* destruction of the environment 서서히 진행되는 환경 파괴.

pro·ject [prádʒekt] [동] [3·단·현] **projects**[prədʒékts]: [ing형] **projecting** [prədʒéktiŋ]: [과거][과분] **projected**[prədʒéktid] [타] ❶ …을 고안하다, 계획하다.

They *projected* a new dam. 그들은 새로운 댐을 계획하였다.

❷ …을 발사하다, 투영하다.

project a missile into space 미사일을 공중에 발사하다.

The outline of his head was *projected* on the wall by his lamp. 등불에 그의 머리 윤곽이 벽에 비쳤다.

— [자] 삐죽〔불쑥〕 나오다.

That rock *projects* into the road. 저 바위는 길로 불쑥 나와 있다.

— [prádʒekt] [명] [복수] **projects** [prádʒekts]

계획, 설계, 고안; (대규모의) 사업.

They are forming a *project* to build a bridge over the river. 그들은 그 강에 다리를 건설할 계획을 세우고 있다.

a public works *project* 공공(토목) 사업.

➤ 동사와 명사의 악센트 위치가 다름에 주의.

pro·long [proulɔ́ːŋ] [타] [3·단·현] **prolongs** [proulɔ́ːŋz]: [ing형] **prolonging**

[prou*l*ɔ́:ŋiŋ] : 과거 과분 **prolonged**
[prou*l*ɔ́:ŋd]
늘리다, 연장하다; 연기하다.
They decided to *prolong*
their visit. 그들은 방문 기간을
연기하기로 결정하였다.
The meeting was *prolonged*.
그 모임은 연기되었다.

* **prom·ise** [prámis] 명

복수 **promises** [prámisiz]
약속; 가망.
He didn't forget his *promise*.
그는 약속을 잊지 않았다.
a man of great *promise* 매우
전도 유망한 사람.
give 〔**make**〕 **a promise** 약속하다.
He *gave a promise* to buy
me a watch. 그는 나에게 시계
를 사주겠다고 약속하였다.
Making promises and keep-
ing them are two different
things. 약속을 하는 것과 지키는
것은 별개의 문제다.
keep 〔**break**〕 **one's promise** 약
속을 지키다〔어기다〕.
Don't *break your promise*.
약속을 어기지 마라.
—— 타·자 3·단·현 **promises**
[prámisiz] : ing형 **promising**
[prámisiŋ] : 과거 과분 **promised**
[prámist]
(…을) 약속하다.
I *promise* I'll invite you.
너를 초대할 것을 약속할게.
Can you *promise* to do
that? 너는 그렇게 할 것을 약속
할 수 있느냐?
I *promised* my brother to
take him there. 나는 동생에
게 거기 데려가기로 약속했다.

prom·is·ing [prámisiŋ] 동

promise의 -ing형.
—— 형 비교 **more promising**;
최상 **most promising**
장래가 유망한, 가망이 있는.
Tom is a *promising* student.

톰은 장래가 유망한 학생이다.
The young scientist is very
promising. 그 젊은 과학자는 장
래가 대단히 유망하다.

pro·mote [prəmóut] 타

3·단·현 **promotes** [prəmóuts] :
ing형 **promoting** [prəmóutiŋ] :
과거 과분 **promoted** [prəmóutid]
…을 증진시키다; 장려하다; 승진
시키다.
Friendliness will *promote*
good feeling. 우호 관계는 친목
을 증진시킨다.
His father was *promoted* to
the rank of manager. 그의 아
버지는 부장급으로 승진하셨다.

pro·mo·tion [prəmóuʃən] 명

복수 **promotions** [prəmóuʃənz]
❶ 승진.
The clerk got 〔was given〕
a *promotion*. 그 사무원은 승진
하였다.
❷ 《a와 복수형 안 씀》 촉진, 증
진; 장려.
the *promotion* of health 건강
증진.
They are busy in the *pro-
motion* of good feeling
between the two countries.
그들은 양국간의 우호 증진에 바
쁘다.

prompt [prɑmpt] 형

비교 **prompter** [prámptər] : 최상
promptest [prámptist]
빠른, 기민한; 즉석의.
a *prompt* answer 즉답.
Be *prompt* to carry out
this order. 즉시 이 명령을 수행
하여라.

prompt·ly [prámptli] 부
기민하게, 재빨리.
He answered *promptly*.
그는 재빨리 대답하였다.

pro·noun [próunàun] 명

P

복수 **pronouns**[próunàunz]
대명사. ▶pron.으로 약함.
a personal *pronoun* 인칭 대명
사(I, you, he, she, it 따위).
a relative *pronoun* 관계 대명
사(that, which 따위).

pro·nounce [prənáuns]
타·자

3·단·현 **pronounces**[prənáunsiz] :
ing형 **pronouncing**[prənáunsiŋ] :
과거 과분 **pronounced**[prənáunst]
(…을) 발음하다.
How do you *pronounce* this
word? 너는 이 단어를 어떻게 발
음하느냐?

pro·nun·ci·a·tion

[prənÀnsiéiʃən] 명
《a와 복수형 안 씀》 발음.
Your *pronunciation* is very
good.
너의 발음은 대단히 좋다.

주의 「발음하다」(동사)의 철자
는 pronounce이나, 「발음」(명
사)의 경우는 pronunciation
으로서 n 다음에 o가 없는 것에
주의.
---

proof [pruːf] 명
복수 **proofs**[pruːfs]
증거; 증명.
He was sure about it but
had no *proof*. 그는 그것에 관
하여 확신은 갖고 있었지만 증거
는 없었다.
He has given *proof* of his
honesty. 그는 자기의 정직함을
증명하였다. ☞ 동 prove
── 형 시험을 거친; 보증이 있는;
…에 견디는.

참고 다음과 같이 다른 낱말과
결합하여 하나의 형용사를 만드
는 경우가 많다.
a fire*proof* door 방화문.
a water*proof* watch 방수 시계.
---

pro·pel·ler [prəpélər]
명

복수 **propellers**[prəpélərz]
프로펠러; 스크루, 추진기.
This boat is driven by two
propellers. 이 배는 2개의 스크
루로 달린다.

*****prop·er** [prápər] 형
비교 **more proper**;
최상 **most proper**
❶ 적당한, 알맞은; 바른.
This is the *proper* place
for the meeting. 이 곳은 회합
에 적당한 장소이다.
Do you think this dress is
proper for the wedding?
이 드레스가 결혼식에 알맞다고
생각하느냐?
❷ 고유의.
a *proper* noun 고유 명사《예를
들면, Brown, Seoul 따위》.
This custom is *proper* to
Korea. 이 관습은 한국 고유의
것이다.

prop·er·ly [prápərli]
부

알맞게, 올바르게; 예의바르게.
You must do it *properly*.
그것을 올바르게 해야만 한다.
Behave *properly*.
예의바르게 행동하여라.

prop·er·ty [prápərti]
명

복수 **properties**[prápərtiz]
《집합적으로》 재산, 소유물.
He is a man of *property*.
그는 재산가이다.
This watch is my personal
property. 이 시계는 나의 개인
소유물이다.

pro·por·tion [prəpɔ́ːrʃən]
명

《a와 복수형 안 씀》 비율, 비례;
조화.
Its *proportion* is two to
one. 그 비율은 2대 1이다.
All is in good *proportion*.
모든 것이 잘 조화되어 있다.

in proportion to …에 비례하여.
The room is long *in proportion to* its width. 그 방은 폭에 비해서 길다.

out of proportion to …와 균형을 잃어.
The tall modern building is *out of proportion to* its dirty surroundings. 저 높은 근대적인 건물은 주위의 더러운 환경과 균형이 맞지 않는다.

pro·pos·al [prəpóuzəl] 명

复수 proposals [prəpóuzəlz]
신청, 제안, 건의.
The members adopted the *proposal*. 회원들은 그 제안을 채택했다.

pro·pose [prəpóuz] 동

3·단·현 proposes [prəpóuziz] ;
ing형 proposing [prəpóuziŋ] ;
과거 과분 proposed [prəpóuzd]
타 …을 신청하다; 제안하다.
He *proposed* a new plan. 그는 새 계획을 제안했다.
I *propose* that we start early. 일찍 출발할 것을 제안합니다.
── 자 (여자에게) 청혼하다.
Have you *proposed* to her? 너는 그녀에게 청혼했느냐?

prop·o·si·tion [pràpəzíʃən] 명

복수 propositions [pràpəzíʃənz]
제안, 제의.
His *proposition* was so clear that everybody understood it. 그의 제안은 분명하여 모두가 이해할 수 있었다.

pros·pect [práspekt] 명

복수 prospects [práspekts]
❶ 《보통 단수형으로》 조망, 전망 (=view).
The *prospect* from the top of the hill is very good. 그 언덕 위에서의 전망은 매우 좋다.

❷ 예상, 가망.
There is no *prospect* of success. 성공할 가망이 없다.

pros·per·i·ty [prɑspérəti] 명

《a와 복수형 안 씀》 번영, 융성, 번창.
Hard work brings *prosperity*. 열심히 일하면 번창한다.
He led a life of happiness and *prosperity*. 그는 행복하고 융성한 생애를 보냈다.

pros·per·ous [práspərəs] 형

비교 more prosperous; 최상 most prosperous
번영하는, 부유한, 잘 되어 가는.
His business is *prosperous*. 그의 사업은 잘 된다.

*pro·tect [prətékt] 타 3·단·현

protects [prətékts] ;
ing형 protecting [prətéktiŋ] ; 과거
과분 protected [prətéktid]
…을 보호하다; (위험 따위로부터) …을 지키다.
He *protected* himself from the cold by wearing warm clothes. 그는 따뜻한 옷을 입어 추위를 막았다.
She *protected* her baby from danger. 그녀는 위험으로부터 아기를 지켰다.
☞ 명 protection

pro·tec·tion [prətékʃən] 명

《a와 복수형 안 씀》 보호, 방위.
She asked the police for *protection*. 그녀는 경찰에게 보호를 요청했다. ☞ 동 protect

pro·te·in [próuti:in] 명

복수 proteins [próuti:inz] 단백질.
Meat, milk, cheese, eggs, and beans contain *protein*. 고기, 우유, 치즈, 달걀, 콩은 단백질을 함유하고 있다.

*pro·test [prətést] 동 3·단·현

protests [prətésts] ;

[ing형] **protesting** [prətéstiŋ] ; [과거]
[과분] **protested** [prətéstid]
[타] …에 항의하다; …을 주장하다.
He *protested* his innocence.
= He *protested* that he
was innocent. 그는 자기의 결
백을 주장했다.
── [자] 항의하다, 이의를 제기하다.
They *protested* against the
plan. 그들은 그 계획에 항의했다.
── [próutest] [명] [복수] **protests**
[próutests]
항의, 이의, 주장.
The people made a strong
protest against the rule.
사람들은 그 규칙에 대하여 단호
한 항의를 제기하였다.
▶ 동사와 명사의 악센트 위치가
다름에 주의.

* **proud** [praud] [형]
[비교] **prouder** [práudər] ;
[최상] **proudest** [práudist]
자랑하는, 뽐내는.
I'm *proud* to be a Korean.
내가 한국인이란 것이 자랑스럽다.
Don't be too *proud*.
너무 뽐내지 마라.
be proud of …을 자랑하다.
We Koreans *are proud of*
our culture. 우리 한국인들은
우리 문화를 자랑스러워 한다.
☞ [명] pride

proud·ly [práudli] [부]
자랑스럽게; 거만하게.
"My son did this." said Mr.
Brown *proudly*. 「내 아들이 이
것을 하였지.」하고 브라운씨는 자
랑스럽게 말하였다.

* **prove** [pru:v] [동]
[3·단·현] **proves** [pru:vz] ;
[ing형] **proving** [prú:viŋ] ; [과거]
proved [pru:vd] ; [과분] **proved**
[pru:vd] 또는 **proven** [prú:vən]
[타] …을 증명하다.
We have *proved* our
strength to the whole
world.
우리는 온 세계에 우리의 힘을 증

명해왔다.
They *proved* his honesty. =
They *proved* that he was
honest. 그들이 그의 정직함을
증명했다.
── [자] 《**prove** (**to be**) + 형용사
〔명사〕로》…라고 판명되다, …임
이 알려지다.
The news *proved* (*to be*)
false. 그 뉴스는 오보임이 판명되
었다.
He *proved* (*to be*) an hon-
est man. 그는 정직한 사람으로
판명되었다. ☞ [명] proof

prov·en [prú:vən] [동]
prove의 과거 분사의 하나.

prov·erb [právərb] [명]
[복수] **proverbs** [právərbz]
속담. ☞ saying
Proverbs tell a lot about
the life. 속담은 인생에 대한 많
은 것을 얘기한다.

pro·vide [prəváid] [동]
[3·단·현] **provides** [prəváidz] ;
[ing형] **providing** [prəváidiŋ] ;
[과거] [과분] **provided** [prəváidid]
[타] …을 준비하다; 공급하다.
Mother *provided* a meal.
어머니는 식사를 준비하셨다.
Cows *provide* milk.
암소는 우유를 공급하여 준다.
── [자] (장래·위험 따위에) 대비
하다, 준비하다.
We must *provide* for the
future. 우리는 장래에 대비하여
야 한다.

prov·ince [právins] [명]
[복수] **provinces** [právinsiz]
주(州), 성(省), 도(道).
Canada is divided into
provinces. 캐나다는 주로 나뉘어
져 있다.

prov·ing [prú:viŋ] [동]
prove의 -ing형.

pro·vi·sion [prəvíʒən] 명

복수 **provisions** [prəvíʒənz]

❶ 《a와 복수형 안 씀》 **공급, 지급**; (…에 대한) **준비**.

the *provision* of clothing for poor child 가난한 아이들에 대한 옷의 공급.

make *provision* for the future 장래에 대비하다.

❷ 《복수형으로》 **식량, 양식**.

When they went camping, some of their *provisions* were canned. 그들이 캠핑 갔을 때, 가져간 식량 중 어떤 것은 통조림이었다.

P.S. [píːés] 명

추신. ▶ postscript의 약자.

P.S. Call me when you receive this letter.

추신 : 네가 이 편지를 받으면 나에게 전화해라.

참고 이름을 쓴 후에 편지 끝에 몇 가지 첨부되는 정보를 쓸 때 사용한다.

P. T. A. [píːtíːéi] 명

사친회. ▶ *Parent-Teacher Association*의 간략형.

His father has been chosen chairman of our *P. T. A.*

그의 아버지는 우리 사친회의 회장으로 선출되었다.

***pub·lic** [pʌ́blik] 형

공공(용)의, 공중의, 공립의(⇔ private 사적인, 사립의)**: 공공연한, 공개의**.

a *public* telephone 공중 전화.

a *public* library 공립 도서관.

public offices 관공서.

Public opinion is important in politics. 정치에서는 여론이 중요하다.

a *public* lecture 공개 강연.

Don't make it *public*.

그것을 공개하지 마라.

── 명 《the를 붙여》 **일반 사람들, 대중, 공중**. ▶ 복수형 없음.

That library is open to the *public*. 그 도서관은 일반에게 공개하고 있다.

in public 공공연히, 사람들 앞에서.

The man criticized her *in public*. 그 사람은 그녀를 공공연히 비난하였다.

He likes to speak *in public*. 그는 사람들 앞에서 말하기를 좋아한다.

pub·li·ca·tion [pʌ̀bləkéiʃən] 명

복수 **publications** [pʌ̀bləkéiʃənz]

❶ 《a와 복수형 안 씀》 **출판, 발행**.

the date of *publication* 발행 연월일.

❷ **출판물, 간행물**.

new *publications* 신간 서적.

☞ 동 publish

***pub·lish** [pʌ́bliʃ] 타

3·단·현 **publishes** [pʌ́bliʃiz] :

ing형 **publishing** [pʌ́bliʃiŋ] : 과거

과분 **published** [pʌ́bliʃt]

…을 공표하다, 발표하다 (=announce)**: 출판하다**.

publish the news 뉴스를 발표하다.

a *publishing* company 출판사.

The book will be *published* next week. 그 책은 다음 주에 출판될 것이다. ☞ 명 publication

pub·lish·er [pʌ́bliʃər] 명

복수 **publishers** [pʌ́bliʃərz]

출판사, 출판업자, 발행자.

If you want to know the price of that book, you'd better ask the *publisher*.

저 책의 값을 알고 싶으면, 출판사에 물어보는 것이 좋다.

pud·ding [púdiŋ] 명

복수 **puddings**[púdiŋz]
푸딩.
This *pudding* tastes very good. 이 푸딩은 맛이 참 좋다.

> 참고 푸딩이란 밀가루에 우유 · 과일 · 달걀 · 향료 따위를 섞어서 만든 것으로 식후에 디저트로 먹는 음식.

puff [pʌf] 명
복수 **puffs**[pʌfs]
훅 불기; 한 번 불기, 한바탕 부는 바람.
He blew out the candle with a *puff*. 그는 촛불을 훅 불어 껐다.
── 동 3·단·현 **puffs**[pʌfs] : ing형 **puffing**[pʌfiŋ] : 과거 과분 **puffed** [pʌft]
자 헐떡이다; 연기〔증기〕를 내뿜다; 담배를 뻐끔뻐끔 피우다.
The old woman *puffed* when she walked quickly. 노파는 빨리 걸을 때 숨을 헐떡였다.
He *puffed* on his pipe.
그는 파이프를 뻐끔뻐끔 빨았다.
── 타 (공기 · 연기)를 내뿜다.
He *puffed* cigarette smoke in my face. 그는 담배 연기를 내 얼굴에 내뿜었다.

*****pull** [pul] 타·자 3·단·현 **pulls** [pulz] : ing형 **pulling**[púliŋ] : 과거 과분 **pulled**[puld]
(…을) 당기다, 끌다(⇔push 밀다).
He *pulled* the cart and we pushed it. 그는 짐수레를 끌고 우리는 그것을 밀었다.
They are *pulling* the rope.
그들은 밧줄을 끌어당기고 있다.
I have to have my tooth *pulled* at the dentist.
나는 치과에서 이를 뽑지 않으면 안된다.
Pull at this rope.
이 밧줄을 당겨라.
Pull. 《문 따위의 게시》 당기시오.

pull down …을 끌어내리다.
She *pulled down* the curtain. 그녀는 커튼을 내렸다.
*****pull out** (이 · 마개 따위)를 뽑다, 빼내다.
The dentist *pulled out* one of my teeth. 치과 의사는 나의 이 한 개를 뽑았다.
── 명 복수 **pulls**[pulz]
당기기, 끌기(⇔push 밀기).
I felt a *pull* at my coat.
나는 누군가가 내 코트를 당기는 것을 느꼈다.

pulse [pʌls] 명
복수 **pulses**[pʌlsiz]
맥박.
The sick old man had a weak *pulse*. 그 병든 노인은 맥박이 약했다.
The nurse felt his *pulse*.
간호사가 그의 맥을 짚어 보았다.

pump [pʌmp] 명
복수 **pumps**[pʌmps]
펌프.
We use a *pump* to get water from a well. 우리는 우물에서 물을 품어 올릴 때 펌프를 사용한다.
── 타 3·단·현 **pumps** [pʌmps] : ing형 **pumping** [pʌmpiŋ] : 과거 과분 **pumped**[pʌmpt]
…을 펌프로 품어 올리다; (타이어 따위)에 펌프로 공기를 넣다.
He *pumped* water from the well. 그는 우물에서 펌프로 물을 품어 올렸다.
He *pumped* up the bicycle tires. 그는 자전거 타이어에 펌프로 바람을 넣었다.

pump·kin [pʌmpkin] 명
복수 **pumpkins**[pʌmpkinz]
호박.
She has already baked a *pumpkin* pie. 그녀는 벌써 호박 파이를 구워냈다.

punc·tu·a·tion [pʌŋktʃu-éiʃən] 명

《a와 복수형 안 씀》 구두(句讀).
구두법.
You must be more careful
about *punctuation* when
you write English. 영어를 쓸
때 구두법에 더 주의하지 않으면
안된다.

punc·tu·a·tion mark

[pʌŋktʃuéiʃən màːrk] 명
복수 punctuation marks[pʌŋk-
tʃuéiʃən màːrks]
구두점.

참고 punctuation mark에는
대개 다음과 같은 것이 있다.
period[píəriəd] 마침표 (·) /
comma[kámə] 쉼표 (,) /
colon[kóulən] 콜론 (:) /
semicolon[sémikòulən] 세미
콜론(;) / question mark 물
음표(?) / exclamation mark
느낌표(!) / quotation marks
따옴표(" ").

---

*pun·ish [pʌ́niʃ] 타 3·단·현
punishes [pʌ́niʃiz]:
ing형 punishing[pʌ́niʃiŋ]: 과거
과분 punished[pʌ́niʃt]
…을 벌하다.
The king would *punish* us.
왕은 우리를 처벌할 것이다.
The boy was *punished* by
his father for telling a lie.
소년은 거짓말을 하였기 때문에
아버지로부터 벌을 받았다.
☞ 명 punishment

pun·ish·ment [pʌ́niʃmənt] 명

《a와 복수형 안 씀》 벌, 처벌.
His *punishment* for cheating
was failure. 그의 부정 행위에
대한 처벌은 낙제였다.
☞ 동 punish

*pu·pil [pjúːpəl] 명
복수 pupils[pjúːpəlz]
학생; 제자. ☞ student
Miss Smith is a teacher,

and Tom is her *pupil*.
스미스양은 선생님이고 톰은 그녀
의 학생이다.

pup·py [pʌ́pi] 명
복수 puppies[pʌ́piz]
강아지.
Nancy makes a pet of a
puppy. 낸시는 강아지를 귀여워
한다.

pur·chase [pə́ːrtʃəs] 타

3·단·현 purchases [pə́ːrtʃəsiz]:
ing형 purchasing [pə́ːrtʃəsiŋ]:
과거 과분 purchased[pə́ːrtʃəst]
…을 사다, 구매하다; 획득하다.
We *purchased* a lot of coal
for the winter. 우리는 겨울에
쓸 석탄을 많이 샀다.
They *purchased* freedom
with their blood. 그들은 피흘
려 자유를 얻었다.
── 명 복수 purchases[pə́ːrtʃəsiz]
❶ 《a와 복수형 안 씀》 매입, 구
입.
the *purchase* price 매입 가격.
the *purchase* of land 토지의
매입.
❷ 사들인 물건, 매입품.
He carried his *purchases*
in a box. 그는 사들인 물건들을
상자에 담아 운반했다.
This handbag was a good
purchase. 이 핸드백은 싸게 샀
다.

*pure [pjuər] 형
비교 purer[pjúərər] : 최상
purest[pjúərist]
깨끗한, 순수한; 청순한.
pure gold 순금.
She is *pure* in heart.
그녀의 마음은 깨끗하다.
He speaks *pure* French.
그는 순수한 프랑스어를 한다.

Pu·ri·tan [pjúərətən] 명
복수 Puritans[pjúərətənz]
청교도 《16-17세기에 영국에 나타
난 신교도의 일파》.

P

The *Puritans* wanted simpler forms of church ceremony. 청교도는 교회 의식의 더욱 간소한 형태를 원하였다.

pur·ple [pə́ːrpəl] 형
자줏빛의.

His face became *purple* with cold. 그의 얼굴은 추위로 자줏빛이 되었다.
── 명 《a와 복수형 안 씀》 자줏빛.
Purple is made by mixing red and blue. 자줏빛은 빨간색과 파란색을 섞으면 된다.

****pur·pose** [pə́ːrpəs] 명
복수 **purposes** [pə́ːrpəsiz]
목적; 의도.
attain one's *purpose* 목적을 달성하다.
What's the *purpose* of your visit? 당신의 방문 목적이 무엇입니까?

*for the purpose of …을 목적으로.
He went to Germany *for the purpose of* studying music. 그는 음악을 공부할 목적으로 독일에 갔다.

on purpose 고의로, 일부러.
He has left the book here *on purpose* for you to read. 너에게 읽히려고, 그는 일부러 그 책을 여기 놓고 간 것이다.

****purse** [pəːrs] 명
복수 **purses** [pə́ːrsiz]
돈주머니, 돈지갑; 핸드백. ☞ wallet, handbag
I had my *purse* stolen. 나는 돈지갑을 도둑맞았다.
She took a handkerchief out of her *purse*. 그녀는 핸드백에서 손수건을 꺼냈다.

pur·sue [pərsúː] 타 3·단·현
pursues [pərsúːz]
ing형 **pursuing** [pərsúːiŋ]; 과거
과분 **pursued** [pərsúːd]
…을 쫓다; 추구하다.

The policeman *pursued* the thief. 경관은 도둑을 뒤쫓았다.

pur·suit [pərsúːt] 명
복수 **pursuits** [pərsúːts]
❶ 《a와 복수형 안 씀》 추적; 추구.
In *pursuit* of the cat, the dog was hit by a car. 개는 고양이를 쫓다가 자동차에 치였다.
❷ 일; 연구.
Reading is my favorite *pursuit*. 독서는 내가 좋아하는 일이다.

****push** [puʃ] 타·자 3·단·현 **pushes** [púʃiz]; ing형 **pushing** [púʃiŋ]; 과거 과분 **pushed** [puʃt]
(…을) 밀다, 떠밀다.
She *pushed* the door open. 그녀는 문을 밀어서 열었다.
Stop *pushing*. You can't get in here. 밀지 마라. 여기에 들어올 수 없다.
I *pushed* him out of the room. 나는 그를 방밖으로 밀어 냈다.
Push. 《문 따위의 게시》 미시오.

push one*'s way* 밀어젖히며 나아가다.
Pushing his *way* to the counter, he shouts. 그는 밀어젖히며 카운터로 나가면서 소리친다.

puss·y [púsi] 명
복수 **pussies** [púsiz]
고양이《소아어》. ► pussycat이라고도 함.
a *pussy* willow 땅버들.
Bill, don't bother the *pussy-cat.* She'll scratch you. 빌, 고양이를 귀찮게 굴지 마라. 할퀴겠다.

****put** [put] 타 3·단·현 **puts** [puts]; ing형 **putting** [pútiŋ]; 과거 과분 **put** [put]
❶ …을 두다, 놓다; 넣다, 얹다.
Put your book on the

desk. 책을 책상 위에 놓아라.
The old man *put* his hand on Jinho's shoulder.
노인이 진호의 어깨 위에 손을 얹었다.
He was *put* in prison for murder. 그는 살인을 하여 투옥되었다.

❷ …을 (어떤 상태로) 해 두다.
He *put* his books in order.
그는 책을 정돈하였다.

❸ …을 써 두다; 표현하다.
He *put* a cross on every door with his knife. 그는 칼로 문마다 십자 표시를 했다.

put away …을 치우다; 비축하다.
The mother told the child to *put* her toys *away*.
어머니는 아이에게 장난감을 치우라고 말씀하셨다.

put back …을 제자리로 되돌리다.
You must *put* it *back* at once. 곧 그것을 제자리로 되돌려 놓아야 한다.

put down …을 내려놓다.
He *put* the phone *down*.
그는 수화기를 내려놓았다.

*put ... into ~ …을 ~ 안에 넣다; ~으로 번역하다.
Don't *put* your hands *into* your pockets. 손을 호주머니에 넣지 마라.
I try to *put* Korean *into* English and English *into* Korean. 나는 한국어를 영어로 영어를 한국어로 번역하려고 노력한다.

put off 연기하다.
The boat race was *put off* till next Sunday. 보트 경기는 다음 일요일까지 연기되었다.

*put on …을 입다, 쓰다, 신다(⇔ take off 벗다). ▶「…을 입고 있다」라고 상태를 나타낼 때에는 wear, have on을 씀.
He *put on* his hat.
그는 모자를 썼다.
She *put on* her glasses.

그녀는 안경을 썼다.
Put on your shoes.
너의 신발을 신어라.

put on

*put out (불·전등 따위를) 끄다; (…을 밖으로) 내다, 내밀다.
Don't forget to *put out* the fire before you leave. 떠나기 전에 불을 끄는 것을 잊지 마라.
He *put out* his hands to take it. 그는 그것을 잡기 위해 두 손을 내밀었다.

put together …을 짜맞추다, 합치다.
She picked up the pieces and tried to *put* them *together*. 그녀는 조각들을 주워 맞추려 하였다.

*put up 1. 올리다, 세우다.
She *put up* a large sign outside her house. 그녀는 집 밖에 커다란 표지판을 세웠다.
She *put up* her hand and asked a question. 그녀는 손을 들고 질문을 하였다.

2. 숙박하다.
He *put up* at the hotel.
그는 호텔에 투숙하였다.

put up with …을 견디다, …참다.
▶ 보통 부정문에 쓰임.
I can't *put up with* him any longer. 나는 그에게 더 이상 참을 수 없다.

put·ting [pútiŋ] 통
put의 -ing형.

puz·zle [pʌ́zl] 통 3·단·현
puzzles [pʌ́zlz];
ing형 **puzzling** [pʌ́zliŋ]: 과거 과분
puzzled [pʌ́zld]

P

匣 …을 당황케 하다.

The problem *puzzled* us.

그 문제는 우리들을 당황하게 만들
었다.

── 图 당황하다.

I'm *puzzled* about what to
do. 나는 어떻게 할지를 모르겠다.
They *puzzled* over their
math problems for an
hour. 그들은 수학 문제로 한 시
간 동안 골치를 앓았다.

── 图 图 **puzzles**[pʌ́zlz]

당황; 어려운 문제[일], 수수께끼.

How to solve the problem
was a *puzzle*. 어떻게 그 문제
를 풀 것인가는 어려운 일이었다.

Jane likes word *puzzles*.

제인은 말풀이 수수께끼를 좋아한
다.

pyr·a·mid [pírəmìd]
图

图 **pyramids**[pírəmìdz]

피라미드; 각추.

The *pyramids* were built of
stone in ancient Egypt.

피라미드는 고대 이집트에서 돌로
건조되었다.

Qq

Q q
2 q

quack¹ [kwæk] 명
[복수] **quacks** [kwæks]
돌팔이 의사, 가짜 의사.
He turned out to be a *quack*. 그는 가짜 의사로 판명되었다.

quack² [kwæk] 명
꽥꽥《오리가 우는 소리》.
── 자 [3·단·현] **quacks**[kwæks] : [ing형] **quacking**[kwǽkiŋ] : [과거] [과분] **quacked**[kwækt]
꽥꽥 울다.
The hungry ducks *quacked* loudly. 배고픈 오리들이 크게 꽥꽥 울었다.

Quak·er [kwéikər] 명 [복수] **Quakers**[kwéikərz]
퀘이커 교도.
There are many *Quakers* in Pennsylvania. 펜실베이니아에는 많은 퀘이커 교도가 있다.

> [참고] 17세기 중엽에 영국에서 생긴 기독교 신교 중의 한 파인 프렌드파(Society of Friends)의 회원을 말한다. 이 종파는 미국의 펜실베이니아에서 크게 발전했다. 그들은 전쟁에 반대하며 검소한 옷차림과 소박한 태도를 모토로 하고 있다. 그들은 종교적 집회에서 누군가가 이야기할 충동을 느끼기 전까지는 침묵 속에서 예배를 본다고 한다.

qual·i·fi·ca·tion [kwὰləfəkéiʃən] 명
[복수] **qualifications**[kwὰləfəkéiʃənz]
자격, 적성, 능력.
Susie has the best *qualification* for such a job. 수지는 그러한 일을 하기에 가장 좋은 자격을 갖추고 있다.
We don't have *qualifications* for voting yet. 우리는 아직 투표할 자격이 없다.

qual·i·fy [kwáləfài] 동
[3·단·현] **qualifies** [kwáləfàiz] : [ing형] **qualifying** [kwáləfàiiŋ] : [과거] [과분] **qualified** [kwáləfàid]
타 …에게 자격〔권한〕을 주다, 자격을 갖추다.
Is he qualified? 그는 자격을 갖추었느냐?
── 자 (…의) 자격을 취득하다; 적임이다.
He *qualified* as a doctor. 그는 의사 자격을 취득했다.

qual·i·ty [kwáləti] 명 [복수] **qualities**[kwálətiz]
질, 품질(⇨ quantity 양) : 성질, 소질.
This cloth is good in *quality*. 이 천은 질이 좋다.
We always sell things of the best *quality*. 우리는 항상 가장 좋은 품질의 물건을 판다.
Jane has many good *qualities*. 제인은 좋은 소질을 많이 지니고 있다.

quan·ti·ty [kwántəti] 명
[복수] **quantities**[kwántətiz]
양(量)(⇨ quality 질) : 《종종 복수형으로》 많음, 다량, 다수.
a small 〔large〕 *quantity* of wine 소량〔다량〕의 포도주.
I had a *quantity* 〔*quantities*〕 of work to do. 나는 할 일이 많이 있었다.
in large quantities 많은, 많이, 다량의〔으로〕.

Q

Nowadays paper is used *in large quantities* every day. 오늘날 종이는 매일 다량으로 소비된다.

quar·rel [kwɔ́:rəl] 명 복수 quarrels[kwɔ́:rəlz]
(말로 하는) **싸움, 말다툼.**
I had a *quarrel* with Min-ho. 나는 민호와 말다툼하였다.
It always takes two to make a *quarrel*. 《속담》상대가 있어야 싸움도 된다.
—— 자 3·단·현 quarrels[kwɔ́:rəlz] ; ing형 quarreling[kwɔ́:rəliŋ] ; 과거 과분 quarreled[kwɔ́:rəld]
다투다, 말다툼하다.
Mr. Grey's children are always *quarreling*. 그레이씨 집 아이들은 늘 다투고 있다.
I *quarreled* with John about the plan for the trip. 나는 여행 계획으로 존과 다투었다.

┌─ 비슷한 말 ┐ **quarrel과 fight**
quarrel은 「말다툼」의 뜻. fight는 보통 「주먹질」을 연상시킬 만한 「심한 다툼」을 가리키는데, 「심한 말다툼」을 뜻하기도 한다.

quart [kwɔ́:rt] 명 복수 quarts [kwɔ́:rts]
쿼트《액량인 경우 1/4 gallon, 약 1.14 *l*》, **건량**《보리·콩 따위에서는 1/8 peck, 2pints》.
You need one *quart* of milk to make this dish. 이 요리를 만들기 위해서는 1쿼트의 우유가 필요하다.

***quar·ter** [kwɔ́:rtər] 명 복수 quarters[kwɔ́:rtərz]
❶ **4분의 1.**
A *quarter* of the country is covered with forest. 그 나라의 4분의 1은 삼림으로 덮여 있다.
The sea covers three-quarters of the earth. 바다는 지구의 3/4을 덮고 있다. ▶분자

가 2 이상일 때에는 복수로 됨.
❷ **15분**《시간을 말할 때》.
"What time is it?" "It's a *quarter* to eight." 「몇 시냐?」 「8시 15분 전이다.」
We arrived at the station at a *quarter* past six. 우리는 6시 15분에 역에 도착했다.

┌─ 참고 ┐ a quarter가 「15분」으로 쓰이는 것은 ❶이 뜻하는 바와 같이 a quarter가 원래는 4분의 1이란 뜻이어서, 1시간의 4분의 1은 15분이기 때문이다.

❸ **지역, 구획, 장소.**
The Chinese *quarter* in San Francisco is very famous. 샌프란시스코의 중국인 거리는 대단히 유명하다.
His house is in the residential *quarter* of the city. 그의 집은 시의 주택가에 있다.

***queen** [kwi:n] 명 복수 queens[kwi:nz]
여왕(⇨ king 왕).
Queen Elizabeth Ⅱ 엘리자베스 2세. ▶Ⅱ는 the second라고 읽음.
The present ruler of England is a *queen*. 현재의 영국 통치자는 여왕이다.

A girl was chosen as the *queen* of the festival. 한 소녀가 그 축제의 여왕으로 뽑혔다.

queer [kwiər] 형 비교 queerer[kwíərər] ; 최상 queerest[kwíərist]
묘한, 기묘한, 괴상한(=strange).
Mr. John has a *queer* way of walking. 존스씨는 걸음걸이

가 이상하다.
He began to speak with *queer* shouts. 그는 묘한 고성으로 이야기하기 시작했다.

***ques·tion** [kwéstʃən] 명

복수 **questions**[kwéstʃənz]
❶ 질문, 물음(⇔ answer 대답).
Do you have any *questions*? 질문 있습니까?
Do you ask the same *question* to all your guests? 당신은 모든 손님들에게 꼭 같은 질문을 합니까?
I couldn't answer the *question*. 나는 질문에 대답할 수 없었다.
❷ 문제《화제에 올라 있는 것》.
We are not interested in political *questions*. 우리는 정치 문제에는 흥미가 없다.
It is only a *question* of time. 그것은 단지 시간 문제이다.

비슷한 말 **question과 problem**
question은 「질문」이나 토론·회의 등에서의 「문제(점)」이란 뜻으로, ask a question(질문을 하다), answer the question(질문에 답하다), a question of money(돈 문제)처럼 쓰인다.
problem은 해결하여야 할 성가신 「문제」란 뜻으로, the population problem(인구 문제), social problems(사회 문제), solve a problem(문제를 해결하다)처럼 쓰인다.

ques·tion mark

[kwéstʃən mὰːrk] 명 복수 **question marks**[kwéstʃən mὰːrks]
물음표《?》.
Don't forget to put a *question mark* at the end of the sentence. 문장 끝에 물음표 붙이는 것을 잊지 마라.

queue [kjuː] 명

복수 **queues** [kjuːz]
줄, 열, 행렬. ▶ 미국에서는 line 을 쓴다.
He stood in *queue* for over an hour. 그는 한시간 이상 동안 줄을 서있었다.
── 자 3·단·현 **queues**[kjuːz] : ing형 **queuing**[kjúːiŋ] : 과거 과분 **queued**[kjuːd]
열〔줄〕을 짓다, 줄에 서다(= queue up). ▶ 미국에서는 line up을 쓴다.
We *queued* for hours to get ticket. 우리는 표를 받기 위해 여러 시간 줄을 섰다.

***quick** [kwik] 형

비교 **quicker** [kwíkər] : 최상 **quickest**[kwíkist]
(행동 따위가) 빠른, 신속한(⇔ slow 느린). ▶ 속도가 빠른 것은 fast임.
Be *quick*. 빨리 해라.
It was *quick* and simple. 그것은 빠르고 간단하였다.
She is *quick* in doing everything. 그녀는 무엇이든 빨리 한다.
The teacher gave me a *quick* glance. 선생님은 나를 흘끔 보셨다.
── 부 빠르게, 재빨리, 신속하게 (=quickly).
Come *quick*! 빨리 와!

quick·en [kwíkən] 동

3·단·현 **quickens** [kwíkənz] : ing형 **quickening** [kwíkəniŋ] : 과거 과분 **quickened**[kwíkənd]
타 …을 빠르게 하다, 서두르게 하다.
The man *quickened* his pace. 그 사람은 걸음을 재촉하였다.
── 자 빨라지다.
His breathing *quickened* when he ran. 그는 뛸 때 호흡이 빨라졌다.

quick·ly [kwíkli] 悍
비교 **more quickly;**
최상 **most quickly**
재빨리, 속히, 급히(⇔slowly 천
천히).
Go home *quickly*.
속히 집에 가라.
Albert couldn't think of the
answer *quickly*. 앨버트는 그
답을 빨리 생각해낼 수 없었다.
We walked more *quickly*
than usual. 우리는 보통 때보
다 빨리 걸었다.

qui·et [kwáiət] 형
비교 **quieter**[kwáiətər];
최상 **quietest**[kwáiətist]
❶ 조용한, 소리 없는(⇔noisy 시
끄러운).
Be *quiet*!=*Quiet*! 조용히 해!
Keep *quiet*, please.(움직이지
말고) 조용히 해 주십시오.
I asked him to be *quiet*.
나는 그에게 조용히 하라고 했다.
❷ 평온한; (성격·태도 따위가)
침착한.
He leads a *quiet* life.
그는 평온한 생활을 한다.
He is a *quiet* man.
그는 침착한 사람이다.

qui·et·ly [kwáiətli] 悍
비교 **more quietly;**
최상 **most quietly**
조용하게.
Eat your soup *quietly*.
수프는 조용히 먹어라.
Will you speak more *quietly*?
좀더 조용히 말씀해 주시겠습니
까?

quilt [kwilt] 명
복수 **quilts**[kwilts]
이불《솜이나 새털을 속에 넣은》.
The night was so cold that
I slept with two *quilts*.
그 밤은 매우 추워서 나는 이불
두 채를 덮고 잤다.

quit [kwit] 타
3·단·현 **quits** [kwits];
ing형 **quitting**[kwítiŋ]; 과거 과분

quit[kwit] 또는 **quitted**[kwítid]
❶ …을 그만두다, 중지하다.
He *quit* his job for a better
one. 그는 더 나은 직업을 갖기
위하여 직장을 그만두었다.
People here usually *quit*
work at five. 여기 사람들은 대
개 5시에 일을 마친다.
He's planning to *quit* smok-
ing soon. 그는 곧 담배를 끊을
계획이다.
❷ …을 떠나다, 물러가다.
He *quit* his home town at
the age of 16 and never
came back. 그는 16세에 고향
을 떠나 다시 돌아오지 않았다.

quite [kwait] 悍
❶ 아주, 전적으로.
They are *quite* healthy.
그들은 아주 건강하다.
We *quite* agree with you.
우리는 너와 전적으로 같은 의견
이다.
❷ 꽤; 대단히.
It was *quite* cold this
morning. 오늘 아침은 꽤 추웠다.
This is *quite* a good book,
but I don't like the pictures
in it. 이것은 대단히 좋은 책이지
만 나는 이 책의 그림이 마음에
안 든다.
not quite 아주 …하지는 않다. ▶
부분 부정을 나타냄.
Your answer is *not quite*
wrong. 너의 대답이 전혀 틀린 것
은 아니다.
He isn't *quite* a bad man.
그는 아주 나쁜 사람은 아니다.

quit·ted [kwítid] 동 **quit**의
과거 분사의 하나.

quit·ting [kwítiŋ] 동
quit의 -ing형.

quiv·er [kwívər] 자 3·단·현
quivers [kwívərz];
ing형 **quivering**[kwívəriŋ] 과거
과분 **quivered**[kwívərd]
떨다; (잎 따위가) 흔들리다.
His hands *quivered* when

he began to speak.
이야기를 시작했을 때 그의 손은 떨렸다.

The leaves were *quivering* in the wind. 잎은 바람에 흔들리고 있었다.

quiz [kwiz] 명
　복수 **quizzes**[kwíziz]
(간단한) **시험**; (라디오나 텔레비전의) **퀴즈**.

We had a *quiz* in English yesterday. 우리는 어제 영어 시험이 있었다.

quo·ta·tion [kwoutéiʃən] 명
　복수 **quotations**[kwoutéiʃənz]
인용, 인용문, 인용 어구.

These are all *quotations* from the Bible. 이것들은 모두 성경에서 인용한 것이다.

quo·ta·tion mark

[kwoutéiʃən mà:rk] 명
　복수 **quotation marks**[kwoutéiʃən mà:rks]
《보통 복수형으로》 **따옴표**(" " 또는 ' ').

quote [kwout] 타·자 3·단·현
　quotes[kwouts] ; ing형
quoting [kwóutiŋ] ; 과거 과분
quoted[kwóutid]
(남의 말·문장을) **인용하다**.

Bill *quoted* a proverb.
빌은 속담을 인용하였다.

Our teacher always *quotes* from the principal's speech.
우리 선생님은 교장 선생님 말씀을 자주 인용하신다.

Q

R r

R r
R r

*rab·bit [rǽbit] 몡
　　　　　복수 **rabbits** [rǽbits]
(집)토끼. ☞ hare(산토끼)
They loved our baby
rabbits. 그들은 우리 토끼 새끼
들을 아주 좋아했다.

> 참고 **rabbit 과 hare**
> rabbit은 집토끼든 산토끼든 굴
> 에서 사는 습성이 있으며, hare
> 는 rabbit보다 몸집이 크고 다
> 리가 긴 산토끼인데 굴에서 살
> 지 않는다. 미국에서는 어느 것
> 이든 rabbit이라고 하는 경우가
> 많다.

*race¹ [reis] 몡
　　　　복수 **races** [réisiz]
경주; 경쟁.
a boat *race* 보트 경주.
a horse *race* (1회의) 경마.
a marathon *race* 마라톤 경주.
Tom ran a *race* with Bill.
톰은 빌과 경주하였다.
Hwang Yeongjo's *race* was
another wonderful drama.
황영조의 경주는 또 하나의 멋진
드라마였다.

── 자 3·단·현 **races** [réisiz] :
ing형 **racing** [réisiŋ] : 과거 과분
raced [reist]
경주하다.
Let's *race* to the corner.
저 모퉁이까지 경주하자.

race² [reis] 몡
　　　　복수 **races** [réisiz]
민족, 인종, 종족.
the white *race* 백색 인종.
There are different *races* of
man. 인종은 각양 각색이다.

rack [ræk] 몡
　　　　복수 **racks** [ræks]
❶ (그물) 선반, 시렁《전차·버스
따위의 짐을 얹는 곳》.
Tom left his book on the
rack. 톰은 시렁 위에 책을 놓고
나왔다.
❷ …걸이, …꽂이《모자걸이·우
산꽂이 따위》.
a towel *rack* 수건걸이.
a magazine *rack* 잡지꽂이.
Mr. Black took off his coat
and put it on the *rack.*
블랙씨는 코트를 벗어서 옷걸이에
걸었다.

*rack·et [rǽkit] 몡
　　　　복수 **rackets** [rǽkits]
(테니스·탁구 따위의) 라켓.
I need a new *racket.*
나는 새 라켓이 필요하다.

ra·dar [réidɑːr] 몡
　　　　복수 **radars** [réidɑːrz]
❶ 레이더, 전파 탐지기.
a *radar* system 레이더 장치.
We detected an enemy
ship by *radar.* 우리는 레이더

로 적함을 탐지했다.
❷ 《속도 위반 차량의 단속에 쓰는》 속도 측정 장치.
➤radar는 radio detecting and ranging(전파에 의한 목표 탐지 및 거리 측정)의 약어.

***ra·di·o** [réidiòu] 명
복수 **radios** [réidiòuz]
❶ 《the를 붙여》 라디오 (방송).
➤복수형 쓰지 않음.
a radio station 라디오 방송국.
a radio program 라디오 방송 순서.
Please turn off [on] the radio. 라디오를 꺼라[켜라].
I listened to the news on the radio. 나는 그 뉴스를 라디오에서 들었다.
❷ 라디오 (수신기)(=radio set).
We have two radios.
우리는 라디오 두 대가 있다.
❸ 《a와 복수형 안 씀》 무선, 무선 통신.
Pilots in planes speak by radio to other pilots. 비행기에 탄 조종사는 다른 조종사와 무선으로 통신한다.

ra·di·um [réidiəm] 명
《a와 복수형 안 씀》 라듐.
Radium is used in treating many diseases. 라듐은 병의 치료에 많이 이용된다.

rag [ræg] 명
복수 **rags** [rægz]
넝마[헝겊] 조각, 걸레.
He polishes a car with a (piece of) rag. 그는 헝겊 조각으로 차를 닦는다.
in rags 누더기를 입고.
The beggar was in rags. 그 거지는 누더기 옷을 입고 있었다.

rage [reidʒ] 명
격노, 분노. ➤복수형 쓰지 않음.
My father was in a rage last night. 아버지께서는 어젯밤 몹시 화가 나셨다.

rag·ged [rǽgid] 형
❶ 헙수룩한, 해진.
The boy was wearing a ragged cap. 그 소년은 해진 모자를 쓰고 있었다.
❷ 헙수룩한[해진] 옷을 입은.
The street was crowded with ragged men. 거리는 헙수룩한 옷을 입은 남자들로 붐비었다.

rail [reil] 명
복수 **rails** [reilz]
❶ 《철도의》 레일, 선로, 궤도.
A train ran off the rails. 한 열차가 탈선했다.
❷ 《a와 복수형 안 씀》 철도.
They sent the furniture by rail. 그들은 가구를 철도편으로 보냈다.
❸ 난간, 가로대; 《종종 복수형으로》 울타리.
The dog jumped over the rail and ran off. 개는 난간을 뛰어넘어 달아나버렸다.
Father built rails around the flower bed. 아버지는 화단 주위에 울타리를 만드셨다.

***rail·road** [réilròud] 명 복수
railroads [réilròudz]
철도. ➤영국에서는 railway라고 함.
a railroad station 철도역.
It took them over 10 years to construct a railroad across the desert. 사막을 횡단하는 철도 건설에 10년 이상이 걸렸다.

R

rail·way [réilwèi] 명 복수
railways [réilwèiz]
철도.

参考 railway는 주로 영국에서 쓰는 말이며, 미국에서는 rail-road를 쓴다.

*rain [rein] 명 복수 **rains**[reinz] 비.

It looks like *rain*.
비가 올 것 같다.
We haven't had much *rain* this summer. 올 여름엔 별로 비가 오지 않았다.
We went out in the *rain*.
우리는 비가 오는데 나갔다.
☞ 형 rainy

어법 rain은 보통 a나 복수형을 쓰지 않으나, 비의 종류를 나타낼 때에는 형용사와 함께 a나 복수형을 쓴다.
We had *a* heavy *rain* yesterday. 어제 큰비가 왔다.
We had heavy *rains* last summer. 지난 여름에는 큰비가 (몇 차례) 왔다.

── 자 3·단·현 **rains** [reinz];
ing형 **raining**[réiniŋ]; 과거 과분 **rained**[reind]
《it을 주어로 하여》 비가 오다.
It didn't *rain* for many weeks. 여러 주 동안 비가 오지 않았다.
In the afternoon it began to *rain*. 오후에 비가 오기 시작했다.

rain·bow [réinbòu] 명
복수 **rainbows**[réinbòuz]
무지개.
There is a *rainbow* in the sky. 하늘에 무지개가 떴다.
▶무지개의 7색은 안쪽에서부터 red (빨강), orange(주황색), yellow (노랑), green(초록), blue(파랑), ingigo(남색), violet(보라색)임.

rain·coat [réinkòut] 명

복수 **raincoats**[réinkòuts]
비옷, 레인코트.
Jim put on his *raincoat* and went out. 짐은 비옷을 입고 나갔다.

rain·fall [réinfɔ̀ːl] 명 복수 **rainfalls** [réinfɔ̀ːlz]
강우; 강우량.
the average *rainfall* in London 런던의 평균 강우량.
We had a heavy *rainfall* last night. 어젯밤에는 큰비가 내렸다.

rain·i·er [réiniər] 형 **rainy**의 비교급.

rain·i·est [réiniist] 형 **rainy**의 최상급.

*rain·y [réini] 형
비교 **rainier** [réiniər]:
최상 **rainiest**[réiniist]
비의, 비 내리는, 비가 많이 오는.
☞ fine (갠)
That day was *rainy* and cold. 그 날은 비가 오고 추웠다.
July is a *rainy* month.
7월은 비가 많이 오는 달이다.
☞ 명 rain

*raise [reiz] 타
3·단·현 **raises** [réiziz]:
ing형 **raising**[réiziŋ]; 과거 과분 **raised**[reizd]
❶ …을 올리다, 들어올리다, 높이다.
Mr. Brown *raised* his hat a little to her. 브라운씨는 그녀에게 모자를 약간 들어올려 인사를 했다.
The teacher *raised* his voice and repeated his question. 선생님은 소리를 높여서 질문을 되풀이하셨다.
They have *raised* the bus fare since last month.
지난 달부터 버스 요금을 올렸다.
❷ …을 기르다, 사육하다; (곡식 따위)를 재배하다.
She *raised* her three children by selling fish. 그녀는

생선을 팔아서 세 아이를 길렀다.
He *raises* cows and pigs on the farm. 그는 농장에서 소와 돼지를 기른다.
We are going to *raise* corn next year. 우리는 내년에 옥수수를 재배하려고 한다.
❸ (문제 따위)를 제기하다.
He always *raises* questions. 그는 항상 문제를 제기한다.

rake [reik] 몡
[복수] **rakes**[reiks]
갈퀴.
He is sweeping up the dead leaves with a *rake*. 그는 갈퀴로 낙엽을 긁어 모으고 있다.

*****ran** [ræn] 됭
run의 과거.
The dog *ran* around in the yard. 개는 뜰 안을 이리저리 뛰어다녔다.

ran·dom [rǽndəm] 혱
되는 대로의, 임의의, 무작위의.
a *random* drug test 임의의 마약 테스트.
at random 되는대로, 임의로.
The numbers were picked *at random*. 그 숫자들은 임의로 뽑힌 것이었다.

rang [ræŋ] 됭
ring의 과거.

range [reindʒ]
ranges[réindʒiz] ; [ing형]
ranging[réindʒiŋ] ; [과거][과분]
ranged[réindʒd]
가지런하다, 정렬되어 있다; (…부터 ~에) 걸치다, 미치다.
Brick houses *range* along the road. 벽돌집이 길을 따라 뻗어 있다.
The ages of people there *ranged* from 17 to 40. 거기에 있는 사람들의 연령은 17살부터 40살까지였다.
── 몡 [복수] **ranges**[réindʒiz]
❶ 범위.

Mr. Brown has a wide *range* of knowledge. 브라운씨는 광범위한 지식을 갖고 있다.
That sound is beyond the *range* of human hearing. 그 소리는 사람이 들을 수 있는 범위 밖의 것이다.
❷ 연속; 열; 산맥.
We saw a *range* of mountains in the distance. 멀리 산맥이 보였다.
❸ (요리용의) 레인지.
Mother bought a gas *range* and had it delivered. 어머니는 가스 레인지를 사서 그것을 집으로 배달하도록 하셨다.

rank [ræŋk] 몡
[복수] **ranks**[ræŋks]
계급, 지위, 신분.
a man of high *rank* 신분이 높은 사람.
people of all *ranks* 모든 계층의 사람들.
── 됨 [3·단·현] **ranks** [ræŋks] ;
[ing형] **ranking**[ræŋkiŋ] ; [과거][과분]
ranked[ræŋkt]
위치하다, 지위를 차지하다.
He *ranks* high in his class. 그의 성적은 반에서 상위이다.
Mr. White *ranks* among first-class politicians. 화이트씨는 일류 정치가에 속한다.

rap·id [rǽpid] 혱
[비교] **rapider**[rǽpidər] ;
[최상] **rapidest**[rǽpidist]
(동작 따위가) 빠른, 신속한(⇔ slow 느린).
a *rapid* train 쾌속 열차.

R

a *rapid* stream 급류.
Most children won't understand your *rapid* talk.
대부분의 아이들은 너의 빠른 이야기를 알아듣지 못할 것이다.

rap·id·ly [rǽpidli] 튄
비교 **more rapidly**;
최상 **most rapidly**
빠르게, 신속하게, 재빠르게(⇔
slowly 느리게).
Don't speak too *rapidly*.
너무 빠르게 말하지 마라.
The population of the city
increases *rapidly* every
year. 그 도시의 인구는 매년 급속히 증가하고 있다.

rare [rɛər] 혱
비교 **rarer** [rɛ́ərər]; 최상
rarest [rɛ́ərist]
진귀한, 매우 드문(⇔common
흔히 있는).
a *rare* event 드문 일.
a *rare* bird 진귀한 새.
It is *rare* for Tom to get
up so early. 톰이 그렇게 일찍
일어나기는 드문 일이다.

rare·ly [rɛ́ərli] 튄
드물게, 진귀하게, 좀처럼 …않다(=seldom).
Jane is *rarely* late for
school. 제인은 좀처럼 학교에 늦지 않는다.
I *rarely* see him these
days. 나는 요즘 그를 좀처럼 만나지 못한다.

rat [ræt] 명 복수 **rats** [ræts]
쥐. ☞ mouse
We caught a *rat* in our
trap. 우리는 덫으로 쥐를 잡았다.

rate [reit] 명
복수 **rates** [reits]

❶ 빠르기, 속도.
This plane is now flying at
the *rate* of 600 miles an
hour. 이 비행기는 지금 시속 600
마일로 날고 있다.
❷ 값, 요금.
hotel *rates* 호텔 요금.
a telephone *rate* 전화 요금.
sell at a high *rate* 고가로
팔다.
The store gives special
rates to students. 그 상점에서
는 학생에게 특별 할인을 해준다.
❸ 비율, 율.
a *rate* of exchange 환율, 환
시세.
at any rate 하여튼.
Let's finish it, *at any rate*.
하여튼 끝내자.

rath·er [rǽðər] 튄
약간, 다소, 비교적, 조금.
It's *rather* a cold day. =It's
a *rather* cold day.
오늘은 약간 추운 날이다.
We were *rather* surprised
at the news. 우리는 그 소식을
듣고 다소 놀랐다.

rather than …보다 오히려.
I like pears *rather than*
apples. 나는 사과보다는 오히려
배를 좋아한다.
He is a teacher *rather
than* a writer. 그는 작가라기
보다는 선생님이다.

would rather do 오히려 …하고
싶다.
I *would rather* stay home
today. 나는 오늘 차라리 집에 있
고 싶다.
You'd *rather* work, wouldn't
you? 너는 일하는 게 나을 거야,
그렇지 않니?

rat·tle [rǽtl] 통
3·단·현 **rattles** [rǽtlz];
ing형 **rattling** [rǽtliŋ]; 과거 과분
rattled [rǽtld]
자 덜걱덜걱 소리를 내다, 덜걱덜

걱 움직이다.

The windows *rattled* in the wind. 창문들이 바람에 덜걱덜걱 소리를 내었다.

The train *rattled* into the station. 기차가 덜커덩덜커덩 소리를 내며 정거장으로 들어왔다.

— 囙 …을 덜걱덜걱 소리나게 하다.

Someone *rattled* the door-knob. 누군가가 문의 손잡이를 덜거덕거렸다.

— 몡 [복수] **rattles**[rǽtlz]
덜거덕거리는 소리; 딸랑이(《장난감)).

The *rattle* of hail on the roof surprised us. 우박이 지붕에 후두둑 떨어지는 소리에 우리는 놀랐다.

raw [rɔː] 혱
가공되지 않은, 자연 그대로의, 생(날)것의.

a *raw* egg 생달걀.

raw milk 가공되지 않은 우유.

The lions in the zoo eat a lot of *raw* meat.
동물원의 사자는 많은 날고기를 먹는다.

ray [rei] 몡
[복수] **rays**[reiz]
광선, 방사선, 열선.

Everything looked red in the *rays* of the evening sun. 석양의 빛을 받아 모든 것이 붉게 보였다.

Lead shuts out X-*rays*.
납은 X선을 통과시키지 않는다.

ra·zor [réizər] 몡
[복수] **razors**[réizərz]
면도칼, 면도기.

an electric *razor* 전기 면도기.

a safety *razor* 안전 면도기.

re- [ri-] 접튀 동사 앞에 붙여 「다시 …하다」, 「거듭 …하다」란 뜻의 동사를 만듦.

recover 회복하다 / *recall* 회상하다 / *regain* 되찾다 / *rewrite* 다시 쓰다.

're [ər]
are의 간략형.

We*'re* (=We are) students. 우리는 학생이다.

They*'re* (=They are) busy. 그들은 바쁘다.

reach [riːtʃ] 통
[3·단·현] **reaches**[ríːtʃiz] ;
[ing형] **reaching**[ríːtʃiŋ] ; [과거] [과분]
reached[riːtʃt]

囙 ❶ …에 도착하다(⇔ leave 떠나다).

The train *reaches* Pusan at 7 : 30 p.m.
그 기차는 오후 7시 30분에 부산에 도착한다.

They *reached* the checkin counter. 그들은 탑승 절차를 하는 곳에 도착했다.

> [주의] 「…에 도착하다」란 뜻일 때 reach 뒤에 in, at, to 따위의 전치사를 쓰지 않는다. arrive나 get과 다름에 주의. *reach* Seoul =*arrive in* Seoul =*get to* Seoul 서울에 도착하다.

❷ …에 닿다, 이르다; (손 따위)를 뻗치다.

The ladder did not *reach* the window. 사다리가 창에 닿지 않았다.

I *reached* out my hand for the fruit. 나는 그 과일을 잡으려고 손을 뻗쳤다.

— 凤 ❶ (…에) 닿다, 이르다, 미치다.

Her hair *reaches* to her waist. 그녀의 머리카락은 허리까지 닿는다.

The subway hasn't *reached* that far yet. 지하철은 아직 그 곳까지 이르지 못하고 있다.

❷ 《**reach for**로》 …을 잡으려고 손을 뻗치다.

He *reached for* the apple. 그는 사과를 잡으려고 손을 뻗쳤다.

re·act [riːǽkt] 짜
reacts [riːǽkts] :
③·단·현
ing형 **reacting** [riːǽktiŋ] ; 과거
과분 **reacted** [riːǽktid]
반응하다; 반발하다, 반항하다.
Our eye *reacts* to light.
우리 눈은 빛에 반응한다.
They soon *reacted* against
the plan. 그들은 곧 그 계획에
반발했다.

re·ac·tion [riːǽkʃən] 명
복수 **reactions** [riːǽkʃənz]
반응; 반작용, 반동.
action and *reaction* 작용과
반작용.
He didn't show any *reac-tion* to our protest. 그는 우리
항의에 아무런 반응도 나타내지
않았다.

read¹ [riːd] 동
③·단·현 **reads** [riːdz] :
ing형 **reading** [riːdiŋ] ; 과거 과분
read [red] ➤ 원형과 과거·과거
분사의 발음이 다름에 주의.
타 ❶ …을 읽다, 읽어주다.
Read your English book
many times. 너의 영어 책을 여
러 번 읽어라.
I *read* an interesting story
last night. 어젯밤 나는 재미난
이야기를 읽었다.
Please *read* me the letter.
=Please *read* the letter to
me. 나에게 그 편지를 좀 읽어
다오.
❷ …라고 쓰여 있다.
The road sign *reads* "EXIT
1 MILE." 도로 표지에는 「출구 1
마일 앞」이라고 쓰여 있다.
── 짜 책을 읽다, 독서하다.
Tom always *reads* in bed.
톰은 항상 침대에서 책을 읽는다.
I've had no time to *read*.
(요즘은) 책을 읽을 시간이 없다.
Have you ever *read* about
China? 중국에 관한 책을 읽은
적이 있느냐?

read² [red] 동
read¹의 과거·과거 분사.
➤ 원형 read [riːd]와 발음이 다름
에 주의.

read·er [riːdər] 명
복수 **readers** [riːdərz]
❶ 독자, 독서가.
a good *reader* 훌륭한 독서가.
His novel attracted a lot of
readers. 그의 소설은 많은 독자
를 끌었다.
❷ (어학 따위의) 독본, 교과서.
an English *reader* 영어 교과
서.
This is one of the best-
selling *readers* for children.
이 책은 가장 잘 팔리는 어린이
독본의 하나이다.

read·i·er [rédiər] 형
ready의 비교급.

read·i·est [rédiist] 형
ready의 최상급.

read·i·ly [rédəli] 부
❶ 곧, 즉시로.
The girl stood up *readily*
when she was called.
그 소녀는 부르자 곧 일어섰다.
❷ 쾌히, 선뜻, 기꺼이.
I would *readily* do it for
you. 나는 너를 위해 기꺼이 그것
을 하겠다.
❸ 쉽사리, 쉽게.
We finished the work
readily. 우리는 쉽게 그 일을 끝
마쳤다.

read·ing [riːdiŋ] 명
(a와 복수형 안 씀)
독서; 읽을 거리.
Susie is very fond of
reading. 수지는 독서를 대단히
좋아한다.
This magazine provides
pleasant *reading* for boys
and girls. 이 잡지는 소년 소녀
들에게 재미있는 읽을 거리를 제
공한다.

read·ing room [riːdiŋ rùːm] 명

복수 **reading rooms** [ríːdiŋ rùːmz]
열람실, 독서실.
Our school library has two big *reading rooms.* 우리 학교 도서관에는 큰 열람실이 두 개 있다.

****read·y** [rédi] 형 비교 **readier** [rédiər] : 최상 **readiest** [rédiist]
❶ **준비가 된, 채비가 된.**
Finally everything was *ready.* 마침내 모든 것이 준비되었다.
Are you *ready?* 준비되었느냐?
We are not *ready* for the party. 우리는 파티 준비가 되어 있지 않다.
❷ 《**be ready to** do로》 (언제든지) …할 준비〔각오〕가 되어 있는; **기꺼이 …하다.**
We *are ready to* go anywhere. 우리는 어디라도 갈 준비가 되어 있다.
She *isn't ready to* have her baby yet. 그녀는 아직 아기를 가질 준비가 되어 있지 않다.
get 〔*make*〕 *ready* **준비를 하다.**
Get 〔*Make*〕 *ready* for the test at once. 즉시 시험 준비를 하여라.

****re·al** [ríːəl] 형 비교 **more real** 또는 **realer** [ríːələr] : 최상 **most real** 또는 **realest** [ríːəlist]
❶ **진짜의, 진실한, 참말의**(= true).
a *real* story 실화.
a *real* pearl 진짜 진주.
She wanted to enjoy *real* happiness. 그녀는 참다운 행복을 누리고 싶었다.
❷ **실제의, 현실의.**
Was he a *real* person in history? 그는 역사상의 실제 인물이었느냐?
☞ 명 reality, 동 realize

re·al·is·tic [rìːəlístik] 형 비교 최상 **most realistic**
현실주의의, 사실주의의.
a *realistic* goal 현실적인 목표.

re·al·i·ty [riːǽləti] 명 복수 **realities** [riːǽlətiz]
진실; 현실, 실제.
This is not my imagination but a *reality* of life. 이것은 나의 상상이 아니라 인생의 실제 이다. ☞ 형 real
in reality **실은, 실제로.**
We thought he was rich, but *in reality* he was poor. 우리는 그가 부자라고 생각하였으나, 실제로는 가난했다.

****re·al·ize** [ríːəlàiz] 타 3·단·현 **realizes** [ríːəlàiziz] : ing형 **realizing** [ríːəlàiziŋ] : 과거 과분 **realized** [ríːəlàizd]
❶ **…을 이해하다, 깨닫다.**
The boy was too young to *realize* the death of his mother. 그 소년은 너무 어려서 어머니의 죽음을 깨닫지 못했다.
They all *realize* that they ought to keep the river clean. 그들은 모두 강을 깨끗이 유지해야 함을 알고 있다.
❷ (계획·희망 따위)**를 실현하다.**
Tom's dream was *realized* at last. 톰은 꿈은 마침내 실현되었다.
➤ 영국에서는 realise로 씀.
☞ 형 real

*****re·al·ly** [ríːəli] 부
❶ **참으로, 실로, 정말로.**
I *really* want to learn Taegwondo. 나는 정말로 태권도를 배우고 싶다.
I was *really* afraid. 나는 정말로 무서웠다.
They weren't *really* worried. 그들은 정말로 걱정하지 않았다.
❷ **실제는, 실은.**
I don't *really* know him

very well. 실은 나는 그를 그다지 잘 알지는 못했다.

회화 **Really?**

1. 끝을 올려서 발음하면, 상대방의 말에 대하여 놀라움·의심·관심 따위를 나타내어 감탄사적으로 쓰인다. 상황에 따라 「정말?」, 「뭐라고?」, 「설마.」라고 새긴다.
A: Jack is sick.
B: *Really?* (↗)
「잭이 아프다.」 「정말?」
2. 끝을 내려서 발음하면, 「그래?」라고 상대방의 말을 가볍게 받아들이거나 무관심을 나타낸다.
A: I don't like baseball.
B: *Really?* (↘)
「난 야구를 좋아하지 않는다.」 「그래?」

---

reap [ri:p] 타 ③·단·현 **reaps** [ri:ps] ; ing형 **reaping** [rí:piŋ] : 과거 과분 **reaped** [ri:pt]
…을 베다, 거둬들이다, 수확하다.
We *reaped* a heavy crop of wheat last year. 우리는 작년에 많은 밀을 수확하였다.
The harvest must be *reaped* within a week.
1주일 내로 곡식을 거둬들이지 않으면 안 된다.

rear¹ [riər] 명 《the를 붙여》 뒤, 후방 (= back, ⇔ front 앞).
The girl's room was in the *rear* of the house. 그 소녀의 방은 집 뒤쪽에 있었다.

rear² [riər] 타 ③·단·현 **rears** [riərz] ; ing형 **rearing** [ríəriŋ] : 과거 과분 **reared** [riərd]
❶ …을 기르다, 사육하다, 키우다.
rear a child 아이를 키우다.
My uncle is *rearing* chickens in the country. 나의 아저씨는 시골에서 닭을 기르신다.

❷ …을 곧추 세우다, 치켜들다.
The snake *reared* its head. 뱀이 머리를 치켜들었다.

*__**rea·son**__ [rí:zən] 명 복수 **reasons** [rí:zənz]
❶ 이유, 까닭.
Tell me the *reason* (why) you don't like him. 그를 싫어하는 까닭을 말해 다오.
Dick explained the *reason* for living in the country.
딕은 시골에 사는 이유를 설명해 주었다.
We have no *reason* to refuse his proposal.
우리는 그의 제안을 거절할 이유가 없다.
❷ 《a와 복수형 안 씀》 이성; 도리, 이치.
Animals have no *reason*.
동물에게는 이성이 없다.
There is *reason* in what you say. 네 말에는 일리가 있다.
☞ 형 reasonable

rea·son·a·ble [rí:zənəbəl] 형
비교 **more reasonable**; 최상 **most reasonable**
❶ 도리에 맞는, 납득이 가는, 온당한, 타당한 (⇔ unreasonable 도리에 맞지 않는, 부당한).
Jack made a very *reasonable* excuse. 잭은 매우 타당한 변명을 하였다.
Please be more *reasonable*.
더 합리적으로 생각해 보시오.
❷ 무리가 없는, 적당한, 알맞은.
You can buy almost everything at a *reasonable* price there. 거기서는 거의 모든 물건을 적당한 값으로 살 수 있다.
☞ 명 reason

rea·son·ing [rí:zəniŋ] 명
《a와 복수형 안 씀》 추론, 추리; 이론.
the *reasoning* behind this decision 이 결정 배후의 추리.

R

re·call [rikɔ́ːl] 타
〔3·단·현〕 **recalls**[rikɔ́ːlz] ;
〔ing형〕 **recalling**[rikɔ́ːliŋ] ; 〔과거〕
〔과분〕 **recalled**[rikɔ́ːld]

❶ …을 생각해 내다, 회상하다.
I don't *recall* her name. 나는
그녀의 이름이 생각나지 않는다.
❷ (명령으로) …을 다시 불러들이
다, 소환하다.
He was immediately *recalled*
to his office in Seoul. 그는
즉각 서울 사무소로 소환되었다.

re·ceipt [risíːt] 명 〔복수〕
receipts[risíːts]

❶ 《a와 복수형 안 씀》받음, 영수.
Upon *receipt* of the tele-
gram, she fainted. 전보를 받
고 그녀는 기절하였다.
❷ 영수증.
sign a *receipt* 영수증에 서명하다.
Give me a *receipt*.
영수증을 주십시오.
Get a *receipt* for the money
paid. 치른 돈의 영수증을 받아라.
➤ receipt의 p는 발음하지 않음.
☞ 동 receive

*__re·ceive__ [risíːv]
타 〔3·단·현〕**receives**
[risíːvz] ; 〔ing형〕**receiving**[risíːv-
iŋ] ; 〔과거〕〔과분〕**received**[risíːvd]

❶ …을 받다, 접수하다(⇔ send
보내다).
I *received* your letter.
나는 너의 편지를 받았다.
Do you know who *received*
the Nobel Peace Prize last
year? 너는 지난 해에 누가 노벨
평화상을 받았는지 알고 있느냐?
❷ (아무)를 맞이하다, 접견하다.
Let's *receive* them warmly.
그들을 따뜻하게 맞이하자.
☞ 명 reception, receipt

re·ceiv·er [risíːvər] 명
〔복수〕 **receivers**[risíːvərz]

❶ 수화기, 리시버.
This *receiver* is out of
order. I can't hear any-
thing. 이 수화기는 고장이 났다.
아무 것도 들리지 않는다.
❷ 수취인.
Write the *receiver's* name
here, please. 여기에 수취인의
이름을 써주십시오.

re·cent [ríːsənt] 형
최근의, 요즘의.
recent news 최근의 뉴스.
It was a *recent* event.
그것은 최근의 일이었다.
Short skirts have been in
fashion in *recent* years. 근년
에 짧은 스커트가 유행되어 왔다.

*__re·cent·ly__ [ríːsəntli] 부
요즈음, 최근에.
What have you been think-
ing about *recently*? 너는 요즘
무엇에 관해 생각하고 있느냐?
This is a letter Sunho
recently wrote to his friend.
이것은 순호가 그의 친구에게 최
근에 쓴 편지다.

re·cep·tion [risépʃən] 명

〔복수〕 **receptions**[risépʃənz]
받기; (손님의) 접대; 환영회.
a wedding *reception* 결혼 피
로연.
They gave him a hearty
reception. 그들은 그를 진심으로
환영하였다.
His *reception* is arranged
for Monday. 그의 환영회는 월
요일에 열린다. ☞ 동 receive

re·cess [ríːses] 명 〔복수〕
recesses [ríːsesiz]

❶ 휴게; 휴식 시간.
Let's take a ten-minute
recess. 10 분간 휴식하자.
We have a *recess* of about
an hour before the next
class begins. 다음 수업이 시작
되기 전에 약 1 시간의 휴식이 있
다.
❷ 우묵한 곳, 후미진 곳, 구석.
A statue stood in the
recess of the wall. 벽이 우묵

R

들어간 곳에 동상이 서 있었다.

rec·i·pe [résəpi:] 명 복수
recipes [résəpi:z]
《요리의》 **조리법**.
the *recipe* for this stew 이
스튜를 만드는 법.

re·cite [risáit] 타 3·단·현
recites [risáits] ; ing형
reciting [risáitiŋ] ; 과거 과분
recited [risáitid]
…을 **암송하다**; **낭송하다**.
Can anyone *recite* yester-
day's lesson? 누가 어제 배운
것을 욀 수 있느냐?
Susie will *recite* a poem in
front of the class tomorrow.
수지는 내일 반 학생들 앞에서 시
를 낭송하게 된다.

reck·less [réklis] 형 비교
more reckless;
최상 most reckless
분별 없는, **무모한**.
reckless driving 무모한 운전.

rec·og·ni·tion [rèkəgníʃən]
명
《a와 복수형 안 씀》 **인식**, **인정**.
She fought for complete
recognition of women's
rights. 그녀는 여성의 권리를 완
전히 인정받기 위해서 싸웠다.
☞ 통 recognize

rec·og·nize [rékəgnàiz]
타
3·단·현 recognizes [rékəgnàiziz] ;
ing형 recognizing [rékəgnàiziŋ] ;
과거 과분 recognized [rékəgnàizd]
❶ 《누군가 · 무엇인가》를 **알아보
다**, **알다**.
I *recognized* his voice
[handwriting]. 나는 그의 목소
리를[필적을] 알아보았다.
She had changed so much
that I could hardly *rec-
ognize* her. 그녀는 너무나 많이
변하였기 때문에 나는 거의 알아
볼 수 없었다.
❷ 《틀림없는 것 · 정당한 것으로》
…을 **인정하다**, **받아들이다**.

He is widely *recognized* as
a firstclass singer. 그는 일류
가수로 널리 인정받고 있다.
Mike *recognized* his failure.
마이크는 그의 실수를 인정했다.
▶ 영국에서는 recognise로 씀.
☞ 명 recognition

rec·ol·lect [rèkəlékt]
통
3·단·현 recollects [rèkəlékts] ;
ing형 recollecting [rèkəléktiŋ] ;
과거 과분 recollected [rèkəléktid]
타 …을 **회상하다**, **생각해내다**.
I *recollect* that I have met
her before. 나는 전에 그녀를
만난 적이 있다는 생각이 든다.
── 자 **기억하다**.
As far as I *recollect*, he
died at the age of seventy-
nine. 내가 기억하고 있기로는,
그는 79 세에 사망하였다.

rec·om·mend [rèkəménd]
타 3·단·현
recommends [rèkəméndz] ;
ing형 recommending [rèkəmén-
diŋ] ; 과거 과분 recommended
[rèkəméndid]
…을 **추천하다**, **권하다**.
The whole class *recom-
mended* me for the com-
mittee. 학급 전원이 나를 위원으
로 추천하였다.
I *recommend* this dictio-
nary. 나는 이 사전을 권한다.

rec·om·men·da·tion
[rèkəmendéiʃən] 명 복수 recom-
mendations [rèkəmendéiʃənz]
❶ 《a와 복수형 안 씀》 **추천**; **권
고**, **충고**.
I bought it on the *recom-
mendation* of my uncle. 나는
아저씨의 권고로 그것을 샀다.
My *recommendation* is that
you return. 나는 네가 돌아가
기를 권한다.
❷ **추천장**.
He wrote a *recommenda-*

tion for me. 그는 내 추천장을 써 주었다.

***rec·ord** [rékərd] 명 복수 **records** [rékərdz]

❶ 기록.
He has to put all the animal's health *records* into his computer. 그는 모든 동물의 건강 기록을 컴퓨터에 입력해야 한다.

❷ (운동 경기 따위의) 기록; (학교 따위의) 성적.
the national *record* 국내 기록.
He broke the world *record*. 그는 세계 기록을 깼다.
He has a good school *record*. 그는 학교 성적이 좋다.

❸ 레코드, 음반.
I'll listen to some music *records*. 나는 음반을 몇 장 듣겠다.

── [rikɔ́ːrd] 타 3·단·현 **records** [rikɔ́ːrdz]: ing형 **recording** [rikɔ́ːriŋ]: 과거 과분 **recorded** [rikɔ́ːrdid]

❶ …을 기록하다.
This discovery will be *recorded* in history. 이 발견은 역사에 기록될 것이다.

❷ …을 녹음하다.
I *recorded* the music on tape. 나는 그 음악을 테이프에 녹음했다.

➤ 명사와 동사의 악센트 위치가 다름에 주의.

***re·cord·er** [rikɔ́ːrdər] 명

복수 **recorders** [rikɔ́ːrdərz]
녹음기, 녹화기.
I'd like to have this *recorder* fixed, please. 이 녹음기를 수리해 주면 좋겠습니다.

rec·ord pla·yer [rékərd plèiər]

명 복수 **record players** [rékərd plèiərz]
레코드 플레이어, 전축.
We bought a new *record*

player recently. 우리는 최근에 새 레코드 플레이어를 샀다.

re·cover [rikʌ́vər] 통
3·단·현 **recovers** [rikʌ́vərz]: ing형 **recovering** [rikʌ́vəriŋ]: 과거 과분 **recovered** [rikʌ́vərd]

타 (잃은 것)을 되찾다; (건강 따위)를 회복하다.
It is difficult to *recover* lost time. 잃은 시간을 되찾기란 어렵다.
He will *recover* his health in a week or so. 그는 1주일 정도면 건강을 회복할 것이다.

── 자 건강을 회복하다, (병이) 낫다.
Miss White has completely *recovered* from her sickness. 화이트양은 완쾌되었다.

re·cov·er·y [rikʌ́vəri] 명

❶ 《a와 복수형 안 씀》 되찾음; 회수.
The *recovery* of the infected food was made as quickly as possible. 유해 식품의 회수는 가능한 한 속히 이루어졌다.

❷ 《때때로 a를 붙여》 (병 따위의) 회복. ➤ 복수형 쓰지 않음.
I wish you a speedy *recovery*. 빨리 회복하기 바란다.

rec·re·a·tion [rèkriéiʃən] 명

복수 **recreations** [rèkriéiʃənz]
휴양, 기분 전환, 레크리에이션《기분 전환을 위해 하는 운동·오락·휴양 따위》.
Recreation exercises our bodies. 레크리에이션은 우리 몸을 단련시킨다.

rec·tan·gle [réktæŋɡəl] 명

복수 **rectangles** [réktæŋɡəlz]
직사각형.
the area of a *rectangle* 직사각형의 넓이.

re·cy·cle [riːsáikəl] 타

3·단·현 **recycles** [riːsáikəlz] ; ing형 **recycling** [riːsáikəliŋ] ; 과거 과분 **recycled** [riːsáikəld]

…을 재생 이용하다.

a big movement to *recycle* trash 대대적인 쓰레기 재활용 운동.

We collect used cans and papers for *recycling.* 우리는 사용한 캔과 종이를 재활용하기 위해 모은다.

****red** [red] 형 비교 **redder** [rédər] ; 최상 **reddest** [rédist]

빨간.

A monkey has a *red* face. 원숭이는 얼굴이 붉다.

Those leaves turn *red* in (the) fall. 저 잎들은 가을에 붉어 진다.

── 명 《a와 복수형 안 씀》 빨강, 적색.

Would you correct the errors in *red?* 틀린 것을 빨간 색으로 고쳐주겠느냐?

Red Cross [réd krɔ́ːs] 명

《the를 붙여서》 **적십자.**

> 참고 국제적인 조직으로, 전시 에는 적과 아군의 구별 없이 부 상병의 간호를 하며, 평시에는 재해가 있는 경우 구호 활동을 한다.

red·der [rédər] 형
red의 비교급.

red·dest [rédist] 형
red의 최상급.

re·duce [ridjúːs] 동 3·단·현
reduces [ridjúːsiz] ; ing형 **reducing** [ridjúːsiŋ] ; 과거 과분 **reduced** [ridjúːst]

타 ❶ (크기·수·힘·값 따위)를 **줄이다, 감하다, 내리다.**
We *reduced* speed at the corner. 우리는 모퉁이에

서 속력을 줄였다.
They don't *reduce* prices at the store. 그 상점에서는 값을 깎아주지 않는다.

❷ …을 (어떤 상태로) **만들다.**
His shouts *reduced* all the people there to silence. 그의 외치는 소리에 거기 있던 모든 사 람은 입을 다물었다.
The city was *reduced* to ashes by the fire. 그 도시는 화재로 인해 재가 되었다.

── 자 **줄다**; (식이 요법으로) **체 중을 줄이다.**
The doctor said to the patient, "You are too fat. You should *reduce.*" 의사는 환자에게 「당신은 너무 뚱뚱합니 다. 체중을 줄여야 합니다.」라고 말하였다.

reed [riːd] 명 복수
reeds [riːdz]

갈대.
There was some-
thing black
among the *reeds*
near the water.
물 근처에 있는 갈대
사이에 무엇인가 검은 것이 있었 다.

reel [riːl] 명
복수 **reels** [riːlz]

릴, 얼레《필름·테이프·전선·실 따위를 감는 것》; (필름의) **1권.**
a *reel* of film 한 권의 필름.

re·e·lect [rìːilékt] 타

3·단·현 **reelects** [rìːilékts] ; ing형 **reelecting** [rìːiléktiŋ] ; 과거 과분 **reelected** [rìːiléktid]

재선하다.
Lincoln was *reelected* in 1864.
링컨은 1864년에 재선되었다.

re·fer [rifə́ːr] 자 3·단·현 **refers** [rifə́ːrz] ; ing형 **referring** [rifə́ːriŋ] ; 과거 과분 **referred** [rifə́ːrd]

❶ 《**refer to**로》 (조사하기 위해) …을 보다, 참조하다.
We had better *refer to* a big dictionary. 큰 사전을 보는 편이 좋겠다.
Please *refer to* page 30, line 16.
30 페이지의 16 행을 참조하시오.
❷ 《**refer to**로》 …을 말하다, …에 대해 언급하다.
He *referred to* your illness. 그는 너의 병에 대해 말했다.
He *referred to* the facts of history. 그는 역사적 사실에 대해 언급했다.

ref·er·ence [réfərəns] 명

[복수] **references**[réfərənsiz]
❶ 참고가 될 만한 것; 참조문.
I found many *references* on page 70. 70 페이지에 참고가 될 것이 많이 있었다.
❷ 언급; 조회.
He made many *references* to Abraham Lincoln. 그는 에이브러햄 링컨에 관해서 여러 번 언급했다.

ref·er·ence book

[réfərəns bùk] 명 [복수] **reference books**[réfərəns bùks]
참고 도서《사서·백과 사전·지도·연감 따위》.
In the library, there are usually special shelves for *reference books.* 도서관에는 보통 참고 도서를 위한 특별 서가가 있다.

> [주의] 영미에는 우리 나라의 학습 참고서와 같은 것이 없으므로, reference book은 우리가 흔히 말하는 참고서와 다름에 주의.

re·flect [riflékt] 타 [3·단·현]
reflects [riflékts];
[ing형] **reflecting**[rifléktiŋ]; [과거]

[과분] **reflected**[rifléktid]
❶ (빛·열·소리 따위)를 반사하다; (거울 따위가) …을 비추다.
The snow on the ground *reflected* the sunlight. 땅 위의 눈이 햇빛을 반사하였다.
The mirror *reflects* lights.
거울은 빛을 반사한다.
❷ (의견·생각 따위)를 반영하다, 나타내다.
His face *reflected* his thoughts. 그의 얼굴은 그의 생각을 나타냈다.
The result of the voting *reflected* public opinion. 투표의 결과는 여론을 반영하였다.

re·flec·tion [riflékʃən] 명

《a와 복수형 안 씀》(빛·소리·열 따위의) 반사, 반향, 반영.
Echoes are caused by the *reflection* of sound. 메아리는 소리의 반사로 일어난다.

re·form [rifɔ́ːrm] 타 [3·단·현]
reforms [rifɔ́ːrmz];
[ing형] **reforming**[rifɔ́ːrmiŋ]; [과거]
[과분] **reformed**[rifɔ́ːrmd]
…을 개정하다, 개선하다, 개혁하다.
Part of the traffic law has been *reformed.* 교통 법규의 일부가 개정되었다.
The government is attempting to *reform* the tax system. 정부는 세제를 개선하려 하고 있다.
— 명 [복수] **reforms**[rifɔ́ːrmz]
개정, 개선, 개혁.
The new governor made several important *reforms* at once. 새 지사는 즉각 몇 가지 중요한 개혁을 단행하였다.

re·frain [rifréin] 자 [3·단·현]
refrains [rifréinz];
[ing형] **refraining**[rifréiniŋ]; [과거]
[과분] **refrained**[rifréind]
《**refrain from**으로》 …을 그만두다, 삼가다, 참다.

Please *refrain from* smoking in the bus. 버스 안에서 흡연을 삼가주십시오.

You must *refrain from* talking loudly in the library. 도서관에서는 큰 소리로 말하는 것을 삼가야 한다.

re·fresh [rifréʃ] 타 ③·단·현
refreshes [rifréʃiz] :
ing형 refreshing [rifréʃiŋ] : 과거
과분 refreshed [rifréʃt]
(심신)을 상쾌하게 하다, 기운나게 하다.

A cup of coffee will *refresh* you. 커피 한 잔을 마시면 기운이 날 거다.

re·fresh·ment [rifréʃmənt] 명
복수 refreshments [rifréʃmənts]
❶ 《a와 복수형 안 씀》 원기 회복, 상쾌함.
feel *refreshment* of mind and body 심신이 상쾌해짐을 느끼다.
❷ 《복수형으로》 다과, (간단한) 음식.
take some *refreshments* 간단한 식사를 하다.
Refreshments were placed on the table. 간단한 음식이 식탁 위에 놓여 있었다.

re·frig·er·a·tor [rifrídʒə-rèitər] 명
복수 refrigerators [rifrídʒərèitərz]
냉장고.
There is nothing to eat in the *refrigerator*. 냉장고에 먹을 것이 아무 것도 없다.

re·fuse [rifjúːz] 타 ③·단·현
refuses [rifjúːziz] :
ing형 refusing [rifjúːziŋ] : 과거
과분 refused [rifjúːzd]
❶ …을 거절하다, 거부하다(⇔ accept 받아들이다).
She *refused* our invitation. 그녀는 우리의 초대를 거절했다.
Tom hasn't *refused* anything. 톰은 무엇이나 거절한 적이 없다.

❷ 《refuse to do로》 (도무지) …하려 하지 않다.
He *refused* to give his name. 그는 이름을 대려고 하지 않았다.

re·fu·sing [rifjúːziŋ] 동
refuse의 -ing형.

re·gain [rigéin] 타 ③·단·현
regains [rigéinz] :
ing형 regaining [rigéiniŋ] : 과거
과분 regained [rigéind]
…을 되찾다, 회복하다.
Soon Mary *regained* her health. 곧 메리는 건강을 되찾았다.

re·gard [rigáːrd] 타 ③·단·현
regards [rigáːrdz] :
ing형 regarding [rigáːrdiŋ] : 과거
과분 regarded [rigáːrdid]
《regard … as ～로》 …을 ～이라고 생각〔간주〕하다.
I *regard* him *as* my best friend. 나는 그를 가장 친한 친구로 생각한다.
He *regarded* it *as* a bother. 그는 그것을 귀찮은 것으로 여겼다.
── 명 복수 regards [rigáːrdz]
❶ 《a와 복수형 안 씀》 주의, 관심, 염려.
Betty has no *regard* for the feelings of others.
베티는 다른 사람의 기분은 아랑곳하지 않는다.
He paid no *regard* to the order.
그는 그 명령에 아무 관심도 갖지 않았다.
❷ 《a와 복수형 안 씀》 존경, 호감.
I have high *regard* for his efforts. 나는 그의 노력에 경의를 표한다.
❸ 《복수형으로》 안부 인사.
Give my kind *regards* to your mother. 어머니께 안부 전해라.

in 〔*with*〕 *regard to* …에 관하여.
In regard to your opinion,

I'd like to talk to you for a few minutes. 네 의견에 관하여 2. 3분 말하고 싶다.

re·gard·ing [rigáːrdiŋ] 전

···에 관하여, ···에 대하여(=with regard to).

Regarding your question, I can't answer anything now. 네 질문에 대하여 지금은 아무 것도 대답해줄 수 없다.

re·gion [ríːdʒən] 명

복수 **regions** [ríːdʒənz]

❶ 지방, 지역, 지대. ➤ 보통 area보다 넓은 「지방」에 씀.

a tropical *region* 열대 지방.
the Arctic *region* 북극 지방.

The United States of America is divided into four *regions*. 미합중국은 4지역으로 나뉜다.

❷ (학문·활동 따위의) 분야, 영역.

That doesn't belong to the *region* of science. 그것은 과학의 영역에 들지 않는다.

reg·is·ter [rédʒəstər] 타

3·단·현 **registers** [rédʒəstərz] :
ing형 **registering** [rédʒəstəriŋ] :
과거 과분 **registered** [rédʒəstərd]

❶ ···을 기록하다, 등록하다.

register the names of the new members 새 회원의 이름을 등록하다.

❷ (우편물)을 등기로 하다.

You should *register* important letters. 중요한 편지는 등기로 하는 편이 좋다.

I want this package *registered.* 이 소포를 등기로 하여 주십시오.

❸ (온도계가 온도)를 가리키다.

The thermometer *registered* 90 degrees that day. 그 날 기온은 (화씨) 90도였다.

── 명 복수 **registers** [rédʒəstərz]

❶ 기록, 등록 ; 등록부, 명부.

The *register* of your name and address is required. 네 이름과 주소의 등록이 필요하다.

Our school has 1,140 students on the *register*. 우리 학교에는 1.140명의 학생이 등록되어 있다.

❷ 자동 기록기, 금전 등록기.

The girl at the cash *register* handed me change. 회계를 보는 여자가 내게 거스름돈을 주었다.

re·gret [rigrét] 타 3·단·현 **regrets** [rigréts] : ing형 **regretting** [rigrétiŋ] : 과거 과분 **regretted** [rigrétid]

···을 후회하다 ; 애석하게 여기다, 유감으로 생각하다.

I *regret* my mistake. 나는 잘못을 후회하고 있다.

All the people *regretted* to hear of his death. 모든 사람이 그가 죽었다는 것을 듣고 애석히 여겼다.

I *regret* that Jane has to move. 나는 제인이 이사를 가야 한다는 것이 서운하다.

── 명 《a와 복수형 안 씀》 후회, 유감.

I don't think she felt *regret* for her past. 그녀가 자기의 과거를 후회하였다고 나는 생각하지 않는다.

It is a matter of *regret* that we can't see him any more. 더 이상 우리가 그를 볼 수 없다는 것은 유감스러운 일이다.

reg·u·lar [régjələr] 형 비교 **more regular** ; 최상 **most regular**

(규칙·습관이) 정해진, 규칙을 어기지 않는, 규칙적인, 정기의.

a *regular* meeting 정기 모임.
a *regular* member 정회원.

Do you lead a *regular* life? 너는 규칙적인 생활을 하느냐?

Besides her *regular* salary,

R

she got some extra money this month. 이 달에 그녀는 정해진 월급 이외에 여분의 돈을 좀 받았다.

reg·u·lar·ly [régjələrli] 부
규칙 바르게, 규칙적으로, 고르게; 정기적으로.
The streets in this city are arranged *regularly*. 이 시의 거리는 규칙적으로 정리되어 있다.
The guards come around *regularly*. 수위는 정기적으로 순찰을 돈다.

reg·u·la·tion [règjəléiʃən] 명
복수 regulations [règjəléiʃənz]
규정, 규칙, 법규.
traffic *regulations* 교통 법규.

reign [rein] 명
복수 reigns [reinz]
❶《a와 복수형 안 씀》지배, 통치.
the *reign* of law 법의 지배.
The king's *reign* lasted a long time. 왕의 통치는 오래 계속되었다.
❷ 치세, 왕대.
England became powerful during the *reign* of Queen Elizabeth I. 영국은 엘리자베스 1세 시대에 강대해졌다.
── 자 3·단·현 reigns [reinz];
ing형 reigning [réiniŋ];과거 과분 reigned [reind]
《reign over로》…을 통치하다, 지배하다.
The queen *reigned over* the country for over 60 years. 여왕은 60년 이상이나 나라를 통치하였다.

re·ject [ridʒékt] 타
3·단·현 rejects [ridʒékts];ing형 rejecting [ridʒéktiŋ];과거 과분 rejected [ridʒéktid]
(요구·제의 등)을 거절하다, 사절하다.
He *rejected* my offer. 그는

나의 제의를 거절했다.

re·joice [ridʒɔis] 자 3·단·현
rejoices [ridʒɔisiz];
ing형 rejoicing [ridʒɔisiŋ];과거 과분 rejoiced [ridʒɔist]
기뻐하다, 좋아하다.
Tom *rejoiced* at the bicycle his father bought him. 톰은 아버지가 사주신 자전거를 보고 좋아하였다.

re·late [riléit] 타 3·단·현
relates [riléits];ing형
relating [riléitiŋ];과거 과분 related [riléitid]
❶ …을 관계〔관련〕시키다;《be related to로》…와 관계가 있다, 친척이다.
Weather and the growth of plants are very much *related*. 일기와 식물의 성장과는 큰 관계가 있다.
His story *was related to* my promotion. 그의 이야기는 나의 승진과 관련된 것이었다.
I am closely *related to* this family. 나는 이 집과 가까운 친척이다.
❷ …을 말하다, 이야기하다.
Uncle *related* his experiences during his stay in India. 아저씨는 인도 체류 동안의 경험들을 말씀하셨다.
☞ 명 relation

re·la·tion [riléiʃən] 명 복수
relations [riléiʃənz]
❶ 관계.
international *relations* 국제 관계.
Mr. Jones has no *relation* with our present program. 존스씨는 우리들의 현재 계획과 아무런 관계가 없다.
❷ 친척.
Father used to invite all our *relations* on Christmas Eve. 아버지는 크리스마스 이브에 모든 친척들을 초대하곤 하셨다.
Is he any *relation* to you?

그는 너의 친척이냐? ➤「친척」의 뜻으로는 relative를 쓰는 경우가 많음. ☞ 동 relate, 형 relative

***re·la·tion·ship** [riléiʃənʃip] 명

복수 **relationships** [riléiʃənʃips]
친족 관계, 연고 관계; 관계, 관련.
Let's try to maintain a close *relationship*. 친밀한 관계를 유지하도록 노력합시다.

rel·a·tive [rélətiv] 형

❶ 비교적인, 상대적인(⇔ absolute 절대적인).
Beauty is a *relative* thing. 아름다움이란 상대적인 것이다.
❷ 관계 있는, 서로 관련되는.
A man's weight is *relative* to his height. 사람 몸무게는 키와 관계가 있다. ☞ 명 relation
── 명 복수 **relatives** [rélətivz]
친척.
Mr. Han is a distant *relative* of ours. 한씨는 우리의 먼 친척이다.
I have many *relatives* in my home town. 나는 고향에 친척이 많다.

rel·a·tive·ly [rélətivli] 부
비교적으로.
This hotel is *relatively* quiet for Seoul. 이 호텔은 서울 치고는 비교적 조용한 편이다.

re·lax [riléks] 동 3·단·현
relaxes [riléksiz] : ing형
relaxing [riléksiŋ] : 과거 과분 **re-laxed** [rilékst]
타 ❶ …을 늦추다, 완화하다, (힘 따위)를 빼다.
The rules were *relaxed* a little. 규칙이 좀 완화되었다.
❷ …을 쉬게 하다, 편하게 하다.
Beautiful scenery will *relax* you. 아름다운 경치는 마음을 편하게 해 준다.
── 자 ❶ 누그러지다, 약해지다.
Mrs. Grey's face *relaxed*

into a smile. 그레이 부인은 얼굴이 풀리면서 미소를 띠었다.
❷ 편안히 쉬다, 긴장을 풀다.
Please be seatd and *relax*. 편히 앉아 쉬어라.
Some people don't enjoy sports and find different ways to *relax*. 어떤 사람은 스포츠를 즐기지 않고 다른 방법으로 긴장을 푼다.

re·lay [ríːlei] 명
복수 **relays** [ríːleiz]
릴레이 경주(= relay race).
a 400-meter *relay*, 400미터 릴레이.

re·lease [rilíːs] 타 3·단·현
releases [rilíːsiz] :
ing형 **releasing** [rilíːsiŋ] : 과거
과분 **released** [rilíːst]
…을 놓다, 풀어 놓다; 석방하다;
(뉴스 따위)를 발표하다.
Release your hold. It's all right now. 손을 놓아라. 이제는 문제 없으니까.
He was *released* from prison yesterday. 그는 어제 감옥에서 석방되었다.
It's time to *release* the news. 뉴스를 발표할 시간이다.
── 명 석방, 해방. ➤복수형 쓰지 않음.
He was able to get a steady job after his *release* from prison. 그는 교도소를 나와서 안정된 직업을 얻을 수 있었다.

re·le·vant [réləvənt] 형
(당면한 문제에) 관련된; 적당한, 타당한(= proper).
all the *relevant* information 관련된 모든 정보.

re·li·a·ble [riláiəbəl] 형 비교 **more reliable;**
최상 **most reliable**
신뢰할 수 있는, 믿음직한, 확실한.
He is a *reliable* boy. 그는 믿음직한 소년이다.
According to *reliable* sourc-

R

es, the war is coming to an end. 믿을 만한 소식통에 의하면 전쟁은 끝날 것 같다.

re·lief [rilíːf] 몡

❶ 《a와 복수형 안 씀》 (고통 · 근심 따위의) **제거, 경감.**
Relief from pain didn't come to him after all.
결국 그는 고통에서 벗어나지 못하였다.

❷ **안도, 안심.** ➤ 복수형 쓰지 않음.
give a sigh of *relief* 안도의 한숨을 쉬다.
What a *relief!* 휴, 안심이다!

❸ 《a와 복수형 안 씀》 **구조, 구제.**
a *relief* fund 구제 기금.
Mary devoted herself to the *relief* of the poor.
메리는 가난한 사람들의 구제에 헌신했다.

re·lieve [rilíːv] 타 3·단·현 relieves [rilíːvz] ; ing형 relieving [rilíːviŋ] ; 과거 과분 relieved [rilíːvd]

❶ (근심 · 고통 따위)**를 덜다, 제거하다; …을 안심시키다.**
The medicine *relieved* my stomachache quickly. 그 약은 즉시 나의 복통을 덜어주었다.
I was *relieved* at the news. 나는 그 소식을 듣고 안심했다.

❷ **…을 구하다, 구조하다.**
A helicopter was sent to the spot to *relieve* the men in the boat.
보트에 타고 있는 사람들을 구조하기 위해 헬리콥터가 그 지점으로 보내졌다.

re·li·gion [rilídʒən] 몡

복수 religions [rilídʒənz]
종교.
the freedom of *religion* 종교의 자유.
What *religion* do you believe in?

너는 어떤 종교를 믿느냐?

re·li·gious [rilídʒəs] 혱

❶ **종교의, 종교에 관한.**
Edward has never read any *religious* books. 에드워드는 종교에 관한 책을 한 번도 읽은 적이 없다.
They wanted *religious* freedom. 그들은 종교적인 자유를 원했다.

❷ **종교심이 있는, 신앙이 깊은.**
a *religious* life 신앙 생활.
a *religious* man 독실한 신자.

re·ly [rilái] 자 3·단·현 relies [riláiz] ; ing형 relying [riláiiŋ] ; 과거 과분 relied [riláid] 《rely on 〔upon〕으로》 **…을 신뢰하다, …에 의지하다**(=depend on 〔upon〕).
You shouldn't *rely upon* others too much. 지나치게 남에게 의존하면 안 된다.
I *relied on* the promise between us. 나는 우리 사이의 약속을 믿었다.

*re·main [riméin] 자 3·단·현 remains [riméinz] ; ing형 remaining [riméiniŋ] ; 과거 과분 remained [riméind]

❶ (어떤 장소에) **머무르다**(= stay) ; **남다, 잔존하다.**
They will *remain* in Seoul for a few weeks. 그들은 2,3주 동안 서울에 머무를 것이다.
If you take 3 from 8, 5 *remains*. 8에서 3을 빼면 5가 남는다(8-3=5).
Most people had left, but some *remained*. 대부분의 사람들은 떠났으나, 몇 사람은 남았다.

❷ (원래의 상태로) **있다, 변함 없이 …이다.**
When we came back, he *remained* the same as before. 우리가 돌아왔을 때, 그는 전과 똑같이 그대로 있었다.

His grandfather *remained* silent. 그의 할아버지는 말 없이 계셨다.

Throughout the whole world, it is only Korea that *remains* divided. 전세계를 통해, 분단된 채로 있는 것은 한국뿐이다.

re·mark [rimá:rk] 타·자

③·단·현 **remarks** [rimá:rks] : ing형 **remarking** [rimá:rkiŋ] : 과거 과분 **remarked** [rimá:rkt] (…을) 말하다.

"He is a nice boy," *remarked* Mr. Brown. 「그는 훌륭한 소년이다.」라고 브라운씨는 말하였다.

Mother *remarked* that my dress was wonderful. 어머니는 내 드레스가 훌륭하다고 말씀하셨다.

── 명 **remarks** [rimá:rks] (비평의 짧은) 말, 의견.

The teacher made several *remarks* about our homework.
선생님은 우리 숙제에 관하여 몇 말씀하셨다.

re·mark·a·ble [rimá:rkəbəl] 형

비교 **more remarkable**; 최상 **most remarkable**

주목할 만한, 현저한, 놀랄 만한.
She has a *remarkable* memory. 그녀는 놀라운 기억력을 갖고 있다.

You are making *remarkable* progress in English. 너의 영어는 현저히 진척되고 있다.

re·mark·a·bly [rimá:rkəbəli] 부

비교 **more remarkably**; 최상 **most remarkably**

눈에 뜨이게, 현저하게, 매우.
The day before yesterday was *remarkably* cold here.
그저께 이 곳은 매우 추웠다.

rem·e·dy [rémədi] 명 복수 **remedies** [rémədiz]

약; 치료법, 구제책.

This is the best *remedy* for colds. 이것은 감기에 가장 좋은 약이다.

We haven't discovered any effective *remedy* against cancer.
우리는 아직 암에 유효한 치료법을 발견하지 못하고 있다.

re·mem·ber [rimémbər] 동 ③·단·현

remembers [rimémbərz] : ing형 **remembering** [rimémbəriŋ] : 과거 과분 **remembered** [rimémbərd]

타 …을 생각해 내다, 기억하다 (⟺ forget 잊다) : 《remember + -ing형으로》 …한 것을 기억하다.

I couldn't *remember* his name. 나는 그의 이름이 기억나지 않았다.

NOW I remember.

I will always *remember* the kind nurses who took care of me. 나는 나를 돌봐주었던 그 친절한 간호사를 늘 기억할 것이다.

I *remember* reading this book. 나는 이 책을 읽은 기억이 있다.

I *remember* you saying so. ＝I *remember* that you said so.
나는 네가 그렇게 말한 것을 기억하고 있다.

❷ 《**remember to** do로》 잊지 않고 …하다.

Remember to write. (＝Don't forget to write.) 잊지말고 꼭 편지해라. ➤ 헤어질 때의 인사.

R

어법 **remember** + **-ing**형과 **remember to** do
remember + -ing형은 과거에 한 것을 「기억하다」, remember to do는 앞으로 할 것을 「기억해 두다」, 즉 《잊지 않고 …하다》란 뜻을 나타낸다.

── 자 기억하고 있다; 생각나다.
The accident happened five years ago, if I *remember* correctly. 내 기억이 정확하다면, 틀림없이 그 사고는 5년 전에 일어났다.
Now I *remember*! 아, 생각났다!

*remember me to ⋯에게 안부 전하다.
"Please *remember me to* your mother." "I certainly will." 「어머니께 안부 전해 다오.」 「예, 알았습니다.」 ▶ Say hello to your mother.라고도 함.

re·mind [rimáind] 타 3·단·현
reminds [rimáindz];
ing형 **reminding** [rimáindiŋ]
과거 과분 **reminded** [rimáindid]
⋯을 생각나게 하다; 《remind ... of로》⋯에게 ~을 생각나게 하다.
Oh, that *reminds* me. 아, 그러니까 생각난다.
He *reminds* me *of* my younger brother. 그는 나의 남동생을 생각나게 한다.
Please *remind* her to call me.
내게 잊지 말고 전화하라고 그녀에게 일러다오.

re·mote [rimóut] 형 비교
remoter [rimóutər];
최상 **remotest** [rimóutist]
먼, 먼 곳의.
in the *remote* future 먼 장래에.
Our mother lives in a *remote* town. 우리들의 어머니는 먼 읍에 살고 계신다.

Jack is a *remote* relative of mine. 잭은 나의 먼 친척이다.

re·mote con·trol
[rimóut kəntróul] 명 복수
remote controls [rimóut kəntróulz]
❶ 《a와 복수형 안 씀》 원격 제어 〔조작〕.
❷ 원격 제어 장치, 리모컨.
Pass me the TV *remote control*. TV 리모컨 좀 건네다오.

*re·move [rimú:v] 타 3·단·현
removes [rimú:vz];
ing형 **removing** [rimú:viŋ]; 과거
과분 **removed** [rimú:vd]
❶ ⋯을 (걷어)치우다, 옮기다.
Let's *remove* the dishes first. 우선 접시를 치우자.
His explanation has *removed* all our doubts.
그의 설명은 우리의 모든 의문을 없애 주었다.
❷ (옷·모자 따위)를 벗다.
Tom *removed* his shoes.
톰은 신발을 벗었다.
Please *remove* your hat.
모자를 벗어주십시오. ▶ 구어에서는 보통 take off를 씀.

Ren·ais·sance [rènəsáːns] 명
《the를 붙여》 르네상스, 문예 부흥.
Many great writers and artists contributed to the *Renaissance*. 많은 위대한 작가와 예술가가 르네상스에 공헌하였다.

참고 14세기에서 16세기에 걸쳐 유럽에서 문학, 학문, 예술 따위의 분야에 일어난 문예 부흥 운동. 그리스나 로마의 문화를 다시 연구하는 것에 이어, 새로운 사상을 모든 방면에 불어 넣은 움직임. 서양 역사는 르네상스를 고비로 중세와 근세로 나뉜다.

르네상스 미술 「성모자와 성인들」

ren·der [réndər] 타 ③·단·현 renders [réndərz]; ing형 rendering [réndəriŋ]; 과거 과분 rendered [réndərd]

❶ …을 (~으로) 되게 하다, 만들다.
His strong will has *rendered* his life successful. 그의 강한 의지로 그의 인생은 성공하였다.

❷ (어떤 행위)를 하다; (도움 따위)를 주다.
render thanks 답례하다.
Render good for evil. 악에는 선으로 대하라.

re·new [rinjúː] 타 ③·단·현 renews [rinjúːz]; ing형 renewing [rinjúːiŋ]; 과거 과분 renewed [rinjúːd]

…을 새롭게 하다, 갱신하다.
If you would like to *renew* the contract, please sign here. 계약을 갱신하고 싶다면, 여기에 서명하시오.

rent [rent] 명 복수 rents [rents]

집세, 땅세, 사용료.
house [room] *rent* 집세[방세].
For *rent*. 《게시》 셋집[셋방]있음. ▶ 영국에서는 To let. 이라고 함.
Mr. White pays the *rent* regularly every month. 화이트씨는 매월 정기적으로 집세를 지불한다.

How much is the *rent* on this car? 이 자동차의 사용료는 얼마입니까?
— 타 ③·단·현 rents [rents]; ing형 renting [réntiŋ]; 과거 과분 rented [réntid]

❶ (돈을 받고 집·토지 따위)를 빌려주다, 세놓다.
We have *rented* our house to Father's friend. 우리는 아버지 친구분에게 우리 집을 세놓고 있다.

❷ (돈을 주고 집·토지 따위)를 빌리다, 세내다. ☞ borrow
The Browns *rented* a cottage for the summer. 브라운씨 가족은 피서를 위해 작은 집을 빌렸다.
Rent a car. 《게시》 렌터카 있음. 자동차 임대합니다.

rent-a-car [réntəkàːr] 명 복수 rent-a-cars [réntəkàːrz]
렌터카, 임대 자동차.

re·paid [ripéid] 동 repay의 과거·과거 분사.

＊**re·pair** [ripέər] 타 ③·단·현 repairs [ripέərz]; ing형 repairing [ripέəriŋ]; 과거 과분 repaired [ripέərd]

…을 고치다, 수리하다, 수선하다. ☞ mend
My brother *repaired* this radio. 나의 형이 이 라디오를 수리했다.
I want this camera *repaired*. 이 사진기를 고치고 싶다.
— 명 《a와 복수형 안 씀》 수리, 수선.
My watch needs *repair*. 내 시계는 수리가 필요하다.

in good [bad] repair 손질이 잘 되어 [안 되어].
The house was *in good repair*. 집은 잘 손질되어 있었다.

under repair 수리 중.
The stairs were still *under repair*. 계단은 아직 수

R

리 중이었다.

re·pay [ripéi] 타
[3·단·현] **repays** [ripéiz] :
[ing형] **repaying** [ripéiiŋ] : 과거
과분 **repaid** [ripéid]

❶ (돈)을 갚다.
repay a debt 빚을 갚다.
Repay me the money.
내게 돈을 갚아라.

❷ (은혜 따위)를 갚다, …에 보은
하다, 보답하다.
I don't know how to *repay*
your kindness. 당신의 친절에
어떻게 보답하여야 할지 모르겠습
니다.
Our efforts were *repaid*
with success. 우리는 노력한
덕택으로 성공하였다.

re·peat [ripíːt] 타·자 [3·단·현]
repeats [ripíːts] : [ing형]
repeating [ripíːtiŋ] : 과거 과분
repeated [ripíːtid]

(…을) 되풀이하다, 반복하다; 되
풀이하여 말하다.
You can't *repeat* your life.
너의 인생을 반복할 수는 없다.
History *repeats* itself.
역사는 되풀이 된다.
We must not *repeat* the
mistakes of the past.
우리는 과거의 실수를 반복해서는
안 된다.
Repeat after me. 나를 따라 반
복하여라. ☞ 명 repetition

rep·e·ti·tion [rèpətíʃən] 명
[복수] **repetitions** [rèpətíʃənz]
되풀이, 반복.
You should avoid the *repe-
tition* of the same words in
English compositions. 영작문
에서는 똑같은 단어의 반복을 피
해야 한다. ☞ 동 repeat

re·place [ripléis] 타 [3·단·현]
replaces [ripléisiz] :
[ing형] **replacing** [ripléisiŋ] : 과거
과분 **replaced** [ripléist]
❶ …을 바꾸다, 교체하다.

Susie *replaced* the old
calendar with a new one.
수지는 묵은 달력을 새 달력으로
바꿔 달았다.

❷ …에 대신하다, …의 후임이 되
다.
Mary *replaced* Betty as as-
sistant to the teacher. 메리
는 베티의 후임으로 선생님의 조
수가 되었다.

re·plied [ripláid]
동
reply의 과거·과거 분사.

re·plies [ripláiz]
동
reply의 3인칭·단수·현재.

re·ply [rip:lái] 동
[3·단·현] **replies** [ripláiz] :
[ing형] **replying** [ripláiiŋ] : 과거
과분 **replied** [ripláid]
자 대답하다, 응답하다. ➤ answer
보다 격식을 차린 말.
reply to a question 질문에
답하다.
reply to the letter 편지에 답
장을 쓰다.
── 타 …라고 대답하다.
"Yes, I will," she *replied*
clearly. 「예, 하겠습니다.」라고
그녀는 분명하게 대답하였다.
── 명 [복수] **replies** [ripláiz]
답, 회답, 대답.
We called her name several
times, but she made no
reply. 우리는 여러 번 그녀의 이
름을 불렀으나, 그녀는 대답을 하
지 않았다.
I wrote a *reply* to his
letter. 나는 그의 편지에 답장을
썼다.

re·port [ripɔ́ːrt] 명
[복수] **reports** [ripɔ́ːrts]
보고(서), 리포트; 보도.
a weather *report* 기상 예보
They made a *report* on the
decision of the committee.
그들은 위원회의 결정에 관한 보
고서를 작성하였다.

R

According to newspaper *reports*, there was a big earthquake in Japan.
신문 보도에 의하면, 일본에 큰 지진이 있었다고 한다.

> 参고 우리 나라에서 학생들이 말하는 시험이나 숙제로서의 「리포트」는 영어로 paper이다. report는 「보고(서)」란 뜻이다.

—— [타·자] [3·단·현] **reports**[ripɔ́:rts]; [ing형] **reporting**[ripɔ́:r-tiŋ]; [과거][과분] **reported**[ripɔ́:r-tid]
(…을) 보고하다; 보도하다.
He *reported* all he had seen during the war.
그는 전쟁 중에 본 것을 모두 보고하였다.
He *reports* the news on TV. 그는 텔레비전 뉴스를 보도한다.
He *reported* on the accident. 그는 그 사건을 보도했다.

re·port·er [ripɔ́:rtər] 阌
[복수] **reporters**[ripɔ́:rtərz]
❶ 보고자.
"Who is today's *reporter?*" said the teacher. 「오늘 보고할 사람은 누구지?」라고 선생님은 말씀하셨다.
❷ (신문·라디오 따위의) 기자.
I intended to be a newspaper *reporter*. 나는 신문 기자가 될 생각이었다.

rep·re·sent [rèprizént] 阹 [3·단·현] **re-presents**[rèprizénts]; [ing형] **re-presenting** [rèprizéntiŋ]; [과거][과분] **represented**[rèprizéntid]
❶ …을 나타내다, 표현하다, 묘사하다.
Letters *represent* sounds.
문자는 소리를 나타낸다.
Her silence *represented* "Yes." 그녀의 침묵은 「예」를 나

타냈다.
The movie *represents* the cruelty of fate. 이 영화는 운명의 비정함을 표현하고 있다.
❷ …을 대표하다.
The teacher chose two students to *represent* the class. 선생님은 반을 대표할 두 학생을 뽑았다.

rep·re·sent·a·tive
[rèprizéntətiv] 阌 [복수] **repre-sentatives** [rèprizéntətivz]
❶ 대표, 대표자, 대리인, 후계자.
The boy is a typical *repre-sentative* of the younger generation. 그 소년은 젊은 세대의 전형적인 표본이다.
The company *representa-tives* didn't attend the meeting. 회사의 대표들은 회의에 출석하지 않았다.
❷ 대의원, 의원.
the House of *Representa-tives* (미국의) 하원.
Mr. Han is a *representative* from Gangwon-do. 한씨는 강원도에서 선출된 의원이다.

re·pro·duce [rì:prədjú:s] 阹 [3·단·현] **repro-duces** [rì:prədjú:siz]; [ing형] **reproducing**[rì:prədjú:siŋ]; [과거][과분] **reproduced**[rì:prədjú:st]
❶ (소리·장면 따위)를 재생하다, 재현하다.
The tape recorder *repro-duced* his voice vividly. 녹음기가 그의 목소리를 생생하게 재생하였다.
This film will *reproduce* the sad scene at any time.
이 필름은 그 슬픈 장면을 언제라도 재현하여 줄 것이다.
❷ …을 복제하다, 복사하다.
This article was *reproduced* from a certain magazine.
이 기사는 어떤 잡지로부터 복사된 것이다. ☞ 阌 reproduction

re·pro·duc·tion

[rì:prədʌ́kʃən] 명 복수 **reproductions** [rì:prədʌ́kʃənz]

❶ 《a와 복수형 안 씀》 재생, 재현, 복제.
The *reproduction* of sounds has become easy lately. 최근에는 소리의 재생이 쉽게 되었다.

❷ 재생한 것, 복제한 것.
This is an exact *reproduction* of a famous ancient picture. 이것은 유명한 옛날 그림을 정밀하게 복제한 것이다.
☞ 동 reproduce

re·pub·lic [ripʌ́blik] 명

복수 **republics** [ripʌ́bliks]
공화국.
The United States of America is a *republic.* 미합중국은 공화국이다.

rep·u·ta·tion [rèpjətéiʃən] 명

복수 **reputations** [rèpjətéiʃənz]
평판; 명성.
This manufacturer has a good *reputation.* 이 제조업자는 평판이 좋다.
Dave has the *reputation* of being a first-class chess player. 데이브는 일류 체스 선수라는 명성을 얻고 있다.

re·quest [rikwést] 명 복수 **requests** [rikwésts]
부탁, 의뢰, 요구.
I don't think he can refuse my *request.* 그는 나의 부탁을 거절하지 못할 것이라 생각한다.
Susie played the piano at the *request* of all the people there. 수지는 거기에 있던 모든 사람들의 요청에 따라 피아노를 쳤다.

by request 요구에 따라, 요청에 의하여.
Buses stop here *by request.* 여기서는 승객의 요청이 있어야

버스가 정차한다.

손들고 세워야 하는 버스 정거장 표지

—— 타 3·단·현 **requests** [rikwésts]; ing형 **requesting** [rikwéstiŋ]; 과거 과분 **requested** [rikwéstid]
…을 요구하다, 부탁하다. ➤ ask 보다 격식을 차린 말.
We *request* your presence. 우리는 당신의 출석을 요구합니다.
The passengers are *requested* not to smoke for some time. 승객들은 잠시 동안 금연을 요청받고 있다.

re·quire [rikwáiər] 타 3·단·현 **requires** [rikwáiərz]; ing형 **requiring** [rikwáiəriŋ]; 과거 과분 **required** [rikwáiərd]

❶ …을 필요로 하다. ➤ need보다 격식을 차린 말.
I *require* your help. 나는 너의 도움이 필요하다.
Some more time was *required* for the completion of the work. 일의 완성에는 얼마간의 시간이 더 소용되었다.

❷ …을 요구하다, 명하다.
The chairman *required* us to be silent. 의장은 우리들에게 조용히 하라고 하였다.
They *require* me to work harder. 그들은 나에게 더욱 열심히 일하라고 요구한다.

res·cue [réskju:] 타 3·단·현 **rescues** [réskju:z]; ing형 **rescuing** [réskju:iŋ]; 과거 과분 **rescued** [réskju:d]
(위험 따위에서) …을 구하다, 구조하다.
A woman was *rescued* from the burning building.

한 여자가 불타고 있는 건물에서 구조되었다.
Some villagers went to the mountains to *rescue* the students. 마을 사람 몇 명이 학생들을 구하기 위해 산으로 갔다.
— 명 복수 **rescues**[réskju:z] 구조, 구원.
a *rescue* party 구조대.
The boy was praised for his *rescue* of the child. 소년은 어린애를 구조하여 칭찬받았다.

re·search [risə́:rtʃ] 명

복수 **researches**[risə́:rtʃiz] 연구, 조사.
market *research* 시장 조사.
Dr. Han is engaged in *research* into the cause of this strange disease.
한박사는 이런 이상한 병의 원인을 연구 중이다.

re·sem·blance [rizémbləns] 명 복수

resemblances[rizémblənsiz] 유사, 유사점; 닮음.
You have a great *resemblance* to your father. 너는 아버지를 꼭 닮았다.
There is little *resemblance* between those sisters. 저 자매는 거의 닮은 데가 없다.

re·sem·ble [rizémbl] 타

3·단·현 **resembles**[rizémblz] :
ing형 **resembling** [rizémbəliŋ] :
과거 과분 **resembled**[rizémbəld] …을 닮다.
Italy *resembles* Korea in many respects. 이탈리아는 여러 면으로 한국과 비슷하다.
He *resembles* his father in character. 그는 성격이 아버지를 닮았다.

res·er·va·tion [rèzərvéiʃən] 명

복수 **reservations**[rèzərvéiʃənz] 보류; (좌석·방 따위의) 예약.

make a *reservation* 예약하다.
I wonder if I could get a *reservation* for this Saturday. 이번 토요일로 예약을 할 수 있을까요?

re·serve [rizə́:rv] 타 3·단·현 reserves[rizə́:rvz] :

ing형 **reserving**[rizə́:rviŋ] : 과거 과분 **reserved**[rizə́:rvd]
❶ …을 남겨 두다, 예비하다.
Mary has *reserved* some money for the vacation trip. 메리는 휴가 여행을 위해 얼마간의 돈을 남겨 두었다.
Let's *reserve* our energy for tomorrow's work. 내일의 일을 위해 힘을 비축해 두자.

주차장 지면에 표시된 「장애인 전용(reserved)」 표지

❷ (좌석·방 따위)를 예약하다.
We *reserved* a large room for our meeting. 우리는 회의를 위해 큰 방을 예약하였다.
These seats are *reserved*.
이 좌석들은 예약되어 있다.
— 명 복수 **reserves**[rizə́:rvz]
❶ 저축, 예비(품).
He still has a great *reserve* of strength. 그는 힘이 아직 많이 남아 있다.
❷ 《a와 복수형 안 씀》 사양, (의사 따위의 표현상의) 신중.
Tell us your opinion without *reserve*. 사양하지 말고, 의견을 말해 다오.

res·i·dence [rézidəns] 명

복수 **residences**[rézidənsiz]
❶ 저택, 주택. ▶house에 비해 「크고 우아한 집」을 가리킴.

an official *residence* 공관: 관저.

(This is) Mr. Brown's *residence*. (전화에서)브라운씨 댁입니다.

The mayor's *residence* is near a lake. 시장의 저택은 호수 근처에 있다.

❷ 《a와 복수형 안 씀》 거주.

His *residence* in the United States was rewarding. 그의 미국 거주는 유익하였다.

re·sign [rizáin] 타·자 3·단·현
resigns [rizáinz];
ing형 resigning [rizáiniŋ]; 과거
과분 resigned [rizáind]

(지위·관직 따위를) **사임하다, 그만두다.**

Tom *resigned* the leadership of the Boy Scouts. 톰은 보이스카우트의 지도자의 지위를 사임하였다.

Our principal will *resign* from his position next March. 우리 교장 선생님은 오는 3월에 사임하신다.

res·ig·na·tion [rèzignéiʃən] 명
복수 resignations [rèzignéiʃənz]
사직, 퇴직; 사직원, 사표.

Mr. Brown turned in his *resignation* to the company. 브라운씨는 회사에 사표를 냈다.

re·sist [rizíst] 타·자 3·단·현
resists [rizísts]; ing형
resisting [rizístiŋ]; 과거 과분
resisted [rizístid]

(…에) **저항하다, 반항하다, 반대하다.**

The enemy didn't *resist* at all. 적은 전혀 저항하지 않았다.

Don't try to *resist* your parents. 부모님께 반항하려 하지 마라. ☞ 명 resistance

re·sist·ance [rizístəns] 명

❶ 《복수형 안 씀》 **저항, 반항.**
electric *resistance* 전기 저항.

The thin man couldn't put up any *resistance* to the big man. 그 야윈 남자는 몸집이 큰 남자에게 아무런 저항도 할 수 없었다.

❷ 《a와 복수형 안 씀》 **저항력.**
Babies have little *resistance* to disease. 갓난아기는 병에 대한 저항력이 거의 없다.
☞ 동 resist

res·o·lu·tion [rèzəlúːʃən] 명
복수 resolutions [rèzəlúːʃənz]

❶ **결심.**
What's your New Year's *resolution*? 너의 새해의 결심은 무엇이냐?

❷ **결의, 결의안.**
The class passed a *resolution* giving a present to their teacher. 학급의 학생들은 선생님께 선물을 하자는 결의를 하였다.

re·solve [rizálv] 타 3·단·현
resolves [rizálvz]; ing형
resolving [rizálviŋ]; 과거
과분 resolved [rizálvd]

❶ …**을 결심하다.**
Bill *resolved* to get up early every morning. 빌은 매일 아침 일찍 일어나기로 결심하였다.

❷ …**을 결의하다,** (투표·토의 따위로) …**을 결정하다.**
It was *resolved* that we should not attend the meeting. 우리는 회의에 출석하지 않기로 결정하였다.

❸ (의문 따위)**를 해결하다.**
The teacher's model answer *resolved* all our doubts. 선생님의 모범 해답이 우리들의 의문을 모두 해결해 주었다.

be resolved to *do* …**할 결심을 하고 있다.**
My sister *is resolved to* work as a nurse. 내 누이동생은 간호사로 일하려고 결심하고 있다.

어법 **resolve to** do와 **be resolved to** do
resolve to do는 「…하기로 결심하다」란 뜻임에 비해, be resolved to do는 「…하기로 결심하고 있다」라고 결심한 상태를 나타낸다.

re·sort [rizɔ́ːrt] 명
복수 **resorts** [rizɔ́ːrts]
(휴양·오락 따위를 위해) **사람이 모이는 곳, 유흥지.**
a summer 〔winter〕 *resort* 피서지〔피한지〕.
This place is famous as a hot spring *resort*. 이 곳은 온천장으로 유명한 곳이다.

re·source [risɔ́ːrs] 명
복수 **resources** [risɔ́ːrsiz]
《보통 복수형으로》 **자원; 재원.**
energy *resource* 에너지 자원.
These districts are rich in natural *resources*. 이 지방은 천연 자원이 풍부하다.

* **re·spect** [rispékt] 명 복수 **respects** [rispékts]
❶ 《복수형을 쓰지 않음》 **존경.**
They had a great deal of *respect* for the old doctor. 그들은 그 늙은 의사를 대단히 존경했다.
❷ (문제가 되는) **점.**
Our plan was successful in every *respect*. 우리 계획은 모든 점에서 성공이었다.
He is liked by the Korean in many *respects*. 그는 여러 가지 점에서 한국 사람들로부터 사랑을 받고 있다.
── 타 ③·단·현 **respects** [rispékts]: ing형 **respecting** [rispéktiŋ]: 과거 과분 **respected** [rispéktid]
…을 존경하다, 중히 여기다(⇔ despise 경멸하다).
I *respect* King Sejong.

나는 세종 대왕을 존경한다.
They are still *respected* as heroes. 그들은 여전히 영웅으로 존경받고 있다.
We should *respect* his opinion. 우리는 그의 의견을 존중해야 한다.
with respect to …에 관하여.
With respect to this matter, I can't say anything now. 이 문제에 관하여, 나는 지금 아무 것도 말할 수 없다.

re·spect·a·ble [rispéktəbəl] 형
비교 **more respectable**; 최상 **most respectable**
존경할 만한, 훌륭한.
His conduct at that time was *respectable*. 그 때 그의 행동은 훌륭한 것이었다.

re·spect·ful [rispéktfəl] 형
비교 **more respectful**; 최상 **most respectful**
경의를 표하는, 공손한, 점잖은.
She made a *respectful* bow. 그녀는 공손히 절하였다.
be respectful of …을 존중하다.
He *is respectful of* tradition. 그는 전통을 소중히 여긴다.

re·spect·ful·ly [rispéktfəli] 부
비교 **more respectfully**; 최상 **most respectfully**
정중하게, 공손하게, 점잖게.
They all welcomed the Emperor *respectfully*. 그들은 모두 정중하게 황제를 맞이하였다.
Yours respectfully, 경구. ➤ 편지의 마지막에 쓰는 인사의 하나. 상대방을 존경하고 있는 마음을 나타냄. ☞ letter

re·spec·tive [rispéktiv] 형
각각의, 각자의.
They went their *respective* ways. 그들은 각자의 길을 갔다.
Ted and Jack contributed

R

the *respective* sums of 4 dollars and 5 dollars. 테드와 잭은 각각 4달러와 5달러를 기부하였다.

*re·spond [rispánd] 재

③·단·현 **responds** [rispándz] : ing형 **responding** [rispándiŋ] : 과거 과분 **responded** [rispándid]
대답하다, 응답하다; 반응하다.
He *responded* very quickly to my letter. 그는 즉각 내 편지에 답장을 보냈다.

re·sponse [rispáns] 명

복수 **responses** [rispánsiz]
응답; 감응, 반응. ☞ reply
There was no *response* to my repeated knocking.
문을 몇 번이고 두드렸으나 대답이 없었다.
His speech found a *response* in the heart of every listener. 그의 연설은 모든 청중의 마음 속에 감동을 주었다.

re·spon·si·bil·i·ty

[rispànsəbíləti] 명 복수 **responsibilities** [rispànsəbílətiz]
책임; 의무.
He has no sense of *responsibility*. 그는 책임감이 없다.
I'll take the *responsibility* for this failure. 이 실패의 책임은 내가 지겠다.
Mr. Jones retired last month, so he is free from heavy *responsibilities* now.
존스씨는 지난 달 퇴직하여 지금은 무거운 책임에서 벗어나 있다.

re·spon·si·ble [rispánsəbəl] 형

비교 **more responsible**; 최상 **most responsible**
책임이 있는; 책임을 다하는.
Who is *responsible* for the broken window? 창문을 깬 것은 누구의 책임이냐?

He has never been in such a *responsible* position before.
그는 전에 그런 책임 있는 지위에 있어 본 적이 없다.

*rest¹ [rest] 명 복수 **rests** [rests]
휴식, 휴게, 수면.
He wants to take a little *rest*. 그는 좀 쉬고 싶어 한다.
What you need is *rest*.
너에게 필요한 것은 휴식이다.
—— 재 ③·단·현 **rests** [rests] : ing형 **resting** [réstiŋ] : 과거 과분 **rested** [réstid]
쉬다, 휴식하다.
I *rested* for an hour. (=I had a rest for an hour.)
나는 한 시간 휴식을 취했다.

rest² [rest] 명
《the를 붙여》 나머지, 그 밖의 사람〔것〕.
Oh, you are alone? Where are the *rest*? 아, 너 혼자냐? 다른 사람들은 어디 있지?
The *rest* of the students are absent. 다른 학생들은 결석이다.
The *rest* of the money is still in my pocket. 나머지 돈은 아직 내 주머니에 있다.

어법 rest는 복수형을 쓰지 않는다. the rest가 셀 수 있는 것을 가리킬 때에는 복수로 취급하고, 셀 수 없는 것을 가리킬 때에는 단수로 취급한다.

*res·tau·rant [réstərənt] 명

복수 **restaurants** [réstərənts]
음식점, 식당, 요릿집.
This is our favorite *restaurant*. 이 곳은 우리 단골 음식점이다.
How about having lunch at a Korean *restaurant*?
한국식 식당에서 점심을 먹는 게 어때?

rest·less [réstlis] 형
비교 **more rest-less;** 최상 **most restless**
들떠 있는, 침착하지 못한, 불안한.
He is always *restless*.
그는 언제나 마음이 들떠 있다.
The letter didn't come, and Susie spent a *restless* day.
편지가 오지 않아서 수지는 불안한 하루를 보냈다.

rest room [rést rù:m] 명
복수 **rest rooms**[rést rù:mz]
(역·극장 따위의) 화장실, 변소.
May I go to the *rest room*?
화장실에 가도 됩니까?

남자용 화장실 표지

참고 남자용은 men's room, gentlemen's room, 여자용은 women's room, ladies' room이라고 한다.

re·store [ristɔ́:r] 타 3·단·현
restores [ristɔ́:rz] :
ing형 **restoring**[ristɔ́:riŋ] : 과거
과분 **restored**[ristɔ́:rd]
(원상·정상으로) 되돌리다, 복귀시키다.
Part of the building will be *restored* somewhere else.
건물의 일부는 어딘가 딴 곳에 복원될 것이다.
Grandfather was *restored* to health two weeks later.
할아버지께서는 2주일 후에 건강을 회복하셨다.

re·strain [ristréin] 타
3·단·현 **restrains** [ristréinz] :
ing형 **restraining** [ristréiniŋ] :

과거 과분 **restrained** [ristréind]
···을 제지하다, 억제하다, 구속하다.
John couldn't *restrain* his passion and shouted at the boy. 존은 자기의 감정을 억제할 수 없어 그 소년에게 소리쳤다.

re·strict [ristríkt] 타
3·단·현 **restricts** [ristríkts] :
ing형 **restricting** [ristríktiŋ] :
과거 과분 **restricted**[ristríktid]
제한하다, 한정하다.
The speed is *restricted* to 40miles an hour here. 여기서는 속도가 시속 40마일로 제한되어 있다.

*re·sult [rizʌ́lt] 명
복수 **results**[rizʌ́lts]
결과, 성과; 《보통 복수형으로》 (시험·경기의) 성적.
the *results* of the examination 시험 성적.
The *results* of the experiment were satisfactory. 실험의 결과는 만족스러웠다.
We can't expect a good *result* this year. 우리는 금년에는 좋은 성과를 기대할 수 없다.
— 자 3·단·현 **results** [rizʌ́lts] :
ing형 **resulting** [rizʌ́ltiŋ] : 과거
과분 **resulted**[rizʌ́ltid]
결과로서 일어나다; 《result from으로》 ···의 결과로서 생기다; 《result in으로》 ···라는 결과가 되다.
The fire *resulted from* the broken chimney. 그 화재는 깨진 굴뚝이 원인이었다.
His hard work *resulted in* a slight sickness. 과로 끝에 그는 가벼운 병에 걸렸다.

주의 result from일 때는 원인이 from 다음에, result in 일 때는 원인이 result의 앞에 옴에 주의.

R

as a result (*of*) (…의) 결과로 (서).

He was very lazy. *As a result,* he lost his job. 그는 매우 게으르다. 그 결과 그는 실직하였다.

He had to work day and night *as a result of* his idleness. 그는 태만하였던 결과로 밤낮으로 일하지 않으면 안 되었다.

without result 헛되이, 공연히.

Tom tried to convince his mother *without* any *result.* 톰은 그의 어머니를 납득시키려 하였으나 헛일이었다.

re·sume [rizúːm] 타 ③·단·현 **resumes** [rizúːmz]: ing형 **resuming** [rizúːmiŋ]: 과거 과분 **resumed** [rizúːmd]

…을 다시 시작하다, (다시) 계속하다.

After drinking some water from the glass, Mr. Black *resumed* his talk. 컵의 물을 약간 마신 후, 블랙씨는 다시 이야기를 계속하였다.

re·tire [ritáiər] 자 ③·단·현 **retires** [ritáiərz]: ing형 **retiring** [ritáiəriŋ]: 과거 과분 **retired** [ritáiərd]

❶ 퇴직하다.

My father is going to *retire* from his business next spring. 아버지는 내년 봄에 퇴직하신다.

❷ 은퇴하다, 물러가다.

Mr. White failed in business several years ago and *retired* to his hometown. 화이트씨는 수년 전 사업에 실패하고 고향으로 은퇴했다.

Tom *retired* to his room as soon as he finished supper. 톰은 저녁 식사를 마친 후 곧 자기 방으로 물러갔다.

❸ 자다, 취침하다.

We all *retired* early yester-

day. 우리는 어제 모두 일찍 잤다.

re·turn [ritə́ːrn] 동 ③·단·현 **returns** [ritə́ːrnz]: ing형 **returning** [ritə́ːrniŋ]: 과거 과분 **returned** [ritə́ːrnd]

자 돌아오다, 돌아가다.

Let's *return* to Lesson 7 again. 제 7과로 다시 돌아가자.

It's almost time for Aunt Polly to *return*. 거의 폴리 아주머니께서 돌아오실 시간이다.

When did he *return* to his hometown? 그는 언제 고향으로 돌아왔느냐?

Nature is where you come from and where you *return* after your life. 자연은 여러분이 태어나 여러분의 인생이 끝나서 돌아갈 곳이다.

── 타 …을 갚다, 돌려 보내다.

I haven't *returned* the money to him. 나는 아직 그에게 돈을 갚지 않았다.

When do I have to *return* the book? 내가 그 책을 언제 반납해야만 합니까?

── 명 복수 **returns** [ritə́ːrnz] 귀환, 되돌아오기.

the *return* of the season 계절의 순환.

We have been waiting for the safe *return* of the swallow. 우리는 제비가 무사히 돌아오기를 기다려 왔다.

The writer died on his *return* to Korea. 그 작가는 한국에 돌아오자 곧 죽었다.

in return (*for*) (…의) 사례로, 대가로.

I'd like to give him some present *in return*. 사례로 그에게 무엇인가 선물을 하고 싶다.

Many happy returns (*of the day*)! 생일을 축하합니다. ➤ 생일에 하는 인사.

re·u·ni·fi·ca·tion [rìːjuːnəfikéiʃən] 명 《a와 복수형 안 씀》 재통일.

the *reunification* of East and West Germany 동독과 서독의 재통일.

re·u·ni·fy [rìːjúːnəfài]
타

③·단·현 **reunifies** [rìːjúːnəfàiz] :
ing형 **reunifying** [rìːjúːnəfàiiŋ] :
과거 과분 **reunified** [rìːjúːnəfàid]

다시 통일〔통합〕시키다, 재통일하다.
Germany was *reunified* in 1990. 독일은 1990년에 재통일되었다.

re·unite [rìːjuːnáit]
자·타

③·단·현 **reunites** [rìːjuːnáits] :
ing형 **reuniting** [rìːjuːnáitiŋ] :
과거 과분 **reunited** [rìːjuːnáitid]

(…을) 재결합하다.
All Koreans dream of seeing their country *reunited*. 모든 한국사람들은 조국이 다시 하나가 되는 것을 보는 것이 꿈이다.

re·use [rìːjúːz] 타 ③·단·현
reuses [rìːjúːziz] : ing형
reusing [rìːjúːziŋ] : 과거 과분
reused [rìːjúːzd]

…을 다시 이용하다.
A bazaar will help people *reuse* things. 바자회는 사람들이 물건을 재사용하도록 도울 것이다.

re·veal [rivíːl] 타 ③·단·현
reveals [rivíːlz] : ing형
revealing [rivíːliŋ] : 과분 과거
revealed [rivíːld]

❶ (비밀 따위)를 알리다, 누설하다.
Secrets have been *revealed* to the enemy country. 비밀이 적국에 누설되었다.
❷ …을 나타내다, 보이다(＝show).
Her way of talking *revealed* her intelligence.
그녀의 말하는 투에는 지성이 엿보였다.
The fog lifted and *revealed* a full moon. 안개가 걷히자 보름달이 보였다.

rev·er·ence [révərəns]
명

《복수형 안 씀》 존경, 경의.
We should hold old people in *reverence*. 우리는 노인을 존경해야 한다.

re·view [rivjúː] 명
복수 **reviews** [rivjúːz]

❶ 복습.
review exercises 복습 문제.
We had a few minutes' *review* before beginning today's lesson. 오늘의 학과를 시작하기 전에 우리는 2,3분 복습을 하였다.
❷ (책·영화·연극 따위의) 비평, 평론.
a book *review* 서평.
In this newspaper, the *reviews* of new movies appear every Tuesday. 이 신문에는 매주 화요일에 새 영화의 평이 게재된다.
── 타·자 ③·단·현 **reviews** [rivjúːz] : ing형 **reviewing** [rivjúːiŋ] : 과거 과분 **reviewed** [rivjúːd]
❶ (…을) 복습하다.
Let's *review* yesterday's main points first. 우선 어제의 요점을 복습하자.
Susie *reviewed* all the lessons carefully before the examination. 수지는 시험 전에 모든 학과를 주의 깊게 복습하였다.
❷ (…을) 비평하다, 평론하다.
review a book 서평을 하다.

rev·o·lu·tion [rèvəlúːʃən]
명

복수 **revolutions** [rèvəlúːʃənz]

❶ 혁명; 대개혁.
Revolutions often break out in those countries. 그런 나라들에서는 혁명이 자주 일어난다.
The discovery of penicillin brought about a *revolution* in the world of medicine. 페니실린의 발견은 의학계에 큰

R

변혁을 가져왔다.
❷ 회전, (천체의) 공전.
The earth makes one *revolution* around the sun in a year.
지구는 1년에 태양의 주위를 한 번 공전한다.

re·ward [riwɔ́ːrd] 명 복수
rewards [riwɔ́ːrdz]
보답; 보수; 현상금, 사례금.
They don't expect any *reward* for their services.
그들은 자기들의 봉사에 대해 아무런 보수도 기대하지 않는다.
A $10 *reward* was given to the honest driver.
10달러의 사례금이 그 정직한 운전사에게 주어졌다.
── 타 ③·단·현 rewards [riwɔ́ːrdz]; ing형 rewarding [riwɔ́ːrdiŋ]; 과거 과분 rewarded [riwɔ́ːrdid]
…에게 보답하다, 상을 주다.
They *rewarded* him for his service. 그들은 그의 봉사에 대해 그에게 보답하였다.
I'd like to *reward* her with something. 나는 그녀에게 뭔가 상을 주고 싶다.

re·write [riːráit] 타 ③·단·현
rewrites [riːráits]; ing형 rewriting [riːráitiŋ]; 과거 rewrote [riːróut]; 과분 rewritten [riːrítn]
…을 다시 쓰다.
I *rewrote* the letter several times, but it didn't go well.
나는 편지를 몇 번 다시 썼으나, 잘 되지 않았다.

re·writ·ten [riːrítn] 동
rewrite의 과거 분사.

re·wrote [riːróut] 동
rewrite의 과거.

Rhode Is·land [ròud áilənd] 명
로드아일랜드.

참고 미국 북동부의 주. 면적은 3,144 km²로, 가장 작은 주이다. R.I.로 약함. 주도는 프로비덴스(Providence [právidəns]).

rhyme [raim] 명
복수 rhymes [raimz]
❶ 운, 각운.
Poetry often uses *rhyme*.
시에는 흔히 각운을 쓴다.

참고 rhyme이란 *June*과 m**oon**, fl**ower**와 p**ower**처럼 단어의 끝부분이 같은 발음이 되어 있는 것. 영어의 시에서는 행의 끝의 발음이 어떤 꼴로든 같은 경우가 많다.

❷ 시.
a nursery *rhyme* 동요, 자장가.

rhythm [ríðəm] 명
복수 rhythms [ríðəmz]
리듬, 율률, 율동.
play (sing) in quick *rhythm* 빠른 리듬으로 연주[노래]하다.
This *rhythm* is too difficult to remember. 이 리듬은 너무 외기 어렵다.

rib·bon [ríbən] 명
복수 ribbons [ríbənz]
리본.
Her present was tied with pretty *ribbons*. 그녀의 선물은 예쁜 리본으로 매어져 있었다.

rice [rais] 명
《a와 복수형 안 씀》 쌀, 밥, 벼.

벼　　　쌀　　　밥

boil [cook] *rice* 밥을 짓다.
boiled rice 밥.

a *rice* field 논.

We eat *rice* every day.
우리는 매일 밥〔쌀〕을 먹는다.

We had a good〔poor〕 *rice* crop this year. 금년은 쌀이 풍작〔흉작〕이다.

Songpyeon is a kind of *rice* cake with sweet food inside it. 송편은 속에 단 것을 넣은 일종의 쌀 케이크이다.

rich [rítʃ] 〔형〕 〔비교〕 **richer [rítʃər]; 〔최상〕 **richest** [rítʃist]

❶ 돈 많은.

Her father is a *rich* businessman. 그녀의 아버지는 돈 많은 실업가이다.

He asked me how *rich* I was. 그는 내게 얼마나 부유한지를 물었다.

The *rich* are not always happy. 부자들이 항상 행복한 것은 아니다. ➤ "the+rich"는 rich people(부자들)의 뜻.

❷ 풍부한, (산물이) 많은, (땅이) 기름진; 《be rich in으로》 …가 풍부하다.

Do you want to make your country *rich*? 너는 너의 나라를 잘 살게 하고 싶으냐?

These hobbies will make your life *richer*. 이런 취미들이 네 인생을 보다 풍요롭게 만들 것이다.

This region *is rich in* oil. 이 지역에는 석유가 많다.

❸ 값비싼, 훌륭한.

a *rich* jewel 비싼 보석.

a *rich* party 훌륭한 파티.

His room was filled with *rich* furniture. 그의 방은 값비싼 가구로 가득하였다.

Rich·ter scale [ríktər skèil] 〔명〕

《the를 붙여》 리히터 스케일 《지진의 진도를 나타내는 눈금》.

The earthquake registered 5.0 on the *Richter scale.* 그

지진은 리히터 스케일로 5.0을 기록했다.

rid [rid] 〔타〕 〔3·단·현〕 **rids** [ridz]; 〔ing형〕 **ridding** [rídiŋ]; 〔과거〕 〔과분〕 **rid** [rid]
《다음과 같은 구에 쓰임》.

get rid of …을 제거하다, …에서 벗어나다.

How can I *get rid of* this pain in my head? 어떻게 하면 이 두통이 나을까?

It took us thirty minutes to *get rid of* the snow. 눈을 치는 데 30분이 걸렸다.

*rid·den [rídn] 〔동〕

*ride*의 과거 분사.

I have never *ridden* a horse. 나는 아직 말을 타 본 적이 없다.

*ride [raid] 〔동〕 〔3·단·현〕 **rides** [raidz]; 〔ing형〕 **riding** [ráidiŋ]; 〔과거〕 **rode** [roud]; 〔과분〕 **ridden** [rídn]

〔타〕 (자전거·말 따위)를 타다.

Many people were *riding* bicycles beside the river. 많은 사람들이 강가에서 자전거를 타고 있었다.

In some countries people *ride* camels. 어떤 나라에서는 사람들이 낙타를 탄다.

── 〔자〕 ❶ (탈 것에) 타다.

ride on a bicycle 자전거에 타다.

ride in〔on〕 a bus 버스에 타다.

Did you *ride* or drive? 너는 차를 탔느냐, 또는 자신이 운전하였느냐?

❷ 말을 타다.

Susie is learning how to *ride.* 수지는 승마를 배우고 있다.

┌─────────────────────┐
│ 〔참고〕 「타다」의 여러 가지 뜻
│ ride는 「타다」라 하여도, 「타고 어딘가로 가다」의 뜻으로, 가는 것에 중점을 둔다. 여기에 대하
└─────────────────────┘

R

여 take는 「어디까지 타고 가다」의 뜻으로, 그 목적을 위해 타는 것에 중점을 둔다. get on은 「올라타다」의 뜻으로, 타는 동작을 말한다.

── 몡 복수 **rides**[raidz]
(말·자동차 따위에) 타기.
"How far is it?" "It's about a four-hour train *ride* from Seoul." 「얼마나 멀지?」「서울에서 기차로 4시간 정도다.」
I'll give you a *ride*.
내 차에 태워 주겠다.
Shall we go for a *ride* today? 오늘 드라이브할까?

ri·dic·u·lous [ridíkjələs] 혱

비교 **more ridiculous;** 최상 **most ridiculous**
우스운, 어리석은.
He looks *ridiculous* in that hat. 그는 그 모자를 쓰니까 우스워 보인다.
It's *ridiculous* to go out in this storm. 이런 폭우 중에 밖에 나가는 것은 어리석다.

rid·ing [ráidiŋ] 통

ride의 -ing형.
어리석은, 우스운, 바보 같은.

ri·fle [ráifəl] 몡

복수 **rifles**[ráifəlz]
라이플총, 소총. ☞ gun
The bird must have been shot with a *rifle*. 그 새는 총에 맞았음에 틀림없다.

*right¹ [rait] 혱

❶ 옳은, 올바른(⇔wrong 틀린). ☞ correct
"This car was made in Germany, wasn't it?" "That's *right*." 「이 자동차는 독일산이다. 그렇지?」「그래, 맞아.」
Let me know the *right* answer.
올바른 답을 가르쳐 주십시오.
It isn't *right* to think so.
그렇게 생각하는 것은 옳지 않다.

right(옳음)　　wrong(틀림)

❷ 적당한, 알맞은.
You came just at the *right* time. 너는 아주 때맞춰 왔구나.
I couldn't find the *right* color. 적당한 색을 찾아 낼 수 없었다.
Mike is the *right* man for the job. 마이크가 그 일의 적임자이다.

*all right **1.** 좋다《동의·만족·승낙 따위를 나타냄》.
"I'm through." "*All right*. Come here, then." 「끝났다.」「좋다. 그럼 이리 오너라.」
Everything was *all right* at first. 처음에는 모든 것이 순조로웠다.
2. 건강한.
I had a bad cold, but I'm *all right* now. 나는 심한 감기에 걸렸었지만, 지금은 건강하다.

── 몡 복수 **rights**[raits]
❶《a와 복수형 안 씀》 옳은 일, 정의(⇔ wrong 악).
fight for the *right* 정의를 위해 싸우다.
You must know the difference between *right* and *wrong*. 너희들은 선과 악을 구별할 줄 알아야 한다.
❷ 권리(⇔ duty 의무).
We have no *right* to stop him. 우리에게는 그를 막을 권리가 없다.
You have the *right* to pursue happiness. 여러분은 행복을 추구할 권리가 있다.

── 부 ❶ 올바르게, 정확하게, 잘, 알맞게.
Did you guess *right*?
정확하게 알아맞혔느냐?

Everything went *right.*
모든 것이 잘 되어 갔다.

❷ 바로, 꼭 《뜻을 강조하여》.
The car stopped *right* here.
차는 바로 여기서 멈추었다.
I'll be *right* back.
나는 바로 돌아갈 것이다.

right away 곧, 바로.
I'll bring your soup *right away.* 곧 수프를 갖다드리겠습니다.

right now 지금 곧.
Can you write it *right now*? 너는 지금 곧 그것을 쓸 수 있느냐?

right² [rait] 〔형〕
오른쪽의(⇔ left¹ 왼쪽의).
I couldn't move my *right* leg. 나는 오른쪽 다리를 움직일 수 없었다.
── 〔명〕 《a와 복수형 안 씀》 오른쪽, **우측**(⇔left¹ 왼쪽).
Turn to the *right.*
오른쪽으로 돌아라.
You'll see the sea on the *right.* 오른쪽에 바다가 보일 것이다.
Keep to the *right.*
《게시》 우측 통행.
── 〔부〕 오른쪽으로(⇔ left¹ 왼쪽으로).
Turn *right* at the next corner. 다음 모퉁이에서 오른쪽으로 돌아라.

right·ly [ráitli] 〔부〕
바르게, 정확히, 《주위·환경에》 알맞게, 적당히.
Mr. White always acts quite *rightly.* 화이트씨는 언제나 매우 바르게 행동한다.
You haven't understood me *rightly.* 너는 나에 관해서 정확히 알지 못한다.

rig·id [rídʒid] 〔형〕 〔비교〕 **rigider**; 〔최상〕 **rigidest**
굳은, 엄격한.
Tom's aunt is *rigid,* but kind. 톰의 숙모는 엄격하지만 친

절하다.

ring¹ [riŋ] 〔명〕
〔복수〕 **rings** [riŋz]
❶ 반지; 바퀴, 고리.
a wedding *ring* 결혼 반지.
an engagement *ring* 약혼 반지.
She is always wearing a *ring* on her finger. 그녀는 언제나 손가락에 반지를 끼고 있다.
❷ 둥글게 열지어 있는 것, 원형
(=circle).
The girls danced in a *ring.*
여자들은 원형으로 춤을 추었다.
❸ 《서커스 따위를 하는》 **원형의 장소**, 《권투 따위의》 **링**.
Many horses were running around the circus *ring.*
많은 말들이 원형의 서커스 무대 둘레를 달리고 있었다.

ring² [riŋ] 〔동〕
〔3·단·현〕 **rings** [riŋz] : 〔ing형〕 **ringing** [ríŋiŋ] : 〔과거〕 **rang** [ræŋ] : 〔과분〕 **rung** [rʌŋ]
〔자〕 《초인종·종 따위가》 울리다.
The church bells are *ringing.* 교회 종이 울리고 있다.
The telephone *rang* many times. 전화가 여러 번 울렸다.
── 〔타〕 《초인종 따위》를 **울리다**.
Ring the bell, please, when you want me. 저에게 용무가 있을 때는 벨을 울려 주십시오.

ring for 벨을 울려 …을 **부르다**.
We *rang for* a bell boy.
우리는 벨을 울려서 《호텔의》 급사를 불렀다.

ring-pull [ríŋpùl] 〔명〕
〔복수〕 **ring-pulls** [ríŋ pùlz]
《주스 캔·맥주 캔 따위의》 **따는 고리.**
a *ring-pull* can 따는 고리가 붙은 캔.

rinse [rins] 〔타〕
〔3·단·현〕 **rinses** [rínsiz] : 〔ing형〕 **rinsing** [rínsiŋ] : 〔과거〕 〔과분〕 **rinsed** [rinst]
…을 **헹구다, 가시다, 씻어내다.**

R

I *rinsed* my hair several times. 나는 머리를 몇 번 헹궜다.

rip [rip] 타
③·단·현 **rips** [rips] ; ing형
ripping [rípiŋ] ; 과거 과분 **ripped**
[ript]
…을 쪼개다, 찢다, 벗겨내다.
She *ripped* the letter. 그녀는 편지를 찢었다.

*__ripe__ [raip] 형 비교 **riper** [ráipər] ;
최상 **ripest** [ráipist]
(과일이) 익은, (곡식이) 무르익은, 여문.
ripe fruit 익은 과일.
These cherries aren't *ripe* yet. 이 버찌는 아직도 익지 않았다.
The grain was fully *ripe* in the fields. 곡식은 들에 무르익어 있었다.

Rip Van Win·kle [rìp væn wíŋkəl] 명
립 밴 윙클.

참고 워싱턴 어빙(Washington Irving [wɑ́ʃiŋtən ə́:rviŋ], 1783-1859)작 「스케치 북」(Sketch Book)속의 단편의 주인공. 산중에서 마법의 술을 마신 후 20년간의 오랜 잠을 자고 난 뒤, 마을에 돌아왔을 때는 사람들로부터 이미 잊혀진 뒤였다는 내용의 작품. 비유적으로 시대에 뒤떨어진 사람의 뜻으로도 사용된다.

R

**__rise__ [raiz] 자
③·단·현 **rises** [ráiziz] ; ing형
rising [ráiziŋ] ; 과거 **rose** [rouz] ;
과분 **risen** [rízən]
❶ (물체가 위로) 올라가다, 상승하다; (해·달이) 뜨다, 오르다.
Smoke is *rising* from the chimneys all day.
연기가 온종일 굴뚝에서 솟아오르고 있다.
The sun *rises* in the east.
태양은 동쪽에서 떠오른다.

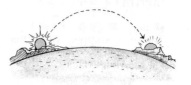

rise(뜨다)   set(지다)

❷ (의자 따위에서) 일어서다; (침대에서) 일어나다. ➤ 보통 stand up, get up을 씀.
All *rise!* 전원 기립!
Miss Smith *rose* from her chair when I went into the room. 내가 방으로 들어서자 스미스양은 의자에서 일어섰다.
I *rise* at six in the morning. 나는 아침에 6시에 일어난다.
❸ 치받이가 되다, 솟아오르다.
This street *rises* behind the park. 이 길은 공원 뒤에서 오르막이 되어 있다.
A lot of tall buildings *rose* before our eyes. 많은 고층 건물이 우리 눈 앞에 솟아 있었다.
❹ (정도·분량이) 증가하다, 등귀하다, 오르다; (바람이) 세지다.
Prices are *rising.*
물가가 오르고 있다.
The wind *rose* suddenly.
갑자기 바람이 세졌다.
Mary's voice *rose* in excitement. 메리의 목소리는 흥분으로 높아졌다.
❺ (강의) 근원이 되다, 시작되다.
This river *rises* in Gang-won-do. 이 강의 근원은 강원도에 있다.
Their fight *rose* from a trifle. 그들의 싸움은 사소한 일에서 시작되었다.

ris·en [rízən] 통
*rise*의 과거 분사.
The sun hasn't *risen* yet.
해는 아직 뜨지 않았다.

ris·ing [ráiziŋ] 통
*rise*의 -ing형.

risk [risk] 명
복수 **risks**[risks]
위험, 염려; 모험.
run 〔take〕 a *risk* 위험을 무릅
쓰다.
Let's go out now. There's
no *risk* of being seen. 자,
지금 나가자. 발각될 염려는 없다.
at the risk of …의 위험을 무릅
쓰고, …을 걸고.
The boy saved the old
man *at the risk of* his life.
소년은 자기 목숨을 걸고 노인을
구했다.
── 타 3·단·현 **risks**[risks] : ing형
risking[rískiŋ] : 과거 과분 **risked**
[riskt]
…을 위태롭게 하다; (생명 따위)
를 걸다.
He *risked* his whole for-
tune to discover oil.
그는 석유를 발견하기 위해 자기
의 전 재산을 내걸었다.

riv·er [rívər] 명
복수 **rivers**[rívərz]
강.
He fell into the *river*.
그는 강에 빠졌다.
The Hudson *River* flows
through New York City.
허드슨강은 뉴욕시를 가로질러 흐
르고 있다.

┌─────────────────────────┐
│ 어법 **the**+강 이름
강 이름에는 the를 붙인다. 미
국에서는 River를 강 이름 뒤
에, 영국에서는 강 이름 앞에
붙이나 흔히 생략한다.
the Mississippi (River) 미시
시피강 / the (River) Thames
템스강.
│ 참고 **river**와 **stream**과 **brook**
river는 비교적 넓고 긴 「강」을
가리킨다. stream은 river보다
작은 「내」를, brook는 stream
보다 작은 「시내, 개울」을 가리
킨다.
└─────────────────────────┘

road [roud] 명
복수 **roads**[roudz]
도로, 길; 수단, 방법.
a main *road* 간선〔주요〕 도로.
walk along a *road* 길을 걷다.
Don't play on the *road*.
도로에서 놀지 마라.
Where does this *road* lead?
이 길은 어디로 가느냐?
There is no royal *road* to
learning. 《속담》 학문에는 지름
길이 없다.
All *roads* lead to Rome.
《속담》 모든 길은 로마로 통한다
《목적 달성의 방법은 많다》.

┌─────────────────────────┐
│ 비슷한 말 **road**와   **street** /
path와 **way**
road는 차가 다니는 큰 길로,
보통 도시와 도시, 마을과 마을
처럼 떨어져 있는 지역을 연결
하는 도로를 말한다. street는
건물이나 상점이 늘어선
시내의 길을 가리킨다. path는
들이나 공원 따위의 차가 다니
지 않는 작은 길을 가리킨다.
way는 도로라기보다는 추상적
인 뜻의 「길」이나, 어떤 장소에
서 다른 장소로 가는 「통로」를
가리킨다.
└─────────────────────────┘

road map [róud mǽp] 명
복수 **rood maps** [róud mǽps]
(자동차용의) 도로 지도.
a *road map* of Ohio 오하이
오 주의 도로 지도.

road·side [róudsàid] 명
《the를 붙여》 길가.
He stayed at an inn by
the *roadside* that night.
그날 밤 그는 길가에 있는 여관에
서 묵었다.

road·way [róudwèi] 명
복수 **roadways** [róudwèiz]
도로; 《the를 붙여》 차도.

R

Stay off the *roadway*. 차도에 있지 마라.

roam [roum] [타·자]
[3·단·현] **roams**[roumz] ;
[ing형] **roaming**[róumiŋ] ; [과거]
[과분] **roamed**[roumd]
(…을) 거닐다, 방랑〔배회〕하다.
roam about the woods 숲속을 여기저기 거닐다.
Young men *roamed* the streets. 젊은 남자들이 거리를 배회하였다.

roar [rɔ:r] [자] [3·단·현] **roars**
[rɔ:rz] ; [ing형] **roaring**
[rɔ́:riŋ] ; [과거][과분] **roared**[rɔ:rd]
(동물이) 포효하다, 으르렁거리다;
(바람·파도가) 소리를 내다; (대포 소리가) 울리다; (웃거나 화를 내어) 큰 소리를 내다.
The lion *roared* in the cage. 사자가 울 속에서 으르렁거렸다.
The wind was *roaring* all day. 바람이 온종일 윙윙거렸다.
All the students *roared* with laughter at Tom's funny answer. 모든 학생들은 톰의 우스운 대답을 듣고 크게 웃었다.
── 명 [복수] **roars**[rɔ:rz]
(동물의) 포효하는 소리, 으르렁거리는 소리; (바람·파도가) 내는 소리; (대포의) 울리는 소리; (사람의 떠들썩한) 큰 소리.
the *roar* of a lion 사자의 포효.
a *roar* of laughter 큰 웃음소리.
We heard the *roar* of the waves on the rocks. 우리는 바위에 부딪히는 파도 소리를 들었다.

roast [roust] [타] [3·단·현] **roasts**
[rousts] ; [ing형] **roasting**
[róustiŋ] ; [과거] [과분] **roasted**
[róustid]
(고기 따위)를 굽다; (콩 따위)를 볶다. ☞ bake
We *roasted* meat and pota-

toes for dinner. 우리는 저녁 식사로 고기와 감자를 구웠다.
── 형 구운.
I like *roast* beef. 나는 로스트 비프를 좋아한다. ▶「로스트 비프」는 쇠고기를 오븐에 구운 것.

rob [rab] [타] [3·단·현] **robs**[rabz] ;
[ing형] **robbing**[rábiŋ] ; [과거]
[과분] **robbed**[rabd]
《rob+사람+of+물건으로》 (아무)에게서 (무엇)을 강탈하다〔빼앗다, 훔치다〕.
A young man *robbed* the lady *of* her bag. 한 청년이 그 부인의 손가방을 강탈하였다.

[비슷한 말] **rob**와 **steal**
rob는 흔히 폭력을 써서 빼앗는 것. steal은 몰래 훔친다는 느낌이 있는 말.

rob·ber [rábər] [명]
[복수] **robbers**[rábərz]
도둑, 강도.
a bank *robber* 은행 강도.
That store was attacked by several *robbers*. 저 상점은 몇 명의 강도에게 습격을 받았다.

[비슷한 말] **robber**와 **thief**
robber는 폭력을 쓰거나 협박해서 빼앗는 도둑이나 강도를. thief는 몰래 훔치는 도둑을 말한다.

rob·ber·y [rábəri] [명]
[복수] **robberies** [rábəriz]
약탈, 강탈, 강도 (행위).
a bank *robbery* 은행 강도.

robe [roub] [명]
[복수] **robes**[roubz]
(발목까지 내려오는) 길고 폭이 넓은 겉옷; 《종종 복수형으로》 예복, 관복. ▶특히 종교 관계자·재판관·왕 등이 입는 옷을 말함.
The judges appeared in

black *robes.* 재판관은 검은 법복을 입고 나타났다.

Rob·ert [rábərt] 명
로버트《남자 이름》.

rob·in [rábin] 명
복수 **robins** [rábinz]
울새《티티새의 일종》.

A *robin* with a reddish breast was on the campus grass.
가슴이 불그레한 울새 한 마리가 대학 구내의 잔디 위에 있었다.

Rob·in·son Cru·soe

[rábinsən krúːsou] 명
로빈슨 크루소.

> 참고 영국 소설가 다니엘 디포 (Daniel Defoe [dǽnjəl dəfóu]) 의 소설, 또는 그 소설의 주인공.

ro·bot [róubət] 명
복수 **robots** [róubəts]
로봇, 인조 인간; 기계적으로 행동하는 사람.
industrial *robots* 산업용 로봇.

산업용 로봇

rock [rak] 명
복수 **rocks** [raks]
바위; 돌(=stone).
a mass of *rock* 바위 덩어리.
The ship ran into a *rock* and broke in two. 배가 바위

에 부딪쳐서 두 동강이 났다.
He threw a *rock* into the lake. 그는 호수에 돌을 던졌다.
── 동 3·단·현 **rocks** [raks]: ing형 **rocking** [rákiŋ]: 과거 과분 **rocked** [rakt]
타 …을 흔들어 움직이다, 흔들다.
Mother *rocks* the baby to sleep. 어머니는 아기를 흔들어 재우신다.
── 자 흔들리다.
The earthquake made the whole house *rock.* 지진은 집을 온통 진동시켰다.

rock·ing chair [rákiŋ tʃɛ́ər] 명
복수 **rocking chairs** [rákiŋ tʃɛ́ərz]
흔들의자.
This *rocking chair* is Grandfather's favorite seat. 이 흔들의자는 할아버지가 즐겨 앉으시는 의자다.

rock·et [rákit] 명
복수 **rockets** [rákits]
로켓.
The United States succeeded in launching another moon *rocket.* 미국은 또 하나의 달 로켓 발사에 성공하였다.

미국의 우주로켓 발사 광경

Rock·ies [rákiz] 명
《the를 붙여서》 로키 산맥 (= Rocky Mountains).

> 참고 the Rockies는 북아메리카 대륙 서부를 남북으로 가로

지른 큰 산맥. 멕시코 북부에서 미합중국, 캐나다의 서부를 거쳐 알래스카에 이른다. 산맥 중의 최고봉은 알래스카의 매킨리산(약 6,191m). 중부 로키에는 유명한 옐로스톤 국립 공원이 있다. the Rockies는 금·은·구리 따위의 광물 자원이 풍부하며, 부근에는 광산 도시가 발달해 있다.

rock·y [ráki] 형
[비교] **rockier** [rákiər] : [최상] **rockiest** [rákiist]
바위의, 바위가 많은.
a *rocky* coast 바위가 많은 해안.

rod [rad] 명
[복수] **rods** [radz]
막대, 대(나무·금속으로 된 것)); 회초리; 낚싯대.
a fishing *rod* 낚싯대.
Spare the *rod* and spoil the child. 《속담》 매를 아끼면 아이를 버린다(귀여운 자식 고생을 시켜라)).

****rode** [roud] 동
ride의 과거.
He *rode* over five hours yesterday. 그는 어제 5시간 넘게 말을 탔다.

role [roul] 명 [복수] **roles** [roulz]
(배우의) 역(=part); 역할, 임무.
a leading *role* 주역, 지도적 역할.
Her *role* in the play is very interesting. 연극에서의 그녀의 역은 매우 재미있다.
We discussed women's *roles* in society. 우리는 사회에서의 여성의 역할을 토론했다.

****roll** [roul] 동 [3·단·현] **rolls** [roulz] : [ing형] **rolling** [róuliŋ] : [과거] [과분] **rolled** [rould]
자 ❶ 구르다, 굴러 가다.
A lot of stones *rolled* down the mountainside. 많은 돌이 산허리로 굴러 내렸다.

A coin *rolled* in under the desk. 동전이 책상 밑으로 굴러 들어갔다.
❷ 너울거리다, 기복하다.
The wave *rolled* against rock. 파도가 몰려와 바위를 쳤다.
We saw *rolling* hills before us. 앞 쪽에 기복 있는 언덕이 보였다.
❸ (배가) 옆질하다.
The ship *rolled* in the waves. 배가 파도에 좌우로 흔들렸다.
❹ (천둥이) 우르릉거리다.
Thunder *rolled* very hard yesterday afternoon. 어제 오후에는 천둥이 매우 심했다.
── 타 ❶ …을 굴리다, 굴려 가다.
He *rolled* the tire to the car. 그는 타이어를 차 있는 데로 굴려 갔다.
❷ …을 말다, 둥글게 감다.
Mother *rolled* the wool into a ball. 어머니는 털실을 공처럼 감으셨다.
Will you *roll* up this map? 이 지도를 말아주겠느냐?
❸ (롤러로) …을 다지다.
They're *rolling* the playground. 그들은 운동장을 롤러로 다지고 있다.
── 명 [복수] **rolls** [roulz]
❶ 두루마리, (말려 있는 물건의) 한 통.
George wasted many *rolls* of film during the trip. 조지는 여행 중에 여러 통의 필름을 낭비하였다.
❷ 명부, 출석부.
Mr. Han called the *roll* in his class. 한 선생님은 반에서 출석을 불렀다.
❸ (배의) 옆질.
The *roll* of the ship was very hard. 배의 옆질이 매우 심하였다.
❹ (천둥의) 우르릉거리는 소리.
The *roll* of thunder came

after the lightning. 번개 다음
에 천둥 소리가 났다.
❺ 말아 만든 물건; 롤 빵.
She ate a small *roll* and
drank a cup of tea this
morning. 그녀는 오늘 아침에
작은 롤 빵 한 개를 먹고 홍차 한
잔을 마셨다.

roll·er [róulər] 명
복수 rollers [róulərz]
롤러《땅다지기·인쇄 따위에 사용
하는 원통형의 것》.
This *roller* is too heavy
to pull. 이 롤러는 무거워 끌
수 없다.

roller

roll·er skate [róulər skèit] 명
복수 roller skates [róulər skèits]
《보통 복수형으로》 롤러 스케이트.
have a race on *roller
skates* 롤러 스케이트를 신고 경
주하다.

Ro·man [róumən] 명 복수
Romans [róumənz]
로마 사람.
When in Rome, do as the
Romans do. 《속담》 로마에 있
을 때는 로마 사람이 하는 식으로

하라《입향 순속(入鄕循俗)》.
── 형 로마의; 로마 사람의.
the *Roman* Empire 로마 제국.
The Pope is the head of
the *Roman* Catholic Church.
교황은 로마 가톨릭 교회의 수장이
다. ☞ 명 Rome

ro·mance [roumǽns] 명
복수 romances [roumǽnsiz]
로맨스; 공상〔모험, 연애〕 소설.
Their life was just like a
romance. 그들의 생활은 마치 소
설 같았다.

ro·man·tic [roumǽntik] 형
비교 more ro-
mantic; 최상 most romantic
로맨틱한, 공상적인, 낭만적인.
a *romantic* person 로맨틱한
사람.
The story of Chunhyang is
really *romantic*. 춘향전은 정말
낭만적이다.

Rome [roum] 명
로마.
Rome was not built in a
day. 《속담》 로마는 하루 아침에
이루어지지 않았다《큰 일은 단시
일에 이루어지지 않는다》.
☞ 형 Roman

참고 이탈리아의 수도. 옛날에
는 로마 제국의 수도로서, 당시
의 세계 문화의 중심지였기 때
문에, 시의 내외에 수많은 유적
이 있다. 가톨릭교의 중심지 바
티칸(Vatican [vǽtikən])이 시
의 동북부에 있다.

****roof** [ru:f] 명 복수 roofs [ru:fs]
지붕.
This Indonesian house has
a very steep *roof*. 이 인도네
시아식 집은 경사가 매우 급한 지
붕으로 되어 있다.
The *roof* of the car was
wet. 자동차의 지붕은 젖어 있
었다.

**room [ruːm] 명
　복수 **rooms** [ruːmz]

❶ 방.
My *room* is larger than hers.
내 방은 그녀의 방보다 크다.
I think he's in the living
room. 나는 그가 거실에 있다고
생각한다.
We want a quiet *room.*
우리는 조용한 방을 원한다.

❷ 《a와 복수형 안 씀》 여지, 장소.
There is no *room* for
consideration. 고려할 여지가
없다.
This sofa takes up too
much *room.* 이 소파는 자리를
너무 많이 차지한다.
Is there *room* for these
books in the suitcase?
여행 가방에 이 책들이 들어갈 자
리가 있느냐?

roost·er [rúːstər] 명 복수
roosters [rúːstərz]
수탉(⇨ hen 암탉). ▶ 미국에서는
흔히 cock 대신에 이 말을 씀.
Look out! A *rooster* is on
the road. 조심해! 수탉 한 마리
가 길에 있다.

*root [ruːt] 명
　복수 **roots** [ruːts]

❶ 뿌리.
How do flowers get water
from their *roots*? 꽃들이 어떻
게 뿌리로부터 물을 얻는가?

❷ 《보통 the를 붙여》 근원, 원
인.
the *root* of all evil 모든 악의
근원.

❸ (수학의) 근.
Tell me the square *root* of
36. 36의 제곱근을 말해보아라.

*rope [roup] 명
　복수 **ropes** [roups]
밧줄, 로프. ☞ cord (끈)
They are pulling the *rope.*
그들은 밧줄을 끌어당기고 있다.
jump rope 줄넘기하다.
She *jumped rope* a hun-

dred times. 그녀는 줄넘기를
백 번 했다.

줄넘기하는 소녀들

Rose [rouz] 명
로즈 《여자 이름》.

*rose¹ [rouz] 명
　복수 **roses** [róuziz]
장미.
Every *rose* has its thorn.
《속담》 가시 없는 장미는 없다(아
무리 훌륭한 것일지라도 나쁜 데
가 있다).
This *rose* smells very
sweet. 이 장미는 매우 향기롭다.

*rose² [rouz] 동
rise의 과거.
She *rose* from the chair
at once. 그녀는 곧 의자에서 일
어났다.

ros·y [róuzi] 형
　비교 **rosier** [róuziər] :
　최상 **rosiest** [róuziist]

❶ 장밋빛의.
Little children have *rosy*
cheeks. 어린애들은 뺨이 장밋빛
이다.

❷ 유망한, 밝은.
You all have *rosy* futures
before you. 너희들 모두는 앞으
로 밝은 장래를 가지고 있다.

rot [rat] 동 3·단·현 **rots** [rats] :
　ing형 **rotting** [rátiŋ] : 과거

[과분] **rotted**[rátid]

[자] 썩다, 부패하다.

A dead tree will *rot*.
죽은 나무는 썩는다.

── [타] …을 썩게 하다, 부패시키다.

Water standing in the fields *rots* young plants. 들에 괸 물은 어린 식물을 썩힌다.

rot·ten [rátn] [형]   [비교] **rottener**[rátnər] ; [최상] **rottenest**[rátnist]

썩은, 부패한.

These apples will soon become *rotten*. 이 사과들은 곧 썩을 것이다.

***rough** [rʌf] [형]   [비교] **rougher**[rʌfər] ; [최상] **roughest**[rʌfist]

❶ 울퉁불퉁한, 거칠거칠한 (⇔ smooth 매끄러운).

a *rough* road 울퉁불퉁한 길.

Her hands are always *rough*. 그녀의 손은 늘 거칠거칠하다.

Tom fell on the *rough* ground. 톰은 울퉁불퉁한 땅에 넘어졌다.

❷ 거친, (날씨·바다 등이) 사나운.

The planes couldn't fly because of the *rough* weather. 사나운 날씨로 비행기가 뜰 수 없었다.

❸ 난폭한, 우악스러운, 버릇 없는, 상스러운.

Don't be *rough* to the girls. 소녀들에게 난폭하게 굴지 마라.

What a *rough* boy he is! 참 난폭한 녀석이군!

He said "No" in a *rough* voice. 그는 퉁명스러운 소리로 「싫어」라고 말했다.

❹ 조잡한, 변변치 않은; 대강의, 개략적인.

This is just a *rough* sketch. 이것은 그저 대략 스케치한 것이다.

Let me know your *rough* idea. 네 생각을 대강 들려다오.

rough·ly [rʌ́fli] [부]

❶ 난폭하게, 거칠게.

Don't treat the machine *roughly*. 기계를 함부로 다루지 마라.

Sam always speaks to others *roughly*. 샘은 언제나 다른 사람에게 거칠게 말을 한다.

❷ 대략, 대강.

The distance between Seoul and Busan is *roughly* 400 kilometers. 서울과 부산 간의 거리는 대략 400 킬로미터이다.

***round** [raund] [형]   [비교] **rounder**[ráundər] ; [최상] **roundest**[ráundist]

둥근, 원형의.

He found a *round* stone. 그는 둥근 돌을 발견했다.

Several people were sitting at a *round* table. 몇몇 사람이 둥근 식탁에 앉아 있었다.

Jane's eyes became *round* in surprise. 제인의 눈은 놀라서 둥그래졌다.

── [명] [복수] **rounds**[raundz]

❶ 순회; 회진.

The doctor is making his *rounds* now. 그 의사는 지금 회진 중이다.

❷ (게임·경기의) 한 승부, (권투의) 라운드, …회전.

John was knocked down in the first *round*. 존은 첫 라운드에서 다운되었다.

── [전] …의 주위에; …을 돌아서.

We sat *round* the stove. 우리는 난로 주위에 앉았다.

The dog came *round* the corner. 개는 모퉁이를 돌아서 왔다.

── [부] 돌아서, 회전하여; 주위에.

We couldn't go there straight, so we went *round*. 우리는 거기에 곧장 갈 수가 없어서 돌아서 갔다.

R

[참고] 여기에 보여 준 것과 같은 뜻의 전치사·부사로는 around 를 쓰는 것이 보통이다.
☞ around

round·a·bout [ráundəbàut] 몡

[복수] roundabouts [ráundəbàuts]
❶ 로터리, 환상 교차로. ➤ 미국에서는 rotary 또는 traffic circle 로 씀.
❷ 회전 목마. ➤ 미국에서는 merry-go-round로 씀.

rouse [rauz] 타

[3·단·현] rouses [ráuziz]; [ing형] rousing [ráuziŋ]; [과거] [과분] roused [rauzd]
···을 눈을 뜨게 하다, 불러 깨우다.
The noise of the wind *roused* me at night. 바람 소리에 나는 밤중에 눈을 떴다.
We were *roused* by the severe earthquake. 우리는 심한 지진으로 눈을 떴다.

route [ruːt] 몡

[복수] routes [ruːts]
길, 노선, 항로.
an air *route* 항공로.
This *route* is the best for sightseeing. 관광하기에는 이 길이 가장 좋다.
Let's take *Route* 66.
66번 도로로 가자.

rou·tine [ruːtíːn] 몡 [복수]

routines [ruːtíːnz]
(늘 하는) 일정한 일, 틀에 박힌 일.
daily *routine* 일과.
After the vacation, Jane returned to his *routine*. 휴가가 끝나자 제인은 일상의 일로 되돌아갔다.

*row¹ [rou] 몡 [복수] rows [rouz]

열, 줄.
We sat in the second *row*.
우리는 둘째 줄에 앉았다.
Many people were waiting for the bus in a *row*. 많은 사람들이 일렬로 버스를 기다리고 있었다.

row² [rou] 타·자

[3·단·현] rows [rouz]; [ing형]
rowing [róuiŋ]; [과거] [과분] rowed [roud]
(배를) 젓다.
Have you ever *rowed* a boat on this lake? 너는 이 호수에서 보트를 저어 본 일이 있느냐?
We *rowed* against the wind. 우리는 바람을 거슬러 배를 저었다.
── 몡 [복수] rows [rouz]
《보통 단수형으로》 배젓기, 보트 타기.
Susie and Betty went for a *row* on the lake.
수지와 베티는 호수로 보트를 타러 갔다.

Roy [rɔi] 몡

로이《남자 이름》.

roy·al [rɔ́iəl] 형

왕의, 왕실의; 《Royal 로》 영국 왕실의, 영국의.
the *royal* family 왕가.
a *royal* palace 왕궁.
The *Royal* Navy once ruled the world. 영국 해군은 한때 세계를 지배했었다.

rub [rʌb] 동 [3·단·현] rubs [rʌbz]; [ing형] rubbing

[rʌ́biŋ] [과거] [과분] rubbed [rʌbd]
타 ···을 문지르다, 비비다.
He *rubbed* his eyes.
그는 눈을 비볐다.
Mrs. Brown *rubbed* the floor with a brush. 브라운 부인은 솔로 마루를 문질렀다.
── 자 마찰하다, 스치다.
The door is *rubbing* on something. 문이 무엇엔가 스치고 있다.

rub·ber [rʌ́bər] 몡

[복수] rubbers [rʌ́bərz]
❶ 《a와 복수형 안 씀》 고무.

R

a *rubber* band 고무 밴드.
The gloves are made of *rubber*. 그 장갑은 고무로 만들어졌다.
I don't like *rubber* shoes. 나는 고무신은 질색이다.
❷ 고무 제품; 《복수형으로》 덧신 《신발 위에 신는 것》.
If you don't put on your *rubbers*, your feet will get wet. 덧신을 신지 않으면 발이 젖는다.

rub·ble [rʌ́bəl] 명 《a와 복수형 안 씀》
잡석, 깨진 기와 조각, 벽돌 조각.
The bomb reduced the house to *rubble*. 폭탄을 맞아 그 집은 박살이 났다.

ru·by [rúːbi] 명 《복수》 **rubies**[rúːbiz]
루비, 홍옥.
Rubies are often used in rings. 루비는 반지에 곧잘 이용된다.

rude [ruːd] 형 《비교》 **ruder**[rúːdər] : 《최상》 **rudest**[rúːdist]
❶ 버릇 없는, 교양 없는, 실례되는. ☞ polite (예의 바른)
rude manners 무례.
They sometimes make *rude* replies. 그들은 가끔 실례되는 대답을 한다.
Who do you think is responsible for these *rude* acts? 너는 이런 무례한 행동들의 책임이 누구에게 있다고 생각하느냐?
❷ 거친; 조잡한; 대강의.
rude seas 거친 바다.
a *rude* sketch 조잡한 묘사.
a *rude* estimate 대강의 견적.

rude·ly [rúːdli] 부 《비교》 **more rudely**; 《최상》 **most rudely**
무례하게, 버릇없이, 거칠게.
He *rudely* interrupted me while I was speaking. 그는 내가 얘기하는 동안에 무례하게 나의 말을 가로 막았다.

rug [rʌg] 명 《복수》 **rugs**[rʌgz]
(마루·방에 까는) 모피; 융단《마루의 일부만을 덮는 것》. ☞ carpet (융단)
The part under the table was covered with a *rug*. 테이블 밑 부분은 융단으로 덮여 있었다.

rug·by [rʌ́gbi] 명 《a와 복수형 안 씀》 럭비(=rugby football).
A *rugby* ball isn't round. 럭비 공은 둥글지 않다.

ru·in [rúːin] 명 《복수》 **ruins**[rúːinz]
❶ 파멸, 멸망.
Tom's careless mistake brought about his *ruin*. 톰의 부주의한 잘못은 그에게 파멸을 가져왔다.
❷ 《종종 복수형으로》 폐허, 유적.
The city is in *ruins* now. 그 도시는 지금 폐허다.
We visited the *ruins* of ancient Greece. 우리는 고대 그리스의 유적을 구경했다.
── 타 《3·단·현》 **ruins**[rúːinz] : 《ing형》 **ruining**[rúːiniŋ] : 《과거》《과분》 **ruined**[rúːind]
…을 파멸시키다; 헛되게 하다, 망쳐 놓다.
The rain has *ruined* her dress. 비가 그녀의 옷을 망쳐 놓았다.
His plan *ruined* all of our hopes. 그의 계획은 우리의 희망을 모두 헛되게 하였다.

****rule** [ruːl] 명 《복수》 **rules**[ruːlz]
❶ 규칙, 법칙.
It is against the *rules*. 그것은 규칙에 위배된다.
We should obey the traffic *rules*. 우리는 교통 규칙을 잘 따라야 한다.
There is no *rule* without some exceptions. 《속담》 예외 없는 규칙은 없다.

R

❷ 《a와 복수형 안 씀》 지배, 통치.

America was under the *rule* of England before 1776. 미국은 1776년 이전에는 영국의 지배하에 있었다.

as a rule 대체로, 일반적으로.

As a rule, we have a lot of rain in July. 대체로 7월에는 비가 많이 온다.

make it a rule to do …하기로 하고 있다.

I *make it a rule to* read for an hour before going to bed. 나는 자기 전에 1시간 동안 독서하기로 하고 있다.

── 타·자 3·단·현 **rules** [ru:lz] : ing형 **ruling** [rú:liŋ] : 과거 과분 **ruled** [ru:ld]

(…을) **지배하다, 통치하다**(= govern).

The king *ruled* his country wisely. 왕은 그의 나라를 현명하게 통치했다.

rul·er [rú:lər] 명 복수 **rulers** [rú:lərz]

❶ **지배자, 통치자**《특히 국왕 따위》.

The *ruler* of the country was admired by the whole nation. 그 나라의 통치자는 온 국민으로부터 존경을 받고 있었다.

❷ (길이를 재는) **자.**

Jane is looking for her *ruler*. 제인은 자기 자를 찾고 있다.

rul·ing [rú:liŋ] 동 **rule**의 -ing형.

ru·mor [rú:mər] 명 복수 **rumors** [rú:mərz]

소문, 풍문.

There is a *rumor* that he will soon resign his post. 그가 곧 사직할 것이라는 소문이 있다.

The *rumor* says that he won the essay contest. 소문에 의하면 그는 현상 작문에

서 입상하였다고 한다.

── 타 3·단·현 **rumors** [rú:mərz] : ing형 **rumoring** [rú:məriŋ] : 과거 과분 **rumored** [rú:mərd]

…을 소문 내다.

It is *rumored* that he is ill. 그가 아프다는 소문이다.

▶ 영국에서는 rumour로 씀.

run [rʌn] 동 3·단·현 **runs [rʌnz] : ing형 **running** [rʌniŋ] : 과거 **ran** [ræn] : 과분 **run** [rʌn]

자 ❶ **달리다, 뛰다.**

Bob *runs* two miles every morning. 보브는 매일 아침 2마일을 뛴다.

Dogs *ran* about in the snow. 개들이 눈 속을 뛰어다녔다.

He *ran* to the bus stop. 그는 버스 정류장으로 달렸다.

❷ (차·배 따위가) **다니다, 운행하다**; (도로가) **통하다.**

The buses *run* every fifteen minutes here. 여기서는 버스가 15분마다 다닌다.

This road *runs* to the village you have just talked about. 이 길은 방금 네가 말한 마을로 통한다.

❸ (물·피·강 따위가) **흐르다.**

The river *runs* through the city. 그 강은 그 도시를 통과해서 흐른다.

Blood was *running* from his left arm. 그의 왼팔에서 피가 흐르고 있었다.

❹ (기계가) **움직이다, 일하다.**

Does the engine *run* well? 엔진이 잘 움직이느냐?

This clock doesn't *run* well.
이 시계는 제대로 가지 않는다.

❺ 씌어 있다.

The sign *runs; Keep off
the grass.* 표지에는 「잔디밭에
들어가지 마시오」라고 씌어 있다.

── 〔타〕❶ …을 달리게 하다; (기계 따위)를 운전하다, 움직이다.

Mr. Grey was *running* his
car through the field. 그레이
씨는 차를 몰고 들판을 지나고 있
었다.

Do you know how to *run*
the machine? 너는 그 기계를
어떻게 움직이는지 아느냐?

❷ (상점 따위)를 경영〔관리〕하다.

My aunt *runs* a drugstore
downtown. 나의 숙모는 시내에
서 약방을 경영하신다.

run across …와 우연히〔뜻밖에〕
만나다.

I *ran across* our teacher at
the post office. 나는 우체국에
서 선생님을 우연히 만났다.

*****run after*** …을 뒤쫓다, …을 쫓아
다니다.

A cat is *running after* a
mouse. 고양이가 생쥐를 뒤쫓고
있다.

Those children are always
running after their mother.
그 아이들은 늘 어머니를 쫓아다
닌다.

run ahead of …을 능가하다.

He *ran ahead of* her.
그는 그녀를 앞질렀다.

*****run away*** 도망하다.

When he saw a lion, he
quickly *ran away.* 그는 사자
를 보고 재빨리 도망쳤다.

run down 뛰어 내려가다; 흘러내
리다; (기계가) 멎다.

He *ran down* the steps.
그는 계단을 뛰어 내려갔다.

Tears *ran down* his cheek.
눈물이 그의 뺨을 흘러내렸다.

The motor has *run down.*
모터가 멎고 말았다.

run into 1. …으로 뛰어들다.

Jack *ran into* the kitchen.
잭은 부엌으로 뛰어 들어갔다.

2. …와 우연히 만나다.

Suise *ran into* one of her
friends at the station. 수지는
역에서 한 친구와 우연히 만났다.

3. …와 충돌하다.

A truck has *run into* the
store. 트럭이 상점을 들이받았다.

run off 달아나다.

She stood up and *ran off.*
그녀는 일어나서 달아났다.

run out of …을 다 써버리다.

"Can we use your sugar?"
"Sorry, we've *run out of*
sugar." 「설탕 좀 쓸 수 있을까?」
「미안. 우리도 설탕이 떨어졌어.」

*****run over*** 1. (액체가) 넘치다.

The oil is *running over* the
tank. 기름이 탱크에서 넘치고 있
다.

2. (차 따위가) …을 치다.

A dog was *run over* right
in front of us. 우리 바로 앞에
서 개가 치였다.

run up to …에게 뛰어가다.

The child *ran up to* his
mother. 아이는 어머니에게 뛰어
갔다.

── 〔명〕 〔복수〕 **runs**[rʌnz]

❶ 달리기, 경주.

a 100-meter *run*, 100 미터 경
주.

❷ 《a를 붙여》 연속; (연극·영화
의) 연속 공연.

a *run* of wet weather 궂은
날씨의 연속.

I think this play will have
a long *run*. 나는 이 연극이 장
기 공연될 것이라고 생각한다.

❸ (야구의) 득점.

a two-*run* homer, 2 점 홈런.

Our team made three *runs*
at a time. 우리 팀은 한 번에
3 점을 얻었다.

in the long run 결국에는.

In the long run people

came to understand him.
결국 사람들은 그를 이해하게 되었다.

rung [rʌŋ] 동
ring²의 과거 분사.

*__run·ner__ [rʌ́nər] 명
복수 **runners**[rʌ́nərz]
달리는 사람; 경주자, (야구의) 주자, 러너.
a fast〔good〕 *runner* 빨리 달리는 사람.
a long-distance *runner* 장거리 주자.

run·ning [rʌ́niŋ] 동
run의 -ing형.
— 형 흐르는; 달리는.
running water 흐르는 물; 수도.
— 명 《a와 복수형 안 씀》 달리기, 경주.
Running is good exercise.
달리기는 좋은 운동이다.

run·ny [rʌ́ni] 형
비교 **runnier**[rʌ́niər];
최상 **runniest**[rʌ́niist]
흐르는 경향이 있는; 액체 비슷한, 점액을 분비하는.
She has a *runny* nose. 그녀는 콧물이 흐른다.

ru·ral [rúərəl] 형
시골의, 농촌의, 전원의.
I prefer *rural* life to town life. 나는 도회지 생활보다 전원 생활이 좋다.

*__rush__ [rʌʃ] 동 3·단·현 **rushes**
[rʌ́ʃiz]; ing형 **rushing**
[rʌ́ʃiŋ]; 과거 과분 **rushed** [rʌʃt]
자 돌진하다, 힘 있게 움직이다, 서두르다, 급히 하다.
All the players *rushed* at the ball. 모든 선수들이 공을 향하여 돌진하였다.
They *rushed* into the room. 그들은 방 안으로 뛰어 들어왔다.
— 타 급히 서두르게 하다.
The teacher *rushed* us out of the room. 선생님은 우리를 급히 방에서 나가게 하셨다.

— 명 복수 **rushes**[rʌ́ʃiz]
돌진; 쇄도; 매우 분망함; 혼잡.
The house was swept away by the *rush* of the river.
집은 강의 격류에 휩쓸려 갔다.
I don't like the *rush* of city life. 나는 분망한 도시 생활을 좋아하지 않는다.
There was a great *rush* of girls into the theater. 소녀들이 엄청나게 극장으로 밀려들었다.

rush hour [rʌ́ʃ àuər] 명
복수 **rush hours**[rʌ́ʃ àuərz]
러시 아워《출근·퇴근으로 차·전화 따위가 혼잡한 시간》.
In order to avoid the *rush hour*, Tom goes to school earlier than the others.
톰은 러시 아워를 피하기 위해 다른 사람들보다 일찍 학교에 간다.

Rus·sia [rʌ́ʃə] 명
러시아.

참고 1991년 소련의 해체로 성립된 독립 국가 연합 구성 공화국의 하나. 동유럽과 아시아 북부에 위치하고 있으며, 면적은 17,075,286 km². 정식 명칭은 러시아 연방 (Russian Federation [fèdəréiʃən])이지만, 간단히 Russia라고 하는 경우가 많다. 수도는 모스크바 (Moscow).

Rus·sian [rʌ́ʃən] 명
복수 **Russians**[rʌ́ʃənz]
러시아 사람; 《a와 복수형 안 씀》 러시아어.
He is a *Russian*. 그는 러시아 사람이다.
Russians are very good at singing. 러시아 사람들은 노래를 매우 잘 부른다.
He speaks *Russian* pretty well. 그는 러시아어를 상당히 잘 한다.

—— 형 러시아의; 러시아 사람의.
She is a *Russian* girl.
그녀는 러시아 소녀이다.

rus·tle [rʌ́səl] 동
③·단·현 **rustles** [rʌ́-
səlz]; ing형 **rustling** [rʌ́səliŋ];
과거 과분 **rustled** [rʌ́səld]
자 (나뭇잎 따위가) **바스락〔와삭〕**
거리다.
Leaves *rustled* as we
walked past. 우리가 걸어가니
나뭇잎이 와삭와삭 소리를 냈다.
—— 타 …에 **바스락〔와삭〕** 소리를
내게 하다.
Don't *rustle* the paper.
종이를 부스럭거리지 마라.
—— 명 복수 **rustles** [rʌ́səlz]
바스락〔와삭〕거리는 소리.
We heard the *rustle* of
branches in the wind. 바람
에 나뭇가지가 흔들리는 소리를
들었다.
➤ rustle의 t는 발음하지 않음.

rye [rai] 명
《a와 복수형 안 씀》 **호밀.**
rye bread (호밀로 만든) 흑빵.

R

-s¹ [-s, -z, -iz] 접미
　명사에 붙여 복수형을 만듦.
desks 책상들 / **dogs** 개들 / **boys**
소년들.

어법 복수형 만드는 법		
대부분의 말	s를 붙임	cats
s, x, ch[tʃ] sh로 끝나는 말	-es를 붙임	dishes
「자음자+y」로 끝나는 말	y를 i로 바꾸고 -es를 붙임	cities
「자음자+o」로 끝나는 말	-es를 붙임	potatoes (예외) pianos
f, fe로 끝나는 말	f, fe를 v로 바꾸고 -es를 붙임	leaves (예외) roofs

발음 -s, -es의 발음		
[s]	[s], [ʃ], [tʃ] 이외의 무성음 뒤	books [buks]
[z]	[z], [ʒ], [dʒ] 이외의 유성음 뒤	bags [bægz]
[iz]	[s], [ʃ], [tʃ] 와 [z], [ʒ], [dʒ]의 뒤	classes [klǽsiz]

-s² [-s, -z, -iz] 접미
　동사에 붙여 3인칭・단수・현재형을 만듦.
**He walks to school every
day.** 그는 매일 걸어서 학교에
간다.

어법 3인칭・단수・현재형 만드는 법		
대부분의 말	-s를 붙임	looks
s, x, ch, sh, o로 끝나는 말	-es를 붙임	teaches
「자음자+y」로 끝나는 말	y를 i로 바꾸고 -es를 붙임	studies

➤ -s, -es의 발음은 -s¹과 같음.

-'s¹ [-s, -z, -iz] 접미
　사람이나 생물을 나타내는
명사에 붙여 소유격을 만듦.
Tom's book 톰의 책.
cat's tail 고양이의 꼬리.
➤ -s로 끝나는 복수형의 명사에는
「'」만 붙임.
a girls' school 여학교.

발음 -'s 의 발음		
[s]	[s], [ʃ], [tʃ] 이외의 무성음 뒤	Jack's [dʒæks]
[z]	[z], [ʒ], [dʒ] 이외의 유성음 뒤	dog's [dɔːgz]
[iz]	[s], [ʃ], [tʃ] 와 [z], [ʒ], [dʒ]의 뒤	Alice's [ǽlisiz]

-'s² [-s, -z, -iz]
　is, has 의 단축형.
It's (=It is) **cold today.**
오늘은 춥다.
He's (=He has) **been ill in
bed.** 그는 아파서 내내 누워 있다.
➤ -'s의 발음은 -'s¹과 같음.

sack [sæk] 명
　복수 **sacks** [sæks]
(종이・마 따위의) **부대, 자루, 색.**
a sack of potatoes 감자 한
자루.
**Insuk's mother handed
her a sack.** 인숙의 어머니는
그녀에게 색을 건네주었다.

sa·cred [séikrid] 형
　비교 **more sacred;**
최상 **most sacred**
신성한(=holy)**; 종교적인.**
a sacred book 성전(聖典).
He studied sacred music.
그는 종교 음악을 공부하였다.

sac·ri·fice [sǽkrəfàis]
　명

복수 **sacrifices**[sǽkrəfàisiz]
희생, 제물.
They killed a sheep as a *sacrifice*. 그들은 제물로서 양을 잡았다.
── 타 …을 희생하다, 제물로 바치다.
The soldiers *sacrificed* their lives for their country. 병사들은 조국을 위해 목숨을 바쳤다.

* **sad** [sæd] 형
비교 **sadder**[sǽdər] : 최상 **saddest**[sǽdist]
슬픈, 비탄에 잠긴(⇔ glad 기쁜).
He looks *sad*.
그는 슬퍼 보인다.
I felt *sad* to think of his death. 나는 그의 죽음을 생각하면 슬펐다.
It makes me *sad* when I think of his failure. 그의 실패를 생각하면 나는 슬퍼진다.
Korean War was one of the *saddest* parts of our history. 한국 전쟁은 우리 역사의 가장 슬픈 부분의 하나이다.
☞ 명 sadness

sad·der [sǽdər] 형
sad의 비교급.

sad·dest [sǽdist] 형
sad의 최상급.

sad·dle [sædl] 명 복수
saddles[sædlz]
(말·자전거 따위의) 안장.
He put the *saddle* on his horse. 그는 자기 말에 안장을 얹었다.

sad·ly [sǽdli] 부 비교 more
sadly; 최상 most sadly
슬픈 듯이, 구슬프게.
He looked at her *sadly*.
그는 슬픈 듯이 그녀를 보았다.
She spoke *sadly* of her misfortune. 그녀는 자신의 불행을 슬프게 말하였다.

sad·ness [sǽdnis] 명
《a와 복수형 안 씀》 슬픔, 비탄.

What's the reason for his *sadness*? 그가 슬퍼하는 까닭은 무엇이냐? ☞ 형 sad

* **safe** [seif] 형 비교 **safer**[séif-ər]: 최상 **safest**[séifist]
안전한; 무사한(⇔ dangerous 위험한).
Now we are *safe*.
이제 안전하다〔염려 없다〕.
Disney dreamed of creating a *safe*, clean park for everyone. 디즈니는 모든 사람을 위한 안전하고 깨끗한 공원 설립을 꿈꾸었다.
It's never *safe* to drive fast. 차를 빨리 모는 것은 결코 안전하지 않다.
Mr. Smith came home *safe*. 스미스씨는 무사히 귀가하였다.
☞ 명 safety
── 명 복수 **safes**[seifs]
금고.
He left all the money in the *safe*. 그는 모든 돈을 금고에 넣었다.

safe·ly [séifli] 부
비교 **more safely**; 최상 **most safely**
안전하게; 무사히.
Jinho's dog can *safely* run along beside Jinho's bicycle. 진호의 개는 진호의 자전거 곁에서 안전하게 따라 뛴다.
The ship came *safely* into the harbor. 배는 무사히 입항하였다.

* **safe·ty** [séifti] 명
《a와 복수형 안 씀》
안전, 무사(⇔ danger 위험).
We are all anxious about his *safety*. 우리는 모두 그의 안전을 걱정하고 있다.
Safety rules are very important for divers. 안전 규칙은 다이버를 위해 매우 중요하다.
☞ 형 safe
in safety 안전하게, 무사히.
You can cross the street

S

in safety here. 여기라면 거리
를 안전하게 건널 수 있다.

Safety First. 《위험 방지 표어》 안
전 제일.

*****said** [sed] 동
say의 과거 · 과거 분사.
"Let's go," *said* Tom.
「가자.」 하고 톰이 말하였다.
It is *said* that he died
soon after he returned
home. 그는 고향에 돌아온 후 곧
사망하였다고 한다.
➤ said[sed]를 [seid]로 발음하지
않도록 주의.

*****sail** [seil] 명
복수 **sails**[seilz]
돛.
The ship had a white *sail*.
그 배는 흰 돛을 달고 있었다.

set sail 출범하다.
The boat *set sail* for San
Francisco. 그 배는 샌프란시스
코를 향해 출범했다.
── 동 3·단·현 **sails**[seilz] ; ing형
sailing[séiliŋ] ; 과거 과분 **sailed**
[seild]
자 ❶ 항해하다, 범주(帆走)하다.
A boat is *sailing* on the
lake. 보트가 호수에서 범주하고
있다.
This yacht is going to *sail*
across the Pacific. 이 요트는
태평양을 가로질러 항해를 하려고
한다.
❷ 출범하다, 출항하다.
The ship *sailed* out of
Incheon for Busan at nine.
그 배는 9시에 부산을 향하여 인
천을 출항하였다.
── 타 ❶ (강 · 바다)를 항해하다,
범주하다.
They *sailed* the Atlantic for
three days. 그들은 3일간 대서
양을 항해하였다.
❷ (배)를 달리게 하다.
We enjoyed *sailing* a boat
on the lake. 우리는 호수에서
보트타기를 즐겼다.

sail·boat [séilbòut] 명
복수 **sailboats**[séilbòuts]
돛단배, 요트.
I saw some *sailboats* on
the bay. 만에는 돛단배가 몇 척
떠 있었다. ➤ sailboat는 노
(oar)로 젓지 않고 돛으로 달리는
작은 배임.

*****sail·or** [séilər] 명
복수 **sailors**[séilərz]
❶ 뱃사람, 선원.
A *sailor's* life is hard.
뱃사람의 생활은 고달프다.
Magellan and his *sailors*
left Spain in August 1519.
마젤란과 그의 선원들은 1519년
8월에 스페인을 떠났다.
❷ 수병. ☞ soldier(육군 병사)
Men in the navy are called
"*sailors.*" 해군의 병사는 「수병」
이라고 불린다.

saint [seint] 명
복수 **saints**[seints]
성자, 성인, 《**Saint**로》 성(聖)···.
He lived a *saint's* life.
그는 성인과 같은 생활을 했다.

┌─────────────────────────┐
참고 saint는 성자의 이름에 붙
여 St.라고 약한다.
St. Nicholas [sèint níkələs]
성(聖)니콜라스.
└─────────────────────────┘

Saint Val·en·tine's
Day [sèint vǽləntainz dèi] 명

성(聖)발렌타인 축제일, 발렌타인데이 《2월 14일》.

[참고] 3세기 로마의 기독교 순교자 발렌타인을 기념하는 날. 사랑의 표시로 편지·카드·선물 따위를 친한 사람에게 보내는 풍습이 있다.

발렌타인 데이의 아름다운 카드

sake [seik] 명
《다음과 같은 구에만 쓰임》

***for the sake of** …을 위하여.*

She fought *for the sake of* her country. 그녀는 자기 나라를 위해 싸웠다.

He gave up smoking *for the sake of* his health. 그는 건강을 위하여 담배를 끊었다.

sal·ad [sǽləd] 명
[복수] **salads** [sǽlədz]

샐러드.

vegetable *salad* 야채 샐러드.
make 〔prepare, dress〕 a *salad* 샐러드를 만들다.
She likes fruit *salad*.
그녀는 과일 샐러드를 좋아한다.

sal·a·ry [sǽləri] 명 [복수]
salaries [sǽləriz]

봉급, 급료.

a monthly *salary* 월급.

[참고] 근로자의 임금은 wages [wéidʒiz]라고 한다. 우리 나라에서는 월급·일급이 보통이지만, 미국에서는 일반적으로 주급이고 금요일이 급료날이다.

*****sale** [seil] 명
[복수] **sales** [seilz]

❶ 판매.
(a) cash *sale* 현금 판매.
We haven't made a *sale* this morning. 우리는 오늘 아침에 아무 것도 팔지 못했다.

❷ 팔림새; 《복수형으로》 매상고.
That dictionary enjoys a large *sale*. 저 사전은 아주 잘 팔린다.

❸ 특매, 헐값으로 팔기.
a bargain *sale* 대염가 판매, 바겐 세일.
When does the Christmas *sale* start? 크리스마스 특매는 언제 시작하느냐? ☞ 동 sell

***for sale** 팔려고 내놓은, 매물의.*
Not *for sale*. 《게시》비매품.
This house is *for sale*.
이 집은 팔려고 내놓았다.

***on sale** (상품이) 판매 중인; 특매 중인.*
The new model cars are now *on sale*. 신형 차종이 지금 판매되고 있다.

sales·clerk [séilzklə̀ːrk]

[복수] **salesclerks** [séilzklə̀ːrks]
판매원, 점원. ➤ 간단히 clerk라고도 함.
My sister is a *salesclerk* at a department store. 나의 누이동생은 백화점의 점원이다.

sales·man [séilzmən] 명

[복수] **salesmen** [séilzmən]
점원, 판매원, 세일즈맨.
The *salesmen* of that store are kind to customers.
저 상점의 점원들은 손님들에게 친절하다.

[참고] 우리말에서 「세일즈맨」은 흔히 외판 사원만 가리키나, 영어에서 salesman은 매장의 판매원도 가리킨다. 최근에는 salesperson [séilzpə̀ːrsn]을 즐겨 쓰는 경향이 있다.

S

sales·men [séilzmən] 명
salesman의 복수.

sales·per·son [séilzpə̀r-sən] 명
복수 salespersons[séilzpə̀rsənz]
또는 salespeople[séilzpì:pl]
판매원, 외판원.
a pushy *salesperson* 강요하는 판매원.

salm·on [sǽmən] 명 복수
salmon[sǽmən]
연어.
Father has gone fishing for *salmon*. 아버지는 연어 낚시를 가셨다.
▶ salmon의 1은 발음하지 않음.

salt [sɔːlt] 명
《a와 복수형 안 씀》소금, 식염.
salt water 소금물, 바닷물. ▶ 민물은 fresh water.
The salad needs more *salt*. 이 샐러드는 좀 싱겁다.
Pass me the *salt*, please. 소금 좀 건네주시오. ☞ 형 salty

salt·y [sɔ́ːlti] 형
비교 saltier [sɔ́ːltiər];
최상 saltiest[sɔ́ːltiist]
짠, 소금기가 있는.
The Dead Sea is very *salty*. 사해는 물이 매우 짜다.
☞ 명 salt

sa·lute [səlúːt] 타 (3·단·현)
salutes [səlúːts] : ing형
saluting [səlúːtiŋ]; 과거 과분
saluted[səlúːtid]
···에 경례하다, 인사하다. ☞ greet
They *saluted* their national flag. 그들은 국기에 경례하였다.
— 명 복수 salutes[səlúːts]
인사, 경례.

The queen answered the *salutes* of the crowd with a smile. 여왕은 미소로 군중에게 답례했다.

Sam [sæm] 명
샘《남자 이름. Samuel [sǽmjuəl]의 애칭》.

same [seim] 형
《보통 the를 붙여》같은, 동일한, 같은 모양의(⇔ different 다른).
Tom and Nancy are in the *same* class. 톰과 낸시는 같은 반이다.
These two houses are just the *same* size. 이 두 집은 크기가 꼭 같다.

***at the same time** 동시에.
They arrived *at the same time*. 그들은 동시에 도착했다.

the same ~ as ... ···와 같은 ~.
Your feet are *the same* size *as* mine. 네 발은 내 발과 크기가 같다.

the same ~ that ... ···와 같은 ~.
This is *the same* story *that* my mother told me. 이것은 어머니께서 나한테 말씀해 주신 것과 똑같은 이야기이다.

어법 **the same ~ as ...** 와 **the same ~ that ...**

the same ~ as ...는 「같은 종류의」란 뜻을, the same ~ that... 은 「동일한」이란 뜻을 나타낸다.
He wears *the same* hat *as* I do. 그는 내가 쓴 것과 같은 종류의 모자를 쓰고 있다.
This is *the same* hat *that* I was wearing a year ago. 이것은 내가 1년 전에 썼던 바로 그 모자이다.

— 대 《보통 the를 붙여》같은 것, 같은 사람〔물건〕.
I'll have the *same*. (레스토랑 따위에서) 나도 같은 걸로 먹

겠습니다.
"A hamburger, please."
"*Same* for me, please."
「햄버거 하나 주세요.」「나도 같은 걸로 주세요.」

Same here. 나도 같은 것으로 《음식 주문 따위에서》.

회화 (The) **same to you** !
「당신께서도 !」
Happy New Year ! (새해 복 많이 받으세요!)나 Merry Christmas ! (성탄을 축하합니다!)와 같은 인사를 받았을 때, 그에 대한 답례로서 쓰는 말이다. I wish you the same. 이라고도 한다.
A : Happy New Year, Jane !
B : *Same to you* !
「제인, 새해 복 많이 받아라!」
「너도 복 많이 받아!」

---

sam·ple [sǽmpəl] 명 복수 samples [sǽmpəlz]
견본; 본보기.
The salesman showed me *samples* of cloth for a new suit. 점원은 새로 맞출 옷감의 견본을 나에게 보여주었다.

***sand** [sænd] 명 복수 sands [sændz]
❶ 《a와 복수형 안 씀》 모래.
Father covered the yard with *sand*. 아버지는 안마당을 모래로 덮으셨다.
I have *sand* in my eyes.
내 눈에 모래가 들어갔다.
❷ 《보통 복수형으로》 모래밭, 사막.
Children are playing on the *sands*. 아이들이 모래밭에서 놀고 있다. ☞ 형 sandy

***sand·wich** [sǽndwitʃ] 명
복수 sandwiches [sǽndwitʃiz]
샌드위치.
She is making *sandwiches*.
그녀는 샌드위치를 만들고 있다.

I want to eat some *sandwiches* for lunch. 나는 점심으로 샌드위치를 먹고 싶다.

sand·y [sǽndi] 형
모래의, 모래땅의.
A *sandy* beach spread out for miles. 모래 사장이 몇 마일이고 펼쳐 있었다. ☞ 명 sand

sane [sein] 형
제정신인, 건전한.
I'm afraid he isn't *sane* any more. 이미 그는 제정신이 아닌 것 같다.

San Fran·cis·co
[sæn frənsískou] 명
샌프란시스코.

참고 미국 캘리포니아주에 있는 항구 도시. 가파른 고개가 많고, 케이블카라는 독특한 시내 전차와 금문교(Golden Gate Bridge) 등이 유명하다.

S

***sang** [sæŋ] 동
sing의 과거.
Father *sang* very loud. 아버지는 큰 소리로 노래를 부르셨다.

sank [sæŋk] 동
sink의 과거.
The ship *sank* quickly.
배는 순식간에 침몰하였다.

San·ta Claus
[sǽntə klɔ́:z] 명
산타클로스.

기상용 (인공) 위성 《미국》

참고 3세기 소아시아의 남서부에서 태어난 성인으로, 어린이들의 수호신인 St. Nicholas [sèint níkələs]가 잘못 전해진 것이라 한다. 방울 달린 모자를 쓰고 붉은 옷에 흰 수염이 달린 할아버지가 여덟 마리의 순록이 끄는 썰매를 타고 와서, 굴뚝으로 들어와 아이들에게 선물한다는 전설은, 니콜라스 성인이 아무도 모르게 물건을 보낸다는 이야기에서 나온 것이다.

sa·ri [sάːri(ː)] 명
복수 **saris**[sάːri(ː)z]
명 (인도 여성이 두르는) **사리**.
Many women in India wear saris. 인도에서는 많은 여성들이 사리를 두른다.

***sat** [sæt] 동
sit의 과거 · 과거 분사.
They sat on the chairs.
그들은 의자에 앉았다.

Sat. Saturday의 간략형.

Sa·tan [séitən] 명
악마, 사탄 《특히 기독교에서 신에게 적대하는 악마를 말함》.

sat·el·lite [sǽtəlàit] 명
복수 **satellites**[sǽtəlàits]
위성; 인공 위성 (=artificial satellite).
a weather satellite 기상 위성.
a satellite station 인공 위성 기지, 우주 정거장.

The moon is the earth's small satellite. 달은 지구의 작은 위성이다.

sat·is·fac·tion [sæ̀tisfǽk-ʃən] 명
《a와 복수형 안 씀》 만족.
express great satisfaction at [with] the result 결과에 대해 큰 만족의 뜻을 나타내다.
Mr. Green found satisfaction in doing his work.
그린씨는 자기의 일을 하는 데 만족을 느꼈다.
He read the report with satisfaction. 그는 그 보고를 만족스럽게 읽었다.

sat·is·fac·to·ry [sæ̀tisfǽk-təri] 형
비교 **more satisfactory**; 최상 **most satisfactory**
만족한, 더할 나위 없는.
The results were quite satisfactory. 그 결과는 대단히 만족스러웠다.
He has done satisfactory work. 그는 더할 나위 없는 일을 하였다.

sat·is·fy [sǽtisfài] 타
3·단·현 **satisfies** [sǽtisfàiz]; ing형 **satisfying** [sǽtisfàiŋ]; 과거 과분 **satisfied** [sǽtisfàid]
❶ …을 만족시키다; (필요 · 욕망 따위)를 충족시키다.
Nothing satisfied him. 그는 아무 것에도 만족하지 않았다.

Tom *satisfied* his hunger with an apple. 톰은 사과 한 개로 배고픔을 달랬다.

❷ 《be satisfied with 로》 …에 만족하고 있다.

I'm *satisfied* *with* my present job. 나는 현재의 일에 만족하고 있다.

＊Sat·ur·day [sǽtərdei] 명

〔복수〕 **Saturdays** [sǽtərdeiz] 토요일. ▶ Sat.로 약함.

Saturday is the last day of the week. 토요일은 주의 마지막 날이다.

In America, students don't have classes on *Saturdays*. 미국에서 학생들은 토요일에는 수업이 없다.

〔참고〕 미국과 유럽에서는 관청, 회사, 학교는 주당 5일제를 시행하고 있기 때문에 토요일은 쉰다.

sauce [sɔːs] 명

《a와 복수형 안 씀》 소스.

tomato *sauce* 토마토 소스.

sau·ce·pan [sɔ́ːspæn] 명

〔복수〕 **saucepans** [sɔ́ːspænz] (자루·뚜껑이 달린) 스튜 냄비.

Cook noodles in a *saucepan*. 국수를 냄비에 요리해라.

sau·cer [sɔ́ːsər] 명 〔복수〕 **saucers** [sɔ́ːsərz]

(찻잔 따위의) 받침 접시; 받침 접시 모양의 것.

a flying *saucer* 비행 접시.

There is a cup and *saucer* on the table. 식탁에 받침 접시로 받친 찻잔이 있다.

sau·sage [sɔ́ːsidʒ] 명

〔복수〕 **sausages** [sɔ́ːsidʒiz] 소시지.

Kate's mother asked her to go and buy some *sausage.* 케이트의 어머니는 케이트에게 소시지를 좀 사오라고 하였다.

〔참고〕 sausage는 소·돼지·양 따위의 창자 속에 곱게 다진 고기를 양념하여 재어 넣은 것.

sav·age [sǽvidʒ] 형 〔비교〕 **more savage**; 〔최상〕 **most savage**

야만의, 미개한.

savage tribes 야만족.

They explored *savage* countries in Africa. 그들은 아프리카의 미개한 나라들을 탐험하였다.

── 명 〔복수〕 **savages** [sǽvidʒiz] 야만인, 미개인.

educate the *savages* 미개인을 교육하다.

＊save [seiv] 타 〔3·단·현〕 **saves** [seivz]; 〔ing형〕 **saving** [séiviŋ]; 〔과거〕 〔과분〕 **saved** [seivd]

❶ …을 구조하다, 돕다; 《save ... from으로》 …을 ～로부터 구하다.

The dog *saved* his owner's life. 개는 주인의 생명을 구하였다.

The man *saved* a little boy *from* the river. 그 남자는 강에서 어린 소년을 구했다.

❷ …을 저축하다, 간직해 두다.

I *saved* enough money for the trip. 나는 여행을 하기 위하여 충분한 돈을 저축하였다.

❸ (시간·비용·노력 따위)를 절약하다, 덜어주다.

He knows many good ways to *save* things. 그는 물건을 절약하는 좋은 방법을 많이 알고 있다.

A stitch in time *saves* nine. 《속담》 제때의 한 땀이 아홉 수고 던다 《손을 늦게 쓰면 더욱 어렵게 된다는 뜻. 「호미로 막을 것을 가래로 막는다.」》.

saw¹ [sɔː] 명 〔복수〕 **saws** [sɔːz] 톱.

How do you use this *saw?*
이 톱을 어떻게 사용하느냐?

***saw²** [sɔː] **동**
see의 과거.
I *saw* a robin yesterday.
나는 어제 울새를 보았다.

***say** [sei] **타·자** **3·단·현** says
[sez] ; **ing형** **saying**[séiiŋ] ;
과거 과분 **said**[sed] ➤ says[sez]
를 [seiz], said[sed]를 [seid]로
발음하지 않도록 주의.
타 ❶ …을 말하다 ; 《**say ... to**＋
사람으로》 (아무)에게 …을 말하
다 ; 《**say (that) ... 으로**》 …라고
말하다.
Say it in other words.
그것을 다른 말로 바꿔 말해라.
I *said* nothing *to* him. 나는
그에게 아무 말도 하지 않았다.

> **어법** 인용 어구 뒤의 **say**의 위치
> 인용 어구 뒤에 오는 주어가 명
> 사일 경우에는 그 명사가 say
> 다음에 오지만, 대명사일 때는
> 「주어＋동사」의 형식이 된다.
> "Thank you," *said* Tom.
> 「고맙습니다.」라고 톰은 말했
> 다.
> "Thank you," he *said.* 「고
> 맙습니다.」라고 그는 말했다.

❷ (편지·책 따위에) …라고 쓰
여 있다.
What does the telegram
say? 전보에 뭐라고 쓰여 있느냐?
This letter *says* that he is
fine. 이 편지에 그는 잘 지낸다고
쓰여 있다.
── **자** ❶ 말하다.
Do as I *say.*
내가 말하는 대로 해라.
❷ 《명령형으로》 어이, 여봐, 저.
Say, Sam! 이봐, 샘.

> **비슷한 말** **say, speak, talk,**
> **tell**
> speak는 「입으로 말을 하다」의
> 뜻으로, 말한다는 행위에 중점

을 둔다. 이에 대하여 say는 자
신의 생각을 말로 발표하는 것
을 말한다. 난 지 1년 정도밖에
안 되는 유아는 speak할 수는
있어도 say할 수는 없다. 유아
는 처음에는 speak하고, 차츰
say하는 단계로 옮아간다. talk
는 내용에 관계 없이 뜻을 알
수 있는 소리를 내는 것으로
speak보다는 터놓고 하는 말.
tell은 이야기의 내용을 보도 또
는 말하여 전하는 것. 「이야기
를 하다」는 *tell* a story라고
하고 「영어를 말하다」는 *speak*
English라고 한다.

It is said that ... . (소문으로는)
…라고 한다, …라는 소문이다.
It is said that millions of
books are kept in that
library. 수백만 권의 책이 저 도
서관에 있다고 한다.
**say to one*self 마음 속으로 생각
하다 ; 혼잣말을 하다.
"Something good is going
to happen today," *said*
Jack *to himself.* 「오늘은 무엇
인가 좋은 일이 일어날 것 같은데.」
라고 잭은 마음 속으로 생각했다.
*They [*People*] *say* (*that*) ... . …
라고들 하다.
They say he is sick.
그가 아프다고들 한다.

> **회화** **You can say that again!**
> 「그렇습니다!, 그렇고 말고요!」
> 상대방의 말에 동의할 때 쓰는
> 말이다. You said it! 또는
> You've said it! 이라고도 한다.
> A : Many people like
>   country life better
>   than city life.
> B : *You can say that*
>   *again!*
> 「많은 사람이 도시 생활보다 시
> 골 생활을 더 좋아하지.」「그렇
> 고 말고!」

say·ing [séiiŋ] 몡
    [복수] **sayings**[séiiŋz]
❶ 말, 진술.
One's *sayings* and doings
do not always go together.
사람의 말과 행동이 반드시 일치
하는 것은 아니다.
❷ 속담(=proverb).
There is an old *saying*,
"Look before you leap."
「실행하기 전에 잘 생각하라」는
옛 속담이 있다.
Do you have a similar
saying in Korean? 한국말에도
비슷한 속담이 있느냐?

scale¹ [skeil] 몡
    [복수] **scales**[skeilz]
천칭의 접시; 《보통 복수형으
로》 천칭(=balance), 저울.
The clerk weighed the
letter on the *scales.* 우체국
직원은 편지를 저울로 달았다.

scale² [skeil] 몡
❶ 저울 눈, 눈금; 척도.
the *scale* of the thermometer
온도계의 눈금.
❷ 규모.
on a large [small] *scale* 대
[소]규모로.

scan·dal [skǽndl] 몡
    [복수] **scandals**[skǽndlz]
추문, 스캔들.
a political *scandal* 정치적 스
캔들.

scar [skɑːr] 몡
    [복수] **scars**[skɑːrz]
상처 자국, 흉터, 흠, 흔적.
The man had a *scar* on
his forehead. 그 사람은 이마에
흉터가 있었다.

scarce [skɛərs] 톙 [비교]
     scarcer [skɛərsər];
[최상] **scarcest**[skɛərsist]
부족한, 적은; 드문, 희귀한. ▶ 명
사 앞에는 쓰지 않음.
Money was *scarce* at the
end of the month. 월말에는

돈이 부족했다.
Fruit will be *scarce* this
year. 올해에는 과일이 귀할 것
이다.

scarce·ly [skɛərsli] 閉
❶ 거의 …아니다(=hardly).
He could *scarcely* sleep a
wink. 그는 거의 한숨도 잘 수가
없었다.
❷ 간신히, 겨우.
He is *scarcely* eleven years
old. 그는 겨우 열한 살 쯤 됐다.

scare [skɛər] 톕 [3·단·현]
     scares[skɛərz]; [ing형]
scaring [skɛəriŋ]; [과거] [과분]
scared[skɛərd]
…을 깜짝 놀라게 하다, 겁나게 하
다(=frighten).
You *scared* me. 깜짝이야. ▶
남에게 놀람을 당했을 때 하는 말.
You don't *scare* me. 너 따위
겁 안 나. ▶ 싸울 때 쓰는 말.
She *scared* him by turning
off the lights.
그녀는 불을 꺼서 그를 겁나게 했
다.
The children were *scared*
and ran away. 아이들은 무서
워서 달아났다.

scare·crow [skɛərkròu] 몡
    [복수] **scarecrows**[skɛərkròuz]
허수아비. ▶ 영미의 허수아비는
모자를 쓰고 셔츠에 바지를 입은
인형 같은 것이 많음.
He put a *scarecrow* in the
field of crops. 그는 곡물 밭에
허수아비를 세웠다.

S

scarf [skɑːrf] 명

복수 **scarfs**[skɑːrfs] 또
는 **scarves**[skɑːrvz]
스카프, 목도리.
She wears a red *scarf*
round her neck. 그녀는 목에
빨간 스카프를 두르고 있다.

scar·let [skɑ́ːrlit] 형
주홍의, 진홍색의.
His face turned *scarlet*
with anger. 그의 얼굴은 노여움
으로 빨개졌다.
──명 《a와 복수형 안 씀》 주홍,
진홍색.
Scarlet is her favorite color.
진홍색은 그녀가 좋아하는 색이다.

scar·y [skɛ́əri] 형
비교 **scarier**[skɛ́əriər] :
최상 **scariest**[skɛ́əriist]
무서운, 두려운; 겁 많은, 잘 놀라
는.
They watched a *scary*
movie. 그들은 무서운 영화를 보
았다.

scat·ter [skǽtər] 동
3·단·현 **scatters**
[skǽtərz] : ing형 **scattering**
[skǽtəriŋ] : 과거 과분 **scattered**
[skǽtərd]
타 …을 뿌리다, 흩뿌리다.
The farmers *scattered* seed
over the fields. 농부들은 밭에
씨를 뿌렸다.
──자 흩어지다.
The crowd *scattered* because
it began to rain.
비가 오기 시작했기 때문에 군중
은 흩어졌다.

*scene [siːn] 명
복수 **scenes**[siːnz]
❶ (연극의) 장, 장면.
the last *scene* 마지막 장면.
Act I, *Scene* iii 제 1 막 제 3
장. ➤ act one, scene three
라고 읽음.
❷ 광경, 풍경. ☞ scenery
The tall trees in the sunset
made a beautiful *scene*.

저녁놀에 비친 큰 나무들은 아름
다운 광경을 이루었다.
➤ **scene**[siːn]의 발음은 seen
[siːn]과 같음.

scen·er·y [síːnəri] 명

❶ 《a와 복수형 안 씀》 경치, 풍
경.
When the leaves turn color,
the *scenery* is beautiful. 잎의
색깔이 변할 때 풍경이 아름답다.
❷ 《a와 복수형 안 씀》 (연극의)
배경, 무대 장치.
They painted the *scenery*
for their school play. 그들은
학교 연극을 위한 배경을 그렸다.

┌─────────────────────────┐
│ 비슷한 말 **scenery**와 **scene**
│ **scenery**는 어떤 지역 전체의
│ 자연 풍경을 가리키는 말이고
│ 복수형으로는 쓰이지 않는다.
│ **scene**은 무대의 장면과 같이
│ 한정된 일부의 경치로 셀 수 있
│ 는 명사이다. **scenery**는
│ **scene**이 여러 개 모인 것이라
│ 고 생각하면 된다.
└─────────────────────────┘

scent [sent] 명
복수 **scents**[sents]
냄새(=smell) ; 향기, 향내.
the *scent* of flowers 꽃의 향
기.

sched·ule [skédʒu(ː)l] 명

복수 **schedules**[skédʒu(ː)lz]
시간표, 예정(표), 스케줄.
a school *schedule* 학교 시간
표.
a train *schedule* 열차 시간표.
According to *schedule*, we
have a tennis match next
Sunday. 예정표에 의하면, 다음
주 일요일에 테니스 경기가 있다.

on schedule 시간표(예정)대로.
Our flight will be *on sched-
ule*. 우리 비행은 예정대로 될 것
입니다.
──타 3·단·현 **schedules**[ské-

scheme 743 **schoolboy**

dʒu(ː)lz]; [ing형] **scheduling**[skédʒu(ː)liŋ]; [과거] [과분] **scheduled**[skédʒu(ː)ld]
…을 예정하다. ▶ 보통 수동형으로 쓰임.
The baseball game is *scheduled* for tomorrow. 야구 경기는 내일로 예정되어 있다.
The airplane is *scheduled* to arrive at Hong Kong at seven. 그 비행기는 7시에 홍콩에 도착할 예정이다.

scheme [skiːm] 명 [복수] **schemes**[skiːmz]
계획, 기획. ☞ plan
carry out a *scheme* 계획을 실행하다.

schol·ar [skálər] 명 [복수] **scholars**[skálərz]
학자.
Professor Brown is a famous Greek *scholar*. 브라운 교수는 유명한 그리스어 학자이다.
▶ scholar는 주로 자연 과학자 (scientist) 이외의 학자를 말함.

schol·ar·ship [skálərʃip] 명
[복수] **scholarships**[skálərʃips]
❶ 《a와 복수형 안 씀》 학식, 학문.
His *scholarship* in the field of the Greek classics is profound. 그리스 고전 문학 분야에서의 그의 학식은 깊다.
❷ 장학금.
a student on a *scholarship* 장학생.
He won a *scholarship* to the university. 그는 그 대학교의 장학금을 탔다.

school [skuːl] 명
[복수] **schools**[skuːlz]
❶ (건물로서의) 학교.
There is a post office near the *school*. 학교 근처에 우체국이 있다.
❷ 《a, the와 복수형 안 씀》 수업.
I go to *school* with Nancy.

나는 낸시와 (수업을 받으러) 학교에 간다.

[주의] 학생이나 선생님이 학교에 가는 것과는 달리, 수업 이외의 다른 목적으로 학교에 갈 때에는 go to *the* school이라고 the를 붙임에 주의.

We have no *school* today.
오늘은 수업이 없다.

[참고] 미국의 학교 제도
미국의 초등 학교부터 고등 학교까지의 수업 연한은 12년이나, 주에 따라 학교 제도가 달라 학교의 종류와 그 수업 연한도 여러 가지이다. 다음은 미국 학교 제도의 대표적인 예이다.

	6세	12세	15세
6-3-3제	elementary school 초등 학교	junior high school 중학교	senior high school 고등 학교
6-6제	elementary school	high school	
8-4제	elementary school	high school	

after school 방과 후.
We play tennis *after school*.
우리는 방과 후에 테니스를 한다.
at school 학교에, 수업 중(에).
She is now *at school*.
그녀는 지금 수업 중이다.
in school 재학 중(에); 학교에.
She is still *in school*.
그녀는 아직 재학중이다.

school·bag [skúːlbæg] 명
[복수] **schoolbags**[skúːlbægz]
학생 가방, 책가방.
Don't put your *schoolbag* on the desk. 책상 위에 책가방을 놓지 마라.

school·boy [skúːlbɔi] 명
[복수] **schoolboys**[skúːlbɔiz]
(초등 학교·중학교의) 남학생.
Tom goes to elementary

S

school. He is a *schoolboy.*
톰은 초등 학교에 다닌다. 그는
남학생이다.

school bus [skú:l bʌs] 명

복수 **school buses**[skú:l bʌsiz]
통학 버스, 스쿨 버스.

참고 미국에서의 초·중·고등
학교용 스쿨 버스는 앞뒤에
SCHOOL BUS라고 쓰여 있고
차체가 노란색이어서 눈에 잘
띈다. 학생들이 차를 타고 내릴
때에는 뒷차나 맞은편 차는 안
전을 위해 멈추게 되어 있다.

*school·girl [skú:lgə̀:rl] 명

복수 **schoolgirls**[skú:lgə̀:rlz]
(초등 학교·중학교의) 여학생.
Susie goes to junior high
school. She is a *schoolgirl.*
수지는 중학교에 다닌다. 그녀는
여학생이다.

school·house [skú:lhàus] 명

복수 **schoolhouses**[skú:lhàuziz]
교사(校舍), 학교 건물.
The roof of our *school-
house* is red. 우리 교사의 지
붕은 빨갛다.

school·ing [skú:liŋ] 명

❶ 《a와 복수형
안 씀》 학교 교육.
Ted had little *schooling.* 테
드는 학교 교육을 거의 받지 못했다.
❷ 《a와 복수형 안 씀》 (통신 교
육의) 교실 수업, 스쿨링.
Mr. Kim has come up to
Seoul for his *schooling.*

김군은 스쿨링을 받으러 상경하였다.

school·mate [skú:lmèit] 명

복수 **schoolmates**[skú:lmèits]
학우, 동창생.
We are *schoolmates.*
우리는 동창생이다.
I went there with my
schoolmates. 나는 학우들과 거
기에 갔다.

school·room [skú:lrù(:)m] 명

복수 **schoolrooms**[skú:lrù(:)mz]
교실. ☞ classroom
Our *schoolroom* is larger
than this. 우리 교실은 이것보
다 크다.

school·yard [skú:ljà:rd] 명

복수 **schoolyards**[skú:ljà:rdz]
교정, 학교 운동장.
It was getting dark, and
there was nobody in the
schoolyard. 어두워서 교정에
는 아무도 없었다.

school year [skú:l jíər] 명

학년(도)
The new *school year* has
started today. 오늘부터 새 학
년이 시작되었다.

참고 한 학년은 미국·영국 다
같이 9월에 시작하여 다음 해 6
월초에 끝난다.

Schweit·zer [ʃváitsər] 명

슈바이처.
Albert [ǽlbərt] **Schweitzer** 알
베르트 슈바이처(1875-1965)《독
일계 프랑스인으로 의사·철학자·
음악가. 아프리카에 병원을 세워
의료와 기독교 전도에 헌신적으로
종사함. 노벨 평화상을 받음》.

*sci·ence [sáiəns] 명

《a와 복수형 안 씀》
과학, (특히) **자연 과학.**
natural *science* 자연 과학.
science fiction 공상 과학 소설.

Science is important in every part of our lives. 과학은 우리 생활의 모든 분야에서 중요하다.

Miss Kim is a new *science* teacher. 김선생님은 새 과학 선생님이다. ☞ 형 scientific

sci·en·tif·ic [sàiəntífik] 형 비교 **more scientific**; 최상 **most scientific**
scientific studies 과학의 연구. Modern farming is *scientific*. 현대 농업은 과학적이다. ☞ 명 science

*__sci·en·tist__ [sáiəntist] 명
복수 **scientists**[sáiəntists] 과학자.
I want to be a computer *scientist*. 나는 컴퓨터 과학자가 되고 싶다.

sci-fi [sáifái] 명 《a와 복수형 안 씀》 공상 과학 소설. ► science fiction의 간략형.
a *sci-fi* movie 공상 과학 영화.

scis·sors [sízərz] 명 가위.
Where are my *scissors*? 내 가위는 어디에 있느냐?

참고 **scissors**를 세는 법
셀 때에는 a pair of *scissors* (가위 한 자루), two pairs of *scissors* (가위 두 자루)와 같이 한다. ☞ pair

*__scold__ [skould] 동 3·단·현 **scolds** [skouldz]: ing형 **scolding** [skóuldiŋ]: 과거 과분 **scolded**[skóuldid]
타 …을 꾸짖다.
Mother *scolded* me for coming home late. 집에 늦게 돌아왔다고 어머니께서는 나를 꾸중하셨다.
── 자 잔소리하다.
That woman is always

scolding. 저 여자는 언제나 잔소리를 한다.

*__score__ [skɔːr] 명 복수 **scores**[skɔːrz] (경기 따위의) 득점, 스코어; (시험의) 점수.
What's the *score* now? 지금 득점은 얼마나 되느냐?
He was proud of his *score* on the exam. 그는 그 시험에서 받은 점수를 자랑스럽게 생각했다.
── 타 3·단·현 **scores**[skɔːrz]: ing형 **scoring**[skɔ́ːriŋ]: 과거 과분 **scored**[skɔːrd]
(점수)를 득점하다.
Bill *scored* four runs for the team. 빌은 팀을 위하여 4점을 땄다〔타점 4를 기록했다〕.

Scotch [skatʃ] 형 스코틀랜드의; 스코틀랜드 사람의. ► 스코틀랜드 사람은 Scotch보다 Scottish를 즐겨 씀.
Father likes *Scotch* whisky very much. 아버지께서는 스카치 위스키를 매우 좋아하신다.
── 명 ❶ 《the를 붙여》 스코틀랜드 사람(전체). ► 복수로 취급함.
The people of Scotland are called the *Scotch*. 스코틀랜드의 국민은 스카치라고 불린다.
❷ 《a와 복수형 안 씀》 스코틀랜드 말 《영어의 스코틀랜드 방언》.
Scotch is a kind of English. 스코틀랜드 말은 영어의 일종이다.

Scot·land [skátlənd] 명 스코틀랜드.

S

참고 Scotland는 그레이트브리튼 섬의 잉글랜드 북쪽의 지방으로, 면적은 78,764 km²이다. 북부는 구릉 지대로 the Highlands[háiləndz]라고 부르며, 남부는 평원 지대로 the Lowlands[lóuləndz]라고 부른다. 수도는 에든버러(Edinburgh [édinbə̀ːrou]).

Scot·tish [skátiʃ] 형
스코틀랜드(사람)의.
We studied *Scottish* history
yesterday. 우리는 어제 스코틀
랜드의 역사를 공부하였다.
── 명 《the를 붙여》스코틀랜드
사람(전체); 《a와 복수형 안 씀》
스코틀랜드 말. ☞ Scotch

scout [skaut] 명
복수 **scouts**[skauts]
척후, 정찰병; 소년〔소녀〕단원.
a boy *scout* 보이 스카우트, 소
년단원.
They sent out *scouts*.
그들은 정찰병을 보냈다.
── 타·자 3·단·현 **scouts**
[skauts]; ing형 **scouting**
[skáutiŋ]; 과거 과분 **scouted**
[skáutid]
(…을) 척후하다, 정찰하다, 찾아
다니다.
I was *scouting* round for
some firewood. 나는 땔나무를
찾아다니고 있었다.

scrap [skræp] 명
복수 **scraps**[skræps]
❶ 조각, 파편.
a *scrap* of paper (한 장의)
종이 조각.
He tore the letter into
little *scraps*. 그는 편지를 갈기
갈기 찢었다.
❷ 《보통 복수형으로》(신문 따위
의) **오려낸 것**.
These are *scraps* from the
"Times." 이것들은 「타임스」지에
서 오려낸 것이다.
❸ 《a와 복수형 안 씀》**쇠부스러
기, 폐물**.
I'm going to sell my old
car for *scrap*. 나는 헌 차를 고
철로 팔려고 한다.

scrape [skreip] 타
3·단·현 **scrapes**[skreips]; ing형
scraping[skréipiŋ]; 과거 과분
scraped[skreipt]
문지르다, 문질러〔긁어〕벗기다.

He *scraped* his knee when
he fell. 그는 넘어져서 그의 무
릎을 벗겼다.

scratch [skrætʃ] 타 3·단·현
scratches[skrætʃiz]
ing형 **scratching** [skrætʃiŋ]
과거 과분 **scratched**[skrætʃt]
…을 긁다, 할퀴다.
The car was only *scratched*.
차는 긁혔을 뿐이다.
He *scratched* his head
when the boy asked him
the question. 소년이 그 질문을
했을 때 그는 머리를 긁었다.

*****scream** [skri:m] 자 3·단·현
screams [skri:mz];
ing형 **screaming**[skrí:miŋ]; 과거
과분 **screamed**[skri:md]
비명을 지르다, 날카롭게 소리치다.
She *screamed* for help
when the boat sank. 보트가
가라앉을 때 그녀는 도와 달라고
비명을 질렀다.
── 명 복수 **screams**[skri:mz]
비명, 날카로운 소리.
She ran away with a
scream. 그녀는 비명을 지르며
달아났다.

screen [skri:n] 명
복수 **screens**[skri:nz]
❶ 칸막이, 발, 막, 미닫이, 휘장.
She hid herself behind the
screen. 그녀는 칸막이 뒤에 숨
었다.
❷ 스크린, 영사막; 《the를 붙
여》영화.
a television *screen* 텔레비전
화면.

screw [skru:] 명
복수 **screws**[skru:z]
나사, 나사못; (배의) **스크루**.
a male *screw* 수나사.
a female *screw* 암나사.

scu·ba [skú:bə] 명
복수 **scubas**[skú:bəz]
스쿠버《잠수용 수중 호흡기》.
He wants to become a
scuba diver. 그는 스쿠버 다이

버가 되고자 한다.

sculp·ture [skʌlptʃər] 몡

〔복수〕 **sculptures** [skʌlptʃərz]
(개개의) 조각품; 《a와 복수형 안 씀》 조각(작품).
a *sculpture* by Michelangelo 미켈란젤로의 조각품.

⁑sea [siː] 몡
❶ 《the를 붙여》 바다(⇨ land 육지).
the Dead *Sea* 사해(死海).
swim in the *sea* 바다에서 수영하다.
We go to the *sea* in summer. 우리는 여름에 바다로 간다.
❷ (어떤 상태의) 바다, **파도**.
a calm *sea* 잔잔한 바다.
The *sea* is rough today. 오늘은 파도가 거칠다.
The *sea* is running high. 파도가 높다.
A heavy *sea* struck the ship. 큰 파도가 배에 부딪쳤다.

〔비슷한 말〕 **sea**와 **ocean**
sea는 「바다」를 가리키는 일반적인 말. ocean은 the Pacific Ocean(태평양), the Atlantic Ocean(대서양)처럼 큰 바다, 곧 「대양」을 뜻한다. 그러나 미국에서는 종종 ocean 대신에 sea를 쓰기도 한다. ☞ ocean

---

at sea 항해 중에.
The ship is *at sea*.
그 배는 항해 중이다.
by sea 해로로, 뱃길로.
Will you travel *by sea* or by air? 너는 배로 여행하겠느냐, 비행기로 여행하겠느냐?
go to sea 선원이 되다; 출항하다.
I *went to sea* at eighteen.
나는 18세에 선원이 되었다.
They will *go to sea* early tomorrow morning. 그들은 내일 아침 일찍 출항할 것이다.

seafood [síːfùːd] 몡

〔복수〕 **seafoods** [síːfùːdz]
《a와 복수형 안 씀》 해산 식품《조개·생선류》, 해물.
a *seafood* restaurant 해산물 음식점.

seal¹ [siːl] 몡
〔복수〕 **seals** [siːlz]

물개.
Seals are mammals which live on shore. 물개는 해안에 사는 포유 동물이다.

seal² [siːl] 몡
〔복수〕 **seals** [siːlz]

❶ 실.
I put a Christmas *seal* on the envelope. 나는 봉투에 크리스마스 실을 붙였다.
❷ 봉인, 봉함.
Mr. Green broke the *seal* of the letter. 그린씨는 편지의 봉함을 뜯었다.
❸ 도장, 인장.
The *seal* of the United States is attached to important government papers.
미국의 인장은 중요한 정부 서류에 첨부된다.

미국 대통령의 인장

── 타 〔3·단·현〕 **seals** [siːlz]; 〔ing형〕 **sealing** [síːliŋ]; 〔과거〕〔과분〕 **sealed** [siːld]
❶ …에 도장을 찍다.

S

The paper was signed and *sealed.* 서류는 서명 날인되었다.
❷ …을 봉하다.
He *sealed* the letter.
그는 편지를 봉하였다.

sea·man [síːmən] 명 복수
　　　seamen[síːmən]
❶ 뱃사람, 선원(=sailor).
My uncle is a *seaman.*
나의 아저씨는 선원이다.
❷ 수병.
My brother is a s*eaman* in the Navy. 나의 형은 수병이다.

sea·men [síːmən]
　　　seaman의 복수.

sea·port [síːpɔ̀ːrt] 명 복수
　　　seaports[síːpɔ̀ːrts]
항구, 항구 도시.
San Francisco is an important *seaport.* 샌프란시스코는 중요한 항구 도시이다.

***search** [səːrtʃ] 동 3·단·현
searches [səːrtʃiz];
ing형 searching[səːrtʃiŋ]; 과거
과분 searched[səːrtʃt]
타 …을 수색하다, 탐색하다;
《search … for ~로》 ~을 찾으려고 …을 뒤지다〔조사하다〕.
The police *searched* his house. 경찰이 그의 집을 수색하였다.
I *searched* my pockets *for* a 50 won coin. 나는 50원짜리 동전을 찾으려고 호주머니를 뒤졌다.
── 자 《search for 로》 …을 찾다.
What are you *searching for?* 너는 무엇을 찾고 있느냐?
── 명 복수 searches[səːrtʃiz]
수색, 탐색, 조사.
After a long *search,* she found the missing papers.
오랫동안 찾은 후에, 그녀는 없어진 서류를 발견했다.
in search of …을 찾아서.
They went *in search of* the missing plane. 그들은 행방불

명된 비행기를 찾으러 갔다.

sea·shore [síːʃɔ̀ːr] 명
《a와 복수형 안 씀》 해안, 해변. ☞ shore
Lots of children are playing on the *sheashore.* 많은 아이들이 해변에서 놀고 있다.

sea·sick [síːsìk] 형
뱃멀미가 난.
Mr. Grey never gets *seasick.*
그레이씨는 절대로 뱃멀미를 하지 않는다.

***sea·side** [síːsàid] 명
《the를 붙여》 해안, 해변. ▶ 복수형 쓰지 않음.
I go to the *seaside* in the summer. 나는 여름에 해변에〔해수욕하러〕 간다.
Mr. Dave is going to stay at a *seaside* hotel in Hawaii. 데이브씨는 하와이에 있는 해안의 호텔에서 묵을 예정이다.

****sea·son** [síːzən] 명 복수
　　　seasons[síːzənz]
❶ 철, 계절.
Which *season* do you like best? 너는 어느 계절을 가장 좋아하느냐?
There are four *seasons* in Korea. 한국에는 4계절이 있다.
❷ 《특정한》 시기, 제철, 시즌.
the baseball *season* 야구 시즌.
The rainy *season* has set in. 장마철이 시작되었다.
in season 《과일 따위가》 제철인, 알맞은 때의.
Strawberries are *in season* now. 딸기는 지금 제철이다.
out of season 철 지난, 한물 간.
Melons are *out of season* now. 이제 멜론은 철이 지났다.

***seat** [siːt] 명
복수 seats[siːts]
좌석, 자리.
the driver's *seat* 운전석.
a reserved *seat* 예약석.
Go back to your *seat.*
네 자리로 돌아가라.

Please take [have] a *seat.*
앉으세요.

All the *seats* are occupied.
자리가 모두 찼다.

— 타 ③·단·현 **seats**[siːts] : ing형
seating[síːtiŋ] : 과거 과분 **seated**
[síːtid]

…을 앉히다, 앉게 하다; 《be
seated / seat one**self**로》 앉다
(=sit).

Please *be seated.* 어서 앉으시
죠. ▶ Please sit down.보다
정중한 말.

He *seated himself* in front
of me. 그는 내 앞에 앉았다.

seat belt [síːt bèlt] 명

복수 **seat belts**[síːt bèlts]
(비행기·자동차 따위의) **좌석 벨
트, 안전 벨트**(=safety belt).
The stewardess showed us
how to fasten our *seat
belts.* 여승무원이 우리에게 좌석
벨트 매는 방법을 가르쳐 주었다.

sec·ond¹ [sékənd] 명 형

《보통 the를 붙여》
둘째; 제2의, 둘째(번)의. ▶ 2nd
로 약함.
Today is the *second* of
May. 오늘은 5월 2일이다.
Peter was *second* in the
race. 피터는 경주에서 2등을 하
였다.
The library is on the *sec-
ond* floor. 도서관은 2층에 있다.

sec·ond² [sékənd] 명

복수 **seconds**[sékəndz]
❶ 초.
A minute has sixty *seconds.*
1분은 60초다.
My watch has a *second*
hand. 내 시계는 초침이 있다.
❷ 순식간, 잠깐(=moment).
Wait a *second*, please.
잠깐 기다려다오.

sec·ond·ar·y [sékəndèri] 형

제2의; 2차적인; (교육이) 중등
의. ☞ primary (제1의)
a matter of *secondary* im-
portance 두 번째로 중요한 문제.
a *secondary* school 중등 학교.
▶한국의 중학교·고등 학교에 해
당함.

sec·ond·hand [sékənd-hænd] 형

중고의, 중고품의 (⇔ new 새것
의). ▶ 미국에서는 used를 더 많
이 씀.
secondhand books 헌 책.

*se·cret [síːkrit] 형

비밀의, 은밀한.
a *secret* sign 비밀 부호.
the *secret* police 비밀 경찰.
Keep the matter *secret.*
그 일은 비밀로 해 두어라.

— 명 복수 **secrets**[síːkrits]
❶ 비밀.
We must keep this *secret.*
우리는 이 비밀을 지켜야 한다.
This is a *secret* between
you and me. 이것은 너와 나
사이의 비밀이다.
❷ 비결, 기밀, 비전(秘傳).
the *secret* of good health
건강의 비결.

in secret 비밀리에, 몰래.
He left Korea for the
United States *in secret.* 그는
비밀리에 한국을 떠나 미국으로
갔다.

sec·re·tar·y [sékrətèri] 명

복수 **secretaries**[sékrətèriz]
비서, 서기.
Mr. Wilson is *secretary* to
the President. 윌슨씨는 대통령
의 비서다.

se·cret·ly [síːkritli] 부

비밀히, 은밀히
He continued his experiment
secretly. 그는 은밀히 실험을 계
속하였다.

sec·tion [sékʃən] 명

S

〔복수〕 **sections**[sékʃɔnz]
❶ 부분, 구분.
The teacher divided the class into five *sections.*
선생님은 학급을 다섯 분단으로 나누셨다.
❷ (회사·관청 따위의) 과(課), 부; (도시의) **구역**, **지구**; (백화점 따위의) **매장**.
the sales *section* of a company 회사의 판매과.
the business *section* 상업 지구.
the junior *section* of a department store 백화점의 아동용품 매장.
❸ (책 따위의) 절.
Chapter 2, *Section* 3 제 2 장 제 3 절.

se·cure [sikjúər] 〔형〕
〔비교〕 **more secure;**
〔최상〕 **most secure**
❶ 안전한(=safe); 위험이〔염려가〕 없는.
a *secure* place 안전한 장소.
We are *secure* from flooding here. 여기는 홍수의 위험이 없다.
❷ 안심〔신뢰〕되는; 확실한; 튼튼한.
a *secure* source of income 확실한 수입원.
a *secure* foundation 튼튼한 기초.
They feel *secure* about their future. 그들은 장래에 대하여 안심하고 있다.
── 〔타〕 3·단·현 **secures**[sikjúərz];
〔ing형〕 **securing**[sikjúəriŋ]; 〔과거〕
〔과분〕 **secured**[sikjúərd]
❶ …을 지키다, 안전하게 하다.
They *secured* their town against attacks. 그들은 공격에 대항하여 그들의 고을을 지켰다.
❷ …을 손에 넣다, 획득하다.
She *secured* a ticket for the concert. 그녀는 음악회의 입장권을 구했다.

se·cu·ri·ty [sikjúəriti] 〔명〕
《a와 복수형 안 씀》 안전, 무사; 안심. ☞ safety
Having a good job gave him a feeling of *security.*
좋은 직장을 가지고 있기 때문에 그는 안정감을 느꼈다.

*see [siː] 〔동〕 3·단·현 **sees**[siːz];
〔ing형〕 **seeing**[síːiŋ]; 〔과거〕
saw[sɔː]; 〔과분〕 **seen**[siːn]
〔타〕 ❶ …을 보다, …이 보이다. ➤ 진행형으로 하지 않음.
I *see* a picture on the wall. 벽에 그림이 보인다.
Have you ever *seen* a lion?
너는 사자를 본 적이 있느냐?

┌─〔비슷한 말〕 **see** 와 **look at**─┐
see는 자연히 눈에 들어와 「보다, 보이다」란 뜻이고, look at은 일부러 보려고 눈을 돌려 「보다」란 뜻이다.

see   look at

❷ 《**see**＋목적어＋동사의 원형으로》…가 ～하는 것을 보다; 《**see**＋목적어＋**-ing**형으로》…가 ～하고 있는 것을 보다.
I *saw* him *open* the door.
나는 그가 문을 여는 것을 보았다.
I *saw* an airplane *flying* near the airport. 나는 비행기가 비행장 근처를 날고 있는 것을 보았다.
❸ …을 만나다, 면회하다.
May I *see* Mr. Green?
그린씨를 만날 수 있을까요?
Please come and *see* me some day. 언제 한 번 놀러 오세요.
I'm very glad to *see* you.
만나게 되어 대단히 기쁘다. ➤초

대면이 아닌 사람에게 씀. 초대면
일 경우에는 see대신 meet을 씀.
I have to go and *see* the
doctor. 나는 의사한테 가 보지
않으면 안 된다.
❹ …을 알다, **이해하다**(=under-
stand).
Do you *see* what I mean?
내가 하는 말을 알아듣겠느냐?
Now you *see* you're wrong,
don't you? 이제 네가 틀렸다는
것을 알겠지?
❺ …을 구경하다, **관광하다**.
Nancy wants to *see* the
sights of Gyeongju. 낸시는 경
주를 관광하고 싶어 한다.
I *saw* the movie last
night. 나는 어젯밤에 영화를 구
경했다.
❻ …을 확인하다.
There's a knock on the
door. Go and *see* who it
is. 문을 두드린다. 누군지 가 보
아라.
── 巫 ❶ 보다, **보이다**.
It's dark; I can't *see*.
어두워서 보이지 않는다.
Cats can *see* in the dark.
고양이는 어둠 속에서도 볼 수 있다.
Seeing is believing.
《속담》 보는 것이 믿는 것이다《백
문(百聞)이 불여일견(不如一見)》.
See, here he comes smiling.
봐라, 그가 웃으며 오고 있다.
❷ 이해하다.
Do you *see*? 알겠느냐?
You'll *see*. 알게 될 거야.
*I see. 알았다, **과연**.
"The whole thing was a
mistake, don't you see?"
"Oh, I see."
「전부가 틀렸다, 알겠어?」「그래,
알겠다.」
*Let me see. 가만 있자, **글쎄**.
☞ let
see ... off …을 배웅하다.
I went to the airport to
see Mr. Jones *off*. 나는 존스

씨를 배웅하러 공항에 갔다.
Let's go to *see* her *off*.
그녀를 배웅하러 가자.

> [어법] 「사람을 배웅하다」는 「see
> +사람+off」의 형식을 써서,
> see Mr. Brown off, see
> him off 라 말하며, see off
> Mr. Brown이나 see off
> Kim이라고는 하지 않는다. ☞
> meet(맞이하다)

*You see. 어때, 알았지. ➤ 말을
부드럽게 하거나 동의를 구하거나
다짐할 때 씀.
You see, we must hurry
up. 우린 서둘러야 해, 알았지.

seed [siːd] 몡
　　　　[복수] **seeds**[siːdz]
씨, 종자.
The farmer sowed *seed*(*s*)
in the field. 농부는 밭에 씨를
뿌렸다.

*__seek__ [siːk] 타·자 [3·단·현] **seeks**
[siːks]; [ing형] **seeking**
[síːkiŋ]; [과거] [과분] **sought** [sɔːt]
(…을) 추구하다, **구하다**, 찾다.
All men *seek* happiness.
모든 사람은 행복을 추구한다.
He *sought* his doctor's
advice. 그는 의사의 조언을 구했
다.
He is *seeking* for some-
thing he lost. 그는 잃은 물건
을 찾고 있다.

*__seem__ [siːm] 자 [3·단·현] **seems**
[siːmz]; [ing형] **seeming**
[síːmiŋ]; [과거] [과분] **seemed**[siːmd]
❶ 《seem (to be)+형용사〔명사〕
따위로》…인 듯하다, …처럼 생각
되다, …한 것 같다. ☞ appear,
look, sound
This book *seems* (*to be*)
interesting. 이 책은 재미있을
것 같다.
He *seems* (*to be*) a kind
man. = He *seems* (*to be*)
kind. 그는 친절한 사람 같다.

S

When you are waiting for
something, an hour can
seem very long. 무엇인가를
기다릴 때에는 한 시간이 매우 긴
것 같다.

비슷한 말) **seem**과 **look**
seem은 여러 가지 상태나 상황
으로 판단하여 「…한 것 같다」
는 뜻이고, look은 본 느낌으로
「…한 것 같다」란 뜻이다.
He *looks* kind.
그는 친절해 보인다.

---

❷ 《**seem to** do / **It seems
that ...** 으로》 …하는 것처럼 생각
되다.
Tom *seems to* love her. =*It
seems that* Tom loves her.
톰이 그녀를 사랑하는 것 같다.
It seems that he knows a
lot about American sayings.
그는 미국 속담에 대해 많이 아는
것 같다.

***seen** [siːn] 동
see의 과거 분사.
I think I've *seen* him
before. 그와는 전에 만난 적이
있는 것처럼 생각된다.

see·saw [síːsɔː] 명 복수
seesaws [síːsɔːz]
시소(판); 《a와 복수형 안 씀》 시
소 놀이.
play on a *seesaw* 시소를 타
고 놀다.

seize [siːz] 동 3·단·현 **seizes**
[síːziz]; ing형 **seizing**
[síːziŋ]; 과거 과분 **seized** [siːzd]
타 ❶ (급히) …을 잡다, 쥐다, 포
착하다.

The policeman *seized* him
by the arm. 경찰관은 그의 팔
을 잡았다.
❷ (병·공포 등이) …을 덮치다,
엄습하다.
Terror *seized* him.
공포가 그를 엄습했다.
He was *seized* with 〔by〕 a
bad cold. 그는 독감에 걸렸다.
── 자 《**seize on** 〔**upon**〕으로》
…을 잡다.
I *seized* upon a chance at
last. 나는 마침내 기회를 잡았다.

sel·dom [séldəm] 부
여간해서는〔좀처럼〕 …않다.
He is *seldom* absent from
school. 그는 여간해서는 학교에
결석하지 않는다.
Mr. Green *seldom* goes to
church. 그린씨는 여간해서는 교
회에 가지 않는다.

se·lect [silékt] 타 3·단·현
selects [silékts] : ing형
selecting [siléktiŋ] : 과거 과분
selected [siléktid]
…을 고르다, 선택하다.☞ choose
Mrs. Brown *selected* a good
book for her daughters.
브라운 부인은 딸들을 위하여 좋
은 책을 골랐다.
She let her daughter *select*
her own clothes. 그녀는 딸에
게 자기 옷을 고르게 했다.

se·lec·tion [silékʃən] 명
복수 **selections** [silékʃənz]
❶ 《a와 복수형 안 씀》 선택.
The *selection* of a party
leader took two days. 당의
지도자 선출에 이틀이 걸렸다.
❷ 선택된 사람〔것〕, 정선품.
Selections from Shakes-
peare 셰익스피어 선집.

self [self] 명
복수 **selves** [selvz]
자기, 자신; 본성.
I have seen her true *self*.

나는 그녀의 참모습을 보았다.

-self [-self] 〔접미〕

「…자신」이란 뜻. ☞

-selves

my*self*, your*self*, him*self*,
her*self*, it*self*.

self-con·fi·dence

[sélfkánfədəns] 〔명〕

《a와 복수형 안 씀》**자신, 자기
과신, 자신감.**

He lost his *self-confidence*.
그는 자신감을 잃었다.

self-de·fense [sèlfdiféns]
〔명〕

《a와 복수형 안 씀》**자기방어.**

He fought back in *self-
defense*. 그는 자기방어로 맞받
아 싸웠다.

➤ 영국에서는 self-defence 라고
쓴다.

self·ish [sélfiʃ] 〔형〕

〔비교〕 **more selfish;**

〔최상〕 **most selfish**

자기 본위의, 이기적인.

Griselda was a very proud
and *selfish* girl.
그리젤다는 매우 거만하고 이기적
인 소녀였다.

Don't be so *selfish*.
그렇게 네 멋대로 굴지 마라.

sell [sel] 〔동〕〔3·단·현〕 **sells[selz] :
〔ing형〕 **selling** [séliŋ] : 〔과거〕
〔과분〕 **sold** [sould]

〔타〕 **…을 팔다**(⇔ buy 사다).

Dick *sold* John his car. =
Dick *sold* his car to John.
딕은 존에게 차를 팔았다.

They *sell* books and maga-
zines at the store. 그 가게에
서는 책과 잡지를 판다.

He *sold* his piano for a
thousand dollars. 그는 자기
피아노를 천 달러에 팔았다.

Have you ever wanted to
sell something? 너는 무언가를
팔고 싶었던 적이 있느냐?

—— 〔자〕 **팔리다.**

This book is *selling* well
〔badly〕. 이 책은 잘 팔린다〔안
팔린다〕. ☞ 〔명〕 sale

sell out (가지고 있는 상품)**을 전
부 팔아버리다.**

The pocket edition of this
book was *sold out* last
month. 이 책의 포켓판은 지난
달에 다 팔렸다.

All *sold out*. 《게시》매진.

sell·er [sélər] 〔명〕

〔복수〕 **sellers**[sélərz]

❶ **파는 사람, 판매인.**

a book *seller* 책 장수

He is a *seller* of beads.
그는 구슬을 파는 상인이다.

❷ **팔리는 물건〔상품〕.**

This book is a best *seller*.
이 책은 베스트 셀러이다.

-selves [-selvz] 〔접미〕

-self 의 복수.

our*selves*, your*selves*,
them*selves*.

se·mes·ter [siméstər]
〔명〕

〔복수〕 **semesters** [siméstərz]

(1년 2학기제 대학의) **한 학기.**

the first 〔fall〕 *semester* 제1
〔가을〕 학기.

sem·i·nar [sémənà:r]
〔명〕

〔복수〕 **seminars** [sémənà:rz]

세미나.

a boring *seminar* 지루한 세미
나.

Se·mite [sémait] 〔명〕 〔복수〕
Semites[sémaits]

셈족(族) 사람, 셈 사람.

The *Semites* made the root
of the alphabet. 셈 사람들이
알파벳의 토대를 만들었다.

Sen·ate [sénət] 〔명〕 〔복수〕
Senates[sénəts]

(미국·프랑스 따위의) **상원.** ☞
congress

Kennedy served eight years
in the *Senate*. 케네디는 상원
에서 8년 동안 일했다.

S

sen·a·tor [sénətər] 명 복수
senators[sénətərz]
《종종 Senator로》(미국·프랑스
따위의) **상원 의원.**
He is the youngest *senator*
in U.S. history.
그는 미국 역사상 가장 젊은 상원
의원이다.

*__send__ [send] 타 3·단·현
sends [sendz] ; ing형
sending[séndiŋ] : 과거 과분 sent
[sent]
…을 보내다; (편지 따위)를 부치
다 (⇔ receive 받다).
She *sent* me a present. =
She *sent* a present to me.
그녀는 나에게 선물을 보냈다.
I *sent* him to another hotel.
나는 그를 다른 호텔로 보냈다.
He *sent* the letter by air-
mail. 그는 그 편지를 항공 우편
으로 부쳤다.
American people *send* their

send   receive

friends many cards. 미국인들
은 친구에게 많은 카드를 보낸다.
She *sent* her child to bed.
그녀는 아이를 침실로 보냈다《잘
시간이 되어서》.
*__send for__ …을 부르러〔가지러〕 보
내다.
We *sent for* the doctor at
once. 우리는 즉시 의사를 부르러
보냈다.
She *sent* her son *for* the
laundry. 그녀는 아들을 세탁물
을 가져오라고 보냈다.
send out …을 내보내다; 발송하다.
The captain *sent out* a
signal. 선장은 신호를 보냈다.
I *sent out* several letters.

나는 몇 통의 편지를 발송했다.
The sun *sends out* light.
태양은 빛을 발한다.

send·er [séndər] 명
복수 senders [séndərz]
보내는 사람《편지·소포·이메일
따위》.
Who is the *sender?* 보내는
사람이 누구니?

*__sen·ior__ [síːnjər] 형
손위의; 상급의(=
elder, ⇔ junior 손아래의).
a *senior* high school 고등 학
교.
He is *senior* to me by two
years. =He is two years
senior to me. 그는 나보다 두
살 손위이다. ▶「…보다」란 뜻이
지만 than을 쓰지 않고 to를 씀
에 주의.
Mr. John Brown, *Senior,*
died yesterday. 아버지 존 브
라운씨는 어제 돌아가셨다.

참고 부자(父子), 형제의 이름
이 같은 경우에 이름 뒤에 붙여
서 손위임을 표시하기도 한다.
이 경우에 Sr.로 약하기도 한다.

── 명 복수 seniors[síːnjərz]
❶ 연장자.
He is ten years my *senior.*
그는 나보다 10살 위이다.
❷ (대학·고교의) **최상급생.**
Tom is a Lincoln High
School *senior.* 톰은 링컨 고등
학교의 최상급생이다.

sen·sa·tion [senséiʃən] 명
복수 sensations[senséiʃnz]
❶ 감각.
a *sensation* of fear 공포감.
She had no *sensation* in
the legs. 그녀는 양다리에 감각
이 없었다.
❷ 대평판, 센세이션, 대사건. ▶
복수형은 쓰지 않음.

S

The new show caused a *sensation.* 그 새로운 쇼는 센세이션을 일으켰다.

*__sense__ [sens] 명
〔복수〕 **senses** [sénsiz]

❶ 감각; 의식.
a sixth *sense* 육감, 직감.
The *sense* of hearing is one of the five *senses.*
청각은 5감각 중의 하나이다.
Jack had a good *sense* of humor. 잭은 훌륭한 유머 감각을 지녔다.

❷ 《a와 복수형 안 씀》 사려, 분별.
common *sense* 상식.
He is a man of *sense.*
그는 분별 있는 사람이다.
☞ 형 sensible, sensitive

❸ 뜻, 의미(=meaning).
The word has several *senses.* 그 말에는 몇 가지 뜻이 있다.

make sense 뜻이 통하다, 이치에 맞다, 납득이 되다.
Tell me, did the report *make sense?* 말해 봐, 리포트가 의미가 통하더냐?
This sentence doesn't *make sense* to me. 이 문장은 내게는 이해가 되지 않는다.

come to one's **senses** 정신이 들다.
He *came to his senses* before long. 그는 곧 정신이 들었다.

sen·si·ble [sénsəbəl] 형 〔비교〕 **more sensible**; 〔최상〕 **most sensible**
분별 있는; 양식 있는.
He is a *sensible* man.
그는 분별 있는 사람이다.
☞ 명 sense

sen·si·tive [sénsətiv] 형 〔비교〕 **more sensitive**; 〔최상〕 **most sensitive**
민감한, 다감한, 예민한.
The ear is *sensitive* to sound. 귀는 소리에 민감하다.

She was a very *sensitive* girl. 그녀는 아주 예민한〔신경질적인〕 소녀였다. ☞ 명 sense

*__sent__ [sent] 동
send의 과거 · 과거 분사.
My aunt in London has *sent* me a present. 런던에 계신 아주머니께서 나에게 선물을 보내주셨다.

*__sen·tence__ [séntəns] 명
〔복수〕 **sentences** [séntənsiz]
문장, 글; (형의) 선고, 형(刑).
The first word in a *sentence* always begins with a capital letter. 문장의 맨 처음 말은 언제나 대문자로 시작한다.
She wrote long *sentences.*
그녀는 긴 글을 썼다.
a light *sentence* 가벼운 형.
a life *sentence* 종신형.

Sep. **September** (9월)의 간략형.

*__sep·a·rate__ [sépərèit] 동
〔3·단·현〕 **separates**
[sépərèits]; 〔ing형〕 **separating**
[sépərèitiŋ]; 〔과거〕〔과분〕 **separated**
[sépərèitid]
타 …을 나누다, 분리하다.
The teacher *separated* the pupils into four groups.
선생님은 학생들을 4개의 그룹으로 나누셨다.
Will you *seperate* the good apples from the bad ones?
좋은 사과와 나쁜 사과를 분리해 주겠느냐?
── 자 (서로) 떨어지다, 헤어지다.
We talked until midnight and then *separated.*
우리는 한밤중까지 이야기하다가 헤어졌다.
── [sépərit] 형 분리된, (서로) 떨어진, 따로따로의.
The children all sleep in *separate* beds. 아이들은 모두 따로따로 된 침대에서 잔다.

S

➤ 동사는 [sépərèit], 형용사는 [séprit]라고 발음하는 데 주의.

Sept. September(9월)의 간략형.

Sep·tem·ber [septémbər] 명

9월. ➤ Sept. 또는 Sep.로 약함. ☞ February

In America school begins in *September*. 미국에서는 학교가 9월에 시작된다.

He came back on *September* 5. 그는 9월 5일에 돌아왔다. ➤ September 5는 September (the) fifth라고 읽음.

se·ries [síəri:z] 명

복수 series [síəri:z]

❶ 연속, 연재.

a televison *series* 텔레비전 연속물.

We had a *series* of good harvests. 계속해서 풍작이었다.

❷ (연속 게임을 하여 결정하는) 선수권 경기, 시리즈.

The World *Series* started yesterday. 월드 시리즈 (야구)가 어제 시작되었다.

se·ri·ous [síəriəs] 형 비교 more serious;

최상 most serious

❶ 진지한, 참말인, 진정한.

Be *serious*. 농담 그만해.

Are you *serious*?
너 진심으로 하는 말이냐?

❷ (병 따위가) 위독한; 중대한.

a *serious* illness 중병.

Air and water pollution are more *serious* than any other pollution problem.
공기와 물의 오염은 다른 어떤 오염 문제보다도 더 심각하다.

se·ri·ous·ly [síəriəsli] 부

비교 more se-riously; 최상 most seriously

❶ 진심으로, 엄숙히.

Can I take you *seriously*?
네 말을 진심으로 받아들여도 될까?

I thought *seriously* of going

to college. 나는 대학 진학을 신중히 생각하였다.

❷ 중대하게, 위독하게.

Mr. Jones is *seriously* sick.
존스씨는 위독하다.

serv·ant [sə́:rvənt] 명

복수 servants [sə́:rvənts]

하인, 사용인, 봉사자(⇨ master 주인).

a public *servant* 공무원.

I want an honest *servant*.
나는 정직한 하인을 원한다.

serve [sə:rv] 동 3·단·현

serves [sə:rvz]; ing형

serving [sə́:rviŋ]; 과거 과분

served [sə:rvd]

타 ❶ …을 섬기다, …에(게) 봉사하다, 이바지하다.

serve God 신을 섬기다.

serve the nation 국가에 이바지하다.

❷ (음식)을 내다, 차리다; (손님)에게 시중을 들다.

The waitress *served* me coffee. 여 종업원이 나에게 커피를 내 왔다.

Tea was *served* first.
차가 먼저 나왔다.

You don't need to *serve* us. 너는 우리 시중을 들 필요가 없다.

❸ …에 도움이 되다, 합당하다.

I'll be glad if I can *serve* you. 너에게 도움을 줄 수 있다면 기쁘겠는데.

── 자 ❶ 봉사하다; 근무하다.

He *served* as a cook.
그는 요리사로 일했다.

❷ 시중을 들다, 음식을 차리다.

At that restaurant an old woman *serves* (at table).
저 식당에서는 나이 든 부인이 시중을 든다.

❸ 도움[소용]이 되다.

The sofa *served* as [for] a bed. 소파가 침대로 사용되었다.

☞ 명 service

serv·er [sə́ːrvər] 명
복수 **servers** [sə́ːrvərz]

❶《컴퓨터》서버《정보를 저장 또는 처리하는 일을 하는 컴퓨터 네트워크의 일부분》.
The *server* is down again.
서버가 또 다운이다.
❷ 봉사자, 급사; 《구기》서브하는 사람.
He works as a *server* at a restaurant. 그는 식당에서 서버로 일한다.

serv·ice [sə́ːrvis] 명 복수
services[sə́ːrvisiz]

❶《a와 복수형 안 씀》봉사, (호텔·식당 따위의) 서비스; 도움, 유용함.
social *service* 사회 봉사.
That restaurant gives good *service.* 저 음식점은 서비스가 좋다.
This map gave me great *service.* 이 지도는 내게 매우 쓸모가 있었다.
❷ 공공 사업; (교통 기관 따위의) 편, 운행.
the telephone *service* 전화 사업.
regular air *service* 정기 항공편.
We have bus *service* to the village. 그 마을까지의 버스편이 있다.
Out of *service.*《게시》《엘리베이터 따위의) 운휴(運休).
❸ 식; 예배(식).
a marriage *service* 결혼식.
A *service* is going on in the church. 그 교회에서 예배가 진행되고 있다. ☞ 동 serve

ses·a·me [sésəmi] 명
《a와 복수형 안 씀》참깨.
Open, *Sesame!* 열려라, 참깨!
➤ 아라비안나이트의 「알리바바와 40인의 도둑」에 나오는 동굴의 바위문을 여는 주문.

*set [set] 타·자 3·단·현 **sets**
[sets] ; ing형 **setting**[sétiŋ] ;
과거 과분 **set**[set]

타 ❶ …을 놓다, 두다; (그림 따위)를 끼우다(=put).
Tom *set* a vase on the table. 톰은 식탁에 꽃병을 놓았다.
Father *set* a picture in the frame. 아버지는 액자에 그림을 끼우셨다.
❷ (시계)를 맞추다, 조절하다.
He *set* the alarm clock for six. 그는 자명종을 여섯 시에 맞추었다.
❸ …을 준비하다, 차리다.
Mother is *setting* the table for dinner. 어머니는 저녁 상을 차리고 계신다.
❹ (불)을 붙이다.
Bill *set* fire to the wood.
빌은 장작에 불을 붙였다.
❺ (시일 따위)를 정하다.
Let's *set* the time and date for our next meeting.
우리 다음 모임의 일시를 정하자.
❻《set+목적어+형용사(구) 따위로》…을 (어떤 상태)에 두다.
We *set* all the fish free.
우리는 모든 물고기를 놓아주었다.
I begged the King to *set* me free. 나는 왕에게 나를 풀어 달라고 애원했다.
── 자 (해·달 따위가) 지다.
The sun *sets* in the west.
해는 서쪽으로 진다.

set about …을 시작하다.
Bob *set about* his work.
보브는 일을 시작했다.
She *set about* writing a letter. 그녀는 편지를 쓰기 시작했다.

set in 시작되다(=begin).
The rainy season *sets in* about the middle of July.
7월 중순경에 우기가 시작된다.

set off = *set out* 출발하다(= start).
We *set out* for Busan.

S

우리는 부산으로 출발했다.
Mr. White *set out* on a trip.
화이트씨는 여행을 떠났다.

set up …을 세우다, 설립하다.
The boys *set up* a tent.
소년들은 텐트를 쳤다.
They *set up* a school for girls. 그들은 여학교를 설립했다.
── 몡 복수 **sets**[sets]
한 벌〔조〕, 한 세트; (라디오·텔레비전의) **수신기**.
a tea *set* 다구(茶具) 한 벌.
a *set* of dishes 접시 한 벌.
We have just bought a color television *set*. 우리는 방금 컬러 텔레비전 수상기를 샀다.

set·ting [sétiŋ] 통
*set*의 -ing형.
The mountain was very beautiful against the *setting* sun. 지는 해를〔석양을〕 배경으로 산은 무척 아름다웠다.
── 몡 복수 **settings**[sétiŋz]
❶ 《a와 복수형 안 씀》 놓기; (해·달의) **지기**.
the *setting* of the sun 일몰.
❷ 무대 장치; (극·소설 따위의) 배경.
The *setting* of this play is a small town in New England. 이 연극의 배경은 뉴잉글랜드의 작은 도시이다.

set·tle [sétl] 통
3·단·현 **settles**[sétlz]:
ing형 **settling**[sétliŋ]: 과거
과분 **settled**[sétld]
타 ❶ (문제 따위)를 해결하다; (시기·조건 따위)를 결정하다(= decide).
settle the day for departure 출발 일자를 정하다.
We couldn't *settle* the question. 우리는 그 문제를 해결할 수 없었다.
❷ (움직이지 않도록) …을 안정시키다, 놓다, 두다(=put).
She *settled* the hat on her head. 그녀는 모자가 벗겨지지

않도록 단단히 썼다.
❸ …을 정주시키다; …에 이주〔식민〕하다.
He *settled* his family in the country. 그는 가족을 시골에 정주시켰다.
They were *settled* in the West Indies. 그들은 서인도 제도에 이주하였다.
── 재 정착〔정주〕하다, 자리잡다.
They *settled* at a place which they called Plymouth. 그들은 플리머스라고 부르는 곳에 정착했다.
I hope to *settle* down in the country. 나는 시골에 자리잡고 싶다. ☞ 몡 settlement

set·tle·ment [sétlmənt] 몡
복수 **settlements**[sétlmənts]
❶ 식민지.
Spain, France, and England once had *settlements* in America. 스페인, 프랑스, 영국은 한때 미국에 식민지를 가지고 있었다.
❷ 해결; 화해.
They came to a *settlement* of their troubles. 그들은 분쟁의 해결을 보게 되었다.
☞ 통 settle

set·tler [sétlər] 몡
복수 **settlers**[sétlərz]
이주자, 개척자.
My grandfather was one of the first *settlers* in the island. 나의 할아버지는 그 섬의 최초의 개척자의 한 분이셨다.

sev·en [sévən] 몡
7; 7세, 7시; 《복수 취급》 7개〔몡〕.
Bill is *seven*.
빌은 일곱 살이다.
I get up at *seven*.
나는 일곱 시에 일어난다.
── 형 7의; 7개〔몡〕의; 7세인.
There are *seven* days in a week. 1주는 7일이다.

It's *seven* minutes past six.
여섯 시 7분이다.

＊sev·en·teen [sévəntíːn] 명
17; 17세; 《복수 취급》17개
〔명〕.
Jane will be *seventeen* next March. 제인은 내년 3월에 17세가 된다.
── 형 17의; 17개〔명〕의; 17세인.
I'm *seventeen* years old.
나는 열일곱 살이다.
The boat had *seventeen* passengers on board. 그 배에는 승객이 17명 있었다.

sev·en·teenth [sévəntíːnθ] 명
《보통 the를 붙여》제 17, 17번째; (달의) 17일.
He was born on October *seventeenth*. 그는 10월 17일에 태어났다.
── 형 《보통 the를 붙여》제 17의, 17번째의.
Today is my *seventeenth* birthday. 오늘은 나의 열일곱 번째 생일이다.

＊sev·enth [sévənθ] 명 복수 sevenths [sévənθs]
❶ 《보통 the를 붙여》제 7, 7번째; (달의) 7일.
the *seventh* of July, 7월 7일.
Today is November *seventh*.
오늘은 11월 7일이다.
❷ 7분의 1.
two *sevenths*, 7분의 2.
── 형 ❶ 《보통 the를 붙여》제 7의, 7번째의.
Saturday is the *seventh* day of the week. 토요일은 일주일의 일곱 번째 날이다.

sev·en·ties [sévəntiz] 명 seventy의 복수.

sev·en·ti·eth [sévəntiiθ] 명
《보통 the를 붙여》제 70, 70번째. ► 70th로 약함.

── 형 《보통 the를 붙여》제 70의, 70번째의.
Today is Grandma's *seventieth* birthday. 오늘은 할머니의 일흔 번째 생신이다.

＊sev·en·ty [sévənti] 복수 seventies [sévəntiz]
❶ 70; 70세; 《복수 취급》70개〔명〕.
❷ 《one's seventies로》(연령의) 70대; 《the seventies로》(각 세기의) 70년대.
in *the* (nineteen) *seventies*, 1970년대에.
"How old is Mr. Green?" "He's *seventy*." 「그린씨는 연세가 몇이시냐?」「일흔이시다.」
── 형 70의; 70개〔명〕의; 70세인.
The tower was about *seventy* feet high. 그 탑은 높이가 약 70피트였다.

＊sev·er·al [sévərəl] 형
몇몇의; 몇 명〔개〕의.
I have to study *several* hours every night. 나는 매일 밤 몇 시간씩 공부해야 한다.
The light changed from red to green *several* times.
신호등이 빨강에서 초록으로 여러 차례 바뀌었다.
── 대 《복수 취급》몇 명〔개〕.
Several of us walked home.
우리들 중의 몇 사람은 걸어서 집에 갔다.

se·vere [sivíər] 형 비교 severer [sivíərər]; 최상 severest [sivíərist]
❶ (아픔·기후 따위가) 격심한, 혹독한.
We're going to have a *severe* winter. 우리는 엄동을 맞이하게 될 것 같다.
I had a *severe* headache last night. 간밤에 나는 두통이 심했다.

S

❷ (사람·규칙 따위가) **엄한, 엄격한**.

Mr. White is *severe* with his pupils. 화이트 선생님은 학생들에게 엄격하다.

se·vere·ly [sivíərli] 〔부〕〔비교〕 **more severely**;
〔최상〕 **most severely**
엄격하게; 격심하게, 혹독하게.

Tom was *severely* scolded for being lazy. 톰은 게으름을 피워서 심하게 꾸지람을 들었다.

He suffered *severely* from the cold weather. 그는 추운 날씨로 몹시 고생했다.

sew [sou] 〔타·자〕
〔3·단·현〕 **sews** [souz]; 〔ing형〕
sewing [sóuiŋ]; 〔과거〕 **sewed** [soud]
〔과분〕 **sewed** [soud] 또는 **sewn**
[soun]
(…을) **깁다, 꿰매다, 재봉질하다**.

She is *sewing* a blouse.
그녀는 블라우스를 꿰매고 있다.

I saw Mary *sewing* by the window. 나는 메리가 창가에서 바느질하고 있는 것을 보았다.

➤ saw [sɔː] (보았다; 톱)와 sew [sou]를 구별할 것.

sew·ing ma·chine

[sóuiŋ məʃíːn] 〔명〕〔복수〕 **sewing machines** [sóuiŋ məʃíːnz]
재봉틀.

Ann has learned how to handle a *sewing machine*.
앤은 재봉틀 다루는 법을 배웠다.

sewn [soun] 〔동〕
sew의 과거 분사의 하나.

Helen has *sewn* a button on her coat. 헬렌은 코트에 단추를 달았다.

sex [seks] 〔명〕
〔복수〕 **sexes** [séksiz]
성, 성별.

the male (female) *sex* 남〔여〕성.

What *sex* is the cat?
그 고양이는 수놈이냐 암놈이냐?

SF [èséf] 〔명〕
➤ science fiction의 간략형.
an *SF* film, SF 영화.

shab·by [ʃǽbi] 〔형〕〔비교〕 **shabbier** [ʃǽbiər];
〔최상〕 **shabbiest** [ʃǽbiist]
초라한.

The man was wearing *shabby* clothes. 그 남자는 초라한 옷을 입고 있었다.

shade [ʃeid] 〔명〕
〔복수〕 **shades** [ʃeidz]
❶ 《a와 복수형 안 씀》 **그늘, 응달**.

The children are playing in the *shade*. 어린이들이 그늘에서 놀고 있다.

Jim sat down in the *shade* of a tree. 짐은 나무 그늘에 앉았다.

shade   shadow

❷ (전등 따위의) **갓**; (창의) **발, 블라인드**(=blind).

the *shade* of a lamp 전등갓.

He pulled down the window *shades*. 그는 창의 블라인드를 내렸다. ☞〔형〕 **shady**

shad·ow [ʃǽdou] 〔명〕〔복수〕
shadows [ʃǽdouz]
그림자; (거울·물 따위에 비친) **영상, 모습**.

The tree is throwing a *shadow* across the road.
그 나무는 길 건너에까지 그림자를 드리우고 있다.

The boy looked at his *shadow* in the water. 소년은 물에 비친 자기 모습을 보았다.

shad·y [ʃéidi] 〔형〕
〔비교〕 **shadier** [ʃéidiər];
〔최상〕 **shadiest** [ʃéidiist]
그늘의, 그늘진.

a *shady* road 그늘진 도로.
We took a rest in the *shady* place. 우리는 그늘진 곳에서 쉬었다. ☞ 명 shade

*__shake__ [ʃeik] 동
[3·단·현] **shakes** [ʃeiks] : [ing형] **shaking** [ʃéikiŋ] : [과거] **shook** [ʃuk] : [과분] **shaken** [ʃéikən]
타 …을 흔들다, 흔들어 움직이다; 휘두르다.
shake one's finger 손가락질을 하다. ➤ 아이를 나무라거나 상대를 비난할 때의 행위.
Father *shook* his head. 아버지께서는 머리를 옆으로 저으셨다 《찬성하지 않으셨다》.
The angry man was *shaking* his fist at the boy.
성이 난 남자는 소년에게 주먹을 휘둘렀다.
── 자 흔들리다; **떨리다**: (추위·공포 따위로) **떨다**.
His voice *shook* a little.
그의 목소리가 조금 떨렸다.
The poor girl was *shaking* with cold.
그 가엾은 소녀는 추위에 떨고 있었다.
*__shake hands with__ …와 악수하다.
I *shook hands with* Mr. Brown. 나는 브라운씨와 악수하였다.

참고 **악수를 할 때**
미국이나 영국 사람들은 인사 대신으로 악수를 한다. 상대방이 손을 내밀면 이 쪽에서도 반갑게 그에 응하는 것이 에티켓으로 되어 있다. 그리고 악수할 때에는 반드시 상대방의 눈을 보아야 한다. 우리 나라에서 흔히 볼 수 있는 바와 같이 악수를 하면서 고개를 숙여 절하는 모양은 좀 어색하다. 또한 남녀 간의 악수에는 남자가 먼저 손을 내밀어서는 안 된다.

shake [SUP]2[/SUP] [ʃeik] 명
흔들어 만든 음료수, 밀크셰이크.
I'd like a hamburger and a *shake*. 햄버거 하나와 밀크셰이크 하나 주세요.

shak·en [ʃéikən] 동
shake의 과거 분사.
All the leaves were *shaken* off by the wind. 바람으로 나뭇잎들이 모두 흔들려 떨어졌다.

Shake·speare [ʃéikspiər] 명
셰익스피어.
William [wíljəm] **Shakespeare** 윌리엄 셰익스피어(1564-1616).

참고 영국의 극작가이며 시인으로 세계적인 대문호이다. 그의 작품은 각국어로 번역되어 지금도 많은 사람들에게 애독되고, 상연되기도 한다. 그의 작품 중 4대 비극인 「리어왕」(King Lear), 「햄릿」(Hamlet), 「맥베스」(Macbeth), 「오셀로」(Othello)와 「로미오와 줄리엣」(Romeo and Juliet), 「베니스의 상인」(The Merchant of Venice) 따위는 특히 유명하다.

「베니스의 상인」의 한 장면

*__shall__ [ʃəl ; 강 ʃæl] 조
[과거] **should** [ʃəd ; 강 ʃud]
❶ 《Shall I [we]》로, 상대방의 의지를 물어》 …할까?
"*Shall we* go?" "Yes, let's go." 「갈까?」 「그래, 가자.」

"*Shall I* shut the windows?"
"Yes, please (do)." / "No,
thank you." 「창을 닫을까?」「그
래, 닫아 다오.」/「아니, 괜찮다.」
What time *shall we* meet?
우리 몇 시에 만날까?
❷ 《I 〔We〕 **shall** ... 로, 말하는
사람의 강한 의지를 나타내어》···
할 작정이다.
I shall return.
나는 꼭 돌아오겠다.
We shall overcome.
우리는 반드시 이겨낼 것이다.
➤ 영국에서는 단순한 미래를 나타
낼 때에도 이 형식을 쓰나, 미국
에서는 I〔we〕 will ... 을 씀. ☞
will
❸ 《You〔He, She, They〕 **shall**
...로, 말하는 사람의 의지를 나타
내어》···하게 하다, 시키다.
You shall have this book.
(=I will give you this
book.) 너에게 이 책을 주겠다.
He shall die! (=I will kill
him.) 그 자를 살려 두지 않겠다.
❹ 《Let's ..., **shall we?**로》···
할까? ☞ let's
"*Let's* meet here at six,
shall we?" "Yes, let's." / "No,
let's not." 「여섯 시에 여기서
만날까?」「그래, 그러자.」/「아니,
그러지 말자.」

shal·low [ʃǽlou] 형 비교
shallower [ʃǽlouər] ;
최상 **shallowest** [ʃǽlouist]
얕은(⟷ deep 깊은).
a *shallow* dish 얕은 접시.
The water was so *shallow*
that the children could not
swim. 물이 너무 얕아서 어린이
들은 헤엄칠 수 없었다.

shame [ʃeim] 명
❶ 《a와 복수형 안 씀》
부끄러움; 수치심.
Her face was hot with
shame. 그녀의 얼굴은 부끄러움
으로 빨갰다.
He has no *shame*.

그는 수치를 모른다.
❷ 《a를 붙여》 수치스러운 것〔사
람〕; 유감스러운 일.
He is a *shame* to our
family. 그는 우리 가문의 수치다.
That's a *shame*.
그것 참 안됐다.
What a *shame* you've told
a lie! 네가 거짓말을 하다니 참
으로 유감스러운 일이군!

sham·poo [ʃæmpúː]
명
복수 **shampoos** [ʃæmpúːz]
샴푸.
a bottle of *shampoo* 샴푸 한
병.
—— 타 3·단·현 **shampoos** [ʃæm-
púːz] : ing형 **shampooing** [ʃæm-
púːiŋ] : 과거 과분 **shampooed**
[ʃæmpúːd]
머리를 감다, 샴푸로 깨끗이 씻다.
shampoo one's hair 머리를
감다.
Shampoo the carpet before
you move in. 너는 이사를 들
어오기 전에 카펫을 씻어라.

shan't [ʃænt]
shall not의 단축형.
I *shan't* forgive him.
나는 그를 용서 않겠다.

*****shape** [ʃeip] 명
복수 **shapes** [ʃeips]
꼴, 형상, 모양; 상태, 컨디션.
The walls were built in the
shape of a boat. 그 벽은 배
모양으로 만들어졌다.
There were clouds of
different *shapes*. 여러 가지 모
양의 구름이 떠 있었다.
He was in good 〔bad〕
shape. 그는 몸의 컨디션이 좋았
다〔나빴다〕.
—— 타 3·단·현 **shapes** [ʃeips] :
ing형 **shaping** [ʃéipiŋ] : 과거 과분
shaped [ʃeipt]
···을 모양짓다, 만들다.
Italy is *shaped* like a boot.
이탈리아는 장화 같은 모양이다.

***share** [ʃɛər] 명
복수 **shares**[ʃɛərz]

몫, 할당.
Jim had a *share* in the profits. 짐은 이익 할당을 받았다.
John did his *share* of work. 존은 자신에게 맡겨진 일을 하였다.

── 타·자 3·단·현 **shares**[ʃɛərz] ; ing형 **sharing**[ʃɛəriŋ] ; 과거 과분 **shared**[ʃɛərd]

(…을) 같이 나누다, 공동으로 사용하다, 공유하다.
We *share* the same culture. 우린 같은 문화를 공유하고 있다.
Steve doesn't like *sharing* a room with me. 스티브는 나와 함께 방을 쓰는 것을 좋아하지 않는다.
Let's *share* the bill. (비용을) 각자 부담하자.

shark [ʃɑ:rk] 명
복수 **sharks**[ʃɑ:rks]

상어.
A *shark* is a large fierce fish. 상어는 크고 사나운 물고기다.

「귀상어」의 모습

***sharp** [ʃɑ:rp] 형
비교 **sharper**[ʃɑ:rpər] ; 최상 **sharpest**[ʃɑ:rpist]

❶ 날카로운 ; 예민한(⇔ dull 둔한).
Your knife is very *sharp*. 네 칼은 아주 날카롭다.
The dog has a *sharp* sense of smell. 그 개는 예민한 후각을 가지고 있다.
❷ (커브·비탈 따위가) 급한, 가파른.

make a *sharp* turn 급회전하다.
Our car came to a *sharp* curve on the road. 우리 차는 길의 급커브에 다다랐다.
❸ (아픔 따위가) 격심한, 모진.
I felt a *sharp* pain in my head. 나는 머리에 심한 통증을 느꼈다.
❹ (음악에서) 반음 높은, 샤프의 (⇔ flat 플랫의). ▶ 기호는 #.
☞ 동 sharpen

── 부 (시간에) 꼭, 정확히.
He came at seven o'clock *sharp*. 그는 정각 7시에 왔다.

sharp·en [ʃɑ:rpən] 타 3·단·현 **sharpens**[ʃɑ:rpənz] ; ing형 **sharpening** [ʃɑ:rpəniŋ] ; 과거 과분 **sharpened**[ʃɑ:rpənd]

…을 뾰족하게 하다, 갈다.
Tom is *sharpening* his pencils. 톰은 연필을 뾰족하게 깎고 있다.
Mother had the kitchen knife *sharpened*. 어머니는 부엌칼을 갈게 하셨다.
☞ 형 sharp

sharp·en·er [ʃɑ:rpənər] 명
복수 **sharpeners**[ʃɑ:rpənərz]
(날카롭게) 가는[깎는] 사람[기구].
a pencil *sharpener* 연필깎이.

sharp·ly [ʃɑ:rpli] 부
비교 **more sharply** ; 최상 **most sharply**
날카롭게 ; 급하게, 심하게.
She cried out *sharply*. 그녀는 날카롭게 소리질렀다.
The road turns *sharply* here. 길은 여기에서 급하게 구부러진다.

shat·ter [ʃætər] 타 3·단·현 **shatters** [ʃætərz] ; ing형 **shattering**[ʃætəriŋ] ; 과거 과분 **shattered**[ʃætərd]

…을 (산산이) 부수다, 박살내다.

S

The ball *shattered* the window. 공이 창문을 박살내었다.
➤ shutter[ʃʌ́tər] (덧문)와 혼동하지 않도록 주의.

shave [ʃeiv] 타·자 3·단·현
shaves[ʃeivz] : ing형
shaving[ʃéiviŋ] : 과거 **shaved**
[ʃeivd] : 과분 **shaved**[ʃeivd] 또는 **shaven**[ʃéivən]
(수염 따위를) 면도하다, 깎다.
My father *shaves* every morning. 아버지는 매일 아침 면도를 하신다.

shav·en [ʃéivən] 동 **shave**의 과거 분사의 하나.

shawl [ʃɔːl] 명 복수 **shawls**[ʃɔːlz]
(여자용) 숄.
She threw her *shawl* around her shoulders. 그녀는 어깨에 숄을 둘렀다.

she [ʃiː 강 ʃiː] 대 복수 **they**[ðei]
그녀는, 그녀가.
"Who is that girl?" "*She* is Kate."「저 소녀는 누구냐?」「그녀는 케이트이다.」
I know Jane. *She* is a college student. 나는 제인을 안다. 그녀는 대학생이다.

	단 수	복 수
주 격	she (그녀는)	they (그들은[이])
소유격	her (그녀의)	their (그들의)
목적격	her (그녀를)	them (그들을[에게])

shear [ʃiər] 타 3·단·현 **shears**[ʃiərz] : ing형 **shearing**[ʃíəriŋ] : 과거 과분 **sheared**[ʃiərd]
(큰 가위로) …을 자르다, 베다 : (양털)을 깎다.
They *shear* the sheep once a year. 그들은 1년에 한 번씩 양털을 깎는다.
── 명 복수 **shears**[ʃiərz]

《복수형으로》 큰 가위《가지치기·양털 깎기용》.
a pair of *shears* 큰 가위 한 개.
Father was cutting the hedge with *shears*. 아버지는 큰 가위로 산울타리를 치고 계셨다.

shed [ʃed] 타 3·단·현 **sheds** [ʃedz] : ing형 **shedding** [ʃédiŋ] : 과거 과분 **shed**[ʃed]
(눈물·피 따위)를 흘리다.
She *shed* tears.
그녀는 눈물을 흘렸다.
Many soldiers *shed* their blood during the war. 전쟁 중에 많은 군인들이 피를 흘렸다.

she'd [ʃiːd] she had 또는 she would의 단축형.

* **sheep** [ʃiːp] 명 복수 **sheep**[ʃiːp]
양.
Peter keeps a lot of *sheep*. 피터는 많은 양을 친다.
Sheep supply us with wool. 양은 우리에게 양털을 공급한다.

* **sheet** [ʃiːt] 명 복수 **sheets**[ʃiːts]
❶ (종이·천 따위의) 한 장.
a *sheet* of paper 종이 한 장.
an answer *sheet* 답안지.

참고 **a sheet of paper**와 **a piece of paper**
a sheet of paper는 사무 또는 인쇄 따위의 용도를 위해 일정 규격으로 만든 한 장의 종이이다. a piece of paper는 일정한 모양이 없는 한 조각의 종이를 말한다.

❷ 시트. ➤ 침대에는 보통 두 장을 쓰며, 사람은 그 사이에서 잠. Mother put clean *sheets* on the bed. 어머니는 침대 위에 깨끗한 시트를 깔았다.

shelf [ʃelf] 명
[복수] **shelves** [ʃelvz]
선반.
There is a clock on the *shelf*. 선반 위에 시계가 있다.

***shell** [ʃel] 명
[복수] **shells** [ʃelz]
❶ 조가비.
We went to the beach to gather *shells*. 우리는 조가비를 채집하러 바닷가에 갔다.
❷ (거북·게 따위의) 딱지; (동식물의 단단한) 외피, 껍질.
A tortoise has a *shell* on its back. 거북은 등에 딱지가 있다.

she'll [ʃiːl] she will [shall]의 단축형.
She'll make a new dress for me. 그녀는 나에게 새 옷을 만들어 줄 것이다.

shel·ter [ʃéltər] 명 [복수]
shelters [ʃéltərz]
❶ 피난소, (바람·비를) 피하는 곳.
a bus *shelter* (지붕이 있는) 버스 정류장.
The barn was a *shelter* for the horses and cows. 그 헛간은 말과 소가 비바람을 피하는 곳이었다.
❷ 《a와 복수형 안 씀》 피난, 보호.
take *shelter* from the rain 비를 피하다.
❸ 《a와 복수형 안 씀》 주거(住居).
Nature gives us food, clothes, and *shelter*. 자연은 우리에게 의식주를 제공한다.

shelves [ʃelvz] 명
shelf의 복수.
I saw Mr. Smith looking at the *shelves* of books in the library. 나는 도서관에서 스미스 씨가 서가를 쳐다보고 있는 것을 보았다.

shep·herd [ʃépərd] 명
[복수] **shepherds** [ʃépərdz]
양치기.
A good *shepherd* keeps an eye on his sheep. 훌륭한 양치기는 양에게서 눈을 안 뗀다.

she's [ʃiːz] she is 또는 she has의 단축형.
She's(=She is) playing the piano now. 그녀는 지금 피아노를 치고 있다.
She's(= She has) been absent for two days. 그녀는 이틀간 결석하고 있다.

shield [ʃiːld] 명
[복수] **shields** [ʃiːldz]
방패; 방어물.
The soldier protected his body with a *shield*. 전사는 방패로 자기 몸을 보호했다.

shift [ʃift] 타·자 [3·단·현] **shifts**
[ʃifts] : [ing형] **shifting**
[ʃíftiŋ] : [과거] [과분] **shifted** [ʃíftid]
(…을) 바꾸다, 변경하다; 옮기다.
He often *shifts* jobs.
그는 자주 직업을 바꾼다.
The wind has *shifted* from west to south. 바람은 서쪽에서 남쪽으로 바뀌었다.
We *shifted* the books to the next room. 우리는 그 책들을 옆방으로 옮겼다.

shil·ling [ʃíliŋ] 명
[복수] **shillings** [ʃíliŋz]
실링《1971년 이전의 영국의 화폐》.

***shine** [ʃain] 동
[3·단·현] **shines** [ʃainz] :
[ing형] **shining** [ʃáiniŋ] : [과거] [과분]
(자동사일 때) **shone** [ʃoun], (타동사일 때) **shined** [ʃaind]
자 빛나다, 번쩍이다; 비치다.
The sun is *shining* brightly

today. 오늘은 태양이 밝게 빛나고 있다.

Ann was a pretty girl with *shining* golden hair. 앤은 빛나는 금발을 한 어여쁜 소녀였다.

Make hay while the sun *shines*. 《속담》 해가 있을 때 풀을 말려라《좋은 때를 놓치지 마라》.

── 타 (구두 따위)를 닦다.

He *shined* his shoes.
그는 구두를 닦았다.

shin·y [ʃáini] 형 비교 **shinier** [ʃáiniər]; 최상 **shiniest**[ʃáiniist]

❶ 번쩍번쩍 빛나는〔광택이 나는〕.

Her shoes were *shiny*. 그녀의 구두는 번쩍번쩍 광택이 났다.

❷ (날씨가) 맑은, 햇빛이 쬐는.

It was a hot, *shiny* day.
햇빛이 쨍쨍 내리쬐는 더운 날이었다.

*ship [ʃip] 명 복수 **ships**[ʃips] 배《대형의 배》.

We saw the *ships* go up and down the river. 우리는 강을 오르내리는 배들을 보았다.

We went on board the *ship*.
우리는 그 배에 탔다.

The *ship* sailed on her maiden voyage. 그 배는 처녀 항해를 했다. ▶ship은 종종 여성 명사로 취급하여 she, her로 받음.

┌─ 비슷한 말 **ship**과 **boat**
│ ship은 일반적으로 「배」를 가리키는 말이나, 주로 대양을 항해하는 비교적 큰 배를 말한다. boat는 노나 소형 엔진으로 움직이는 작은 배를 가리키나, 구어에서는 ship 대신에 쓰는 수도 많다.
└─

by ship = on a ship 배로.

We went to Britain *by ship*.
우리는 배로 영국에 갔다.

*shirt [ʃəːrt] 명 복수 **shirts**[ʃəːrts]

셔츠, 와이셔츠.

Father wears a *shirt*.
아버지는 셔츠를 입고 계신다.

This *shirt* is too small.
이 셔츠는 너무 작다.

shiv·er [ʃívər] 자 3·단·현 **shivers**[ʃívərz]; ing형 **shivering** [ʃívəriŋ]; 과거 과분 **shivered**[ʃívərd]

(추위·공포 따위로 몸을) 떨다 (=tremble).

The poor girl was *shivering* with cold. 그 가엾은 소녀는 추위에 떨고 있었다.

*shock [ʃak] 명 복수 **shocks**[ʃaks]

❶ (지진의) 진동; (충돌·폭발 따위의) 충격.

We felt the *shocks* of an earthquake last night. 간밤에 지진으로 인한 몇 번의 진동을 느꼈다.

❷ 쇼크, (정신적인) 충격.

Really? What a *shock*!
정말이야? 충격적이군!

His sudden death was a great *shock* to me. 그의 갑작스러운 죽음은 나에게 커다란 충격이었다.

── 타 3·단·현 **shocks**[ʃaks]; ing형 **shocking**[ʃákiŋ]; 과거 과거 **shocked**[ʃakt]

…에 충격을 주다, 쇼크를 주다.

I was *shocked* to hear that he was missing. 그가 행방 불명이란 말을 듣고 나는 충격을 받았다.

*shoe [ʃuː] 명 복수 **shoes**[ʃuːz]

《보통 복수형으로》 구두, 신, 단화. ☞ boot(장화)

I have bought a pair of *shoes*. 나는 구두 한 켤레를 샀다.

Please take off your *shoes*.
구두를 벗어라.

Can I try the brown *shoes*? 그 밤색 신을 신어볼 수

있습니까?

shoe·mak·er [ʃúːmèikər] 명

[복수] **shoemakers**[ʃúːmèikərz]
구두 만드는〔고치는〕사람, 제화
공.
I had these shoes repaired
by a *shoemaker.* 나는 이 구
두를 제화공에게 수선케 하였다.

shone [ʃoun] 동 **shine**의 과
거·과거 분사의 하나.
The moon *shone* over the
mountain. 산 위에 달이 비치고
있었다.

*## shook [ʃuk] 동
shake의 과거.
Tom and I *shook* hands.
톰과 나는 악수하였다.
The house *shook* for a few
minutes. 집이 몇 분 동안 흔들
렸다.

*## shoot [ʃuːt] 동 [3·단·현] **shoots**
[ʃuːts] ; [ing형] **shooting**
[ʃúːtiŋ] ; [과거][과분] **shot**[ʃat]
타 (탄환·화살 따위)를 쏘다; …
을 쏘아 죽이다; 격추하다.
Tell *shot* an arrow at the
apple on his son's head. 텔
은 자기 아들 머리 위에 있는 사
과를 겨냥하여 화살을 쏘았다.
The hunter *shot* a fox. 사냥
꾼은 여우 한 마리를 쏘아 죽였
다.
The plane was *shot* down.
그 비행기는 격추되었다.
── 자 쏘다, 사격하다.
He *shot* at the bird.
그는 새를 겨냥해 쏘았다.
He *shoots* well.
그는 사격을 잘 한다.

*## shop [ʃap] 명
[복수] **shops**[ʃaps]
❶ 가게, 상점. ☞ store
a flower *shop* 꽃가게.
They opened a small *shop*
in Seoul. 그들은 서울에 작은
가게를 냈다.
❷ 작업장, 제작소, 일터.

a repair *shop* 수리 공장.
My mother goes to the
beauty *shop* once a month.
어머니께서는 한 달에 한 번 그
미용실에 가신다.

┌─[비슷한 말] **shop**과 **store**─┐
「가게, 상점」을 영국에서는
shop이라 하고, 미국에서는 보
통 store라고 한다. 다만, 미국
에서도 store보다 좀 작은 전문
점은 shop이라고도 한다.
└──────────────────┘

── 자 [3·단·현] **shops** [ʃaps] ;
[ing형] **shopping**[ʃápiŋ] ; [과거]
[과분] **shopped**[ʃapt]
물건을 사다, 쇼핑하다.
go *shopping* 물건을 사러 가다.
Mrs. Smith *shops* at this
department store every
Saturday. 스미스 부인은 매주
토요일에 이 백화점에서 물건을
산다.

shop·keep·er [ʃápkìːpər] 명

[복수] **shopkeepers**[ʃápkìːpərz]
가게 주인. ▶ 미국에서는 일반적
으로 storekeeper를 씀.
The *shopkeeper* is going to
open his shop. 가게 주인이
가게를 열려 하고 있다.

shopped [ʃapt] 동 **shop**의
과거·과거 분사.

*## shop·ping [ʃápiŋ] 동
shop의 -ing형.
── 명 《a와 복수형 안 씀》 물건사
기, 쇼핑.
a *shopping* cart 쇼핑 수레《슈
퍼마켓 따위의》.
a *shopping* center 쇼핑 센터.
I have some *shopping* to
do this afternoon. 오늘 오후
물건을 좀 살 것이 있다.

*## shore [ʃɔːr] 명
[복수] **shores**[ʃɔːrz]
물가, 해안.
They began to swim to the
shore. 그들은 해안으로 헤엄을

S

치기 시작했다.

We walked along the *shore* of the lake. 우리는 호숫가를 따라 걸었다.

비슷한 말 **shore**와 **coast**와 **beach**

shore는 물에 접한 장소를 가리키고, coast는 shore를 포함한 넓은 지역을 말한다. beach 는 파도에 씻긴 모래나 자갈이 많은 평평한 물가를 가리킨다.

＊short [ʃɔːrt] 형 부
비교 **shorter** [ʃɔːrtər] ;
최상 **shortest** [ʃɔːrtist]
형 ❶ (길이·거리·시간 따위가) 짧은, 가까운(⇔ long 긴, 먼).
short hair 짧은 머리.
a *short* stay 단기 체류.
a *short* distance 단거리.
I like reading *short* stories. 나는 단편 소설을 읽기 좋아한다.
Father will be back in a *short* time. 아버지는 곧 돌아오실 것이다.
The days are getting *shorter*. 점점 해가 짧아지고 있다.
❷ (키 따위가) 작은.
She is much *shorter* than Fred. 그녀는 프레드보다 (키가) 훨씬 더 작다.
❸ 부족한;《**be short of**로》 …가 부족하다.
I'm two dollars *short*. 나는 2 달러가 부족하다.
We *are short of* time. 우리는 시간이 모자란다.
☞ 명 shortage, 동 shorten
── 부 갑자기, 돌연(= suddenly).
Father was talking cheerfully, but he stopped *short*. 아버지는 기분 좋게 말씀하시다가, 갑자기 멈추셨다.

short·age [ʃɔːrtidʒ] 명
복수 **shortages** [ʃɔːrtidʒiz]
부족, 결핍.

The *shortage* of energy is the problem. 에너지 부족이 문제다. ☞ 형 short

short·cut [ʃɔːrtkʌt]
복수 **shortcuts** [ʃɔːrtkʌts]
❶ 지름길, 손쉬운 방법.
He used a *shortcut* to get to school quickly. 그는 빨리 학교에 도착하기 위해 지름길을 이용했다.
❷《컴퓨터》바로가기.
Double-click on the *shortcut*. 그 바로가기를 더블 클릭해라.

short·en [ʃɔːrtn] 동 3·단·현
shortens [ʃɔːrtnz] ;
ing형 **shortening** [ʃɔːrtniŋ] ; 과거
과분 **shortened** [ʃɔːrtnd]
타 …을 짧게 하다, 단축하다, 줄이다.
I want to have my skirt *shortend*. 나는 스커트를 짧게 고치고 싶다.
The new highway *shortened* the trip. 새로 난 간선 도로로 여행 시간이 단축되었다.
── 자 짧아지다, 줄다.
The day is *shortening*. 낮이 짧아지고 있다. ☞ 형 short

short·hand [ʃɔːrthænd] 명
《a와 복수형 안 씀》속기.
Tom can write in *shorthand*. 톰은 속기로 쓸 수 있다.

short·ly [ʃɔːrtli] 부
곧(= soon); 간단히.
to put it *shortly* 간단히 말하면.
Sam will arrive here *shortly*. 샘은 곧 여기에 도착할 것이다.

short·stop [ʃɔːrtstàp] 명
복수 **shortstops** [ʃɔːrtstàps]
(야구에서) 유격수.
You play *shortstop*, because you catch well. 너는 공을 잘 잡으니까 유격수를 맡아라.

***shot** [ʃɑt] 통
shoot의 과거·과거 분사.
I *shot* down the bird.
나는 그 새를 쏘아 떨어뜨렸다.
── 명 복수 **shots**[ʃɑts]
❶ 탄환; 발사, 총성.
I heard several *shots*.
나는 몇 발의 총성을 들었다.
❷ (주사 따위의) **한 대**.
get a *shot* 주사를 맞다.

****should** [ʃəd; 강 ʃud]

❶ 《의무·당연을 나타내어》 …하
여야 하다, …하는 편이 좋다, …
함이 당연하다. ▶ 형태는 과거형
이나 뜻은 현재임.
You *should* study harder.
너는 더욱 열심히 공부해야 한다.
You *should* visit the mu-
seum. 박물관을 견학하도록 해라.
You *should* not go to the
movies so often. 너는 그렇게
자주 영화를 보러 가서는 안 된
다.
❷ 《why, how 따위와 함께 쓰
여, 뜻을 강조하여》 도대체 〔왜,
어떻게〕 …인가?
Why *should* he go for you?
도대체 왜 그가 너 대신 가지?
How *should* I know?
내가 어떻게 알겠느냐?
❸ 《It is + 형용사 + that …
should ~로》 …가 ~하는 것은
—하다, …가 ~하다니 —하다.
It is natural *that* you
should get angry. 네가 화를
내는 것은 당연하다.
It is strange *that* he *should*
say that. 그가 그런 것을 말하
다니 이상하다.
❹ 《If … should ~ 로》 만일 …
가 ~하면.
If it *should* rain tomorrow,
we won't go on a picnic.
만약 내일 비가 온다면, 우리는
피크닉을 가지 않겠다.
If I *should* fail, I would try
again. 만일 실패해도, 다시 해

보겠다.
❺ 《shall의 과거로》 …할 것이
다. ▶ 시제의 일치로 shall이 과
거형으로 된 경우임.
I said I *should* be back
soon.(=I said, "I shall be
back soon.") 나는 곧 돌아온다
고 말했다. ▶ 미국에서는 보통
would를 쓰며, 영국에서도 구어
에서는 would를 씀.
should like to *do* …하고 싶다.
☞ like

***shoul·der** [ʃóuldər] 명 복수
shoulders[ʃóuldərz]
어깨.
Bob has a pair of skis on
his *shoulder*. 보브는 어깨에 스
키 한 벌을 메고 있다.
He shrugged his *shoulders*.
그는 어깨를 으쓱거렸다. ▶「어쩌
지, 난 몰라, 할 수 없군」 따위를
나타내는 몸짓.

should·n't [ʃúdnt] should
not의 단축형.
You *shouldn't* play baseball
so much. 너는 야구를 그렇게
많이 해서는 안 된다.
Father says I *shouldn't* eat
so much candy. 아버지는 캔
디를 그렇게 많이 먹어서는 안 된
다고 내게 말씀하셨다.

****shout** [ʃaut] 통
3·단·현 **shouts**[ʃauts] :
ing형 **shouting**[ʃáutiŋ] : 과거
과분 **shouted**[ʃáutid]
타 …을 외치다, 큰 소리로 말하다.
I *shouted* at them, "What
on earth are you doing?"
나는 그들에게 「도대체 너희들은
뭐하고 있는 거냐?」라고 소리쳤
다.
She *shouted* her son's
name. 그녀는 아들의 이름을 큰
소리로 불렀다.
"We won!" he *shouted*. 그는
「우리가 이겼다!」라고 소리쳤다.
── 자 외치다, 큰 소리로 말하다,
고함지르다.

S

He *shouted* at the children.
그는 아이들에게 호통을 쳤다.
—— 몡 복수 **shouts** [ʃauts]
외치는 소리; 환호.
Jim gave a *shout* of joy
when he heard the news.
짐은 그 소식을 들었을 때 기뻐
소리쳤다.

┌─────────────────────────┐
비슷한 말 **shout** 와 **cry**

shout와 cry는「큰 소리를 내
다」란 뜻으로 쓰인다.「도와달라
고 외치다」는 shout for help
혹은 cry for help라고도 한
다. cry에는「소리쳐 울다. 소
리를 내어 울다」란 뜻이 있으나
shout는 이런 뜻이 없다. 따
라서 어린아이가 운다고 할 때
는 cry를 쓴다.
└─────────────────────────┘

shov·el [ʃʌvəl] 몡
복수 **shovels** [ʃʌvəlz]
삽. ☞ spade
May I borrow your *shovel*?
네 삽을 좀 빌려 주겠느냐?

****show** [ʃou] 통 3·단·현 **shows**
[ʃouz] ; ing형 **showing**
[ʃóuiŋ] ; 과거 **showed** [ʃoud] ; 과분
shown [ʃoun]

타 ❶ …을 보이다, 보여 주다.
Jane *showed* a beautiful
picture to him. 제인은 그에게
아름다운 그림을 보여 주었다.
I'll *show* you my drawings.
너에게 내 그림을 보여 주겠다.
Show me your passport,
please? 당신의 여권을 좀 보여
주십시오.
❷ …을 나타내다; 증명하다.
show fear 두려움을 나타내다.
This *shows* (that) Bob is a
very honest boy. 이것은 보브
가 아주 정직한 소년임을 나타내
준다.
❸ (길 따위)를 알려주다, 가리키
다, 안내하다.
Will you *show* me the way
to the station? 역으로 가는

길을 알려 주겠느냐?
I'll *show* you around Ox-
ford tomorrow.
내일 내가 너에게 옥스포드를 안
내해 주겠다.
She *showed* me into the
room. 그녀는 나를 방으로 안내
했다.
❹ …을 진열하다, 전시하다.
All kinds of beautiful roses
were *shown* in the room.
그 방에는 여러 가지 종류의 아름
다운 장미가 전시되어 있었다.
—— 자 보이다, 나타나다.
The sun *showed* above the
horizon. 태양이 수평선 위에 나
타났다.
show one*self* 모습을 보이다.
The curtain rose, and the
actor *showed himself* before
the audience. 막이 오르고 배
우가 청중 앞에 모습을 나타냈다.
show up 모습을 드러내다, 나타나
다.
We waited, but she never
showed up. 우리는 기다렸지만
그녀는 전혀 모습을 나타내지 않
았다.
—— 몡 복수 **shows** [ʃouz]
전시회, 전람회, 쇼, 관람물, 겉치레.
Are you going to the motor
show this year? 올해 자동차
쇼에 가겠느냐?
He does not watch TV
shows very often. 그는 텔레비
전 쇼를 그다지 자주 보지 않는다.
on show 진열되어, 전시되어.
His pictures are now *on*
show at the museum. 그의
그림들은 미술관에서 지금 전시
중이다.

show·case [ʃóukèis]
몡
복수 **showcases** [ʃóukèisiz]
(유리) 진열장.
Could you show me the
ring in the *showcase*? 나에
게 진열장에 있는 반지를 보여주

겠어요?

show·er [ʃáuər] 명 복수
showers [ʃáuərz]

❶ 소나기.
We had a *shower* yesterday.
어제 소나기가 왔다.
I was caught in a *shower*
on my way home. 나는 집에
가는 도중에 소나기를 만났다.
❷ 샤워.
take〔have〕a *shower* 샤워를
하다.

*****shown** [ʃoun]
동 show의 과거 분사.
She has *shown* me many
kindnesses. 그녀는 여러모로 나
에게 친절을 베풀어 주었다.

show win·dow [ʃóu wìn-dou] 명
복수 show windows [ʃóu wìn-douz]

진열창, 쇼 윈도.
display goods in the *show
window* 진열창에 상품을 진열하다.

shrank [ʃræŋk] 동
shrink의 과거의 하나.

shrill [ʃril] 형
비교 shriller [ʃrílər] :
최상 shrillest [ʃrílist]
(소리가) 날카로운, 째는 듯한.
She gave a *shrill* cry and
fell down. 그 여자는 날카로운
소리를 지르고 쓰러졌다.

shrimp [ʃrimp] 명
복수 shrimps [ʃrimps]
작은 새우.
Shrimp is used for food.
새우는 식용으로 쓰인다.

shrine [ʃrain] 명
복수 shrines [ʃrainz]
(성인들의 유물·유골을 모신) 성
당, 사당, 묘.
On New Year's Day we
visited the *shrine* near our
house. 설날 우리는 집 근처에
있는 사당에 갔다.

shrink [ʃriŋk] 자 3·단·현
shrinks [ʃriŋks] : ing형

shrinking [ʃríŋkiŋ] : 과거 shrank
[ʃræŋk] 또는 shrunk [ʃrʌŋk] : 과분
shrunk [ʃrʌŋk] 또는 shrunken
[ʃrʌ́ŋkən]

❶ 오그라들다, 줄어들다.
The dress *shrank* when it
was washed. 세탁할 때 그 옷
은 줄어들었다.
❷ 겁내다, 움츠리다, 피하다.
I don't *shrink* from danger.
나는 위험을 겁내지 않는다.

shrug [ʃrʌg] 타·자 3·단·현
shrugs [ʃrʌgz] : ing형
shrugging [ʃrʌ́giŋ] : 과거 과분
shrugged [ʃrʌgd]
어깨를 으쓱하다 ▶ 불찬성·난처
함·불쾌함 따위를 나타냄.
Mr. Brown *shrugged* his
shoulders at the news.
브라운씨는 그 소식을 듣자 어깨
를 으쓱했다.
American people *shrug* to
say, "I have no idea." 미국
사람들은 「나는 몰라.」라고 말하
기 위해 어깨를 으쓱한다.

shrunk [ʃrʌŋk] 동
shrink의 과거·과거
분사의 하나.

shrunk·en [ʃrʌ́ŋkən]
동
shrink의 과거 분사의 하나.

*****shut** [ʃʌt] 타·자 3·단·현 shuts
[ʃʌts] : ing형 shutting
[ʃʌ́tiŋ] : 과거 과분 shut [ʃʌt]
(문·창 따위)를 닫다, (눈·입
따위)를 감다, 다물다, (책 따위)
를 덮다(⇔ open 열다).
Father *shut* the door.
아버지께서 문을 닫으셨다.
Shut your eyes. 눈을 감아라.

S

Shut your books, please.
책을 덮으세요.

He kept his mouth *shut*.
그는 계속 입을 다물고 있었다.

➤ 여기서 shut은 과거 분사.

비슷한 말 **shut** 와 **close**

shut은 close보다 힘을 들여 거칠게 닫는 느낌이 있는 말이다. 따라서 shut 쓰기를 피하고 close를 쓰는 사람이 많다.

---

shut off (가스·수도·전기 따위)를 잠그다, 끄다.
Shut the gas *off* before you go out. 외출하기 전에 가스를 잠가라.

shut out …을 가로막다, 보이지 않게 하다. (문 밖으로) 내쫓다.
Shut out the sunlight.
햇빛이 들지 않게 해라.
The trees *shut out* the view. 나무가 경치를 가로막았다.

shut up …을 감금하다; 입을 다물다.
Helen Keller was *shut up* in a dark, silent world.
헬렌 켈러는 어두운 침묵의 세계에 갇혔다.
Shut up! 입 다물어! ➤ 무례한 말이므로 손윗사람에게는 쓰지 않음.

shut·ter [ʃʌ́tər] 명
복수 **shutters** [ʃʌ́tərz]
덧문; (사진기의) 셔터.
They closed the *shutters*.
그들은 덧문을 닫았다.
Press this button for the *shutter*. 이 셔터 버튼을 눌러라.

shut·ting [ʃʌ́tiŋ] 동
shut의 -ing형.

shut·tle [ʃʌ́tl] 명
복수 **shuttles** [ʃʌ́tlz]
(보통 근거리간의) 정기 왕복 열차〔버스, 비행기〕.
a *shuttle* bus 근거리 왕복 버스, 셔틀 버스.
a space *shuttle* 우주 왕복선.
Imagine the future moon

shuttle and the Mars rocket. 미래의 달 왕복선과 화성 로켓을 상상해 보라.

shy [ʃai] 형 비교 **shyer** 또는 **shier** [ʃáiər] : 최상 **shyest** 또는 **shiest** [ʃáiist]
부끄러워하는, 수줍은.
Don't be *shy*. 수줍어 마라.
Nancy was too *shy* to speak to the young man.
낸시는 너무 수줍어서 그 청년에게 말을 걸 수가 없었다.

*****sick** [sik] 형
병이 난, 병에 걸린(⇔ well 건강한). ☞ ill
Mother is *sick* in bed.
어머니는 병환으로 누워계시다.
Jim has been *sick* for two weeks. 짐은 2주 동안이나 앓고 있다.
She takes care of the *sick*.
그녀는 아픈 사람들을 보살핀다.
➤ 「the+sick」은 sick people의 뜻. ☞ 명 sickness

sick·ness [síknis] 명
《a와 복수형 안 씀》병. ☞ illness, disease
He has been absent for three days because of *sickness*. 그는 병 때문에 3일간 결석하고 있다. ☞ 형 sick

*****side** [said] 명
복수 **sides** [saidz]
❶ 측, 측면, 면, 쪽.
on the right 〔left〕 *side* of the street 길의 오른쪽〔왼쪽〕에.
on both *sides* 양쪽에.
You can use the back *side* of the paper. 너는 종이의 뒷면을 사용할 수 있다.
❷ 옆, 곁; 옆구리.
a *side* street 옆 길.
Sit by my *side*. 내 옆에 앉아라.
I had to lie down on my *side*. 나는 옆으로 누워야만 했다.
❸ (경기·싸움 등에서) …쪽, …편.
I am on your *side*.

나는 네 편이다.

from side to side 좌우로, 옆으로.

The cart swung *from side to side.* 마차는 좌우로 흔들렸다.

side by side 나란히, 가지런히.

The children sat *side by side.* 아이들은 나란히 앉았다.

side·walk [sáidwɔ̀ːk] 명

〔복수〕 **sidewalks**[sáidwɔ̀ːks] (특히, 포장된) **보도, 인도.**

I met him on the *sidewalk* in front of the store. 나는 상점 앞의 보도에서 그를 만났다.

The *sidewalk* was crowded with people. 보도는 사람들로 혼잡하였다.

sift [sift] 타·자

〔3·단·현〕 **sifts**[sifts] : ing형 **sifting**[síftiŋ] : 과거 과분 **sifted** [síftid]

체로 치다(=sieve), **체질〔조리질〕하다.**

Sift out the stones from the soil. 흙을 체로 쳐서 돌을 가려내라.

sigh [sai] 자 3·단·현 **sighs** [saiz] : ing형 **sighing** [sáiiŋ] : 과거 과분 **sighed**[said]

한숨 쉬다, 탄식하다.

The old man *sighed* deeply. 노인은 깊이 한숨을 쉬었다.

She *sighed* with relief. 그녀는 안도의 한숨을 쉬었다.

— 명 〔복수〕 **sighs**[saiz]

한숨, 탄식.

The old woman greeted him with a *sigh* of relief. 그 노파는 안도의 한숨을 쉬며 그를 맞이했다.

*sight [sait] 명

〔복수〕 **sights**[saits]

❶ 《a와 복수형 안 씀》 **시력; 시계**(視界).

My father has good *sight.* 아버지는 시력이 좋으시다.

❷ **경치, 풍경;** 《**the sights**로》 **명승지.**

What a beautiful *sight!* 참으로 아름다운 경치로구나!

Bulguksa is one of *the sights* of Korea. 불국사는 한국의 명승지의 하나다.

at the sight of …을 보고.

The baby smiled *at the sight of* her mother. 그 아기는 엄마를 보고 방글거렸다.

catch sight of …을 발견하다.

I *caught sight of* Tom in the crowd. 나는 군중 속에서 톰을 발견하였다.

in sight 보여, 시계 안에.

Dobongsan is still *in sight.* 도봉산이 아직 보인다.

lose sight of …을 (시야에서) 놓치다.

I *lost sight of* my mother in the department store. 나는 백화점에서 어머니를 시야에서 놓쳤다.

out of sight 보이지 않는 (곳에).

Out of sight, out of mind. 《속담》 눈에 보이지 않으면, 마음에서도 사라진다《헤어지면 마음조차 멀어진다》.

The ship has gone *out of sight.* 배가 보이지 않게 되었다.

see the sights 구경〔관광〕하다.

Many people go to Gyeongju to *see the sights.* 많은 사람들이 관광하러 경주에 간다.

sight·see·ing [sáitsìːiŋ] 명

《a와 복수형 안 씀》 **관광, 구경.**

a *sightseeing* bus 관광 버스.

a *sightseeing* tour 관광 여행.

Let's go *sightseeing* this afternoon. 오후에는 관광하러 가자.

*sign [sain] 명

〔복수〕 **signs**[sainz]

❶ **징후, 기미, 조짐, 전조; 흔적.**

Dark clouds are a *sign* of rain. 검은 구름은 비가 올 징후

S

이다.

The coming of robins is a *sign* of spring. 울새가 오는 것은 봄의 전조이다.

The hunter found *signs* of a deer. 사냥꾼은 사슴의 흔적을 발견했다.

❷ 신호, 손짓, 몸짓.

She gave us a *sign* to leave the room. 그녀는 방을 나가라는 신호를 우리에게 했다.

The policeman made a *sign* to stop. 경찰관이 멈추라고 손짓하였다.

❸ 표지, 게시; 팻말; 간판.

a traffic *sign* 교통 표지.

There's a 'No Parking' *sign*. 「주차 금지」의 팻말이 있다.

Can you read that *sign*? 너는 저 간판을 읽을 수 있느냐?

❹ (수학 따위의) 기호, 부호.

the plus [minus] *sign* 더하기 [빼기] 기호.

── 태 [3·단·현] **signs** [sainz]; [ing형] **signing** [sáiniŋ]; 과거 과분 **signed** [saind]

❶ (서류·편지 따위)에 서명하다.

He *signed* the letter.
그는 그 편지에 서명하였다.

Sign your name here, please. 여기에 서명하십시오.

❷ …에 신호하다, 신호를 보내다.

The policeman *signed* me to stop. 경찰은 나에게 멈추라고 신호〔손짓〕했다.

▶ sign의 g는 발음하지 않음에 주의. ☞ 명 signature

sig·nal [sígnəl] 명 [복수] **signals** [sígnəlz]

신호, 신호기.

a traffic *signal* 교통 신호.

a *signal* of danger [distress] 위험〔조난〕신호.

She gave me the *signal* to stop. 그녀는 나에게 멈추라는 신호를 했다.

sig·na·ture [sígnətʃər] 명

[복수] **signatures** [sígnətʃərz]

서명, 사인.

put one's *signature* on a paper 서류에 서명하다.

His *signature* was on the letter. 편지에 그의 서명이 있었다. ☞ 동 sign

[참고] signature는 자신이 쓴 이름. 서양에서는 보통 도장을 사용하지 않고 서명이 도장 구실을 한다.

sign·board [sáinbɔ̀ːrd] 명

[복수] **signboards** [sáinbɔ̀ːrdz]

간판; 게시판.

There is a *signboard* over there. 저기에 간판이 있다.

sig·nif·i·cant [signífikənt] 형

[비교] **more significant**; [최상] **most significant**

중대한, 중요한, 소중한.

a *significant* decision 중요한 결정.

si·lence [sáiləns] 명

《a와 복수형 안 씀》침묵, 무언; 조용함.

the *silence* of the night 밤의 정적.

There was *silence* during his speech. 그가 이야기하고 있는 동안 조용하였다.

Silence, please. 조용히 하세요.

Speech is silver, *silence* is gold. 《속담》웅변은 은이요, 침묵은 금이다. ☞ 형 silent

in silence 아무 소리 않고.

Don't keep eating *in silence*. 아무 말 없이 먹기만 하지 마라.

▶ 우리 나라에서는 조용히 식사를 하지만, 서양 사람들은 식사 중에 대화를 즐김.

si·lent [sáilənt] 형

[비교] **more silent**; [최상] **most silent**

말 없는, **침묵의; 소리를 내지 않는, 조용한**(⟺ noisy 시끄러운).
☞ quiet
silent reading 묵독
a *silent* man 말 없는 사람.
a *silent* night 고요한 밤.
Be *silent*, please. 좀 조용히 해라.
He kept *silent* for a moment. 그는 잠시 말이 없었다.
☞ 몡 silence

si·lent·ly [sáiləntli] 빌
비교 **more silently**;
최상 **most silently**
잠자코, 조용히.
They walked on *silently*.
그들은 조용히 계속 걸었다.
Read your book *silently*.
책을 조용히 읽어라.

*silk [silk] 몡
《a와 복수형 안 씀》 **명주, 명주실, 비단, 실크.**
Is this cloth *silk* or cotton?
이 천은 명주냐 무명이냐?

*sil·ly [síli] 혱
비교 **sillier**[síliər]; 최상
silliest[síliist]
어리석은, 바보 같은. ☞ foolish
It was a *silly* question. 그것은 어리석은 질문이었다.
Don't be *silly*. 바보 같은 소리〔짓〕 마라.

si·lo [sáilou]
몡 복수
silos[sáilouz]
사일로《원탑 모양의 건조물로, 목초·곡물을 저장함》.
There were two big *silos* on the farm. 농장에는 큰 사일로가 두 개 있었다.

*sil·ver [sílvər] 몡
《a와 복수형 안 씀》 **은.**
This spoon is made of *silver*. 이 스푼은 은으로 만들었다.
── 혱 **은의, 은으로 만든; 은색의.**
a *silver* ring 은반지.
silver hair 은발.

How many *silver* and bronze medals did we win?
우리는 은메달과 동메달을 몇 개나 땄느냐?

*sim·i·lar [símələr] 혱
비교 **more similar**;
최상 **most similar**
유사한, 같은 모양의.
in a *similar* way 같은 식으로.
The sisters are wearing *similar* clothes. 그 자매는 비슷한 옷을 입고 있다.
Seoul and Los Angeles are *similar* in some ways. 서울과 로스앤젤레스는 몇 가지 점에서 비슷하다.

sim·i·lar·i·ty [sìmələ́rəti] 몡
복수 **similarities** [sìmələ́rətiz]
유사(점), 상사성; 닮은 점.
There are many *similarities* between the two people.
그 두 사람 사이에는 비슷한 점이 많이 있다.

*sim·ple [símpəl] 혱
비교 **simpler** [símpələr]; 최상 **simplest**[símpəlist]
❶ **간단한; 쉬운** (=easy).
That's a *simple* question.
그것은 쉬운 문제다.
This story is written in *simple* English. 이 이야기는 쉬운 영어로 쓰어 있다.
❷ **수수한, 검소한** (=plain).
Thomas Jefferson lived a *simple* life. 토마스 제퍼슨은 검소하게 살았다.
He eats *simple* food and wears *simple* clothes.
그는 검소한 식사를 하며, 수수한 복장을 하고 있다.
❸ (좋은 뜻의) **단순한, 순진한.**
He is as *simple* as a child.
그는 어린애처럼 순진하다.
❹ **고지식한; 바보 같은.**
I am not so *simple* as to believe him. 나는 그를 신뢰할 정도로 바보는 아니다.

S

sim·ply [símpli] 閉
❶ 간단하게, 용이하게.
He solved the problem quite *simply*. 그는 아주 간단히 그 문제를 풀었다.
❷ 검소하게, 수수하게.
She is *simply* dressed. 그녀는 옷차림이 검소하다.
He lives *simply* in the country. 그는 시골에서 검소하게 지내고 있다.
❸ 단순히, 단지 (=only).
He reads books *simply* for pleasure. 그는 단지 재미로 책을 읽는다.

sin [sin] 명
複數 **sins**[sinz]
(도덕·종교상의) 죄, 죄악. ☞ crime (법률상의 죄)
It is a *sin* to tell a lie. 거짓말을 하는 것은 죄악이다.

**since [sins] 전
…이래, …때부터. ➤ since 는 현재까지 계속되어 온 동작·상태의 기점을 나타내므로, 현재 완료와 함께 쓰임.
He has been sick in bed *since* last Sunday. 그는 지난 일요일부터 병으로 누워 있다.
I have not seen Jim *since* then. 나는 그 이후 짐을 만나지 못했다.
── 接 ❶ …한 이래〔후〕(지금까지). ➤ 보통 현재 완료와 함께 씀.
It's five years *since* I got married. =It has been five years *since* I got married. =Five years have passed *since* I got married. 나는 결혼한 지 5년 되었다.
I have known Bob *since* he was a child. 나는 보브를 어릴 적부터 알고 있다.
❷ 《이유를 나타내어》 …하므로, …이므로.
Since you feel tired, you should take a rest. 너는 피곤하니, 쉬어야 한다.

비슷한 말 **since**와 **because**와 **as**
모두 이유를 나타내는 접속사이다. since는 because보다 뜻이 약하며, since가 이끄는 절은 보통 문장 첫머리에 온다. 또, as는 영국에서는 지금도 쓰이고 있으나, 미국에서는 거의 쓰이지 않는다.

── 閉 그 후, 그 이래. ➤ 흔히 ever와 함께 쓰임.
She left, and I haven't seen her *since*. 그녀는 떠났고, 그 후 그녀를 만나지 못했다.
Susie caught cold last Saturday and has been in bed ever *since*. 수지는 지난 토요일에 감기에 걸려, 그 후 쭉 자리에 누워 있다.

sin·cere [sinsíər] 형 比較 **sincerer**[sinsíərər] ; 最上 **sincerest**[sinsíərist]
성실한, 진실한.
Henry is a *sincere* friend of mine. 헨리는 나의 진실한 친구이다.
She sent me a *sincere* letter of thanks. 그녀는 나에게 정중한 감사의 편지를 보냈다.

*sin·cere·ly [sinsíərli] 閉
성실하게, 충심으로, 정말.
I *sincerely* hope you will succeed. 네가 성공하기를 충심으로 빈다.
Yours *sincerely*, =*Sincerely* (yours), 여불비례, 경구. ➤ 편지의 끝맺는 말로 「공경하여 말씀드린다」는 뜻으로 쓰임. ☞ letter

sing [siŋ] 동 3·단·현 **sings [siŋz] ; ing형 **singing** [síŋiŋ] ; 과거 **sang**[sæŋ] ; 과분 **sung**[sʌŋ]
自 노래 부르다; (새 따위가) 울다, 지저귀다.
Kate *sings* very well.

케이트는 노래를 아주 잘 부른다.
Birds are *singing* in the
trees. 새들이 나무에서 지저귀고
있다.
── 타 (노래)를 부르다.
Please *sing* us a song. =
Please *sing* a song for us.
어서 한 곡 불러 주시오.
She is *singing* a folk song.
그녀는 포크 송을 부르고 있다.
☞ 명 song

*__sing·er__ [síŋər] 명
　　　　 복수 **singers** [síŋərz]
가수, 노래하는 사람.
Bob is a good *singer*.
보브는 노래를 잘 부른다.
She is my favorite *singer*.
그녀는 내가 가장 좋아하는 가수다.

*__sin·gle__ [síŋgl] 형
❶ 단 하나의. ➤ a,
one 따위를 강조함.
He did not say a *single*
word at the meeting. 그는 회
합에서 단 한 마디도 하지 않았다.
❷ 단일의, 1인용의. ☞ double
a *single* room 일인용 방.
We want two *single* beds.
1인용 침대 2개를 원한다.
❸ 독신의.
He remained *single* all his
life. 그는 평생 독신으로 지냈다.
He is still *single*.
그는 아직 독신이다.

*__sink__ [siŋk] 동 3·단·현 **sinks**
[siŋks]; ing형 **sinking**
[síŋkiŋ]; 과거 **sank** [sæŋk] 또는
sunk [sʌŋk]; 과분 **sunk** [sʌŋk]
자 가라앉다, 침몰하다(⇔ float 뜨
다); (해·달이) 지다; (지반 따
위가) 내려앉다.
The boat is *sinking*.
보트가 가라앉고 있다.
The sun slowly *sank* in
the west. 태양은 서서히 서쪽으
로 졌다.
── 타 …을 가라앉히다, 침몰시키
다.
Two ships were *sunk* by

the submarine. 두 척의 배가
그 잠수함에 의해서 격침당했다.
── 명 복수 **sinks** [siŋks]
(부엌의) 수채, 물 버리는 곳, 개
수통; 세면대.
Put the dishes in the
kitchen *sink*, will you?
접시를 개수통에 넣어 주겠느냐?

*__sir__ [sər; 강 sə:r] 명
　　 복수 **sirs** [sərz]
❶ 선생, 님, 귀하(남자 선생·손
윗사람에 대한 경칭). ➤ 우리말로
반드시 새기지 않아도 됨. 여자에
게는 ma'am을 씀.
Good morning, *sir*.
안녕히 주무셨습니까?
May I help you, *sir*? 무엇을
드릴까요? ➤ 점원이 남자 손님에
게 쓰는 말).
❷ 《Sir로》 …경《영국에서 기사,
준(準)남작에 속하는 사람의 이름
에 붙이는 경칭).
Sir William Smith is going
to visit Buckingham Palace
this afternoon. 윌리엄 스미스
경은 오늘 오후 버킹엄 궁전을 방
문하기로 되어 있다. ➤ 간단히
Sir William이라고 할 수는 있으
나, Sir Smith라고는 하지 않음.

__si·ren__ [sáiərən] 명
　　　 복수 **sirens** [sáiərənz]
❶ 사이렌, 경적.
The police car sounded its
siren. 경찰차가 사이렌을 울렸다.
❷ 《종종 **Siren**으로》 사이렌(그
리스 신화에 나오는 반신은 여자
이고 반신은 새인 바다의 요정으
로, 부근을 지나가는 뱃사람을 아
름다운 노래 소리로 유혹하여 파
선시켰다고 함).
The *sirens* were sitting on
the rock, combing their
hair and singing. 사이렌들은
바위 위에 앉아서, 머리를 빗으며
노래를 부르고 있었다.

**__sis·ter__ [sístər] 명
　　　　 복수 **sisters** [sístərz]
누나, 누이동생, 자매(⇨ brother

형, 남동생).
Susan is my younger *sister*.
수잔은 나의 누이동생이다.
How many *sisters* do you
have? 너는 여자 형제가 몇 명
있느냐?
Is Helen your big *sister*?
헬렌은 너의 누님이냐?

[참고] 영어에서는 여자 형제를
손위와 손아래의 구별 없이
sister라고 하며, 부를 때에도
서로 이름을 부른다. 특별히 구
별하고 싶을 때에는 「언니, 누
나」는 an older sister 또는 a
big sister라 하고, 「여동생」
은 a younger [little] sister
라고 한다.

****sit** [sit] 困 ③·단·현 **sits**[sits] :
ing형 **sitting**[sítiŋ] ; 과거 과분
sat[sæt]
걸터앉다, 앉다(⇔ stand 서다) ;
(새 따위가) 앉다.
My grandmother is *sitting*
in an armchair. 나의 할머니
는 안락의자에 앉아 계신다.
I saw a little bird *sitting*
on a branch. 작은 새가 나뭇가
지에 앉아 있는 것을 보았다.
Sit, Benjie.(개에게)벤지, 앉아!
*sit down 앉다, 착석하다.
Please *sit down*. 좀 앉아라.
Let's *sit down* on the
bench. 우리 벤치에 앉자.
sit up **1.** (자다가) 일어나 앉다,
똑바로 앉다.
Sit up (straight), children !
(앉아 있는 학생들에게) 모두 바
로 앉아라!
2. 일어나 있다.
Mother usually *sits up*
late. 어머니는 대개 늦도록 주무
시지 않고 계신다.

sit·com [sítkɑm] 몡 복수
sitcoms [sítkɑmz]
(TV, 라디오의) **연속 홈 코미디**.
▶ situation comedy의 간략형.

We watched a funny *sitcom*
on TV. 우리는 TV로 재미있는
시트콤을 보았다.

site [sait] 몡 복수 **sites**[saits]
부지, 용지 ; 유적.
a building *site* 건축 용지.
historic *sites* 역사적 유적.
They have fixed the *site*
for a new international air-
port. 그들은 새로운 국제 공항의
부지를 정하였다.

sit·ting [sítiŋ] 통
sit의 -ing형.

sit·u·ate [sítʃuèit] 卧 ③·단·현
situates [sítʃuèits] :
ing형 **situating**[sítʃuèitiŋ] ; 과거
과분 **situated**[sítʃuèitid]
(어떤 장소에) **…을 두다, 위치시
키다**.
Our school is *situated* at
the foot of Namsan. 우리 학
교는 남산 기슭에 있다.
☞ 몡 situation

sit·u·a·tion [sítʃuéiʃən]
복수 **situations**[sítʃuéiʃənz]
위치, 장소 ; 상황 ; 입장.
The store is in an ideal
situation. 그 상점은 이상적인
장소에 있다.
the international *situation*
국제 정세.
He is in a difficult *situa-
tion*. 그는 지금 어려운 입장에 있
다. ☞ 통 situate

****six** [siks] 몡
**6 ; 6세 ; 6시 ; 《복수 취급》6
개〔명〕**.
I get up at *six*.
나는 여섯 시에 일어난다.
── 혱 **6의 ; 6 개〔명〕의 ; 6 세인**.
We have *six* classes on
Monday. 월요일은 수업이 6 시
간 있다.

****six·teen** [síkstíːn] 몡
**16 ; 16세 ; 《복수 취
급》16 개〔명〕**.
I'll be *sixteen* next May.

내년 5월에 나는 16살이 된다.
Sixteen plus four is twenty. 열여섯 더하기 넷은 스물이다.
── 〔형〕 16의; 16개〔명〕의; 16세인.
There are *sixteen* boys in our class. 우리 반에는 남학생이 16명 있다.

six·teenth [sìkstíːnθ] 〔명〕
〔복수〕 **sixteenths** [sìkstíːnθs]
《보통 the를 붙여》 제16, 16 번째; (달의) 16일. ➤ 16th로 약함.
Today is November *sixteenth*. 오늘은 11월 16일이다.
── 〔형〕 《보통 the를 붙여》 제16의, 16 번째의.

*sixth [siksθ] 〔명〕
〔복수〕 **sixths** [siksθs]
❶ 《보통 the를 붙여》 제6, 6 번째; (달의) 6일. ➤ 6th로 약함.
Sam was born on March *sixth*. 샘은 3월 6일에 태어났다.
❷ 6분의 1.
five *sixths*, 6분의 5.
── 〔형〕 《보통 the를 붙여》 제6의, 6 번째의.
June is the *sixth* month of the year. 6월은 1년의 6번째 달이다.

six·ties [síkstiz] 〔명〕
sixty의 복수.

six·ti·eth [síkstiiθ] 〔명〕
〔복수〕 **sixtieths** [síkstiiθs]
《보통 the를 붙여》 제60, 60 번째. ➤ 60th로 약함.
── 〔형〕 《보통 the를 붙여》 제 60의, 60번째의.
Today is my grandfather's *sixtieth* birthday. 오늘은 할아버지의 60회 생신이다.

*six·ty [síksti] 〔명〕
〔복수〕 **sixties** [síkstiz]
❶ 60; 60 세; 《복수 취급》 60개〔명〕.
❷ 《one's **sixties**로》 (나이의) 60대; 《the **sixties**로》 (각 세기의) 60년대. ➤ the 60s 또는 the 60's로도 씀.
in *the* nineteen *sixties*(= 1960's), 1960년대에.
He is in *his sixties*. 그는 60대이다.
── 〔형〕 60의; 60개〔명〕의; 60 세인.
One hour has *sixty* minutes. 1시간은 60분이다.

*size [saiz] 〔명〕
〔복수〕 **sizes** [sáiziz]
크기; (구두·모자 따위의) 치수, 사이즈.
This book is the same *size* as that one. 이 책은 그 책과 같은 크기이다.
What *size* (shoes) do you wear? (신발) 사이즈는 얼마지요?
She took the *size* of my waist. 그녀는 나의 허리 치수〔사이즈〕를 쟀다.

*skate [skeit] 〔명〕
〔복수〕 **skates** [skeits]
《보통 복수형으로》 스케이트(구두). ➤ 스포츠로서의 「스케이트」는 skating.
I bought a new pair of *skates*. 나는 새 스케이트 한 켤레를 샀다.
── 〔자〕 〔3·단·현〕 **skates** [skeits]; 〔ing형〕 **skating** [skéitiŋ]; 〔과거〕〔과분〕 **skated** [skéitid]
스케이트를 타다.
Tom can *skate* very well. 톰은 스케이트를 매우 잘 탄다.
I went *skating* on the lake.=I went to the lake to *skate*. 나는 스케이트를 타러 호수에 갔다. ➤ go skating to the lake라고 하지 않음에 주의.

skate·board [skéitbɔːrd] 〔명〕
〔복수〕 **skateboards** [skéitbɔːrdz]
스케이트보드(4개의 바퀴 위에 60cm 정도의 널을 댄 것).
She learned how to ride a *skateboard*. 그녀는 스케이트보드 타는 법을 배웠다.

S

skat·er [skéitər] 명
복수 **skaters** [skéitərz]
스케이트를 타는 사람.
Nancy is a good〔poor〕
skater.
낸시는 스케이트를 잘 탄다〔타지
못한다〕.

skat·ing [skéitiŋ] 통
skate의 -ing형.
── 명 《a와 복수형 안 씀》 스케이
팅, 얼음지치기.
Tom is good at *skating*.
톰은 스케이팅을 잘 한다.
Let's go *skating* tomorrow.
내일 스케이트 타러 가자.

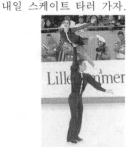

skel·e·ton [skélətn] 명
복수 **skeletons** [skélətnz]
해골; 골격.
He looks like a *skeleton*.
그는 뼈만 남았다〔몹시 말랐다〕.

sketch [sketʃ] 명
복수 **sketches** [skétʃiz]
사생화, 스케치.
He made a *sketch* of the
mountain scenery. 그는 산의
풍경을 스케치하였다.
── 타·자 3·단·현 **sketches**
[skétʃiz] : ing형 **sketching** [skét-
tʃiŋ] : 과거 과분 **sketched** [sketʃt]
(…을) 사생하다, 스케치하다.
The children are *sketching*
the animals in the zoo.
아이들은 동물원에서 동물을 스케
치하고 있다.

sketch·book [skétʃbùk] 명

복수 **sketchbooks** [skétʃbùks]
사생첩, 스케치북.
Let's go to Biwon with our
sketchbooks. 우리 스케치북을
가지고 비원에 가자.

ski [skiː] 명 복수 **skis** [skiːz] 또
는 **ski** [skiː]
《보통 복수형으로》 스키(도구를
말함). ➤ 스포츠로서의 「스키」는
skiing.
Father bought a pair of
skis for Mary. 아버지는 메리
에게 한 벌의 스키를 사 주셨다.
── 자 3·단·현 **skis** [skiːz] :
ing형 **skiing** [skíːiŋ] : 과거 과분
skied [skiːd]
스키를 타다.
We went *skiing* at
Yongpyeong. =We went to
Yongpyeong. to *ski*. 우리는 용
평으로 스키타러 갔다. ➤ go
skiing to Yongpyeong이라고
하지 않음에 주의.

ski·er [skíːər] 명
복수 **skiers** [skíːərz]
스키를 타는 사람, 스키어.
My brother is a very good
skier. 형은 스키를 매우 잘 탄다.
We stayed in the *skiers'*
cabin. 우리는 스키어의 오두막에
서 묵었다.

skies [skaiz] 명
sky의 복수.

ski·ing [skíːiŋ] 명
《a와 복수형 안 씀》 (스
포츠로서의) 스키, 스키 타기
the season for *skiing* 스키의
계절.
I like *skiing* very much.
나는 스키 타기를 아주 좋아한다.

***skill** [skil] 명

《a와 복수형 안 씀》 숙련, 솜씨.

It takes *skill* to teach English well. 영어를 잘 가르치려면 숙련이 필요하다.

Sam painted the picture with great *skill*. 샘은 매우 솜씨 있게 그림을 그렸다.

Tom showed us his *skill* at the piano. 톰은 우리들에게 자기 피아노 솜씨를 보여주었다.

skilled [skild] 형
비교 **more skilled**; 최상 **most skilled**

숙련된. ☞ skillful

Jim is a *skilled* worker. 짐은 숙련공이다.

skill·ful [skílfəl] 형
비교 **more skillful**; 최상 **most skillful**

솜씨 좋은, 숙련된.

Sam is a very *skillful* shoemaker. 샘은 매우 숙련된 제화공이다.

Mr. Jones is not *skillful* at using chopsticks. 존스씨는 젓가락 사용이 서투르다.

▶ 영국에서는 skilful로 씀.

***skin** [skin] 명 복수 **skins** [skinz]
❶ 피부; (동물의) 가죽.

He had a brown *skin*. 그는 갈색 피부를 하고 있었다.

I was wet through to the *skin*. 나는 (옷을 통하여 피부까지) 흠뻑 젖었다.

The *skin* of animals is covered with hair. 동물의 가죽은 털로 덮여 있다.

❷ (과일의) 껍질.

Take the *skin* off before you eat the banana. 바나나를 먹기 전에 껍질을 벗겨라.

skin-deep [skíndíːp] 형

겉만의, 피상적인.

a *skin-deep* wound (피부를) 긁힌 상처.

skip [skip] 동
3·단·현 **skips** [skips];
ing형 **skipping** [skípiŋ]; 과거
과분 **skipped** [skipt]

자 가볍게 뛰다, 깡충깡충 뛰다.

George *skipped* over a low fence. 조지는 낮은 울타리를 깡충 뛰어넘었다.

── 타 …을 (가볍게) 뛰어넘다; 거르다; 건너뛰어 읽다.

I *skipped* the lunch, so I was hungry. 점심을 걸렀기 때문에 나는 배가 고팠다.

I *skipped* the hard words when I read the book. 나는 책을 읽을 때 어려운 말들은 건너뛰어 읽었다.

***skirt** [skəːrt] 명
복수 **skirts** [skəːrts]

치마, 스커트.

She wore a short *skirt*. 그녀는 짧은 치마를 입고 있었다.

You look nice in the *skirt*. 너는 그 치마가 잘 어울린다.

skit [skit] 명
복수 **skits** [skits]

짧은 희극, 희문.

act in a *skit* 짧은 희극에서 연기하다.

skunk [skʌŋk] 명
복수 **skunks** [skʌŋks]

스컹크.

참고 skunk는 북아메리카의 따뜻한 지방에 사는 족제비류로, 작은 포유 동물. 공격을 받으면 아주 지독한 냄새를 낸다.

S

sky [skai] 명
복수 **skies** [skaiz]

《보통 the를 붙여》 하늘(⇔ earth
땅). ☞ heaven
a cloudy *sky* 흐린 하늘.
A big bird is flying in the
sky. 큰 새가 하늘을 날고 있다.
under the open *sky* 야외[한
데, 집 밖]에서.
He looked up at a clear,
blue *sky*. 그는 맑고 푸른 하늘
을 쳐다보았다. ➤ sky에 형용사
가 붙으면 a를 쓰는 경우가 많음.

sky·line [skáilàin] 명
복수 **skylines** [skáilàinz]
지평선, 스카이라인《산·건물 따위
가 하늘을 배경으로 하여 이루는
윤곽》.
If you take a boat around
the city, you can see the
beautiful *skyline*. 보트를 타고
그 도시를 돌아보면 너는 아름다
운 스카이라인을 볼 수 있다.

sky·scrap·er [skáiskrèipər] 명
복수 **skyscrapers** [skáiskrèipərz]
초고층 빌딩, 마천루.
There are many *skyscrap-
ers* in New York City. 뉴욕시
에는 마천루가 많이 있다.

slap [slæp] 타
3·단·현 **slaps** [slæps] :
ing형 **slapping** [slǽpiŋ] : 과거
과분 **slapped** [slæpt]
(손바닥으로) …를 찰싹 때리다.
He *slapped* me on the face.
그는 내 얼굴을 찰싹 때렸다.

slate [sleit] 명
복수 **slates** [sleits]
슬레이트《지붕을 이는 데 쓰는 건
축 재료》.
The roof was covered with
slates. 지붕은 슬레이트로 덮여
있었다.

slave [sleiv] 명
복수 **slaves** [sleivz]
노예.
They were taken to America
as *slaves*. 그들은 노예로 미국에

끌려갔다.

slav·er·y [sléivəri] 명
《a와 복수형 안 씀》 노예 제도; 노
예 상태, 노예의 신분.
Lincoln knew how wrong
slavery was. 링컨은 노예 제도
가 얼마나 나쁜 것인가를 알고 있
었다.

sled [sled] 명
복수 **sleds** [sledz]
(작은) 썰매.
The boys enjoy sliding
down the hill on *sleds*. 소년
들이 썰매를 타고 언덕을 미끄러져
내리며 즐거워하고 있다.

sleep [sliːp] 자 3·단·현 **sleeps**
[sliːps] : ing형 **sleeping**
[slíːpiŋ] : 과거 과분 **slept** [slept]
자다, 잠자다(⇔ wake 깨다).
I *sleep* eight hours every
night. 나는 매일 밤 8시간씩 잔
다.
Tom *slept* well last night.
톰은 어젯밤에 잘 잤다.
── 명 ❶ 《a와 복수형 안 씀》 수
면, 잠.
Frank had little *sleep* for
two nights. 프랭크는 이틀 밤이
나 거의 자지 않았다.
❷ 《a를 붙여》 한 잠, 수면 기간.
a sound *sleep* 숙면.
have a good *sleep* 한 잠 푹
자다.
He fell into a deep *sleep*.
그는 깊은 잠에 빠졌다.
☞ 형 sleepy
go to sleep 잠자리에 들다; (팔다
리가) 저리다.
Bill *went to sleep* while he
was watching TV. 빌은 텔레
비전을 보는 동안 잠들었다.
Oh, my legs have *gone to
sleep*. 아, 다리가 저리다.

sleep·i·er [slíːpiər] 형
sleepy의 비교급.

sleep·i·est [slíːpiist] 형

sleepy의 최상급.

sleep·ing bag [slíːpiŋ bǽg] 명

복수 **sleeping bags** [slíːpiŋ bǽgz]
침낭.
That night they slept in
their *sleeping bags*. 그 날 밤
에 그들은 침낭에서 잤다.

참고 캠핑 따위를 할 때, 속에
들어가 잘 수 있는 주머니. 대개
나일론이나 즈크 따위의 천으로
만들어져 있고 춥지 않도록 안에
닭털이나 모피가 누비어져 있다.

***sleep·y** [slíːpi] 형
비교 **sleepier** [slíː-
piər] : 최상 **sleepiest** [slíːpiist]
졸리운, 졸린 듯한. ☞ asleep
(잠들어)
I am 〔feel〕 *sleepy*.
나는 졸립다.
She seems *sleepy*.
그녀는 졸린 것 같다.
His voice sounds *sleepy*.
그의 목소리는 졸린 듯했다.
☞ 명 sleep

sleeve [sliːv] 명
복수 **sleeves** [sliːvz]
(양복의) 소매.
The *sleeves* of his jacket
are a little too long. 그의 저
고리 소매는 약간 길다.
Jim pulled me by the
sleeve. 짐은 내 소매를 당겼다.

sleigh [slei] 명
복수 **sleighs** [sleiz]
(말 따위가 끄는) 썰매.
The children heard *sleigh*
bells. 아이들은 썰매의 방울 소리
를 들었다.

slen·der [sléndər] 형 비교
slenderer [sléndər-
ər] : 최상 **slenderest** [sléndərist]
홀쭉한, 날씬한.
Grace was a *slender* girl.
그레이스는 날씬한 소녀였다.
She has *slender* fingers.

그녀는 손가락이 가늘다.

***slept** [slept] 동
sleep의 과거 · 과거 분사.
I was so tired that I *slept*
all day. 나는 몹시 피곤해서 하
루 종일 잤다.

slice [slais] 명
복수 **slices** [sláisiz]
(얇게 자른 빵 · 햄 따위의) 한 조
각, 얇은 조각. ☞ piece
a *slice* of bread (얇게 자른)
한 조각의 빵.
I have a *slice* of toast for
breakfast. 나는 아침 식사로 토
스트 한 조각을 먹는다.

slid [slid] 동
slide의 과거 · 과거 분사.
The girls *slid* down the
slope. 소녀들은 비탈을 미끄러져
내려갔다.

***slide** [slaid] 자 3·단·현 **slides**
[slaidz] : ing형 **sliding**
[sláidiŋ] : 과거 과분 **slid** [slid]
미끄러지다, 미끄러지듯 움직이다;
미끄럼 타다. ☞ slip
The children are *sliding* on
the ice. 아이들이 얼음을 지치고
있다.
── 명 복수 **slides** [slaidz]
❶ 미끄러지기, 미끄럼타기; 미끄
럼틀.
play on a *slide* 미끄럼틀에서
놀다.
Let's take a *slide* on the
ice. 우리 얼음을 지치자.
❷ (환등기의) 슬라이드.
Mr. Green has a lot of
color *slides* of Korean
scenery. 그린씨는 한국의 풍경
을 찍은 컬러 슬라이드를 많이 갖
고 있다.

slight [slait] 형 비교 **slighter**
[sláitər] : 최상 **slightest**
[sláitist]
적은, 가벼운, 미미한.
I have a *slight* headache.
나는 가벼운 두통이 있다.
Your mistake is a *slight*

S

one. 너의 잘못은 미미한 것이다.

slight·ly [sláitli]
부

적게, 약간, 가볍게.
He was *slightly* hurt when he fell down. 그는 넘어졌을 때 약간 다쳤다.

***slip** [slip] 동
③·단·현 **slips**[slips] : ing형
slipping [slípiŋ] ; 과거 과분
slipped[slipt]
자 ❶ 미끄러지다, 미끄러져 넘어지다.
My foot *slipped*.
내 발이 미끄러졌다.
He *slipped* on the ice. 그는 얼음 위에서 미끄러져 넘어졌다.
The spoon *slipped* down from the table. 스푼이 식탁에서 미끄러져 떨어졌다.
❷ 살짝 나오다[들어가다], 살짝 빠지다.
He *slipped* out before they knew it. 그들이 눈치채기 전에 그는 살짝 빠져 나갔다.
She *slipped* into the room while I was writing.
내가 무엇을 쓰고 있는 동안, 그녀는 살짝 방 안으로 들어왔다.
── 타 …을 미끄러지게 하다; 살짝 넣다[꺼내다].
He *slipped* a 10-dollar bill into my pocket. 그는 10달러 지폐를 내 주머니에 살짝 넣었다.
☞ 형 slippery
── 명 복수 **slips**[slips]
❶ 미끄럼, 미끄러져 넘어지기.
He hurt himself by a *slip* on the wet sidewalk. 그는 젖은 보도에서 미끄러져 상처를 입었다.
❷ (뜻밖의) 잘못, 실수; 과실.
He made a *slip* in the English test. 그는 영어 시험에서 실수를 했다.
❸ (종이 따위의) 좁다란 조각[쪽지].
He handed me a *slip* of

paper. 그는 나에게 종이 쪽지를 한 장 주었다.
❹ 슬립《여자용 속옷》.
Your *slip* is showing.
네 슬립이 보인다.

slip·per [slípər] 명 복수
slippers[slípərz]
《보통 복수형으로》 실내화.
Mother bought a pair of bedroom *slippers*. 어머니는 침실용 실내화를 한 켤레 사셨다.

┌─────────────────────────┐
│ 참고 우리말의 슬리퍼와 달리, │
│ 영어에서는 실내용의 덧신이나 │
│ 여자가 춤출 때 사용하는 가벼운 │
│ 신발을 slippers라 한다. 우리 │
│ 말의 「슬리퍼」는 mule[mju:l]이 │
│ 라고 하는데,(영미에서는) 잘 신 │
│ 지 않는다. │
└─────────────────────────┘

slip·per·y [slípəri]
형

비교 **slipperier**[slípəriər] : 최상
slipperiest[slípəriist]
미끄러운, 잘 미끄러지는.
The roads were *slippery* after the snow. 눈이 내린 뒤에 길이 미끄러웠다.
Caution. *Slippery* surface.
《게시》 미끄럼 주의. ☞ 동 slip

slope [sloup] 명
복수 **slopes**[sloups]
비탈, 경사면, 경사지.
a gentle [steep] *slope* 완만한 [가파른] 비탈.
The children were sliding down the *slope* on sleds.
아이들은 썰매를 타고 경사면을 미끄러져 내려가고 있었다.

slot [slat] 명
복수 **slots** [slats]
가늘고 긴 틈[홈]; (동전·편지 등의) 투입구.
She dropped a coin into the *slot*. 그녀는 투입구에 동전을 넣었다.

***slow** [slou] 형 부
비교 **slower**[slóuər] : 최상

slowest[slóuist]

형 ❶ 느린, 더딘, 굼뜬(⇔ fast, quick 빠른); 서둘지 않는.

The train was very *slow*.
열차는 매우 느렸다.

I am a *slow* worker.
나는 일하는 것이 느리다.

Slow and steady wins the race.《속담》 느려도 꾸준하면 이긴다.

❷ 둔한, 우둔한(=dull).

He is *slow* to learn.
그는 무엇을 배우는 데 둔하다.

❸ (시계가) 늦은, 늦게 가는 (⇔ fast 빠른). ▶ 명사 앞에는 쓰이지 않음.

My watch is (five minutes) *slow*. 내 시계는 (5분) 늦다.
☞ 부 slowly

┌─────────────────────────┐
│ 비슷한 말 **slow** 와 **late**

slow는 「속도나 동작이 느린」이란 뜻이며, 반대말은 fast, quick, swift. late는 「시간이 늦은」이란 뜻이며, 반대말은 early. You are *slow*. Hurry up. 너는 (걸음이) 느리구나. 빨리 걸어라. / He was *late* for school. 그는 학교에 늦었다.
└─────────────────────────┘

── 부 천천히, 느리게(=slowly).
Drive *slow*. 천천히 차를 운전해라. 서행해라.

slow·ly [slóuli] 부
비교 **more slowly**;
최상 **most slowly**

느리게, 천천히(⇔ fast, quickly 빨리).

Will you speak more *slowly*.
좀더 천천히 말해 주겠느냐?

They walked home *slowly*.
그들은 천천히 집으로 걸어갔다.
☞ 형 slow

slum [slʌm] 명
복수 **slums** [slʌmz]

《종종 복수형으로》 빈민굴, 슬럼가.
Many homeless people live in the *slums*. 많은 노숙자들이

슬럼가에서 산다.

small [smɔːl] 형 비교 **smaller**
[smɔ́ːlər] : 최상 **smallest**
[smɔ́ːlist]

❶ 작은, (면적이) 좁은(⇔ big, large 큰).

Jim lives in a *small* house.
짐은 작은 집에서 살고 있다.

It's a *small* world.
세상은 좁다.

My dog is *smaller* than yours. 내 개는 네 개보다 작다.

Australia is the *smallest* continent in the world. 오스트레일리아는 세계에서 가장 작은 대륙이다.

❷ (수량이) 적은; 하찮은, 시시한.

I got a *small* sum of money. 나는 약간의 돈을 받았다.

This is a *small* gift for you. 이거 변변치 않지만 네게 주는 선물이다.

┌─────────────────────────┐
│ 비슷한 말 **small**과 **little**

small이나 little이나 다 「작은」의 뜻으로 사용되지만, little에는 「귀여운」이란 기분이 포함되어 있는 데 반하여, small에는 이런 기분이 없다.
└─────────────────────────┘

small let·ter [smɔ́ːl létər] 명

복수 **small letters**[smɔ́ːl létərz]
소문자(⇨ capital letter 대문자).
The *small letter* for 'A' is 'a'. A의 소문자는 a이다.

smart [smɑːrt] 형 비교 **smarter**
[smɑ́ːrtər] : 최상 **smart-est**[smɑ́ːrtist]

❶ 영리한, 재치 있는, 머리가 좋은(=clever).

a *smart* student 영리한[빈틈이 없는] 학생.

They are very *smart* and hardworking. 그들은 매우 영리하고 근면하다.

Tom is *smart* in math.

톰은 수학을 잘 한다.
❷ (옷 따위가) 맵시 있는, 말쑥
한.
Betty is wearing a *smart*
new dress. 베티는 맵시 있는
새 옷을 입고 있다.

smell [smel] 통 ③·단·현 **smells**
[smelz] ; ing형 **smelling**
[smélin] ; 과거 과분 **smelled**
[smeld] 또는 **smelt** [smelt]
자 ❶ 《smell＋형용사 따위로》
냄새가 나다, 향기가 풍기다.
The rose *smells* sweet.
장미는 향기로운 냄새가 난다.
The room *smells* of paint.
그 방은 페인트 냄새가 난다.
❷ 냄새를 맡다.
I can't *smell*.
나는 냄새를 맡을 수 없다.
❸ 악취가 나다.
The meat began to *smell*.
고기는 악취가 나기 시작했다.
── 타 …의 냄새를 맡다.
She *smelled* the meat.
그녀는 고기 냄새를 맡았다.
I can *smell* something
burning. 무엇인가 타는 냄새가
난다.
── 명 복수 **smells** [smelz]
냄새.
a nice *smell* 좋은 냄새.
a bad *smell* 악취.
What a *smell*! 지독한 냄새로
군! 아이 구려!
Dogs have a keen sense of
smell. 개는 예민한 후각을 가지고
있다.

smelt [smelt] 통
smell의 과거·과거 분
사의 하나.
Mr. Green *smelt* the flower.
그린씨는 그 꽃의 냄새를 맡았다.

smile [smail] 자·타 ③·단·현
smiles [smailz] ; ing형
smiling [smáilin] ; 과거 과분
smiled [smaild]
❶ (소리를 내지 않고) 미소 짓다,
방긋 웃다. ☞ laugh

She *smiled* happily.
그녀는 기쁜 듯이 미소지었다.
❷ 《smile at으로》 …에게 미소를
보내다.
She *smiled at* me. 그녀는 나에
게 미소를 보냈다.
When people *smile at* each
other, the world will be
brighter and better. 사람들이
서로에게 미소를 지을 때 세상은
더 밝아지고 더 좋아질 것이다.
── 명 복수 **smiles** [smailz]
미소.
a gentle 〔pleasant〕 *smile* 부
드러운 〔유쾌한〕 미소.
The "Mona Lisa" is famous
for her mysterious *smile*.
모나리자는 그 신비로운 미소로
유명하다.
with a smile 웃는 얼굴로, 웃으
며.
Mr. Johnson welcomed us
with a big smile. 존슨씨는 활
짝 웃는 얼굴로 우리들을 맞아 주
었다.

smil·ing [smáilin] 통
smile의 -ing형.

Smith [smiθ] 명
스미스 《성》.

smog [smag] 명
스모그, 연무《도시에서 연기와 섞
인 짙은 안개의 혼합》.
There is a lot of *smog* in
Los Angeles. LA에는 스모그가
많다.

smoke [smouk] 명
복수 **smokes** [smouks]
❶ 《a와 복수형 안 씀》 연기.
I saw *smoke* rising from
the top of Dobongsan.
나는 도봉산 꼭대기에서 연기가
피어오르는 것을 보았다.
Where there's *smoke*,
there's fire. ＝ There is no
smoke without fire. 《속담》 아
니 땐 굴뚝에 연기나랴.
❷ (담배의) 한 대.

have 〔take〕 a *smoke* (담배)
한 대 피우다.
── 통 ③·단·현 **smokes** [smouks] :
ing형 **smoking** [smóukiŋ] : 과거
과분 **smoked** [smoukt]
자 ❶ 연기를 내다, 연기가 나다.
The stove *smokes* badly.
난로에서 연기가 몹시 난다.
❷ 담배를 피우다.
"May I *smoke?*" "I'm sorry,
but you can't." 「담배를 피워
도 됩니까?」 「죄송하지만 피우면
안 됩니다」
My father does not *smoke*.
나의 아버지는 담배를 피우지 않
으신다.
── 타 (담배)**를 피우다**; (고기 따
위)**를 훈제하다.**
smoke a cigarette 담배 피우다.
smoke meat 고기를 훈제하다.

smok·ing [smóukiŋ] 통
smoke의 -ing형.
── 명 《a와 복수형 안 씀》 담배
피우기, 흡연.
a *smoking* room 흡연실.
Smoking may cause dam-
age to your health.
흡연은 당신의 건강을 해칠 수도
있다.
No smoking. 《게시》 금연.

**SMOKING IS
PROHIBITED**

IN THIS AREA

「금연 구역」의 표지판

***smooth** [smuːð] 형 비교
smoother [smúːðər] :
최상 **smoothest** [smúːðist]
❶ 미끄러운, 매끈매끈한, 평탄한
(⟺ rough 울퉁불퉁한).
smooth paper 매끈매끈한 종이.
Mr. White was driving along
a *smooth* road.
화이트씨는 평탄한 길을 드라이브
하고 있었다.

❷ (바다 따위가) **잔잔한, 평온한**
(⟺ rough 거친).
The sea was *smooth*.
바다는 잔잔하였다.

smooth·ly [smúːðli] 부 비교
more smoothly;
최상 **most smoothly**
미끄럽게, 원활하게.
The ship was sailing
smoothly. 배는 순조롭게 항해하
고 있었다.
This machine doesn't work
smoothly. 이 기계는 제대로 움
직이지 않는다.

snack [snæk] 명
복수 **snacks** [snæks]
(정규 식사 사이에 먹는) **가벼운
식사; 간식.**
I had a light *snack* before
going to bed. 나는 잠자기 전
에 간단한 식사를 했다.

snail [sneil] 명
복수 **snails** [sneilz]
달팽이.
I saw a *snail* in the grass.
나는 풀밭에서 달팽이를 보았다.

snake [sneik] 명
복수 **snakes** [sneiks]
뱀.
I have never seen such a
big *snake*. 이렇게 큰 뱀은 본
적이 없다.

snap [snæp] 명
복수 **snaps** [snæps]
❶ 딱 〔뚝〕하는 소리.
Snap! The stick was
broken. 딱 하고 막대기가 부러
졌다.
❷ 스냅 사진.
take a *snap* 스냅 사진을 찍다.
── 자 ③·단·현 **snaps** [snæps] :
ing형 **snapping** [snǽpiŋ] : 과거
과분 **snapped** [snæpt]
딱 〔뚝〕 소리를 내다; 뚝 부러지다.
The branch *snapped* off.
가지가 뚝 부러졌다.

sneak·er [sníːkər]
명

S

複数 **sneakers** [sníːkərz]
《보통 복수형으로》운동화.
▶영국에서는 trainers를 씀.
an old pair of *sneakers* 낡
은 운동화 한 켤레.

sneeze [sniːz] 자 3·단·현
sneezes [sníːziz]:
ing형 **sneezing** [sníːziŋ]: 과거
과분 **sneezed** [sniːzd]
재채기하다.
Jim seemed to have a
cold. He *sneezed* and
sneezed. 짐은 감기에 걸린 듯하
였다. 그는 재채기를 자꾸 하였다.
— 명 複數 **sneezes** [sníːziz]
재채기.
Sneezes often indicate colds.
재채기는 흔히 감기 증상이다.

sniff [snif] 동 3·단·현 **sniffs**
[snifs]: ing형 **sniffing**
[snífiŋ]: 과거 과분 **sniffed** [snift]
자 코를 킁킁거리다; 냄새를 맡다.
The dog *sniffed* at the
stranger. 개는 그 낯선 사람의
냄새를 맡았다.
— 타 …의 냄새를 맡다.

snow [snou] 명
《a와 복수형 안 씀》눈.
We sometimes have a lot
of *snow* in winter. 겨울에는
때때로 눈이 많이 내린다.
They marched in the *snow*.
그들은 눈 속을 행진했다.
☞ 형 snowy
— 자 3·단·현 **snows** [snouz]
ing형 **snowing** [snóuiŋ]: 과거 과분
snowed [snoud]
눈이 오다.
It is *snowing* hard.
눈이 몹시 내리고 있다.
It *snows* heavily in Sokcho
during the winter. 겨울 동안
속초에는 큰 눈이 내린다.
It has stopped *snowing*.
눈이 그쳤다.

snow·ball [snóubɔːl] 명

複數 **snowballs** [snóubɔːlz]
(눈 싸움에 쓰는) 눈뭉치, 눈덩이.
have a *snowball* fight 눈 싸
움을 하다.

snow·board [snóubɔːrd] 명
複數 **snowboards** [snóubɔːrdz]
스노보드.
Do you know how to ride
a *snowboard*? 너는 스노보드를
타는 법을 아니?

snow·man [snóumæn] 명
複數 **snowmen** [snóumèn]
눈사람.
The boys enjoyed making a
big *snowman*. 소년들은 커다란
눈사람을 만들며 즐겼다.

snow·men [snóumèn] 명
snowman의 복수.

snow·storm [snóustɔːrm] 명
複數 **snowstorms** [snóustɔːrmz]
눈보라.
They started out in a
heavy *snowstorm*. 그들은 심
한 눈보라가 치는데 떠나갔다.
I'm afraid we'll have a
snowstorm tonight. 오늘밤
눈보라가 칠 것 같구나.

snow·y [snóui] 형
비교 **snowier** [snóu-
iər]: 최상 **snowiest** [snóuiist]
❶ 눈 오는.
a *snowy* winter 눈이 많이 내
리는 겨울.
It was *snowy* yesterday.
어제는 눈이 내렸다.
❷ 눈이 쌓인.
He looked at the *snowy*
mountains. 그는 눈 덮인 산을
바라보았다. ☞ 명 snow

so [sou] 부
❶《앞에 말한 내용을 받아》
그와 같이, 그처럼.
"That's his new car." "Oh,
is that *so*?"「저것은 그의 새

자동차야.」「아, 그래?」
"It's just a shower." "Do you think *so*?"「소나기에 지나지 않을 거야.」「그리 생각해?」
❷ 그 정도로, 그렇게.
Why were you *so* late?
너는 왜 그렇게 늦었느냐?
I have never read *so* interesting a book. 나는 그렇게 재미있는 책을 읽은 적이 없다.
❸ 매우, 대단히.
I'm *so* sleepy. 나는 몹시 졸리다.
I am *so* glad to see you.
너를 만나 대단히 기쁘다.
❹《앞 문장을 받아》…도 또한 (그렇다).
"I'm working on my report."
"*So* am I."「나는 내 보고문을 작성하는 중이야.」「나도 그래.」
My mother likes to grow flowers and *so* do I. 우리 어머니는 꽃기르기를 좋아하시는데 나도 좋아한다.

────────────────
[어법] 앞의 문장이 be동사나 조동사일 때에는「so+be동사〔조동사〕+주어」의 어순이고, 일반동사일 때에는「so+do〔does, did〕+주어」의 어순이다. 이 경우 주어를 강하게 발음한다.
────────────────

❺《앞 말에 동의·동감을 나타내어》(정말) 그렇다, 그렇고 말고.
"She is beautiful." "*So* she is."「그녀는 아름답다.」「정말 그래.」
"He works hard." "*So* he does."「그는 열심히 일하는구나.」「정말 그래.」 ➤ 어순이「So+주어+동사」임에 주의. 이 경우에는 동사를 강하게 발음함.
*and *so* on =and *so* forth … 따위, 등등. ➤ etc.를 쓸 수도 있음.
I like basketball, soccer, tennis, *and so on*. 나는 농구, 축구, 테니스 따위를 좋아한다.
... *or so* …쯤, 약….

He stayed in New York for a week *or so*. 그는 일주일쯤 뉴욕에 머물렀다.
so as to do …하도록.
I left home early *so as to* get a good seat. 좋은 자리를 잡을 수 있도록 일찍 집을 나왔다.
so ... as to do …하게도 ~하다.
Sam was *so* kind *as to* show me around New York. 샘은 친절하게도 나에게 뉴욕을 안내해 주었다.
so far as …하는 한, …까지는.
So far as I know, George is an honest boy. 내가 알기로는 조지는 정직한 소년이다.
So long. 안녕! ➤ 친한 사이에 쓰는 헤어질 때의 인사.
so long as …하기만 한다면.
I can do the work *so long as* you give me time. 네가 시간을 주기만 한다면, 나는 그 일을 할 수 있다.
so much for …은 이것으로 끝, 이쯤으로 그만.
So much for today. 오늘은 이것으로 끝《수업이 끝났을 때 선생님이 하시는 말씀》.
*so ... that ~ 대단히 …이기 때문에 ~.
This book is *so* difficult *that* I can't read it.
이 책은 너무 어려워 나는 읽을 수가 없다.
Grandfather was *so* moved *that* his eyes were full of tears. 할아버지께서 너무 감동하셔서 눈에 눈물이 가득했다.
so that ... may [*can*] *do* …가 ~ 할 수 있도록.
Come early *so that* you *may* get a good seat.
좋은 자리를 잡게 일찍 오너라.
── [접] 그래서, 그러므로, 그런고로.
I went to bed very late, *so* I couldn't get up early.
나는 아주 늦게 자서 일찍 일어날

S

수 없었다.
It's raining hard today, *so* I will stay at home.
오늘은 비가 몹시 오고 있다. 그러므로 집에 있을 생각이다.

회화 **So what?** 「그래서 어떻다는 거냐?」
상대방의 말에 대해 무관심·반항·경멸 따위를 나타내는 말이다. 따라서 「그게 무슨 상관이냐?」「그것이 어쨌단 말이냐?」라고 새길 때도 있다.
A : You're on vacation!
B : *So what?*
「너 방학이지!」「그래서 어떻단 말이냐?」

---

soak [souk] 동
3·단·현 **soaks** [souks] ;
ing형 **soaking** [sóukiŋ] ; 과거
과분 **soaked** [soukt]
타 적시다, (물기)를 빨아들이다, 담그다.
Soak your feet in warm water. 따뜻한 물에 너의 발을 담가라.
— 자 (물 따위에) **젖다, 잠기다,** (물 따위가) **스미다.**
My clothes were *soaked* in the rain. 내 옷은 비에 젖었다.

soap [soup] 명
《a와 복수형 안 씀》
비누.
a cake of *soap* 비누 한 개.
I washed my dog with *soap* and water. 나는 개를 비누와 물로 씻어 주었다.

sob [sab] 자 3·단·현 **sobs**
[sabz] ; ing형 **sobbing**
[sábiŋ] ; 과거 과분 **sobbed** [sabd]
흐느껴 울다, 목메어 울다. ☞
weep
The woman *sobbed* bitterly.
그 부인은 목메어 울었다.
A young girl's *sobbing* voice was heard. 젊은 처녀의 흐느껴 우는 소리가 들렸다.

— 명 복수 **sobs** [sabz]
흐느낌, 목메어 욺.
She told her story with a *sob*. 그녀는 흐느끼며 이야기를 하였다.

soc·cer [sákər] 명
《a와 복수형 안 씀》사커, 축구. ➤ 영국에서는 football 이라고도 함. ☞ football
play *soccer* 축구를 하다.
I'm on a *soccer* team.
나는 축구팀에 들어 있다.
Rick is watching a *soccer* match on TV. 릭은 텔레비전으로 축구 경기를 보고 있다.

so·cial [sóuʃəl] 형
❶ 사회의, 사회적.
social problems 사회 문제.
social studies (교과의) 사회과.
Man is a *social* animal.
인간은 사회적 동물이다.
❷ 사교적인, 친목의.
a *social* party 사교 파티.
a *social* club 사교 클럽.
Our school has many *social* events. 우리 학교에는 친목 행사가 많이 있다. ☞ 명 society

so·ci·e·ties [səsáiətiz] 명
society의 복수

so·ci·e·ty [səsáiəti] 명
복수 **societies** [səsáiətiz]
❶ 《a와 복수형 안 씀》사회, 세상.
human *society* 인간 사회.
a member of *society* 사회의 한 구성원.
Every *society* has its own rules. 모든 사회는 그 자체의 규칙을 가지고 있다.

❷ 회, 협회.
the English Speaking *Society*
영어 회화반.
join〔leave〕a *society* 입회〔탈
회〕하다.
She works for the Red
Cross *Society*. 그녀는 적십자사
에서 일하고 있다.
❸《a와 복수형 안 씀》사교, 교제.
I enjoy Tom's *society*.
나는 톰과의 교제가 즐겁다.
Uncle George loves the
society of children. 조지 아저
씨는 아이들과 사귀기를 좋아하신
다. ☞ 형 social

***sock** [sak] 명
〔복수〕 **socks**[saks]
《보통 복수형으로》짧은 양말.
Where is my *sock*?
내 양말 한 짝이 어디 있지?
I have two pairs of *socks*
made of cotton. 나는 면으로
된 양말을 두 켤레 갖고 있다.

Soc·ra·tes [sákrətìːz] 명
소크라테스.

┌─────
│참고 철학의 아버지라고 불리는
│고대 그리스 철학자 (469?-399
│B.C). 플라톤(Plato[pléitou])의
│스승.
└─────

so·da [sóudə] 명
〔복수〕 **sodas** [sóudəz]
❶《a와 복수형 안 씀》소다수(＝
soda water).
❷ 탄산수.
a can of diet *soda* 다이어트
탄산음료 한 캔.

so·fa [sóufə] 명
〔복수〕 **sofas**[sóufəz]
소파, 긴 안락의자. ☞ chair
Mr. Black is sitting on a
sofa. 블랙씨는 소파에 앉아 계신다.

***soft** [sɔ(ː)ft]
〔비교〕 **softer**[sɔ́(ː)ftər] :〔최상〕
softest[sɔ́ːftist]
❶ 부드러운(⇔hard 단단한).

a *soft* bed 부드러운〔푹신한〕침
대.
There are some foot marks
on the *soft* ground. 부드러운
지면에 발자국이 있다.
❷ 상냥한, (마음씨 따위가) **부드
러운, 고운**.
The voice sounded *soft* and
kind. 그 목소리는 부드럽고 친절
하게 들렸다.

soft·ball [sɔ́(ː)ftbɔ̀ːl] 명
〔복수〕 **softballs**[sɔ́(ː)ftbɔ̀ːlz]
❶《a와 복수형 안 씀》소프트볼
《야구 비슷한 경기》.
play *softball* 소프트볼을 하다.
Softball is not as popular
as baseball.
소프트볼은 야구만큼 인기가 있지
않다.
❷ 소프트볼 공.

soft·ly [sɔ́(ː)ftli] 부
〔비교〕 **more softly**;〔최상〕
most softly
살며시, 조용하게; 부드럽게.
Cats walk *softly*.
고양이는 사뿐사뿐 걷는다.
Snow is falling *softly*.
눈이 조용히 내리고 있다.

soft·ware [sɔ́(ː)ftwɛ̀ər] 명
《a와 복수형 안 씀》소프트웨어《컴
퓨터에 들어가는 데이터나 프로그
램》(⇨hardware 하드웨어).
Can I use this *software*
with my computer?
이 소프트웨어를 내 컴퓨터에 사
용해도 될까요?

***soil** [sɔil] 명
《a와 복수형 안 씀》흙, 토
양(＝earth).
rich〔poor〕*soil* 기름진〔메마른〕
토양.
Watermelons grow well on
sandy *soil*. 수박은 모래땅에서
잘 자란다.

so·lar [sóulər] 형
태양의.

S

the *solar* calendar 태양력.
People will be using *solar* energy cars in future. 사람들은 미래에 태양열 자동차를 사용하게 될 것이다.

***sold** [sould] 통
sell의 과거 · 과거 분사.
Sold out today.
《게시》 오늘은 다 팔렸음.
She has *sold* her gold watch. 그녀는 금시계를 팔아버렸다.

***sol·dier** [sóuldʒər] 명
복수 **soldiers** [sóuldʒərz]
(육군의) **군인, 병사.** ☞ sailor (수병)
an old *soldier* 노병.
go for a *soldier* 군인이 되다.
He was a great *soldier*.
그는 위대한 군인이었다.

sole¹ [soul] 형
유일한, 오직 하나의.
My *sole* intention was the public good. 내가 의도한 바는 오로지 공공 이익이었다.

sole² [soul] 명
복수 **soles** [soulz]
발바닥, 말굽바닥; (신 따위의) 창.
The *soles* of my boots are made of rubber. 내 구두창은 고무로 만들었다.

sol·emn [sáləm] 형
비교 **more solemn**; 최상 **most solemn**
엄숙한.
I was impressed by the *solemn* church service on Christmas Eve. 나는 크리스마스이브의 엄숙한 예배에 감명받았다.
▶ solemn의 n은 발음 안 함.

so·li [sóuli:] 명
solo의 복수의 하나.

sol·id [sálid] 형
비교 **solider** [sálidər]; 최상 **solidest** [sálidist]

❶ 고체의, 딱딱한, 단단한.
a *solid* body 고체.
Water becomes *solid* when it freezes. 물은 얼면 고체가 된다.
This box is made out of *solid* wood. 이 상자는 딱딱한 나무로 만들어져 있다.
❷ 순수한, 속까지 같은 물질의.
I have a *solid* gold watch.
나는 금시계를 가지고 있다.

참고 solid gold는 「도금하지 않고 속까지 금」인 것을 말한다. 그러나 순금은 아니다. 「순금」은 pure gold라 한다.

so·lo [sóulou] 명 복수 **solos** [sóulouz] 또는 **soli** [sóuli:]
독창; 독주.
Helen played a piano *solo* at the school concert.
헬렌은 학교 연주회에서 피아노를 독주했다.

Sol·o·mon [sáləmən] 명
솔로몬.

참고 기원 전 10세기경 이스라엘에 살았다는 현명한 왕 다윗(David [déivid])의 아들로 성서에도 나옴. 솔로몬의 일화로 잘 알려져 있다.

so·lu·tion [səlú:ʃən] 명
복수 **solutions** [səlú:ʃənz]
❶ 해결, 해답.
You must find a *solution* for your own problem. 너는 네 자신의 문제에 대한 해결책을 찾아야 한다.
❷ 용해, 용액.
Water holds a small amount of salt in *solution*.
물에는 소금이 얼마간 녹아 있다.

***solve** [salv] 타 3·단·현 **solves** [salvz]; ing형 **solving** [sálviŋ]; 과거 과분 **solved** [salvd]

(문제 따위)를 풀다, 해결하다; 해명하다.

I cannot *solve* the problems by myself. 나는 혼자서 그 문제를 풀 수 없다.

The mystery was never *solved*. 그 이상한 사건은 아무리 해도 풀리지 않았다.

[səm; 강 sʌm]

*some 형

❶ 약간의, 다소의, 얼마간의.
Here are *some* books.
여기에 책이 몇 권 있다.

I want to drink *some* water.
나는 물을 좀 마시고 싶다.

Won't you have *some* cake? 너 케이크를 좀 먹지 않겠느냐?

Do you have *some* money?
너는 돈을 좀 갖고 있느냐? ➤ 의문문에는 any를 쓰는 것이 일반적이지만, 여기서는 any를 쓰면 실례가 될 수 있으므로 주의할 것.

어법 **some과 any의 용법**
1. some은 과히 많지 않은 수, 양을 나타낸다. 뜻이 약해서 우리말로 번역하지 않아도 될 때도 있다. 보통 부정, 조건의 문장에서는 some 대신에 any를 쓴다.
2. 의문문에서는 사람에게 물건을 권할 때, 상대로부터 yes의 대답을 기대할 경우, 분량이 문제가 될 경우 등은 some을 쓰고, 그 밖의 경우는 any를 쓴다.

❷ 어떤, 어느, 아무(의). ➤ 잘 모르거나 밝히고 싶지 않을 때 씀.
I need *some* English dictionary. 나는 영어 사전이 필요하다《특정한 사전이 아니라 막연히 어떤 사전이란 뜻》.

She went to *some* place in Africa. 그녀는 아프리카 어디엔가로 갔다.

Some man has taken my umbrella. 누군가가 내 우산을 가겨 버렸다.

❸ 어떤 일부의, 개중에는 (…도 있다).
All stones are not heavy. *Some* stones are light.
모든 돌이 다 무거운 것은 아니다. 개중에는 가벼운 돌도 있다.

❹ 약(=about).
There are *some* twenty books on his desk.
그의 책상 위에는 약 20권의 책이 있다.

in some way or other 그럭저럭해서, 어떻게든지 해서.
Please finish your work *in some way or other*. 어떻게든 해서 일을 끝내십시오.

*some day 언젠가, 어느 날.
I hope to go to Paris *some day*. 나는 언젠가는 파리에 갔으면 한다.

some ... others ~ (대조적으로 쓰여) …도 있고, ~도 있다.
Some people are kind, and *others* are not.
친절한 사람도 있고 그렇지 않은 사람도 있다.

some time 언젠가; 잠시 동안, 꽤 오랫동안.
I hope that I can come to America again *some time*.
나는 언젠가 또 미국에 오고 싶다.
She stayed there *some time*. 그녀는 꽤 오랫동안 거기에 머물렀다.

— 때 ❶ 어떤 사람들, 어떤 것; 개중에는 …한 사람[것]도 있다.
Some came early.
어떤 사람은 일찍 왔다.
Not all labor is hard; *some* is pleasant. 노동이라고 다 힘든 것은 아니다. 즐거운 것도 있다.

❷ (…중의) 얼마, 다소, 일부.
Some of these books are very interesting. 이 책 가운데 몇 권은 아주 재미있다.
Some of my money was stolen. 나는 돈의 일부를 도둑맞았다.

S

어법 셀 수 있는 것을 나타낼 때에는 복수로 취급하고, 셀 수 없는 것을 나타낼 때에는 단수로 한다.

some ... others **~ …도 있고 ~도 있다.**
Some are interesting, and *others* are not. 재미있는 것도 있고, 그렇지 않은 것도 있다.

*__some·bod·y__ [sʌ́mbɑ̀di] 대
누구가, 어떤 사람(=someone). ☞anybody
Somebody is at the door. 누군가가 현관에 와 있다.
Somebody, call the police. 누군가, 경찰을 불러라.
➤ 뜻과 용법은 someone과 같으나, someone보다 구어적임.

some·how [sʌ́mhàu] 부
❶ 어쩐 일인지, 웬 일인지.
Somehow I can't trust him. 어쩐 일인지 그를 신용할 수 없다.
❷ 어떻게 해서든지, 어쨌든.
I'll finish it *somehow*. 나는 어떻게든지 그것을 끝낼 것이다.
"How's school?" "I'll make it *somehow*."「학교 생활은 어때?」「어떻게든 잘 꾸려나갈 생각이야.」

somehow or other **그럭저럭; 어쩐 일인지.**
He managed to finish college *somehow or other*. 그는 그럭저럭 대학을 졸업했다.
Somehow or other he never liked her. 어쩐 일인지 그는 그녀를 좋아하지 않았다. ☞ anyhow

**some·one [sʌ́mwʌ̀n] 대
누구가, 아무개, 어떤 사람 (=somebody).
When we welcome *someone*, we clap our hands. 누군가를 환영할 때, 우리는 손뼉을 친다.
We heard *someone* crying in the house. 집 안에서 누군가가 울고 있는 것을 들었다.

어법 **someone의 용법**
1. some one이라고 해도 좋다. somebody와 같은 뜻이나, 구어에서는 somebody가 더 흔히 쓰인다.
2. 부정문 · 의문문 · 조건문에서는 보통 anybody 또는 anyone을 쓴다.

**some·thing [sʌ́mθiŋ] 대
어떤 것, 무엇인가.
You always forget *something*. 너는 항상 무엇인가를 잊는다.
I want *something* to eat. 나는 먹을 걸 원한다.
I'd like to drink *something* cold. 나는 뭔가 찬 것을 마시고 싶다.

어법 **something의 용법**
1. something은 긍정문에, anything은 보통 부정문 · 의문문 · 조건문에 쓴다.
2. something을 수식하는 형용사는 something 뒤에 온다.

something like **…와 같은 것.**
Cricket is *something like* baseball. 크리켓은 야구 비슷한 것이다.
It is *something like* a camera. 그것은 카메라 같은 것이다.

*__some·time__ [sʌ́mtàim] 부
(미래나 과거의) **언젠가, 어느땐가.**
Come and see me *sometime* next week. 다음 주 아무 때고 놀러 오너라.
I met him *sometime* last week. 나는 지난 주 언젠가 그를 만났다.

S

****some·times** [sʌ́mtàimz] 男

때때로, 간혹.

We *sometimes* go to his house. 우리는 때때로 그의 집에 간다.

Mrs. Green is *sometimes* busy in the evening. 그린 부인은 간혹 저녁에 바쁘다.

> 어법 1. sometimes는 일반 동사일 때는 동사 앞에, be 동사·조동사일 때는 그 뒤에 쓰인다.
> 2. 문장의 첫머리나 끝에 올 경우도 있다.
> *Sometimes* he comes here. 또는 He comes here *sometimes*. 그는 때때로 여기 온다.

some·what [sʌ́mʰwàt] 男

얼마간, 약간, 다소.

It is *somewhat* cold today. 오늘은 약간 춥다.

It looked *somewhat* like a castle. 그것은 다소 성 비슷하게 보였다.

***some·where** [sʌ́mʰwɛ̀ər] 男

어딘가에, 어디론가.

He lives *somewhere* in this neighborhood. 그는 이 부근 어딘가에 살고 있다.

I'd rather go *somewhere* else. 나는 어딘가 다른 곳으로 가고 싶다.

▶ somewhere는 보통 긍정문에 쓰고 부정문·의문문·조건문에는 anywhere를 씀.

***son** [sʌn] 男 복수 **sons** [sʌnz]

아들(⇨ daughter 딸).

Mike is Mr. and Mrs. Green's *son*. 마이크는 그린씨 부부의 아들이다.

He is the oldest *son* of Mr. and Mrs. Miller. 그는 밀

러씨 부부의 장남이다.

We have five *sons*. 우리는 5명의 아들이 있다.

so·na·ta [sənáːtə] 男 복수 **sonatas** [sənáːtəz]

소나타.

the Moonlight *Sonata* 월광 소나타.

***song** [sɔ(ː)ŋ] 男 복수 **songs** [sɔ(ː)ŋz]

노래.

a folk *song* 민요.

a popular *song* 유행가, 대중 가요.

What kind of *songs* do you like? 너는 어떤 종류의 노래를 좋아하느냐?

Let's sing some *songs*. 노래를 부르자. ☞ 動 sing

****soon** [suːn] 男 비교 **sooner** [súːnər] ; 최상 **soonest** [súːnist]

❶ 곧, 이내, 얼마 안 가서.

See you *soon*! 그럼 또 보자!
▶ 스스럼 없는 사이에 쓰는 헤어질 때의 인사.

I'll be back *soon*. 나는 곧 돌아올 것이다.

He could find work *soon*. 그는 이내 일자리를 구할 수 있었다.

The bus arrived *soon* after two o'clock. 버스는 2시 조금 지나서 도착하였다.

❷ 일찍, 빠르게, 일찌감치.

Summer has come rather *soon* this year. 올해는 여름이 좀 일찍 왔다.

You came too *soon*. 너는 너무 빨리 왔다.

The *sooner*, the better. 《속담》 빠르면 빠를수록 좋다.

***as soon as …** …하자마자 곧.

Please come *as soon as* you can. 될 수 있는 대로 빨리 오십시오.

As soon as she got home, she opened her book. 그녀

는 집에 도착하자마자 자기 책을
폈다.

sooner or later 조만간.

Sooner or later I am going
to buy a computer. 조만간
나는 컴퓨터를 사려고 한다.

sore [sɔːr] 형

비교 **sorer** [sɔ́ːrər] : 최상
sorest [sɔ́ːrist]

❶ 쓰라린, 아픈, 쑤시는.
I have a *sore* throat.
나는 목이 아프다.

❷ 슬픈, 괴로워하는.
She is very *sore* about it.
그녀는 그것을 매우 괴로워하고
있다.

sor·ri·er [sáriər] 형
sorry의 비교급.

sor·ri·est [sáriist] 형
sorry의 최상급.

sor·row [sárou] 명

《a와 복수형 안 씀》 슬픔, 불행
(⇔joy 기쁨).
Her *sorrow* was very deep.
그녀의 슬픔은 매우 컸다.
He felt great *sorrow* when
his mother died. 그는 그의
어머니가 돌아가셨을 때 커다란
슬픔을 느꼈다.

sor·row·ful·ly [sároufəli] 부
비교 **more**
sorrowfully; 최상 **most sorrow-**
fully
슬퍼하여, 슬픔에 잠겨.
A young girl was leaning
sorrowfully against the
wall. 어린 소녀가 슬픔에 잠겨
벽에 기대고 있었다.

sor·ry [sári] 형
비교 **sorrier** [sáriər] :
최상 **sorriest** [sáriist]

❶ 미안하게 생각하는; 유감스러
운, 섭섭한.
"Can you come with me?"
"(I'm) *sorry*, (but) I can't."
「저와 함께 갈 수 있습니까?」「죄
송하지만 안 되겠는데요.」

I'm *sorry* to trouble you.
폐를 끼쳐 미안합니다.
I'm *sorry*, I'm late. = *Sorry*,
I'm late. 늦어서 미안합니다.

참고 **I am sorry.**「미안합니다.」
사과할 때 쓴다. 사과를 받으면
That's all right. (괜찮습니
다) 또는 Don't worry about
it. (괘념치 마세요.) 따위와 같이
말한다. 미국에서는 상대방의 몸
을 스치거나 하여 가볍게 사과할
때에는 Excuse me.라고 하며,
영국에서는 간단히 Sorry.라고
한다.
A : *I'm sorry.*
B : That's all right.
「미안합니다.」「괜찮습니다.」

---

❷ 안된, 가엾은.
Susie was 〔felt〕 *sorry* for
the old man. 수지는 그 노인
을 가엾게 생각했다.
I'm *sorry* to hear that your
father is sick. 너의 아버지께
서 몸이 편찮으시다고 들었는데.
참 안됐다.
▶ 일반적으로 sorry는 명사 앞에
쓰지 않으며, sorry를 포함한 문
장의 주어는 사람임.

sort [sɔːrt] 명
복수 **sorts** [sɔːrts]
종류(=kind).
All *sorts* of sea animals
live in the ocean. 온갖 종류
의 바다 동물들이 대양에 산다.
He drives a new *sort* of
car. 그는 신형 자동차를 운전하
고 있다.

SOS [ésòués] 명
복수 **SOS's** [ésòuésiz]
에스오에스, 조난 신호.
send an *SOS* 조난 신호를 보내
다〔송신하다〕.
A radio station received an
SOS from a wrecked ship.
무선국은 난파선으로부터 조난 신
호를 받았다.

주의 SOS의 철자는 S로 시작 되지만 발음이 모음으로 시작되 기 때문에 관사 an을 붙임에 주의.

sought [sɔːt] 통 **seek**의 과 거·과거 분사.

soul [soul] 명
복수 **souls**[soulz]
❶ 혼, 영혼, 정신(⇨body 육체).
This music has no *soul*. 이 음악에는 혼이 깃들어 있지 않다.
Frank sold his *soul* to the devil. 프랭크는 악마에게 자기의 영혼을 팔았다.
He put his *soul* into his work. 그는 자기 일에 정신을 쏟 았다.
❷ 사람(=person).
She did not see a single *soul* on the street. 그녀는 거 리에서 누구 하나 보지 못하였다.

****sound**¹ [saund] 명
복수 **sounds**[saundz]
소리, 음향.
He heard a strange *sound*. 그는 이상한 소리를 들었다.
Not a *sound* was heard. 아무 소리도 들리지 않았다.
── 통 3·단·현 **sounds** [saundz] :
ing형 **sounding**[sáundiŋ] : 과거
과분 **sounded**[sáundid]
자 ❶ 소리가 나다, 울리다.
The bell *sounds*. 종이 울린다.
The music *sounds* too loud. 음악 소리가 너무 크다.
❷ 《**sound**+형용사 따위로》 …하 게 들리다, 생각되다.
His story *sounds* strange. 그의 이야기는 이상하게 들린다.
"Let's play soccer this afternoon." "That *sounds* good." 「오늘 오후에 축구하자.」 「그거 좋을 것 같은데.」
── 타 …을 소리나게 하다, 울리 다, 불다.

sound a bell 벨을 울리다.
Tom *sounded* a trumpet. 톰은 트럼펫을 불었다.

sound² [saund] 형
비교 **sounder**[sáundər] : 최상 **soundest**[sáundist]
❶ (신체·마음 따위가) 건전한.
A *sound* mind in a *sound* body. 《속담》 건전한 신체에 건 전한 정신.
He has a *sound* opinion. 그는 건전한 의견을 갖고 있다.
❷ (수면 따위가) 충분한, 완전한.
I had a *sound* sleep. 나는 잠을 푹 잤다.

****soup** [suːp] 명
《a와 복수형 안 씀》 수프.
"What kind of *soup* is this?" "It is tomato *soup*." 「이것은 무슨 수프냐?」 「토마토 수 프다.」
I had〔ate〕 vegetable *soup* for lunch. 나는 점심에 야채 수 프를 먹었다.

sour [sáuər] 형
비교 **sourer** [sáuərər] : 최상 **sourest**[sáuərist]
신, 시큼시큼한. ☞ sweet (단, 달콤한)
This apple is *sour*. 이 사과는 시다.

sour grapes 신 포도; 억지, 지기 싫어함.

참고 sour grapes라는 말은, 이솝 이야기 중의 「여우와 포 도」("The Fox and the Grapes") 이야기에서 나온 것 이다. 목이 마른 여우가 포도를 발견하고, 이를 따려고 하였으 나, 아무리 해도 포도 송이에 손 이 미치지 못하였다. 이에 그만 단념하고 나무를 떠나면서 「저 포도는 틀림없이 시큼시큼할 거 야」 (I am sure those grapes are very sour.) 라

S

고 여우는 억지 허세를 부렸다. 이 이야기로부터 sour grapes 는 「진 것을 인정하지 않고 분 해서 억지를 쓰는 일」이란 뜻이 생기게 되었다.

source [sɔːrs] 명
복수 **sources** [sɔ́ːrsiz]
원천; 근본, 원인; 출처.
What's the *source* of the trouble? 문제의 원인은 뭣이냐?
This information comes from reliable *sources*. 이 소식은 믿을 만한 소식통에서 나온 것이다.

*south [sauθ] 명

❶ 《the를 붙여》 남, 남쪽; 남부 (⇔ north 북, 북쪽).
Our house faces to the *south*. 우리 집은 남향이다.
Mexico is to the *south* of the United States. 멕시코는 미국의 남쪽에 있다.
A warm breeze was blow-ing from the *south*. 따스한 바람이 남쪽에서 불어 오고 있었다.

❷ 《the South로》 미국의 남부 《오하이오 강·펜실베이니아 주 이남의 여러 주》; 남극.
She comes from *the South*. 그녀는 (미국의) 남부 출신이다.
☞ 형 southern

── 형 남의, 남쪽의.
the *south* exit 남쪽 출구.
The warm *south* wind is blowing today. 오늘은 따스한 남풍이 불고 있다.

── 부 남으로, 남쪽에.
Many birds leave Korea and go *south* in winter. 많은 새가 겨울이 되면 한국을 떠나, 남쪽으로 간다.
Suwon is about twenty-six miles *south* of Seoul. 수원은 서울에서 약 26마일 남쪽에 있다.

South A·mer·i·ca

[sáuθ əmérikə] 명
남아메리카, 남아메리카 대륙. ☞ North America (북아메리카), Central America (중앙아메리카)

참고 서반구 남쪽에 위치한 대륙으로, 아르헨티나, 브라질, 칠레, 페루, 에콰도르 등의 공화국이 있다. 에스파냐어, 포르투갈어 등이 사용된다. 농업, 목축업이 성하며, 커피, 담배, 쇠고기 따위의 산지로 잘 알려져 있다.

South Car·o·li·na

[sə̀uθ kærəláinə] 명
사우스캐롤라이나.

참고 S.C.로 약함. 주의 이름은 영국왕 찰스 1세와 관련시켜 지었음. 주도는 컬럼비아(Co-lumbia [kəlʌ́mbiə]). 면적은 80,438 km²로서 미국에서는 40번째의 작은 주이다. 주요 산물은 면직물이며, 농산물로는 담배가 유명하다.

South Da·ko·ta [sáuθ də-kóutə] 명
사우스다코타.

참고 S. Dak.로 약함. 면적은 199,565 km²로, 우리 나라보다 약간 작다. 주도는 피어(Pierre [piə́r]). 목축이 성하며, 소의 산지로서 유명할 뿐만 아니라 금이 산출되는 주이기도 하다.

south·east [sàuθíːst] 명

《the를 붙여》 남동.
in [to] the *southeast* of …의 남동부에[남동 방향에].
The wind has changed to the *southeast*. 바람은 남동으로 방향이 바뀌었다.
There is a lake to the

southeast of our city. 우리 시의 남동쪽에는 호수가 있다.
── 형 **남동의.**
The *southeast* wind is warm. 남동풍은 따스하다.

south·east·ern [sàuθíːs- tərn] 형
남동의.
The station is in the *southeastern* part of town. 정거장은 읍의 남동 지구에 있다.

*south·ern [sʌ́ðərn] 형
남의, 남쪽의(⇔ northern 북의, 북쪽의).
the *Southern* States (미국 의) 남부 여러 주(州).
We took a Broadway bus and went to the *southern* end of Manhattan. 우리는 브로드웨이의 버스를 타고 맨해튼의 남쪽 끝으로 갔다. ☞ 명 south

South Pole [sáuθ póul] 명
《the를 붙여》
남극(⇔ North Pole 북극).
The *South Pole* is the place where the temperature is lower than any other place in the world. 남극은 세계의 다른 어떤 곳보다 더 기온이 낮은 곳이다.

south·ward [sáuθwərd] 부
남쪽으로.
The ship was sailing *southward*. 배는 남으로 항해하고 있었다.

south·west [sàuθwést] 명
《the를 붙여》 남서.
Mokpo is in the *southwest* of Korea. 목포는 한국의 남서부에 있다.
── 형 남서의.
The *southwest* wind feels nice. 남서풍은 기분이 좋다.

south·west·ern [sàuθwést- ərn] 형
남서의.

Typhoon No. 15 hit *south-western* Incheon. 태풍 15호는 인천의 남서부를 강타하였다.

sou·ve·nir [sùːvəníər] 명
복수 **souvenirs** [sùːvəníərz]
선물, 기념품.
a *souvenir* store 선물〔기념품〕 가게.
a *souvenir* picture 기념 사진.
souvenirs of my American trip 나의 미국 여행 기념품.

sow [sou] 타 3·단·현 **sows** [souz]; ing형 **sowing** [sóuiŋ]; 과거 **sowed** [soud]; 과분 **sowed** [soud] 또는 **sown** [soun]
(씨)를 뿌리다.
He saw the girl *sowing* beans in the field. 그는 밭에 콩을 뿌리는 소녀를 보았다.
One must reap what he has *sown*. 《속담》 자기가 뿌린 씨는 자기가 거둬야 한다.

sown [soun] 동
sow의 과거 분사.

*space [speis] 명
복수 **spaces** [spéisiz]
❶ 《a와 복수형 안 씀》 공간; 우주.
time and *space* 시간과 공간.
a *space* rocket 우주 로켓.
We have entered the *space* age. 우리는 지금 우주 시대에 있다.
In the future we may travel through *space* to the moon or planets. 미래에 우리는 우주를 통하여 달이나 행성들을 여행하게 될 것이다.
❷ 장소, 빈 터, 빈 자리, 여백.
a parking *space* 주차 장소.
These books take up too much *space* on my desk. 이 책들은 책상의 자리를 너무 차지한다.
Fill in the blank *spaces* with the right words. 빈 자리에 적당한 말을 넣어라.

S

❸ 간격, 거리.
Leave a wide *space* between the lines. 행간을 넓게 남겨라.

space·man [spéismæn] 몡

复数 **spacemen**[spéismèn]
우주 비행사; 우주인.
Do you know who the first *spaceman* was? 최초의 우주 비행사가 누구였는지 아느냐?
Tom read a story of *spacemen* and wanted to see them. 톰은 우주인의 이야기를 읽고, 그들을 보고 싶어했다.

space·men [spéismèn] 몡

spaceman의 복수.

space·ship [spéisʃip] 몡

复数 **spaceships**[spéisʃips]
우주선.
They traveled in a *spaceship* to the moon. 그들은 우주선을 타고 달까지 여행했다.

spade [speid] 몡

复数 **spades**[speidz]
삽; (트럼프의) 스페이드.
call a *spade* a *spade* 직언하다. 곧이곧대로 이야기하다.

He is digging the ground with a *spade*. 그는 삽으로 땅을 파고 있다.

参考 **spade와 shovel**
spade는 발로 눌러 땅을 파는 데 쓰는 금속 부분이 무겁고 평평한 삽이며, shovel은 흙이나 석탄 같은 것을 떠 옮기는 데 쓰는 금속 부분이 넓고 좀 오목한 삽을 말한다.

spa·ghet·ti [spəgéti]

《a와 복수형 안 씀》 스파게티.
spaghetti with meatballs 미트볼 스파게티.

Spain [spein] 몡

스페인, 에스파냐.

参考 유럽 남서부의 이베리아 (Iberia [aibíriə]) 반도에 있는 왕국. 면적은 503,545km². 수도는 마드리드 (Madrid [mədríd]). 주산업은 농업이며, 오렌지, 포도 따위의 산출로 유명하다.

*Span·ish [spǽniʃ] 몡

❶ 《a와 복수형 안 씀》 에스파냐〔스페인〕어.
French and *Spanish* are taught in this school. 이 학교에서는 프랑스어와 에스파냐어를 가르친다.
❷ 《the를 붙여 복수 취급》 에스파냐 사람 (전체).
── 혱 에스파냐의, 에스파냐 사람〔어〕의.
Mrs. Black wants to buy some *Spanish* lace which is famous for its designs all over the world. 블랙 부인은 무늬가 세계적으로 유명한 에스파냐의 레이스를 사고 싶어한다.

spank [spæŋk] 탸 3·단·현

spanks[spæŋks]; ing형

spanking [spǽŋkiŋ] : 과거 과분
spanked [spæŋkt]
(벌로) …의 엉덩이를 찰싹 때리다
《손·슬리퍼 따위로》.
I'll *spank* you.
네 볼기를 찰싹 때려줄 테다.
She *spanked* her child.
그녀는 어린애의 볼기를 찰싹 때
렸다.

*__spare__ [spεər] 형

여분의, 예비의(=extra).
We have no *spare* time.
우리는 여가가 없다.
We carry a *spare* tire in
our car. 우리는 예비 타이어를
자동차에 가지고 다닌다.
── 타 3·단·현 **spares** [spεərz] :
ing형 **sparing** [spέəriŋ] : 과거
과분 **spared** [spεərd]
❶ (돈·노력 따위)를 절약하다,
아끼다.
He *spares* no pains 〔effort〕.
그는 수고를〔노력을〕 아끼지 않는
다.
Spare the rod and spoil
the child. 《속담》 매를 아끼면
자식을 버린다, 귀한 자식은 여행
을 시켜라.
❷ (시간)을 내다, (돈)을 떼어 주
다, 나누어 주다.
Can you *spare* me a few
minutes? 내게 잠시 시간을 내
주겠느냐?
"Could you *spare* me a
quarter?" the beggar asked.
「25센트만 적선하십시오.」라고 그
거지는 구걸했다.

spark [spɑːrk] 명
복수 **sparks** [spɑːrks]
불꽃, 불똥, 스파크.
Sparks flew from the
burning house. 타고 있는 집
에서 불꽃이 튀겼다.

spar·kle [spɑ́ːrkəl] 자 3·단·현
sparkles [spɑ́ːrkəlz] :
ing형 **sparkling** [spɑ́ːrkəliŋ] :
과거 과분 **sparkled** [spɑ́ːrkəld]

번득이다, 번쩍이다.
Jane's eyes *sparkled* with
delight. 제인의 눈은 기쁨으로
반짝였다.
Mrs. Grey's diamonds *spar-
kled* in the bright light.
그레이 부인의 다이아몬드는 밝은
빛에 번쩍였다.

spar·row [spǽrou] 명
복수 **sparrows** [spǽrouz]
참새.
Sparrows are common in
many parts of the world.
참새는 세계 각지에 있는 흔한 새
다.

**__speak__ [spiːk] 동 3·단·현
speaks [spiːks] : ing형
speaking [spiːkiŋ] : 과거 **spoke**
[spouk] : 과분 **spoken** [spóukən]
자 ❶ 말하다, 이야기하다. ☞
say
speak in Korean 한국어로 말
하다.
I was so shocked I couldn't
speak. 나는 너무 충격을 받아서
말을 할 수가 없었다.
Will you *speak* more slow-
ly? 좀 더 천천히 말해주겠느냐?
Hello! (This is) Fred *speak-
ing*. (전화에서) 여보세요, 저는
프레드입니다. ▶이 경우 I am
Fred.라고 하지 않음에 주의.
❷ 연설하다, 강연하다 (=ad-
dress).
He will *speak* on democ-
racy in Korea. 그는 한국의 민
주주의에 관하여 연설할 것이다.
── 타 ❶ (어느 언어)를 말하다,
사용하다, 쓰다.
Can you *speak* English?
너는 영어를 할 수 있느냐?
English and French are
spoken in Canada. =They
speak English and French
in Canada. 캐나다에서는 영어
와 프랑스어가 사용된다.
English *spoken*. 《게시》 영어

S

사용. ▶상점 둥에 게시하는 표지
로, English is spoken here.
의 뜻.
❷ (사실·의견 따위)**를 말하다.**
Speak the truth.
진실을 말해라. ☞명 speech
so to speak 말하자면. ▶삽입어
로 쓰임.
He is, *so to speak*, a walk-
ing dictionary. 그는, 말하자
면, 걸어다니는 사전이다.
speak about〔of〕 …에 관하여 말
하다.
Mrs. Grey often *speaks of*
her sons. 그레이 부인은 가끔
그녀의 아들 이야기를 한다.
speak ill〔badly〕of …을 나쁘게
말하다, …의 험담을 하다.
You should not *speak ill*
of others. 남의 험담을 하여서
는 안 된다.
*****speak to*** …에게 말을 걸다, …와
말하다.
Mr. Jack is *speaking to*
Miss Green. 잭군은 그린양과
말하고 있다.
"May I speak to Mary,
please?" "Speaking." (전화에
서)「메리 좀 바꿔 주세요.」「전
데요.」
speak to oneself 혼잣말을 하다.
He *spoke to himself*, "That's
good."「그것 좋군.」하고 그는 혼
잣말을 했다.
speak up〔out〕 큰소리로 말하다.
Speak up〔out〕. I can hard-
ly hear you. 좀 크게 얘기해.
(네 말이) 잘 들리지 않아.
speak well of …을 칭찬하다, 좋
게 말하다.
Everyone *speaks well of*
him. 모든이가 그를 좋게 말한다.

****speak·er** [spíːkər] 명 복수
speakers [spíːkərz]
❶ 말하는 사람, 연설자.
President Lincoln was a
good *speaker*. 링컨 대통령은
연설을 잘 하였다.

❷ 스피커, 확성기.
We danced to the gay
music coming from the
speaker. 우리들은 스피커에서
들려 오는 경쾌한 음악에 맞추어
춤을 추었다.

spear [spiər] 명
복수 **spears** [spiərz]
창; 작살.
throw a *spear* 창을 던지다.
I caught a fish with a
spear. 나는 작살로 고기를 잡았
다.

****spe·cial** [spéʃəl]
형
❶ 특별한, 특수한(⇔general 일
반의).
a *special* news 특별 뉴스.
a *special* case 특별한 경우.
Is there anything *special* in
the papers? 신문에 뭐 특별한
기사가 나 있느냐?
❷ 전문의, 전공의.
a *special* hospital 전문 병원.
What is your *special* field
of study? 너의 전문 연구 분야
는 무엇이냐?
❸ 임시의.
My uncle took a *special*
train for Seoul. 나의 아저씨는
서울행 임시 열차를 타셨다.
☞동 specialize

spe·cial·ist [spéʃəlist]
명
복수 **specialists** [spéʃəlists]
전문가; 전문의.
Dr. Brown is a *specialist*
in Greek history. 브라운 박사
는 그리스 역사의 전문가다.
She consulted an eye *spe-*
cialist. 그녀는 안과 전문의에게
진찰을 받았다.

spe·cial·ize [spéʃəlàiz] 동
3·단·현 **spe-**
cializes [spéʃəlàiziz] ing형 **spe-**
cializing [spéʃəlàiziŋ] 과거 과분
specialized [spéʃəlàizd]
타 …을 전문화하다, 특수하게 하다.

S

Modern science is highly *specialized*. 현대 과학은 고도로 전문화되어 있다.
──── 재 전문으로 하다, 전공하다.
She *specialized* in Korean literature. 그녀는 한국 문학을 전공하였다. ☞ 형 special

spe·cial·ly [spéʃəli] 부
특별히, 특히.
I came to Seoul *specially* to see you. 특별히 너를 만나기 위해 서울에 왔다.

spe·cies [spíːʃi(ː)z] 명 복수
species [spíːʃi(ː)z]
(동식물 분류상의) 종(種); 종류.
the human *species* 인류.
This is a curious *species* of butterfly. 이것은 진귀한 종류의 나비다.

spe·cif·ic [spisífik] 형 비교
more specific;
최상 most specific
특수한; 특정한.
He has no *specific* purpose. 그에게는 특별한 목적이 없다.

spec·i·men [spésəmən] 명
복수 specimens [spésəmənz]
표본, 견본(=sample).
Please show me some *specimens* of butterflies. 나비 표본을 좀 보여 주시오.

speck [spek] 명
복수 specks [speks]
작은 반점, 얼룩; 작은 조각.
There is a *speck* on this paper. 이 종이에는 얼룩이 있다.
She's got a *speck* of dust in her eyes. 그녀의 눈에 먼지가 들어갔다.

spec·ta·cle [spéktəkəl] 명
복수 spectacles [spéktəkəlz]
❶ 광경, 훌륭한 경치.
The sunrise we saw from the top of Tohamsan was a fine *spectacle*. 토함산 꼭대기에서 본 해돋이는 멋있는 광경이었다.
❷ 구경거리, 볼 만한 것.
You should not make a *spectacle* of yourself. 남의 웃음거리가 될 일을 해서는 안 된다.
❸ 《복수형으로》 안경(=glasses).
Grandmother always carries another pair of *spectacles*. 할머니는 항상 또 한 개의 안경을 지니고 다니신다.

spec·tac·u·lar [spektǽkjələr] 형
비교 more spectacular; 최상 most spectacular
장관의, 사람의 눈을 끄는.
The *spectacular* Olympic Games were held in Seoul in 1988. 1988년 서울에서 개최된 올림픽 경기는 장관이었다.

spec·ta·tor [spékteitər] 명
복수 spectators [spékteitərz]
구경꾼, 관객.
a crowd of *spectators* 많은 관객들.
The baseball game drew over 30,000 *spectators*. 그 야구 시합은 3만명 이상의 관객을 끌었다.

sped [sped] 동 speed의 과거·과거 분사.
The car *sped* along the street. 그 차는 거리를 질주했다.

*speech [spiːtʃ] 명 복수
speeches [spíːtʃiz]
❶ 《a와 복수형 안 씀》 말, 언론, 발언; 말씨.
freedom of *speech* 언론의 자유.
Speech is silver; silence is golden. 《속담》 웅변은 은이요, 침묵은 금이다.
I discovered from his *speech* that he was German. 나는 그의 말씨로 보아 그

S

가 독일 사람임을 알았다.

❷ 강연, 연설(=address).

an opening 〔a closing〕 *speech* 개회〔폐회〕사.

The students are speaking about their future at a *speech* contest. 학생들은 웅변 대회에서 그들의 미래에 대해 얘기하고 있다.

❸ 화법(=narration).

the direct *speech* 직접 화법.

the indirect *speech* 간접 화법.

make a speech 연설을 하다.

One day Winston Churchill was on his way to Parliament to *make an* important *speech*. 어느 날 윈스턴 처칠이 중요한 연설을 하러 국회에 가는 길이었다.

*speed [spi:d] 〔명〕

〔복수〕 **speeds**[spi:dz]

속도, 속력, 스피드.

travel at a slow 〔high〕 *speed* 저속〔고속〕으로 움직이다.

I drove at a *speed* of 40 miles an hour. 나는 40마일로 차를 몰았다.

SPEED LIMIT 40

제한 속도 40마일의 표지

You should not drive faster than the *speed* limit. 제한 속도보다 더 빨리 차를 몰아서는 안 된다.

More haste, less *speed*. 《속담》 급할수록 천천히.

at full 〔***top***〕 ***speed*** 전속력으로.

He was driving *at full speed*. 그는 전속력으로 차를 몰고 있었다.

── 〔자〕 〔3·단·현〕 **speeds** [spi:dz] : 〔ing형〕 **speeding** [spí:diŋ] : 〔과거〕 〔과분〕 **sped** [sped] 또는 **speeded**

[spí:did]

급히 가다 : 《**speed up**으로》 속력을 높이다.

They *sped* down the hill. 그들은 언덕을 급히 내려갔다.

His car *sped up.* 그의 차는 속력을 냈다.

speed·y [spí:di] 〔형〕 〔비교〕 **speedier**[spí:di-iər] : 〔최상〕 **speediest** [spí:diist]

빠른, 신속한, 즉시의.

a *speedy* answer 즉답.

Mrs. Brown is a *speedy* worker. 브라운 부인은 일을 빨리 한다.

*spell [spel] 〔타〕

〔3·단·현〕 **spells** [spelz] :

〔ing형〕 **spelling**[spéliŋ] : 〔과거〕 〔과분〕

spelled[speld]

(낱말)을 철자하다, …의 철자를 말하다〔쓰다〕.

"How do you *spell* your name?" "My name is *spelled* T-O-M." 「네 이름은 어떻게 철자하지?」「내 이름은 T-O-M이라고 철자한다.」

Miss Grey slowly *spelled* the word "doll" on the blackboard. 그레이 선생님은 칠판에 doll(인형)의 철자를 천천히 썼다.

spell·ing [spéliŋ] 〔명〕 〔복수〕 **spellings**[spéliŋz]

철자 : 《a와 복수형 안 씀》 철자하기.

I often make a mistake in English *spelling*. 나는 영어 철자에서 가끔 실수를 한다.

The *spelling* of my name is easy. 내 이름의 철자는 쉽다.

*spend [spend] 〔타〕 〔3·단·현〕 **spends**[spendz] : 〔ing형〕 **spending** [spéndiŋ] : 〔과거〕 〔과분〕 **spent**[spent]

(돈)을 쓰다, (시간)을 보내다, 지내다.

I don't want to *spend* money on new clothes. 나는

새 옷에 돈을 쓰고 싶지 않다.
We *spent* too much time with the TV. 우리는 텔레비전에 너무 많은 시간을 보냈다.
How did you *spend* your vacation? 너는 방학을 어떻게 지냈느냐?
The way you *spend* your free time is important. 여가를 보내는 방법은 중요하다.

***spent** [spent] 图 **spend**의 과거·과거 분사.
He *spent* a lot of money on books. 그는 책에 많은 돈을 썼다.

sphere [sfiər] 명
복수 **spheres**[sfiərz]
구(球), 구형, 구면.
The earth is a *sphere*.
지구는 구형이다.

Sphinx [sfiŋks] 명
복수 **Sphinxes**[sfíŋksiz]
❶ 《the를 붙여》 스핑크스.

참고 여자의 머리와 사자의 몸에 날개를 가진, 그리스 신화에 나오는 괴물. 지나가는 사람에게 「아침에는 다리가 네 개, 낮에는 두 개, 밤에는 세 개인 것은 무엇이냐」란 수수께끼를 물어 대답하지 못한 사람은 죽었다고 한다. 답은 사람(어렸을 때는 기고, 자라면 서고, 늙으면 지팡이를 짚으니까).

❷ 스핑크스 상(像)《이집트에 있는》.
Have you ever seen a *Sphinx*? 너는 스핑크스 상을 본 적이 있느냐?

spice [spais] 명
복수 **spices**[spáisiz]
양념, 향료.
Pepper is a *spice*.
후추는 향료이다.

spic·y [spáici] 형

비교 **spicier**[spáiciər]; 최상 **spiciest**[spáiciist]
향신료를 넣은, 매운.
The kimchi is very *spicy*.
김치는 매우 맵다.

spi·der [spáidər] 명 복수 **spiders**[spáidərz]
거미.
a *spider*('s) web 거미집.
Most *spiders* spin webs to catch insects. 대부분의 거미는 벌레를 잡기 위해 거미줄을 친다.

spill [spil] 타 3·단·현 **spills** [spilz]; ing형 **spilling** [spíliŋ]; 과거 과분 **spilled**[spild] 또는 **spilt**[spilt]
(액체·가루 따위)를 흘리다, 엎지르다.
The baby *spilt* his milk.
아기가 우유를 흘렸다.
It's no use crying over *spilt* milk. 《속담》 엎지른 물은 다시 주워담을 수 없다.

spilt [spilt] 동
spill의 과거·과거 분사.

spin [spin] 타 3·단·현 **spins** [spinz]; ing형 **spinning** [spíniŋ]; 과거 과분 **spun**[spʌn]
❶ (실)을 잣다, (거미·누에 따위가 실)을 내다, 치다.
spin cotton into thread 솜으로 실을 잣다.
Most spiders *spin* webs.
거미는 대개 거미줄을 친다.
❷ (팽이 따위)를 돌리다.
The little boy was *spinning* a top. 그 어린 소년은 팽이를 돌리고 있었다.

S

***spir·it** [spírit] 명
복수 **spirits**[spírits]
❶ 《a와 복수형 안 씀》 정신, 마음(⇨ body 육체).
He understood the *spirit* of Korea. 그는 한국의 정신을 이해하고 있었다.
He is a man with plenty of public *spirit*. 그는 공공심이

많은 사람이다.

❷ 혼, 영혼.

He drove away evil *spirits*.
그는 나쁜 영혼을 쫓아버렸다.

❸ 《복수형으로》 기분; 원기.

Ann is in good 〔high〕
spirits. 앤은 기분이 썩 좋다.

He is full of *spirits*. 그는 원
기 왕성하다. ☞ 형 spiritual

spir·it·u·al [spírit∫uəl]
형

영혼의; 정신적인; 종교적인.

He is a *spiritual* leader.
그는 정신적인 지도자다.
☞ 명 spirit

spit [spit] 자 3·단·현 spits
[spits]; ing형 spitting
[spítiŋ]; 과거 과분 spat[spæt]
또는 spit[spit]

침을 뱉다.

Sometimes people *spit* on
the street. 때때로 사람들은 길
에 침을 뱉는다.

spite [spait] 명
《a와 복수형 안 씀》 악의,
앙심, 원한.

Tom is full of *spite*.
톰은 심술꾸러기이다.

in spite of …에도 불구하고.

She came *in spite of* the
rain. 그녀는 비가 내리는데도 왔
다.

He finished his work *in
spite of* all the difficulties.
온갖 어려움에도 불구하고 그는
일을 끝냈다.

splash [splæ∫] 동 3·단·현
splashes [splǽ∫iz];
ing형 splashing[splǽ∫iŋ]; 과거
과분 splashed[splæ∫t]

타 (물·흙탕물 따위)를 튀기다.

The car *splashed* mud
over me. 그 차는 나에게 흙탕
을 튀겼다.

Don't *splash* paint on the
flowers. 꽃에 페인트를 튀기지
마라.

── 자 (물·흙탕 따위가) 튀다.

The rain is *splashing* on
the window. 비가 창에 들이치
고 있다.

── 명 《복수》 splashes[splǽ∫iz]
튀기는〔텀벙하는〕소리; 얼룩, 반
점.

Tom dived into the swim-
ming pool with a *splash*.
톰은 수영장에 텀벙 뛰어들었다.

There is a *splash* of ink
on the carpet. 융단에 잉크 얼
룩이 있다.

splen·did [spléndid] 형 비교
more splendid;
최상 most splendid

훌륭한; 화려한; 멋진.

They live in a *splendid*
house. 그들은 훌륭한 집에 살고
있다.

The Browns had a *splendid*
holiday in Korea. 브라운씨 가
족은 한국에서 멋있는 휴가를 보
냈다.

split [split] 타 3·단·현 splits
[splits]; ing형 splitting
[splítiŋ]; 과거 과분 split[split]
(천 따위)를 찢다, (목재 따위)를
쪼개다; 가르다, 분배하다.

Mrs. Black asked her hus-
band to *split* some logs.
블랙 부인은 남편에게 통나무를
쪼개 달라고 하였다.

Mrs. Green *split* an apple
into five parts. 그린 부인은
사과를 다섯 조각으로 쪼갰다.

Let's *split* the bill.
각자 부담으로 하자.

spoil [spɔil] 동
3·단·현 spoils [spɔilz];
ing형 spoiling [spɔíliŋ]; 과거
과분 spoiled[spɔild] 또는 spoilt
[spɔilt]

타 (아이 등)을 버릇 없게 만들다;
못 쓰게 만들다, 망치다.

Spare the rod and *spoil*
the child. 《속담》 귀여운 자식
매로 키워라.

Our holidays were *spoiled*

by the heavy rain. 우리들의 휴가는 호우로 망쳤다.
── 자 못 쓰게 되다, 상하다.
Milk will *spoil* easily in hot weather. 더운 날씨에는 우유가 쉬이 상한다.

spoilt [spɔilt] 통 **spoil**의 과거·과거 분사의 하나.

***spoke** [spouk] 통 **speak**의 과거.
Father *spoke* to us about traveling. 아버지는 여행에 관해서 우리에게 말씀해 주셨다.

***spo·ken** [spóukən] 통 **speak**의 과거 분사.
English is *spoken* in America. 미국에서는 영어를 쓴다.
── 형 말로 하는, **구어(口語)**의.
I want to learn *spoken* English. 나는 구어체 영어를 배우고 싶다.

sponge [spʌndʒ] 명 복수 **sponges**[spʌndʒiz]
해면, 스펀지.
Wipe the surface with a *sponge*. 표면을 스펀지로 닦아라.

***spoon** [spuːn] 명 복수 **spoons**[spuːnz]
숟가락.
"Are there any *spoons* on the table?" "No, there aren't." 「식탁에 숟가락이 있느냐?」「아니, 없다.」

spoon·ful [spúːnfùl] 복수 **spoonfuls**[spúːnfùlz]
한 숟갈 가득(한 양).
a *spoonful* of salt 한 숟갈의 소금.
You must take two *spoonfuls* of medicine. 너는 약을 두 숟갈 먹어야 한다.

****sport** [spɔːrt] 명 복수 **sports**[spɔːrts]
운동, 경기, 스포츠.
He's very fond of *sports*. 그는 운동을 아주 좋아한다.

What *sports* do you play? 너는 무슨 운동을 하느냐?
Baseball is a popular *sport* in America. 야구는 미국에서 인기 있는 스포츠다.

참고 sport는 일정한 규칙에 따라 기량을 겨루는 경기이다. 볼링·요트는 말할 것도 없고, 사냥·낚시·경마도 포함된다. 영국 사람이나 미국 사람이 좋아하는 운동을 ABC순으로 들어 보면 다음과 같다.
badminton 배드민턴 / baseball 야구 / basketball 농구 / bowling 볼링 / boxing 권투 / fencing 펜싱 / football 풋볼 / handball 핸드볼 / hockey 하키 / horseback riding 승마 / pingpong 탁구 / sailing 요트 / skating 스케이팅 / skiing 스키 / soccer 축구 / swimming 수영 / tennis 테니스 / volleyball 배구 / wrestling 레슬링.

sports·man [spɔːrtsmən] 명
복수 **sportsmen**[spɔːrtsmən]
운동가, 스포츠맨.
Tom is a good *sportsman*. 톰은 훌륭한 운동가다.

참고 sportsman은 사냥·낚시 따위를 포함한 야외 운동을 좋아하는 사람을 말한다. 우리말 「스포츠맨」은 「운동 선수」의 뜻으로도 많이 쓰이고 있으므로 주의해야 한다. 「운동 선수」의 뜻일 때에는 athlete.

sports·man·ship [spɔːrtsmənʃip] 명 《a와 복수형 안 씀》운동가 정신.
His good *sportsmanship* won him the respect of many people. 그는 훌륭한 운동

S

가 정신으로 많은 사람들의 존경을 받았다.

sports·men [spɔ́ːrtsmən] 명
sportsman의 복수.

*spot [spɑt] 명
복수 **spots**[spɑts]
❶ 장소, 지점 (=place).
I am now visiting various *spots* in New York.
나는 지금 뉴욕의 여러 곳을 돌아보고 있다.
❷ 점, 반점(斑點). 얼룩.
My dog is brown with white *spots*. 내 개는 갈색 바탕에 흰 반점이 있다.
His shirt had some *spots* on it. 그의 셔츠에는 얼룩이 좀 있다.
on the spot 그 자리에서, 현장에서; 즉석에서.
He was caught *on the spot*. 그는 그 자리에서 붙잡혔다.

sprang [spræŋ] 동
spring의 과거의 하나.
He *sprang* out of bed.
그는 침대에서 벌떡 일어났다.

spray [sprei] 명
복수 **sprays**[spreiz]
❶ 물보라, 물안개.
I was wet from the *spray* of a waterfall. 나는 폭포의 물보라에 젖었다.
❷ 분무기(噴霧器).
He used the *spray* to paint the kitchen walls. 그는 스프레이를 써서 부엌의 벽을 칠하였다.

*spread [spred] 동 3·단·현
spreads [spredz];
ing형 **spreading**[sprédiŋ]; 과거
과분 **spread**[spred]
타 ❶ …을 펴다, 펼치다, 벌리다; (소문 따위)를 퍼뜨리다.
The bird *spread* its wings and flew away. 그 새는 날개를 펴고 날아갔다.
Mrs. Grey *spread* a cloth on the table. 그레이 부인은

식탁에 상보를 폈다.
He *spread* the news all over the town. 그는 그 소식을 온 시내에 퍼뜨렸다.
❷ (넓고 얇게) 바르다.
Betty is *spreading* butter on the bread. 베티는 빵에 버터를 바르고 있다.
— 자 퍼지다, (넓게) 번지다, 펼쳐지다.
The rumor is *spreading* rapidly. 그 소문은 빨리 퍼지고 있다.
The fire *spread* rapidly.
화재는 빨리 번졌다.

*spring [spriŋ] 명
복수 **springs**[spriŋz]
❶ 봄.
spring flowers 봄꽃.
spring rain 봄비.
It is *spring* now.
지금은 봄이다.
Spring is the season of hope. 봄은 희망의 계절이다.
Many flowers come out in (the) *spring*. 봄에는 많은 꽃들이 핀다.
He went abroad this *spring*.
그는 금년 봄에 외국에 갔다.
▶「봄에」는 보통 in (the) spring으로 나타나나, this, last, next 따위가 붙으면 in을 쓰지 않음.
❷ 샘(=fountain).
a hot *spring* 온천.
There is a small *spring* in the village. 그 마을에는 작은 샘이 있다.
❸ 용수철, 태엽.
Jim has a toy that works by a *spring*. 짐은 태엽으로 움직이는 장난감을 가지고 있다.
❹ 뛰기, 도약(=jump).
The frog gave a *spring*.
개구리가 팔딱 뛰었다.
— 자 3·단·현 **springs** [spriŋz];
ing형 **springing**[spríŋiŋ]; 과거
sprang [spræŋ] 또는 **sprung**

S

[sprʌŋ]; 과분 **sprung**[sprʌŋ]

❶ 뛰다, 뛰어오르다(=jump).

The rabit *sprang* out of the grass. 토끼가 풀에서 뛰어 나왔다.

John *sprang* up from his seat. 존은 자리에서 벌떡 일어났 다.

❷ (물이) 솟아 나오다, (풀·싹이) 돋다.

The water *springs* from the fountain. 물이 샘에서 솟아 나 온다.

Grass *springs* up in April. 4월에는 풀이 돋아난다.

sprung [sprʌŋ] 동
spring의 과거·과거 분사.

spun [spʌn] 동
spin의 과거·과거 분사.

spy [spai] 명
복수 **spies**[spaiz]
간첩, 스파이; 탐정.

He was a government *spy*. 그는 정부의 스파이였다.

***square** [skwɛər] 명 복수
squares[skwɛərz]

❶ 광장.

They went to see Times *Square* yesterday. 그들은 어제 타임스 광장을 보러 갔다.

참고 square는 큰 길의 교차점 에 있는 사각의 광장으로서, 흔 히 조그만 공원으로 되어 있다. 뉴욕의 Times Square나 런 던의 Trafalgar [trəfǽlgər] Square 따위가 잘 알려져 있다.

❷ 네모꼴, 사각형(의 것). ☞ triangle(세모꼴), circle(원)

draw a *square* 네모꼴을 그리 다.

His land was a *square* only 100 meters on each side. 그의 땅은 각 변이 겨우 100미터인 사각형이었다.

── 형 네모꼴의, 사각의, 평방의.

a *square* table 사각 테이블.

six hundred *square* meters, 600평방 미터.

squeeze [skwi:z] 타
3·단·현 **squeezes**
[skwí:ziz]; ing형 **squeezing**
[skwí:ziŋ]; 과거 과분 **squeezed**
[skwi:zd]

…을 짜다, 압착하다; (과일 따위) 의 즙을 짜다.

squeeze a lemon 레몬즙을 짜 다.

squir·rel [skwə́:rəl] 명
복수 **squirrels**[skwə́:rəlz]
다람쥐.

A *squirrel* is standing on two legs, with a nut in his little hands. 다람쥐 한 마 리가 작은 앞발에 나무 열매를 가 지고 두 발로 서 있다.

***St.**¹ [seint]
Saint(성(聖))의 간략형.

Today is *St.* Valentine's Day. 오늘은 성 발렌타인 축일이 다.

***St.**² [stri:t]
Street(가(街))의 간략형.

29 Fifth *St.* Columbus, Ohio 오하이오 주 컬럼버스 시 5번가 29번지.

The school is on Lincoln *St.* 그 학교는 링컨가에 있다.

sta·ble¹ [stéibl] 형 비교
stabler [stéiblər];
최상 **stablest**[stéiblist]
안정된, 공고한, 튼튼한.

The world needs a *stable* peace. 세계는 안정된 평화가 필 요하다.

sta·ble² [stéibl] 명
복수 **stables**[stéiblz]
마구간.

S

There is a black horse in the *stable*. 마구간에 검정말이 있다.

sta·di·um [stéidiəm] 명

복수 **stadiums**[stéidiəmz]

(야외) 경기장, 스타디움.

Is there a *stadium* in your city?
너의 도시에는 야외 경기장이 있느냐?

They have built a new swimming *stadium* for the Olympic Games. 그들은 올림픽 경기를 위해서 새 수영 경기장을 세웠다.

staff [stæf] 명

복수 **staffs**[stæfs] 또는 **staves**[steivz]

❶ 지팡이, 막대기. ➤ 복수형은 staves.

He walks with a *staff*.
그는 지팡이를 짚고 걷는다.

❷ 《집합적으로》 직원, 사원, 부원(部員); 참모. ➤ 복수형은 staffs. 집합체로 생각할 때에는 단수, 그 구성원으로 생각할 때에는 복수 취급.

Our school has a large [small] teaching *staff*. 우리 학교에는 교직원이 많다[적다].

He is a member of the teaching *staff*. 그는 교직원의 한 사람이다.

General Lee has a *staff* of officers to assist him. 이 장군에게는 그를 보좌하는 참모 장교들이 있다.

*stage [steidʒ] 명

복수 **stages**[stéidʒiz]

❶ 무대.

The *stage* is brightly lit.
무대는 밝게 조명되어 있다.

She appeared on the *stage*. 그녀가 무대에 나타났다.

❷ (성장·발달 따위의) 단계, 시기.

the final *stage* 최종 단계.

in [at] the first *stage* 첫 단계에.

stag·ger [stǽgər] 자 3·단·현

staggers [stǽgərz]; ing형 **staggering** [stǽgəriŋ]; 과거 과분 **staggered**[stǽgərd]

비틀거리다, 비틀거리며 나아가다.

stagger across the street 비틀거리며 거리를 횡단하다.

He *staggered* into the house. 그는 비틀거리며 집으로 들어갔다.

stain [stein] 타

3·단·현 **stains** [steinz]; ing형 **staining** [stéiniŋ]; 과거 과분 **stained**[steind]

…을 더럽히다; …에 착색하다.

The coffee *stained* his shirt brown. 그의 셔츠는 커피가 묻어 갈색으로 얼룩졌다.

— 명 복수 **stains**[steinz]

더럼, 얼룩, 오점.

a coffee *stain* on the tablecloth 식탁보의 커피 얼룩.

stair [stɛər] 명

복수 **stairs**[stɛərz]

(계단의) 한 단(=step); 《복수형으로》 계단.

run up [down] the *stairs* 층계를 뛰어 올라[내려]가다.

He entered his house by the back *stairs*. 그는 뒷계단으로 집에 들어갔다.

stair·case [stéərkèis] 명

복수 **staircases**[stéərkèisiz]

계단 《주위의 벽, 난간, 층계참

S

따위를 포함함》.
A little child fell off the *staircase*. 어린아이가 계단에서 굴러 떨어졌다.

stale [steil] 〔형〕
〔비교〕 **staler** [stéilər]; 〔최상〕 **stalest** [stéilist]
❶ (음식 따위가) **상한, 신선하지 않은**(⇔ fresh 신선한).
stale bread 신선하지 않은 빵.
❷ **신선미가 없는, 써서 낡은, 흔해빠진.**
a *stale* joke 진부한 농담.

stalk [stɔːk] 〔명〕
〔복수〕 **stalks** [stɔːks]
(식물의) **줄기, 대.**
Green leaves are growing on a *stalk*. 푸른 잎이 줄기에서 자라고 있다.

****stamp** [stæmp] 〔명〕
〔복수〕 **stamps** [stæmps]
❶ **우표**(=postage stamp); **인지.**
a ten-cent *stamp*, 10 센트 우표.
My hobby is collecting foreign *stamps*. 나의 취미는 외국 우표 수집이다.

❷ **도장, 스탬프.**
a rubber *stamp* 고무 도장.
a date *stamp* 날짜 도장, 일부인.
— 〔타〕 〔3·단·현〕 **stamps** [stæmps]; 〔ing형〕 **stamping** [stǽmpiŋ]; 〔과거〕 〔과분〕 **stamped** [stæmpt]
❶ **…에 우표를 붙이다.**
Please *stamp* the letter before mailing it. 편지를 부치기 전에 우표를 붙여라.
❷ **(도장 따위)를 찍다; …에 날인하다.**

He *stamped* his seal on the papers. = He *stamped* the papers with his seal. 그는 서류에 도장을 찍었다.

*****stand** [stænd] 〔동〕 〔3·단·현〕
stands [stændz]; 〔ing형〕 **standing** [stændiŋ]; 〔과거〕 〔과분〕 **stood** [stud]
〔자〕 ❶ **서다, 일어서다, 서 있다.**
Don't *stand* in my way. 내가 지나는 길에 서 있지 마라.
She kept *standing* for two hours. 그녀는 두 시간 동안 서 있었다.
We need a man to *stand* at the gate. 우리는 문에 서 있을 사람이 필요하다.
They *stood* in (a) line for the bus. 그들은 버스를 타려고 줄지어 서 있었다.
❷ **(건물 따위가) 있다, 위치하다.**
"Where does the church *stand*?" "It *stands* on the hill." 「그 교회는 어디 있느냐?」 「언덕 위에 있다.」
❸ (어떤 상태에) **있다** (=remain).
The gate *stood* open. 문이 열려 있었다.
— 〔타〕 ❶ **…을 세우다, 서게 하다.**
He *stood* his umbrella against the wall. 그는 우산을 벽에 기대어 세웠다.
❷ **…을 참다, 견디다.** ▶ 대개 부정문·의문문에서 can과 함께 씀.
I can't *stand* him. 나는 그에 대해 참을 수가 없다.
I can't *stand* that noise. 저 소리에는 견딜 수가 없다.
No standing! 《게시》 **주정차 금지.**
stand by 1. **옆에 있다.**
I only *stood by* and did nothing. 나는 옆에 있었을 뿐 아무 것도 하지 않았다.
2. **…을 도와주다; 지지하다, 편들다.**
He *stood by* me when I

〔S〕

was sick. 그는 내가 아플 때,
나를 도와주었다.
They *stood by* me to the
last. 그들은 끝까지 나를 지지하
였다.
stand for …을 나타내다, 뜻하다.
What do the letters UN
stand for? UN이란 글자는 무엇
을 나타내느냐?
VIP *stands for* Very
Important Person. VIP는 매우
중요한 사람을 뜻한다.
stand on *one's hands*〔*head*〕
물구나무서다.
Bill can *stand on his
hands*. 빌은 물구나무를 설 수
있다.
*****stand up*** 일어서다.
He *stood up* straight.
그는 똑바로 일어섰다.
Stand up and say your
name. 일어서서 네 이름을 말해
라.
── 명 복수 **stands**[stǽndz]
❶ 《종종 복수형으로》 (야구장 따
위의) **스탠드, 관람석.**
There were many people in
the *stands*. 스탠드에는 많은
사람이 있었다.
❷ **매점, 노점.**
a newspaper *stand* 신문 판매
점.
We had lunch at a hot-dog
stand. 우리는 핫도그 매점에서
점심을 먹었다.
❸ …대(臺); …꽂이, …걸이.
a music *stand* 악보대.
an umbrella *stand* 우산꽂이.

stand·ard [stǽndərd]
명
복수 **standards**[stǽndərdz]
❶ **표준, 기준, 수준.**
a high *standard* of living
높은 생활 수준.
❷ **기**(=flag).
They fought under the
standard of freedom. 그들은
자유의 깃발 아래 싸웠다.

── 형 **표준의.**
a *standard* size 표준 사이즈.
He speaks *standard* English.
그는 표준 영어를 한다.

> 참고 미국에서는 북동부 해안
> 지방과 남부의 사투리가 섞인
> 영어를 제외하고, 중서부 전역
> 에 걸쳐 쓰이고 있는 영어를 일
> 반 미어(General American)
> 라고 하여 표준 영어로 보며,
> 라디오, 텔레비전 등의 아나운
> 서도 이 말을 쓰고 있다. 영국
> 에서는 런던을 중심으로 한 영
> 국 남부의 교육을 받은 사람들
> 이 쓰는 영어를 표준 영어로 보
> 고 있다.

stand·ard time [stǽndərd
tàim] 명
《a와 복수형 안 씀》 **표준시.**

> 참고 미국에서는 서경 75°,
> 90°, 105°, 120°에서의 평균시
> (시차는 각각 1시간)를 표준시
> 로 하여, 이것을 각각 Eastern
> Standard Time, Central
> Standard Time, Mountain
> Standard Time, Pacific
> Standard Time이라 한다.

*****star** [stɑːr] 명 복수 **stars**[stɑːrz]
❶ **별; 별표.**
The *stars* are shining in the
sky. 별이 하늘에 빛나고 있다.
The night sky was filled
with *stars*. 밤하늘은 별들로 가
득하였다.
❷(영화・스포츠의) **인기인, 스타.**
a movie〔film〕 *star* 인기 영
화 배우.
a baseball *star* 인기 야구 선
수.

star·fish [stáːrfiʃ]
명
복수 **starfish(es)**[stáːrfiʃ(iz)]
불가사리.
I have a *starfish* in my

aquarium. 나의 어항에는 불가사리가 있다.

Stars and Stripes

[stáːrz ənd stráips] 명
《the를 붙여》 성조기(《미국 국기》).
The *Stars and Stripes* is the national flag of the United States. 성조기는 미국의 국기다.

> 참고 빨갛고 하얀 13개의 가로줄(stripes)은 독립 당시의 13주를 나타내고, 파란 바탕에 하얗게 그려진 50개의 별(stars)은 현재의 50주를 나타낸다.
>
>

*stare [stɛər] 자
③·단·현 **stares** [stɛərz] ;
ing형 **staring** [stɛ́əriŋ] ; 과거 과분
stared [stɛərd]
빤히 보다, 뚫어지게 보다.
She *stared* at him.
그녀는 그를 뚫어지게 보았다.
You shouldn't *stare*. It's rude. 빤히 쳐다보면 못 쓴다. 그건 실례다.

**start [staːrt] 동
③·단·현 **starts** [staːrts] ;
ing형 **starting** [stáːrtiŋ] ; 과거
과분 **started** [stáːrtid]
자 ❶ 출발하다, 떠나다(⇔ arrive 도착하다).
They *started* for the bus stop. 그들은 버스 정류장을 향해 출발했다.
The ship *started* on its first journey. 그 배는 처녀 항해를 출발했다.
The train will *start* at six this evening. 열차는 오늘 저녁 6시에 출발한다.

> 비슷한 말 **start** 와 **leave**
> 모두 「출발하다, 떠나다」란 뜻이지만, start는 자동사이고 leave는 타동사이다. 따라서 「…을 출발하다, 떠나다」라고 할 때 start는 뒤에 전치사가 필요하지만 leave는 필요치 않다.
> He *started from* Seoul *for* New York. =He *left* Seoul *for* New York. 그는 서울을 떠나 뉴욕으로 향했다.

❷ 시작하다(=begin, ⇔ end 끝나다); 생기다, 일어나다.
When does your school *start*? 너의 학교는 언제 시작하느냐?
The fire *started* near his house. 그 불은 그의 집 근처에서 일어났다.
── 타 ❶ …을 시작하다(=begin, ⇔ stop 그만두다);《**start to do** / **start**+**-ing**형으로》 …하기 시작하다.
They *started* a new business. 그들은 새로운 사업을 시작했다.
We *started* to eat. = We *started eating*. 우리는 먹기 시작했다.
❷ (기계 따위)를 움직이다, 시동하다(⇔ stop 멈추다).
Tom couldn't *start* the engine. 톰은 엔진에 시동을 걸 수가 없었다.
Mr. Black *started* the train.
블랙씨는 열차를 움직이게 했다.
to start with 우선, 첫째로 (=to begin with).
To start with, he has no money. 그는 우선 돈이 없다.
To start with, you have to get up early. 첫째로 너는 일찍 일어나야 한다.
── 명 복수 **starts** [staːrts]
출발; 출발점, 최초.

S

at the *start* 처음에는.
from the *start* 처음부터.
They made an early *start*.
그들은 일찍 출발하였다.

star·tle [stá:rtl] 〔타〕 〔3·단·현〕
startles [stá:rtlz] ;
〔ing형〕 **startling** [stá:rtliŋ] ; 〔과거〕
〔과분〕 **startled** [stá:rtld]
…을 깜짝 놀라게 하다.
I was *startled* at the sight.
나는 그 광경을 보고 깜짝 놀랐다.
She was *startled* at the
news of his death. 그녀는 그
의 사망 소식을 듣고 깜짝 놀랐다.

starve [sta:rv] 〔동〕 〔3·단·현〕
starves [sta:rvz] 〔ing형〕
starving [stá:rviŋ] ; 〔과거〕 〔과분〕
starved [sta:rvd]
〔자〕 굶주리다, 배곯다; 굶어 죽다.
Many people in the world
are *starving*. 세계의 많은 사람
들이 굶주리고 있다.
He *starved* to death.
그는 굶어 죽었다.
── 〔타〕 …을 굶기다; 굶겨 죽이다.
I'm *starved*. (=I'm starving.)
나는 배가 고프다.

*****state** [steit] 〔명〕
〔복수〕 **states** [steits]
❶ (미국의) 주(州).
the *state* of California 캘리
포니아 주.
a *state* college 주립 대학.
There are fifty *states* in
the United States. 미국에는
50 개의 주가 있다.
❷ 나라, 국가.
a welfare *state* 복지 국가.
state forests 국유림.
India is an independent
state. 인도는 독립국이다.
❸ 《보통 단수형으로》 상태, 형편,
사정.
the *state* of the world 세계
정세.
She is in a poor *state* of
health. 그녀의 건강 상태는 좋지
않다.

── 〔타〕 〔3·단·현〕 **states** [steits] ;
〔ing형〕 **stating** [stéitiŋ] ; 〔과거〕 〔과분〕
stated [stéitid]
…을 말하다, 진술하다.
He *stated* his opinion.
그는 자신의 의견을 말했다.
Mr. Grey *stated* the facts
in detail. 그레이씨는 그 사실을
상세히 말하였다.
☞ 〔명〕 statement

state·ment [stéitmənt]
〔명〕
〔복수〕 **statements** [stéitmənts]
진술, 성명; 성명서.
a joint *statement* 공동 성명.
He made a bold *statement*.
그는 대담한 진술을 하였다.
☞ 〔동〕 state

states·man [stéitsmən]
〔명〕
〔복수〕 **statesmen** [stéitsmən]
정치가. ➤ statesman은 좋은 뜻
으로 쓰나, politician은 「정치
꾼」 따위와 같이 나쁜 뜻을 포함
할 때가 있음.
Lincoln was a great *states-
man*. 링컨은 위대한 정치가였다.

states·men [stéitsmən]
〔명〕
statesman의 복수.

※sta·tion [stéiʃən] 〔명〕 〔복수〕
stations [stéiʃənz]
❶ 역, 정거장, (버스·전차의)
정류장. ☞ stop
Seoul *station* 서울역. ➤ 역 이
름에는 the를 붙이지 않음.
a terminal *station* 종착역.
Change trains at the next
railroad *station*. 다음 역에서
열차를 바꿔 타십시오.
Please come to see me at
the bus *station*. 버스 정류장
으로 나를 마중 나와 주십시오.

┌─────────────────────
│ 〔참고〕 bus station은 보통 대
│ 합실이나 개찰구 따위가 있
│ 는 버스 정류장을 가리키며, 매
│ 점, 변소 따위의 설비도 갖추어

져 있다. bus stop(버스 정류
장)과는 다르다.

❷ (관공서 따위의) **국**(局), 서
(署), 소(所); **사업소.**
a police *station* 경찰서.
a fire *station* 소방서.
a radio *station* 라디오 방송국.
a weather *station* 기상 관측소.
a gas 〔filling〕 *station* 주유소.

sta·tion·er·y [stéiʃənèri]
명
《a와 복수형 안 씀》 **문방구.**
I keep my *stationery* in my
desk drawer. 나는 책상 서랍에
문방구를 넣어 둔다.

stat·ue [stǽtʃuː] 명
복수 statues[stǽtʃuːz]
상(像), **조상**(彫像).
The *Statue* of Liberty gives
hope to many people. 자유
의 여신상은 많은 사람들에게 희
망을 준다.

───────────────

참고 자유의 여신상(the Stat-
ue of Liberty)은 뉴욕 만의
리버티 섬에 있는 동상으로서
높이 305 피트(약 91 미터)인
세계 최대의 동상이다. 1886년
미국 건국 100년을 축하하여 프
랑스가 자유의 상징으로서 미국
에 기증한 것.

───────────────

sta·tus [stéitəs, stǽtəs] 명
《a와 복수형 안 씀》
❶ (사회적) **지위**; **자격**; **신분.**
low social *status* 낮은 사회적
지위.

❷ **상태, 사정, 정세.**
What is the *status* of the
order? 그 주문의 진행 상태는
어떠니?

staves [steivz] 명
staff의 복수의 하나.

stay [stei] 자 3·단·현 stays
[steiz]; ing형 **staying**
[stéiiŋ]; 과거 과분 **stayed**[steid]
❶ **머무르다, 체재하다, 묵다.**
So you must *stay* at
home. 그러니까 너는 집에 있어
야 한다.
Please come and *stay* with
us. 와서 우리 집에 머무르려무나.
How long will you *stay* in
America? 미국에 얼마나 체재하
실 거죠?
❷ 《stay＋형용사로》 …한 상태로
계속되다, …한 채로 있다 (＝
remain).
The weather *stayed* bad.
나쁜 날씨가 계속되었다.
Nancy's mother *stays*
young. 낸시 어머니는 언제나 젊
으시다.
*___stay away from___ …에서 떨어져 있
다; (학교·수업 따위)를 쉬다.
They *stayed away from* the
place. 그들은 그 곳에 근접하지
않았다.
He *stayed away from* school
for a week. 그는 1주일 동안
학교를 쉬었다.
___stay in bed___ 자고 있다, 침대에 누
워 있다.
Stay in bed for two days.
이틀 동안 침대에 누워 있어라.
*___stay up___ (자지 않고) 일어나 있다.
I *stayed up* all night to
write it.
나는 그것을 쓰려고 밤새 자지 않
고 있었다.
── 명 복수 **stays**[steiz]
체재.
make a long *stay* 오래 묵다.
After a week's *stay* in
Seoul, I flew to Hong Kong.

서울에서 1주일 머무른 뒤. 나는 비행기로 홍콩에 갔다.
I met him during my *stay* in America. 나는 미국에 머무르는 동안 그를 만났다.

stead·i·ly [stédili] 부
착실히, 꾸준히.
The old man walked *steadily*. 노인은 꾸준히 걸었다.

stead·y [stédi] 형 비교
steadier [stédiər] ;
최상 **steadiest** [stédiist]
착실한, 확고한, 흔들리지 않는.
Frank is a *steady* young man. 프랭크는 착실한 젊은이다.
Slow and *steady* wins the race. 《속담》 찬찬하고 꾸준한 것이 이긴다 《드문드문 걸어도 황소걸음》.

steak [steik] 명
복수 **steaks** [steiks]
스테이크, 비프스테이크 (=beef-steak).
"How do you like your *steak*?" "Medium, please. Not well-done." 「스테이크는 어떻게 해드릴까요?」「중간 정도로 익혀 주세요. 완전히 익히지 말고.」

참고 스테이크를 주문할 때는 어느 정도로 익힐지를 지시한다. rare 설익힌 《겉만 익히고 속은 거의 날고기인 상태》 / medium 보통으로 익힌 / well-done 잘 익힌.

***steal** [sti:l] 동 3·단·현 **steals**
[sti:lz] ; ing형 **stealing**
[stí:liŋ] ; 과거 **stole** [stoul] ;
과분 **stolen** [stóulən]
타 (몰래) …을 훔치다. ☞ rob
Someone *stole* my money. 누군가가 내 돈을 훔쳤다.
I had my watch *stolen*. = My watch was *stolen*. 나는 시계를 도둑맞았다.
── 자 도둑질하다, 훔치다 ; 살그머니 가다〔오다〕.

You shouldn't *steal*. *Stealing* is wrong. 훔쳐서는 못 쓴다. 훔치는 것은 나쁘다.
He *stole* into the house. 그는 집 안으로 살그머니 들어갔다.

***steam** [sti:m] 명
《a와 복수형 안 씀》 김, 수증기.
Mr. Brown's house is heated by *steam*. 브라운씨 집은 스팀으로 난방이 되어 있다.
James Watt invented the *steam* engine. 제임스 와트는 증기 기관을 발명하였다.

steam·er [stí:mər]
복수 **steamers** [stí:mərz]
기선.

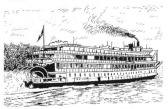

The *steamer* is scheduled to sail on Monday. 그 기선은 월요일에 출항하기로 되어 있다.

steam·ship [stí:mʃip] 명
복수 **steamships** [stí:mʃips]
(대양을 항해하는 대형의) 기선, 상선.
A *steamship* leaves every other day. 기선은 하루 걸러 출항한다.

***steel** [sti:l] 명
《a와 복수형 안 씀》 강철. ☞ iron (철)
These tools are made of *steel*. 이 도구들은 강철로 만들어졌다.

steep [sti:p] 형
비교 **steeper** [stí:pər] ;
최상 **steepest** [stí:pist]
가파른, 급경사가 진.

Roy and Frank went up a *steep* hill. 로이와 프랭크는 가파른 언덕을 올라갔다.

stee·ple [stíːpəl] 명 복수 **steeples** [stíːpəlz]
(교회 따위의) 뾰족탑.
I looked up at the *steeple* of the church. 나는 교회의 뾰족탑을 쳐다보았다.

steer [stiər] 타·자 3·단·현 **steers** [stiərz] ; ing형 **steering** [stíəriŋ] ; 과거 과분 **steered** [stiərd]
(배·자동차·비행기를) 조종하다.
a *steering* wheel (자동차의) 핸들.
The captain *steered* the ship through the high waves. 선장은 높은 파도를 헤치고 배를 조종했다.

stem [stem] 명 복수 **stems** [stemz]
(초목의) 대, 줄기; 줄기 비슷한 것.
Flowers and leaves get water through the tube in the *stem*. 꽃과 잎들은 줄기 속의 관을 통해 물을 얻는다.

***step** [step] 명 복수 **steps** [steps]
❶ (계단의) 한 층계; 《복수형으로》 (집 밖의) 계단. ▶ 집 안의 계단은 stairs.
the top [bottom] *step* of stairs 층계의 맨 윗[아랫]단.
Roy went up the stone *steps* of a big temple. 로이는 큰 사원의 돌계단을 올라갔다.
❷ 걸음, 한 걸음; 걸음걸이, 보조.
take a *step* forward [back] 한 걸음 나아가다 [물러나다].
Watch your *step*!
조심해서 걸어라.
Mr. Brown has a quick *step*. 브라운씨는 걸음이 빠르다.
❸ 수단, 방법, 조치.
a *step* in the right direction 올바른 조치, 유효한 대책.

He took all possible *steps* to succeed. 그는 성공하기 위해서 가능한 수단을 다 취했다.
step by step 한 걸음 한 걸음, 조금씩, 착실히.
We should learn *step by step*. 우리는 착실히 (단계적으로) 배워야 한다.
── 자 3·단·현 **steps** [steps] : ing형 **stepping** [stépiŋ] : 과거 과분 **stepped** [stept]
걷다, 걸음을 옮기다.
Please *step* this way.
이쪽으로 오십시오.
Mr. Black *stepped* out into the street. 블랙씨는 거리로 나섰다.
step aside 옆으로 비키다.
Step aside! 비켜!
He *stepped aside* for an old man. 그는 노인에게 길을 양보했다.

stepped [stept] 동
step의 과거·과거 분사.

step·ping [stépiŋ] 동
step의 -ing형.

stern¹ [stəːrn] 형 비교 **sterner** [stə́ːrnər] : 최상 **sternest** [stə́ːrnist]
엄격한, 엄한 (=strict).
a *stern* father 엄한 아버지.

stern² [stəːrn] 명 복수 **sterns** [stəːrnz]
고물 (⇨ bow 이물).
He is in the *stern* of the boat. 그는 보트 뒤쪽에 있다.

Ste·ven·son [stíːvənsən] 명
스티븐슨.
Robert Louis [rábərt luis] **Stevenson** 로버트 루이스 스티븐슨 (1850-94).

참고 스코틀랜드 태생의 영국의 소설가·시인. 명작 「보물섬 (Treasure Island)」 이외에 많은 소설과 시를 남겼다.

stew [stju:] 명
《a와 복수형 안 씀》 스튜.
I had beef *stew* for dinner.
나는 저녁으로 쇠고기 스튜를 먹
었다.

stew·ard [stjúːərd]
명
복수 **stewards** [stjúːərdz]
(여객기·기선 따위의) **남자 승무
원, 스튜어드**(⇨ stewardess 여
승무원).
There were two *stewards*
on the plane. 비행기에는 남자
승무원이 둘 있었다.

stew·ard·ess [stjúːərdis]
명 복수
stewardesses [stjúːərdisiz]
(여객기·기선 따위의) **여승무원,
스튜어디스** (⇨ steward 남자 승
무원).
One of the *stewardesses*
showed me where to sit.
스튜어디스 중의 한 사람이 내가
앉을 자리를 가리켜 주었다.

*****stick** [stik] 명
복수 **sticks** [stiks]
❶ **막대기.**
He tied the *sticks* together.
그는 막대기를 (다발로) 묶었다.
❷ **지팡이**(=walking stick).
My grandfather walks with
a *stick*. 할아버지는 지팡이를 짚
고 다니신다.
── 동 ③·단·현 **sticks** [stiks] :
ing형 **sticking** [stíkiŋ] : 과거 과분
stuck [stʌk]
타 ❶ **…을 찌르다.**
I *stuck* my finger with a
pin. = I *stuck* a pin in
〔into〕 my finger. 나는 손가락

을 핀으로 찔렀다.
A pin *stuck* me in the
finger. 나는 손가락을 핀에 찔렀
다.
❷ **…을 붙이다, 들러붙게 하다:**
stick a stamp on a letter
편지에 우표를 붙이다.
── 자 ❶ **찔리다, 박히다; 달라붙
다.**
A fish bone *stuck* in her
throat. 생선 가시가 그녀의 목구
멍에 걸렸다.
The arrow *stuck* in the
tree. 화살이 나무에 박혔다.
Something *stuck* on my
foot. 무엇이 내 발에 달라붙었다.
stick out **…을 내밀다.**
She *stuck out* her tongue
at me. 그녀는 나에게 혀를 삐죽
내밀었다《경멸의 표시》.
stick to **…에 달라붙다; (주의·주
장 따위)에 집착하다.**
Mud has *stuck to* my
shoes. 진흙이 내 신발에 들러붙
었다.
Stick to your job.
네 일에 충실해라.

sticker [stíkər]
명
복수 **stickers** [stíkərz]
스티커.
She collects *stickers* as a
hobby. 그녀는 취미로 스티커를
수집한다.

stick·y [stíki] 형
비교 **stickier** [stíkiər] :
최상 **stickiest** [stíkiist]
**끈적끈적한, 달라붙는; (날씨 따위
가) 습기가 많은, 무더운.**
The paint is still *sticky*.
페인트는 아직 끈적거린다.
The weather is *sticky* today.
오늘은 날씨가 후덥지근하다.
It's warm and *sticky* inside
the train. 열차 안은 덥고 습기
가 많다.

stiff [stif] 형 비교 **stiffer** [stífər] :
최상 **stiffest** [stífist]

딱딱한, 뻣뻣한, 경직된 (⇔ soft
연한); 거북스런.
a *stiff* brush 털이 뻣뻣한 솔.
a *stiff* smile 거북스런 웃음.
stiff toothpaste 딱딱하게 굳은
치약.
I've got a *stiff* neck. 목이 뻣
뻣해져 잘 돌려지지 않는다 《잠
따위를 불편하게 잤을 때》.

**still [stil] 倶 ❶ 아직, 지금도, 여전히. ►
이전의 동작이나 상태가 아직까지
계속되고 있는 경우에 씀. ☞ yet
It's *still* cold in March.
3월인데도 여전히 춥다.
Is it *still* snowing?
아직도 눈이 오느냐?
Korea is the only country
on earth that is *still* divided.
한국은 아직도 분단된 지구 상의
유일한 국가다.
❷ 《비교급을 강조하여》 더 한층,
훨씬 더.
He is clever, but his sister
is *still* cleverer. 그도 영리하지
만, 그의 누이는 훨씬 더 영리하다.
❸ 《접속사처럼 쓰여》 그래도,
그럼에도, …하지만.
I was tired, but I *still*
walked on. 나는 피곤했지만 그
래도 계속 걸었다.
── 혱 비교 **stiller**[stílər]; 최상
stillest[stílist]
❶ 고요한, 소리 없는, 잠잠한(=
quiet).
a *still* morning 조용한 아침.
The night was very *still*.
밤은 아주 고요했다.
❷ 움직이지 않는.
He sat *still* on the chair.
그는 의자에 가만히 앉아 있었다.
Keep *still*! Don't move.
가만 있어! 움직이지 마라.
Still waters run deep.
《속담》 잔잔한 물이 깊다 《생각이
깊은 사람은 말이 적다》.

still·ness [stílnis] 몡

《a와 복수형 안 씀》 고요함, 평온.
A wild cry suddenly broke
the *stillness* of the night.
사나운 울부짖음이 갑자기 밤의
정적을 깨뜨렸다.

sting [stiŋ] 타 3·단·현 **stings**
[stiŋz]; ing형 **stinging**
[stíŋiŋ]; 과거 과분 **stung**[stʌŋ]
…을 찌르다, (벌 따위가) 쏘다.
A bee *stung* me on the
arm. 벌이 내 팔을 쏘았다.
── 몡 복수 **stings**[stiŋz]
찌르기, 쏘기; (벌 따위의) 침,
(식물의) 가시.
got a *sting* from a bee 벌에
게 한 방 쏘이다.
A bee dies when it loses its
sting. 벌은 침을 잃으면 죽는다.

stin·gy [stíndʒi] 혱 비교
stingier [stíndʒiər];
최상 **stingiest**[stíndʒiist]
인색한.
He is good but very *stingy*.
그는 좋은 사람이지만 아주 인색
하다.

stir [stər] 타 3·단·현 **stirs**
[stərz]; ing형 **stirring**[stə́:-
riŋ]; 과거 과분 **stirred**[stərd]
…을 휘젓다, 뒤섞다; (가볍게) 움
직이다.
She *stirred* her coffee with
a spoon. 그녀는 스푼으로 커피
를 저었다.
The wind *stirred* the leaves
of the trees in the yard. 바
람에 뜰에 있는 나무의 잎들이 흔
들렸다.

stitch [stitʃ] 몡
복수 **stitches**[stítʃiz]
한 바늘, 한 땀.
A *stitch* in time saves nine.
《속담》 제때의 한 땀 아홉 땀의
수고 던다.

stock [stak] 몡
복수 **stocks**[staks]
❶ (나무의) 줄기, 그루터기.
❷ (상품 등의) 재고(품); 저장
(품).

S

a *stock* of food 식량의 저장.
be in 〔out of〕 *stock* 재고가 있다〔없다〕.
The store has a large *stock* of toys. 그 상점에는 장난감 재고가 많다.
❸ 주식.
Railroad *stock* is going up. 철도 주식이 오르고 있다.

***stock·ing** [stákiŋ] 뗑

〔복수〕 **stockings**[stákiŋz]
《보통 복수형으로》 긴 양말; 스타킹. ☞ sock(짧은 양말)
She bought two pairs of *stockings*. 그녀는 스타킹 두 켤레를 샀다. ➤ 무릎 아래까지 오는 양말을 가리킬 때도 있음.

***stole** [stoul] 뙹
steal의 과거.

***sto·len** [stóulən] 뙹
steal의 과거 분사.
I had my wallet *stolen* in a crowded train. 나는 만원 열차에서 지갑을 도둑맞았다.

***stom·ach** [stʌ́mək] 뗑

〔복수〕 **stomachs**[stʌ́məks]
위(胃), 배, 복부.
I hurt my *stomach* by eating too much. 나는 과식으로 위를 해쳤다.
You have an empty *stom-ach*. 너 배가 고프구나.

stom·ach·ache [stʌ́mək-èik] 뗑

〔복수〕**stomachaches**[stʌ́məkèiks]
배탈, 복통.
I had a bad *stomachache*. 나는 배가 심하게 아팠다.

***stone** [stoun] 뗑

〔복수〕 **stones**[stounz]
❶ (낱낱의) 돌, 돌멩이.
He threw a *stone* into the pond. 그는 연못에다 돌을 던졌다.
A rolling *stone* gathers no moss. 《속담》 구르는 돌에는 이끼가 끼지 않는다.

To kill two birds with one *stone*. 《속담》 일석이조.
❷ 《a와 복수형 안 씀》 석재, 돌.
a *stone* wall 돌담.
The house is made of *stone*. 그 집은 석조이다.
❸ 보석; (복숭아 따위의) 씨.
a ring set with five *stones* 보석 5개를 박은 반지.
a peach *stone* 복숭아 씨.

***stood** [stud] 뙹 **stand**의 과거·과거 분사.
Roy *stood* up and opened the window. 로이는 일어서서 창문을 열었다.

stool [stu:l] 뗑
〔복수〕 **stools**[stu:lz]
(등 없는) 의자, 걸상. ☞ chair
Betty sat on the *stool* and ordered a cup of coffee. 베티는 걸상에 앉아서 커피 한 잔을 주문하였다.

stoop [stu:p] 자 〔3·단·현〕
stoops[stu:ps]; 〔ing형〕
stooping [stú:piŋ]: 〔과거〕〔과분〕
stooped[stu:pt]
(앞으로) 몸을 굽히다〔구부리다〕.
He *stooped* to put on his shoes. 그는 신발을 신으려고 몸을 구부렸다.

***stop** [stap] 뙹 〔3·단·현〕 **stops**
[staps]; 〔ing형〕 **stopping**
[stápiŋ]: 〔과거〕〔과분〕 **stopped**
[stapt]
타 ❶ (움직이고 있는 것)을 멈추게 하다, 세우다(⇔ start 움직이다).
He *stopped* the bus.
그는 버스를 세웠다.
❷ (행동 따위)를 그만두다, 중지하다; 《stop＋-ing형으로》 …하는 것을 그만두다.
He decided to *stop* the work. 그는 그 일을 그만두기로 결심했다.
I *stopped* drinking.
나는 술을 끊었다.
We wanted to *stop* his speech. 우리는 그의 이야기를

중지시키고 싶었다.

— 困 ❶ 멈추다, 멈춰서다; (비
따위가) 그치다.

The bus *stops* here.
그 버스는 여기에 선다.
I *stopped* to talk with him.
나는 그와 이야기 하기 위해 섰다.
The rain has *stopped*.
비가 그쳤다.

「일단 정지」 표지

❷ ((stop at으로)) (여관 따위)에
묵다, 머무르다.

He *stopped* at a little
hotel. 그는 작은 호텔에 묵었다.

어법 **stop+-ing** 와 **stop to
do**

stop +-ing는 「…하는 것을 그
만두다」란 뜻으로, 이 때의
stop은 타동사이다. stop to
do는 「…하기 위해서 멈춰 서
다」 또는 「멈춰 서서 …하다」란
뜻으로, 이 때의 stop은 자동
사이다.
He *stopped smoking*.
그는 담배를 끊었다.
He *stopped to smoke*. 그
는 담배를 피우려고 멈춰 섰다.

---

stop by (다른 곳에 가는 도중에)
잠시 들르다.

Stop by anytime you like.
언제든지 편리하실 때 들르세요.
Stop it ! (그런 시시한 짓) 그만둬.
stop over 잠시 머무르다, 도중 하
차하다.

He'll *stop over* in Hong
Kong on his way to

London. 그는 런던으로 가는 길
에 홍콩에 잠시 머무를 것이다.

— 명 복수 **stops** [staps]
❶ 멈춤, 정지, 중지, 정차; (버
스 따위의) 정류장, 착륙장.
☞station

make a five-minute *stop*, 5
분간 정지〔정차〕하다.
He ran to the bus *stop*.
그는 버스 정류장으로 달렸다.
I'm getting off at the next
stop. 나는 다음 정류장에서 내리
겠다.
We'll have a short *stop* here,
and you can get off the
bus. 여기서 잠깐 정차하니까, 버
스에서 내려도 된다.

❷ (단기간의) 체류, 숙박.

I made a ten-day *stop* in
Paris. 나는 파리에서 10일간 체
류했다.

come to a stop 멈춰 서다.

The bus *came to a* sudden
stop. 버스가 급정거했다.

stopped [stapt]
동

stop의 과거 · 과거 분사.
It has *stopped* raining.
비가 멎었다.

stop·ping [stápiŋ] 동
stop의 -ing형.

store [stɔːr] 명
복수 **stores** [stɔːrz]
❶ 가게, 상점. ☞ shop

Mrs. Green bought some
eggs at a *store*. 그린 부인은
가게에서 달걀을 좀 샀다.
The *store* opens at ten in
the morning and closes at
eight in the evening. 그 가
게는 아침 10시에 열고 저녁 8시
에 닫는다.

❷ 저축, 저장, 비축.

We have a good *store* of
food. 우리는 충분한 식료품이 비
축되어 있다.

— 타 3·단·현 **stores** [stɔːrz] ;
ing형 **storing** [stɔːriŋ] ; 과거 과분

S

stored [stɔːrd]
…을 저축하다, 저장하다.
Thousands of books are *stored* in the school library.
학교 도서관에는 수천 권의 책이 갖추어져 있다.
Ants *store* up food for the winter. 개미들은 겨울에 대비하여 먹이를 저장해둔다.

store·keep·er [stɔ́ːrkìːpər] 명 복수
storekeepers [stɔ́ːrkìːpərz]
가게 주인, 소매 상인.
Mr. Grey is a *storekeeper*.
그레이씨는 가게 주인이다.

sto·ries [stɔ́ːriz] story¹²의 복수.

stor·ing [stɔ́ːriŋ] 동
store의 -ing형.

stork [stɔːrk] 명 복수 **storks** [stɔːrks]
황새.
There is a super-stition that babies are brought by *storks*. 아기는 황새가 데려다 준다는 미신이 있다.

참고 황새는 쓰지 않는 높은 굴뚝 같은 데에 둥지를 만들기도 한다. 이 둥지가 있는 집은 행운이 찾아오며, 갓난아이는 이 새가 데려다 준다는 이야기가 전해지고 있다.

storm [stɔːrm] 명 복수 **storms** [stɔːrmz]
큰비, 폭풍우.
There was a *storm* last night. 지난 밤에는 폭풍우가 몰아쳤다.
After a *storm* comes a calm. 《속담》 폭풍우 뒤에는 고요가 온다 《비온 뒤에 땅이 굳어진다》. ☞ 형 stormy

storm·y [stɔ́ːrmi] 형 비교 **stormier** [stɔ́ːrmiər] ;

최상 **stormiest** [stɔ́ːrmiist]
폭풍우의.
I'm afraid we will have a *stormy* night. 밤에 폭풍우가 몰아칠 것 같구나. ☞ 명 storm

sto·ry¹ [stɔ́ːri] 명 복수 **stories** [stɔ́ːriz]
이야기; 동화; (단편) 소설.
a true *story* 실화.
a short *story* 단편 소설. ▶「장편 소설」은 novel.
John's uncle told his *story* to Korean students. 존의 삼촌은 한국 학생들에게 자신의 이야기를 해주었다.
The *story* was written by Mark Twain. 그 소설은 마크 트웨인이 썼다.

sto·ry² [stɔ́ːri] 명 복수 **stories** [stɔ́ːriz]
(집·건물의) 층. ☞ floor
the upper *story* 위층.
a two-*story* house, 2층집.
My house has two *stories*.
내 집은 2층이다.
▶ 영국에서는 storey로 씀.

비슷한 말 **story 와 floor**
모두 「층」이란 뜻이나, story는 보통 건물 전체의 층수를 말할 때 쓰고, floor는 건물 내부의 특정한 층을 가리킬 때 쓴다.
a building of ten *stories* 10층 건물 / His office is on the third *floor*. 그의 사무실은 3층에 있다.

sto·ry·tell·er [stɔ́ːritèlər] 명 복수 **storytellers** [stɔ́ːritèlərz]
이야기꾼, 만담가; 소설 작가.
He is a good *storyteller*.
그는 훌륭한 이야기꾼이다.

stout [staut] 형 비교 **stouter** [stáutər] ; 최상 **stoutest** [stáutist]
(물건이) 단단한, 튼튼한; (사람이) 뚱뚱한, 살찐.

a *stout* ship 튼튼한 배.
a *stout* man 뚱뚱한 사람.

***stove** [stouv] 명
복수 **stoves** [stouvz]
난로; (요리용의) 화덕.
We use oil *stoves* for heating.
우리는 난방에 석유 난로를 쓴다.
Mrs. Brown cooks on a
gas *stove*. 브라운 부인은 가스
화덕에서 요리를 한다.

***straight** [streit] 부 형 비교
straighter [stréitər] ;
최상 **straightest** [stréitist]
부 곧장, 똑바로.
The pitcher threw the ball
fast and *straight*. 그 투수는
빠른 직구를 던졌다.
Go *straight* on and you
will soon find the park. 곧
장 가면 곧 공원이 보일 것이다.
Stand *straight*. 똑바로 서라.
── 형 ❶ 똑바른, 일직선의.
We went down a *straight*
road. 우리는 똑바른 길을 내려갔다.
Mr. Brown drew a *straight*
line. 브라운씨는 직선을 하나 그
었다.
❷ 정직한, 솔직한.
give a *straight* answer 정직
하게 대답하다.

strain [strein] 타 3·단·현
strains [streinz] ; ing형
straining [stréiniŋ] ; 과거 과분
strained [streind]
❶ (철사·밧줄 따위)를 잡아당기
다; 긴장시키다.
The giant *strained* his chains
and broke them. 거인은 사슬
을 잡아당겨 끊었다.
❷ …을 혹사하다, 너무 써서 상하
게 하다.
Mr. Grey *strained* his eyes
by reading too much. 그레
이씨는 책을 너무 많이 읽어 눈을
버렸다.

strait [streit] 명
복수 **straits** [streits]
해협.

the Korean *Straits* 대한 해협.
▶ 지명에 붙여 쓸 때는 보통 단수
의 뜻일지라도 복수형을 씀.

***strange** [streindʒ] 형 비교
stranger [stréindʒər] ;
최상 **strangest** [stréindʒist]
❶ 이상한, 별스러운, 묘한.
John found a *strange* note.
존은 이상한 쪽지를 발견하였다.
A *strange* thing happened
to me today. 오늘 내게 이상한
일이 일어났다.
❷ 모르는, 낯선, 눈〔귀〕선, 익숙
하지 못한.
a *strange* face 낯선 얼굴.
a *strange* voice 귀에 선 목소리.
I saw a *strange* man in
the room. 나는 방에서 낯선 사
람을 보았다.
Life in Seoul is *strange* to
me. 나는 서울 생활에 익숙하지
못하다.

strange to say 이상한 이야기지만.
Strange to say, he has not
heard it. 이상한 이야기지만 그
는 그것을 듣지 못하였다.

strange·ly [stréindʒli]
부
이상하게도, 기묘하게.
Strangely she refuses to
pay. 이상하게도 그녀는 지불을
거절한다.

***stran·ger** [stréindʒər]
명
복수 **strangers** [stréindʒərz]
❶ 알지 못하는 사람, 낯선 사람,
타인.
In India, the people use
English when they meet
strangers. 인도에서는 사람들이
이방인을 만나면 영어를 사용한다.
❷ 처음 온 사람, 생소한 사람.
We are perfect *strangers* here.
우리는 이 곳이 아주 생소하다.

strap [stræp] 명
복수 **straps** [stræps]
가죽 끈; (차내의) 가죽 손잡이.
a watch *strap* 시계의 가죽끈.

S

hold on to a *strap* 가죽 손잡
이를 잡다《지하철 따위에서》.

***straw** [strɔː] 몡
　　　 복수 **straws**[strɔːz]
❶《a와 복수형 안 씀》짚, 밀짚.
a *straw* hat 밀짚 모자.
❷ 짚 한 오라기; (음료용의) 빨대.
drink fruit juice through a
straw 빨대로 과일 주스를 마시다.
A drowning man will catch
at a *straw*.《속담》물에 빠진
사람은 지푸라기라도 붙잡는다.

straw·ber·ry [strɔ́ːbèri] 몡
　　 복수 **strawberries**[strɔ́ːbèriz]
딸기.
a jar of *strawberry* jam 한
병의 딸기 잼.

stray [strei] 자 3·단·현 **strays**
[streiz] ; ing형 **straying**
[stréiiŋ] ; 과거 과분 **strayed**
[streid]
길을 잃다, 방황하다.
The sheep *strayed* off into
the woods. 그 양은 숲 속에서
길을 잃었다.
── 형 길을 잃은.

Jane found a *stray* child.
제인은 길잃은 아이를 발견했다.

***stream** [striːm] 몡
　　　 복수 **streams**[striːmz]
❶ 시내, 개울.
We walked along a clear
stream. 우리는 맑은 시내를 따
라 걸었다.
❷(차·액체·사람 따위의) 흐름.
jet *stream* 제트 기류.
There is a long *stream* of
cars on the highway.
간선 도로에는 자동차들이 길게
줄지어 있다.
── 자 3·단·현 **streams**[striːmz] :
ing형 **streaming**[stríːmiŋ] : 과거
과분 **streamed**[striːmd]
흐르다, (빛 따위가) 흘러들다.
Tears *streamed* down my
cheeks. 눈물이 내 볼을 따라 흘
러내렸다.
The moonlight *streamed* into
the room. 달빛이 방안으로 쏟아
져 들어왔다.

****street** [striːt] 몡
　　　 복수 **streets**[striːts]
❶ 길, 가로. ☞ avenue

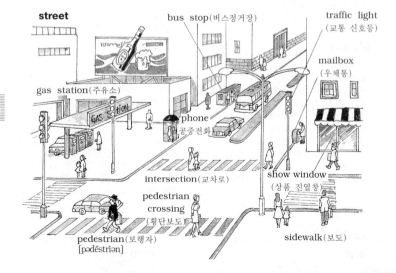

street
bus stop(버스정거장)
traffic light (교통 신호등)
mailbox (우체통)
gas station(주유소)
phone 공중전화
show window (상품 진열창)
intersection(교차로)
pedestrian crossing (횡단보도)
pedestrian(보행자) [pədéstriən]
sidewalk(보도)

S

the main *street* 큰 거리, 중심
가.
a back *street* 뒷거리.
Go down this *street*.
이 거리를 내려가시오.
I met him on 〔in〕 the *street*.
나는 거리에서 그를 만났다.
❷ 《*Street*로》…가(街). …거리.
▶St.로 약함.
We call this street Lincoln
Street. 이 거리를 링컨가(街)라
고 한다.
I live on Second *Street*.
나는 2번가에 살고 있다.

street·car [strí:tkà:r]
명
복수 **streetcars**[strí:tkà:rz]
시내 전차.
We took a *streetcar* to
Lincoln Street. 우리는 링컨가
까지 전차를 탔다.
▶영국에서는 tramcar[træm-
kà:r] 또는 tram[træm]이라고 함.

***strength** [streŋkθ]
명
《a와 복수형 안 씀》 힘, 세기, 체
력.
the *strength* of a rope 로프
의 강도.
He is a man of *strength*.
그는 힘이 센 사람이다.
You should build up your
physical *strength* while you
are young. 젊었을 때 체력을
길러야 한다. ☞형 strong

stress [stres] 명
복수 **stresses**[strésiz]
❶ (상황 따위의) 압박, 압력;
(정신적) 긴장, (심리적) 압박감,
스트레스.
stress diseases 스트레스에 기인
하는 병들.
suffer from the *stress* of city
life 도시 생활에서 오는 스트레스
를 받다.
❷ (발음·음성의) 강세, 악센트
(=accent).
Where do you place the

stresses in this sentence?
이 문장에서는 어디에 강세를 두
느냐?

***stretch** [stretʃ] 동 3·단·현
stretches [strétʃiz]
ing형 **stretching**[strétʃiŋ]; 과거
과분 **stretched**[stretʃt]
타 …을 늘이다, 펴다, 뻗치다.
He *stretched* his arms and
yawned. 그는 양팔을 뻗으며 하
품을 하였다.
── 자 뻗다; (넓게) 퍼지다; 기지
개 켜다.
The desert *stretched* for
hundreds of miles. 사막이 수
백 마일 뻗쳐 있었다.
I got up and *stretched*.
나는 일어나서 기지개를 켰다.

strict [strikt] 형 비교 **stricter**
[stríktər]; 최상 **strictest**
[stríktist]
엄격한; 엄밀한.
a *strict* teacher 엄한 선생님.
a *strict* rule 엄격한 규칙.
American parents are very
strict about allowance.
미국의 부모들은 용돈에 대해서
매우 엄격하다.

strict·ly [stríktli] 부
엄격하게, 엄밀하게.
Strictly speaking, it is not
correct. 엄밀히 말하면 그것은
정확하지 않다.

***strike** [straik] 동 3·단·현
strikes[straiks]; ing형
striking [stráikiŋ]; 과거 과분
struck[strʌk]
타 ❶ …을 치다, 때리다(=hit).
Jim *struck* me on the
head. 짐은 내 머리를 때렸다.
❷ …에 부딪다, …와 충돌하다.
His car *struck* a truck.
그의 차는 트럭과 충돌했다.
❸ (시계가 몇 시)를 치다.
The clock *struck* eleven.
시계가 11시를 쳤다.
❹ (생각 따위가)…에게 떠오르다.
A good idea has *struck* me.

S

좋은 생각이 내게 떠올랐다.

── 困 ❶ 치다, 때리다.

He *struck* at me.

그는 나에게 덤벼들었다.

❷ 《**strike against** 〔**on**〕으로》… 에 부딪치다, 충돌하다.

The ball *struck against* the wall. 그 공은 담에 부딪쳤다.

❸ 동맹 파업을 하다.

The workers are *striking* for higher wages. 근로자들이 임금 인상을 요구하고 파업 중이다.

☞ 명 stroke

── 명 [복수] **strikes**[straiks]

❶ 치기, 때리기; (야구의) 스트라이크(⇔ball 볼).

The count is one ball and two *strikes*. = One ball, two *strikes* is the count. 카운트는 투 스트라이크, 원 볼이다. ➤ 카운트하는 말의 순서가 우리말과 다름에 주의.

❷ 동맹 파업.

a general *strike* 총파업.

go on *strike* 파업에 들어가다.

The laborers are on *strike* now. 근로자들은 지금 파업 중이다.

strik·ing [stráikiŋ] 동
　　　　　strike의 -ing형.

── 형 [비교] **more striking**; [최상] **most striking**

뚜렷한, 현저한, 눈을 끄는.

There is a *striking* resemblance between Mary and her sister. 메리와 그녀의 언니는 현저하게 닮았다.

string [striŋ] 명
　　　　 [복수] **strings**[striŋz]

❶ 끈, 실. ☞ cord

Jane bought a ball of *string*. 제인은 실 한 토리를 샀다.

Betty cut the *string* and opened her present. 베티는 끈을 자르고 선물을 풀었다.

❷ (악기의) 줄, 현.

"How many *strings* does a violin have?" "It has four."

「바이올린은 몇 줄이냐?」 「4 줄이다.」

strip¹ [strip] 명
　　　　[복수] **strips**[strips]

(천 · 널 따위의) 가늘고 긴 조각.

a *strip* of paper 길고 가는 종이 조각.

He cut paper into *strips*.

그는 종이를 길게 조각조각 잘랐다.

strip² [strip] 타　　 [3·단·현]
　　　　strips [strips]; [ing형]
stripping [strípiŋ]; [과거] [과분]
stripped[stript]

(껍질 따위)를 벗기다, (옷 따위)를 벗다.

He *stripped* off his jacket.

그는 재킷을 벗었다.

stripe [straip] 명
　　　　[복수] **stripes**[straips]

줄무늬, 줄.

There are thirteen *stripes* in the American flag. 미국기에는 열 세 개의 줄이 있다.

stroke [strouk] 명
　　　　[복수] **strokes**[strouks]

❶ 때리기, 일격, 타격.

He killed the snake with one *stroke* of his stick. 그는 지팡이로 한 번 때려서 그 뱀을 죽였다.

❷ (반복되는 운동의) 한 동작, (보트의) 한 번 젓기, (수영할 때 손발을) 한 번 놀리기.

Jane cannot swim a *stroke*. 제인은 헤엄을 조금도 못친다. ☞ 동 strike

stroll [stroul] 명
　　　　[복수] **strolls**[stroulz]

이리저리 거닐기, 산책.

I went for a *stroll* after dinner. 나는 저녁을 먹은 뒤 산책하러 갔다.

── 困 [3·단·현] **strolls**[stroulz]; [ing형] **strolling**[stróuliŋ]; [과거] [과분] **strolled**[strould]

이리저리 거닐다, 산책하다.

I *strolled* along the river.

나는 강을 따라 산책하였다.

strong [strɔ(ː)ŋ] 〔형〕 〔비교〕 **stronger [strɔ́(ː)ŋɡər] : 〔최상〕 **strongest** [strɔ́(ː)ŋɡist]

❶ 힘센, 튼튼한, 강한, 굳센(⇔ weak 약한).

Here is a *strong* chair.
여기 튼튼한 의자가 있다.

A tiger is bigger and *stronger* than a cat. 호랑이는 고양이보다 크고 힘이 세다.

The wind was *strong* last night. 어젯밤은 바람이 셌다.

Mr. Black has a *strong* will.
블랙씨는 굳센 의지를 갖고 있다.

❷ 자신 있는, 잘 하는(⇔ weak 서투른): 《be strong in [at] …으로》 …을 잘 하다.

Mathematics is his *strong* subject. = He *is strong in* mathematics. 그는 수학을 잘 한다.

❸ (커피·차 따위가) 진한, (냄새·빛 따위가) 강한, 강렬한.

strong coffee 진한 커피.

a *strong* smell 강렬한 냄새.

☞〔명〕strength

strong·ly [strɔ́(ː)ŋli] 〔부〕 강하게, 강경히.

He *strongly* advised us to go home. 그는 우리에게 집에 가라고 강력히 충고했다.

struck [strʌk] 〔동〕

strike의 과거·과거 분사.

The cruel man *struck* the little boy in the face.
그 잔인한 사내는 어린 소년의 얼굴을 때렸다.

The clock *struck* eleven.
시계가 11시를 쳤다.

struc·ture [strʌ́ktʃər] 〔명〕

〔복수〕 **structures** [strʌ́ktʃərz]

❶ 《a와 복수형 안 씀》 구조, 구성, 기구, 조직.

the *structure* of a ship 배의 구조.

the *structure* of society 사회 기구.

Korea's economic *structure* is sound at present. 현재 한국의 경제 구조는 건전하다.

❷ 구조물, 건축물.

In Rome you can see many fine marble *structures*. 로마에서는 훌륭한 대리석 건축물을 많이 볼 수 있다.

strug·gle [strʌ́ɡl] 〔자〕 〔3·단·현〕 **struggles** [strʌ́ɡlz] : 〔ing형〕 **struggling** [strʌ́ɡliŋ] : 〔과거〕〔과분〕 **struggled** [strʌ́ɡld]

버둥〔허위적〕거리다; 고투하다, 애써 싸우다, 노력하다.

He *struggled* with the big waves. 그는 큰 파도와 싸웠다.

The bird *struggled* to fly.
새는 날려고 버둥거렸다.

He *struggled* to succeed. 그는 성공하기 위해 노력했다.

He *struggled* hard against many difficulties. 그는 많은 역경에 맞서 열심히 노력하였다.

── 〔명〕〔복수〕 **struggles** [strʌ́ɡlz]

버둥거림; 고투, 힘든 노력

We are all in the *struggle* for existence. 우리는 모두 생존 경쟁을 하고 있다.

He was rewarded for his *struggles*. 그는 노력의 대가로 상을 받았다.

stuck [stʌk] 〔동〕

stick의 과거·과거 분사.

I found a pin *stuck* in the shirt. 나는 셔츠에 꽂혀 있는 핀을 발견했다.

*stu·dent [stjúːdənt] 〔명〕

〔복수〕 **students** [stjúːdənts]

학생, 생도.

Mary is a *student* at Harvard. 메리는 하버드 대학생이다. ► of Harverd라고 하지 않음에 주의.

S

My brother is a high school *student*. 나의 형은 고등학생이다.

In two months I will be a high school *student*. 2개월 있으면 나는 고교생이 된다.

> 참고 **student**와 **pupil**
> student는 미국에서는 중학교 이상의 학생을, 영국에서는 보통 대학이나 전문 학교의 학생을 가리킨다. pupil은 미국에서는 초등 학교 학생을, 영국에서는 대학 이하의 학생을 말한다.

stud·ied [stʌ́did] 통
study의 과거·과거 분사.

stud·ies [stʌ́diz] 통
study의 3인칭·단수·현재.
── 명 **study**의 복수.

stu·di·o [stjúːdiòu]
복수 **studios**[stjúːdiòuz]
❶ (라디오·TV·영화 따위의) 스튜디오, 방송실, 촬영소.
We visited the television *studio*. 우리는 텔레비전 스튜디오를 견학했다.
I would like to visit a movie *studio*. 나는 영화 촬영소를 견학하고 싶다.
❷ (화가·음악가 등의) 작업실, 화실, 아틀리에.
He is working in a *studio*. 그는 화실에서 일하고 있다.

***stud·y** [stʌ́di] 통 3·단·현
studies[stʌ́diz] : ing형
studying [stʌ́diiŋ] 과거 과분
studied[stʌ́did]
타 …을 공부하다, 연구하다; (지도 따위)를 조사하다.
We *study* English at school. 우리는 학교에서 영어를 공부한다.
He *studied* medicine in Germany. 그는 독일에서 의학을

연구했다.
He is *studying* the road map. 그는 도로 지도를 조사하고 있다.
── 자 공부하다, 연구하다.
Susie *studies* harder than Jack. 수지는 잭보다 더 열심히 공부한다.
── 명 복수 **studies**[stʌ́diz]
❶ 《a와 복수형 안 씀》학습, 공부.
He likes *study* better than sports. 그는 운동보다 공부를 더 좋아한다.
❷ 《종종 복수형으로》연구.
He continued his *studies*. 그는 연구를 계속했다.
❸ 서재.
He is in his *study*. 그는 자기 서재에 있다.

stuff [stʌf] 명
《a와 복수형 안 씀》재료, 원료, 자료; (막연히) 물건.
green *stuff* 야채류.
collect the *stuff* for a book 책을 쓸 자료를 수집하다. ▶특별히 물건의 이름을 말할 필요가 없거나 이름을 모를 때 씀.
This is very good *stuff*. 이것은 아주 좋은 물건이다.
What is this *stuff* on the table? 테이블 위에 있는 이 물건은 무엇이냐?
I've sent my *stuff* already. 나는 이미 물건을 보내 버렸다.
── 타 3·단·현 **stuffs**[stʌfs] :
ing형 **stuffing**[stʌ́fiŋ] : 과거 과분
stuffed[stʌft]
…에 채우다, 채워 넣다.
I'm *stuffed*. (잔뜩 먹어) 배부르다.
The pillow was *stuffed* with feathers. 그 베개는 깃털로 속을 넣었다.

stung [stʌŋ] 통
sting의 과거·과거 분사.

***stu·pid** [stjúːpid] 형 비교
stupider [stjúːpidər]
또는 **more stupid**; 최상 **stupid-**

est [stʃúːpidist] 또는 **most stupid**

어리석은, 멍청한; (행동 따위가) 바보스런.

He is a little *stupid*, but he is a good boy. 그는 약간 멍청하지만 좋은 소년이다.

That is a *stupid* question. 그것은 어리석은 질문이다.

It's very *stupid* of me to forget to bring it. 그것을 잊고 안 가져오다니 나도 참 바보다.

***style** [stail] 명

복수 **styles**[stailz]

❶ (복장 따위의) **유행, 형, 스타일.**

This dress is in the latest *style*. 이 드레스는 최신형이다.

Mrs. Green is wearing a hat which is in *style*. 그린 부인은 유행하는 모자를 쓰고 있다.

❷ (생활·행동·예술 따위의) **양식, …풍(風).**

He lives in a house built in the Spanish *style*. 그는 스페인 양식으로 지은 집에서 살고 있다.

***sub·ject** [sʌ́bdʒikt] 명

복수 **subjects**[sʌ́bdʒikts]

❶ **학과.**

I study twelve *subjects*. 나는 열두 과목을 공부한다.

"Which *subject* do you like best?" "My favorite *subject* is music." 「너는 어느 학과가 제일 좋으냐?」「내가 좋아하는 학과는 음악이다.」

참고 주요 학과 이름

art	미술
English	영어
geography	지리
history	역사
homemaking	가정
Korean	국어
math(=mathematics)	수학
moral education	도덕
music	음악
P.E.(=physical education)	체육
science	과학
social studies	사회

❷ (논문·연구 따위의) **주제, 제목; 화제.**

The *subject* for your next composition is "My Best Friend." 여러분의 다음 작문의 제목은 「나의 친구」입니다.

Let's change the *subject*. 화제를 바꾸자.

❸ (문장의) **주어.**

You should not drop the *subject* when you write English. 영어를 쓸 때에는 주어를 빠뜨리면 안된다.

sub·ma·rine [sʌ̀bməríːn] 명

복수 **submarines**[sʌ̀bməríːnz]

잠수함.

Some *submarines* use atomic energy as fuel. 어떤 잠수함은 원자력을 연료로 사용한다.

sub·stance [sʌ́bstəns] 명

복수 **substances**[sʌ́bstənsiz]

❶ **물질, 물체.**

Snow and water are the same *substance*. 눈과 물은 같은 물질이다.

❷ 《a와 복수형 안 씀》 **실질, 본질, 내용; 요지.**

the *substance* of religion 종교의 본질.

Tell the *substance* of the story. 그 이야기의 요지를 말하

여라.

sub·stan·tial [səbstǽnʃəl] 형

비교 **more substantial;** 최상 **most substantial**
실질적인; 본질적인.
This makes a *substantial* difference. 이것으로 실질적인 차이가 난다.

sub·sti·tute [sʌ́bstitjùːt] 명

복수 **substitutes** [sʌ́bstitjùːts]
대용품; 대리인.
A pronoun is a *substitute* for a noun. 대명사는 명사의 대용어다.
—— 타 3·단·현 **substitutes** [sʌ́bstitjùːts]; ing형 **substituting** [sʌ́bstitjùːtiŋ]; 과거 과분 **substituted** [sʌ́bstitjùːtid]
…을 대용하다.
We *substituted* charcoal for coal. 우리는 석탄 대신에 숯을 썼다.

sub·tract [səbtrǽkt] 타·자

3·단·현 **subtracts** [səbtrǽkts]; ing형 **subtracting** [səbtrǽktiŋ]; 과거 과분 **subtracted** [səbtrǽktid]
빼다, 감하다; 공제하다; 뺄셈을 하다(⇔add 더하다).
If you *subtract* 23 from 55, you get 32. 55에서 23을 빼면 32이다.

*sub·urb [sʌ́bəːrb] 명 복수

suburbs [sʌ́bəːrbz]
❶ 교외(의 한 지구).
He lives in a *suburb* of New York. 그는 뉴욕 교외에 살고 있다.
❷ 《the suburbs로》 교외 주택지.
I want to live in *the suburbs.* 나는 교외 주택지에서 살고 싶다.

*sub·way [sʌ́bwèi] 명 복수

subways [sʌ́bwèiz]
지하철.
go by *subway* 지하철로 가다.

Take *subway* line No. 4.
지하철 4호선을 타라.

참고 **subway와 underground**
subway는 미국에서는 「지하철」, 영국에서는 「지하도」의 뜻으로 쓰인다. 반대로 underground는 미국에서는 「지하도」, 영국에서는 「지하철」을 가리킨다.

*suc·ceed [səksíːd] 동

3·단·현 **succeeds** [səksíːdz]; ing형 **succeeding** [səksíːdiŋ]; 과거 과분 **succeeded** [səksíːdid]
자 ❶ 성공하다 (⇔ fail 실패하다); 《succeed in으로》 …에 성공하다.
You can't *succeed* unless you learn from other people. 다른 사람들에게서 배우지 않으면 성공할 수 없다.
She has *succeeded* in solving the problem. 그녀는 그 문제를 푸는 데 성공하였다.
     ☞ 명 success
❷ 《succeed to로》 (지위 따위)를 이어받다, 계승하다.
Dr. Brown *succeeded to* his father's business. 브라운 씨는 자기 아버지의 사업을 이어받았다. ☞ 명 succession
—— 타 …의 뒤를 잇다.
Queen Elizabeth Ⅱ *succeeded* George Ⅵ. 여왕 엘리자베스 2세는 조지 6세의 뒤를 이었다.

*suc·cess [səksés] 명

(a와 복수형 안 씀)
성공(⇔ failure 실패).

Yippee! *Success!* 야, 성공이다! ▶ yippee[jípi]는 기쁠 때 지르는 소리.

I wish you *success.*
(네가) 성공하기를 빈다.

Congratulations on your *success!* 성공을 축하한다!
    ☞ 동 succeed, 형 successful

*suc·cess·ful [səksésfəl] 형

비교 **more successful;** 최상 **most successful**
성공한.

a *successful* businessman
성공한 실업가.

He was *successful* in life.
그는 인생에 있어서 성공했다.
    ☞ 명 success

suc·cess·ful·ly [səksésfəli] 부

비교 **more successfully;** 최상 **most successfully**
성공적으로, 훌륭하게.

He played the game *successfully.* 그는 훌륭하게 경기를 했다.

suc·ces·sion [səkséʃən] 명

《a와 복수형 안 씀》연속; (지위·재산의) 상속(권).

Traffic accidents occurred in quick *succession.* 교통 사고가 잇달아 빈번히 일어났다.

He gained the *succession* to the throne. 그는 왕위 계승권을 얻었다.   ☞ 동 succeed

suc·ces·sive [səksésiv] 형

잇따른, 계속되는, 연속하는.

three *successive* years 삼년 연속.

****such** [sʌtʃ] 형

❶ 《such+(a+)명사로》
이와〔그와〕같은, 이러한, 그러한.

Tom doesn't like *such a* book. 톰은 이런 책은 좋아하지 않는다.

How can you say *such*

things? 너는 어떻게 그런 말을 할 수 있지?

❷ 《such+(a+)형용사+명사로》이렇게〔그렇게〕…한; 대단히 …한.

I have never read *such an* interesting story before.
나는 이렇게 재미있는 이야기를 일찍이 읽어보지 못하였다.

Don't ask *such* silly questions. 그렇게 바보 같은 질문은 하지 마라.

Mrs. Brown is *such a* kind person. 브라운 부인은 대단히 친절한 사람이다.

어법 **such의 용법**
1. such 뒤에는 불특정한 것을 나타내는 말이 온다. 따라서 the와 함께 쓰지 않는다.
2. such가 부정 관사 a 또는 an과 더불어 쓰이게 될 때에는 위의 예문과 같이 such a, such an과 같이 된다. 또 such 대신에 like that [this]도 다음과 같이 구어적 표현으로 종종 쓰인다.
He must not do a thing *like that.* 그는 그런 일을 해서는 안 된다.
Tom likes a book *like this.* 톰은 이런 책을 좋아한다.

---

such as …와 같은; 예컨대 … 와 같은.

I like beautiful flowers, *such as* lilies, roses and tulips. 나는 나리, 장미, 튤립과 같은 아름다운 꽃을 좋아한다.

**such ... as* ~와 같은 ….

I have never met *such* a kind girl *as* Susan. (=I have never met so kind a girl as Susan.) 나는 수잔처럼 친절한 소녀를 만난 적이 없다.

**such ... that* ~ 대단히 …해서 ~ .

Susan is *such* a kind girl *that* everybody likes her.

(=Susan is so kind (a girl) that everybody likes her.) 수잔은 대단히 친절한 소녀여서 모두들 그녀를 좋아한다.

> 어법 such ... as, such... that ~의 표현에서는 위 예문과 같이 such 뒤에 명사 또는 형용사에 붙은 명사가 오지만, 같은 뜻의 so ... that에서는 so 뒤에 형용사나 부사가 온다.
> ☞ so ... that ~

*sud·den [sʌ́dn] 형 비교 more sudden; 최상 most sudden
돌연한, 갑작스러운, 뜻밖의.
a *sudden* stop 급정지.
a *sudden* curve 급커브.
We were all surprised at her *sudden* death.
그녀의 뜻밖의 죽음에 우리 모두 놀랐다.
all of a sudden 갑자기, 별안간 (=suddenly).
All of a sudden, it began to rain. 갑자기 비가 내리기 시작하였다.

*sud·den·ly [sʌ́dnli] 부 비교 more suddenly; 최상 most suddenly
갑자기, 뜻밖에.
Suddenly, the telephone rang. 돌연 전화 벨이 울렸다.
If the sun *suddenly* went out, all animals would die.
갑자기 태양이 꺼진다면, 모든 동물은 죽을 것이다.

*suf·fer [sʌ́fər] 동 3·단·현 suffers [sʌ́fərz] : ing형 suffering [sʌ́fəriŋ] : 과거 과분 suffered [sʌ́fərd]
자 고생하다; 괴로워하다; 병들다; 《suffer from으로》 ···으로 괴로워하다.
He is *suffering* terribly.
그는 몹시 고생하고 있다.
I *suffered* from a bad headache. 나는 심한 두통으로 고생하였다.
── 타 (고통·손해 따위)를 입다, 받다.
He *suffered* serious wounds.
그는 중상을 입었다.
He has *suffered* a great loss in his business.
그는 사업에서 큰 손해를 보았다.

suf·fer·ing [sʌ́fəriŋ] 명
복수 sufferings [sʌ́fəriŋz]
❶ 《a와 복수형 안 씀》 괴로움, 고통.
The medicine relieved the patient of his *suffering*.
약은 환자의 고통을 덜어 주었다.
❷ 《보통 복수형으로》 고생, 고난.
The king felt sorry for the *sufferings* of the poor. 왕은 가난한 사람들의 고생을 불쌍히 생각하였다.

suf·fi·cient [səfíʃənt] 형
비교 more sufficient; 최상 most sufficient
충분한, 족한(=enough).
We have *sufficient* food for all of us. 우리는 우리 모두에게 충분한 음식이 있다.

*sug·ar [ʃúgər] 명
《a와 복수형 안 씀》 설탕.
Do you take *sugar* in your tea? 홍차에 설탕을 넣습니까?
Please put some *sugar* in my coffee. 커피에 설탕 좀 넣어 주세요.

> 어법 sugar를 세는 법
> 설탕 한 스푼, 두 스푼이라고 할 때에는 a spoonful of sugar, two spoonfuls of sugar라고 하며, 각설탕 한 개, 두 개라고 할 때에는 a lump of sugar, two lumps of sugar라고 한다.

S

*sug·gest [səgdʒést] 타
[3·단·현] **suggests**
[səgdʒést] : [ing형] **suggesting**
[səgdʒéstiŋ] ; [과거] [과분] **suggested** [səgdʒéstid]
…을 제안〔제의〕하다; 암시하다.
Tom *suggested* a new plan. 톰은 새로운 계획을 제안하였다.
I *suggest* that we meet at the station. 우리는 역에서 만나면 어떨까? ☞ 명 suggestion

sug·ges·tion [səgdʒéstʃən] 명
[복수] **suggestions** [səgdʒéstʃənz]
❶ 제안; 암시, 시사(=hint).
offer a helpful *suggestion* 유익한 제안을 하다.
a speech full of *suggestions* 시사하는 바가 많은 연설.
Do you have any *suggestion*? 무언가 제안할 것이 있느냐?
☞ 동 suggest

su·i·cide [súːəsàid] 명
[복수] **suicides** [súːəsàidz]
자살.
He committed *suicide*. 그는 자살했다.

*suit [suːt] 명 [복수] **suits** [suːts]
(복장의) 한 벌; (한 벌의) 신사복, (한 벌의 여성용) 슈트. ☞ clothes
a *suit* of clothes 한 벌의 옷.
Mr. Grey is wearing a blue *suit*. 그레이씨는 푸른 양복을 입고 있다.

── 타 [3·단·현] **suits** [suːts] : [ing형]

suiting [súːtiŋ] : [과거] [과분] **suited** [súːtid]
❶ (시간·장소 따위가) …에게 편리하다, …의 형편에 맞다.
The ten o'clock train will *suit* us very well. 10시 열차가 우리에게 아주 편리하다.
❷ (옷 따위가) …에게 어울리다.
Long hair *suits* you very well. 긴 머리는 너에게 아주 잘 어울린다.
❸ (기후·음식 따위가) …에 맞다, 적합하다.
The warm climate in California *suits* my health. 캘리포니아의 따뜻한 기후가 내 건강에 알맞다. ☞ 형 suitable

suit·a·ble [súːtəbəl] 형 [비교] **more suitable**;
[최상] **most suitable**
적당한, 알맞은; 어울리는.
a dress *suitable* for the party 그 파티에 어울리는 드레스.
The movie is *suitable* for children. 그 영화는 어린이용이다.
☞ 동 suit

suit·case [súːtkèis] 명
[복수] **suitcases** [súːtkèisiz]
여행 가방, 슈트케이스. ☞ trunk (트렁크)
Tom put all his things in his *suitcase*. 톰은 자기 물건을 모두 슈트케이스에 넣었다.

sum [sʌm] 명
[복수] **sums** [sʌmz]
❶ 금액.
a large 〔small〕 *sum* of money 많은〔적은〕 액수의 돈.
He deposited the *sum* of 500 dollars in the bank. 그는 은행에 500 달러를 예금하였다.
❷ 《the를 붙여》 합계. ➤ 복수형 안 씀.
the *sum* total 총계.
the *sum* of the cost 비용의 합계.

sum·ma·rize [sʌ́məràiz] 타
③·단·현

summarizes[sʌ́məràiziz]; ing형
summarizing[sʌ́məràiziŋ]; 과거
과분 **summarized**[sʌ́məràizd]
요약하여 말하다, 요약하다.
Please *summarize* the report.
그 보고서를 요약해 주세요.

*sum·mer [sʌ́mər] 명 복수
summers[sʌ́mərz]
여름.
the *summer* vacation 여름 방
학〔휴가〕.
It is hot in *summer*.
여름은 덥다.
The days are longer in
summer than in winter.
여름에는 겨울보다 낮이 길다.
We are going to Europe
this *summer*. 우리는 금년 여름
유럽에 간다. ➤ this, that,
next 따위가 붙으면 전치사 in을
쓰지 않음.

sum·mit [sʌ́mit] 명 복수
summits[sʌ́mits]
(산 따위의) 정상, 꼭대기(=
top); 《the를 붙여》 (사물의)
절정; 《the를 붙여》 (선진국의)
수뇌 (회의).
reach the *summit* of a
mountain 산의 정상에 오르다.
reach the *summit* of fame
명성의 절정에 이르다.
The matter was discussed
at the *summit*. 그 문제는 수뇌
회담에서 논의되었다.

*sun [sʌn] 명
❶ 《the를 붙여》 해, 태양.
The *sun* rises in the east
and sets in the west. 해는
동쪽에서 떠서 서쪽으로 진다.
❷ 《종종 the를 붙여》 햇빛; 양지.
bathe in the *sun* 일광욕하다.
They sat side by side in
the *sun*. 그들은 양지쪽에 나란
히 앉았다.

Sun. **Sunday**의 간략형.

sun·bathe [sʌ́nbèið] 자
③·단·현 **sunbathes**[sʌ́nbèiðz];
ing형 **sunbathing**[sʌ́nbèiðiŋ];
과거 과분 **sunbathed**[sʌ́nbèiðd]
일광욕을 하다.
We went to the beach to
sunbathe. 우리는 일광욕을 하러
해변으로 갔다.

*Sun·day [sʌ́ndei] 명 복수
Sundays[sʌ́ndeiz]
일요일. ➤ Sun.으로 약함.
(I'll) see you next *Sunday*.
오는 일요일에 만나자. ➤ next,
last, every 따위가 붙으면 전치
사를 안 씀.
Do you go to church on
Sunday(s)? 너는 일요일에 교회
에 가느냐? ➤ on Sundays라고
복수형을 쓰면 「일요일에는 언제
나」라고 습관을 나타내는 느낌이
강해짐.

sun·flow·er [sʌ́nflàuər] 명
복수 **sunflowers**[sʌ́nflàuərz]
해바라기.
The *sunflowers* have grown
very tall. 해바라기가 많이 컸다.

*sung [sʌŋ] 동
sing의 과거 분사.
She has *sung* a song.
그녀는 노래를 불렀다.

sun·glass·es [sʌ́nglæ̀siz]
《복수 취급》 색안경, 선글라스.
She wanted to buy a pair
of *sunglasses* for Mary.
그녀는 메리에게 선글라스를 하나
사 주고 싶었다.
She wore expensive *sun-*

glasses. 그녀는 비싼 선글라스를 썼다.

sunk [sʌŋk] 동
    sink의 과거·과거 분사.
It had already *sunk* deep into the water.
그것은 이미 물 속 깊숙이 가라앉았다.

sun·light [sʌ́nlàit] 명
《a와 복수형 안 씀》 **햇빛, 일광.**
a right to *sunlight* 일조권.
Draw the curtains to let in the *sunlight*. 햇빛이 들어오게 커튼을 열어라.

sun·ni·er [sʌ́niər] 형
    sunny의 비교급.

sun·ni·est [sʌ́niist] 형
    sunny의 최상급.

***sun·ny** [sʌ́ni] 형
비교 **sunnier**[sʌ́niər] :
최상 **sunniest**[sʌ́niist]
해가 잘 드는, **양지바른.**
It is *sunny* today.
오늘은 화창하다.
Our living room is *sunny*.
우리 거실은 해가 잘 든다.

***sun·rise** [sʌ́nràiz] 명 복수
    sunrises[sʌ́nràiziz]
해돋이, **일출**(⇔ sunset 해넘이).
We'll start before *sunrise* tomorrow.
우리는 내일 해가 뜨기 전에 출발한다.
I will be here at *sunrise*.
나는 해뜰 무렵에 여기 오겠다.

sun·set [sʌ́nsèt] 명 복수
    sunsets[sʌ́nsèts]
해넘이; **일몰; 해질녘**(⇔ sunrise 해돋이).
He went home at *sunset*.
그는 해질녘에 집에 갔다.
I'll never forget the beautiful *sunset* on the river.
나는 강 위의 아름다운 일몰을 결코 잊지 못할 것이다.

***sun·shine** [sʌ́nʃàin] 명

❶ 《a와 복수형 안 씀》 햇빛, **일광.**
He opened the window and let in the *sunshine.*
그는 창문을 열고 햇빛이 들어오게 하였다.
❷ 《the를 붙여》 양지, **양달.** ➤ 복수형 안 씀.
The children were playing in the *sunshine.* 아이들은 양지에서 놀고 있었다.

sun·stroke [sʌ́nstròuk] 명
《a와 복수형 안 씀》 **일사병**(= heatstroke).
He was suffering from *sunstroke.* 그는 일사병에 걸렸다.

su·pe·ri·or [səpíəriər]
(품질·직위 따위가) **나은, 상등의** (⇔ inferior 하등의).
Tom is *superior* to Bill in math. 수학에 있어서 톰은 빌보다 우수하다. ➤ to와 함께 쓰며, superior than, 또는 more superior라고는 하지 않음.

su·per·mar·ket [súːpər-màːrkit]
명 복수 **supermarkets** [súːpər-màːrkits]
슈퍼마켓.
Mrs. Brown went into the *supermarket.*
브라운 부인은 슈퍼마켓 안으로 들어갔다.

S

참고 손님이 스스로 상품을 골라 손수레에 담아 가지고 입구에 있는 계산대에서 물품값을 지불하는 대규모의 식품, 잡화점. 여러 가지 종류의 통조림, 고기, 생선, 야채를 비롯한 거의 모든 식료품과 일상 생활에 필요한 비누, 치약 따위를 파는데, 미국의 큰 도시에 발달하였다.
우리 나라에도 이와 같은 형식의 것이 많이 있으나 미국의 그것에 비해서 규모가 작다.

su·per·sti·tion [sùːpərstíʃən] 명

[복수] **superstitions**[sùːpərstíʃənz]
미신.

Many people believe in *superstitions.* 많은 사람들이 미신을 믿고 있다.

Superstitions die hard.
미신은 좀처럼 없어지지 않는다.

*sup·per [sʌ́pər] 명 [복수]
suppers[sʌ́pərz]

저녁 식사. ☞ dinner(정찬. 만찬)

We eat *supper* at six-thirty.
우리는 6시 반에 저녁을 먹는다.

It was a good *supper.*
훌륭한 저녁 식사였다.

*sup·ply [səplái] 타 [3·단·현]
supplies [səpláiz] :

[ing형] **supplying**[səpláiiŋ] :
[과분] **supplied**[səpláid]

···을 공급하다; 《**supply ... with**
～로》···에 ～을 공급하다.

The farmers *supply* food for the city people. 농민은 도시 사람에게 식량을 공급한다.

Cows *supply* milk to us. =
Cows *supply* us *with* milk.
소는 우리에게 우유를 공급하여 준다.

── 명 [복수] **supplies**[səpláiz]

❶ 《a와 복수형 안 씀》 공급(⇔
demand 수요).

supply and demand 수요와 공급.

❷ 《종종 복수형으로》 공급품; 재고품.

The department store has a large *supply* of clothing.
그 백화점에는 의류의 재고가 많다.

*sup·port [səpɔ́ːrt] 타 [3·단·현]
supports[səpɔ́ːrts] :

[ing형] **supporting** [səpɔ́ːrtiŋ] :
[과거] [과분] **supported**[səpɔ́ːrtid]

❶ (가족 따위)를 부양하다.

Mr. Jones *supports* a large family. 존스씨는 대가족을 부양

하고 있다.

❷ ···을 원조하다; 지지하다.

Mr. Black *supported* our plan. 블랙 선생님은 우리 계획을 지지하였다.

❸ ···을 버티다.

Posts *support* the roof of the house. 기둥은 지붕을 버틴다.

── 명 《a와 복수형 안 씀》 지지, 부양, 버팀.

He lost the *support* of the people. 그는 민중의 지지를 잃었다.

*sup·pose [səpóuz] 타 [3·단·현]
supposes [səpóu-
ziz] : [ing형] **supposing**[səpóuz-
iŋ] : [과거] [과분] **supposed**[səpóuzd]

❶ ···라고 생각하다. ▶ 보통
think보다 근거가 빈약할 경우에 씀.

I *suppose* (that) she is guilty. =I *suppose* her to be guilty. 나는 그녀가 유죄라고 생각한다. ▶that은 종종 생략함.

You are Mr. Han, I *suppose.* 당신은 한 선생님이시죠?

❷ 《**Suppose ...** 로》 만약 ···이면
(=if).

Suppose we are late, what will he say? 만일 우리가 늦으면 그는 뭐라고 할까?

❸ 《**Suppose ...** 로》 ···하면 어떨까, ···하도록 하자(=let's).

Suppose we meet at the station about six o'clock tomorrow. 내일 6시경에 역에서 만나도록 하자.

be supposed to *do* ···하기로
되어 있다.

I *am supposed to* meet someone. 나는 누굴 만나기로 되어 있다.

You *are* not *supposed to* play baseball here. 여기서는 야구를 못 하게 되어 있다.

su·preme [səpríːm] 형
최고위의; 《품질 ·

정도 따위가) **최고의, 최대의.**
make a *supreme* effort 최대의 노력을 하다.

He was the *supreme* ruler for four years. 그는 4년 동안 최고 지배자였다.

****sure** [ʃuər] 휑 비교 **surer**[ʃúə-rər]; 최상 **surest**[ʃúərist]
❶ 확신하고 있는; 《be sure of 로》…을 확신하고 있다; 《be sure (that)…으로》…라고 확신하다.

"Are you *sure?*" "Yes, I am." 「확실하냐?」「그래, 확실하다.」

Are you *sure of* his success? 너는 그의 성공을 확신하느냐?

I'm *sure* (*that*) you can do it. 틀림없이 너는 그것을 할 수 있다.

Judy is right, I'm *sure.* 쥬디가 옳다고 나는 확신한다.

❷ 《be sure to do 로》 꼭[틀림없이]…하다.

She *is sure to* come. (= I am sure that she will come.) 그녀는 꼭 온다.

Be sure to come early. 꼭 일찍 와라.

❸ **확실한, 틀림없는.**
That is the *sure* way to succeed. 그것이 성공하는 확실한 방법이다.

make sure (*of*) 《…을》 확인하다; 《…을》 확보하다.

Make sure of the day of the meeting. 모임의 날을 확인해라.

He *made sure of* two seats for the concert. 그는 음악회의 좌석을 둘 확보했다.

to be sure 확실히, 틀림없이.
He is kind *to be sure.* 확실히 그는 친절하다.

── 븐 **확실히**(=surely). **정말로.**
It *sure* is hot. 정말로 덥군.

"Korean is difficult." "It

sure is." 「한국말은 어렵군.」「정말 어려워.」

회화 **Sure.** 「물론」「네.」
부탁이나 질문에 대하여 「물론」, 「그럼요」라고 강한 긍정의 대답을 할 때 쓴다.
A : How about coming to my birthday party?
B : *Sure.*
「내 생일 파티에 오지 않겠니?」
「물론 가야지.」
A : Is it true?
B : *Sure.*
「그게 정말이냐?」「그럼요.」

IS IT TRUE?   SURE!

---

sure enough 과연, 반드시, 정말.
We thought it would rain, and *sure enough* it did. 우리는 비가 오리라고 생각했는데, 정말로 비가 왔다.

***sure·ly** [ʃúərli] 븐 비교 **more surely;** 최상 **most surely**
❶ 확실하게, 틀림없이, 꼭.
Surely I've met her somewhere before. 틀림없이 전에 나는 어디선가 그녀를 만난 적이 있다.

It will *surely* rain tonight. 오늘 밤에 비가 꼭 오겠구나.

❷ 《대답으로 쓰여》 **물론, 그럼요.**
▶ 영국에서는 보통 certainly를 씀.

"Will you come with me?" "*Surely.*" 「같이 가겠느냐?」「물론이지.」

sur·face [sə́:rfis] 명 복수 **surfaces**[sə́:rfisiz]
표면, 겉면; 《the를 붙여》 외양.
the *surface* of the earth 지

S

구의 표면.

Armstrong went down to the moon's *surface*. 암스트롱은 달 표면으로 내려 갔다.

He is soft on the *surface*. 그는 겉보기에는 부드럽다.

아폴로 13호 의 월면차

sur·geon [sə́:rdʒən] 명

복수 **surgeons** [sə́:rdʒənz]
외과 의사. ☞ physician (내과 의사)

Dr. Green is a well-known *surgeon*. 그린 박사는 저명한 외과 의사이다.

****sur·prise** [sərpráiz] 타
3·단·현 **surprises**
[sərpráiziz]; ing형 **surprising**
[sərpráiziŋ] ; 과거 과분 **surprised**
[sərpráizd]
…을 놀라게 하다; 《be sur-
prised at으로》…에 놀라다.

His sudden visit *surprised* us. 그의 갑작스러운 방문은 우리를 놀라게 하였다.

When we are *surprised*, we open our mouths. 우리는 놀랄 때, 입을 벌린다.

We *were surprised at* the news. =We were *surprised* to hear the news. =The news *surprised* us. 우리는 그 소식에 놀랐다.

── 명 복수 **surprises** [sərpráiziz]
❶ 《a와 복수형 안 씀》 놀람.

Her face showed *surprise* at the news. 그녀는 그 소식에 놀란 얼굴을 하였다.

He read the letter with *surprise*. 그는 그 편지를 읽고 깜짝 놀랐다.

❷ 놀라게 하는 것〔일〕, 뜻밖의 것〔일〕.

What a *surprise*! 깜짝이야!

We have a *surprise* for you. 너를 놀라게 할 것이 있다.

It was a *surprise* to me. 그것은 나에게 놀라운 일이었다.

in surprise 놀라서.

Tom looked up *in surprise*. 톰은 놀라서 쳐다보았다.

to one's surprise 놀랍게도.

To my surprise, he was not hurt in the accident. 놀랍게도 그는 그 사고에서 다치지 않았다.

sur·prised [sərpráizd] 형

비교 **more surprised**; 최상 **most surprised**
뜻하지 않은, 놀라운.

I was *surprised* when I heard the news. 나는 그 소식을 들었을 때 놀랐다.

sur·pris·ing [sərpráiziŋ] 동

*surprise*의 -ing형.

── 형 비교 **more surprising**;
최상 **most surprising**
놀라운, 의외의.

a *surprising* discovery 놀라운 발견.

It is really *surprising* to hear that he failed the examination. 그가 시험에 떨어졌다니 참으로 뜻밖이다.

sur·round [səráund] 타

3·단·현 **surrounds** [səráundz] ;
ing형 **surrounding** [səráundiŋ] ;
과거 과분 **surrounded** [səráundid]
…을 둘러싸다, 에워싸다.

The park is *surrounded* with beautiful trees. 그 공원은 아름다운 나무들로 둘러싸여 있다.

sur·round·ing [səráundiŋ] 형

둘러싸고 있는, 주위의.
the *surrounding* villages 주위
의 촌락들.
a wall *surrounding* the
house 그 집을 에워싸고 있는
담.
— 명 복수 **surroundings**[sə-
ráundiŋz]
《복수형으로》 주위(의 상황), 환경.
A child learns from its
surroundings. 어린애는 자기 주
위로부터 배운다.

sur·vey [sə́ːrvéi]
타

3·단·현 **surveys**[səːrvéiz] ; ing형
surveying[səːrvéiiŋ] ; 과거 과분
surveyed[səːrvéiid]
❶ …을 측량하다; 조사하다.
He *surveyed* the ground
for the new building. 그는
새로 지을 건물의 부지를 측량하
였다.

수평 거리 측량 광경

❷ …을 휘둘러보다, 바라다보다.
We *surveyed* the scenery
from the top of a hill.
우리는 언덕 위에서 경치를 바라
다보았다.
— [sə́ːrvei] 명 복수 **surveys**
[sə́ːrveiz]
❶ 조사; 측량.
a market *survey* 시장 조사.
make a *survey* of the site
부지를 측량하다.
You must make a careful
survey of the problem.
그 문제에 관해서 면밀히 조사해
야 한다.

❷ 개관, 일람, 개설(槪說).
The Prime Minister made a
general *survey* of the
current world situation in
his speech. 수상은 연설에서 현
세계 정세를 개설하였다.
➤ 동사와 명사의 악센트 위치가
다름에 주의.

sur·vey·or [sərvéiər]
명
복수 **surveyors** [sərvéiərz]
측량기사, (부동산 따위의) 감정인.
A *surveyor* needs to be
accurate. 측량기사는 정확해야
한다.

sur·viv·al [sərváivəl]
명
《a와 복수형 안 씀》 살아 남기,
생존, 잔존.
the *survival* of the fittest
적자 생존.

sur·vive [sərváiv] 동 3·단·현
survives[sərváivz] ;
ing형 **surviving**[sərváiviŋ] ; 과거
과분 **survived**[sərváivd]
타 …보다 오래 살다; (재해 따위)
에서 살아 남다.
She *survived* her husband
by twelve years. 그녀는 남편
보다 12년 더 오래 살았다.
He *survived* the war.
그는 전쟁에서 살아남았다.
— 자 살아 남다; 잔존하다.
In order to *survive* in the
world, we have to work
hard. 세상에 살아 남기 위해서
우리는 열심히 일해야 한다.
The record has *survived*
for two centuries. 그 기록은
200년 동안이나 잔존해 왔다.

Su·san [súːzən] 명
수잔 《여자 이름. 애칭
은 Susie》.

Su·sie [súːzi] 명
수지 《여자 이름. Su-
san의 애칭》.

sus·pect [səspékt] 타
3·단·현 **suspects**

[səspékts]： [ing형] **suspecting**
[səspéktiŋ]：[과거] [과분] **suspected**
[səspéktid]
…을 수상히 여기다；《**suspect**
(**that**)... 으로》…아닌가 하고 의
심하다.
Nobody *suspected* the old
man. 아무도 그 노인을 수상히
여기지 않았다.
I *suspect* (*that*) he is sick.
나는 그가 아픈 것이 아닌가 생각
한다.

[비슷한 말] **suspect** 와 **doubt**
suspect는 「…아닌가 하고 생
각하다」, 즉 그렇다는 가능성이
있다는 뜻이지만, doubt는 「아
니라고 생각하다」, 즉 그렇게
되지 않을 가능성이 강하다는
뜻이다.

---

sus·pi·cion [səspíʃən]
[명]

[복수] **suspicions**[səspíʃənz]
의심, 혐의.
He is under *suspicion*.
그는 의심을 받고 있다.
He was arrested on *suspi-
cion* of being a spy. 그는 스
파이 혐의로 구속되었다.

sus·pi·cious [səspíʃəs] [형]
[비교] **more**
suspicious; [최상] **most suspi-
cious**
의심하는; 의심스러운, 수상한.
I am *suspicious* of him.
나는 그를 수상히 여긴다.
He inspected all *suspicious*
cars. 그는 의심스러운 차를 모두
검색했다.

swal·low¹ [swálou]
[명]

[복수] **swallows** [swá-
louz]
제비.
Swallows come to
England every summer. 제비
는 여름마다 영국으로 찾아온다.

swal·low² [swálou] [타]
[3·단·현] **swallows**
[swálouz]： [ing형] **swallowing**
[swálouiŋ]：[과거] [과분] **swallowed**
[swáloud]
…을 (꿀꺽) 삼키다.
A snake *swallowed* the
frog. 뱀은 개구리를 꿀꺽 삼켰
다.

***swam** [swæm] [동]
swim의 과거.
I *swam* across the river.
나는 강을 헤엄쳐 건넜다.

swan [swɑn] [명]
[복수] **swans**[swɑnz]
고니, 백조.
I saw white *swans* swim-
ming in the pond. 나는 흰
고니가 연못에서 노닐고 있는 것
을 보았다.

swarm [swɔːrm] [명] [복수]
swarms[swɔːrmz]
(파리·벌 따위 곤충의) 무리, 떼；
《종종 복수형으로》 군중, 많은 사
람들.
He was chased by a
swarm of bees. 그는 벌 떼에
쫓겼다.
Swarms of people are on
the beach. 해변에 많은 사람들
이 들끓고 있다.
── [자] [3·단·현] **swarms**
[swɔːrmz]： [ing형] **swarming**
[swɔːrmiŋ]： [과거] [과분] **swarmed**
[swɔːrmd]
(사람·곤충 따위가) 무리짓다, 모
여들다；(장소가) 붐비다.
The bees *swarmed* around
the queen. 꿀벌이 여왕벌 주위
에 떼지어 있었다.

The beach is *swarming* with people. 해변은 사람들로 붐비고 있다.

sway [swei] 동 3·단·현 **sways** [sweiz]; ing형 **swaying** [swéiiŋ]; 과거 과분 **swayed** [sweid]

타 …을 흔들다, 동요시키다.
The wind *swayed* the branches of the trees. 바람에 나뭇가지가 흔들렸다.

── 자 흔들리다, 동요하다.
The trees are *swaying* in the wind. 나무가 바람에 흔들리고 있다.

swear [swɛər] 자·타 3·단·현 **swears** [swɛərz]; ing형 **swearing** [swɛ́əriŋ]; 과거 **swore** [swɔːr]; 과분 **sworn** [swɔːrn]

(…을) 맹세하다, 선서하다.
I *swear* by [to, before] God. 신에게 맹세한다.
Will you *swear*? 너는 맹세하겠느냐?
The witness *sworn* to tell the truth. 증인은 진실을 말할 것을 선서하였다.

*sweat [swet] 명

《a와 복수형 안 씀》 땀.
work dripping with *sweat* 땀을 흘리며 일하다.
He wiped the *sweat* from his face. 그는 얼굴의 땀을 닦았다.

── 자 3·단·현 **sweats** [swets]; ing형 **sweating** [swétiŋ]; 과거 과분 **sweated** [swétid]
땀흘리다, 땀나다.
It was so hot that the workmen were *sweating* all over. 너무 더워서 근로자들은 온통 땀투성이었다.

*sweat·er [swétər] 명 복수 **sweaters** [swétərz]
스웨터.
knit a *sweater* 스웨터를 뜨다.
Insuk bought a warm *sweater* for her grandmother. 인숙이는 할머니에게 따뜻한 스웨터를 사 드렸다.

Swe·den [swíːdn] 명 스웨덴.

참고 북유럽의 스칸디나비아 반도에 있는 왕국으로서, 면적은 449,793 km²로 우리 나라의 약 2배이고, 수도는 스톡홀름 (Stockholm [stákhòulm])이다.

*sweep [swiːp] 동 3·단·현 **sweeps** [swiːps]; ing형 **sweeping** [swíːpiŋ]; 과거 과분 **swept** [swept]

타 (방 따위)를 청소하다; (먼지 따위)를 쓸다, 털다.
My mother is *sweeping* the living room. 어머니는 거실을 청소하고 계신다.
She *swept* the dust out of the door. 그녀는 문에서 먼지를 털어냈다.

── 자 청소하다.
sweep with a broom 비로 청소하다.

*sweet [swiːt] 형 비교 **sweeter** [swíːtər]; 최상 **sweetest** [swíːtist]

❶ 단, 맛있는. ☞ bitter(쓴)
Sugar is *sweet*. 설탕은 달다.
Sometimes I eat *sweet* things. 가끔 나는 단것을 먹는다.
❷ (냄새가) 향기로운; (소리·음악 따위가) 감미로운, 유쾌한, 즐거운.
The roses smell *sweet*.
장미꽃은 냄새가 향기롭다.
He heard a *sweet* voice.
그는 감미로운 목소리를 들었다.
❸ (자태가) 상냥한, 귀여운.
Susie is a *sweet* little girl.
수지는 귀여운 어린 소녀이다.

── 명 복수 **sweets** [swiːts]
《종종 복수형으로》 단것.
You shouldn't have any more *sweets* today. 오늘은 단

것을 더 이상 먹으면 안 된다.

sweet·ly [swíːtli] 튀 비교 **more sweetly;** 최상 **most sweetly**
상냥하게, 귀엽게.
"Please come again." said Mrs. Brown smiling *sweetly.* 「또 오너라.」하고 브라운 부인은 상냥하게 웃으며 말했다.

swell [swel] 동 ③·단·현 **swells** [swelz]: ing형 **swelling** [swéliŋ]: 과거 **swelled** [sweld]: 과분 **swollen** [swóulən] 자 ❶ 부풀다, 붇다; (힘·수량 따위가) 늘다.
The river *swelled* with the rain. 비가 와서 강물이 불었다.
It is spring. The buds are beginning to *swell.* 봄이다. 싹이 돋기 시작한다.
❷ (소리가) 높아지다; (감정이) 솟아오르다.
His heart *swelled* with anger. 그는 화가 치밀어올랐다.
── 타 …을 부풀리다; (힘·수량 따위)를 늘이다.
My injured hand is *swollen.* 내 다친 손이 부어 있다.
The rain *swelled* the rivers. 비로 강물이 불었다.

swept [swept] 동 **sweep**의 과거·과거 분사.
Mary *swept* the room this morning. 메리는 오늘 아침 방을 청소했다.

swift [swift] 형 비교 **swifter** [swíftər]: 최상 **swiftest** [swíftist]
빠른(=quick, ⇔slow 느린).
He is very *swift.* 그는 매우 재빠르다.
Mike is *swift* with his judgment. 마이크는 판단이 빠르다.

swift·ly [swíftli] 튀 비교 **more swiftly;** 최상 **most swiftly**
빨리, 속히, 재빠르게.
Time goes very *swiftly.*

시간은 아주 빨리 지나간다.

swim [swim] 자 ③·단·현 **swims** [swimz]: ing형 **swimming** [swímiŋ]: 과거 **swam** [swæm]: 과분 **swum** [swʌm]
❶ 헤엄치다, 수영하다.
"Can you *swim* well?" "No, I can't." 「너는 헤엄을 잘 치느냐?」「아니, 못 쳐.」
She *swam* across the lake. 그녀는 호수를 헤엄쳐 건넜다.
❷ 어지럽다.
My head is *swimming.* 나는 머리가 어지럽다.
── 명 《보통 a를 붙여》 헤엄, 수영.
Let's go out for a *swim.* 수영하러 나가자.

swim·mer [swímər] 명 복수 **swimmers** [swímərz]
헤엄치는 사람.
He is a very good *swimmer.* 그는 헤엄을 아주 잘 친다.

swim·ming [swímiŋ] 동 **swim**의 -ing형.
── 명 《a와 복수형 안 씀》 헤엄치기, 수영.
a *swimming* pool 수영장.
Swimming is fun. 수영은 재미있다.

swing [swiŋ] 동 ③·단·현 **swings** [swiŋz]: ing형 **swinging** [swíŋiŋ]: 과거 과분 **swung** [swʌŋ]
타 …을 흔들다, 휘두르다.
George began to *swing* his bat. 조지는 그의 배트를 휘두르기 시작하였다.
── 자 (시계추 따위가) 흔들리다; 그네 뛰다.
The lamp *swung* in the wind. 램프가 바람에 흔들렸다.
Jane likes to *swing.* 제인은 그네타기를 좋아한다.
── 명 복수 **swings** [swiŋz]
❶ 흔들림; 휘두름, (야구·골프의) 스윙.

Tom's *swing* is getting better. 톰의 스윙은 점점 좋아지고 있다.

❷ 그네.
She is sitting on a *swing*. 그녀는 그네를 타고 있다.

Swiss [swis] 〔형〕
스위스의, 스위스 사람의.
☞ Switzerland(스위스)
Swiss watches are famous all over the world. 스위스제 시계는 전세계적으로 유명하다.
── 〔명〕 〔복수〕 **Swiss**[swis]
스위스 사람; 《the를 붙여》 스위스 국민(전체).
He is a *Swiss*.
그는 스위스 사람이다.

*****switch** [switʃ] 〔명〕
〔복수〕 **switches**[swítiʃiz]
스위치.
He turned on the light *switch*. 그는 전등 스위치를 켰다.
── 〔타〕 〔3·단·현〕 **switches**[swítʃiz]; 〔ing형〕 **switching**[swítʃiŋ]; 〔과거〕 〔과분〕 **switched**[switʃt]
(**switch on** 〔**off**〕로) (전등·라디오·TV 따위의 스위치)를 켜다 〔끄다〕.
He *switched* on the radio.
그는 라디오를 켰다.
Please *switch* off the TV.
텔레비전을 좀 꺼라.

Swit·zer·land [switsərlənd]
〔명〕
스위스.

〔참고〕 스위스는 유럽 중부에 있는 공화국. 면적은 41,288 km²로서, 우리 나라의 약 5분의 1. 공용어로 독일어, 프랑스어, 이탈리아어, 레토로만어를 쓰고 있다. 수도는 베른(Bern[bəːrn]).

swol·len [swóulən] 〔동〕
swell 의 과거 분사.

sword [sɔːrd] 〔명〕
〔복수〕 **swords**[sɔːrdz]

칼, 검.
draw a *sword* 칼을 뽑다.
Mr. Kim owns an old Korean *sword*. 김씨는 옛날 한국 검을 가지고 있다.

swore [swɔːr] 〔동〕
swear의 과거.

sworn [swɔːrn] 〔동〕
swear의 과거 분사.

*****swum** [swʌm] 〔동〕
swim의 과거 분사.
He has often *swum* in that lake. 그는 가끔 저 호수에서 수영을 했다.

swung [swʌŋ] 〔동〕 **swing** 의 과거·과거 분사.

syl·la·ble [síləbəl] 〔명〕 〔복수〕
syllables[síləbəlz]
음절.
The word "international" has five *syllables*. 「international」이란 낱말에는 5개의 음절이 있다.

〔참고〕 boy, student, syllable 의 세 단어를 발음해 보면, boy에서는 음이 하나로 잇달아 발음되고, student는 student라고 음이 두 개로, syllable 은 syl-la-ble이라고 음이 셋으로 발음된다. 이와 같이 하나로 잇달아 소리나는 음을 음절이라고 한다. 글을 쓰거나 타이프라이터를 칠 때, 행 끝에서 한 단어를 꺾어 다음 행으로 돌릴 경우에는 그 음절이 끊어지는 데서 꺾는다. 1음절어는 두 행으로 꺾어 쓸 수 없다.

sym·bol [símbəl] 〔명〕 〔복수〕
symbols[símbəlz]
상징, 표상; 기호.
The dove is a *symbol* of peace. 비둘기는 평화의 상징이다.
Hangeul has only 24 *symbols*. 한글은 단지 24개의 기호만으로 되어 있다.

S

sym·bol·ize [símbəlàiz]
타 3·단·현
symbolizes [símbəlàiziz] : ing형
symbolizing [símbəlàiziŋ] :
과분 **symbolized** [símbəlàizd]
상징하다, …을 나타내다.
The fall of the Berlin Wall
symbolized the end of the
Cold War. 베를린 장벽의 무너짐
은 냉전 시대의 종식을 상징했다.

sym·pa·thet·ic [sìmpəθé-tik] 형
비교 **more sympathetic;** 최상
most sympathetic
동정하는, 인정 있는.
Mary is a kind and
sympathetic girl. 메리는 친절
하고 인정 있는 소녀이다.

sym·pa·thize [símpəθàiz]
자
3·단·현 **sympathizes** [símpə-
θàiziz] : ing형 **sympathizing**
[símpəθàiziŋ] : 과거 과분 **sym-
pathized** [símpəθàizd]
동정하다; 공감하다.
Susie *sympathized* with the
old beggar. 수지는 그 늙은 거
지를 동정하였다.
I *sympathize* with you, but
I can't let you do it.
나는 너와 동감이지만 너에게 그
것을 하게 할 수는 없다.

sym·pa·thy [símpəθi] 명
《a와 복수형 안
씀》 동정, 인정; 공감; 찬성.
She has deep *sympathy* for
sick people. 그녀는 병자에 대
해서 인정이 많다.

My parents are in *sym-
pathy* with my plan to
receive higher education.
부모님은 고등 교육을 받겠다는
나의 생각에 찬성이다.

sym·pho·ny [símfəni] 명
복수 **symphonies** [símfəniz]
교향곡; 교향악단.
My father likes Beethoven's
symphonies. 나의 아버지는 베
토벤의 교향곡을 좋아하신다.
I went to hear a *sympho-
ny* orchestra. 나는 교향악단의
연주를 들으러 갔다.

symp·tom [símptəm] 명
복수 **symptoms** [símptəmz]
징후; 증상.
flu *symptoms* 독감의 징후.

syn·o·nym [sínənim] 명
복수 **synonyms** [sínənimz]
동의어, 비슷한 말.
"Quick" is a *synonym* of
"fast." 「quick(빠른)」은 「fast
(빠른)」의 동의어이다.

***sys·tem** [sístəm] 명
복수 **systems** [sístəmz]
조직, 체계, 제도.
the educational *system* 교육
제도.
Different countries have
different *systems* of gov-
ernment. 나라에 따라 정부 조
직이 다르다.

S

T t

T t
I t

ta·ble [téibəl] 명

복수 **tables** [téibəlz]

테이블, 식탁. ☞ desk

a coffee *table* (소파 앞에 놓는) 낮은 테이블〔탁자〕.

table manners 식사 예절, 테이블 매너.

Mr. Parker put some flowers on the *table*. 파커 선생님은 꽃을 테이블 위에 놓으셨다.

Nancy is clearing the *table* now. 낸시는 지금 식탁을 치우고 있다.

A *table* for two, please. (식당에서) 2인용 테이블을 하나 부탁합니다.

at (the) table 식사 중에. ➤ 영국에서는 the를 생략함.

Don't make noise *at the table*. 식사 중에 소리를 내지 마라.

set〔lay〕the table 식탁을 차리다; (식탁에) 식사 준비를 하다.

Nancy *set the table* for dinner. 낸시는 저녁 식탁을 차렸다.

sit (down) at table 식탁에 앉다.

Please *sit at table*.
어서 식탁에 앉으시오.

ta·ble·cloth [téibəlklɔ̀(:)θ] 명

복수 **tablecloths** [téibəlklɔ̀(:)θs]

식탁보, 테이블보.

A white *tablecloth* was spread on the table. 흰 테이블보가 식탁에 깔려 있었다.

tab·let [tǽblit] 명

복수 **tablets** [tǽblits]

(약의) 정제, 알약; (금속·돌·목재의) 판, …패.

take a cold *tablet* 감기 알약을 먹다.

a memorial *tablet* 기념패.

ta·ble ten·nis [téibəl tènis] 명

《a와 복수형 안 씀》 탁구, 핑퐁 (=ping-pong).

play *table tennis* 탁구를 치다.

ta·boo [təbúː, tæ-] 형

금기의, 금지된.

Talking about abortion is *taboo* in this society. 이 사회에서는 낙태에 대해 얘기하는 것을 금기시한다.

ta·co [táːkou] 명

복수 **tacos** [táːkouz]

타코(고기·치즈·양상추 등을 넣고 튀긴 옥수수빵; 멕시코 요리》.

Have you ever eaten *tacos*? 너는 타코를 먹어본 적이 있느냐?

tail [teil] 명

복수 **tails** [teilz]

❶ 꼬리, 맨 끝의 것.

the *tail* of the kite 연의 꼬리.

Rabbits have short *tails*. 토끼는 꼬리가 짧다.

❷ 《흔히 복수형으로》 (경화의) 뒷면(⇔head 앞면).

Heads or *tails*? 앞면이냐 뒷면이냐? ➤ 동전으로 무엇을 결정하려 할 때 하는 말.

tai·lor [téilər] 명

복수 **tailors** [téilərz]

양복장이. ➤ 숙녀복을 만드는 사람은 dressmaker [drésmèikər].

He went to the *tailor's* to get his new suit. 그는 새로 맞춘 옷을 찾으러 양복점에 갔다.

take [teik] 타 3·단·현 **takes** [teiks]; ing형 **taking** [téikiŋ]; 과거 **took** [tuk]; 과분 **taken** [téikən]

❶ … 을 잡다, 쥐다, 집다; 안다.

T

She *took* my hand. =She *took* me by the hand. 그녀는 나의 손을 잡았다.

Mrs. Brown *took* her baby in her arms. 브라운 부인은 그녀의 아기를 두 팔로 안았다.

❷ (사람·개 따위)를 데리고 가다; (물건)을 가지고 가다.

He *took* me to the party. 그는 나를 파티에 데리고 갔다.

I'll *take* you home. 너를 집까지 데려다 주마.

This bus *takes* you to the station. 이 버스를 타면 정거장에 갈 수 있다.

Let's *take* the dog with us. 개를 함께 데리고 가자.

You'd better *take* your umbrella. 우산을 가지고 가는 게 좋다.

참고 **take**와 **bring**과 **fetch**

take는 「데리고[갖고] 가다」, bring은 「데리고[갖고] 오다」, fetch는 「가서 데리고[갖고] 오다」란 뜻.

Take this bag to her room. 이 가방을 그녀의 방으로 갖고 가라.

Bring that bag here. 그 가방을 이리 갖고 오너라.

Fetch a doctor at once. 즉시 의사를 모셔 오너라.

---

❸ (탈것)을 타다, 이용하다.

Let's *take* a bus. 버스를 타자.

I'll *take* the 10 : 30 train. 나는 10시 반 기차를 타겠다.

He does not *take* a taxi. 그는 택시를 타지 않는다.

I have decided to *take* a boat to England. 나는 영국에 배를 타고 가기로 결정하였다.

❹ (시간·날짜)가 걸리다, 필요하다. ▶it를 주어로 하는 경우가 많음.

It *takes* ten minutes to walk to the station. 걸어서 역까지 10분 걸린다.

It *took* Tom three hours to make that box. 톰은 저 상자를 만드는 데 3시간이 걸렸다.

How long will it *take* this letter to reach Los Angeles? 이 편지가 로스앤젤레스에 도착하는 데 시간이 얼마나 걸립니까?

❺ …을 쓰다, 적다; (사진)을 찍다.

He *took* my name and address. 그는 나의 이름과 주소를 적었다.

I *took* a lot of pictures in the park. 나는 공원에서 사진을 많이 찍었다.

I had my picture *taken*. 나는 나의 사진을 찍었다.

❻ …을 사다(=buy), 구하다; (신문 따위)를 구독하다.

I *took* a hat for five dollars. 나는 모자 하나를 5달러에 샀다.

I'll *take* this one. (손님이 점원에게) 나는 이것을 사겠습니다.

What newspaper do you *take*? 너는 무슨 신문을 구독하느냐?

❼ (음식·약)을 먹다, 마시다.

I *took* breakfast at seven this morning. 나는 오늘 아침 7시에 아침을 먹었다.

Take this medicine three times a day. 이 약을 하루에 세 번씩 드시오.

❽ (어떤 행동)을 취하다, 행하다, …하다.

take a trip 여행하다.

take a rest 휴식을 취하다.

take a bath 목욕하다.

Let's *take* a walk in the park. 공원에 산책하러 가자.

❾ (수업)을 받다; (시험)을 치르다; (자리)를 잡다.

I'm going to *take* piano lessons. 나는 피아노 레슨을 받을 생각이다.

We have to *take* an exam-

ination in math tomorrow.
우리는 내일 수학 시험을 치러야
한다.
Is this seat *taken*? 이 좌석
은 누가 잡아 놓은 것입니까?
❿ (병)에 걸리다.
I *took* a cold and had to
stay home yesterday. 나는 감
기에 걸려 어제 집에 있어야 했
다.

take after …을 닮다.
She *takes after* her moth-
er. 그녀는 어머니를 닮았다.

take ... around …을 데리고 돌아
다니다.
My uncle *took* me *around*
the museum. 아저씨는 나를 데
리고 미술관을 구경시켜 주셨다.

*****take away*** …을 가져가다, 치워버
리다.
Take away these books.
이 책들을 치워 버려라.

take ... for ~ …을 ~라고 잘못 생
각하다.
I *took* him *for* an American.
나는 그를 미국 사람으로 잘못 보
았다.

*****take off*** …을 벗다(⇔ put on 입
다); (비행기가) **이륙하다.**
Take off your hat.
모자를 벗어라.
The airplane *took off* from
Gimpo at 10. 그 비행기는 김
포에서 10시에 이륙했다.

*****take out*** …을 꺼내다; (아무)를
데리고 나가다; (책 따위)를 대출
하다; (식당에서 음식 따위)를 사
가지고 가다.
He *took out* his pen.
그는 만년필을 꺼냈다.

He *took* the children *out*
for dinner. 그는 아이들을 데리
고 식사하러 나갔다.
How many books can I
take out? 내가 책을 몇 권이나
대출할 수 있습니까?

take place (행사가) **개최되다;**
(사건이) **일어나다.**
When will the World Cup
take place? 월드컵 대회가 언
제 개최되느냐?

take up 1. (손에) …을 집어 들
다; (문제 따위)를 채택하다.
He *took up* the receiver
and dialed. 그는 수화기를 집어
들고 전화를 걸었다.
The committee *took up* the
problem. 위원회는 그 문제를 다
루기로 하였다.
2. (시간 · 장소 따위)를 차지하다.
This work *takes up* too
much time. 이 일은 너무 많은
시간을 요한다.

*****tak·en** [téikən] 동
take의 과거 분사.
I have *taken* this book
from that shelf. 나는 저 선반
에서 이 책을 꺼냈다.
All the trees were *taken*
away. 나무는 모두 잘려 없어졌
다.

tak·ing [téikiŋ] 동
take의 -ing형.

tale [teil] 명
복수 **tales** [teilz]
(사실 또는 가공의) **이야기.** ☞
story
a *tale* of adventure 모험담.
Tom loves to hear fairy
tales. 톰은 옛날 얘기 듣기를 좋
아한다.

tal·ent [tǽlənt] 명
복수 **talents** [tǽlənts]
❶ (타고 난) **재능, 재주.**
She has musical *talent*. =
She has a *talent* for music.
그녀는 음악에 재능이 있다.
❷ 재능이 있는 사람; 예능인, 탤

런트. ➤집합적으로 쓰일 때는 a
와 복수형 안 씀.
He wants to be a TV *tal-*
ent. 그는 TV 탤런트가 되고 싶
어 한다.

***talk** [tɔːk] 통
[3·단·현] **talks**[tɔːks] : [ing형]
talking[tɔ́ːkiŋ] : [과거] [과분] **talked**
[tɔːkt]
[자] 이야기하다, 말하다. ☞ say
Let's *talk* in English.
영어로 이야기하자.
He doesn't *talk* much.
그는 말이 별로 없다.
Stop *talking*, please.
그만 말해라.
Don't *talk* so big.
그렇게 큰 소리 치지 마라.
Money *talks*.
《속담》 돈이면 다 된다.

***talk about** …에 관해 이야기하다.
Tom *talked about* his expe-
rience in Korea. 톰은 한국에
서의 경험에 관해 이야기했다.
What are you *talking*
about? 너 무슨 이야기를 하고
있는 거지?

talk over …에 관하여 의논하다.
Let's *talk over* it later.
그것에 관해 나중에 의논하자.

***talk to** (아무)와 이야기를 하다;
(아무)에게 말을 걸다.
Who is *talking to* her now?
지금 누가 그녀와 이야기하고 있
느냐?
An old lady *talked to* me
at the station. 정거장에서 한
노부인이 나에게 말을 걸었다.
── [타] …의 이야기를 하다, …을
말하다, 논하다.
talk business〔music, pol-
itics〕 사업〔음악, 정치〕 이야기를
하다.
Don't *talk* nonsense!
바보 같은 소리 마라!
── [명] [복수] **talks**[tɔːks]
말, 이야기, 상담, (짧은) 강연;
《흔히 복수형으로》 회담.

summit *talks* 수뇌〔정상〕 회
담.
He gave a *talk* on music.
그는 음악에 관해 강연했다.
I had a long *talk* with my
mother. 나는 어머니와 오래 이
야기하였다.

****tall** [tɔːl] [형] [비교] **taller**[tɔ́ːlər] :
[최상] **tallest**[tɔ́ːlist]
키가 큰(⇔ short 키가 작은): (나
무・건물 따위가) 높은; 키가 …
인. ➤산이나 건물이 「높이가 …
인」이라고 할 때에는 high를 씀.
a *tall* boy 키가 큰 소년.
a *tall* building 높은 건물.
I am *taller* than my moth-
er. 나는 어머니보다 키가 크다.
Tom is the *tallest* in his
class. 톰은 자기 반에서 키가 제
일 크다.
"How *tall* are you?" "I'm
five feet (*tall*)." 「너의 키는 얼
마나 되느냐?」「5 피트다.」 ➤영
미에서는 신장을 피트(feet)로 나
타내는 것이 일반적임.

tame [teim] [형]
[비교] **tamer**[téimər] : [최상]
tamest [téimist]
(동물이) 길든(⇔ wild 야생의) :
온순한.
a *tame* lion 길든 사자.
Cows are *tame* animals.
소는 온순한 동물이다.
── [타] [3·단·현] **tames** [teimz] :
[ing형] **taming**[téimiŋ] : [과거] [과분]
tamed [teimd]
(야생 동물)을 길들이다.
The trainer *tamed* the lion
for the circus. 조련사는 서커
스를 위해 그 사자를 길들였다.

tan [tæn] [타]
[3·단·현] **tans**[tænz] : [ing형]
tanning [tǽniŋ] : [과거] [과분]
tanned[tænd]
…을 햇볕에 태우다; (가죽)을 무
두질하다.
He *tanned* the skin on the
beach. 그는 해변에서 피부를 햇

볕에 태웠다.

tank [tæŋk] 명
복수 **tanks**[tæŋks]
큰 물통, (물·기름·가스 등을 저장하는) 탱크; 전차(戰車).
This *tank* provides the whole house with hot water. 이 탱크는 집안 전체에 더운 물을 공급한다.
Tanks can travel over rough ground. 전차는 거친 땅 위로 다닐 수 있다.

대공 미사일을 갖춘 전차

tap¹ [tæp] 타·자
3·단·현 **taps**[tæps] : ing형
tapping [tǽpiŋ] : 과거 과분
tapped[tæpt]
(…을) 가볍게 두드리다〔치다〕, 똑똑 두드리다.
He *tapped* on the door. 그는 문을 똑똑 두드렸다.
She *tapped* me on the shoulder. 그녀는 나의 어깨를 가볍게 두드렸다.
── 명 복수 **taps** [tæps]
가볍게 두드리기; 똑똑 두드리는 소리.

tap² [tæp] 명
복수 **taps**[tæps]
(수도·가스·통 따위의) 주둥이, 꼭지(=faucet); (급수)전(栓), 마개.
Turn the *tap* on〔off〕. 꼭지를 열어라〔잠가라〕.

*tape [teip] 명
복수 **tapes** [teips]
테이프, 납작한 끈; 반창고; 녹음 테이프.
We need four yards of linen *tape*. 우리는 4야드의 리넨 테이프가 필요하다.
Let's listen to this *tape*. 이 녹음 테이프를 들어보자.

tape re·cord·er [téip rikɔ́ːrdər]
명 복수 **tape recorders** [téip rikɔ́ːrdərz]
테이프 리코더, 녹음기.
He turned on the *tape recorder* and listened to the music. 그는 테이프 리코더를 틀고 음악을 들었다.
We can practice English pronunciation by using a *tape recorder*. 테이프 리코더를 사용하여 영어 발음을 연습할 수 있다.

tar·get [tɑ́ːrgit] 명
복수 **targets**[tɑ́ːrgits]
(활·총 따위의) 과녁, 표적; (일·행위 따위의) 목표.
hit〔miss〕 the *target* 표적을 맞히다〔빗맞히다〕.
reach one's *target* 목표에 도달하다.

task [tæsk] 명
복수 **tasks** [tæsks]
일; 직무. ☞ work
a home *task* 숙제.
You must finish your *task* first. 우선 네 일을 끝내지 않으면 안 된다.

*taste [teist] 동
3·단·현 **tastes** [teists] :
ing형 **tasting** [téistiŋ] 과거 과분
tasted [téistid]
타 …을 맛보다; 먹다.
She *tasted* the soup to see if it was salty enough. 그녀는 간을 보기 위해 수프를 맛보았다.
Have you ever *tasted* whale meat? 너 고래 고기를 먹어 본 적이 있느냐?
── 자 (…한) 맛이 나다.
The fresh vegetables *taste* very nice. 신선한 채소는 맛이

아주 좋다.

"How does this *taste?*" "It *tastes* very sweet."

「이것은 맛이 어때?」「아주 달다.」

── 몡 [복수] **tastes** [teists]

❶ 맛; 미각(味覺): 《**a taste of** 로》…의 한 입, 맛보기.

Honey has a sweet *taste*. 꿀은 단맛이 난다.

May I have just *a taste of* the pie? 이 파이 맛 좀 볼까요?

❷ 좋아함, 기호, 취미; 미적 감각.

He has a *taste* for rock music. 그는 록 음악을 좋아한다.

This music is not to my *taste*. 이 음악은 나의 취미에 안 맞는다.

She has excellent *taste* in clothes. 그녀는 옷에 대한 미적 감각이 대단하다.

***taught** [tɔːt] 통 **teach**의 과거·과거 분사.

My father *taught* me how to swim. 아버지는 나에게 헤엄치는 법을 가르쳐 주셨다.

***tax** [tæks] 몡

[복수] **taxes** [tǽksiz]

세, 세금, 조세.

(an) income *tax* 소득세.

── 타 [3·단·현] **taxes** [tǽksiz]: [ing형] **taxing** [tǽksiŋ]: [과거] [과분] **taxed** [tækst]

…에 세금을 과하다.

These foreign goods are heavily *taxed*. 이들 외국 상품에는 무거운 세금이 부과된다.

***tax·i** [tǽksi] 몡

[복수] **taxis** [tǽksiz]

택시. ▶ taxicab의 간략형. 미국에서는 cab이라고도 함.

Call me a *taxi*. 택시를 불러라.

She took a *taxi* to the hotel. =She went to the hotel by *taxi*. =She went to the hotel in a *taxi*. 그녀는 택시로 호텔에 갔다.

[참고] 뉴욕에는 미국 최대의 택시 회사 옐로캡(Yellow Cab)의 노란색 택시가, 런던에서는 상자형의 검은 택시가 많다. 미터 요금 이외에 15% 안팎의 팁을 주는 것이 관행으로 되어 있다.

***tea** [tiː] 몡

❶ 《a와 복수형 안 씀》 차; 홍차.

I'd like some ice *tea*. 나는 냉차를 좀 마시고 싶다.

"*Tea* or coffee?" "*Tea*, please." 「홍차로 할까요, 커피로 할까요?」「홍차로 주세요.」

"How do you like your tea, with milk or with lemon?" "With milk, please." 「차를 어떻게 해드릴까요? 밀크를 넣을까요, 레몬을 넣을까요?」「밀크를 넣어주세요.」

Would you like a cup of *tea?* 차 한 잔 드시겠습니까?

[참고] 영국이나 미국에서는 tea라 하면 보통 홍차(black tea)를 말한다. 우리 나라의 녹차는 green tea라고 한다.

[어법] **tea를 세는 법**

tea는 보통 셀 수 없는 명사이므로 차 한 잔, 두 잔이라고 할 때에는 a cup of tea, two cups of tea처럼 한다. 그러나 식당 같은 데서 차를 주문할 때에는 Two teas, please.와 같이 말한다.

make tea 차를 달이다.
Father asked me to *make tea*. 아버지는 차를 달이라고 말씀하셨다.

teach [tiːtʃ] 통
③·단·현 **teaches** [tíːtʃiz]; ing형 **teaching** [tíːtʃiŋ]; 과거 과분 **taught** [tɔːt]
타 …을 가르치다, **교육〔교수〕하다** (⇔ learn 배우다).
Mr. Brown *teaches* history at our school. 브라운 선생님은 우리 학교에서 역사를 가르치신다.
He *teaches* us English. = He *teaches* English to us. 그는 우리에게 영어를 가르치신다.
— 자 가르치다.
Where does your uncle *teach*? 너의 아저씨는 어디서 가르치시고 계시냐?
teach one*self* 독학하다.
After his father died, he had to *teach himself*.
아버지가 돌아가신 후 그는 독학을 해야 했다.

teach·er [tíːtʃər] 명
복수 **teachers** [tíːtʃərz]
선생, 교사(⇨ student 학생).
He is an English *teacher*. 그는 영어 선생님이다.
She is a junior high school *teacher*. =She is a *teacher* at a junior high school. 그녀는 중학교 선생님이다.

──────
참고 「브라운 선생님」이라고 말할 경우, Mr.〔Mrs., Miss〕 Brown이라고 하며 Teacher Brown 또는 Brown teacher 라고는 하지 않는다. 또 「선생님!」하고 부를 때도 Teacher! 라고는 하지 않는다. Mr., Miss. 따위를 성 앞에 붙여서 불러야 한다.
──────

team [tiːm] 명
복수 **teams** [tiːmz]
(경기 따위의) 팀, (작업 따위의) 조(組). (두 사람 이상이 한 조로 일하는) 반, 대(隊).
a rescue *team* 구조대.
Tom is on the baseball *team*. =Tom is a member of the baseball *team*. 톰은 야구 팀에 속해 있다.

team·mate [tíːmmèit] 명
복수 **teammates** [tíːmmèits]
팀 동료.
She got along well with her *teammates*. 그녀는 팀 동료들과 잘 지냈다.

team·work [tíːmwə̀ːrk] 명
《a와 복수형 안 씀》팀워크, 협력.
They succeeded because of their *teamwork*. 그들은 팀워크 때문에 성공했다.

tea·pot [tíːpàt] 명
복수 **teapots** [tíːpàts]
찻주전자.
a porcelain *teapot* 사기 찻주전자.

tear¹ [tiər] 명
복수 **tears** [tiərz]
《보통 복수형으로》눈물.
Tears ran down her cheek. 눈물이 그녀의 뺨에 흘러내렸다.
She was moved to *tears*. 그녀는 감격해서 눈물을 흘렸다.
Her eyes were filled with *tears*. 그녀의 눈에는 눈물이 가득하였다.
burst into tears 울음을 터뜨리다.
The girl *burst into tears*. 그 소녀는 울음을 터뜨렸다.
in tears 눈물 흘리며, 울면서.
The child is *in tears*. 그 아이는 울고 있다.
▶ 동사 tear² [tɛər]의 발음과 혼동하지 않도록 주의.

tear² [tɛər] 통
③·단·현 **tears** [tɛərz];

ing형 **tearing** [tέəriŋ] ; 과거 **tore** [tɔːr] ; 과분 **torn** [tɔːrn]
타 …을 찢다, 째다.
Don't *tear* the newspaper.
신문을 찢지 마라.
He *tore* the letter in two.
그는 그 편지를 반으로 찢었다.
He *tore* the envelope open.
그는 봉투를 뜯었다.
Yongho *tore* off the page.
용호는 그 페이지를 잡아뜯었다.
── 자 찢어지다, 째지다.
Lace *tears* easily.
레이스는 잘 찢어진다.
tear into pieces 갈가리 찢다.
He got mad and *tore* the letter *into* little *pieces*. 그는 화가 나 편지를 갈가리 찢었다.
▶ 명사 tear¹ [tiər] 의 발음과 혼동하지 않도록 주의.

tea·spoon [tíːspùːn] 명
복수 **teaspoons** [tíːspùːnz]
찻숟가락, 티스푼.
We use *teaspoons* for mixing sugar into tea or coffee. 찻숟가락은 차나 커피에 설탕을 섞는 데 쓴다.

tech·ni·cal [téknikəl] 형
비교 **more technical**; 최상 **most technical**
공업의; 기술의, 기술적인; 전문의.
technical education 공업〔기술〕교육.
a *technical* school 공업 학교.
There are lots of *technical* words in this book. 이 책에는 전문어가 많이 나온다.

tech·ni·cian [tekníʃən] 명
복수 **technicians** [tekníʃənz]
전문가, 기술자.
There aren't many *technicians* in this field. 이 분야에는 전문가가 많지 않다.

tech·nique [tekníːk] 명

복수 **techniques** [tekníːks]
(음악·회화 따위의) 기교, 테크닉, 기술; 수법.
a pianist's finger *technique* 피아니스트의 운지 (運指) 테크닉.
He has developed a unique *technique* of painting. 그는 독특한 화법을 개척하였다.

tech·nol·o·gy [teknálədʒi] 명
❶ 《a와 복수형 안 씀》과학〔공학〕기술; 공학.
modern *technology* 현대의 과학 기술.
the growth of technology 과학 기술의 발달.

Ted [ted] 명
테드《남자 이름》.

teen [tiːn] 명
복수 **teens** [tiːnz]
10대의 소년〔소녀〕, 틴에이저《13~19세》(=teenager).
He is still in his *teens*.
그는 아직도 10대다.
── 형 10대의(=teen-aged).
a *teen* magazine 10대의 잡지.

teen-aged [tíːnèidʒd] 형
10대의.
He has two *teen-aged* daughters. 그는 10대의 딸이 둘 있다.

teen-ag·er [tíːnèidʒər] 명
복수 **teen-agers** [tíːnèidʒərz]
10대의 소년〔소녀〕. ▶ 숫자 어미에 -teen이 붙는 13세 (thirteen) 부터 19세 (nineteen) 까지의 소년, 소녀.

****teeth** [tiːθ] 명
tooth의 복수.
Brush your *teeth* before you go to bed. 자기 전에 이를 닦아라.

tele- [télə-] 접두 「원거리의, 원거리에 걸친」이란 뜻으로 명사나 동사를 만듦.
*tele*phone 전화 / *tele*scope 망원경 / *tele*vision 텔레비전.

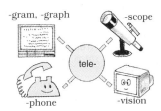

*tel·e·gram [téləgræm]
명

복수 **telegrams** [téləgræmz]
전보, 전문. ▶한 통 한 통의 전
문을 가리킴.
We received a *telegram* from
Tom this morning. 우리는 오
늘 아침 톰으로부터 전보를 받았
다.
We'd better send a *telegram*
at once. 곧 전보를 치는 게 좋
겠다.

tel·e·graph [téləgræf]
명

《a와 복수형 안 씀》 전신, 전보.
▶통신 수단을 가리킴.
Mother sent a message by
telegraph. 어머님은 전보로 말씀
을 전하셨다.

*tel·e·phone [téləfòun]
명

복수 **telephones** [téləfòunz]
❶《보통 the를 붙여》 전화. ▶구
어에서는 보통 phone이라고 함.
a *telephone* book 전화 번호부.
a *telephone* booth 공중 전화
박스.
Please answer the *tele-
phone*. 전화를 받아주세요.
She is talking on the *tele-
phone*. 그녀는 전화로 이야기하
고 있다.
Nancy, you're wanted on
the *telephone*. 낸시야, 네게 전
화 왔어.
My (tele)*phone* number is
703-6547. 나의 전화 번호는
703-6547입니다. ▶703-6547은
seven-o-three, six-five-four-

seven이라고 읽음.
❷ 전화기.
a public *telephone* 공중 전화.
a push-button *telephone* 버
튼식 전화.
"May I use your *telephone*?"
"Yes, certainly." 「전화 좀 써도
괜찮겠습니까?」「예, 어서 쓰세
요.」
── 타·자 3·단·현 **telephones**
[téləfòunz] ; ing형 **telephoning**
[téləfòuniŋ] ; 과거 과분 **tele-
phoned**[téləfòund]
(…에게) **전화를 걸다**. ▶구어에
서는 phone, call (up)을 흔히
씀.
He *telephoned* Bob.
그는 보브에게 전화를 걸었다.
Please *telephone* me tomor-
row. 내일 내게 전화해라.

회화 전화 통화에서 자주 쓰는 말
Hello! (This is) Tom
speaking. 여보세요. 저는 톰
입니다.
Hello, may I speak to
John, please? 여보세요, 존
좀 부탁합니다.
This is he〔she〕speak-
ing. 접니다.
Who is this? / Who is call-
ing, please? 누구시지요?
Who are you calling,
please? 누구에게 거셨습니까?
Oh, I'm sorry. He〔She〕
is out. 아, 죄송합니다. 나가
셨는데요.
Just〔Wait〕a minute. 잠시
기다리세요.
Hold on, please. (끊지 말
고) 좀 기다리세요.
Will you leave a mes-
sage? / Shall I take a
message? 전할 말씀 없습니
까?
Please tell him〔her〕Tom
called. 톰이 전화했다고 말씀해
주십시오.

T

Please call me at this number. 이 번호로 전화 좀 해 주십시오.
You have the wrong number. 잘못 거셨습니다 《번호가 틀렸을 때》.

tel·e·phon·ing [téləfòuniŋ] 동
telephone의 -ing형.

tel·e·scope [téləskòup] 명
《복수》 **telescopes** [téləskòups]
망원경.
We can see the stars by using a *telescope*. 망원경을 사용하여 별을 볼 수 있다.

****tel·e·vi·sion** [téləvìʒən] 명
《복수》 **televisions** [téləvìʒənz]
❶ 《a와 복수형 안 씀》 텔레비전; 텔레비전 방송. ▶ TV로 약함.
Turn on〔off〕 the *television* set. 텔레비전을 켜라〔꺼라〕.
I watch *television* after supper. 나는 저녁 식사 후에 텔레비전을 본다. ▶「텔레비전을 보다」라고 할 때는 보통 the를 붙이지 않음. 「라디오를 듣다」는 listen to the radio라고 the를 붙임.
What's on *television*? 텔레비전에서는 무엇을 하고 있느냐?
We watched the baseball game on *television*. 우리는 야구 시합을 텔레비전에서 보았다.
❷ 텔레비전 수상기(= television set).
We need a new *television*. 우리는 새 텔레비전이 필요하다.
Jim, your book is on the *television*. 짐, 너의 책은 텔레비전 위에 있다.

*****tell** [tel] 동
③·단·현 **tells** [telz]; ing형
telling [téliŋ]; 과거 과분 **told** [tould]
타 ❶ …을 말하다; 《tell+사람+

about+일로》 (아무)에게 …에 관해 말하다; 《tell+사람+일 / tell+일+to+사람으로》 (아무)에게 …을 말하다; 《tell+사람+that ...으로》 (아무)에게 …라고 말하다. ☞ say
He *told* the story of Lincoln's childhood. 그는 링컨의 어릴적 이야기를 해주었다.
Do as you are *told*. 말한〔시킨〕 대로 하여라.
I'll *tell* you *about* my trip to America. 너에게 나의 미국 여행에 관해 이야기해 주겠다.
Tell me the truth.=*Tell* the truth *to* me. 나에게 사실을 말하여라.
Nancy *told* me (*that*) she wanted to be a doctor. 낸시는 나에게 의사가 되고 싶다고 말했다.
❷ …을 알리다, 가르치다.
Please *tell* me your telephone number. 너의 전화 번호를 알려다오.
Will you please *tell* me the way to the station? 정거장으로 가는 길을 좀 가리켜 주세요.
❸ 《tell+사람+to do로》 (아무)에게 …하라고 말하다.
Our teacher always *tells* us to study harder. 우리 선생님은 늘 우리에게 좀 더 열심히 공부하라고 말씀하신다.
The doctor *told* me not *to* smoke. 의사는 나에게 금연하라고 말했다.
❹ 《can과 함께 쓰여》 …을 알다, 분간〔구별〕하다.
Who can *tell* the answer? 누가 그 답을 알겠느냐?.
── 자 이야기하다, 말하다.
Did he promise not to *tell*? 그는 말하지 않겠다고 약속했느냐?
tell ... from ~ …을 ~과 분간하다.
I can't *tell* Tom *from* his twin brother. 나는 톰을 그의 쌍둥이 형과 분간할 수 없다.

T

to tell the truth 사실을 말하면. ☞ truth

tem·per [témpər] **명** **복수** tempers [témpərz]

기질, 성품; 기분.
She has a sweet 〔short〕 *temper.* 그녀는 상냥한〔신경질적인〕 성품을 가졌다.
He was in a good 〔bad〕 *temper.* 그는 기분이 좋았다〔나빴다〕.

lose one's *temper* 화를 내다.
He *lost his temper* at the rude clerk. 그는 무례한 점원에게 화를 냈다.

*ᐩ**tem·per·a·ture** [témpərət͡ʃər] **명** **복수** temperatures [témpərət͡ʃərz]

온도, 기온; 체온.
What's the *temperature?*
지금 몇 도입니까?
The *temperature* is over 30°C. 기온은 섭씨 30도를 넘는다.
The nurse took my *temperatures.* 간호사는 나의 체온을 쟀다.

*ᐩ**tem·ple** [témpəl] **명** **복수** temples [témpəlz]

신전; 사원(寺院), 절.
Greek *temples* were beautifully built. 그리스 신전은 아름답게 건축되었다.
the Bulguk *Temple* 불국사.

〔참고〕 temple은 보통 고대 그리스의 신전이나 불교의 사원 등, 기독교 이외의 종교적인 예배소를 가리킨다. 우리 나라의 「사당(祠堂)」은 shrine, 기독교의 「교회」는 church라고 한다.

tem·por·ar·y [témpərèri] **형**

일시적인, 임시의 (⇔permanent 영구의).
a *temporary* office 임시 사무소.
temporary pleasures 일시적인

쾌락.

tempt [tempt] **타**

3·단·현 tempts [tempts] : ing형 tempting [témptiŋ] : 과거 과분 tempted [témptid]

…을 유혹하다, 부추기다, …의 마음을 끌다.
Bad friends *tempted* him to smoke. 나쁜 친구들이 그에게 담배를 피우라고 부추겼다.

temp·ta·tion [temptéiʃən] **명**

복수 temptations [temptéiʃənz]

❶ 《a와 복수형 안 씀》 유혹.
resist *temptation* 유혹에 견디다.
fall into *temptation* 유혹에 빠지다.

❷ 유혹하는 것, 유혹물.
There are many *temptations* in a big city. 대도시에는 유혹하는 것이 많다.

*ᐩ**ten** [ten] **명**

10, 10시; 10살;《복수 취급》 10 개〔명〕.
at *ten* past *ten,* 10시 10분에.
Five and five make *ten.*
5 더하기 5는 10이다.
── **형** 10의; 10 명〔개〕의; 10살의.
We each have *ten* fingers and *ten* toes. 우리는 각자 10개의 손가락과 10개의 발가락을 갖고 있다.
The boy is *ten.*
그 소년은 10살이다.

ten to one 십중 팔구(는).
Ten to one, she will come.
십중 팔구 그녀는 올 것이다.

tend [tend] **자**

3·단·현 tends [tendz] : ing형 tending [téndiŋ] : 과거 과분 tended [téndid]

《**tend to** do로》 …하는 경향이 있다, …하기 쉽다.
She *tends to* talk quickly.
그녀는 빨리 말하는 경향이 있다.

T

He *tends to* get angry at little things. 그는 하찮은 일에도 화를 잘 낸다.

ten·den·cy [téndənsi] 명

복수 **tendencies** [téndənsiz]
경향; 버릇.

Dogs have a *tendency* to chase cats. 개는 고양이를 쫓는 습성이 있다.

Babies have a *tendency* to cry when they are hungry. 아기들은 배가 고프면 우는 게 일쑤다.

ten·der [téndər] 명

비교 **tenderer** [téndərər] : 최상 **tenderest** [téndərist]
❶ 부드러운; 연한.

Give me some *tender* meat. 연한 고기를 좀 주세요.

❷ 상냥한, 친절한, 다정한.

Nancy has a *tender* heart. 낸시는 상냥한 마음씨를 가지고 있다.

ten·der·ly [téndərli] 부

부드럽게, 친절하게, 상냥하게.

The mother spoke to her baby *tenderly.* 어머니는 아이에게 부드럽게 말하였다.

Ten·nes·see [tènəsíː] 명

테네시.

참고 미국 동남부의 주. Tenn. 으로 약함. 면적 109,412 km² 로서 우리 나라의 약 반. 주도는 내쉬빌(Nashville [nǽʃvil]).

*ten·nis [ténis] 명

《a와 복수형 안 씀》정구, 테니스.

Is he a good *tennis* player? 그는 테니스를 잘 치느냐?

Tom and Bill are playing *tennis.* 톰과 빌은 테니스를 치고 있다.

tense¹ [tens] 형

비교 **tenser** [ténsər] : 최상 **tensest** [ténsist]
(밧줄 따위가) **팽팽한**; (신경 따위가) 긴장한.

a *tense* rope 팽팽한 밧줄.
It was a *tense* moment. 그것은 긴장된 순간이었다.

tense² [tens] 명

복수 **tenses** [ténsiz]
(동사의) **시제.**

the present *tense* 현재 시제.
the past *tense* 과거 시제.
the perfect *tense* 완료 시제.

*tent [tent] 명

복수 **tents** [tents]
텐트, 천막.

pitch [put up, set up] a *tent* 텐트를 치다.
strike a *tent* 천막을 걷다.
Many people in Mongolia live in *tents.* 몽골에서는 많은 사람들이 천막에서 산다.

**tenth [tenθ] 형

❶ 《흔히 the를 붙여》제 10의, 10째의.

the *tenth* lesson 제 10과.
The *tenth* month of the year is October. 1년의 10번째 달은 10월이다.

❷ …의 10분의 1.

a *tenth* part of …의 10분의 1.
—— 명 복수 **tenths** [tenθs]
❶ 《보통 the를 붙여》제10, 10번째; (달의) 10일. ▶약어는 10th.
on the *tenth* of April, 4월 10일에.

❷ 10분의 1.
three *tenths*. 10분의 3.

term [təːrm] 명
[복수] **terms** [təːrmz]
❶ 학기; 기간, 기한.
The spring *term* has begun.
봄 학기가 시작되었다. ▶ 구미에
서는 학교가 9월에 시작하기 때문
에, 봄 학기가 2월~6월이 됨.
The president's *term* of
office is five years. 대통령의
임기는 5년이다.
❷ 학술어, 전문 용어.
medical *terms* 의학 용어.
There are many technical
terms in this book. 이 책에
는 전문 용어가 많이 나온다.
❸ 《복수형으로》(대인) 관계, 사이.
I am on good [bad] *terms*
with her. 나는 그녀와 사이가
좋다[나쁘다].

ter·mi·nal [tə́ːrmənəl] 형
종점의, 마지막의; 학기(말)의; 말
기의.
Busan is a *terminal* station.
부산은 종착역이다.
── 명 [복수] **terminals** [tə́ːrmənəlz]
(철도·버스 따위의) 종점, 종착
역, 터미널.
a bus [an air] *terminal* 버스
[공항] 터미널.
There are many buses and
taxis waiting at the *termi-*
nal. 종착역에는 많은 버스와 택
시가 대기하고 있다.

ter·race [térəs] 명 [복수]
terraces [térəsiz]
테라스.
His house has a nice *ter-*
race. 그의 집에는 멋진 테라스가
있다.

[참고] 집에 붙여 앞으로 달아낸 발
코니 따위. 돌·벽돌 따위로 바닥
을 깔며, 식사·일광욕·어린이
놀이 장소 등으로 사용한다.

ter·ri·ble [térəbəl] 형
[비교] **more terrible**;
[최상] **most terrible**
❶ 무서운, 무시무시한, 소름 끼치
는.
She saw something *terri-*
ble. 그녀는 무서운 것을 보았다.
It was a *terrible* accident.
그것은 소름끼치는 사고였다.
❷ 지독한, 심한; 몹시 나쁜.
terrible weather 지독한 날씨.
I have a *terrible* headache.
나는 두통이 아주 심하다.
The coffee tasted *terrible*.
그 커피는 맛이 형편 없었다.
☞ 명 terror, 동 terrify

ter·ri·bly [térəbli] 부
[비교] **more terribly**;
[최상] **most terribly**
무섭게; 아주 심하게; 대단히.
She was *terribly* injured.
그녀는 아주 심하게 부상당했다.
I am *terribly* sorry to have
kept you waiting so long.
오래 기다리게 해서 대단히 미안
하다.

ter·ri·fic [tərífik] 형
[비교] **more terrific**;
[최상] **most terrific**
아주 멋진, 좋은(=great); 대단
한.
I feel *terrific* today. 오늘 나
는 기분이 아주 좋다.

ter·ri·fy [térəfài] 타 [3·단·현]
terrifies [térəfàiz];
[ing형] **terrifying** [térəfàiiŋ]; [과거]
[과분] **terrified** [térəfàid]
…을 무서워하게 하다, 겁나게[놀
라게] 하다.
The child was *terrified* at
the sight of the bear. 그 아
이는 곰을 보고 무서워했다.
You *terrify* me! 너 나를 놀라
게 했다.
☞ 명 terror, 형 terrible

ter·ri·to·ry [térətɔ̀ːri] 명
[복수] **territories** [térətɔ̀ːriz]

영토, 영지; (넓은) **지역, 지방.**
This land was German *ter-ritory*. 이 땅은 독일의 영토였다.

ter·ror [térər] 명
복수 **terrors** [térərz]

❶ 《a와 복수형 안 씀》**공포, 두려움.**
the age of *terror* 공포의 시대.
He screamed in 〔with〕 *terror*. 그는 무서워 소리쳤다.
❷ **무서운 사람〔것〕.**
He was a *terror* to his enemies. 그는 적에게 무서운 사람이었다. ☞동 terrify, 형 terrible

test [test] 명
복수 **tests** [tests]

시험, 테스트; 검사.
He got full marks on the *test*. 그는 그 시험에서 만점을 받았다.
We have a *test* every week. 우리는 매주 시험을 친다.
The teacher gave us a math *test*. 선생님은 우리에게 수학 시험을 보이셨다.
── 타 ③·단·현 **tests** [tests];
ing형 **testing** [téstiŋ]; 과거 과분
tested [téstid]
…을 시험〔검사〕하다, 테스트하다.
He *tested* the water of our well. 그는 우리 우물물을 검사하였다.
Our teacher *tested* us in mathmatics. 우리 선생님은 우리에게 수학 시험을 보이셨다.

Tex·as [téksəs] 명
텍사스.

참고 미국 남서부의 주. Tex.로 약함. 면적은 692,453 km²로, 우리 나라의 3배가 넘으며 알래스카 다음으로 큰 주임. 주도는 오스틴(Austin[ɔ́:stin]). 석유를 다량 생산함. 케네디 대통령이 암살된 곳은 이 주의 중앙부에 있는 댈러스(Dallas[dǽləs])라는 도시였다.

text [tekst] 명
복수 **texts** [teksts]

❶ (주석·서문·삽화 등에 대하여) **본문.**
This book has 200 pages of *text* and 15 pages of maps. 이 책은 본문이 200 페이지, 지도가 15 페이지 있다.
❷ (요약·번역 등에 대하여) **원문; 교과서.**
the original *text* 원전(原典).

text·book [tékstbùk] 명
복수 **textbooks** [tékstbùks]
교과서.
Open your *textbook* to page 34. 교과서 34 페이지를 펴라.
I have to read my history *textbook* tonight. 나는 오늘밤 역사 교과서를 읽어야 된다.

참고 미국의 공립 학교에서는 교과서가 개인의 소유물이 아니며 학생들이 새 학년마다 새 교과서를 구입하는 것이 아니라, 상급생이 쓰던 교과서를 물려받게 된다. 학년말인 6월이 되면 학생들은 쓰던 교과서를 깨끗이 정리해서 학교에 반납한다. 또 평소에 학생들은 교과서를 집으로 가져오지 않고 학교에 마련된 보관함에 넣어 두는 것이 일반적이다.

tex·tile [tékstail] 명 복수
textiles [tékstailz]
《보통 복수형으로》**직물.**
the *textile* industry 직물 산업.
Beautiful *textiles* are sold at this store. 이 상점에서는 아름다운 직물을 팔고 있다.

TGV [tí:dʒí:ví:] 명
테제베, (프랑스 국철의)
초고속 열차.
Korea will have the *TGV*, the world's fastest train. 한국은 세계에서 가장 빠른 열차인

테제베를 갖게 될 것이다.

-th [-θ] 〔접미〕
four (4) 이상의 기수에 붙여 서수를 만듦.
four*th*네번째(의) / fif*th* 5번째(의) / thirty-six*th* 36번째(의) / twentie*th* 20번째(의).

Thames [temz] 〔명〕
《the를 붙여》 **템스강**(런던을 흐르는 강).

than [ðən; 강 ðæn] 〔접〕

❶《형용사·부사의 비교급＋**than**으로》 …보다, …이상으로.
He is taller *than* I (am).
그는 나보다 키가 크다. ▶구어에서는 than me라고도 함.
You know him better *than* I do. 나보다 네가 그를 더 잘 알고 있다.

〔참고〕 아래 두 문장의 차이에 주의할 것.
1. I know you better *than* he. 그가 너를 알고 있는 것보다 내가 너를 더 잘 알고 있다. ▶ than he는 than he knows you의 생략된 형태.
2. I know you better *than* him. 나는 그를 알고 있는 것보다 너를 더 잘 알고 있다. ▶ than him은 than I know him의 생략된 형태.

❷《other, else 따위 ＋ **than**으로》 … 이외에는, … 밖에는.
I have no *other* dictionary *than* this. 나는 이것 밖에는 (다른) 사전이 없다.
There was nothing I could do *other than* (to) wait. 기다리는 것 이외에는 내가 할 수 있는 것이라고는 없었다.
❸《rather **than**으로》 …하느니보다 오히려, …할 바에야 차라리.
He is a businessman *rather than* a teacher. = He is

rather a businessman *than* a teacher. 그는 선생님이라기보다는 오히려 사업가이다.

thank [θæŋk] 〔타〕
〔3·단·현〕 **thanks**[θæŋks] ; 〔ing형〕 **thanking** [θǽŋkiŋ] ; 〔과거〕〔과분〕 **thanked** [θæŋkt]
…에게 감사하다, **사의를〔고마움을〕표하다.**
We *thanked* God.
우리는 하느님께 감사했다.
I can't *thank* you enough. ＝I don't know how to *thank* you. 어떻게 감사를 드려야 할 지 모르겠습니다.
I *thanked* my mother for the present. 나는 어머니에게 그 선물에 대해 감사드렸다.
No, thank you. 아니, 괜찮습니다.
"Won't you have 〔How about〕 another cup of coffee?" "*No, thank you.*"「커피 한 잔 더 하지 않겠느냐?」「아니, 괜찮습니다.」 ▶남의 권유를 정중히 거절할 때 씀. 받아들일 때는 Yes, please.「예, 좋습니다.」
Thank God〔Heaven〕! 고마워라, 고맙게도; 이젠 됐다.
Thank God, you've come. 고맙게도, 와 주었군 그래.
Thank God, it's Friday! 고맙게도, 금요일이야! ▶영미에서는 학교나 회사가 토·일요일에 쉬니까.
Thank you. 고맙습니다.
"How are you?" "*Fine, thank you.* And you?"「안녕하세요?」「예, 고맙습니다. 당신은요?」
"*Thank you* very much." "You're welcome."「대단히 고맙습니다.」「천만의 말씀을.」

〔T〕

참고 Thank you.는 고마움을 나타내는 가장 일반적인 말. 본래 I thank you.에서 I 가 생략된 것이다. 영미인은 아무리 사소한 행위에 대해서도 그 즉석에서 Thank you. 라고 고마움에 대한 인사를 한다. 그러나 이미 지난 과거의 일에 대해서는, 우리처럼 「참, 어제 저녁에는 정말로 고마웠습니다」라는 식의 인사는 하지 않는다.

회화 **Thank you.** 에 대한 답 Thank you.「고맙다」에 대해 「천만의 말씀」이라고 응답할 때에는 다음과 같이 말한다.
(It's) my pleasure.
You're welcome.
Don't mention it.
No problem.
위에서부터 차츰 스스럼없이 쓰는 말투이다. 영국에서는 Not at all.이 가장 흔히 쓰인다.

─ 명 복수 **thanks**[θæŋks]
감사; 사의.
a letter of *thanks* 감사장.
Thanks a lot. 대단히 고맙습니다. ➤ Thank you very much. 보다 스스럼없는 말.
They expressed their *thanks* to the kind man. 그들은 그 친절한 사람에게 사의를 표하였다. ☞ 형 thankful
give thanks to …에게 사의를 표하다.
We should *give thanks to* God. 우리는 하느님께 감사해야 한다.
***No, thanks.** 아니, 괜찮다. ➤ No thank you. 보다 스스럼없는 말.
***thanks to** …의 덕택으로.
Thanks to your advice, I was able to finish it in time.
너의 충고 덕택으로 나는 그것을 제시간에 끝낼 수 있었다.

thank·ful [θǽŋkfəl] 형 비교 **more thankful;** 최상 **most thankful**
감사하고 있는, 고마워하는.
I am *thankful* to you for your favors. 나는 너의 호의에 감사하고 있다.
I'm *thankful* that she came. 나는 그녀가 와 준 것을 고맙게 생각한다. ☞ 명 thank

Thanks·giv·ing Day
[θæŋksgívɪŋ dèi] 명
감사절.
Thanksgiving Day is similar to Chuseok in Korea.
추수 감사절은 한국의 추석과 비슷하다.

참고 Thanksgiving Day는 11월의 넷째 목요일이며, 그 날은 일을 쉬고 사람들은 감사절 예배에 참석하거나, 가족끼리 단란한 Thanksgiving dinner를 즐긴다. 주된 음식은 칠면조(turkey) 고기와 호박 파이(pumpkin pie)이다. 감사절의 유래는, 1620년 종교의 자유를 얻기 위해 Mayflower 호로 미국 서북부 항구에 도착한 영국의 이주자들이 고생 끝에 다음해 가을 추수를 맞이해서 함께 모여 하느님께 감사를 드린 것이 그 시초이다.

****that** [ðət: 강 ðæt] 대 복수 **those**[ðouz]
❶ 《좀 떨어져 있는 것을 가리켜》 저것, 그것; 저〔그〕 사람(⇨ this 이것).
This is an apple and *that* is a peach. 이것은 사과이고 저것은 복숭아이다.
"What is *that* over there?" "It is a church." 「저기 있는 저것은 무엇이지?」「교회야.」
This is Yunhi and *that* is Miae. 이 애는 윤희이고 저 애는

미애이다.

어법 지시 대명사 **that**의 용법
1. that 과 this
that은 this에 비해, 말하는 사람으로부터 멀리 떨어진 곳에 있는 물건이나 사람을 가리킨다. 또 이미 말한 것을 가리키기도 한다. 때문에 상황에 따라 「저것」 또는 「그것」으로 구분해서 우리말로 옮겨야 한다.
2. that 과 it
that과 it은 모두 「그것」이라고 옮겨질 수 있으나, 그 역할은 서로 다르다. that에는 사람이나 물건을 가리키는 역할이 있으나, it에는 그런 뜻은 전혀 없고 다만 앞에 나온 사물을 받는 역할밖에 없다. 때문에 우리말의 「그것」이 it이 아니라 that이 되어야 하는 경우가 흔히 있다. 「그게 뭐지?」라고 할 때 What is that? 이라고 해야지 What is it? 이라고는 하지 않는다.

---

❷ 《이미 말했거나 전후 관계로 알 수 있는 것을 가리켜》 **그것, 그 일.**
"I'm sorry to be late." "*That's* all right." 「늦어서 미안합니다.」 「괜찮다.」
"Is this Jongno street?" "*That's* right." 「여기가 종로 거리입니까?」 「그렇습니다.」
"Tom has been sick since last Friday." "*That's* too bad." 「톰은 지난 금요일부터 앓고 있다.」 「그것 참 안됐군요.」
What does *that* mean?
그것은 무슨 뜻입니까?
❸ 《앞에 나온 명사의 반복을 피하여》 **그것.** ▶ 흔히 that of ... 의 형태를 취함.
The population of Seoul is larger than *that* of New York. 서울의 인구는 뉴욕의 인구보다 많다.
The climate of this country is warmer than *that* of Korea. 이 나라의 기후는 한국의 기후보다 따뜻하다.
❹ 《관계 대명사로서》 **…하는, …하는 바의, …인.**
I like the book *that* (= which) is on the desk. 나는 책상 위에 있는 책을 좋아한다《주격》.
The girl *that* (=who) visited here yesterday is called Nancy. 어제 이곳을 방문했던 소녀는 낸시이다《주격》.
Show me the pictures (*that*) you painted last year. 작년에 네가 그린 그림들을 보여다오《목적격》.
This is the only English dictionary (*that*) I have. 이것이 내가 가지고 있는 유일한 영어 사전이다《목적격》.

선행사	주격	소유격	목적격
사람	who	whose	whom
물건	which	whose, of which	which
사람 물건	that		that

어법 관계 대명사 **that**의 용법
1. that은 선행사가 사람·물건·동물 등 어느 경우에나 쓸 수 있다.
2. that은 목적격인 경우는 흔히 생략된다.
3. 선행사에 최상급의 형용사나, the only, the first, the same, all, any 따위 수식어가 붙을 때는 보통 that을 쓴다.
4. 선행사가 사람일 경우는 that보다 who를 쓰는 것이 일반적이다.

---

that is (***to say***) 즉, 말하자면.
He'll come next Friday, *that is*, on May 5. 그는 다음 금요일, 즉 5월 5일에 올 것이다.

That's all. 이것으로 끝; 그게 전부다.

That's all for today.
오늘은 이만 끝.

That's it. 아 바로 그거다; 그래 맞다.

── 형 복수 **those**[ðouz]
《떨어져 있는 것을 가리켜》 그, 저(⇨ this 이).

That woman is a nurse.
저 여자는 간호사이다.

I like this book better than *that* one. 나는 이 책이 저 책보다 더 좋다.

Do you know *that* girl?
너는 저 소녀를 아느냐?

── 부 그만큼, 그렇게.
Don't go *that* far.
그렇게 멀리 가지 마라.

It's not *that* easy.
그것은 그렇게 쉽지 않다.

── [ðət] 접
❶ …라는 것. ➤ 이 that은 생략되는 경우가 많음.

I know (*that*) he is a teacher. 나는 그가 선생님이라는 것을 알고 있다.

Do you think (*that*) John will win the race? 존이 경주에서 이길 것이라고 생각하느냐?

I didn't tell mother *that* I was going there. 나는 거기에 간다는 것을 어머니께 말씀드리지 않았다.

❷ 《it ... that ~으로》 ~이라는 것은 …이다. ➤ it은 that 이하를 나타내는 형식 주어.

It is certain *that* he was there. 그가 거기에 있었다는 것은 확실하다.

Is *it* true *that* she is coming? 그녀가 온다는 것이 정말이냐?

❸ 《명사+that ... 으로》 …라고 하는 ~. ➤ that 이하는 앞에 나온 명사와 동격임.

Nobody knows the fact *that* he is a spy. 그가 간첩이라는 사실은 아무도 모른다.

The news *that* the plane crashed was wrong. 그 비행기가 추락했다는 뉴스는 오보였다.

❹ 《so〔such〕... that ~으로》 대단히 …하므로 ~, ~할 정도로 …. ➤ 형용사·부사 앞에는 so, 「형용사+명사」 앞에는 such를 씀.

I am *so* tired *that* I can't move. 나는 너무 피곤해서 움직일 수 없다.

I was *so* happy *that* I couldn't sleep. 나는 너무나 행복해서 잠을 잘 수 없었다.

She was *such* a cheerful girl *that* she was liked by every classmate. 그녀는 대단히 명랑한 소녀여서 동급생 모두가 그녀를 좋아했다.

❺ 《so〔that〕... may〔can〕~으로》 …할 수 있도록, …이 ~하기 위하여. ➤ 구어에서는 종종 that이 생략됨.

You should study hard *so that* you *may* pass the examination. 시험에 합격할 수 있도록 열심히 공부해라.

Tom got up early *so that* he *could* catch the first bus. 톰은 첫 버스를 타기 위해서 일찍 일어났다.

❻ 《형용사 뒤에서 원인·이유를 나타내어》 …때문에, …이므로.

I am glad *that* you can join us. 네가 참가할 수 있어서 매우 기쁘다.

I am surprised (*that*) Tom won the race. 톰이 경주에서 우승해서 나는 놀랐다.

─────────────────
발음 **that** 을 읽는 법
일반적으로 that은 「저것」, 「저」란 뜻일 때에는 [ðæt]라고 강하게 발음하고, 관계 대명사나 접속사일 때에는 [ðət]라고 약하게 발음한다.

It is ... that ~ 《강조 구문으로서》 ~은 …이다. ►「…」부분을 강조함.

It was Bill *that* broke the window yesterday. 어제 창문을 깬 사람은 빌이었다.

It was the window *that* Bill broke yesterday. 어제 빌이 깬 것은 창문이었다.

thatched roof [θǽtʃt rùːf] **명** **복수**
thatched roofs [θǽtʃt rùːfs]
초가 지붕.

***that'll** [ðətl]
that will의 단축형.
"Shall I call him later?" "*That'll* be fine." 「나중에 그에게 전화할까?」「그러면 좋겠다.」

***that's** [ðæts] that is 또는
that has의 단축형.
That's (=That is) why I don't like it. 그래서 나는 그것을 싫어한다.
That's (=That is) a good idea. 그것 참 좋은 생각이다.

***the** [(자음 앞에서)ðə, (모음 앞에서) ði: 강 ðiː] **관**
❶ 그, 저, 이. ►보통 우리말로 새기지 않음.
I have a flower. *The* flower is a rose. 나는 꽃을 갖고 있다. 그 꽃은 장미이다. ►앞에 나온 명사를 되풀이할 경우.
Will you open *the* door? 문을 좀 열어 주겠느냐? ►상황으로 보아 상대가 알 수 있는 경우.
The lady sitting next to Nancy is our teacher. 낸시옆에 앉아 있는 여성은 우리 선생님이다. ►뒤에 설명하는 어구가 있어서 그것을 한정하는 경우.
Tom is *the* tallest boy in our class. 톰은 우리 반에서 가장 키가 큰 소년이다. ►최상급의 형용사가 명사 앞에 있는 경우.
The second chapter of this book is very difficult. 이 책의 제 2장은 매우 어렵다. ►서수

가 명사 앞에 있는 경우.
Mr. Smith is *the* only American in this school. 스미스 선생님은 이 학교에 있는 유일한 미국인이다. ►only와 같은 한정하는 힘이 강한 형용사가 명사 앞에 있는 경우.

┌─────────────────────────┐
│ **어법** **the 와 a**
│ the는 특정한 것을 나타낼 때,
│ a는 불특정의 것을 나타낼 때
│ 쓰인다.
│ I want *the* book. 나는 그
│ 책을 원한다. ►the book은 어
│ 떤 정해진 특정한 책.
│ I want *a* book. 나는 책 한
│ 권을 원한다. ►a book은 불
│ 특정한 책 중의 하나.
└─────────────────────────┘

❷ 《천체·방위 등, 유일하다고 생각되는 것 앞에》
the sun 태양 / *the* world 세계 / *the* sea 바다 / *the* sky 하늘 / *the* West 서양 / *the* east 동(東)(쪽).
❸ 《고유 명사 앞에》
the Alps 알프스 산맥 / *the* Hawaiian Islands 하와이 제도 / *the* Johnsons 존슨 일가 / *the* Pacific (Ocean) 태평양 / *the* Thames 템스강 / *the* Mayflower 메이플라워호 / *the* White House 백악관 / *the* Times 타임스지.

┌─────────────────────────┐
│ **어법** 인명·지명·국명·산·호
│ 수·공원·역명·학교·가로명
│ 따위의 일반적인 고유 명사에는
│ 대개 the를 붙이지 않음. 그러
│ 나 산맥·군도·가족명 따위의
│ 복수형이나 강·바다·공공 건
│ 조물·신문·잡지 따위의 고유
│ 명사에는 the를 붙인다.
└─────────────────────────┘

❹ 《**the**＋단수형 **명사**로》 …이라는 것.
The horse is a useful animal. 말(이라는 것)은 유용한 동

T

물이다. ▶ 종류 전체를 나타냄. 구어에서는 the를 안 붙이고 복수형을 써서 Horses are useful animal.이라고도 함.

❺ 《the+형용사로》 …의 사람들, …이라는 것.

the rich (=rich people) 부자들.

the old (=old people) 노인들.

She has an eye for *the* beautiful. 그녀는 미에 대한 식견이 있다. ▶ the beautiful= beauty.

❻ 《the+계량 단위를 나타내는 말로》 …단위로, …당 얼마로.

He rented the room by *the* month. 그는 월세로 방을 빌렸다.

Sugar is sold by *the* pound. 설탕은 파운드당 얼마로 팔린다.

He was paid by *the* week. 그는 주급을 받고 있었다.

— 倶 《the+비교급, the+비교급으로》 …하면 할수록 더 ~.

The more he has, *the* more he wants. 그는 가지면 가질수록 더 바란다.

The sooner, *the* better. 빠르면 빠를수록 더 좋다.

*the·a·ter [θí(ː)ətər] 倜

〔複數〕 **theaters** [θí(ː)ətərz] 극장.

a movie *theater* 영화관.

a drive-in *theater* 드라이브인 영화관《차를 탄 채로 영화를 볼 수 있는 영화관》.

We often go to the *theater*. 우리는 가끔 극장에 간다.

▶ 영국에서는 theatre로 씀.

**their [ðɛər] 때

《they의 소유격》 그들의, 그것들의. ☞ they

Bill and Nancy met *their* teacher at the library. 빌과 낸시는 도서관에서 그들의 선생님을 만났다.

I have two little birds. I enjoy *their* songs. 나는 두 마리의 작은 새를 기르는데, 그들의 지저귐을 즐기고 있다.

*theirs [ðɛərz]

《they의 소유 대명사》 그들의 것. These flowers are *theirs*, not ours. 이 꽃들은 그들의 것이지 우리들의 것이 아니다.

*them [ðəm; 강 ðem] 때

《they의 목적격》 그들을, 그들에게; 그것들을, 그것들에게.

They are John and Tom. I know *them* very well. 그들은 존과 톰이다. 나는 그들을 잘 안다.

There are maps on the desk. Please put *them* on the wall. 책상 위에 지도들이 있다. 그것들을 벽에 붙여 다오.

theme [θiːm] 倜

〔複數〕 **themes** [θiːmz] 주제, 제목, 테마.

the *theme* of an essay 논문의 주제.

*them·selves [ðəmsélvz] 때

❶ 《뜻을 강조하기 위해 쓰여》 그들 자신. ▶ 이 경우 themselves는 강하게 발음함. ☞ oneself

The boys *themselves* didn't know anything. 소년들 자신은 아무것도 몰랐다.

❷ 《동사·전치사의 목적어로 쓰여》 그들 자신을〔에게〕.

The soldiers told *themselves* that peace was near. 병사들은 평화가 멀지 않았다고 그들 자신에게 말하였다.

Heaven helps those who help *themselves*. 《속담》 하늘은 스스로 돕는 자를 돕는다.

by themselves 저희들끼리만, 그들 단독으로.

The two boys went into the woods *by themselves*. 그 두 소년은 저희들끼리만 숲 속으로 들어갔다.

for themselves 그들만의 힘으로; 그들 자신을 위해.

They built the house *for themselves.* 그들은 자신들만의 힘으로 그 집을 지었다.

※**then** [ðen] 〔부〕

❶ 《과거 또는 미래의 어떤 때를 가리켜》 그때에, 그 당시에.

I was in Busan *then.* 나는 그때 부산에 있었다.

See you tomorrow. I'll show you around *then.* 내일 만나자. 그때에 너를 여기저기 안내해 주마.

❷ 《종종 **and then**으로》 그리고 나서, 그 다음에.

Nancy ate a hamburger, *and then* some ice cream. 낸시는 햄버거를 먹은 다음에 아이스크림을 먹었다.

First I'll visit New York, (*and*) *then* Los Angeles. 나는 우선 뉴욕을, 그 다음에 로스앤젤레스를 방문하겠다.

❸ 《보통 문장의 처음이나 끝에서》 그러면, 그렇다면.

"Is this your hat?" "No." "Whose is it, *then* ?" 「이것은 너의 모자이냐?」「아닌데요.」「그러면 누구의 것이지?」

(*every*) *now and then* 이따금, 때때로.

I see Nancy (*every*) *now and then.* 나는 때때로 낸시를 본다.

── 〔명〕 《보통 전치사 뒤에 쓰여》 그때.

I haven't seen her since *then.* 나는 그때 이래로 그녀를 통 만나지 못했다.

Nancy will be here soon. Wait till *then.* 낸시가 곧 여기 올 거다. 그때까지 기다려라.

the·o·ry [θíːəri] 〔명〕 theories [θíːəriz] 〔복수〕

이론(⇔ practice 실행): 학설.

theory and practice 이론과

실천.

economic *theory* 경제 이론.

Your plan is excellent in *theory.* 너의 계획은 이론상으로는 참으로 훌륭하다.

※**there** [ðɛər] 〔부〕

❶ 거기에, 거기에서, 거기로. ☞ here(여기에)

Stand *there,* not here. 여기가 아니라, 거기에 서 있어라.

I'll go *there* tomorrow. 나는 내일 거기 가겠다. ➤ there는 부사이기 때문에 go to there라고 하지 않음.

❷ 《상대의 주의를 환기시키기 위해》 저봐, 이봐, 야, 자.

There goes the last bus ! 저봐, 막차가 떠난다!

"He should be here by now." "*There* he is !" 「지금쯤 그가 여기 와 있어야 하는데.」「저봐, 그가 왔어」

❸ 《there+be동사로》 (불특정의 물건 등)이 있다, (아무)가 있다. ➤ 이 용법의 there는 [ðər]로 발음함에 주의.

There are many trees on the park. 공원에는 많은 나무들이 있다.

"How many chairs *are there* in the room?" "*There're* five." 「그 방에는 의자가 몇 개나 있느냐?」「다섯 개 있다.」

〔어법〕 **There is 〔are〕 ... 의 문장**

1. 주어가 단수일 때는 There is ..., 복수일 때는 There are ...가 된다.

2. 이 there에는 「거기」란 뜻이 전혀 없고 다만 「…이 있다」란 뜻을 나타낼 뿐이다. 따라서 「거기에 …이 있다」란 뜻이 되려면 There is a book (over) *there.* 처럼 한다.

3. 의문문은 「Be동사 + there ...?」, 부정문은 「There+be동사+not ...」이 된다.

4. 이 문형은 불특정의 것〔사람〕의 「존재」를 나타내는 것이므로, your book처럼 특정의 것〔사람〕일 경우는 Your book is on the desk. 라고 한다.

—— 명 그 곳, 거기.
What time did you leave *there*? 너는 몇 시에 거기를 출발했느냐?
It was a twenty-minute drive home from *there*. 그 곳에서 집까지 자동차로 20분 걸렸다.
—— 감 《격려·위로·만족 따위를 나타내어》 거봐!, 자!, 그래그래!
There, there, don't worry. 자, 자, 걱정하지 마라.

┌─────────────────────────┐
회화 **There you go.** 「그래 됐다〔잘 했다〕.」
무엇을 지시한 뒤에 지시대로 잘 했을 때 상대방을 「그래 됐다」, 「그래, 그런 식으로 해요」라고 칭찬·격려할 때 쓰는 말.
A : Look at the camera and say cheese!
B : Cheese.
A : Good. *There you go.*
「카메라를 보고 치즈라고 하세요.」「치즈.」「좋습니다. 그렇게 하는 거예요.」 ► say cheese 는 사진을 찍을 때 웃으라고 하는 말.
└─────────────────────────┘

****there·fore** [ðέərfɔ̀ːr] 부
그러므로, 따라서, 그 결과. ► (and) so보다 더 격식 차린 말.
She went to a party and *therefore* did not study. 그녀는 파티에 갔기 때문에 공부를 하지 못했다.
I think, *therefore* I am. 나는 생각한다. 그러므로 나는 존재한다. ► 프랑스의 철학자 데카르트(Descartes)의 말.

there'll [ðέərl] there will의 단축형.

We'll get there soon. Then *there'll* be something to eat. 곧 그 곳에 도착한다. 그러면 먹을 것이 있을 것이다.

there're [ðέərər] there are의 단축형.
There're ten boys in the room. 방안에 10명의 소년이 있다.

****there's** [ðέərz] there is 또는 there has의 단축형.
There's a desk near the window. 창문 가까이 책상이 하나 있다.
There's a nice camp there. 거기 좋은 캠프장이 있다.

ther·mom·e·ter [θərmámitər] 명
복수 **thermometers** [θərmámitərz] 온도계, 한란계.
We measure temperature with a *thermometer*. 우리는 온도계로 기온을 잰다.

┌─────────────────────────┐
참고 영미에서는 온도를 화씨로 말하는 것이 보통이다. 화씨 50°는 50°F(fifty degrees Fahrenheit[fǽrənhàit])라 하며, 섭씨 50°는 50°C(fifty degrees centigrade[séntəgrèid]라 한다. 그러나 보통은 F나 C를 붙이지 않고 말한다.
└─────────────────────────┘

ther·mos [θə́ːrməs] 명
복수 **thermoses** [θə́ːrməsiz]
보온병. ► thermos는 상표명임. thermos bottle이라고도 함.

*****these** [ðiːz] 대 《this의 복수형》
이것들; 이 사람들 (➡ those 저것들).
These are my books. 이것들은 나의 책이다.
Are *these* yours or John's? 이것들은 네 것이냐 존의 것이냐?
—— 형 이것들의.

These pens are mine.
이 펜들은 내 것이다.
Who are *these* girls?
이 소녀들은 누구냐?
(*in*) **these days** 요즘.
Father seems busy *these days*. 요즘 아버님께서는 바쁘신 것 같다.
one of these days 일간, 가까운 시일 안에.
I'll take him there *one of these days*. 가까운 시일 안에 그를 거기 데리고 가겠다.

they [ðei] 때
❶ 그들은, 그것들은. ➤ he, she, it의 복수. 남성·여성·동물·물건 등에 두루 씀.

주 격	소 유 격	목 적 격
they	their	them
그들[그녀들, 그것들]은(이)	그들[그녀들, 그것들]의	그들[그녀들, 그것들]을[에게]

Nancy and Bill like English. *They* study English very hard. 낸시와 빌은 영어를 좋아한다. 그들은 영어를 열심히 공부한다.
"Do your sisters play the piano?" "Yes, *they* do." 「너의 누이동생들은 피아노를 치느냐?」 「그럼, 칠 줄 알지.」
❷ (막연히) 사람들, 세상 사람들. ➤ 우리말로는 옮기지 않는 경우가 많음.
They speak English in Australia. 오스트레일리아에서는 영어를 쓴다.
They sell meat at that store. 저 상점에서는 고기를 판다.
They say (*that*)..., …이라는 소문이다, …이라고 한다.
They say (*that*) this summer will be very hot. 금년 여름은 매우 더울 것이라고 한다.

they'll [ðeil]
they will의 단축형.
They'll be here soon. 그들은 곧 이 곳에 올 것이다.

they're [ðeiər]
they are의 단축형.
They're not soldiers. 그들은 군인이 아니다.
They're swimming now. 그들은 지금 헤엄치고 있다.

they've [ðeiv]
they have의 단축형.
They've gone into the forest to look for nuts. 그들은 밤〔호두, 개암 등〕을 주우러 숲 속으로 들어갔다.

thick [θik] 형
비교 thicker [θíkər]; 최상 thickest [θíkist]
❶ 두꺼운; 두께가 …인(⇔thin 얇은).
This book is very *thick* and heavy. 이 책은 매우 두껍고 무겁다.
"How *thick* is the ice?" "It is about two inches *thick*." 「얼음의 두께가 얼마나 되지?」 「약 2인치 두께야.」
❷ 굵은, 땅딸막한, 뚱뚱한.
a *thick* neck (짧고) 굵은 목.
He tied a *thick* rope around the tree. 그는 굵은 밧줄을 나무에 동였다.
❸ (액체 따위가) 진한, 걸쭉한; (나무·숲 따위가) 무성한, 울창한; 털이〔숱이〕 많은.
He went into a *thick* forest. 그는 울창한 숲속으로 들어갔다.
She likes *thick* soup. 그녀는 진한 수프를 좋아한다.
Blood is *thicker* than water. 피는 물보다 진하다.
Her hair is *thick*. 그녀는 머리 숱이 많다.
── 부 두껍게; 진하게.
Don't spread the butter too *thick*. 너무 두껍게 버터를 바르지 마라.
The snow lay *thick* every-

where. 어디에나 눈이 두껍게 쌓였다.

*thief [θiːf] 명
복수 **thieves**[θiːvz]
도둑, 좀도둑, 절도범. ▶ 보통 폭력을 쓰지 않고 몰래 훔치는 도둑을 말함. ☞ robber
The *thief* was caught at once. 도둑은 곧 잡혔다.

thieves [θiːvz] 명
thief의 복수.

thigh [θai] 명
복수 **thighs**[θaiz]
넓적다리, 허벅다리. ☞ leg

*thin [θin] 형
비교 **thinner** [θínər] : 최상
thinnest [θínist]
❶ 얇은, 두껍지 않은(⇔ thick 두꺼운).
a *thin* slice of bread 얇은 빵한 조각.
a *thin* mouth 얇은 입술의 입.
The ice on the lake was too *thin* to skate on. 그 호수의 얼음은 스케이트를 타기에는 너무 얇았다.

thin   thick

❷ 마른, 수척한; 가느다란(⇔ fat 뚱뚱한, thick 굵은).
She became pale and *thin* after her illness. 그녀는 앓고 난 후 창백하고 수척해졌다.
Jane has *thin* fingers. 제인의 손가락은 가느다랗다.

thin   fat

❸ (액체·기체 따위가) 묽은, 희박한; (머리털·숲 따위가) 성긴, 드문드문한.
thin soup 묽은 수프.
thin air 희박한 공기.
His hair is *thin*.
그의 머리털은 성기다.

*thing [θiŋ] 명
복수 **things**[θiŋz]
❶ 물건; 일, 것.
Put these *things* away.
이 물건들을 치워라.
A strange *thing* happened to me. 이상한 일이 나에게 일어났다.
I have a lot of *things* to do this week. 나는 금주에 해야 할 일이 많다.
She asked many *things* about Korea. 그녀는 한국에 관한 많은 것들을 물었다.
❷ (복수형으로) 사정, 사태; 《일반적으로》 사물.
How are *things* going?= How are *things* with you? 사태는 어떻게 되어가고 있느냐?
Things are getting better.
사정은 호전되고 있다.
❸ 《one's **things**로》 소지품, 일상 용품; 의류.
She put her *things* into a paper bag. 그녀는 소지품을 종이 봉지에 넣었다.
I have to pack my *things*.
나는 소지품의 짐을 싸야 한다.

**think [θiŋk] 동
3·단·현 **thinks** [θiŋks] :
ing형 **thinking** [θíŋkiŋ] : 과거
과분 **thought** [θɔːt]
타 ❶ …을 생각하다; 《**think** (**that**)... 으로》 …라고 생각하다, 여기다.
What did you *think* of his speech? 그의 말을 어떻게 생각했느냐?
I'm *thinking* what to do next. 나는 다음에는 무엇을 할지 생각하고 있다.

I *think* (*that*) he is right.
나는 그가 옳다고 생각한다.
I don't *think* it will rain
tomorrow. 나는 내일 비가 오지
않으리라고 생각한다. ▶I think
it will not rain ...., 이라고 하
지 않음에 주의.
Who do you *think* that
man is? 저 남자가 누구라고 생
각하느냐? ▶do you think가
중간에 들어간 형태. Do you
think who...? 로는 하지 않음.
❷ 《think ... +명사〔형용사〕로》
…을 ~라고 생각하다.
I *think* him an honest
boy. (=I *think* (that) he is
an honest boy.) 나는 그를 정
직한 소년이라고 생각한다.
He *thought* it better to
wait for a while. 그는 잠시
기다리는 것이 좋겠다고 생각했
다. ▶it은 to 이하를 가리킴.
── 困 생각하다, 궁리하다.
Think hard before you
answer. 대답하기 전에 잘 생각
해라. ☞ 阌 thought
think about …에 대하여 생각하다.
I am *thinking about* my
future. 나는 나의 장래에 대하여
생각하고 있다.
***think of** …에 관해서 생각하다; …
을 생각해 내다.
She *thought of* it first. 그녀
가 제일 먼저 그것을 생각해 냈다.
think over …을 숙고하다, 곰곰히
생각해 보다.
Think it *over*. 잘 생각해 봐라.
We have to *think over* the
new plan. 우리는 그 새 계획을
곰곰이 생각해 봐야 한다.
****third** [θə:rd] 阌
〔複數〕 thirds [θə:rdz]
❶ 《보통 the를 붙여》제 3, 3번
째; (달의) 3일; 3번째의 사람
〔것〕. ▶3rd로 약함.
Henry the *Third* 헨리 3세.
the *third* of March, 3월 3일.
❷ 3분의 1.

two *thirds*, 3분의 2.
The pie was divided into
thirds. 그 파이는 3등분되었다.
── 阌 《보통 the를 붙여》제 3의,
3번째의; 3분의 1의.
the *third* lesson 제 3과.
third base (야구의) 제 3루.
The *third* month of the
year is March. 1년의 세 번째
달은 3월이다.
thirst·i·er [θə́:rstiər] 阌
thirsty의 비교급.
thirst·i·est [θə́:rstiist] 阌
thirsty의 최상
급.
***thirst·y** [θə́:rsti] 阌 〔比較〕
thirstier [θə́:rstiər]:
〔最上〕 thirstiest [θə́:rstiist]
❶ 목마른.
I am 〔feel〕 *thirsty*.
나는 목이 마르다.
❷ 《be thirsty for로》…을 열망
하다, 갈망하다.
People were *thirsty for* good
news. 사람들은 기쁜 소식을 갈
망하고 있었다.
***thir·teen** [θə́:rtí:n] 阌
13의; 13 개〔명〕의;
13세인.
Our team has *thirteen*
members. 우리 팀의 멤버는 13
명이다.
── 阌 〔複數〕 thirteens [θə́:rtí:nz]
13; 13 세; 《복수 취급》13 개〔명〕.
at *thirteen* past two, 2시 13
분에.
She thinks *thirteen* is an
unlucky number. 그녀는 13을
불길한 숫자로 생각한다. ▶영미
에서는 13을 불길한 숫자로 여김.
thir·teenth [θə́:rtí:nθ] 阌
〔複數〕 thirteenths [θə́:rtí:nθs]
《보통 the를 붙여》제13, 13 번
째; (달의) 13일; 13분의 1.
▶13th로 약함.
one *thirteenth*, 13분의 1.
Today is Friday the *thir-*

T

teenth. 오늘은 13일, 금요일이다.
── 형 《보통 the를 붙여》 제13
의, 13번째의.
This is John's *thirteenth*
birthday. 오늘은 존의 13번째
생일이다.

thir·ties [θə́ːrtiz] 명
thirty의 복수.

thir·ti·eth [θə́ːrtiiθ] 명

복수 **thirtieths** [θə́ːrtiiθs]
《보통 the를 붙여》 제30, 30(번)
째; (달의) **30**일. ▶30th로 약함.
The accident happened on
the *thirtieth* of June. 그 사
고는 6월 30일에 일어났다.
── 형 제30의, 30번째의.

:**thir·ty** [θə́ːrti] 명

복수 **thirties** [θə́ːrtiz]
❶ 30; 30분; 30세; 《복수 취
급》 30개〔명〕.
Three times ten is *thirty*.
3×10=30.
I usually get up at six
thirty. 나는 보통 6시 30분에 일
어난다.
❷ 《one's **thirties**로》 (연령의)
30대; 《the **thirties**로》 (각 세기
의) **30년대**. ▶the 30s〔30's〕로
도 씀.
in *the* (nineteen) *thirties*,
(19)30년대에.
My mother is still in *her*
thirties. 나의 어머니는 아직 30
대이다.
── 형 30의; 30개〔명, 세〕의.
thirty students, 30명의 학생들.

:**this** [ðis] 대

복수 **these** [ðiːz]
❶ **이것, 이 사람**(⇨ that 저것).
This is my book.
이것은 내 책이다.
"What is *this*?" "It's a vio-
lin." 「이것은 무엇이냐?」 「그것은
바이올린이다.」
Mother, *this* is my friend
Nancy. 어머니, 이 애는 나의 친

구 낸시입니다. ▶사람을 소개할
때 쓰는 말씨.

어법 **this**와 **that**
this는 말하는 사람 가까이 있
는 것을, **that**은 **this**보다 멀
리 떨어져 있는 것을 나타낼 때
쓰인다.
This is a dog, and *that*
is a car. 이것은 개이고 저것
은 자동차이다.
회화 **This is he** 〔**she**〕. 「(전
화에서) 접니다.」
전화에서 상대방이 찾는 사람이
자기일 때 하는 말이다. This
is ... (speaking). (저는 …입
니다.)이나 Who's *this*? (누
구시지요?)는 전화에서 흔히 쓰
는 말인데, **this**는 말하는 사람
자신도 가리키고 상대방도 가리
킨다.
A : Hello. Is Jenny at
home?
B : *This* is *she*. Who's
this, please?
A : Hi, this is Bobby
(speaking).
「여보세요. 제니 집에 있습니
까?」「전데요. 실례지만 누구시
죠?」「아, 나 보비야.」 ▶영국
에서는 말하는 사람 자신을 가
리킬 때에는 **this**를, 상대방을
가리킬 때에는 **that**을 씀.

---

❷ **지금, 오늘, 이 때.**
This is the sixth of October.
오늘은 10월 6일이다.
This is the 20th century.
지금은 20세기다.
After *this* I will work hard-
er. 앞으로는 더 열심히 일하겠다.
── 형 ❶ 《가까이 있는 것을 가리
켜》 **이**; **이곳〔여기〕의**(⇨ that 저,
저기의).
I like *this* book very much.
나는 이 책을 대단히 좋아한다.
Which do you like better,
this pen or that pen? 너는

이 펜과 저 펜 중 어느 것을 더 좋아하느냐?

❷ 지금의, 현재의, 오늘의.

this morning 〔afternoon, evening〕 오늘 아침〔오후, 저녁〕. *this* week 〔month, year〕 금주〔이 달, 금년〕.

School begins on September 2 *this* year. 올해 학교는 9월 2일에 시작한다.

this time 이번에(는).

She has succeeded *this time.* 그녀는 이번에는 성공했다.

this way 이쪽으로; 이런 식으로.

Please come *this way.* 이쪽으로 오십시오.

Do it *this way.* 이런 식으로 하여라.

thorn [θɔːrn] 명
〔복수〕 **thorns** [θɔːrnz]
(식물의) 가시.

Roses have *thorns.* 장미에는 가시가 있다.

I don't like plants with lots of *thorns.* 나는 가시가 많은 식물은 싫다.

thor·ough [θə́ːrou] 형 〔비교〕 **more thorough**;
〔최상〕 **most thorough**
완전한, 철저한, 완벽한.

a *thorough* gentleman (나무랄 데 없는) 완벽한 신사.

a *thorough* examination 철저한 검사.

Mr. Brown is a *thorough* worker. 브라운씨는 일에 철저한 사람이다.

thor·ough·ly [θə́ːrouli] 부
〔비교〕 **more thoroughly**; 〔최상〕 **most thoroughly**
완전히, 철저하게, 아주.

He searched for the lost money *thoroughly.* 그는 잃은 돈을 찾기 위해 샅샅이 조사했다.

You must clean your room *thoroughly.* 너는 방을 아주 깨끗하게 청소해야 한다.

those [ðouz] 대
《that의 복수형》

❶ 그것들, 저것들(⇨ these 이것들).

Those are all my uncle's books. 저것들은 모두 나의 삼촌의 책들이다.

These are better than *those.* 이것들은 저것들보다 좋다.

"Are *those* your friends?" "Yes, they are." 「저들은 너의 친구들이냐?」 「응, 그렇다.」

❷ 《앞에 나온 복수 명사의 반복을 피하기 위해서》 (…의) 그것들.

The legs of my chair are shorter than *those* of yours. 내 의자의 다리는 네 의자의 다리보다 짧다.

❸ 《**those who** ...로》 …하는 사람들.

Heaven helps *those who* help themselves. 《속담》 하늘은 스스로 돕는 자를 돕는다.

── 형 그것들의, 저것들의.

Those books are hers. 그 책들은 그녀의 것이다.

Those people are from Canada. 그 사람들은 캐나다에서 왔다.

in those days 그 당시〔때〕는. ☞ day

thou [ðau] 대 〔복수〕 **ye** [jiː]
너(=you). ▶성서 등에 나오는 옛말.

though [ðou] 접
❶ …이지만, …이기는 하지만. (=although).

Though I like baseball, I've never played it. 나는 야구를 좋아하지만 해 본 적은 없다.

The flower garden is very pretty *though* it is small. 그 화단은 작지만 대단히 예쁘다.

❷ 설사 …일지라도(=even if).

Let's try, (even) *though* we may fail. 실패할지 모르지만, 시도해 보자.

as though ... 마치 …처럼(＝as if).

He talks *as though* his opinions were important. 그는 마치 자기 의견이 중요한 것처럼 말한다.

He looks *as though* he were a movie star. 그는 마치 영화 배우처럼 보인다.

even though ... 비록 …할지라도 (＝even if).

I wouldn't buy it *even though* I had more money. 나는 비록 돈이 더 있다 하더라도 그것을 사지 않겠다.

── 부 그러나, 그렇지만, 역시.
▶ 문장 뒤에 놓임.

I missed the bus. John gave me a ride, *though*. 나는 버스를 놓쳤다. 그러나 존이 나를 차에 태워 주었다.

She promised me to come; she didn't, *though*. 그녀는 나에게 오겠다고 약속했다. 그렇지만 오지 않았다.

***thought** [θɔːt] 동 **think**의 과거·과거 분사.

I *thought* (that) she would come. 나는 그녀가 오리라고 생각했다.

── 명 복수 **thoughts**[θɔːts]

❶ 《a와 복수형 안 씀》 생각하기, 사고, 고려, 숙고.

He acted without *thought*. 그는 무분별하게 행동하였다.

After much *thought* she made up her mind to go there. 곰곰이 생각한 뒤에 그녀는 거기에 가기로 결심했다.

❷ 의견, 생각; 사상.

What are your *thoughts* on this matter? 이 문제에 대해 너는 어떤 의견이냐?

He put down his *thoughts* in the notebook. 그는 자기의 의견을 노트에 기록하였다.

modern *thought* 근대 사상.

thought·ful [θɔːtfəl] 형

비교 **more thoughtful**; 최상 **most thoughtful**

생각이 깊은; 친절한, 인정 있는.

a *thoughtful* person 사려 깊은 사람.

She looked *thoughtful* for a moment. 그녀는 잠시 깊은 생각에 잠기는 듯했다.

Try to be more *thoughtful* of others. 남들에게 더 인정 있게 굴어라.

It is very *thoughtful* of you to say so. 그렇게 친절히 말씀해 주시니 참으로 고맙습니다.

\:**thou·sand** [θáuzənd]

복수 **thousands**[θáuzəndz]

1,000; 《복수 취급》 1,000 개 〔명〕.

a 〔one〕 *thousand*, 1,000.

ten *thousand*, 1만.

twelve *thousand*, 1만 2천.

a 〔one〕 hundred *thousand*, 10만.

> 어법 **thousand**의 용법
> 1. 2,000 이상의 수를 말할 경우, two thousand, three thousand라고 하여 thousand에 s를 붙이지 않는다.
> 2. thousand는 thousands of 로 쓰일 때만 복수형으로 한다.

***thousands of** 수천의, 수많은.

Thousands of people were killed in the war. 수천 명의 사람들이 전쟁에서 죽었다.

Many *thousands of* Koreans live in the city. 수많은 한국인들이 그 도시에 살고 있다.

── 형 ❶ 1,000의; 1,000개〔명〕의.

three *thousand* cars, 3천 대의 자동차.

❷ 《a를 붙여》 다수의, 수많은.

A *thousand* thanks.

대단히 고맙습니다.

thread [θred] 명
   복수 **threads** [θredz]
실; 실 모양의 것.
a needle and *thread* 실을 꿴
바늘.
sew with cotton *thread* 무명
실로 꿰매다.
a *thread* of light 한 줄기의 빛.

threat [θret] 명
   복수 **threats** [θrets]
위협, 협박.
make a *threat* 협박하다.

threat·en [θrétn] 타
  3·단·현 **threatens**
[θrétnz] : ing형 **threatening**
[θrétniŋ] : 과거 과분 **threatened**
[θrétnd]
…을 위협하다, 협박하다.
He *threatened* me with
gun. 그는 총으로 나를 위협하
였다.

****three** [θri:] 명
   복수 **threes** [θri:z]
3 ; 3세 ; 3시 ; 《복수 취급》 3 개
〔명〕.
a boy of *three* 세 살짜리 소년.
He left at *three*.
그는 3시에 떠났다.
There are *three*.
세 개가〔명이〕 있다.
── 형 3의 ; 3세의, 3 개〔명〕의.
I have *three* brothers.
나는 삼형제가 있다.
My sister is *three*.
내 누이동생은 세 살이다.

****threw** [θru:] 동
   throw의 과거.
They *threw* stones at the
dog. 그들은 개에게 돌을 던졌다.

thrift·y [θrífti] 형
  비교 **thriftier** [θríftiər] :
최상 **thriftiest** [θríftiist]
검소한, 절약하는, 저축심이 있는.
a *thrifty* shopper 검소한 쇼핑
자〔소비자〕.

thrill [θril] 명
   복수 **thrills** [θrilz]

(공포·기쁨·흥분 따위로) 두근
거림, 오싹함, 스릴, 전율.
a *thrill* of joy 짜릿한 기쁨.
The movie was full of *thrills*.
그 영화는 스릴이 넘쳤다.
── 타 3·단·현 **thrills** [θrilz] :
ing형 **thrilling** [θríliŋ] : 과거 과분
thrilled [θrild]
…을 오싹하게〔두근거리게〕 하다 ;
감격시키다.
The scene *thrilled* the audi-
ence. 그 장면은 관객들을 오싹하
게 했다.
The news from Barcelona
thrilled the whole nation. 바
르셀로나에서의 소식은 온 나라를
감격시켰다.

throat [θrout] 명
   복수 **throats** [θrouts]
목(구멍).
He has a sore *throat*.
그는 목이 아프다.
He cleared his *throat* before
he spoke. 그는 말하기 전에 헛
기침을 하였다.

throne [θroun] 명
   복수 **thrones** [θrounz]
왕좌 ; 《the를 붙여》 왕위, 왕권.
He will be the successor
to the *throne*. 그는 왕위 계승
자가 될 것이다.
come to the throne 왕위에 오르
다, 즉위하다.
He *came to the throne* at
the age of ten. 그는 10세의
나이에 즉위하였다.

****through** [θru:] 전
❶ 《통과·관통을 나타내어》 …을
통과하여, 지나서, 관통하여.
The river flows *through* the
city. 그 강은 그 도시를 관통하여
흐른다.
The train passed *through* a
tunnel. 그 열차는 터널을 빠져
나갔다.
A cat came in *through* the
window. 고양이가 창으로 들어왔다.

T

Inho was walking *through* the school gate. 인호는 걸어서 교문을 통과하고 있었다.

❷ 《시간을 나타내어》 …동안 내내〔죽〕, …의 처음부터 끝까지, …중(中).

She stayed there (all) *through* the summer. 그는 여름 내내 거기에 머물렀다.

He talked about it all *through* dinner. 그는 식사하는 동안 내내 그것에 관해서만 이야기하였다.

❸ 《수단·원인을 나타내어》 …을 통하여, …로 인해서, …때문에.

We learn about other countries *through* books. 우리는 책을 통하여 다른 나라들에 관해 배운다.

The accident happened *through* her carelessness. 그 사고는 그녀의 부주의로 인해서 발생했다.

❹ 《장소를 나타내어》 …의 모든 곳에〔을〕, 온 …에〔을〕(= all over).

We traveled *through* Europe. 우리는 유럽을 두루 여행했다.

The news spread *through* the country. 그 뉴스는 전국으로 퍼졌다.

❺ 《요일 따위의 앞에 써서》 …까지.

This bank is open (from) Monday *through* Friday. 이 은행은 월요일부터 금요일까지 영업한다.

He stayed in America from 1975 *through* 1985. 그는 미국

에 1975년부터 1985년까지 체류했다.

❻ 《종료를 나타내어》 …을 끝내고, …을 마치고.

She is not *through* high school yet. 그녀는 아직 고등학교를 마치지 않았다.

── 图 ❶ 통하여, 통과하여, 꿰뚫어.

The bullet hit the wall and went *through*. 탄환은 벽을 관통했다.

❷ 처음부터 끝까지; 줄곧.

I read her letter *through* carefully. 나는 그녀의 편지를 처음부터 끝까지 주의 깊게 읽었다.

Hear me *through*, please. 제발 내 말을 끝까지 들어주세요.

She cried all the night *through*. 그녀는 밤새도록 울었다.

❸ 아주, 완전히(= completely).

I was caught in a shower and was wet *through*. 나는 소나기를 만나서 흠뻑 젖었다.

❹ 끝나, 마치어.

Are you *through*? 이제 끝났느냐? ▶식사·통화 따위가 끝났느냐고 물을 때.

I will be *through* with my homework soon. 나는 숙제를 곧 끝내게 된다.

through·out [θruːáut] 图

❶ 《시간을 나타내어》 …을 통하여, …동안 죽〔내내〕.

It snowed *throughout* the night. 밤새도록 눈이 왔다.

Throughout the winter they built a village. 겨울 내내 그들은 마을을 건설했다.

❷ 《장소를 나타내어》 …의 모든 곳에, 도처에, 온 …에.

This day is celebrated *throughout* the country. 전국 모든 곳에서 이 날을 축하한다.

He has traveled *throughout*

Korea. 그는 한국 방방곡곡을 여행했다.
— 🔖 완전히, 죄다, 아주, 모든 점에서.
The laboratory is painted white *throughout*. 그 실험실은 온통 희게 칠해져 있다.
He is an honest man *throughout*. 그는 아주 정직한 사람이다.
Her room was neat *throughout*. 그녀의 방은 아주 잘 정돈되어 있었다.

*throw [θrou] 🔖
〔3·단·현〕 throws [θrouz] :
〔ing형〕 throwing [θróuiŋ] : 〔과거〕
threw [θru:] : 〔과분〕 thrown
[θroun]

❶ …을 던지다, 팽개치다.
Jim *threw* the ball to first base. 짐은 1루에 볼을 던졌다.
Don't *throw* a stone at the dog. 개에게 돌을 던지지 마라.
▶ throw … to는 「상대가 받을 수 있도록 던지다」, throw … at은 「…을 겨냥해서 던지다」란 뜻.
We must not *throw* trash into the river. 우리는 강에 쓰레기를 던져서는 안 된다.
❷ (빛·그림자 따위)를 비추다, 드리우다; (시선 따위)를 보내다.
The tree *throw* a long shadow in the setting sun. 그 나무는 석양에 기다란 그림자를 드리우고 있었다.
She *threw* an angry look at me. 그녀는 나에게 노여움에 찬 시선을 보냈다.

throw away …을 내버리다.
Who *threw* *away* this notebook? 누가 이 공책을 내버렸지?
throw off (옷 따위)를 서둘러 벗다, 벗어 던지다.
Jim *threw* *off* his jacket. 짐은 자켓을 벗어던졌다.
throw open (문 따위)를 활짝 열다.

Running to the door, she *threw* it *open*. 그녀는 문으로 달려가서, 문을 활짝 열었다.
throw out (필요 없는 것)을 버리다, 처분하다.
Don't *throw* *out* these old newspapers. 이 헌 신문들을 버리지 마라.
throw up …을 던져 올리다; (먹은 것)을 토하다.
He *threw* *up* a ball into the air. 그는 공을 공중으로 높이 던졌다.
I think I'm going to *throw* *up*. 나는 토할 것 같다.
— 🔖 〔복수〕 throws [θrouz]
던지기; 투구.
an overhand 〔underhand〕 *throw* (야구에서) 오버〔언더〕스로.
That was a good *throw* from left field to the pitcher. 왼쪽 외야에서 투수에게 던진 공은 좋았다.

*thrown [θroun] 🔖
throw의 과거 분사.

thrush [θrʌʃ] 🔖
〔복수〕 thrushes [θrʌ́ʃiz]
개똥지빠귀(새의 이름).
I heard a *thrush* in a tree. 개똥지빠귀가 나무에서 울고 있는 것이 들렸다.

thrust [θrʌst] 🔖 〔3·단·현〕
thrusts [θrʌsts] : 〔ing형〕
thrusting [θrʌ́stiŋ] : 〔과거〕 〔과분〕
thrust [θrʌst]
(…을) 세게〔급작스레〕 밀다, 밀어내다; 찌르다.
thrust through a crowd 군중을 밀어 제치고 나가다.
He *thrust* his hand into his pocket. 그는 호주머니에 손을 찔러 넣었다.
He *thrust* the knife into the apple. 그는 사과에 칼을 찔렀다.
— 🔖 〔복수〕 thrusts [θrʌsts]
밀기, 찌르기.
a single sword *thrust* 검으로 단 한 번 찌르기.

T

thumb [θʌm] 명
[복수] thumbs [θʌmz]
엄지손가락.
a *thumb* and four fingers 엄지와 네 개의 손가락. ▶ 엄지손가락은 finger라고 하지 않음.
There was a hole in the *thumb* of his glove. 그의 장갑의 엄지손가락에 구멍이 나 있었다.
Thumb(s) down! 안 돼! 반대다! 《반대의 표시》.
Thumb(s) up! 좋다! 잘했다! 찬성이다!《만족·동의의 표시》.

[참고] 엄지손가락을 세우면 찬성, 성공을 나타내며, 길에서 지나가는 차를 세워 태워달라는 표시도 된다. 엄지손가락을 밑으로 내리면 불만족, 반대의 뜻을 나타낸다. 엄지손가락을 코끝에 대고 손가락을 흔들면 경멸하거나 놀리는 표시가 된다.

thun·der [θʌ́ndər] 명
《a와 복수형 안 씀》우레, 천둥, 벼락. ☞ lightning
We had *thunder* last night. 간밤에 천둥이 쳤다.
Are you afraid of *thunder*? 너는 천둥이 무섭니?
── 자 [3·단·현] **thunders** [θʌ́ndərz] : [ing형] **thundering** [θʌ́ndəriŋ] : [과거][과분] **thundered** [θʌ́ndərd]
《it을 주어로 하여》천둥〔벼락〕치다.
It *thundered* heavily last

night. 간밤에는 천둥이 요란스러웠다.
It was *thundering*, and there was a lot of lightning. 천둥이 울리고 많은 번개가 쳤다.

thun·der·ous [θʌ́ndərəs] 형
우레와 같은, 우레같이 울려 퍼지는, 매우 큰.
The audience responded with *thunderous* applause. 청중은 우레와 같은 박수로 답했다.

Thur., Thurs. Thursday의 간략형.

Thurs·day [θə́ːrzdei] 명
[복수] Thursdays [θə́ːrzdeiz]
목요일. ▶ Thur., Thurs.로 약함.
Today is *Thursday*.
오늘은 목요일이다.
She came to see me on *Thursday*. 그녀는 목요일에 나를 만나러 왔다. ▶「…요일에」라고 할 때는 대개 on을 씀.
We'll have a history test next *Thursday*. 다음 목요일에 역사 시험이 있다. ▶ next, last, every 따위가 앞에 올 경우는 전치사를 붙이지 않음.

thus [ðʌs] 부
이와 같이, 이렇게(= in this way): 따라서, 그래서.
He spoke *thus*.
그는 이렇게 말했다.
It's late, and *thus* you must go. 늦었으니 너는 가야 한다.

thy [ðai] 대
《thou의 소유격》그대의, 당신의. ▶ 성서 따위에 나오는 옛말.

tick [tik] 명
(시계 등의) 똑딱똑딱 소리; 꺾자(✓) 표시.
Place a *tick*. 체크 표시를 넣어라. ▶ 미국에서는 check를 씀.

— 자 3·단·현 **ticks**[tiks]：
ing형 **ticking**[tíkiŋ]；과거 과분
ticked[tikt]
(시계가) 똑딱거리다.
I couldn't fall asleep because the clock was *ticking* so loudly. 그 시계가 너무 크게 똑딱거려서 나는 잠을 잘 수가 없었다.

*__tick·et__ [tíkit] 명
복수 **tickets**[tíkits]
표, 승차권, 입장권.
a bus [train] *ticket* 버스〔열차〕표.
a one-way *ticket* 편도표.
a round-trip *ticket* 왕복표.
He bought a boat *ticket* to San Francisco. 그는 샌프란시스코까지의 선표를 샀다.
Jane has three *tickets* for concert. 제인은 음악회 입장권을 세 장 갖고 있다.

tide [taid] 명
복수 **tides**[taidz]
조수; 조류; 형세.
high *tide* 밀물, 만조.
low *tide* 썰물, 간조.

tid·ings [táidiŋz] 명
《단수·복수 취급》통지, 기별, 소식.
glad *tidings* 희소식.

ti·dy [táidi] 형
비교 **tidier**[táidiər]；최상
tidiest[táidiist]
잘〔말끔히〕정돈된, 단정한, 산뜻한.
You should keep your room *tidy*. 방을 말끔히 정돈해 두어야 한다.
Sunho looks very *tidy* when he wears his school uniform. 순호는 교복을 입었을 때 매우 단정해 보인다.

*__tie__ [tai] 동 3·단·현 **ties**[taiz]；
ing형 **tying**[táiiŋ]；과거 과분
tied[taid]
타 ❶ …을 묶다, 매다.

Nancy *tied* her shoelaces. 낸시는 그녀의 구두끈을 묶었다.
He *tied* the package tight. 그는 꾸러미를 단단히 묶었다.
I'll *tie* the dog to that tree. 개를 저 나무에 매어 놓겠다.
❷ (경기 따위에서) …와 동점이 되다.
Hyundai *tied* Samsung in the second game. 현대는 삼성과 2회전에서 동점이 되었다.
— 자 ❶ 묶이다, 매이다.
This rope won't *tie* well. 이 로프는 잘 묶이지 않을 것이다.
❷ (경기 따위에서) 동점이 되다.
The two teams *tied*.
그 두 팀은 동점이 되었다.
— 명 복수 **ties**[taiz]
❶ 넥타이. ▶ 미국에서는 neck-tie라고도 함.
My cousin always wears a red *tie*. 내 사촌은 언제나 빨간 넥타이를 하고 있다.
❷ 《복수형으로》 인연, 연분, 유대.
the *ties* of blood 혈연.
❸ (경기 따위에서의) 동점.
The game ended in a *tie*.
그 경기는 동점으로 끝났다.

*__ti·ger__ [táigər] 명
복수 **tigers**[táigərz]
호랑이. ▶ 특별히 암호랑이를 말할 때는 tigress [táigris]라고 함.
a paper *tiger* 종이 호랑이《겉은 강해 보이나 실제는 약한 것》.
A *tiger* is a large, fierce animal. 호랑이는 크고 사나운 동물이다.

tight
[tait] 형
비교 **tighter**[táitər] : 최상
tightest [táitist]
단단히 맨; 단단한; 팽팽한; (옷·구두 따위가) 꼭 끼는; 빈틈없는.
make a *tight* knot 단단히 매듭을 짓다.
The drawer is so *tight* that I can't open it. 서랍이 너무 꼭 끼어서 열 수가 없다.
These shoes are too *tight* for me. 이 구두는 내게 너무 꼭 낀다.
── 부 단단히, 굳게, 꽉; 푹《잠자는 모양》
The rope was tied too *tight* to move. 그 밧줄은 단단히 매어져 있어서 꿈쩍도 하지 않았다.
This shirt fits me *tight*. 이 셔츠는 내 몸에 꼭 낀다.
Sleep *tight*. 푹 잠들어라.

tight·ly
[táitli] 부
비교 **more tightly**;
최상 **most tightly**
단단히, 굳게, 팽팽히.
He was holding her hands *tightly*. 그는 그녀의 손을 꼭 잡고 있었다.
Tie the rope to the tree more *tightly*. 그 밧줄을 나무에 더 단단히 매어라.

tile
[tail] 명
복수 **tiles**[tailz]
타일; 기와.
a *tile* floor 타일을 깐 마루.
The roof is covered with red *tiles*. 그 지붕은 붉은 기와로 덮여 있다.

till
[til] 전
《시간의 계속을 나타내어》 …까지; …까지 내내(=until).
I will stay here *till* next Sunday. 나는 다음 일요일까지 이 곳에 머무르겠다.
He worked from morning *till* night. 그는 아침부터 밤까지 일하였다.
── 접 ❶ …할 때까지(=until).

I'll wait *till* he comes back. 그가 돌아올 때까지 기다리겠다.
You should stay here *till* the rain stops. 비가 멎을 때까지 여기 있어야 한다.

어법 **till의 용법**
1. until과 같은 뜻. 미국에서는 until이 더 흔하게 쓰인다.
2. 접속사 till 뒤에 이어지는 문장의 동사는 미래의 일을 나타내는 경우라도 현재형을 쓴다.
3. till은 동작·상태의 계속을, by는 동작이 완료되는 기한을 나타낸다.
I'll be here *till* noon. 나는 정오까지 죽 여기 있겠다.
I'll be here *by* noon. 나는 정오까지 여기 와 있겠다.

❷ 《**not ... till** ~로》 ~까지 …않다.
We do *not* realize the importance of health *till* we lose it. 사람은 건강을 잃기 전까지 그 중요성을 모른다.

tim·ber
[tímbər] 명 복수
timbers[tímbərz]
(제재한) 재목, 목재. ▶미국에서는 lumber를 더 즐겨 씀.
Large *timbers* are used for beams. 굵은 재목은 대들보로 사용된다.

*time
[taim] 명
복수 **times**[taimz]
❶ 《a와 복수형 안 씀》 (한 시점인) **시각**, (시계가 가리키는) **시간**.
What *time* is it now? = What is the *time*? 지금 몇 시입니까?
The *time* is six thirty. (지금) 시각은 6시 30분이다.
What *time* do you get up? 너는 몇 시에 일어나느냐?
❷ 《a, the와 복수형 안 씀》 (영원히 이어지는) **시간**, **때**, **세월**.
time and space 시간과 공간
Time is money.

《격언》 시간은 돈이다.
Time flies. 세월은 유수와 같다.
Time and tide wait for no
man. 《격언》 세월은 사람을 기
다리지 않는다.
❸《보통 a를 붙여》(일정한 길이
의) **시간, 기간, 동안**.
She has lived here for a
long *time*. 그녀는 오랫동안 여
기에 살고 있다.
I'll be back in a short *time*.
나는 잠시 후에 돌아오겠다.
We had a wonderful 〔good〕
time at the party. 우리는 파티
에서 매우 즐거운 시간을 보냈다.
❹《a와 복수형 안 씀》(…하기
위한) **시간, 여가**; (…해야 할) **시
간**.
She has no *time* to write
a letter. 그녀는 편지를 쓸 시간
이 없다.
It is *time* to go to bed now.
이제 자야 할 시간이다.
❺《보통 복수형으로》**시대; 시세**
(時勢).
modern *times* 현대.
keep up with *times* 시세에
따르다〔보조를 맞추다〕.
Times have changed.
시대는 변했다.
She is behind the *times*.
그녀는 시대에 뒤져 있다.
❻ **…번, …회**. ➤ 한 번은 once,
두 번은 twice이고, 세 번 이상일
때에는 … times를 씀.
I met him three *times*.
나는 그를 세 번 만났다.
❼《복수형으로》 **…배**.
This box is three *times* as
big as that one. 이 상자는 저
상자보다 세 배나 크다.
Three *times* four is 〔makes〕
twelve. 3×4＝12.
all the time (그 동안) **내내, 줄
곧; 언제나**.
He was silent *all the time*.
그는 그 동안 내내 침묵해 있었다.
She is late *all the time*.

그녀는 언제나 늦는다.
at any time 언제든지.
You can come to see me *at
any time*. 언제든지 나를 만나러
와도 된다.
at a 〔*one*〕 *time* 한 번에.
Don't try to do two things
at a time. 한 번에 두 가지 일
을 하려 하지 마라.
at that time 그때.
He was in New York *at that
time*. 그때 그는 뉴욕에 있었다.
at the same time 동시에.
Mike will learn Taegwondo
and Korean *at the same
time*. 마이크는 태권도와 한국어
를 동시에 배우려고 한다.
at times 때때로.
At times I go swimming.
때때로 나는 수영하러 간다.
for a time 잠시 동안.
They kept silent *for a time*.
그들은 잠시 침묵을 지켰다.
for some time 잠시 동안.
I'm staying in Korea *for
some time*. 나는 잠시 동안 한
국에 머무르고 있다.
for the first time 처음으로.
I went there *for the first
time* last week. 나는 지난 주
에 처음으로 그 곳에 갔다.
for the time being 당분간.
You'd better stay here *for
the time being*. 너는 당분간
이 곳에 있는 것이 좋겠다.
**from time to time* 가끔, 때때로.
He visited us *from time to
time*. 그는 가끔 우리를 방문하였
다.
have a good time 즐거운 시간을
가지다, 즐겁게 보내다.
Did you *have a good time*
last night? 어제 저녁 즐거웠느
냐?
"I'm going to the movies
now." "*Have a good time*."
「지금 영화 구경을 가는 길이다.」
「즐거운 시간 보내라.」

T

in time 제시간〔제때〕에; 조만간, 머지않아.

You will be *in time* for the train, if you leave now. 지금 떠나면 기차 시간에 맞춰 갈 수 있을 것이다.

You will understand her *in time*. 너는 머지않아 그녀를 이해하게 될 것이다.

on time 정시에; 시간에 맞춰.

Everybody came *on time*. 모두가 정시에 왔다.

some time 언젠가. ➤ 미래의 일을 말할 때 씀.

I want to come back here *some time* next year. 내년 언젠가는 이 곳에 다시 오고 싶다.

this time 이번에는.

I'll try naengmyeon *this time*. 나는 이번에는 냉면을 먹어 보겠다.

Time is up. 시간이 다 되었다.

time·ly [táimli] 혱 비교 timelier [táimliər]: 최상 timeliest[táimliist]
적시의, 때에 알맞은, 때맞춘.
a *timely* hit (야구의) 적시타.

time ma·chine [táim məʃìːn] 몡
타임 머신《공상 과학 소설에 등장하는 기계; 이를 타고 과거나 미래를 여행할 수 있음》.

time·ta·ble [táimtèibl] 몡
복수 timetables[táimtèiblz]
예정표; (열차·비행기 따위의) 시간표.
He looked up at the *time-table* in the station. 그는 역의 시간표를 쳐다보았다.

tim·id [tímid] 혱 비교 timider [tímidər]: 최상 timidest [tímidist]
겁많은, 소심한.
She is as *timid* as a rabbit. 그녀는 매우 소심하다.

tin [tin] 몡 《a와 복수형 안 씀》주석.

This kettle is made of *tin*. 이 주전자는 주석으로 만들었다.

ti·ni·er [táiniər] 혱 tiny의 비교급.

ti·ni·est [táiniist] 혱 tiny의 최상급.

ti·ny [táini] 혱 비교 tinier[táiniər]: 최상 tiniest [táiniist]
조그만, 아주 작은.
Look at those *tiny* baby chicks. 저 조그만 병아리를 보아라.
Tiny drops make the ocean. 《속담》 티끌 모아 태산.
My aunt kepps a *tiny* cat. 숙모님은 작은 고양이를 기르신다.

-tion [-ʃən] 접미
동사의 뒤에 붙여 명사를 만듦. ➤ 악센트는 -tion 바로 앞 음절에 옴.
ac*tion* 행동/ inven*tion* 발명/ objec*tion* 반대/ sugges*tion* 제안.

tip¹ [tip] 몡 복수 tips[tips]
끝; 첨단.
the *tip* of a pencil 연필 끝.
The word was on the *tip* of my tongue, but I forgot it. 그 말이 혀끝에서 뱅뱅 돌았으나, 잊고 말았다.

tip² [tip] 몡
복수 tips[tips]
팁, 행하(行下), 사례금.
Here's a *tip* for you. 자, 이거 팁입니다. ➤ 팁을 주면서 하는 말.
He put a *tip* on the table and stood up. 그는 테이블 위에 팁을 놓고 일어섰다.
── 타·자 3·단·현 tips[tips]: ing혱 tipping [típiŋ]: 과거 과분 tipped [tipt]
(…에게) 팁을 주다, 사례금을 주다.
Did you *tip* the waiter? 웨이터에게 팁을 주었느냐?
You should get used to their way of *tipping*. 그들의 팁 주는 습관에 익숙해져야 한다.

参고 유럽·미국에서는, 식당의 웨이터나 택시 운전사 등에게 그 서비스에 대해 요금 외에 얼마간의 돈을 더 주는 것이 보통이다. 이것이 팁이다. 팁은 보통 요금의 10-15% 정도이다.

Here's tip for you
「이것은 팁입니다.」

*__tire__ [taiər] 몡
복수 __tires__[taiərz]
타이어.
automobile *tires* 자동차 타이어.
Mr. Scott is washing the *tires* with water.
스코트씨는 물로 타이어를 씻고 있다.
▶ 영국에서는 tyre로 씀.

*__tired__ [taiərd] 혱 비교 __more tired__; 최상 __most tired__
❶ 피곤한, 지친; 《be tired from 으로》 …으로 피곤하다.
I am *tired*. 나는 피곤하다.
She looks *tired*.
그녀는 피곤해 보인다.
She gets *tired* easily.
그녀는 쉽게 지친다.
They *were tired from* the long trip. 그들은 오랜 여행으로 피곤하였다.
❷ 물린, 싫증이 난; 《be tired of 로》 …에 싫증 나다.
I'm *tired of* boiled eggs.
나는 삶은 달걀에는 싫증이 난다.
He *was tired of* his quiet life. 그는 평온한 생활에 싫증이 났다.

__tis·sue__ [tíʃuː] 몡
복수 __tissues__[tíʃuːz]
(동식물의 세포로 된) **조직**; **얇은 화장지**(=tissue paper).
a box of *tissues* 화장지 한 통.

__ti·tle__ [táitl] 몡
복수 __titles__[táitlz]
❶ (책·영화 따위의) **제목, 표제**; (자격·지위를 나타내는) **칭호, 경칭**.
What is the *title* of that book? 저 책의 표제는 무엇이냐?
King, President, Professor, and Mr. are *titles*. 왕, 대통령, 교수, 씨는 칭호이다.
❷ (경기의) **선수권, 타이틀**.
a *title* match 선수권 시합, 타이틀 매치.
win the tennis *title* 테니스의 선수권을 획득하다.

*__to__¹ [tə, tu; 강 tuː]
전
❶ 《도착점·방향을 나타내어》 …으로, …에, …까지, …의 쪽에 (⇔from …으로부터).
We went *to* the park.
우리는 공원으로 갔다.
How far is it from Seoul *to* Busan? 서울에서 부산까지 거리가 얼마나 되느냐?
Turn *to* the left.
왼쪽으로 돌아라.
China is *to* the west of Korea. 중국은 한국의 서쪽에 있다.

참고 **to, toward, for의 차이**
to는 목적지에 도착하는 것을, toward는 목적지를 향해 접근하는 행위만을 나타낸다. 즉 We walked *to* the station. (우리는 걸어서 역에 갔다.)은 역에 도착하였다는 뜻을 포함한다. 반면에 We walked *toward* the station. (우리는 역을 향해 걸어 갔다.)은 「역을 향해 걸어 갔을」 뿐이지 도착 여부는 알 수가 없다. for는

T

「(어느 지점에서) …을 향해」라는 뜻으로 행선지를 나타내며, leave, start 따위의 출발을 나타내는 동사와 함께 쓰인다. We *left for* the station. (우리는 역을 향해 출발했다.)은 출발했음을 나타내는 것뿐이지, 목적지에 이르는 과정이나 도착 여부에 관해서는 알 수가 없다.

❷ 《행위의 대상을 나타내어》…에게, …에 대하여.
Give this book *to* him.
이 책을 그에게 주어라.
This is my answer *to* your letter. 이것이 너의 편지에 대한 나의 대답이다.
Don't be cruel *to* animals.
동물에게 잔인해서는 안 된다.
❸ 《범위·기한을 나타내어》…까지; (시각의) …전(⇔past …을 지나).
The store is open from 9 o'clock *to* six. 그 상점은 9시부터 6시까지 개점한다.
It's ten (minutes) *to* six.
6시 10분 전이다.
❹ 《정도·결과·상태를 나타내어》…에 (이르기)까지, …할 정도로, …하게도.
She broke the bottle *to* pieces. 그녀는 그 병을 산산조각냈다.
He was moved *to* tears.
그는 눈물이 날 정도로 감동했다.
To my surprise, he left school. 놀랍게도 그는 학교를 그만두었다.
❺ 《비교·대비를 나타내어》…에 비[대]해서; …보다.
We won the game by 3 *to* 1. 우리는 3대 1로 경기에 이겼다.
I prefer rice *to* bread.
나는 빵보다 밥을 좋아한다.
❻ 《목적을 나타내어》…을 위하여.
To your good health! 너의 건강을 위하여! ➤ 건배할 때의

말.
They sat down *to* dinner together. 그들은 식사를 하기 위해 함께 자리에 앉았다.
❼ 《적합·이치를 나타내어》…에 맞추어서.
We danced *to* the music.
우리는 음악에 맞추어 춤추었다.

*to² [tə, tu; 강 tu:] 쩐
《to+동사의 원형으로》 ➤ 이것을 문법에서는 부정사라고 함.
❶ 《명사적 용법》…하는 것, …하기.
To walk is healthy exercise.
걷기는 건강에 좋은 운동이다.
To see is *to believe*. (= Seeing is believing.) 《속담》 보는 것이 믿는 것이다 《백문이 불여 일견》.
I like *to read*.
나는 독서 하기를 좋아한다.
It is wrong *to tell* a lie.
거짓말을 하는 것은 나쁘다.
❷ 《형용사적 용법》…해야 할, …하는, …하기 위한.
I have a lot of work *to do*.
나는 해야 할 일이 많다.
Give me something *to eat*.
뭔가 먹을 것을 좀 주시오.
It's time *to get* up.
일어나야 할 시간이다.
❸ 《부사적 용법》…하기 위해; …하고; …하여서; …하기에는; …하면.
I went to the shop *to buy* a radio. 나는 라디오를 사기 위해 그 상점에 갔다《목적》.
I was surprised *to hear* the news. 나는 그 소식을 듣고 놀랐다《원인·이유》.
He grew up *to be* a great man. 그는 자라서 위대한 사람이 되었다《결과》.
The question is difficult *to answer*. 그 질문은 대답하기 어렵다《형용사 수식》.
To tell the truth, I don't like him. 진실을 말하면, 나는

그가 싫다《독립 부사구》.

❹ 《의문사＋**to**＋동사의 원형으로》 …해야 좋을지〔할지〕.

I don't know *what to do.*
나는 무엇을 하여야 할지 모르겠다.

She knows *how to play*
tennis. 그녀는 테니스를 칠 줄 안다.

***have to** *do* …하여야 하다(＝ must).

I *have to* study now.
이제 나는 공부하여야 한다.

***too ... to** ∼ 너무 …하여서 ∼ 할 수 없다.

The box is *too* heavy *to*
move. 그 상자는 너무 무거워서 움직일 수 없다.

toast [toust] 명
《a와 복수형 안 씀》토스트, 구운 빵.

a slice 〔piece〕 of buttered
toast 한 조각의 버터 바른 토스트.

I ate two slices of *toast*
for breakfast. 아침 식사로 토스트 두 조각을 먹었다.

── 타 ③·단·현 **toasts** [tousts] ;
ing형 **toasting** [tóustiŋ] ; 과거
과분 **toasted** [tóustid]
(빵 따위)를 굽다. ☞ bake

I *toasted* the bread, and
our breakfast was ready.
나는 빵을 구웠고, 그것으로 우리 아침은 준비가 되었다.

toast·er [tóustər] 명 복수
toasters [tóustərz]
(전기) 토스터, 빵 굽는 기구.

She put some bread into
the *toaster* and turned it
on. 그녀는 토스터에 빵을 넣고 스위치를 켰다.

to·bac·co [təbǽkou] 명
복수 **tobaccos**
또는 **tobaccoes** [təbǽkouz]
(잎)담배; 살담배.

Some friendly Indians
showed them how to plant

corn and *tobacco.* 어떤 친절한 인디언들은 그들에게 옥수수와 담배의 재배법을 가르쳐 주었다.

> 참고 우리말의 담배는 궐련뿐만 아니라 잘게 썬 살담배와 원료인 담뱃잎까지 의미하나, 영어의 tobacco는 원료가 되는 「잎담배」와 「살담배」를 뜻한다. 궐련은 cigarette이라고 한다.

****to·day** [tədéi] 명
《a와 복수형 안 씀》오늘; 현대, 오늘날(⇨ yesterday 어제; tomorrow 내일).

the science of *today* 오늘날의 과학.

Today is Sunday.
오늘은 일요일이다.

Young people of *today*
have good taste in clothing.
오늘날 젊은이들은 옷에 대한 감각이 좋다.

Have you seen *today*'s
paper? 오늘 신문을 읽었느냐?
So much for *today.* 오늘은 여기까지. ▶수업이 끝날 때 하는 말.

── 부 오늘; 오늘날에는.

It is very hot *today.*
오늘은 매우 덥다.

What day of the month
〔week〕 is it *today?* 오늘은 몇 월 며칠〔무슨 요일〕이지?

Many people travel abroad
today. 오늘날에는 많은 사람들이 외국으로 여행을 간다.

***toe** [tou] 명
복수 **toes** [touz]
발가락; (구두·양말 따위의) 앞부리. ☞ finger(손가락)

a big 〔little〕 *toe* 엄지〔새끼〕발가락.

the *toe* of my shoe 내 구두의 앞부리.

Bill stood on his *toes* and
reached for the book. 빌은 발돋움하여 책에 손을 뻗쳤다.

T

*to·geth·er [təɡéðər] 부

❶ 함께, 같이.
Jim and I often play tennis *together*. 짐과 나는 종종 함께 테니스를 친다.
Let's watch television *together*. 우리 함께 텔레비전을 보자.

❷ 동시에, 일제히.
They all started running *together*. 그들은 모두 일제히 달리기 시작했다.
You cannot wear two dresses *together*. 두 벌의 옷을 동시에 입을 수는 없다.

all together 모두 함께.
Let's sing *all together*.
우리 모두 함께 노래하자.

get together 모이다.
They *get together* once a year. 그들은 1년에 한 번씩 모인다.

together with …와 함께, …와 더불어.
She sent me a box of chocolate, *together with* a letter. 그녀는 편지와 함께 초콜릿 한 상자를 나에게 보냈다.

toi·let [tɔ́ilit] 명
복수 **toilets** [tɔ́ilits]
화장실; 세면장. ☞ bathroom (욕실)
toilet paper 화장지.
toilet articles 세면 도구.

참고 우리 나라에서도 대개 그렇지만 영미에서도 세면장, 화장실, 욕실이 같은 방에 있는 것이 보통이며, 이를 통틀어 bathroom이라 한다. 개인 집에서 「화장실이 어디 있습니까?」라고 물을 때에는 Where is the bathroom? 이라든가 Where can I wash my hands? 라고 말한다. 공공의 장소에서는 화장실을 rest room이라고 하며, 남자용은 Men's 〔Gentlemen's〕 Room, 여자용은 Women's 〔Ladies'〕 Room이라고 한다.

to·ken [tóukən] 명
복수 **tokens** [tóukənz]
표; 기념품; (버스 따위의) 토큰 《승차권 대신 쓰이는 대용 경화》.

*told [tould] 동
tell의 과거·과거 분사.
He *told* me an interesting story. 그는 내게 재미있는 이야기를 해 주었다.

toll·gate [tóulɡèit] 명 복수
tollgates [tóulɡèits]
(유료 도로 따위에 있는) 요금 징수소, 톨게이트.

Tom [tɑm] 명
톰 《남자 이름. Thomas [táməs]의 애칭》.

to·ma·to [təméitou] 명
복수 **tomatoes** [təméitouz]
토마토.
Children drink *tomato* juice instead of coffee. 아이들은 커피 대신 토마토 주스를 마신다.

tomb [tu:m] 명
복수 **tombs** [tu:mz]
묘, 무덤. ☞ grave (무덤)
The tourist visited an ancient king's *tomb*. 그 여행자는 옛 왕릉을 방문하였다.

참고 tomb은 보통 묘석이 있는 큰 무덤을 말하며, 큰 부자가 아니면 개인이 소유한 경우는 드물다.

*to·mor·row [təmɔ́:rou] 명
《a와 복수형 안 씀》 내일.
tomorrow morning 〔afternoon, evening, night〕 내일 아침〔오후, 저녁, 밤〕.
(the) day after *tomorrow* 모레.
Tomorrow is Sunday.

내일은 일요일이다.
Good-bye, till *tomorrow!*
내일 봐, 안녕!
── 톙 내일.
Are you free *tomorrow?*
내일은 시간이〔여유가〕 있느냐?
It will be fine *tomorrow*.
내일은 날씨가 좋을 것이다.

***ton** [tʌn] 몡
복수 **tons** [tʌnz]
톤《무게의 단위》. ▶1톤은 한국·
프랑스 등에서는 1,000 kg, 영국
에서는 약 1,016 kg, 미국에서는
약 907 kg임.
We bought five *tons* of
coal. 우리는 석탄 5 톤을 샀다.

***tone** [toun] 몡
복수 **tones** [tounz]
음색, 음조; 어조; 색조.
I like the deep *tone* of the
pipe organ. 나는 파이프오르간
의 장엄한 음색이 좋다.
He spoke in an angry *tone*.
그는 화난 어조로 말했다.
a light *tone* of pink 엷은 색조
의 분홍.

tongue [tʌŋ] 몡
복수 **tongues** [tʌŋz]
❶ 혀.
Hold your *tongue!* 입 다물
어! ▶말하지 말라는 뜻.
He stuck out his *tongue* at
me. 그는 나에게 혀를 내밀었
다. ▶경멸을 나타냄.
❷ 언어, 국어(=language).
Korean is my mother
tongue. 한국어는 나의 모국어
다.

***to·night** [tənáit] 몡
《a와 복수형 안 씀》
오늘 밤, 오늘 저녁.
Please wait till *tonight*.
오늘 밤까지 기다려다오.
Here is *tonight's* news.
오늘 저녁 뉴스입니다.
── 톙오늘 밤에, 오늘 저녁에.
I'm going to bed early
tonight. 오늘 저녁에는 일찍 잘

생각이다.
What's on TV *tonight?*
오늘밤은 어떤 TV 프로가 있지?
We may have much rain
tonight. 오늘 밤에는 비가 많이
올지도 모르겠다.

****too** [tu:] 톙
❶《형용사·부사 앞에 쓰
여》너무나, 지나치게.
Don't run *too* fast.
너무 빨리 뛰지 마라.
This dress is *too* large for
me. 이 옷은 나에게 너무 크다.
That is *too* easy a book
for you. 그것은 너에게 너무
쉬운 책이다. ▶「too+형용사+
a+명사」의 어순에 주의.
❷ …도 또한; 그 위에. ☞ also
I like ping-pong. I like
tennis, *too*.
나는 탁구를 좋아한다. 테니스도
또한 좋아한다.
He will come, *too*.
그도 올 것이다.

┌─────────────────────────┐
참고 too가 「…도 또한」의 뜻으
로 쓰이는 경우는 긍정문과 의
문문일 때이며, 부정문에서는
too 대신에 either를 쓴다.
(○) He came, *too*.
(×) He didn't come, *too*.
→ (○) He didn't come,
either.
└─────────────────────────┘

cannot … too 아무리 …해도 지
나치지 않다.
I *cannot* thank you *too*
much. 감사를 아무리 드려도 부
족할 형편입니다.
You *cannot* study *too* hard.
공부는 아무리 해도 지나치란 법
은 없다.

***too ~ to …** 너무나 …하여 ~할
수 없다.
He's *too* old *to* swim. 그는
너무 늙어서 수영을 할 수 없다.
I'm *too* tired *to* walk. 나는
너무 피곤해서 걸을 수가 없다.

*took [tuk] 동
take의 과거.
The little boy *took* his
mother's hand. 어린 소년은
어머니의 손을 잡았다.

*tool [tu:l] 명
복수 **tools**[tu:lz]
도구, 공구, 연장.
carpenter's *tools* 목수 연장.
an edged *tool* 날이 있는 공구.
I can't dig a hole without
tools. 도구 없이는 구멍을 팔 수
없다.

*tooth [tu:θ] 명
복수 **teeth**[ti:θ]
이, 치아. ▶「치과 의사」는 den-
tist.
a decayed 〔bad〕 *tooth* 충치.
a false *tooth* 의치.
I had a *tooth* (pulled) out.
나는 이를 하나 뽑게 했다.
My *tooth* came out.
이가 하나 빠졌다.
I always brush my *teeth*
before I go to bed. 나는 자
기 전에 언제나 이를 닦는다.
An eye for an eye, and a
tooth for a *tooth*. 《성서》눈에
는 눈, 이에는 이.

tooth·ache [túːθèik] 명
《복수형 안 씀》 치통.
I had a *toothache* yester-
day, so I went to the den-
tist. 나는 어제 이가 아파 치과
의사에게 갔었다.
▶ch는 예외적으로 [k]로 발음함.

tooth·brush [túːθbrʌʃ] 명
복수 **toothbrushes**[túːθbrʌʃiz]
칫솔.
I bought a comb and a
toothbrush at the gro-
cery. 나는 잡화점에서 빗과 칫솔
을 샀다.

tooth·paste [túːθpèist] 명
《a와 복수형 안 씀》 (크림 모양
의) **치약.**
Tom bought some *tooth-
paste* at the grocery. 톰은
잡화점에서 치약을 샀다.

*top¹ [tɑp] 명
복수 **tops**[tɑps]
❶ 《the를 붙여》 정상, 꼭대기, 정
점(⇨ foot 산기슭).
The *top* of the mountain
was covered with snow. 그
산의 정상은 눈으로 덮여 있었다.

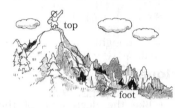

❷ 《the를 붙여》 최상위, 수위,
수석(⇨ bottom 꼴찌).
Nancy is always at the *top*
of her class. 낸시는 항상 그녀
반에서 수석이다.
❸ 《the를 붙여》 (물건의) **상부,
윗부분; 표면.**
Look at the question at
the *top* of the page. 페이지
상단에 있는 질문을 보아라.
at the top of 최고의 …로, …을
최대로.
She shouted *at the top of*
her voice. 그녀는 목청껏 소리를
질렀다.
from top to toe 머리 끝에서 발
끝까지, 온통.
He was well dressed *from
top to toe*. 그는 머리끝에서 발끝
까지 멋지게 잘 차려 입고 있었다.
on (the) top of …의 위에.
Put the red book *on top of*
the box. 빨간 책을 그 상자 위
에 놓아라.

top² [tɑp] 명
복수 **tops**[tɑps]
팽이.
Can you spin the *top*?

팽이를 돌릴 줄 아느냐?

***top·ic** [tápik] 몡
   복수 **topics**[tápiks]
화제, 논제, 제목.
current *topics* 오늘의 화제.
We discussed the *topics* of
the day. 우리는 그날의 화제를
토론하였다.

torch [tɔːrtʃ] 몡
   복수 **torches**[tɔ́ːrtʃiz]
횃불.
He carried the *torch* into
the Olympic stadium. 그는
올림픽 스타디움으로 성화를 운반
했다.

Olympic torch

tore [tɔːr] 통
   tear²의 과거.

torn [tɔːrn] 통
   tear²의 과거 분사.

tor·toise [tɔ́ːrtəs] 몡 복수
   tortoises[tɔ́ːrtəsiz]
거북. ▶특히 육지·민물에 사는
거북을 말함. 바다 거북은 turtle.
Giant *tortoises* can live
about 200 years. 큰 거북은
약 200년을 살 수 있다.

toss [tɔːs] 통
   3·단·현 **tosses** [tɔ́ːsiz];
   ing형 **tossing**[tɔ́ːsiŋ]; 과거 과분
   tossed[tɔːst]
타 ❶ (가볍게) …을 던지다, 내던
지다, (공 따위)를 토스하다.
toss a coin (차례 따위를 정하
기 위해) 동전 던지기를 하다.
She *tossed* the ball to her
little brother. 그녀는 동생에게
공을 던졌다.
❷ (머리 따위)를 갑자기 쳐들다,

치켜들다.
She *tossed* her head.
그녀는 갑자기 머리를 쳐들었다.
── 자 (배 따위가) 상하로 흔들리
다; 뒹굴다, 뒤치락거리다.
The ship *tossed* about on
the stormy sea. 배는 거센 바
다에서 상하로 흔들렸다.
I was *tossing* all night
long. 나는 밤새도록 뒤치락거렸
다.

***to·tal** [tóutl] 혱
❶ 전체의(=whole): 총
계의.
the *total* cost 전체의 비용.
The *total* amount was $40.
총액은 40 달러였다.
❷ 완전한; 전적인(=complete).
total darkness 완전한 어둠.
All their efforts ended in a
total failure. 그들의 노력은 완
전한 실패로 끝났다.
── 몡 복수 **totals**[tóutlz]
총수, 합계.
A *total* of 2,000 people
attended the meeting. 총원
2천 명의 사람들이 그 모임에 참
석했다.
What is the *total*?
합계는 얼마냐?

***touch** [tʌtʃ] 타
   3·단·현 **touches**[tʌ́tʃ-
iz]; ing형 **touching**[tʌ́tʃiŋ]; 과거
   과분 **touched**[tʌtʃt]
❶ (손을) …에 대다, …을 만지
다; …에 닿다, 이르다(=reach).
Touch it and see if it's hot.
그것이 뜨거운지 만져 보아라.
Don't *touch* anything on
the shelf. 선반 위에 있는 물건
에 손대지 마라.
The branches hung down
and *touched* the ground. 나
뭇가지들은 아래로 처져서 땅에
닿아 있었다.
❷ (아무)의 마음을 움직이다, (아
무)를 감동시키다(=move).
His sad story *touched* her

T

deeply. 그의 슬픈 이야기는 그녀
를 깊이 감동시켰다.

touch on 〔*upon*〕 …에 간단히 언
급하다.

They *touched upon* the
TGV. 그들은 TGV에 대해 간단
히 언급했다. ► TGV [tíːdʒíːvíː]
「초고속 열차」.

── 명 복수 **touches** [tʌ́tʃiz]

❶ 닿기, 접촉, 만지기; 감촉.
I felt a *touch* on my arm.
나는 팔에 무엇이 닿는 것을 느꼈
다.
I like the cold *touch* of
marble. 나는 대리석의 차가운
감촉이 좋다.

❷ (그림의) 손질, 가필.
add finishing *touches* 마무리
손질을 하다.

❸ 《a touch of로》 소량의…, …
의 기미.
a *touch of* sugar 소량의 설탕.
I have *a touch of* cold.
나는 감기 기운이 있다.

get in touch with …와 연락하
다, 접촉하다.
How can we *get in touch
with* him? 그와 어떻게 연락할
수 있을까?

keep in touch with …와 접촉
〔연락〕을 유지하다.
Let's *keep in touch with*
each other. 우리 서로 연락을
유지하자.

touch·ing [tʌ́tʃiŋ] 형
감동시키는, 애처로운.
It was a *touching* story.
그것은 감동적인 이야기였다.

tough [tʌf] 형
비교 **tougher** [tʌ́fər] :
최상 **toughest** [tʌ́fist]
❶ (고기·가죽 따위가) 질긴, 단
단한; (육체가) 튼튼한, 억센.
tough meat 질긴 고기.
tough leather 단단한 가죽.
a *tough* guy 억센 사나이.
He is very *tough*.

그는 대단히 튼튼하다.
❷ 힘이 드는, 고된, 어려운.
a *tough* job 힘든 일.

tour [tuər] 명
복수 **tours** [tuərz]
(관광) 여행, 유람. ☞ travel
a guided *tour* 안내원이 딸린
여행.
a *tour* around the world 세
계 일주 여행.
go on a *tour* of the factory
공장 견학을 가다.
I had a *tour* around the
city. 나는 시내를 두루 관광했
다.
The Browns are on a *tour*
of Africa. 브라운씨 가족은 아프
리카를 여행 중이다.

make a tour of …을 한 바퀴 돌
다, 일주하다.
I hope to *make a tour of*
your united homeland.
나는 통일된 너의 조국을 여행해
보고 싶다.

── 자·타 3·단·현 **tours** [tuərz] :
ing형 **touring** [túəriŋ] : 과거 과분
toured [tuərd]
(…을) 여행하다, 구경하다, 주유
(周遊)하다.
He rented a car and
toured the park. 그는 자동차
를 빌려서 공원을 구경하였다.
They are *touring* (in)
South America. 그들은 남아메
리카를 여행 중이다.

tour·ism [túərizəm] 명
《a와 복수형 안 씀》 관광업.
Tourism is important in
Jeju-do. 제주도에는 관광업이
중요하다.

tour·ist [túərist] 명 복수
tourists [túərists]
관광객, 여행가.
a *tourist* agency 여행사, 여행
안내소.
Gyeongju is full of *tourists*
in fall. 가을에 경주는 관광객으

로 붐빈다.
Insu met a foreign *tourist*
who was asking the way.
인수는 길을 묻고 있는 한 외국인
관광객을 만났다.

tour·na·ment [túərnəmənt]
명

복수 **tournaments**[túərnəmənts]
토너먼트; 승자 진출전; 선수권 대
회.
A tennis *tournament* was
held here last Saturday.
지난 토요일 이 곳에서 테니스 선
수권 대회가 있었다.

*to·ward [tɔ:rd]
전

❶ 《방향을 나타내어》 …의 쪽으로;
…을 향하여.
She walked slowly *toward*
us. 그녀는 우리 쪽으로 서서히
걸어 왔다.
The house faces *toward*
the south. 그 집은 남쪽으로
향해 있다.
❷ 《대상을 나타내어》 …에 대하
여.
His attitude *toward* us was
very warm.
우리에 대한 그의 태도는 대단히
부드러웠다.
❸ 《시간을 나타내어》 …경, …무
렵, …가까이.
toward evening 저녁 무렵.
toward the end of the
19th century. 19세기 말경.
Toward dawn it began to
rain. 새벽녘에 비가 내리기 시작
했다.

to·wards [tɔ:rdz] 전
=**toward**. ▶ to-
wards는 주로 영국에서, toward
는 미국에서 씀.

tow-a·way zone [tóuəwei zòun]
명 복수 **tow-away zones**[tóu-
əwei zòunz] 주차 위반 견인 지
역《주차 위반 차는 레커 차에 의
해 견인됨》.

「주차 위반 견인 지역」 표지판

tow·el [táuəl] 명
복수 **towels**[táuəlz]
(헝겊·종이의) **타월, 수건**
a bath *towel* 목욕 타월.
a dish *towel* 행주《주로, 접시
닦기용》.
She dried her hands with
[on] a *towel*. 그녀는 타월로
손을 닦았다.

*tow·er [táuər] 명
복수 **towers**[táuərz]
탑, 망대.
the control *tower* 관제탑.
Let's go up to the top of
the Namsan *Tower*. 우리 남산
탑의 꼭대기까지 올라가자.
the Eiffel[áifəl] *Tower* 에펠탑.
the Leaning *Tower* of
Pisa[pí:zə] 피사의 사탑.
the *Tower* of London 런던탑.
▶ 옛날에는 궁전·감옥으로 사용
되었으나 지금은 박물관임.

the Tower of London

Tower Bridge [táuər brídʒ]
명
《the를 붙여》 **타워 브리지**《런던
Thames 강의 개폐교(開閉橋);
1894년 준공》.

:town [taun] 명
복수 **towns** [taunz]

❶ 읍, 도시. ☞ city
My uncle lives in a small *town*. 나의 삼촌은 작은 읍에 사신다.

> 참고 town은 인구 밀도가 village(마을)보다 높고, city(시)보다 낮은 곳을 말하지만, 일상어에서는 city를 town이라고 부르는 경우가 많다.

❷ 《a나 the를 안 씀》 (도시의) 중심지, 시내, 상점가. ➤특히 자기가 현재 살고 있는 도시나 근처에 있는 것을 가리킴.
He has his office in *town*. 그는 시내에 사무실이 있다.
She went to *town* to do some shopping. 그녀는 물건을 사러 시내 상점가에 갔다.

:toy [tɔi] 명 복수 **toys** [tɔiz]
장난감.
a *toy* car 장난감 자동차.
Children like to play with *toys*. 어린이는 장난감을 가지고 놀기 좋아한다.

trace [treis] 타
3·단·현 **traces** [tréisiz] :
ing형 **tracing** [tréisiŋ] : 과거 과분
traced [treist]
…의 뒤를 밟다, …을 추적하다 ; (도면 따위)를 그리다, 덧그리다.
The policeman *traced* the footprints of the thief. 경관은 도둑의 발자국을 추적하였다.
He made a copy of the picture by *tracing* it. 그는 그 그림을 덧그려 복사했다.
── 명 복수 **traces** [tréisiz]
자취, 발자국 ; 기미, 아주 조금.
We saw *traces* of dogs in the snow. 우리는 눈 위에 개 발자국을 보았다.
She didn't show a *trace* of fear. 그녀는 공포의 기색을 보이지 않았다.

:track [træk] 명
복수 **tracks** [træks]

❶ (사람·동물·차 따위의) 지나간 자국, 발자국.
There was a pair of clear car *tracks* on the road. 길에는 자동차가 지나간 자국이 두 줄 뚜렷이 있었다.
❷ 작은 길, 통로 ; 선로 ; (경기장의) 경주로, 트랙.
We followed the *track* to the lake. 우리는 오솔길을 따라 호수로 갔다.
We ran three times round the *track*. 우리는 트랙을 세 바퀴 달렸다.

trac·tor [trǽktər] 명 복수 **tractors** [trǽktərz]
트랙터 ; 견인차.
a farm *tractor* 경작용 트랙터.

:trade [treid] 명

❶ 《a와 복수형 안 씀》 무역 ; 상업 ; 거래.
foreign *trade* 외국 무역.
My father is in *trade*. 나의 아버지는 상업을 하신다.
Our country has a lot of *trade* with foreign countries. 우리 나라는 외국과 무역을 많이 하고 있다.
❷ 직업, (종사하고 있는) 일.
What is your *trade*? 너의 직업은 무엇이냐?
── 동 3·단·현 **trades** [treidz] :
ing형 **trading** [tréidiŋ] : 과거 과분
traded [tréidid]
자 장사를 하다 ; 거래를 하다, 무역하다.
Korea *trades* with many countries in the world. 한국은 세계의 많은 나라들과 무역하고 있다.
That firm wants to *trade* with us. 그 회사는 우리와 거래를 하고 싶어한다.
── 타 …을 교환하다.
trade gifts 선물을 교환하다.

T

trade·mark [tréidmà:rk] 명

복수 **trademarks**[tréidmà:rks]
상표(명); 트레이드마크.
a registered *trademark* 등록
상표.

trad·er [tréidər] 명 복수
traders[tréidərz]
상인, 무역업자.
The *trader* was unfair, but
they had no choice. 그 상인
은 공정하지 못했지만, 그들에게
는 별다른 방법이 없었다.

tra·di·tion [trədíʃən] 명

복수 **traditions**[trədíʃənz]
전통, (옛날부터의) 관습; 전설.
There is a very interesting
tradition among the old
people there. 그 곳의 노인들
사이에는 대단히 재미있는 관습이
있다.
His university has a long
tradition. 그의 대학은 오랜 전통
이 있다.

tra·di·tion·al [trədíʃənəl] 형

비교 **more traditional**; 최상
most traditional
전통의, 전통적인, 관습적인; 전설
의.
a *traditional* dance 전통 무용.
a *traditional* festival 전통적인
축제.

Tra·fal·gar Square

[trəfǽlgər skwέər] 명
트라팔가 광장.

참고 런던 중심부에 있는 광장
으로, 중앙에 트라팔가 해전에
서 스페인 함대를 무찌른 넬슨
제독의 기념탑이 있다.

*traf·fic [trǽfik] 명
《a와 복수형 안 씀》(사
람·차의) 왕래, 교통; 교통량.
a *traffic* policeman 교통 경

찰.
He met with a *traffic* acci-
dent. 그는 교통 사고를 당했다.
There is a lot of *traffic* on
this street. =*Traffic* is
heavy on this street. 이 거
리는 교통량이 많다.

traf·fic light [trǽfik làit] 명

복수 **traffic lights**[trǽfik làits]
교통 신호(등).
The *traffic light* turned
green. 교통 신호등이 푸른 색으
로 바뀌었다.
When the *traffic light* is
red, you must stop. 교통 신
호가 빨간 불일 때는 멈춰야 한
다.

참고 traffic signal이라고도 한
다. 빨강(red), 노랑(yellow),
파랑(green)의 세 종류가 있는
것은 우리 나라와 같다. 신호등
이 파랑일 때는 "WALK," 빨강
일 때는 "DONT WALK"
(DONT는 don't)라는 문자가
나타나는 것이 많다.

trag·e·dies [trǽdʒədiz] 명
tragedy의 복수.

*trag·e·dy [trǽdʒədi] 명

복수 **tragedies**[trǽdʒədiz]
비극, 비극적 사건(⇨ comedy 희
극).
Was the play a *tragedy* or
a comedy? 그 연극은 비극이었
느냐, 희극이었느냐?

The division of our country is a great *tragedy* for all Koreans. 우리 나라의 분단은 모든 한국인에게 커다란 비극이다.

trail [treil] 명
[복수] **trails**[treilz]
(질질 끌린) **자국, 지나간 흔적;**
(산·숲 속의) **오솔길.**
The wounded animal left a *trail* of blood. 상처 입은 짐승은 핏자국을 점점이 남겼다.
── 타 [3·단·현] **trails** [treilz];
[ing형] **trailing**[tréiliŋ]; [과거][과분]
trailed[treild]
…을 질질 끌다; …의 뒤를 밟다, 추적하다.
Police *trailed* the robber with dogs. 경찰은 개들을 데리고 도둑을 추적했다.

trail·er [tréilər] 명
[복수] **trailers**[tréilərz]
(트랙터 따위가 끄는) **트레일러;**
트레일러 하우스《자동차로 끌고 다니는 바퀴 달린 이동식 주택》.
Americans like to travel in *trailers*. 미국 사람들은 트레일러 하우스로 여행하는 것을 좋아한다.

*‌**train** [trein] 명
[복수] **trains**[treinz]
❶ **열차, 기차.**
I got on [off] the *train* at Busan. 나는 부산에서 열차에 탔다[열차에서 내렸다].
We missed [caught] the last *train*. 우리는 마지막 열차를 놓쳤다[탔다].

> [참고] **train**의 여러 가지 종류
> a freight train 화물 열차 /
> a limited express train 특급 열차 / a local train 완행 열차 / an express train 급행 열차 / a night train 야간 열차 / a super express train 초특급 열차.

❷ (사람·차 따위의) **열, 행렬;**

연속.
a *train* of horses 말의 행렬.
a long *train* of cars 자동차의 기다란 열.
by train 열차로; 철도로.
I went to Daegu *by train*. 나는 열차로 대구에 갔다.
── [타·자] [3·단·현] **trains**[treinz];
[ing형] **training**[tréiniŋ]; [과거][과분]
trained[treind]
(…을) **훈련하다, 가르치다.**
His dog is well *trained*. 그의 개는 잘 훈련되어 있다.
They are *training* for the boat race. 그들은 보트 경주를 위해 훈련 중이다.
She *trained* her baby to use the toilet. 그녀는 아이에게 변기의 사용법을 가르쳤다.

train·er [tréinər] 명 [복수]
trainers [tréinərz]
훈련시키는 사람, 조련사, 코치.
He is a race horse *trainer*. 그는 경주용 말의 조련사다.

train·ing [tréiniŋ]명
《a와 복수형 안 씀》
훈련, 연습.
You need more *training* before the game. 너는 경기에 나가기 전에 더 많은 연습이 필요하다.

trans·fer [trænsfə́ːr] 동
[3·단·현] **transfers** [trænsfə́ːrz];
[ing형] **transferring**[trænsfə́ːriŋ];
[과거][과분] **transferred** [trænsfə́ːrd]
타 **…을 옮기다; 전근[전학]시키다.**
He *transferred* the boxes from the truck to the store. 그는 상자들을 트럭에서 상점으로 옮겼다.
My father was *transferred* from Seoul to Busan. 나의 아버지는 서울에서 부산으로 전근되셨다.
── 자 (탈 것을) **갈아타다; 전근[전학]하다.**

You should *transfer* at the next station. 너는 다음 정거장에서 갈아타야 한다.
── [trǽnsfər] 명 복수 **transfers**[trǽnsfərz]
이동; 전근, 전학; 갈아타기; 환승표.
You should ask the bus driver for a *transfer*. 버스 운전사에게 환승표를 달라고 해야 한다.

> 참고 대부분의 경우 미국에서는 시내 버스를 바꿔 탈 수 있다. 바꿔 탈 필요가 있을 경우 이를 말하면 바꿔 타는 표를 준다.
> 주의 동사와 명사의 악센트 위치가 다름에 주의.

tran·sis·tor [trænzístər] 명
복수 **transistors**[trænzístərz]
트랜지스터.
I have a *transistor* radio.
나는 트랜지스터 라디오를 갖고 있다.

trans·late [trænsléit] 타·자
3·단·현 **translates**[trænsléits] : ing형 **translating**[trænsléitiŋ] : 과거 과분 **translated**[trænsléitid]
(…을) 번역하다, 새기다.
He *translated* the English novel into Korean. 그는 그 영어 소설을 한국어로 번역하였다.
This story has been *translated* into many foreign languages. 이 이야기는 여러 외국어로 번역되었다.

trans·la·tion [trænsléiʃən] 명
복수 **translations**[trænsléiʃənz]
❶ 《a와 복수형 안 씀》 번역.
read a foreign novel in *translation* 번역된 외국 소설을 읽다.
❷ 번역문, 번역서.

a Korean *translation* of Hamlet 햄릿의 한국어 번역서.

trans·port [trænspɔ́ːrt] 타 3·단·현 **transports**[trænspɔ́ːrts] : ing형 **transporting**[trænspɔ́ːrtiŋ] : 과거 과분 **transported**[trænspɔ́ːrtid] .
…을 수송하다, 운송하다.
transport the products by truck 트럭으로 제품을 수송하다.
The farmer *transported* the peaches from his orchard to the market. 그 농부는 복숭아를 과수원에서 시장으로 운송하였다.

trans·por·ta·tion
[trænspərtéiʃən] 명
《a와 복수형 안 씀》 수송, 운송; 수송 기관.
the *transportation* of farm products to market 시장으로 농산물의 수송.
Transportation by air is quick but expensive. 항공 수송은 빠르지만 비용이 많이 든다.

trap [træp] 명
복수 **traps**[træps]
올가미, 덫, 함정; 계략.
We caught a mouse in a *trap*. 덫으로 쥐를 잡았다.
The police set *traps* to capture the thief. 경찰은 그 도둑을 잡기 위해 함정을 만들어 놓았다.
── 타 3·단·현 **traps** [træps] : ing형 **trapping**[trǽpiŋ] : 과거 과분 **trapped**[træpt]
(짐승)을 덫으로 잡다; (아무)를 함정에 빠뜨리다, 속이다.
The bear was *trapped*.
그 곰은 덫에 걸렸다.

trash [træʃ] 명
《a와 복수형 안 씀》 쓰레기, 폐물, 잡동사니. ▶ 보통 garbage (음식 찌꺼기) 이외의 쓰레기를 말함.

a *trash* can 쓰레기통.

We must not throw *trash* on the street or into the rivers. 우리는 거리나 강에 쓰레기를 버려서는 안 된다.

*trav·el [trǽvəl] 자 ③·단·현
travels [trǽvəlz]; ing형
traveling [trǽvəliŋ]; 과거 과분
traveled [trǽvəld]

❶ 여행하다.

Have you ever *traveled* to another country? 너는 다른 나라를 여행해 본 적이 있느냐?

I want to *travel* around the world. 나는 세계 일주 여행을 하고 싶다.

❷ (소리·빛 따위가) **전해지다**; **나아가다**.

Light *travels* faster than sound. 빛은 소리보다 빨리 전해진다.

── 명 복수 **travels** [trǽvəlz]

❶ 《a와 복수형 안 씀》 여행.

In those days *travel* was slow and dangerous. 그 당시에는 여행이 느리고 위험하였다.

❷ 《보통 복수형으로》 장거리[외국] 여행; 《복수형으로》 여행기.

Did you enjoy your *travels* in Africa? 아프리카 여행은 즐거웠느냐?

Gulliver's [gʌ́ləvərz] *Travels* 걸리버 여행기.

참고 **travel, journey, tour, trip**의 차이

travel의 뜻은 범위가 넓다. 인간뿐 아니라 동물에서 물질(소리, 빛)에 이르기까지, 어떤 지점으로 움직이는 모든 경우에 쓰인다. journey는 주로 육상의 여행(voyage는 해상 여행)이며 기간이 좀 긴 여행을 가리킨다. tour는 관광 등을 목적으로 여러 곳을 돌아다니는 여행. trip은 가장 일반적인 것으로 어떤 여행에도 쓰인다.

---

trav·el·er [trǽvlər] 명
복수 **travelers** [trǽvlərz]

여행자.

a space *traveler* 우주 여행자.

We should be kind to *travelers*. 우리는 여행자에게 친절해야 한다.

➤ 영국에서는 traveller로 씀.

trav·el·er's check
[trǽvlərz tʃèk] 명
복수 **traveler's checks** [trǽvlərz tʃèks]

여행자 수표《여행자가 해외에서 사용할 수 있도록 은행에서 발행하는 수표》. ➤ 영국에서는 traveller's cheque로 씀.

trav·el·ing bag [trǽvliŋ bæg] 명
복수 **traveling bags** [trǽvliŋ bægz]

여행 가방.

tray [trei] 명 복수 **trays** [treiz]
쟁반.

a *tray* of food 쟁반에 담은 음식.

an ash *tray* 재떨이.

*treas·ure [tréʒər] 명
복수 **treasures** [tréʒərz]

❶ 《a와 복수형 안 씀》 보물, 재보. ➤ 보관해둔 금은·보석 따위를 통틀어 가리킴.

dig for buried *treasure* 매장된 보물을 찾아 땅을 파다.

They were looking for

hidden *treasure.* 그들은 숨겨진 보물을 찾고 있었다.
❷ 귀중품; 귀중한 물건〔사람〕.
national *treasures* 국보.
He's a national living *treasure.* 그는 인간 문화재이다.
— 타 3·단·현 **treasures** [tréʒərz]; ing형 **treasuring**[tréʒəriŋ]; 과거 과분 **treasured**[tréʒərd]
…을 보물로서 간직하다; 소중히 하다.
He *treasures* the watch his father gave him. 그는 아버지가 준 시계를 소중히 여긴다.

*treat [triːt] 타
3·단·현 **treats** [triːts]; ing형 **treating**[tríːtiŋ]; 과거 과분 **treated**[tríːtid]
❶ (사람·동물 따위)를 다루다, 대우하다.
They *treated* me as one of their family. 그들은 나를 그들 가족의 일원으로 대했다.
He *treated* the machine carefully. 그는 그 기계를 조심스럽게 취급했다.
❷ (음식을) …에게 대접하다, 한턱 내다.
I *treated* Jane to lunch. 나는 제인에게 점심을 대접했다.
Is it my turn to *treat* you? 이번에는 내가 너에게 한턱 낼 차례인가?
❸ (환자·병)을 치료하다.
The doctor *treated* Tom's broken leg. 의사 선생님은 톰의 부러진 다리를 치료하셨다.
☞ 명 treatment
— 명 복수 **treats**[triːts]
한턱 내기, 한턱 낼 차례, 대접; (특히, 예상밖의) 기쁜〔즐거운〕일.
This is my *treat.*
이것은 내가 한턱 내는 거다.
It is my *treat* now.
이번에는 내가 한턱 낼 차례다.
It's a *treat* to see you again. 너를 다시 만나 대단히 기쁘다.

treat·ment [tríːtmənt] 명
《a와 복수형 안 씀》취급, 대우; 치료.
The teacher gave each pupil fair *treatment.* 선생님은 각 학생들을 공평히 다루셨다.
She is still under *treatment* in the hospital. 그녀는 아직 병원에서 치료 중이다.
☞ 동 treat

*tree [triː] 명 복수 **trees**[triːz]
나무. ☞ wood
He has a big oak *tree* in his yard. 그의 집 뜰에는 큰 참나무가 있다.

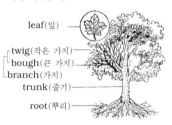
leaf(잎)
twig(작은 가지)
bough(큰 가지)
branch(가지)
trunk(줄기)
root(뿌리)

trem·ble [trémbəl] 자
3·단·현 **trembles** [trémbəlz]; ing형 **trembling**[trémbəliŋ]; 과거 과분 **trembled**[trémbəld]
(몸·목소리 따위가) 떨리다; (나뭇잎 따위가) 살랑거리다, 흔들리다.
Jill's hand *trembled* with excitement. 질의 손은 흥분으로 떨렸다.
As he told about the accident, his voice *trembled.* 그 사고에 관한 이야기를 할 때 그의 목소리는 떨렸다.
The spring breeze made the leaves *tremble.* 봄의 산들바람으로 나뭇잎이 살랑거렸다.

tre·men·dous [triméndəs] 형
비교 **more tremendous**; 최상

most tremendous

❶ 무서운, 무시무시한.

a *tremendous* explosion 무시무시한 폭발.

a *tremendous* fact 가공할 만한 사실.

❷ 대단히 훌륭한, 굉장한; 대단히 큰.

It was a *tremendous* concert. 그것은 대단히 훌륭한 콘서트였다.

trend [trend] 명
[복수] **trends**[trendz]

경향, 동향; 유행.

the *trend* of public opinion 여론의 동향.

follow a [the] *trend* 유행을 따르다.

tri·al [tráiəl] 명
[복수] **trials**[tráiəlz]

❶ 시험, 시도; 재판, 공판.

trial and error 시행 착오.

a *trial* flight 시험 비행.

They gave the new car a *trial*. 그들은 새 자동차를 시험하였다.

The man was put on *trial* for stealing. 그 남자는 절도죄로 재판에 회부됐다.

❷ 시련, 고난.

Misfortune is a great *trial*. 불행은 큰 시련이다. ☞ 동 try

tri·an·gle [tráiæŋgəl] 명
[복수] **triangles**[tráiæŋgəlz]

삼각형; 삼각자; 트라이앵글《삼각형의 타악기》.

Her flower bed is in the shape of a *triangle*. 그녀의 화단은 삼각형 모양을 하고 있다.

triangle   circle   square

tribe [traib] 명
[복수] **tribes**[traibz]

종족, 부족.

There are many *tribes* of American Indians. 아메리카인디언에는 여러 종족이 있다.

***trick** [trik]
[복수] **tricks**[triks]

❶ 책략, 계략, 속임수; 요술, 재주.

He got the money from me by a *trick*. 그는 속임수를 써서 나의 돈을 빼앗았다.

He taught his dog some *tricks*. 그는 개에게 재주를 가르쳤다.

❷ 장난, 짓궂은[못된] 짓.

the *trick* of fortune 운명의 장난.

He played a *trick* on me. 그는 나에게 장난을 쳤다.

tri·cy·cle [tráisikəl] 명 [복수]
tricycles[tráisikəlz]

(어린이용의) 세발 자전거. ➤ 'tri (3)+cycle(바퀴)'에서.

tried [traid] 동
try의 과거·과거 분사.

tries [traiz] 동 **try**의 3인칭·단수·현재.

trim [trim] 타
[3·단·현] **trims** [trimz];
[ing형] **trimming** [trímiŋ]; [과거]
[과분] **trimmed**[trimd]

…을 깎아 다듬다, 손질하다.

trim one's nails 손톱[발톱]을 깎다.

He is *trimming* the hedge. 그는 생울타리를 손질하고 있다.

I got my hair *trimmed*. 나는 이발했다.

***trip** [trip] 명 [복수] **trips**[trips]
(일·관광을 위한 짧은) 여행.
☞ travel

a weekend *trip* 주말 여행.

make [take] a *trip* 여행을 하다.

My father went on a business *trip*. 아버지께서는 출장을 가셨다.

"Have a nice *trip*, Mr. Kim." "Thank you." 「김 선생

님. 즐거운 여행을 하시기 바랍니다.」「고맙다.」 ➤ 여행을 떠나는 사람에게 하는 인사와 그 대답.

be on a trip 여행 중이다.
Mr. Brown *is on a trip* now.
브라운씨는 지금 여행 중이다.

tri·umph [tráiəmf] 명 복수 triumphs[tráiəmfs]
승리; 대성공, 업적.
Their *triumph* over their enemies was complete.
그들은 적을 누르고 완전히 승리하였다.
This invention is a *triumph* of modern science. 이 발명은 현대 과학의 업적이다.

in triumph 의기 양양하여.
The soldiers returned home *in triumph*. 병사들은 의기 양양하여 고국으로 돌아왔다.

trom·bone [trambóun] 명
복수 trombones[trambóunz]
트롬본《대형의 금관 악기》.

troop [tru:p] 명
복수 troops[tru:ps]
❶ (이동하는 사람·짐승 따위의) 무리, 떼, 집단, 대(隊).
We watched a *troop* of boys marching down the street. 우리는 한 무리의 소년들이 거리를 행진하는 것을 보았다.
❷《복수형으로》군대; 군인들.
The people in the village welcomed the *troops* warmly. 동네 사람들은 군인들을 따뜻하게 맞이하였다.

tro·phy [tróufi] 명 복수 tro-phies[tróufiz]
전리품; (경기 따위의) 트로피, 우승배; 상품.
win a golf *trophy* 골프 트로피를 획득하다.

trop·ic [trápik] 명
복수 tropics[trápiks]
회귀선; 《the tropics로》열대 지방.
The hottest parts of the earth are in *the tropics*.
지구에서 가장 더운 지역은 열대 지방에 있다.

trop·i·cal [trápikəl] 형
열대 지방의, 열대의.
tropical fish 열대어.
tropical plants 열대 식물.
Amazon is a *tropical* river.
아마존은 열대 지방의 강이다.

***trou·ble** [trʌbəl] 명
복수 troubles[trʌbəlz]
❶《a와 복수형 안 씀》곤란, 어려움; 고생, 수고.
He got over the *trouble*.
그는 어려움을 극복했다.
The *trouble* is that I have no money with me. 곤란한 것은 내가 가진 돈이 없다는 거다.
Thank you for your *trouble*. 수고해 주셔서 고맙습니다.
No *trouble* at all.
조금도 수고랄 게 없다.
❷ 근심, 걱정, 고민; 《보통 a를 붙여》걱정거리.
What is the *trouble* with you? 무엇을 걱정하고 있느냐?
She is a *trouble* to her mother. 그녀는 어머니의 걱정거리다.
❸《종종 복수형으로》분쟁, 쟁의.
family *troubles* 가정 불화.
labor *troubles* 노동 쟁의.
❹ 폐.
I am sorry I have given you so much *trouble*. 많은 폐를 끼쳐서 죄송합니다.
❺《a와 복수형 안 씀》병; (기계 따위의) 고장.
He has stomach *trouble*.
그는 위병이 있다.
My car had engine *trouble*.
내 차는 엔진 고장이 났다.

in **trouble** 곤경〔어려움〕에 처해.
I'll help my friends *in trouble.* 나는 어려움에 처한 친구를 돕겠다.
—— 타 ③·단·현 **troubles**[trʌ́bəlz] ; ing형 **troubling** [trʌ́bəliŋ] ; 과거 과분 **troubled**[trʌ́bəld]
❶ …을 괴롭히다, …에게 고통을 주다, 걱정을 끼치다.
What is *troubling* you? 무슨 일로 걱정하고 있느냐?
The old woman was *troubled* by aches and pains. 그 늙은 부인은 여러 가지 아픔으로 고통을 받았다.
❷ …에게 폐를 끼치다.
I'm sorry to *trouble* you. 폐를 끼치게 되어 미안하다. ▶ 이미 폐를 끼친 뒤에는 I am sorry to have *troubled* you.라고 함.
trouble one*self* 걱정하다.
You don't have to *trouble* yourself. 걱정할 필요는 없다.

trou·ble·some [trʌ́blsəm] 형
비교 **more troublesome**; 최상 **most troublesome**
골치 아픈, 귀찮은.
a *troublesome* car (고장만 일으키는) 골치 아픈 자동차.
a *troublesome* job 귀찮은 일.

trou·sers [tráuzərz] 명
《복수 취급》 바지.
▶ 미국에서는 바지를 보통 pants [pænts]라 함.
He bought two pairs of *trousers.* 그는 바지 두 벌을 샀다.
He put on his *trousers.* 그는 바지를 입었다.

trout [traut] 명 복수 **trout** [traut] 또는 **trouts**[trauts]
송어.
Father caught three *trout* in the lake. 아버지는 호수에서 송어를 세 마리 잡으셨다.

***truck** [trʌk] 명 복수 **trucks**[trʌks]
트럭, 화물 자동차.
a dump *truck* 덤프 트럭.
He drives a garbage *truck.* 그는 쓰레기 수거차를 운전한다.

***true** [truː] 형 비교 **truer**[trúːər] ; 최상 **truest**[trúːist]
❶ 정말의, 진실한, 참된, 사실 그대로의(⇔ false 거짓의).
It's a *true* story. 그것은 실화이다.
That's *true.* 그것은 사실이다 〔네 말 대로다〕.
Is it *true* that you are going to Paris? 네가 파리에 간다는 것이 참말이냐?
❷ 진짜의, 순수한(⇔ false 가짜의).
true love 순수한 사랑.
It is a *true* diamond. 그것은 진짜 다이아몬드이다.
❸ 성실한, 충실한(= faithful).
She is *true* to me. 그녀는 나에게 충실하다.
Be *true* to your word. 약속에 충실하여라《약속을 지켜라》.
☞ 명 truth
come true (꿈·희망 따위가) 실현되다, 사실이 되다.
Your dream will *come true* some day. 너의 꿈은 언젠가 실현될 것이다.

***tru·ly** [trúːli] 부 비교 **more truly**; 최상 **most truly**
❶ 참으로; 실로; 바로; 정확히.
a *truly* interesting book 참으로 재미있는 책.
It was *truly* a beautiful sight. 그것은 참으로 아름다운 광경이었다.
Tell me *truly* what you think. 너는 어떻게 생각하는지

바로 말해다오.

❷ 마음으로부터, 진심으로.
I am *truly* grateful for your kind help. 친절한 도움에 진심으로 감사드립니다.

Yours truly, = ***Truly yours,*** 총총, 여불비례. ➤ 업무용이나 격식을 갖춘 편지의 끝맺는 말. 친한 친구간에는 Your friend를, 겸손해야 할 경우에는 Sincerely (yours)를 씀.

trum·pet [trʌ́mpit] 명 [복수] trumpets[trʌ́mpits]
나팔, 트럼펫.
He is playing a *trumpet*.
그는 트럼펫을 불고 있다.

trunk [trʌŋk] 명 [복수] trunks[trʌŋks]

❶ (나무의) 줄기. ☞ tree
He carved his name on the *trunk* of a tree in the yard. 그는 뜰에 있는 나무 줄기에 자기 이름을 새겼다.

❷ (코끼리의) 코; (사람의) 몸통.
The elephant picked up the food with his *trunk*. 코끼리는 먹을 것을 코로 들어올렸다.
He has a short *trunk* and long legs. 그는 몸통이 짧고 다리가 길다.

❸ 큰 가방, 트렁크.
Send your *trunk* by ship.
트렁크는 배로 보내라.

> [참고] 우리말에서는 여행에 들고 다니는 가방도 트렁크라고 하나, 영어에서는 이것을 suit-case라 한다. trunk는 보통 짐을 보내기 위한 들고 다닐 수 없는 큰 가방을 말한다.

trust [trʌst] 명 《a와 복수형 안 씀》 신뢰, 신용.
I have *trust* in you.
나는 너를 신뢰하고 있다.
── 타 [3·단·현] **trusts** [trʌsts]; [ing형] **trusting** [trʌ́stiŋ]; [과거] [과분] **trusted**[trʌ́stid]
…를 신뢰하다, 신용하다, 믿다.
Trust me. 나를 믿어라.
He is a man to be *trusted*.
그는 신용할 수 있는 사람이다.

trust·wor·thy [trʌ́stwə̀ːrði] 형 [비교] **more trustworthy**; [최상] **most trustworthy**
신뢰할 수 있는, 믿음직한.
He is a *trustworthy* man, so you can tell him anything. 그는 신뢰할 수 있는 사람이므로 무엇을 말해도 좋다.

truth [truːθ] 명 [복수] **truths**[truːðz, truːθs]

❶ 《a와 복수형 안 씀》 진실, 사실; 진상(⇔ lie 거짓).
Tell the *truth*.
진실을 말해라.
Truth is sometimes hard to find. 진실은 때로는 찾기 힘들다.
Truth is beauty.
진실은 아름다움이다.

❷ (증명할 수 있는) 사실, 진리.
scientific *truths* 과학적 사실.
☞ 형 true

The truth is that ... = ***The truth is, ...*** 사실은 …이다.
The truth is, I was very hungry. 사실은, 나는 배가 매우 고팠다.

to tell the truth 사실을 말하면.
To tell the truth, she is older than I. 사실을 말하면, 그녀가 나보다 나이가 많다.

try [trai] 동 [3·단·현] **tries** [traiz]; [ing형] **trying** [tráiiŋ]; [과거] [과분] **tried** [traid]
타 ❶ …을 해보다, 시험[시도]해 보다; 《try+-ing형으로》 …을 시험삼아 해보다.
try one's luck [fortune] 운을

시험해 보다.
"*Try* some rice cake, Nancy." "Okay, I will." 「낸시, 떡을 좀 먹어 보아라.」「예, 그러지요.」
They always *try* new things. 그들은 언제나 새로운 일들을 시도한다.
I *tried writing* with my left hand. 나는 시험삼아 왼손으로 글씨를 써 보았다.
❷ 《**try to** do로》 …하려고 노력하다, 애쓰다.
I *try to* study English every day. 나는 매일 영어 공부를 하려고 노력한다.
You must *try* not *to* be late for school. 학교에 늦지 않도록 노력해야 한다.

> 어법 **try doing**과 **try to** do
> He *tried playing* the piano. 그는 피아노를 (시험삼아) 쳐 보았다. → 실제로 쳐 보았다.
> He *tried to* play the piano. 그는 피아노를 치려고 하였다. → 실제로 쳤는지 아닌지는 모른다.

── 자 해보다, 시험해 보다, 노력하다.
I'll *try* again some day. 언젠가 다시 해보겠다.
Let me *try*. 내가 해보도록 해 줘.
***try on** …을 (시험삼아) 입어 보다.
May I *try on* this skirt? 이 스커트를 입어봐도 괜찮아요?
Please *try* the jacket *on* before you buy it. 사기 전에 그 재킷을 입어 보세요.
try out 엄밀하게 시험해 보다.
The idea seems good, but it needs to be *tried out*. 그 생각은 좋을 듯한데, 엄밀하게 시험해볼 필요가 있다.
── 명 복수 **tries**[traiz]
시험, 시도, (시험삼아) 해 보기.

Let's have another *try*. 우리 다시 한 번 해보자.
Let's give it a *try*. 어디 한 번 (시험)해보자.
Come on. Just have a *try*. You can do it. 자, 한 번 해 보아라. 너는 할 수 있어.

T-shirt [tíːʃəːrt] 명
복수 **T-shirts**[tíːʃəːrts]
티셔츠.
a blue *T-shirt* 푸른색 티셔츠.

tub [tʌb] 명
복수 **tubs**[tʌbz]
(운두가 낮고 넓은) **큰 대야, 함지; 욕조, 목욕통**(=bathtub).
She was bathing her baby in the *tub*. 그녀는 목욕통에 어린애를 목욕시키고 있었다.

tu·ba [tjúːbə] 명
복수 **tubas**[tjúːbəz]
튜바《최저음의 대형 금관 악기》.

tube [tjuːb] 명
복수 **tubes**[tjuːbz]
(금속 · 유리 · 고무 따위의) **관, 튜브**.
a glass *tube* 유리관.
a test *tube* 시험관.
a *tube* of toothpaste 튜브 용기의 치약 한 개.

Tues. **Tuesday**의 간략형.

****Tues·day** [tjúːzdei] 명
복수 **Tuesdays**[tjúːzdeiz]
화요일. ▶ Tues.로 약함.
Today is *Tuesday*. 오늘은 화요일이다.
I have a tennis lesson on *Tuesday*. 나는 화요일에 테니스 연습이 있다.
We'll have an English test next *Tuesday*. 다음 주 화요일에 영어 시험이 있다. ▶ last, next, every 따위가 있으면 전치사를 쓰지 않음.

tug [tʌg] 타
3·단·현 **tugs**[tʌgz]; ing형
tugging [tʌgiŋ]; 과거 과분

tugged [tʌgd]
···을 세게 끌어당기다, 힘껏 잡아당기다.
tug a car out of the mud
진흙에 빠진 차를 끌어내다.

*__tu·lip__ [tjúːlip] 명
복수 **tulips**[tjúːlips]
튤립.
Tulips bloom here in May.
이 곳에서는 5월에 튤립이 핀다.
Tulips are grown from bulbs. 튤립은 구근에서 자란다.

tum·ble [tʌ́mbəl] 자
3·단·현 **tumbles**[tʌ́mbəlz] ; ing형
tumbling[tʌ́mbəliŋ] ; 과거 과분
tumbled[tʌ́mbəld]
굴러 떨어지다, 넘어지다.
The boy *tumbled* down the steep hill. 소년은 가파른 언덕에서 굴러 넘어졌다.

tu·na [tjúːnə] 명
복수 **tuna**[tjúːnə] 또는
tunas[tjúːnəz]
다랑어, 참치; 《a와 복수형 안 씀》참치 살.
I like *tuna* sandwiches.
나는 다랑어 샌드위치를 좋아한다.

tune [tjuːn] 명
복수 **tunes**[tjuːnz]
❶ (음악의) 곡; 선율.
These *tunes* are easy to remember. 이 곡은 외기 쉽다.

❷ 《a와 복수형 안 씀》바른 가락.
He sang the song in〔out of〕 *tune*. 그녀는 노래를 가락이 맞게〔틀리게〕 불렀다.
── 타 3·단·현 **tunes** [tjuːnz] ;
ing형 **tuning**[tjúːniŋ] ; 과거 과분
tuned[tjuːnd]
❶ (악기)를 조율하다.
Nancy *tuned* her violin.
낸시는 바이올린을 조율하였다.
❷ (TV·라디오 따위)를 맞추다.
Will you *tune* the TV to channel 6? TV를 채널 6에 맞춰 주겠느냐?

*__tun·nel__ [tʌ́nl] 명
복수 **tunnels**[tʌ́nlz]
터널, 굴; 지하도.
The train passed through a long *tunnel*. 기차는 긴 터널을 통과했다.

tur·key [təːrki] 명
복수 **turkeys**[təːrkiz]
칠면조; 《a와 복수형 안 씀》칠면조 고기.
On Thanksgiving Day Americans enjoy *turkey* for dinner. 추수 감사절에 미국 사람들은 정찬으로 칠면조 고기를 즐겨 먹는다.

**__turn__ [təːrn] 동
3·단·현 **turns** [təːrnz] ;
ing형 **turning**[təːrniŋ] ; 과거 과분
turned[təːrnd]
타 ❶ ···을 돌리다, 회전시키다.
She *turned* the key in the lock. 그녀는 자물쇠에 꽂은 열쇠를 돌렸다.

T

Turn the wheel to the left.
핸들을 왼쪽으로 돌려라.

❷ (모퉁이 따위)를 돌다; (등·얼굴 따위)를 돌리다, **향하게 하다.**

Turn the next corner to the left. 다음 모퉁이를 왼쪽으로 도시오.

She *turned* her back to me. 그녀는 나에게 등을 돌렸다.

❸ …을 뒤엎다, 뒤집다; (책장 따위)를 넘기다.

Jim *turned* his coat inside out. 짐은 그의 저고리를 뒤집었다.

He *turned* the pages of the book. 그는 책장을 넘겼다.

❹ 《turn ... into 〔to〕~로》…을 ~으로 바꾸다.

Heat *turns* ice *into* water.
열은 얼음을 물로 바꾼다.

──째 ❶ 돌다, 회전하다.

The earth *turns* around the sun. 지구는 태양의 주위를 돈다.

❷ 방향을 바꾸다, 돌다; 눈을 돌리다, 돌아보다.

Turn (to the) right at the corner. 모퉁이에서 오른쪽으로 도시오.

She *turned* to me and smiled. 그녀는 나를 돌아보고 미소지었다.

❸ 《turn into 〔to〕로》…로 변하다.

The snow *turned* to rain in the afternoon. 오후에는 눈이 비로 변했다.

❹ 《turn+형용사로》…이 되다.

The maple leaves have *turned* red and yellow.
단풍나무 잎들이 붉고 노랗게 물들었다.

turn around 돌아서다, (뒤)돌아보다; …을 회전시키다.

He *turned around* and went away. 그는 돌아서더니 가버렸다.

She *turned around* and

bowed. 그녀는 돌아보더니 인사를 했다.

turn away 외면하다; …을 쫓아내다.

She *turned away* from me.
그녀는 나를 외면했다.

He *turned away* the salesman. 그는 그 외판원을 쫓아냈다.

turn back 되돌아가다〔오다〕.

The car *turned back*.
자동차는 되돌아왔다〔갔다〕.

turn down (밝기 따위)를 약하게 하다; (소리 따위)를 낮추다.

Turn down the radio.
라디오 소리를 낮춰라.

turn off (TV·라디오 따위)를 끄다; (수도·가스 따위)를 잠그다 (⇔turn on 켜다).

I *turned off* the radio.
나는 라디오를 껐다.

Turn off the light before you go to bed. 취침 전에 전등을 끄시오.

Ted's mother *turned off* the gas. 테드의 어머니는 가스를 잠그셨다.

turn on (라디오·TV 따위)를 켜다; (가스·수도 따위의 꼭지)를 열다(⇔turn off 끄다).

He *turned on* the radio.
그는 라디오를 켰다.

She *turned on* the water.
그녀는 수도 꼭지를 열었다.

turn out (전등·불·가스 따위)를 끄다, 잠그다; …임이 판명되다.

Turn out the gas heater before you go out. 외출하기 전에 가스 난로를 잠그도록 해라.

Her story *turned out* to be false. 그녀의 이야기는 거짓임이 판명되었다.

turn over …을 뒤집다; (페이지)를 넘기다; 뒤집어지다.

The boat *turned over*.
그 보트는 뒤집어졌다.

turn up (가스·전등 따위)를 세게〔밝게〕하다; (소리 따위)를 높게

〔크게〕하다.
Don't *turn up* the radio.
라디오 소리를 크게 하지 마라.
── 명 복수 **turns**[tə:rnz]
❶ 회전, 방향 전환; 모퉁이.
The car made a *turn* to
the right. 그 차는 오른쪽으로
방향 전환을 했다.
❷ 차례, 순번.
Now it's your *turn*.
이제 네 차례다.
He waited for his *turn*.
그는 그의 차례를 기다렸다.
by turns 교대로, 번갈아.
We nursed the old lady *by
turns*. 우리는 교대로 그 늙은 부
인을 간호하였다.
in turn 차례로.
We sang *in turn*.
우리는 차례로 노래했다.
No left 〔*right*〕 *turn.* 《도로 표지》
좌〔우〕회전 금지.

tur·ning [tə́:rniŋ] 명
복수 **turnings**[tə́:rniŋz]
회전, 방향 전환; (도로의) 모퉁이.

tur·tle [tə́:rtl] 명
복수 **turtles**[tə́:rtlz]
바다거북.
Admiral Yi made a ship in
the shape of a sea *turtle*.
이 장군은 바다 거북모양의 배를
만들었다.

tu·tor [tjú:tər] 명
복수 **tutors**[tjú:tərz]
가정 교사.

*TV [tí:ví:]
television의 간략형.
a *TV* station 텔레비전 방송국.
a *TV* set 텔레비전 수상기.
a *TV* program 텔레비전 프로.
They watch baseball games
on *TV*. 그들은 TV로 야구 경기
를 본다.

Twain [twein] 명
트웨인.
Mark [mɑːrk] **Twain** 마크 트웨인
(1835-1910)《미국의 소설가 · 단

편 작가》.

*twelfth [twelfθ] 명
복수 **twelfths**[twelfθs]
❶《보통 the를 붙여》제 12; 12
번째; (달의) **12일**. ➤ 12th 로
약함.
the *twelfth* of October, 10 월
12일.
Lincoln's birthday comes
on February *twelfth*. 링컨의
탄생일은 2월 12일이다.
❷ 12분의 1.
one *twelfth*, 12분의 1.
five *twelfths*, 12분의 5.
── 형 《보통 the를 붙여》제 12
의, **12번째의**.
the *twelfth* century, 12세기.
December is the *twelfth*
month. 12월은 12번째 달이다.

*twelve [twelv] 명
복수 **twelves**[twelvz]
12; 12세, 12시; 《복수 취급》
12개〔명〕.
at *twelve* noon 〔midnight〕
낮〔밤〕 12 시에.
There are *twelve*.
12 개가〔명이〕 있다.
── 형 12의; 12개〔명〕의; 12세인.
She is *twelve* (years old).
그녀는 12세이다.
There are *twelve* months in
a year. 1년은 12개월이다.

twen·ties [twéntiz] 명
twenty의 복수.

*twen·ti·eth [twéntiiθ] 명
복수 **twentieths**[twéntiiθs]
《보통 the 를 붙여》제 20, 20번
째; (달의) **20일**. ➤ 20th 로 약
함.
the *twentieth* of May, 5월
20일.
── 형 《the 를 붙여》제 20의, 20
번째의.

**twen·ty [twénti] 명
복수 **twenties**[twéntiz]

T

❶ 20; 20세; 《복수 취급》20개 〔명〕.

a man of *twenty* 20세인 사람.

That child can count from one to *twenty*. 그 아이는 1부터 20까지 셀 수 있다.

❷ 《one's **twenties** 로》(연령의) 20대; 《the **twenties** 로》(세기의) 20년대. ➤ the 20s 〔20's〕로도 씀.

He is in *his* early *twenties*. 그는 20대 초반이다.

── 〔형〕《보통 the를 붙여》20의; 20개〔명〕의; 20세인.

She came to Korea *twenty* years ago. 그녀는 20년 전에 한국에 왔다.

*****twice** [twais] 〔부〕
2번, 2회; 2배.

I have been here *twice*. 나는 이 곳에 두 번 온 일이 있다.

I met him once or *twice*. 나는 그를 한두 번 만났다.

Your room is *twice* as large as mine. 네 방은 내 방보다 2배나 크다.

┌─────────────────────────┐
│ 〔참고〕「한 번」은 once,「두 번 │
│ 〔배〕」은 twice라고 하며. 「세 │
│ 번〔배〕」이상은 three times, │
│ four times처럼 수사를 써서 │
│ 표현한다.「두 번〔배〕」을 two │
│ times 라고는 하지 않는다. │
└─────────────────────────┘

twig [twig] 〔명〕
〔복수〕**twigs** [twigz]
잔 가지, 가느다란 가지《주로 잎이 붙어 있지 않은 것》.☞ tree

I collected some dry *twigs* in order to make a fire. 불을 피우기 위해 마른 가지를 모았다.

twi·light [twáilàit] 〔명〕
《a 와 복수형 안 씀》(주로 해진 후의)어스름; 황혼, 땅거미, 여명.

We went for a walk in the *twilight*. 우리는 어스름에 산책하러 나갔다.

twin [twin] 〔명〕
〔복수〕**twins** [twinz]
쌍둥이의 한 사람; 《복수형으로》쌍둥이, 쌍생아.

He is one of the *twins*. 그는 쌍둥이의 한 사람이다.

Tom and Jack are *twins*. 톰과 잭은 쌍둥이다.

twin·kle [twíŋkəl] 〔자〕〔3·단·현〕
twinkles [twíŋkəlz];
〔ing형〕**twinkling** [twíŋkəliŋ];〔과거〕
〔과분〕**twinkled** [twíŋkəld]
(별 따위가)반짝반짝 빛나다; (눈이)반짝이다; 빛나다.

The stars are *twinkling* in the sky. 하늘에는 별이 반짝이고 있다.

His eyes *twinkled* at the joke. 그 농담에 그의 눈이 반짝였다.

── 〔명〕반짝거림; 깜빡거림. ➤ 복수형 쓰지 않음.

We saw the *twinkle* of the stars. 우리는 별이 반짝거리는 것을 보았다.

twist [twist] 〔동〕
〔3·단·현〕**twists** [twists];
〔ing형〕**twisting** [twístiŋ];〔과거〕
〔과분〕**twisted** [twístid]
〔타〕…을 꼬다; 비틀다; (발목 따위)를 삐다; 접질리다.

They are *twisting* many threads into a rope. 그들은 여러 가닥의 실을 꼬아서 로프를 만들고 있다.

She *twisted* the wet clothes. 그녀는 젖은 옷을 비틀어 짰다.

He *twisted* my arm. 그는 나의 팔을 비틀었다.

He *twisted* his left ankle. 그는 왼쪽 무릎을 접질렸다.

── 〔자〕꼬이다; 뒤틀리다.

a *twisting* mountain road 꼬불꼬불한 산길.

—명 복수 **twists**[twists]
꼬기; 비틀기.
Give the rope a few more *twists*. 로프를 2.3회 더 꼬아라.

two [tu:] 명
복수 **twos**[tu:z]
2; 두 살; 2시; 《복수 취급》 2개
〔명〕.
a boy of *two* 두 살 먹은 소년.
Two and *two* makes four.
2 더하기 2는 4이다.
Nancy, I'll call you at *two*.
낸시, 2시에 전화할게.
—형 2의; 2개〔명〕의; 두 살인.
I have *two* sisters.
나에게 두 자매가 있다.
The baby is *two* months old. 그 어린애는 낳은 지 2개월 되었다.

ty·ing [táiiŋ] 동
tie의 -ing형.

type [taip] 명
복수 **types**[taips]
❶ 형(型), 타입; 유형; 전형; 본 보기.
Show me another pen of this *type*.
이런 형의 만년필로 다른 것을 보여 주시오.
I don't like that *type* of person. 나는 저런 유형의 사람을 좋아하지 않는다. ☞ 형 typical
❷ 활자.
The book is printed in large *type*. 이 책은 큰 활자로 인쇄되어 있다.
—자·타 3·단·현 **types**[taips]:
ing형 **typing**[táipiŋ]: 과거 과분
typed[taipt]

(…을) 타자기로 치다; 타자하다.
She *types* well.
그녀는 타자를 잘 친다.
Please *type* this letter by noon. 정오까지 이 편지를 타자로 쳐다오.

type·writ·er [táipràitər] 명
복수 **typewriters**[táipràitərz]
타자기.
My brother has a big *typewriter*. 형은 큰 타자기를 갖고 있다.

ty·phoon [taifú:n] 명
복수 **typhoons**[taifú:nz]
태풍.

typ·i·cal [típikəl] 형
비교 **more typical**; 최상 **most typical**
대표적인, 전형적인; 특유의.
He is a *typical* American.
그는 전형적인 미국 사람이다.
This action is *typical* of him. 이런 행동은 그의 독특한 행동이다. ☞ 명 type

typ·ist [táipist] 명
복수 **typists**[táipists]
타이피스트, 타자수.
She wants to be a *typist*.
그녀는 타자수가 되고 싶어한다.

ty·rant [táiərənt] 명 복수
tyrants[táiərənts]
폭군, 전제 군주.
Nero[níːrou] was a Roman *tyrant*. 네로는 로마의 폭군이었다.

T

U u

U u
𝒰 𝓊

UFO [jùːêfóu, júːfou] 명 복수
UFOs 또는 **UFO's**
[jùːêfóuz, júːfouz]
미확인 비행 물체, 유에프오.

> 참고 UFO는 Unidentified[ʌ̀n-
> aidéntəfáid] Flying Object
> 의 약자로 미공군에 의해 만들
> 어진 말이다. 또, 모양이 접시
> 처럼 생겼다고 하여 flying
> saucer[fláiiŋ sɔ́ːsər] (비행접
> 시)라고 부르기도 한다.

ug·ly [ʌ́gli] 형
비교 **uglier**[ʌ́gliər] ; 최상
ugliest[ʌ́gliist]
❶ 못생긴, 추한, 보기 흉한(⇔
beautiful 아름다운).
an *ugly* face 못생긴 얼굴.
She looks *ugly*.
그녀는 얼굴이 못생겼다.
❷ 불쾌한, 추악한.
an *ugly* story 불쾌한 이야기.
an *ugly* crime 추악한 범죄.

uh-huh [ʌhʌ́] 감
응, 음《찬성·동의·감사 따위의
감정을 나타냄》.
"Are you going to come?"
"*Uh-huh.*" 「너는 올거니?」「응.」

um·brel·la [ʌmbrélə] 명
복수 **umbrellas**[ʌmbréləz]
우산.
put up an *umbrella* 우산을
펴서 쓰다.
close an *umbrella* 우산을 접
다.
May I share your *umbrella*?
우산 좀 함께 쓸까요?
Take this *umbrella* with
you. 이 우산을 가지고 가거라.

um·pire [ʌ́mpaiər] 명
복수 **umpires**[ʌ́mpaiərz]
(야구·테니스 따위의) 심판원.
act as *umpire* 심판 노릇을 하
다.

un- [ʌn-] 접두
형용사·동사·부사·명사
앞에 붙여 반대의 뜻을 나타냄.
*un*happy 불행한 / *un*known 미
지의 / *un*tie 풀다 / *un*fortuna-
tely 불행히도 / *un*happiness 불
행.

U.N. [júːén] **United Nations**
(국제 연합)의 간략형. ▶
UN이라고도 씀.

un·a·ble [ʌnéibəl] 형
《**be unable to** do로》 …할 수
없다. ▶명사 앞에는 쓰지 않음.
☞ able
She *is unable to* swim.
그녀는 수영을 할 수 없다.
Bill *was unable to* read
Korean two years ago.
빌은 2년 전에는 한국어를 읽을
수 없었다.
He will *be unable to* attend
the meeting tomorrow. 그는
내일 모임에 참석 못할 것이다.

un·be·liev·a·ble
[ʌ̀nbilíːvəbəl] 형
비교 **more unbelievable**; 최상
most unbelievable
믿을 수 없는, 거짓말 같은.
an *unbelievable* story 믿기
어려운 이야기.

un·cer·tain [ʌnsə́ːrtn] 형
비교 **more uncertain**; 최상
most uncertain

❶ 불확실한, 확신할 수 없는(⇔ certain 확실한).

I am *uncertain* of his success. 나는 그의 성공에 대해 확신할 수 없다.

❷ 불안정한, 변하기 쉬운.

The weather in the mountains is *uncertain*. 산의 날씨는 변하기 쉽다.

un·changed [ʌntʃéindʒd] 형

변하지 않는, 원래 그대로의.

My opinion is *unchanged*. 내 의견은 그대로다.

His face remained *unchanged*. 그의 얼굴은 변하지 않았다.

uncle [ʌ́ŋkəl] 명

복수 **uncles** [ʌ́ŋkəlz]

아저씨(⇨ aunt 아주머니).

Uncle Harry is my mother's brother. 해리 아저씨는 어머니의 남동생이다.

I'm going to visit my *uncle*'s. 나는 아저씨 댁을 방문하려고 한다.

참고 **1.** uncle 은 혈족 관계인 삼촌·백부·숙부·외삼촌·고모부·이모부 등을 가리키는 통칭이다. 그 관계를 명확히 밝힐 필요가 있을 때는 my **mother's brother** 또는 my **uncle on my mother's side** (외삼촌) 따위와 같이 한다.
2. 구어에서는 혈족 관계가 아닌 연상의 사람에게도 친밀감을 나타내기 위해 uncle이라고 부른다.

---

un·com·fort·a·ble

[ʌnkʌ́mfərtəbəl] 형

비교 **more uncomfortable;** 최상 **most uncomfortable**

편안치 않은, 불유쾌한.

an *uncomfortable* chair 편안치 않은 의자.

an *uncomfortable* memory 불유쾌한 기억.

un·com·mon [ʌnkámən] 형

드문, 희귀한; 보통 아닌, 비범한.

It is not *uncommon* to find such a bird. 그러한 새를 발견하는 것은 드문 일이 아니다.

Mary has an *uncommon* talent. 메리는 비범한 재능을 가지고 있다.

un·con·scious [ʌnkánʃəs] 형

모르는, 깨닫지 못하는; 무의식의, 의식 불명의.

Tom is *unconscious* of his mistake. 톰은 그의 잘못을 알지 못하고 있다.

He was *unconscious* for two hours. 그는 두 시간 동안 의식 불명이었다.

under [ʌ́ndər] 전

❶ 《위치를 나타내어》 …의 (바로) 아래에[로], …의 밑에[으로](⇔ over …의 위에).

| under | below |
| (…의 밑에) | (…의 아래쪽에) |

Is there a cat *under* the table? 테이블 아래에 고양이가 있느냐?

The subway runs *under* this street. 이 거리 밑에 지하철이 지나가고 있다.

❷ 《수량·나이 따위가》 …미만인.

Nancy is still *under* twenty. 낸시는 아직 20세 미만이다.

No one *under* eighteen is admitted. 《게시》 18세 미만 입장 금지.

❸ (지배·보호 따위)를 받고, …의 밑[아래]에.

We studied *under* Dr. Hill for two years. 우리는 힐 박사

밑에서 2년간 공부했다.
England was *under* Queen Elizabeth in those days. 그 당시 영국은 엘리자베스 여왕 치하에 있었다.
❹ …하는 중인〔에〕; (어떤 조건·상황 따위) 아래〔하〕에.
a road *under* construction 건설〔공사〕 중인 도로.
My car is *under* repair now. 내 자동차는 지금 수리 중이다.

un·der·ground [ʌ́ndərgráund] 혱
지하의.
an *underground* passage 지하도.
underground water 지하수.
Can you imagine an *underground* city? 너는 지하 도시를 상상할 수 있겠느냐?
── 몡 《a와 복수형 안 씀》 지하철; 지하도.

un·der·line [ʌ̀ndərláin] 타
③·단·현 underlines[ʌ̀ndərláinz]: ing형 underlining[ʌ̀ndərláiniŋ]: 과거 과분 underlined[ʌ̀ndərláind]
(낱말·구 따위)에 밑줄을 긋다, 언더라인을 치다.
the *underlined* parts 밑줄을 친 부분.
Underline the important words with a red pencil. 중요한 낱말에 붉은 연필로 밑줄을 쳐라.
── [ʌ́ndərlàin] 몡 복수 underlines[ʌ́ndərlàinz]
밑줄, 언더라인.
These *underlines* are very clear. No one will miss them. 이 밑줄은 아주 명확하니까 아무도 놓치지 않을 것이다.
▶동사와 명사는 악센트의 위치가 다름에 주의.

un·der·neath [ʌ̀ndərníːθ] 전
…의 아래에(=beneath).

He hid the book *underneath* the sofa. 그는 소파 아래에 그 책을 숨겼다.

un·der·shirt [ʌ́ndərʃə̀ːrt] 몡
복수 undershirts[ʌ́ndərʃə̀ːrts]
속옷, 내복.

un·der·stand [ʌ̀ndərstǽnd] 통
③·단·현 understands [ʌ̀ndərstǽndz]: ing형 understanding [ʌ̀ndərstǽndiŋ]: 과거 과분 understood [ʌ̀ndərstúd]
타 ❶ …을 이해하다, 알다, 알아듣다.
Do you *understand* Korean? 한국어를 아십니까?
Do you *understand* me? = Do you *understand* what I say? 내 말을 알아듣겠습니까?
I can't *understand* why you did it. 네가 왜 그런 짓을 했는지 나는 이해할 수 없다.
❷ 《understand that … 으로》 …라고 알고 있다, …라고 생각〔해석, 이해〕하다.
I *understand* that we will have no classes tomorrow. 내일은 수업이 없다고 알고 있다.
── 자 이해하다, 알다.
"Do you *understand*?" "No, I don't *understand* at all." 「알았느냐?」 「전혀 모르겠습니다.」

un·der·stand·ing [ʌ̀ndərstǽndiŋ] 몡
《an과 복수형 안 씀》 이해, 납득; 이해력; 분별.
He has a clear *understanding* of this problem. 그는 이 문제를 잘 이해하고 있다.
▶형용사 수반시 통상 a를 붙임.
He has an excellent *understanding*. 그는 이해력이 탁월하다.

un·der·stood [ʌ̀ndərstúd] 통

understand의 과거·과거 분사.
I *understood* everything at once. 나는 곧 모든 것을 알았다.

un·der·wear [ʌ́ndərwɛ̀ər] 명
《an과 복수형 안 씀》속옷류, 내의류. ▶속옷을 통틀어 말함.

un·eas·y [ʌníːzi] 형 비교
uneasier[ʌníːziər] : 최상 **uneasiest**[ʌníːziist]
불안한, 근심스러운(=anxious).
She felt *uneasy* about her future. 그녀는 자신의 장래에 대하여 불안을 느꼈다.

UNESCO [juːnéskou] 명
유네스코.

참고 the *United Nations Educational, Scientific, and Cultural Organization* (국제 연합 교육 과학 문화 기구)의 약자. 교육·과학·문화면에서 각국의 협력으로 세계평화에 이바지하려는 국제 연합 전문 기구 중의 하나. 1946년에 창설되었다.

un·ex·pect·ed [ʌ̀nikspékt-id] 형
비교 **more unexpected**; 최상 **most unexpected**
불의의, 뜻밖의, 예기치 않은.
an *unexpected* accident 불의의 사고.
We received an *unexpected* welcome. 우리는 뜻밖의 환영을 받았다.

un·fair [ʌnfɛ́ər] 형
비교 **more unfair**; 최상 **most unfair**
불공평한, 옳지 않은, 부정한.
All the players protested against the *unfair* decision. 선수들은 모두 공평치 못한 판정에 항의했다.

un·fa·mil·iar [ʌ̀nfəmíljər] 형
비교 **more unfamiliar**; 최상 **most unfamiliar**
낯선; 잘 모르는, 익숙지 않은.
This plant is quite *unfamiliar* to me. 이 식물은 나에게 매우 낯선 것이다.
Susie was *unfamiliar* with that kind of party. 수지는 그러한 종류의 모임에는 익숙지 않았다.

un·for·get·ta·ble [ʌ̀nfərgétəbəl] 형
잊을 수 없는, (언제까지나) 기억에 남는.
an *unforgettable* face 잊을 수 없는 얼굴.

un·for·tu·nate [ʌnfɔ́ːrtʃənit] 형
비교 **more unfortunate**; 최상 **most unfortunate**
불행한, 운 나쁜, 불운한.
It was *unfortunate* that he had an accident on his way home. 그는 귀가 도중에 운이 나쁘게도 사고를 당했다.

un·for·tu·nate·ly [ʌnfɔ́ːr-tʃənitli] 부
불행하게, 운 나쁘게, 공교롭게.
Unfortunately, I have another engagement. 공교롭게도 다른 약속이 있다.

un·friend·ly [ʌnfréndli] 형
불친절한, 무뚝뚝한, 친하기 어려운 (⇔friendly 친절한).
He was *unfriendly* even to his family. 그는 그의 가족들에게조차도 불친절했다.
Bob looked *unfriendly* at first. 보브는 처음 보기에 무뚝뚝하게 보였다.

un·hap·py [ʌnhǽpi] 형
비교 **more unhappy**; 최상 **most unhappy**
불행한, 비참한, 불운한(⇔happy 행복한).
She tried to change her

unhappy life by helping others. 그녀는 남을 도움으로써 자기의 불행한 생활을 바꾸려고 하였다.

un·health·y [ʌnhélθi] 형

[비교] **more unhealthy**; [최상] **most unhealthy**
건강치 못한, 불건전한.
Please let him walk, or he will be *unhealthy*. 그를 걷게 하시오. 그렇지 않으면 건강치 못할 것입니다.
It's an *unhealthy* amusement. 그것은 건전치 못한 오락이다.

u·ni·fi·ca·tion [jùːnəfikéiʃən] 명

《a와 복수형 안 씀》 통일; 단일화.
We all look forward to the day of *unification*. 우리는 모두 통일의 날을 손꼽아 기다리고 있다. ☞ 동 unify

u·ni·fy [júːnəfài] 타 [3·단·현] **unifies** [júːnəfàiz];

[ing형] **unifying** [júːnəfàiiŋ]; [과거] [과분] **unified** [júːnəfàid]
하나로 하다; 통일하다.
We are trying hard to *unify* our nation peacefully. 우리는 우리 나라를 평화적으로 통일하려고 열심히 노력하고 있다.
☞ 명 unification

*u·ni·form [júːnəfɔ̀ːrm] 명

[복수] **uniforms** [júːnəfɔ̀ːrmz]
제복, 유니폼.
a school *uniform* 교복.
A man in policeman's *uniform* came into the room.
경찰관 복장을 한 사람이 방으로 들어왔다.

un·ion [júːnjən] 명

[복수] **unions** [júːnjənz]
❶ 《a와 복수형 안 씀》 결합, 합병; 단결.
Union is strength.
《속담》 단결은 힘이다.

❷ 조합, 노동 조합.
The labor *union* is against the new plan.
노동 조합은 새로운 계획에 반대하고 있다.

Un·ion Jack [júːnjən dʒǽk] 명

《the를 붙여》 영국 국기.

[참고] 잉글랜드의 성(聖) 조지(St. George) 십자, 스코틀랜드의 성 안드레(St. Andrew) 십자, 아일랜드의 성 패트릭(St. Patrick) 십자를 합친 것으로 3국 연합의 표상이다.

u·nique [juːníːk] 형

독특한, 유(類)가 없는.
His way of speaking is quite *unique*. 그의 말투는 아주 독특하다.
Korea has one of most *unique* cultures. 한국은 매우 독특한 문화 중의 하나를 지니고 있다. ▶ 여기서 most는 「대단히, 매우」란 뜻.

u·nit [júːnit] 명

[복수] **units** [júːnits]
(구성·계량·학습 따위의) 단위.
A sentence is a *unit* of thought. 문장은 생각의 단위이다.
A pound is a *unit* of weight. 파운드는 무게의 단위이다.

u·nite [juːnáit] 동 [3·단·현]

unites [juːnáits]; [ing형] **uniting** [juːnáitiŋ]; [과거] [과분] **united** [juːnáitid]
타 …을 결합시키다, 하나로 하다, 단결시키다.
He *united* the two parts.
그는 두 부분을 결합시켰다.

The two companies were *united* into one larger company. 그 두 회사는 결합하여 하나의 더 큰 회사가 되었다.
── 재 하나가 되다, 합체하다, 단결[협력]하다.
Three small towns *united* and became a city. 세 작은 도시가 합쳐서 하나의 시가 되었다.
All the students *united* in producing the play. 모든 학생이 그 연극 상연에 협력하였다.

u·nit·ed [juːnáitid]
형
결합된, 연합된, 단결된.
United we stand; divided we fall. 뭉치면 살고 흩어지면 죽는다.

U·nit·ed King·dom
[juːnáitid kíŋdəm] 명
《the 를 붙여》 연합 왕국, 영국.

> 참고 the United Kingdom 은 그레이트브리튼(Great Britain)과 북아일랜드(Northern Ireland)와 스코틀랜드 북동쪽의 셰틀랜드 (Shetland[ʃétlənd])를 합친 것을 말한다. 면적은 244,030 km² 로 우리 나라보다 약간 크다. U.K.로 약함. 정식 명칭은 the United Kingdom of Great Britain and Northern Ireland.

U·nit·ed Na·tions
[juːnáitid néiʃənz] 명
《the를 붙여》 국제 연합, 유엔.

> 참고 세계 평화를 유지하며 인류의 빈곤을 없애고 생활과 문화를 향상시키기 위한 목적 아래 세계 각국이 협력하여 일하는 국제 기관. 본부는 뉴욕에 있다. 1945년 10월 24일에 창

설되었다. 10월 24일은 각국이 국제 연합일로서 기념한다. UN 또는 U.N.으로 약함.

*U·nit·ed States [juːnáitid stéits] 명
《the를 붙여》 아메리카 합중국, 미국.

> 참고 정식으로는 the United States of America이지만 of America를 생략하고 the United States라고 흔히 말한다. 이보다 더 간단하게 the States라고만 할 수도 있다. 또, 이를 약하여 U.S.A. 또는 U.S.라고 할 때도 많다. 수도는 Washington D. C. [wɔ́ʃiŋtən díːsiː]. 면적은 9,363,353 km² 로서 우리 나라의 약 43 배이다. 미국은 50 개의 독립 주로 이루어져 있으나 제도면에서는 공통적인 것도 많다.

u·ni·ver·sal [juːnəvə́ːrsəl] 형
보편적인; 전세계의, 전인류의; 우주의.
universal truth 보편적 진리.
a *universal* language 국제어.
universal peace 세계 평화.

u·ni·verse [júːnəvəːrs] 명
《the를 붙여》 우주; 전세계.
There is no limit to the *universe*. 우주에는 끝이 없다.

참고 「우주 여행」은 space travel(직역하면 공간 여행), 「우주 비행사」는 spaceman으로서, 이런 표현에는 universe 를 쓰지 않는다.

*u·ni·ver·si·ty [jùːnəvə́ːrsəti] 명

복수 universities[jùːnəvə́ːrsətiz]
대학교, (특히) 종합 대학.
the *University* of Hawaii 하와이 대학.
Oxford [Harvard] *University* 옥스포드[하버드] 대학. ▶ 지명이 앞에 있으면 the를 붙이지 않음.
My sister is a *university* student. 나의 누나는 대학생이다.
He goes to (the) *university*. 그는 대학에 다닌다. ▶ 미국에서는 흔히 the를 붙이고, 영국에서는 the를 안 붙임.

참고 college와 university
원칙적으로 university는 여러 단과 대학이 있는 「종합 대학」을 가리키며, college는 하나의 「단과 대학」을 말한다. 그러나 실제로는 college 정도의 대학이라도 university라고 이름 붙인 경우도 있고, college라고 하더라도 꽤 큰 종합 대학을 가리키는 경우도 있다.

un·kind [ʌnkáind] 형

비교 unkinder[ʌnkáindər] ; 최상 unkindest[ʌnkáindist]
불친절한, 몰인정한(⇔kind 친절한).
Mr. Jones was very *unkind* to us. 존스씨는 우리에게 매우 불친절했다.
It was *unkind* of her to say such a thing to you. 너에게 그런 말을 하다니 그녀는 몰인정하구나.

un·kind·ly [ʌnkáindli] 부

비교 more unkindly; 최상 most unkindly
불친절하게.
"Nothing," the old man said *unkindly*. 「아무 것도 없소」라고 노인이 불친절하게 말했다.

un·known [ʌnnóun] 형

알려지지 않은, 미지의(⇔known 알려진).
an *unknown* writer 무명의 작가.
This hot spring is *unknown* to many people. 이 온천은 사람들에게 그리 알려져 있지 않다.

*un·less [ənlés] 접
(만일) …하지 않으면.
▶ if … not 보다 문어적인 표현.
Unless you go now(=If you don't go now), you will miss the train. 만약 지금 가지 않으면, 너는 기차를 놓칠 것이다.

un·like [ʌnláik] 형 비교 more unlike; 최상 most unlike
닮지[같지] 않은, 다른(⇔like 닮은).
The two brothers are quite *unlike*. 그 두 형제는 전혀 닮지 않았다.
── 전 …을 닮지 않고, …와 달라서.
Unlike his brother, he is honest. 그는 형과는 달리 정직하다.

un·luck·y [ʌnlʌ́ki] 형

비교 unluckier[ʌnlʌ́kiər] : 최상 unluckiest[ʌnlʌ́kiist]
불운한, 운이 나쁜, 불길한 (⇔lucky 운이 좋은).
unlucky thirteen 불길한 13.
Last year he was *unlucky* in everything. 작년에 그는 매사에 운이 나빴다.

U

un·nec·es·sar·y [ʌnnésə-sèri] 형

불필요한, 쓸데 없는 (⇔neces-sary 필요한).

Mr. White thinks smoking is *unnecessary*. 화이트씨는 흡연이란 불필요한 것이라고 생각한다.

It is quite *unnecessary* for us to go there today. 오늘 우리가 거기 갈 필요는 전혀 없다.

un·pleas·ant [ʌnplézənt] 형

비교 **more unpleasant; 최상 most unpleasant**

불쾌한, 싫은 (⇔pleasant 유쾌한).

He sometimes speaks in a very *unpleasant* way. 그는 가끔 대단히 불쾌한 태도로 이야기한다.

un·plug [ʌnplʌ́g] 타

3·단·현 **unplugs** [ʌnplʌ́gz] : ing형 **unplugging** [ʌnplʌ́giŋ] : 과거 과분 **unplugged** [ʌnplʌ́gd]

플러그를 뽑다, 콘센트에서 (플러그)를 뽑다.

Please *unplug* the cord. 코드를 뽑으시오.

un·tie [ʌntái] 타

3·단·현 **unties** [ʌntáiz] : ing형 **untying** [ʌntáiiŋ] : 과거 과분 **untied** [ʌntáid]

❶ …을 풀다.

They *untied* the rope. 그들은 밧줄을 풀었다.

The children *untied* the parcel at once. 아이들은 즉시 소포를 풀었다.

❷ (묶인 동물 따위)를 풀어주다, 자유롭게 해주다.

Tom *untied* the dog. 톰은 개를 풀어 주었다.

un·til [əntíl] 전

《시간의 계속을 나타내어》 …까지, …에 이르기까지 줄곧 (=till).

Let's wait *until* five o'clock. 5시까지 기다려 보자.

Until then, she knew nothing about him. 그때까지 그녀는 그에 관해 아무것도 몰랐다.

어법 **until과 till과 by**

1. until과 till은 뜻과 용법이 같다. 그러나 미국에서는 till보다 until을 더 많이 사용한다. 특히 문장 앞에서는 영국, 미국 모두 until을 쓴다.

2. until과 till은 「…까지 (줄곧)」이란 뜻으로, 동작·상태의 계속되는 기간을 나타내는 데 비해, by는 동작·상태가 완료되는 기한을 나타낸다.

—— 접 ❶ …할 때까지, …하여 마침내 (=and at last).

Let's wait *until* he comes. 그가 올 때까지 기다리자. ➤ until 뒤에 오는 동사는 현재형으로 미래를 나타냄.

Until the storm stopped, the road was closed. 폭풍이 멎을 때까지, 도로는 폐쇄됐었다.

Bob worked and worked, *until* he got sick. 보브는 계속 일만 하더니 마침내 병이 났다.

❷ **⟨not ... until ~ 로⟩ ~까지 … 않다; ~이 되어 비로소 …하다.**

Don't enter the room *until* I say "All right." 내가 「좋다.」고 할 때까지 방안으로 들어오지 마라.

un·u·su·al [ʌnjúːʒuəl] 형

이상한, 보통이 아닌 (⇔usual 보통의).

They showed us *unusual* kindness. 그들은 우리에게 보통 이상의 친절을 베풀었다.

Is there anything *unusual* about her? 그녀에게 무슨 이상한 점이 있느냐?

un·u·su·al·ly [ʌnjúːʒuəli] 부

U

유달리, 이상하게; 대단히.

Miss Jones was *unusually* beautiful that day. 존스양은 그날 유달리 아름다웠다.

My brother is *unusually* tall. 나의 형은 대단히 키가 크다.

up [ʌp] 부

❶ **위에, 위로, 위쪽에〔으로〕** (⇔ down 아래에).

Hold *up* your hands! 손을 들어라!

The elevator was going *up*. 그 엘리베이터는 올라가고 있었다.

We looked *up* at the moon. 우리는 달을 쳐다보았다.

The moon was already *up* by then. 그때에는 이미 달이 떠 있었다.

❷ **몸을 일으켜; (자리에서) 일어나.**

Stand *up*! 일어서!

Go and wake her *up*. 가서 그녀를 깨워라.

She often sits *up* till late at night. 그녀는 가끔 밤늦게까지 자지 않고 일어나 있다.

Are you still *up*? 아직 자지 않고 있느냐?

❸ **접근하여.**

A boy came *up* to me. 한 소년이 나에게로 다가왔다.

❹ **완전히, 모두, 몽땅.**

The dog ate *up* the food quickly. 개는 재빨리 먹이를 먹어치웠다.

Did you use *up* the ink? 잉크를 다 써버렸느냐?

Drink it *up*! 쭉 다 마셔라!

❺ **끝나, 다 되어.**

Time is *up*. 시간이 다 되었다.

up and down 상하로; 이리저리.

The boat bounced *up and down*. 배는 상하로 흔들렸다.

We walked *up and down* the broad street. 우리들은 넓은 거리를 이리저리 걸어다녔다.

up to …까지, …에 이르기까지.

count *up to* fifty 50까지 세다.

The cat was alive *up to* that time. 고양이가 그때까지는 살아 있었다.

What's up? 무슨 일이냐? 어찌 된 거냐?

── 전 ❶ …을 올라가 (⇔ down …을 내려가).

go *up* a ladder 사다리를 올라가다.

The students ran *up* the stairs. 학생들은 층계를 뛰어올랐다.

❷ (도로 따위)를 **따라**(=along).

We marched *up* the street. 우리는 거리를 따라 행진했다.

── 형 《명사 앞에만 쓰여》 **올라가는, 위로 향하는, 상행의**(⇔ down 내려가는).

an *up* train 상행 열차.

up·hold [ʌphóuld] 타

3·단·현 **upholds**[ʌphóuldz] : ing형 **upholding**[ʌphóuldiŋ] ; 과거 과분 **upheld**[ʌphéld] **지지〔변호〕하다, 유지〔관리〕하다, (판결 따위)를 확정〔확인〕하다.**

The police must *uphold* the law. 경찰은 법을 지지해야 한다.

up·on [əpán] 전

…의 **위에**(=on).

There was nothing *upon* the table. 탁자 위에는 아무것도 없었다.

┌─────────────────────┐
비슷한 말 **upon과 on**

upon은 on과 거의 같아서 대개의 경우 on과 마찬가지로 쓸 수 있으나, on이 더 구어적이다. 문장의 리듬이나 어조에 따라 upon을 더 즐겨 쓰는 경우도 있다.
└─────────────────────┘

once upon a time 옛날 옛적에. ☞ once

up·per [ʌ́pər] 형

《명사 앞에만 쓰여》 위

쪽의, 상부의, 상위〔상급〕의 (⇔
lower 아래의).
the *upper* lip 윗입술.
the *upper* class 상류 계급.
A strange noise was heard
in the *upper* room. 이상한
소리가 위층 방에서 들렸다.

up·right [ʌ́pràit] 〔형〕
똑바로 선, 직립한.
an *upright* post 수직 기둥.
an *upright* piano 업라이트 피
아노.

up·set [ʌpsét] 〔타〕 〔3·단·현〕
upsets[ʌpséts]; 〔ing형〕
upsetting [ʌpsétiŋ]; 〔과거〕 〔과분〕
upset[ʌpsét]
❶ …을 뒤집다.
The cat has *upset* its milk
plate. 고양이가 우유 접시를 뒤
엎었다.
The boat was *upset* by the
wind. 그 배는 바람에 뒤집혔다.
❷ (계획 따위)를 어긋나게 하다,
망쳐 놓다.
The weather *upset* all our
plans. 날씨가 우리들의 모든 계
획을 망쳐 버렸다.
❸ …을 당황케 하다.
Don't be 〔get〕 *upset*.
당황하지 마라.
The news *upset* me.
그 소식은 나를 당황케 했다.

up·side [ʌ́psàid] 〔명〕
위쪽, 상부.
upside down 거꾸로.
The bus fell *upside down*
into the valley. 버스는 계곡에
거꾸로 떨어졌다.
He hung the picture *upside*
down. 그는 그림을 거꾸로 걸었
다.

*·**up·stairs** [ʌ́pstέərz]
〔부〕
2층으로〔에〕, 위층으로〔에〕(⇔
downstairs 아래층으로).
Tom ran *upstairs*.
톰은 2층으로 뛰어올라갔다.
We have three bedrooms

upstairs. 우리는 2층에 침실이 3
개 있다.

〔참고〕 영미의 일반 가정 집은 대
개 2층으로 되어 있는데, 2층에
는 보통 아이들의 방과 부모의
침실이 마련되어 있다. 그래서
go upstairs (2층으로 가다)는
「자다」란 뜻으로 쓰이는 경우가
많다.

—— 〔형〕 위층의, 2층의.
Nancy is in the *upstairs*
room. 낸시는 위층 방에 있다.

up-to-date [ʌ́ptədéit]
〔형〕
최신(식)의, 현대적인.
an *up-to-date* hotel 현대적인
호텔.
an *up-to-date* style 최신식 스
타일.

up·ward [ʌ́pwərd]
〔부〕
위쪽으로, 위를 향해서(⇔ down-
ward 아래쪽으로).
look *upward* 위를 쳐다보다.
Jack climbed *upward*.
잭은 위로 올라갔다.
—— 〔형〕 위로 향한, 위쪽으로의.
an *upward* current of air
상승 기류.
The road is an *upward*
slope from here. 도로는 여기
서부터 오르막이다.

up·wards [ʌ́pwərdz]
〔부〕
위로, 위쪽으로(=upward).

u·ra·ni·um [juəréiniəm]
〔명〕
《a와 복수형 안 씀》 우라늄.
Uranium is a very heavy
element. 우라늄은 대단히 무거
운 원소다.

ur·ban [ə́:rbən]
〔형〕
도시의, 도회지의; 도시에 사는.
urban life 〔problems〕 도시 생
활〔문제〕.

U

urge [əːrdʒ] 타
[3·단·현] **urges** [ə́ːrdʒiz] ;
[ing형] **urging** [ə́ːrdʒiŋ] ; [과거] [과분]
urged [ə́ːrdʒd]
…을 재촉하다 ; …에게 조르다, 권
하다.
We *urged* the immediate
announcement of the
result. 우리는 결과를 곧 발표하
라고 재촉했다.
The man *urged* us to buy
the bananas. 그 사람은 우리들
에게 바나나를 사라고 졸랐다.

ur·gent [ə́ːrdʒənt] 형
[비교] **more urgent** ;
[최상] **most urgent**
급박한, 긴급한.
an *urgent* telegram 긴급 전보.
an *urgent* phone call 긴급
전화.
He is in *urgent* need of
money. 그는 급하게 돈이 필요
하다.

＊＊us [əs; 강 ʌs] 대
《we의 목적격》 우리들을, 우
리들에게. ☞ we
He loves *us* very much.
그는 우리를 매우 사랑한다.
Mr. Kim teaches *us*
English. = Mr. Kim teaches
English to *us*. 김선생님은 우
리에게 영어를 가르치신다.

U.S. [júːés] 명
아메리카 합중국 《United
States의 약자》. ▶ US로도 씀.

＊U.S.A. [júːéséi] 명
아메리카 합중국 《Unit-
ed States of America의 약
자》. ▶ USA로도 씀.

＊＊use [juːz] 타
[3·단·현] **uses** [júːziz] ; [ing형]
using [júːziŋ] ; [과거] [과분] **used**
[juːzd]
❶ …을 쓰다, 사용하다, 이용하다.
May I *use* your phone?
전화를 좀 써도 괜찮습니까?
I *use* English to talk to
Mr. White. 나는 화이트 선생님

과 말할 때 영어를 쓴다.
He often *uses* the library.
그는 자주 도서관을 이용한다.
❷ (능력·재능 따위)를 쓰다 ; 활
용〔행사〕하다.
You must *use* your head.
너는 머리를 써야 한다.
You can't hope to succeed
without *using* your brains.
머리를 쓰지 않고는 성공을 바랄
수가 없다.
— [juːs] 명 [복수] **uses** [júːsiz]
❶ 《a와 복수형 안 씀》 사용, 사
용법, 이용.
the *use* of force 힘〔무력〕의
행사.
I must learn the *use* of
the machine. 나는 그 기계의
사용법을 배워야 한다.
The bathroom is ready for
use. 욕실은 사용할 준비가 되어
있다.
❷ 용도, 사용처.
This tool has a lot of
uses. 이 도구는 많은 용도가 있
다.   ☞ 형 useful
be in use 쓰이고 있다.
The old clock *is* still *in
use*. 그 낡은 괘종시계는 아직도
사용되고 있다.
be out of use 쓰이지 않고 있다.
It *is out of use* now.
그것은 지금 쓰이지 않고 있다.
It is no use doing …하여도 소
용없다.
It *is no use crying* over
spilt milk. 《속담》 엎지른 우유
를 한탄해도 소용없다 《엎지른 물
은 다시 주워담을 수 없다》.
make use of …을 이용하다.
They try to *make* good *use
of* every minute. 그들은 일 분
이라도 잘 활용하려고 노력한다.
of use 소용되는, 유용한, 쓸모있
는(⇔of no use 쓸모없는).
This book will be *of* great
use to me. 이 책은 나에게 매
우 쓸모가 있을 것이다.

It was (*of*) no *use*.
그것은 아무 쓸모가 없었다.
▶동사와 명사의 발음이 다름에
주의.

used¹ [juːst] 형
❶ 《**be used to**로》 …
에 익숙하다.
I *am* not *used to* this kind
of work. 나는 이런 종류의 일에
는 익숙지 않다.
You'll *be used to* the
Korean way of life. 너는 한국
의 생활 방식에 익숙해져 있을 것
이다.
❷ 《**get** 〔**become**〕 **used to**
로》 …에 익숙해지다.
He *became used to* his
new work. 그는 새로운 일에 익
숙해졌다.
── 자 《**used to do**로》 (이전에
는) …했었다, …하곤 했다, …하
는 것이 예사였다. ☞ would
I *used to* take walks in
the park before breakfast.
나는 아침 식사 전에 공원을 산책
하곤 했다.
There *used to* be a
wooden bridge over there.
이전에는 저기에 나무 다리가 하
나 걸쳐 있었다.

used² [juːzd] 형
써서 낡은, 중고의.
a *used* car 중고차.
a *used* book 헌 책, 고본.

*****use·ful** [júːsfəl] 형
비교 **more useful**;
최상 **most useful**
쓸모있는, 유용한, 유익한(⇔
useless 쓸모없는).
The book was very *useful*
to me. 이 책은 나에게는 대단히
유익했다. ☞ 명 use

use·ful·ly [júːsfəli] 부
비교 **more use-**
fully; 최상 **most usefully**
쓸모있게, 유용하게.
He spends his time more
usefully. 그는 시간을 더욱 유용

하게 사용한다.

use·ful·ness [júːsfəlnis]
명
《a와 복수형 안 씀》 쓸모있음, 유
용(성), 유익.
They have proved the *use-*
fulness of the machine.
그들은 기계의 유용성을 증명하였
다.

use·less [júːslis] 형 비교
more useless; 최상
most useless
쓸모〔소용〕없는, 무용의; 헛된(⇔
useful 쓸모있는).
A parasol is *useless* in
winter. 겨울에 양산은 소용없다.
It is *useless* to resist him.
그에게 저항하는 것은 헛된 일이
다.

us·er [júːzər] 명
복수 **users** [júːzərz]
사용자, 소비자; (컴퓨터의) 사용
자.
an Internet *user* 인터넷 사용
자.

us·ing [júːziŋ] 동
use의 -ing형.

*****u·su·al** [júːʒuəl] 형
비교 **more usual**;
최상 **most usual**
보통의, 일상의, 평소의(⇔ unu-
sual 보통이 아닌).
This morning I got up an
hour earlier than *usual*.
나는 오늘 아침에 평소보다 한 시
간 일찍 일어났다.
Let's meet again at the
usual place. 평소의 그 장소에
서 다시 만나자.
as usual 여느 때처럼, 평소와 같이.
I'm afraid they are lazy *as*
usual. 그들이 여느 때처럼 게으
름 피고 있지 않을까 염려된다.

*****u·su·al·ly** [júːʒuəli] 부
보통(은), 대체로, 통상, 언제나.
Tom *usually* studies in his
room. 톰은 보통 제 방에서 공부

U

한다.

He is *usually* at home on Sunday. 그는 일요일에는 대체로 집에 있다.

Usually he finishes work at six o'clock. 통상 그는 6시에 일을 끝낸다.

어법 **usually의 위치**

usually는 일반 동사와 함께 쓰일 때는 그 앞에, be동사·조동사와 함께 쓰일 때는 그 뒤에 놓는다. 단, 문두에 놓을 경우도 있다.

U·tah [júːtɔː] 몡 유타.

참고 미국 서부에 있는 한 주. Ut.로 약함. 면적은 219, 947 km²로서 우리 나라보다 조금 작다. 주도는 주 북부의 그레이트솔트호(Great Salt Lake) 연안에 있는 솔트레이크시티 (Salt Lake City)로서 모르몬교의 본부가 있어 유명하다. 위의 호수의 물은 바닷물의 약 6배나 되는 염분을 함유하고 있다.

U

va·cant [véikənt] 형

(장소·집 따위가) 비어 있는, 공백의.

a *vacant* seat 공석.

If that house is *vacant*, I'd like to rent it. 저 집이 비어 있다면 세내고 싶다.

*va·ca·tion [veikéiʃən] 명

복수 vacations[veikéiʃənz]

(회사·공장·학교 따위의) 휴가, 방학.

(the) summer *vacation* 여름 휴가〔방학〕.

He came home during Christmas *vacation*. 그는 크리스마스 휴가 중에 집에 돌아왔다.

"Have a nice *vacation*." "Thank you." 「휴가 잘 보내라.」「고맙습니다.」

Mr. Green took a *vacation* of two weeks. 그린씨는 2주일 동안의 휴가를 얻었다.

on vacation 휴가로, 휴가를 얻어.

The doctor is away *on vacation*. 의사 선생님은 휴가로 안 계신다.

┌─────────────────────────┐
│ 참고 vacation과 holiday
│ 미국에서는 기간이 길고 짧
│ 은 것에 관계없이 휴가를 vaca-
│ tion이라고 하며, 영국에서는
│ holiday(s)라고 한다. 영국에
│ 서 vacation은 대학이나 법정
│ 이 쉬는 기간을 말한다.
└─────────────────────────┘

vac·u·a [vǽkjuə] 명

vacuum의 복수의 하나.

vac·u·um [vǽkjuəm] 명

복수 vacuums[vǽkjuəmz] 또는 vacua[vǽkjuə]

진공.

a *vacuum* cleaner 진공〔전기〕 청소기.

a *vacuum* tube 진공관.

vain [vein] 형

비교 vainer[véinər]; 최상 vainest[véinist]

❶ 헛된, 쓸데없는, 무익한.

make a *vain* effort 헛수고를 하다.

It is *vain* (for you) to try. (너는) 해봐야 소용없다.

❷ 우쭐대는, 자만하는; 허영심이 강한.

That student is *vain* of his knowledge of English. 저 학생은 자신의 영어 지식을 자만하고 있다.

in vain 헛되이, 보람〔소용〕 없이.

▶결과를 나타냄.

Dick apologized *in vain*. 딕은 사과하였으나 허사였다.

He tried, but *in vain*. 그는 시도해보았으나, 소용없었다.

Val·en·tine [vǽləntàin] 명

《St.를 붙여》 성발렌타인.

┌─────────────────────────┐
│ 참고 로마 시대의 크리스트교 순
│ 교자. 2월 14일은 그의 축제일로
│ 서 St. Valentine's Day라 한
│ 다. 이 날에는 대개 자기가 좋아
│ 하는 사람에게 카드나 선물을
│ 이름을 밝히지 않고 보내는 관습
│ 이 있는데, 이 때 보내는 카드나
│ 선물을 valentine이라고 한다.
│ 또, valentine은 「성발렌타인 축
│ 제일에 택한 애인」을 뜻하기도
│ 한다.
└─────────────────────────┘

V

val·id [vǽlid]
형
근거가 확실한, 타당한, 유효한.
That is a *valid* reason. 그것
이 타당한 이유이다.

*__val·ley__ [vǽli] 명
복수 valleys[vǽliz]
골짜기, 계곡; (큰 강의) 유역.
the Tennessee *Valley* 테네시
강 유역《미국 중앙부에 있는 길고
큰 계곡》.
We saw a glittering river
in the *valley*. 골짜기에 반짝거
리는 강이 보였다.

*__val·u·a·ble__ [vǽljuːəbəl] 형
비교 more
valuable; 최상 most valuable
가치 있는, 귀중한; 값비싼.
valuable advice 유익한 충고.
His help was very *valuable*
to me. 그의 도움은 내게는 매우
귀중한 것이었다.
a *valuable* ring 값비싼 반지.
── 명 복수 valuables[vǽljuːəbəlz]
《보통 복수형으로》 귀중품.
Put your *valuables* in the
safe. 네 귀중품을 금고에 넣어라.

*__val·ue__ [vǽljuː] 명
《a와 복수형 안 씀》 가
치, 값어치; 값.
A healthy man does not
know the *value* of health.
건강한 사람은 건강의 가치를 모
른다.
of value 가치 있는, 귀중한(=
valuable).
Your advice is *of* great
value to me. 너의 충고는 나에
게 대단히 가치 있는 것이다.

valve [vælv] 명
복수 valves[vælvz]
(기계 장치 따위의) 밸브, 판(瓣).
close the *valve* 밸브를 잠그다.

van [væn] 명
복수 vans[vænz]
밴 《화물 운반용의 상자형 트럭》.
A big moving *van* came to
our house. 큰 이삿짐 차가 우

리 집에 왔다.

van·ish [vǽniʃ] 자 3·단·현
vanishes [vǽniʃiz];
ing형 vanishing [vǽniʃiŋ]; 과거
과분 vanished[vǽniʃt]
(눈에 보이던 것이) 사라지다, 없
어지다, 보이지 않게 되다 (=dis-
appear).
His figure *vanished* in the
crowd. 그의 모습은 군중 속으로
사라졌다.
Her smile *vanished* when
she heard the news. 그 소식
을 듣자 그녀의 미소는 사라졌다.

va·por [véipər] 명
《a와 복수형 안 씀》 수
증기, 증기.
I saw *vapor* coming from
the boiling kettle. 나는 끓는
솥에서 김이 나오는 것을 보았다.

va·ri·e·ty [vəráiəti]
❶ 《a와 복수형 안 씀》 변화(가
많음), 다양(성).
a life full of *variety* 변화가
많은 생활.
Give *variety* to meals.
식사에 변화를 주도록 하시오.
❷ 《a variety of로》 여러 가지의,
가지각색의.
The store has *a variety of*
toys. 그 상점에는 여러 가지의
장난감이 있다. ☞형 various

*__var·i·ous__ [véəriəs] 형
비교 more various;
최상 most various
여러 가지의, 가지각색의.
You can see *various* parts
of Korea. 너는 한국의 여러 곳을
볼 수 있다.
☞명 variety, 동 vary

var·y [véəri] 동 3·단·현 varies
[véəriz]; ing형 varying

[véəriiŋ] : 과거 과분 **varied** [véərid]
자 바뀌다, 변화하다.

Opinions *vary* from person to person. 의견은 사람마다 다르다.

— 타 …을 바꾸다, 변화시키다 (=change).

She *varied* her hair style. 그녀는 머리 스타일을 바꿨다.
☞ 형 various

***vase** [veis] 명
복수 **vases** [véisiz]

꽃병.

Put a white carnation in the *vase*. 꽃병에 흰 카네이션을 꽂아라.

vast [væst] 형
비교 **vaster** [væstər] :
최상 **vastest** [væstist]

광대한, 거대한 ; (수·양 따위가) 막대한.

A *vast* plain stretched before our eyes. 광대한 평원이 우리 눈앞에 펼쳐져 있었다.

a *vast* sum of money 거액의 돈.

VCR [ví:sí:á:r] 명
복수 **VCRs** [ví:sí:á:rz]

비시아르, 비디오 카세트 녹화기.
▶ video cassette recorder의 약자.

Record the TV show using a *VCR*. 비시아르를 사용해서 TV 쇼를 녹화해라.

***veg·e·ta·ble** [védʒətəbəl] 명

복수 **vegetables** [védʒətəbəlz]

❶ 《보통 복수형으로》 야채, 푸성귀.

fresh 〔frozen〕 *vegetables* 신선한〔냉동〕 야채.

green *vegetables* 푸성귀.

Mrs. Brown grows *vegetables* in her garden. 브라운 부인은 정원에 야채를 재배한다.

❷ 식물.

Susie used some *vegetable* oil for cooking. 수지는 요리에 약간의 식물성 기름을 썼다.

ve·hi·cle [ví:ikəl] 명
복수 **vehicles** [ví:ikəlz]

탈것, 차. ▶ 본래는 육상의 운송 수단을 가리킴. ☞ car

a space *vehicle* 우주선.

All *vehicles* are prohibited in this street on Sunday. 일요일에는 이 거리에 모든 차량의 통행이 금지되어 있다.

veil [veil] 명 복수 **veils** [veilz]

(여자가 얼굴을 가리는) 베일, 면사포 ; (시계를) 가리는 것 《커튼·장막·덮개 따위》.

Arab women wear *veils* to cover their faces. 아랍 여성들은 얼굴을 가리기 위해 베일을 쓴다.

— 타 3·단·현 **veils** [veilz] : ing형 **veiling** [véiliŋ] : 과거 과분 **veiled** [veild]

…을 베일로 가리다, 덮다, 감추다.

The airport was *veiled* in the fog. 공항은 안개로 가려져

vegetable

an onion 양파   carrots 당근   potatoes 감자   peas 완두

spinach 시금치   a cabbage 양배추   tomatoes 토마토   cucumbers 오이

있었다.
He *veiled* his anger with a smile. 그는 노여움을 미소로 감췄다.

vel·vet [vélvit] 명
《a와 복수형 안 씀》 벨벳, 비로드.
Susie's hat is made of *velvet*. 수지의 모자는 벨벳으로 만들어졌다.

ven·ture [véntʃər] 명 복수 **ventures** [véntʃərz]
모험; 모험적 사업, 투기.
make a *venture* into the Amazon jungle 아마존 밀림으로 탐험을 떠나다.
invest in a *venture* 모험적 사업에 투자하다.
── 타·자 3·단·현 **ventures** [véntʃərz]; ing형 **venturing** [véntʃər-iŋ]; 과거 과분 **ventured** [véntʃərd]
(…을) 모험을 무릅쓰고 하다; 과감히 해보다.
I *ventured* to speak to Nancy. 나는 용기를 내어 낸시에게 말을 걸었다.

Ve·nus [víːnəs] 명
❶ 비너스《로마 신화에 나오는 미와 사랑의 여신》.
There are many beautiful statues of *Venus*. 아름다운 비너스 상이 많이 있다.

비너스의 탄생

❷ 금성.
Venus lies between Mercury and Earth. 금성은 수성과 지구 사이에 있다.

참고 태양계 중에서 수성 다음으로 태양에 가까운 별. 지구보다 좀 작으며 태양 주위를 225일에 한 바퀴씩 돈다. 태양계의 별 중에서 가장 밝아 여신 비너스의 이름을 따서 붙였다.

ve·ran·da [vərǽndə] 명
복수 **verandas** [vərǽndəz]
베란다. ▶ verandah로도 씀. 미국에서는 흔히 porch라고 함.

verb [vəːrb] 명 복수 **verbs** [vəːrbz]
동사. ▶ 약어는 v.
'Have,' 'like,' 'live,' and 'swim' are *verbs*. have, like, live 그리고 swim 은 동사다.

ver·sion [vɔ́ːrʒən] 명
복수 **versions** [vɔ́ːrʒənz]
❶ 변형, …판.
an updated *version* 개정판.
❷ (개인적 또는 특수한 입장에서의) 해석, 의견, 설명.

Ver·mont [vərmánt] 명
버몬트.

참고 미국 북동부의 주. 북은 캐나다의 퀘벡주, 남은 매사추세츠주, 서는 뉴욕주, 동은 뉴햄프셔주와 접하여 있다. 면적은 24,889 km²로, 전라남도의 약 2배. Vt.로 약함. 주도는 몬트필리어(Montpelier[mantpíːljər]). 광산물이 많고, 젖소도 인구에 비하여 많이 기르고 있다. 피서지와 동계 스포츠에 알맞은 곳으로 알려져 있다.

ver·ti·cal [vɔ́ːrtikəl] 형 비교 **more vertical**; 최상 **most vertical**
수직의, 세로의.
a *vertical* line 수직선.

:**ver·y** [véri] 부

❶ 《형용사·부사를 수식하여》
대단히, **매우, 아주.**
Thank you *very* much.
대단히 고맙습니다.
Mother is *very* tired.
어머니는 매우 피곤하시다.
He told us *very* interesting
story.
그는 우리에게 매우 재미있는 이
야기를 해 주었다.

어법 **very와 much**
very는 형용사·부사의 원급을
강조하여 「매우」란 뜻을 나타내
고, much는 형용사·부사의
비교급·최상급을 강조하여 「훨
씬」이란 뜻을 나타낸다. ☞much
This cake is *very* big.
이 케이크는 매우 크다.
This cake is *much bigger*
than that one. 이 케이크는
저것보다 훨씬 크다.

---

❷ 《부정문에 쓰여》그다지 (… 않
다).
It is not *very* hot today.
오늘은 그다지 덥지 않다.
I don't like tomatoes *very*
much. 나는 토마토를 그다지 좋
아하지 않는다.
Very good. (동의·승낙의 표시
로) **좋습니다, 알았습니다.**
── 형 《명사 앞에만 쓰여》**바로
그, 꼭 그.**
You are the *very* person I
want to see.
너야말로 내가 만나고 싶어하는 바
로 그 사람이다.

ves·sel [vésəl] 명
복수 **vessels**[vésəlz]
❶ (대형의) **배.**
a merchant *vessel* 상선.
A rescue *vessel* arrived
soon. 곧 구조선이 도착했다.
❷ **그릇, 용기**(容器).
We need a special *vessel*
for extra gasoline. 여분의 가
솔린을 넣을 특별한 용기가 필요

하다.

vest [vest] 명
복수 **vests**[vests]
조끼. ▶ 영국에서는 waistcoat
[wéistkòut]라고 함.

vet¹ [vet] 명
복수 **vets** [vets]
수의사. ▶ 미국에서는 veterinar-
ian 이라 함.
Take the dog to the *vet*. 수
의사에게 그 개를 데려가라.

vet² [vet] 명
복수 **vets** [vets]
전역〔퇴역〕군인.
a Vietnam *vet* 베트남 참전 군
인.

vi·a [váiə] 전
…경유로, …을 거쳐(=by
way of).
He went to Los Angeles
via Hawaii. 그는 하와이를 거쳐
로스앤젤레스에 갔다.

vic·tim [víktim] 명
복수 **victims**[víktimz]
희생자, 피해자.
victims of war 전쟁 희생자.
flood *victims* 홍수 피해자.

vic·to·ry [víktəri] 명 복수
victories[víktəriz]
승리(⇔defeat 패배).
have 〔get, win〕 a *victory* 승
리를 얻다, 이기다.
The baseball game ended in
a *victory* for our university.
그 야구 경기는 우리 대학교의 승
리로 끝났다.

vid·e·o [vídiou] 명
복수 **videos**[vídiouz]
(음성에 대하여) **영상, 비디오.**
a *video* camera 비디오 카메라.

vid·e·o·tape [vídioutèip]
명
복수 **videotapes**[vídioutèips]
비디오테이프.
Shall we play the *video-
tape*? 비디오 테이프를 틀까요?
I have some *videotapes* on
Korean culture. 나는 한국 문

화에 관한 비디오테이프를 몇 개 가지고 있다.
— 타 3·단·현 **videotapes**[vídi-
outèips] ; ing형 **videotaping**[ví-
diouteìpiŋ] ; 과거 과분 **video-
taped** [vídiouteìpt]
…을 비디오테이프에 녹화하다.

vid·e·o·tape re·cord·er

[vídiouteip rikɔ́:rdər] 명
복수 **videotape recorders** [ví-
diouteip rikɔ́:rdərz]
비디오테이프 녹화 장치. ➤ VTR
로 약함.

Vi·en·na [viénə] 명
빈.

참고 오스트리아의 수도로서,
그나라 북동부의 도나우강 연안
에 있으며, 음악의 도시로 알려
저 있다. 면적은 415 km²이
다.

*view [vju:] 명
복수 **views**[vju:z]
❶ 전망, 경치.
The *view* from the tower
was beautiful. 탑에서 보는 전
망은 아름다웠다.
What a fine *view*!
얼마나 멋진 전망이냐!
❷ 《a와 복수형 안 씀》 시계, 시
야.
The queen's car soon came
into *view*. 이윽고 여왕이 탄 차
가 시야에 들어왔다.
The ship went out of our
view. 그 배는 우리들의 시야에서
사라졌다.
❸ 의견, 생각, 견해(=opinion).
In my *view*, he is honest.
내 생각으로는 그는 정직하다.
They have different *views*
on this matter. 그들은 이 문
제에 대해 서로 다른 생각을〔견해
를〕 갖고 있다.

vil·la [vílə] 명
복수 **villas**[víləz]

별장.
He has a *villa* in Sokcho.
그는 속초에 별장이 있다.

참고 본래는 영주의 소유지와
그 저택을 가리켰다. 그래서
villa라고 하면 그 규모가 매우
크다는 이미지가 내포되어 있다.
우리 나라의 별장은 대체로 cot-
tage급에 해당된다.

*vil·lage [vílidʒ] 명
복수 **villages**[vílidʒiz]
마을, 촌락.
a farming 〔fishing〕 *village* 농
촌〔어촌〕.
She loved the quiet life of
her *village*. 그녀는 조용한 자기
마을의 생활을 사랑했다.

vil·lag·er [vílidʒər] 명
복수 **illagers**[vílidʒərz]
마을 사람, 시골 사람.
The *villagers* have picked
up all the garbage from
the river. 마을 사람들은 강의
모든 쓰레기를 주웠다.

vine [vain] 명
복수 **vines**[vainz]
❶ 덩굴, 덩굴풀, 덩굴 식물.
rose *vines* 덩굴장미.
The wall was covered with
climbing *vines*. 담벼락은 위로
뻗는 덩굴로 덮여 있었다.
❷ 포도나무.
He took grapes from the
vine. 그는 포도나무에서 포도를
땄다.

vi·o·la [vióulə] 명
복수 **violas**[vióuləz]
비올라《바이올린보다 약간 큰 현
악기》.

vi·o·lence [váiələns] 명
《a와 복수형 안 씀》 맹렬함, 격렬
함 ; 난폭, 폭력.
the *violence* of a storm 〔an
earthquake〕 폭풍〔지진〕의 격렬

V

함.
In a democracy we should-
n't use *violence* for any-
thing. 민주 국가에서는 어떠한
일에 대해서도 폭력을 써서는 안
된다.

vi·o·lent [váiələnt] 혱
比교 **more violent**;
최상 **most violent**
격렬한, 맹렬한; 난폭한, 폭력적인.
a *violent* attack〔storm〕 맹렬
한 공격〔폭풍〕.
Tom felt a *violent* pain in
the head. 톰은 머리에 극심한
통증을 느꼈다.
The wind was very *violent*
last night. 어젯밤에는 바람이
아주 지독했다.

vi·o·let [váiəlit] 명
복수 **violets** [váiəlits]
오랑캐꽃;《a와
복수형 안 씀》
보라색.
She bought a
violet curtain
for her bed-
room.
그녀는 침실에
쓸 보랏빛 커튼을 샀다.

*****vi·o·lin** [vàiəlín] 명
복수 **violins** [vàiəlínz]
바이올린.
I have a *violin* lesson.
나는 바이올린 레슨을 받는다.
Miss Smith plays the *violin*
very well. 스미스양은 바이올린
을 아주 잘 켠다.
► violin은 악센트가 뒤에 있음에
주의.

vi·o·lin·ist [vàiəlínist] 명
복수 **violinists** [vàiəlínists]
바이올린 연주자, 바이올리니스트.
Jeong Gyeonghwa is
known as a good *violinist*.
정경화씨는 훌륭한 바이올린 연주
자로 알려져 있다.

VIP [ví:àipí:] 명 복수 **VIPs**
또는 **VIP's** [ví:àipí:z]
중요 인물, 요인. ► *very impor-*
*tant person*의 약자. V.I.P.로도
씀.

vir·gin [vɔ́:rdʒin] 명 복수
virgins [vɔ́:rdʒinz]
처녀, 아가씨; 《the Virgin으로》
성모 마리아.
── 혱 처녀의; 처음의.
the *virgin* snow 첫눈.

Vir·gin·ia [vərdʒínjə] 명
버지니아.

참고 미국 동부의 주. 면적은
105,718 km²로, 우리 나라의
절반 정도. Va.로 약함. 주도는
리치먼드 (Richmond [rítʃ-
mənd]). 농업이 성하여, 산물
로는 담배가 유명하다.

vir·tue [vɔ́:rtʃu:] 명 복수
virtues [vɔ́:rtʃu:z]
❶《a와 복수형 안 씀》덕, 덕행.
a man of *virtue* 덕이 있는 사
람.
❷ 미덕, 장점(=merit).
Patience and kindness is a
virtue. 인내와 친절은 미덕이다.

vi·rus [váiərəs] 명
복수 **viruses** [váiərəsiz]
바이러스, 여과성 병원체.

vi·sa [ví:zə] 명
복수 **visas** [ví:zəz]
사증, 비자.
an entry *visa* 입국 비자.
apply for a *visa* for the
U.S. 미국 갈 비자를 신청하다.

참고 외국 여행을 할 경우에는
반드시 여권(=passport)을 휴
대하여야 하며, 몇몇 특정한 나
라에 입국하려면 출발 전에 그
나라의 대사관에서 입국 비자를
받아야 한다. 비자는 보통 여권
에 기재된다.

V

vis·i·ble [vízəbəl] 형
비교 **more visible;**
최상 **most visible**
보이는, 볼 수 있는(⇔ invisible
보이지 않는).
stars *visible* to the naked
eye 육안으로 보이는 별들.
A lighthouse became *visible*
in the distance. 멀리 등대가
보이기 시작했다.

vis·ion [víʒən] 명
《a와 복수형 안 씀》시
력; 통찰력, 선견지명.
a field of *vision* 시야, 시계.
You must take a test for
your *vision*. 너는 시력 검사를
받아야 한다.
He is a man of *vision*.
그는 통찰력이 있는 사람이다.

****vis·it** [vízit] 동
3·단·현 **visits** [vízits];
ing형 **visiting** [vízitiŋ]; 과거 과분
visited [vízitid]
타 ❶ (아무)를 방문하다, 찾아가
다, 문병〔위문〕하다.
We often *visit* each other.
우리는 종종 서로 방문한다.
❷ (어떤 장소)를 방문하다, 구경
하러 가다, 견학〔시찰〕하다.
Many foreigners *visit* the
old temple in Gyeongju.
많은 외국인들이 경주에 있는 오
래 된 절을 구경하러 간다.
Have you ever *visited* Lon-
don? 너 런던에 간 적이 있느냐?
❸ (재해 따위가) …을 엄습하다,
덮치다.
A big earthquake *visited*
the city. 큰 지진이 그 도시를
덮쳤다.
── 자 방문하다, 찾아가다; 머물다.
She often *visits* here in
summer. 그녀는 여름에 자주 이
곳에 찾아온다.
I'm just *visiting* here for a
few days. 나는 며칠간 이 곳에
머물고 있을 뿐이다.
── 명 복수 **visits** [vízits]

방문, 문병, 구경; 견학, 시찰.
I had a *visit* from a
stranger. 나는 낯선 사람의 방문
을 받았다.
Is this your first *visit* to
the museum? 박물관 견학은
이번이 처음이냐?
pay a visit to …을 방문하다.
She *paid a visit to* her
aunt. 그녀는 숙모를 방문했다.

****vis·i·tor** [vízitər] 명 복수
visitors [vízitərz]
방문자, 손님; 관광객. ☞ guest
No *Visitors*. 《게시》 면회 사절.
We had two *visitors* this
afternoon. 오늘 오후에 손님이
둘 왔었다.

vis·u·al [víʒuəl] 형
시각의, 눈에 보이는.
visual aids 시각 교재《영화·슬
라이드·사진 따위》.
a *visual* test 시력 검사.
the *visual* field 시야.

vi·tal [váitl] 형 비교 **more**
vital; 최상 **most vital**
❶ 생명의; 생명에 관한, 치명적
인.
vital energies 생명력.
the *vital* organs 생명 유지에
필요한 기관.
The *vital* wound robbed
him of his life. 그 치명상은
그의 생명을 앗아갔다.
❷ 매우 중대한, 없어서 안 되는.
make a *vital* decision 중대
결심을 하다.
His help is *vital* to our
work. 우리 일에는 그의 도움이
꼭 필요하다.

vi·ta·min [váitəmin] 명 복수
vitamins [váitəminz]
비타민.
Vitamins are necessary for
keeping ourselves healthy.
비타민은 우리의 건강을 유지하는
데 필요하다.

viv·id [vívid] 형
비교 **vivider** [vívidər];

[최상] **vividest** [vívidist]
(색채 따위가) **선명한**; (추억·묘사 따위가) **생생한, 눈에 보이는 듯한.**
The car was a *vivid* red.
그 자동차는 선명한 빨간색이었다.
The reporter's *vivid* description of the battle excited everyone. 그 기자의 생생한 전투 묘사는 모든 사람을 흥분시켰다.

vo·cab·u·lar·y [voukǽbjə-lèri] [명] [복수]
vocabularies [vəkǽbjəlèriz]
어휘. ▶ 개인 또는 어떤 분야에서 쓰는 말 전체를 가리킴.
My little brother has a large *vocabulary* for his age. 내 동생은 나이에 비해 어휘가 풍부하다.
Physicians have their own *vocabulary*. 의사는 그들 특유의 용어가 있다.

vo·cal [vóukəl] [형]
소리의, 음성의.
vocal sounds 음성.
vocal music 성악.
☞ [명] voice

*****voice** [vɔis] [명]
[복수] **voices** [vɔ́isiz]
❶ (사람의) **목소리; 소리.**
in a soft [loud] *voice* 부드러운[큰] 소리로.
(It's) good to hear your *voice*. (전화에서) 네 목소리를 듣게 되어 기쁘다. ☞ [형] vocal
❷ (문법의) **태(態).**
the active *voice* 능동태.
the passive *voice* 수동태.

vol·ca·no [valkéinou] [명]
[복수] **volcanoes** [valkéinouz]
화산.
Can you name any active *volcanoes* in Italy? 이탈리아의 활화산 이름을 댈 수 있겠느냐?

*****vol·ley·ball** [válibɔ̀ːl] [명]

[복수] **volleyballs** [válibɔ̀ːlz]
❶ 《a와 복수형 안 씀》 **배구.**
I played *volleyball* with my friends after school. 나는 방과 후 친구들과 배구를 했다.
❷ **배구공.**

vol·ume [válju:m] [명] [복수]
volumes [válju:mz]
❶ **책; (전집 따위의) 권.**
Our school library has over 50,000 *volumes*. 우리 학교 도서관에는 5만 권 이상의 책이 있다.
a dictionary in 5 *volumes* 다섯 권으로 된 사전.
❷ 《a와 복수형 안 씀》 **양, 용적, 부피; 음량, 볼륨.**
the *volume* of traffic 교통량.
a refrigerator with great *volume* 용량이 큰 냉장고.
Turn down [up] the *volume* of the television. 텔레비전 볼륨을 낮춰라[높혀라].

vol·un·tar·y [váləntèri] [형]
자발적인, 임의의, 자원의.
a *voluntary* service 자발적인 봉사.

vol·un·teer [vàləntíər] [명]
[복수] **volunteers** [vàləntíərz]
(일 따위를 자발적으로 하는) **지원자, 봉사자, 지원병.**
a *volunteer* worker 자원봉사자.
a *volunteer* army 의용군.

vom·it [vámit] [타·자]
[3·단·현] **vomits** [vámits]; [ing형]
vomiting [vámitiŋ]; [과거] [과분]
vomited [vámitid]
토하다, 게우다. ▶ 아플 때.
He *vomited* blood. 그는 피를 토했다.
── [명] 《a와 복수형 안 씀》 **구토(물).**

*****vote** [vout] [명]
[복수] **votes** [vouts]
투표; 《the를 붙여》 선거권.

V

It was decided by a class *vote*. 그것은 학급 투표로 결정되었다.

Children don't have the *vote*.

아이들에게는 선거권이 없다.

── 자 3·단·현 **votes** [vouts]: ing형 **voting** [vóutiŋ]: 과거 과분 **voted** [vóutid]

투표하다.

vote for (against) the new plan 새로운 계획에 찬성(반대) 투표하다.

vow [vau] 명 복수 **vows** [vauz]

맹세, 서약.

make a *vow* 맹세하다.

── 타·자 3·단·현 **vows** [vauz]: ing형 **vowing** [váuiŋ]: 과거 과분 **vowed** [vaud]

(…을) 맹세하다; 신에 맹세하고 바치다.

She *vowed* to study harder. 그녀는 더욱 열심히 공부할 것을 맹세했다.

vow·el [váuəl] 명 복수 **vowels** [váuəlz]

모음(⇔ consonant 자음).

There are five vowels in the English alphabet.

영어 알파벳에는 5개의 모음이 있다.

*voy·age [vɔ́iidʒ] 명 복수 **voyages** [vɔ́iidʒiz]

(배·비행기에 의한) 여행, 항해, 항공.

I wish you a pleasant *voyage*. 즐거운 여행을 하시기 바랍니다.

We had a good *voyage*. 우리는 멋진 항해를 했다.

V sign [ví: sàin] 명 복수 **V signs** [ví: sàinz]

V 사인.

참고 V는 victory(승리)의 머리 글자이다. V사인은 제2차 세계 대전 중 영국의 수상 처칠이 처음 사용했다고 한다. 최근에는 평화의 사인(peace sign)으로 쓰이는 경우가 많다.

VTR [ví:tì:á:r] 명 비디오테이프 녹화 장치. ▶ *videotape recorder*의 약자.

V

wag [wæg] 〔타〕
〔3·단·현〕 **wags** [wægz];
〔ing형〕 **wagging** [wǽgiŋ]; 〔과거〕
〔과분〕 **wagged** [wægd]
(꼬리 따위)를 흔들다.
The dog *wagged* his tail when Tom came home. 톰이 집에 돌아왔을 때 개가 꼬리를 흔들었다.

wage [weidʒ] 〔명〕
〔복수〕 **wages** [wéidʒiz]
《보통 복수형으로》 **임금, 품삯, 급료.** ▶ 시간급·일급·주급제의 임금을 말함. ☞ salary
low 〔high〕 *wages* 낮은〔높은〕 임금.
daily 〔weekly〕 *wages* 일급〔주급〕.
He gets 〔earns〕 good *wages*. 그는 좋은 임금을 받고 있다.
His *wages* are $30 a week. 그의 임금은 일주일에 30 달러이다.

wag·on [wǽgən] 〔명〕 〔복수〕
wagons [wǽgənz]
(네 바퀴의) **짐마차**; (식탁에 음식을 나르는) **손수레.** ☞ cart
American pioneers traveled in covered *wagons*. 미국의 개척자들은 포장 마차로 여행했다.

waist [weist] 〔명〕
〔복수〕 **waists** [weists]
허리; 허리의 치수.
The water came up to the *waist*. 물은 허리까지 찼다.
Helen measures 24 inches around the *waist*. 헬렌의 허리 둘레는 24 인치다.

wait [weit] 〔자〕
〔3·단·현〕 **waits** [weits];
〔ing형〕 **waiting** [wéitiŋ]; 〔과거〕
〔과분〕 **waited** [wéitid]

❶ **기다리다;** 《**wait for**로》 …을 **기다리다.**
Wait a minute, please. 잠깐만 기다려 주십시오.
Let's *wait for* a while. 잠시 기다리자.
I'm sorry I kept you *waiting*. 기다리게 해서 미안하다.
Let's *wait for* the bus. 버스를 기다리자.
Time and tide *wait for* no man. 《속담》 세월은 사람을 기다리지 않는다.

❷ 《**wait on**으로》 …의 **식사 시중을 들다.**
Jane *waited on* us. 제인이 우리들의 식사 시중을 들었다.
Have you been *waited on*? 시중 드는 사람이 있습니까?《식당에서 점원이 손님에게 묻는 말》

wait·er [wéitər] 〔명〕
〔복수〕 **waiters** [wéitərz]
(식당 등의) **웨이터, 사환**(⇨ waitress 웨이트리스).
The *waiter* was tipped $1. 웨이터는 1달러의 팁을 받았다.
The *waiter* asked me to take off my coat. 웨이터는 나에게 코트를 벗으라고 권했다.

wait·ing room [wéitiŋ rùːm]
〔복수〕
waiting rooms [wéitiŋ rùːmz]
(역·병원 따위의) **대합실.**
The station *waiting room* was very crowded. 정거장의 대합실은 매우 붐볐다.

wait·ress [wéitris]
〔복수〕 **waitresses** [wéitrisiz]
(식당 등의) **웨이트리스, 여급** (⇨ waiter 웨이터).
I asked the *waitress* to

W

bring me a cup of coffee.
나는 웨이트리스에게 커피 한 잔
을 시켰다.

***wake** [weik] 屠
3·단·현 **wakes** [weiks];
ing형 **waking** [wéikiŋ] 과거
waked [weikt] 또는 **woke**
[wouk]; 과분 **waked** [weikt] 또
는 **woken** [wóukən]
巫 잠이 깨다, 일어나다(⇔ sleep
잠자다).

I *woke* (up) at six this
morning. 나는 오늘 아침 6시에
잠이 깼다.
Wake up, Nancy! It's six
thirty. 낸시야, 일어나라. 6시 30
분이다.
── 타 (아무)를 깨우다, 일어나게
하다(=waken).
Please *wake* me (up) at
five tomorrow morning. 내일
아침 5시에 깨워주시오.
The noise downstairs *woke*
me (up). 아래층의 소리에 나는
잠을 깼다.

wak·en [wéikən] 타 3·단·현
wakens [wéikənz];
ing형 **wakening** [wéikəniŋ];
과거 과분 **wakened**[wéikənd]
…을 깨우다, 일어나게 하다(=
wake).
I was *wakened* by an
earthquake last night. 나는
어젯밤에 지진으로 잠이 깼다.

Wales [weilz] 명
웨일스.

참고 그레이트 브리튼의 남서부
지역. 면적은 20,000 km². 대부
분이 산이며 주민의 반수는 웨일
스어와 영어를 하고 나머지는 영
어만을 한다. the Prince of
Wales 는 영국 왕세자의 칭호.

***walk** [wɔːk] 巫
3·단·현 **walks** [wɔːks];
ing형 **walking** [wɔ́ːkiŋ]; 과거
과분 **walked**[wɔːkt]

걷다, 걸어가다; 산책하다.
He *walks* to school.
그는 걸어서 학교에 다닌다.
Let's *walk* to the lake.
호수까지 걸어가자.
We *walked* around in the
woods. 우리는 숲 속을 이리저리
걸었다.
Walk along this street (for)
about 50 meters. 이 거리를 따
라 50 m 정도 걸어가세요.

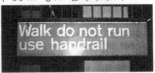

지하철 역 계단 등에 설치된
「뛰지 말고 걸으세요. 난간을 잡으세요.」
란 안전을 위한 표지.

── 명 복수 **walks**[wɔːks]
❶ 산책, 걷기.
I take a *walk* every morn-
ing. 나는 아침마다 산책을 한다.
My father went for a *walk*
in the park. 나의 아버지께서는
공원으로 산책하러 가셨다.
❷ 걷는 거리.
It's about ten minutes' *walk*
from here to the station.
여기서 역까지는 걸어서 10분 쯤
걸린다.
It is a long *walk* to school
from here. 여기서 학교까지는 오
래 걸어야 한다.
❸ 보도, 산책로.
There's a nice *walk* along
the river. 강변에 좋은 산책로가
있다.

walk·er [wɔ́ːkər] 명 복수
walkers[wɔ́ːkərz]
걷는 사람, 산책하는 사람.
What a slow *walker* you
are! 너는 걸음이 참 느리구나!

***wall** [wɔːl] 명
복수 **walls**[wɔːlz]
벽, 담; 《보통 복수형으로》 성벽.
They put posters on the

walls. 그들은 포스터를 벽에 붙였다.

They built high *walls* around the village. 그들은 마을 둘레에 높은 성벽을 쌓았다.

Walls have ears. 《속담》벽에도 귀가 있다《밤말은 쥐가 듣고 낮말은 새가 듣는다》.

wal·let [wǽlit] 명
복수 **wallets**[wǽlits]
지갑, (지폐를 넣는) 돈지갑.

I found my *wallet* was gone. 나는 내 지갑이 없어진 걸 알았다.

wall·pa·per [wɔ́:lpèipər] 명
《a와 복수형 안씀》벽지.

I like the color of the *wallpaper* in the bedroom. 나는 침실의 벽지 색깔을 좋아한다.

── 타·자 3·단·현 **wallpapers** [wɔ́:lpèipərz]; ing형 **wall-papering** [wɔ́:lpèipəriŋ]; 과거 과분 **wallpapered** [wɔ́:lpèipərd] (벽·방)에 벽지를 바르다.

We have to *wallpaper* the living room. 우리는 거실에 벽지를 발라야 한다.

wal·nut [wɔ́:lnʌt] 명 복수
walnuts[wɔ́:lnʌts]
호두, 호두나무.

waltz [wɔ:lts] 명
복수 **waltzes**[wɔ́:ltsiz]
왈츠; 왈츠곡.

dance a 〔the〕 *waltz* 왈츠를 추다.

wan·der [wándər] 자
3·단·현 **wanders** [wándərz]; ing형 **wandering** [wándəriŋ]; 과거 과분 **wandered**[wándərd] (목표·목적 없이) 걸어다니다, 배회하다, 헤매다.

I *wandered* through the woods. 나는 숲 속을 헤매었다.

Jim *wandered* around the streets. 짐은 거리를 배회했다.

want [wɔ(:)nt] 동
3·단·현 **wants**[wɔ(:)nts]; ing형 **wanting**[wɔ́(:)ntiŋ]; 과거 과분 **wanted**[wɔ(:)ntid]
타 ❶ …을 원하다, 바라다, 탐내다. ☞wish

He *wants* some more bread. 그는 빵을 더 먹고 싶어한다.

We *want* a small house. 우리는 조그만 집을 원한다.

What do you *want*? 너는 무엇을 원하느냐?

❷ (아무)에게 볼일이 있다; (아무)를 찾다.

Knock at 〔on〕 the door when you *want* me. 나에게 볼일이 있을 때는 문을 노크하여라.

Mr. Smith *wants* you. 스미스씨가 너를 찾고 있다.

❸ 《**want to** do로》…하고 싶다.

I *want to* play tennis. 나는 테니스를 하고 싶다.

Roy *wants to* be a doctor. 로이는 의사가 되고 싶어한다.

❹ 《**want**+사람+**to** do로》(아무)에게 …해 주었으면 하다, (아무)가 …하기를 바라다.

I *want* you to work harder. 나는 네가 더 열심히 공부해 주었으면 한다.

Father *wants* me *to* be an engineer. 아버지께서는 내가 기사가 되기를 바라신다.

❺ 《**want**+사물+과거 분사로》(사물)이 …되기를 바라다.

They *wanted* the work *finished* in a week. 그들은 그 일이 1주일 안에 끝나기를 바랐다.

He *wanted* the roof *painted* red. 그는 지붕이 빨갛게 칠해지기를 원했다.

❻ …을 필요로 하다(=need); 《**want**+**-ing**형으로》…할 필요가 있다.

This work *wants* effort and patience. 이 일에는 노력과 인내가 필요하다.

W

My clothes *want washing.*
내 옷은 세탁할 필요가 있다.
── 자 원하다, 바라다; 《**want for**로》 …이 부족하다, 모자라다.
Stay if you *want.*
원한다면 있어라.
The leader *wanted for* judgment. 그 지도자는 판단력이 부족하다.
── 명 《a와 복수형 안 씀》 부족, 결핍; 필요.
for 〔*from*〕 *want of* …이 모자라서.
He became sick *for want of* sleep. 수면 부족 때문에 그는 병에 걸렸다.
in want of …이 필요하여.
They were *in want of* food.
그들은 식량이 필요했다.

회화 **What do you want?**
「무슨 볼일이냐?」
「무엇을 원하느냐?」란 뜻도 되지만, 용건이 무엇인가를 물을 때에도 흔히 쓴다.
A : Can you spare me a few minutes?
B : Well, *what do you want?*
「잠시만 틈을 내주시겠습니까?」
「응, 무슨 볼일이냐?」

****war** [wɔːr] 명 복수 **wars**[wɔːrz]
전쟁(⇔ peace 평화).
Her son was killed in the *war.* 그녀의 아들은 전쟁에서 죽었다.
We are against *war.*
우리는 전쟁에 반대한다.
My grandfather fought in the Korean *War.*
우리 할아버지는 한국 전쟁에서 싸우셨다.
be at war 전쟁〔교전〕 중이다.
Their country *was at war* with England at that time.
당시 그들의 나라는 영국과 전쟁 중이었다.

참고 **war**와 **battle**
war는 국가간의 대규모 전쟁으로서, 그 전쟁 전체를 가리키는 말이고, battle은 개개의 부분적 전투의 뜻. 따라서 war 속에는 여러 지역의 battle이 포함된다.

---

ware·house [wɛ́ərhàus] 명
복수 **warehouses**[wɛ́ərhàuziz]
창고.
Our *warehouse* is near the harbor. 우리 창고는 항구 가까이 있다.

:warm [wɔːrm] 형
비교 **warmer**[wɔ́ːrmər] : 최상 **warmest**[wɔ́ːrmist]
❶ 따뜻한, 온난한, 더운(⇔ cool 서늘한).
It is (rather) *warm* today.
오늘은 꽤 덥다. ▶날씨·추위·더위 따위를 말할 때는 it을 주어로 하는 것이 정식임.
In winter Jeju-do is *warmer* than Seoul. 겨울에 제주도는 서울보다 따뜻하다. ▶구어에서는 장소나 날을 주어로 하여 춥거나 더운 것을 나타내는 경우가 흔함.
It is getting *warmer* day by day. 나날이 따뜻해지고 있다.
Wear *warm* clothes.
따뜻한 옷을 입어라.
Keep your room *warm.*
방을 따뜻하게 유지하라.

참고 **warm**과 **hot**
warm은 cool(서늘한)과 hot (더운)의 중간 정도로 「따뜻한, 꽤 더운」이란 뜻을 가진다. 여름의 찌는 듯한 더위나 또는 매우 따가운 더위에는 hot을 쓰지만, 보통의 더위에는 (very) warm을 쓴다.
It was a *warm* summer day. 꽤 더운 여름 날이었다.

Summer is very *hot* in Arabia. 아라비아의 여름은 매우 덥다.

❷ (마음씨가) 따뜻한, 다정한, 인정이 있는(⇔ cold 냉정한).

Nancy has a *warm* heart. 낸시는 마음씨가 따뜻하다.

He welcomed us with a *warm* smile. 그는 우리를 따뜻한 미소로 맞았다.

☞ 몡 warmth

── 타 3·단·현 **warms** [wɔːrmz]; ing형 **warming** [wɔ́ːrmiŋ]; 과거 과분 **warmed** [wɔːrmd]

…을 따뜻하게 하다, 데우다.

Sit down and *warm* yourself by the fire. 앉아서 불에 몸 좀 녹여라.

Nancy *warmed* some milk for me. 낸시는 나에게 우유를 데워 주었다.

warmth [wɔːrmθ] 몡 《a와 복수형 안 씀》

따뜻함, 온기; 온정.

The *warmth* of the room made us sleepy. 방이 따뜻해서 우리는 졸음이 왔다.

The young man is bright, but he has no *warmth*. 그 청년은 머리는 좋지만 온정이 없다.

☞ 혱 warm

warm-up [wɔ́ːrmÀp] 몡

복수 **warm-ups** [wɔ́ːrmÀps]

(경기 개시 전의) 준비운동, 워밍업.

a light *warm-up* exercise 가벼운 준비 운동.

warn [wɔːrn] 타

3·단·현 **warns** [wɔːrnz]; ing형 **warning** [wɔ́ːrniŋ]; 과거 과분 **warned** [wɔːrnd]

(아무)에게 미리 알리다, 경고하다, 주의하다.

I *warned* him not to go there. 나는 그에게 그 곳에 가지 말라고 경고했다.

He *warned* me of the danger. 그는 나에게 위험하니 주의하라고 했다.

I *warned* Tom that he should not go swimming in the river. 나는 톰에게 강에 수영하러 가지 말라고 경고했다.

warn·ing [wɔ́ːrniŋ] 몡 복수 **warnings** [wɔ́ːrniŋz]

경고, 주의; 경보; 통고.

He did not listen to my *warnings*. 그는 나의 경고를 듣지 않았다.

We received a *warning* of the coming flood. 우리는 홍수가 난다는 경보를 받았다.

*│**was** [wəz; 강 waz] 통 **am, is**의 과거. ☞ be 자 …이었다; (어떤 장소에) 있었다.

Yesterday *was* Monday. 어제는 월요일이었다.

I *was* in New York last month. 나는 지난 달에 뉴욕에 있었다.

── 조 ❶ 《**was**+**-ing**형으로 과거 진행형을 만들어》 …하고 있었다, …하는 중이었다.

I *was playing* tennis with Nancy when he came. 그가 왔을 때 나는 낸시와 테니스를 치고 있었다.

❷ 《**was**+과거 분사로 수동태를 만들어》 …되었다.

The tree *was cut* down by Jim. 그 나무는 짐에 의해서 베어졌다.

The letter *was written* in English. 그 편지는 영어로 씌어 있었다.

*‖**wash** [waʃ] 타·자 3·단·현 **washes** [wáʃiz]; ing형 **washing** [wáʃiŋ]; 과거 과분 **washed** [waʃt]

(…을) 씻다; 세탁하다.

Mother usually *washes* the clothes on Monday. 어머니는 대개 월요일에 빨래를 하신다.

You have to *wash* yourself with soap. 비누로 몸을 깨끗이 씻어라.
Where can I *wash* my hands? 어디서 손을 씻을 수 있습니까?
➤ 남의 집에서 화장실이 어디냐고 물을 때 쓰는 간접적인 표현.
Get *washed*! (얼굴이나 손을) 어서 씻고 오너라.
My uncle usually *washes* in cold water. 아저씨는 평소에 찬물로 세수를 하신다.
My mother *washes* on Sunday. 어머니께서는 일요일에 세탁하신다.

wash·ing [wáʃiŋ] 명 《(a와 복수형 안 씀)》
씻기, 세탁; 《the를 붙여》 세탁물.
a *washing* machine 세탁기.
washing powder 가루 비누.
I have a lot of *washing* to do. 나는 세탁할 것이 많다.
Go and hang out the *washing* to dry. 세탁물을 말리게 널고 와라.

Wash·ing·ton [wáʃiŋtən] 명

❶ 워싱턴《주 이름》.

참고 미국 북서부에 있는 주. 면적은 176,629 km². 주도(州都)는 올림피아 (Olympia [oulímpiə])이지만, 시애틀(Se-attle[síːætl])이 더 크다. 이 주의 북서부는 산지이며, 올림픽 국립 공원은 산의 경치로 유명하다. 주요 산업은 농업과 임업이나 과수 재배도 크게 발달하여 있다. Wash.로 약함. 미국의 수도 워싱턴은 Washington, D.C.라고 표기함으로써 워싱턴주와 구별한다.

❷ 워싱턴《도시 이름》.
Is *Washington*, D.C. her hometown? 워싱턴시가 그녀의 고향이냐?

참고 미국의 수도. 포토맥강 북쪽에 발달한 이 도시는 미국 북서부의 위싱턴주와 구별하기 위하여 the District of Co-lumbia [dístrikt əv kəlʌ́m-biə]《컬럼비아 특별 지구》의 첫 자를 따서 Washington, D. C.라고 부르는 것이 보통이다. 면적은 179 km². 시가는 국회 의사당이 있는 캐피톨 힐 (Capitol Hill [kǽpitl híl])을 중심으로 대통령 관저(White House), 각 행정 관서, 링컨 기념관 등이 있다. 1790년에 초대 대통령이 이 곳에 수도를 정한 이래 미합중국의 정치적 중심지일 뿐더러 온 세계의 정치·외교의 중심지이기도 하다.

❸ 워싱턴《사람 이름》.
George [dʒɔːrdʒ] **Washington** 조지 워싱턴(1732-99)《미국 독립 전쟁의 총지휘관, 미국의 초대 대통령》.

****was·n't** [wáznt] was not의 단축형.
I *wasn't* afraid in the air-plane. 나는 비행기에 타도 무섭지 않았다.
Mrs. White *wasn't* a good singer. 화이트 부인은 노래를 잘 부르는 편은 아니었다.

****waste** [weist] 타
《3·단·현》 **wastes**[weists]; 《ing형》 **wasting** [wéistiŋ]; 《과거》 《과분》 **wasted**[wéistid]
(돈·시간·노력 따위)를 헛되이 쓰다, 낭비하다.
We must not *waste* our

time. 우리는 시간을 낭비해서는
안 된다.

Don't *waste* your money on
such a thing. 그러한 일에 돈
을 낭비하지 마라.

— 몡 복수 **wastes**[weists]
낭비, 허비; 《종종 복수형으로》
쓰레기, 폐기물.

It's a *waste* of money to
take a taxi. Let's walk. 택시를
타는 것은 돈의 낭비다. 걷자.

industrial *waste*(s) 산업 폐기물.

— 혱 ❶ (땅이) 황폐한, 불모의.
He traveled through *waste*
land. 그는 불모의 땅을 두루 여
행했다.

❷ 무용의, 쓸모 없는, 폐물의.
They succeeded in making
use of *waste* water. 그들은
폐수의 이용에 성공했다.

waste·bas·ket [wéistbæs-kit] 몡

복수 **wastebaskets**[wéistbæskits]
휴지통, 쓰레기통.

He saw the *wastebasket*
full of paper. 그는 종이로 꽉
찬 휴지통을 보았다.

*watch [wɑtʃ] 몡

복수 **watches**[wɑ́tʃiz]
❶ 손목 시계(=wristwatch); 회
중 시계. ☞clock

My *watch* is five minutes
slow[fast]. 내 시계는 5분 늦다
[빠르다].

What time is it by your
watch? 네 시계로는 몇 시이냐?
My *watch* gains [loses] a
little. 내 시계는 조금 빨리[늦게]
간다.

❷ 망보기, 경계, 감시. ➤복수형
쓰지 않음.
Keep *watch* on him.
그를 감시하여라.

— 타·자 3·단·현 **watches**[wɑ́tʃiz];
ing형 **watching**[wɑ́tʃiŋ]; 과거 과분
watched[wɑtʃt]

❶ (…을) 지켜보다, 주시하다.
I *watch* television after

supper. 나는 저녁 식사 후에 텔
레비전을 본다.

We *watched* a baseball
game on TV. 우리는 텔레비전
으로 야구 경기를 보았다.

비슷한 말 **watch**와 **look at**

watch는 움직임·변화·추이
따위를 「지켜보다」, look at은
「…을 보려고 눈을 돌리다」란
뜻. 텔레비전이나 경기 따위를
「보다」라고 할 때에는 watch를
쓴다.
---

❷ (…을) 망보다, 감시하다; (…
에) 주의하다.
Will you *watch* my bag for
a few minutes? 잠시 동안 내
가방을 좀 보아주겠느냐?
Watch your head [step].
머리를[발밑을] 조심하라. ➤불안전
한 통로 따위를 통과할 때 하는 말.
A policeman was *watching*
outside the house. 경찰관이
집 밖에서 감시하고 있었다.

watch out 조심하다; 경계하다.
Watch out! A car is coming.
조심해! 자동차가 온다.
Watch out for cars.
차를 조심해라.

**wa·ter [wɔ́:tər] 몡

복수 **waters**[wɔ́:tərz]
❶ 《a와 복수형 안 씀》물.
fresh *water* 민물.
Give me some *water*.
물 좀 주세요.
Mr. Jones drinks a glass of
cold *water* every morning.
존스씨는 매일 아침 냉수를 한 컵
마신다.

어법 **water**를 세는 법

water는 셀 수 없는 명사이기
때문에 glass(컵) 따위와 같은
용기를 단위로 하여 양을 나타
낸다. 「두 컵의 물」은 two
glasses of water라고 한다.
---

❷ 《보통 the를 붙여》 (강·바다 따위의) 물; 《종종 복수형으로》 바다, 호수, 강.
She jumped into the *water*.
그녀는 물 속으로 뛰어들었다.
Fish live in (the) *water*.
물고기는 물 속에서 산다.
Still *waters* run deep. 《속담》 잔잔한 물은 깊다《가만히 있는 사람이 생각이 깊다》.
── 因 ③·단·현 **waters**[wɔ́ːtərz]: ing형 **watering**[wɔ́ːtəriŋ]: 과거 과분 **watered**[wɔ́ːtərd]
…에 물을 주다, 물을 뿌리다.
water cattle and horses 소와 말에게 물을 먹이다.
I'll *water* the flower.
나는 꽃에 물을 주겠다.
Father *watered* the lawn this morning. 아버지는 오늘 아침 잔디에 물을 주셨다.

wa·ter clos·et [wɔ́ːtər klɑ̀zit]
명 복수 **water closets**[wɔ́ːtər klɑ̀zits]
(수세식) 변소. ➤ WC 또는 W. C.로 약함.

wa·ter·col·or [wɔ́ːtərkʌ̀lər] 명
복수 **watercolors** [wɔ́ːtərkʌ̀lərz]
❶ 그림물감.
This painting was done in *watercolor*. 이 그림은 수채화 그림물감으로 그려졌다.
❷ 수채화.
a beautiful *watercolor* 아름다운 수채화.

wa·ter·fall [wɔ́ːtərfɔ̀ːl] 명
복수 **waterfalls**[wɔ́ːtərfɔ̀ːlz]
폭포.
What is the largest *waterfall* in the world? 세계에서 가장 큰 폭포는 무슨 폭포냐?

wa·ter·mel·on [wɔ́ːtərmèlən] 명
복수 **watermelons**[wɔ́ːtərmèlənz]
수박. ➤「물이 많은 멜론」이란 뜻.

서양의 수박은 타원형인 것이 많음.

wa·ter·proof [wɔ́ːtərprùːf] 형
물이 새지 않는, 방수의.
a *waterproof* watch 방수 시계.
a *waterproof* coat 방수 코트.

wa·ter·ski·ing [wɔ́ːtərskìːiŋ] 명
《a와 복수형 안 씀》 수상 스키.
go *waterskiing* on the lake 호수로 수상 스키를 타러 가다.

wa·ter·way [wɔ́ːtərwèi] 명
복수 **waterways**[wɔ́ːtərwèiz]
수로, 항로, 운하.
There are a great many *waterways* in the city of Venice. 베니스시에는 대단히 많은 수로가 있다.

Watt [wɑt] 명
와트.
James[dʒeimz] Watt 제임스 와트(1736-1819)《증기 기관을 완성한 스코틀랜드의 기계 기술자·발명가》.

watt [wɑt] 명 복수 **watts**[wɑts]
와트《전력의 단위》. ➤ W 또는 w로 약함.

*****wave** [weiv] 명
복수 **waves**[weivz]
❶ 파도, 물결; (소리·빛 따위의) 파, 파동.
a sound *wave* 음파.
The *waves* are very high today. 오늘은 파도가 매우 높다.
Light and sound travel in *waves*. 빛이나 소리는 물결 형태로 전달된다.
❷ (머리카락 따위의) 물결 모양.

W

She has a natural *wave* in her hair. 그녀의 머리카락은 곱슬머리다.

── 통 ③·단·현 **waves** [weivz]: ing형 **waving**[wéiviŋ]: 과거 과분 **waved**[weivd]

자 ❶ 물결 치다, 파동〔기복〕하다, 흔들리다.

The branches were *waving* in the wind. 나뭇가지들이 바람에 흔들리고 있었다.

The road *waved* along the river. 그 길은 강을 따라 굴곡을 이루고 있었다.

❷ 손을 흔들다, 손을 흔들어 신호하다.

She *waved* to me.
그녀는 나에게 손을 흔들었다.

The children *waved* at the moving train. 아이들은 달리는 열차에 손을 흔들었다.

── 타 (손·손수건 따위)를 흔들다; 손〔손수건〕을 흔들어 (작별 따위)를 고하다.

Nancy *waved* her hand.
낸시는 손을 흔들었다.

Tom *waved* good-bye to her. 톰은 그녀에게 손을 흔들어서 작별 인사를 했다.

wax [wæks] 명
《a와 복수형 안 씀》 밀초, 밀랍; (마루·가구 따위를) 윤내는 약, 왁스.

Wax is hard when it is cold. 밀랍은 찰 때 단단하다.

way [wei] 명
복수 **ways**[weiz]

❶ 《종종 the를 붙여》 (…으로 가는) 길, 도로; 통로. ☞ road

Can you tell me the *way* to the station? 역으로 가는 길을 가르쳐 주실 수 있습니까?

I'm afraid we lost our *way*. 아마 우리는 길을 잃은 것 같다.

Tom could not find his *way* back. 톰은 되돌아올 길을 찾아낼 수 없었다.

❷ 《보통 단수형으로 형용사를 수

반하여》 거리, 노정(路程).

Mr. Jones lives a long *way* from the station. 존스씨는 역에서 먼 곳에 살고 있다.

It's only a little *way* to the library. 도서관까지는 얼마 안 되는 거리이다.

❸ 방법, 방식; 습관, 버릇; 풍습. ☞ method

the European *way* of living 유럽풍의 생활 양식.

Do it (in) this *way*.
이런 식으로 해라.

This is the *way* Bill fixed the machine. 이러한 방법으로 빌은 그 기계를 고쳤다.

That is just his *way*.
그것이 바로 그의 버릇이다.

Learn the *ways* of the world. 세상의 풍습을 익히도록 하여라.

❹ 방향, 방면, …쪽. ▶ 종종 전치사를 쓰지 않고, 부사적으로 씀.

Come this *way*, please.
어서 이쪽으로 오십시오.

Look both *ways* before you cross the street. 길을 건너기 전에 좌우를 살펴라.

Which *way* did she go?
어느 방향으로 그녀는 갔느냐?

❺ 점, 방면.

This plan is good in some *ways*. 이 계획은 몇 가지 점에서 좋다.

Robots can help us in many *ways*. 로봇은 많은 방면에서 우리를 도울 수 있다.

all the way (도중) 내내; 멀리(서).

We had to walk *all the way* home. 우리는 집까지 쭉 걸어야 했다.

Jim came *all the way* from Los Angeles. 짐은 멀리 로스앤젤레스에서 왔다.

by the way (화제를 바꿀 때) 그런데.

By the way, do you have

any time tomorrow? 그런데,
너 내일 시간이 있느냐?

by way of …을 거쳐서.

He came back home *by
way of* Europe. 그는 유럽을
거쳐서 귀국했다.

have one's (***own***) ***way*** 제마음대
로 하다, 제멋대로 행동하다.

She always wants to *have
her own way.* 그녀는 항상 제
마음대로 하고자 한다.

in a way 어떤 의미로는; 어느 정
도는.

You are right *in a way.*
네 말이 어떤 의미에서는 옳다.

in the way =*in one's way* 방
해가 되어.

There was a bus *in the
way.* 버스가 길을 막고 있었다.
Don't stand *in the* [*my*]
way. 방해가 되니 비켜다오.

make one's way 가다, 나아가다.

He *made his way* home.
그는 귀로에 올랐다.
Sam *made his way* through
the crowd. 샘은 군중을 헤치고
나아갔다.

One way. 《게시》 일방 통행.

*****on the way*** =*on one's way*
도중에.

I mailed a letter *on my
way* to school. 나는 학교에 가
는 길에 편지를 붙였다.
On her way home, she
met Susan.
그녀는 집으로 가는 도중에 수잔
을 만났다.

out of the way 방해가 안 되는
곳에.

Get *out of the way!*
방해가 되니 비켜라.

[회화] **No way!** 「(절대로) 안
돼!, 싫다!」

상대방의 물음이나 요청을 강하
게 부정하거나 거부할 때 쓰는
말이다.

A : Will you show me your
diary?
B : *No way!*
「네 일기를 나에게 보여주겠느
냐?」「안 돼!」

way in [wéi ín]
명

[복수] **way ins** [wéi ínz]
(지하철·극장 따위의) 입구.

way out [wéi áut]
명

[복수] **way outs** [wéi áuts]
(지하철·극장 따위의) 출구.

WC [dʌ́bljuːsí] 명
[복수] **WC's** [dʌ́bljuːsíːz]
(수세식의) 변소, 화장실. ▶water
closet의 약자.

**we [wi; 강 wiː]
대

❶ 우리들은[이].

격 \ 수	단 수	복 수
주격	I (나는, 내가)	we (우리는[가])
소유격	my (나의)	our (우리의)
목적격	me (나를[에게])	us (우리를[에게])

We are good friends.
우리는 좋은 친구이다.
We live in Seoul.
우리들은 서울에 살고 있다.

❷ 《자신을 포함한 일반 사람들을
가리켜》 사람들은[이], 우리들은;
《자신이 소속되어 있는 단체·상
점 따위를 나타내어》 저희는, 당사
는, 당점은.

We must help each other.
우리는 서로 도와야 한다.
We eat to live, not live to
eat. 사람은 살기 위해서 먹지, 먹

기 위해서 사는 것이 아니다.
We had a lot of snow last
winter. 지난 겨울에는 많은 눈이
내렸다.

*__weak__ [wiːk] 형
[비교] **weaker** [wíːkər]:
[최상] **weakest**[wíːkist]

❶ (몸·성격 따위가) **약한, 허약
한, 힘없는**(⇔ strong 강한).
Joe is a *weak* old man.
조는 약한 노인이다.
She spoke in a *weak* voice.
그녀는 힘없는 목소리로 이야기하
였다.
❷ (능력·학과 따위가) **뒤떨어지
는, 서투른.**
That is Nancy's *weak* point.
그것이 낸시의 약점이다.
I am *weak* in mathematics.
나는 수학을 잘 못 한다.
❸ (커피·차·술 따위가) **묽은,
진하지 않은, 싱거운.**
This coffee is a little too
weak. 이 커피는 좀 지나치게 싱
겁다.
☞ 명 weakness. 동 weaken

weak·en [wíːkən] 동
[3·단·현] **weakens** [wíːkənz]:
[ing형] **weakening** [wíːkəniŋ]:
[과거] [과분] **weakened** [wíːkənd]
타 **···을 약하게 하다.**
The illness *weakened* him.
그 병으로 그는 허약해졌다.
── 자 **약하게 되다; 약해지다.**
The storm *weakened*.
폭풍이 약해졌다. ☞ 형 weak

weak·ly [wíːkli] 부
약하게, 가냘프게.
"Give me some water," said
the woman *weakly*.
「물 좀 주세요.」라고 그 여자는
가냘프게 말했다.

weak·ness [wíːknis] 명
[복수] **weaknesses**[wíːknisiz]
❶ 《a와 복수형 안 씀》 **약함; 허
약함.**

weakness of character 성격
의 나약함.
Weakness kept him in bed.
그는 허약해서 누워 있었다.
❷ **약점, 결점.**
Drinking is his *weakness*.
술 마시는 것이 그의 결점이다.
☞ 형 weak

*__wealth__ [welθ] 명
《a와 복수형 안 씀》 **부, 재산.**
a man of *wealth* 재산가.
Health is better than
wealth. 건강은 재산보다 낫다.

wealth·y [wélθi] 형
[비교] **wealthier** [wélθiər]: [최상]
wealthiest[wélθiist]
부유한, 부자의, 돈 많은. ☞ rich
Mr. Baker is a *wealthy*
businessman. 베이커씨는 돈 많
은 실업가이다.

weap·on [wépən] 명
[복수] **weapons**[wépənz]
무기, 병기. ☞ arms
nuclear *weapons* 핵무기.
Put your *weapons* down
and come out with your
hands up. 무기를 내려놓고 손
들고 나와라.

*__wear__ [wɛər] 동
[3·단·현] **wears** [wɛərz]:
[ing형] **wearing** [wɛ́əriŋ]: [과거]
wore[wɔːr]: [과분] **worn**[wɔːrn]
타 ❶ **···을 착용하고 있다, 입고
〔쓰고, 신고〕 있다.**
The lady was *wearing* a
beautiful dress. 그 숙녀는 아
름다운 드레스를 입고 있었다.
My father does not *wear* a
hat. 아버지는 모자를 안 쓰신다.
Nancy sometimes *wears*
glasses. 낸시는 때때로 안경을
쓴다.
❷ 《**wear out** 〔**away**〕로》 **···을
(써서) 낡게 하다, 해지게 하다.**
My shoes are *worn out*.

W

나의 구두는 해졌다.

Miae *wears* her clothes until they are *worn out*. 미애는 옷이 다 닳아 해질 때까지 입는다.

❸ (태도·표정 따위)를 **나타내다, 띠고 있다.**

She always *wears* a smile. 그녀는 언제나 미소를 짓고 있다.

── 자 ❶ (물건 따위가) **오래 가다, 오랜 사용에 견디다.**

This cloth does not *wear* very well. 이 천은 그다지 질기지 않다.

This hat will *wear* for many years. 이 모자는 여러 해 쓸 수 있을 것이다.

❷ **해지다, 낡아서 …이 되다.**

This carpet has *worn* out in many places. 이 융단은 여러 군데가 해졌다.

── 명 (a와 복수형 안 씀) **옷, 의류.**

men's *wear* 남성복, 신사복.

summer *wear* 여름용 옷.

┌─────────────────────────┐
│ 참고 **wear**와 **put on** │
│ wear는 「옷을 입고 있다」란 상태를 나타내며, put on은 「옷을 착용하다」란 동작을 나타낸다. │
│ He *wore* glasses. │
│ 그는 안경을 쓰고 있었다. │
│ He *put on* glasses. │
│ 그는 안경을 끼었다. │
└─────────────────────────┘

wea·ry [wíəri] 형 비교 **wearier**[wíəriər] : 최상 **weariest**[wíəriist]

❶ **피로한.** ▶ tired보다 격식을 차린 말.

He was *weary* from the long walk. 그는 오래 걸어서 피로하였다.

❷ **싫증난.**

I am *weary* of reading. 나는 독서에 싫증이 난다.

We were *weary* of his long

talk. 우리는 그의 긴 이야기에 싫증이 났다.

weath·er [wéðər] 명

(a와 복수형 안 씀) **날씨, 일기.** ☞ climate(기후)

a *weather* chart 일기도.

the *weather* forecast 일기 예보.

a *weather* station 측후소.

The *weather* is cloudy〔fine〕 today. 오늘은 날씨가 흐리다〔좋다〕.

How's the *weather* in London? = What is the *weather* like in London? 런던의 날씨는 어떻습니까?

In clear *weather* we can see Hallasan from here. 맑은 날에는 여기서 한라산이 보인다.

weath·er·cock [wéðərkàk] 명

복수 **weathercocks**[wéðərkàks] **풍향계.** ▶ 옛날에는 위에 수탉 (cock) 모양의 것이 달려 있었음.

There is a *weathercock* on the roof of Tom's house. 톰의 집 지붕에는 풍향계가 있다.

weave [wi:v] 타 3·단·현 **weaves**[wi:vz] : ing형 **weaving** [wí:viŋ] ; 과거 **wove**[wouv] ; 과분 **woven**[wóuvən] 또는 **wove**[wouv]

(천 따위)**를 짜다.** (바구니 따위)**를 엮다, (거미가 집)을 치다.**

She is *weaving* thread into cloth. 그녀는 실로 옷감을 짜고 있다.

A spider *weaves* a web. 거미는 거미줄을 친다.

web [web] 명 복수 **webs**[webz] **거미집〔줄〕.**

I saw the spider weave a *web*. 거미가 집을 치는 것을 보았다.

Wed. Wednesday의 간략형.

we'd [wi:d] we had, we would의 단축형.

W

We'd (=We had) better stay at home. 우리는 집에 있는 게 좋겠다.

We'd (=We would) like to go to the movies. 우리는 영화 보러 가고 싶다.

wed·ding [wédiŋ] 명 복수 **weddings**[wédiŋz]

결혼식; 결혼 기념일.

a *wedding* ring〔card, cake〕결혼 반지〔초대장, 케이크〕.

a *wedding* dress (신부의) 웨딩 드레스.

I was invited to their *wedding.* 나는 그들의 결혼식에 초대되었다.

Helen and Bob will have their *wedding* next Sunday. 헬렌과 보브는 다음 주 일요일에 결혼식을 올린다.

참고 **주요 결혼 기념일 이름**
각 결혼 기념일에는 그 이름에 해당되는 재료로 만든 물건(예컨대 25주년에는 은제품)을 선물 하는 습관이 있다.

결혼 후의 연수	기념일 이름
1 주년	paper wedding (지혼식)
5 주년	wooden wedding (목혼식)
10 주년	tin wedding (주석혼식)
15 주년	crystal wedding (수정혼식)
20 주년	china wedding (도자기혼식)
25 주년	silver wedding (은혼식)
50 주년	golden wedding (금혼식)
60 주년	diamond wedding (다이아몬드 혼식)

Wednes·day [wénzdei] 명

복수 **Wednesdays**[wénzdeiz]

수요일. ▶ Wed.로 약함.

I take piano lessons on *Wednesday.* 나는 수요일에 피아노 레슨을 받는다.

I went there last *Wednesday.* 나는 지난 수요일에 거기에 갔다.

weed [wi:d] 명 복수 **weeds**[wi:dz]

잡초.

Some *weeds* were growing in the garden. 정원에 잡초가 우거져 있었다.

── 타 3·단·현 **weeds** [wi:dz]: ing형 **weeding** [wí:diŋ]: 과거 과분 **weeded**[wí:did]

(정원 따위)의 잡초를 뽑다.

Father told me to *weed* the garden. 아버지는 나에게 정원의 풀을 뽑으라고 하셨다.

week [wi:k] 명 복수 **weeks**[wi:ks]

주, 1주일간.

What day of the *week* is it? 오늘은 무슨 요일이냐?

I was very busy last *week.* 지난 주 나는 매우 바빴다. ▶ week 앞에 this, every, last, next가 오면 전치사를 붙이지 않음.

참고 **요일 이름과 그 약어**
일요일 Sunday / Sun.
월요일 Monday / Mon.
화요일 Tuesday / Tu., Tues.
수요일 Wednesday / Wed.
목요일 Thursday / Thur., Thurs.
금요일 Friday / Fri.
토요일 Saturday / Sat.

week·day [wíːkdèi] 명

복수 **weekdays**[wíːkdèiz]
(토요일과 일요일을 제외한) **평일**.
He has six classes on *week-days*. 평일에 그는 6시간씩의 수업이 있다.
My father is very busy on *weekdays*. 아버지는 평일에 대단히 바쁘다.

참고 미국에서는 한 주 5일제가 보통이다. weekday는 월요일부터 금요일까지를 가리킨다.
☞ weekend

week·end [wíːkènd] 명

복수 **weekends**[wíːkèndz]
주말《금요일 밤부터 월요일 아침까지》.
Have a nice *weekend!* 즐거운 주말을 보내시기를! ➤ 주말에 월요일까지 헤어지는 사람 사이에 쓰는 작별 인사.
He used to go fishing on *weekends*. 그는 주말이면 낚시하러 다니곤 했다.

week·ly [wíːkli] 형

매주의, 주 1회의, 주간(週刊)**의.**
a *weekly* magazine 주간지.
— 부 매주, 주 1회.
Sam is paid *weekly*.
샘은 주급을 받고 있다.
— 명 복수 **weeklies**[wíːkliz]
주간지, 주간 신문.
There are many *weeklies* published in Korea. 한국에는 많은 주간지가 발행된다.

*weep [wiːp] 자

3·단·현 **weeps**[wiːps];
ing형 **weeping** [wíːpiŋ]; 과거
과분 **wept**[wept]
울다, 눈물을 흘리다, 슬퍼하다.
☞ cry
She began to *weep*.
그녀는 울기 시작했다.

Susie *wept* for joy.
수지는 기뻐서 울었다.
They *wept* at the news.
그 소식을 듣고 그들은 울었다.

*weigh [wei] 동

3·단·현 **weighs**[weiz];
ing형 **weighing** [wéiiŋ]; 과거
과분 **weighed**[weid]
타 **…의 무게를 달다.**
Tom *weighed* himself.
톰은 자기 몸무게를 쟀다.
They *weighed* our suitcases at the airport. 공항에서는 우리 가방의 무게를 달았다.
— 자 **무게를 재다; 무게가 …이다.**
"How much does Tom *weigh*?" "He *weighs* 110 pounds."「톰은 체중이 얼마냐?」「110 파운드다.」 ☞ 명 weight
➤ weigh의 gh는 발음하지 않음.

*weight [weit] 명

《a와 복수형 안 씀》**무게, 중량, 몸무게.**
"What's your *weight*?" "My *weight* is 100 pounds."
「너의 몸무게는 얼마냐」「나의 몸무게는 100파운드다.」
She has lost 〔gained〕 *weight* lately. 그녀는 요즘 몸무게가 줄었다〔늘었다〕.
They sell oranges by *weight* at the store. 상점에서는 오렌지를 무게로 달아서 판다.
☞ 동 weigh

*wel·come [wélkəm] 타

3·단·현 **welcomes** [wélkəmz];
ing형 **welcoming** [wélkəmiŋ];
과거 과분 **welcomed**[wélkəmd]
(아무)**를 환영하다, 기꺼이 맞이하다.**
They *welcomed* me warmly.
그들은 나를 따뜻하게 맞이했다.
The Smiths always *welcome* guests. 스미스씨 가족은 언제나 손님을 따뜻이 맞이한다.
They were *welcomed* by the

W

citizens. 그들은 시민들로부터 환
영을 받았다.

주의 welcome은 come의 활용
과 다르다. 철자는 wellcome
이 아님에 주의.

—— 명 복수 **welcomes** [wélkəmz]
환영.
They gave me a warm *wel-
come.* 그들은 나를 따뜻이 맞아
주었다.
—— 형 (아무가) 환영받는, **기꺼이
받아들여지는, 고마운.**
a *welcome* guest 환영받는 손
님.
You are always *welcome* at
my house. 우리 집에서는 언제
든지 너를 환영한다.
It's a *welcome* idea.
그것 참 좋은 생각이다.
a *welcome* rain 단비, 고마운
비.

회화 **You're welcome.** 「천만
에요.」
「고맙다」는 인사말 Thank
you.에 대한 일상적인 응답. 간
단히 Welcome.이라고도 한다.
영국에서는 Not at all.을 많이
쓴다. Don't mention it.이나
That's all right. 따위도 같
은 뜻으로 쓴다.
A : Here's your book.
B : Thank you !
A : *You're welcome.*
「네 책 여기 있다.」「고맙습니
다.」「천만에.」

—— 감 어서 오십시오!
Welcome home ! 안녕히 다녀
오셨습니까? ▶ 귀국하거나 집에
돌아오는 사람에게 하는 인사. 자
기 집에 오는 손님을 환영하는 경
우에는 Welcome to our home !
이라고 함.
Welcome to Korea !
한국에 오신 것을 환영합니다.

wel·com·ing [wélkəmiŋ]
동
welcome의 -ing형
wel·fare [wélfɛər] 명
(a와 복수형 안 씀)
복지; 행복, 번영.
public 〔social〕 *welfare* 공공
〔사회〕 복지.
a *welfare* state 복지 국가.
She devoted her life to child
welfare. 그녀는 아동 복지에 일생
을 바쳤다.

well¹ [wel] 명 복수 **wells** [welz]
우물, 샘.
oil *well* 유정(油井).
draw water from a *well* 우
물에서 물을 퍼내다.

well² [wel] 부 형 비교 **better**
[bétər] ; 최상 **best** [best]
부 ❶ 잘, 훌륭히(⇔ badly 나쁘
게).
Jim can swim *well.* (=Jim
is a good swimmer. =Jim
is good at swimming.) 짐은
수영을 잘 한다.
Everything is going *well.*
만사가 잘 되어가고 있다.
Mary can speak French
better than Tom. 메리는 톰보
다 프랑스말을 잘 한다.
❷ 충분히, 만족히.
Think *well* before you act.
행동하기 전에 충분히 생각해라.
Did you sleep *well* last
night? 어젯밤에는 충분히 잤니?
as well (…도) 또한, 그 위에, 게
다가(=also).
He learned English, and
French *as well.* 그는 영어를
배우고 프랑스어도 또한 배웠다.
Nancy speaks German *as
well.* 게다가 낸시는 독일어도 한
다.
… as well as ~ ~와 마찬가지로
…도, ~은 물론 …도.
Mr. Song speaks French *as
well as* English. (=Mr. Song
speaks not only English but

W

(also) French.) 송선생님은 영어는 물론 프랑스어도 한다. ➤ 두 문장의 어순에 주의.

You *as well as* I are wrong. 나와 마찬가지로 너도 잘못이다. ➤ 동사는 You에 맞추어 are. 보통 You and I are both wrong. 이라고 함.

may [*might*] *as well* …하는 편이 낫다, …하여도 괜찮다.

You *may as well* go to the hospital at once. 너는 곧 병원에 가는 편이 좋겠다.

You *may as well* stay with them. 너는 그들과 함께 머물러도 괜찮다.

may well …하는 것도 당연하다.

You *may well* be proud of your son. 당신이 아들을 자랑스러워하는 것도 당연합니다.

speak well of …을 좋게 말하다.

Everybody *speaks well of* John. 누구나 존을 좋게 말한다.

Well done! 잘 했다!, 훌륭했다!

── 〔형〕 ❶ 건강한, 튼튼한(⇔ ill, sick 아픈). ➤ be동사, feel, get, look 따위의 동사 뒤에 쓰임. 이 때 well은 주격 보어임.

My father is *well* and strong. 아버지는 건강하시다.

You don't look *well*, Nancy. 낸시, 너 안색이 좋지 않구나.

He will soon get *well*. 그는 곧 완쾌될 것이다.

I don't feel *well* today. 난 오늘 몸의 컨디션이 좋지 않다.

They say Bill is not *well*. 빌이 건강이 나쁘다고 한다.

"How are you?" "Very *well*, thank you."「요즘 건강이 어떤가?」「고맙네. 매우 건강하지.」 ➤ 미국에서는 Very well, thank you.보다는 Fine, thank you.를 더 즐겨 씀.

❷ 만족스러운, (형편이) 좋은, 잘 되어 가는.

All is *well* with us. 우리는 모든 것이 잘 되어가고 있다.

Everything went *well* at the meeting. 회의는 모든 것이 잘 진행되었다.

All is *well* that ends well. 《속담》 끝이 좋으면 모든 것이 좋다. ➤ 앞의 well은 형용사, 뒤의 well은 부사.

── 〔감〕 저런, 이거 원; 아, 자, 글쎄; 그런데. ➤ 놀람·안심·망설임·양보·찬성 따위를 나타내거나 대화를 계속하려 할 때 씀.

Well, that's all right. 아, 괜찮다.

Well, let's start. 자, 시작하자.

Well, here we are at last! 어휴, 마침내 도착했구나!

Well, let me see. 글쎄, 생각 좀 해보자.

Well, what brought you here? 그런데, 무슨 일로 여기 왔느냐?

Well, then? 그래서?

Well, well, that's true. 그래그래, 그렇지.

***we'll** [wi:l] we will의 단축형.

We'll go to the country this weekend. 우리는 이번 주말에 시골에 간다.

We'll have an English test tomorrow. 우리는 내일 영어 시험이 있다.

well-done [wéldʌ́n] 〔형〕

❶ (요리, 특히 스테이크 따위가) 잘 익은〔구워진〕, 충분히 조리된.

I want my steak *well-done*. 스테이크를 잘 익혀 주세요.

❷ (행위 따위가) 훌륭히 수행된.

a *well-done* job 잘 된 일.

well-known [wélnóun] 〔형〕

〔비교〕 **better-known** [bétərnóun] : 〔최상〕 **best-known** [béstnóun]

잘 알려진, 유명한. ☞ famous

a *well-known* fact 잘 알려진 사실.

W

We ate at a *well-known* restaurant in Seoul. 우리는 서울의 한 유명한 식당에서 식사하였다.
A proverb is an old, *well-known* lesson. 속담이란 오래되고 잘 알려진 교훈이다.

***went** [went] 图 **go**의 과거.
I *went* to the seaside last summer. 나는 작년 여름에 바닷가에 갔다.

wept [wept] 图 **weep**의 과거 · 과거 분사.
Jane *wept* bitterly. 제인은 몹시 울었다.

***were** [wər; 강 wəːr] 图 **are**의 과거.
国 ❶ …이었다, (어떤 장소에) 있었다.
We *were* happy. 우리는 행복했었다.
They *were* in Seoul last winter. 그들은 지난 겨울 서울에 있었다.
❷ 《가정법에서》 (만일) …이라면. ➤ 현재 사실과 반대되는 가정을 나타냄.
I wish I *were* a little taller. 내가 조금만 키가 더 컸으면 좋으련만.
If I *were* rich, I would help poor people. 만일 내가 부자라면, 가난한 사람들을 도와주련만.
── 조 ❶ 《**were**+**-ing**형으로 과거 진행형을 만들어》 …하고 있었다, …하고 있는 중이었다.
We *were singing* in the class then. 우리는 그 때 교실에서 노래하고 있었다.
❷ 《**were**+과거 분사로 수동태를 만들어》 …되었다.
They *were taken* to the police station. 그들은 경찰서로 연행되어 갔다.

we're [wiər] we are의 단축형.

We're schoolboys. 우리는 남학생이다.

***weren't** [wəːrnt] were not의 단축형.
We *weren't* sleepy at all. 우리는 조금도 졸리지 않았다.

***west** [west] 閔
❶ 《the를 붙여》 서(西), 서쪽; 서부(⇔east 동쪽). ➤ W.로 약함.
The sun sets in the *west*. 해는 서쪽으로 진다.
San Francisco is in the *west* of California. 샌프란시스코는 캘리포니아 서쪽에 있다.
France is to the *west* of Germany. 프랑스는 독일의 서쪽에 있다. ➤ to the west of는 「…으로부터 떨어진 서쪽에」라는 뜻.
❷ 《the West로》 서양, 서유럽; 미국의 서부 지방《미시시피강 서쪽에서 태평양 연안까지》.
We are learning about *the West*. 우리들은 서양에 관해 배우고 있다.
── 閔 서쪽의, 서부의; 서쪽으로부터의.
A warm *west* wind began to blow. 따뜻한 서풍이 불기 시작했다. ➤ 영국에서는 봄이 오는 것을 뜻함.
── 閈 서쪽으로, 서쪽에.
My house looks *west*. 내 집은 서향이다.
The farm is five miles *west* of this city. 농장은 이 시에서 5 마일 서쪽에 있다.

***west·ern** [wéstərn] 閔
❶ 서쪽의; 서부의 (⇔eastern 동쪽의).
western Europe 서유럽.
the *western* part of the United States 미국의 서부.
❷ 《Western으로》 서양의; 미국 서부 지방의.
Western civilization 서양 문명.

the *Western* style 서양식.
the *Western* mode of life 서양의 생활 양식.
Many Korean customs are different from *Western* customs. 한국의 많은 관습이 서양의 관습과 다르다.
── 閔 |复数| **westerns** [wéstərns]
《종종 **Western**으로》 서부극《미국 서부의 목동들의 생활을 주제로 한 영화 따위》.
Tom often watches *Westerns* on TV. 톰은 가끔 TV로 서부극을 본다.

west·ern·er [wéstərnər] 閔

|复数| **westerners** [wéstərnərz]
서부 지방 사람; 《**Westerner**로》 서양 사람; (미국의) 서부인.
Do you know how *Westerners* eat? 너는 서양 사람들이 어떻게 식사하는지 아느냐?

West·min·ster Ab·bey
[wéstmìnstər ǽbi] 閔
웨스트민스터 사원. ☞abbey

|参考| 런던에 있는 영국 왕실 직속의 교회. 국왕의 대관식이 행하여지며, 또 여기에는 국왕·시인·작가·정치가 등 명사의 묘가 있다.

West Vir·gin·ia [wést vər-dʒínjə] 閔
웨스트버지니아.

|参考| 미국 버지니아주 북서부에 위치한 주. 주도는 찰스턴 (Charleston [tʃɑ́:rlztən]). 애팔래치아 산중에 있는 산악주로서 주요 산업은 광업인데 과일의 생산도 많다. 면적은 62,633 km². W. Va.로 약함.

west·ward [wéstwərd] 副
서쪽으로, 서쪽에.

The party traveled *westward*. 일행은 서쪽으로 여행하였다.
The ship sailed *westward*. 그 배는 서쪽을 향해 항해하였다.
── 形 서쪽의, 서쪽으로의.
the *westward* movement of the population 인구의 서쪽으로의 이동.

*wet [wet] 形
|比较| **wetter** [wétər]: |最上|
wettest [wétist]

❶ 젖은, 눅눅한(⇔dry 마른).
wet hands 젖은 손.
The street is *wet* with rain. 거리는 비로 젖어 있다.
Helen's eyes were *wet* with tears. 헬렌의 눈은 눈물로 젖어 있었다.
I got *wet* to the skin. 나는 흠뻑 젖었다.
Wet Paint! 《게시》 칠[페인트] 주의. ▶칠한 페인트가 아직 마르지 않았음을 알리는 주의의 표지. 영국에서는 Fresh Paint라고 함.
❷ 비의, 비 오는(=rainy).
wet weather 비 오는 날씨.
We had many *wet* days last month. 지난 달에는 비오는 날이 많았다.
It will soon be the *wet* season. 곧 장마철이 들어선다.
Slippery when *wet*.
《게시》 비 올 때 미끄럼 주의.

wet·ter [wétər] 形
wet의 비교급.

wet·test [wétist] 形
wet의 최상급.

*we've [wi:v]
we have의 단축형.
We've lived in Chicago for ten years. 우리는 10년간 시카고에 살고 있다.
We've been studying English at school for three years. 우리는 3년째 학교에서 영어를 공부하고 있다.

whale [ʰweil] 閔
|复数| **whales** [ʰweilz]

W

고래.

The *whale* is the largest animal living in the ocean. 고래는 바다에서 사는 가장 큰 동물이다.

wharf [hwɔːrf] 명
[복수] **wharves** [hwɔːrvz]
또는 **wharfs** [hwɔːrfs]
방파제, 부두, 선창.

I met Mr. and Mrs. Baker on the *wharf* at Busan. 나는 부산 부두에서 베이커씨 부부를 만났다.

wharves [hwɔːrvz]
명
wharf의 복수의 하나.

**what [hwɑt] 대 ❶《의문 대명사로서》무엇, 어떤 것[일], 무슨 일; 얼마나, 얼마쯤.

"*What* is this?" "It's an orange." 「이것은 무엇이지?」「그것은 오렌지이다.」

"*What* is her name?" "Her name is Nancy." 「그녀의 이름은 무엇이지?」「그녀의 이름은 낸시이다.」

What happened to you? 너에게 무슨 일이 있었느냐?

"*What*'s the capital of Korea?" "Seoul." 「한국의 수도는 어디입니까?」「서울입니다.」
► Where is ...?로 묻지 않음에 주의.

What do you think of that? 너는 그것에 대해 어떻게 생각하느냐? ► How do you think ...?로 묻지 않음에 주의.

I don't know *what* to do. 나는 무엇을 해야 할지 모르겠습니다.

회화 **What is he [she]?** 「그[그녀]는 무엇 하는 사람이냐?」
사람의 직업이나 신분을 묻는 말이다. 그러나 직접 상대방에게 직업을 물을 때에는 *What* (kind of work) do you do?(하시는 일이 무엇입니까?) 라고 한다. 만일 *What* are you? (당신은 무엇하는 사람입니까?)라고 묻는다면 실례가 된다.
A : *What* is he?
B : He is a teacher.
「그는 무엇하시는 분입니까?」
「그는 선생님입니다.」

What can I do for you?
「무엇을 드릴까요?」
「당신을 위해 제가 무엇을 해드릴 수 있을까요?」가 본래의 뜻이나, 이 말은 주로 점원이 손님을 맞이할 때 하는 말이다. 우리말의 「어서 오세요.」「무엇을 드릴까요?」에 해당한다. 이 말 대신에 Can [May] I help you?라고도 한다.
A : *What can I do for you?*
B : I want a notebook.
「무엇을 드릴까요?」
「노트 한 권 주세요.」

❷《관계 대명사로서》…하는 것.
► what은 선행사를 포함하고 있기 때문에 앞에 선행사가 없음.
This is *what* I saw.
이것이 내가 본 것이다.
What you say is true.
네 말은 사실이다.

What about ...? …은 어떠냐?; …은 어찌 되느냐?(=How about ...?)
What about a cup of coffee? 커피 한 잔 어떠냐?
What about going out for a walk? 산책하는 것이 어떠냐?
What about me?
나는[나의 경우는] 어찌 되는가?

What ... for? 왜[무슨 목적으로] …하느냐?(=Why ...?)
What did you do that *for*? 왜 그런 짓을 하였느냐?
What do you study English *for*? 무슨 목적으로 영어를 공부하느냐?

what is called = *what we* 〔*you, they*〕 *call* 소위, 말하자면.

She is, *what is called*, a walking dictionary. 그녀는, 말하자면, 살아 있는 사전이다.

What's the matter (**with you**)? 웬 일이냐, 무슨〔어찌된〕 일이냐?

—— 〔형〕 ❶ 《명사 앞에 쓰여》 무슨, 어떤.

What color is your car? 네 자동차는 무슨 색이냐?

What day is today? 오늘은 무슨 요일이냐?

What subject do you like best? 너는 무슨 과목을 가장 좋아하느냐?

❷ 《감탄문에 쓰여》 얼마나, **정말로**.

What a big airplane that is! 정말 큰 비행기로군!

What a good idea! 얼마나 훌륭한 생각이냐!

What a beautiful spring day! 정말로 아름다운 봄날이군!

┌─────────────────────┐
│ 〔어법〕 **감탄문의 어순** │
│ what으로 시작되는 감탄문의 │
│ 어순은 「what+(a〔an〕+)형용 │
│ 사+명사(+주어+동사)!」. 뒤 │
│ 에 붙는 「주어+동사」는 생략되 │
│ 는 경우가 많다. │
└─────────────────────┘

—— 〔감〕 무엇이! 뭐야! 뭐라고!

What! Are you late again? 뭐야! 또 늦었어?

What! Did you let the bird fly away? 뭣이! 새를 날려 보냈다고?

What! No money? 뭐라고! 돈이 없다고?

what·ev·er [*h*watévər] 〔대〕

❶ …하는 것은 무엇이든(=any-thing that). ▶ 관계 대명사 what을 강조한 형태.

You can say *whatever* you want. 네가 하고 싶은 말은 무엇이든 말할 수 있다.

You may eat *whatever* you like. 네가 좋아하는 것은 무엇이든 먹어도 괜찮다.

❷ (설사) 어떠한 일〔것〕이 …이라도, 아무리 …라도.

Don't change your mind, *whatever* happens. 무슨 일이 일어나더라도 마음을 바꾸지 마라.

Whatever you may say, I'll go there. 네가 뭐라고 하든 나는 거기 가겠다.

—— 〔형〕 ❶ 어떠한 …라도.

Read *whatever* book you like. 네가 좋아하는 책이면 어떤 것이라도 읽어라.

❷ 《부정문을 강조하여》 조금의 …도.

There is no doubt *what-ever*. 전혀 의심의 여지가 없다.

what's [*h*wats] what is 또는 what has의 단축형.

What's (=What is) your name? 네 이름은 무엇이냐?

What's (=What has) happened to him? 그에게 무슨 일이 있었느냐?

wheat [*h*wiːt] 〔명〕 밀. ☞ barley(보리)

Flour is made from *wheat*. 밀가루는 밀로 만들어진다.

I asked them how they raised *wheat*. 나는 그들에게 어떻게 밀을 재배하였느냐고 물었습니다.

wheel [*h*wiːl] 〔명〕 〔복수〕 **wheels** [*h*wiːlz]

❶ 바퀴, 수레바퀴.

The truck had ten *wheels*. 그 트럭은 10개의 바퀴가 있었다.

❷ 《the를 붙여》 (자동차의) 핸들. ▶ steering wheel이라고도 함. 영어에서는 handle이라고는 하지 않음.

Mr. Green was at the *wheel*. 그린씨는 핸들을 잡고 있었다《운전하고 있었다》.

wheel·chair [*h*wiːltʃɛ̀ər] 〔명〕

[복수] **wheelchairs**[hwíːltʃ/ɛ̀ərz]
휠체어.
He made a trip around the world in a *wheelchair*. 그는 휠체어를 타고 세계 여행을 했다.

when [hwen] 부
❶ 《의문 부사로서》 언제.
When is your birthday?
네 생일은 언제냐?
I don't know *when* he will come. 나는 그가 언제 올지 모른다. ▶when 뒤의 문장은 「주어＋동사」의 어순이 됨.
I asked him *when* to start.
나는 그에게 언제 출발하겠느냐고 물었다.

[참고] 의문 부사 when으로 시작하는 의문문에서는 현재 완료형(have＋과거 분사)이 쓰이지 않는다. *When did you come?*(너는 언제 왔느냐?)을 *When have you come?*이라고 해서는 안된다. 「언제…?」라고 묻는 것은 이미 지난 과거의 일을 묻는 것이기 때문이다.

❷ 《관계 부사로서》 …하는 (때).
▶time, day처럼 「때」를 나타내는 명사가 앞에 오는 경우가 많음.
Now is the time *when* we must fight. 지금이야말로 우리가 싸워야 할 때다.
I remember the day *when* I first met Mr. Johnson.
나는 존슨씨를 처음 만난 날을 기억하고 있다.
❸ 《관계 부사로서, 앞에 쉼표를 붙여》 그리고〔그러자〕 그 때(＝and then).
She got home at five, *when* it began to snow. 그녀는 5시에 집에 도착했는데, 그 때 눈이 내리기 시작했다.
I was taking a bath, *when* the telephone rang. 나는 목욕을 하고 있었는데, 그 때 전화

가 울렸다.
── 접 …할 때에.
Stand up *when* your name is called. 네 이름을 부르면 일어서라.
I was slim *when* (I was) young. 나는 젊었을 때는 날씬했다. ▶when …의 주어가, 문장의 주어와 일치할 때는 when … 의 주어와 be동사를 생략할 수 있음.
I'll ask her about it *when* she comes home. 그녀가 귀가하면 그것에 관해 물어보겠다.
▶when… 뒤에 오는 동사는 미래의 일을 말하는 경우라도 현재형을 씀. *when* she will come home이 아님.

Say when. (알맞은 분량이 되면) **그만이라고 말해라.** ▶아무에게 음료수 따위를 따라줄 때 쓰는 말. 대답은 "When."(이제 됐다, 이제 그만.)

when·ev·er [hwenévər] 접
❶ …할 때에는 언제든지, …할 때마다. ▶when보다 뜻이 강함.
Please come *whenever* you like. 네가 오고 싶을 때 언제든지 오너라.
Whenever he got very happy or very sad, he seemed to miss them. 그는 아주 기쁘거나 슬플 때는 언제나 그들을 그리워하는 것 같았다.
❷ 언제 …하더라도.
Whenever you may come, I'll be glad to see you.
네가 언제 오더라도 나는 기꺼이 너를 만나겠다.

where [hwɛər] 부
❶ 《의문 부사로서》 어디에, 어디로, 어디에서.
Where is John's house?
존의 집은 어디에 있느냐?
Where are you going? 너는 어디를 가고 있는 길이냐? ▶영미에서는 우리 나라에서처럼 인사로 「어디 가십니까?」라고 묻지 않음.

경관의 심문을 당하거나 프라이버
시를 침해당하는 느낌을 주게 되
므로 주의.

Excuse me, but *where* are
we? 실례입니다만, 여기가 어디
죠? ▶버스·열차 따위 안에서 지
나는 곳이 어디인지 묻는 말.

I don't know *where* to go.
나는 어디로 가야 할지 모르겠다.

Do you know *where* Mr.
Brown lives? 브라운씨가 어디
사는지 아느냐?

❷《관계 부사로서》 …하는 (곳).
▶ place, house 처럼 「장소」를
나타내는 명사 뒤에 옴.

This is the place *where* I
live. 여기가 내가 살고 있는 곳
이다.

I want to visit the house
where he was born. 나는 그
가 태어난 집을 방문하고 싶다.

❸《관계 부사로서, 앞에 쉼표를 붙
여》 그리고 거기서(=and there).
We came to a small
village, *where* we stayed
overnight. 우리는 한 조그마한
마을에 도착하였는데, 거기서 하
룻밤 묵었다.

── 젭 …하는 곳에(서), …하는
곳으로.

You must camp *where* you
can get fresh water. 깨끗한 물
이 있는 곳에서 캠프를 해야 한다.

Go *where* you like. I don't
mind. 네가 좋아하는 곳으로 가
라. 나는 상관하지 않겠다.

── 때 어디. ▶전치사와 함께 의
문 대명사로 쓰임.

Where are you from? =
Where do you come from?
너는 어디 출신이냐[고향이 어디
냐]?

where're [hwέərər]
where are의 단축형.
"*Where're* your children?"
"They're in the yard." 「댁의
아이들은 어디에 있습니까?」 「마
당에 있습니다.」

where's [hwέərz]
where is 또는
where has의 단축형.

Where's (=Where is) Jim?
짐은 어디 있느냐?

Where's (=Where has) he
gone? 그는 어디로 가버렸느냐?

wher·ev·er [hwεərévər]
젭

❶ …하는 곳이면 어디든지.

You may go *wherever* you
like. 네가 좋아하는 곳이면 어디
든지 가도 좋다.

He was welcomed *wherever*
he went. 그는 가는 곳마다 환영
받았다.

❷ 어디에 …하더라도.

He thinks of us, *wherever*
he is. 그는 어디에 있을지라도
우리를 생각한다.

Wherever you may go, you'll
find kind people. 어디를 가든지
너는 친절한 사람을 만날 것이다.

***wheth·er** [hwéðər]
젭

❶ …인지 어떤지(=if).

I'll ask him *whether* he can
swim. 나는 그에게 수영할 수 있
는지 어떤지 물어보겠다.

I'm not sure *whether* it's a
good idea (or not). 나는 그
것이 좋은 생각인지 (아닌지) 확
실치 않다.

❷《whether ... or ~로》 …이
든 ~이든.

Whether you like it *or* not,
you have to do your home-
work. 좋아하든 좋아하지 않든 너
는 숙제를 하여야 한다.

Whether rich *or* poor, all
have to work. 부자건 가난하건
모두 일해야 한다.

*which [hwitʃ] 형
어느, 어느 쪽의.

Which book is yours, this
or that? 어느 책이 네 것이냐,
이것이냐 저것이냐?

Which season do you like

W

best? 너는 어느 계절을 가장 좋아하느냐?

We didn't know *which* way to go. 우리는 어느 길로 가야 할지 몰랐다.

— 때 ❶ 《의문 대명사로서》 어느 쪽, **어느 것**〔사람〕.

Which is your bag? 너의 가방은 어느 것이냐?

Which is bigger, the moon or the sun? 달과 태양 중 어느 것이 더 크냐?

Please tell me *which* you like? 어느 것을 좋아하시는지 저에게 말씀해주십시오.

Which of these books did you read? 너는 이 책들 중에서 어느 것을 읽었느냐?

I didn't know *which* to buy. 나는 어느 것을 사야 할지 몰랐다.

❷ 《관계 대명사》 …하는 (것, 일).

Paris is a beautiful city *which* is full of parks. 파리는 공원이 많은 아름다운 도시이다《주격》.

This is the picture (*which*) she painted last Sunday. 이것은 지난 일요일에 그녀가 그린 그림이다《목적격》.

The music (*which*) I listened to was wonderful. 내가 들은 음악은 굉장히 훌륭한 것이었다《목적격》.

> 어법 관계 대명사 **which**의 용법
> 1. which는 선행사가 사물일 때 쓰인다.
> 2. that으로 바꿔 쓸 수 있다.
> 3. 목적격인 which는 생략하는 수가 많다.

❸ 《관계 대명사로서, 앞에 콤마를 붙여》 그리고〔그런데〕 그것은〔을〕.

Father gave me his watch, *which* (=and it) keeps good time. 아버지께서 나에게 시계를 주셨는데, 그것은 시간이 정확하

다.

She told us a story, *which* was very interesting. 그녀는 우리에게 이야기를 해주었는데, 그것은 매우 재미있었다.

which·ev·er [*h*witʃévər] 때

❶ 어느 쪽이든, 어느 것이든지.

You can choose *whichever* you want. 어느 것이든지 네가 원하는 것을 선택할 수 있다.

❷ 어느 쪽〔것〕을 …하든(지).

Whichever you may choose, you will like it. 어느 것을 선택하든지, 그것은 네 마음에 들 것이다.

— 형 어느 쪽의 …이든지; 어느 …이든지.

Whichever day you come, I'll be glad to see you. 어느 날이든 네가 오면, 기꺼이 만나주겠다.

***while** [*h*wail] 접

❶ …하는 동안에.

While I was reading, I heard someone knock at the door. 내가 책을 읽고 있는 동안, 누군가 문을 두드리는 소리를 들었다.

I met Mr. Green *while* I was in London. 나는 런던에 있는 동안에 그린씨를 만났다.

Bob was injured *while* playing football. 보브는 축구를 하다가 부상을 입었다. ➤ while … 의 주어가, 문장의 주어와 같을 때, while …의 주어와 be동사는 생략되는 경우가 있음.

❷ 《보통 앞에 콤마를 붙여》 그런데 한편, …인데; 그런데(도).

Sam was poor, *while* his brother Roy was very rich. 샘은 가난했다. 그런데 한편 그의 형 로이는 큰 부자였다.

— 명 《보통 a를 붙여》 동안, 시간(=time).

They started a short *while* ago. 그들은 조금 전에 출발했다.

after a while 잠시 후.

After a while his father came home. 잠시 후 그의 부친께서 귀가하셨다.

all the while 시종, 그 동안 쭉.

I sat silent *all the while*. 나는 그 동안 쭉 묵묵히 앉아 있었다.

all this while 지금까지 쭉.

I have been studying *all this while*. 나는 지금까지 쭉 공부하고 있었다.

for a little while 잠깐 동안.

Let's stay in this hut (*for*) *a little while*. 잠깐 동안 이 오두막에 있자.

for a long while 오랫동안.

He kept us waiting (*for*) *a long while*. 그는 오랫동안 우리를 기다리게 했다.

for a while 잠시 동안.

He was quiet (*for*) *a while*. 그는 잠시 조용했다.

It is worth while *doing* 〔*to do*〕 …할 만한 가치가 있다.

It is worth while going 〔*to go*〕 to the concert. 그 음악회는 갈 만한 가치가 있다.

whip [hwip] 〔명〕
〔복수〕 **whips** [hwips]
회초리, 채찍.

Tom was beaten several times with a *whip*. 톰은 채찍으로 몇 차례 얻어맞았다.

── 〔타〕 〔3·단·현〕 **whips** [hwips]；
〔ing형〕 **whipping** [hwípiŋ]； 〔과거〕 〔과분〕 **whipped** [hwipt]
…을 채찍으로 때리다.

He *whipped* his horse on. 그는 말을 채찍질하여 달리게 했다.

whirl [hwə:rl] 〔동〕
〔3·단·현〕 **whirls** [hwə:rlz]；
〔ing형〕 **whirling** [hwə:rliŋ]； 〔과거〕 〔과분〕 **whirled** [hwə:rld]
〔자〕 빙빙 돌다.

The dancers *whirled* around the room. 댄서들은 방 안을 빙빙 돌았다.

── 〔타〕 …을 빙빙 돌리다.

whirl a stick 지팡이를 빙빙 돌리다.

── 〔명〕 〔복수〕 **whirls** [hwə:rlz]
회전, 소용돌이.

The snow fell in a *whirl*. 눈이 소용돌이 치며 내리퍼부었다.

whisk·er [hwískər] 〔명〕

〔복수〕 **whiskers** [hwískərz]
《보통 복수형으로》 (사람의) **구레나룻**; (고양이 따위의) **수염**. ☞ beard

grow 〔wear〕 *whiskers* 구레나룻을 기르다〔하고 있다〕.

whis·ky [hwíski] 〔명〕

《a와 복수형 안 씀》 **위스키**. ▶ whiskey로도 씀.

Scotch *whisky* is famous all over the world. 스카치 위스키는 세계적으로 유명하다.

***whis·per** [hwíspər] 〔타·자〕

〔3·단·현〕 **whispers** [hwíspərz]；
〔ing형〕 **whispering** [hwíspəriŋ]；
〔과거〕 〔과분〕 **whispered** [hwíspərd]
(…을) 속삭이다, (…라고) 작은 소리로 말하다.

Mary *whispered* something in Nancy's ear. 메리는 낸시의 귀에 무엇인가 속삭였다.

He *whispered* to me that he was tired. 그는 내게 피곤하다고 작은 소리로 말했다.

── 〔명〕 〔복수〕 **whispers** [hwíspərz]
속삭임, 귓속말.

He spoke to me in a *whisper*. 그는 귓속말로 나에게 말하였다.

***whis·tle** [hwísəl] 〔자〕

〔3·단·현〕 **whistles** [hwísəlz]；
〔ing형〕 **whistling** [hwísəliŋ]； 〔과거〕 〔과분〕 **whistled** [hwísəld]

휘파람 불다, **경적을 울리다.**
Ted always *whistles* while
he is working. 테드는 언제나
일하면서 휘파람을 분다.
He *whistled* for a taxi.
그는 휘파람으로 택시를 불렀다.
— 몡 [복수] **whistles**[*h*wísəlz]
휘파람; 호루라기; 경적, 기적.
The boy blew his *whistle*.
소년은 휘파람을 불었다.
The *whistle* blew, and the
train began to move. 기적이
울리고 기차는 움직이기 시작했다.
▶ whistle의 t는 발음하지 않음.

White [*h*wait] 몡
화이트((성)).

＊white [*h*wait] 혱
[비교] **whiter** [*h*wáitər]:
[최상] **whitest**[*h*wáitist]
❶ **흰, 백색의.** ☞ black(검은)
The lily is *white*.
백합꽃은 희다.
Her hair turned *white*.
그녀의 머리는 희어졌다.
Are we going to have a
white Christmas? 화이트 크리
스마스를 맞이할 수 있을까? ▶
white Christmas는 「눈이 있는
크리스마스」를 뜻함.
❷ (안색 따위가) **창백한, 핏기가
없는.**
Her face went *white* with
fear. 그녀의 얼굴은 공포로 창백
해졌다.
❸ **백인의, 백색 인종의.**
a *white* woman 백인 여성.
That school was only for
white children five years
ago. 5년 전에 그 학교는 백인 어
린이 전용이었다.
— 몡 [복수] **whites**[*h*waits]
❶ 《a와 복수형 안 씀》 **흰색; 흰 옷;
(달걀의) 흰 자위.**
white and black 백과 흑.
the *white* of an egg 달걀의
흰자위.
The nurse is dressed in
white.

간호사는 흰 옷을 입고 있다.
❷ 《보통 복수형으로》 **백인.**
blacks and *whites* 흑인과 백
인.

White House [*h*wáit
hàus] 몡
《the를 붙여》 **백악관.**

[참고] White House는 흰 페인
트로 칠한 3층 건물로서 미국의
수도 워싱턴에 있는 대통령 관저
이다. 미국 제2대 대통령 John
Adams [dʒán ǽdəmz] 때에 세
워진 이탈리아 르네상스식의 건
물인데 White House는 1902
년에 공식 명칭이 되었다.

＊who [hu:] 떼
❶ 《의문 대명사로서》 **누구,
누(구)가.**

주 격	소유격	목 적 격
who	whose	whom
(누가)	(누구의)	(누구를[에게])

"*Who* is playing the piano?"
"Nancy (is)." 「누가 피아노를 치
고 있느냐?」「낸시이다.」
Who went swimming with
you? 누가 너와 함께 수영을 갔
느냐?
Who's calling [speaking],
please? (전화에서) 누구십니까?
Who is it? 누구십니까? ▶ 누군
가가 문을 노크했을 때.
I don't know *who* he is. 나
는 그가 누구인지 모른다. ▶ who
가 문장 안에서 간접 의문문을 이
끌면, who 뒤의 어순은 「주어＋
동사」가 됨.
I wonder *who* ate my

orange. 누가 나의 오렌지를 먹었
을까? ▶간접 의문문에서 who가
주어일 때의 어순은 「who+동사」
가 됨.
Who do you think wrote
this letter? 이 편지를 누가 썼
다고 생각하느냐? ▶do you
think는 who 다음에 옴.

회화 **Who is he〔she〕?** 「그
〔그녀〕는 누구냐?」
사람의 이름이나 혈족 관계를 묻
는 말이다. 그러나 직접 상대방
의 이름을 물을 때에는, Who
are you?라고 하면 실례가 되
므로 May I ask your
name?(이름을 물어도 됩니까?)
라고 한다.
A : *Who is he?*
B : He is Tom.
「그는 누구냐?」「톰이다.」

---

❷《관계 대명사로서》…하는 (사
람).
She is the girl *who* loves
Tom. 그녀는 톰을 사랑하는 소녀
이다.
The woman *who* spoke just
now is Mrs. Smith. 지금 이야
기한 여인이 스미스 부인입니다.
This is the boy *who* came
to see you yesterday. 이애가
어제 당신을 만나러 온 소년이오.

어법 관계 대명사 **who**의 용법
1. who는 선행사가 사람일 때
쓰인다.
2. who는 그 뒤에 이어지는 문
장의 주어가 되며, 보통 생략되
지 않는다.

---

❸《관계 대명사로서, 앞에 콤마를
붙여》 **그리고〔그런데〕그 사람은.**
She had two sons, *who* (=
and they) became teachers.
그녀에게는 두 아들이 있었는데,
그들은 선생님이 되었다.
My brother, *who* is studying

in London, will come back
in April. 나의 형은 런던에서 공
부하고 있는데, 4월에 귀국한다.
Who knows? (아무도) **모른다**,
분명치 않다.
Possibly she still lives in
Seoul. *Who knows?* 어쩌면
그녀는 아직 서울에 살고 있을지
도 모르지만, 분명치 않다.

who·ev·er [huːévər]
대

❶ (…하는 사람은) **누구든지**(=
anyone who).
Whoever wants the book
may have it. 누구든지 그 책을
원하는 사람은 가져도 좋다.
❷ **누가 …하더라도.**
Whoever comes, I will not
open the door. 누가 오더라도
나는 문을 열지 않겠다.
I won't go there, *whoever*
asks. 누가 부탁하더라도 나는 거
기에 가지 않겠다.

*whole [houl] 형
전체의, 전…; (시간 따
위가) 만…, 온….
the *whole* world(=all the
world) 전세계.
a *whole* year 만 1년.
The *whole* class went on a
picnic. 반 전체가 소풍을 갔다.
It rained for three *whole*
days. 만 3일 동안 비가 내렸다.

어법 **whole**과 **all**의 위치
다음 글에서 the의 위치에 주의
하라.
The whole school wel-
comed the new principal.
All the school welcomed
the new principal.
학교 전체가 새로 오시는 교장
선생님을 환영하였다.

── 명 《보통 the를 붙여》 **전
체, 전부**(⇨ part 부분).
The *whole* of my money
was gone. 내 돈 전부가 없어졌다.

W

as a whole 전체로서, 총괄하여.
The story is interesting *as a whole*. 그 이야기는 전체적으로 재미있다.

on the whole 전체로 보아, 대체로.
On the whole, his work is not so bad. 대체로 그의 일은 그리 나쁘지 않다.

whol·ly [hóu*l*li] 〔부〕

완전히, 아주, 전적으로.
The sick boy was *wholly* cured. 그 소년 환자는 완전히 나았다.
I don't *wholly* agree with you. 나는 네 말에 전적으로 찬성하지는 않는다.

***whom** [hu:m] 〔대〕
《who의 목적격》

❶ 《의문 대명사로서》 **누구에게, 누구를.** ▶ 구어에서는 문두에 나오는 whom 대신 who를 쓰는 경우가 많음.
Whom did you see? (=Who did you see?) 너는 누구를 만났느냐?
With *whom* did you go fishing? (=Who did you go fishing with?) 너는 누구와 낚시를 갔느냐?
Do you know *whom* she loves? 너는 그녀가 누구를 사랑하는지 아느냐? ▶ whom이 문장 안에서 간접 의문문을 이끌면, 그 뒤의 어순은 「주어+동사」가 됨.
I don't know *whom* to believe. 나는 누구를 믿어야 할지 모르겠다.
❷ 《관계 대명사로서》 …하는 (사람).
The lady (*whom*) you met yesterday is my mother. 네가 어제 만난 그 부인은 나의 어머니이다.

〔어법〕 관계 대명사 **whom**의 용법
1. whom은 선행사가 사람일 때 쓰인다.

2. whom은 그 뒤에 이어지는 문장의 목적어가 되며, 구어에서는 생략되는 경우가 많다.

❸ 《관계 대명사로서, 앞에 콤마를 붙여》 **그리고〔그런데〕 그 사람을〔에게〕.**
I met Mike, *whom* I told the news to.
나는 마이크를 만나 그에게 그 소식을 전했다.
Mr. Han, *whom* we know well, will help you. 한 선생님은 우리가 잘 아는데, 그 분은 너를 도와 줄 것이다.

***who's** [hu:z] who is 또는 who has의 단축형.
Who's (=Who is) Mrs. White? 화이트 부인은 누구냐?
Who's (=Who has) seen Dick? 누가 딕을 만났느냐?

***whose** [hu:z] 〔대〕
❶ 《who의 소유격·소유 대명사》 **누구의; 누구의 것.**
Whose car is this?
이것은 누구의 자동차냐?
Whose is it?
그것은 누구의 것이냐?
❷ 《관계 대명사로서》 **그의 ~가 …하는 (사람, 물건).**
I have a friend *whose* father is an engineer. 나는 자기 아버지가 기술자인 친구가 있다.
Once there lived a king *whose* name was Solomon.
옛날에 솔로몬이라는 이름을 가진 왕이 있었다.
❸ 《관계 대명사로서, 앞에 콤마를 붙여》 **그리고〔그런데〕 그의.**
I spoke to a girl, *whose* eyes were beautiful. 나는 한 소녀에게 말을 걸었는데, 그 소녀의 눈이 아름다웠다.
My uncle, *whose* house we see over there, is a lawyer. 나의 아저씨는, 저기에 그의 집이 보인다만, 변호사이다.

W

W

[어법] **관계 대명사 whose의 용법**

관계 대명사인 who, whose, whom은 선행사가 사람일 때 쓰인다. 그러나 소유격인 whose는 선행사가 사물일 때에도 쓰인다.
The house *whose* roof is red is my uncle's. 지붕이 빨간 집이 나의 아저씨 집이다.

****why** [hwai] 男

❶ 《의문 부사로서》 **왜, 어찌하여.**
"*Why* do you feel so sad?" "Because my mother is sick." 「너는 왜 그렇게 슬퍼하느냐?」「어머니가 아프시기 때문이다.」
"*Why* did you do that?" "To help him." 「너는 왜 그런 일을 했느냐?」「그를 돕기 위해서.」

[어법] **Why ...? 에 대한 대답**

Why ...? (왜 …이냐?)라고 질문을 받았을 때, 그 「이유」를 말할 때는 Because (…이기 때문에)로 답하고, 「목적」을 말할 때는 「to+동사 원형」(…하기 위해)로 답한다.

Mike wants to know *why*. 마이크는 까닭을 알고 싶어한다.
I don't know *why* she said it. 왜 그녀가 그것을 말했는지 나는 모른다. ▶ why가 문장 안에 와서 간접 의문이 되면, 그 뒤의 어순은 「주어+동사」가 됨.
❷ 《관계 부사로서》 **…하는 (이유).**
The reason *why* he failed was unknown. 그가 실패한 이유는 알려지지 않았다.
I know (the reason) *why* Fred works so hard. 나는 프레드가 왜 그렇게 열심히 공부하는지 알고 있다. ▶ 흔히 why나 the reason 하나를 생략함.

── 武 저런, 어이구, 뭐야, 왜(《놀라움·반대 등의 느낌을 나타냄》).
Why, it's midnight! 어이구, 벌써 자정이군!
Why, the box is empty. 뭐야, 상자가 비어 있잖아.

Why don't we ...? 함께 …하는 것이 어때?
Why don't we eat out tonight? 오늘밤 함께 밖에서 식사하는 것이 어떨까?

Why don't you ... ? = *Why not ...?* …하는 것이 어때?, …하지 않겠어? ▶ 허물 없는 사이에 무엇을 권하거나 제안할 때 쓰는 말.
"*Why don't you* come with us?" "All right." 「우리와 함께 가지 않겠어?」「좋지.」
Why don't you go to the library? 도서관에 가는 게 어때.

[회화] **Why not?**

Why not?은 여러 상황에서 각각 다른 뜻을 나타내는 말로, 일상 생활에서 많이 쓴다. 부정의 문장에 대해서는 「어째서(아니지)?」, 제안 따위에 대해서는 「좋아, 그렇게 하지.」, 허가를 구하는 말에 대해서는 「좋고말고.」 등의 뜻이 된다.
A : I can't go with you.
B : *Why not?*
「나는 너와 함께 갈 수 없다.」「어째서 갈 수 없지?」
A : Let's go shopping.
B : *Why not?*
「우리 쇼핑하러 가자.」「그래, 그러자.」
A : May I go?
B : *Why not?*
「가도 좋으냐?」「좋고말고.」

wick·ed [wíkid] 형
[비교] **more wicked;**
[최상] **most wicked**
(사람·행위 따위가) **나쁜, 사악한, 부정한**(=bad); **악의 있는.**
a *wicked* man 악인.

wicked deeds 부정한 행위.

The *wicked* old man was sent to prison at last. 그 사악한 늙은이는 드디어 감옥으로 보내졌다.

*wide [waid] 형
[비교] **wider** [wáidər]:
[최상] **widest**[wáidist]

❶ 폭이 넓은(⟺ narrow 좁은): 너비가 …인.

The streets of New York are very *wide*. 뉴욕의 거리는 아주 넓다.

How *wide* is the river? 그 강은 폭이 얼마나 되느냐?

Niagara Falls is 4,000 feet *wide*. 나이아가라 폭포는 폭이 4,000 피트이다.

❷ (면적이) 넓은, 망망한.

a *wide* world 넓디넓은 세계.

They sailed across the *wide* ocean. 그들은 망망한 대양을 횡단했다.

❸ (지식·경험 등이) 광범위한, 풍부한.

Mr. Adam has a *wide* knowledge of music. 아담씨는 음악에 관한 풍부한 지식을 갖고 있다. ☞ 명 width, 동 widen

── 부 넓게: 활짝, 크게.

The window is *wide* open. 창문은 활짝 열려 있다.

Open your mouth *wide* and say ahh. 입을 크게 벌리고 아 해봐라.

wide·ly [wáidli] 부
[비교] **more widely**:
[최상] **most widely**
널리, 광범위하게: 크게.

That writer is *widely* known. 저 작가는 널리 알려져 있다.

This book is *widely* read in Korea. 이 책은 한국에서 널리 읽히고 있다.

wid·en [wáidn] 동 [3·단·현] **widens** [wáidnz]:
[ing형] **widening**[wáidniŋ]: [과거]

[과분] **widened**[wáidnd]
타 …을 넓게 하다, 넓히다.

The workers are *widening* the road. 인부들은 도로 폭을 넓히고 있다.

── 자 넓어지다.

This river *widens* as it flows. 이 강은 흘러내려감에 따라 넓어진다. ☞ 형 wide

wid·ow [wídou] 명
[복수] **widows**[wídouz]
미망인, 과부.

Mrs. Grey is a *widow*. Her husband died three years ago. 그레이 여사는 미망인이다. 그녀의 남편은 3년 전에 작고했다.

width [widθ] 명
폭, 너비, 나비.

It is 4 feet in *width*. 폭이 4 피트이다. ☞ 형 wide

*wife [waif] 명
[복수] **wives**[waivz]
아내, 부인(⟹ husband 남편).

Tom and his *wife* 톰과 그의 아내.

my *wife* and I 나와 아내, 우리 부부.

He took Mr. Wilson's only daughter for his *wife*. 그는 윌슨씨의 외동딸을 아내로 맞았다.

*wild [waild] 형
[비교] **wilder** [wáildər]:
[최상] **wildest**[wáildist]

❶ (동물·식물이) 야생의(⟺ tame 길든).

a *wild* animal 야생 동물.

She saw a lot of *wild* flowers in the woods. 그녀는 숲속에서 야생 꽃을 많이 보았다.

❷ 야만적인, 미개한.

a *wild* man 야만인.

While traveling through the West, he met some *wild* Indians. 서부를 여행하는 동안에 그는 미개한 인디언들을 만났다.

❸ (토지 따위가) 황폐한, 황량한, 사람이 살지 않는.

They traveled across the

W

wild land. 그들은 황폐한 들판을 가로질러 여행했다.

The garden went *wild*.
그 정원은 황폐해졌다.

❹ (바다·날씨 따위가) **거친, 거센**; (사람·동물 따위가) **난폭한.**

The ship sailed over the *wild* sea. 배는 거친 바다를 항해했다.

Tom was very *wild* when he was young. 톰은 젊었을 때 매우 난폭했다.

wil·der·ness [wíldərnis] 명

《the를 붙여서》 **황야, 황무지.**

Wolves live in the *wilderness*. 늑대는 황야에서 산다.

wild·ly [wáildli] 부 비교 **more wildly**; 최상 **most wildly**

미친 듯이, 난폭하게, 거칠게.

"Help! Help!" cried the boy *wildly*. 「사람 살려, 사람 살려.」하고 소년은 미친 듯이 외쳤다.

will¹ [wəl; 강 wil] 조 과거 **would [wəd; 강 wud]

❶ 《미래를 나타내어》 …할 것이다.

Jim *will* be back here soon. 짐은 곧 이곳에 돌아올 것이다.

I *will* be fourteen years old next month. 나는 내달이면 14세가 된다. ▶영국에서는 단순히 미래를 나타낼 때에는 주어가 1인칭이면 shall을 쓰기도 함.

Our summer vacation *will* be over soon. 우리의 여름 방학은 곧 끝나게 된다.

"*Will* they believe you?" "No, they won't." 「그들은 너의 말을 믿을까?」「아니, 믿지 않을 것이다.」

I thought she *would* come. 나는 그녀가 오리라고 생각했다.

❷ 《I〔We〕will로》 …하겠다, …할 작정〔생각〕이다.

I *will* study English harder. 나는 영어를 더 열심히 공부하겠다.

I *will* give this flower to Nancy. 나는 이 꽃을 낸시에게 줄 생각이다.

❸ 《Will you … ?로》 …하지 않겠느냐?, …하겠느냐?

Will you show me your album? 너의 사진첩을 보여 주지 않겠느냐?

Will you please tell me the way to the museum? 박물관에 가는 길을 가르쳐 주시겠습니까?

"Pass me the salt, *will you*? "Sure. Here you are." (식탁에서) 「소금 좀 건네 주시겠습니까?」「예, 여기 있습니다.」

어법 **Will you…?** 의 용법
1. Will you…? 는 상대에게 무엇을 부탁하거나 권유할 때 쓴다.
2. Will you … ? 보다 Would you … ? 를 쓰면 더 정중한 표현이 된다.

---

❹ 《습관·경향 따위를 나타내어》 곧잘 …하곤 하다; …하는 법이다, …하게 마련이다; 《will not do로》 아무래도 …하지 않다.

He *will* write for hours at a time.
그는 곧잘 한꺼번에 몇 시간씩 글을 쓴다.

Accidents *will* happen.
사고란 일어나기 마련이다.

The door *won't* open.
그 문은 아무래도 열리지 않는다.

will² [wil] 명

《종종 a, the를 붙여》 **의지(력): 의도, 뜻.** ▶복수형은 쓰지 않음.

He has a strong 〔weak〕 *will*. 그는 의지가 굳다〔약하다〕.

He has the *will* to win. 그는 이기려는 의지가 있다.

Where there is a *will*, there is a way. 《속담》 뜻이 있는 곳에 길이 있다.

Wil·liam [wíljəm] 명
윌리엄《남자 이름. 애칭은 Bill, Billy, Will, Willy 등》. ▶영미에서 가장 흔한 이름의 하나.

will·ing [wíliŋ] 형
비교 **more willing**; 최상 **most willing**
자발적인, 자진해서 하는; 《be willing to do로》기꺼이 …하다.
▶「기꺼이」라고는 하지만 그렇게 하는 것이 즐겁다는 뜻은 아니고, 「…할 마음이 있는」이란 느낌의 말.
a *willing* worker 자발적으로 일해 주는 사람.
I'm *willing to* help you.
기꺼이 도와드리겠습니다.

will·ing·ly [wíliŋli] 부
비교 **more willingly**; 최상 **most willingly**
기꺼이, 자진해서.
I will help you *willingly*.
나는 너를 기꺼이 도와주겠다.
"Will you come with me?"
"Yes, *willingly*."「나와 같이 가겠느냐?」「그래, 기꺼이 가고 말고.」

wil·low [wílou] 명
복수 **willows** [wílouz]
버들, 버드나무.
The *willows* along the sidewalk are very pretty in spring. 보도에 서 있는 버드나무는 봄이 되면 대단히 아름답다.

win [win] 동 3·단·현 **wins** [winz]
ing형 **winning** [wíniŋ]; 과거 과분 **won** [wʌn]
타 ❶ (경기·전쟁 따위)에 이기다 (⇔ lose 지다).
We *won* the game.
우리는 그 경기에 이겼다.
We *won* the baseball game 3 to 1. 야구 경기에서 우리는 3 대 1로 이겼다.
❷ (상·상금·명성 따위)를 획득하다, 타다, 얻다.
Austin *won* the first prize in the speech contest. 오스틴은 웅변 대회에서 일등상을 탔다.
This writer has *won* many awards. 이 작가는 많은 상을 탔다.
── 자 이기다, 승리를 얻다.
Which team will *win*?
어느 팀이 이길까?

wind¹ [wind] 명
복수 **winds** [windz]
바람.
a gentle *wind* 산들바람.
a west *wind* 서풍.
There is no *wind* today.
오늘은 바람이 없다.
The *wind* was very strong last night. 어젯밤에는 바람이 세었다.
The *wind* is blowing hard.
바람이 몹시 불고 있다.

wind² [waind] 동
3·단·현 **winds** [waindz];
ing형 **winding** [wáindiŋ]; 과거 과분 **wound** [waund]
타 (시계 태엽·실 따위)를 감다, (나사)를 돌리다.
He *winds* the clock once a week. 그는 1주에 한 번씩 시계의 태엽을 감는다.
She *wound* the woolen thread into a ball.
그녀는 털실을 감아서 둥근 실뭉치를 만들었다.
── 자 (도로·강 따위가) 꼬불꼬불 구부러지다, 굽이쳐 흐르다.
This river *winds* through the woods. 이 강은 숲 속을 굽이쳐 흐른다.

wind·i·er [wíndiər] 형
windy의 비교급.

wind·i·est [wíndiist] 형
windy의 최상급.

wind·mill [wíndmìl] 명
복수 **windmills** [wíndmìlz]
풍차.
Windmills are used to grind grain. 풍차는 곡식을 빻는 데 사용된다.

** **win·dow** [wíndow]
명

복수 **windows** [wíndowz]
창문; 유리창.
Will you close 〔open〕 the
window? 창문을 좀 닫아〔열어〕
주겠느냐?
Jim looked out (of) the
window. 짐은 창 밖을 내다보았
다.

wind·surf·ing [wíndsə̀ːrfiŋ]
명

《a와 복수형 안 씀》 윈드서핑《돛
을 단 파도타기 판으로 물 위를
달리는 스포츠》.

** **wind·y** [wíndi] 형
비교 **windier** [wíndiər] :
최상 **windiest** [wíndiist]
바람이 부는, 바람이 센.
It's a *windy* day, isn't it?
오늘은 바람이 세지요?
I don't like to go out in
windy weather. 나는 바람이
센 날씨에는 외출하기 싫다.

** **wine** [wain] 명
《a와 복수형 안 씀》 와인,
포도주.
Wine is made from grapes.
포도주는 포도로 만든다.
The *wine* smelled so good

that I drank some. 그 포도주
는 대단히 냄새가 좋아 나는 조금
마셨다.

참고 포도주에는 white wine
(백포도주), red wine(붉은 포
도주)과 rosé [rouzéi](장밋빛
포도주)의 세 종류가 있다. 보
통 white wine은 차게 해서
생선이나 닭 요리 따위에, red
wine과 rosé는 육류 요리에 곁
들여 나온다. 포도주는 예수님
의 피의 상징으로, 예수님의 살
을 상징하는 빵과 함께 교회의
의식에도 사용된다.

** **wing** [wiŋ] 명
복수 **wings** [wiŋz]
(새·곤충·비행기 따위의) 날개.
➤ 깃털 하나하나는 feather.
The bird spread its *wings*.
새는 양날개를 펼쳤다.
Birds fly with their *wings*.
새들은 날개로 난다.

wink [wiŋk] 자
3·단·현 **winks** [wiŋks] :
ing형 **winking** [wíŋkiŋ] : 과거
과분 **winked** [wiŋkt]
❶ 윙크하다, (한 눈으로) 눈짓하
다; 눈을 깜박이다.
The girl *winked* at him.
그 소녀는 그에게 윙크했다.
❷ (별 따위가) 반짝이다.
The stars *winked*.
별이 반짝였다.
── 명 복수 **winks** [wiŋks]
윙크, (한 눈으로 하는) 눈짓; (눈
의) 깜박임; (별 따위의) 반짝임.
Eric gave me a *wink* to

W

follow. 에릭은 나더러 따라오라고 눈짓하였다.

The child gazed at the doll without a *wink*. 그 애는 눈도 깜박이지 않고 인형을 뚫어지게 보았다.

win·ner [wínər] 명
[복수] **winners** [wínərz]
승리자; 수상자.

I was taught by Father to be a good *winner* and a good loser. 나는 아버지로부터 당당한 승리자, 훌륭한 패배자가 되라고 가르침을 받았다.

Dr. Won is a Nobel Prize *winner* in physics. 원 박사는 노벨 물리학상 수상자이다.

✲win·ter [wíntər] 명
[복수] **winters** [wíntərz]
겨울.

a mild *winter* 따뜻한 겨울.

winter sports 겨울 스포츠.

Winter comes after autumn. 겨울은 가을 뒤에 온다.

We had a lot of snow last *winter*. 지난 겨울에는 많은 눈이 내렸다.

I often ski in *winter*.
나는 겨울에는 가끔 스키를 탄다.

✲wipe [waip] 타
[3·단·현] **wipes** [waips];
[ing형] **wiping** [wáipiŋ]; [과거] [과분]
wiped [waipt]
(물건·장소 따위)를 닦다, 훔치다, (얼룩·습기 따위)를 닦아내다, 없애다.

Mary *wiped* the table.
메리는 테이블을 닦았다.

I *wiped* my shoes on the mat. 나는 매트에 신발을 닦았다.

She *wiped* her tears away.
그녀는 눈물을 닦았다.

✲wire [waiər] 명
[복수] **wires** [waiərz]
❶ 철사; 전선.

The boats were tied up with thick *wire*. 보트들은 굵은 철사로 매어져 있었다.

Electricity travels through *wires*. 전기는 전선을 통하여 흐른다.

❷ 전보(=telegram).

send a *wire* 전보를 치다.

Let me know by *wire* when you will arrive here. 언제 여기에 도착하시는지 전보로 알려주십시오.

── [타·자] [3·단·현] **wires** [waiərz];
[ing형] **wiring** [waiəriŋ]; [과거] [과분]
wired [waiərd]
(…에게) **전보를 치다.**

I *wired* Mr. Smith the good news. 나는 그 기쁜 소식을 스미스씨에게 전보쳤다.

Wis·con·sin [wiskánsin] 명
위스콘신.

[참고] 미국 5대호 서쪽에 있는 주로서 겨울에는 몹시 춥다. 주요 산업은 낙농으로서 치즈, 버터의 생산은 미국에서 제일이다. 밀워키(Milwaukee [milwɔ́ːki])는 이 주 제일가는 공업 도시로서 여기에서 생산되는 맥주는 세계적으로 유명하다. 주도는 매디슨 (Madison [mǽdisn]). 이 주의 면적은 145,448 km²이다. Wis. 또는 Wisc.로 약한다.

wis·dom [wízdəm] 명
《a와 복수형 안 씀》
현명함, 슬기로움, 지혜.

They say he is a man of *wisdom*. 그는 현명한 사람이라고들 한다.

King Solomon was very famous for his *wisdom*. 솔로몬왕은 슬기로움으로 대단히 유명했다. ☞ 형 wise

✲wise [waiz] 형
[비교] **wiser** [wáizər]; [최상]
wisest [wáizist]
현명한, 슬기로운, 총명한 (⇔ foolish 어리석은).

a *wise* decision 현명한 결정.

He is a very *wise* leader.

W

그는 매우 현명한 지도자이다.

You are *wise* to say so. =It is *wise* of you to say so. 네가 그렇게 말한 것은 현명한 일이다.

I think it *wise* to save money. 나는 저금하는 것은 현명하다고 생각한다. ☞ 명 wisdom

wise·ly [wáizli] 부
비교 **more wisely**; 최상 **most wisely**
현명하게, 슬기롭게.

The king ruled his country *wisely*. 왕은 슬기롭게 그의 나라를 다스렸다.

Tom *wisely* decided not to attend the party. 현명하게도 톰은 그 파티에 참석 않기로 결정했다.

*_**wish**_ [wiʃ] 동
3·단·현 **wishes** [wíʃiz]:
ing형 **wishing** [wíʃiŋ]; 과거 과분
wished [wiʃt]
타 ❶ (아무를 위해) …을 빌다, 원하다, 바라다.

I *wish* you good luck! 행운을 빌게!

I *wish* you a happy birthday! 너의 생일을 축하한다.

"I *wish* you a Happy New Year!" "(The) same to you!" 「새해 복 많이 받으세요.」 「당신도 복 많이 받으세요.」

❷ 《**wish to** do로》 …하고 싶다.

I *wish* to become a teacher. 나는 선생님이 되고 싶다.

I *wish* to climb Baekdusan some day. 언젠가 나는 백두산에 오르고 싶다.

❸ 《**wish**+사람+**to** do로》 (아무)에게 …해 주기를 바라다, (아무)가 …해 주었으면 하고 생각하다.

I *wish* you *to* keep quiet. 나는 네가 조용히 해 주었으면 좋겠다.

I *wish* you not *to* be late. 나는 네가 지각하지 않기를 바란다.

비슷한 말 **wish**와 **want**와 **hope**
wish는 불가능한 것, 실현 가능성이 희박한 것을 바라거나 가능성의 유무에 관계 없이 그저 막연히 바라는 경우에 쓰고, want는 실현 가능성이 높거나 바라는 강도가 강한 경우에 쓴다. hope는 강한 욕구보다는 단지 실현 가능성이 있는 것을 바라는 경우에 쓴다.

❹ 《I *wish*+주어+동사의 과거형으로》 …이라면 좋겠는데. ➤ 현재 사실과 반대되는 소망을 나타냄.

I *wish* I *were* a bird. 내가 새라면 좋으련만. ➤ 구어에서는 were 대신에 was를 쓰기도 함.

I *wish* I *could* fly like a bird. 내가 새처럼 날 수 있으면 좋으련만.

── 자 ❶ 바라다, 원하다.

You can sing if you *wish*. 네가 원하면 노래를 불러도 좋다.

I closed my eyes and *wished*. 나는 눈을 감고 소원을 빌었다.

❷ 《**wish for**로》 …을 바라다, 원하다.

We all *wish for* world peace. 우리 모두는 세계 평화를 원한다.

── 명 복수 **wishes** [wíʃiz]
❶ 소원, 희망.

make a *wish* 소원을 말하다.

Their only *wish* was to return home. 그들의 유일한 소원은 고향에 돌아가는 것이었다.

❷ 《보통 복수형으로》 축복(따위)의 말.

Give my best *wishes* to your mother. 너의 어머니께 안부 전해다오.

With best *wishes*. 행복[성공]을 빌면서. ➤ 편지의 끝맺는 말.

wit [wit] 명 복수 **wits** [wits]
❶ 《a와 복수형 안 씀》 재치, 기지.

His writings are full of *wit*

and humor. 그의 작품은 재치와 유머로 가득 차 있다.

❷ 《보통 복수형으로》 분별(력), 이해력.

She has the *wits* to do it. 그녀는 그것을 할 만한 분별력이 있다.

witch [witʃ] 명
[복수] **witches** [wítʃiz]

여자 마법사, 마녀.

Witches used their magic power to do evil. 마녀들은 그들의 마력을 나쁜 일에 사용하였다.

The children dressed up in costumes of *witches*. 아이들은 마녀의 복장으로 차려 입었다.

[참고] 서양의 마녀는 빗자루를 타고 하늘을 날며, 검은 고양이를 앞세워 나쁜 일을 한다고 믿어져 왔다.

with [wið] 전

❶ 《동반·동거를 나타내어》 …와 함께, …와 같이, …와 더불어.

Nancy lives *with* her aunt in London. 낸시는 자기 숙모와 함께 런던에 살고 있다.

I play tennis *with* Jim every Sunday. 나는 매주 일요일 짐과 테니스를 한다.

Tom brought his sister *with* him. 톰은 자기 누이동생을 데리고 왔다.

I'll be right *with* you. 곧 너에게로 가겠다.

❷ 《소유·소지를 나타내어》 …을

가지고 ; …을 몸에 지니고.

I saw a girl *with* golden hair. 나는 금발의 소녀를 만났다.

I have no money *with* me. 나는 지금 가진 돈이 없다.

Bob came back *with* a camera. 보브는 카메라를 가지고 돌아왔다.

❸ 《동시·같은 방향을 나타내어》 …와 동시에 ; …에 따라.

He gets up *with* the sun. 그는 해돋이와 함께 일어난다.

With that he went away. 그와 동시에〔그렇게 말하고〕 그는 가 버렸다.

You should behave *with* the tide of public opinion. 너는 여론의 흐름에 따라 처신해야 한다.

❹ 《수단·도구를 나타내어》 …으로, …을 사용하여.

We see *with* our eyes. 우리는 눈으로 물건을 본다.

Mother cut the apple *with* a knife. 어머니는 칼로 사과를 잘랐다.

❺ 《재료·내용물을 나타내어》 …으로.

make a cake *with* eggs 달걀로 케이크를 만들다.

He filled the bucket *with* water. 그는 물로 양동이를 채웠다.

❻ 《원인을 나타내어》 …때문에, …으로 인하여.

Nancy is in bed *with* a bad cold. 낸시는 독감으로 누워 있다.

Her face was white *with* fear. 그녀의 얼굴은 공포로 창백했다.

❼ 《관계·입장을 나타내어》 …에 관하여, …에 있어서는.

What's the matter *with* you? 너 무슨 일이 생겼느냐?

I have nothing to do *with* it. 나는 그것과 아무 상관도 없다.

❽ 《상태·양상을 나타내어》 …하게, …을 가지고, …로써.

W

He climbed the tree *with* ease. 그는 수월하게 그 나무에 올라갔다. ▶ with ease =easily.

The children crossed the street *with* care. 그 아이들은 거리를 조심해서 건넜다. ▶ with care =carefully.

She greeted us *with* smiles. 그녀는 미소로 우리에게 인사했다.

He did it *with* belief. 그는 믿음을 가지고 그것을 했다.

❾ 《**with**＋명사＋형용사 따위로》 …하면서, …하고, …한 채.

Don't speak *with* your mouth full. 입 안 가득 음식물을 넣은 채로 이야기하지 마라.

I fell asleep *with* the television on. 나는 텔레비전을 켜 놓은 채로 잠이 들었다.

❿ 《일치·대립을 나타내어》 …와, …에 대하여, …을 상대로.

Do you agree *with* me? 너는 나와 같은 의견이냐?

He is angry *with* me. 그는 나에 대해 화를 내고 있다.

The soldiers fought *with* their enemy. 군인들은 그들의 적과 싸웠다.

⓫ 《접촉·교섭·비교를 나타내어》 …와.

Tom met *with* an accident yesterday. 톰은 어제 사고를 당했다.

We will discuss the plan *with* our teachers. 우리는 그 계획을 선생님들과 토의할 생각이다.

We compared him *with* his brother. 우리는 그를 그의 동생〔형〕과 비교했다.

with all …이 있으면서도, …에도 불구하고.

With all his money, he was not happy at all. 그는 돈이 있으면서도 조금도 행복하지 않았다.

***with·in** [wiðín] 젠

❶ (거리·시간·정도 따위가) …

이내에, …의 범위 안에.

I'll be back *within* an hour. 나는 1시간 이내에 돌아온다.

There are six hotels *within* a mile of the station. 정거장에서 1마일 범위 안에 호텔이 6개 있다.

He lives *within* his income. 그는 자기 수입의 범위 안에서 생활한다.

❷ …의 안쪽에(＝inside).

The children were *within* the house. 아이들은 집 안에 있었다.

***with·out** [wiðáut] 젠

❶ …없이, …이 없다면.

We cannnot live *without* water. 우리는 물 없이 살 수 없다.

He went out *without* an umbrella. 그는 우산 없이 나갔다.

❷ 《without＋-ing형으로》 …하지 않고.

Dick left me *without* saying goodby. 딕은 작별 인사도 없이 내 곁을 떠났다.

do without …없이 지내다.

In America you cannot *do without* a car. 미국에서는 자동차 없이 지낼 수 없다.

without fail 반드시, 꼭. ☞ fail

wit·ness [wítnis] 명 〔복수〕 witnesses [wítnisiz]

목격자, 증인; 증거.

The policeman heard about the accident from several *witnesses*. 경찰관은 몇 명의 목격자로부터 그 사고에 관하여 들었다.

── 타 〔3·단·현〕 witnesses [wítnisiz]; 〔ing형〕 witnessing [wítnisiŋ]; 〔과거〕〔과분〕 witnessed [wítnist] …을 목격하다.

I *witnessed* the airplane accident. 나는 그 비행기 사고를 목격하였다.

wives [waivz] 명 wife의 복수.

wiz·ard [wízərd] 명
[복수] **wizards** [wízərdz]
(남자) 마법사; 요술쟁이, 마술사;
명인, 명수.
a *wizard* at chess 체스의 명인.

woke [wouk] 동
wake의 과거의 하나.
Suddenly I *woke* up.
갑자기 나는 잠을 깼다.

wok·en [wóukən] 동
wake의 과거 분사의
하나.

wolf [wulf] 명
[복수] **wolves** [wulvz]
늑대.
A *wolf* looks like a dog.
늑대는 개와 비슷하다.
I read a story about some
wolves. 나는 늑대에 관한 이야
기를 읽었다.

wolves [wulvz] 명
wolf의 복수.

wom·an [wúmən] 명
[복수] **women** [wímin]
(성인) 여성, 여자, 부인(⇨ man
남자). ▶ 미성년인 여성은 girl.
Who's that *woman* ?
저 여자는 누구냐?
Your daughter is not a
child any more, but a
woman. 자네 딸은 이제 어린애
가 아니라 어른이란 말일세.

[참고] lady가 본래 woman(여
성)을 대신하는 정중한 말로 쓰
였으나 오늘날에는 woman이
더 많이 사용된다. ☞ lady

wom·en [wímin] 명
woman의 복수.
They met some *women* and
children. 그들은 몇몇의 여성들
과 아이들을 만났다.
▶ women [wímin]의 wo-가
[wí]로 발음되는 데 주의.

won¹ [wʌn] 동
win의 과거·과거 분사.

Frank's team *won*. 프랭크네
팀이 이겼다.
We *won* 12 gold medals.
우리는 금메달 12개를 획득했다.

won² [wʌn] 명 [복수] **won** [wʌn]
원(한국의 화폐 단위).
▶ 기호는 ₩.
"How much is it?" "It's two
thousand *won*."
「얼마입니까?」「2,000 원입니다.」
This book cost 1,000 *won*.
이 책은 1,000 원이었다.

won·der [wʌ́ndər] 명 [복수]
wonders [wʌ́ndərz]
❶ 《a와 복수형 안 씀》 놀라움, 경
이, 경탄.
Tom looked around in
wonder. 톰은 놀라움에 주위를
둘러보았다.
When I saw Niagara Falls,
I was filled with *wonder*.
나이아가라 폭포를 보았을 때 나
는 깊이 경탄하였다.
❷ 불가사의한 것〔사람〕, 놀라운
것.
This pyramid is one of the
seven *wonders* of the
world. 이 피라미드는 세계 7 대
불가사의 중의 하나이다.
It is no *wonder* that she
passed the examination. 그
녀가 시험에 합격한 것은 놀라운
것이 아니다. ☞ 형 wonderful
── 동 3·단·현 **wonders** [wʌ́n-
dərz]; ing형 **wondering** [wʌ́n-
dəriŋ]; 과거 과분 **wondered**
[wʌ́ndərd]
타 ❶ (wonder + 의문사 〔if,
whether 따위〕...로》...이 아닐까
생각하다, ...인가 하고 생각하다.
I *wonder what* happened.
무슨 일이 일어났는지 모르겠다.
I *wonder why* he's so late.
웬 일로 그는 이렇게 늦을까?
I *wonder if* it will rain
tomorrow. 내일은 비가 오지 않
을까 생각한다.
❷ ...을 이상하게 생각하다.

I *wonder* (that) he did not succeed. 나는 그가 성공하지 못한 것을 이상하게 생각한다.
I *wonder* why you were not hurt. 자네가 다치지 않았다니 신기하군 그래.

── 재 《**wonder at**으로》 …에 놀라다.

I *wonder at* his talent. 나는 그의 재능에 놀랐다.

발음 wander[wǽndər]와 wonder[wʌ́ndər]는 혼동하기 쉬우니 특히 유의할 것.

won·der·ful [wʌ́ndərfəl] 형

비교 **more wonderful;** 최상 **most wonderful**

❶ 훌륭한, 멋진, 굉장한.
How *wonderful* it is!
그것 참 멋지구나!
We had a *wonderful* time at the seashore. 우리는 바닷가에서 아주 즐거운 시간을 보냈다.
I have a *wonderful* idea. 나에게 굉장한 생각이 하나 있다.
What a *wonderful* day! 참으로 멋진〔굉장한〕 날이로군!

❷ 놀라운, 이상한.
She has a *wonderful* memory. 그녀는 놀라운 기억력을 가지고 있다. ☞ 명 wonder

won·der·ful·ly [wʌ́ndərfəli] 부

비교 **more wonderfully;** 최상 **most wonderfully**

놀라울 만큼, 굉장히.
Helen played the piano *wonderfully* well. 헬렌은 아주 훌륭히 피아노를 쳤다.

won·der·land [wʌ́ndərlænd] 명

복수 **wonderlands**[wʌ́ndərlændz]
이상한 나라; 동화의 나라.

won't [wount]
will not의 단축형.
He *won't* be busy tomorrow.

그는 내일은 바쁘지 않을 것이다.
Won't you have another cup of coffee? 커피를 한 잔 더 마시지 않겠니?

▶ won't[wount]와 want[wɑnt]의 발음을 혼동하지 말 것.

wood [wud] 명
복수 **woods**[wudz]

❶ 《보통 복수형으로》숲, 삼림.
☞ forest(큰 삼림)
I like walking in the *woods*. 나는 숲 속을 산책하기 좋아한다.
The children went into the *woods* for wild flowers.
어린이들은 들꽃을 따러 숲 속으로 들어갔다.

❷ 《a와 복수형 안 씀》재목, 목재; 장작.
Tables are usually made of *wood*. 테이블은 대개 나무로 만든다.
Put some more *wood* on the fire. 좀더 장작을 지피시오.
☞ 형 wooden

참고 **tree**와 **wood**
「나무」라도 tree는 살아 있는 나무를 말하며, wood는 목재 또는 장작을 뜻한다. tree는 셀 수 있는 명사이지만 재목, 장작을 가리키는 wood는 셀 수 없는 명사이다.

wood·cut·ter [wúdkʌtər] 명

복수 **woodcutters**[wúdkʌtərz]
나무꾼.
We saw some *woodcutters* cutting down trees in the forest. 우리는 몇 명의 나무꾼이 숲 속에서 나무를 베는 것을 보았다.

wood·en [wúdn] 형
《명사 앞에만 쓰여》
목제의, 목조의, 나무로 된.
a *wooden* house 목조 가옥.
a *wooden* box 나무 상자.
☞ 명 wood

wood·pecker

[wúdpèkər] 명
복수 **woodpeckers**
[wúdpèkərz]
딱따구리.

woods·man

[wúdzmən] 명
복수 **woodsmen**[wúdzmən]
나무꾼.
A *woodsman* cuts down
trees in the woods. 나무꾼
은 숲에서 벌목한다.

woods·men [wúdzmən]
명
woodsman의 복수.

*wool [wul] 명
《a와 복수형 안 씀》 양털;
털실; 모직물.
My jacket is made of *wool*.
나의 재킷은 양모로 만들었다.
Korea imports a lot of
wool from Australia. 한국은
오스트레일리아에서 많은 양모를
수입한다.
We wear *wool* in winter.
우리들은 겨울에 모직물을 입는다.

wool·en [wúlən] 형
양털의; 모직의.
a *woolen* blanket 모직의 모포.
Nancy bought a pair of
woolen stockings. 낸시는 털양
말을 한 켤레 샀다.
▶ woollen으로도 씀.

**word [wəːrd] 명
복수 **words**[wəːrdz]
❶ 낱말, 단어. ☞ letter(글자)
an English *word* 영어 단어.
Read this *word*.
이 낱말을 읽어라.
Do you know the meaning
of this *word?* 너는 이 단어의
뜻을 아느냐?
That's a new *word* for me.
그 단어는 (처음 보는 단어라) 모
르겠는데.
❷ 《종종 복수형으로》 (입으로 하

는) 말, 이야기.
a *word* of warning 〔advice〕
경고〔충고〕의 말.
He went away without a
word. 그는 한 마디의 말도 없이
가버렸다.
He is a man of few *words*.
그는 말이 적은 사람이다.
❸ 《one's *word*로》 약속.
John always keeps *his*
word. 존은 언제나 약속을 지킨다.
in a word 한 마디로 말하면, 요컨
대.
In a *word*, he is our idol.
요컨대, 그는 우리들의 우상이다.
in other words 바꿔 말하면, 즉.
I'm too busy. *In other*
words, I can't go with you.
나는 너무 바쁘다. 바꿔 말하면
나는 너와 함께 갈 수 없다.

> 참고 **word와 letter**
> word는 'boy'처럼 하나의 낱말
> 을 가리킨다. boy를 구성하는
> 알파벳 b, o, y는 letter라고 한
> 다. 즉, 하나의 word인 boy는
> 3개의 letter인 b, o, y로 이
> 뤄졌다고 말할 수 있다.

Words·worth [wə́ːrdz- wə(ː)rθ] 명
워즈워스.
William[wíljəm] **Wordsworth**
윌리엄 워즈워스(1770-1850)《영
국의 시인》.

*wore [wɔːr] 동
wear의 과거.
Mr. Jones *wore* a black tie.
존스씨는 검은 넥타이를 매고 있
었다.

**work [wəːrk] 명
복수 **works**[wəːrks]
❶ 《a와 복수형 안 씀》 일, **작업,**
노동; 공부(⇔ play 놀이).
I have a lot of *work* to do
today. 나는 오늘 할 일이 많다.
All *work* and no play makes
Jack a dull boy. 《속담》 공부

만 하고 놀지 않으면 아이는 바보가 된다.

❷ 《a와 복수형 안 씀》 직업, 일자리.

Tom is looking for *work*.
톰은 일자리를 찾고 있다.

He goes to *work* at seven in the morning. 그는 아침 7시에 직장에 간다.

❸ (예술 따위의) **작품, 저작.**

a *work* of art 예술품, 미술품.

Have you read any of Dicken's *works*? 너는 디킨스의 저작 중에서 읽은 것이 있느냐?

❹ 《복수형으로》 **공장.**

an iron*works* 철공소.

at work (사람이) **작업 중인, 일을 하는**(=working); (기계가) **작동 중인.**

My father is *at work* now.
아버님은 작업 중이시다.

Men *at work*.(=Men working.) 《게시》 작업중.

be out of work **실직하고 있다.**

They *are out of work* now.
그들은 지금 실직하고 있다.

── 동 3·단·현 **works** [wə*r*ks]; ing형 **working** [wə́*r*kiŋ]; 과거 과분 **worked** [wə*r*kt]

자 ❶ **일하다, 공부하다; 근무하다.**

You should *work* hard.
너는 열심히 일〔공부〕하지 않으면 안 된다.

My father *works* in 〔at〕 a bank. 아버지께서는 은행에 근무하신다.

We are *working* for world peace. 우리는 세계 평화를 위해 일하고 있다.

❷ (기계·도구·약 따위가) **기능을 다하다;** (계획 따위가) **잘 되어가다.**

This elevator is not *working* now. 이 승강기는 지금 운행되고 있지 않다〔고장이 나 있다〕.

The medicine *worked* on me quickly. 그 약은 나에게 바로 효과가 있었다.

The plan *worked* very well.
그 계획은 대단히 잘 진척되었다.

── 타 (기계·도구 따위)**를 움직이다, 작동시키다.**

Can you *work* this computer? 너는 이 컴퓨터를 작동시킬 수 있느냐?

Tell me how to *work* this machine. 이 기계의 작동법을 가르쳐주시오.

work on …**에 종사하다, …을 공부하다.**

The artist was *working on* a picture. 화가는 그림을 그리고 있었다.

George was *working on* a problem in mathematics.
조지는 수학 문제를 풀고 있었다.

work out (계획·안 따위)**를 생각해내다;** (문제 따위)**를 풀다.**

Bill *worked* the idea *out* in the bath. 빌은 욕실에서 그 아이디어를 생각해 냈다.

Try to *work out* this puzzle.
이 수수께끼를 풀어보아라.

work·book [wə́*r*kbùk] 명

복수 **workbooks** [wə́*r*kbùks]
학습장, 수련장, 워크북.

I'm working on the exercises in my *workbook*. 나는 학습장의 연습 문제를 풀고 있는 중이다.

***work·er** [wə́*r*kər] 명 복수 **workers** [wə́*r*kərz]
일〔공부〕하는 사람, 근로자.

He is a hard *worker*. 그는 열심히 일〔공부〕하는 사람이다.

How many *workers* are there in this factory? 이 공장에는 근로자가 몇입니까?

work·man [wə́*r*kmən] 명

복수 **workmen** [wə́*r*kmən]
근로자, 직공.

Dick is a *workman* in this company. 딕은 이 회사의 근로자이다.

W

work·men [wə́:rkmən] 명
workman의 복수.

work·place [wə́:rkplèis] 명

복수 workplaces [wə́:rkplèisiz]
일터, 작업장.
I arrived at my *workplace* earlier than usual.
나는 보통 때보다 더 일찍 일터에 도착했다.

work·shop [wə́:rkʃàp] 명

복수 workshops [wə́:rkʃàps]
일터, 작업장; 연구 집회, 세미나.
Mr. Green is working in his basement *workshop*.
그린씨는 지하실 작업장에서 일하고 있다.

*world [wə:rld] 명

❶ 《the를 붙여》 세계, 지구.
a map of the *world* 세계 지도.
the modern *world* 현대 세계.
What is the highest mountain in the *world*? 세계에서 가장 높은 산은 무슨 산이냐?
Things in the *world* are always changing. 세상의 모든 것은 늘 변하고 있다.
❷ 《the를 붙여》 세상 사람들; 세상. ▶ 단수로 취급함.
All the *world* knows it. 세상 (사람)이 다 안다.
She knows nothing of the *world*. 그녀는 세상사를 모른다.
❸ 《보통 the를 붙여》 …계, …의 세계.
the business *world* 실업계.
the animal *world* 동물계.
all over the world 온 세계에.
That writer is famous *all over the world*. 저 작가는 온 세계에 알려져 있다.

World War I [wə́:rld wɔ́:r wʌ́n] 명
제1차 세계 대전(1914-18)(=the First World War).

When *World War I* broke out, he became a doctor in the army. 제1차 세계 대전이 일어났을 때, 그는 군의관이 되었다.

World War II [wə́:rld wɔ́:r tú:] 명
제2차 세계 대전(1939-45)(=the Second World War).
When *World War II* broke out, Jane made up her mind to become a nurse. 제2차 세계 대전이 일어났을 때, 제인은 간호사가 되려고 결심하였다.

world·wide [wə́:rldwáid] 형
세계에 널리 퍼진, 세계적인.
worldwide fame 세계적 명성.

worm [wə:rm] 명
복수 worms [wə:rmz]
벌레 《지렁이·구더기·거머리·회충 따위》.
Most *worms* have soft bodies and no legs. 대개의 벌레는 몸이 부드럽고 발이 없다.
The early bird catches the *worm*. 《속담》 일찍 일어나는 새가 벌레를 잡는다.

*worn [wɔ:rn] 동
wear의 과거 분사.
Mr. Thomas has *worn* that suit for two years. 토마스씨는 그 옷을 2년 동안이나 입었다.
── 형 (옷·물건 따위가) 닳아 빠진, 낡은; (사람·얼굴이) 초췌한, 야윈.
worn clothes 낡아빠진 옷.
Nancy looks *worn* today. 낸시가 오늘은 초췌해 보인다.

wor·ried [wə́:rid] 동
worry의 과거·과거 분사.
I'm *worried* about your health. 나는 너의 건강을 걱정하고 있다.
── 형 비교 more worried; 최상 most worried
걱정〔근심〕스러운, 딱한, 난처한.
a *worried* look 근심스러운 표정.

W

wor·ries [wə́:riz] 통
worry의 3인칭·단수·현재.
── 명 worry의 복수.

＊wor·ry [wə́:ri] 통 3·단·현
worries[wə́:riz]; ing형
worrying [wə́:riiŋ]; 과거 과분
worried[wə́:rid]
자 걱정하다, 고민하다.
Don't *worry* about it.
그것은 걱정하지 마라.
There is nothing to *worry*
about. 아무 걱정할 것 없다.
── 타 …을 걱정[고민]하게 하다;
근심시키다; 괴롭히다.
What is *worrying* you?
너는 무엇을 근심하고 있느냐?
We were greatly *worried*
when she did not come.
그녀가 오지 않자 우리는 매우 걱정했다.
Don't let that *worry* you.
그 일로 괴로워하지 마라.

회화 **Don't worry.**
Never mind.와 마찬가지로
Don't worry.도 일상적인 대화에서 「염려[걱정] 마라」, 「신경 쓰지 마라」 따위의 뜻으로 자주 쓰이는 말이다.
A : I'm sorry.
B : *Don't worry* (about it).
「미안하다.」 「신경 쓰지 마라.」
A : I'm not a good skier. I'll have to practice before the vacation.
B : *Don't worry*. I'll help you.
「나 스키를 잘 못 타는데, 방학 전에 연습해야겠어.」 「걱정 마라. 내가 가르쳐 줄께.」

── 명 복수 worries[wə́:riz]
❶ 《a와 복수형 안 씀》걱정, 근심.
She is sick with *worry*.
그녀는 근심으로 병이 났다.
❷ 걱정[근심]거리.

What is her latest *worry*?
그녀의 최근 걱정거리는 무엇이냐?
This world is full of *worries*.
이 세상에는 근심거리가 많다.

＊worse [wə́:rs] 형
《bad, ill의 비교급》더 나쁜, (병 따위가) 더 악화된
(⇔better 더 좋은).
The weather is *worse* than it was yesterday. 날씨는 어제보다 더 나쁘다.
The sick boy is *worse* than yesterday. 앓는 소년의 병세가 어제보다 악화되었다.
── 부 《badly의 비교급》더 나쁘게, 보다 심하게.
She plays the piano *worse* than ever. 그녀는 여느 때보다 피아노를 못 친다.
He was treated *worse* than before. 그는 전보다 더 나쁜 대우를 받았다.

wors·en [wə́:rsən] 타·자
3·단·현 worsens [wə́:rsənz].
ing형 worsening [wə́:rsəniŋ];
과거 과분 worsened [wə́:rsənd]
악화하다; 악화시키다, 더 나쁘게 하다.
If your condition *worsens*, call a doctor. 만약 네 상태가 더 나빠지면, 의사에게 전화해라.

wor·ship [wə́:rʃip] 명
《a와 복수형 안 씀》
숭배; 예배.
the *worship* of God 신의 숭배.
a house [place] of *worship*
예배당, 교회.
── 타 3·단·현 worships [wə́:r-ʃips]; ing형 worshiping [wə́:r-ʃipiŋ]; 과거 과분 worshiped [wə́:rʃipt]
(신·영웅 따위)를 숭배하다; 예배하다.
Some boys and girls *worship* popular singers. 소년 소녀들 중에는 인기 가수를 숭배하는 아이들이 있다.

***worst** [wəːrst]
형

《bad, ill의 최상급》 **가장 나쁜,
최악의**(⇔ best 가장 좋은).
This is the *worst* of all.
이것은 전체 중에서 가장 나쁘다.
This is the *worst* score I
have ever got. 이것은 이제까
지 내가 받은 것 중에서 가장 나
쁜 점수다.
── 부 《badly의 최상급》 **가장 나
쁘게.**
Donald played (the) *worst*
of all. 도널드는 여럿 중에서 가
장 연기가 서툴렀다.
── 명 《the를 붙여》 **최악의 것,
최악의 사태.**
The *worst* has happened.
최악의 사태가 벌어졌다.
***at (the) worst* 아무리 나빠도,
최악의 경우에도.**
At (the) worst, our lives
are safe. 최악의 경우라도, 우리
의 생명은 안전하다.

***worth** [wəːrθ]
형

**…의 가치가 있는; 《worth+-ing
형으로》 …할 가치가 있는.**
This picture is *worth* about
50 dollars. 이 그림은 약 50 달
러의 값어치가 있다.
It is not *worth* a penny.
그것은 한 푼의 가치도 없다.
A bird in the hand is *worth*
two in the bush. 《속담》 손안
에 있는 새 한 마리는 숲 속의 새
두 마리의 가치가 있다《남의 돈 천
냥이 내 돈 한 푼만 못하다》.
This book is *worth reading*.
이 책은 읽을 만한 가치가 있다.
── 명 《a와 복수형 안 씀》 **값어
치, 가치.**
The writer's work had real
worth. 그 작가의 작품은 정말 가
치가 있었다. ☞ 형 worthy

worth·less [wə́ːrθlis]
형

가치 없는, 쓸모가 없는(=use-
less).
This book is *worthless* to
me. 이 책은 나에게 쓸모가 없다.
He wasted his time on
worthless books. 그는 가치 없
는 책에 시간을 낭비하였다.

worth·while [wə́ːrθhwáil]
형

**할 가치가 있는, 시간을 들일 만
한.**
a *worthwhile* goal 가치가 있
는 목표.

wor·thy [wə́ːrði] 형 비교
worthier [wə́ːrðiər] :
최상 **worthiest** [wə́ːrðiist]
가치 있는, 훌륭한.
Dick is a *worthy* student.
딕은 훌륭한 학생이다.
☞ 명 worth
***be worthy of* …만큼의 가치가 있
다, …에 어울리다.**
His brave action *was worthy
of* a medal. 그의 용감한 행위는
훈장감이었다.
This *is* a novel *worthy of*
reading. 이것은 읽을 만한 가치
있는 소설이다.

***would** [wəd; 강 wud] 조
《will의 과거》
❶ **…할 것이다, …할 생각이다.**
▶ 시제의 일치에 따라 will이 과거
형으로 될 때 씀.
I thought (that) he *would*
come. 나는 그가 오리라고 생각
하였다.
She said (that) she *would*
keep her promise. (=She
said, "I will keep my
promise.") 그녀는 약속을 지킬
생각이라고 말했다.
❷ 《과거의 습관을 나타내어》 **곧잘
…하곤 했다.**
He *would* often call on me.
그는 곧잘 나를 찾아오곤 했다.

어법 **would**와 **used to**
would는 흔히 sometimes,
often 따위와 함께 쓰여, 불규

W

칙적인 습관이나 비교적 단기간의 반복을 나타내며, used to 는 과거의 규칙적인 습관 또는 현재와 대비적인 과거의 일을 나타낸다.
There used to be a castle here. 옛날에는 이곳에 성이 있었다.

❸ 《would not 으로》 아무래도 …하지 않았다.
The door would not open. 문이 아무래도 열리지 않았다.
❹ 《가정·조건에 대한 결과를 나타내어》 …할 텐데.
I would tell you if I knew. 만일 내가 안다면 너에게 말해 줄 텐데.
If I were tall, I would be a basketball player. 만약 내가 키가 크다면 농구 선수가 될 텐데.
*would like to do …하고 싶다. ☞ like
Would you (**please**) ...? …하여 주시겠습니까? ➤ Will you ...?보다 정중한 말.
Would you (please) open the window? 창문을 좀 열어 주시겠습니까?

┌─────────────────────────┐
│ 회화 **부탁하는 말**
│ 상대에게 무엇을 하여 달라고 부탁할 때에는 다음과 같이 여러 가지 표현 방식이 있다. 아래로 갈수록 더 정중한 표현이 된다
│ Please send me the book.
│ Will you send me the book?
│ Would you (please) send me the book?
│ Would you mind sending me the book?
│ 저에게 그 책을 보내 주십시오.
└─────────────────────────┘

W

*would·n't [wúdnt] would not의 단축형.
He wouldn't say anything. 그는 말을 하려 하지 않았다.

wound¹ [wuːnd] 명
〖복수〗**wounds**[wuːndz]
(무기 따위에 의한) **부상, 상처**.
a fatal wound 치명상.
He died of head wounds. 그는 머리 부상으로 죽었다.

┌─────────────────────────┐
│ 비슷한 말 **wound와 injury**
│ wound는 전쟁 따위에서 입은 부상을 가리키고, injury는 사고 따위에 의한 부상을 가리키는 일반적인 말이다.
└─────────────────────────┘

── 타 〖3·단·현〗**wounds**[wuːndz]; 〖ing형〗**wounding**[wúːndiŋ]; 〖과거〗 〖과분〗**wounded**[wúːndid]
(무기 따위로) …에게 **부상을 입히다**.
Five soldiers were wounded in the battle. 그 전투에서 5명의 병사가 부상을 입었다.
He was wounded in the arm. 그는 팔에 부상을 입었다.

wound² [waund] 통
wind²의 과거·과거 분사.

wound·ed [wúːndid] 형
부상 입은, (감정 따위가) 상처 입은; 《the를 붙여》 부상자들.
The Red Cross helped many wounded soldiers. 적십자사는 많은 부상병들을 도왔다.

wove [wouv] weave의 과거.

wo·ven [wóuvən] 통 weave의 과거 분사.

wow [wau] 감
아, 야, 와 《놀라움·기쁨·고통 따위를 나타냄》.
Wow, everything looks great! 야, 모든 것이 근사해 보이네!

wrap [ræp] 타 〖3·단·현〗**wraps** [ræps]; 〖ing형〗**wrapping** [rǽpiŋ]; 〖과거〗 〖과분〗**wrapped**[ræpt]
…을 **싸다, 포장하다; 둘러싸다.**

두르다.

Nancy *wrapped* the present in paper. 낸시는 그 선물을 종이에 쌌다.

She *wrapped* her baby in a blanket. 그녀는 자기 아기를 모포로 감쌌다.

The city was *wrapped* in fog. 그 도시는 안개에 싸여 있었다.

wreck [rek] 명
복수 **wrecks** [reks]

(배의) 난파; 난파선(잔해).

The storm caused many *wrecks*. 폭풍으로 많은 난파선이 생겼다.

The *wreck* of the liner was never found. 정기선의 잔해는 아무 것도 발견되지 않았다.

── 타 3·단·현 **wrecks** [reks];
ing형 **wrecking** [rékiŋ]; 과거 과분 **wrecked** [rekt]

(배)를 난파시키다; 파괴하다.

The ship was *wrecked* on a rock at sea. 배는 항해 중에 암초에 부딪혀 파선되었다.

Both cars were *wrecked*. 자동차는 두 대 모두 파괴되었다.

wres·tle [résəl] 자 3·단·현
wrestles [résəlz];
ing형 **wrestling** [résəliŋ]; 과거 과분 **wrestled** [résəld]

씨름하다, 레슬링을 하다.

Eric *wrestled* with Bob. 에릭은 보브와 레슬링을 하였다.

▶ wrestle의 t는 발음하지 않음.

wres·tler [réslər] 명 복수
wrestlers [réslərz]

레슬링 선수.

wres·tling [résliŋ] 명

《a와 복수형 안 씀》 레슬링; 씨름.

wrist [rist] 명
복수 **wrists** [rists]

손목.

He caught Jim by the *wrist*. 그는 짐의 손목을 잡았다.

wrist·watch [rístwàtʃ] 명

복수 **wristwatches** [rístwàtʃiz]

손목시계. ▶ 그냥 watch라고 하는 경우가 많음.

Father bought a fine *wristwatch* for me. 아버지는 나에게 훌륭한 손목시계를 사주셨다.

write [rait] 동
3·단·현 **writes** [raits];
ing형 **writing** [ráitiŋ]; 과거 **wrote** [rout]; 과분 **written** [rítn]

타 ❶ (글·문자)를 쓰다, 기록하다.

Write your answers with a pencil. 답을 연필로 쓰시오.

She is *writing* a poem. 그녀는 시를 쓰고 있다.

❷ (편지)를 쓰다; (아무)에게 편지를 쓰다.

Nancy *wrote* him a letter. = Nancy *wrote* a letter to him. 낸시는 그에게 편지를 썼다.

▶ 보통 Nancy wrote to him. 이라고 함. 이때 wrote는 자동사.

He *writes* me once a month. 그는 한 달에 한 번 나에게 편지를 쓴다.

── 자 (글·문자 따위를) 쓰다; 편지를 쓰다.

Please *write* in ink〔with a ballpoint pen〕. 잉크로〔볼펜으로〕 쓰시오.

William *wrote* to me last week. 윌리엄은 지난 주에 나에게 편지를 썼다.

write back (to) (…에게) 답장을 쓰다.

He will *write back to* you. 그는 너에게 답장을 쓸 것이다.

write down …을 적어 두다.

I *wrote down* the number of the taxi. 나는 그 택시의 번호를 적어 두었다.

writ·er [ráitər] 명
복수 **writers** [ráitərz]

쓰는 사람, 필자; 저자, 작가.

a famous American *writer* 유명한 미국 작가.

Who is the *writer* of this letter? 이 편지를 쓴 사람은 누

W

구나?

*writ·ing [ráitiŋ] 图
—— 图 《a와 복수형 안 씀》 글을 쓰는 일, 집필; 필적.
reading and *writing* 읽기와 쓰기.
I am busy with my *writing*.
나는 집필로 바쁘다.
I cannot read his *writing*.
나는 그의 글씨를 읽을 수가 없다.

*writ·ten [rítn] 图
write의 과거 분사.
—— 图 (문자로) 쓰인, 서면의, 필기의(⇔spoken 구어의).
a *written* examination 필기 시험.

*wrong [rɔːŋ] 图
비교 **more wrong**;
최상 **most wrong**
❶ (도덕적으로) 나쁜, 부정한(⇔ right 옳은). ☞ bad
Stealing is *wrong*.
도둑질은 나쁜 짓이다.
It is *wrong* to tell a lie.
거짓말을 하는 것은 나쁘다.
❷ 틀린, 잘못된.
a *wrong* guess 잘못된 추측.
Your answer is *wrong*.
네 답은 틀렸다.
Sorry, you have the *wrong* number. (전화에서) 안됐지만, 전화를 잘못 거셨습니다.
❸ 상태가 나쁜, (기계 따위가) 고장난.
Somthing is *wrong* with my car.＝There is something *wrong* with my car. 내 차는 어딘가 고장이 났다.

회화 **What's wrong?**
What's wrong (with you)?
는 「무슨 일이냐?」, 「무슨 잘못된 일이라도 있느냐?」 라는 뜻. What's the matter (with you)? 라고도 한다.
A : Oh, my !
B : *What's wrong?*

A : I forgot to bring my umbrella.
「아이구, 참!」「무슨 일이냐?」
「우산을 놓고 왔지 뭐야.」

—— 图 틀리게, 잘못하여. ➤ 대개 문장 끝에 씀.
I've answered *wrong*.
나는 틀리게 대답했다.
You spelled the word *wrong*.
너는 그 낱말의 철자를 잘못 썼다.
go wrong (계획 따위가) 잘못되다, 실패하다; 길을 잘못 들다.
Everything *goes wrong*.
모든 것이 잘못되어 간다.
—— 图 《a와 복수형 안 씀》 악, 죄, 부정.
This child is too young to understand right and *wrong*. 이 아이는 아직 어려서 선악의 구별을 못한다.
Anybody who does *wrong* will be punished. 죄를 저지른 자는 누구든 처벌받는다.
in the wrong 잘못되어.
You are *in the wrong*.
너의 말[생각]은 잘못되어 있다.

wrong·ly [rɔ́ːŋli] 图
틀리게; 부당하게.
The letter was *wrongly* addressed. 그 편지는 주소가 잘못 씌어 있었다.

*wrote [rout] 图
write의 과거.

Wy·o·ming [waióumiŋ] 图
와이오밍.

참고 미국 북서부 산악 지대에 있는 주로서 면적은 253,614 km². Wyo. 또는 Wy.로 약함. 이 주의 북서부에 있는 옐로스톤 국립 공원(Yellowstone [jéloustõun] National Park)은 유명하다. 주도는 샤이엔 (Cheyenne [ʃaiǽn]).

X·mas [krísməs]
명

크리스마스. ☞ Christmas

> 참고 X는 Chirst를 나타내는 그리스어의 첫글자. 그래서 Christmas를 약하여 Xmas라고도 쓰는데, 대개 상점의 광고 따위에서 사용된다. X'mas로 쓰는 것은 잘못이다.

X-ray [éksrèi] **타** **3·단·현**
X-rays [éksrèiz] : **ing형**
X-raying [éksrèiiŋ] ; **과거** **과분**
X-rayed [éksrèid]
···을 엑스선으로 치료하다; ···의 뢴트겐 사진을 찍다.
The dentist *X-rayed* my teeth. 치과 의사는 내 이의 뢴트겐 사진을 찍었다.
── **명** **복수** **X-rays** [éksrèiz]
《보통 복수형으로》 엑스선, 뢴트겐선; 뢴트겐 사진.
X-rays are used in hospitals. 엑스선은 병원에서 이용된다.
Ted had an *X-ray* taken yesterday. 테드는 어제 뢴트겐 사진을 찍었다.
➤ 명사는 X ray, x ray, x-ray로도 씀.

xy·lo·phone [záiləfòun]
명
복수 **xylophones** [záiləfòunz]
실로폰, 목금.
He is playing a *xylophone* in his room. 그는 자기 방에서 실로폰을 연주하고 있다.

-y [-i] **접미**
명사의 어미에 붙여서 형용사를 만듦.
nois*y* 시끄러운 / rain*y* 비가 오는 / sunn*y* 밝게 해가 비치는 / water*y* 습기가 있는 / sleep*y* 졸린. ➤ nois*y*는 noise의 e를 빼고 *y*를, sunny는 sun에 n을 덧붙이고 *y*를 붙임.

yacht [jɑt] **명**
복수 **yachts** [jɑts]
요트.
They like *yacht* racing.
그들은 요트 경주를 좋아한다.
He is fond of sailing on a *yacht*. 그는 요트로 달리는 것을 좋아한다.

> 참고 yacht에는 경주용인 sailboat [séilbòut]와 유람용인 cruiser [krúːzər]가 있다. 영미에서는 yacht하면 cruiser를 가리키는 경우가 더 많다.

Yan·kee [jǽŋki] 명

복수 **Yankees**[jǽŋkiz]
미국 사람, 양키. ➤ 미국에서는 북부 사람을, 영국·유럽에서는 전체 미국 사람을 가리킴.

****yard**¹ [jɑ:rd] 명

복수 **yards**[jɑ:rdz]
마당, 뜰, 구내. ☞ garden
a front (back) yard 앞(뒷)마당.

The children are playing in the yard. 어린이들이 뜰에서 놀고 있다.

참고 집 주위의 빈 터, 즉 마당을 말한다. 도로쪽에 있는 마당을 front yard(앞마당), 건물 뒤쪽에 있는 마당을 back-yard(뒷마당)라고 한다. 미국에서는 대개 잔디가 심어져 있으나, 여기에 꽃이나 야채 따위가 심어져 있으면 yard라고 하지 않고 garden이라 부른다. 또, 바닥이 포장되어 있어 물건 따위를 쌓아두는 경우도 있다.

---

yard² [jɑ:rd] 명

복수 **yards**[jɑ:rdz]
야드(길이의 단위. 1야드는 3피트, 약 0.914미터).

The rug is three yards long and two yards wide. 그 깔개는 길이 3야드, 너비 2야드다.

yarn [jɑ:rn] 명
《a와 복수형 안 씀》(직물용의) 실, 방적사, 뜨개실.
woolen yarn 모사.

yawn [jɔ:n] 자

3·단·현 **yawns** [jɔ:nz];
ing형 **yawning**[jɔ:niŋ]; 과거 과분
yawned[jɔ:nd]
하품하다.

The child is yawning. He must be sleepy. 아이가 하품을 하고 있다. 졸린 게 틀림없다.
— 명 복수 **yawns**[jɔ:nz]
하품.

His yawn told me he was sleepy. 그가 하품하는 것을 보니 졸린가 보다.

yeah [jέə, jɑ:] 부
《구어》응, 그래(=yes).
Yeah, I'm hungry. 응, 나 배고파.

****year** [jiər] 명
복수 **years**[jiərz]
❶ 년, 해, 1년(간).
every year 매년.
this year 금년.
last year 작년.
We will graduate from middle school next year. 우리는 내년에 중학교를 졸업하게 된다.
➤ year 앞에 every, this, next, last 따위가 붙으면 그 앞에 전치사를 붙이지 않음.
There are twelve months in a year. 1년에는 12달이 있다.
She was born in the year of 1985. 그녀는 1985년에 태어났다.
"Happy New Year!" "The same to you!" 「새해 복 많이 받으세요!」「너도 복 많이 받아라!」
❷ 《수를 나타내는 낱말과 함께》…세, …살; 《복수형으로》나이, 연령(=age).
She is fifteen years old. 그녀는 15살이다.
❸ 학년; 연도.
a school year 학년.
a first year student 1학년생.
What year are you in? 너는 몇 학년이냐?
the financial year 회계 연도.
all (the) year round 1년 내내.
A lot of people come to see Korea all (the) year around. 1년 내내 많은 사람들이 한국을 보러 온다.
of late years 근년에.
Of late years, cars have

Y

increased greatly. 근년에 자동차 수가 크게 늘어났다.

year after〔by〕year 해마다, 매년.
The four seasons come around *year after year.* 4계절은 매년 차례로 돌아온다.

year·ly [jíərli]
[형]
연 1회의, 매년의; 1년간의.
a *yearly* income 연수(年收).
──[부] 매년, 1년에 한 번.
He is paid 20,000 dollars *yearly.* 그는 연간 20,000 달러의 봉급을 받고 있다.

yell [jel] [자·타]
[3·단·현] **yells**[jelz]; [ing형]
yelling[jéliŋ]; [과거] [과분] **yelled**
[jeld]
(…라고) 외치다, 떠들어대다.
They *yelled* in excitement at the baseball game. 그들은 그 야구 경기에 흥분하여 크게 외쳤다.
"Stop!" he *yelled* at the man who was running away. 그는 「멈춰라!」 하고 도망치는 남자에게 소리쳤다.

＊yel·low [jélou] [형]
[비교] **yellower** [jél-ouər]; [최상] **yellowest**[jélouist]
❶ 노란, 노란색의.
A lemon is *yellow.*
레몬은 노랗다.
She wore a *yellow* blouse.
그녀는 노란색 블라우스를 입고 있었다.
❷ 피부색이 노란, 황색 인종의.
the *yellow* race 황색 인종.
──[명] 《a와 복수형 안 씀》 노랑, 황색.
I like *yellow.*
나는 노란색을 좋아한다.

＊＊yes [jes] [부]
❶ 《질문에 답하여》 예, 그렇습니다(⇔ no 아니오).
"Can you swim?" "*Yes,* I can." 「헤엄칠 줄 아느냐?」 「그래, 칠 줄 안다.」

"Are you a student?" "*Yes,* I am." 「너는 학생이냐?」 「예, 그렇습니다.」
"Do you like baseball?" "*Yes,* I do."
「너는 야구를 좋아하느냐?」 「예, 좋아합니다.」

┌─────────────────────┐
[어법] **yes**의 용법
1. yes는 대답이 긍정일 때 사용한다.
2. yes 다음에 다른 말이 올 때에는 yes 뒤에 쉼표를 찍는다.
3. 부정의 질문에 대해서도 대답의 내용이 긍정이면 yes를 쓰고 부정이면 no를 쓴다. 이것은 우리말과 다르므로 주의해야 한다.
A : Aren't you going out?
「너 나가지 않느냐?」
B : *Yes,* I am. 「아니, 나갑니다.」
No, I'm not. 「예, 안 나갑니다.」
└─────────────────────┘

❷ 《부름·명령 따위에 답하여》 예.
"Nancy!" "*Yes,* Mom."
「낸시!」 「예, 어머니.」
"Stand up, Tom." "*Yes,* sir." 「일어서라, 톰.」 「예, 선생님.」
❸ 《동의를 나타내어》 그렇습니다, 그렇군요.
"What a lovely baby!" "*Yes,* indeed." 「참으로 귀여운 아기로구나!」 「정말로 그렇군요.」
"This is a good picture." "*Yes,* it is." 「이것은 참으로 멋진 그림이구나.」 「그렇군요.」

＊yes·ter·day [jéstərdi]
[명]
《a와 복수형 안 씀》 어제, 어저께. ▶「오늘」은 today, 「내일」은 tomorrow.
Yesterday was Sunday.
어제는 일요일이었다.
I was busy until *yesterday.* 나는 어제까지 바빴다.

the day before yesterday 그제, 그저께.

We came here *the day before yesterday* by airplane. 우리는 그저께 비행기로 여기 왔다.

── 튀 어제(는), 어저께(는).

It was cold *yesterday.* 어제는 추웠다.

They arrived here *yesterday.* 그들은 어제 이 곳에 도착하였다.

**yet [jet] 튀

❶ 《부정문에서》 아직. ☞ still

Mike has not started *yet.* 마이크는 아직 출발하지 않았다.

The food is not *yet* ready to serve. 식사는 아직 준비되지 않았다.

┌─────────────────────┐
│ 어법 **yet의 위치**

yet는 문장의 맨 끝 또는 He has not yet come.(톰은 아직 오지 않았다.)처럼 not의 바로 뒤에 위치한다.
└─────────────────────┘

❷ 《의문문에서》 이미, 벌써. ☞ already

Has the train arrived *yet?* 벌써 기차가 도착했느냐?

Is breakfast ready *yet?* 아침 식사 준비가 이미 되었느냐?

┌─────────────────────┐
│ 어법 **yet 과 already**

1. 「이미, 벌써」란 뜻으로는 보통, yet은 의문문에 쓰고, 긍정문에는 already를 쓴다.
She has *already* left. 그녀는 이미 떠났다.
2. 의문문에 already를 쓰게 되면 놀람이나 의외임을 나타낸다.
Has he left *already?* 뭐라고, 벌써 그가 떠났단 말이냐?
└─────────────────────┘

❸ 《긍정문에서》 아직(도), 여전히, 지금도.

I have a lot of work to do *yet.* 나에겐 아직도 할 일이 많이 있다.

┌─────────────────────┐
│ 어법 **yet 과 still**

긍정문에서는 still를 써서 It is *still* snowing.(아직 눈이 내리고 있다.)라고 표현하는 것이 더 일반적이다. 그러나 yet을 쓰게 되면 언젠가는 그렇지 않을 것이라는 기분이 들게 된다.
It is snowing *yet.* 아직 눈이 내리고 있으나 곧 멎겠지.
└─────────────────────┘

and yet 그럼에도 (불구하고), 그런데도.

We did our best, *and yet* we lost the game. 우리는 최선을 다했지만 경기에서 졌다.

not yet 아직 …않다.

"Have you finished your work?" "No, *not yet.*" 「너는 일을 끝냈느냐?」「아니, 아직 못 끝냈다.」

── 접 그럼에도 불구하고, 그런데도(=and yet).

He did his best, *yet* he failed. 그는 최선을 다했으나 실패했다.

yield [jiːld] 동

③·단·현 **yields** [jiːldz] : ing형 **yielding** [jiːldiŋ] : 과거 과분 **yielded** [jiːldid]

타 …을 산출하다, 내다, 낳다(= produce).

This business *yields* a lot of profits. 이 사업은 많은 이익을 낸다.

── 자 지다, 굴복하다; 양보하다.

The man *yielded* to his wife's repeated requests. 그 남자는 아내의 되풀이되는 요구에 손을 들고 말았다.

Y.M.C.A. [wáièmsìːéi] 명

기독교 청년회. ▶Young *Men's Christian Association*의 약자.

His brother is a member of the *Y.M.C.A.* 그의 형은 기독교 청년회의 회원이다.

yo·gurt [jóugərt] 명 《a와 복수형 안 씀》 요구르트 《유산균 음료의 일종》.

you [ju; 강 ju:] 때 복수 you[ju; 강 ju:]

❶ 《주어로서》 당신이, 당신은; 당신들이, 당신들은.

"Are *you* students?" "Yes, we are." 「너희들은 학생이냐?」 「예, 그렇습니다.」 ▶ students가 복수형이므로 you는 복수형. 따라서 대답에서 주어는 we가 됨.

You and I are in the same class. 너와 나는 같은 학급에 속해 있다. ▶ you와 I가 나란히 있을 때는 you가 앞섬.

❷ 《목적어로서》 당신을, 당신에게; 당신들을, 당신들에게.

I love *you.* 나는 너를 사랑한다.

I will give *you* this flower. 나는 너에게 이 꽃을 주겠다.

We want to go with *you.* 우리는 너와 함께 가기를 원한다.

❸ 《막연히 일반 사람을 가리켜》 사람은 (누구나).

You must be kind to old people. 노인들에게는 친절히 대해야 한다.

Do *you* have much snow in February? (너 있는 곳에서는) 2월에 눈이 많이 오느냐?

You never can tell. 아무도 앞일은 모른다.

	단 수	복 수
주 격	you 당신은[이]	you 당신들은[이]
소유격	your 당신의	your 당신들의
목적격	you 당신을[에게]	you 당신들을[에게]

you'd [ju:d] you had, you would의 단축형.

You'd (=You had) better

take an umbrella with you. 우산을 가지고 가는 것이 좋겠다.

You said *you'd* (=you would) do it. 그것을 한다고 네가 말했다.

you'll [ju:l] you will의 단축형.

I'm sure *you'll* find it easy. 틀림없이 쉽다고 생각할 게다.

young [jʌŋ] 형 비교 younger [jʌ́ŋgər]: 최상 youngest[jʌ́ŋgist]

❶ 젊은, 어린, 연하의(⇔ old 나이 먹은).

Who's that *young* man? 저 젊은 남자는 누구냐?

She looks *younger* for her age. 그녀는 나이에 비해 젊어 보인다.

Tom is (two years) *younger* than I (am). 톰은 나보다 (두 살) 연하이다.

❷ (국가·회사 따위가) 생긴 지 얼마 안 되는, 신흥의.

a *young* nation 신흥 국가.

your [jər; 강 juər] 때 《you의 소유격》 당신의; 당신들의.

I saw *your* brother this morning. 오늘 아침에 너의 형님을 만났다.

Is Mr. Smith *your* teacher? 스미스씨가 너희 선생님이시냐?

you're [juər] you are의 단축형.

You're right. 네 말이 맞다.

You're a teacher, aren't you? 당신은 선생님이시죠?

yours [juərz] 때 《you의 소유 대명사》 당신의 것; 당신들의 것.

"Is this pen *yours*?" "Yes, it's mine." 「이 펜은 네 것이냐?」「그래, 내 것이다.」

My pencils are red and *yours* are white. 내 연필들은 빨갛고 너의 것들은 하얗다.

Yours *sincerely* [*truly*], =

Y

Sincerely 〔*Truly*〕 *yours,* 경구 (敬具). …드림, …올림. ▶상업문에서 흔히 쓰는 표현임. 가까운 친구 사이에서는 Your friend, (너의 친구) 또는 Yours ever, (영원한 너의 친구) 따위를 씀.

***your·self** [juərsélf] 대

〔복수〕 **yourselves** [juərsélvz]

❶ 《강조를 나타내어》 당신 자신.
☞ oneself
Do it *yourself.*
그것은 너 스스로 해라.
"Some more coffee?" "Yes, thanks. *Yourself*?"「커피를 좀 더 마시겠느냐?」「그래, 고맙다. 너는?」

❷ 《동사 · 전치사의 목적어로 쓰여》 당신 자신을〔에게〕.
You have to know *yourself.*
너는 네 자신을 알아야 한다.
Please take care of *yourself.* 부디 건강에 조심하십시오.

by yourself 혼자서, 홀로.
You can't do everything *by yourself.* 네가 혼자서 모든 것을 다 할 수는 없다.

for yourself 혼자 힘으로; 너 자신을 위해.
Do that *for yourself.*
혼자 힘으로 그것을 해라.

your·selves [juərsélvz] 대

yourself의 복수.
You must do it by *yourselves.* 너희들 힘으로 해야 한다.

youth [ju:θ] 명
〔복수〕 **youths** [ju:ðz]
❶ 《a와 복수형 안 씀》 청춘, 젊음; 젊은 시절.
He is full of *youth.*
그는 젊음에 넘쳐 있다.
He studied painting in France in his *youth.* 그는 젊은 시절에 프랑스에서 그림 공부를 했다.
❷ 젊은이; (특히) 젊은 남자, 청년.
a promising *youth* 유망한 청년.

youth hos·tel [jú:θ hàstəl] 명
〔복수〕 **youth hostels** [jú:θ hàstəlz]
유스 호스텔《젊은 여행자를 위한 숙박소》.
We stayed overnight at a *youth hostel.* 우리는 유스호스텔에서 일박했다.

***you've** [ju:v]
you have의 단축형.
You've done it! 끝마쳤구나!

Y.W.C.A. [wáidʌbljusì:éi] 명
기독교 여자 청년회.
▶ Young Women's Christian Association의 약자.
She is a member of the *Y.W.C.A.* 그녀는 기독교 여자 청년회의 회원이다.

Z z
Z z

zeal [zi:l] 명
《a와 복수형 안 씀》 열의, 열심.
He showed zeal for the work. 그는 그 일에 열의를 보였다.

ze·bra [zí:brə] 명
〔복수〕 **zebras** [zí:brəz]
얼룩말.
Zebras are found in Africa.

얼룩말은 아프리카에 있다.

***ze·ro** [zíərou] 명
복수 **zeros**[zíərouz] 또는
zeroes[zí:rouz] 《a와 복수형 안 씀》 **제로**, **영**
(零): (성적·시합 따위에서의)
영점; (온도계 따위의) **영도**.
The discovery of *zero* was
made in Asia. 제로의 발견은
아시아에서 이루어졌다.
I got *zero* in math.
나는 수학에서 0점을 받았다.
The temperature is two
degrees below *zero.* 온도는
영하 2도이다.

참고 0의 읽는 법
1. 전화 번호 : 504-6002
five-o[ou]-four, six-dou-
ble o-two.
2. 번지나 방의 번호: No. 503/
720 number five-o-
three / seven twenty 또는
seven-two-o.
3. 소수 : 4.06
four point o six.
4. 연호 : 1900 / 1905
nineteen hundred / nine-
teen o five.
5. 득점 : 3 : 0.
three to nothing. ▶테니
스에서는 0을 love라고 함.

Zeus [zju:s] 명
제우스.

참고 그리스 신화의 주신(主神)
으로서 올림푸스산에 산다. 로
마 신화에서는 주피터(Jupiter
[dʒú:pitər])라고 불린다.

---

zip code [zíp kòud] 명
복수 **zip codes**[zíp kòudz]
(미국의) **우편 번호**.

참고 다섯 자리 숫자로 된 미국
의 우편 번호. 수신인 주소 성
명의 맨 끝, 주 이름 다음에 붙
여 쓴다. San Francisco의
zip code는 94104이다.

---

zip·per [zípər] 명
복수 **zippers**[zípərz]
지퍼.
Zippers are used to fasten
clothing, bags, etc. 지퍼는 의
류, 가방 따위를 채우는 데 쓰인다.

zone [zoun] 명
복수 **zones**[zounz]
(온대·열대 따위의) **대**(帶): **지
대**, **지역**.
a safety *zone* 안전 지대.
These animals live in the
tropical *zone.* 이들 동물은 열대
에 살고 있다.
Drive slow in school *zone.*
학교 지역에서는 자동차를 천천히
몰아라.

***zoo** [zu:] 명
복수 **zoos**[zu:z]
동물원.
Is there a *zoo* near Seoul?
서울 가까이에 동물원이 있느냐?
We went to the *zoo* last
Sunday. 우리는 지난 일요일 동
물원에 갔었다.

zzz [z:] 감
드르릉드르릉, 쿨쿨《코고는
소리》.
▶ZZZ 또는 z-z-z로도 씀.

Z

한 영 편

가게 a store, a shop.

가격 price. ¶ ~표 a price list.

가구 furniture. ¶ ~점 a furniture store [shop].

가까이 (near) at hand, close by. ¶ ~ 가다 approach; draw [come] near.

가깝다 《거리》 (be) near, close by; 《시간》 (be) near; 《관계》 (be) close, friendly.

가끔 now and then, occasionally, from time to time.

가난 poverty. ~하다 (be) poor.

가난뱅이 a poor man, the poor 《총칭》.

가늘다 (be) thin, slender. ¶가는 목소리 a thin voice / 가는 손 a slender hand.

가능하다 (be) possible. ¶가능한 빨리 as soon as possible / 가능성 possibility.

가다 go, come. ¶ …을 타고 ~ go by (bus) / 걸어~ walk; go on foot.

가두다 shut in [up], lock in [up], confine.

가득 full, crowded. ~하다 be full 《of》.

가라앉다 sink, go down. ¶ 물 속으로 ~ sink under water.

가련하다 (be) poor, pitiful.

가로¹ a street, a road. ¶ ~수 street trees / ~등 a street lamp [light].

가로² ☞ 폭

가루 《분말》 powder; 《곡류의》 flour, meal.

가르다 《분할·분배》 divide 《into》, share, part.

가르치다 teach, educate.

가리키다 point to [at], indicate. ¶ 방향을 ~ point the direction.

가면 a mask.

가물거리다 flicker, glimmer.

가방 a bag, a suitcase, a trunk.

가볍다 《무게가》 (be) light, not heavy; 《경미》 (be) slight; 《수월》 (be) simple, light, easy. ¶ 가벼운 두통 a slight headache / 가벼운 일 an easy work.

가부(可否) 《옳고 그름》 right or wrong.

가솔린 gasoline.

가수 a singer.

가스 gas. ¶ ~ 레인지 a gas range.

가슴 《가슴팍》 the breast; 《흉곽》 the chest; 《품》 the bosom.

가시 《장미 따위의》 a thorn. ¶ ~밭길 a thorny path.

가열하다 heat.

가운데 《복판》 the middle, the center; 《사이·속에》 between 《둘》; among 《셋 이상》.

가위 (a pair of) scissors.

가을 autumn, 《미》 fall.

가장 most. ¶ ~ 빨리 most rapidly / ~ 쉬운 방법 the easiest method.

가장자리 the edge.

가정(家庭) home, a family. ¶ ~ 생활 home life / ~ 방문 a home visit / ~ 환경 a home background.

가정(假定) (a) supposition,

(an) assumption. **~하다** suppose, assume.

가져가다 take 〔carry〕 away.

가져오다 bring (over), get, take 《*a thing*》 along. ¶ 물 한 컵 가져 오너라. Get me a glass of water.

가족 a family. ¶ 6인 ~ a family of six / ~ 제도 the family system.

가죽 《살에 대하여》 skin; 《무두질 한》 leather; 《모피》 a fur. ¶ ~ 장갑 leather gloves.

가지 a branch, 《작은 가지》 a twig. ¶ ~를 뻗다 spread branches.

가지다 have, hold, take.

가짜 《모조품》 an imitation.

가축 domestic animals.

가치 value, worth. ¶ ~ 있는 valuable; worthy / ~ 없는 worthless; of no value.

가파르다 (be) steep.

각기 each (one), every (one).

각도 an angle.

간격 a space, an interval.

간단한 brief, simple. ¶ 간단히 simply; briefly.

간섭하다 interfere.

간절하다 (be) earnest, eager. ¶ 간절한 부탁 an earnest request.

간접 indirectness. ¶ ~적인 indirect / ~적으로 indirectly.

간직하다 keep. ¶ 가슴속 깊이 간직 해 두다 keep in *one's* heart.

간첩 a spy, a secret agent.

간편하다 (be) simple, easy.

간호 nursing, tending. **~하다** nurse; care for. ¶ ~사 a nurse / ~ 학교 a nurses' training school.

갈다 《바꾸다》 change, replace; 《칼을》 sharpen (a knife); 《맷 돌로》 grind; 《밭을》 plow.

갈대 reed.

갈색 brown. ¶ ~ 인종 the *brown* races.

갈아입다 change clothes.

갈아타다 change cars 〔trains〕.

감각 sense, feeling. ¶ 색채 ~ the colo(u)r sense.

감기 a cold. ¶ 심한 ~ a bad cold / ~에 걸리다 catch 〔take〕 cold; have a cold 《상태》.

감동 impression. **~하다** be impressed, be moved. ¶ ~적 인 impressive.

감사 thanks. **~하다** thank; be thankful. ¶ ~장 a letter of thanks / 대단히 ~합니다 Thank you very much.

감옥 a prison, a jail. ¶ ~살이 a prison life.

감자 a potato.

감정 feeling(s); (an) emotion. ¶ ~을 해치다 hurt 《*a person's*》 feelings.

감추다 hide, conceal.

감히 boldly. ¶ ~ 하다 dare to 《*do*》.

갑자기 suddenly.

갑작스럽다 (be) sudden, unexpected. ¶ 갑작스러운 일 an unexpected thing 〔happening〕.

값 《가격》 price, cost; 《가치》 value, worth. ¶ ~이 싸다〔비싸다〕 be low 〔high〕 in price.

강 a river.

강당 a (lecture) hall; an auditorium.

강아지 a puppy, a doggy.

강연 a lecture, an address, a speech. **~하다** (give a) lecture, address. ¶ 공개 ~ a public lecture.

강점 a strong point.

강제하다 force, compel.

강조 stress, emphasis. **~하다** stress, emphasize.

강하다 (be) strong, powerful. ¶ 강하게 하다 make strong.

같다 《동일》 be the same; 《동 등》 (be) equal; 《같은 모양》 (be) similar, like, as.

같이 《같게》 like, as; 《함께》 together, with. ¶ ~ 살다 live together.

갚다 repay, pay back.

개 a dog.

개교 the opening of a school. ~하다 open a school.

개구리 a frog.

개다¹ 《접어서》 fold.

개다² 《날씨가》 clear (up); be fine.

개미 an ant.

개선 improvement. ~하다 improve, make 《a thing》 better.

개성 personality, individual character.

개울 a brook, a stream.

개인 an individual. ¶ ~의 individual, personal / ~용의 for individual use.

개최하다 hold [have] (a meeting), open (an exhibition).

개학 the beginning of school. ~하다 begin school, school begins.

거기 there, that place.

거닐다 take a walk, stroll.

거리 《길거리》 a street.

거리(距離) 《원근의》 a distance.

거미 a spider.

거북 《육지에 사는》 a tortoise; 《바다에 사는》 a turtle.

거스름돈 change. ¶ ~을 주다[받다] give [get] the change.

거실 a living room.

거역하다 disobey.

거울 a mirror.

거위 a goose 《복수 geese》.

거의 《대체로》 almost, nearly; 《부정적인 뜻으로》 little, hardly, scarcely. ¶ ~ 모든 사람들 almost all people / 나는 그녀를 ~ 만나지 않는다. I hardly see her.

거인 a giant.

거절하다 refuse, decline, reject.

거지 a beggar.

거짓말 a lie. ~하다 tell a lie.

거칠다 (be) coarse, rough.

거품 a bubble, foam.

걱정 worry. ☞ 근심

건강 health. ~하다 (be) well, healthy.

건너다 cross, go [pass] over, go [walk, run] across.

건물 a building. ¶ 목조[석조] ~ a wooden [stone] building.

건전하다 (be) healthy, sound. ¶ 건전한 신체에 건전한 정신 A sound mind in a sound body.

건축 《건조》 construction, building. ~하다 build, construct.

걷다 walk, go on foot.

걸다 《매달다》 hang, put up; 《전화를》 call [ring] 《a person》 up, (tele)phone 《a person》, make a phone call 《to》; 《말을》 speak to [address] 《a person》.

걸리다 《시간이》 take.

걸음 walking; a step. ¶ 첫~ the first step.

검다 (be) black, dark.

검사 an examination, a test. ~하다 inspect, examine, test.

겁쟁이 a coward.

겉 the surface. ☞ 표면

게 a crab

게놈 a genome.

게시 a bulletin, a notice. ¶ ~판 a notice [bulletin] board.

게으름 idleness. ¶ ~뱅이 an idle fellow / ~ 피우다 be idle [lazy].

겨냥 an aim, aiming. ~하다 (take) aim 《at》.

겨울 winter. ¶ ~ 방학 the winter vacation.

격려 encouragement. ~하다 encourage, cheer up.

격언 a proverb.

격일로 every other day.

견고하다 (be) strong, solid, firm.

견디다 bear, endure, put up with, stand.

견본 a sample.

결과 (a) result, an effect.

결국 finally, after all, in the end.

결론 a conclusion. ¶ ～짓다 conclude.

결석 absence. ～하다 be absent 《from》.

결승전 the finals, the final game [match].

결심 resolution; determination. ～하다 make up *one's* mind, be resolved, determine, decide 《to》.

결점 a fault; 《약점》 a weak point.

결정 (a) decision, (a) determination. ～하다 decide 《to do》.

결코 never.

결합 union, combination. ～하다 unite, combine 《with》.

결혼 marriage. ～하다 marry.

겸손 modesty. ～하다 (be) modest.

경계 a boundary, a border. ¶ ～선 a border line.

경고 (a) warning, (a) caution. ～하다 warn, give warning.

경기 a game, a match, a contest. ～하다 play a game [match] ¶ ～장 a ground.

경멸 contempt. ～하다 despise, look down on〔upon〕.

경보 an alarm, a warning.

경비(經費) expense. ¶ ～를 줄이다 cut (down) the expenses.

경비(警備) guard, defense. ～하다 defend, (keep) guard.

경솔하다 (be) thoughtless; careless.

경연 a contest. ¶ 음악 ～회 a music contest.

경영 management. ～하다 manage. ¶ ～자 a manager.

경우 a case, an occasion.

경이 (a) wonder. ¶ ～적인 wonderful.

경작하다 cultivate, farm.

경쟁 competition. ～하다 compete.

경제 economy. ¶ ～ 개발 economic development / ～ 정책 an economic policy.

경주 a race. ¶ ～에 이기다〔지다〕 win [lose] a race.

경찰 the police (force). ¶ ～관 a policeman / ～서 a police station.

경치 scenery, a scene.

경험 (an) experience. ～하다 experience.

곁에 by, beside.

계급 《신분》 a class; 《직급》 (a) rank.

계단 steps, stairs, a staircase.

계란 an egg. ☞ 달걀

계산 counting, calculation. ～하다 count, calculate. ¶ ～서 a bill, an account.

계속하다 continue, go on with. ¶ 말을 ～ go on talking; continue to talk.

계절 a season.

계획 a plan. ～하다 plan, make a plan. ¶ ～을 실행하다 carry out a plan.

고객 a customer, a client. 《총칭》 custom.

고기 《동물의》 meat; 《소의》 beef; 《돼지의》 pork; 《물고기의》 fish. ¶ ～잡이 fishing.

고단하다 (be) tired. ¶ 고단해 보이다 look tired.

고등의 high, higher, advanced. ¶ 고등 교육 higher education / 고등 학교 a (senior) high school.

고래 a whale.

고르다 choose, select. ¶ 골라내다 pick out; select.

고리 a ring, a link, a loop.

고맙다 (I) am thankful, (be) grateful, (It) is appreciated. ¶ 대단히 고맙습니다. Thank you very much.

고무 rubber. ¶ ~공 a rubber ball.

고백하다 confess.

고상하다 (be) noble.

고생 《고통·고난》 hardships, difficulties, sufferings; 《수고》 labor, pains. ~하다 have a hard time, struggle with difficulties.

고아 an orphan.

고아원 an orphanage.

고양이 a cat.

고요하다 (be) quiet, silent; still, calm.

고용 employment. ~하다 employ, hire. ¶ ~주 employer / ~인 employee.

고장(故障) a breakdown, a trouble. ¶ ~이 나다 get out of order; break down; go wrong.

고정하다 fix, settle.

고집하다 persist. ¶ 고집하는 insistent.

고치다 《치료》 cure; 《수리》 mend, repair, fix; 《정정》 reform, correct.

고통 pain, suffering. ¶ ~을 참다 endure the pain.

고프다 (be) hungry. ¶ 배가. ~ feel hungry.

고함치다 shout, roar, yell.

고향 one's home[hometown], one's native place. ¶ ~ 방문 home visits.

곡물 grain, corn, cereals.

곤란 difficulty, trouble. ~하다 (be) hard, difficult. ¶ ~을 겪다 be in difficulty / ~을 이겨 내다 overcome difficulties.

곤충 an insect. ¶ ~ 채집 insect collecting.

곧 《즉시》 at once, right away, instantly; 《오래지 않아》 soon, before long, at once, immediately, directly.

곧다 《물건이》 (be) straight; 《마음이》 (be) honest.

곧장 directly, straight.

골 the goal. ¶ ~라인 a goal line / ~키퍼 a goal keeper.

골짜기 a valley.

곰 a bear.

곱사등이 a hunchback.

곱하다 multiply.

곳 a place. ☞ 장소

공 a ball.

공간 space, room. ¶ 시간과 ~ time and space.

공격(하다) (an) attack.

공고하다 announce.

공공의 public, common.

공급 supply. ~하다 supply, provide.

공기 air. ¶ ~ 오염 air pollution.

공동(생활)체 a community.

공립의 public. ¶ 공립 학교 a public school.

공백 a blank, a space.

공부 study. ~하다 study. ¶ 시험 ~ study for an examination.

공사 works, construction.

공산주의 communism.

공상 an idle fancy, a daydream. ~하다 fancy, (day)-dream. ¶ ~ 과학 소설 science fiction 《약자 SF》.

공손하다 (be) polite, civil. ¶ 공손히 politely, civilly.

공식의 formal, official. ¶ 공식 방문 a formal [an official] visit.

공업 industry. ¶ ~의 industrial / ~ 지대 an industrial area / ~ 고등 학교 a technical high school.

공원 a park. ¶ 국립 ~ a national park.

공장 a factory, a plant. ¶ ~에서 일하다 work at a factory.

공정하다 (be) fair, just. ¶ 공정한 거래 fair trade / 공정을 기하다 do full justice 《to》.

공주 a princess.

공중(公衆) the public. ¶ ~ 보건 public health / ~ 전화 a public telephone.

공중(空中) the air, the sky. ¶
~에 in the air[sky].

공책 a notebook.

공항 an airport. ¶ 국제 ~ an
international airport.

공해 pollution. ¶ 산업 ~ indus-
trial pollution.

공회당 a public hall.

공휴일 a holiday.

과거 the past (days).

과녁 a target.

과목 a subject, a lesson.

과부 a widow.

과오 a fault [mistake], an
error.

과일 fruit. ¶ ~ 가게 a fruit
shop [store].

과잉 an excess.

과자 cake, candy.

과정 (a) process, a course.

과학 science. ¶ ~적(으로) sci-
entific / ~자 a scientist.

관(管) a tube, a pipe.

관객 the audience 《총칭》.

관계 relation, connection. ~하
다 relate, be related 《to》, be
connected 《with》.

관광 sightseeing. ~하다 go
sightseeing, visit.

관광업 tourism.

관대하다 (be) generous.

관람하다 see, view. ¶ 관람객 a
visitor; an audience.

관리(管理) management, con-
trol. ~하다 manage, control.
¶ ~인 a manager / 생산 ~
production management.

관사(冠詞) an article.

관습 custom. ¶ ~적 custom-
ary; usual.

관심 concern, interest. ¶ …에
~이 있다 be interested in.

관절 a joint.

관점 a point of view.

관찰 observation. ~하다 ob-
serve.

괄호 parenthesis.

광경 a scene, a sight, a view.

광고 an ad, an advertise-
ment. ~하다 advertise.

광선 (a ray of) light, a beam
(of light).

광장 a (public) square, an
open space.

괜찮다 《좋다》 (be) not (so)
bad, good; 《상관없다》 do not
care [mind].

괴로움 《어려움》 trouble; 《고통》
pain.

괴로워하다 suffer, be worried.

괴롭다 《고통》 (be) painful;
《곤란》 (be) hard, difficult.

괴롭히다 worry [trouble] 《a
person》; give 《a person》
pain.

괴물 a monster.

교가 a school song.

교과서 a textbook, a school
book.

교단 the platform.

교문 a school gate.

교사(校舍) a schoolhouse, a
school building.

교사(敎師) a teacher.

교실 a classroom[schoolroom].

교외 the suburbs, the out-
skirts. ¶ ~ 생활 a life in
the suburbs.

교육 education. ~하다 educate.

교장 a principal.

교차로 crossroads, an inter-
section.

교통 traffic. ¶ ~ 규칙 traffic
rules / ~ 사고 a traffic acci-
dent / ~ 신호 traffic signals /
이 지역은 ~이 복잡하다. The
traffic is heavy in this
section.

교향곡 a symphony.

교환(하다) exchange.

교황 the Pope.

교회 a church.

교훈 《훈화》 a lesson; 《가르침》
teachings.

구(句) a phrase.

구걸하다 beg.

구경하다 see 《*a play*》; watch 《*a game*》; visit 《*a museum*》.

구두 《단화》 shoes; 《장화》 boots. ¶ 구둣방 a shoe shop[store] / ~ 한 켤레 a pair of shoes.

구르다 roll (over).

구름 a cloud, the clouds 《총칭》. ¶ ~이 낀 cloudy.

구멍 a hole, an opening.

구부리다 bend; 《몸을》 stoop.

구석 a corner.

구식 an old style [fashion].

구실 an excuse.

구월 September 《약자 Sep(t).》.

구입 buying, purchase. ~하다 buy, purchase, get.

구조(救助) rescue, relief. ~하다 rescue, relieve, save.

구조(構造) structure, construction, frame.

국 soup.

국가 a state, a nation, a country. ☞ 나라

국경 the frontier, the border. ¶ ~선 a border line.

국경일 a national holiday.

국권 national power.

국기 the national flag.

국립(의) national, state. ¶ ~ 공원 a national [state] park / ~극장 a national theater.

국민 a nation, a people.

국민 학교 ☞ 초등 학교

국방 national defense, the defense of a country.

국사 a national history.

국산 home [domestic] production; 《국산품》 a domestic [home] product.

국수 noodles.

국악 Korean music.

국어 the national language, *one's* mother tongue.

국제(적) international. ¶ 국제 연합 the United Nations.

국적 《*one's*》 nationality, 《미국의》 citizenship.

국회 《한국의》 the National Assembly; 《미국의》 Congress; 《영국의》 Parliament. ¶ ~ 의사당 the (National) Assembly Hall 《한국의》.

군대 an army, the military.

군인 a serviceman; 《육군》 a soldier; 《해군》 a sailor.

군함 a warship, a battleship.

굳다 《물체가》 (be) hard, solid; 《정신·태도가》 (be) firm, strong. ¶ 굳게 strongly; firmly.

굴뚝 a chimney.

굴렁쇠 a hoop.

굵다 (be) thick, big; 《목소리가》 (be) deep. ¶ 굵은 몽둥이 a big stick / 목소리가 ~ *one's* voice is deep.

굶다 starve, go hungry. ¶ 굶어 죽다 starve to death.

굽다 《고기를》 roast; 《빵을》 toast, bake; 《벽돌·숯 등을》 burn.

굽어보다 look down.

궁전 a (royal) palace. ¶ 버킹엄 ~ Buckingham Palace.

권리 a right.

권하다 《추천》 recommend; 《권고》 ask, advise; 《권유》 offer.

궤도 《천체의》 an orbit; 《철도의》 a line, a track.

귀 an ear. ¶ ~앓이 an earache / ~마개 earmuffs / ~가 먹다 become deaf.

귀머거리 a deaf (person), the deaf.

귀신 a ghost.

귀엽다 (be) lovely, pretty, sweet. ¶ 귀여운 소녀 a sweet [lovely] little girl.

귀중하다 (be) precious, valuable.

귀찮다 (be) troublesome, bothersome. ¶ 귀찮게 굴다 bother, annoy.

규모 a scale.

규칙 a rule, regulations. ¶ ~ 적(으로) regular(ly) / ~ 동사 a regular verb.

균형 balance. ¶ 균형잡힌 balanced.

귤 an orange.

그 that, the. ¶ ~날 that [the] day.

그것 it, that.

그곳 there, that place.

그냥 as it is, as it stands. ¶ ~ 두다 leave 《a thing》 as it is.

그녀 she. ¶ ~의〔를, 에게〕 her / ~ 자신 herself / ~의 것 hers.

그늘 shade. ¶ 나무 ~ the shade of a tree.

그들 they. ¶ ~의 their / ~을〔에게〕 them / ~ 자신 themselves / ~의 것 theirs.

그때 then, at that time.

그래도 but, still, and yet.

그래서 so, then, and.

그러나 but, however.

그러므로 so, therefore.

그러하다 (be) so, such. ¶ 그러한 such; like that.

그런데 by the way, but, however.

그렇게 so, like that.

그렇다 《그러하다》 be so, be like that; 《대답》 Yes, That's [You're] right. ¶ 그렇지 않으면 otherwise, (or) else; if not so.

그리고 and, then.

그리다 paint, describe, draw.

그리워하다 long for, miss.

그림 a picture, a painting. ¶ ~ 물감 paints; oil [water] colors / ~ 엽서 a picture (post)card.

그림자 a shadow.

그만두다 stop, cease, give up, quit. ¶ 사업을 ~ quit one's business.

그맘때 about [around] that time, (at) that time of day [night].

그물 a net.

그믐날 the end of the month.

¶ 섣달 ~ New Year's Eve.

그저께 the day before yesterday.

그치다 stop, end, cease.

그후 after that, since (then).

극동 the Far East.

극복하다 overcome, get over.

극장 a theater, a cinema, a movie house.

근무 service, duty, work. ¶ ~ 성적 one's service record / 시간외 ~ overtime (work).

근심 anxiety, worry. ~하다 be anxious about.

글 《학문》 learning; 《문장》 a piece of writing, a sentence.

글쎄 well, let me see.

글자 a letter, a character.

긁다 scratch.

금 gold.

금강석 a diamond.

금고 a safe.

금년 this year.

금발 golden hair, blond(e). ¶ ~ 미인 a blonde beauty.

금붕어 a goldfish.

금성 Venus.

금속 a metal. ¶ ~ 제품 metal goods.

금액 a sum (of money).

금요일 Friday.

금주 this week.

금지 prohibition, a ban. ~하다 forbid (a person to do); prohibit (a person from).

금품 money and goods.

금후 in (the) future.

급료 pay, a salary, wages. ¶ ~일 a payday.

급우 a classmate.

급하다 《다급하다》 (be) urgent, pressing; 《성급하다》 impatient, hotheaded; 《위급하다》 (be) critical, dangerous; 《바쁘다》 (be) hurried, hasty.

급행 열차 an express train.

긍지 pride, dignity.

기 a flag.

기간 a period, a term.

기계(器械) an instrument.

기계(機械) a machine.

기관(器官) an organ.

기구 a balloon.

기금 a fund.

기꺼이 willingly, with pleasure.

기념 commemoration. ～하다 commemorate, honor the memory of. ¶ ～일 a memorial day / ～비 a monument.

기능 function.

기다 crawl, creep. ¶ 땅을 ～ crawl on the ground.

기다리다 wait, expect, look for.

기대 expectation, hope. ～하다 expect, look forward to.

기대다 lean on [against].

기도 (a) prayer. ～하다 pray.

기둥 a pillar, a post.

기록 a record. ～하다 record, write down. ¶ ～을 깨다 break a record.

기르다 《사람을》 bring up; 《가축을》 breed, keep, raise; 《재배》 grow.

기름 《액체의》 oil; 《지방》 fat, lard.

기린 a giraffe.

기묘한 queer, strange, curious.

기밀 a secret.

기본 《기초》 a foundation, a basis; 《기준》 a standard.

기부 (a) donation, (a) contribution. ～하다 contribute, make a donation 《to》.

기분 feeling, mood. ¶ ～이 좋다 feel well [fine]; be pleased.

기쁘다 (be) glad, delightful, happy, pleasant.

기쁨 joy, delight, pleasure.

기사(技師) an engineer.

기사(記事) an article, news.

기사(騎士) a knight.

기선 a steamer, a steamship.

기술(技術) an art, technique, skill. ¶ ～적인. technical.

기억 memory ～하다 memorize, remember.

기업 an enterprise.

기온 temperature.

기와 a (roof) tile. ¶ ～ 지붕 a tiled roof.

기울다 incline 《to》.

기원(祈願) a prayer. ～하다 pray.

기원(紀元) an era.

기원(起源) origin, beginning.

기적 a miracle.

기절 fainting. ～하다 faint.

기준 a standard, a basis.

기지(基地) a base. ¶ 항공 ～ an air base.

기질 temper, nature.

기차 a train. ¶ ～로 by train.

기체 gas.

기초 the foundation, the base. ¶ ～ 공사 foundation works / ～부터 배우다 learn 《English》 from the beginning.

기침 a cough, coughing. ～하다 (have a) cough.

기타 a guitar.

기하(학) geometry.

기한 a term, a period, a time limit. ¶ ～부로 with a time limit.

기호 a mark, a sign.

기회 a chance, an opportunity.

기후 climate, weather.

길 《도로》 a road, a way, a path; 《방법》 a course, a means, a way 《of doing》.

길다 (be) long.

길들이다 《동물을》 tame, train. ¶ 원숭이를 ～ train a monkey.

길이 length.

깃¹ 《옷의》 a collar.

깃² 《조류의》 a feather.

깃대 a flagpole.

깊다 (be) deep.

깊이 depth.

까다 《알을》 hatch; 《껍질을》 crack, shell.

까닭 《이유》 reason, why; 《원

인》a cause.

까마귀 a crow.

까지 《때》till, until, by; 《장소》(up) to, as far as. ¶ 아침부터 저녁~ from morning till night / 부산~ 가는 차표 a ticket to Pusan.

깨끗하다 (be) clean, cleanly, pure. ¶ 깨끗한 물 clean water / 깨끗이 cleanly / 방을 깨끗이 치우다 clean a room.

깨다¹ 《잠을》wake up.

깨다² 《그릇 따위를》break. ¶ 깨지다 be broken.

꺼내다 take out.

꺾다 snap, break.

껍질 a skin, a shell. ¶ 바나나~ a banana skin.

껴안다 embrace, hug.

꼬다 《새끼 따위를》twist.

꼬리 a tail.

꼭 《단단하게》tightly, firmly; 《정확하게》exactly; 《틀림없이》surely, certainly.

꼭대기 the top, the summit.

꽂다 stick, put in(to).

꽃 flower, a blossom; 《총칭》bloom. ¶ ~피다 bloom; blossom / ~밭 a flower garden.

꽤 quite, pretty, fairly. ¶ ~좋다 be pretty good.

꾸짖다 scold.

꿀 honey.

꿇다 kneel (down), fall on *one's* knees.

꿈 dream. ¶ ~꾸다 (have a) dream.

꿰매다 sew.

끄다 《불을》put out; blow out; 《전기 따위를》turn off, switch off, put off.

끈끈하다 (be) sticky.

끌다 pull, draw.

끓이다 boil. ¶ 끓어서 넘다 boil over / 끓어 오르다 boil up.

끝 《첨단》the point, the top; 《마지막》an end, a close; 《한도》the end. ¶ ~에서 ~까지 from end to end / ~이 나다 come to an end / ~없는 endless.

나 I. ¶ ~의 my / ~를〔에게〕me / ~의 것 mine / ~ 자신 myself.

나가다 go out, get out.

나누다 divide, part.

나라 《국토》a country, a land; 《국가》a state, a nation.

나란히 in a row〔line〕, side by side.

나르다 carry.

나머지 the rest, the remainder.

나무 《수목》a tree; 《재목》wood, lumber.

나방 a moth.

나비 a butterfly.

나쁘다 (be) bad, wrong. ¶ 나쁜 소년 a bad boy / 거짓말은 ~ It is wrong to tell a lie.

나이 age. ¶ ~를 먹다 grow old; become older.

나침반 a compass.

나타나다 appear, come out.

나타내다 show, express.

낙엽 fallen leaves. ¶ ~이 지다 fall; shed its leaves.

낙제 failure in an examination. ~하다 fail (in an examination).

낙타 a camel.

낙하산 a parachute.

낚다 fish.

낚시 《바늘》 a (fishing) hook; 《낚시질》 fishing. ¶ ~ 가다 go fishing / 낚시줄 a fishing line / ~꾼 an angler.

난로 a stove, a heater. ¶ ~를 쬐다 warm *oneself* at a stove / 석유 ~ an oilstove / 전기 ~ an electric stove.

난방 heating. ¶ ~ 장치 a heating system.

난폭 violence. ~하다 (be) violent, rough. ¶ ~한 짓을 하다 do violence.

낟알 a grain, a corn.

날 a day. ¶ ~마다 every day; daily.

날개 a wing, the wings.

날다 fly.

날씨 the weather. ¶ ~가 좋으면 if it is fine …; if weather permits … .

날씬하다 (be) slender, slim.

날짜 a date.

날카롭다 《예민》 (be) sharp, keen, acute; 《끝이》 pointed.

낡다 (be) old, worn, be out of date. ¶ 낡은 옷 old 〔wornout〕 clothes.

남극 the South Pole. ¶ ~ 대륙 the Antarctic Continent.

남기다 leave (behind). ¶ 이름을 ~ leave *one's* name behind.

남다 remain, be left over.

남매 《둘》 a brother and a sister; 《여럿》 brothers and sisters.

남자 a man, a male, a boy. ¶ ~다운 manly / ~ 옷 men's wear.

남쪽 the south. ¶ ~ 나라 a southern country / ~으로 가다 go south.

남편 a husband.

납 lead (기호 Pb).

낫다 《병 따위가》 get well 〔better〕, recover 《*from*》; 《더 좋다》 (be) better 《*than*》. ¶ 병이 ~ recover from illness.

낭비(하다) waste.

낮 day, daytime.

낮다 (be) low.

낮잠 a nap, a siesta. ¶ ~ 자다 take a nap 〔siesta〕.

낮추다 lower, bring down.

낯설다 (be) unfamiliar, strange. ¶ 낯선 사람 a stranger.

낳다 《출산》 give birth to; lay.

내기 《도박》 betting, staking. ~하다 bet 《*on*》.

내년 next year.

내려가다 go down.

내리다 《높은 데서》 come 〔go〕 down; 《차에서》 get 〔step〕 off.

내버려두다 《그냥두다》 leave 《*a thing*》 as it is; leave 《*a person, a thing*》 alone.

내부 the inside, the interior.

내용 contents, substance.

내일 tomorrow.

냄비 《얇은》 a pan; 《깊은》 a pot. ¶ ~ 뚜껑 a pot lid.

냄새 smell. ¶ ~가 좋다〔나쁘다〕 smell sweet 〔bad〕 / ~를 맡다 smell 《*flowers*》

냉동 freezing. ~하다 freeze. ¶ ~ 식품 frozen food.

냉장고 a refrigerator.

너 《2인칭》 you; 《복수》 you. ¶ ~의 your / ~를〔에게〕 you / ~의 것 yours / ~ 자신 yourself / 너희들 자신 yourselves.

너무 too (much), ever so much. ¶ 그는 ~ 젊다. He is too young.

넋 a soul, a spirit. ¶ ~을 잃다 lose *one's* senses.

넓다 (be) broad, wide, large.

넓이 《폭》 width, breadth; 《면적》 area, extent.

넘기다 《인도》 hand (over), turn over.

넘치다 《범람》 overflow, flow 〔run〕 over.

넣다 put in 〔into〕. ¶ 주머니에 손을 ~ put *one's* hand in 〔into〕 *one's* pocket.

네거리 a crossroad, a cross.

네모 a square.

네(번)째 the fourth, No. 4.

네온 neon 《기호 Ne》. ¶ ~사인 neon lights [signs].

넥타이 a necktie, a tie. ¶ ~를 매다 tie [put on] a necktie.

노 an oar, a paddle. ¶ ~를 젓다 pull an oar; row.

노동(하다) labor.

노랑(색의) yellow.

노래 a song, a chant. ~하다 sing (a song). ¶ ~를 잘하다 be a good singer.

노력 effort, endeavor. ~하다 make efforts, endeavor, strive.

노련하다 (be) experienced, skilled. ¶ 노련한 의사 an experienced doctor.

노예 a slave.

노인 an old man; 《총칭》 the old.

노크 a knock. ~하다 knock 《at, on》.

노트 a notebook. ~하다 note down.

노점 a street stall, a roadside stand, a booth.

노처녀 an old maid.

노총각 an old bachelor.

녹다 melt.

녹음(하다) record. ¶ ~기 a (tape) recorder.

논의 argument, discussion. ~하다 argue, discuss.

논쟁 a dispute.

놀다 《유희》 play; 《휴식》 (take) rest 《from》; 《유흥》 make merry, take one's pleasure; 《허송세월》 (be) idle; 《무직》 be out of work.

놀라다 be surprised at. ¶놀라게 하다 startle; surprise.

놀라움 《경이》 wonder; 《경악》 surprise, astonishment.

놀랍다 (be) wonderful, surprising.

놀리다 make fun of.

놀이 《유희》 play; 《경기》 a game.

농구 basketball. ¶ ~ 선수 a basketball player.

농담 a joke. ~하다 joke.

농도 thickness, density; depth 《of color》.

농부 a farmer.

농사 agriculture, farming. ~하다〔짓다〕 engage in agriculture, farm.

농업 agriculture, farming.

농작물 the crops.

농장 a farm.

농촌 a farm village, a rural community. ¶ ~의 rural.

높다 (be) high, tall.

높이 height.

높이다 raise.

놓다 put, place, lay.

놓치다 《쥔 것을》 miss one's hold 《of》; 《기회를》 miss; lose.

뇌 the brain.

누구 who. ¶ 누구의 whose / ~를[에게] whom.

누구나 everyone, everybody, anybody.

누나 one's older [elder] sister.

누르다 press (down).

누설하다 leak. ¶ 비밀을 ~ leak a secret.

눈[1] an eye. ¶ ~이 큰 big-eyed / ~ 깜짝할 사이에 in an instant / ~을 뜨다〔감다〕 open [close] one's eyes.

눈[2] 《내리는》 snow. ¶ ~을 맞다 get snowed on / ~이 오다 It snows.; Snow falls.

눈금 a scale (mark).

눈꺼풀 an eyelid.

눈멀다 become blind, lose one's sight.

눈물 tears. ¶ ~을 흘리다 shed tears.

눈보라 a snowstorm.

눈사람 a snowman.

눈썹 an eyebrow.

눈치 ¶ ~ 보다 read [study]

《another's》 face / ～ 채다
become aware 《of》.

눕다 lie down, lay *oneself*
down. ¶자리에 ～ lie in *one's*
bed.

뉴스 news. ¶ ～ 방송 a news-
cast.

느끼다 feel. ¶고통〔공복〕을 ～
feel pain〔hungry〕.

느낌 feeling.

느리다 (be) slow. ¶ 느리게
slowly.

느슨하다 (be) loose. ¶느슨하게
loose(ly) / 느슨해지다 loosen;
become loose.

늑대 a wolf.

늘다 increase.

늙다 grow old, age. ¶늙은 old;

aged.

능가하다 surpass, exceed.

능력 ability, capacity. ¶～있는
able; capable / …할 ～이 있다
be able to 《do》; be capable
of 《doing》.

능률 efficiency. ¶ ～적 efficient.

능숙 skill. ¶ ～한 skilled;
skillful.

늦다 (be) late. ¶ 늦게 late /
밤늦게(까지) (until) late at
night.

늦추다 《긴장을》 loosen; 《속도를》
slow down; 《날짜·시간을》
extend, put off.

늦추위 late cold.

님 《남자》 Mister, Mr.; 《미혼 여
자》 Miss; 《부인》 Mrs.

다달이 every month, monthly.

다람쥐 a squirrel.

다루다 treat, handle, deal with,
manage. ¶다루기 힘든 hard
to deal with.

다르다 (be) different from,
differ from.

다리¹ 《사람·동물의》 a leg, a
limb; 《물건의》 a leg.

다리² 《교량》 a bridge.

다리미 an iron. ¶ ～질하다 iron
《clothes》, do the ironing /
전기〔증기〕 ～ an electric〔a
steam〕iron.

다발 a bundle, a bunch. ¶꽃
한 ～ a bunch of flowers.

다섯 five. ¶ ～(번)째 the fifth.

다스 a dozen. ¶ 3 ～ three
dozen 《pencils》 / ～로 팔다
sell by the dozen.

다스리다 rule over, govern.
☞ 통치하다

다시 again, once more〔again〕.

다양하다 (be) various.

다음(의) next, following. ¶～날
the next〔following〕day / ～
월요일 next Monday.

다이빙 diving.

다이얼 a dial. ¶ ～을 돌리다
turn a dial / ～ 119번을 돌리
다 dial 119.

다치다 get〔be〕hurt, be
wounded〔injured〕. ¶ 다리를
～ get hurt in the leg.

다행하다 (be) lucky, fortunate,
happy. ¶다행히 happily; for-
tunately; luckily.

닦다 《윤내다》 polish, shine;
《씻다》 clean, wash, brush;
《훔치다》 wipe. ¶ 구두를 ～
polish *one's* shoes / 이를 ～
brush〔clean〕*one's* teeth / 걸
레로 ～ wipe 《the floor》 with
a cloth.

단결 unity, union. ～하다
unite, stand together.

단계 a stage, a step. ¶ 최종
～ the final stage.

단단하다 (be) hard, solid, firm. ¶ 단단히 hard; solidly.

단맛 sweetness, a sweet taste. ¶ ~이 있다 have a sweet taste.

단순하다 (be) simple. ¶ 단순히 simply; merely.

단어 a word. ¶ ~집 a word-book / 기본 ~ a basic word.

단원 《학과의》 a unit.

단위 a unit. ¶ 기본 ~ a standard unit.

단점 a weak point, a fault.

단지 a jar, a pot.

단체 a group, a party, a team. ¶ ~ 경기 a team event / ~ 생활 a group life / ~ 여행 a group tour / ~ 행동 a collective action.

단추 a button. ¶ 단춧구멍 a buttonhole / ~를 채우다 button (up) / ~를 끄르다 unbutton.

단편 a short piece, a sketch. ¶ ~ 소설〔영화〕 a short story 〔film〕.

단풍 《나무》 a maple (tree); 《잎》 red 〔yellow〕 leaves. ¶ ~ 들다 turn red 〔yellow〕.

닫다 shut, close. ¶ 문을 쾅 ~ bang the door.

달 《하늘의》 the moon; 《달력의》 a month. ¶ ~의 lunar.

달걀 an egg. ¶ ~ 모양의 egg-shaped / ~ 껍질 an eggshell / 반숙의 ~ a soft-boiled egg.

달다¹ 《맛이》 (be) sweet. ¶ 단 것 sweet things / 맛이 ~ taste sweet, have a sweet taste.

달다² 《무게를》 weigh. ¶ 저울로 ~ weigh 《a thing》 in the balance.

달러 a dollar 《기호 $》.

달력 a calendar.

달빛 moonlight.

달성 achievement. ~하다 ac-complish, achieve.

닭 《암탉》 a hen; 《수탉》 a cock 〔rooster〕; 《병아리·육용의 닭》 a chicken. ¶ ~고기 chicken.

닮다 be alike, be 〔look〕 like(…). ¶ 그 쌍둥이는 서로 꼭 닮았다. The twins are very like.

닳다 wear 〔be worn〕 out ; be rubbed off 〔down〕.

담 《벽돌 따위의》 a wall; 《울타리》 a fence.

담그다 《물에》 dip 《in water》.

담다 《그릇에》 put 《a thing》 in 〔into〕. ¶ 《과일을》 광주리에 ~ put (fruits) into a basket.

담배 tobacco, a cigarette. ¶ ~를 피우다 smoke a cigarette.

담요 a blanket.

답 an answer, a reply. ~하다 answer 《a question》; give an answer 〔a reply〕.

답장 an answer; a reply. ~하다 answer 〔reply to〕 a letter.

당근 a carrot.

당기다 pull, draw.

당나귀 a donkey.

당분간 《현재》 for the present 〔time being〕; 《얼마 동안》 for some time (to come).

당선하다 be elected, win the prize. ¶ 1등에 ~ win the first prize.

당신 《2인칭》 you.

당연하다 (be) fair and proper, natural. ¶ 당연한 결과 a natural result.

당황하다 be confused, be upset. ¶ 당황케 하다 confuse ; upset.

닻 an anchor.

대 (a) bamboo.

대개 generally, in general, usually.

대걸레 a mop.

대규모 a large scale. ¶ ~의 large-scale / ~로 on a large scale.

대기 the air, the atmosphere. ¶ ~ 오염 air pollution.

대기업 a large enterprise 〔corporation〕.

대낮 broad daylight, the daytime, midday. ¶ ~에 in the daytime.

대다 《손을》 touch, lay *one's* hand to ; 《시간에》 arrive on time; 《공급》 supply 《*a thing*》 to; supply with 《*a thing*》 ; 《고백》 tell (the truth), confess.

대담하다 (be) bold.

대답 an answer. ☞ 답

대륙 a continent. ¶ ~적 continental.

대리석 marble.

대머리 《머리》 a bald head; 《사람》 a bald-headed person. ¶ 대머리의 bald.

대명사 a pronoun.

대문자 a capital (letter).

대보름 the 15th of January by the lunar calender.

대부분 most 《of》, the major [greater] part 《of》; 《부사적으로》 mostly, largely.

대사 an ambassador. ¶ 주미 한국 ~ the Korean Ambassador to America.

대서양 the Atlantic (Ocean). ¶ ~의 Atlantic.

대신 《부사적》 instead of. ~하다 take the place of, take 《*a person's*》 place.

대장장이 a blacksmith.

대접 treatment, entertainment. ~하다 treat, entertain.

대조 (a) contrast, (a) comparison. ~하다 contrast [compare] 《*A with B*》.

대중 the masses. ¶ ~ 음악 popular music.

대체 《대체로》 generally, as a whole; 《도대체》 on the earth, in the world. ¶ ~적인 general.

대통령 the President.

대포 a gun.

대표 《행위》 representation; 《사람》 a representative. ~하다 represent, stand for.

대학 《종합》 a university ; 《단과》 a college.

대화 (a) conversation, a dialogue. ~하다 talk[speak] 《*with a person*》.

댄스 a dance, dancing.

댐 a dam.

더듬다 《말을》 stammer.

더럽다 (be) dirty.

더위 the heat, hot weather.

더하다 add 《*to*》, add [sum] up. ¶ 3에 4를 ~ add 4 to 3.

덕 《미덕》 virtue, goodness.

덕택 《은혜》 favor; 《후원》 support. ¶ …의 ~으로 thanks to 《*a person*》 ; by *a person's* favor [help].

던지다 throw, cast.

덤 an extra.

덥다 (be) hot.

덧셈 addition. ~하다 add up figures.

덩어리, 덩이 a lump, a mass. ¶ 얼음 ~ a lump of ice.

덫 a trap.

덮다 cover 《*with*》, put 《*a thing*》 on.

데우다 warm, heat (up).

도(度) 《온도·각도》 a degree.

도구 a tool, an instrument.

도끼 an ax; 《손도끼》 a hatchet.

도달 arrival. ~하다 arrive in [at]; reach, get to.

도덕 morality, morals. ¶ ~상 [적으로] morally.

도둑 a thief; a robber.

도랑 a ditch.

도로 a road, a way, a roadway, a highway ; 《가로》 a street.

도망 escape. ~치다[하다] run away. ¶ ~자 a runaway.

도매 wholesale. ~하다 sell by [at] wholesale. ¶ ~ 상점 a wholesale store.

도서관 a library.

도시 a city, a town.

도시락 a lunch box.

도안 a design [sketch].

도움 help, aid, assistance.

도장 a seal; 《소인》 a stamp.

도전 a challenge. ~하다 challenge 《a person, a mountain》.

도착 arrival. ~하다 arrive 《at, in》, reach, get to.

도토리 an acorn.

도표 a graph, a chart.

독립 independence. ~하다 become independent. ¶ (미국의) ~ 기념일 Independence Day / ~ 운동 an independence movement.

독서 reading. ~하다 read books. ¶ ~를 즐기다 be fond of reading.

독수리 an eagle.

독약 a poison.

독일 Germany. ¶ ~의 German / ~말 (the) German / ~인 a German; 《총칭》 the Germans.

독자 a reader.

독창 a (vocal) solo. ~하다 sing 〔give〕 a solo.

독특하다 (be) special, unique, peculiar.

돈 money; 《현금》 cash. ¶ ~벌이 money-making / ~ 많은 사람 a rich man / ~을 벌다 make money.

돌 a stone, 《조약돌》 a pebble.

돌다 go round, turn. ¶ 오른쪽으로 ~ turn to the right / 지구는 태양의 주위를 돈다. The earth moves round the sun.

돌려주다 return.

돌보다 take care of, care for, look after.

돌아가다〔오다〕 return, come 〔go〕 back.

돌진 a rush, a dash. ~하다 rush, dash 《at》.

돕다 help, assist, aid.

동계 the winter season. ¶ ~ 올림픽 the Winter Olympic Games.

동굴 a cavern, a cave.

동그라미 a circle.

동급생 a classmate.

동기 a motive.

동남 the southeast. ¶ ~의 southeastern / ~ 아시아 Southeast Asia.

동네 《마을》 a village; 《사는 근처》 the neighborhood. ¶ ~ 사람 a villager.

동등 equality. ~하다 (be) equal.

동맹 《연맹》 a league; 《연합》 a union. ~하다 unite, combine.

동물 an animal. ¶ ~원 a zoo.

동반하다 go with, accompany, take 《a person》 with. ¶ 동반자 a companion.

동북 the northeast. ¶ ~의 northeastern.

동사 a verb.

동산 a hill.

동생 a (younger) brother 〔sister〕; one's little brother 〔sister〕.

동시 the same time. ¶ ~에 at the same time.

동안 《부사적》 for, during, while. ¶ 오랫 ~ for a long time / 잠깐 ~ for a little while.

동양 the East, the Orient. ¶ ~의 Eastern; Oriental.

동의 agreement. ~하다 agree 《with a person, to a proposal》.

동정 sympathy, pity. ~하다 sympathize 《with》, pity. ¶ ~심 a sympathetic feeling.

동쪽 the east. ¶ ~의 east; eastern.

돛 a sail.

돼지 a pig. ¶ ~ 고기 pork.

되다¹ 《질지 않다》 (be) thick, hard; 《힘들다》 (be) hard, tough. ¶ 된 밥 hard-boiled rice / 된 일 hard work.

되다² become, get. ¶ 부자가 ~

become rich.

되풀이하다 repeat, do over again. ¶ 책을 되풀이하여 읽다 read a book all over again.

두껍다 (be) thick.

두뇌 brains, a head. ¶ 치밀한 ~ a close head.

두드리다 beat, strike, knock. ¶ 문을 ~ knock at the door.

두려움 fear, dread, terror.

두려워하다 be afraid of, fear, dread. ¶ 뱀을 ~ be afraid of snakes.

두 번 twice.

두통 a headache. ¶ ~이 나다 have a headache.

둑 a bank.

둔하다 (be) dull, stupid.

둘 two.

둘러싸다 surround, enclose.

둘레 ¶ ~에 round; around; about / ~ 3피트 three feet round.

둘째 the second, number two.

둥글다 (be) round. ¶ 둥근 얼굴 a round face / 둥글게 앉다 sit in a circle.

둥지 a nest.

뒤 《뒤쪽》 the back, the rear; 《시간적으로 뒤에》 later, after. ¶ ~에서 in the rear; at the back / ~로부터 from behind / 닷새 ~ five days later / ~를 위해 대비하다 provide for the future.

뒤떨어지다 fall [drop] behind, be backward 《in》. ¶ 경주에서 ~ fall behind in a race.

뒤보다 《용변》 go to stool, ease *oneself*.

뒤쫓다 purse, chase, run after 《a person》.

드디어 at last, finally.

드라마 《연극》 a drama [play].

드라이브 a drive. ~하다 take [have] a drive 《to》.

드러나다 be revealed, show

itself.

드러내다 《나타내다》 show; 《노출시키다》 reveal, expose.

드물다 (be) rare, unusual, uncommon. ¶ 드물게 rarely; seldom.

듣다 《소리를》 hear; 《귀를 기울여》 listen to.

들 a field.

들다 《비용이》 cost; 《들어올리다》 raise, lift (up).

들리다 《소리가》 be heard; 《소문이》 be said [rumored].

들어가다 enter, go [get] in [into].

등 the back.

등교하다 attend [go to] school.

등대 a lighthouse.

등등 and so on, etc., and so forth.

등록 registration, entry. ~하다 register 《a trademark》, enter 《in》. ¶ ~금 a tuition (fee) 《수업료》.

등불 a light, a lamplight.

등뼈 the backbone.

등산 mountain climbing. ~하다 climb [ascend, go up] a mountain.

디자이너 a designer.

디자인 a design, designing. ~하다 design.

따뜻하다 (be) warm, mild.

따라서 《…에 따라》 according to; 《그러므로》 accordingly, therefore, so that. ¶ 관습에 ~ according to custom / 그녀는 매력적이었다. ~ 모두에게서 사랑을 받았다. She was very attractive and therefore she was loved by everyone.

따르다 go along with, follow, accompany.

따옴표 quotation marks.

딸 a daughter.

딸기 a strawberry.

땀 sweat. ¶ ~을 흘리다 sweat.

땅 the earth, the ground,

land.

때 time, hour; 《기회》 chance; 《시기》 time, season; 《경우》 case, occasion. ¶ 점심 ~ lunchtime / ~를 엿보다 watch for a chance / ~아닌 비 an unseasonable rain / 그런 ~에는 경찰을 불러라 In that case, call the police.

때때로 sometimes, occasionally, now and then, from time to time, at times.

때리다 strike, hit, beat.

때문에 because of, due to, owing to.

떠나다 start, leave, go away.

떠돌다 《표류》 drift about, float ; 《방랑》 wander about.

떠들다 make a noise.

떡 rice cake. ¶ 가래~ bar rice cake.

떨다 tremble, shake, shiver.

떨어뜨리다 drop, let fall.

떨어지다 《낙하》 fall, drop. 《실패》 fail (in).

떼 《무리》 a crowd, a group.

뗏목 a raft.

또 《또다시》 again, once more ; 《또한》 too, also, as well; 《그 위에》 and, moreover.

또는 or.

또다시 again, once more.

뚜껑 《덮개》 a cover; 《솥·상자의》 a lid; 《병의》 a cap.

뚱뚱하다 (be) fat. ¶ 뚱뚱해지다 grow 〔get〕 fat ; put on 〔gain〕 weight.

뛰다 《도약》 jump, leap, spring; 《달리다》 run.

뛰어나다 be superior 《to》; excel 《in》. ¶ 뛰어난 superior ; eminent.

뜨개질 knitting. ~하다 knit.

뜨겁다 (be) hot.

뜨다 《물·하늘에》 float (*on the water, in the air*); 《해·달이》 rise, come up.

뜰 《정원》 a garden ; 《울안》 a yard, a court.

뜻밖 ¶ ~의 unexpected / ~에 unexpectedly.

띠 a belt. ¶ 머리~ a headband.

라디오 radio. ¶ ~를 틀다〔끄다〕 turn on 〔switch off〕 the radio / ~ 방송 radio broadcasting.

라켓 a racket ; 《탁구의》 a bat.

라틴 Latin. ¶ ~어 Latin / ~ 민족 the Latin races.

램프 a lamp. ¶ 석유 ~ an oil lamp.

러시아워 the rush hour(s).

러키 lucky.

럭비 rugby.

레몬 a lemon. ¶ ~즙〔주스〕 lemon juice.

레이더 a radar. ¶ ~ 장치 a

radar system.

레인코트 a raincoat.

레코드 《기록》 a record; 《축음기의》 a record, a disk. ¶ ~를 틀다 play a record.

…로 《원인·이유》 with, from, due to, because of, through; 《단위》 by; 《원료》 from, of; 《수단》 by, with, by means of; 《방향》 to, in, at, for, toward. ¶ 감기~ 누워 있다 be in bed with cold / 나쁜 날씨~ due to bad weather / 다스~ 팔다 sell by the dozen / 벽돌~ 지은 집 a

house built of brick / 버스~
가다 go by bus / 서울~ 향하다
leave for Seoul.
…로부터 from.
…로서 《자격》 as, for. ¶ 나~는 as
for me / 교사~ as a
teacher.
렌즈 a lens.
로켓 a rocket. ¶~포 a rocket
gun.
룸 a room. ¶~ 서비스 room
service.

르네상스 Renaissance.
리더 《지도자》 a leader.
리듬 rhythm. ¶ ~에 맞추어 to
the rhythm.
리본 a ribbon.
리셉션 a reception. ¶ ~을 열다
hold〔give〕 a reception.
리스트 a list. ¶ ~에 올리다
put 《a person》 on the list.
리포트 a report; 《학교의》 a
term paper.
링크 《스케이트장》 a rink.

마감 closing, finish. ~하다
close, finish, bring to a
close. ¶ ~ 시간 the closing
hour / 일을 ~하다 finish a
job〔work〕.
마개 a stopper, a cork, a
plug. ¶~를 막다 cork, plug /
~를 뽑다 uncork / ~뽑이 a
bottle opener.
마구간 a stable, 《미》 a barn.
¶~에 넣다 stable 《a horse》.
마귀 a devil, an evil spirit.
마녀 a witch.
마당 《뜰》 a garden; a yard;
《안뜰》 a court.
마디 《관절》 a joint; 《매듭·식물
따위의》 a knot.
마라톤 a marathon (race). ¶~
선수 a marathoner.
마루 a floor.
마르다 dry, get dry.
마법사 a wizard.
마술 magic. ¶~사 a magician.
마시다 《액체를》 drink; 《기체를》
breathe in.
마을 a village. ¶ ~ 사람들
villagers; village people.
마음 《정신》 mind, spirit; 《심
정》 heart, feeling.
마일 a mile. ¶ 시속 60~로 달리

다 run at (the rate of)
sixty miles per hour.
마저 《남김없이》 all (together);
《까지도》 even, so far as.
마중하다 meet, come to meet.
¶ 낸시가 공항에서 나를 마중했다.
Nancy met〔came to meet〕
me at the airport.
마지막 the last, the end; 《형
용사적》 last, final. ¶ ~으로
finally; at the end / ~까지
to the end 〔last〕.
마차 a carriage; 《짐마차》 a
cart.
마천루 a skyscraper.
마치 as if, as though, just
like. ¶ ~ 미친 사람 같다 look
as if one were mad.
마침내 at last, in the end,
finally. ¶ ~ 전쟁이 터지고 말았
다. A war broke out at last.
마흔 forty.
막 《방금》 just (now). ¶ ~ 하
려 하다 be about to 《do》.
막(幕) 《휘장》 a curtain; 《연극
의》 an act.
만(灣) 《작은 만》 a bay; 《큰
만》 a gulf.
만나다 meet, see.
만년필 a fountain pen.

만들다 make;《제조》manufacture.

만세 cheers, hurrah. ¶ ~를 삼 창하다 give three cheers.

만원 a full house;《게시》House full.《만원》. Sold out.《매진》.

만일 if, in case of, by any chance.

만족 satisfaction, contentment. ~하다 be satisfied[pleased]《with》, be content《with》. ¶ ~시키다 satisfy / 나는 지금의 생활에 만족하고 있다. I am content with my present life.

만지다 touch, feel. ¶ 만지지 마 시오.《게시》Hands off.

만큼《비교》as [so] … as;《정 도》so much that. ¶ 나는 너~ 키가 크다. I'm as tall as you. / 싫증이 날 ~ 먹었다. I have eaten it so much that I am sick of it.

많은《수》many;《양》much;《수·양》a lot of, plenty of.

많이 much, lots, plenty.

말¹《낱말》a word;《언어》a language, speech. ¶ 표준~ the standard language / 한마디도 없이 떠나다 leave without a word.

말²《동물》a horse. ¶ ~을 타다 ride [mount] a horse / ~타고 가다 ride[go on] horse back.

말다 roll.

말리다《건조》dry, make [let] dry;《만류》stop《a person》from《doing》, get《a person》not to.

말썽 trouble. ¶ ~꾸러기 a troublemaker / ~을 일으키다 cause trouble.

말하다 say, tell, speak. ¶ 한마디 로 말하자면 in short / 아무를 좋 게[나쁘게] ~ speak well[ill] of a person / 영어를 ~ speak English / 너와 말할 시간이 없다.

I have no time to talk with you.

맑다《물이》(be) clear, clean, pure;《날씨가》(be) fine, clear.

맛 (a) taste, (a) flavor. ¶ ~을 보다 taste; try the flavor of / ~이 좋은 delicious, tasty, nice.

망그러뜨리다 break down, damage, ruin.

망설이다 hesitate, be at a loss.

망아지 a pony.

망원경 a telescope

망치 a hammer.

망치다 spoil, ruin, destroy. ¶ 신세를 ~ ruin oneself; make a failure of one's life.

맞다¹《정확함》be right [correct];《어울림》become, match [harmonize]《with》;《적합》fit, suit;《적중》hit, come true《예상》. ¶ 맞는 대 답 a correct answer / 넥타이가 양복에 잘 ~ a tie matches a coat nicely / (몸에) 잘 맞는 옷 well fitting clothes / 꿈이 ~ a dream comes true.

맞다²《영접》meet, receive, greet;《맞아들임》take, invite. ¶ …를 따뜻이 ~ give《a person》a warm reception / 아내를 ~ take a wife.

맞추다《짜맞춤》put together;《주문》order. ¶ 양복을 ~ order a suit.

맡다¹《보관》keep. ¶ 이 돈을 맡 아 주시오. Please keep this money for me.

맡다²《냄새를》smell.

매 a whip. ¶ ~를 때리다 whip, beat.

매(枚) a sheet [piece] of《paper》.

매-(每) every, each. ¶ ~년 every year.

매끄럽다 (be) smooth, slippery.

매다 《묶다》 bind, tie (up), fasten; 《목을》 hang *oneself*.

매듭 a knot, a tie. ¶ ~을 맺다 〔풀다〕 make 〔untie〕 a knot.

매력 (a) charm. ¶ ~ 있는 charming, attractive.

매매 《사고 팖》 buying and selling; 《거래》 a bargain, trade, dealing. ~하다 buy and sell, trade 〔deal〕 《*in*》.

매우 very (much), greatly, awfully. ¶ ~ 많은 돈 very much money / ~ 덥다 be very hot.

매일 every day. ¶ ~ 아침 every morning.

매장 a counter ; 《점포》 a shop, a store.

매주 every week, weekly.

매체 a medium. ¶ 광고 ~ a medium of advertisement/ 대중 ~ the mass media.

매혹하다 fascinate, charm. ¶ 매혹적인 charming.

맥박 pulse.

맥주 beer.

맵다 (be) hot, peppery. ¶ 국이 ~. The soup is hot.

맹렬한 violent, furious.

맹세하다 swear, give *one's* word 〔honor〕.

머리 《두부》 the head; 《머리털》 hair. ¶ ~가 아프다 have a headache / ~를 깎다 have 〔get〕 *one's* hair cut.

머무르다 stay, remain.

먹다 eat, have. ¶ 아침을 ~ eat 〔have〕 breakfast.

먹이 《양식》 food ; 《사료》 feed.

먼지 dust. ¶ ~투성이의 dusty.

멀다¹ 《시간·거리가》 (be) far 〔far-off〕, faraway, distant; 《관계가》 (be) distant. ¶ 먼 거리 a long distance / 먼 옛날에 in the far-off days / 먼 친척 a distant relative.

멀다² 《눈이》 go 〔be〕 blind, lose

one's sight. ¶ 그는 한 쪽 눈이 멀었다. He is blind in one eye.

멀리 far away, at a distance. ¶ ~서 from a distance / ~하다 keep away 《*from*》.

멍청이 a fool, a stupid person.

멍청하다 (be) stupid, dull, thick-headed.

메달 a medal. ¶금~ 수상자 a gold medal winner; a gold medalist.

메뚜기 a grasshopper, a locust.

메스꺼움 nausea.

메시지 a message.

메아리 an echo. ¶ ~ 치다 echo; be echoed.

메우다 《빈 곳을》 fill up 〔in〕, stop up. ¶ 여백을 ~ fill space / 틈을 ~ make 〔stop〕 up a gap.

면도 shaving. ~하다 shave; get 〔have〕 a shave. ¶깨끗이 ~하다 shave *oneself* clean.

면허 a license. ¶ 운전 ~증 a driving license / ~를 따다〔얻다〕 take 〔obtain〕 a license.

면회 a meeting, an interview. ~하다 see, meet, interview.

명랑한 gay, merry, cheerful.

명령 an order, a command. ~하다 order, command. ¶ ~을 내리다 give an order / ~대로 하다 do as *one* is told.

명백하다 (be) clear, plain, obvious, apparent.

명부 a list of names.

명사 a noun.

명예 honor, credit.

명주 silk. ¶ ~실 silk thread / ~옷 silk clothes.

명함 a (name) card.

몇 《얼마》 how many 《수》; how much 《양》 ; how far 《거리》); how long 《시간》. ¶ ~ 개 how many / ~ 살 how old /

~ 번 how often / ~ 시 what time, when.

몇몇 some, several, a few.

모국 *one's* mother country. ¶ ~어 *one's* mother [native] tongue.

모기 a mosquito. ¶ 모깃소리로 in a very faint voice / ~장 a mosquito net.

모닥불 a bonfire, an open-air fire.

모두 all; 《사물》 everything; 《사람》 everyone.

모든 all, every, whole. ¶ ~ 점에서 in all points; in every respect.

모래 sand. ¶ ~ 사장 a sandy beach / ~ 주머니 a sandbag.

모레 the day after tomorrow.

모르다 do not know, be ignorant 《*of*》, cannot tell, do not understand.

모른 체하다 pretend not to know, be indifferent to.

모방 (an) imitation, (a) copy. ~하다 imitate, copy, model 《*on, after*》.

모범 a model, an example, a pattern.

모습 《풍채》 an appearance, *one's* features; 《용모》 a face, a look.

모양 《생김새》 shape, form; 《자태》 (personal) appearance, figure.

모여들다 gather [flock] together, crowd in.

모욕 an insult, contempt.

모으다 gather, collect.

모음 a vowel.

모이다 《몰려들다》 come [get] together, gather [flock] (together); 《회동하다》 assemble.

모임 a meeting, a gathering.

모자 《테 없는》 cap; 《테 있는》 hat.

모퉁이 a corner. ¶ ~집 a

house at the corner.

모포 a blanket.

모피 a fur. ¶ ~ 코트 a fur overcoat.

모험 an adventure, a risk. ~하다 take a risk, adventure.

모형 a model. ¶ ~ 비행기 a model airplane.

목 a neck.

목걸이 a necklace.

목격하다 witness, observe.

목구멍 a throat.

목도리 a neckcloth, a muffler, a neckerchief.

목동 a shepherd boy; a cowboy.

목록 《상품·장서의》 a list, a catalog(ue). ¶ ~을 만들다 make a list.

목마르다 be [feel] thirsty.

목소리 a voice. ¶ 굵은 [가는] ~ a deep [thin] voice / 높은 [낮은] ~ a loud [low] voice.

목수 a carpenter.

목숨 life.

목요일 Thursday(약자 Thur(s).).

목욕 bathing, a bath. ~하다 bathe; take [have] a bath. ¶ ~실 a bathroom / ~통 a bathtub.

목장 a pasture, a meadow.

목재 wood; 《건축용》 timber, 《미》 lumber

목적 a purpose, an object, an end. ¶ ~을 이루다 attain *one's* object.

목표 a mark, a target, a goal, an object. ¶ ~에 달하다 reach [attain] the goal.

몸 《신체》 the body; 《건강》 health.

몸가짐 《품행》 behavior; conduct; 《태도》 an attitude.

몸짓 a gesture, (a) motion.

몹시 very (much), extremely, greatly.

못 a nail. ¶ ~을 박다 [빼다] drive in [pull out] a nail.

몽둥이 a stick, a club.

묘하다 (be) strange, curious.
¶묘하게 들리다 sound strange.

무겁다 《무게가》 (be) heavy;
weighty; 《기분이》 (be, feel)
heavy; 《병이》 (be) serious.
¶ 무거운 돌 a heavy stone / 마
음이 ~ have a heavy heart /
어깨가 ~ have a heavy
feeling in the shoulders / 무
거운 병 a serious illness.

무게 weight.

무관심 indifference, uncon-
cern. ~하다 (be) indifferent
《to》.

무너지다 fall [break] down, be
destroyed.

무늬 a pattern, design. ¶ ~를
넣다 put on a pattern;
pattern.

무대 the stage.

무덤 a grave, a tomb.

무디다 (be) dull. ¶ 무딘 칼날 a
dull blade / 무딘 색깔 dull
color / 머리가 무딘 소년 a dull
boy.

무료로 free, for nothing.

무릎 a knee, a lap. ¶ ~을 꿇
다 fall on *one's* knees.

무리 a group, a crowd.

무명 cotton.

무사(無事) being safe, safety.
~하다 (be) safe (and sound).
¶ ~히 safely, peacefully.

무서움 fear, fright, terror. ¶ ~
을 타다 be easily frightened/
~을 모르다 have no fear; be
fearless.

무선 wireless (radio).

무섭다 《두렵다》 (be) fearful,
terrible; 《사납다》 (be) fierce.

무시하다 ignore, disregard.

무엇 what, anything.

무역 trade, commerce. ~하다
trade 《with》, carry on
commerce. ¶ ~ 회사 a trading
firm [company].

무용 dancing, a dance. ~하다

dance. ¶ ~가 dancer / 민속 ~
a folk dance.

무의미하다 (be) meaningless,
senseless. ¶ 무의미한 생활 a
meaningless life.

무익하다 (be) useless, be no
good [use]. ¶ 백해 ~ do more
harm than good.

무지개 a rainbow. ¶ ~빛 rain-
bow color.

무질서 disorder. ~하다 (be)
disordered.

무책임 irresponsibility. ~하다
(be) irresponsible. ¶ ~하게
irresponsibly / ~한 사람[행동]
an irresponsible person
[conduct].

묶다 bind, tie, fasten.

문 《집 안의》 a door ; 《집 밖의》
a gate.

문득 suddenly, unexpectedly.

문명 civilization, 《문화》 culture.

문법 grammar.

문서 《서류》 a document, a
paper.

문자 a letter, a character, an
alphabet.

문장 a sentence.

문제 a question, a problem ;
a subject, 《화제》 a topic.

문지르다 rub, scrub, scrape.
¶ 문질러 없애다 rub off [out].

문학 literature.

문화 culture, civilization. ¶ ~
적 cultural.

묻다 《질문하다》 inquire, ques-
tion; 《매장하다》 bury; 《칠 따위
가》 be stained 《with》.

물 water.

물가 prices.

물건 a thing ; 《물품》 an article,
goods. ¶ ~을 사러가다 go
shopping.

물고기 fish, a fish.

물다 《깨물다》 bite; 《입에》 put
[hold] in *one's* mouth; 《벌
레가》 bite, sting 《모기가》.

물들다 《빛깔이》 take color.

물러나다 withdraw, retire; resign.

물러서다 move [step] backward, step aside.

물려받다 take over.

물려주다 hand [turn, make] over.

물론 of course.

물리학 physics. ¶ ~자 a physicist.

물음 a question. ¶ ~표 question mark.

물질 matter, material. ¶ ~적인 원조 material aid [help].

뭉치다 《단결하다》 unite, hold together; 《덩이 짓다》 make a lump, mass; 《합치다》 unite, put together. ¶ 뭉치면 살고 흩어지면 죽는다. United we stand, divided we fall.

미개 being uncivilized. ~하다 (be) uncivilized.

미국 America, the United States (of America). ¶ ~인 an American.

미끄러지다 slide, slip, glide.

미덥다 (be) trustworthy, reliable. ¶ 그는 미덥지 않다. He is not reliable.

미래 future, the time to come. ¶ ~의 future; coming / ~의 계획을 세우다 form a plan for one's future.

미련하다 (be) stupid, senseless.

미로 a maze.

미루다 《연기》 postpone, put off, delay.

미리 beforehand, in advance, previously.

미사일 a missile. ¶ 지대공 ~ a surface-to-air missile.

미소 a smile. ¶ ~를 띄우고 with a smile; smiling(ly) / ~를 짓다 wear a smile 《on one's face》.

미술 art, the fine arts. ¶ ~가 an artist / ~관 an art museum [gallery].

미식 축구 American football.

미신 (a) superstition.

미안하다 (be) sorry, regrettable. ¶ 미안한 생각이 들다 feel sorry / 미안합니다만 Excuse me, but ....

미워하다 hate.

미인 a beauty, a beautiful woman [lady], a pretty girl.

미치다 《정신이》 go mad[crazy]; 《이르다》 reach, come (up) to. ¶ 미친 사람 a crazy guy [man] / 미치게 하다 make [drive] 《a person》 mad [crazy] / 손이 미치는[미치지 않는] 곳에 있다 be within [beyond] one's reach.

미터 a meter.

미풍 a breeze.

미화원 a janitor.

민속 무용 a folk dance.

민족 a race; a people; a nation. ¶ ~ 문화 national culture.

민주 democracy. ¶ ~적 democratic / ~화하다 democratize / ~주의 democracy.

믿다 《정말로》 believe, be convinced 《of》: 《사람을》 trust, credit. ¶ 믿을 수 있는 believable / 믿을 만한 reliable / 믿을 수 없는 incredible / 하느님을 ~ believe in God.

믿음 faith, belief.

밀 wheat.

밀가루 flour.

밀다 push, thrust. ¶ 밀어내다 push out / 밀어젖히다 push aside.

밀랍 wax.

밑 《바닥》 the bottom; 《아래》 the base, the foot; 《근본》 the root, the origin.

바구니 a basket. ¶ 장~ a shopping basket.

바깥 the outside, the outdoors; out-of-doors.

바꾸다 《교환》 change, exchange; 《변경》 change, alter, shift. ¶ 바꾸어 말하면 in other words.

바나나 a banana.

바느질 sewing, needlework. ~하다 sew, do needlework.

바늘 《바느질》 a needle; 《핀》 a pin; 《낚시의》 a hook; 《시계의》 a hand. ¶ ~귀 a needle's eye.

바다 the sea, the ocean 《대양》. ¶ 바닷가 the beach; the seashore.

바라다 expect, hope, want, wish, desire.

바라보다 see, look 《at》, watch; 《응시》 gaze 《at, on》.

바람 a wind, a breeze 《미풍》. ¶ ~이 있는〔없는〕 windy 〔windless〕 / ~이 일다. The wind rises.

바로 《옳게》 rightly, honestly; 《곧·곧장》 directly, straight. ¶ 집으로 ~ 가다 go straight home.

바르다 《붙이다》 paste; 《칠하다》 paint 《색을》, apply 《약을》.

바리케이드 a barricade. ¶ ~를 치다 set up a barricade; barricade 《a place》.

바보 a fool. ¶ ~ 같은 silly; foolish.

바쁘다 (be) busy. ¶ 시험 준비에 ~ be busy preparing for the examination.

바위 a rock.

바이올린 a violin. ¶ ~ 연주자 a violinist.

바지 (a pair of) trousers, 《미》 pants.

바치다 《드리다》 give, offer, present; 《노력·심신을》 devote, dedicate. ¶ 일생을 연구에 바치다 devote 〔dedicate〕 one's life to research.

바퀴 a wheel.

박다 《못을》 drive 〔strike〕 《in》; 《인쇄》 print; 《사진을》 take 《a picture》.

박람회 an exhibition, a fair.

박력 force, power, intensity. ¶ ~이 있다 be powerful.

박물관 a museum.

박사 a doctor.

박수 hand clapping. ~하다 clap one's hands. ¶ ~ 갈채 cheers; applause.

박자 rhythm.

박쥐 a bat.

밖 the outside. ¶ ~의 outside; outdoor / ~으로 나가다 go out (of doors); go outside.

반(班) a class.

반(半) a half. ¶ 한 다스 ~ a dozen and a half / 세 시 ~ half past three.

반갑다 (be) glad, happy, delightful, pleased. ¶ 반가운 소식 glad 〔happy〕 news / 만나서 반갑습니다. I'm glad to see 〔meet〕 you.

반대 《반항·이의》 opposition, objection. ~하다 oppose, object 《to》, be against 〔opposed〕 《to》. ¶ 그는 이 계획에 반대한다. He is opposed 〔against〕 to this plan.

반도 a peninsula. ¶ 한~ the

Korean Peninsula.

반드시 certainly, surely, without fail, by all means.

반복 repetition. ~하다 repeat. ¶ ~하여 말하다 say over again; repeat *oneself* / 역사는 반복한다. History repeats itself.

반사 reflection. ~하다 reflect.

반응 (a) reaction; 《반향》 a response; 《효과》 an effect. ¶ ~을 보이다 react 《to》 ; respond 《to》.

반점 a spot, a speck. ¶ ~이 있는 spotted; speckled.

반지 a ring. ¶ ~를 끼고 있다 wear a ring.

반짝거리다 shine, glitter, sparkle, twinkle 《별이》, glimmer 《깜박임》.

반항 resistance, opposition. ~하다 resist, oppose.

반환 return. ~하다 return, give back.

받다 receive, accept, have, get. ¶ 편지를 ~ receive a letter/ 전화를 ~ answer the phone.

받아쓰기 (a) dictation. ¶ ~를 하다 write down; do dictation.

발 a foot; 《동물의》 a paw.

발가락 a toe.

발걸음 a step, a pace. ¶ ~을 재촉하다 quicken *one's* pace.

발견 (a) discovery. ~하다 discover, find (out), make a discovery. ¶ 누가 라듐을 발견했느냐? Who discovered radium?

발달 development, growth. ~하다 develop, grow. ¶ 도시의 ~ the growth of a city.

발동기 a motor, an engine.

발뒤꿈치 the heel.

발레 a ballet.

발명 (an) invention. ~하다 invent. ¶ ~가 an inventor.

발목 an ankle.

발생 occurance, outbreak. ~하다 occur, break out. ¶ 콜레라의 ~ an outbreak of cholera.

발육 growth, development. ~하다 grow, develop. ¶ ~이 빠르다〔늦다〕 grow rapidly 〔slowly〕.

발음 pronunciation. ~하다 pronounce.

발자국 a footprint, a footstep.

발전 growth, development. ~하다 develop, grow. ¶ 공업의 ~ industrial growth.

발톱 《사람》 toenails; 《짐승》 a claw.

발표 announcement, publication, expression. ~하다 announce, express. ¶ 연구를 ~하다 《출판물로》 publish the results of *one's* research.

발행 《책의》 publication; issue. ~하다 issue, publish.

밝다[1] 《날이 새다》 dawn, break. ¶ 밝아오는 하늘 the dawning sky.

밝다[2] 《빛이》 (be) light, bright; 《귀·눈이》 (be) sharp, keen. ¶ 밝게 하다 lighten, light up / 귀가 ~ have a sharp ear.

밟다 tread 〔step〕 on.

밤[1] 《야간》 night, evening 《저녁》. ¶ ~에 at night; in the evening / ~늦게 (까지) (till) late at night.

밤[2] 《열매》 a chestnut. ¶ ~나무 a chestnut tree.

밤낮 day and night; 《항상》 always, all the time.

밥 《쌀밥》 boiled 〔cooked〕 rice; 《식사》 a meal, food. ¶ ~을 짓다 cook 〔boil〕 rice / ~을 먹다 have a meal.

밧줄 a rope. ¶ ~을 당기다 draw 〔pull〕 the rope.

방 a room, a chamber.

방과 후 after school (hours).

방문 a visit, a call. ~하다 visit, call on 《a person》, call at 《a house》. ¶ ~을 받다

receive a call [visit].

방방곡곡 all over the country.

방법 《방식》 a way, a method; 《수단》 a means. ¶ 최선의 ~ the best method [way].

방석 a cushion.

방송 broadcasting. **~하다** broadcast, put [send] 《*the news*》 on the air. ¶ ~국 a broadcasting [radio, TV] station / ~실 a (radio, TV) studio / ~을 듣다 listen to the radio broadcasting.

방어 defence. **~하다** defend.

방울 a bell. ¶ ~ 소리 the tinkling of a bell.

방학 school holiday, a vacation. **~하다** close the school, go on vacation.

방해하다 disturb, obstruct. ¶ 공부를 ~ disturb 《*a person*》 in his study / 교통을 ~ obstruct traffic.

방향 direction. ¶ ~ 감각 a sense of direction.

밭 a field, a farm. ¶ 옥수수~ a corn field.

배¹ 《과일》 a pear.

배² 《선박》 a ship, a boat, a vessel, a steamer 《기선》. ¶ ~를 타다 go [get] on board.

배³ 《복부》 the stomach, the belly. ¶ ~가 고프다 be hungry / ~가 아프다 have a stomachache / ~가 부르다 have a full stomach.

배(倍) 《2배》 two times, double, twice; 《곱절》 … times. ¶ 값의 ~를 지불하다 pay double [twice] the price.

배경 a background. ¶ ~ 음악 background music.

배구 volleyball.

배낭 a backpack, a knapsack.

배달 delivery. **~하다** deliver. ¶ ~료 the delivery charge / ~원 a mailman 《우편》; a newsboy 《신문》 / a milk man

《우유》 / ~ 즉시 대금 지급함. Cash will be paid on delivery.

배반하다 betray.

배우 a player, an actor 《남성》, an actress 《여성》. ¶ 주연 ~ a leading actor [actress].

배우다 learn, study, be taught.

배웅 a send-off. **~하다** see [send] 《*a person*》 off.

배추 a Chinese cabbage.

배탈 a stomach trouble [upset]. ¶ ~이 나다 have a stomach upset [disorder].

백 a [one] hundred. ¶ 수 ~의 hundreds of.

백만 a [one] million. ¶ ~ 분의 일 one [a] millionth / ~ 장자 a millionaire.

백색 white (color).

백점 one [a] hundred point; 《만점》 full marks.

백조 a swan.

백지 a (blank) sheet of paper, white paper.

백합 a lily.

백화점 a department store.

밴조 a banjo.

뱀 a snake, a serpent.

뱃멀미 seasickness.

뱃사람 a seaman, a sailor.

뱉다 spit (out) 《침 따위를》.

버드나무 a willow.

버릇 a habit. ¶ ~이 되다 become a habit 《*of*》 / ~을 고치다 get rid of a habit.

버리다 《내던지다》 throw away; 《포기하다》 abandon. ¶ 불필요한 물건을 ~ throw away useless things.

버스 a bus. ¶ ~ 노선 a bus route / ~ 요금[정류장] a bus fare [stop] / 통근 ~ a commuter bus.

버찌 a cherry.

버터 butter. ¶ 빵에 ~를 바르다 butter *one's* bread; spread butter on bread.

버티다 《괴다》 support; 《견디내다》 endure, stand up 《to》, hold 《out》. ¶ 기둥으로 담을 ~ support a wall with a post / 모든 어려움을 버텨내다 endure all the hardships.

번갈아 by turns, one after another, in turn.

번개 (a flash of) lightning. ¶ ~처럼 as swiftly as lightning, in a flash/ ~가 번쩍하다 lightning flashes.

번거롭다 (be) troublesome. ¶ 번거로운 일 a troublesome job.

번역 (a) translation. ~하다 translate. ¶ ~을 잘하다[잘못하다] be a good [poor] translator / ~하는 사람 a translator.

번지다 spread.

번호 a number. ¶ ~를 매기다 number.

벌 a bee. ¶ ~에 쏘이다 be stung by a bee / ~떼 a swarm of bees.

벌(罰) punishment, penalty. ¶ ~을 주다 punish; impose a penalty.

벌금 a fine. ¶ ~을 물리다 fine; punish 《a person》 with a fine/ ~을 물다 pay a fine; be fined.

벌다 《돈을》 earn, make 《money》. ¶ 힘들여 번 돈 hard-earned money / 돈을 잘 ~ make good money.

벌레 《곤충》 an insect; 《애벌레 따위》 a worm; 《나방 따위》 a moth. ¶ 책~ a bookworm 《독서광》 / ~먹은 worm-eaten; moth-eaten; wormy.

벌써 already, yet 《의문문·부정문에》.

벌어지다 《사이가》 split, open; 《일·싸움 따위가》 happen, occur. ¶ 틈이 ~ a gap widens / 무슨 일이 벌어질 것 같다. Something is likely to happen.

벌집 a beehive, a honeycomb. ¶ ~을 건드리지 마라. 《속담》 Let sleeping dogs lie.

벌판 a field, a plain.

범람하다 overflow, run over, flood.

범위 an extent, a range, limits. ¶ ~ 내[외]에[서] within [beyond] the limits 《of》.

범인(犯人) a criminal.

범죄 a crime; 《행위》 a criminal act. ¶ ~의 criminal / ~를 저지르다 commit a crime.

법 《법률·법규》 a law, a rule; 《규정》 a regulation. ¶ ~에 어긋난 illegal / ~을 지키다 observe the law.

법원 a court of justice, a law court. ¶ 가정 ~ a Family Court.

법칙 a law, a rule. ¶ 자연 ~ a law of nature; a natural law.

벗다 take [pull] off. ¶ 모자를 ~ take off one's hat.

벗어나다 《헤어나다》 get out of 《difficulties》, escape from.

벙어리 《사람》 a dumb person, the dumb 《총칭》.

벚꽃 cherry blossoms [flowers].

벚나무 a cherry tree.

베개 a pillow. ¶ 베갯잇 a pillowcase.

베끼다 copy.

베다 cut. ¶ 손가락을 ~ cut one's finger 《on a knife》.

베어내다 cut off [out, away].

베짱이 a grasshoper.

벨 a bell; 《초인종》 a doorbell. ¶ ~을 울리다[누르다] ring [press, push] the bell.

벼 a rice plant. ¶ ~를 심다 plant rice / ~농사 rice farming.

벼락 a stroke of lightning.

벼랑 a cliff.

벼룩 a flea.

벽 a wall.

벽돌 (a) brick. ¶ ～을 굽다 burn bricks / ～공 a brickmaker 《굽는 사람》; a bricklayer 《쌓는 사람》.

벽지 wallpaper.

변경 change. ～하다 change. ¶ 날짜를 ～하다 change the date 《of 》.

변명 an excuse, an explanation. ～하다 excuse [explain] *oneself*. ¶ 잘못을 ～ 하다 excuse *one's* mistake.

변소 a toilet, a water closet (room), a lavatory; a bathroom, a rest room. ¶ ～ 에 가다 go to wash *one's* hands.

변장 disguise. ～하다 disguise *oneself* 《*as a beggar*》, make up 《*as a woman*》.

변하다 change, become different. ¶ 변하기 쉬운 changeable.

변호사 a lawyer.

변화 (a) change. ～하다 change. ¶ 일기의 ～ a change in the weather.

별 a star; 《총칭》 the stars. ¶ ～ 같은 starlike; starry / ～ 이 반짝이다 the stars twinkle.

별명 another name, a nickname. ¶ ～을 붙이다 give 《a person》 a nickname.

병 a bottle. ¶ ～에 담은 in bottles; bottled / 병마개 a bottle cap.

병(病) (an) illness, (a) sickness, a disease. ¶ ～에 걸리다 get [fall, be taken] ill / ～ 이 낫다 get well; recover from *one's* illness.

병균 a germ.

병아리 a chick, a chicken.

병원 a hospital. ¶ ～에 입원하 다[입원시키다] go into [send 《a person》 to] hospital.

병자 a patient, a sick person.

별 sunshine, sunlight. ¶ ～에 타다 be sunburnt.

보고 a report, information. ～ 하다 report, inform 《a person of an event》. ¶ ～서 a report.

보금자리 a nest. ¶ 사랑의 ～ a love nest.

보기 an example, an instance.

보내다 send, write 《편지를》. ¶ 보내는 사람 a sender / 편지를 ～ send [write] a letter / 심부 름 ～ send 《a person》 on an errand / 의사를 부르러 ～ send for a doctor.

보다 see, look at, behold, observe. ¶ 자세히 ～ peer 《at》 / 뚫어지게 ～ stare [gaze] 《at》. …보다 than … ¶ …보다 낫다 be better than ….

보따리 a bundle.

보랏빛 purple, violet.

보류하다 reserve.

보름 fifteen days, half a month. ¶ ～달 a full moon.

보리 barley.

보물 a treasure. ¶ ～섬 a treasure island.

보살피다 look [see] after, take care of, care for.

보석 a jewel, a gem. ¶ ～류 jewelry.

보여주다 let 《a person》 see, show.

보이다[1] 《눈에》 see; 《사물이》 be seen [visible], catch sight of; 《… 같다》 seem, look (like). ¶ 슬퍼 ～ look sad.

보이다[2] 《보여주다》 show, let 《a person》 see [look at].

보자기 a (cloth) wrapper.

보조 a step, a pace. ¶ ～를 맞 추다 keep pace [step] with 《a person》.

보조개 a dimple.

보존하다 preserve, keep, maintain.

보초 a guard. ¶ 입구에 ～를 세 우다 place a guard at the

door.

보태다 《더하다》 add; 《보충하다》 supply, make up 《*for*》.

보통 《부사적》 usually, commonly, generally, on the average. ¶ ~의 general; normal; common / ~ 사람 a common [an average] man.

보트 a boat.

보험 insurance. ¶ 생명[화재] ~ life [fire] insurance.

보호 protection. ~하다 protect. ¶ ~ 무역 protective trade / ~ 자 a protector; a patron.

복(福) good luck, fortune, happiness. ¶ ~이 많다[있다] be fortunate; be in luck / 새 해에 ~ 많이 받으십시오. Happy New Year!

복권 a lottery ticket [card].

복도 a corridor, a passage, a lobby 《극장 따위의》.

복부 the abdomen, the belly.

복사 reproduction; 《복사물》 a copy, a reproduction. ~하다 reproduce, copy.

복숭아 a peach.

복잡 complexity, complication. ~하다 (be) complicated, complex. ¶ ~한 문제 a complicated problem.

복장 dress, costume, clothes. ¶ 한국식 ~ Korean-style clothes.

복종 obedience. ~하다 obey 《*one's parents*》. ¶ ~하지 않 다 disobey.

복지 (public) welfare, well-being. ¶ ~ 국가 a welfare state / ~ 시설 welfare facilities.

복통 a stomachache.

본능 an instinct. ¶ ~적으로 instinctively.

본받다 follow 《*a person's*》 example, model 《*after*》.

본보기 《모범》 an example, a model.

본질 essence, essential qualities. ¶ ~적으로 essentially.

볼 《뺨》 a cheek; 《공》 a ball.

볼링 bowling

볼일 business, an engagement. ¶ ~로 on business.

봄 spring. ¶ 이른 ~에 in the early spring.

봉급 a salary, pay, wages. ¶ ~이 많다 be well-paid.

봉사 service. ~하다 serve. ¶ 사 회 ~ social [public] service.

봉숭아 a touch-me-not.

봉오리 a bud.

봉우리 a peak, a top, a summit.

봉투 an envelope, a paper bag [sack] 《봉지》.

부(富) wealth, riches.

부근 neighborhood.

부글거리다 《끓어서》 simmer; 《거품이》 bubble up.

부끄러움 《창피》 shame; 《수줍 음》 shyness, bashfulness. ¶ ~ 타다 be shy [bashful].

부끄럽다 《창피하다》 (be) shameful; 《수줍다》 (be) bashful, shy, abashed.

부닥치다 face, confront, encounter. ¶ 어려움에 ~ face a difficulty.

부담 a burden, a load. ¶ 과중 한 ~ a heavy burden.

부대 a (military) unit, a corps, a force. ¶ 기동 ~ a task force / 전투 ~ a fighting unit.

부두 a pier, a wharf.

부드럽다 (be) soft, tender, gentle, mild. ¶ 부드러운 빛 a soft light / 감촉이 ~ feel soft.

부디 《꼭》 by all means; 《바라 건대》 (if you) please.

부딪다 bump [knock, dash] 《*against*》, bump [run, crash] into.

부러뜨리다 break.

부러워하다 envy, be envious of, feel envy 《*at*》. ¶ 그의 명성 을 ~ feel envy at his fame.

부러지다 break, be broken.
부르다¹ 《배가》 (be) full. ¶ 배부르게 먹다 eat *one's* fill.
부르다² 《소리내어》 call, call out 《to》; 《노래를》 sing 《a song》; 《외치다》 cry, shout. ¶ 이름을 ~ call 《a person》 by name / 택시를 ~ call a taxi / 전화로 K를 ~ call K to the phone / 노래를 ~ sing a song / 만세를 ~ cry "Hurrah!"
부리 《새의》 a bill 《평평한》, a beak 《매 따위의》.
부모 *one's* parents. ¶ ~의 사랑 parental love.
부분 a part, a portion, a section. ¶ ~적인 partial / ~적으로 partially.
부서지다 break, be smashed. ¶ 부서지기 쉬운 fragile.
부수다 break, destroy, smash.
부시다 《눈이》 (be) dazzling, glaring.
부업 a sideline, a side job.
부엉이 an owl.
부엌 a kitchen.
부유하다 (be) rich, wealthy.
부인 a wife, a married lady; 《경칭》 Mrs. 《Kim》, Madam.
부자 a rich man, 《총칭》 the rich.
부자유하다 (be) not free, restricted.
부정(不正) injustice.
부정직 dishonesty. ~하다 (be) dishonest.
부정하다(否定─) deny.
부족 want, lack. ~하다 be short 《of》, be in want 《of》, be lacking 《in》. ¶ 물이 ~하다 be short of water.
부주의 carelessness. ~하다 be careless 《in, about》. ¶ ~하게 carelessly.
부지런하다 (be) diligent, industrious.
부채 a fan. ¶ ~질하다 fan *oneself*.

부처 Buddha.
부추 a leek.
부치다¹ 《힘에》 be beyond *one's* power.
부치다² 《편지를》 send, mail. ¶ 편지를 항공〔배〕편으로 ~ send a letter by air 〔ship〕.
부탁 (a) request, (a) favor. ~하다 request, ask, beg, ask a favor of. ¶ ~을 거절하다 decline 《a person's》 request / 네게 ~이 있다. I have a favor to ask of you.
부터 from. ¶ 친구로~ 온 편지 a letter from a friend / 세 시~ 다섯 시까지 from three to five.
부풀다 《팽창》 get bulky, swell up.
부품 parts, accessories.
부피 volume, bulk, size.
북 a drum. ¶ ~을 치다 beat a drum.
북극 the North Pole. ¶ ~곰 a polar bear.
북두칠성 the Big Dipper.
북아메리카 North America.
북유럽 Northern Europe.
북(쪽) the north. ¶ ~(쪽)의 north; northern.
분¹ 《시간·각도의》 a minute. ¶ 15 ~ a quarter, fifteen minutes.
분² 《화장용》 face powder.
분량 (a) quantity, an amount.
분류 a classification. ~하다 classify.
분명하다 (be) clear, distinct.
분배 distribution. ~하다 distribute, divide.
분석 (an) analysis. ~하다 analyze.
분수 a fountain.
분실 loss. ~하다 lose, miss. ¶ ~물 a lost 〔missing〕 article.
분야 a field, a division. ¶ 연구 ~ a field of study.
분위기 an atmosphere. ¶ 자유

로운 ~를 만들다 create a free atmosphere.

분장 make-up. ~하다 put on make-up. ¶ ~실 a dressing room.

분침 the minute hand.

분필 (a piece of) chalk.

불 fire; 《등화》 a light. ¶ ~을 붙이다 set fire 《to》; light 《a cigarette》 / ~을 끄다 put out a fire; switch off the light / ~을 켜다 light a lamp; switch on the light.

불가능 impossibility. ~하다 (be) impossible.

불가사리 a starfish.

불가사의 a wonder, (a) mystery.

불교 Buddhism. ¶ ~도 a Buddhist.

불구하고 in spite of.

불꽃 blaze, flame; 《꽃불》 fireworks. ¶ ~이 튀다 spark / ~놀이 a fireworks display.

불다 blow. ¶ 바람이 세게 ~. It blows hard. / 촛불을 불어 끄다 blow out a candle / 트럼펫을 ~ blow on a trumpet.

불리 a disadvantage. ~하다 (be) disadvantageous, unfavorable.

불만 dissatisfaction, discontent. ~스럽다 (be) unsatisfactory, discontented.

불법 illegality. ¶ ~의 unlawful; illegal.

불분명하다 (be) vague, not clear.

불빛 light.

불쌍하다 (be) poor, pitiful.

불안 uneasiness, anxiety. ~하다 (be) uneasy, anxious.

불완전 imperfection, incompleteness. ~하다 (be) imperfect, incomplete.

불운 (a) misfortune, ill luck. ~하다 (be) unfortunate, unlucky.

불치 incurability. ¶ ~의 병 an incurable 〔a fatal〕 disease.

불친절 unkindness. ~하다 (be) unkind, unfriendly.

불쾌 unpleasantness, displeasure, (a) discomfort. ~하다 feel unpleasant 〔uncomfortable〕.

불편 inconvenience. ~하다 (be) inconvenient.

불평 complaint, grumble. ~하다 complain, grumble.

불평등 unequality.

불필요하다 (be) unnecessary, needless.

불행 unhappiness, misery, misfortune. ~하다 (be) unhappy, unlucky, unfortunate. ¶ ~히도 unfortunately.

붉다 (be) red. ¶ 붉은 뺨 red cheeks / 붉어지다 turn red; redden.

붐비다 (be) crowded. ¶ 붐비는 시간 the rush hour.

붓 a (writing) brush.

붕대 a bandage.

붙이다 attach 《to》, put 〔stick, fix〕 《on》. ¶ 우표를 ~ put a stamp on / 꼬리표를 ~ attach a tag to 《a parcel》 / 게시판에 포스터를 ~ stick a poster on the billboard.

비¹ 《강우》 rain, a rainfall. ¶ ~가 오다. It rains.

비² 《청소용》 a broom.

비겁하다 (be) cowardly, mean. ¶ 비겁한 사람 a coward.

비결 a secret, a key 《to》, know-how. ¶ 행복의 ~ the secret of happiness.

비고 a note, remarks.

비교 (a) comparison. ~하다 compare. ¶ 한 책을 다른 것과 ~하다 compare a book with another.

비극 a tragedy. ¶ ~적인 tragic / ~적인 사건 a tragic event.

비난 blame. ~하다 blame,

accuse.

비누 (a cake of) soap. ¶ 세숫
[빨랫]~ toilet [washing] soap.

비다 (be) empty, vacant. ¶ 빈
집 a vacant house.

비단 silk fabric, silks. ¶ ~결
같다 be soft as velvet.

비둘기 a dove, a pigeon.

비뚤다 (be) crooked.

비례 proportion.

비명 a scream, a shriek. ¶ ~
을 지르다 scream; shriek.

비밀 a secret. ¶ ~의 장소 a
secret place / ~로 하다 keep
《a matter》 secret / ~을 지키다
keep a secret / ~을 누설하다
let out [reveal] secrets.

비비다 rub.

비슷하다 (be) similar, like;《서
술적》 look like. ¶ 비슷한 이야
기 a similar story.

비싸다 (be) expensive, costly,
high. ¶ 비싼 옷 expensive
clothes / 값이 너무 ~. The
price is too high. or It is
too expensive.

비옥하다 (be) fertile, rich.

비옷 a raincoat.

비용 expense(s), (a) cost.
¶ ~이 얼마나 드는가. How
much does it cost 《to do》?

비우다 empty 《a box》, clear
《a room》.

비율 rate, proportion.

비참하다 (be) miserable.

비추다 《불빛을》 shine [flash],
shed light 《on, at》. ¶ 그에게
등불을 ~ flash a lamp at
him.

비키다 move out, step aside.

비타민 vitamin(e).

비탈 a slope.

비통 sorrow, grief. ~하다 (be)
sad, sorrowful.

비틀다 twist, wrench. ¶ 팔을 ~
wrench [twist] 《a person's》
arm.

비판 (a) criticism, (a) com-
ment. ~하다 criticize, com-
ment 《on》.

비행 flying, a flight. ~하다
fly. ¶ 대서양을 ~하다 fly the
Atlantic.

비행기 an airplane, a plane;
《총칭》 aircraft.

비행장 an airport; an airfield.

빈도 frequency.

빈번하다 (be) frequent.

빌다 《구걸·탄원》 beg, ask;《기
원》 pray 《to》, wish;《사죄》
beg 《a person's》 pardon.

빌리다 《차용·임차》 borrow,
rent, hire;《대여·임대》 lend,
hire out, rent.

빗 a comb. ¶ ~으로 머리를 빗
다 comb one's hair.

빚 a debt, a loan. ¶ ~을 갚다
pay off debts; clear (up)
one's debts.

빚지다 run into debt, owe.

빛 a light, a flash 《섬광》.

빛깔 (a) color. ¶ 밝은 ~로 그리
다 paint in bright color.

빛나다 shine, glitter.

빠뜨리다 《누락시키다》 omit,
miss;《잃다》 lose, drop;《물속
에》 drop, throw into 《a river》.

빠르다 (be) fast, quick, swift.

빠지다 fall into, sink 《물에》.

빨강 red.

빨갛다 (be) red.

빨다 《세탁》 wash, do washing;
《입으로》 suck, sip.

빨대 a straw.

빨래 wash, washing, laundry.
~하다 wash, do washing.
¶ ~를 하다 do the laundry;
wash clothes; do the wash.

빨리 fast, quickly, rapidly.

빵 bread.

빼앗다 take (by force), take 《a
thing》 away from 《a person》.
¶ 남의 시계를 ~ take another's
watch (by force).

빽빽하다 (be) dense, close.

뺨 a cheek.

뼈근하다 have a dull pain.
뻗다 extend, stretch.
뼈 a bone.
뼈대 《골격》 frame, build.
뽑다 《박힌 것을》 pull out; elect 《선출》.

뿌리 a root.
뿐 only, nothing but, merely.
¶ …뿐만 아니라 not only … but (also).
뿔 a horn.

사 four; 《제4》 the fourth. ¶ ~차원 the fourth dimension.
사각(四角) a square.
사건 an event 《큰》, an incident 《사소한》: 《소송》 a case. ¶ 1995년의 주된 ~ the chief events of 1995.
사고(事故) an accident. ¶ 교통 ~ a traffic accident / 작업 중에 ~를 당하다 have an accident at work.
사고(思考) thought, thinking, consideration. ~하다 think, consider. ¶ ~ 방식 a way of thinking.
사과 apple.
사과(謝過) an apology. ~하다 apologize.
사교 social intercourse 〔life〕. ¶ ~적인 social / ~계 social circles.
사귀다 make friends 《with》, associate with.
사납다 《성질 등이》 (be) fierce, wild. ¶ 사나운 짐승 a fierce animal.
사냥 hunting. ~하다 hunt. ¶ ~꾼 a hunter / ~하러 가다 go hunting.
사다 buy, purchase.
사닥다리 a ladder.
사라지다 disappear, go out of sight. ¶ 어둠속으로 ~ disappear in the darkness.
사람 《인류》 mankind; 《개인》 a man, a person, a human being.
사랑 love. ~하다 love. ¶ ~스러운 소녀 a lovely girl / 그들은 서로 ~한다. The two love each other.
사로잡다 catch 〔capture〕 alive. ¶ 곰을 ~ catch a bear alive.
사로잡히다 be taken 〔caught〕 alive, be captured.
사립 ¶ ~의 private / ~ 학교 a private school.
사막 a desert.
사망 death. ~하다 die, pass away.
사명 a mission. ¶ ~감 a sense of duty.
사무 office work, business. ¶ ~실 an office (room) / ~원 an office worker; a clerk / ~를 보다 do office work.
사사롭다 (be) personal, private. ¶ 사사로이 privately; informally.
사상 thought, an idea. ¶ 건전한 ~ healthy thought / 진보 ~ a progressive idea.
사생 《행위》 sketching; 《작품》 a sketch. ~하다 sketch.
사슬 a chain.
사슴 a deer.
사실 a fact. ¶ ~상 in fact; actually; really.
사업 business, an enterprise. ¶ ~가 a businessman / ~을 경영하다 run a business.

사용 use. ~**하다** use, make use of. ¶ ~법 (how to) use; directions (for use). ¶ 한국에서는 식사하는 데 젓가락을 ~한다. We use chopsticks to eat in Korea.

사원 a (Buddhist) temple.

사월 April 《약자 Apr.》.

사이[1] 《간격》 an interval, a space; 《…사이에》 in, between 《둘 사이》, among 《셋 이상의 사이》; 《…하는 동안에》 during, while. ¶ 일정한 ~를 두고 at regular intervals / 너와 나 사이에 between you and I / move among the crowd 군중 사이를 돌아다니다 / 외출한 ~에 while *one* is out.

사이[2] 《관계》 relation(s), terms. ¶ ~가 좋다〔나쁘다〕 be on good〔bad〕 terms 《*with*》 / 그와는 어떤 ~인가? What relation is he to you?

사이렌 a siren, a whistle.

사이즈 size. ¶ ~가 맞다〔안 맞다〕 be 〔be out of〕 *one's* size.

사자 a lion.

사전 a dictionary.

사정(事情) 《형편》 circumstances; 《상황》 the situation, the state of things.

사죄 an apology. ~**하다** apologize.

사직 resignation. ~**하다** resign.

사진 a picture, a photograph. ¶ ~을 찍다 take a picture.

사촌 a cousin. ¶ ~형 an elder cousin.

사치 luxury. ¶ ~스럽다 be luxurious.

사커 soccer.

사회(司會) chairmanship. ~**하다** preside at 〔over〕 《*a meeting*》. ¶ ~자 the chairman.

사회(社會) society, the world 《세상》. ¶ ~적 social 《*status*》 / ~ 보장 제도 the social security system.

산 a mountain, a hill 《동산》.

산림 a forest.

산소 oxygen.

산수 arithmetic.

산양 a goat.

산업 industry. ¶ ~의 발달 industrial development / 국내 ~ the domestic industry.

산울림 echo.

산울타리 a hedge.

산책 a walk, a stroll. ~**하다** take a walk, stroll. ¶ ~ 나가다 go (out) for a walk.

살 《몸의》 flesh; 《식육》 meat; 《근육》 muscle; 《나이》 age, years.

살갗 the skin.

살다 《생존》 live, be alive; 《생활》 live, get along, make a living; 《거주》 live, inhabit, dwell. ¶ 월급으로 ~ live on *one's* salary / 서울에서 ~ live in Seoul.

살리다 《목숨을》 save, spare 《*a person's*》 life; 《구조하다》 rescue.

살림 living, livelihood. ~**하다** keep house, run a household. ¶ ~살이 housekeeping, household.

살인 murder. ~**하다** commit murder, kill 《*a person*》.

살찌다 grow 〔get〕 fat, put on 〔gain〕 flesh.

살찌우다 make 《*a pig*》 fat, fatten (up).

살펴보다 look around 〔about〕; look into, examine, see.

삼각형 a triangle.

삼월 March 《약자 Mar.》.

삼촌 an uncle.

삼키다 swallow.

삽 a shovel, a scoop, a spade.

상 a prize, a reward.

상대 an opponent.

상보 tablecloth.

상상 imagination. ~하다 imagine.

상세 details. ~하다 (be) detailed, full, minute, be in detail. ¶ ~히 in detail〔full〕/ ~히 보고하다 report in detail.

상식 common sense. ¶ ~이 있는 사람 a man of common sense.

상업 commerce, trade, business.

상연 presentation, performance. ~하다 put 《a play》 on the stage, present 《a drama》.

상원 《미》 the Senate. ¶ ~ 의원 a senator.

상의하다 consult 〔confer〕《with》, talk over 《a matter with》.

상인 a merchant, a shopkeeper.

상자 a box, a case.

상징 a symbol. ~하다 symbolize. ¶ ~적인 symbolic (al) / 국가의 ~ the symbol of the State.

상처 a wound, an injury;《흉터》 a scar. ¶ ~가 남다 leave a scar.

상태 a condition, a situation.

상품(商品) goods;《총칭》 merchandise. ¶ ~ 진열실 a showroom.

상품(賞品) a prize.

새 a bird.

새기다 《조각하다》 carve, engrave.

새롭다 (be) new, fresh 《신선》. up-to-date 《현대적인》. ¶ 새로운 사상 a new thought; up-to-date ideas / 새롭게 칠한 문 a newly painted gate.

새벽 dawn. ¶ ~에 at dawn.

새장 a birdcage. ¶ ~에 갇힌 새 a caged bird.

색 color.

색연필 a colored pencil.

색인 an index.

샌드위치 a sandwich.

샐러드 a salad.

샘 a spring, a fountain, a well.

생각 《사상》 (a) thought;《관념》 an idea. ~하다 think 《of, about》, consider. ¶ 앞일을 ~하다 think of the future.

생기다 《발생》 happen, occur;《얻다》 get, obtain. ¶ 무슨 일이 생겼느냐? Did anything happen? / 돈이 좀 생겼다. I got some money.

생략 omission. ~하다 omit. ¶ 명단에서 그의 이름을 ~하다 omit his name from the list.

생명 life. ¶ ~을 걸고 at the risk of one's life.

생물 a living thing, a creature;《총칭》 life. ¶ ~학 biology / ~ 학자 a biologist / ~ 공학 biotechnology.

생산 production. ~하다 produce. ¶ ~물 a product; productions / ~자 a producer.

생선 (a) fish.

생일 a birthday.

생활 living, life. ~하다 live, lead a life, make a living.

샤워 a shower. ¶ ~를 하다 take a shower.

서다 《기립》 stand (up);《정지》 stop. ¶ 거울 앞에 ~ stand before a mirror / 차가 갑자기 섰다. A car stopped suddenly.

서두르다 hasten, make haste, rush. ¶ 발걸음을 ~ hasten one's pace / 일을 ~ speed up one's work.

서랍 a drawer.

서로 《두 사람이》 each other;《셋 이상》 one another.

서류 documents, papers. ¶ ~ 가방 a brief case.

서른 thirty.

서리 frost. ¶ 된~ heavy frost.

서명 a signature. ~하다 sign one's name 《to》.

서양 the West.

서재 a study; a library.

서쪽 the west. ¶ ~으로 가다 go west [westward].

서커스 a circus.

서투르다 (be) unskillful, poor, awkward.

석유 petroleum, oil.

석탄 coal. ¶ ~을 캐다 mine coal / 난로에 ~을 넣다 put coal in a stove.

섞다 mix, blend.

선(線) a line.

선거 (an) election. ~하다 elect. ¶ ~를 실시하다 hold an election.

선교사 a missionary.

선물 a gift, a present. ¶ ~을 보내다[받다] send [receive] a gift.

선박 a vessel, a ship.

선반 a shelf.

선배 a senior, an elder.

선생 a teacher.

선수 a player. ¶ ~권 a championship.

선원 a seaman, a crew.

선장 a captain.

선택 choice, selection. ~하다 choose, select.

선풍기 an electric fan.

설계 a plan, a design. ~하다 plan, design, lay out. ¶ 그가 저 건물을 ~했다. He designed that building.

설교 preaching. ~하다 preach.

설날 the New Year's Day.

설립 establishment, foundation. ~하다 establish, found, set up.

설명 explanation. ~하다 explain, describe. ¶ 낱말의 뜻을 ~하다 explain the meaning of a word.

설비 equipment, facilities.

설탕 sugar.

섬 an island, an isle.

섬유 a fiber.

성(城) a castle.

성(姓) a family name, a surname.

성격 character, personality.

성경 the (Holy) Bible.

성공 (a) success. ~하다 succeed 《in》. ¶ 너의 ~을 빈다 I wish you success.

성나다 get angry, get mad 《with, at》.

성냥 a match.

성명(姓名) one's full name, a full name.

성실 sincerity, honesty. ¶ ~한 sincere, faithful, honest / ~하게 일하다 work faithfully.

성인 an adult.

성장 growth. ~하다 grow (up).

성적 results, record; 《점수》 marks. ¶ 학기말 시험에서 좋은 ~을 올리다[얻다] get [obtain] good results in the finals.

성질 nature, temper. ¶ ~이 좋은[못된] 사람 a good-natured [ill-natured] man.

성취 achievement, accomplishment. ~하다 achieve, accomplish.

세계 the world, the earth 《지구》.

세관 a customhouse, the customs.

세균 a bacterium, a germ.

세금 a tax. ¶ ~을 내다 pay a tax / ~을 징수하다 collect taxes.

세기 a century.

세다¹ 《계산하다》 count, number, calculate. ¶ 잘못 ~ miscount / 돈을 ~ count the money.

세다² 《강하다》 (be) strong, powerful.

세대 a generation. ¶ 젊은 ~ the younger generation.

세로 length 《길이》, height 《높이》.

세배 a New Year's greeting [call]. ~하다 perform a New

Year's bow. ¶ ~를 다니다 make a round of New Year's calls.

세상 the world. ¶ ~을 모르다 know nothing [little] of the world.

세수하다 wash *oneself*.

세우다 《일으키다》 stand, raise, erect; 《설립하다》 establish, found.

세월 time, time and tide, years. ¶ ~이 감에 따라 as time passes by.

세주다 rent 《*a room, a house*》. ¶ 셋방 a room for rent / 방을 ~ rent a room.

세탁 wash, washing. **~하다** wash. ¶ ~기 a washing machine / ~소 a laundry.

세포 a cell.

센세이션 a sensation.

센스 a sense. ¶ ~ 있는 sensible / ~가 없다 have no sense 《*of*》.

셀로판 cellophane.

셋 three. ¶ ~째 the third.

셔츠 a shirt.

소 《황소》 bull, ox; 《암소》 cow.

소개 (an) introduction. **~하다** introduce. ¶ ~장 a letter of introduction.

소금 salt.

소나기 a shower.

소나무 a pine (tree).

소녀 a girl.

소년 a boy. ¶ ~ 시절에 in *one's* boyhood [childhood].

소득 (an) income.

소리 (a) sound; 《음성》 a voice; 《소음》 (a) noise. ¶ ~를 내다 make a sound [noise] / ~를 지르다 cry; shout; yell out.

소망 wish, desire.

소매 a sleeve.

소문 (a) rumor.

소방 fire service, 《미》 fire fighting. ¶ ~관 a firefighter, a fire officer / ~차 a fire engine / ~서 a fire station.

소비 consumption. **~하다** consume, spend. ¶ ~자 a consumer.

소설 a novel, a story. ¶ ~가 a novelist.

소식 news, information; tidings.

소원 *one's* wish [desire]. ¶ ~을 이루다 have [get] *one's* wish.

소위 the so-called, what is called.

소유 possession. **~하다** have, possess, own, hold. ¶ ~자 owner / ~권 the right of ownership.

소음 (a) noise. ¶ 도시의 ~ street noises.

소중하다 (be) important, valuable.

소파 《긴 의자》 a sofa.

소포 a parcel, a package.

소풍 a picnic. ¶ ~을 가다 go on a picnic.

소화 digestion. **~하다** digest. ¶ ~가 잘 되다[안 되다] digest well [poorly].

속기 shorthand. **~하다** write in shorthand.

속달 special delivery. ¶ ~ 우편 special delivery mail.

속담 a proverb, a saying.

속도 (a) speed. ¶ ~를 내다 speed up / ~를 줄이다 slow down.

속삭이다 whisper, murmur.

속이다 deceive, cheat.

속하다 belong 《*to*》. ¶ 너는 어느 팀에 속해 있느냐? What team do you belong to?

손 a hand.

손가락 a finger. ¶ 엄지~ the thumb / 집게[가운뎃, 약, 새끼] ~ the index [middle, ring, little] finger.

손녀 a granddaughter.

손님 《내방객》 a caller, a visitor; 《초대한》 a guest; 《고객》 a customer.

손대다 touch.

손목 a wrist. ¶ ~을 잡다 take 《a person》 by the wrist.

손바닥 the palm (of the hand).

손수건 a handkerchief.

손실 (a) loss.

손자 a grandson.

손잡이 a handle; 《문의》 a knob.

손톱 fingernails. ¶ ~을 깎다 cut one's nails / ~깎이 a nail clipper.

손해 《손상》 damage, (an) injury; 《손실》 (a) loss.

솔직 frankness. ~하다 (be) frank. ¶ 솔직히 말하면 frankly speaking; to be frank with you.

솜 cotton.

솜씨 skill. ¶ ~ 있는 사람 a man of skill.

송아지 a calf.

송이 a bunch, a cluster. ¶ 포도 한 ~ a bunch of grapes.

솥 a kettle.

쇠 iron, a metal.

쇠고기 beef.

쇼 a show.

쇼크 a shock.

쇼핑 shopping. ~하다 shop. ¶ ~하러 가다 go shopping.

수 (a) number, a figure 《숫자》.

수건 a towel.

수고 trouble, labor, pains. ~하다 take trouble 《about》; make pains, work hard. ¶ ~를 끼치다 give 《a person》 trouble; trouble 《a person》 / ~했습니다. Thanks for your trouble.

수녀 a nun.

수단 a means, a way.

수도(水道) 《설비》 waterworks, water supply; 《도수관》 a water pipe. ¶ 수돗물 tap 〔piped〕 water / ~를 틀다〔잠그다〕 turn on 〔off〕 the tap.

수도(首都) a capital.

수량 quantity, volume.

수레 a wagon.

수리 repair(s), mending. ~하다 fix, repair; mend. ¶ ~중이다 be under repair.

수면 sleep.

수병 a sailor.

수비(守備) defense. ~하다 defend, guard. ¶ ~를 강화하다 strengthen the defense.

수상(首相) the prime minister, the premier.

수상하다 (be) doubtful.

수소 hydrogen.

수송 transportation, traffic. ~하다 transport, carry. ¶ ~ 기관 means of transport / 트럭으로 하는 ~ the transport by truck.

수수께끼 a riddle, a puzzle.

수술 an operation. ~하다 operate. ¶ 심장병으로 ~을 받다 have an operation for heart trouble.

수업 (school) lessons, school, a lesson, teaching. ~하다 teach, instruct. ¶ ~이 없다 We have no school.

수염 《콧수염》 a mustache; 《턱수염》 a beard.

수영 swimming. ~하다 swim. ¶ ~장 a swimming pool.

수요 demand. ¶ ~ 공급의 법칙 the law of supply and demand.

수요일 Wednesday 《약자 W., Wed.》.

수위(水位) the water level.

수입(收入) an income, earnings. ¶ ~이 많다〔적다〕 have a large 〔small〕 income.

수입(輸入) import(ation). ~하다 import. ¶ ~ 가격 an import price / ~품 imported goods / 커피를 브라질에서 ~하다 import coffee from Brazil.

수증기 steam, vapor.

수집 collection. ~하다 collect, gather. ¶ 우표 ~ collecting stamps.

수출 export(ation). ~하다 export. ¶ ~을 늘리다 raise export 《of 》 / ~ 가격 an export price.

수탉 《미》 a rooster, a cock.

수평선 horizon.

수표 《미》 a check, a cheque. ¶ ~를 발행하다 draw 〔issue〕 a check / ~를 현금으로 바꾸다 cash a check.

수풀 a forest, a wood.

수프 soup. ¶ ~ 접시 a soup plate.

수필 an essay.

수학 mathematics.

수화기 a receiver, an ear-phone.

수확 a harvest. ~하다 harvest, reap. ¶ ~이 많다〔적다〕 have a good 〔bad, poor〕 harvest.

숙모 an aunt.

숙박 lodging 《at a hotel》. ~하다 put up 《at》, stop《in, at》.

숙부 an uncle.

숙제 homework.

순간 a moment, an instant, a second.

순경 a policeman.

순서 order, sequence.

순진하다 (be) pure, innocent. ¶ 순진한 사랑 pure love.

순하다 《성질이》 (be) obedient, gentle; 《맛이》 (be) mild, weak 《술이》.

술 《음료》 liquor, drink, wine. ¶ 독한 ~ strong drink / ~을 마시다 drink; take wine / ~에 취하다 get drunk / ~을 끊다 give up drinking.

숨 a breath.

숨기다 hide, conceal, keep 《a matter》 secret.

숨다 hide *oneself.*

숨쉬다 breathe, take breath.

숫자 a figure.

숯 charcoal.

쉬다 《휴식하다》 rest, take 〔have〕 a rest; 《음식이》 go bad, spoil; 《목소리가》 get 〔grow〕 husky. ¶ 잠시 ~ take a brief rest; take breath / 쉰 밥 spoiled rice / 쉰 목소리로 말하다 speak in a husky voice.

쉽다 《용이하다》 (be) easy, simple; 《…하기 쉽다》 (be) apt 〔liable〕 to, tend to. ¶ 쉬운 일 an easy job / 깨지기 ~ break easily / 읽기 ~ be easy to read / 감기 들기 ~ be apt 〔liable〕 to catch cold.

슈퍼마켓 a supermarket.

스낵 바 a snack bar.

스냅 사진 a snap(shot). ¶ ~을 찍다 take a snapshot 《of》.

스모그 smog.

스무째 the twentieth.

스물 twenty.

스웨터 a sweater.

스위치 a switch.

스커트 a skirt.

스케이트보드 a skateboard.

스타디움 a stadium.

스타일 《옷의》 a style.

스탠드 the stands.

스테이크 a (beef)steak.

스튜디오 a studio.

스튜어디스 a stewardess.

스파게티 spaghetti.

스포츠 sports. ¶ 나는 ~를 좋아한다. I am fond of sports.

슬기 wisdom, good sense. ¶ 슬기로운 사람 a man of wisdom / ~롭다 have good sense.

슬프다 (be) sad, sorrowful. ¶ 슬픈 이야기 a sad story.

슬픔 sorrow, sadness, grief.

습격 an attack. ~하다 attack, make an attack. ¶ 불시에 ~ 하다 make a surprise attack.

습관 《버릇》 habit; 《관습》 (a)

custom. ¶ 좋은 ～을 기르다 form a good habit.

습기 moisture, dampness.

승객 a passenger. ¶ 열차의 ～ a train passenger.

승낙 consent. ～하다 consent.

승리 victory, triumph. ～하다 win, win [gain] a victory.

시(市) a city.

시(詩) poetry 《총칭》; a poem.

시간 time.

시계 《손목 시계》 a watch;《괘종 시계》 a clock. ¶ ～를 맞추다 set *one's* watch.

시골 the country, a rural district.

시끄럽다 (be) noisy.

시내 a stream, a brook, a creek.

시다 《맛이》 (be) sour. ¶ 신 사과 a sour apple / 시어지다 turn sour.

시대 《시기》 times, a period; 《연대》 an age, an era. ¶ ～ 에 앞서다 be ahead of the times.

시도 an attempt. ～하다 attempt, try.

시력 sight, eyesight, vision. ¶ ～이 좋다[약하다] have good [poor] eyesight / ～ 검사 an eyesight test.

시멘트 cement.

시민 《개인》 a citizen; 《총칭》 the citizens. ¶ 서울 ～ the citizens of Seoul.

시상하다 award a prize. ¶ 시상 식 a ceremony of awarding prizes.

시속 speed per hour. ¶ ～ 100 마일 one hundred miles per hour.

시원하다 feel cool, (be) refreshing. ¶ 시원한 음료 a refreshing drink / 기분이 ～ feel refreshed / 오늘은 ～. It's cool today.

시월 October 《약자 Oct.》.

시인 a poet, a poetess 《여자》. ¶ 음유 ～ a minstrel.

시작 the start, the beginning. ～하다 begin, start. ¶ 사업을 시작하다 start business.

시장(市場) a market.

시장(市長) a mayor.

시키다 make [let, get] 《*a person*》 do;《주문하다》 order. ¶ K에게 일을 시키다 make K work / 비프스테이크를 ～ order a beefsteak.

시험 an examination, a test. ¶ ～을 치르다 take an examination / 입학 ～ an entrance examination.

식당 a dining room [hall]; a restaurant. ¶ ～차 a dining car.

식목 tree planting. ～하다 do planting, plant trees.

식목일 Arbor Day.

식물 a plant.

식사 a meal. ～하다 take [have] a meal, dine. ¶ ～중이 다 be at table.

식욕 (an) appetite.

식탁 a (dining) table. ¶ ～보 a tablecloth.

식품 food, foodstuffs, groceries.

식히다 cool, let 《*a thing*》 cool. ¶ 머리를 ～ cool *one's* head.

신(神) God;《주님》 the Lord;《다 신교의》 a god, a goddess 《여 신》.

신경 a nerve.

신년 the new year.

신다 put on, wear.

신랑 a bridegroom.

신문 a newspaper, a paper; 《총칭》 the press. ¶ ～ 판매대 a newsstand.

신부 a bride.

신비 mystery. ～하다 (be) mysterious. ¶ 자연의 ～ the mysteries of nature.

신사 a gentleman.

신선 freshness. ~하다 (be) fresh. ¶ ~하게 하다 make fresh; freshen.

신세계 a new world; 《미대륙》 the New World.

신속 quickness, rapidity. ~하다 (be) rapid, quick. ¶ ~히 rapidly; quickly.

신용 《신임》 confidence, trust, faith; 《경제상의》 credit. ~하다 trust, put confidence in.

신청 (an) application. ~하다 apply 《for》. ¶ ~서 an 〔a written〕 application / ~인 an applicant.

신출내기 a newcomer.

신호 a signal. ~하다 signal, make a signal.

싣다 《적재》 load; 《게재》 put in. ¶ 배에 석탄을 ~ load a ship with coal / 신문에 광고를 ~ put an ad in a newspaper.

실 thread 《재봉용》.

실내 the inside of a room. ¶ ~의 indoor / ~에 머물러 있다 stay indoor.

실마리 a clue.

실망 disappointment, discouragement. ~하다 be disappointed 《at, in, of》.

실수 a mistake, a fault. ~하다 make a mistake. ¶ 그것은 나의 ~였다. It was my mistake.

실제 《사실》 the truth, a fact; 《현실》 reality. ¶ ~로 really; in fact.

실패 failure. ~하다 fail 《in》.

실행 practice. ~하다 carry out, practice.

싫어하다 dislike, hate.

싫증 weariness, tiredness. ¶ ~이 나다 get tired of 《his talk》; be 〔grow〕 weary 《of》.

심각하다 (be) serious. ¶ 심각해지다 turn serious / 심각하게 생각하다 think deeply 〔serious-ly〕.

심다 plant 《trees》.

심부름 an errand.

심장 the heart.

십년 ten years; a decade.

십이월 December 《약자 Dec.》.

십일월 November 《약자 Nov.》.

십자 a cross. ¶ ~형의 cross-shaped; crossed / ~가 a cross.

싸다¹ wrap (up) 《in paper》; 《짐을》 pack (up); 《덮다》 cover; envelop 《in》.

싸다² 《값이》 (be) cheap; low (priced).

싸우다 《투쟁하다》 fight, struggle 《with, against》; 《말다툼하다》 quarrel.

싸움 《전쟁》 a war; 《전투》 a battle; 《투쟁》 a fight.

싹 a bud.

쌀 rice.

쌍둥이 twins; 《둘 중 하나》 a twin.

쌓다 《포개다》 pile 〔heap〕 (up), lay 《bricks》.

썩다 《부패》 go bad, decay 《과일 등이》, spoil 《음식 등이》.

썰매 a sled, a sleigh.

쏘다 《발사함》 fire, shoot; 《벌레가》 bite, sting.

쏟다 《붓다》 pour 《into, out》, empty; 《집중하다》 devote 《to》, concentrate 《on》.

쓰다¹ 《글씨를》 write; 《적다》 put down.

쓰다² 《사용》 use 《as, for》, make use of; 《고용》 engage, employ; 《소비》 use, spend 《in, on》.

쓰다³ 《착용하다》 put on; 《우산을》 hold 〔put〕 up.

쓰다⁴ 《맛이》 (be) bitter. ¶ 쓴 약 a bitter medicine.

쓰러지다 《전도》 fall (down); 《죽다》 fall dead, die; 《도산·몰락》 be ruined, go bankrupt.

쓰레기 junk, waste.

쓸다 sweep.

쓸데없다 (be) needless, (be) useless, worthless.

쓸쓸하다 (be) lonely, lonesome.

씨 a seed.

…씨 《경칭》 Mr. 《남자》, Miss 《미혼 여성》, Mrs. 《기혼 여성》.

씨름 wrestling; 《시합》 a wrestling match. ~하다 wrestle with 《a person》.

씻다 wash, wash away, wash off [out], rinse. ¶ 손을 ~ wash one's hands.

아기 a baby, an infant.

아나운서 an announcer.

아내 a wife.

아니 《대답》 no; 《부사》 not; 《놀람·의아함》 why, what. ¶ ~라고 대답하다 say no / 아니, 난 모른다. No, I don't know. / 아니, 이게 웬일이냐? Why, what happened?

아들 a son, a boy.

아라비아 Arabia. ¶ ~(사람)의 Arabian; Arabic.

아래위 the lower and upper parts, up and down, above and below.

아래층 the downstairs.

아르바이트 a side job.

아름답다 (be) beautiful, pretty, lovely. ¶ 아름다운 소녀[이야기] a beautiful girl [story].

아마 probably, maybe, perhaps.

아마추어 an amateur.

아무 《누구도, 누구라도》 anyone, anybody; 《아무도 …아니다》 no one, nobody, none. ¶ ~라도 할 수 있다. Anyone can do it. / ~도 오지 않았다. No one came.

아무것 anything, something; 《부정》 nothing.

아무데 anywhere, any place. ¶ ~나 가도 좋다. You may go anywhere.

아무때 any time, always 《항상》, whenever 《언제든지》. ¶ ~고 좋다. Any time will do.

아무래도 anyhow, anyway. ¶ ~ 그것은 해야 한다. I must do it anyhow.

아무리 however (much), no matter how.

아버지 a father.

아빠 papa, daddy, dad.

아시아 Asia. ¶ ~의 Asian / ~ 경기 대회 the Asian Games.

아아 《감탄》 Ah !, Oh !.

아이 a child, a boy, a girl.

아이디어 an idea.

아저씨 an uncle.

아주머니 《숙모》 an aunt, 《일반 부인》 a lady.

아직 (not) yet, still, as yet. ¶ 그는 ~ 살아 있다. He is still alive. / ~도 모자란다. This isn't enough yet.

아첨 flattery. ~하다 flatter.

아침 《때》 (a) morning; 《식사》 breakfast. ¶ ~에 in the morning / ~을 먹다 take breakfast.

아파트 an apartment house.

아프다 (be) painful; have [feel] a pain; ache. ¶ 이[머리]가 ~ have a toothache [headache].

아픔 a pain, an ache. ¶ ~을 참다 stand [bear] pain.

악 badness, evil.

악기 a musical instrument.

악단 an orchestra; a band. ¶ 교향~ a symphony orchestra.

악마 a devil, an evil spirit.

악몽 a bad dream, a nightmare.

악센트 an accent, a stress.

악수 a handshake. ~하다 shake hands 《with》.

악어 a crocodile, an alligator.

안 the inside, the interior. ¶ ~에 within, inside, in.

안개 (a) fog, (a) mist. ¶ 짙은 ~ a heavy 〔thick, dense〕 fog.

안경 (a pair of) glasses, spectacles. ¶ ~을 쓰다〔벗다〕 put on 〔take off〕 one's glasses.

안내 guidance. ~하다 guide, show 《a person》 over.

안녕 《작별 인사》 Good-by(e).

안다 embrace, hug. ¶ 우는 아기를 ~ hug a crying baby.

안부 ¶ ~를 묻다 inquire after 《a person》 / …에게 ~전해주십시오 Give my (best) regards 《to》.

안심 relief, peace of mind. ~하다 feel easy 《about》, feel relieved. ¶ ~시키다 ease 《a person's》 mind; relieve 《a person》 from 《worry》.

안전 safety, security. ~하다 (be) safe, secure, be free from danger. ¶ ~한 장소 a safe place / ~ 벨트 a safety belt / ~ 제일 Safety First 《게시》.

안쪽 the inside, the inner part.

안테나 an antenna.

앉다 sit down, take a seat, be seated. ¶ 자 앉으십시오. Please sit down.

알다 know, 《알아채다》 be aware of; 《이해하다》 understand. ¶ 자기를 ~ know oneself / 내 말을 알겠느냐? Do you understand me?

알레르기 allergy.

알려지다 be known to, become known to.

알리다 let 《a person》 know, tell, inform 《a person》 《of, that…》.

알맞다 (be) fit, proper, suitable, reasonable. ¶ 모임에 알맞은 장소 a fit place for the meeting / 알맞은 때에 at the proper time / 알맞은 가격 a reasonable price.

알아내다 find out, discover. ¶ 비밀을 ~ find out one's secret.

알약 a pill.

알아맞히다 guess right, make a good guess.

알코올 alcohol.

알파벳 the alphabet.

앓다 be ill 〔sick〕, suffer from 《cold》.

암기하다 learn by heart, memorize.

암석 (a) rock. ¶ ~이 많은 rocky.

암시 a hint, a suggestion. ~하다 hint 《at》, suggest. ¶ ~를 주다 give 《a person》 a hint.

압력 pressure, stress. ¶ ~을 넣다 give pressure 《to》.

앞 《전방·전면》 the front; 《미래》 the future; 《면전》 the presence of 《a person》; 《순서·행렬의》 the first, the head.

앞날 (the) future, the days ahead 〔to come〕.

앞치마 an apron.

애쓰다 make efforts, take pains 〔trouble〕 《to do》, try hard 〔one's best〕.

애인 a lover 《남자》, a love 《여자》, a sweetheart 《주로 여자》.

애정 love, affection. ¶ ~을 바치다 give one's love 《to》.

액자 a (picture) frame.

액체 (a) liquid; (a) fluid. ¶ ～연료 liquid fuel.

앨범 an album.

앵두 a cherry.

앵무새 a parrot.

야간 the night time. ¶ ～ 경기 a night game.

야구 baseball.

야근 night duty [work]. ～하다 be on night work, take night duty.

야망 (an) ambition. ¶ ～이 있는 ambitious / ～을 품다 be ambitious 《of, for, to do》; have an ambition 《for》.

야생 growing in the wild. ¶ ～의 wild; savage / ～ 식물 [동물] a wild plant [animal].

야영 a camp, camping. ～하다 camp (out); make camp.

야외 《들》 the field; 《옥외》 the open air. ¶ ～ 극장 an open-air [outdoor] theater.

야채 vegetables. ¶ ～를 가꾸다 grow [raise] vegetable / ～ 가게 a greengrocery.

약(藥) a medicine, a drug, a pill 《알약》. ¶ ～을 먹다 take medicine.

약(約) about, nearly. ¶ ～ 7미터 about [nearly] seven meters.

약간 some, a little. ¶ ～의 돈 [책] some money [books].

약국 a drugstore.

약속 a promise, an engagement, an appointment. ～하다 (make a) promise, make an appointment.

약손가락 the third finger, the ring finger.

약점 a weakness, a weak point.

약하다 (be) weak, frail. ¶ 약해지다 grow [become] weak(er).

약혼 engagement. ～하다 engage *oneself* to. ¶ ～ 반지 an engagement ring.

얇다 (be) thin. ¶ 얇게 thinly.

양 a sheep, a lamb 《새끼》. ¶ ～고기 mutton / ～떼 a flock of sheep / ～털 wool.

…양 Miss 《*Brown*》.

양념 《향료》 flavor, spices; 《조미료》 seasoning. ¶ ～을 치다 season, flavor.

양력 the solar calendar.

양말 socks, stockings 《긴 양말》.

양배추 a cabbage.

양산 a parasol.

양심 conscience.

양쪽 both, both sides.

양초 a candle.

양탄자 a carpet, a rug.

양파 an onion.

얕다 (be) shallow.

얕보다 look down on [upon]. make light of 《*a person*》.

어깨 the shoulder.

어느 《의문》 which, what; 《그 중에 어느》 whichever, any; 《한》 one, a certain. ¶ ～ 길로 갈까? Which way shall we go? / ～ 것이든 좋은 것을 골라라. Take whichever you like. / ～ 날 아침 one morning.

어둠 darkness, (the) dark. ¶ ～ 속에(서) in the dark, in darkness.

어디 where, what place. ¶ 여기가 ～죠? Where are we now?

어떤 what kind [sort] of.

어떻게 how. ¶ 요즈음 ～ 지내느냐? How are you?

어렵다 (be) hard, difficult.

어른 a man, an adult; a grown-up (person).

어리다 (be) young, childish.

어리석다 (be) foolish, silly, stupid, ridiculous. ¶ 어리석은 사람 a foolish person; a fool.

어린애 a child; 《복수》 children, a baby 《갓난애》; 《총칭》 little ones.

어린이 children. ¶ ~날 Children's Day.

어머니 a mother.

어버이 parents.

어부 a fisherman.

어울리다 become, match well. ¶ 이 모자는 너에게 잘 어울린다. This hat becomes you.

어제 yesterday. ¶ 어젯밤 last night.

어지럽다 (be) dizzy.

어항 a fish bowl.

억누르다 press [hold] down, force down; 《압박》 oppress.

억만 a hundred million. ¶ ~장자 a billionaire.

억지로 by force, against one's will. ¶ ~ 먹이다 force 《a person》 to eat.

언니 an elder [older] sister.

언덕 a hill.

언론 speech. ¶ ~의 자유 freedom of speech.

언어 language.

언제 when, what time.

언제나 always, all the time.

언제든지 anytime, whenever.

언젠가 some time [day], one day.

얻다 get, obtain, gain.

얼 《넋》 soul; 《정신》 spirit, mind. ¶ 한국의 ~ the spirit of Korea.

얼굴 face. ¶ 예쁜 ~ a lovely face.

얼다 freeze, be frozen 《over》. ¶얼어 죽다 freeze to death.

얼레 a reel.

얼룩 a stain, a blot. ¶ ~지다 become stained / ~을 빼다 remove a stain.

얼마 《값》 how much, what price; 《수량》 how many 《수》, how much 《양》.

얼음 ice. ¶ ~ 주머니 an ice bag / ~을 만들다 make ice.

엄격하다 (be) strict, stern. ¶ 엄격한 아버지 a stern father.

엄마 mama, mamma, mammy, mummy.

엄숙하다 (be) solemn.

엄지 《손의》 the thumb; 《발의》 the big toe.

업무 business. ¶ ~에 힘쓰다 work hard at one's business.

없다 《존재하지 않다》 There is no ...; 《갖지 않다》 have no ..., do not have; 《결여》 want, lack.

없애다 《제거》 take off, remove, get rid 《of》; 《낭비》 spend, waste. ¶ 나쁜 습관을 ~ get rid of a bad habit / 옷에 많은 돈을 ~ spend a lot of money on clothes.

엎다 overturn, turn over.

엎지르다 spill. ¶ 식탁에 물을 ~ spill water on a table.

…에게 to, for. ¶ 아무~ 말을 걸다 speak to 《a person》 / 그~ 차를 사주다 buy a car for him / 이 책을 그~ 주겠다. I'll give this book to him.

…에서 《장소》 at, on, in 《a place》; 《…로부터》 from 《a place》. ¶ 한국~ in Korea / 서울역~ at Seoul Station.

에스컬레이터 an escalator.

에어로빅스 aerobics. ¶ 에어로빅스의 aerobic.

엑스트라 an extra (part).

엔지니어 an engineer.

엔진 an engine.

엘리베이터 an elevator.

여가 leisure, spare time.

여관 a hotel, an inn.

여기 here, this place. ¶ ~에 here; in [at] this place / ~서부터 from here / ~로 to this place.

여기저기 here and there.

여동생 a younger sister.

여드름 a pimple.

여러 many, several, various.

여러 가지 various, many kinds

《*of*》. ¶ ～ 의견 various opinions / ～ 동물들 many kinds of animals.

여론 public opinion. ¶ ～ 조사 a survey of public opinion.

여름 summer, summertime. ¶ ～ 방학 summer vacation 〔holidays〕.

여배우 an actress.

여백 a space, a blank. ¶ ～을 남기다〔채우다〕 leave 〔fill〕 a space.

여보세요 《남을 부를 때》 Hello, Excuse me; 《전화에서》 Hello.

여부 yes or no, whether or not. ¶ 그 사실 ～를 모르겠다. I don't know whether it is true or not.

여분 an excess, an extra, a spare.

여성 a woman, a female, womanhood. ¶ ～의 female.

여왕 a queen.

여우 a fox.

여자 a woman, a female, a girl. ¶ ～ 중학교 a girls' junior high school.

여행 travel(s), a journey, a tour, a trip. ～하다 travel, journey, make a trip. ¶ ～사 a travel agency / ～ 안내 guidance to travelers / 수학 ～ a school tour.

역 a (railroad) station.

역사 history. ¶ ～가 a historian / ～적인 사건〔사실〕 a historical event 〔fact〕 / ～에 기록되다 be recorded in history.

역시 too, also, as well.

역할 a part, a role. ¶ 중대한 ～을 하다 play an important part 〔role〕.

연 a kite. ¶ ～을 날리다 fly a kite.

연결 connection. ～하다 connect.

연구 study, research, make a study 《*of*》.

연극 a drama, a play. ¶ ～을 하다 play, act 《*a play*》.

연기 smoke. ¶ ～가 나는 smoking, smoky.

연기하다 put off, postpone. ¶ 파티는 1주일 동안 연기되었다. The party was put off for a week.

연락 《접촉》 (a) contact, touch. ～하다 get in touch 《*with*》. ¶ ～을 유지하다 keep in touch 《*with*》.

연료 fuel. ¶ ～비 cost of fuel; fuel expense.

연못 a pond.

연설 a speech, an address. ～하다 make a speech, address. ¶ ～자 a speaker / ～을 잘하다〔이 서투르다〕 be a good 〔poor〕 speaker.

연속 continuation, a series 《*of*》. ～하다 continue.

연습 practice, (an) exercise, training. ～하다 practice, train, exercise. ¶ 피아노를 ～ 하다 practice the piano.

연애 love. ～하다 fall 〔be〕 in love. ¶ ～ 편지 a love letter.

연장하다 extend, prolong, lengthen. ¶ 도로를 ～ extend the road.

연주하다 play, perform. ¶ 기타를 ～ play the guitar.

연착 late 〔delayed〕 arrival. ～하다 arrive late. ¶ ～할 예정이다 be expected to arrive late.

연필 a pencil. ¶ ～깎이 a pencil sharpener / 색～ a colored pencil.

열¹ ten. ¶ ～(번)째 the tenth.

열² 《열기》 heat; 《체온》 temperature, fever 《발열》.

열다 《닫힌 것을》 open; 《자물쇠를》 unlock; 《꾸러미 따위를》 unfold, undo; 《회의 등을》 hold, give. ¶ 문을 밀어서〔당겨서〕 ～ push 〔pull〕 the door open / 문을 열쇠로 ～ unlock the door / 소포를 ~ undo a parcel / 회의를 ~ hold a meeting.

열매 (a) fruit. ¶ ~ 맺다 bear fruit.

열쇠 a key. ¶ 사건의 ~ the key to the affair / ~ 구멍 a keyhole.

열심 eagerness, earnestness. ¶ 그는 공부에 ~이다. He is earnest in his studies.

열중하다 devote *oneself* ((*to*)); be absorbed ((*in*)). ¶ 놀이에 ~ be absorbed in play.

염려 worry, concern, care. ~하다 worry ((*about*)), be concerned ((*about, for*)), care ((*about*)). ¶ 아버님 병이 ~된다. I am concerned about my father's illness.

염소 a goat.

엽서 a postal card, a post-card. ¶ 그림 ~ a picture postcard.

영 a zero, nothing.

영광 honor, glory.

영국 England; (Great) Britain, the United Kingdom ((약자 U.K.)).

영리하다 (be) clever, bright, smart.

영수(領收) receipt. ~하다 receive. ¶ ~증 a receipt.

영양 an antelope.

영어 English, the English language. ¶ ~ 문장 an English sentence / ~로 쓰다 write in English.

영웅 a hero, a heroine ((여성)). ¶ ~적인 heroic.

영원 eternity. ~하다 (be) eternal. ¶ ~한 진리 eternal truth.

영토 a territory.

영하 below zero. ¶ (기온이) ~ 5도로 내려가다 fall [drop] to 5 degrees below zero.

영향 influence, (an) effect.

¶ ~을 미치다 influence; affect; have an effect ((*on*)).

영혼 a spirit, a soul.

영화 a movie, a (motion) picture; a film. ¶ ~ 배우 a movie actor [actress] / 만화 ~ an animation.

옆 the side. ¶ 길 ~의 집 a house by the road / 어머니 ~에 앉다 sit beside *one's* mother.

옆집 (the) next door. ¶ 오른쪽 의 ~ next door on the right side / ~에 살다 live next door.

예[1] ((대답)) yes.

예[2] ((보기)) an example. ¶ 예를 들면 for example.

예금 a deposit, a bank account. ~하다 deposit money. ¶ ~을 찾다 draw *one's* deposit [money] from the bank.

예리하다 (be) sharp, keen.

예방 prevention. ~하다 prevent ((*from*)). ¶ 큰 사고를 ~하다 prevent a serious accident.

예보 a forecast. ~하다 forecast. ¶ 일기 ~ a weather forecast.

예비하다 prepare for, reserve. ¶ 예비금 a reserve fund / 예비 타이어 a spare tire.

예쁘다 (be) pretty, lovely, beautiful.

예상 expectation, a forecast. ~하다 expect, forecast. ¶ 장래 를 ~하다 forecast the future.

예수 Jesus (Christ).

예술 art, the arts; ((미술)) fine arts. ¶ ~가 an artist / ~ 작품 a work of art.

예약 booking, reservation. ~ 하다 book in advance, reserve. ¶ ~석 a reserved seat; ((게시)) Reserved.

예언 (a) prediction. ~하다 predict, foretell.

예외 an exception. ¶ ~ 없이 without exception.

예절 etiquette, manners. ¶ ~
바른 polite / 식사 ~ table
manners / 그는 ~이 바르다.
He has good manners.

옛날 old days. ¶ ~에 once
upon a time / ~ 이야기 old
tales.

오누이 brother and sister.

오늘 today. ¶ ~ 밤 tonight / ~
아침[저녁] this morning
[evening].

오늘날 nowadays, the present
time, these days, today.

오다 come. ¶ 이리 오너라. Come
here.

오두막 a hut, a cottage.

오락 amusement(s), (a) rec-
reation. ¶ ~장 a place of
amusement.

오랑캐꽃 a violet.

오래 long, 《오랫동안》 for a
long time. ¶ ~ 전 long (time)
ago / ~ 살다 live long / ~ 걸
리다 take much time.

오렌지 an orange. ¶ ~ 주스
orange juice.

오르간 an organ. ¶ 파이프 ~ a
pipe organ.

오르다 rise, go up, climb.

오른쪽 the right (side). ¶ ~으
로 돌다 turn to the right.

오리 a duck. ¶ ~ 새끼 a
duckling.

오븐 an oven.

오빠 a girl's older [elder] broth-
er

오아시스 an oasis.

오염 pollution. ~하다 pollute.
¶대기[수질] ~ air [water] pol-
lution.

오월 May.

오이 a cucumber.

오전 the morning, before
noon. ¶ ~ 8 시에 at eight in
the morning.

오직 merely, only, solely.

오징어 a cuttlefish.

오토바이 an autocycle, a mo-

torcycle, a motor bicycle.

오페라 an opera.

오해 a misunderstanding. ~
하다 misunderstand.

오후 afternoon, p.m. ¶ 오늘[어
제] ~ this [yesterday] after-
noon

오히려 rather [better, sooner]
《than》.

옥수수 Indian corn.

온도 (a) temperature. ¶ ~계
a thermometer / ~를 재다
take the temperature.

온실 a greenhouse.

온종일 all day (long), the
whole day.

온천 a hot spring.

온화하다 (be) gentle, mild.
¶ 온화한 기후 a mild climate.

올라가다 rise, go up, mount,
climb.

올라오다 come up 《to Seoul》.

올리다 raise, lift (up). ¶ 손을
~ raise [lift] one's hand /
값을 ~ raise the price.

올리브 an olive. ¶ ~유 olive
oil.

올림픽 《경기 · 대회》 the Olympic
Games, the Olympics.

올빼미 an owl.

옮기다 move, remove, trans-
fer. ¶ 집을 시골로 ~ move
into the country / 학교를 ~
transfer to another school.

옳다 《정당하다》 (be) right,
rightful, just; 《틀림없다》 (be)
correct, right. ¶ 옳은 일을 하
다 do a right thing / 문제의
옳은 해답 the right answer
to a problem.

옷 clothes, a dress. ¶ ~ 한
벌 a suit of clothes.

완성 completion. ~하다 com-
plete, finish.

완전 perfection. ~하다 (be)
perfect, complete.

왕 a king. ¶ ~국 a kingdom.

왜 why, for what reason,

what ... for. ¶ ~ 그렇게 생각하니? Why do you think so?

외계인 an alien. ¶ 외계의 alien.

외교 diplomacy. ¶ ~ 관계를 수립하다 establish diplomatic relation.

외국 a foreign country [land]. ¶ ~어 a foreign language / ~인 a foreigner / ~에 가다 go abroad.

외로이 all alone, lonely. ¶ ~ 지내다 lead a lonely life.

외롭다 (be) all alone, lonely.

외모 an (outward) appearance.

외부 the outside. ¶ ~ 사람 an outsider.

외출 going out. ~하다 go out (of doors). ¶ ~중이다 be not at home, be out.

외치다 cry (out), shout. ¶ 남북 통일을 ~ cry out for the unification of Korea.

외투 an overcoat.

왼쪽 the left (side). ¶ ~에 앉다 sit on the left side 《of》.

요구 a demand, a request, a claim. ~하다 demand, request.

요금 a charge, a fee, a fare, a rate. ¶ 가스[수도, 전기] ~ the gas [water, power] rate / ~을 치르다 pay a charge [rate].

요람 a cradle.

요리 《만들기》 cooking;《음식》 a dish, food. ~하다 cook 《food》, prepare 《a dish》. ¶ ~사 a cook, a chef / 고기 [야채] ~ meat [vegetable] dish / 이 ~는 맛이 있다. This is a delicious dish.

요소 an element.

요일 a day of the week, a weekday. ¶ 오늘은 무슨 ~이냐? What day of the week is it today?

요즈음 these days, nowadays, recent days.

요트 a yacht.

욕망 a desire, an ambition. ¶ ~을 채우다[억제하다] satisfy [control] one's desire.

욕실 a bathroom.

용 a dragon.

용감하다 (be) brave, courageous.

용기 courage, bravery. ¶ ~를 주다 encourage.

용돈 pocket money, an allowance.

용서 pardon, forgiveness. ~하다 pardon, forgive. ¶ ~하십시오. Please pardon me.

용이하다 (be) easy, simple. ¶ 하기가 ~ be easy to do.

우거지다 grow thick [dense], be overgrown. ¶ 나무가 우거진 산 a thickly-wooded hill.

우두커니 absent-mindedly, idly.

우리 《동물의》 a cage.

우물 a well. ¶ ~물 well-water.

우산 an umbrella.

우선 first (of all), in the first place.

우송하다 mail, post.

우수하다 (be) good, excellent, superior. ¶ 우수한 성적으로 with excellent records.

우습다 (be) funny, amusing.

우승 victory. ~하다 win, win the victory. ¶ ~자 a winner.

우연 chance, accident. ¶ ~한 casual; accidental / ~히 by chance; accidentally.

우울 depression. ¶ ~하게 하다 depress / ~한 depressed / ~ 해지는 depressing.

우유 (cow's) milk. ¶ 상한 ~ sour milk.

우정 friendship.

우주 the universe, (outer) space. ¶ ~선 a space ship / ~ 여행 space travel / ~ 비행사 an astronaut.

우편 mail, post. ¶ ~으로 보내다 send by post [mail] / ~ 번

호 a zip code (number) / ~
요금 postage; postal char-
ges / ~함 a mailbox.
우표 a stamp, a postage
stamp. ¶ ~ 수집 stamp col-
lection / ~ 수집가 a stamp col-
lector.
우화 a fable.
운 fortune, luck. ¶ ~이 좋다
〔나쁘다〕 be lucky〔unlucky〕:
have a good〔bad〕 luck.
운동 《물체 등의》 motion, move-
ment;《몸의》 exercise;《경기》
sports, games. ~하다 move,
be in motion; (take) ex-
ercise. ¶ ~의 법칙 laws of
motion / ~삼아 걷다 walk for
exercise.
운명 destiny, fate.
운반 transportation, carriage.
~하다 carry, transport.
운영 management. ~하다
manage, run. ¶ 호텔을 ~하다
run a hotel.
운전하다 drive 《a car》, run
《a train》. ¶ 운전 기사 a
driver / 운전 면허증 a driver's
license.
운하 canal, a waterway. ¶ 파
나마 ~ the Panama Canal.
울다 cry, weep. ¶ 기뻐서 ~
weep for joy.
울리다 《울게 하다》 make 《a
person》 cry;《소리나게 하다》
ring, sound.
울타리 a fence, a hedge 《산울
타리》.
움직이다 move.
웃다 laugh 《소리내어》, smile
《빙그레》. ¶ 웃으며 답하다 an-
swer with a smile.
웃옷 a jacket, a coat, an up-
per garment.
웃음 laugh, laughter;《미소》 a
smile. ¶ ~을 띠다 wear a
smile.
웅장한 grand.
원 a circle. ¶ ~을 그리다 draw

a circle.
원기 spirits, energy. ¶ ~왕성한
energetic.
원래 originally, primarily.
원리 a principle, a theory.
원수 an enemy.
원숭이 a monkey, an ape《보
통 꼬리 없는》.
원예 gardening.
원인 a cause. ¶ ~과 결과
cause and effect / 실패의 ~
the cause of one's failure.
원자 an atom. ¶ ~의 atomic /
~ 폭탄 an atom(ic) bomb.
원자력 atomic energy. ¶ ~ 발
전소 an atomic power plant.
원조(하다) help, aid, support.
원칙 a principle, a rule. ¶ ~
적으로 as a rule.
원하다 desire, wish, hope,
want.
원활하다 (be) smooth.
월간의 monthly. ¶ ~ 잡지 a
monthly (magazine).
월급 a (monthly) salary, pay.
¶ ~이 오르다 get a raise in
one's salary.
월요일 Monday《생략 Mon.》.
웨이터 a waiter.
웨이트리스 a waitress.
위 the upper part, the
above.
위(胃) the stomach.
위급 an emergency.
위기 a crisis.
위대 greatness. ~하다
(be) great.
위독하다 be in a critical con-
dition.
위반 violation. ~하다 violate
《law》, break 《a promise》.
위성 a satellite.
위엄 dignity.
위원회 a committee.
위인 a great man. ¶ ~전 the
lives of great men.
위치 a position.
위험 (a) danger, (a) risk. ~

하다 (be) dangerous, risky. ¶ ~을 무릅쓰다 run a risk.

위협 threat. ~하다 threaten.

윙윙거리다 buzz. ¶ 벌들이 윙윙거리고 있다. The bees are buzzing.

윙크 a wink. ~하다 wink ((at)).

유감 regret. ¶ ~스럽다 be regretable / ~으로 생각하다 be sorry ((for)); regret.

유년 childhood. ¶ ~기에 in one's childhood.

유럽 Europe. ¶ ~의 European / ~ 사람 an European.

유력한 powerful, strong.

유령 a ghost. ¶ ~ 같은 ghostly; ghostlike.

유리 glass.

유머 humor.

유명하다 (be) famous, well-known. ¶ 유명해지다 become famous.

유식하다 (be) learned.

유아 a baby, an infant.

유용하다 (be) useful, of use. ¶ 유용한 사람〔물건〕 a useful man〔thing〕.

유월 June ((생략 Jun.)).

유의하다 take care of, pay attention ((to)). ¶ 건강에 ~ take care of one's health.

유익하다 (be) profitable. ¶ 유익하게 profitably; usefully.

유지하다 keep, hold, maintain. ¶ 질서를 ~ keep〔maintain〕order.

유치하다 (be) childish.

유쾌하다 (be) pleasant, happy, cheerful. ¶ 유쾌한 여행 a pleasant trip.

유학 study(ing) abroad.

유행 fashion. ~하다 be in fashion. ¶ ~에 뒤지다 be behind fashion.

육군 the army. ¶ ~에 입대하다 join〔enter〕the army.

육십 sixty. ¶ 제 ~ the sixtieth.

육지 land.

육체 the body, the flesh. ¶ ~적으로 physically.

윤곽 an outline.

융단 a carpet.

은 silver. ¶ ~그릇 silverware.

은퇴하다 retire from one's post. ¶ 은퇴하여 시골로 가다 retire into the country.

은행 a bank. ¶ ~에 예금하다 deposit money in the bank.

은혜 a benefit, a favor. ¶ ~를 베풀다 do ((a person)) a favor.

음력 the lunar calendar.

음료 a drink, something to drink. ¶ ~수 potable〔drinking〕water.

음반 a record, a disc〔disk〕.

음성 a voice.

음식 food (and drink).

음악 music. ¶ ~가 a musician / ~회 a concert.

음주 drinking. ~하다 drink. ¶ ~ 운전 drunken driving / ~ 운전자 a drunken driver.

응급 emergency. ¶ ~ 치료 first aid / ~시에는 벨을 울려라 Ring the bell in an emergency.

응원 ((경기의)) cheering. ¶ ~단장 a cheerleader.

의견 an opinion. ¶ 다른〔반대〕~ a different〔an opposing〕opinion / 내 ~으로는 in my opinion.

의과 the medical department〔school〕. ¶ ~ 대학 a medical college.

의도 an intention, a purpose. ¶ ~적인 deliberate / ~ 적으로 deliberately.

의무 a duty.

의문 a question, a doubt.

의미 meaning. ~하다 mean.

의사 a doctor, a physician.

의심 doubt. ~하다 doubt, be doubtful ((of)).

의원 a member ((of an assembly)). ¶ 국회 ~ a member of the National Assembly.

의장 the chairman.

의존 dependence. ~하다 depend on, rely upon.

의지 will, a mind.

의회 《미》 Congress, 《영》 Parliament.

이 a tooth, 《복수》 teeth. ¶ ~를 닦다 brush [clean] *one's* teeth.

이것 this, 《복수》 these.

이곳 here, this place.

이기다 win, gain a victory.

이내(以內) within.

이 달 this month.

이동 movement. ~하다 move.

이때 at this time [moment], then, now.

이래 since, since then.

이런 like this, of this kind.

이렇게 like this, so, in this way.

이루다 accomplish, achieve.

이룩 a takeoff, flying-off. ~하다 take off.

이르다 《시간 · 때 · 나이 따위가》 (be) early, young; 《도착하다》 arrive, reach; 《알리다》 tell, let 《*a person*》 know.

이름 a name.

이리 a wolf.

이마 the forehead.

이미 already.

이발 a haircut, hairdressing. ~하다 have *one's* hair cut. ¶ ~사 a barber; a hairdresser / ~소 a barbershop.

이불 a quilt, bedding. ¶ ~을 덮다 put on a quilt.

이사 moving, removal. ~하다 move [remove] 《*from, to*》.

이상(以上) more than, above, beyond, over. ¶ 5년 ~ more than five years.

이상(理想) an ideal. ¶ ~적인 아내 an ideal wife.

이상하다 (be) strange, odd. ¶ 이상한 습성 a strange habit.

이성(理性) reason, rational

sense. ¶ ~을 잃다 lose *one's* senses.

이슬 dew.

이십 twenty. ¶ ~ 번째 twentieth / ~ 세기 the twentieth century.

이야기 a story, a tale, a speech.

이용 use. ~하다 make use of.

이웃 the neighborhood. ¶ ~ 사람 neighbor.

이월 February 《생략 Feb.》.

이유 a reason, a cause, why.

이익 (a) profit, gain.

이쪽 this way [side].

이층 the second floor [story].

이튿날 the next [following] day.

이하(以下) less than, under, below.

이해 understanding, comprehension. ~하다 understand, comprehend. ¶ 올바르게 ~하다 have a right understanding.

이후 after this, from now on.

익숙하다 (be) familiar, be well acquainted 《*with*》.

인간 a man, a human being.

인구 population. ¶ ~가 많다[적다] have a large [small] population.

인기 popularity. ¶ ~ 있는 popular / ~ 배우 a star; a popular actor / ~를 얻다 win [gain] popularity.

인류 mankind, the human race.

인사 greeting. ~하다 greet, say hello. ¶ 아침[작별] ~를 하다 say good morning[good-by(e)].

인상 an impression. ¶ ~적 impressive / 서울의 첫 ~ the first impression of Seoul.

인생 life. ¶ ~관 a view of life.

인쇄 printing. ~하다 print.

인정(人情) kindness, tenderness, humaneness.

인정(認定) recognition. ~하다
recognize, admit.

인종 a (human) race.

인치 an inch 《약자 in.》.

인터넷 the Internet.

인형 a doll.

일 《사건》 a matter, a thing,
an affair; 《사고》 an accident;
《노동》 work, labor; 《직업·사
무》 a job, duties, business.
~하다 work, labor.

일간 신문 a daily newspaper.

일광 sunlight, sunshine.

일기 a diary. ¶ ~를 쓰다 keep
one's diary.

일등 the first class [place].
¶ ~상 the first prize.

일몰 sunset.

일반 the whole, general.

일부 a part.

일사병 heatstroke, sunstroke.

일상 everyday, daily, usually.
¶ ~ 생활 daily [everyday] life.

일생 a lifetime, *one's* life.

일어나다 《기상하다》 get up,
rise, get out of bed; 《발생하
다》 happen, occur. ¶ 아침 일
찍 ~ get up early in the
morning / 매일 일어나는 일
daily happenings.

일어서다 stand up, rise. ¶ 자
리에서 ~ rise from *one's*
seat.

일요일 Sunday.

일월 January 《약자 Jan.》.

일으키다 《세우다》 raise [set]
up, help [pick] (*a person*)
up; 《야기하다》 cause; bring
about, raise. ¶ 아무를 일으켜
세우다 make (*a person*)
stand / 사고를 일으키다 cause
an accident / 의혹을 ~ raise
doubts.

일자리 a job, a position,
work. ¶ ~를 잃다 lose *one's*
job / ~를 주다 give work / ~

를 찾다 look for a job.

일주 a round. ~하다 go [walk,
travel] round [around]. ¶ 세
계를 ~ 여행하다 make [take]
a trip round the world.

일체 all, everything.

일출 sunrise.

일층 《건물》 first floor.

일행 a party, a company.
¶ ~에 끼다 join a party.

일화(逸話) an episode.

읽다 read.

잃다 lose, miss.

임금 wages, pay.

임명 appointment. ~하다 ap-
point (*a person to*).

임무 a duty, a task.

입 the mouth.

입구 an entrance.

입다 put on, wear.

입맛 (a) appetite.

입술 a lip.

입학 entrance (into a school).
~하다 enter a school, be
admitted to a school. ¶ ~ 시
험 an entrance examination.

입원 admission into a
hospital, hospitalization. ~
하다 be sent to hospital, be
hospitalized. ¶ 그녀는 ~중이
다. She is in the hospital.

입장 《처지》 a position, a
situation; 《견지》 a standpoint,
a point of view. ¶ 그는 어려운
~에 있다. He is in a difficult
situation.

있다 《존재하다》 be, there is
[are], exist; 《소유》 have,
possess, own. ¶ 여기 열쇠가
~. Here is a key. / 나는 아들
이 둘 ~. I have two sons.

잉크 ink.

잊다 forget. ¶ 잊을 수 없는
unforgettable.

잎 a leaf, 《복수》 leaves. ¶ ~이
없는 leafless; naked.

자 a (measuring) rule, a ruler, a measure. ¶ 줄~ a tape measure / ~로 재다 measure with a rule.

자가용 《개인용》 private use, personal use; 《차》 a private car.

자갈 pebbles, gravel.

자국 a mark, traces.

자기 (one)self. ¶ ~ 스스로 for oneself 《제힘으로》; by oneself 《혼자서》 / ~ 자신을 알다 know oneself / ~ 자신을 소개하다 introduce oneself.

자꾸 very often, frequently.

자다 sleep, fall asleep. ¶ 늦잠을 ~ sleep late; oversleep / 깊이 잠들다 sleep soundly.

자동 automatic action [motion]. ¶ ~문 an automatic door.

자동차 a (motor)car, an automobile. ¶ 화물 ~ a lorry / ~를 운전하다 drive a car / ~에 타다 [에서 내리다] get in(to) [out of] a car / ~로 가다 go by car.

자라다 grow (up), be brought up.

자랑 pride, boast. ~하다 be proud 《of》, boast 《of》. ¶ ~삼아 proudly / ~스러운 업적 a proud achievement.

자루 《부대》 a sack, a bag; 《손잡이》 a handle.

자리 a seat. ¶ ~에 앉다 sit down.

자립 independence.

자매 sisters.

자명종 an alarm clock.

자물쇠 a lock.

자본 capital, a fund.

자비 mercy.

자살하다 kill oneself, commit suicide.

자세 a pose; 《태도》 an attitude. ¶ 편안한 ~로 앉다 sit in a relaxed pose.

자손 a descendant.

자습 self-study. ~하다 study for oneself. ¶ ~ 시간 study hours.

자신감 self-confidence.

자연 nature. ¶ ~ 보호 protection of natural environment / ~ 과학 natural science / ~스런 감정 a natural feeling.

자유 freedom, liberty. ¶ ~롭게 되다 become free / ~인 a freeman.

자음 a consonant.

자전거 a bicycle, a bike. ¶ ~ 타기 cycling.

자존심 pride, self-respect.

자주 often, frequently.

작가 a writer, an author.

작곡 (musical) composition. ~하다 compose. ¶ ~가 a composer.

작년 last year.

작다 (be) small, little, tiny.

작문 composition, writing.

작별 farewell, parting. ~하다 bid farewell, say good-bye 《to》.

작품 a work.

잔 a cup, a glass.

잔디 lawn, grass. ¶ ~깎는 기계 a mower.

잔인하다 (be) cruel, brutal. ¶ 잔인한 짓 a cruel thing.

잔치 a banquet, a feast. ¶ 혼인 ~ a wedding feast.

잘 well. ¶ 피아노를 ~ 치다 play the piano well.

잘다 (be) fine, small, minute. ¶ 잔 모래 fine sand.

잘못 a fault, a mistake, an error. ~하다 do wrong, make a mistake.

잠 sleep. ¶ ~이 들다 fall asleep / ~에서 깨다 awake from *one's* sleep.

잠그다 《문 따위를》 lock (up); 《고동을》 turn off. ¶ 문[방]을 ~ lock a door [room] / 수도를 ~ turn off the water.

잠깐 (for) a moment [while], a little while. ¶ ~ 기다리세요. Wait a few moments, please.

잡다 catch, seize, take. ¶ 도둑을 ~ catch a thief.

잡담 a chat. ~하다 chat. ¶ …와 ~하다 have a chat with.

잡음 a noise.

잡지 a magazine. ¶ 월간 ~ a monthly magazine.

잡초 weeds.

장갑 gloves. ¶ ~ 한 켤레 a pair of gloves / ~을 끼다[벗다] put on [take off] *one's* gloves.

장관 a minister.

장교 an officer. ¶ 육군 [해군] ~ a military [naval] officer.

장군 a general.

장난 a game, play. ~하다 play, toy 《*with*》.

장난감 a toy, a plaything.

장님 a blind man, 《총칭》 the blind.

장대 a pole.

장도리 a claw hammer. ¶ ~로 못을 뽑다 pull out a nail with a claw hammer.

장래 (the) future, the time to come. ¶ 밝은 ~ a bright future / ~가 유망한 청년 a promising young man.

장려하다 encourage, promote. ¶ 저축을 ~ encourage saving.

장례 a funeral (service).

장면 a scene.

장미 a rose.

장사 business, trade. ~하다 do business. ¶ ~꾼 a trader, a merchant; a dealer.

장소 a place, a spot.

장식 decoration. ~하다 decorate.

장애물 an obstacle.

장점 a merit, a strong [good] point.

장학금 a scholarship.

장화 boots.

재 ash. ¶ ~떨이 an ashtray.

재고 stock. ¶ ~품 goods in stock, stocks.

재난 a misfortune, a disaster.

재능 talent, ability; 《솜씨》 skill. ¶ ~이 많은[없는] 사람 a man of many talents [no talent].

재다 《길이·용량 따위를》 take measure of, measure, weigh 《무게》.

재료 material(s). ¶ 건축 ~ building materials.

재목 wood, 《미》 lumber, 《영》 timber.

재미 fun, interest; amusement. ¶ ~있는 이야기 an interesting story.

재배하다 cultivate, grow, raise. ¶ 야채를 ~하다 raise vegetables.

재봉 sewing. ~하다 sew. ¶ ~틀 a sewing machine.

재산 property, a fortune.

재수 luck, fortune. ¶ ~가 있다 [없다] be lucky [unlucky]; be fortunate[unfortunate].

재채기 a sneeze.

재치 wit.

재판 justice, a trial. ~하다 judge, try. ¶ ~관 a judge.

잼 jam.

저 that, the. ¶ ~ 사람[집] that person [house].

저기 that place, over there.

저녁 evening. ¶ 이른[늦은] ~에 early [late] in the evening / ~밥 supper.

저런 such, like that.

저마다 each one, everyone.

저물다 get [grow] dark.

저울 a balance, scales.

저자 an author, a writer.

저장 storage, storing. ~하다 store, keep 《things》 in storage.

저쪽 there.

저축 saving. ~하다 save, store up.

저택 a mansion, a residence.

저항 resistance, opposition. ~하다 resist, oppose.

적 an enemy, 《총칭》 the enemy.

적다 《기록하다》 write [put] down, record ; 《수·양이》(be) few 《수》, little 《양》. ¶ 영어로 ~ write in English / 적은 수입 a small income / 적지 않은 not a few [little].

적당하다 (be) suitable, proper, fit. ¶ 적당히 properly; suitably.

적십자 a red cross. ¶ ~사 the Red Cross.

적용 application. ~하다 apply 《to》.

전(全) all, whole, total. ¶ ~세계 the whole world / ~국 the whole country.

전구 an electric bulb; a bulb.

전기(傳記) a biography.

전기(電氣) electricity. ¶ ~ 난로 an electric heater.

전람회 an exhibition, a show.

전력(全力) all one's strength [power] ¶ ~을 다하다 do one's best.

전력(電力) electric power [energy].

전망 a view, a prospect.

전문가 a specialist 《in》; a professional.

전보 a telegram, a telegraph.

전부 the whole, all.

전설 a legend, a tradition.

전시 exhibition, display. ~하다 exhibit, put on display.

전쟁 a war. ~하다 make war. ¶ ~ 중이다 be at war 《with》 / ~에 이기다[지다] win [lose] a war.

전진 an advance. ¶ ~하다 advance, go forward.

전철(電鐵) an electric railroad.

전체 the whole.

전투 a battle, a fight.

전하다 tell, report.

전혀 entirely, completely.

전화 a (tele)phone. ¶ 휴대 ~ a cellular phone, a cell phone / ~를 걸다 make a phone call / ~로 이야기하다 talk over the phone.

절¹ a bow. ~하다 bow, make a bow.

절² 《사찰》 a Buddhist temple.

절망 despair. ~하다 despair 《of》.

절벽 a cliff.

절약 saving. ~하다 save.

젊다 (be) young, youthful.

젊은이 a young man.

점 a point, a mark; 《반점》 a dot.

점령 occupation. ~하다 occupy.

점수 《성적의》 marks ; 《경기의》 a score, a point.

점심 lunch. ¶ ~을 먹다 have [take] lunch.

점원 a (shop) clerk, a shop-girl.

점차 gradually, by degrees.

접근하다 approach, draw [get, come] near. ¶ 접근해 있다 be close 《to》.

접다 fold (up).

접시 a plate 《평평한》, a dish 《움푹한》.

접촉(하다) contact, touch.

젓가락 (a pair of) chopsticks.

젓다 《배를》 row 《*a boat*》, pull the oar; 《휘젓다》 stir.

정가 a fixed price. ¶ ~표 a price tag.

정각 the exact time. ¶ ~ 5시에 just at five; at five sharp.

정거 stopping. ~하다 (make a) stop, halt. ¶ ~장 a railroad station.

정구 tennis.

정도 degree, level, standard. ¶ ~가 높은〔낮은〕 of a high 〔low〕 standard.

정돈 (good) order, arrangement. ~하다 put in order, arrange.

정력 energy, vigor.

정렬하다 stand in line, line up.

정면 the front. ¶ ~에 in front 《*of*》.

정문 the front gate.

정보 (a piece of) information. ¶ ~를 얻다〔주다〕 obtain 〔give〕 information 《*of*》.

정복 conquest. ~하다 conquer.

정부 the government, the administration.

정상(正常) the normal state. ¶ ~이 아닌 abnormal / ~ 가격 a normal price.

정상(頂上) the top, the peak.

정숙 silence. ~하다 (be) still, silent.

정신 spirit, mind. ¶ ~적인 타격 a mental blow / ~병 a mental disease.

정열 passion.

정오 noon. ¶ ~에 at noon.

정원 a garden.

정의(正義) justice, right. ¶ ~ 사회를 구현하다 realize a society of justice.

정의(定義) a definition.

정정 correction. ~하다 correct.

정직 honesty, frankness. ~하다 (be) honest, frank.

정책 a policy. ¶ 외교 ~ a foreign 〔diplomatic〕 policy.

정치 politics. ¶ ~적 능력 political ability.

정하다 decide, fix, determine. ¶ 날을 ~ fix a date / 결혼하기로 ~ decide to get married.

정확하다 (be) correct, exact. ¶ 정확히 exactly, correctly / 정확한 시간 correct 〔exact〕 time.

젖 milk. ¶ ~을 달라고 울다 cry for milk.

젖다 get wet. ¶ 젖은 옷 wet clothes.

제거하다 remove, get rid of. ¶ 원인을 ~ remove a cause.

제목 a subject, a title.

제발 kindly, (if you) please.

제방 《둑》 a bank.

제법 pretty, fairly, nicely.

제복 a uniform. ¶ 학교의 ~ a school uniform.

제비 a swallow.

제비꽃 a violet.

제스처 a gesture.

제안 a proposal, a suggestion. ~하다 propose, suggest.

제외 exception. ~하다 except.

제일 the first, the best, number one.

제자 a disciple, a student.

제출 presentation. ~하다 hand in, present.

제트기 a jet (plane).

제한 a limit. ~하다 limit. ¶ ~속도 the speed limit.

조각 a slice, a piece. ¶ 빵 한 ~ a slice of bread.

조개 a shellfish. ¶ ~ 껍질 a shell.

조건 a condition.

조국 one's fatherland, one's mother country.

조금 《시간》 (for) a moment, a while; 《수량》 a little 《양》, a few 《수》; 《정도》 a bit.

조급하다 (be) impatient, hasty.

지연 delay. ~되다 delay, be delayed.

지옥 a hell.

지우개 an eraser.

지우다 《글자를》 erase.

지원하다 support. ¶ 적극적인 지원 active [positive] support.

지위 《신분》 position, status; 《계급》 a rank.

지적하다 point out, indicate.

지정 appointment. ~하다 appoint.

지중해 the Mediterranean (Sea).

지지하다 support, uphold.

지진 an earthquake.

지출 expenses. ~하다 pay, expend.

지치다 be [get] tired.

지키다 《수호》 defend, protect, guard; 《감시》 watch; 《이행》 keep.

지팡이 a stick.

지퍼 a zipper.

지평선 the horizon.

지폐 paper money, a bill.

지푸라기 a straw.

지하 underground. ¶ ~철 the underground (railway) 《영》, a subway 《미》.

지혜 wisdom, intelligence.

지휘 command. ~하다 command, lead; 《악단을》 conduct. ¶ ~자 a leader; a commander; a conductor 《음악의》.

직각 a right angle.

직면하다 be faced 《with》, be confronted 《by》.

직선 a straight line.

직업 a job, an occupation. ¶ ~적인 professional.

직접 direct, immediate.

진료소 a clinic.

진리 truth. ¶ ~의 탐구 a search for truth.

진보 progress, (an) advance. ~하다 (make) progress, advance. ¶ ~가 빠르다[더디다]

make rapid [slow] progress.

진실 truth, fact, reality. ~하다 (be) true, real. ¶ 역사적 ~ historical truth.

진열 a display, a show. ~하다 display, show. ¶ ~장 a showcase.

진주 a pearl.

진찰 a medical examination. ~하다 examine. ¶ ~을 받다 see [consult] a doctor.

진하다 《색이》 (be) dark, deep; 《액체가》 (be) thick, strong. ¶ 진한 청색 deep blue / 진한 차 strong tea.

진행 progress, advance. ~하다 (make) progress, advance.

진흙 mud, clay.

질 quality. ¶ ~이 좋다[나쁘다] be of good [bad] quality.

질문 a question. ~하다 (ask a) question. ¶ ~에 답하다 answer a question / ~을 해도 좋습니까? May I ask you a question?

질서 order. ¶ ~를 지키다 keep [maintain] order.

질투 jealousy. ~하다 be jealous 《of》.

짐 a load, a burden; 《배·비행기 따위의》 a cargo. ¶ ~이 되다 be a burden 《to a person》 / ~을 부리다 unload.

짐작 guess, estimation. ~하다 guess, estimate. ¶ 네 ~이 맞다. Your guess is right.

집 a house, a home 《가정》. ¶ ~에 있다 stay [be] at home / ~을 짓다 build a house / ~으로 가다 go home.

집단 a group.

집회 a meeting, a gathering.

짓다 《집을》 build, construct; 《만들다》 make. ¶ 구두를 ~ make shoes.

짖다 bark.

짚 a straw.

짜다 《피륙을》 weave; 《맛이》

be salty.

짝 one of a pair [couple].

짧다 (be) short, brief.

쪼개다 split, break, divide.

쫓아가다 follow, run after.

찍다 《사진을》 take 《a pho-tograph》. ¶ 사진을 ~ take a picture.

찡그리다 frown.

찢다 tear, rip. ¶ 편지를 ~ tear a letter (to pieces).

차(茶) tea. ¶ ~ 한 잔 a cup of tea / ~를 대접하다 serve 《a person》 tea.

차(車) a vehicle, a car, an auto(mobile). ¶ ~를 타다〔잡다〕 take a car [taxi] / ~로 가다 go by car / ~에 오르다 get into a car / ~에서 내리다 get out of a car / ~를 운전하다 drive a car.

차갑다 (be) cold, chilly. ¶ 차가운 날씨 cold [chilly] weather.

차다¹ 《발로》 kick, give 《a person》 a kick. ¶ 공을 ~ kick a ball.

차다² 《가득》 be full 《of》, be filled 《with》. ¶ 홀은 사람들로 가득 찼다. People filled the hall. *or* The hall was filled with people.

차도 the roadway.

차라리 rather 《than》, had better. ¶ 치욕 속에서 사느니 ~ 죽겠다. I would rather die than live in disgrace.

차례 order, turn. ¶ ~로 in order; one by one; by [in] turn.

차이 (a) difference. ¶ 의견의 ~ a difference of opinion 《over》.

차지하다 occupy, hold, have, take (up). ¶ 많은 공간을 ~ occupy a lot of space.

차표 a railroad [bus, subway] ticket. ¶ 편도〔왕복〕 ~ a one-way [round-trip] ticket / ~를 사다 get [buy] a ticket 《to》 / 서울행 ~ a ticket for Seoul.

착륙 (a) landing. ~하다 land.

착수하다 start, begin, set to. ¶ 일을 ~ set to work.

착하다 (be) good, nice. ¶ 착한 사람 a good person.

찬성 approval. ~하다 approve 《of》. ¶ ~을 구하다 ask 《a person's》 approval.

찬송가 a hymn.

참가 participation, joining. ~하다 participate, join, take part 《in》.

참나무 an oak (tree).

참다 endure, bear. ¶ 고통을 ~ endure pain / 참을 수 있다〔없다〕 be bearable〔unbearable〕.

참새 a sparrow.

참석 attendance, presence. ~하다 attend, be present at, take part in. ¶ 결혼식에 ~하다 attend 《a person's》 wedding.

참으로 really, truly, indeed.

참을성 patience, endurance. ¶ ~이 있다 be patient.

참조 reference. ~하다 refer to, see.

창립 foundation, establishment. ~하다 found, establish, set up.

창문 a window.

창백하다 (be) pale. ¶ 창백해지다 turn pale [white].

창조 creation. ~하다 create. ¶

~적으로 creatively.

창피 shame, disgrace, dishonor. ~하다 be a shame, be shameful. ¶ ~해 하다 be [feel] ashamed 《of》 / ~를 당하다 be put to shame.

찾다 search [look] 《for》, seek 《for, after》. ¶ 일자리를 ~ look for a job.

찾아내다 find (out), locate 《a person》. ¶ 잃어버린 반지를 ~ find one's lost ring.

채용하다 employ, take into service. ¶ 그녀를 서기로 ~ employ her as a clerk.

채집 collection. ~하다 collect, gather.

책 a book. ¶ ~을 읽다 read a book. / ~벌레 a bookworm《독서광》.

책상 a desk, a table.

책임 responsibility; 《의무》 duty. ¶ ~이 있는 지위 a responsible position / …에 대해 ~이 있다 be responsible for….

처럼 as, like, as… as, so… as. ¶ 여느 때 ~ as usual / 남 ~ 굴다 behave like a stranger / 눈~ 희다 be as white as snow.

처음 the beginning, (the) first. ¶ ~에는 at first / ~부터 from the beginning / ~으로 for the first time.

처지 a situation. ¶ 곤란한 ~ a difficult situation.

천 《피류》 cloth.

천(千) a thousand.

천국 Paradise, heaven.

천막 a tent.

천사 an angel.

천연색 natural color. ¶ ~ 사진 a color picture[photograph].

천장 the ceiling.

천재 a genius. ¶ ~ 교육 genius education.

천천히 slowly, without haste

[hurry]. ¶ ~ 생각하다 take time to think.

철(鐵) iron, steel. ¶ ~문 an iron gate / 강철은 ~로 만들어진다. Steel is made from iron.

철도 a railway, a railroad.

철사 (a) wire. ¶ ~로 묶다 wire together.

철자 spelling. ~하다 spell.

철저하다 (be) thorough.

철학 philosophy. ¶ ~적인 philosophical.

첫째 the first (place), the top. ¶ ~를 차지하다 take [win] the first place; be at the top of 《a class》.

첫발 a start, a beginning. ¶ ~이 좋다[나쁘다] make a good [wrong] start.

청년 a young man, a youth. ¶ 유망한 ~ a promising young man.

청바지 (blue) jeans. ¶ 그들은 모두 ~를 입고 나왔다. They came out, all in jeans.

청소 cleaning. ~하다 clean. ¶ 방을 ~하다 clean a room.

청소년 the younger generation.

청중 an audience.

청춘 youth. ¶ 꽃다운 ~ the bloom of youth.

청혼 a proposal of marriage. ~하다 propose.

체온 temperature, body heat. ¶ ~을 재다 take one's temperature.

체육관 a gym(nasium).

체제 a system, a structure.

체중 weight. ¶ ~이 늘다[줄다] gain [lose] weight / 너의 ~은 얼마냐? What's your weight?

체크 a check. ~하다 check, mark.

체포 (an) arrest. ~하다 arrest, make an arrest.

체험 experience. ~하다 experience, go through.

초 a candle.

초(秒) a second.

초대 an invitation. ~하다 invite, ask. ¶ ~장 an invitation card / ~를 받다 receive an invitation / 저녁 식사에 ~하다 invite [ask] 《a person》 to dinner.

초등 학교 an elementary school, a primary school.

초록(색) green.

초원 a plain.

초점 a focus.

총 a gun, a rifle.

총계 the total amount, a total. ¶ ~ 250달러 a total of $250.

총알 a bullet.

최고 《가장 높은》 the highest, maximum; 《최상》 the best [finest]. ¶ ~의 점수 the highest point / ~ 속도 a maximum speed / ~품 the best [finest] stuff.

최근 《시간상으로》 the latest date. ¶ ~의 뉴스 the latest news / ~에 recently, lately.

최대 the greatest [biggest]. ¶ 세계 ~의 유조선 the biggest tanker in the world.

최소 the smallest, the minimum. ¶ ~의 비용으로 at a minimum of expense.

최신 the newest, the latest. ¶ ~형 the latest style.

최저 the lowest, the minimum. ¶ ~ 가격 the lowest price.

최초 the first, the beginning.

최후 the last, the end. ¶ ~의 5분간 the last five minutes 《in a crisis》.

추가 an addition. ~하다 add.

추수 (a) harvest. ~하다 harvest. ¶ ~ 감사절 Thanksgiving Day.

추위 coldness, the cold.

추천하다 recommend, propose.

추측 a guess. ~하다 guess.

축구 football, soccer.

축복 a blessing. ~하다 bless.

축소 (a) reduction. ~하다 reduce, cut down.

축제 a festival. ¶ ~일 a festival (day).

축하 congratulations. ~하다 congratulate.

출구 a way out, an exit.

출발 a start, departure. ~하 다 start, leave.

출생 birth. ~하다 be born.

출석 attendance, presence. ~하다 attend, be present 《at》.

출입 coming and going. ~하 다 go in and out. ¶ ~구 an entrance / 사람의 ~이 많다 Lots of people are coming and going.

출판 publication, publishing. ~하다 publish.

춤 a dance, dancing.

춥다 (be) cold, chilly.

충격 a shock.

충고 advice. ~하다 advise. ¶ ~자 an adviser / 그에게 한마 디 ~하다 give him a piece of advice.

충분하다 (be) enough, sufficient. ¶ 충분한 돈 enough money / 그것이면 ~. That's enough.

충실하다 (be) faithful, honest.

취급하다 treat, deal 《with》, handle.

취미 a hobby, an interest.

취소하다 cancel. ¶ 주문을 ~ cancel an order.

층 《사회 계급》 a class; 《건물 의》 a story, floor. ¶ 근로자 ~ the working class / 3~에 살 고 있다 live on third floor.

층계 steps, stairs. ¶ ~를 오르 다 go up the stairs.

치다 《때리다》 strike, beat, give a blow, hit.

치료 (a) medical treatment,

cure. ~하다 cure, treat. ¶ 상처를 ~하다 treat an injury / ~를 받다 receive treatment.

치르다 《돈을》 pay (off).

치마 a skirt.

치약 toothpaste.

치욕 shame, (a) disgrace.

친구 a friend. ¶ 나의 미국 친구 my American friend.

친절 kindness. ~하다 (be) kind, helpful. ¶ 친절한 소녀 a kind girl / ~하게 굴다 act kindly; show kindness.

친척 a relative.

친하다 (be) close, friendly. ¶ 매우 친한 친구 a very close friend.

칠면조 a turkey.

칠월 July 《약자 Jul.》.

칠하다 paint. ¶ 벽에 페인트를 ~ paint a wall.

침대 a bed.

침몰 sinking. ~하다 sink, go down.

침묵 silence. ~하다 be silent.

침실 a bedroom.

침입 invasion. ~하다 invade, enter 《into》.

칫솔 a toothbrush.

칭찬 admiration, praise. ~하다 praise, admire. ¶ ~을 받다 win [receive] praise; be praised.

칭호 a title, a name.

카세트 a cassette. ¶ ~ 녹음기 a cassette tape recorder.

카우보이 a cowboy.

카탈로그 a catalog.

칼 a knife, a sword 《무기용 검》. ¶ 이 ~은 잘 든다. This knife cuts well.

칼국수 knife-cut noodles.

칼라 a shirt collar, a collar.

칼로리 a calorie, a calory. ¶ ~가 많은 [적은] 식품 food of high [low] calorie content.

칼슘 calcium.

캐나다 Canada. ¶ ~의 Canadian / ~사람 a Canadian.

캐다 dig up [out]. ¶ 감자를 ~ dig out [up] potatoes.

캠페인 a campaign.

캠프 a camp. ¶ ~파이어 a campfire.

캠핑 camping. ¶ ~가다 go camping.

커녕 far from, anything but. ¶ 그렇기는 ~ far from it / 즐겁기는 ~ 불쾌하다. It is anything but pleasant.

커브 a curve.

커튼 a curtain. ¶ ~을 올리다 [내리다] raise [lower] a curtain.

커피 coffee. ¶ ~를 한 잔 마시다 drink a cup of coffee.

컨디션 condition. ¶ ~이 좋다 [나쁘다] be in [out of] condition.

컨테이너 a container.

컬러 (a) color. ¶ ~ 사진 a color photo.

컴퓨터 a computer.

컵 a cup, a glass.

켜다 《불을》 light, switch [turn] on; 《악기를》 play (on). ¶ 라디오를 ~ turn on the radio.

코 a nose. ¶ 드릉드릉 ~를 골다 snore loudly.

코끼리 an elephant.

코스 a course, a lane, a track.

코알라 a koala.

코트 a coat, an overcoat.

콩 beans, peas 《완두》.

쾌락 pleasure, enjoyment.

쾌활하다 (be) cheerful, merry. ¶ 쾌활한 청년 a cheerful young man.

쿠폰 a coupon.

퀴즈 a quiz.

크기 size. ¶ ~가 다르다〔같다〕 differ〔be equal〕 in size.

크다 (be) big, large; 《자라다》 grow big, grow up. ¶ 큰 사과 a big apple / 큰 목소리 a big voice / 큰 집 a large house / 나이에 비해 ~ be big for *one's* age / 그녀는 커서 피아니스트가 되었다. She grew up to be a pianist.

크리스마스 Christmas (Day), Xmas. ¶ ~이브 Christmas Eve.

큰비 a heavy rain. ¶ ~가 오다 have a heavy rain.

큰아버지 an uncle

큰어머니 an aunt.

큰일 《큰 사업》 a big 〔great〕 undertaking 〔business, plan〕: 《중대사》 a matter of grave concern, a serious matter.

클럽 a club. ¶ ~에 들다 join a club.

클립 a clip.

키 height.

키스 a kiss. ~하다 kiss, give a kiss.

키우다 bring up, raise, rear.

타격 a hit, a blow. ¶ ~을 가하다 strike a blow 《*at*》; give a blow 《*to*》.

타결 a settlement, an agreement. ¶ ~을 보다 reach an agreement.

타다¹ 《탈 것에》 take, get on 〔in〕, take 〔have〕 a ride in, ride in 〔on〕. ¶ 기차〔택시〕를 ~ take a train 〔taxi〕 / 자전거를 ~ ride a bicycle / 기차를 타고 가다 go 〔travel〕 by train.

타다² 《불에》 burn, be burnt; 《넣다·섞다》 put in, add, mix. ¶ 종이는 잘 탄다. Paper burns easily. / 커피에 설탕을 좀 ~ add a little sugar to *one's* coffee.

타월 a towel.

타이어 a tire.

타이프 a type.

타일 a tile.

탁월하다 (be) excellent.

탁자 a table, a desk.

탄생 a birth. ~하다 be born.

탄수화물 a carbohydrate.

탈 a mask.

탈출 (an) escape. ~하다 escape 《*from*》.

탐구 (a) search, a study. ~하다 seek, pursue.

탐험 exploration. ~하다 explore.

탑 a tower, a pagoda.

태도 an attitude, a manner.

태양 the sun. ¶ ~의 표면 the sun's surface.

태평양 the Pacific (Ocean).

택시 a taxi.

택하다 choose, make choice, select. ¶ 둘 중에서 하나를 ~ choose one of the two.

탱크 a tank.

터널 a tunnel. ¶ ~에서 나오다 come out of a tunnel.

터미널 a terminal.

터지다 explode, burst.

턱 the jaws, the chin.

턱수염 a beard.

테니스 tennis.

테라스 a terrace.

테스트 a test.

텔레비전 television 《약자 TV》: 《수상기》 a television set.

토끼 a rabbit, a hare 《산토끼》.

토론 a debate, a discussion. ~하다 debate, discuss.

토마토 a tomato.

토막 a piece, a bit 《of》.

토스트 toast.

토양 soil, earth.

토요일 Saturday 《약자 Sat.》.

토지 land; 《부동산》 an estate.

톱 a saw.

통(桶) a tub, a barrel.

통고 a notice, warning. ~하다 notify 《a person of》, give 《a person》 notice 《of》 ¶ ~서 a (written) notice.

통과 passage, passing. ~하다 pass [go] through.

통로 a path, a passage, a way, a road.

통상(通商) trade, commerce.

통신 communication, correspondence. ~하다 communicate, correspond. ¶ ~ 교육 education by correspondence.

통일 unification. ~하다 unify, unite. ¶ 남북 ~ unification of North and South (Korea) / 나라를 ~하다 unify a nation.

통제 control, regulation. ~하다 control, regulate. ¶ 통제 구역 a control zone.

통증 a pain, an ache.

통지 (a) notice. ~하다 inform 《a person》 of, give 《a person》 notice, let 《a person》 know.

통치 rule. ~하다 rule over, govern. ¶ ~자 the ruler.

통학 attending school. ~하다 go to [attend] school.

통행 passing, traffic 《교통》. ~하다 pass 《through》, go 《along》.

통화(通話) a (telephone) call. ~하다 talk over the telephone.

투수 a pitcher.

투표 《표결》 vote; 《투표하기》 voting; 《표》 a vote. ~하다 vote.

튀다 spring, bound; 《물이》 splash.

튤립 a tulip.

트랙 a track. ¶ ~ 경기 track events.

특대(特大) 《특대품》 an outsize. ¶ ~의 extra-large; outsized.

특별 being special. ~하다 (be) special. ¶ 특별한 것 a special thing.

특히 especially, specially, in particular.

튼튼하다 (be) strong, healthy.

틀다 turn. ¶ 수도를 ~ turn on the water / 라디오를 ~ turn on the radio.

틀리다 be wrong, make a mistake. ¶ 너의 대답은 틀렸다. Your answer is wrong.

틀림 an error, a mistake.

틈 an opening, a gap, a crack; 《공간》 room, space; 《여가》 spare time. ¶ 벽의 갈라진 ~ a crack in the wall / 책 읽을 ~이 없다 have no time to read / 내 차에는 네가 탈 ~이 없다. There is no room for you in my car.

티켓 a ticket.

팀 a team. ¶ ~ 동료 a teammate.

팀워크 teamwork.

파괴 destruction. ~**하다** destroy, break (down). ¶ 가정의 행복을 ~하다 destroy the happiness of families.

파다 dig 《*a hole*》.

파도 waves.

파랑 blue.

파리 a fly.

파묻다 bury.

파슬리 parsley.

파인애플 a pineapple.

판단 a judgment. ~**하다** judge. ¶ 인생의 값어치를 금전으로 판단해서는 안된다. Life should not be judged in dollars and cents.

판매원 a salesperson.

판사 a judge.

판자 a board, a plank.

팔 an arm.

팔꿈치 an elbow.

팔다 sell. ¶ 파는 사람 a seller / 비싸게 〔싸게〕 ~ sell at a high 〔low〕 price / 잘 팔리다〔팔리지 않다〕 sell 〔do not sell〕 well.

팔다리 the limbs.

팔월 August 《약자 Aug.》.

패배 (a) defeat. ~**하다** be defeated 〔beaten〕. ¶ ~를 맛보다 taste defeat / 적을 ~시키다 defeat the enemy.

패자 a loser.

팬케이크 a pancake.

퍼뜨리다 spread. ¶ 헛소문을 ~ spread a false rumor.

퍼붓다 pour on.

퍼센트 percent 《기호 %》.

페이지 a page, a leaf. ¶ 홈~ a home page / ~를 넘기다 turn the pages 《*of a book*》.

페인트 paint. ¶ ~를 칠하다 paint 《*a room white*》.

펴다 《펼치다》 spread 《*it*》 out; 《책을》 open 《*a book*》; 《몸을》 stretch 《*one's back*》.

편도 one-way. ¶ ~ 승차권 a one-way ticket.

편지 a letter. ~**하다** write 〔send〕 a letter. ¶ ~를 받다 receive a letter / 18일자 ~ a letter dated the 18th.

편하다 《편안하다》 (be) comfortable. ¶ 발이 편한 구두 comfortable shoes to wear / 편히 살다 live in comfort; lead a comfortable life.

평균 an average. ¶ ~이상〔이하〕이다 be above 〔below〕 the average / ~을 내다 find 〔take〕 an average.

평등 equality. ~**하다** (be) equal, even. ¶ ~한 권리 an equal right / 사람을 ~하게 대하다 treat persons equally / 만인은 법 앞에 ~하다. All men are equal under the law.

평범하다 (be) common, ordinary. ¶ 평범한 사람 an ordinary man.

평야 a plain, an open field.

평일 a weekday.

평평하다 (be) flat, even.

평화 peace. ¶ ~롭게 살다 live in peace; lead a peaceful life.

포(砲) a gun, a cannon.

포기하다 give up, abandon.

포도 a grape, grapes.

포로 a prisoner of war 《약자 POW》.

포옹하다 embrace, hug.

포장 packing. ~**하다** wrap, pack.

포함하다 include, hold, have. ¶ 가격에는 상자 값이 포함되어 있지 않다. The price does not include the case. / 세금 포함 가격 5달러 Price $5, tax included.

폭 width, breadth. ¶ ~을 넓히다 widen / ~이 5피트이다 be five feet wide.

폭력 violence, force. ¶ ~ 행위 an act of violence.

폭로하다 bring 《a matter》 to light, disclose, expose.

폭발 explosion; 《화산의》 eruption. ~하다 explode; erupt.

폭탄 a bomb 〔shell〕.

폭포 a waterfall, falls.

폭풍 a storm.

표 《차표·입장권 따위》 a ticket; 《목록·일람표 따위》 a table, a list; 《투표의》 a vote; 《부호》 a sign, a mark.

표면 the surface, the face.

표정 (a) (facial) expression, *one's* look 《안색》.

표준 a standard. ¶ ~ 가격 a standard price.

표지 a (book) cover. ¶ 책에 ~를 씌우다 cover a book.

표현 (an) expression. ~하다 express. ¶ ~의 자유 freedom of expression / 울음은 슬픔의 ~이다. Crying is an expression of grief.

푸대접 unkind 〔cold〕 treatment. ~하다 treat 《a person》 coldly.

푸딩 pudding.

푸르다 (be) blue, green 《초록》. ¶ 푸른 하늘 the blue sky / 푸른 들판 green field.

풀 《식물의》 grass; 《붙이는》 paste, glue. ¶ ~이 돋은 땅 grass-grown land / ~을 베다 cut the grass / ~이 잘 먹은 옷 well-starched clothes.

풀다 《문제 따위를》 solve; 《맨 것 따위를》 untie, loosen. ¶ 문제를 ~ solve a problem / 끈을 ~ untie a string.

품위 grace, elegance, dignity 《위엄》. ¶ ~가 있다 have grace.

품질 quality. ¶ ~이 좋다〔나쁘다〕 be good 〔bad〕 in quality.

품행 conduct, behavior.

풍년 a fruitful year, a year of good harvest.

풍부 abundant, rich 《in》. ¶ 경험이 풍부하다 have much experience 《in》.

풍선 a balloon. ¶ ~을 띄우다 fly a balloon / ~껌 (a piece of) bubble gum.

풍속 customs.

풍작 a good 〔rich〕 harvest, a heavy crop.

프라이 a fry. ~하다 fry. ¶ ~팬 a frying pan / 계란~ fried eggs.

프랑스 France. ¶ ~의 French / ~ 사람 a Frenchman; the French 《총칭》.

플라스틱 plastic(s). ¶ ~ 제품 plastic goods.

플래시 a flash. ¶ ~를 터뜨리다 light a flash bulb.

플러그 a plug. ¶ ~를 꽂다 plug in.

피 blood. ¶ ~는 물보다 진하다. Blood is thicker than water.

피곤 tiredness, weariness. ~하다 (be) tired, weary. ¶ 나는 매우 ~하다. I feel very tired.

피난 refuge. ~하다 take refuge 《in, from》. ¶ ~처 a place of refuge / ~민 refugees / ~살이 refugee life.

피다 《꽃이》 bloom, blossom. ¶ 봄에 피는 화초 plants blooming in spring.

피로하다 (be) tired, weary. ¶ 피로를 풀다 rest *oneself*; take a rest.

피리 a flute 《옆으로 부는》, a pipe 《세로로 부는》. ¶ ~를 불다 play (on) the flute 〔pipe〕.

피부 the skin.

피아노 a piano. ¶ ～를 치다 play (on) the piano.

피우다 《불을》 make a fire; 《담배·향을》 smoke. ¶ 난로에 불을～ make a fire in the stove / 담배를 ～ smoke a cigarette.

피하다 avoid, keep [get] away from, flee from. ¶ 전란을 ～ flee from the war / 더위를 ～ get away from the heat.

피해 damage, injury. ¶ ～를 입다 suffer damage [injury] / ～를 주다 damage, injure.

핀 a pin, a hairpin 《머리의》.

¶ ～을 꽂다 pin 《up, on, to》.

필기 taking notes. ～하다 take notes 《of》, write [note] down.

필름 film.

필수품 necessaries. ¶ 생활 ～ daily necessaries.

필요 necessity, need. ～하다 be necessary 《to》, be in need 《of》. ¶ ～한 경우에는 in case of need / 그에겐 휴식이 ～하다. He needs rest.

핑계 an excuse. ¶ ～를 대다 make an excuse.

하급 a low(er) class [grade]. ¶ ～생 a lower class student.

하나 one. ¶ ～씩 one by one / 사과 하나 주세요. Give me an apple.

하녀 a maid (servant).

하는 편이 좋다 had better. ¶ 지금 그것을 하는 편이 좋겠다. You had better do it right now.

하늘 the sky. ¶ 푸른 [맑은] ～ the blue [clear] sky.

하다 《행하다》 do, act ; 《시도하다》 try, attempt. ¶ 일을 ～ do one's work / 수선을 ～ do repairs / 최선을 다～ try one's best / 네가 좋아하는 것을 해라. Do what you like.

하루 a [one] day. ¶ ～ 종일 all day (long); the whole day. ¶ 하루～ (병이) 나아지다 get better day by day.

하룻밤 one [a] night. ¶ ～ 묵다 put up for a night.

하마터면 nearly, almost, narrowly. ¶ 그녀는 ～ 기차를 놓칠 뻔했다. She nearly missed the train.

하복 a summer suit, summer clothes.

하소연 an appeal. ～하다 appeal, make an appeal.

하수(下水) foul water, drainage. ¶ ～구 a drain; a sewer.

하숙 lodging; boarding. ～하다 lodge, board.

하여튼 anyhow, anyway.

해야 한다 must, have to.

하자마자 as soon as, no sooner ... than. ¶ 그는 나를 보자마자 도망갔다. As soon as he saw me, he ran away.

하지 않을 수 없다 cannot help 《doing》, cannot but 《do》. ¶ 나는 그것을 보고 웃지 않을 수 없었다. I could not help laughing at the sight.

하품 yawning, a yawn.

학과(學科) 《과목》 a (school) subject.

학과(學課) one's lessons, school-work.

학교 a school. ¶ ～에 들어가다 enter a school / ～에 다니다 go to school.

학급 a class.

학기 a (school) term, a semester.

학년 a school year.

학문 learning, study.

학비 school expense. ¶ ~를 벌다 work for *one's* education; earn *one's* school expense (by working).

학생 a student.

학습 learning, study. ~하다 learn, study.

학우 a schoolmate.

학자 a scholar.

한가하다 (be) free, not busy.

한가운데 the middle, the center. ¶ 방 ~에 눕다 lie in the middle of a room.

한계 a limit, bounds.

한국 (the Republic of) Korea 《생략 R.O.K.》. ¶ ~어 Korean / ~인 a Korean / ~ 국민 the Korean

한글 the Korean alphabet, Hangeul.

한꺼번에 at a time, at once. ¶ 계단을 ~에 두 개씩 뛰어 올라 가다 run up the steps, two at a time.

한동안 for sometime, for a while.

한문 Chinese writing. ¶ ~자 a Chinese character.

한밤중 midnight, the middle of the night.

한번 once, one time ¶ ~ 더 해 봐라 Try once more.

한벌 a suit, a set. ¶ 가구 ~ a set of furniture / 겨울 옷 ~ a suit of winter clothes.

한복 Korean clothes [dress].

한숨 a (deep) sigh.

한쌍 a pair, a couple. ¶ 좋은 ~을 이루다 make a good pair.

한장 a sheet. ¶ 종이 ~ a sheet of paper.

한줌 a handful 《*of rice*》.

한층 more, still more.

한켤레 a pair. ¶ 구두 ~ a pair of shoes.

한편 《한쪽》 one side; 《그 밖에》 besides; 《반면》 on the other hand.

한평생 *one's* whole life.

할머니 a grandmother.

할 수 있다 can, be able to. ¶ 나는 영어를 말~. I can speak English.

할아버지 a grandfather.

핥다 lick.

함께 together, with.

함대 a fleet. ¶ 미국 해군의 제7 ~ the 7th fleet of the U.S. navy.

합격하다 pass [succeed in] an examination. ¶ 그는 입학 시험에 합격하였다. He passed the entrance examination.

합계 a total, the sum total. ~하다 sum [add] up, total. ¶ 비용의 ~는 20달러이다. The total of expenses is $20.

합의 agreement. ~하다 agree.

합창 chorus. ~하다 sing together [in chorus].

합하다 add [put, join] together, unite.

핫도그 a hot dog.

항공 우편 air mail.

항구 a harbor, a port.

항상 always, at all times.

항해 a voyage. ~하다 sail, make a voyage 《*to*》.

해[1] 《태양》 the sun. ¶ 햇빛 sunshine, sunlight.

해[2] 《일년》 a year.

해(害) 《해로움》 harm, damage. ¶ ~를 입다 suffer damage.

해결 a solution. ~하다 solve.

해군 the navy. ¶ ~ 기지 a naval base.

해답 an answer. ~하다 answer.

해돋이 sunrise.

해롭다 (be) injurious, harmful, bad. ¶ 건강에 해로운 bad for the health.

해마다 every year, annually.

해바라기 a sunflower.

해변 the beach, the seashore, the coast, the seaside.

해보다 try, attempt.

해설 (an) explanation. ~하다 explain.

해수욕장 a swimming beach.

해양 the ocean, the sea(s).

해어지다 wear out, be worn-out.

해외 《외국》 foreign countries. ¶ ~의 overseas ; foreign / ~ 시장 overseas markets / ~무역 overseas trade / ~로 가다 go overseas.

해치다 hurt, injure, damage. ¶ 건강을 ~ injure *one's* health / 감정을 ~ hurt 《*a person's*》 feeling.

핸들 a handle, a wheel, a handle bar 《자전거의》.

햄 ham.

햄버거 스테이크 a hamburger steak.

햄스터 a hamster.

행동 (an) action, conduct. ~하다 act, behave, conduct. ¶ ~규범 the rules of conduct.

행렬 a parade.

행복 happiness. ~하다 (be) happy. ¶ 인생의 ~ happiness of life / ~하게 살다 live happily.

행사 an event. ¶ 다채로운 ~ a colorful event.

행운 good luck.

행위 an act, a deed.

행진 a march, a parade. ~하다 march, parade. ¶ ~곡 a march / 결혼 ~곡 a wedding march.

향기 (a) perfume, fragrance. ¶ 좋은 ~ a pleasant perfume.

허가 permission. ~하다 permit. ¶ ~를 구하다 ask for permis-

sion / ~를 얻다 get permission.

허둥지둥 in a hurry.

허락 《승인》 consent; 《허가》 permission. ~하다 consent to, permit, allow.

허리 the waist.

허리띠 a belt, a (waist) band.

허비 (a) waste. ~하다 waste. ¶ TV를 보면서 시간을 ~하지 마라. Don't waste your time watching television.

허수아비 a scarecrow.

허약 weakness, feebleness. ~하다 (be) weak, feeble. ¶ ~체질로 태어나다 be born weak.

허위 (a) falsehood, an untruth, a lie. ¶ ~ 보고 a false report.

헌것 old 〔worn-out, used〕 things.

헌옷 old 〔worn-out〕 clothes.

헤매다 go about, wander.

헤어지다 part from 〔with〕.

헬리콥터 a helicopter.

혀 a tongue.

현관 the front door, the entrance.

현금 cash.

현대 the present age 〔day〕, modern times, today. ¶ ~교육 modern education.

현명 wisdom. ~하다 (be) wise.

현미경 a microscope.

현실 reality. ¶ ~의 actual, real / ~적으로 really, actually / ~이 되다 become reality.

현재 the present (time); 《부사적으로》 now, at present. ¶ ~까지 up to now.

현충일 the Memorial Day.

혈압 blood pressure. ¶ ~을 재다 measure *one's* blood pressure.

혈액 blood. ¶ ~형 a blood type / ~ 은행 a blood bank.

혐오 hatred, dislike. ~하다 hate, dislike.

협력 cooperation. ~하다 coop-

erate, work together.
협박 a threat. ~하다 threaten.
¶ 그는 나를 죽이겠다고 ~했다.
He threatened me with
death.
협회 a society, an associa-
tion.
형 an older [elder] brother.
형성 formation. ~하다 form.
형제 brothers, sisters 《자매》.
형편없다 (be) terrible, awful,
miserable. ¶ 형편없이 가난한 생
활을 하다 lead a miserably
poor life.
호감 good feeling, a favorable
impression. ¶ ~을 주다 make
a good impression / ~을 사다
win 《a person's》 favor.
호기심 curiosity. ¶ ~이 많은[강
한] curious / ~을 일으키다
arouse one's curiosity.
호랑이 a tiger.
호르몬 a hormone.
호박 a pumpkin.
호소 an appeal. ~하다 appeal
to.
호수 a lake.
호스 a hose.
호의 goodwill, favor. ¶ 그는 나
를 ~적으로 대했다. He treated
me with favor.
호주머니 a pocket.
호치키스 a stapler.
호텔 a hotel.
호흡 breath. ~하다 breathe.
혼란 confusion, disorder. ~하
다 (be) confused. ¶ ~시키다
confuse / ~상태에 있다 be in
confusion [disorder].
혼자 alone, by oneself 《단독》,
for oneself 《혼자 힘으로》. ¶ 그
는 ~ 왔다. He came alone. /
네 ~힘으로 해라. Do it yourself.
혼잡하다 (be) confused, crowd-
ed.
혼합하다 mix, blend.
홈런 《야구》 a home run. ¶ ~
을 치다 hit a home run.

홍당무 a red radish, a carrot
《당근》.
홍수 a flood. ¶ ~가 나다 have
a flood ; be flooded.
홍차 (black) tea.
화가 a painter, an artist.
화나다 get angry. ¶ 화나게 하다
irritate.
화단 a flower bed, a flower
garden.
화려하다 (be) splendid, col-
orful. ¶ 화려한 궁전 a splendid
palace / 화려한 색상의 옷 a
colorful dress.
화목 peace, harmony. ~하다
(be) peaceful, harmonious.
¶ ~하게 harmoniously.
화물 goods, freight, cargo.
화병 a (flower) vase.
화산 a volcano.
화살 an arrow.
화상 a burn. ¶ ~을 입다 get
[be] burnt.
화성 Mars.
화약 (gun) powder.
화요일 Tuesday 《약자 Tue(s).》.
화장 make-up. ~하다 make
up 《one's face》. put on
make-up. ¶ ~품 cosmetics /
~실 a dressing room; 《변
소》 a rest room, a toilet.
화재(火災) a fire.
화제 a topic. ¶ 오늘의 ~ the
topics of the day.
화학 chemistry. ¶ ~자 a
chemist.
확고하다 (be) firm, steady.
확신 a firm belief. ~하다
believe firmly, be convinced
《of》, be sure 《of》. ¶ 나는
그의 성공을 ~한다. I'm sure
of his success.
확실하다 (be) sure, certain. ¶ 확
실한 사실 a certain fact / 확실
한 방법 a sure [safe] method.
환갑 one's 60th birthday
anniversary.
환경 environment, surround-

입을 열어 발음하고 다음 순간 혀 끝을 다소 뒤쪽으로 젖힌다. 예 ear[iər], here[hiər], near [niər].

18. [uər] 우리말의 [우]보다 입술을 둥글게 내밀어서 발음하고 다음 순간 혀끝을 다소 뒤쪽으로 젖힌다. 예 poor[puər], your [juər], sure[ʃuər].

19. [ei] 혀를 [e]의 위치에서 [i]의 방향으로 이동시킨다. 우리말식으로 [에이]로 두 음을 다 힘 주는 것이 아니라 처음의 [e]를 강하게 발음하는 동시에 [i]를 가볍게 붙인다. 예 eight[eit], day[dei], name[neim], paper[péipər].

20. [ai] 우리말의 [아]보다 앞쪽에서 강하게 발음하는 동시에 [i]를 가볍게 붙인다. 예 eye[ai], child[tʃaild], night[nait].

21. [ɔi] 우리말의 [오]보다 입을 크고 둥글게 열어 강하게 발음하는 동시에 [i]를 가볍게 붙인다. 예 oil[ɔil], boy[bɔi], enjoy[indʒɔi].

22. [au] 우리말의 [아]보다 앞쪽에서 강하게 발음하는 동시에 [u]를 가볍게 붙인다. 예 out[aut], flower[fláuər], mouth[mauθ].

23. [ou] 우리말의 [오]보다 약간 입을 둥글게 하여 강하게 발음하는 동시에 [u]를 가볍게 붙인다. 예 old[ould], only[óunli], know [nou], coat[kout].

(2) 자음

자음이란 숨이 입 안의 어느 곳에서 일시 멈춰지거나 좁혀지거나 하여 방해를 받아서 나오는 소리이다. 영어의 자음은 우리말의 자음에 비하여 일반적으로 강하게 발음된다.

자음에는 유성음과 무성음이 있으며, 일부의 음을 제외하고는 성대를 진동시키느냐 진동시키지 않느냐의 차이뿐이며 그 밖에는 같은 발음 방법으로 한 짝이 되어 있는 것이 많다.

1. [p](무성음) – [b](유성음)

입술을 꽉 다물고서 파열시킨다. 예 pin[pin], spring[spriŋ], rope[roup] / big[big], ribbon [ríbən], tub[tʌb].

2. [t](무성음) – [d](유성음)

혀끝을 윗잇몸에 강하게 붙여서 파열시킨다. 예 time[taim], stand[stænd], tent[tent] / did[did], leader[líːdər], kind [kaind].

3. [k](무성음) – [g](유성음)

뒷혀를 연구개에 강하게 밀어붙여서 파열시킨다. 예 keep[kiːp], cup[kʌp], desk[desk] / give [giv], angry[ǽŋgri], dog[dɔːg].

4. [f](무성음) – [v](유성음)

윗니를 가볍게 아랫입술에 대고 윗니와 아랫입술 사이로 숨을 마찰시켜서 낸다. 예 feet[fiːt], afraid[əfréid], thief[θiːf] / visit[vízit], living[lívíŋ], love [lʌv].

5. [θ](무성음) – [ð](유성음)

혀끝을 위아래의 이로 물듯하여 윗니와 혀끝의 사이로 숨을 마찰시켜서 낸다. 혀를 잇사이로 내미는 듯하게 하여 연습하면 좋다. 예 think[θiŋk], three[θriː], both [bouθ] / this[ðis], there[ðɛər], smooth[smuːð].

6. [s](무성음) – [z](유성음)

위아래의 이를 맞물거나 또는 아주 가까이 하여 숨을 마찰시키면서 낸다. 예 sit[sit], city[síti], cups[kʌps] / zoo[zuː], busy [bízi], things[θiŋz].

7. [ʃ](무성음) – [ʒ](유성음)

입술을 내밀어 둥글게 오므린다. 이는 위아래를 맞물고 숨을 마찰시키면서 낸다. 剛 ship[ʃip], shell[ʃel], cash[kæʃ] / usual[júːʒuəl], vision[víʒən], treasure[tréʒər].

8. [h] (무성음)

다음에 오는 모음의 입 모양을 하여 목구멍 깊숙한 곳에서 강하게 숨을 낸다. 우리말의 [ㅎ]은 경구개에 혀를 가까이 하여 발음하지만, 영어의 [h]는 모두 목구멍 깊숙한 곳에서 낸다. 剛 hit[hit], hard[hɑːrd], help[help].

9. [tʃ] (무성음) — [dʒ] (유성음)

혀를 윗잇몸에서 뗌과 동시에 [ʃ]가 들리도록 하면 [tʃ]가 되고, [ʒ]가 들리도록 하면 [dʒ]로 된다. 어느 쪽이나 하나의 소리로서, [t]와 [ʃ] (또는 [d]와 [ʒ])를 따로 떼어 발음하지 말 것. 입술을 조금 앞으로 내밀어 강하게 숨을 낼 것. 剛 cheek[tʃiːk], kitchen[kítʃin], much[mʌtʃ] / enjoy[indʒɔ́i], large[lɑːrdʒ], page[peidʒ].

10. [m] (유성음)

입을 꽉 다물고 숨은 코를 통해서 낸다. 剛 man[mæn], small[smɔːl], climb[klaim].

11. [n] (유성음)

혀끝을 윗잇몸에 밀착시키고, 숨은 코를 통하여 낸다. 剛 new[njuː], answer[ǽnsər], train[trein].

12. [ŋ] (유성음)

뒷혀를 연구개에 강하게 밀어붙이고 숨은 코를 통하여 낸다. 이때 입은 다물지 않는다. 剛 thing[θiŋ], finger[fíŋgər], wings[wiŋz].

13. [r] (유성음)

혀끝을 약간 깊숙이 당겨 젖히듯 하고 입을 조금 둥글게 오므려서 발음한다. 결코 혀끝이 잇몸이나 경구개에 닿지 않도록 주의할 것. 剛 read[riːd], tree[triː], wrong[rɔːŋ].

14. [l] (유성음)

혀끝을 윗잇몸에 대고 숨은 혀의 양 옆으로 낸다. 剛 live[liv], class[klæs], ball[bɔːl].

15. [j] (유성음)

우리말의 [유]보다 가운데 혀를 경구개에 가까이 하여 소리를 낸 순간에 다음의 모음을 발음한다. 剛 yet[jet], year[jiər], young[jʌŋ].

16. [w] (유성음)

혀를 힘껏 뒤로 당기고 입을 둥글게 하여 내밀고 소리를 낸 순간에 다음의 모음을 발음한다. 剛 week[wiːk], wood[wud], quick[kwik].

17. [hw]

입을 오므려서 숨을 냄과 동시에 다음에 오는 모음의 입 모양으로 옮겨서 발음한다. 剛 what[hwɑt], when[hwen], white[hwait].

3. 연속된 자음의 발음 방법

앞에서 말한 것은 하나하나의 발음에 관한 것이었다. 이제 그것들의 소리가 다른 소리와 함께 발음되는 경우를 생각하여 보기로 한다. 영어에서는 「자음+자음」이나 「자음+자음+자음」의 식으로 자음이 2개 또는 3개가 연속되어 발음되는 수가 많이 있다. 剛 stop[stɑp] (자음 2개), drink[driŋk] (자음 2개), spring[spriŋ] (자음 3개), street[striːt] (자음 3개). 자음이 겹치는 낱말의 발음을 연습하여 보자. 예를 들면 strong의 발음이 잘 되지 않을 때는 자음 중의 맨 끝인 **rong**에서부터 시작하여 다음에 t를 붙여서 **trong**, 다시 s를 붙여서 **strong**과 같이 발음하여 가는 연습도 효과적이라고 생각된다. 교과서에 나오는 자음이 연속된 낱말 중 중요한 것을 들어 보자.

(1) [pl]; [bl]…place, apple / black, table.
(2) [pr]; [br]…pretty, April / bread, brown.
(3) [kl]; [gl]…class, bicycle / glass, English.
(4) [kr]; [gr]… Christmas, cry / grandmother, grass.
(5) [tl]; [dl]…bottle, gentleman / handle, needle.
(6) [tr]; [dr]…train, tree / drop, drink.
(7) [ks]; [sk]…box, six / desk, school.
(8) [st]; [sp]…stop, best / speak, sport.
(9) [sw]; [tw]…sweet, swim / twelve, twenty.
(10) [spr]; [spl]… spring, spread / splendid, split.
(11) [str]; [skr]… strike, string / screen, scrap.

4. 낱말의 악센트

2음절 이상의 낱말에서는 보통 한 쪽의 음절이 다른 쪽보다 강하게 발음된다. 이것을 악센트(accent) 또는 강세(stress)라고 한다.

하나의 모음을 두드러지게 하기 위해서는 필연적으로 다른 모음은 반대로 약하게 발음하지 않으면 안되는 것이다. 예를 들면 pocket이라는 말을 발음할 때, 제 1 음절의 모음 [ɑ]가 제 2 음절의 모음 [i]보다 강하게 발음된다. 영어에서는 일반적으로 강하게 발음하는 것을 강세(stress)라고 하여 강세 부호 [´]를 그 모음 위에 붙인다. pocket은 발음 기호에 강세 부호를 붙여서 나타내면 [pákit]이 된다.

pocket처럼 2음절로 된 짧은 낱말은 일반적으로 강세가 하나밖에 없지만, 비교적 긴 낱말이나 복합어 따위에서는 2 개의 강세를 갖는 일이 있다. 이 때 가장 강한 강세를 제 1 강세라 하고 [´]로 나타내며, 그 다음으로 강한 강세를 제 2강세라 하여 [`]로 나타낸다. 예를 들면 afternoon[æftərnúːn], dictionary[díkʃənèri], examination[igzæminéiʃən]과 같이 된다.

영어에서는 같은 낱말이라도 악센트의 위치에 따라 뜻이 달라지는 수가 있다. 이를테면, import 라는 낱말의 경우 제 1 음절에 강세가 오면 「수입」이라는 뜻의 명사가 되며, 제 2 음절에 강세가 오면 「수입하다」라는 뜻의 동사가 된다. 이와 같이 영어의 악센트는 매우 중요한 구실을 하므로 발음할 때에나 또는 들을 때에도 그 위치에 주의하도록 하자.

5. 문장의 악센트와 리듬

(1) 문장 강세에 관하여

문장은 보통 둘 이상의 낱말로 되어 있는데 어떤 낱말은 강하게 발음되고 어떤 낱말은 약하게 발음된다. 일반적으로 강하게 발음되는 낱말은 그 문장에서 중요한 구실을 하는 낱말이다. 문장 중에서 강세를 받는 낱말과 강세를 받지 않는 낱말은 대체로 다음과 같은 품사들이다.

1. 문장 강세를 받는 낱말

명사, 지시 대명사, 의문 대명사, 동사, 형용사, 부사, 감탄사 등은 문장 중에서 제 1강세 또는 제 2 강세를 받는다. 단숨에 읽을 수 있는 짧은 문장이나 콤마(,)로 구분된 끊어 읽는 도막(breath group)에는 제1강세를 받는 낱말이 하나뿐인데, 그것은 보통 위에서 말한 품사 중에서 문장 끝(끊어 읽는 도막에서는 그 끝)에 가장 가까운 위치에 있는 낱말이다. 다음 예에서 ´표가 있는 곳이 제1강세이다.

This is a bóok.

He came here yésterday.

Are you cóming? Yes, I ám.

After the gáme, / / (잠깐 쉼) we had some téa.

Though he was very póor, / / he was very hónest.

2. 문장 강세를 받지 않는 낱말

문장 강세를 받지 않는 낱말은 1에서 말한 것 이외의 품사, 즉 조동사, 전치사, 접속사, 인칭 대명사, 관계 대명사, 관사 따위이다. 이들 낱말에 부주의로 강세를 주면 부자연스러운 영어가 되므로 주의하지 않으면 안 된다.

(2) 리듬에 관하여

영어의 리듬은 음의 강약에 의해서 구성된다. 즉, 강하게 발음되는 음절이 중심이 되어 그 앞뒤에 있는 약한 음절은 빠르고 짧게 발음된다. 또 문장 강세를 갖는 음절이 여러 개 있는 구나 문장의 경우에는 문장 강세와 문장 강세와의 시간적 간격이 거의 같아지는 경향이 있다. 예를 들면, Once upon a time there lived in a village a woman who was very kind. 라는 문장에 우선 문장 강세를 넣어 보면, Ónce upon a tíme there líved in a víllage a wóman who was very kínd. 와 같이 된다. 그런데 이 ´

와 ´의 시간적 간격을 대체로 같게 하여 읽어 보아라. ´의 곳에서 손이나 발로 박자를 쳐 보면 대체로 같은 길이로 읽어질 것이다. 여러 번 해 보면 알 수 있듯이 ´와 ´의 사이의 음절 수가 많고 적은 것에 관계 없이 시간을 같게 하는 것이므로, 예를 들면 wóman who was very kínd에서 ´의 사이의 말은 다른 것에 비하여 상당히 빠르고 가볍게 읽지 않으면 안 된다. 이와 같이 영어의 리듬은 2개의 강세 사이에 많은 음절이 오면 그것들은 빠르고 가볍게 발음하고, 반대로 그 사이에 음절의 수가 많지 않으면 그것들은 어느 정도 천천히 명료하게 발음한다고 하는 조절을 하지 않으면 안 된다.

여기서 리듬 연습을 한 가지 하여 보자. ´부호가 있는 곳에서 손뼉을 치면서 다음의 수를 읽어 보자. 손뼉을 치는 간격은 물론 같아야 한다. eleven 이하의 곳에서도 ´와 ´와의 간격을 그 앞에서와 같게 하기 위해서는 ´가 없는 음절은 의당 가볍고 빠르게 읽지 않으면 안 된다. 이와 같은 점에 유의하여 읽어 보자.

Óne, twó, thrée, fóur, fíve, síx,

Fíve, síx, séven, éight, níne, tén,

Níne, tén, eléven, twélve, thirtéen, fourtéen,

Fiftéen, sixtéen, seventéen, eightéen, ninetéen, twénty.

이번에는 리듬놀이이다. 미국이나 유럽의 아이들은 감귤이나 수박을 먹고 나서 자기가 남긴 씨의 수를 친구나 가족과 함께 세는 놀이를 할 때에 이 리듬놀이를 잘 한다. 자기 장래의 「직업을 점치는 것」이다. 모두 함께 소리를 맞춰 다음 말을 하면서 씨를 하나씩 세어 가는 것이다. 각자의 마지막 씨에 맞춰지는 말이 장래 자기가 갖게 될지 모르는 직업인 것이다. tailor나 sailor라면 괜찮지만, beggar man이나 thief라면 큰일이다. 서로 웃고 있는 사이에 영어의 리듬도 배워질 것이다. 낱말의 뜻: tinker(땜장이), tailor(재봉사), soldier(군인), sailor(선원), rich man(부자), poor man(가난한 사람), thief(도둑).

Tínker, táilor, sóldier, sáilor

Rích man, póor man, béggar man, thíef.

Tínker, táilor, sóldier, sáilor

Rích man, póor man, béggar man, thíef.

6. 억양

억양(intonation)이란, 말을 하거나 글을 읽을 때의 목소리의 고저 변화를 말한다. 영어의 억양은 악센트나 문장 강세와 밀접한 관계를 가지고 있어서 이에 따라 목소리의 높이가 올라가고 내려오고 하여 멜로디를 만들어 낸다.

중요한 고저의 변화는 일반적으로 하나의 끊어 읽는 도막(breath group)의 맨 끝 부근에 오는 강세 있는 음절에 일어난다. 이제 음의 높이를 선으로 표시하고, 멈추는 곳을 빗금(/)으로 표시하면 고저의 변화는 대체로 다음과 같이 된다.

(1) I have a bóok. /

(2) Do you have a bóok? /

(3) After the gáme, / we had some téa. /

위의 예로 알 수 있듯이 빗금까지가 하나의 끊어 읽는 도막으로 그 중의 맨 끝에 있는 강한 음절에서 목소리의 높이가 바뀐다. (1)과 같이 book에서 일단 높이가 올라갔다가 아래로 내려오는 음조를 하강조(下降調)라 하고, (2)에서와 같이 book에서 일단 높이가 올라간 대로의 음조를 상승조(上昇調)라고 한다. 또 (3)의 처음 음조는 game에서 일단 올라간 후 (1)에서 만큼 내려가지 않는 음조로서 이것을 평탄조(平坦調)라고 한다. (3)의 두번째 음조는 (1)과 마찬가지인 하강조이다. 이 밖에 하강조와 상승조가 얽힌 하강 상승조라든가, 선택 의문문의 음조, 부가 의문문의 음조 등이 있다.

(1) 하강조

이 음조는 영어에서 가장 많이 쓰이는 것으로서 인사, 대답, 짧은 평서문, 특수 의문문, 감탄문, 명령문 등에 쓰인다.

(인사) Good morning.

Good-bye.

(대답) Yes. Good.

Thank you.

(평서문) English is easy.

(특수 의문문) What? Why?

Where?

What's this?

Where's the book?

(감탄문) What a pity!

How wonderful !

(명령문) Look. Come in.

Sit down.

Open your books.

(2) 상승조
이 음조는 일반적으로 「미완결」을 나타내는 것으로 일반 의문문, 의뢰문, 호명 등에 쓰인다.

(일반 의문문) Is this a book?

Does he have a dog?

(의뢰문) Open the window, please.

(호명) Bob ! Miss Smith !

(3) 평탄조
이 음조는 뚜렷한 고저가 없이 대체로 같은 높이가 계속되는 경우의 음조로서 주로 따옴표(" ")로 구분된 어구의 바로 앞 또는 바로 뒤에 있어서 누가 그 말을 하였나를 나타내는 것이다.

"I don't know," she said.

"Dear Prince," said the swallow, "I cannot do that."

(4) 하강 상승조
하강조와 상승조를 합친 것으로 하강조만을 써서 결말의 느낌을 띠게 하는 것을 피하기 위하여 가벼운 상승조를 그 뒤에 덧붙인 것이다. 헤어지는 인사나 문장 끝에, 의외의 뜻을 비치게 하는 경우에 쓰인다.

(작별 인사) Good-bye.

Good night.

(의외의 뜻을 품은 문장)
It may be so (but I don't agree with you).

(5) 기타
선택 의문문의 음조
or가 있어서 둘 중에 어느 쪽인가를 묻는 의문문은 or 앞에서는 상승조이고 그 뒤에서는 하강조를 취한다.

Is it here or there?

Do you like tea or coffee?

Which is larger, London or Paris?

부가 의문문의 음조
부가 의문문은 하강조와 상승조의 두 가지가 있어서, 묻는 사람이 그 내용에 관하여 충분히 확신이 있어서 단지 확인하는 정도이면 하강조를 취하고, 반대로 묻는 사람이 확신이 없어서 상대방에게 대답을 기대하는 경우에는 상승조를 취한다.

This is yours, isn't it?

You are a student here, aren't you?

You will finish the work, won't you?

She couldn't get a job, could she?

문   법

Ⅰ. 어형 변화

1. 뒤에 s가 붙는 것

A. 명사+s

「명사」란 사람이나 물건 따위의 이름을 나타내는 말이다. 예를 들면 book, boy, New York, Tom, English 따위를 말한다. 이러한 명사 뒤에 s가 붙으면 그것이 둘 이상 있는 것을 나타낸다. 따라서 book 뒤에 s가 붙은 books 라는 것은 「책」이 두 권 이상 있는 것을 나타낸다. 이와 같은 둘 이상의 것을 「복수」라고 한다. books는 book의 복수, boys는 boy의 복수라고 하는 것이다. 복수에 대하여 하나뿐인 것은 「단수」라고 한다.

대개의 명사는 s를 붙이면 복수가 된다. 그러나 그 중에는 s만으로는 안 되고 es를 붙이지 않으면 안 되는 것도 있다. 그것은 dress, box, dish, watch와 같은 낱말들이다. 이러한 낱말을 복수형으로 하면 dresses, boxes, dishes, watches와 같이 된다. 이와 같이 es를 붙이지 않으면 안 되는 낱말은 발음이 [s], [z], [ʃ], [tʃ], [dʒ] 중의 어느 하나로 끝나는 낱말들이다. 이는 단지 s로 발음하기가 어렵기 때문에 es를 붙여 발음하기 쉽게 만들기 위한 것이다. es가 붙으면 [iz]로 발음하는 것이어서, dresses는 [drésiz], boxes는 [báksiz], dishes는 [díʃiz], watches는 [wátʃiz]와 같이 되어 발음하기 쉽게 되는 것이다.

이것은 발음에 관계되는 것이므로 철자에는 관계가 없다. dress와 box는 마지막 글자가 서로 다르지만 양쪽이 다 [s]의 발음으로 끝나는 것이어서 es를 붙인다. 마지막이 e자로 끝났더라도 그 낱말의 마지막의 발음이 [s], [z], [ʃ], [tʃ], [dʒ] 중의 어느 하나면 이와 같은 무리이다. 그러나 e로 끝난 낱말에는 s만을 붙이고 발음은 [iz]로 한다. page[peidʒ]→pages[péidʒiz], exercise[éksərsàiz]→exercises[éksərsàiziz].

s만을 붙여서 복수로 하는 경우라도 그 읽는 법은 두 가지가 있다. 하나는 books[buks]와 같이 [s]로 읽는 경우이고, 또 하나는 boys[bɔiz]와 같이 [z]로 읽는 경우이다. 첫째와 같은 경우는 그 낱말의 마지막 발음이 [k]나 [p]와 같이 무성음일 때이다. 다른 예를 들면, cups[kʌps]나 months[mʌnθs] 따위가 있다. 주의해야 할 것은 [t]의 발음으로 끝나는 낱말이다. 예를 들면, bat[bæt]나 sport[spɔːrt]의 경우이다. 이 때는 bats[bæts]나 sports[spɔːrts]로 되지만 이 끝부분은 「트스」로 읽지 않고 「츠」와 같이 읽는 것이다.

이 밖의 경우에는 복수의 s는 [z]로 읽는다. sisters[sístərz], pencils[pénslz], buildings[bíldiŋz], days[deiz], mountains[máuntinz] 따위가 그 예이다. 그러나 이 때 [d]의 발음으로 끝나는 낱말에는 주의하여야 한다. friends[frendz], beds[bedz]는 끝 부분을 [드즈]로 발음하지 않고 [즈]와 같이 발음하는 것이다.

다음으로 복수의 s를 붙일 때 낱

말의 뒷부분이 다소 변화하는 경우를 생각해 보자. 이는 낱말이 y나 f로 끝난 때이다. country(나라)를 복수로 하면 countries[kʌ́ntriz]가 된다. 이것은 country의 마지막 y를 i로 바꿔서 그 뒤에 es를 붙였다고 생각하면 좋을 것이다. 이 때의 es는 [z]로 읽는다. 예 city (도시) → cities [sítiz], diary(일기) → diaries[dáiəriz], hobby(취미) → hobbies[hábiz].

그러나 마직막이 y로 끝났더라도 그 앞에 모음 ([æ], [ɔ], [ei] 따위의 발음)이 있으면 위와 같은 변화를 하지 않고 그대로 s를 붙이기만 하면 된다. 예 day (날) → days[deiz], toy(장난감) → toys[tɔiz].

다음은 f의 경우를 생각하여 보자. f라고 하였으나 fe로 끝나는 낱말도 이와 같은 무리이다. leaf(잎)의 복수는 leaves[li:vz]가 된다. 이것은 f를 v로 바꿔서 es를 붙인 것이다. knife (창칼)의 복수는 knives[naivz]이다. 이것은 원래 e가 뒤에 있는 것이어서 fe를 ve로 하여 s만을 붙였다고 생각하면 된다. 예 yourself(너 자신) → yourselves[juərsélvz] (너희들 자신), life(인생) → lives [laivz].

그러나 safe(금고), proof(증거) 따위의 몇몇 낱말들은 s만을 붙여서 safes[seifs]와 같이 된다.

이제까지 살펴본 바와 같이 영어의 명사는 복수로 되면 대개의 낱말은 뒤에 s가 붙게 된다. 그렇지만 그 중에는 모양이 전혀 달라지는 것도 있다. 그 예를 들면 다음과 같다.

    단 수   복 수
    child(아이) → children
    man(남자)   → men
    woman(여자)→ women
    foot(발)   → feet
    tooth(이)   → teeth
    mouse(생쥐) → mice
    sheep(양)   → sheep

이와 같은 복수를 불규칙 복수라고 한다. 불규칙 복수 중에는 sheep과 같이 단수일 때나 복수일 때나 모양이 바뀌지 않는 것도 있다. 불규칙 복수는 사전을 들췄을 때에 주의하여 암기하도록 하여야 한다.

명사 중에는 복수로 되지 않는 명사가 있다. Tom, New York, sugar, tea, people, happiness, honesty 따위가 그러한 것들이다. 이러한 명사를 「셀 수 없는 명사」라고 한다. 이에 대하여 복수로 되는 명사는 「셀 수 있는 명사」라고 한다.

셀 수 없는 명사 중 sugar나 tea와 같이 물건의 재료를 나타내는 것은 다음과 같이 하여 그 분량을 나타낼 수 있다.

a cup of tea 차 한 잔.
two cups of tea 차 두 잔.
a glass of water 물 한 컵.
a piece of bread 빵 한 조각.
some piece of cheese 치즈 몇 조각.

B. 명사+'s (아포스트로피 에스)

명사 뒤에 's를 붙이면 「…의」와 같이 다음에 계속되는 것의 임자를 나타낸다. Mr. Brown's watch 브라운씨의 시계 / Mary's pen 메리의 펜.

's를 읽는 법은 복수일 때의 s를 읽는 법과 같다. 즉 [k]나 [p]와 같이 무성음으로 끝나는 낱말 다음에 붙일 때는 [s], 그 이외의 발음으로 끝나는 낱말 다음에 붙일 때는 [z]로 읽는다. Jack's[dʒæks] camera 잭의 카메라 / Robert's [rɑ́bərts] sweater 로버트의 스웨터.

　[t]나 [d]의 발음으로 끝나는 낱말을 읽는 법의 주의도 복수 s의 경우와 마찬가지다. my friend's [frendz] book (나의 친구의 책). [s], [z], [ʃ], [tʃ], [dʒ]로 끝나는 낱말 뒤에 붙일 때는 's만을 붙이지만 그 때의 읽는 법은 [iz]로 읽는다. Mrs. Jones's[dʒóunziz] opinion 존스 부인의 의견 / George's[dʒɔ́:rdʒiz] sister 조지의 누이.

C. 3인칭 단수 현재의 s

　우선 3인칭 단수 현재라는 말을 확실히 해 둘 필요가 있는데, 그러자면 「주어」와 「동사」가 무엇인가를 먼저 이해하여야 하겠다.

　다음 문장을 보고 알아보자.

I have a good camera.

Mrs. Brown is a teacher.

Does she live in San Francisco?

Father didn't give me any money.

　윗문장 중의 I, Mrs. Brown, she, Father와 같은 말을 「주어」라고 한다. 그리고 have, is, live, give와 같은 말을 「동사」라고 한다.

　「3인칭 단수 현재」란 주어가 3인칭의 단수로서 현재의 일을 말하고 있을 때라는 뜻이다. 먼저 3인칭이란 무엇인가를 생각해 보자. 3인칭이란, I(나), you(너, 너희들), we(우리들) 이외의 것을 말한다. he(그)라든가 she(그녀), they(그들) 뿐 아니라, Tom, Mr. Jones, my sister, your dictionary 따위도 모두 3인칭이다. 3인칭의 물건이나 사람은 복수로

되는 수가 있다. (예를 들면 my sisters라든가 your dictionaries 라고 말할 수 있다.) 그러나 3인칭 단수 현재란 그러한 복수의 경우가 아니고 단수의 경우를 말한다. 그리고 지난 과거의 일이 아니고 현재의 일을 말하고 있을 때 「3인칭 단수 현재」라고 말한다.

　왜 3인칭 단수 현재가 문제되는가 하면 3인칭 단수 현재일 때는 동사 뒤에 s가 붙기 때문이다. 예를 들어 보자.

Tom *lives* in Greenfield.

Mr. Jones *plays* tennis on Sunday.

My sister *likes* animals.

　주어는 Tom, Mr. Jones, My sister이므로 모두 3인칭이며 단수이다. 더구나 여기서는 「살고 있다」라든가 「정구를 한다」, 「동물을 좋아한다」와 같이 현재의 일을 말하고 있다. 즉 「3인칭 단수 현재」인 것이다. 이럴 때는 동사의 뒤에 s가 붙는 것이다.

　3인칭 단수 현재의 s를 읽는 법은 복수일 때의 s를 읽는 법과 같다. likes의 경우는 like의 마지막 발음이 [k]로서 무성음이므로 이 s는 [s]로 읽어서 [laiks]로 된다. lives[livz]나 plays[pleiz]는 유성음으로 끝나는 것이어서 이 때의 s는 [z]로 발음되는 것이다. teach 와 같은 낱말은 [tʃ]로 끝나는 것이므로 뒤에 es를 붙여서 3인칭 단수 현재는 teaches [tí:tʃiz]로 된다. 그 밖의 예:

　want (원하다) → wants[wɔnts] 《끝의 발음이 「트스」로 되지 않도록 주의》

　needs (필요로 하다) → needs [ni:dz] 《끝의 발음이 [드즈]로 되지 않도록 주의》

use(사용하다)→uses[jú:ziz] 《s
만을 붙이지만 use의 끝 발음이
[z]이므로 어미는 [iz]로 읽는다.》

study (공부하다) → studies
[stʌ́diz] 《어미의 y를 i로 바꿔서
es를 붙인다. 발음은 [z]》

2. 뒤에 **er**이 붙는 것

A. 형용사+**er**

「형용사」란 big house, tall
tree, pretty flower, large
picture의 big, tall, pretty,
large 따위를 말한다. 이러한 낱말
은 「큰」, 「키가 큰」, 「예쁜」 따위
와 같이 물건의 상태나 성질을 나
타낸다.

형용사는 종종 「더 큰」, 「더 키
가 큰」이라고 말하지 않으면 안 될
때가 있다. 예를 들면 「나의 집이
너의 집보다 더 크다」와 같이 말할
때이다. 이와 같이 둘을 비교하여
「더 …」라고 말하는 법을 「비교급」
이라고 한다. 비교급을 만드는 데
는 형용사 뒤에 er를 붙여서 다음
과 같이 한다.

That tree is *taller* than
this tree. 저 나무는 이 나무보다
크다.

My house is *bigger* than
your house. 나의 집은 너의 집
보다 크다.

These flowers are *prettier*
than those flowers. 이 꽃들이
저 꽃들보다 예쁘다.

His picture was *larger*
than mine. 그의 그림은 나의 것
보다 컸다.

여기서 주의해야 할 것은 어느
것이나 다 er이 붙어 있지만, 본래
의 낱말(원형)과 비교하여 보면 조
금씩 어딘가 다르다는 것이다.

tall이 taller로 되는 것과 같이

er만을 붙이는 것이 제일 기본적인
비교급을 만드는 방법이다. 그런데
big의 비교급은 bigger이므로 g가
겹치고 er이 붙어 있다. 짧게 발음
하는 모음이 있고 끝이 자음(모음
이외의 발음)으로 끝날 때 마지막
의 자음을 겹치고 er을 붙이는 것
이다. 같은 예로 다음과 같은 것이
있다.

Today is *hotter* than yes-
terday. 오늘은 어제보다 덥다.

다음에 prettier는 어떤가 알아
보자. pretty의 마지막 y가 i로 바
뀌고 er이 붙어 있다. 같은 예로
다음과 같은 것이 있다.

My brother is *lazier* than
I. 나의 동생은 나보다 게으르다.

끝으로 larger는 어떤가 보자.
large는 본래 e로 끝나는 것이어서
er을 붙이지 않고 r만 붙인 것이
다. 이와 같이 e로 끝나는 낱말에
는 r만을 붙인다.

Today Bill was *later* than
usual. 오늘 빌은 여느때보다 늦
었다.

B. 부사+**er**

「부사」란, Tom can run
fast. (톰은 빨리 달릴 수 있다.)
라든지 My brother studies
hard. (나의 동생은 열심히 공부한
다.)에서 fast나 hard와 같은 말
을 이른다.

부사에도 비교급이 있다. 그리고
비교급을 만드는 방법도 형용사의
경우와 같다. 다음 예를 보고 그
구실을 알아보자.

Tom can run *faster* than
Mary. 톰은 메리보다 빨리 달릴
수 있다.

My brother studies *harder*
than I. 나의 동생은 나보다 열심
히 공부한다.

Today I got up *earlier* than yesterday. 오늘 나는 어제보다 일찍 일어났다.

C. er을 붙이지 않는 비교급

형용사나 부사에 er을 붙이면 비교급이 된다는 것은 이미 알았을 것이다. 그러나 er을 붙이지 않고 비교급을 만드는 낱말도 있는 것이다. 비교적 긴 낱말, 예를 들면 interesting 이라든가 expensive 의 뒤에 er을 붙이면 발음하기 어려울 것이다. 따라서 이러한 긴 낱말은 앞에 more를 붙여서 비교급을 만든다. interesting의 비교급은 more interesting, expensive의 비교급은 more expensive이다.

좀더 다른 예를 들어 보자.

Susie is *more careful* than Tom. 수지는 톰보다 주의깊다.

This book is *more difficult* than that book. 이 책은 저 책보다 어렵다.

Grandfather walks *more slowly* than anyone else. 할아버지는 어느 누구보다도 천천히 걸으신다.

You should take a bath *more often*. 너는 목욕을 더 자주 해야겠다.

어떤 낱말에는 뒤에 er을 붙이고 어떤 낱말에는 앞에 more를 붙이느냐 하면, 대략의 규칙으로서는 짧은 낱말에는 er, 긴 낱말에는 more를 붙인다고 할 수 있다. 그러나 정확하게는 하나하나의 낱말에 관하여 암기해 두는 수밖에 없다. 조금 주의하면 점차 er을 붙이는 것인지 more를 붙이는 것인지를 알게 된다.

D. 불규칙한 비교급

명사의 복수형에 불규칙한 것이 있는 바와 같이 형용사나 부사의 비교급에도 불규칙한 것이 있다. 다음은 그 예이다.

원 급		비 교 급
good(좋은)	→	better(더 좋은)
bad(나쁜)	→	worse(더 나쁜)
well(잘)	→	better(더 잘)

3. 뒤에 est가 붙는 것

A. 형용사 · 부사+est

형용사나 부사에 est가 붙으면 「최상급」이 된다. 최상급은 「가장 …」, 「제일 …」라는 것을 나타낸다. small은 「작은」의 뜻이므로 smallest라고 하면 「제일 작은」의 뜻이 되는 것이다. 다음 예를 보아라.

That is the *smallest* box. 저것이 가장 작은 상자다.

Today is the *hottest* day in the summer. 오늘은 올 여름 중 가장 더운 날이다.

Mine is the *easiest* work. 나의 것이 제일 쉬운 일이다.

My father has the *largest* land in the neighborhood. 나의 아버지는 그 근방에서 가장 넓은 땅을 가지고 계신다.

est를 붙일 때의 주의할 점은 er을 붙일 때와 마찬가지이다. 즉 대부분의 낱말에는 est만을 붙이면 되지만, 「단모음+자음」으로 끝나는 낱말은 마지막의 자음을 겹치고 est를 붙이며, y로 끝나는 낱말은 y를 i로 바꾸고 est를 붙인다. 또 e로 끝난 낱말은 st만을 붙이면 된다.

B. est를 붙이지 않는 최상급

more를 붙여서 비교급을 만드는 낱말이 있는 것처럼 most를 붙여서 최상급을 만드는 낱말도 있다. 그것은 dangerous나 carefully와 같은 긴 낱말이다.

The mountain is the *most dangerous.* 저 산은 가장 위험하다.

This ring was the *most expensive* in the store. 이 반지는 상점에서 제일 비쌌다.

Nancy wrote the letter *most carefully.* 낸시는 아주 정성을 들여 편지를 썼다.

C. 불규칙한 최상급

비교급과 마찬가지로 다음과 같은 형용사나 부사의 최상급은 est 나 most를 붙이지 않고 전혀 다른 꼴로 된다. 세 가지 꼴을 입에 오르게 익혀 두도록 하자.

원급	비교급	최상급
good →	better →	best
(좋은)	(더 좋은)	(가장 좋은)
bad →	worse →	worst
(나쁜)	(더 나쁜)	(가장 나쁜)
well →	better →	best
(잘)	(더 잘)	(가장 잘)

4. 뒤에 ing가 붙는 것

뒤에 ing가 붙는 낱말은 동사이다. ing형을 쓰는 법에는 여러 가지가 있지만 우선 ing형을 만드는 법을 알아보자.

A. ing형을 만드는 법

제일 간단한 것은 ing만을 붙이는 것이다.

read → reading, study → studying, jump → jumping, go → going.

단모음 뒤에 자음으로 끝난 낱말은 그 자음을 겹쳐 쓰고 ing를 붙인다.

swim → swimming, run → running, stop → stopping, plan → planning.

본래의 낱말의 끝이 e로 끝나는 것은 e를 없애고 ing를 붙인다.

come → coming, make → making, prepare → preparing, give → giving.

ie로 끝나는 낱말은 e를 없애고 ing를 붙이면 i가 겹치게 되므로 i를 y로 바꿔서 ing를 붙인다.

lie → lying, die → dying.

B. ing형의 용법

(a) be와 함께 「진행형」을 만든다. 이 때 be가 현재이면 현재 진행형이고, 과거이면 과거 진행형이다. 진행형은, 그 때 동작이 행하여지고 있는 것을 나타낸다. 다음 예를 보자.

Tom *is reading* in his room now. 톰은 지금 자기 방에서 책을 읽고 있다.

The students *are making* a box now. 학생들은 지금 상자를 만들고 있다.

Mary *was cooking* something then. 메리는 그 때 무언가 요리하고 있었다.

I went to the park yesterday. Some children *were playing* there. 나는 어제 공원에 갔다. 몇 명의 아이들이 거기서 놀고 있었다

(b) 다음과 같은 형식의 문장 속에서 「…이 ~하고 있는 것을 보다 (듣다)」의 뜻이 된다.

I saw the boys *swimming* in the pool. 나는 소년들이 풀에서 수영을 하고 있는 것을 보았다.

We heard our teacher *playing* the piano. 우리는 선생님이 피아노 치시는 소리를 들었다.

(c) ing형이 형용사처럼 명사를 설명하는 구실을 하는 일이 있다.

I looked at the *sleeping* baby. 나는 자고 있는 아기를 보

았다.

　이 경우의 sleeping은 I looked at the little baby. (나는 작은 아기를 보았다.) 라는 문장의 little 과 마찬가지로 baby를 설명하고 있다. 그래서 이러한 구실을 하는 ing를 「ing형의 형용사적 용법」이라고 한다. 형용사적 용법의 ing형은 명사 뒤에 오는 수도 있다.

　I looked at the baby *sleeping* in the bed. 나는 침대에서 자고 있는 아기를 보았다.

　sleeping뿐이면 명사 앞에 붙지만 in the bed와 같은 것이 붙으면 sleeping은 baby 뒤에 붙는다. 그러나 이 경우에도 sleeping이 baby를 설명하고 있는 것은 마찬가지이다. 예를 들어 보자.

　Who is that man *standing* near the gate? 대문 가까이 서 있는 저 사람은 누구냐?

　A lady *standing* near the bus stop talked to me. 버스 정류장 가까이 서 있던 부인이 나에게 말을 걸었다.

　위에서 말한 (a), (b), (c)의 용법은 「…하고 있는」과 같이 동작이 진행되고 있다는 뜻을 가지고 있다. 그래서 이러한 용법의 ing형을 일괄해서 「현재 분사」라고도 한다.

(d) ing형에는 이 밖에 「…하는 것」이라는 뜻이 되는 것도 있다.

　Swimming is fun.
　헤엄치는 것은 즐겁다.

　Getting up early is difficult for me. 일찍 일어나는 것은 나에게 어렵다.

　I like *walking* in the country. 나는 시골에서 걷는 것을 좋아한다.

　이와 같이 「…하는 것」이라는 뜻이 되는 ing형을 현재 분사와 구별

하여 「동명사」라고 한다.

5. 뒤에 **ed**가 붙는 것

A. **ed**를 붙이는 법과 발음

　우선 동사에 **ed**를 붙이는 법과 발음에 관하여 알아보자.

(a) **ed**를 붙이는 법

　보통의 동사는 그대로 **ed**를 붙이지만, 마지막이 y로 끝나고 그 앞이 자음일 때는 y를 i로 바꾸고 **ed**를 붙인다.

　study → studied, try → tried

　그러나 y 앞이 모음일 때는 y를 i로 바꿀 필요가 없이 그대로 **ed**를 붙인다.

　play → played, enjoy → enjoyed

　단모음 다음이 자음으로 끝난 때는 그 자음을 겹치고 **ed**를 붙인다.

　omit [oumít] → omitted,
　excel [iksél] → excelled

　마지막이 e로 끝난 낱말에는 d만을 붙인다. live → lived, hope → hoped

(b) **ed**를 읽는 법

　마지막이 [p]라든가 [k]와 같은 무성음일 때는 **ed**를 [t]로 읽는다.

　look → looked [lukt], wish → wished [wiʃt], hope → hoped [houpt], reach → reached [riːtʃt]

　마지막이 [t]와 [d]의 발음으로 끝날 때는 발음하기 쉽게 **ed**를 [id]로 읽는다.

　start → started [stáːrtid], succeed → succeeded [səksíːdid]

　앞에서 말한 것 외의 경우에는 **ed**를 [d]로 읽는다.

　open → opened [óupənd], cry → cried [kraid], die → died [daid]

B. **ed**가 붙은 낱말의 용법

　동사에 **ed**가 붙은 것은 어떻게

쓰이는가 알아보자.

(a) 과거를 나타내는 데 쓰인다.

다음 두 문장을 비교해 보자.

We study English every day. 우리들은 매일 영어를 공부한다.

We studied English yesterday. 우리들은 어제 영어를 공부하였다.

첫 문장은 「매일」이라고 되어 있으므로 우리들이 지금 하고 있는 것을 나타내고 있다. 그런데 둘째 문장은 「어제」의 일이므로 이미 지나간 일이다. 이와 같이 지나간 일을 「과거」라고 한다. 과거를 나타내는 데는 대부분의 동사는 뒤에 ed를 붙이면 된다. 예를 들어 보자.

The children played in the park yesterday. 아이들은 어제 공원에서 놀았다.

A car stopped in front of my house. 자동차가 우리 집 앞에서 섰다.

They lived in Seoul for three years. 그들은 서울에서 3년간 살았다.

그러나 동사 중에는 이 규칙에 적용되지 않는 동사가 있다. 그러한 동사를 「불규칙 동사」라고 한다. 불규칙 동사의 과거는 특별한 모양을 하고 있어서 하나하나 외지 않으면 안 된다. 불규칙 동사의 수는 다행히도 그리 많지 않아서 어느 정도 외어 버리면 대체로 불규칙 동사인가 아닌가를 짐작할 수 있게 된다. 불규칙 동사의 표는 책 끝에 정리되어 있다. 불규칙 동사가 아닌 것은 「규칙 동사」라고 하며, 이러한 동사는 뒤에 ed를 붙이면 과거로 된다.

(b) be+～ed

be 동사 다음에 동사에 ed가 붙은 꼴이 오면 「…당하다」의 뜻이 된다. scold는 「…을 꾸짖다」의 뜻이지만 be scolded로 되면 「꾸짖음당하다」의 뜻이 된다. 따라서, Jim was scolded by the teacher.는 「짐은 선생님으로부터 꾸중을 받았다.」의 뜻이 된다.

이와 같이 「…당하다」라는 것을 나타내는 문장을 「수동태의 문장」이라고 한다. 또 수동태의 문장에서 be 동사에 계속된 ed가 붙은 동사는 과거와는 역할이 다른 것이어서 「과거 분사」라고 한다. 즉 수동태의 문장은 「be+과거 분사」로 이루어지는 것이다. ed를 붙여서 과거를 만드는 동사는 과거 분사도 ed를 붙이면 만들어진다. 결국 과거와 과거 분사는 같은 꼴이다. 단지 구실이 다르기 때문에 따로 이름이 붙어 있는 것이다.

불규칙 동사의 과거는 각각 특별한 꼴을 하고 있지만 과거 분사도 각각 특별한 꼴을 하고 있다. 우선 잘 쓰이는 것을 보도록 하자.

원형	과거	과거 분사
see	saw	seen
write	wrote	written
make	made	made
say	said	said
put	put	put
cut	cut	cut

이것을 보고 알 수 있듯이 불규칙 동사는 동사의 본래의 꼴(이것을 「원형」이라고 한다)과 과거, 과거 분사가 각각 다른 것도 있고, 과거와 과거 분사가 같은 것도 있다. 또 원형과 과거와 과거 분사가 모두 같은 것도 있다. 하여튼 불규칙 동사의 경우도 be 다음에 과거 분사를 붙이면 수동이 된다.

This letter is written in English. 이 편지는 영어로 씌어

져 있다.

The flower *was* *put* on the table. 꽃은 식탁 위에 놓여져 있었다.

They *are* *said* to be very kind. 그들은 매우 친절하다고 말해지고 있다.

(c) 형용사 구실을 하는 과거 분사

ing형이 형용사의 구실을 하는 것처럼 과거 분사도 형용사의 구실을 한다. 다음 문장을 비교하여 보자.

Look at that man *standing* near the gate. 대문 가까이 서 있는 저 사람을 보아라.
Look at this watch *made* in Switzerland. 스위스에서 만들어진 이 시계를 보아라.

standing은 that man을 설명하는 말인데 made도 this watch를 설명하고 있다. 단지 다른 점은 standing은「서 있는」이라는 동작이 진행되고 있는 뜻을 가지는 데 대하여 made는「만들어진」이라는 수동의 뜻을 가지고 있다. 과거 분사가 be에 계속되면 수동이 되지만 형용사의 구실을 할 때에도 수동의 뜻을 가지는 것이다. 몇 가지 예를 들어 보자.

I want a book *written* by this author. 나는 이 작가에 의하여 씌어진 책을 갖고 싶다.

The language *spoken* in the United States is English. 미국에서 말하여지고 있는 언어는 영어이다.

This is a picture *painted* by a famous Korean artist. 이것은 유명한 한국의 화가에 의해서 그려진 그림이다.

(d) have+과거 분사

have (또는 그 변화 has, had) 다음에 과거 분사가 계속되면「완료형」을 만든다. have와 has는 현재이므로「have〔has〕+과거 분사」는 현재 완료이고, had는 과거이므로「had+과거 분사」는 과거 완료라고 한다.

i) 현재 완료

현재 완료란 한 마디로 말하면, 과거도 아니고 현재도 아닌, 과거에서 현재에 걸친 일을 나타내는 말이다.

과거에서 현재에 걸친 것이라고 말하였는데 좀더 자세히 생각하여 보면 다음과 같은 경우가 있다.

① 『과거에서 현재까지「죽 …하고 있다」라는 **계속**을 나타낸다.』

I *have* *known* him since he was ten years old. 나는 그가 열 살 때부터 (죽) 알고 있다.

We *have* *wanted* a piano for a long time. 우리들은 오랫동안 피아노를 갖고 싶어하였다.

이 경우 우리말로는「죽 …하고 있다」,「…하고 있었다」따위로 나타낸다.

② 『과거에서 현재까지에「…한 일이 있다」라는 **경험**을 나타낸다.』

Tom *has* *been* to Mexico. 톰은 멕시코에 가 본 적이 있다.

I *haven't* *seen* an elephant. 나는 코끼리를 본 적이 없다.

③ 『과거에 …하여「지금 …이다」라는, 과거에 무언가 한 일의 **결과**가 지금 남아 있는 것, 혹은「막 …하여 버렸다」와 같이 무엇이 끝났을 뿐이라는 것(**완료**)을 나타낸다.』

Jack *has* *lost* his pen. 잭은 펜을 잃어버렸다《과거에 잃어버린 것으로서 지금은 가지고 있지 않다》.

They *have* *finished* their

homework. 그들은 숙제를 끝마쳤다 《전에 끝마쳐서 이미 끝나 있다. 또는 방금 끝마쳐 버린 것을 나타낸다》.

Father *has* just *returned* home. 아버지는 막 집에 돌아오셨다.

ii) 과거 완료

과거 완료란 「had+과거 분사」의 형식을 말한다. 그리고 그것이 나타내는 것은 과거의 어느 때를 기준으로 하여, 그 전에서부터 그 과거까지에 걸친 일을 나타낸다.

→ 과거 → 현재 →

과거 완료　　현재 완료

따라서 때의 기준이 현재가 아니고 과거가 된 것뿐이고 그 밖에는 현재 완료의 경우와 같다. 결국 그것이 나타내는 일을 자세히 말하여 보면,

① 『과거 어느 때까지 죽 무엇을 하고 있었다는 것을 나타낸다.』

When I **was** born, our family *had* *lived* in Pusan for ten year. 내가 태어났을 때에는 가족이 부산에서 10년간 살고 있었다.

② 『과거 어느 때까지의 경험을 나타낸다.』

I *had* never *seen* her before that time. 그 이전에는 나는 그녀를 만난 적이 없었다.

Bill *hadn't* *seen* the sea until he was **seventeen**. 빌은 열 일곱 살이 될 때까지 바다를 본 적이 없었다.

③ 『과거 어느 때에 이미 끝나 있었던 일을 나타낸다.』

The bus *had left* before we got to the bus stop. 우리들이 버스 정류장에 도착하기 전에

버스는 이미 떠나고 없었다.

No one knew that I *had* *made* it myself. 아무도 내가 그것을 몸소 만들었다는 것을 알지 못하였다.

6. 인칭 대명사의 격

「대명사」란 I, he, they, this, those 따위와 같이 실제로 그것의 이름을 말하는 대신에 쓰이는 말이다. 명사 대신에 쓰이기 때문에 대명사라고 하는 것이다.

대명사에는 여러 가지 종류가 있지만, 인칭 대명사는 꼴이 경우에 따라 변하는 것이어서 특히 주의하지 않으면 안 된다. 「인칭 대명사」란 I, you, he, she 따위와 같이 사람 대신에 쓰이는 대명사이다. 꼴이 변화한다는 것은 무엇을 말하는 것인지 우선 인칭 대명사 I의 경우를 생각하여 보자. 다음 세 문장을 보아라.

① *I* like English.
② Do you like *my* watch?
③ Betty likes *me*.

①에서는 「나」를 나타내고 있는 것은 I로서 이 I는 주어가 되고 있다. 이러한 주어가 되는 꼴을 「주격」이라고 한다. ②에서 「나」를 나타내고 있는 것은 my로서 「나의」의 뜻을 나타내고 있다. 이와 같이 소유자를 나타낼 때의 꼴을 「소유격」이라고 한다. ③에서 「나」에 해당하는 말은 me이다. me는 likes 라는 동사 뒤에 계속되어 있다. 이 꼴을 「목적격」이라고 한다. 이와 같이 「나」를 나타내는 말은 주격일 때는 I, 소유격일 때는 my, 목적격일 때는 me로 변화하는 것이다. 다른 인칭 대명사의 경우는 어떻게 되는 가를 표로 나타내면 다음과 같다.

주　격	소유격	목적격
I	my	me
you	your	you
he	his	him
she	her	her
it	its	it
we	our	us
you	your	you
they	their	them

이것은 입에 오르도록 외는 수밖에 별 도리가 없다.

인칭 대명사의 주격은 「…은, …이」, 소유격은 「…의」, 목적격은 「…을, …에게」의 뜻을 나타낸다.

인칭 대명사의 격은 문장 속에서 차지하는 위치에 따라 구별하면 된다.

다음에 여러 가지 예를 들어 보자.

Show *me your* ticket. 나에게 너의 표를 보여 다오.

I'll give *him her* message. 나는 그에게 그녀가 전하는 말을 일러 주겠다(her는 소유격과 목적격의 꼴이 같은데 여기서는 message의 임자를 말하는 소유격이다).

We haven't told *her our* opinion. 우리들은 그녀에게(아직) 우리들의 의견을 말하지 않았다 (her는 목적격).

They don't seem to love *us*. 그들은 우리들을 사랑하지 않는 것 같다.

Tom went to the airport to meet *them*. 톰은 그들을 마중하러 공항에 갔다.

Betty wants to go with *you*. 베티는 너와 함께 가고 싶어한다(*you*는 목적격).

Ⅱ. 어　순

1. 원 칙

낱말의 어순, 즉 문장을 만드는 방법을 생각하는 데는 목적어와 보어를 이해할 필요가 있다. 그래서 우선 목적어란 어떤 것이며, 보어란 어떤 것인가를 알아보자.

A. 목적어

목적어란 I like *him*. / We played *baseball* yesterday. / Susie wants some *water*. / A lot of people bought that beautiful *picture*. 따위의 문장에서 him, baseball, water, picture와 같이 동사의 동작을 받는 말로서 동사 뒤에 온다. 즉 목적어가 있는 문장의 어순은

　　주어＋동사＋목적어

와 같이 된다. 목적어가 되는 것은 명사나 대명사이다.

B. 보어

보어란 We are *students*. / He became a *doctor*. / You look *sick*. / Bob kept *silent*.와 같은 문장 중의 students, doctor, sick, silent 따위를 말한다.

We are (우리들은 이다)로는 무엇을 말하는지 알 수 없으므로 students(학생)라는 말을 보충하고, You look (너는 보인다)로는 어떻게 보이는가를 알 수 없어서 sick (병난)라는 말을 보충하는 것이다. 이와 같은 말이 「보어」이다. 따라서 보어가 있는 문장의 어순은

　　주어＋동사＋보어

와 같이 된다. 보어가 될 수 있는 것은 명사나 형용사이다. 처음에는 어떤 것이 목적어이고 어떤 것이 보어인지 잘 모르겠지만 영어를 공부하여 가는 사이에 차차 구별할 수 있게 된다.

목적어와 보어의 양쪽이 다 있을 때는 목적어가 보어보다 앞에 온다. 목적어와 보어가 있는 문장의 어순은

주어＋동사＋목적어＋보어

와 같이 된다.

We call the dog Spot. 우리들은 그 개를 바둑이라고 부른다.

They made the garden larger. 그들은 정원을 더 크게 만들었다.

Mary always kept the room clean. 메리는 언제나 방을 깨끗하게 하였다.

위의 세 문장에서 목적어는 각각 dog, garden, room이고, 보어는 Spot, larger, clean이다.

2. 동사의 기능을 돕는 것

이번에는 동사의 기능을 돕는 말 (조동사)에 관하여 살펴보기로 한다. 「조동사」란 can, must, may, will 따위의 말을 가리킨다.

Jim swims very well.은「짐은 헤엄을 매우 잘 친다.」의 뜻이지만, **Jim can swim very well.**이라고 하면, 「짐은 헤엄을 매우 잘 칠 줄 안다.」가 되어 can 이 없을 때와 다른 느낌을 준다. 이와 같이 동사뿐일 때와 달리 특별한 뜻을 동사에 주는 구실을 하는 말, 이것이 조동사이다. 다음에 중요한 조동사를 예로 들어 본다.

We must study English everyday. 우리들은 매일 영어를 공부하지 않으면 안 된다.

You may come with me. 너는 나와 함께 가도 좋다.

They should stop the game now. 이제 너희들은 시합을 그만 두는 것이 좋겠다.

Mr. Brown might tell us the story. 브라운씨는 우리들에게 그 이야기를 해 주실지도 모른다.

몇 개의 낱말이 모여서 하나의 조동사 구실을 하는 것도 있다.

I have to finish it by five o'clock. 5시까지 그것을 끝마치지 않으면 안 된다.

We had better go now. 이제 가는 편이 낫다.

Tom used to play baseball every Sunday. 톰은 일요일마다 야구를 하곤 했다.

They are going to stay here tonight. 그들은 오늘 밤에 여기에 머무를 예정이다.

이제까지의 예에서 알 수 있듯이 조동사는 동사 앞에 온다. 그리고 주어가 3인칭 단수일 때도 뒤에 s 를 붙이지 않아도 된다.

3. 의문문 · 부정문을 만드는 방법

A. 의문문

의문문을 만드는 방법에는 3가지가 있다.

(a) 일반 동사의 경우

He speaks English.

He does speak English.

Does he speak English?

(speaks는 does와 speak로 나누어 생각한다.

They played baseball.

They did play basebasll.

Did they play baseball?

(played는 did와 play로 나누어 생각한다.)

They go to school together.

They do go to school together.

Do they go to school together?
(go는 do와 go로 나누어 생각한다.)
　즉, 원래의 동사를 do 또는 그 변형(3인칭 단수 현재일 때는 does, 과거일 때는 did)으로 나누어 생각하고, 그 do 또는 그 변형을 주어 앞에 내 놓으면 된다.
(b) 조동사 혹은 이에 상당하는 것이 있을 때는 그것이 do 또는 그 변형의 대신이라고 생각하여 그것을 주어 앞에 내놓는다.

We can go at once.

Can we go at once?

Mary is cleaning the room.

Is Mary cleaning the room?

They have finished the work.

Have they finished the work?

He was killed by an enemy.

Was he killed by an enemy?
(c) be 동사일 때는 be 동사를 주어 앞에 내놓는다.

She was happy.

Was she happy?

The children are sleepy.

Are the children sleepy?

He is a doctor.

Is he a doctor?

B. 부정문
　부정문을 만드는 방법에도 3가지가 있다.
(a) 일반 동사의 경우

I play tennis every day.

I do play tennis every day.
I don't play tennis every day.

Betty likes cooking.

Betty does like cooking.
Betty doesn't like cooking.

We went on a picnic.

We did go on a picnic.
We didn't go on a picnic.
　즉 일반 동사를 do (또는 그 변형)로 고쳐서 생각하고 그 do 다음에 not (혹은 그 단축형 n't)을 붙이면 된다.
(b) 조동사 또는 이에 상당하는 말을 포함하는 문장의 경우

You can go there today.
You can't go there today.

Tom was reading in his room.
Tom wasn't reading in his room.

We were told to stand up.
We weren't told to stand up.

The Greens have arrived now.
The Greens haven't arrived yet.
　이 경우는 조동사 또는 그에 상당하는 말 뒤에 not을 붙이면 된다.
(c) be 동사의 경우

He is a policeman.
He isn't a policeman.

Are they kind?
Aren't they kind?

We were tired.
We weren't tired.

이 경우는 be 동사 뒤에 not을 붙이면 된다.

Ⅲ. 문장이 복잡해지는 이유

문장을 구성하는 데 가장 중요한 것은 주어, 동사, 목적어, 보어이지만 이것만이라면 문장은 아주 간단할 것이다. 그러나 실제로 문장이 상당히 복잡하게 되는 것은 주어나 목적어나 보어가 되는 명사에는 형용사가 붙고, 동사에는 부사나 조동사가 붙기 때문인 것이다. 우선 어떻게 문장이 복잡해지는가를 살펴보자.

We like the picture.
↓
We like the *beautiful* picture.
↓
We like the beautiful picture *very much.*

Mr. Green is busy.
↓
Mr. Green is *very* busy.
↓
Mr. Green is very busy *every day.*

이제까지 알아본 형용사나 부사, 조동사 이외에도 문장을 복잡하게 하는 것이 있다.

1. 구(句)

몇 개의 낱말이 모여서 하나의 낱말과 같은 구실을 하는 것이 있다. 이것을 구라고 한다. 예를 들면, 몇개의 낱말이 모여서 형용사와 같은 구실을 하는 것이면 그것은 형용사구라고 한다. 여러 가지 구의 예를 들어 보자.

A. 명사구

I like *to swim.* 《이 to swim은 like 다음에 와서 I like *Tom.*의 Tom과 같이 명사의 구실을 하고 있다.》

Traveling around the world is fun. 《Traveling around the world는 전체가 한 덩어리가 되어, *Reading* is fun.의 Reading과 같은 구실을 하는 것으로서 명사구이다.》

B. 형용사구

I want something *to eat.* 《이 to eat는 I want something *clean.*의 clean과 같은 구실을 하는 것으로서 형용사구이다.》

The book *on the desk* is mine. 《on the desk는 뒤에 걸려 있지만 a *big* book의 big과 같이 book을 설명하고 있는 것으로서 형용사구이다.》

C. 부사구

We stayed there *for over four* hours. 《for over four hours는 We stayed there *long.*의 long과 같이 동사에 걸리는 부사의 구실을 하고 있는 것으로서 부사구이다.》

They went *to the park* to play baseball. 《to play baseball이 한덩어리가 되어서 부사의 구실을 하여 went에 걸려 있다. 따라서 to play baseball이나 to the park은 다같이 부사구이다.》

By using a tape recorder, they succeeded in catching the sound. 《By using a tape recorder는 succeeded에 걸리는 부사구이다. catching the sound는 in에 계속되는 명사구이다.》

to play baseball, using a tape recorder, catching the sound 따위를 잘 보면 「동사＋목

「적어」의 관계로 되어 있는 것을 알 수 있다. 이와 같이 구 중에서도 기본적인 어순은 원칙과 같음을 알아 둘 필요가 있다.

D. to+동사의 원형

구의 예문 중에 「to+동사의 원형」이 명사의 구실을 하기도 하고, 형용사의 구실 혹은 부사의 구실을 하고 있는 것을 알았을 줄로 믿는다. to+동사의 원형은 이와 같이 잘 쓰이는 것이어서 이것에 특별한 이름을 붙여 「부정사」라고 한다. 다음에 그 예를 살펴보자.

(a) 명사적 용법

I want *to go to the United States.* 나는 미국에 가고 싶다. 《to go가 명사의 구실로 want의 목적어가 되고 있다.》

We began *to play the guitar.* 우리들은 기타를 치기 시작하였다.

(b) 형용사적 용법

Every student has much *to do.* 어느 학생이나 할 일이 많이 있다. 《to do가 형용사의 구실로 much를 꾸미고 있다.》

We had nothing *to say.* 우리들은 말할 것이 아무것도 없었다.

(c) 부사적 용법

He went to his teacher *to say good-bye.* 그는 작별을 고하러 선생님에게 갔다. 《to say good-bye가 부사적 용법으로 went의 목적(무엇 때문에 갔는지)을 나타내고 있다.》

The book was too difficult *to read.* 그 책은 읽기에 너무 어려웠다.

E. 전치사

전치사란 We *go to* school every day.의 to나, They live

on Fifth Street.의 on, 혹은 A girl was standing *beside* the desk.의 beside와 같은 것을 말한다.

to+동사의 원형인 부정사가 하나의 구를 만들어 여러 가지 구실을 하는 것처럼, 전치사는 그 뒤에 계속되는 말과 함께 구를 만들어 형용사와 같은 구실을 하거나 부사와 같은 구실을 한다.

(a) 형용사구

Everybody in the room

was tall. 방에 있는 사람은 모두 키가 컸다.

The captain of the team

was very brave. 그 팀의 주장은 매우 용감하였다.

The boy from South

America spoke very fast. 남아메리카에서 온 그 소년은 매우 빠르게 말을 했다.

(b) 부사구

We found many books in

the room. 우리들은 방에 많은 책이 있는 것을 알았다.

They played cards till mid-

night. 그들은 밤중까지 트럼프를 하였다.

I get up at 7 every morn-

ing. 매일 아침 7시에 일어난다.

2. 절(節)

절이란 그 자체에 주어와 동사가 있는 문장의 형식을 하고 있지만, 보다 큰 문장의 일부분으로서 명사나 형용사, 부사와 같은 구실을 하고 있는 것을 말한다.

A. 명사절

I know *that Mary is beautiful.* 메리가 아름답다는 것을 나는 알고 있다.

이 문장 중의 that 이하는 Mary is beautiful.이라는 완전한 문장이 되어 있다. 그러나 이것은 I know *Mr. Green.*의 Mr. Green과 같은 것이다. 따라서 that 이하는 명사절이다. 명사절의 예를 더 들어 보자.

Do you remember *who told you that?* 누가 그것을 너에게 말했는지 기억하고 있느냐?

I don't know *if he will come again.* 그가 또 올는지도 모른다.

B. 부사절

If he comes again, ask him to do it. 그가 또 오거든 그것을 하도록 부탁하여라 《부사절은 앞에 오는 수도 있고 뒤에 오는 수도 있다. 따라서 위의 문장은 Ask him to do it *if he comes again.*과 같이 말할 수도 있다》.

When she was in the country, she saw that kind of bird. 시골에 있을 때 그녀는 그런 종류의 새를 보았다.

Tom ate a lot that night *because he was very hungry.* 톰은 그 날 밤에 배가 몹시 고팠기 때문에 많이 먹었다.

Though they were honest, they didn't tell the truth. 그들은 정직하였지만 진실을 말하지 않았다.

Mother finished her work *while the children were asleep.* 아이들이 다 자는 동안에 어머니는 일을 끝마쳤다.

절의 맨 앞에 있어서 그 뒤에 계속되는 절을 한 묶음으로 하는 구실을 하는 말을 「접속사」라고 한다. 명사절을 만드는 that, if, 부사절을 만드는 if, when, because, though, while 따위는 어느 것이나 접속사이다. 또 문장과 문장, 낱말과 낱말을 연결하는 and나 but도 접속사이다.

C. 형용사절

형용사절이 되는 것은 관계 대명사나 관계 부사로 이끌리는 문장이다. 「관계 대명사」나 「관계 부사」의 절이 형용사처럼 앞에 있는 명사(이것을 「선행사」라고 한다)를 꾸미기 때문이다.

Do you know a man *who will give us a speech tonight?* 오늘 밤에 우리들에게 연설을 해 줄 사람을 알고 있느냐?

I didn't notice the black thing *that was coming down.* 나는 내려오고 있던 시커먼 물체를 알아채지 못하였다.

This is the letter *which I wrote yesterday.* 이것은 내가 어제 쓴 편지다.

The girl *whose name is Judy* can speak Korean well. 이름이 주디인 그 소녀는 한국말을 잘 할 줄 안다.

That afternoon we visited a place *where strange things were sold.* 그 날 오후에 우리는 진귀한 물건을 팔고 있는 곳을 찾아갔다.

I will wait for the day *when we can meet again.* 다시 만날 날을 기다리겠다.

수 읽기

1. 기수와 서수

기수(Cardinals)			서수(Ordinals)	
1	one	I〔i〕	1st	first
2	two	II〔ii〕	2nd	second
3	three	III〔iii〕	3rd	third
4	four	IV〔iv〕	4th	fourth
5	five	V〔v〕	5th	fifth
6	six	VI〔vi〕	6th	sixth
7	seven	VII〔vii〕	7th	seventh
8	eight	VIII〔viii〕	8th	eighth
9	nine	IX〔ix〕	9th	ninth
10	ten	X〔x〕	10th	tenth
11	eleven	XI〔xi〕	11th	eleventh
12	twelve	XII〔xii〕	12th	twelfth
13	thirteen	XIII〔xiii〕	13th	thirteenth
14	fourteen	XIV〔xiv〕	14th	fourteenth
15	fifteen	XV〔xv〕	15th	fifteenth
16	sixteen	XVI〔xvi〕	16th	sixteenth
17	seventeen	XVII〔xvii〕	17th	seventeenth
18	eighteen	XVIII〔xviii〕	18th	eighteenth
19	nineteen	XIX〔xix〕	19th	nineteenth
20	twenty	XX〔xx〕	20th	twentieth
21	twenty-one	XXI〔xxi〕	21st	twenty-first
22	twenty-two	XXII〔xxii〕	22nd	twenty-second
23	twenty-three	XXIII〔xxiii〕	23rd	twenty-third
30	thirty	XXX〔xxx〕	30th	thirtieth
40	forty	XL〔xl〕	40th	fortieth
50	fifty	L〔l〕	50th	fiftieth
60	sixty	LX〔lx〕	60th	sixtieth
70	seventy	LXX〔lxx〕	70th	seventieth
80	eighty	LXXX〔lxxx〕	80th	eightith
90	ninety	XC〔xc〕	90th	ninetieth
100	one hundred	C〔c〕	100th	(one) hundredth
101	one hundred (and) one	CI〔ci〕	101st	(one) hundred and first
500	five hundred	D〔d〕	500th	five hundredth
1,000	one thousand	M〔m〕	1,000th	(one) thousandth

2. 만 이상의 수

    10,000(만) ········ten thousand
   100,000(십만) ······one hundred thousand
 1,000,000(백만) ······one million
 10,000,000(천만) ······ten million
100,000,000(억) ·······one hundred million
     9,123,456 ···········nine million, one hundred and
                         twenty-three thousand, four hurdred
                         and fifty-six.
10억 이상의 큰 수에 대해서는 《영》, 《미》에서 읽는 방식이 다르다.
   10억 《영》 one thousand million   《미》 one billion
  100억 《영》 ten thousand million   《미》 ten billion
1,000억 《영》 one hundred thousand million 《미》 one hundred
                                                billion
     1조 《영》 one billion   《미》 one trillion

3. 분 수(**Fractions**)

분수는 분자를 먼저 기수로 읽고, 그 다음에 분모를 서수로 읽는다.

$\frac{1}{2}$=a[one] half $\frac{1}{3}$=a third $\frac{1}{4}$=a quarter

$\frac{4}{5}$=four-fifths $6\frac{7}{8}$=six and seven-eighths

$\frac{115}{894}$=one hundred and fifteen over[by] eight hundred and
       ninety-four

4. 소 수(**Decimals**)

15.23=fifteen point [decimal] two three
 0.045=point zero [naught] four five
67.89=sixty-seven point eight nine

5. 수 식(**Expressions**)

8+4=12   Eight plus four equals twelve.
7−2=5   Seven minus two is equal to five.
          또는, Two from seven leaves five.
9×3=27   Nine times three is twenty-seven.
24÷8=3   Twenty-four divided by eight makes three.

$(8+6\frac{5}{8}-3.88\times4)\div2\frac{1}{5}$ eight plus six and five-eigths minus

three point eight eight multplied by
four, all divided by two and a fifth.

$3:6=4:8$ Three is to six as four is to eight.

또는, The ratio of three to six equals the ratio
of four to eight.

x^2 x square 또는 x squared y^3y cube 또는 y cubed

z^4 z (raised) to the fourth (power)

$a^2+2b=6$ a squared and two times b makes six.

$\sqrt{380}$ the square [second] root of 380

$\sqrt[3]{500}$ the cube [third] root of 500

6. 시 간(**time**)

8.30 a.m.=eight thirty a.m.

       또는, half past(=《미》after) eight a.m. (오전 8시 30분)

5.45 p.m.=five forty-five p.m. (오후 5시 45분)

       또는, a quarter to (=《미》before) six p.m. (오후 6시
15분 전) 또는, 《미》a quarter of six p.m.

7. 연 · 월 · 일(**Date**)

4 / 5 / 2003=April (the) fifth, two thousand three(미국식)

15 / 8 / 1945(또는 15 Ⅷ 45)=the fifteenth of August, nineteen
forty-five(유럽식)

《주의》 로마 숫자로 1996년은 MCMXCVI이 된다.

(「1. 기수와 서수」참조).

8. 화 폐(**Money**)

영국 화폐 $\frac{1}{2}$ p=a halfpenny[héipəni]

        $\frac{1}{4}$ p=a farthing

        4 / 6=4s. 6p=four (shillings) and six (pence)

        £3 2s. 4p= three pounds two (shillings) and four
(pence)

미국 화폐 $5.20=five dollars (and) twenty (cents)

한국 화폐 ₩2,315.00=two thousand three hundred and fif-
teen won 《주의》 한국 화폐의 won은 복수로
쓰지 않는다.

9. 도량형(**Weights and Measures**)

길이   6ft. 8 in.=six feet eight inches

넓이   30×18 feet=thirty by eighteen feet 또는, thirty feet by
eighteen

부피 $7'' \times 5'' \times 2\frac{1}{3}''$=seven inches by five by two and a third

액량(液量)   2gal. 3qt. 1pt=two gallons three quarts one pint

무게   10 lbs. 6 oz.=ten pounds six ounces

      8 cwt. 3 lbs.=eight hundredweights three pounds

10. 전화 번호 (Telephone Numbers)

숫자는 보통 하나하나 기수로 읽는데, 두 개씩 묶어서 읽는 것이 알아
듣기 쉽다. 국번을 넣을 때는 보통 번호의 앞 또는 뒤에 덧붙여 읽는다.

0306=o[ou] three, o six 또는, naught three, naught six

703-6544=seven O[ou] three, six five, four four

《주의》 숫자를 하나하나의 기수로 읽을 경우라도 5113을 five, double
one, three와 같이 읽지는 않는다.

불규칙 동사표

원 형	과 거	과거 분사	원 형	과 거	과거 분사
arise	arose	arisen	cut	cut	cut
awake	awoke	awoke	deal[2]	dealt	dealt
		awaked	dig	dug	dug
be(am, is,	was, were	been	do,does	did	done
are)			draw	drew	drawn
bear[2]	bore	borne,born	dream	dreamed,	dreamed,
beat	beat	beaten,		dreamt	dreamt
		beat	drink	drank	drunk
become	became	become	drive	drove	driven
begin	began	begun	eat	ate	eaten
bend	bent	bent	fall	fell	fallen
bet	bet	bet	feed	fed	fed
bind	bound	bound	feel	felt	felt
bite	bit	bitten, bit	fight	fought	fought
bleed	bled	bled	find	found	found
blow	blew	blown	flee	fled	fled
break	broke	broken	fling	flung	flung
breed	bred	bred	fly[1]	flew	flown
bring	brought	brought	forbid	forbade,	forbidden
broadcast	broadcast,	broadcast,		forbad	
	broad-	broad-	forget	forgot	forgotten,
	casted	casted			forgot
build	built	built	forgive	forgave	forgiven
burn	burned,	burned,	freeze	froze	frozen
	burnt	burnt	get	got	got, gotten
burst	burst	burst	give	gave	given
buy	bought	bought	go	went	gone
can[1]	could	——	grind	ground	ground
cast	cast	cast	grow	grew	grown
catch	caught	caught	hang	hung	hung
choose	chose	chosen	have, has	had	had
cling	clung	clung	hear	heard	heard
come	came	come	hide	hid	hidden,hid
cost	cost	cost	hit	hit	hit
creep	crept	crept	hold[1]	held	held

원 형	과 거	과거 분사	원 형	과 거	과거 분사
hurt	hurt	hurt	rise	rose	risen
keep	kept	kept	run	ran	run
kneel	knelt	knelt	say	said	said
knit	knitted, knit	knitted, knit	see	saw	seen
			seek	sought	sought
know	knew	known	sell	sold	sold
lay¹	laid	laid	send	sent	sent
lead¹	led	led	set	set	set
leap	leaped, leapt	leaped, leapt	sew	sewed	sewed, sewn
leave	left	left	shake	shook	shaken
lend	lent	lent	shall	should	——
let	let	let	shave	shaved	shaved, shaven
lie¹	lay	lain			
light¹	lighted,lit	lighted,lit	shear	sheared	sheared, shorn
lose	lost	lost			
make	made	made	shed	shed	shed
may	might	——	shine	shone	shone
mean¹	meant	meant	shoot	shot	shot
meet	met	met	show	showed	shown
mistake	mistook	mistaken	shrink	shrank, shrunk	shrunk, shrunken
misunder-stand	misunder-stood	misunder-stood			
			shut	shut	shut
mow	mowed	mowed, mown	sing	sang	sung
			sink	sank,sunk	sunk
overcome	overcame	overcome	sit	sat	sat
overhear	overheard	overheard	sleep	slept	slept
oversleep	overslept	overslept	slide	slid	slid
overtake	overtook	overtaken	smell	smelled, smelt	smelled, smelt
pay	paid	paid			
prove	proved	proved, proven	sow	sowed	sowed, sown
put	put	put	speak	spoke	spoken
quit	quit, quitted	quit, quitted	speed	sped, speeded	sped, speeded
read	read	read	spend	spent	spent
repay	repaid	repaid	spill	spilled, spilt	spilled, spilt
rid	rid	rid			
ride	rode	ridden	spin	spun	spun
ring²	rang	rung	split	split	split

원 형	과 거	과거 분사	원 형	과 거	과거 분사
spoil	spoiled, spoilt	spoiled, spoilt	tell	told	told
			think	thought	thought
spread	spread	spread	throw	threw	thrown
spring	sprang, sprung	sprung	thrust	thrust	thrust
			tread	trod	trodden, trod
stand	stood	stood			
steal	stole	stolen	understand	understood	understood
stick	stuck	stuck	undertake	undertook	undertaken
sting	stung	stung	upset	upset	upset
strike	struck	struck	wake	waked, woke	waked, woken
strive	strove	striven			
swear	swore	sworn	wear	wore	worn
sweep	swept	swept	weave	wove	woven, wove
swell	swelled	swollen		weaved	
swim	swam	swum	weep	wept	wept
swing	swung	swung	will[1]	would	——
take	took	taken	win	won	won
teach	taught	taught	wind[2]	wound	wound
tear[2]	tore	torn	write	wrote	written

❖ 민중서림의 사전 ❖

사전명	판형	면수
• 국 어 대 사 전	4×6배판	4,784면
• 엣센스 국어사전	4×6판	2,856면
• 엣센스 영한사전	4×6판	2,936면
• 엣센스 한영사전	4×6판	2,704면
• 엣센스 영영한사전	4×6판	2,048면
• 엣센스 일한사전	4×6판	2,848면
• 엣센스 한일사전	4×6판	2,136면
• 엣센스 독한사전	4×6판	2,784면
• 엣센스 한독사전	4×6판	2,104면
• 엣센스 불한사전	4×6판	2,208면
• 엣센스 中韓辭典	4×6판	3,344면
• 엣센스 스페인어사전	4×6판	1,816면
• 엣센스 한서사전	4×6판	2,776면
• 엣센스 국어사전 [가죽]	4×6판	2,856면
• 엣센스 영한사전 [가죽]	4×6판	2,936면
• 엣센스 한영사전 [가죽]	4×6판	2,704면
• 엣센스 국어사전 [특장판]	국판	3,080면
• 엣센스 영한사전 [특장판]	국판	3,272면
• 엣센스 한영사전 [특장판]	국판	3,032면
• 엣센스 일한사전 [특장판]	국판	3,328면
• 엣센스 한일사전 [특장판]	국판	2,552면
• 엣센스 中國語辭典 [특장판]	국판	3,344면
• 신 일 한 사 전 [예해]	4×6판	1,154면
• 신 한 일 사 전 [예해]	4×6판	1,168면
• 엣센스 실용일한사전	4×6판	1,864면
• 엣센스 日本語漢字읽기사전	4×6판	2,080면
• 일본外來語·カタカナ語사전	4×6판	1,536면
• 포 켓 영 한 사 전	3×6판	976면
• 포 켓 한 영 사 전	3×6판	928면
• 포 켓 영한·한영사전	3×6판	1,904면
• 포 켓 한 서 사 전	3×6판	1,096면
• 포 켓 스 페 인 어 사 전	3×6판	1,184면
• 엣센스 신일한소사전 [포켓판]	3×6판	1,056면
• 엣센스 신한일소사전 [포켓판]	3×6판	1,120면
• 엣센스 일한·한일사전 [포켓판]	3×6판	2,176면
• 엣센스 新韓中소사전 [포켓판]	3×6판	416면
• 엣센스 韓中활용사전	3×6판	1,184면
• 신 영 한 소 사 전	3×5판	976면
• 신 한 영 소 사 전	3×5판	928면
• 핸 디 영 한 사 전	3×5판	976면
• 핸 디 한 영 사 전	3×5판	928면
• 핸디영한·한영사전	3×5판	1,904면
• 신 일 한 소 사 전	3×5판	1,056면
• 신 한 일 소 사 전	3×5판	1,120면
• 일 한 · 한 일 사 전	3×5판	2,176면
• 신 독 한 소 사 전	3×5판	720면
• 신 한 독 소 사 전	3×5판	544면
• 독 한 · 한 독 사 전	3×5판	1,264면
• 신 불 한 소 사 전	3×5판	832면
• 한 독 사 전	신국판	2,104면
• 漢 韓 大 字 典	국판	2,528면
• 漢 韓 大 字 典	크라운판	2,528면
• 민 중 活 用 玉 篇	3×5판	832면
• 最 新 弘 字 玉 篇	4×6판	960면
• 단 위 어 사 전	신국판	872면
• 엣 센 스 한 자 사 전	4×6판	2,448면
• 엣센스 기초한자사전	4×6판	608면
• 엣센스 실용한자사전	3×5판	1,380면
• 민 중 실 용 국 어 사 전	4×6판	1,832면
• 초등학교 으뜸국어사전	3×5판	1,072면
• 초등학교 민중새국어사전	3×5판	1,024면
• 영 어 사 용 법 사 전	국판	1,752면
• 엣센스 칼리지영한사전	4×6판	2,072면
• 엣센스 실용영한사전	4×6판	1,888면
• 엣센스 실용한영사전	4×6판	1,936면
• 엣센스 영어숙어사전	국판	1,440면
• 엣센스 실용영어회화사전	국판	1,400면
• 엣센스 생활영어회화	국판	720면
• 엣센스 실용포르투갈어회화사전	4×6판	884면
• 엣센스 여행7개국어회화	4×6판	576면
• 엣센스 실용일본어회화사전	4×6판	1,240면
• 엣센스 현대중국어회화사전	국판	1,270면
• 고교영어 담숙문어어법 총정리	3×5판	1,176면
• 엣센스 수능영어사전	4×6판	960면
• 엣센스 어린이영어사전	국판	544면
• 엣센스 초등영어사전	크라운판	488면
• 엣센스 초등한자사전	크라운판	424면
• 엣센스 중학수학풀이사전	4×6배판	712면
• 엣센스 중학영한사전	4×6판	1,088면
• 러한 전문용어사전	4×6판	760면

THE UNITED KINGDOM
OF GREAT BRITAIN
AND NORTHERN IRELAND

SHETLAND
ISLANDS

ORKNEY
ISLANDS

North Sea

SCOTLAND

HEBRIDES

Loch Ness

○ Inverness
○ Aberdeen

Dundee ○ **GREAT
BRITAIN**

Glasgow ○
● Edinburgh

○ Londonderry

○ Newcastl
upon Ty

**NORTHERN
IRELAND** ● Belfast

○ York

Bradford ○ ○ Leeds

ISLE OF MAN
Irish Sea

Manchester ○
○ Sheffiel

Liverpool ○ ○

○ Nottingl

Chester ○

EN

IRELAND

WALES

Birmingham ○

○ Oxfor

Cardiff ●
○ Bristol *River*

○ Sou

Atlantic Ocean

ISLE OF W

○
Plymouth

English Channel

★ 수도
● 주도
○ 주요 도시